JN219855

人身《にんじん》受《う》け難《がた》し、いますでに受《う》く。仏法《ぶっぽう》聞《き》き難《がた》し、いますでに聞《き》く。この身《み》今生《こんじょう》において度《ど》せずんば、さらにいずれの生《しょう》においてかこの身《み》を度《ど》せん。大衆《だいしゅ》もろともに、至心《ししん》に三宝《さんぼう》に帰依《きえ》し奉《たてまつ》るべし。

自《みずか》ら仏《ぶつ》に帰依《きえ》したてまつる。まさに願《ねが》わくは衆生《しゅじょう》とともに、大道《だいどう》を体解《たいげ》して、無上意《むじょうい》を発《おこ》さん。

自《みずか》ら法《ほう》に帰依《きえ》したてまつる。まさに願《ねが》わくは衆生《しゅじょう》とともに、深《ふか》く経蔵《きょうぞう》に入《い》りて、智慧《ちえ》海《うみ》のごとくならん。

自《みずか》ら僧《そう》に帰依《きえ》したてまつる。まさに願《ねが》わくは衆生《しゅじょう》とともに、大衆《だいしゅ》を統理《とうり》して、一切無碍《いっさいむげ》ならん。

無上甚深微妙《むじょうじんじんみみょう》の法《ほう》は、百千万劫《ひゃくせんまんごう》にも遭遇《あいあ》うこと難《かた》し。我《われ》いま見聞《けんもん》し受持《じゅじ》することを得《え》たり。願《ねが》わくは如来《にょらい》の真実義《しんじつぎ》を解《げ》したてまつらん。

真宗聖典

〔第二版〕

凡例

一　本聖典は、浄土真宗の主要な聖教、その領解に関わる著作を収録し、これらを通して教法聞思の歩みを進めることを願いとするものである。

二　収録した聖教・著作には、成立した時代状況を背景とする表現において、人権・病気・障がい・ジェンダー等の視点から、現在、私たちが課題として受け止めていくべきものがある。教法を聞思する者一人一人がそれらの課題性をよく学び、自らの課題として深めていくことが求められる。

三　収録した聖教・著作の本文は以下の通り扱った。

1　本文は凡例五～九によって表記し、句読点、典拠や要語への括弧を補い、適宜改行を加えた。

2　底本が漢文のものは書き下し文で示した。

3　割注はポイントを下げ一行にして示した。

4　底本の欠損箇所・判読不明の箇所は□で示した。

四　本文に以下のものを併せ示した。

1　「浄土三部経」・『願生偈』・『帰三宝偈』は本文の上段に漢文を示しふりがなを付した。また「浄土三部経」には底本（蔵版）の句切点「。」「。」を示した。

2　宗祖撰述の漢文聖教の御自釈・偈文は、本文の下段に漢文を示し、現行表記法による返り点を適宜付した。送り仮名は本文に譲り省略し、必要最小限の句読点・括弧を付すに止めた。

3　宗祖撰述・書写の聖教に記される左訓を、見開き左端の左訓一覧に示した。

五　漢字は以下の方針によって扱った。

1　「浄土三部経」・『願生偈』・『帰三宝偈』の漢文は、底本の字体を正字体に統一した。

2　前項以外の聖教・著作の漢字は、文意・語義をふまえて現行漢和辞書の見出し字の字体とした。また別字であるが底本において同字として用いられる字も同様に扱った。

例　按（推考の意）→案　挍（比較の意）→校
惓（「うむ」の意）→倦　惻（「はかる」の意）→測
慛（「くだく」の意）→摧　籍（「よる」の意）→藉
忻→欣　渜・輭→軟　惣・揔・總→総

廿→二十　卅→三十　　蜜→密（顕蜜→顕密）
密→蜜（六波羅密→六波羅蜜）
廻・迴・囘→回　　著・箸→著　等

3　語義・術語・本文の注記内容に関わる字は、底本の字体をそのまま用いた。

六　仮名遣いは以下の方針によって扱った。

1　歴史的仮名遣いは現代仮名遣いに直し、現行のひらがな字体で表記した。なお校注に底本の歴史的仮名遣いをそのまま示した場合がある。

2　底本の音便表記は、そのまま現代仮名遣いに直すことを原則としたが、音便にともなう語のうち、現在使用されることが稀であると判断されるもの、特殊な音便形と判断されるものは、音便に転ずる以前の語形で示した場合がある。

例　マフアフテ・マウアフテ（まうあうて）→もうおうて
行シタマフシ（ぎょうじたまうし）→行じたまいし
飛フテ（とうで）→飛びて
学フテ（まのうで）→学びて　等

3　促音便の無表記と考えられる語に促音「っ」を補った場合がある。

例　モテ→もって　　アマサエ→あまっさえ　等

4　拗音の直音表記は、拗音で表記した場合がある。

例　証《ソウ》（ソウ）→しょう　　註《ツウ》（ツウ）→ちゅう
述《スチ》（ズチ）→じゅつ
すそう（スゾウ）→しゅじょう（衆生）　等

5　現在「う」「ん」の音に転じている「む」は「う」「ん」と表記した。

例　むまる→うまる　　らむ→らん　等

6　現代仮名遣いに直した時、一般に用いられない語は通行の表記とした。また、必要に応じて現行古語辞書の同義の見出し語とした。

例　アフク（おうぐ）→あおぐ
オホヨス（おおよす）→おおよそ　等

7　畳字「〻」「々」「ヽ」「ゝ」「〱」は相当する字・語・句を連記した。連記による表記が慣用的でないと判断される場合は「々」のまま表記した場合がある。また、漢字の連記を「々」に直した場合がある。

例　門〻→門門　　篤敬三々宝々→篤敬三宝三宝
ツヽ→つつ　　まゝ→まま

アナカシコ〳〵→あなかしこ、あなかしこ

云云・云々→云々　等

七　漢文は以下の方針によって書き下した。

1　底本の訓点に忠実に、可能な限り漢字を用いて書き下した。

2　音便に転ずる以前の語形によって書き下すことを原則とし、底本の訓点の用例をふまえて必要最小限の送り仮名・助詞を補うに止めた。

例　由《テ》→由《よ》りて　随《テ》→随いて　等

3　訓点の改訂にともない、底本に複数の訓点が確認される箇所、訓点改訂の状況、書き下しに用いなかった訓点、また対校本の訓点を参照した箇所は、特に必要とされる場合のみ注記した。

4　『教行信証（坂東本）』の欠損箇所に文字・訓の一部が確認できる場合は、それにより書き下した（『顕浄土真実教行証文類　翻刻篇』参照）。また欄外の注記は、対象文字の直後に〔　〕で括って示したが、読みやすさを考慮し対象の字を含む語の直後とした場合がある。

5　和文の底本における漢文で訓点が付されるものは書き下し、原漢文であることを注記した（和讃を除く）。

八　和文は以下の方針によって扱った。

1　「浄土三部経」本文の底本で和文による延べ書きは、仮名表記を蔵版の漢字の現行字体に適宜改めた（浄土三部経解題参照）。

2　底本の送り仮名の表記に揺れがある場合、現行の送り仮名に統一した。

3　漢字の補助動詞「奉・候・申・侍」は送り仮名を添えて表記した。

例　奉→奉る　候→候う　候トモ→候えども　等

九　ふりがなは以下の方針によって扱った。

1　「浄土三部経」・『願生偈』・『帰三宝偈』の漢文のふりがなは、当派依用音を参照したが読法上のよみそのままとせず現在慣用のよみを示した。

例　設我得仏　せつがとくぶ→せつがとくぶつ

菩薩　ぼさッ・ぼさ→ぼさつ

十万億　じゅうまんのく→じゅうまんおく

設有大火　せッつだいくわ→せつうだいか　等

2　底本に記されるふりがなを振ることを原則とし、必要に応じて対校本を参照した（三帖和讃の読法音は声明集・勤行集で確認されたい）。なお底本のふりがなの訓注を示す「反」の字、及び複数記される同一のふりがなは省略した。

3　ふりがなの清濁音は、底本に付される声点や古辞書・現行の古語辞書を参照した。

例　本師源空《ホンシクエンク》→ほんじげんくう
述懐→しゅっかい　談合→だんこう　等

4　底本に示されるふりがなが一般的でないと判断されるものは現在慣用されるよみを示した。

例　涅槃《ネチハン》→ねはん　宿善《シフセン》→しゅくぜん　等

5　連声について、現在慣用される語は連声音によって示した。慣用されず共有されにくいと判断されるものは一般的なよみを示した（これらを連声音によってよむことは差し支えない）。

例　連声の表記とした語
安慰《あんに》・安穏《あんのん》・安養《あんにょう》・因縁《いんねん》・感応《かんのう》・三有《さんぬ》・親友《しんぬ》・
深遠《じんのん》・歎異《たんに》・仏慧《ぶって》・仏恩《ぶっとん》・輪回《りんね》・
及び固有名詞（観音《かんのん》・天輪王《てんりんのう》・梵天王《ぼんてんのう》）
一般的なよみを示した語
三悪趣《さんまくしゅ》→さんあくしゅ　仏意《ぶっち》→ぶつい
密意《みっち》→みつい　善悪《ぜんまく》・善悪《ぜんなく》→ぜんあく　等

6　底本に短音で表記されるふりがなは現在慣用されるよみを示した。

例　暴《ホ》→ぼう　真宗《シンシユ》→しんしゅう
虚空《コク》→こくう　数箇条《スカテウ》→すうかじょう　等

7　「衆」の字は、声明・拝読文の読法において「シュー」の長音の発声となる場合があるが、聖教の語のふりがなは呉音「シュ」により統一した。なお、一般の慣用語と判断される語について漢音「シュウ」により示した場合がある。

例　衆生→しゅじょう　大衆→だいしゅ
菩薩衆→ぼさつしゅ　聖衆→しょうじゅ
御門徒衆→ごもんとしゅう　等

8　数詞は、底本に「一《ツ》」「一ツ」とある場合は本文に「一《ひと》つ」と示した。その他の場合はよみの目安としてふりがなに「いち」「ひとつ」等のよみを適宜付した（いずれのよみも許容される）。

例　一者・一者《ニ》・一には→一《ひとつ》には
一つには→一《ひと》つには　一あり→一《いち》あり　等

9　『浄土和讃』冒頭『讃阿弥陀仏偈』の仏号に付さ

れる通数、及び『歎異抄』・『執持鈔』・『口伝鈔』・『改邪鈔』・『蓮如上人御一代記聞書』の各条の冒頭に記される「一」のふりがな「ひとつ」、及び各条の通数を示す漢字のふりがなは省略した。

一〇　左訓は以下の方針によって扱った。

1　宗祖撰述・書写の聖教の左訓は、左訓が付される本文の字・語・句の右傍に見開きの二頁ごとに丸数字で番号を付し、左端の左訓一覧に「番号」「対象文字・語・句」「左訓」を示し、領解の一助となるよう漢字表記、脱字と考えられる字を（　）で括り適宜補った。なお、和讃の全体に関わる左訓の見出しには首数を示した。

例　本文　⑪婆伽婆《ばかば》を帰命《きみょう》せよ

　　左訓一覧　⑪**婆伽婆**…ほとけのみな（御名）なり

2　『教行信証（坂東本）』の左訓のうち、本文のふりがなに示した左訓は左訓一覧には省略した。またふりがなに示さず、かつ左訓と異なる右訓は冒頭に「＊」を付し、語末を「／」で区切って示した。

例　本文　⑥最第一《さいだいいち》

　　左訓一覧　⑥**最**…＊すぐる／もっとも

　　右訓「すぐる」左訓「もっとも」

3　『教行信証（坂東本）』の欠損箇所を補った対校本の左訓は〈　〉で括って示した。

4　『浄土文類聚鈔』底本において右訓のふりがなが左訓に重複して記されるものは省略し、一々を注記しない。

5　『教行信証』・和讃を除く宗祖撰述・書写聖教の対校本の左訓、及びそれ以外の収録聖教・著作の底本・対校本の左訓は校注に原表記で示し、必要に応じて現代仮名遣いによる表記を添えた。

二　各聖教・著作に記される奥書はポイントを下げて示し、白文にはゴチック体で返り点を付した。

三　領解の一助となるよう次の事項を本文に補記した（以下の例参照）。

(1)典拠・人名——又言わく（大経）　聖人（法然）

(2)四十八願の各願、及び和讃・御消息・御文等の通数・本文中の条数——（1）、(一)

(3)仮名書きの語句の傍注——おろか（疎）に　よう（様）ある

(4)和暦年と西暦年との対応——建長七歳（一二五五）

(5)御消息の仮名書きの人名への傍点（一部漢字も含

む）・傍注――しょうしんの御ぼう　しんらん（親鸞）

(6)「浄土三部経」・『教行信証』の科文番号――

[1]我聞きたまえき　[1]竊かに以みれば

(7)底本・対校本の校異、典拠等、本文に関わる注記事項を示す校注番号――　[2]弥陀の

一三　巻末に付録を置き、以下の内容を収録した。

(1)「浄土三部経」科文

(2)『教行信証』科文

(3)四十八願名

(4)御文各通呼称

(5)解題・校注

(6)年表

一四　収録聖教・著作のうち、本凡例に加え独自の編集方針を立てたものは、その内容を付録(5)解題に示した。

一五　出典を示すにあたり略記する必要がある場合は以下の通りとした（三部経・七祖の著作をはじめに掲げ、他は大正大蔵経のテキストナンバーに準じて配列し、首題と尾題が異なる場合は首題のみを示した）。

仏説無量寿経→大経

仏説観無量寿経→観経

仏説阿弥陀経→阿弥陀経

無量寿如来会（大宝積経巻十七・十八）→如来会

仏説無量清浄平等覚経→平等覚経

仏説阿弥陀三耶三仏薩楼仏檀過度人道経→過度人道経

称讃浄土仏摂受経→称讃浄土経

龍樹　十住毘婆沙論→十住論

天親　無量寿経優婆提舎願生偈→浄土論・論

曇鸞　無量寿経優婆提舎願生偈註→浄土論註・論註

善導　観経玄義分→観経疏玄義分・玄義分

観経序分義→観経疏序分義・序分義

観経正宗分定善義→観経疏定善義・定善義

観経正宗分散善義→観経疏散善義・散善義

観念阿弥陀仏相海三昧功徳法門→観念法門

転経行道願往生浄土法事讃→法事讃

往生礼讃偈→往生礼讃

依観経等明般舟三昧行道往生讃→般舟讃

源空　選択本願念仏集→選択集

摩訶般若波羅蜜経→大品般若経

妙法蓮華経→法華経

大薩遮尼乾子所説経→薩遮尼乾子経

大方広仏華厳経→華厳経
勝鬘師子吼一乗大方便方広経→勝鬘経
観世音菩薩授記経→観音授記経
大般涅槃経→涅槃経
大方等大集経→大集経
大方広十輪経→十輪経
大乗大集地蔵十輪経→地蔵十輪経
薬師琉璃光如来本願功徳経→本願薬師経
維摩詰所説経→維摩経
大仏頂如来密因修証了義諸菩薩万行首楞厳経→首楞厳経
十往生阿弥陀仏国経→十往生経
阿毘達磨倶舎論→倶舎論
阿毘達磨倶舎論本頌→倶舎論本頌
金剛頂瑜伽中発阿耨多羅三藐三菩提心論→発菩提心論
大乗起信論→起信論
憬興　無量寿経連義述文賛→述文賛
吉蔵　観無量寿経義疏→吉蔵観経義疏
元照　観無量寿仏経義疏→観経義疏・元照観経義疏
戒度　霊芝観経義疏正観記→観経義疏正観記
阿弥陀経義疏聞持記→聞持記

用欽　阿弥陀経義疏超玄記→超玄記
基　観弥勒上生兜率天経賛→弥勒上生経疏
慧沼　金光明最勝王経疏→最勝王経疏
道宣　四分律刪繁補闕行事鈔→四分律行事鈔
湛然　止観輔行伝弘決→止観輔行
従義　天台四教儀集解→四教儀集解
懐感　釈浄土群疑論→群疑論
王日休　龍舒増広浄土文→龍舒浄土文
法照　浄土五会念仏略法事儀讃→五会法事讃
慧皎　高僧伝→梁高僧伝
円照　貞元新定釈教目録→貞元釈教録
隆寛　一念多念分別事→分別事
親鸞聖人血脈文集→血脈文集

目次

佛說《ぶっせつ》無量壽經卷上《むりょうじゅきょうかんじょう》

曹魏天竺三藏康僧鎧譯《そうぎてんじくさんぞうこうそうがいやく》

我聞如是《がもんにょぜ》。一時佛《いちじぶつ》。住王舍城《じゅうおうしゃじょう》。耆闍崛山中《ぎしゃくっせんじゅう》。與大比丘衆《よだいびくしゅ》。萬二千人倶《まんにせんにんく》。一切大聖《いっさいだいしょう》。神通已達《じんずういだつ》。其名曰《ごみょうわつ》。尊者了本際《そんじゃりょうほんざい》。尊者正願《そんじゃしょうがん》。尊者正語《そんじゃしょうご》。尊者大號《そんじゃだいごう》。尊者仁賢《そんじゃにんげん》。尊者離垢《そんじゃりく》。尊者名聞《そんじゃみょうもん》。尊者善實《そんじゃぜんじつ》。尊者具足《そんじゃぐそく》。尊者牛王《そんじゃごおう》。尊者優樓頻蠃迦葉《そんじゃうるびんらかしょう》。尊者伽耶迦葉《そんじゃがやかしょう》。尊者那提迦葉《そんじゃなだいかしょう》。尊者摩訶迦葉《そんじゃまかかしょう》。尊者舍利弗《そんじゃしゃりほつ》。尊者大目犍連《そんじゃだいもっけんれん》。尊者劫賓那《そんじゃこうひんな》。尊者大住《そんじゃだいじゅう》。尊者大淨志《そんじゃだいじょうし》。尊者摩訶周那《そんじゃまかしゅな》。尊者滿願子《そんじゃまんがんし》。尊者離障《そんじゃりしょう》。尊者流灌《そんじゃるかん》。尊者堅伏《そんじゃけんぶく》。尊者面《そんじゃめん》

仏説《ぶっせつ》無量寿経巻上《むりょうじゅきょうかんじょう》

曹魏天竺三蔵康僧鎧《そうぎてんじくさんぞうこうそうがい》訳《やく》す

1 [1]我《われ》聞《き》きたまえき、[2]是《か》くの如《ごと》き。[3]一時《ひととき》、[4]仏《ぶつ》、[5]王舎城《おうしゃじょう》耆闍崛山《ぎしゃくっせん》の中《うち》に住《じゅう》したまいき。[6]大比丘衆《だいびくしゅ》、万二千人《まんにせんにん》と倶《とも》なりき。一切《いっさい》の大聖《だいしょう》、神通已《じんずうすで》に達《たっ》せりき。其《そ》の名《な》をば、尊者了本際《そんじゃりょうほんざい》・尊者正願《そんじゃしょうがん》・尊者正語《そんじゃしょうご》・尊者大号《そんじゃだいごう》・尊者仁賢《そんじゃにんげん》・尊者離垢《そんじゃりく》・尊者名聞《そんじゃみょうもん》・尊者善実《そんじゃぜんじつ》・尊者具足《そんじゃぐそく》・尊者牛王《そんじゃごおう》・尊者優楼頻蠃迦葉《そんじゃうるびんらかしょう》・尊者伽耶迦葉《そんじゃがやかしょう》・尊者那提迦葉《そんじゃなだいかしょう》・尊者摩訶迦葉《そんじゃまかかしょう》・尊者舎利弗《そんじゃしゃりほつ》・尊者大目犍連《そんじゃだいもっけんれん》・尊者劫賓那《そんじゃこうひんな》・尊者大住《そんじゃだいじゅう》・尊者大浄志《そんじゃだいじょうし》・尊者摩訶周那《そんじゃまかしゅな》・尊者満願子《そんじゃまんがんし》・尊者離障《そんじゃりしょう》・尊者流灌《そんじゃるかん》・尊者堅伏《そんじゃけんぶく》・尊者面王《そんじゃめんのう》・尊者異乗《そんじゃいじょう》・尊者仁性《そんじゃにんしょう》・尊者嘉楽《そんじゃからく》・尊者善来《そんじゃぜんらい》・尊者羅云《そんじゃらうん》・尊者阿難《そんじゃあなん》と曰《い》いき。皆《みな》、斯等《かく》の如《ごと》き上首《じょうしゅ》たる者《ひと》なり。

王《のう》。尊者異乘《そんじゃいじょう》。尊者仁性《そんじゃにんしょう》。尊者嘉《そんじゃか》樂《らく》。尊者善來《そんじゃぜんらい》。尊者羅云《そんじゃらうん》。尊者阿難《そんじゃあなん》。

皆如斯等《かいにょしとう》。上首者也《じょうしゅしゃや》。

又與大乘《うよだいじょう》。衆菩薩俱《しゅぼさつく》。普賢菩薩《ふげんぼさつ》。妙《みょう》德菩薩《とくぼさつ》。慈氏菩薩等《じしぼさつとう》。此賢劫中《しげんごうちゅう》。一《いっ》切菩薩《さいぼさつ》。又賢護等《うげんごとう》。十六正士《じゅうろくしょうじ》。善思《ぜんし》議菩薩《ぎぼさつ》。信慧菩薩《しんねぼさつ》。空無菩薩《くうむぼさつ》。神通華《じんずうけ》菩薩《ぼさつ》。光英菩薩《こうおうぼさつ》。慧上菩薩《えじょうぼさつ》。智幢菩《ちどうぼ》薩《さつ》。寂根菩薩《じゃつこんぼさつ》。願慧菩薩《がんねぼさつ》。香象菩薩《こうぞうぼさつ》。寶英菩薩《ほうおうぼさつ》。中住菩薩《ちゅうじゅうぼさつ》。制行菩薩《せいぎょうぼさつ》。解脱菩薩《げだつぼさつ》。皆遵普賢《かいじゅんふげん》。大士之德《だいじしとく》。具《ぐ》諸菩薩《しょぼさつ》。無量行願《むりょうぎょうがん》。安住一切《あんじゅういっさい》。功《く》德之法《どくしほう》。遊歩十方《ゆぶじっぽう》。行權方便《ぎょうごんほうべん》。入佛《にゅうぶつ》法藏《ほうぞう》。究竟彼岸《くきょうひがん》。於無量世界《おむりょうせかい》。現《げん》成等覺《じょうとうがく》。處兜率天《しょとそってん》。弘宣正法《ぐせんしょうぼう》。捨彼《しゃひ》天宮《てんぐう》。降神母胎《ごうしんもたい》。從右脇生《じゅううきょうしょう》。現行《げんぎょう》

---

[7]又《また》、大乗《だいじょう》の衆《もろもろ》の菩薩《ぼさつ》と倶《とも》なりき。[8]普賢菩薩《ふげんぼさつ》と妙徳菩《みょうとくぼ》薩《さつ》となり。慈氏菩薩等《じしぼさつとう》の此《こ》の賢劫《げんごう》の中《なか》の一切《いっさい》の菩薩《ぼさつ》に、又《また》、賢護等《げんごとう》の十六《じゅうろく》の正士《しょうじ》ありにき。善思議菩薩《ぜんしぎぼさつ》・信慧菩薩《しんねぼさつ》・空《くう》無菩薩《むぼさつ》・神通華菩薩《じんずうけぼさつ》・光英菩薩《こうおうぼさつ》・慧上菩薩《えじょうぼさつ》・智幢菩薩《ちどうぼさつ》・寂《じゃっ》根菩薩《こんぼさつ》・願慧菩薩《がんねぼさつ》・香象菩薩《こうぞうぼさつ》・宝英菩薩《ほうおうぼさつ》・中住菩薩《ちゅうじゅうぼさつ》・制《せい》行菩薩《ぎょうぼさつ》・解脱菩薩《げだつぼさつ》なり。

[9]皆《みな》、普賢大士《ふげんだいじ》の徳《とく》に遵《したが》って、諸《もろもろ》の菩薩《ぼさつ》の無量《むりょう》の行願《ぎょうがん》を具《ぐ》し、一切功徳《いっさいくどく》の法《ほう》に安住《あんじゅう》せり。十方《じっぽう》に遊歩《ゆぶ》して権方便《ごんほうべん》を行《ぎょう》じ、仏法《ぶっぽう》の蔵《ぞう》に入《い》りて彼岸《ひがん》を究竟《くきょう》し、無量《むりょう》の世界《せかい》に於《お》いて現《げん》じて等覚《とうがく》を成《じょう》じたまう。兜率天《とそってん》に処《しょ》して正法《しょうぼう》を弘《ぐ》宣《せん》し、彼《か》の天宮《てんぐう》を捨《す》てて、神《じん》を母胎《もたい》に降《くだ》す。右脇《うきょう》より生《しょう》じて現《げん》じて七歩《しちぶ》を行《ぎょう》ず。光明顕曜《こうみょうけんよう》にして普《あまね》く[2]十方無量《じっぽうむりょう》の仏土《ぶつど》を照《て》らしたまう。六種《ろくしゅ》に震動《しんどう》す。声《こえ》を挙《あ》げて自《みずか》ら称《とな》う、

七歩《しちぶ》。光明顯曜《こうみょうけんよう》。普照十方《ふしょうじっぽう》。無量《むりょう》佛土《ぶつど》。六種震動《ろくしゅしんどう》。擧聲自稱《こしょうじしょう》。吾當於《ごとうお》世《せ》。爲無上尊《いむじょうそん》。釋梵奉侍《しゃくぼんぶじ》。天人歸仰《てんにんきごう》。示現算計《じげんさんげ》。文藝射御《もんげいしゃご》。博綜道術《はくそうどうじゅつ》。貫《かん》練群籍《れんぐんじゃく》。遊於後園《ゆおこうえん》。講武試藝《こうむしげい》。現處《げんしょ》宮中《くじゅう》。色味之間《しきみしけん》。見老病死《けんろうびょうし》。悟世非《ごせひ》常《じょう》。棄國財位《きこくざいい》。入山學道《にっせんがくどう》。服乘白馬《ぶくじょうはくば》。寶冠瓔珞《ほうかんようらく》。遣之令還《けんしりょうげん》。捨珍妙衣《しゃちんみょうえ》。而《に》著法服《じゃくほうぶく》。剃除鬚髮《たいじょしゅほつ》。端坐樹下《たんざじゅげ》。勤苦《ごんく》六年《ろくねん》。行如所應《ぎょうにょしょおう》。現五濁刹《げんごじょくせつ》。隨順《ずいじゅん》群生《ぐんじょう》。示有塵垢《じうじんく》。沐浴金流《もくよくこんる》。天按樹《てんあんじゅ》枝《し》。得攀出池《とくへんしゅっち》。靈禽翼從《れいきんよくじゅう》。往詣道《おうげいどう》場《じょう》。吉祥感徵《きちじょうかんちょう》。表章功祚《ひょうしょうくそ》。哀受《あいじゅ》施艸《せそう》。敷佛樹下《ふぶつじゅげ》。跏趺而坐《かふにざ》。奮大光《ふんだいこう》明《みょう》。使魔知之《しまちし》。魔率官屬《まそつかんぞく》。而來逼試《にらいひっし》。制以智力《せいいちりき》。皆令降伏《かいりょうごうぶく》。得微妙法《とくみみょうほう》。

「吾《われ》、当《まさ》に世《よ》に於《お》いて無上尊《むじょうそん》と為《な》るべし」と。釈《しゃく》・梵《ぼん》、奉《ぶ》侍《じ》し、天《てん》・人《にん》、帰仰《きごう》す。算計《さんげ》・文芸《もんげい》・射《しゃ》・御《ご》を示現《じげん》して、博《ひろ》く道術《どうじゅつ》を綜《なら》い群籍《ぐんじゃく》を貫練《かんれん》したまう。後園《こうえん》に遊《あそ》んで武《む》を講《こう》じ芸《げい》を[3]試《こころ》みる。現《げん》じて宮中《くちゅう》・色味《しきみ》の間《あいだ》に処《しょ》して、老《ろう》・病《びょう》・死《し》を見《み》て世《よ》の非常《ひじょう》を悟《さと》る。国《くに》の財位《ざいい》を棄《す》てて、山《やま》に入《い》りて道《どう》を学《がく》したまう。服乗《ぶくじょう》の白馬《はくば》・宝冠《ほうかん》・瓔珞《ようらく》、之《これ》を遣《つか》わして還《かえ》さしむ。珍妙《ちんみょう》の衣《ころも》を捨《す》てて法服《ほうぶく》を着《き》る。鬚髪《しゅほつ》を剃除《たいじょ》したまい、樹下《じゅげ》に端坐《たんざ》し勤苦《ごんく》したまうこと六年《ろくねん》なり。行《ぎょう》、所応《しょおう》の如《ごと》くまします。五濁《ごじょく》の刹《くに》に現《げん》じて群生《ぐんじょう》に随順《ずいじゅん》す。塵垢《じんく》有《あ》りと示《しめ》して、金流《こんる》に沐浴《もくよく》す。天《てん》、樹《うえき》の枝《えだ》を按《お》して、池《いけ》より攀出《へんしゅつ》することを得《え》しむ。霊禽《れいきん》、翼従《よくじゅう》して道場《どうじょう》に往《おう》詣《げい》す。吉祥《きちじょう》、感徴《かんちょう》して功祚《くそ》を表章《ひょうしょう》す。哀《あわれ》みて施草《せそう》を受《う》けて仏樹《ぶつじゅ》の下《もと》に敷《し》き、跏趺《かふ》して而《しか》も坐《ざ》す。大光明《だいこうみょう》を奮《ふる》って、魔《ま》をして之《これ》を知《し》らしむ。魔《ま》、官属《かんぞく》を率《ひき》いて、来《き》たりて逼《せ》め[4]試《こころ》みる。制《せい》するに智力《ちりき》を以《もっ》てして、皆降伏《みなごうぶく》せしむ。微妙《みみょう》の法《ほう》を得《え》て最正覚《さいしょうがく》を成《な》る。釈《しゃく》・梵《ぼん》、祈勧《きかん》して転法輪《てんぼうりん》を請《しょう》じ

成最正覺《じょうさいしょうがく》。釋梵祈勸《しゃくぼんきかん》。請轉法輪《しょうてんぼうりん》。以佛遊步《いぶつゆぶ》。佛吼而吼《ぶつくにく》。扣法鼓《くほっく》。吹法蠃《すいほうら》。執法劍《しゅうほうけん》。建法幢《こんぼうどう》。震法雷《しんぼうらい》。曜法電《ようほうでん》。澍法雨《じゅほうう》。演法施《えんほっせ》。常以法音《じょういほうおん》。覺諸世間《かくしょせけん》。光明普照《こうみょうふしょう》。無量佛土《むりょうぶつど》。一切世界《いっさいせかい》。六種震動《ろくしゅしんどう》。總攝魔界《そうしょうまかい》。動魔宮殿《どうまくでん》。衆魔慴怖《しゅまじっぷ》。莫不歸伏《まくふきぶく》。摑裂邪網《かくれつじゃもう》。消滅諸見《しょうめつしょけん》。散諸塵勞《さんしょじんろう》。壞諸欲塹《えしょよくぜん》。嚴護法城《ごんごほうじょう》。開闡法門《かいせんほうもん》。洗濯垢汚《せんだくくわ》。顯明清白《けんみょうしょうびゃく》。光融佛法《こうゆうぶっぽう》。宣流正化《せんるしょうけ》。入國分衛《にっこくぶんえ》。獲諸豐膳《ぎゃくしょぶぜん》。貯功德《ちょくどく》。示福田《じふくでん》。欲宣法《よくせんぼう》。現欣笑《げんごんしょう》。以諸法藥《いしょほうやく》。救療三苦《くりょうさんく》。顯現道意《けんげんどうい》。無量功德《むりょうくどく》。授菩薩記《じゅぼさつき》。成等正覺《じょうとうしょうがく》。示現滅度《じげんめつど》。拯濟無極《じょうさいむごく》。消除諸漏《しょうじょしょろ》。植衆德本《じきしゅとくほん》。具足功德《ぐそくくどく》。微妙難量《みみょうなんりょう》。遊諸佛國《ゆしょぶっこく》。普現道敎《ふげんどうきょう》。其所修《ごしょしゅ》

たてまつる。仏《ぶつ》の遊歩《ゆぶ》を以《もっ》て、仏《ぶつ》の吼《く》をして吼《く》す。法鼓《ほっく》を扣《たた》き、法蠃《ほうら》を吹《ふ》く。法剣《ほうけん》を執《と》り、法幢《ほうどう》を建《た》て、法雷《ほうらい》を震《ふる》い、法《ほう》電《でん》を曜《かがや》かし、法雨《ほうう》を澍《そそ》ぎ、法施《ほうせ》を演《の》ぶ。常《つね》に法音《ほうおん》を以《もっ》て、諸《もろもろ》の世間《せけん》に覚《さと》らしむ。光明《こうみょう》、普《あまね》く無量仏土《むりょうぶつど》・一切世界《いっさいせかい》を照《て》らし六種《ろくしゅ》に震動《しんどう》す。総《すべ》て魔界《まかい》を摂《せっ》して、魔《ま》の宮殿《くでん》を動《どう》ず。衆魔《しゅま》、慴怖《じっぷ》して帰伏《きぶく》せざるは莫《な》し。邪網《じゃもう》を摑裂《かくれつ》し、諸見《しょけん》を消滅《しょうめつ》す。諸《もろもろ》の塵労《じんろう》を散《さん》じ、諸《もろもろ》の欲塹《よくぜん》を壊《え》し、法城《ほうじょう》を厳《ごん》護《ご》して、法門《ほうもん》を開闡《かいせん》す。垢汚《くわ》を洗濯《せんだく》して、清白《しょうびゃく》を顕明《けんみょう》す。仏法《ぶっぽう》を光融《こうゆう》して、正化《しょうけ》を宣流《せんる》す。国《くに》に入《い》りて分衛《ぶんえ》して、諸《もろもろ》の豊膳《ぶぜん》を獲《え》、功徳《くどく》を貯《たくわ》えて福田《ふくでん》を示《しめ》す。法《ほう》を宣《の》べんと欲《おぼ》して欣笑《ごんしょう》を現《げん》ず。諸《もろもろ》の法薬《ほうやく》を以《もっ》て三苦《さんく》を救療《くりょう》す。道意《どうい》無《む》量《りょう》の功徳《くどく》を顕現《けんげん》して、菩薩《ぼさつ》に記《き》を授《さず》け、等正覚《とうしょうがく》を成《な》り、滅《めつ》度《ど》を示現《じげん》すれども、拯済《じょうさい》すること極《きわ》まり無《な》し。諸漏《しょろ》を消除《しょうじょ》し、衆《もろもろ》の徳本《とくほん》を植《う》え、功徳《くどく》を具足《ぐそく》すること、微妙《みみょう》にして量《はか》り難《がた》し。諸仏《しょぶつ》の国《くに》に遊《あそ》びて、普《あまね》く道教《どうきょう》を現《げん》ず。其《そ》の修《しゅ》行《ぎょう》する所《ところ》、清浄《しょうじょう》にして穢《けがれ》無《な》し。譬《たと》えば幻師《げんし》の、衆《もろもろ》の

行《ぎょう》。清《しょう》淨《じょう》無《む》穢《え》。譬《ひ》如《にょ》幻《げん》師《し》。現《げん》衆《しゅ》異《い》像《ぞう》。爲《い》男《なん》爲《い》女《にょ》。無《む》所《しょ》不《ふ》變《へん》。本《ほん》學《がく》明《みょう》了《りょう》。在《ざい》意《い》所《しょ》爲《い》。此《し》諸《しょ》菩《ぼ》薩《さつ》。亦《やく》復《ぶ》如《にょ》是《ぜ》。學《がく》一《いっ》切《さい》法《ほう》。貫《かん》綜《そう》縷《る》練《れん》。所《しょ》住《じゅう》安《あん》諦《たい》。靡《み》不《ふ》致《ち》化《け》。無《む》數《しゅ》佛《ぶっ》土《ど》。皆《かい》悉《しつ》普《ふ》現《げん》。未《み》曾《ぞう》慢《まん》恣《し》。愍《みん》傷《しょう》衆《しゅ》生《じょう》。如《にょ》是《ぜ》之《し》法《ほう》。一《いっ》切《さい》具《ぐ》足《そく》。菩《ぼ》薩《さつ》經《きょう》典《でん》。究《く》暢《ちょう》要《よう》妙《みょう》。名《みょう》稱《しょう》普《ふ》至《し》。導《どう》御《ご》十《じっ》方《ぽう》。無《む》量《りょう》諸《しょ》佛《ぶつ》。咸《げん》共《ぐ》護《ご》念《ねん》。佛《ぶつ》所《しょ》住《じゅう》者《しゃ》。皆《かい》已《い》得《とく》住《じゅう》。大《だい》聖《しょう》所《しょ》立《りゅう》。而《に》皆《かい》已《い》立《りゅう》。如《にょ》來《らい》導《どう》化《け》。各《かく》能《のう》宣《せん》布《ぷ》。爲《い》諸《しょ》菩《ぼ》薩《さつ》。而《に》作《さ》大《だい》師《し》。以《い》甚《じん》深《じん》禪《ぜん》慧《え》。開《かい》導《どう》衆《しゅ》人《にん》。通《つう》諸《しょ》法《ほっ》性《しょう》。達《だっ》衆《しゅ》生《じょう》相《そう》。明《みょう》了《りょう》諸《しょ》國《こく》。供《く》養《よう》諸《しょ》佛《ぶつ》。化《け》現《げん》其《ご》身《しん》。猶《ゆ》如《にょ》電《でん》光《こう》。善《ぜん》學《がく》無《む》畏《い》之《し》網《もう》。曉《きょう》了《りょう》幻《げん》化《け》之《し》法《ほう》。壞《え》裂《れつ》魔《ま》網《もう》。解《げ》諸《しょ》纏《でん》縛《ばく》。超《ちょう》越《おつ》聲《しょう》聞《もん》。縁《えん》覺《がく》之《し》地《じ》。得《とく》空《くう》無《む》相《そう》。無《む》願《がん》三《ざん》昧《まい》。善《ぜん》立《りゅう》方《ほう》便《べん》。

異像《いぞう》を現《げん》じて、男《なん》と為《な》らしめ、女《にょ》と為《な》らしめ、変《へん》ぜざる所《ところ》無《な》し、本学明了《ほんがくみょうりょう》にして意《こころ》の所為《しょい》に在《あ》るが如《ごと》し。此《こ》の諸《もろもろ》の菩薩《ぼさつ》も亦復《またま》た是《か》くの如《ごと》し。一切《いっさい》の法《ほう》を学《まな》びて、貫綜縷練《かんそうるれん》す。所住《しょじゅう》、安諦《あんたい》にして、化《け》を無数《むしゅ》の仏土《ぶつど》に致《いた》さずということ靡《な》し。皆悉《みなことごと》く普《あまね》く現《げん》ず。未《いま》だ曾《かつ》て慢恣《まんし》せず、衆生《しゅじょう》を愍傷《みんしょう》す。是《か》くの如《ごと》きの法《ほう》、一切具足《いっさいぐそく》せり。菩薩《ぼさつ》の経典《きょうでん》、要妙《ようみょう》を究暢《くちょう》し、名称《みょうしょう》、普《あまね》く至《いた》りて、十方《じっぽう》を導御《どうご》す。無量《むりょう》の諸《しょ》仏《ぶつ》、咸共《みなとも》に護念《ごねん》したまう。仏《ぶつ》の所住《しょじゅう》の者《もの》、皆已《みなすで》に住《じゅう》することを得《え》たり。大聖《だいしょう》の所立《しょりゅう》は、而《しか》も皆已《みなすで》に立《りゅう》す。如来《にょらい》の導《どう》化《け》は、各《おの》おの能《よ》く宣布《せんぷ》して、諸《もろもろ》の菩薩《ぼさつ》の為《ため》に而《しか》も大師《だいし》と作《な》る。甚深《じんじん》の禅慧《ぜんえ》を以《もっ》て衆人《しゅにん》を開導《かいどう》す。諸法《しょほう》の性《しょう》を通《さと》り、衆《しゅ》生《じょう》の相《そう》に達《たっ》せり。明《あき》らかに諸国《しょこく》を了《さと》って、諸仏《しょぶつ》を供養《くよう》したてまつる。其《そ》の身《み》を化現《けげん》すること、猶《なお》し電光《でんこう》の如《ごと》し。善《よ》く無《む》畏《い》の網《もう》を学《まな》び、暁《あき》らかに幻化《げんけ》の法《ほう》を了《さと》る。魔網《まもう》を壊裂《えれつ》し、諸《もろもろ》の纏縛《てんばく》を解《と》く。声聞《しょうもん》・縁覚《えんがく》の地《じ》を超越《ちょうおつ》して、空《くう》・無《む》相《そう》・無願三昧《むがんざんまい》を得《え》たり。善《よ》く方便《ほうべん》を立《りゅう》して、三乗《さんじょう》を顕示《けんじ》し

顯示三乘《けんじさんじょう》。於此中下《おしちゅうげ》。而現滅度《にげんめつど》。亦《やく》無所作《むしょさ》。亦無所有《やくむしょう》。不起不滅《ふきふめつ》。得平等法《とくびょうどうほう》。具足成就《ぐそくじょうじゅ》。無量總持《むりょうそうじ》。百千《ひゃくせん》三昧《ざんまい》。諸根智慧《しょこんちえ》。廣普寂定《こうふじゃくじょう》。深入《じんにゅう》菩薩法藏《ぼさつほうぞう》。得佛華嚴三昧《とくぶつけごんざんまい》。宣暢演《せんちょうえん》說《ぜつ》。一切經典《いっさいきょうでん》。住深定門《じゅうじんじょうもん》。悉覩現《しつとげん》在《ざい》。無量諸佛《むりょうしょぶつ》。一念之頃《いちねんしきょう》。無不周徧《むふしゅへん》。濟諸劇難《さいしょぎゃくなん》。諸閑不閑《しょげんふげん》。分別顯示《ふんべつけんじ》。眞《しん》實之際《じつしさい》。得諸如來《とくしょにょらい》。辯才之智《べんざいしち》。入衆言《にっしゅごん》音《おん》。開化一切《かいけいっさい》。超過世間《ちょうかせけん》。諸所有法《しょしょうほう》。心常諦住《しんじょうたいじゅう》。度世之道《どせしどう》。於一切萬物《おいっさいまんもつ》。而隨意自在《にずいいじざい》。爲諸庶類《いしょしょるい》。作不請之友《さふしょうしう》。荷負群生《かふぐんじょう》。爲之重擔《いしじゅうたん》。受持如來《じゅじにょらい》。甚《じん》深法藏《じんほうぞう》。護佛種性《ごぶつしゅしょう》。常使不絕《じょうしふぜつ》。興大《こうだい》悲愍衆生《ひみんしゅじょう》。演慈辯授法眼《えんじべんじゅほうげん》。杜三趣開《とさんしゅかい》善門《ぜんもん》。以不請之法《いふしょうしほう》。施諸黎庶《せしょれいしょ》。如純《にょじゅん》

て、此《こ》の中下《ちゅうげ》に於《お》いて滅度《めつど》を現《げん》ずれども、亦所作《またしょさ》無《な》し、亦《また》所有《しょう》無《な》し。起《き》せず滅《めっ》せず、平等《びょうどう》の法《ほう》を得《え》たり。無量《むりょう》の総《そう》持《じ》・百千《ひゃくせん》の三昧《さんまい》を具足《ぐそく》し成就《じょうじゅ》す。諸根《しょこん》・智慧《ちえ》、広普寂定《こうふじゃくじょう》にして、深《ふか》く菩薩《ぼさつ》の法蔵《ほうぞう》に入《い》る。仏《ぶつ》の華厳三昧《けごんざんまい》を得《え》、一切《いっさい》の経典《きょうでん》を宣暢《せんちょう》し演説《えんぜつ》す。深定門《じんじょうもん》に住《じゅう》して悉《ことごと》く現在《げんざい》の無《む》量《りょう》の諸仏《しょぶつ》を観《み》たてまつる。一念《いちねん》の頃《あいだ》に周遍《しゅうへん》せざること無《な》し。諸《もろもろ》の劇難《ぎゃくなん》と諸《もろもろ》の閑《げん》・不閑《ふげん》とを済《すく》いて、真実《しんじつ》の際《さい》を分別《ふんべつ》し顕示《けんじ》す。諸《もろもろ》の如来《にょらい》の弁才《べんざい》の智《ち》を得《え》、衆《もろもろ》の言音《ごんおん》を入《さと》って、一切《いっさい》を開化《かいけ》す。世間《せけん》の諸《もろもろ》の所有《しょう》の法《ほう》に超過《ちょうか》して、心《こころ》常《つね》に諦《あき》らかに度世《どせ》の道《どう》に住《じゅう》す。一切《いっさい》の万物《まんもつ》に於《お》いて意《こころ》に随《したが》いて自在《じざい》なり。諸《もろもろ》の庶類《しょるい》の為《ため》に請《しょう》せざる友《とも》と作《な》る。群生《ぐんじょう》を荷負《かふ》して、之《これ》を重担《じゅうたん》とす。如来《にょらい》の甚深《じんじん》の法蔵《ほうぞう》を受持《じゅじ》し、仏《ぶつ》の種性《しゅしょう》を護《まも》りて常《つね》に絶《た》えざらしむ。大悲《だいひ》を興《おこ》して衆《しゅ》生《じょう》を愍《あわれ》み、慈弁《じべん》を演《の》べ、法眼《ほうげん》を授《さず》く。三趣《さんしゅ》を杜《ふさ》ぎて、善門《ぜんもん》を開《ひら》く。請《しょう》せざる法《ほう》を以《もっ》て諸《もろもろ》の黎庶《れいしょ》に施《ほどこ》すこと、純孝《じゅんきょう》の子《こ》の、父母《ぶも》を愛敬《あいきょう》するが如《ごと》し。諸《もろもろ》の衆生《しゅじょう》に於《お》いて、視《み》

孝之子《きょうしし》。愛敬父母《あいきょうぶも》。於諸衆生《おしょしゅじょう》。視若自己《しにゃくじこ》。一切善本《いっさいぜんぽん》。皆度彼岸《かいどひがん》。悉獲《しつぎゃく》諸佛《しょぶつ》。無量功德《むりょうくどく》。智慧聖明《ちえしょうみょう》。不可《ふか》思議《しぎ》。如是之等《にょぜしとう》。菩薩大士《ぼさつだいじ》。不可稱《ふかしょう》計《け》。一時來會《いちじらいえ》。

爾時世尊《にじせそん》。諸根悅豫《しょこんえつよ》。姿色淸淨《ししきしょうじょう》。光《こう》顏巍巍《げんぎぎ》。尊者阿難《そんじゃあなん》。承佛聖旨《じょうぶつしょうし》。卽《そく》從座起《じゅうざき》。偏袒右肩《へんだんうけん》。長跪合掌《ちょうきがっしょう》。而《に》白佛言《びゃくぶつごん》。今日世尊《こんにちせそん》。諸根悅豫《しょこんえつよ》。姿色《ししき》淸淨《しょうじょう》。光顏巍巍《こうげんぎぎ》。如明淨鏡《にょみょうじょうきょう》。影《よう》暢表裏《ちょうひょうり》。威容顯曜《いようけんよう》。超絕無量《ちょうぜつむりょう》。未《み》曾瞻覩《ぞうせんと》。殊妙如今《しゅみょうにょこん》。唯然大聖《ゆいねんだいしょう》。我心《がしん》念言《ねんごん》。今日世尊《こんにちせそん》。住奇特法《じゅうきどくほう》。今日世《こんにちせ》雄《おう》。住佛所住《じゅうぶつしょじゅう》。今日世眼《こんにちせげん》。住導師《じゅうどうし》行《ぎょう》。今日世英《こんにちせよう》。住最勝道《じゅうさいしょうどう》。今日天《こんにちてん》尊《そん》。行如來德《ぎょうにょらいとく》。去來現佛《こらいげんぶつ》。佛佛相念《ぶつぶつそうねん》。

そなわすこと、自己《じこ》の若《ごと》し。一切《いっさい》の善本《ぜんぽん》、皆《みな》彼岸《ひがん》に度《ど》す。悉《ことごと》く諸仏《しょぶつ》の無量《むりょう》の功徳《くどく》を獲《え》、智慧《ちえ》聖明《しょうみょう》にして不可思議《ふかしぎ》なり。10是《か》くの如《ごと》き等《ら》の菩薩《ぼさつ》・大士《だいじ》、称《あ》げて計《かぞ》うべからず。一時《いちじ》に来会《らいえ》せりき。

11爾《そ》の時《とき》に、世尊《せそん》、諸根悦予《しょこんえつよ》し姿色清浄《ししきしょうじょう》にして、光顔巍巍《こうげんぎぎ》とまします。12尊者阿難《そんじゃあなん》、仏《ぶつ》の聖旨《しょうし》を承《う》けて即《すなわ》ち座《ざ》より起《た》ち、偏《ひとえ》に右《みぎ》の肩《かた》を袒《かたぬ》ぎ、長跪合掌《ちょうきがっしょう》して仏《ぶつ》に白《もう》して言《もう》さく、「今日《きょう》、世尊《せそん》、諸根悦予《しょこんえつよ》し姿色清浄《ししきしょうじょう》にして、光顔巍巍《こうげんぎぎ》とまします。[5]明《あき》らかなる浄鏡《じょうきょう》の、表裏《ひょうり》に影暢《ようちょう》するが如《ごと》し。威容顕曜《いようけんよう》にして超絶《ちょうぜつ》したまえること無量《むりょう》なり。未《いま》だ曽《かつ》て瞻《せん》覩《と》せず、殊妙《しゅみょう》なること今《きょう》の如《ごと》くましますをば。唯《やや》然《しか》り、大聖《だいしょう》。我《わ》が心《しん》に念言《ねんごん》すらく、今日《きょう》、世尊《せそん》、奇特《きどく》の法《ほう》に住《じゅう》したまえり。今日《きょう》、世雄《せおう》、[6]仏《ぶつ》の所住《しょじゅう》に住《じゅう》したまえり。今日《きょう》、世眼《せげん》、導師《どうし》の行《ぎょう》に住《じゅう》したまえり。今日《きょう》、世英《せよう》、最勝《さいしょう》の道《どう》に住《じゅう》したまえり。今日《きょう》、天尊《てんそん》、如来《にょらい》の徳《とく》を行《ぎょう》じたまえり。

得無今佛《とくむこんぶつ》。念諸佛耶《ねんしよぶつや》。何故威神《がこいじん》。光光《こうこう》乃爾《ないに》。於是世尊《おぜせそん》。告阿難曰《ごうあなんわつ》。云何阿難《うんがあなん》。諸天教汝《しよてんきようによ》。來問佛耶《らいもんぶつや》。自以慧見《じいえけん》。問《もん》威顔乎《いげんこ》。阿難白佛《あなんびやくぶつ》。無有諸天《むうしよてん》。來教《らいきよう》我者《がしや》。自以所見《じいしよけん》。問斯義耳《もんしぎに》。佛言善《ぶつごんぜん》哉《ざい》。阿難所問甚快《あなんしよもんじんけ》。發深智慧《ほつじんちえ》。眞妙《しんみよう》辯才《べんざい》。愍念衆生《みんねんしゆじよう》。問斯慧義《もんしえぎ》。如來以《によらいい》無蓋大悲《むがいだいひ》。矜哀三界《こうあいさんがい》。所以出興於世《しよいしゆつこうおせ》。光闡道教《こうせんどうきよう》。欲拯群萠《よくじようぐんもう》。惠以眞實之利《えいしんじつしり》。無量億劫《むりようおつこう》。難値難見《なんちなんけん》。猶靈瑞華《ゆれいずいけ》。時《じ》時乃出《じないしゆつ》。今所問者《こんしよもんしや》。多所饒益《たしよによようやく》。開化《かいけ》一切《いつさい》。諸天人民《しよてんにんみん》。阿難當知《あなんとうち》。如來正《によらいしよう》覺《がく》。其智難量《ごちなんりよう》。多所導御《たしよどうご》。慧見無礙《えけんむげ》。無能遏絶《むのうあつぜつ》。以一餐之力《いいちざんしりき》。能住壽命《のうじゆうじゆみよう》。億百千劫《おくひやくせんごう》。無數無量《むしゆむりよう》。復過於此《ぶかおし》。諸《しよ》根悅豫《こんえつよ》。不以毀損《ふいきそん》。姿色不變《ししきふへん》。光顔無《こうげんむ》

去《こ》・来《らい》・現《げん》の仏《ぶつ》、仏《ぶつ》と仏《ぶつ》と相念《あいねん》じたまえり。今《いま》の仏《ぶつ》も諸仏《しよぶつ》を念《ねん》じたまうこと無《な》きことを得《え》んや。何《なに》が故《ゆえ》ぞ、威神光光《いじんこうこう》たること、乃《いま》し爾《しか》る」と。

13是《ここ》に世尊《せそん》、阿難《あなん》に告《つ》げて曰《のたま》わく、「云何《いかん》ぞ阿難《あなん》、諸天《しよてん》の汝《なんじ》を教《おし》えて仏《ぶつ》に来《き》たし問《と》わしむるや。自《みずか》ら慧見《えけん》を以《もつ》て威顔《いげん》を問《と》いたてまつるや。」14阿難《あなん》、仏《ぶつ》に白《もう》さく、「諸天《しよてん》の来《き》たりて我《われ》に教《おし》うる者《もの》、有《あ》ること無《な》し。自《みずか》ら所見《しよけん》を以《もつ》て斯《こ》の義《ぎ》を問《と》いたてまつるのみ」と。

15仏《ぶつ》の言《のたま》わく、「善《よ》きかなや、阿難《あなん》。問《と》いたてまつる所《ところ》、甚《はなは》だ快《こころよ》し。深《ふか》き智慧《ちえ》・真妙《しんみよう》の弁才《べんざい》を発《おこ》して、衆生《しゆじよう》を愍《みん》念《ねん》して斯《こ》の慧義《えぎ》を問《と》えり。如来《によらい》、7無蓋《むがい》の大悲《だいひ》を以《もつ》て三界《さんがい》を矜哀《こうあい》したまう。世《よ》に出興《しゆつこう》したまう所以《ゆえ》は、道教《どうきよう》を光闡《こうせん》して、群萠《ぐんもう》を拯《すく》い恵《めぐ》むに真実《しんじつ》の利《り》を以《もつ》てせんと欲《おぼ》してなり。無量《むりよう》億劫《おつこう》に値《あ》いたてまつること難《かた》く、見《み》たてまつること難《かた》し。霊《れい》瑞華《ずいけ》の、時《とき》あって時《とき》に乃《いま》し出《い》ずるが猶《ごと》し。今《いま》、問《と》える所《ところ》は饒益《にようやく》する所多《ところおお》し。一切《いつさい》の諸天《しよてん》・人民《にんみん》を開化《かいけ》す。阿難《あなん》、当《まさ》に

異《い》。所以者何《しょいしゃが》。如來定慧《にょらいじょうえ》。究暢無極《くちょうむごく》。於一切法《おいっさいほう》。而得自在《にとくじざい》。阿難諦聽《あなんたいちょう》。今《こん》爲汝說《いにょせつ》。對曰唯然《たいわつゆいねん》。願樂欲聞《がんぎょうよくもん》。

佛告阿難《ぶつごうあなん》。乃往過去《ないおうかこ》。久遠無量《くおんむりょう》。不《ふ》可思議《かしぎ》。無央數劫《むおうしゅこう》。錠光如來《じょうこうにょらい》。興出《こうしゅつ》於世《おせ》。教化度脱《きょうけどだつ》。無量衆生《むりょうしゅじょう》。皆令《かいりょう》得道《とくどう》。乃取滅度《ないしゅめつど》。次有如來《しうにょらい》。名曰光《みょうわつこう》遠《おん》。次名月光《しみょうがっこう》。次名梅檀香《しみょうせんだんこう》。次名《しみょう》善山王《ぜんせんのう》。次名須彌天冠《しみょうしゅみてんがん》。次名須彌等《しみょうしゅみとう》曜《よう》。次名月色《しみょうがっしき》。次名正念《しみょうしょうねん》。次名離《しみょうり》

知《し》るべし。如来《にょらい》の正覚《しょうがく》、其《そ》の智《ち》、量《はか》り難《がた》くして導御《どうご》したまう所多《ところおお》し。慧見無碍《えけんむげ》にして、能《よ》く遏絶《あつぜつ》すること無《な》し。一餐《いちざん》の力《ちから》を以《もっ》て、能《よ》く寿命《じゅみょう》を住《とど》めたまうこと、億百千劫無数《おくひゃくせんごうむしゅ》無量《むりょう》にして、復《ま》た此《こ》れよりも過《す》ぎたり。諸根悦予《しょこんえつよ》して以《もっ》て毀損《きそん》せず。姿色変《ししきへん》ぜず。光顔異《こうげんこと》なること無《な》し。所以《ゆえ》は何《いか》んとなれば、如来《にょらい》は定《じょう》・慧《え》、究暢《くちょう》したまえること極《きわ》まり無《な》し。一切《いっさい》の法《ほう》に於《お》いて自在《じざい》を得《え》たまえり。阿難《あなん》、諦《あき》らかに聴《き》け。今《いま》、汝《なんじ》が為《ため》に説《と》かん。」16対《こた》えて曰《い》わく、「唯然《ややしか》り。願楽《がんぎょう》して聞《き》きたまえんと欲《おも》う。」

17仏《ぶつ》、阿難《あなん》に告《つ》げたまわく、「乃往過去《ないおうかこ》、久遠無量不可思議《くおんむりょうふかしぎ》無央数劫《むおうしゅこう》に、錠光如来《じょうこうにょらい》、世《よ》に興出《こうしゅつ》して、無量《むりょう》の衆生《しゅじょう》を教化《きょうけ》し度脱《どだつ》して、皆《みな》、道《どう》を得《え》せしめて、乃《いま》し滅度《めつど》を取《と》りたまいき。次《つぎ》に如来有《にょらいましま》しき。名《な》をば光遠《こうおん》と曰《い》う。次《つぎ》をば月光《がっこう》と名《な》づく。次《つぎ》をば梅檀香《せんだんこう》と名《な》づく。次《つぎ》をば善山王《ぜんせんのう》と名《な》づく。次《つぎ》をば須弥天冠《しゅみてんがん》と名《な》づく。次《つぎ》をば須弥等曜《しゅみとうよう》と名《な》づく。次《つぎ》をば月色《がっしき》と名《な》づく。次《つぎ》をば正念《しょうねん》と名《な》づく。次《つぎ》をば離垢《りく》と名《な》づく。

垢《く》。次《し》名《みよう》無著《むじやく》。次《し》名《みよう》龍天《りゆうてん》。次《し》名《みよう》夜光《やこう》。次《し》名《みよう》安明頂《あんみようちよう》。次《し》名《みよう》不動地《ふどうじ》。次《し》名《みよう》瑠璃妙華《るりみようけ》。次《し》名《みよう》瑠璃金色《るりこんじき》。次《し》名《みよう》金藏《こんぞう》。次《し》名《みよう》焰光《えんこう》。次《し》名《みよう》焰根《えんこん》。次《し》名《みよう》地動《じどう》。次《し》名《みよう》月像《がつぞう》。次《し》名《みよう》日音《につとん》。次《し》名《みよう》解脱華《げだつけ》。次《し》名《みよう》莊嚴光明《しようごんこうみよう》。次《し》名《みよう》海覺神通《かいかくじんずう》。次《し》名《みよう》水光《すいこう》。次《し》名《みよう》大香《だいこう》。次《し》名《みよう》離塵垢《りじんく》。次《し》名《みよう》捨厭意《しやえんに》。次《し》名《みよう》寶焰《ほうえん》。次《し》名《みよう》妙頂《みようちよう》。次《し》名《みよう》勇立《ゆうりゆう》。次《し》名《みよう》功德《くどく》持慧《じえ》。次《し》名《みよう》蔽日月光《へいにちがつこう》。次《し》名《みよう》日月瑠璃光《にちがつるりこう》。次《し》名《みよう》無上瑠璃光《むじようるりこう》。次《し》名《みよう》最上首《さいじようしゆ》。次《し》名《みよう》菩提華《ぼだいけ》。次《し》名《みよう》月明《がつみよう》。次《し》名《みよう》日光《につこう》。次《し》名《みよう》華色王《けしきおう》。次《し》名《みよう》水月光《すいがつこう》。次《し》名《みよう》除癡瞑《じよちみよう》。次《し》名《みよう》度蓋行《どがいぎよう》。次《し》名《みよう》淨信《じようしん》。次《し》名《みよう》善宿《ぜんしゆく》。次《し》名《みよう》威神《いじん》。次《し》名《みよう》法慧《ほうえ》。次《し》名《みよう》鸞音《らんのん》。次《し》名《みよう》師子音《ししおん》。次《し》名《みよう》龍音《りゆうおん》。

次《つぎ》をば無著《むじゃく》と名《な》づく。次《つぎ》をば龍天《りゅうてん》と名《な》づく。次《つぎ》をば夜光《やこう》と名《な》づく。次《つぎ》をば安明頂《あんみょうちょう》と名《な》づく。次《つぎ》をば不動地《ふどうじ》と名《な》づく。次《つぎ》をば瑠璃妙華《るりみょうけ》と名《な》づく。次《つぎ》をば瑠璃金色《るりこんじき》と名《な》づく。次《つぎ》をば金蔵《こんぞう》と名《な》づく。次《つぎ》をば焔光《えんこう》と名《な》づく。次《つぎ》をば焔根《えんこん》と名《な》づく。次《つぎ》をば地動《じどう》と名《な》づく。次《つぎ》をば月像《がつぞう》と名《な》づく。次《つぎ》をば日音《にっとん》と名《な》づく。次《つぎ》をば解脱華《げだつけ》と名《な》づく。次《つぎ》をば荘厳光明《しょうごんこうみょう》と名《な》づく。次《つぎ》をば海覚神通《かいかくじんずう》と名《な》づく。次《つぎ》をば水光《すいこう》と名《な》づく。次《つぎ》をば大香《だいこう》と名《な》づく。次《つぎ》をば離塵垢《りじんく》と名《な》づく。次《つぎ》をば捨厭意《しゃえんに》と名《な》づく。次《つぎ》をば宝焔《ほうえん》と名《な》づく。次《つぎ》をば妙頂《みょうちょう》と名《な》づく。次《つぎ》をば勇立《ゆうりゅう》と名《な》づく。次《つぎ》をば功徳持慧《くどくじえ》と名《な》づく。次《つぎ》をば蔽日月光《へいにちがっこう》と名《な》づく。次《つぎ》をば日月瑠璃光《にちがつるりこう》と名《な》づく。次《つぎ》をば無上瑠璃光《むじょうるりこう》と名《な》づく。次《つぎ》をば最上首《さいじょうしゅ》と名《な》づく。次《つぎ》をば菩提華《ぼだいけ》と名《な》づく。次《つぎ》をば月明《がつみょう》と名《な》づく。次《つぎ》をば日光《にっこう》と名《な》づく。次《つぎ》をば華色王《けしきおう》と名《な》づく。次《つぎ》をば水月光《すいがっこう》と名《な》づく。次《つぎ》をば除痴瞑《じょちみょう》と名《な》づく。次《つぎ》をば度蓋行《どがいぎょう》と名《な》づく。次《つぎ》をば浄信《じょうしん》と名《な》づく。次《つぎ》をば善宿《ぜんしゅく》と名《な》づく。次《つぎ》をば威神《いじん》と名《な》づく。次《つぎ》をば法慧《ほうえ》と名《な》づく。次《つぎ》を

次名處世《しみょうしょせ》。如此諸佛《にょししょぶつ》。皆悉已過《かいしついか》。
爾時次有佛《にじしうぶつ》。名世自在王《みょうせじざいおう》。如來《にょらい》。應《おう》供《ぐ》。等正覺《とうしょうがく》。明行足《みょうぎょうそく》。善逝《ぜんぜい》。世間《せけん》解《げ》。無上士《むじょうじ》調御丈夫《じょうごじょうぶ》。天人師《てんにんし》。佛《ぶつ》。世尊《せそん》。時有國王《じうこくおう》。聞佛説法《もんぶつせっぽう》。心懷《しんえ》悦豫《えつよ》。尋發無上《じんほつむじょう》。正眞道意《しょうしんどうい》。棄國捐《きこくえん》王《おう》。行作沙門《ぎょうさしゃもん》。號曰法藏《ごうわつほうぞう》。高才勇哲《こうざいゆうてつ》。與世超異《よせちょうい》。詣世自在王如來所《けいせじざいおうにょらいしょ》。稽首《けいしゅ》佛足《ぶつそく》。右繞三帀《うにょうさんぞう》。長跪合掌《ちょうきがっしょう》。以頌《いじゅ》讃曰《さんわつ》。

光顔巍巍《こうげんぎぎ》　威神無極《いじんむごく》
如是焔明《にょぜえんみょう》　無與等者《むよとうしゃ》
日月摩尼《にちがつまに》　珠光焔耀《しゅこうえんよう》
皆悉隱蔽《かいしつおんぺい》　猶若聚墨《ゆにゃくじゅもく》

ば鸞音《らんのん》と名《な》づく。次《つぎ》をば師子音《ししおん》と名《な》づく。次《つぎ》をば龍音《りゅうおん》と名《な》づく。次《つぎ》をば処世《しょせ》と名《な》づく。此《か》くの如《ごと》きの諸仏《しょぶつ》、皆悉《みなことごと》く已《すで》に過《す》ぎたまいき。

[18]爾《そ》の時《とき》に次《つぎ》に仏有《ぶつまします》しき。世自在王如来《せじざいおうにょらい》・応供《おうぐ》・等正覚《とうしょうがく》・明行足《みょうぎょうそく》・善逝《ぜんぜい》・世間解《せけんげ》・無上士《むじょうじ》・調御丈夫《じょうごじょうぶ》・天人師《てんにんし》・仏《ぶつ》・世尊《せそん》と名《な》づけたてまつる。[19]時《とき》に国王有《こくおうまします》しき。仏《ぶつ》（世自在王仏）の説法《せっぽう》を聞《き》きて心《しん》に悦予《えつよ》を懐《いだ》き、尋《すなわ》ち無上正真道《むじょうしょうしんどう》の意《こころ》を発《おこ》しき。国《くに》を棄《す》て、王《おう》を捐《す》てて、行《ぎょう》じて沙門《しゃもん》と作《な》り、号《ごう》して法蔵《ほうぞう》と曰《い》いき。高才勇哲《こうざいゆうてつ》にして、世《よ》と超異《ちょうい》せり。[20]世《せ》自在王如来《じざいおうにょらい》の所《みもと》に詣《もう》でて、仏《ぶつ》の足《みあし》を稽首《けいしゅ》し、右《みぎ》に繞《めぐ》ること三帀《さんぞう》して、長跪《ちょうき》し合掌《がっしょう》して[21]頌《じゅ》を以《もっ》て讃《さん》じて曰《い》わく、

[22]光顔巍巍《こうげんぎぎ》として、威神極《いじんきわ》まり無《ましま》さず。
是《か》くの如《ごと》きの焔明《えんみょう》、与《とも》に等《ひと》しき者《もの》無《な》し。
日《にち》・月《がつ》・摩尼珠光《まにしゅこう》・焔耀《えんよう》も、
皆悉《みなことごと》く隠蔽《おんぺい》して、猶《なお》し聚墨《じゅもく》の若《ごと》し。

如《にょ》來《らい》容《よう》顔《げん》　超《ちょう》世《せ》無《む》倫《りん》
正《しょう》覺《がく》大《だい》音《おん》　響《こう》流《る》十《じっ》方《ぽう》
戒《かい》聞《もん》精《しょう》進《じん》　三《さん》昧《まい》智《ち》慧《え》
威《い》徳《とく》無《む》侶《りょ》　殊《しゅ》勝《しょう》希《け》有《う》
深《じん》諦《たい》善《ぜん》念《ねん》　諸《しょ》佛《ぶつ》法《ほう》海《かい》
窮《ぐ》深《じん》盡《じん》奧《のう》　究《く》其《ご》涯《がい》底《てい》
無《む》明《みょう》欲《よく》怒《ぬ》　世《せ》尊《そん》永《よう》無《む》
人《にん》雄《のう》師《し》子《し》　神《じん》徳《とく》無《む》量《りょう》
功《く》勳《くん》廣《こう》大《だい》　智《ち》慧《え》深《じん》妙《みょう》
光《こう》明《みょう》威《い》相《そう》　震《しん》動《どう》大《だい》千《せん》
願《がん》我《が》作《さ》佛《ぶつ》　齊《さい》聖《しょう》法《ほう》王《おう》
過《か》度《ど》生《しょう》死《じ》　靡《み》不《ふ》解《げ》脱《だつ》
布《ふ》施《せ》調《じょう》意《い》　戒《かい》忍《にん》精《しょう》進《じん》
如《にょ》是《ぜ》三《さん》昧《まい》　智《ち》慧《え》爲《い》上《じょう》
吾《ご》誓《せい》得《とく》佛《ぶつ》　普《ふ》行《ぎょう》此《し》願《がん》
一《いっ》切《さい》恐《く》懼《く》　爲《い》作《さ》大《だい》安《あん》

如来《にょらい》の容顔《ようげん》は、世《よ》に超《こ》えて倫《ともがら》無《な》し。
正覚《しょうがく》の大音《だいおん》、響《ひびき》、十方《じっぽう》に流《なが》る。
戒聞《かいもん》・精進《しょうじん》・三昧《さんまい》・智慧《ちえ》、
威徳《いとく》、侶《ともがら》無《な》し。殊勝希有《しゅしょうけう》なり。
深《ふか》く諦《あき》らかに善《よ》く諸仏《しょぶつ》の法海《ほうかい》を念《ねん》じ、
深《じん》を窮《きわ》め奥《おう》を尽《つ》くして、其《そ》の涯底《がいてい》を究《きわ》む。
無明《むみょう》・欲《よく》・怒《ぬ》、世尊《せそん》、永《なが》く無《まし》まさず。
人雄《にんのう》・師子《しし》、神徳無量《じんとくむりょう》なり。
功勲広大《くくんこうだい》にして、智慧深妙《ちえじんみょう》なり。
光明《こうみょう》・威相《いそう》、大千《だいせん》に震動《しんどう》す。
願《ねが》わくは我《われ》、作仏《さぶつ》して、聖法《しょうほう》の王《おう》と斉《ひと》しからん。
生死《しょうじ》を過度《かど》して、解脱《げだつ》せずということ靡《な》からしむ。
布施《ふせ》・調意《じょうい》・戒《かい》・忍《にん》・精進《しょうじん》、
是《か》くの如《ごと》きの三昧《さんまい》、智慧《ちえ》上《すぐ》れたりとせん。
吾誓《われちか》う、仏《ぶつ》を得《え》んに、普《あまね》く此《こ》の願《がん》を行《ぎょう》ぜん。
一切《いっさい》の恐懼《くく》に、為《ため》に大安《だいあん》を作《な》さん。

假《け》使《し》有《う》佛《ぶつ》　百《ひゃく》千《せん》億《おく》萬《まん》
無《む》量《りょう》大《だい》聖《しょう》　數《しゅ》如《にょ》恒《ごう》沙《じゃ》
供《く》養《よう》一《いっ》切《さい》　斯《し》等《とう》諸《しょ》佛《ぶつ》
不《ふ》如《にょ》求《ぐ》道《どう》　堅《けん》正《しょう》不《ふ》却《きゃく》
譬《ひ》如《にょ》恒《ごう》沙《じゃ》　諸《しょ》佛《ぶつ》世《せ》界《かい》
復《ぶ》不《ふ》可《か》計《け》　無《む》數《しゅ》刹《せっ》土《ど》
光《こう》明《みょう》悉《しっ》照《しょう》　徧《へん》此《し》諸《しょ》國《こく》
如《にょ》是《ぜ》精《しょう》進《じん》　威《い》神《じん》難《なん》量《りょう》
令《りょう》我《が》作《さ》佛《ぶつ》　國《こく》土《ど》第《だい》一《いち》
其《ご》衆《しゅ》奇《き》妙《みょう》　道《どう》場《じょう》超《ちょう》絶《ぜつ》
國《こく》如《にょ》泥《ない》洹《おん》　而《に》無《む》等《とう》雙《そう》
我《が》當《とう》哀《あい》愍《みん》　度《ど》脱《だつ》一《いっ》切《さい》
十《じっ》方《ぽう》來《らい》生《しょう》　心《しん》悅《えつ》清《しょう》淨《じょう》
已《い》到《とう》我《が》國《こく》　快《け》樂《らく》安《あん》穩《のん》
幸《こう》佛《ぶつ》信《しん》明《みょう》　是《ぜ》我《が》眞《しん》證《しょう》
發《ほっ》願《がん》於《お》彼《ひ》　力《りき》精《しょう》所《しょ》欲《よく》

仮使《たと》い仏《ぶつ》有《ましま》す、百千億万《ひゃくせんおくまん》、
無量《むりょう》の大聖《だいしょう》、数《かず》、恒沙《ごうじゃ》の如《ごと》くならん。
一切《いっさい》の斯《こ》れ等《ら》の諸仏《しょぶつ》を供養《くよう》せんよりは、
道《どう》を求《もと》めて、堅正《けんしょう》にして却《しりぞ》かざらんには如《し》かじ。
譬《たと》えば恒沙《ごうじゃ》の如《ごと》きの諸仏《しょぶつ》の世界《せかい》、
復《ま》た計《かぞ》うべからず。無数《むしゅ》の刹土《せつど》、
光明《こうみょう》悉《ことごと》く照《て》らして、此《こ》の諸《もろもろ》の国《くに》に遍《あまね》くせん。
是《か》くの如《ごと》く精進《しょうじん》にして、威神量《いじんはか》り難《がた》からん。
我《われ》、仏《ぶつ》に作《な》らん、国土《こくど》をして第一《だいいち》ならしめん。
其《そ》の衆《しゅ》、奇妙《きみょう》にして、道場《どうじょう》、超絶《ちょうぜつ》ならん。
国《くに》、泥洹《ないおん》の如《ごと》くして、等双無《とうそうな》けん。
我当《われまさ》に哀愍《あいみん》して、一切《いっさい》を度脱《どだつ》せん。
十方《じっぽう》より来生《らいしょう》せんもの、心悦《こころよろこ》ばしめて清浄《しょうじょう》ならん。
已《すで》に我《わ》が国《くに》に到《いた》りて、快楽安穏《けらくあんのん》ならん。
幸《ねが》わくは仏《ぶつ》、信明《しんみょう》したまえ。是《こ》れ我《わ》が真証《しんしょう》なり。
願《がん》を発《おこ》して彼《かしこ》に於《お》いて、所欲《しょよく》を力精《りきしょう》せん。

十方《じっぽう》世尊《せそん》　智慧《ちえ》無礙《むげ》
常令此尊《じょうりょうしそん》　知我心行《ちがしんぎょう》
假令身止《けりょうしんし》　諸苦毒中《しょくどくちゅう》
我行精進《がぎょうしょうじん》　忍終不悔《にんじゅふけ》

佛告阿難《ぶつごうあなん》。法藏比丘《ほうぞうびく》。説此頌已《せつしじゅい》。而《に》白佛言《びゃくぶつごん》。唯然世尊《ゆいねんせそん》。我發無上正覺《がほつむじょうしょうがく》之心《ししん》。願佛爲我《がんぶついが》。廣宣經法《こうせんきょうぼう》。我當修《がとうしゅ》行《ぎょう》。攝取佛國《せっしゅぶっこく》。清淨莊嚴《しょうじょうしょうごん》。無量《むりょう》妙土《みょうど》。令我於世《りょうがおせ》。速成正覺《そくじょうしょうがく》。拔諸《ばっしょ》生死《しょうじ》。勤苦之本《ごんくしほん》。佛語阿難《ぶつごあなん》。時世饒《じせにょう》王佛《おうぶつ》。告法藏比丘《ごうほうぞうびく》。汝所修行《にょしょしゅぎょう》。莊嚴《しょうごん》佛土《ぶつど》。汝自當知《にょじとうち》。比丘白佛《びくびゃくぶつ》。斯義弘《しぎぐ》深《じん》。非我境界《ひがきょうがい》。唯願世尊《ゆいがんせそん》。廣爲敷《こういふ》演《えん》。諸佛如來《しょぶつにょらい》。淨土之行《じょうどしぎょう》。我聞此已《がもんしい》。當如説修行《とうにょせつしゅぎょう》。成滿所願《じょうまんしょがん》。爾時世自在《にじせじざい》王佛《おうぶつ》。知其高明《ちごこうみょう》。志願深廣《しがんじんこう》。卽爲法《そくいほう》

十方《じっぽう》の世尊《せそん》、智慧無碍《ちえむげ》にまします。
常《つね》に此《こ》の尊《そん》をして、我《わ》が心行《しんぎょう》を知《し》らしめん。
仮令《たとい》身《み》を諸《もろもろ》の苦毒《くどく》の中《うち》に止《おわ》るとも、
我《わ》が行《ぎょう》、精進《しょうじん》にして、忍《しの》びて終《つい》に悔《く》いじ。」

[23]仏《ぶつ》、阿難《あなん》に告《つ》げたまわく、「法蔵比丘《ほうぞうびく》、此《こ》の頌《じゅ》を説《と》き已《おわ》りて、仏《ぶつ》（世自在王仏）に白《もう》して言《もう》さく、「唯然《ややしか》り、世尊《せそん》。我《われ》、無上正覚《むじょうしょうがく》の心《しん》を発《おこ》せり。願《ねが》わくは仏《ぶつ》、我《わ》が為《ため》に広《ひろ》く経法《きょうぼう》を宣《の》べたまえ。我当《われまさ》に修行《しゅぎょう》して仏国《ぶっこく》を摂取《せっしゅ》し、清浄《しょうじょう》に無《む》量《りょう》の妙土《みょうど》を荘厳《しょうごん》すべし。我《われ》、世《よ》に於《お》いて速《すみ》やかに正覚《しょうがく》を成《な》らしめて、諸《もろもろ》の生死《しょうじ》・勤苦《ごんく》の本《もと》を抜《ぬ》かしめん。」

仏《ぶつ》、阿難《あなん》に語《かた》りたまわく、「時《とき》に世饒王仏《せにょうおうぶつ》、法蔵比丘《ほうぞうびく》に告《つ》げたまわく、「[8]修行《しゅぎょう》せん所《ところ》の如《ごと》く、荘厳《しょうごん》の仏土《ぶつど》、汝自《なんじみずか》ら当《まさ》に知《し》るべし。」比丘《びく》、仏《ぶつ》（世自在王仏）に白《もう》さく、「斯《こ》の義《ぎ》、弘深《ぐじん》にして我《わ》が境界《きょうがい》に非《あら》ず。唯《ただ》し願《ねが》わくは世尊《せそん》、広《ひろ》く為《ため》に諸仏如来《しょぶつにょらい》の浄土《じょうど》の行《ぎょう》を敷演《ふえん》したまえ。我《われ》、此《こ》れを聞《き》き已《おわ》りて、当《まさ》に説《せつ》の如《ごと》く修行《しゅぎょう》して所願《しょがん》を成満《じょうまん》すべし。」爾《そ》の

藏《ぞう》比丘《びく》。而説經言《にせつきょうごん》。譬如大海《ひにょだいかい》。一人《いちにん》升量《しょうりょう》。經歴劫數《きょうりゃくこうしゅ》。尚可窮底《しょうかぐてい》。得《とく》其妙寶《ごみょうほう》。人有至心《にんうししん》。精進求道不止《しょうじんぐどうふし》。會當剋果《えとうこっか》。何願不得《ががんふとく》。於是世自在王佛《おぜせじざいおうぶつ》。卽爲廣説《そくいこうせつ》。二百一十億《にひゃくいちじゅうおく》。諸佛刹土《しょぶつせつど》。天人之善惡《てんにんしぜんあく》。國土之麤妙《こくどしそみょう》。應其心願《おうごしんがん》。悉現與之《しつげんよし》。時彼比丘《じひびく》。聞佛所説《もんぶつしょせつ》。嚴《ごん》淨國土《じょうこくど》。皆悉覩見《かいしつとけん》。超發無上殊勝《ちょうほつむじょうしゅしょう》之願《しがん》。其心寂靜《ごしんじゃくじょう》。志無所著《しむしょじゃく》。一切《いっさい》世間《せけん》。無能及者《むのうぎっしゃ》。具足五劫《ぐそくごこう》。思惟攝《しゆいせつ》取《しゅ》。莊嚴佛國《しょうごんぶっこく》。清淨之行《しょうじょうしぎょう》。阿難《あなん》白佛《びゃくぶつ》。彼佛國土《ひぶつこくど》。壽量幾何《じゅりょうきが》。佛言其《ぶつごんご》佛壽命四十二劫《ぶつじゅみょうしじゅうにこう》。時法藏比丘《じほうぞうびく》。攝取《せっしゅ》二百一十億《にひゃくいちじゅうおく》。諸佛妙土《しょぶつみょうど》。清淨之《しょうじょうし》行《ぎょう》。如是修已《にょぜしゅい》。詣彼佛所《けいひぶつしょ》。稽首禮足《けいしゅらいそく》。繞佛三帀《にょうぶつさんぞう》。合掌而住《がっしょうにじゅう》。白佛言世尊《びゃくぶつごんせそん》。

時《とき》に世自在王仏《せじざいおうぶつ》、其《そ》の[9]高明《こうみょう》の志願《しがん》の深広《じんこう》なるを知《し》ろしめして、即《すなわ》ち法蔵比丘《ほうぞうびく》の為《ため》に、而《しか》も経《きょう》を説《と》きて言《のたま》わく、「譬《たと》えば大海《だいかい》を一人升量《いちにんしょうりょう》せんに、劫数《こうしゅ》を経歴《きょうりゃく》して、尚底《なおそこ》を窮《きわ》めて其《そ》の妙宝《みょうほう》を得《う》べきが如《ごと》し。人《ひと》、心《しん》を至《いた》し精進《しょうじん》にして道《どう》を求《もと》めて止《や》まざること有《あ》れば、会当《みなまさ》に剋果《こっか》すべし。何《いず》れの願《ねがい》をか得《え》ざらん。」是《ここ》に世自在王仏《せじざいおうぶつ》、即《すなわ》ち為《ため》に広《ひろ》く二百一十億《にひゃくいちじゅうおく》の諸仏刹土《しょぶつせつど》の天人《てんにん》の善悪《ぜんあく》、国土《こくど》の麁妙《そみょう》を説《と》きて、其《そ》の心願《しんがん》に応《おう》じて悉《ことごと》く現《げん》じて之《これ》を与《あた》えたまう。時《とき》に彼《か》の比丘《びく》、[10]仏《ぶつ》の所説《しょせつ》の厳浄《ごんじょう》の国土《こくど》を聞《き》きて、皆悉《みなことごと》く覩見《とけん》して、無上《むじょう》殊勝《しゅしょう》の願《がん》を超発《ちょうほつ》せり。其《そ》の心《しん》、寂静《じゃくじょう》にして、志《こころざし》、著《じゃく》する所《ところ》無《な》し。一切《いっさい》の世間《せけん》に能《よ》く及《およ》ぶ者《もの》無《な》けん。五劫《ごこう》を具足《ぐそく》して、荘厳仏国《しょうごんぶっこく》の清浄《しょうじょう》の行《ぎょう》を思惟《しゆい》し摂取《せっしゅ》す。」阿難《あなん》、仏《ぶつ》に白《もう》さく、「彼《か》の仏《ぶつ》（世自在王仏）の国土《こくど》の寿量《じゅりょう》、幾何《いくばく》ぞ。」仏《ぶつ》の言《のたま》わく、「其《そ》の仏《ぶつ》（世自在王仏）の寿命《じゅみょう》は、四十二劫《しじゅうにこう》なりき。」「時《とき》に法蔵比丘《ほうぞうびく》、二百一十億《にひゃくいちじゅうおく》の諸仏妙土《しょぶつみょうど》の清浄《しょうじょう》の行《ぎょう》を摂取《せっしゅ》しき。[24]是《か》くの如《ごと》く修《しゅ》し已《おわ》りて彼《か》の仏《ぶつ》（世自在王

我《が》已《い》攝取《せつしゅ》。莊嚴佛土《しょうごんぶつど》。清淨之行《しょうじょうしぎょう》。佛告比丘《ぶつごうびく》。汝今可說《にょこんかせつ》。宜知是時《ぎちぜじ》。發起《ほっき》悅可《えつか》。一切大衆《いっさいだいしゅ》。菩薩聞已《ぼさつもんい》。修行此《しゅぎょうし》法《ほう》。緣致滿足《えんちまんぞく》。無量大願《むりょうだいがん》。比丘白佛《びくびゃくぶつ》。唯垂聽察《ゆいすいちょうさつ》。如我所願《にょがしょがん》。當具說之《とうぐせつし》。

設我得佛《せつがとくぶつ》。國有地獄餓鬼畜生者《こくうじごくがきちくしょうしゃ》。不《ふ》取正覺《しゅしょうがく》。

設我得佛《せつがとくぶつ》。國中人天《こくちゅうにんでん》。壽終之後《じゅしゅうしご》。復《ぶ》更三惡道者《きょうさんあくどうしゃ》。不取正覺《ふしゅしょうがく》。

設我得佛《せつがとくぶつ》。國中人天《こくちゅうにんでん》。不悉眞金色者《ふしつしんこんじきしゃ》。不取正覺《ふしゅしょうがく》。

設我得佛《せつがとくぶつ》。國中人天《こくちゅうにんでん》。形色不同《ぎょうしきふどう》。有《う》

仏）の所《みもと》に詣《もう》でて、稽首《けいしゅ》し足《みあし》を礼《らい》して、仏《ぶつ》を繞《めぐ》ること三帀《さんぞう》して、合掌《がっしょう》して住《じゅう》して、仏《ぶつ》に白《もう》して言《もう》さく、「世尊《せそん》。我已《われすで》に荘厳仏土《しょうごんぶつど》の清浄《しょうじょう》の行《ぎょう》を摂取《せっしゅ》しつ」と。

25 仏《ぶつ》（世自在王仏）、比丘《びく》に告《つ》げたまわく、「汝《なんじ》、今説《いまと》くべし。宜《よろ》しく知《し》るべし、是《こ》れ時《とき》なり。一切《いっさい》の大衆《だいしゅ》を発起《ほっき》し悦可《えっか》せしめよ。菩薩《ぼさつ》、聞《き》き已《おわ》りて此《こ》の法《ほう》を修行《しゅぎょう》して、縁《えん》として無量《むりょう》の大願《だいがん》を満足《まんぞく》することを致《いた》さん。」

26 比丘《びく》、仏《ぶつ》（世自在王仏）に白《もう》さく、「唯聴察《ただちょうさつ》を垂《た》れたまえ。我《わ》が所願《しょがん》の如《ごと》く当《まさ》に具《つぶさ》に之《これ》を説《と》くべし。

27 (1)設《たと》い我《われ》、仏《ぶつ》を得《え》んに、国《くに》に地獄《じごく》・餓鬼《がき》・畜生《ちくしょう》有《あ》らば、正《しょう》覚《がく》を取《と》らじ。

(2)設《たと》い我《われ》、仏《ぶつ》を得《え》んに、国《くに》の中《うち》の人天《にんでん》、寿終《いのちおわ》りての後《のち》、復《ま》た三悪道《さんあくどう》に更《かえ》らば、正覚《しょうがく》を取《と》らじ。

(3)設《たと》い我《われ》、仏《ぶつ》を得《え》んに、国《くに》の中《うち》の人天《にんでん》、悉《ことごと》く真金色《しんこんじき》ならず[11]は、正覚《しょうがく》を取《と》らじ。

(4)設《たと》い我《われ》、仏《ぶつ》を得《え》んに、国《くに》の中《うち》の人天《にんでん》、形色不同《ぎょうしきふどう》にして、

好醜者《こうしゅしゃ》。不取正覺《ふしゅしょうがく》。

設我得佛《せつがとくぶつ》。國中人天《こくちゅうにんでん》。不識宿命《ふしきしゅくみょう》。下至不知百千億那由他《げしふちひゃくせんおくなゆた》。諸劫事者《しょこうじしゃ》。不取正覺《ふしゅしょうがく》。

設我得佛《せつがとくぶつ》。國中人天《こくちゅうにんでん》。不得天眼《ふとくてんげん》。下《げ》至不見百千億那由他《しふけんひゃくせんおくなゆた》。諸佛國者《しょぶつこくしゃ》。不《ふ》取正覺《しゅしょうがく》。

設我得佛《せつがとくぶつ》。國中人天《こくちゅうにんでん》。不得天耳《ふとくてんに》。下《げ》至聞百千億那由他《しもんひゃくせんおくなゆた》。諸佛所說《しょぶつしょせつ》。不悉《ふしつ》受持者《じゅじしゃ》。不取正覺《ふしゅしょうがく》。

設我得佛《せつがとくぶつ》。國中人天《こくちゅうにんでん》。不得見他心智《ふとくけんたしんち》。下至不知百千億那由他《げしふちひゃくせんおくなゆた》。諸佛國中《しょぶつこくちゅう》。衆生心念者《しゅじょうしんねんしゃ》。不取正覺《ふしゅしょうがく》。

設我得佛《せつがとくぶつ》。國中人天《こくちゅうにんでん》。不得神足《ふとくじんそく》。於《お》一念頃《いちねんきょう》。下至不能超過百千億那由他《げしふのうちょうかひゃくせんおくなゆた》。諸佛國者《しょぶつこくしゃ》。不取正覺《ふしゅしょうがく》。

好醜《こうしゅう》有《あ》らば、正覚《しょうがく》を取《と》らじ。

(5)設《たと》い我《われ》、仏《ぶつ》を得《え》んに、国《くに》の中《うち》の人天《にんでん》、宿命《しゅくみょう》を識《し》らず、下《しも》、百千億那由他《ひゃくせんおくなゆた》の諸劫《しょこう》の事《じ》を知《し》らざるに至《いた》らば、正覚《しょうがく》を取《と》らじ。

(6)設《たと》い我《われ》、仏《ぶつ》を得《え》んに、国《くに》の中《うち》の人天《にんでん》、天眼《てんげん》を得《え》ずして、下《しも》、百千億那由他《ひゃくせんおくなゆた》の諸仏《しょぶつ》の国《くに》を見《み》ざるに至《いた》らば、正覚《しょうがく》を取《と》らじ。

(7)設《たと》い我《われ》、仏《ぶつ》を得《え》んに、国《くに》の中《うち》の人天《にんでん》、天耳《てんに》を得《え》ずして、下《しも》、百千億那由他《ひゃくせんおくなゆた》の諸仏《しょぶつ》の所説《しょせつ》を聞《き》きて、悉《ことごと》く受持《じゅじ》せざるに至《いた》らば、正覚《しょうがく》を取《と》らじ。

(8)設《たと》い我《われ》、仏《ぶつ》を得《え》んに、国《くに》の中《うち》の人天《にんでん》、他心《たしん》を見《み》る智《ち》を得《え》ずして、下《しも》、百千億那由他《ひゃくせんおくなゆた》の諸仏《しょぶつ》の国《くに》の中《うち》の衆生《しゅじょう》の心念《しんねん》を知《し》らざるに至《いた》らば、正覚《しょうがく》を取《と》らじ。

(9)設《たと》い我《われ》、仏《ぶつ》を得《え》んに、国《くに》の中《うち》の人天《にんでん》、神足《じんそく》を得《え》ずして、一念《いちねん》の頃《あいだ》に於《お》いて、下《しも》、百千億那由他《ひゃくせんおくなゆた》の諸仏《しょぶつ》の国《くに》を超過《ちょうか》すること能《あた》わざるに至《いた》らば、正覚《しょうがく》を取《と》らじ。

設《せつ》我《が》得《とく》佛《ぶつ》。國《こく》中《ちゅう》人《にん》天《でん》。若《にゃく》起《き》想《そう》念《ねん》。貪《とん》計《げ》身《しん》者《しゃ》。不《ふ》取《しゅ》正《しょう》覺《がく》。

設《せつ》我《が》得《とく》佛《ぶつ》。國《こく》中《ちゅう》人《にん》天《でん》。不《ふ》住《じゅう》定《じょう》聚《じゅ》。必《ひっ》至《し》滅《めつ》度《ど》者《しゃ》。不《ふ》取《しゅ》正《しょう》覺《がく》。

設《せつ》我《が》得《とく》佛《ぶつ》。光《こう》明《みょう》有《う》能《のう》限《げん》量《りょう》。下《げ》至《し》不《ふ》照《しょう》百《ひゃく》千《せん》億《おく》那《な》由《ゆ》他《た》。諸《しょ》佛《ぶつ》國《こく》者《しゃ》。不《ふ》取《しゅ》正《しょう》覺《がく》。

設《せつ》我《が》得《とく》佛《ぶつ》。壽《じゅ》命《みょう》有《う》能《のう》限《げん》量《りょう》。下《げ》至《し》百《ひゃく》千《せん》億《おく》那《な》由《ゆ》他《た》劫《こう》者《しゃ》。不《ふ》取《しゅ》正《しょう》覺《がく》。

設《せつ》我《が》得《とく》佛《ぶつ》。國《こく》中《ちゅう》聲《しょう》聞《もん》。有《う》能《のう》計《け》量《りょう》。下《げ》至《し》三《さん》千《ぜん》大《だい》千《せん》世《せ》界《かい》。聲《しょう》聞《もん》縁《えん》覺《がく》。於《お》百《ひゃく》千《せん》劫《ごう》。悉《しつ》共《ぐ》計《け》挍《きょう》。知《ち》其《ご》數《しゅ》者《しゃ》。不《ふ》取《しゅ》正《しょう》覺《がく》。

設《せつ》我《が》得《とく》佛《ぶつ》。國《こく》中《ちゅう》人《にん》天《でん》。壽《じゅ》命《みょう》無《む》能《のう》限《げん》量《りょう》。除《じょ》其《ご》本《ほん》願《がん》。脩《しゅう》短《たん》自《じ》在《ざい》。若《にゃく》不《ふ》爾《に》者《しゃ》。不《ふ》取《しゅ》正《しょう》覺《がく》。

---

(10) 設《たと》い我《われ》、仏《ぶつ》を得《え》んに、国《くに》の中《うち》の人天《にんでん》、若《も》し想念《そうねん》を起《お》こして、身《み》を貪計《とんげ》せば、正覚《しょうがく》を取《と》らじ。

(11) 設《たと》い我《われ》、仏《ぶつ》を得《え》んに、国《くに》の中《うち》の人天《にんでん》、定聚《じょうじゅ》に住《じゅう》し必《かなら》ず滅度《めつど》に至《いた》らずは、正覚《しょうがく》を取《と》らじ。

(12) 設《たと》い我《われ》、仏《ぶつ》を得《え》んに、光明《こうみょう》に能《よ》く限量《げんりょう》有《あ》りて、下《しも》、百《ひゃく》千億那由他《せんおくなゆた》の諸仏《しょぶつ》の国《くに》を照《て》らさざるに至《いた》らば、正覚《しょうがく》を取《と》らじ。

(13) 設《たと》い我《われ》、仏《ぶつ》を得《え》んに、寿命《じゅみょう》に能《よ》く限量《げんりょう》有《あ》りて、下《しも》、百《ひゃく》千億那由他劫《せんおくなゆたこう》に至《いた》らば、正覚《しょうがく》を取《と》らじ。

(14) 設《たと》い我《われ》、仏《ぶつ》を得《え》んに、国《くに》の中《うち》の声聞《しょうもん》、能《よ》く計量《けりょう》有《あ》りて、下《しも》、三千大千世界《さんぜんだいせんせかい》の声聞《しょうもん》・縁覚《えんがく》、百千劫《ひゃくせんごう》に於《お》いて、悉《ことごと》く共《とも》に計校《けきょう》して、其《そ》の数《かず》を知《し》るに至《いた》らば、正覚《しょうがく》を取《と》らじ。

(15) 設《たと》い我《われ》、仏《ぶつ》を得《え》んに、国《くに》の中《うち》の人天《にんでん》、寿命《じゅみょう》能《よ》く限量《げんりょう》無《な》けん。其《そ》の本願《ほんがん》、修短自在《しゅうたんじざい》ならんをば除《のぞ》く。若《も》し爾《しか》らずは、正覚《しょうがく》を取《と》らじ。

設我得佛《せつがとくぶつ》。國中人天《こくちゅうにんでん》。乃至聞有《ないしもんう》。不《ふ》善名者《ぜんみょうしゃ》。不取正覺《ふしゅしょうがく》。

設我得佛《せつがとくぶつ》。十方世界《じっぽうせかい》。無量諸佛《むりょうしょぶつ》。不《ふ》悉咨嗟《しつししゃ》。稱我名者《しょうがみょうしゃ》。不取正覺《ふしゅしょうがく》。

設我得佛《せつがとくぶつ》。十方衆生《じっぽうしゅじょう》。至心信樂《ししんしんぎょう》。欲《よく》生我國《しょうがこく》。乃至十念《ないしじゅうねん》。若不生者《にゃくふしょうじゃ》。不《ふ》取正覺《しゅしょうがく》。唯除五逆《ゆいじょごぎゃく》。誹謗正法《ひほうしょうぼう》。

設我得佛《せつがとくぶつ》。十方衆生《じっぽうしゅじょう》。發菩提心《ほつぼだいしん》。修《しゅ》諸功德《しょくどく》。至心發願《ししんほつがん》。欲生我國《よくしょうがこく》。臨壽《りんじゅ》終時《しゅうじ》。假令不與《けりょうふよ》。大衆圍繞《だいしゅいにょう》。現其《げんご》人前者《にんぜんしゃ》。不取正覺《ふしゅしょうがく》。

設我得佛《せつがとくぶつ》。十方衆生《じっぽうしゅじょう》。聞我名號《もんがみょうごう》。係《け》念我國《ねんがこく》。植諸德本《じきしょとくほん》。至心回向《ししんえこう》。欲生《よくしょう》我國《がこく》。不果遂者《ふかすいしゃ》。不取正覺《ふしゅしょうがく》。

設我得佛《せつがとくぶつ》。國中人天《こくちゅうにんでん》。不悉成滿《ふしつじょうまん》。三《さん》

---

(16)設《たと》い我《われ》、仏《ぶつ》を得《え》んに、国《くに》の中《うち》の人天《にんでん》、乃至不善《ないしふぜん》の名《な》有《あ》りと聞《き》かば、正覚《しょうがく》を取《と》らじ。
(17)設《たと》い我《われ》、仏《ぶつ》を得《え》んに、十方世界《じっぽうせかい》の無量《むりょう》の諸仏《しょぶつ》、悉《ことごと》く咨《し》嗟《しゃ》して、我《わ》が名《な》を称《しょう》せずは、正覚《しょうがく》を取《と》らじ。
(18)設《たと》い我《われ》、仏《ぶつ》を得《え》んに、十方《じっぽう》の衆生《しゅじょう》、心《しん》を至《いた》し信楽《しんぎょう》して我《わ》が国《くに》に生《う》まれんと欲《おも》うて、乃至十念《ないしじゅうねん》せん。若《も》し生《う》まれずは、正覚《しょうがく》を取《と》らじ。唯《ただ》五逆《ごぎゃく》と正法《しょうぼう》を誹謗《ひほう》せんをば除《のぞ》く。
(19)設《たと》い我《われ》、仏《ぶつ》を得《え》んに、十方《じっぽう》の衆生《しゅじょう》、菩提心《ぼだいしん》を発《おこ》し、諸《もろもろ》の功徳《くどく》を修《しゅ》して、心《しん》を至《いた》し願《がん》を発《おこ》して我《わ》が国《くに》に生《う》まれんと欲《おも》わん。寿終《いのちおわ》る時《とき》に臨《のぞ》んで、仮令《たと》い大衆《だいしゅ》と囲繞《いにょう》して其《そ》の人《ひと》の前《まえ》に現《げん》ぜずは、正覚《しょうがく》を取《と》らじ。
(20)設《たと》い我《われ》、仏《ぶつ》を得《え》んに、十方《じっぽう》の衆生《しゅじょう》、我《わ》が名号《みょうごう》を聞《き》きて、念《ねん》を我《わ》が国《くに》に係《か》けて、諸《もろもろ》の徳本《とくほん》を植《う》えて、心《しん》を至《いた》し回向《えこう》して我《わ》が国《くに》に生《う》まれんと欲《おも》わんに、果遂《かすい》せずは、正覚《しょうがく》を取《と》らじ。
(21)設《たと》い我《われ》、仏《ぶつ》を得《え》んに、国《くに》の中《うち》の人天《にんでん》、悉《ことごと》く三十二大人《さんじゅうにだいにん》

十二大人相者《じゅうにだいにんそうしゃ》。不取正覺《ふしゅしょうがく》。

設我得佛《せつがとくぶつ》。他方佛土《たほうぶつど》。諸菩薩衆《しょぼさつしゅ》。來《らい》生我國《しょうがこく》。究竟必至《くきょうひっし》。一生補處《いっしょうふしょ》。除《じょ》其本願《ごほんがん》。自在所化《じざいしょけ》。爲衆生故《いしゅじょうこ》。被弘《ひぐ》誓鎧《ぜいがい》。積累德本《しゃくるいとくほん》。度脱一切《どだついっさい》。遊諸佛《ゆしょぶつ》國《こく》。修菩薩行《しゅぼさつぎょう》。供養十方《くようじっぽう》。諸佛如《しょぶつにょ》來《らい》。開化恆沙《かいけごうじゃ》。無量衆生《むりょうしゅじょう》。使立無《しりゅうむ》上正眞之道《じょうしょうしんしどう》。超出常倫《ちょうしゅつじょうりん》。諸地之《しょじし》行現前《ぎょうげんぜん》。修習普賢之德《しゅしゅうふげんしとく》。若不爾者《にゃくふにしゃ》。不取正覺《ふしゅしょうがく》。

設我得佛《せつがとくぶつ》。國中菩薩《こくちゅうぼさつ》。承佛神力《じょうぶつじんりき》。供《く》養諸佛《ようしょぶつ》。一食之頃《いちじきしきょう》。不能偏至《ふのうへんし》。無數《むしゅ》無量那由他《むりょうなゆた》。諸佛國者《しょぶつこくしゃ》。不取正覺《ふしゅしょうがく》。

設我得佛《せつがとくぶつ》。國中菩薩《こくちゅうぼさつ》。在諸佛前《ざいしょぶつぜん》。現《げん》其德本《ごとくほん》。諸所欲求《しょしょよくぐ》。供養之具《くようしぐ》。若不《にゃくふ》如意者《にょいしゃ》。不取正覺《ふしゅしょうがく》。

の相《そう》を成満《じょうまん》せずは、正覚《しょうがく》を取《と》らじ。

(22)設《たと》い我《われ》、仏《ぶつ》を得《え》んに、他方《たほう》の仏土《ぶつど》の諸《もろもろ》の菩薩衆《ぼさつしゅ》、我《わ》が国《くに》に来生《らいしょう》して、究竟《くきょう》して必《かなら》ず一生補処《いっしょうふしょ》に至《いた》らん。其《そ》の本願《ほんがん》の自在《じざい》の所化《しょけ》、衆生《しゅじょう》の為《ため》の故《ゆえ》に、弘誓《ぐぜい》の鎧《よろい》を被《き》て、徳本《とくほん》を積累《しゃくるい》し、一切《いっさい》を度脱《どだつ》し、諸仏《しょぶつ》の国《くに》に遊《あそ》んで、菩薩《ぼさつ》の行《ぎょう》を修《しゅ》し、十方《じっぽう》の諸仏如来《しょぶつにょらい》を供養《くよう》し、恒沙無量《ごうじゃむりょう》の衆生《しゅじょう》を開化《かいけ》して、無上正真《むじょうしょうしん》の道《どう》を[12]立《た》てしめんをば除《のぞ》かん。常倫《じょうりん》に超出《ちょうしゅつ》し、諸地《しょじ》の行現前《ぎょうげんぜん》し、普賢《ふげん》の徳《とく》を修習《しゅじゅう》せん。若《も》し爾《しか》らずは、正覚《しょうがく》を取《と》らじ。

(23)設《たと》い我《われ》、仏《ぶつ》を得《え》んに、国《くに》の中《うち》の菩薩《ぼさつ》、仏《ぶつ》の神力《じんりき》を承《う》けて、諸仏《しょぶつ》を供養《くよう》し、一食《いちじき》の頃《あいだ》に遍《あまね》く無数無量那由他《むしゅむりょうなゆた》の諸仏《しょぶつ》の国《くに》に至《いた》ること能《あた》わずは、正覚《しょうがく》を取《と》らじ。

(24)設《たと》い我《われ》、仏《ぶつ》を得《え》んに、国《くに》の中《うち》の菩薩《ぼさつ》、諸仏《しょぶつ》の前《みまえ》に在《あ》りて、其《そ》の徳本《とくほん》を現《げん》じ、諸《もろもろ》の欲求《よくぐ》せん所《ところ》の供養《くよう》の具《ぐ》、若《も》し意《こころ》の如《ごと》くならずは、正覚《しょうがく》を取《と》らじ。

設我得佛《せつがとくぶつ》。國中菩薩《こくちゅうぼさつ》。不能演說《ふのうえんぜつ》。一切智者《いっさいちしゃ》。不取正覺《ふしゅしょうがく》。

設我得佛《せつがとくぶつ》。國中菩薩《こくちゅうぼさつ》。不得金剛那羅延身者《ふとくこんごうならえんしんしゃ》。不取正覺《ふしゅしょうがく》。

設我得佛《せつがとくぶつ》。國中人天《こくちゅうにんでん》。一切萬物《いっさいまんもつ》。嚴淨光麗《ごんじょうこうれい》。形色殊特《ぎょうしきしゅどく》。窮微極妙《ぐみごくみょう》。無能稱量《むのうしょうりょう》。其諸衆生《ごしょしゅじょう》。乃至逮得天眼《ないしたいとくてんげん》。有能明了《うのうみょうりょう》。辯其名數者《べんごみょうしゅしゃ》。不取正覺《ふしゅしょうがく》。

設我得佛《せつがとくぶつ》。國中菩薩《こくちゅうぼさつ》。乃至少功德者《ないししょうくどくしゃ》。不能知見《ふのうちけん》。其道場樹《ごどうじょうじゅ》。無量光色《むりょうこうしき》。高四百萬里者《こうしひゃくまんりしゃ》。不取正覺《ふしゅしょうがく》。

設我得佛《せつがとくぶつ》。國中菩薩《こくちゅうぼさつ》。若受讀經法《にゃくじゅどくきょうぼう》。諷誦持說《ふじゅじせつ》。而不得辯才智慧者《にふとくべんざいちえしゃ》。不取正覺《ふしゅしょうがく》。

設我得佛《せつがとくぶつ》。國中菩薩《こくちゅうぼさつ》。智慧辯才《ちえべんざい》。若可限量者《にゃくかげんりょうしゃ》。不取正覺《ふしゅしょうがく》。

---

(25)設《たと》い我《われ》、仏《ぶつ》を得《え》んに、国《くに》の中《うち》の菩薩《ぼさつ》、一切《いっさい》の智《ち》を演説《えんぜつ》すること能《あた》わずは、正覚《しょうがく》を取《と》らじ。

(26)設《たと》い我《われ》、仏《ぶつ》を得《え》んに、国《くに》の中《うち》の菩薩《ぼさつ》、金剛那羅延《こんごうならえん》の身《み》を得《え》ずは、正覚《しょうがく》を取《と》らじ。

(27)設《たと》い我《われ》、仏《ぶつ》を得《え》んに、国《くに》の中《うち》の人天《にんでん》、一切万物厳浄光麗《いっさいまんもつごんじょうこうれい》にして、形色殊特《ぎょうしきしゅどく》ならん。窮微極妙《ぐみごくみょう》にして、能《よ》く称量《しょうりょう》すること無《な》けん。其《そ》の諸《もろもろ》の衆生《しゅじょう》、乃至天眼《ないしてんげん》を逮得《たいとく》せん。能《よ》く明了《みょうりょう》に其《そ》の名数《みょうしゅ》を弁《わきま》うること有《あ》らば、正覚《しょうがく》を取《と》らじ。

(28)設《たと》い我《われ》、仏《ぶつ》を得《え》んに、国《くに》の中《うち》の菩薩《ぼさつ》、乃至少功徳《ないししょうくどく》の者《もの》、其《そ》の道場樹《どうじょうじゅ》の無量《むりょう》の光色《こうしき》あって高《たか》さ四百万里《しひゃくまんり》なるを知見《ちけん》すること能《あた》わずは、正覚《しょうがく》を取《と》らじ。

(29)設《たと》い我《われ》、仏《ぶつ》を得《え》んに、国《くに》の中《うち》の菩薩《ぼさつ》、若《も》し経法《きょうぼう》を受読《じゅどく》し、諷誦持説《ふじゅじせつ》して、弁才智慧《べんざいちえ》を得《え》ずは、正覚《しょうがく》を取《と》らじ。

(30)設《たと》い我《われ》、仏《ぶつ》を得《え》んに、国《くに》の中《うち》の菩薩《ぼさつ》、智慧弁才《ちえべんざい》、若《も》し限量《げんりょう》すべくは、正覚《しょうがく》を取《と》らじ。

設我得佛《せつがとくぶつ》。國土清淨《こくどしょうじょう》。皆悉照見《かいしつしょうけん》。十方一切《じっぽういっさい》。無量無數《むりょうむしゅ》。不可思議《ふかしぎ》。諸佛世界《しょぶつせかい》。猶如明鏡《ゆにょみょうきょう》。覩其面像《とごめんぞう》。若不爾者《にゃくふにしゃ》。不取正覺《ふしゅしょうがく》。

設我得佛《せつがとくぶつ》。自地已上《じじいじょう》。至于虚空《しうこくう》。宮殿樓觀《くでんろうかん》。池流華樹《ちるけじゅ》。國中所有《こくちゅうしょうう》。一切萬物《いっさいまんもつ》。皆以無量雜寶《かいいむりょうざつぽう》。百千種香《ひゃくせんじゅこう》。而共合成《にぐごうじょう》。嚴飾奇妙《ごんじききみょう》。超諸人天《ちょうしょにんでん》。其香普熏《ごこうふくん》。十方世界《じっぽうせかい》。菩薩聞者《ぼさつもんしゃ》。皆修佛行《かいしゅぶつぎょう》。若不如是者《にゃくふにょぜしゃ》。不取正覺《ふしゅしょうがく》。

設我得佛《せつがとくぶつ》。十方無量《じっぽうむりょう》。不可思議《ふかしぎ》。諸佛世界《しょぶつせかい》。衆生之類《しゅじょうしるい》。蒙我光明《むがこうみょう》。觸其身者《そくごしんしゃ》。身心柔輭《しんじんにゅうなん》。超過人天《ちょうかにんでん》。若不爾者《にゃくふにしゃ》。不取正覺《ふしゅしょうがく》。

設我得佛《せつがとくぶつ》。十方無量《じっぽうむりょう》。不可思議《ふかしぎ》。諸佛世界《しょぶつせかい》。衆生之類《しゅじょうしるい》。聞我名字《もんがみょうじ》。不得《ふとく》

---

(31)設《たと》い我《われ》、仏《ぶつ》を得《え》んに、国土清浄《こくどしょうじょう》にして、皆悉《みなことごと》く十方一切《じっぽういっさい》の無量無数不可思議《むりょうむしゅふかしぎ》の諸仏世界《しょぶつせかい》を照見《しょうけん》せんこと、猶《なお》し明鏡《みょうきょう》に其《そ》の面像《めんぞう》を観《み》るが如《ごと》くならん。若《も》し爾《しか》らずは、正覚《しょうがく》を取《と》らじ。

(32)設《たと》い我《われ》、仏《ぶつ》を得《え》んに、地《じ》より已上《いじょう》、虚空《こくう》に至《いた》るまで、宮殿《くでん》・楼観《ろうかん》・池流《ちる》・華樹《けじゅ》、国《くに》の中《うち》の所有《あらゆ》る一切万物《いっさいまんもつ》、皆《みな》、無量《むりょう》の雑宝《ざっぽう》・百千種《ひゃくせんじゅ》の香《こう》を以《もっ》て、而《しか》も共《とも》に合成《ごうじょう》せん。厳飾《ごんじき》奇妙《きみょう》にして、諸《もろもろ》の人天《にんでん》に超《こ》えん。其《そ》の香《か》、普《あまね》く十方世界《じっぽうせかい》に熏《くん》ぜん。菩薩《ぼさつ》、聞《き》かん者《もの》、皆仏行《みなぶつぎょう》を修《しゅ》せん。若《も》し是《か》くの如《ごと》くならずは、正覚《しょうがく》を取《と》らじ。

(33)設《たと》い我《われ》、仏《ぶつ》を得《え》んに、十方無量不可思議《じっぽうむりょうふかしぎ》の諸仏世界《しょぶつせかい》の衆生《しゅじょう》の類《るい》、我《わ》が光明《こうみょう》を蒙《こうぶ》りて其《そ》の身《み》に触《ふ》れん者《もの》、身心柔軟《しんじんにゅうなん》にして、人天《にんでん》に超過《ちょうか》せん。若《も》し爾《しか》らずは、正覚《しょうがく》を取《と》らじ。

(34)設《たと》い我《われ》、仏《ぶつ》を得《え》んに、十方無量不可思議《じっぽうむりょうふかしぎ》の諸仏世界《しょぶつせかい》の衆生《しゅじょう》の類《るい》、我《わ》が名字《みょうじ》を聞《き》きて、菩薩《ぼさつ》の無生法忍《むしょうぼうにん》・諸《もろもろ》の深《じん》

菩薩《ぼさつ》。無生法忍《むしょうぼうにん》。諸深總持者《しょじんそうじしゃ》。不取《ふしゅ》正覺《しょうがく》。

設我得佛《せつがとくぶつ》。十方無量《じっぽうむりょう》。不可思議《ふかしぎ》。諸《しょ》佛世界《ぶつせかい》。其有女人《ごうにょにん》。聞我名字《もんがみょうじ》。歡喜《かんぎ》信樂《しんぎょう》。發菩提心《ほつぼだいしん》。厭惡女身《えんおにょしん》。壽終之《じゅしゅうし》後《ご》。復爲女像者《ぶいにょぞうしゃ》。不取正覺《ふしゅしょうがく》。

設我得佛《せつがとくぶつ》。十方無量《じっぽうむりょう》。不可思議《ふかしぎ》。諸《しょ》佛世界《ぶつせかい》。諸菩薩衆《しょぼさつしゅ》。聞我名字《もんがみょうじ》。壽終《じゅしゅう》之後《しご》。常修梵行《じょうしゅぼんぎょう》。至成佛道《しじょうぶつどう》。若不《にゃくふ》爾者《にしゃ》。不取正覺《ふしゅしょうがく》。

設我得佛《せつがとくぶつ》。十方無量《じっぽうむりょう》。不可思議《ふかしぎ》。諸《しょ》佛世界《ぶつせかい》。諸天人民《しょてんにんみん》。聞我名字《もんがみょうじ》。五體《ごたい》投地《とうじ》。稽首作禮《けいしゅさらい》。歡喜信樂《かんぎしんぎょう》。修菩薩《しゅぼさつ》行《ぎょう》。諸天世人《しょてんせにん》。莫不致敬《まくふちきょう》。若不爾《にゃくふに》者《しゃ》。不取正覺《ふしゅしょうがく》。

設我得佛《せつがとくぶつ》。國中人天《こくちゅうにんでん》。欲得衣服《よくとくえぶく》。隨《ずい》

総持《そうじ》を得《え》ずは、正覚《しょうがく》を取《と》らじ。

(35)設《たと》い我《われ》、仏《ぶつ》を得《え》んに、十方無量不可思議《じっぽうむりょうふかしぎ》の諸仏世界《しょぶつせかい》に、其《そ》れ女人《にょにん》有《あ》って、我《わ》が名字《みょうじ》を聞《き》きて、歓喜信楽《かんぎしんぎょう》し菩提心《ぼだいしん》を発《おこ》して、女身《にょしん》を厭悪《えんお》せん。寿終《いのちお》わりての後《のち》、復《ま》た女像《にょぞう》と為《な》らば、正覚《しょうがく》を取《と》らじ。

(36)設《たと》い我《われ》、仏《ぶつ》を得《え》んに、十方無量不可思議《じっぽうむりょうふかしぎ》の諸仏世界《しょぶつせかい》の諸《もろもろ》の菩薩衆《ぼさつしゅ》、我《わ》が名字《みょうじ》を聞《き》きて、寿終《いのちお》わりての後《のち》、常《つね》に梵《ぼん》行《ぎょう》を修《しゅ》して、仏道《ぶつどう》を成《な》るに至《いた》らん。若《も》し爾《しか》らずは、正覚《しょうがく》を取《と》らじ。

(37)設《たと》い我《われ》、仏《ぶつ》を得《え》んに、十方無量不可思議《じっぽうむりょうふかしぎ》の諸仏世界《しょぶつせかい》の諸《しょ》天《てん》・人民《にんみん》、我《わ》が名字《みょうじ》を聞《き》きて、五体《ごたい》を地《じ》に投《な》げて、稽首作《けいしゅさ》礼《らい》し、歓喜信楽《かんぎしんぎょう》して、菩薩《ぼさつ》の行《ぎょう》を修《しゅ》せん。諸天《しょてん》・世人《せにん》、敬《うやまい》を致《いた》さずということ莫《な》けん。若《も》し爾《しか》らずは、正覚《しょうがく》を取《と》らじ。

(38)設《たと》い我《われ》、仏《ぶつ》を得《え》んに、国《くに》の中《うち》の人天《にんでん》、衣服《えぶく》を得《え》んと欲《おも》わば、

念《ねん》卽《そく》至《し》。如《にょ》佛《ぶつ》所《しょ》讃《さん》。應《おう》法《ほう》妙《みょう》服《ぶく》。自然《じねん》在身《ざいしん》。若《にゃく》有《う》裁縫《さいふ》。擣染《とうぜん》浣濯《かんだく》者《しゃ》。不《ふ》取《しゅ》正覺《しょうがく》。

設《せつ》我《が》得佛《とくぶつ》。國中《こくちゅう》人天《にんでん》。所受《しょじゅ》快樂《けらく》。不《ふ》如《にょ》漏盡《ろじん》比丘《びく》者《しゃ》。不《ふ》取《しゅ》正覺《しょうがく》。

設《せつ》我《が》得佛《とくぶつ》。國中《こくちゅう》菩薩《ぼさつ》。隨意《ずいい》欲見《よくけん》。十方《じっぽう》無量《むりょう》。嚴淨《ごんじょう》佛土《ぶつど》。應時《おうじ》如願《にょがん》。於《お》寶樹《ほうじゅ》中《ちゅう》。皆悉《かいしつ》照見《しょうけん》。猶《ゆ》如《にょ》明鏡《みょうきょう》。覩《と》其《ご》面像《めんぞう》。若《にゃく》不《ふ》爾《に》者《しゃ》。不《ふ》取《しゅ》正覺《しょうがく》。

設《せつ》我《が》得佛《とくぶつ》。他方《たほう》國土《こくど》。諸《しょ》菩薩《ぼさつ》衆《しゅ》。聞《もん》我《が》名字《みょうじ》。至于《しう》得佛《とくぶつ》。諸根《しょこん》闕陋《けつる》。不《ふ》具足《ぐそく》者《しゃ》。不《ふ》取《しゅ》正覺《しょうがく》。

設《せつ》我《が》得佛《とくぶつ》。他方《たほう》國土《こくど》。諸《しょ》菩薩《ぼさつ》衆《しゅ》。聞《もん》我《が》名字《みょうじ》。皆悉《かいしつ》逮得《たいとく》。清淨《しょうじょう》解脱《げだつ》三昧《さんまい》。住《じゅう》是《ぜ》三昧《さんまい》。一發《いちほつ》意《い》頃《きょう》。供養《くよう》無量《むりょう》。

念《ねん》に随《したが》いて即《すなわ》ち至《いた》らん。仏《ぶつ》の所讃《しょさん》の応法《おうほう》の妙服《みょうぶく》の如《ごと》く、自然《じねん》に身《み》に在《あ》らん。若《も》し裁縫《さいふ》・擣染《とうぜん》・浣濯《かんだく》すること有《あ》らば、正覚《しょうがく》を取《と》らじ。

(39)設《たと》い我《われ》、仏《ぶつ》を得《え》んに、国《くに》の中《うち》の人天《にんでん》、受《う》けん所《ところ》の快楽《けらく》、漏尽比丘《ろじんびく》の如《ごと》くならずは、正覚《しょうがく》を取《と》らじ。

(40)設《たと》い我《われ》、仏《ぶつ》を得《え》んに、国《くに》の中《うち》の菩薩《ぼさつ》、意《こころ》に随《したが》いて十方無《じっぽうむ》量《りょう》の厳浄《ごんじょう》の仏土《ぶつど》を見《み》んと欲《おも》わん。時《とき》に応《おう》じて願《ねがい》の如《ごと》く、宝樹《ほうじゅ》の中《うち》にして、皆悉《みなことごと》く照見《しょうけん》せんこと、猶《なお》し明鏡《みょうきょう》に其《そ》の面像《めんぞう》を観《み》るが如《ごと》くならん。若《も》し爾《しか》らずは、正覚《しょうがく》を取《と》らじ。

(41)設《たと》い我《われ》、仏《ぶつ》を得《え》んに、他方国土《たほうこくど》の諸《もろもろ》の菩薩衆《ぼさつしゅ》、我《わ》が名字《みょうじ》を聞《き》きて、仏《ぶつ》を得《え》んに至《いた》るまで、諸根闕陋《しょこんけつる》して具足《ぐそく》せずは、正覚《しょうがく》を取《と》らじ。

(42)設《たと》い我《われ》、仏《ぶつ》を得《え》んに、他方国土《たほうこくど》の諸《もろもろ》の菩薩衆《ぼさつしゅ》、我《わ》が名字《みょうじ》を聞《き》きて、皆悉《みなことごと》く清浄《しょうじょう》解脱《げだつ》三昧《さんまい》を逮得《たいとく》せん。是《こ》の三昧《さんまい》に住《じゅう》して、一《ひと》たび意《こころ》を発《おこ》さん頃《あいだ》に、無量《むりょう》不可思議《ふかしぎ》の諸仏《しょぶつ》

不可思議《ふかしぎ》。諸佛世尊《しょぶつせそん》。而不失定意《にふしつじょうい》。若不爾者《にゃくふにしゃ》。不取正覺《ふしゅしょうがく》。

設我得佛《せつがとくぶつ》。他方國土《たほうこくど》。諸菩薩衆《しょぼさつしゅ》。聞我《もんが》名字《みょうじ》。壽終之後《じゅしゅうしご》。生尊貴家《しょうそんきけ》。若不《にゃくふ》爾者《にしゃ》。不取正覺《ふしゅしょうがく》。

設我得佛《せつがとくぶつ》。他方國土《たほうこくど》。諸菩薩衆《しょぼさつしゅ》。聞我《もんが》名字《みょうじ》。歡喜踊躍《かんぎゆやく》。修菩薩行《しゅぼさつぎょう》。具足德《ぐそくとく》本《ほん》。若不爾者《にゃくふにしゃ》。不取正覺《ふしゅしょうがく》。

設我得佛《せつがとくぶつ》。他方國土《たほうこくど》。諸菩薩衆《しょぼさつしゅ》。聞我《もんが》名字《みょうじ》。皆悉逮得普等三昧《かいしつたいとくふとうさんまい》。住是三昧《じゅうぜさんまい》。至于成佛《しうじょうぶつ》。常見無量《じょうけんむりょう》。不可思議《ふかしぎ》。一切諸佛《いっさいしょぶつ》。若不爾者《にゃくふにしゃ》。不取正覺《ふしゅしょうがく》。

設我得佛《せつがとくぶつ》。國中菩薩《こくちゅうぼさつ》。隨其志願《ずいごしがん》。所《しょ》欲聞法《よくもんぼう》。自然得聞《じねんとくもん》。若不爾者《にゃくふにしゃ》。不取《ふしゅ》正覺《しょうがく》。

設我得佛《せつがとくぶつ》。他方國土《たほうこくど》。諸菩薩衆《しょぼさつしゅ》。聞我《もんが》

世尊《せそん》を供養《くよう》したてまつりて、而《しか》も定意《じょうい》を失《しっ》せじ。若《も》し爾《しか》らずは、正覚《しょうがく》を取《と》らじ。

(43)設《たと》い我《われ》、仏《ぶつ》を得《え》んに、他方国土《たほうこくど》の諸《もろもろ》の菩薩衆《ぼさつしゅ》、我《わ》が名《みょう》字《じ》を聞《き》きて、寿終《いのちおわ》りての後《のち》、尊貴《そんき》の家《いえ》に生《う》まれん。若《も》し爾《しか》らずは、正覚《しょうがく》を取《と》らじ。

(44)設《たと》い我《われ》、仏《ぶつ》を得《え》んに、他方国土《たほうこくど》の諸《もろもろ》の菩薩衆《ぼさつしゅ》、我《わ》が名《みょう》字《じ》を聞《き》きて、歓喜踊躍《かんぎゆやく》して、菩薩《ぼさつ》の行《ぎょう》を修《しゅ》し、徳本《とくほん》を具足《ぐそく》せん。若《も》し爾《しか》らずは、正覚《しょうがく》を取《と》らじ。

(45)設《たと》い我《われ》、仏《ぶつ》を得《え》んに、他方国土《たほうこくど》の諸《もろもろ》の菩薩衆《ぼさつしゅ》、我《わ》が名《みょう》字《じ》を聞《き》きて、皆悉《みなことごと》く普等三昧《ふとうさんまい》を逮得《たいとく》せん。是《こ》の三昧《さんまい》に住《じゅう》して、成仏《じょうぶつ》に至《いた》るまで、常《つね》に無量不可思議《むりょうふかしぎ》の一切《いっさい》の諸仏《しょぶつ》を見《み》たてまつらん。若《も》し爾《しか》らずは、正覚《しょうがく》を取《と》らじ。

(46)設《たと》い我《われ》、仏《ぶつ》を得《え》んに、国《くに》の中《うち》の菩薩《ぼさつ》、其《そ》の志願《しがん》に随《したが》いて、聞《き》かんと欲《おも》わん所《ところ》の法《ほう》、自然《じねん》に聞《き》くことを得《え》ん。若《も》し爾《しか》らずは、正覚《しょうがく》を取《と》らじ。

(47)設《たと》い我《われ》、仏《ぶつ》を得《え》んに、他方国土《たほうこくど》の諸《もろもろ》の菩薩衆《ぼさつしゅ》、我《わ》が名《みょう》

名字《みようじ》。不即得至《ふそくとくし》。不退轉者《ふたいてんしや》。不取正覺《ふしゆしようがく》。

設我得佛《せつがとくぶつ》。他方國土《たほうこくど》。諸菩薩衆《しよぼさつしゆ》。聞我《もんが》名字《みようじ》。不即得至《ふそくとくし》。第一第二《だいいちだいに》。第三法忍《だいさんぽうにん》。於諸佛法《おしよぶつぽう》。不能卽得《ふのうそくとく》。不退轉者《ふたいてんしや》。不取正覺《ふしゆしようがく》。

佛告阿難《ぶつごうあなん》。爾時法藏比丘《にじほうぞうびく》。説此願已《せつしがんい》。而説頌曰《にせつじゆわつ》。

我建超世願《がごんちようせがん》　必至無上道《ひつしむじようどう》
斯願不滿足《しがんふまんぞく》　誓不成正覺《せいふじようしようがく》
我於無量劫《がおむりようこう》　不爲大施主《ふいだいせしゆ》
普濟諸貧苦《ふさいしよびんぐ》　誓不成正覺《せいふじようしようがく》
我至成佛道《がしじようぶつどう》　名聲超十方《みようしようちようじつぽう》
究竟靡所聞《くきようみしよもん》　誓不成正覺《せいふじようしようがく》
離欲深正念《りよくじんしようねん》　淨慧修梵行《じようえしゆぼんぎよう》
志求無上道《しぐむじようどう》　爲諸天人師《いしよてんにんし》

字《じ》を聞《き》きて、即《すなわ》ち不退転《ふたいてん》に至《いた》ることを得《え》ずは、正覚《しようがく》を取《と》らじ。
(48)設《たと》い我《われ》、仏《ぶつ》を得《え》んに、他方国土《たほうこくど》の諸《もろもろ》の菩薩衆《ぼさつしゆ》、我《わ》が名《みよう》字《じ》を聞《き》きて、即《すなわ》ち第一《だいいち》・第二《だいに》・第三法忍《だいさんぽうにん》に至《いた》ることを得《え》ず、諸仏《しよぶつ》の法《ほう》に於《お》いて、即《すなわ》ち不退転《ふたいてん》を得《う》ること能《あた》わずは、正覚《しようがく》を取《と》らじ。」
[28 13]仏《ぶつ》、阿難《あなん》に告《つ》げたまわく、「爾《そ》の時《とき》に法蔵比丘《ほうぞうびく》、此《こ》の願《がん》を説《と》き已《おわ》りて頌《じゆ》を説《と》きて曰《い》わく、

我《われ》、超世《ちようせ》の願《がん》を建《た》つ、必《かなら》ず無上道《むじようどう》に至《いた》らん。
斯《こ》の願満足《がんまんぞく》せずは、誓《ちか》う、正覚《しようがく》を成《な》らじ。
我《われ》、無量劫《むりようこう》に於《お》いて、大施主《だいせしゆ》と為《な》りて、
普《あまね》く諸《もろもろ》の貧苦《びんぐ》を済《すく》わずは、誓《ちか》う、正覚《しようがく》を成《な》らじ。
我《われ》、仏道《ぶつどう》を成《な》るに至《いた》りて、名声《みようしよう》、十方《じつぽう》に超《こ》えん。
究竟《くきよう》して聞《き》こゆる所《ところ》靡《な》くは、誓《ちか》う、正覚《しようがく》を成《な》らじ。
離欲《りよく》と深正念《じんしようねん》と浄慧《じようえ》と梵行《ぼんぎよう》を修《しゆ》して、
無上道《むじようどう》を志求《しぐ》して、諸《もろもろ》の天人《てんにん》の師《し》と為《な》らん。

神《じん》力《りき》演《えん》大《だい》光《こう》　普《ふ》照《しょう》無《む》際《さい》土《ど》
消《しょう》除《じょ》三《さん》垢《く》冥《みょう》　廣《こう》濟《さい》衆《しゅ》厄《やく》難《なん》
開《かい》彼《ひ》智《ち》慧《え》眼《げん》　滅《めっ》此《し》昏《こん》盲《もう》闇《あん》
閉《へい》塞《そく》諸《しょ》惡《あく》道《どう》　通《つう》達《だつ》善《ぜん》趣《しゅ》門《もん》
功《こう》祚《そ》成《じょう》滿《まん》足《ぞく》　威《い》曜《よう》朗《ろう》十《じっ》方《ぽう》
日《にち》月《がつ》戢《しゅう》重《じゅう》暉《き》　天《てん》光《こう》隱《おん》不《ふ》現《げん》
爲《い》衆《しゅ》開《かい》法《ほう》藏《ぞう》　廣《こう》施《せ》功《く》德《どく》寶《ほう》
常《じょう》於《お》大《だい》衆《しゅ》中《じゅう》　説《せっ》法《ぽう》師《し》子《し》吼《く》
供《く》養《よう》一《いっ》切《さい》佛《ぶつ》　具《ぐ》足《そく》衆《しゅ》德《とく》本《ほん》
願《がん》慧《ね》悉《しつ》成《じょう》滿《まん》　得《とく》爲《い》三《さん》界《がい》雄《おう》
如《にょ》佛《ぶつ》無《む》礙《げ》智《ち》　通《つう》達《だつ》靡《み》不《ふ》照《しょう》
願《がん》我《が》功《く》慧《え》力《りき》　等《とう》此《し》最《さい》勝《しょう》尊《そん》
斯《し》願《がん》若《にゃっ》剋《こっ》果《か》　大《だい》千《せん》應《おう》感《かん》動《どう》
虚《こ》空《くう》諸《しょ》天《てん》人《にん》　當《とう》雨《う》珍《ちん》妙《みょう》華《け》
佛《ぶつ》告《ごう》阿《あ》難《なん》。法《ほう》藏《ぞう》比《び》丘《く》。説《せっ》此《し》頌《じゅ》已《い》。應《おう》時《じ》普《ふ》地《じ》。六《ろく》種《しゅ》震《しん》動《どう》。天《てん》雨《う》妙《みょう》華《け》。以《い》散《さん》其《ご》

神力《じんりき》、大光《だいこう》を演《の》べて、普《あまね》く無際《むさい》の土《ど》を照《て》らし、
三垢《さんく》の冥《みょう》を消除《しょうじょ》して、広《ひろ》く衆《もろもろ》の厄難《やくなん》を済《すく》わん。
彼《か》の智慧《ちえ》の眼《まなこ》を開《ひら》きて、此《こ》の昏盲《こんもう》の闇《あん》を滅《めっ》せん。
諸《もろもろ》の悪道《あくどう》を閉塞《へいそく》して、善趣《ぜんしゅ》の門《もん》を通達《つうだつ》せん。
功祚《こうそ》、成満足《じょうまんぞく》して、威曜《いよう》、十方《じっぽう》に朗《ほが》らかならん。
日月《にちがつ》、重暉《じゅうき》を戢《おさ》めて、天《てん》の光《ひかり》も隠《かく》れて現《げん》ぜじ。
衆《しゅ》の為《ため》に法蔵《ほうぞう》を開《ひら》きて、広《ひろ》く功徳《くどく》の宝《ほう》を施《せ》せん。
常《つね》に大衆《だいしゅ》の中《なか》にして、法《ほう》を説《と》きて師子吼《ししく》せん。
一切《いっさい》の仏《ぶつ》を供養《くよう》したてまつり、衆《もろもろ》の徳本《とくほん》を具足《ぐそく》せん。
願慧《がんね》悉《ことごと》く成満《じょうまん》して、三界《さんがい》の雄《おう》たることを得《え》たまえり。
仏《ぶつ》の無碍《むげ》の智《ち》の如《ごと》く、通達《つうだつ》して照《て》らさざること靡《な》からん。
願《ねが》わくは我《わ》が功慧《くえ》の力《ちから》、此《こ》の最勝《さいしょう》の尊《そん》に等《ひと》しからん。
斯《こ》の願《がん》、若《も》し剋果《こっか》すべくは、大千感動《だいせんかんどう》すべし。
虚空《こくう》の諸《もろもろ》の天人《てんにん》、当《まさ》に珍妙《ちんみょう》の華《はな》を雨《ふ》らすべし。」

29 仏《ぶつ》、阿難《あなん》に告《つ》げたまわく、「法蔵比丘《ほうぞうびく》、此《こ》の頌《じゅ》を説《と》き已《おわ》るに、時《とき》に応《おう》じて普《あまね》く、地《じ》、六種《ろくしゅ》に震動《しんどう》す。天《てん》より妙華《みょうけ》を雨《ふ》

上《じょう》。自然《じねん》音樂《おんがく》。空中《くうじゅう》讃言《さんごん》。決定《けつじょう》必《ひつ》
成《じょう》。無上正覺《むじょうしょうがく》。於是《おぜ》法藏比丘《ほうぞうびく》。具《ぐ》
足修滿《そくしゅまん》。如是《にょぜ》大願《だいがん》。誠諦《じょうたい》不虛《ふこ》。超《ちょう》
出世間《しゅっせけん》。深樂《じんぎょう》寂滅《じゃくめつ》。阿難《あなん》時《じ》彼比丘《ひびく》。
於其佛所《おごぶっしょ》。諸天《しょてん》魔梵《まぼん》。龍神八部《りゅうじんはちぶ》。大《だい》
衆之中《しゅしじゅう》。發斯弘誓《ほっしぐぜい》。建此願已《こんしがんい》。一向《いっこう》
專志《せんし》。莊嚴妙土《しょうごんみょうど》。所修佛國《しょしゅぶっこく》。恢廓廣《かいかくこう》
大《だい》。超勝獨妙《ちょうしょうどくみょう》。建立常然《こんりゅうじょうねん》。無衰《むすい》
無變《むへん》。於不可思議《おふかしぎ》。兆載永劫《ちょうさいようごう》。積植《しゃくじき》
菩薩《ぼさつ》。無量德行《むりょうとくぎょう》。不生《ふしょう》欲覺《よっかく》。瞋覺《しんかく》
害覺《がいかく》。不起《ふき》欲想《よくそう》。瞋想害想《しんそうがいそう》。不著色《ふじゃくしき》
聲香味觸法《しょうこうみそくほう》。忍力成就《にんりきじょうじゅ》。不計衆苦《ふけしゅく》。
少欲知足《しょうよくちそく》。無染恚癡《むぜんいち》。三昧常寂《さんまいじょうじゃく》。
智慧無礙《ちえむげ》。無有虛僞諂曲之心《むうこぎてんごくししん》。和顏愛《わげんあい》
語《ご》。先意承問《せんいじょうもん》。勇猛精進《ゆみょうしょうじん》。志願無《しがんむ》
倦《けん》。專求清白之法《せんぐしょうびゃくしほう》。以惠利群生《いえりぐんじょう》。

りて、以《もっ》て其《そ》の上《うえ》に散《さん》ず。自然《じねん》の音楽《おんがく》、空《そら》の中《なか》にして讃《ほ》めて
言《い》わく、「決定《けつじょう》して必《かなら》ず無上正覚《むじょうしょうがく》を成《な》るべし」と。30是《ここ》に
法蔵比丘《ほうぞうびく》、是《か》くの如《ごと》きの大願《だいがん》を具足《ぐそく》し修満《しゅまん》し、誠諦《じょうたい》にして
虚《むな》しからず。世間《せけん》に超出《ちょうしゅつ》して深《ふか》く寂滅《じゃくめつ》を楽《ねが》う。
31阿難《あなん》。時《とき》に彼《か》の比丘《びく》、其《そ》の仏《ぶつ》（世自在王仏）の所《みもと》、諸天《しょてん》・
魔《ま》・梵《ぼん》・龍神八部《りゅうじんはちぶ》、大衆《だいしゅ》の中《なか》にして、斯《こ》の弘誓《ぐぜい》を発《おこ》し、此《こ》
の願《がん》を建《た》て已《おわ》りて、一向《いっこう》に志《こころざし》を専《もっぱ》らにして、妙土《みょうど》を荘《しょう》
厳《ごん》す。修《しゅ》する所《ところ》の仏国《ぶっこく》、恢廓広大《かいかくこうだい》にして、超勝独妙《ちょうしょうどくみょう》なり。
建立常然《こんりゅうじょうねん》にして、衰無《すいな》く変無《へんな》し。不可思議《ふかしぎ》の兆載永劫《ちょうさいようごう》に
於《お》いて、菩薩《ぼさつ》の無量《むりょう》の徳行《とくぎょう》を積植《しゃくじき》して、欲覚《よっかく》・瞋覚《しんかく》・害《がい》
覚《かく》を生《しょう》ぜず。欲想《よくそう》・瞋想《しんそう》・害想《がいそう》を起《お》こさず。色《しき》・声《しょう》・香《こう》・
味《み》・触《そく》・法《ほう》に著《じゃく》せず。忍力成就《にんりきじょうじゅ》して衆苦《しゅく》を計《はか》らず。少欲《しょうよく》
知足《ちそく》にして、染《ぜん》・恚《い》・痴《ち》無《な》し。三昧常寂《さんまいじょうじゃく》にして、智慧無碍《ちえむげ》
なり。虚偽《こぎ》・諂曲《てんごく》の心《しん》有《あ》ること無《な》し。和顔愛語《わげんあいご》にして、意《こころ》
を先《さき》にして承問《じょうもん》す。勇猛精進《ゆみょうしょうじん》にして、志願倦《しがんう》むこと無《な》し。
専《もっぱ》ら清白《しょうびゃく》の法《ほう》を求《もと》めて、以《もっ》て群生《ぐんじょう》を恵利《えり》しき。三宝《さんぼう》を恭《く》

恭敬三寶《くぎょうさんぼう》。奉事師長《ぶじしちょう》。以大莊嚴《いだいしょうごん》。具足衆行《ぐそくしゅぎょう》。令諸衆生《りょうしょしゅじょう》。功徳成就《くどくじょうじゅ》。住空無相《じゅうくうむそう》。無願之法《むがんしほう》。無作無起《むさむき》。觀《かん》法如化《ほうにょけ》。遠離麤言《おんりそごん》。自害害彼《じがいがいひ》。彼此倶《ひしく》害《がい》。修習善語《しゅしゅうぜんご》。自利利人《じりりにん》。人我兼利《にんがけんり》。棄國捐王《きこくえんおう》。絶去財色《ぜっこざいしき》。自行六波羅蜜《じぎょうろくはらみつ》。教人令行《きょうにんりょうぎょう》。無央數劫《むおうしゅこう》。積功累徳《しゃっくるいとく》。隨其生處《ずいごしょうしょ》。在意所欲《ざいいしょよく》。無量寶藏《むりょうほうぞう》。自《じ》然發應《ねんほっとう》。教化安立《きょうけあんりゅう》。無數衆生《むしゅしゅじょう》。住《じゅう》於無上正眞之道《おむじょうしょうしんしどう》。或爲長者居士《わくいちょうじゃこじ》。豪姓尊貴《ごうしょうそんき》。或爲刹利國君《わくいせつりこくぐん》。轉輪聖帝《てんりんじょうてい》。或爲六欲天主《わくいろくよくてんしゅ》。乃至梵王《ないしぼんのう》。常以四事《じょういしじ》。供養恭敬《くようくぎょう》。一切諸佛《いっさいしょぶつ》。如是功徳《にょぜくどく》。不《ふ》可稱說《かしょうせつ》。口氣香潔《くけこうけつ》。如優鉢羅華《にょうはつらけ》。身《しん》諸毛孔《しょもうく》。出栴檀香《しゅつせんだんこう》。其香普熏《ごこうふくん》。無量《むりょう》世界《せかい》。容色端正《ようしきたんじょう》。相好殊妙《そうごうしゅみょう》。其手《ごしゅ》

敬《ぎょう》し、師長《しちょう》に奉事《ぶじ》す。大荘厳《だいしょうごん》を以《もっ》て衆行《しゅぎょう》を具足《ぐそく》し、諸《もろもろ》の衆生《しゅじょう》をして功徳《くどく》を成就《じょうじゅ》せしむ。空《くう》・無相《むそう》・無願《むがん》の法《ほう》に住《じゅう》して、作《さ》無《な》く起《き》無《な》し。法《ほう》は化《け》の如《ごと》しと観《かん》ず。麁言《そごん》の自害《じがい》と害彼《がいひ》と彼此《ひし》倶《とも》に害《がい》するを遠離《おんり》して、善語《ぜんご》の自利《じり》・利人《りにん》と人《にん》我兼利《がけんり》するを修習《しゅじゅう》しき。国《くに》を棄《す》て王《おう》を捐《す》てて、財色《ざいしき》を絶《た》ち去《さ》け、自《みずか》ら六波羅蜜《ろくはらみつ》を行《ぎょう》じ、人《ひと》を教《おし》えて行《ぎょう》ぜしむ。無央《むおう》数劫《しゅこう》に功《こう》を積《つ》み徳《とく》を累《かさ》ねて、[32]其《そ》の生処《しょうしょ》に随《したが》いて意《こころ》の所欲《しょよく》に在《あ》り。無量《むりょう》の宝蔵《ほうぞう》、自然《じねん》に発応《ほっとう》す。無数《むしゅ》の衆生《しゅじょう》を教化《きょうけ》し安立《あんりゅう》して、無上正真《むじょうしょうしん》の道《どう》に住《じゅう》せしむ。或《ある》いは長者《ちょうじゃ》・居士《こじ》・豪姓《ごうしょう》・尊貴《そんき》と為《な》り、或《ある》いは刹利国君《せつりこくぐん》・転輪聖帝《てんりんじょうてい》と為《な》り、或《ある》いは六欲天主《ろくよくてんしゅ》、乃至梵王《ないしぼんのう》と為《な》りて、常《つね》に四事《しじ》を以《もっ》て一切《いっさい》の諸仏《しょぶつ》を供養《くよう》し恭敬《くぎょう》したてまつる。是《か》くの如《ごと》きの功徳《くどく》、称説《しょうせつ》すべからず。口《くち》の気《いき》、香潔《こうけつ》にして優鉢羅華《うはつらけ》の如《ごと》し。身《み》の諸《もろもろ》の毛孔《もうく》より栴檀香《せんだんこう》を出《い》だす。其《そ》の香《か》、普《あまね》く無量《むりょう》の世界《せかい》に熏《くん》ず。容色端正《ようしきたんじょう》にして、相好殊妙《そうごうしゅみょう》なり。其《そ》の手《て》より常《つね》に無尽《むじん》の宝《たから》を出《い》だす。衣服《えぶく》・飲食《おんじき》・珍妙《ちんみょう》の華香《けこう》・[14]繒蓋《ぞうがい》・

常出《じょうしゅつ》。無盡《むじん》之寶《しほう》。衣服飲食《えぶくおんじき》。珍妙《ちんみょう》華香《けこう》。繒蓋幢旛《ぞうがいどうばん》。莊嚴之具《しょうごんしぐ》。如是等《にょぜとう》事《じ》。超諸天人《ちょうしょてんにん》。於一切法《おいっさいほう》。而得自在《にとくじざい》。阿難白佛《あなんびゃくぶつ》。法藏菩薩《ほうぞうぼさつ》。爲已成佛《いいじょうぶつ》。而《に》取滅度《しゅめつど》。爲未成佛《いみじょうぶつ》。爲今現在《いこんげんざい》。佛告《ぶつごう》阿難《あなん》。法藏菩薩《ほうぞうぼさつ》。今已成佛《こんいじょうぶつ》。現在西《げんざいさい》方《ほう》。去此十萬億刹《こしじゅうまんおくせつ》。其佛世界《ごぶつせかい》。名曰《みょうわつ》安樂《あんらく》。阿難又問《あなんうもん》。其佛成道已來《ごぶつじょうどういらい》。爲《い》逕幾時《きょうきじ》。佛言成佛已來《ぶつごんじょうぶついらい》。凡歴十劫《ぼんりやくじっこう》。其佛國土《ごぶつこくど》。自然七寶《じねんしっぽう》。金銀瑠璃《こんごんるり》。珊瑚《さんご》琥珀《こはく》。硨磲碼碯《しゃこめのう》。合成爲地《ごうじょういじ》。恢廓曠《かいかくこう》蕩《とう》。不可限極《ふかげんごく》。悉相雜廁《しつそうざつし》。轉相入間《てんそうにゅうけん》。光赫焜耀《こうかくこんよう》。微妙奇麗《みみょうきれい》。清淨莊嚴《しょうじょうしょうごん》。超踰十方《ちょうゆじっぽう》。一切世界《いっさいせかい》。衆寶中精《しゅほうちゅうしょう》。其寶猶如《ごほうゆにょ》。第六天寶《だいろくてんぼう》。又其國土《うごこくど》。無須《むしゅ》彌山《みせん》。及金剛鐵圍《ぎゅうこんごうてっち》。一切諸山《いっさいしょせん》。亦無《やくむ》

幢旛《どうばん》・荘厳《しょうごん》の具《ぐ》、是《か》くの如《ごと》き等《ら》の事《じ》、諸《もろもろ》の天人《てんにん》に超《こ》えて、一切《いっさい》の法《ほう》に於《お》いて自在《じざい》を得《え》たりき。」

33阿難《あなん》、仏《ぶつ》に白《もう》さく、「法蔵菩薩《ほうぞうぼさつ》、已《すで》に成仏《じょうぶつ》して滅度《めつど》を取《と》りたまえりとやせん。未《いま》だ成仏《じょうぶつ》したまわずとやせん。今現《いまげん》に在《まし》すとやせん」と。仏《ぶつ》、阿難《あなん》に告《つ》げたまわく、「法蔵菩薩《ほうぞうぼさつ》、今已《いますで》に成仏《じょうぶつ》して、現《げん》に西方《さいほう》に在《まし》す。此《ここ》を去《さ》ること、十万《じゅうまん》億《おく》の刹《せつ》なり。其《そ》の仏《ぶつ》の世界《せかい》を名《な》づけて安楽《あんらく》と曰《い》う。」阿難《あなん》、又問《またと》いたてまつる。「其《そ》の仏《ぶつ》、成道《じょうどう》したまいてより已来《このかた》、幾《いく》ばくの時《とき》を逕《へ》たまえりとかせん」と。仏《ぶつ》の言《のたま》わく、「成仏《じょうぶつ》より已来《このかた》、凡《おおよ》そ十劫《じっこう》を歴《へ》たまえり。

34其《そ》の仏国土《ぶっこくど》には、自然《じねん》の七宝《しちほう》、金《こん》・銀《ごん》・瑠璃《るり》・珊瑚《さんご》・琥《こ》珀《はく》・硨磲《しゃこ》・碼碯《めのう》、合成《ごうじょう》して地《じ》とせり。恢廓曠蕩《かいかくこうとう》として限極《げんごく》すべからず。悉《ことごと》く相雑廁《あいざっし》して、転《うた》た相入間《あいにゅうけん》せり。光赫焜《こうかくこん》耀《よう》にして、微妙奇麗《みみょうきれい》なり。清浄《しょうじょう》に荘厳《しょうごん》して、十方一切《じっぽういっさい》の世界《せかい》に超踰《ちょうゆ》せり。衆宝《しゅぼう》の中《なか》の精《しょう》なり。其《そ》の宝《たから》、猶《なお》し第六《だいろく》

大海小海《だいかいしょうかい》。谿渠井谷《けいこしょうこく》。佛神力故《ぶつじんりきこ》。欲《よく》見則現《けんそくげん》。亦無地獄《やくむじごく》。餓鬼畜生《がきちくしょう》。諸難《しょなん》之趣《ししゅ》。亦無四時《やくむしじ》。春秋冬夏《しゅんじゅうとうげ》。不寒不《ふかんふ》熱《ねつ》。常和調適《じょうわじょうちゃく》。爾時阿難《にじあなん》。白佛言《びゃくぶつごん》世尊《せそん》。若彼國土《にゃくひこくど》。無須彌山《むしゅみせん》。其四天《ごしてん》王《のう》。及忉利天《ぎゅうとうりてん》。依何而住《えがにじゅう》。佛語阿難《ぶつごあなん》。第三焔天《だいさんえんでん》。乃至色究竟天《ないししきくきょうでん》。皆依何住《かいえがじゅう》。阿難白佛《あなんびゃくぶつ》。行業果報《ぎょうごうかほう》。不可思議《ふかしぎ》。佛《ぶつ》語阿難《ごあなん》。行業果報《ぎょうごうかほう》。不可思議《ふかしぎ》。諸佛《しょぶつ》世界《せかい》。亦不可思議《やくふかしぎ》。其諸衆生《ごしょしゅじょう》。功德《くどく》善力《ぜんりき》。住行業之地《じゅうぎょうごうしじ》。故能爾耳《こうのうにに》。阿難《あなん》白佛《びゃくぶつ》。我不疑此法《がふぎしほう》。但爲將來衆《たんいしょうらいしゅ》生《じょう》。欲除其疑惑《よくじょごぎわく》。故問斯義《こもんしぎ》。

佛告阿難《ぶつごうあなん》。無量壽佛《むりょうじゅぶつ》。威神光明《いじんこうみょう》。最《さい》

天《てん》の宝《たから》の如《ごと》し。

35又《また》、其《そ》の国土《こくど》には、須弥山及《しゅみせんおよ》び金剛鉄囲《こんごうてっち》・一切《いっさい》の諸山無《しょせんな》し。亦《また》、大海《だいかい》・小海《しょうかい》・谿渠《けいこ》・井谷無《しょうこくな》し。仏神《ぶつじん》力《りき》の故《ゆえ》に、見《み》んと欲《おも》えば則《すなわ》ち現《げん》ず。亦《また》、地獄《じごく》・餓鬼《がき》・畜《ちく》生《しょう》・諸難《しょなん》の趣無《しゅな》し。亦《また》、四時《しじ》・春秋冬夏無《しゅんじゅうとうげな》し。寒《さむ》からず熱《あつ》からず。常《つね》に和《やわ》らかにして調適《じょうちゃく》なり。」

36爾《そ》の時《とき》に阿難《あなん》、仏《ぶつ》に白《もう》して言《もう》さく、「世尊《せそん》。若《も》し彼《か》の国土《こくど》に須弥山無《しゅみせんな》くは、其《そ》の四天王及《してんのうおよ》び忉利天《とうりてん》、何《なに》に依《よ》りてか住《じゅう》せん」と。仏《ぶつ》、阿《あ》難《なん》に語《かた》りたまわく、「第三《だいさん》の焔天《えんでん》、乃至色究竟天《ないししきくきょうてん》、皆何《みななに》に依《よ》りてか住《じゅう》せん」と。阿難《あなん》、仏《ぶつ》に白《もう》さく、「行業果報不可思《ぎょうごうかほうふかし》議《ぎ》なればなり」と。仏《ぶつ》、阿難《あなん》に語《かた》りたまわく、「行業果報《ぎょうごうかほう》不可思議《ふかしぎ》ならば、諸仏世界《しょぶつせかい》も亦不可思議《またふかしぎ》なり。其《そ》の諸《もろもろ》の衆《しゅ》生《じょう》、功徳善力《くどくぜんりき》をもって行業《ぎょうごう》の地《じ》に住《じゅう》す。故《かるがゆえ》に能《よ》く爾《しか》るまくのみ」と。阿難《あなん》、仏《ぶつ》に白《もう》さく、「我《われ》、此《こ》の法《ほう》を疑《うたが》わず。但将来《ただしょうらい》の衆生《しゅじょう》の、其《そ》の疑惑《ぎわく》を除《のぞ》かんと欲《おも》うが為《ため》の故《ゆえ》に、斯《こ》の義《ぎ》を問《と》いたてまつる」と。

37仏《ぶつ》、阿難《あなん》に告《つ》げたまわく、「無量寿仏《むりょうじゅぶつ》の威神光明《いじんこうみょう》、最尊《さいそん》

尊第一《そんだいいち》。諸佛光明《しょぶつこうみょう》。所不能及《しょふのうぎゅう》。或有《わくう》佛光《ぶつこう》。照百佛世界《しょうひゃくぶつせかい》。或千佛世界《わくせんぶつせかい》。取《しゅ》要言之《ようごんし》。乃照東方《ないしょうとうぼう》。恆沙佛刹《ごうじゃぶつせつ》。南西《なんざい》北方《ほっぽう》。四維上下《しゆいじょうげ》。亦復如是《やくぶにょぜ》。或有佛《わくうぶつ》光《こう》。照于七尺《しょううしちしゃく》。或照一由旬《わくしょういちゆじゅん》。二三《にさん》四五由旬《しごゆじゅん》。如是轉倍《にょぜてんばい》。乃至照於一佛《ないししょうおいちぶつ》刹土《せつど》。是故無量壽佛《ぜこむりょうじゅぶつ》。號無量光佛《ごうむりょうこうぶつ》。無邊光佛《むへんこうぶつ》。無礙光佛《むげこうぶつ》。無對光佛《むたいこうぶつ》。焰王《えんのう》光佛《こうぶつ》。清淨光佛《しょうじょうこうぶつ》。歡喜光佛《かんぎこうぶつ》。智慧光《ちえこう》佛《ぶつ》。不斷光佛《ふだんこうぶつ》。難思光佛《なんしこうぶつ》。無稱光《むしょうこう》佛《ぶつ》。超日月光佛《ちょうにちがつこうぶつ》。其有衆生《ごうしゅじょう》。遇斯光《ぐしこう》者《しゃ》。三垢消滅《さんくしょうめつ》。身意柔輭《しんいにゅうなん》。歡喜踊躍《かんぎゆやく》。善心生焉《ぜんしんしょうえん》。若在三塗《にゃくざいさんず》。勤苦之處《ごんくししょ》。見《けん》此光明《しこうみょう》。皆得休息《かいとくくそく》。無復苦惱《むぶくのう》。壽終《じゅしゅう》之後《しご》。皆蒙解脱《かいむげだつ》。無量壽佛《むりょうじゅぶつ》。光明顯《こうみょうけん》赫《かく》。照耀十方《しょうようじっぽう》。諸佛國土《しょぶつこくど》。莫不聞焉《まくふもんえん》。

第一《だいいち》にして、諸仏《しょぶつ》の光明《こうみょう》及《およ》ぶこと能《あた》わざる所《ところ》なり。[38]或《ある》いは仏《ぶつ》の光《ひかり》の百仏世界《ひゃくぶつせかい》を照《て》らす有《あ》り。或《ある》いは千仏世界《せんぶつせかい》なり。要《よう》を取《と》りて之《これ》を言《い》わば、乃《すなわ》ち東方恒沙《とうぼうごうじゃ》の仏刹《ぶっせつ》を照《て》らす。南西北方《なんざいほっぽう》・四維《しゆい》・上下《じょうげ》も、亦復《またま》た是《か》くの如《ごと》し。或《ある》いは仏《ぶつ》の光《ひかり》の七尺《しちしゃく》を照《て》らす有《あ》り。或《ある》いは一由旬《いちゆじゅん》・二《に》・三《さん》・四《し》・五由旬《ごゆじゅん》を照《て》らす。是《か》くの[15]如《ごと》く転《うた》た倍《ばい》して、乃至一仏刹土《ないしいちぶっせつど》を照《て》らす。[39]是《こ》の故《ゆえ》に無量寿仏《むりょうじゅぶつ》を、無量光仏《むりょうこうぶつ》・無辺光仏《むへんこうぶつ》・無碍光仏《むげこうぶつ》・無対光仏《むたいこうぶつ》・焔王光仏《えんのうこうぶつ》・清浄光仏《しょうじょうこうぶつ》・歓喜光仏《かんぎこうぶつ》・智慧光仏《ちえこうぶつ》・不断光仏《ふだんこうぶつ》・難思光仏《なんしこうぶつ》・無称光仏《むしょうこうぶつ》・超日月光仏《ちょうにちがっこうぶつ》と号《ごう》す。其《そ》れ衆生《しゅじょう》有《あ》りて、斯《こ》の光《ひかり》に遇《もうあ》えば、三垢消滅《さんくしょうめつ》し、身意《しんい》柔軟《にゅうなん》にして、歓喜踊躍《かんぎゆやく》し善心《ぜんしん》を焉《ここ》に生《しょう》ず。若《も》し三塗《さんず》・勤苦《ごんく》の処《ところ》に在《あ》りて、此《こ》の光明《こうみょう》を見《み》たてまつれば、皆休息《みなくそく》することを得《え》て、復《ま》た苦悩《くのう》無《な》けん。寿終《いのちおわ》りて後《のち》、皆解脱《みなげだつ》を蒙《こうぶ》る。無量寿仏《むりょうじゅぶつ》の光明顕赫《こうみょうけんかく》にして、十方諸仏《じっぽうしょぶつ》の国土《こくど》を照耀《しょうよう》したまうに、聞《き》こえざる[16]こと莫《な》し。但《ただ》我《わ》が今《いま》、其《そ》の光明《こうみょう》を称《しょう》するのみに不《あら》ず。一切《いっさい》の諸仏《しょぶつ》・声聞《しょうもん》・縁覚《えんがく》・諸《もろもろ》の菩薩衆《ぼさつしゅ》

不《ふ》但《たん》我《が》今《こん》。稱《しょう》其《ご》光明《こうみょう》。一切諸佛《いっさいしょぶつ》。聲聞緣覺《しょうもんえんがく》。諸菩薩衆《しょぼさつしゅ》。咸共歎譽《げんぐたんよ》。亦《やく》復如是《ぶによぜ》。若有衆生《にゃくうしゅじょう》。聞其光明《もんごこうみょう》。威《い》神功德《じんくどく》。日夜稱說《にちやしょうせつ》。至心不斷《ししんふだん》。隨意《ずいい》所願《しょがん》。得生其國《とくしょうごこく》。爲諸菩薩《いしょぼさつ》。聲聞大《しょうもんだい》衆《しゅ》。所共歎譽《しょぐたんよ》。稱其功德《しょうごくどく》。至其然《しごねん》後《ご》。得佛道時《とくぶつどうじ》。普爲十方《ふいじっぽう》。諸佛菩薩《しょぶつぼさつ》。歎其光明《たんごこうみょう》。亦如今也《やくにょこんや》。佛言我說《ぶつごんがせつ》。無《む》量壽佛《りょうじゅぶつ》。光明威神《こうみょういじん》。巍巍殊妙《ぎぎしゅみょう》。晝《ちゅう》夜一劫《やいっこう》。尙未能盡《しょうみのうじん》。

佛語阿難《ぶつごあなん》。無量壽佛《むりょうじゅぶつ》。壽命長久《じゅみょうじょうく》。不可稱計《ふかしょうけ》。汝寧知乎《にょにょうちこ》。假使十方世界《けしじっぽうせかい》。無量衆生《むりょうしゅじょう》。皆得人身《かいとくにんじん》。悉令成就《しつりょうじょうじゅ》。聲聞緣覺《しょうもんえんがく》。都共集會《とぐしゅうえ》。禪思一心《ぜんしいっしん》。竭《かつ》其智力《ごちりき》。於百千萬劫《おひゃくせんまんごう》。悉共推算《しつぐすいさん》。計《け》其壽命《ごじゅみょう》。長遠之數《じょうおんししゅ》。不能窮盡《ふのうぐじん》。知其《ちご》

も咸《ことごと》く共《とも》に歎誉《たんよ》したまうこと、亦復《またま》た是《か》くの如《ごと》し。若《も》し衆《しゅ》生有《じょうあ》りて、其《そ》の光明威神功徳《こうみょういじんくどく》を聞《き》きて、日夜《にちや》に称説《しょうせつ》して心《しん》を至《いた》して断《た》えざれば、意《こころ》の所願《しょがん》に随《したが》いて、其《そ》の国《くに》に生《う》まるることを得《え》て、諸《もろもろ》の菩薩《ぼさつ》・声聞《しょうもん》・大衆《だいしゅ》の為《ため》に、共《とも》に歎《たん》誉《よ》し其《そ》の功徳《くどく》を称《しょう》せられん。其《そ》れ然《しこ》うして後《のち》、仏道《ぶつどう》を得《え》ん時《とき》に至《いた》りて、普《あまね》く十方諸仏《じっぽうしょぶつ》・菩薩《ぼさつ》の為《ため》に、其《そ》の光明《こうみょう》を歎《ほ》められんこと、亦今《またいま》の如《ごと》くならん。」仏《ぶつ》の言《のたま》わく、「我《われ》、無《む》量寿仏《りょうじゅぶつ》の光明威神《こうみょういじん》、巍巍殊妙《ぎぎしゅみょう》なるを説《と》かんに、昼夜一劫《ちゅうやいっこう》すとも尚未《なおいま》だ尽《つ》くること能《あた》わじ。」

40 仏《ぶつ》、阿難《あなん》に語《かた》りたまわく、「[17]無量寿仏《むりょうじゅぶつ》は寿命長久《じゅみょうじょうく》にして[18]称計《しょうげ》すべからず。汝寧《なんじむし》ろ知《し》らんや。仮使《たと》い十方世界《じっぽうせかい》の無量《むりょう》の衆生《しゅじょう》、皆人身《みなにんじん》を得《え》て悉《ことごと》く声聞《しょうもん》・縁覚《えんがく》を成就《じょうじゅ》せしめて、都《すべ》て共《とも》に集会《しゅうえ》して、思《おもい》を禅《しず》かにし心《しん》を一《ひと》つにして、其《そ》の智力《ちりき》を竭《つ》くして、百千万劫《ひゃくせんまんごう》に於《お》いて悉《ことごと》く共《とも》に推算《すいさん》して其《そ》の寿命《じゅみょう》の長遠《じょうおん》の数《かず》を計《かぞ》えんに、窮《きわ》め尽《つ》くして其《そ》の限極《げんごく》を

限極《げんごく》。聲聞《しょうもん》菩薩《ぼさつ》。天人《てんにん》之《し》衆《しゅ》。壽命《じゅみょう》長短《じょうたん》。亦復《やくぶ》如是《にょぜ》。非《ひ》算數《さんじゅ》譬喩《ひゆ》。所能《しょのう》知《ち》也《や》。又《う》聲聞《しょうもん》菩薩《ぼさつ》。其數《ごしゅ》難量《なんりょう》。不可《ふか》稱說《しょうせつ》。神智《じんち》洞達《とうだつ》。威力《いりき》自在《じざい》。能《のう》於《お》掌《しょう》中《ちゅう》。持《じ》一切《いっさい》世界《せかい》。

佛語《ぶつご》阿難《あなん》。彼佛《ひぶつ》初會《しょえ》。聲聞《しょうもん》衆數《しゅしゅ》。不《ふ》可《か》稱計《しょうけ》。菩薩《ぼさつ》亦然《やくねん》。如今《にょこん》大目犍連《だいもっけんれん》。百千萬億《ひゃくせんまんおく》。無量《むりょう》無數《むしゅ》。於《お》阿僧祇《あそうぎ》。那《な》由他劫《ゆたこう》。乃至《ないし》滅度《めつど》。悉《しつ》共《ぐ》計挍《けきょう》。不《ふ》能《のう》究了《くりょう》。多少《たしょう》之《し》數《しゅ》。譬《ひ》如《にょ》大海《だいかい》。深廣《じんこう》無《む》量《りょう》。假使《けし》有人《うにん》。析《しゃく》其《ご》一毛《いちもう》。以爲《いい》百《ひゃく》分《ぶん》。以《い》一分毛《いちぶんもう》。沾取《てんしゅ》一渧《いってい》。於意《おい》云何《うんが》。其所渧者《ごしょていしゃ》。於《お》彼《ひ》大海《だいかい》。何所《がしょ》爲多《いた》。阿難《あなん》白佛《びゃくぶつ》。彼所渧水《ひしょていすい》。比《ひ》於《お》大海《だいかい》。多少《たしょう》之《し》量《りょう》。非《ひ》巧曆《ぎょうりゃく》算數《さんじゅ》。言辭《ごんじ》譬類《ひるい》。所能《しょのう》

知《し》ること能《あた》わじ。[41]声聞《しょうもん》・菩薩《ぼさつ》・天《てん》・人《にん》の衆《しゅ》の寿命《じゅみょう》の長短《じょうたん》も、亦復《またま》た是《か》くの如《ごと》し。算数《さんじゅ》・譬喩《ひゆ》の能《よ》く知《し》る所《ところ》に非《あら》ずとなり。[42]又《また》声聞《しょうもん》・菩薩《ぼさつ》、其《そ》の数量《かずはか》り難《がた》し。称説《しょうせつ》すべからず。神智洞達《じんちとうだつ》して、威力自在《いりきじざい》なり。能《よ》く掌《たなごころ》の中《うち》に於《お》いて一切世界《いっさいせかい》を持《じ》せり。」

仏《ぶつ》、阿難《あなん》に語《かた》りたまわく、「彼《か》の仏《ぶつ》の初会《しょえ》の声聞衆《しょうもんしゅ》の数《かず》、称計《しょうげ》すべからず。菩薩《ぼさつ》も亦然《またしか》なり。今《いま》の大目犍連《だいもっけんれん》の如《ごと》く、百千万億無量無数《ひゃくせんまんおくむりょうむしゅ》にして、阿僧祇那由他劫《あそうぎなゆたこう》に於《お》いて、乃至《ないし》滅度《めつど》まで悉《ことごと》く共《とも》に計校《けきょう》すとも、多少《たしょう》の数《かず》を究《きわ》め了《りょう》すること能《あた》わじ。譬《たと》えば大海《だいかい》の深広《じんこう》にして無量《むりょう》なるが如《ごと》し。仮《た》使《と》い人《ひと》有《あ》りて、其《そ》の一毛《いちもう》を析《くだ》きて、以《もっ》て百分《ひゃくぶん》と為《な》して、一《いち》分《ぶん》の毛《もう》を以《もっ》て一渧《いってい》を沾《しお》し取《と》らん。意《こころ》に於《お》いて云何《いかん》ぞ。其《そ》の渧《したた》る所《ところ》の者《もの》は、彼《か》の大海《だいかい》に於《お》いて何《いず》れをか多《おお》しとする」と。阿難《あなん》、仏《ぶつ》に白《もう》さく、「彼《か》の渧《したた》る所《ところ》の水《みず》を大海《だいかい》に比《なら》ぶるに、多少《たしょう》の量《りょう》、巧暦《ぎょうりゃく》・算数《さんじゅ》・言辞《ごんじ》・譬類《ひるい》の能《よ》く知《し》る所《ところ》

知也《ちゃ》。佛語《ぶつご》阿難《あなん》。如目連等《にょもくれんとう》。於百千《おひゃくせん》萬億《まんおく》。那由他劫《なゆたこう》。計彼初會《けひしょえ》。聲聞菩《しょうもんぼ》薩《さつ》。所知數者《しょちしゅしゃ》。猶如一渧《ゆにょいってい》。其所不知《ごしょふち》。如大海水《にょだいかいすい》。

又其國土《うごこくど》。七寶諸樹《しっぽうしょじゅ》。周滿世界《しゅまんせかい》。金樹《こんじゅ》銀樹《ごんじゅ》。瑠璃樹《るりじゅ》。玻瓈樹《はりじゅ》。珊瑚樹《さんごじゅ》。碼碯《めのう》樹《じゅ》。硨磲樹《しゃこじゅ》。或有二寶三寶《わくうにほうさんぼう》。乃至七《ないししっ》寶《ぽう》。轉共合成《てんぐごうじょう》。或有金樹《わくうこんじゅ》。銀葉華果《ごんようけか》。或有銀樹《わくうごんじゅ》。金葉華果《こんようけか》。或瑠璃樹《わくるりじゅ》。玻瓈《はり》爲葉《いよう》。華果亦然《けかやくねん》。或水精樹《わくすいしょうじゅ》。瑠璃爲《るりい》葉《よう》。華果亦然《けかやくねん》。或珊瑚樹《わくさんごじゅ》。碼碯爲葉《めのういよう》。華果《けか》亦然《やくねん》。或碼碯樹《わくめのうじゅ》。瑠璃爲葉《るりいよう》。華果《けか》亦然《やくねん》。或硨磲樹《わくしゃこじゅ》。衆寶爲葉《しゅぼういよう》。華果亦然《けかやくねん》。或有寶樹《わくうほうじゅ》。紫金爲本《しこんいほん》。白銀爲莖《びゃくごんいきょう》。瑠《る》璃爲枝《りいし》。水精爲條《すいしょういじょう》。珊瑚爲葉《さんごいよう》。碼碯《めのう》爲華《いけ》。硨磲爲實《しゃこいじつ》。或有寶樹《わくうほうじゅ》。白銀爲《びゃくごんい》

に非《あら》ずとなり。」仏《ぶつ》、阿難《あなん》に語《かた》りたまわく、「目連等《もくれんとう》の如《ごと》き、百千万億那由他劫《ひゃくせんまんおくなゆたこう》に於《お》いて、彼《か》の初会《しょえ》の声聞《しょうもん》・菩薩《ぼさつ》を計《かぞ》えんに、知《し》る所《ところ》の数《かず》は猶《なお》し一渧《いってい》の如《ごと》し。其《そ》の知《し》らざる所《ところ》は大《だい》海《かい》の水《みず》の如《ごと》し。

43又《また》、其《そ》の国土《こくど》に七宝《しちほう》の諸《もろもろ》の樹《き》、世界《せかい》に周満《しゅうまん》せり。44金《こん》樹《じゅ》・銀樹《ごんじゅ》・瑠璃樹《るりじゅ》・玻瓈樹《はりじゅ》・珊瑚樹《さんごじゅ》・碼碯樹《めのうじゅ》・硨磲樹《しゃこじゅ》なり。或《ある》いは二宝《にほう》・三宝《さんぼう》、乃至七宝《ないししちほう》、転《うた》た共《とも》に合成《ごうじょう》せる有《あ》り。或《ある》いは金樹《こんじゅ》に銀葉華果《ごんようけか》なる有《あ》り。或《ある》いは銀樹《ごんじゅ》に金葉華果《こんようけか》なる有《あ》り。或《ある》いは瑠璃樹《るりじゅ》に玻瓈《はり》を葉《は》とす。華果亦然《けかまたしか》なり。或《ある》いは水《すい》精樹《しょうじゅ》に瑠璃《るり》を葉《は》とす。華果亦然《けかまたしか》なり。或《ある》いは珊瑚樹《さんごじゅ》に碼碯《めのう》を葉《は》とす。華果亦然《けかまたしか》なり。或《ある》いは碼碯樹《めのうじゅ》に瑠璃《るり》を葉《は》とす。華《け》果亦然《かまたしか》なり。或《ある》いは硨磲樹《しゃこじゅ》に衆宝《しゅぼう》を葉《は》とす。華果亦然《けかまたしか》なり。或《ある》いは宝樹《ほうじゅ》有《あ》り。紫金《しこん》を本《もと》とし、白銀《びゃくごん》を茎《くき》とし、瑠璃《るり》を枝《えだ》とし、水精《すいしょう》を条《こえだ》とし、珊瑚《さんご》を葉《は》とし、碼碯《めのう》を華《はな》とし、硨磲《しゃこ》を実《み》とす。或《ある》いは宝樹《ほうじゅ》有《あ》り。白銀《びゃくごん》を本《もと》とし、瑠璃《るり》を茎《くき》とし、水精《すいしょう》を枝《えだ》とし、珊瑚《さんご》を条《こえだ》とし、碼碯《めのう》を葉《は》とし、硨磲《しゃこ》を華《はな》と

本《ほん》。瑠璃《るり》爲莖《いきょう》。水精《すいしょう》爲枝《いし》。珊瑚《さんご》爲條《じょう》。碼碯《めのう》爲葉《いよう》。硨磲《しゃこ》爲華《いけ》。紫金《しこん》爲實《いじつ》。或有寶樹《わくうほうじゅ》。瑠璃《るり》爲本《いほん》。水精《すいしょう》爲莖《いきょう》。珊瑚《さんご》爲枝《いし》。碼碯《めのう》爲條《いじょう》。硨磲《しゃこ》爲葉《いよう》。紫金《しこん》爲華《いけ》。白銀《びゃくごん》爲實《いじつ》。或有寶樹《わくうほうじゅ》。水精《すいしょう》爲本《いほん》。珊瑚《さんご》爲莖《いきょう》。碼碯《めのう》爲枝《いし》。硨磲《しゃこ》爲條《いじょう》。紫金《しこん》爲葉《いよう》。白銀《びゃくごん》爲華《いけ》。瑠璃《るり》爲實《いじつ》。或有寶樹《わくうほうじゅ》。珊瑚《さんご》爲本《いほん》。碼碯《めのう》爲莖《いきょう》。硨磲《しゃこ》爲枝《いし》。紫金《しこん》爲條《いじょう》。白銀《びゃくごん》爲葉《いよう》。瑠璃《るり》爲華《いけ》。水精《すいしょう》爲實《いじつ》。或有寶樹《わくうほうじゅ》。碼碯《めのう》爲本《いほん》。硨磲《しゃこ》爲莖《いきょう》。紫金《しこん》爲枝《いし》。白銀《びゃくごん》爲條《いじょう》。瑠璃《るり》爲葉《いよう》。水精《すいしょう》爲華《いけ》。珊瑚《さんご》爲實《いじつ》。或有寶樹《わくうほうじゅ》。硨磲《しゃこ》爲本《いほん》。紫金《しこん》爲莖《いきょう》。白銀《びゃくごん》爲枝《いし》。瑠璃《るり》爲條《いじょう》。水精《すいしょう》爲葉《いよう》。珊瑚《さんご》爲華《いけ》。碼碯《めのう》爲實《いじつ》。此諸寶樹《ししょほうじゅ》。行行相値《ぎょうぎょうそうち》。莖莖相望《きょうきょうそうもう》。枝枝相準《ししそうじゅん》。葉葉相向《ようようそうこう》。

し、紫金《しこん》を実《み》とす。或《ある》いは宝樹《ほうじゅ》有《あ》り。瑠璃《るり》を本《もと》とし、水精《すいしょう》を茎《くき》とし、珊瑚《さんご》を枝《えだ》とし、碼碯《めのう》を条《こえだ》とし、硨磲《しゃこ》を葉《は》とし、紫金《しこん》を華《はな》とし、白銀《びゃくごん》を実《み》とす。或《ある》いは宝樹《ほうじゅ》有《あ》り。水精《すいしょう》を本《もと》とし、珊瑚《さんご》を茎《くき》とし、碼碯《めのう》を枝《えだ》とし、硨磲《しゃこ》を条《こえだ》とし、紫金《しこん》を葉《は》とし、白銀《びゃくごん》を華《はな》とし、瑠璃《るり》を実《み》とす。或《ある》いは宝樹《ほうじゅ》有《あ》り。珊瑚《さんご》を本《もと》とし、碼碯《めのう》を茎《くき》とし、硨磲《しゃこ》を枝《えだ》とし、紫金《しこん》を条《こえだ》とし、白銀《びゃくごん》を葉《は》とし、瑠璃《るり》を華《はな》とし、水精《すいしょう》を実《み》とす。或《ある》いは宝樹《ほうじゅ》有《あ》り。碼碯《めのう》を本《もと》とし、硨磲《しゃこ》を茎《くき》とし、紫金《しこん》を枝《えだ》とし、白銀《びゃくごん》を条《こえだ》とし、瑠璃《るり》を葉《は》とし、水精《すいしょう》を華《はな》とし、珊瑚《さんご》を実《み》とす。或《ある》いは宝樹《ほうじゅ》有《あ》り。硨磲《しゃこ》を本《もと》とし、紫金《しこん》を茎《くき》とし、白銀《びゃくごん》を枝《えだ》とし、瑠璃《るり》を条《こえだ》とし、水精《すいしょう》を葉《は》とし、珊瑚《さんご》を華《はな》とし、碼碯《めのう》を実《み》とす。[45]此《こ》の諸《もろもろ》の宝樹《ほうじゅ》、行行相値《ぎょうぎょうあいあ》い、茎茎相望《きょうきょうあいのぞ》み、枝枝相準《ししあいしたが》い、葉葉相向《ようようあいむ》かい、華華相順《けけあいしたが》い、実実相当《じつじつあいあ》たれり。栄色光耀《ようしきこうよう》、勝《あ》げて視《み》るべからず。[46]清風《しょうふう》、時《とき》に発《おこ》りて、五《いつ》つの音声《おんじょう》を出《い》だす。微妙《みみょう》にして宮商自然《きゅうしょうじねん》に相和《あいわ》す。

華《け》華《け》相《そう》順《じゅん》。實《じつ》實《じつ》相《そう》當《とう》。榮《よう》色《しき》光《こう》耀《よう》。不《ふ》可《か》勝《しょう》視《し》。清《しょう》風《ふう》時《じ》發《ほつ》。出《しゅつ》五《ご》音《おん》聲《じょう》。微《み》妙《みょう》宮《きゅう》商《しょう》。自《じ》然《ねん》相《そう》和《わ》。

又《う》無《む》量《りょう》壽《じゅ》佛《ぶつ》。其《ご》道《どう》場《じょう》樹《じゅ》。高《こう》四《し》百《ひゃく》萬《まん》里《り》。其《ご》本《ほん》周《しゅう》圍《い》。五《ご》十《じゅう》由《ゆ》旬《じゅん》。枝《し》葉《よう》四《し》布《ふ》。二《に》十《じゅう》萬《まん》里《り》。一《いっ》切《さい》衆《しゅ》寶《ぼう》。自《じ》然《ねん》合《ごう》成《じょう》。以《い》月《がっ》光《こう》摩《ま》尼《に》。持《じ》海《かい》輪《りん》寶《ぼう》。衆《しゅ》寶《ぼう》之《し》王《おう》。而《に》莊《しょう》嚴《ごん》之《し》。周《しゅ》帀《そう》條《じょう》間《けん》。垂《すい》寶《ほう》瓔《よう》珞《らく》。百《ひゃく》千《せん》萬《まん》色《じき》。種《しゅ》種《じゅ》異《い》變《へん》。無《む》量《りょう》光《こう》焰《えん》。照《しょう》耀《よう》無《む》極《ごく》。珍《ちん》妙《みょう》寶《ほう》網《もう》。羅《ら》覆《ふ》其《ご》上《じょう》。一《いっ》切《さい》莊《しょう》嚴《ごん》。隨《ずい》應《おう》而《に》現《げん》。微《み》風《ふう》徐《じょ》動《どう》。吹《すい》諸《しょ》枝《し》葉《よう》。演《えん》出《じゅつ》無《む》量《りょう》。妙《みょう》法《ほう》音《おん》聲《じょう》。其《ご》聲《しょう》流《る》布《ふ》。徧《へん》諸《しょ》佛《ぶっ》國《こく》。其《ご》聞《もん》音《おん》者《しゃ》。得《とく》深《じん》法《ぽう》忍《にん》。住《じゅう》不《ふ》退《たい》轉《てん》。至《し》成《じょう》佛《ぶつ》道《どう》。耳《に》根《こん》清《しょう》徹《てつ》。不《ふ》遭《ぞう》苦《く》患《げん》。目《もく》観《と》其《ご》色《しき》。耳《に》聞《もん》其《ご》音《おん》。鼻《び》知《ち》其《ご》香《こう》。舌《ぜっ》嘗《しょう》其《ご》味《み》。身《しん》觸《そく》其《ご》光《こう》。心《しん》以《い》法《ほう》

---

[47]又《また》、無《む》量《りょう》寿《じゅ》仏《ぶつ》の其《そ》の道《どう》場《じょう》樹《じゅ》は、高《たか》さ四《し》百《ひゃく》万《まん》里《り》なり。其《そ》の本《もと》、周《しゅう》囲《い》五《ご》十《じゅう》由《ゆ》旬《じゅん》なり。枝《し》葉《よう》、四《よも》に布《し》けること二《に》十《じゅう》万《まん》里《り》なり。一《いっ》切《さい》の衆《しゅ》宝《ぼう》、自《じ》然《ねん》に合《ごう》成《じょう》せり。月《がっ》光《こう》摩《ま》尼《に》・持《じ》海《かい》輪《りん》宝《ぼう》・衆《しゅ》宝《ぼう》の王《おう》たるを以《もっ》て、之《これ》を荘《しょう》厳《ごん》せり。条《えだ》の間《あいだ》に周《しゅう》帀《そう》して、宝《たから》の瓔《よう》珞《らく》を垂《た》れたり。百《ひゃく》千《せん》万《まん》の色《いろ》、種《しゅ》種《じゅ》に異《い》変《へん》す。無《む》量《りょう》の光《こう》焔《えん》、照《しょう》耀《よう》極《きわ》まり無《な》し。珍《ちん》妙《みょう》の宝《ほう》網《もう》、其《そ》の上《うえ》に羅《ら》覆《ふ》せり。一《いっ》切《さい》の荘《しょう》厳《ごん》、応《おう》に随《した》いて現《げん》ず。微《み》風《ふう》徐《ようや》く動《うご》きて諸《もろもろ》の枝《し》葉《よう》を吹《ふ》くに、無《む》量《りょう》の妙《みょう》法《ほう》の音《おん》声《じょう》を演《えん》出《しゅつ》す。其《そ》の声《こえ》、流《る》布《ふ》して諸《しょ》仏《ぶつ》の国《くに》に遍《へん》ず。[48]其《そ》の音《こえ》を聞《き》けば深《じん》法《ぽう》忍《にん》を得《え》、不《ふ》退《たい》転《てん》に住《じゅう》せん。仏《ぶつ》道《どう》を成《な》るに至《いた》りて、耳《に》根《こん》清《しょう》徹《てつ》にして、苦《く》患《げん》に遭《あ》わず。目《め》に其《そ》の色《いろ》を観《み》、耳《みみ》に其《そ》の音《こえ》を聞《き》き、鼻《はな》に其《そ》の香《か》を知《し》り、舌《した》に其《そ》の味《あじ》わいを嘗《な》め、身《み》に其《そ》の光《ひかり》を触《ふ》れ、心《しん》に法《ほう》を以《もっ》て縁《えん》ずるに、一《いっ》切《さい》皆《みな》、甚《じん》深《じん》の法《ほう》忍《にん》を得《え》、不《ふ》退《たい》転《てん》に

縁《えん》。一切皆得《いっさいかいとく》。甚深法忍《じんじんぽうにん》。住不退轉《じゅうふたいてん》。至成佛道《しじょうぶつどう》。六根清徹《ろっこんしょうてつ》。無諸惱患《むしょのうげん》。阿《あ》難若彼國人天《なんにゃくひこくにんでん》。見此樹者《けんしじゅしゃ》。得三法忍《とくさんぽうにん》。一者音響忍《いっしゃおんこうにん》。二者柔順忍《にしゃにゅうじゅんにん》。三者無《さんじゃむ》生法忍《しょうぼうにん》。此皆無量壽佛《しかいむりょうじゅぶつ》。威神力故《いじんりきこ》。本願力故《ほんがんりきこ》。滿足願故《まんぞくがんこ》。明了願故《みょうりょうがんこ》。堅《けん》固願故《ごがんこ》。究竟願故《くきょうがんこ》。佛告阿難《ぶつごうあなん》。世間《せけん》帝王《ていおう》。有百千音樂《うひゃくせんおんがく》。自轉輪聖王《じてんりんじょうおう》。乃《ない》至第六天上《しだいろくてんじょう》。伎樂音聲《ぎがくおんじょう》。展轉相勝《てんでんそうしょう》。千億萬倍《せんおくまんばい》。第六天上《だいろくてんじょう》。萬種樂音《まんじゅがくおん》。不《ふ》如無量壽國《にょむりょうじゅこく》。諸七寶樹《しょしっぽうじゅ》。一種音聲《いっしゅおんじょう》。千億倍也《せんおくばいや》。亦有自然《やくうじねん》。萬種伎樂《まんじゅぎがく》。又其《うご》樂聲《がくしょう》。無非法音《むひほうおん》。清揚哀亮《しょうようあいりょう》。微妙《みみょう》和雅《わげ》。十方世界《じっぽうせかい》。音聲之中《おんじょうしちゅう》。最爲第《さいいだい》一《いち》。又講堂精舍《うこうどうしょうじゃ》。宮殿樓觀《くでんろうかん》。皆七寶莊嚴《かいしっぽうしょうごん》。

住《じゅう》せん。仏道《ぶつどう》を成《な》るに至《いた》るまで、六根清徹《ろっこんしょうてつ》にして、諸《もろもろ》の悩患《のうげん》無《な》し。阿難《あなん》。若《も》し彼《か》の国《くに》の人天《にんでん》、此《こ》の樹《き》を見《み》る者《もの》、三法《さんぼう》忍《にん》を得《う》。一《ひと》つには音響忍《おんこうにん》、二《ふた》つには柔順忍《にゅうじゅんにん》、三《み》つには無《む》生法忍《しょうぼうにん》なり。此《こ》れ皆《みな》、無量寿仏《むりょうじゅぶつ》の威神力《いじんりき》の故《ゆえ》に、本願力《ほんがんりき》の故《ゆえ》に、満足願《まんぞくがん》の故《ゆえ》に、明了願《みょうりょうがん》の故《ゆえ》に、堅固願《けんごがん》の故《ゆえ》に、究《く》竟願《きょうがん》の故《ゆえ》なり。」

49仏《ぶつ》、阿難《あなん》に告《つ》げたまわく、「世間《せけん》の帝王《ていおう》に百千《ひゃくせん》の音楽《おんがく》有《あ》り。転輪聖王《てんりんじょうおう》より、乃至第六天上《ないしだいろくてんじょう》の伎楽《ぎがく》の音声《おんじょう》、展転《てんでん》して相《あい》勝《すぐ》れたること、[19]千億万倍《せんおくまんばい》なり。第六天上《だいろくてんじょう》の万種《まんじゅ》の楽音《がくおん》、無《む》量寿国《りょうじゅこく》の諸《もろもろ》の七宝樹《しちほうじゅ》の一種《いっしゅ》の音声《おんじょう》に如《し》かざること、千億《せんおく》倍《ばい》なり。50亦《また》自然《じねん》の万種《まんじゅ》の伎楽《ぎがく》有《あ》り。又其《またそ》の楽《がく》の声《こえ》、法音《ほうおん》に非《あら》ざること無《な》し。清揚哀亮《しょうようあいりょう》にして微妙和雅《みみょうわげ》なり。十方世《じっぽうせ》界《かい》の音声《おんじょう》の中《なか》に最《もっと》も第一《だいいち》とす。

51又《また》、講堂《こうどう》・精舎《しょうじゃ》・宮殿《くでん》・楼観《ろうかん》、皆七宝荘厳《みなしちほうしょうごん》して自然《じねん》に化《け》

自然《じねん》化成《けじょう》。復《ぶ》以《い》眞珠《しんじゅ》。明月摩尼《みょうがつまに》衆《しゅ》寶《ぼう》。以爲《いい》交露《きょうろ》。覆蓋《ふがい》其上《ごじょう》。内外《ないげ》左右《さう》。有《う》諸《しょ》浴池《よくち》。或《わく》十《じゅう》由旬《ゆじゅん》。或《わく》二十《にじゅう》三十《さんじゅう》。乃至《ないし》百千《ひゃくせん》由旬《ゆじゅん》。縱廣《じゅうこう》深淺《じんぜん》。各皆《かくかい》一《いつ》等《とう》。八功德水《はっくどくすい》。湛然《たんねん》盈滿《ようまん》。清淨《しょうじょう》香潔《こうけつ》。味《み》如《にょ》甘露《かんろ》。黄金《おうごん》池者《ちしゃ》。底《てい》白銀《びゃくごん》沙《しゃ》。白《びゃく》銀《ごん》池者《ちしゃ》。底《てい》黄金《おうごん》沙《しゃ》。水精《すいしょう》池者《ちしゃ》。底《てい》瑠璃《るり》沙《しゃ》。瑠璃《るり》池者《ちしゃ》。底《てい》水精《すいしょう》沙《しゃ》。珊瑚《さんご》池者《ちしゃ》。底《てい》琥珀《こはく》沙《しゃ》。琥珀《こはく》池者《ちしゃ》。底《てい》珊瑚《さんご》沙《しゃ》。硨磲《しゃこ》池者《ちしゃ》。底《てい》碼碯《めのう》沙《しゃ》。碼碯《めのう》池者《ちしゃ》。底《てい》硨磲《しゃこ》沙《しゃ》。白玉《はくぎょく》池者《ちしゃ》。底《てい》紫金《しこん》沙《しゃ》。紫金《しこん》池者《ちしゃ》。底《てい》白玉《はくぎょく》沙《しゃ》。或《わく》二寶《にほう》三寶《さんぼう》。乃至《ないし》七寶《しつぼう》。轉共《てんぐ》合成《ごうじょう》。其池《ごち》岸上《がんじょう》。有《う》栴檀樹《せんだんじゅ》。華葉《けよう》垂布《すいふ》。香氣《こうけ》普熏《ふくん》。天《てん》優鉢羅華《うはつらけ》。鉢《はつ》曇摩華《どんまけ》。拘物頭華《くもつずけ》。分陀利華《ふんだりけ》。雜色光《ざつしきこう》茂《も》。彌覆《みふ》水上《すいじょう》。彼《ひ》諸《しょ》菩薩《ぼさつ》。及《ぎゅう》聲聞《しょうもん》

成《じょう》す。復《ま》た真珠《しんじゅ》・明月摩尼《みょうがつまに》・衆宝《しゅぼう》を以《もっ》て、以《もっ》て交露《きょうろ》とす。其《そ》の上《うえ》に覆蓋《ふがい》せり。52内外左右《ないげさう》に、諸《もろもろ》の浴池《よくち》有《あ》り。或《ある》いは十由旬《じゅうゆじゅん》、或《ある》いは二十《にじゅう》・三十《さんじゅう》、乃至百千由旬《ないしひゃくせんゆじゅん》なり。縦《じゅう》広《こう》・深浅《じんせん》、各《おの》おの皆一等《みないっとう》なり。八功徳《はっくどく》の水《みず》、湛然《たんねん》として盈満《ようまん》せり。清浄香潔《しょうじょうこうけつ》にして、味《あじ》わい甘露《かんろ》の如《ごと》し。黄金《おうごん》の池《いけ》には、底《そこ》に白銀《びゃくごん》の沙《いさご》あり。白銀《びゃくごん》の池《いけ》には、底《そこ》に黄金《おうごん》の沙《いさご》あり。水精《すいしょう》の池《いけ》には、底《そこ》に瑠璃《るり》の沙《いさご》あり。瑠璃《るり》の池《いけ》には、底《そこ》に水精《すいしょう》の沙《いさご》あり。珊瑚《さんご》の池《いけ》には、底《そこ》に琥珀《こはく》の沙《いさご》あり。琥珀《こはく》の池《いけ》には、底《そこ》に珊瑚《さんご》の沙《いさご》あり。硨磲《しゃこ》の池《いけ》には、底《そこ》に碼碯《めのう》の沙《いさご》あり。碼碯《めのう》の池《いけ》には、底《そこ》に硨磲《しゃこ》の沙《いさご》あり。白玉《はくぎょく》の池《いけ》には、底《そこ》に紫金《しこん》の沙《いさご》あり。紫金《しこん》の池《いけ》には、底《そこ》に白玉《はくぎょく》の沙《いさご》あり。或《ある》いは二宝《にほう》・三宝《さんぼう》、乃至七宝《ないししちほう》、転《うた》た共《とも》に合成《ごうじょう》せり。其《そ》の池《いけ》の岸《きし》の上《うえ》に栴檀樹《せんだんじゅ》有《あ》り。華葉《けよう》垂《た》れ布《し》きて、香気《こうけ》普《あまね》く熏《くん》ず。天《てん》の優鉢羅華《うはつらけ》・鉢曇摩華《はつどんまけ》・拘物頭華《くもつずけ》・分陀利華《ふんだりけ》、雑色光茂《ざつしきこうも》にして、弥《ひろ》く水《みず》の上《うえ》に覆《おお》えり。53彼《か》の諸《もろもろ》の菩薩及《ぼさつおよ》び声聞衆《しょうもんしゅ》、若《も》し宝池《ほうち》に入《い》りて意《こころ》に水《みず》をして足《あし》を没《ひた》さしめんと欲《おも》えば、

衆《しゅ》。若入寶池《にゃくにゅうほうち》。意欲令水没足《いよくりょうすいもつそく》。水卽没足《すいそくもつそく》。欲令至膝《よくりょうししつ》。卽至于膝《そくしうしつ》。欲令至腰《よくりょうしよう》。水卽至腰《すいそくしよう》。欲令至頸《よくりょうしきょう》。水卽至頸《すいそくしきょう》。欲令灌身《よくりょうかんしん》。自然灌身《じねんかんしん》。欲令還復《よくりょうげんぶく》。水輒還復《すいちょうげんぶく》。調和冷煖《じょうわりょうだん》。自然隨意《じねんずいい》。開神悅體《かいじんえつたい》。蕩除心垢《とうじょしんく》。淸明澄潔《しょうみょうちょうけつ》。淨若無形《じょうにゃくむぎょう》。寶沙映徹《ほうしゃえいてつ》。無深不照《むじんふしょう》。微瀾回流《みらんえる》。轉相灌注《てんそうかんじゅう》。安詳徐逝《あんじょうじょせい》。不遲不疾《ふちふしつ》。波揚無量《はようむりょう》。自然妙聲《じねんみょうしょう》。隨其所應《ずいごしょおう》。莫不聞者《まくふもんしゃ》。或聞佛聲《わくもんぶつしょう》。或聞法聲《わくもんほうしょう》。或聞僧聲《わくもんそうしょう》。或寂靜聲《わくじゃくじょうしょう》。空無我聲《くうむがしょう》。大慈悲聲《だいじひしょう》。波羅蜜聲《はらみつしょう》。或十力無畏《わくじゅうりきむい》。不共法聲《ふぐほうしょう》。諸通慧聲《しょつうえしょう》。無所作聲《むしょさしょう》。不起滅聲《ふきめつしょう》。無生忍聲《むしょうにんじょう》。乃至甘露灌頂《ないしかんろかんじょう》。衆妙法聲《しゅみょうほっしょう》。如是等聲《にょぜとうしょう》。稱其所聞《しょうごしょもん》。歡喜無量《かんぎむりょう》。隨順《ずいじゅん》

水即《みずすなわ》ち足《あし》を没《ひた》す。膝《ひざ》に至《いた》らしめんと欲《おも》えば、即《すなわ》ち膝《ひざ》に至《いた》る。腰《こし》に至《いた》らしめんと欲《おも》えば、水即《みずすなわ》ち腰《こし》に至《いた》る。頸《くび》に至《いた》らしめんと欲《おも》えば、水即《みずすなわ》ち頸《くび》に至《いた》る。身《み》に灌《そそ》がしめんと欲《おも》えば、自然《じねん》に身《み》に灌《そそ》ぐ。還復《げんぶく》せしめんと欲《おも》えば、水輒《みずすなわ》ち還復《げんぶく》す。調和冷煖《じょうわりょうだん》にして、自然《じねん》に意《こころ》に随《したが》う。神《たましい》を開《ひら》き体《み》を悦《よろこ》ばしむ。心垢《しんく》を蕩除《とうじょ》して、清明澄潔《しょうみょうちょうけつ》にして、浄《きよ》きこと、形無《かたちな》きが若《ごと》し。宝沙映徹《ほうしゃえいてつ》して、深《ふか》きをも照《て》らさざること無《な》けん。微瀾回流《みらんえる》して転《うた》た相灌注《あいかんじゅう》す。安詳《あんじょう》にして徐《ようや》く逝《ゆ》きて、遅《おそ》からず疾《と》からず。[54]波揚《なみあが》りて無量《むりょう》なり。自然《じねん》の妙声《みょうしょう》、其《そ》の所応《しょおう》に随《したが》いて聞《き》こえざる者莫《ものな》けん。或《ある》いは仏《ぶつ》の声《みこえ》を聞《き》き、或《ある》いは法《ほう》の声《こえ》を聞《き》き、或《ある》いは僧《そう》の声《こえ》を聞《き》く。或《ある》いは寂静《じゃくじょう》の声《こえ》、空無我《くうむが》の声《こえ》、大慈悲《だいじひ》の声《こえ》、波羅蜜《はらみつ》の声《こえ》、或《ある》いは十力《じゅうりき》・無畏《むい》・不共法《ふぐほう》の声《こえ》、諸通慧《しょつうえ》の声《こえ》、無所作《むしょさ》の声《こえ》、不起滅《ふきめつ》の声《こえ》、無生忍《むしょうにん》の声《こえ》、乃至甘露灌頂《ないしかんろかんじょう》・衆《もろもろ》の妙法《みょうほう》の声《こえ》、是《か》くの如《ごと》き等《ら》の声《こえ》、其《そ》の所聞《しょもん》に称《かな》いて、歓喜《かんぎ》すること無量《むりょう》なり。清浄《しょうじょう》・離欲《りよく》・寂滅《じゃくめつ》・真実《しんじつ》の義《ぎ》に随順《ずいじゅん》し、三宝《さんぼう》・力《りき》・無所《むしょ》

清淨《しょうじょう》。離欲寂滅《りよくじゃくめつ》。眞實之義《しんじつしぎ》。隨順《ずいじゅん》三寶力無所畏《さんぼうりきむしょい》。不共之法《ふぐしほう》。隨順通《ずいじゅんつう》慧《え》。菩薩聲聞《ぼさつしょうもん》。所行之道《しょぎょうしどう》。無有三《むうさん》塗《ず》。苦難之名《くなんしみょう》。但有自然《たんうじねん》。快樂之音《けらくしおん》。是故其國《ぜここごく》。名曰安樂《みょうわつあんらく》。

阿難彼佛國土《あなんひぶつこくど》。諸往生者《しょおうじょうしゃ》。具足如《ぐそくにょ》是《ぜ》。清淨色身《しょうじょうしきしん》。諸妙音聲《しょみょうおんじょう》。神通功《じんずうく》德《どく》。所處宮殿《しょしょくでん》。衣服飲食《えぶくおんじき》。衆妙華香《しゅみょうけこう》。莊嚴之具《しょうごんしぐ》。猶第六天《ゆだいろくてん》。自然之物《じねんしもつ》。若《にゃく》欲食時《よくじきじ》。七寶鉢器《しっぽうはっき》。自然在前《じねんざいぜん》。金銀瑠《こんごんる》璃《り》。硨磲碼碯《しゃこめのう》。珊瑚琥珀《さんごこはく》。明月眞珠《みょうがつしんじゅ》。如是諸鉢《にょぜしょはつ》。隨意而至《ずいいにし》。百味飲食《ひゃくみおんじき》。自《じ》然盈滿《ねんようまん》。雖有此食《すいうしじき》。實無食者《じつむじきしゃ》。但見色《たんけんしき》聞香《もんこう》。意以爲食《いいいじき》。自然飽足《じねんぼうそく》。身心柔《しんじんにゅう》輭《なん》。無所味著《むしょみじゃく》。事已化去《じいけこ》。時至復現《じしぶげん》。彼佛國土《ひぶつこくど》。清淨安穩《しょうじょうあんのん》。微妙快樂《みみょうけらく》。

畏《い》・不共《ふぐ》の法《ほう》に随順《ずいじゅん》し、通慧《つうえ》、菩薩《ぼさつ》・声聞所行《しょうもんしょぎょう》の道《どう》に随順《ずいじゅん》し、三塗苦難《さんずくなん》の名有《なあ》ること無《な》し。但自然快楽《ただじねんけらく》の音有《こえあ》り。是《こ》の故《ゆえ》に其《そ》の国《くに》を名《な》づけて安楽《あんらく》と曰《い》う。

55阿難《あなん》。彼《か》の仏国土《ぶっこくど》に諸《もろもろ》の往生《おうじょう》する者《もの》は、是《か》くの如《ごと》きの清浄《しょうじょう》の色身《しきしん》、諸《もろもろ》の妙音声《みょうおんじょう》、神通功徳《じんずうくどく》を具足《ぐそく》す。処《しょ》する所《ところ》の宮殿《くでん》・衣服《えぶく》・飲食《おんじき》・衆《もろもろ》の妙華香《みょうけこう》・荘厳《しょうごん》の具《ぐ》、猶《なお》し第六天《だいろくてん》の自然《じねん》の物《もの》のごとし。若《も》し食《じき》せんと欲《おも》う時《とき》は、七宝《しちほう》の鉢器《はっき》、自然《じねん》に前《まえ》に在《あ》り。金《こん》・銀《ごん》・瑠璃《るり》・硨磲《しゃこ》・碼碯《めのう》・珊瑚《さんご》・琥珀《こはく》・明月《みょうがつ》・真珠《しんじゅ》、是《か》くの如《ごと》きの諸《もろもろ》の鉢《はち》、意《こころ》に随《したが》いて至《いた》る。百味《ひゃくみ》の20飲食《おんじき》、自然《じねん》に盈満《ようまん》す。此《こ》の食有《じきあ》りと雖《いえど》も、実《じつ》に食《じき》する者無《ものな》し。但《ただ》、色《いろ》を見《み》、香《か》を聞《か》ぐに、意《こころ》に食《じき》を為《な》すと以《おも》えり。自然《じねん》に飽足《ほうそく》す。身心柔軟《しんじんにゅうなん》にして、味著《みじゃく》する所無《ところな》し。事已《ことおわ》れば化《け》して去《さ》る。時至《ときいた》れば復《ま》た現《げん》ず。56彼《か》の仏《ぶっ》国土《こくど》は清浄安穏《しょうじょうあんのん》にして微妙快楽《みみょうけらく》なり。無為泥洹《むいないおん》の道《どう》に次《ちか》

次《し》於《お》無《む》爲《い》。泥《ない》洹《おん》之《し》道《どう》。其《ご》諸《しょ》聲聞《しょうもん》。菩《ぼ》薩《さつ》天《てん》人《にん》。智《ち》慧《え》高《こう》明《みょう》。神《じん》通《ずう》洞《とう》達《だつ》。咸《げん》同《どう》一《いち》類《るい》。形《ぎょう》無《む》異《い》狀《じょう》。但《たん》因《いん》順《じゅん》餘《よ》方《ほう》故《こ》。有《う》天《てん》人《にん》之《し》名《みょう》。顏《げん》貌《みょう》端《たん》正《じょう》。超《ちょう》世《せ》希《け》有《う》。容《よう》色《しき》微《み》妙《みょう》。非《ひ》天《てん》非《ひ》人《にん》。皆《かい》受《じゅ》自《じ》然《ねん》。虚《こ》無《む》之《し》身《しん》。無《む》極《ごく》之《し》體《たい》。

佛《ぶつ》告《ごう》阿《あ》難《なん》。譬《ひ》如《にょ》世《せ》間《けん》。貧《びん》窮《ぐ》乞《こつ》人《にん》。在《ざい》帝《てい》王《おう》邊《へん》。形《ぎょう》貌《みょう》容《よう》狀《じょう》。寧《にょう》可《か》類《るい》乎《こ》。阿《あ》難《なん》白《びゃく》佛《ぶつ》。假《け》令《りょう》此《し》人《にん》。在《ざい》帝《てい》王《おう》邊《へん》。羸《るい》陋《る》醜《しゅ》惡《あく》。無《む》以《い》爲《い》喩《ゆ》。百《ひゃく》千《せん》萬《まん》億《おく》。不《ふ》可《か》計《け》倍《ばい》。所《しょ》以《い》然《ねん》者《しゃ》。貧《びん》窮《ぐ》乞《こつ》人《にん》。底《てい》極《ごく》廝《し》下《げ》。衣《え》不《ふ》蔽《へい》形《ぎょう》。食《じき》趣《しゅ》支《し》命《みょう》。飢《け》寒《かん》困《こん》苦《く》。人《にん》理《り》殆《たい》盡《じん》。皆《かい》坐《ざ》前《ぜん》世《ぜ》。不《ふ》植《じき》徳《とく》本《ほん》。積《しゃく》財《ざい》不《ふ》施《せ》。富《ふ》有《う》益《やく》慳《けん》。但《たん》欲《よく》唐《とう》得《とく》。貪《とん》求《ぐ》無《む》厭《えん》。不《ふ》肯《こう》修《しゅ》善《ぜん》。犯《ぼん》惡《あく》山《せん》積《しゃく》。如《にょ》是《ぜ》壽《じゅ》終《しゅう》。財《ざい》寶《ほう》消《しょう》散《さん》。苦《く》身《しん》聚《じゅ》積《しゃく》。爲《い》之《し》憂《う》惱《のう》。於《お》己《こ》

し。[57]其《そ》の諸《もろもろ》の声聞《しょうもん》・菩薩《ぼさつ》・天《てん》・人《にん》、智慧高明《ちえこうみょう》にして、神通洞達《じんずうとうだつ》せり。咸《ことごと》く同《おな》じく一類《いちるい》にして、形《かたち》に異状《いじょう》無《な》し。但《ただ》し余方《よほう》に因順《いんじゅん》するが故《ゆえ》に、天《てん》・人《にん》の名《な》有《あ》り。[58]顔貌端正《げんみょうたんじょう》にして、世《よ》に超《こ》えて希有《けう》なり。容色微妙《ようしきみみょう》にして、天《てん》に非《あら》ず人《にん》に非《あら》ず。皆《みな》、自然虚無《じねんこむ》の身《しん》、無極《むごく》の体《たい》を受《う》けたり。」

[59]仏《ぶつ》、阿難《あなん》に告《つ》げたまわく、「譬《たと》えば世間《せけん》に貧窮乞人《びんぐこつにん》の、帝《てい》王《おう》の辺《へん》に在《あ》らんが如《ごと》し。形貌容状《ぎょうみょうようじょう》、寧《むし》ろ類《るい》すべけんや。」阿難《あなん》、仏《ぶつ》に白《もう》さく、「仮令《たと》い此《こ》の人《ひと》、帝王《ていおう》の辺《へん》に在《あ》らんに、羸陋醜悪《るいるしゅうあく》にして、以《もっ》て喩《たとえ》とすること無《な》けん。百千万億不《ひゃくせんまんおくふ》可計倍《かけばい》ならん。然《しか》る所以《ゆえ》は、貧窮乞人《びんぐこつにん》は底極廝下《ていごくしげ》にして、衣《ころも》、形《かたち》を蔽《かく》さず。食《じき》、趣《わず》かに命《いのち》を支《ささ》う。飢寒困苦《けかんこんく》して、人理《にんり》殆《ほと》ほと尽《つ》きなんとす。皆《みな》、前世《ぜんせ》に徳本《とくほん》を[21]植《う》えず、財《たから》を積《つ》みて施《ほどこ》さず、有《あ》るに富《と》みて益《ます》ます慳《おし》み、但《ただ》、唐《いたず》らに得《え》んと欲《おも》うて貪求《とんぐ》して厭《いと》うこと無《な》し。[22]肯《あ》えて善《ぜん》を修《しゅ》せず、悪《あく》を犯《おか》すこと、山《やま》の[23]ごとく積《つ》もるに坐《ざ》してなり。是《か》くの如《ごと》くして

無益《むやく》。徒爲他有《といたう》。無善可怙《むぜんかこ》。無徳可恃《むとくかじ》。是故死墮惡趣《ぜこしだあくしゅ》。受此長苦《じゅしじょうく》。罪畢得出《ざいひつとくしゅつ》。生爲下賤《しょういげせん》。愚鄙廝極《ぐひしごく》。示同人類《じどうにんるい》。所以世間帝王《しょいせけんていおう》。人中獨尊《にんじゅうどくそん》。皆由宿世《かいゆしゅくせ》。積徳所致《しゃくとくしょち》。慈惠博施《じえはくせ》。仁愛兼濟《にんあいけんさい》。履信修善《りしんしゅぜん》。無所違諍《むしょいじょう》。是以壽終《ぜいじゅしゅう》。福應《ふくおう》得昇善道《とくしょうぜんどう》。上生天上《じょうしょうてんじょう》。享茲福樂《きょうじふくらく》。積善餘慶《しゃくぜんよけい》。今得爲人《こんとくいにん》。適生王家《ちゃくしょうおうけ》。自然尊貴《じねんそんき》。儀容端正《ぎようたんじょう》。衆所敬事《しゅしょきょうじ》。妙衣珍膳《みょうえちんぜん》。隨心服御《ずいしんぶくご》。宿福所追《しゅくふくしょつい》。故能致此《こうちし》。

佛告阿難《ぶつごうあなん》。汝言是也《にょごんぜや》。計如帝王《けにょていおう》。雖人中尊貴《すいにんじゅうそんき》。形色端正《ぎょうしきたんじょう》。比之轉輪聖王《ひしてんりんじょうおう》。甚爲鄙陋《じんいひる》。猶彼乞人《ゆひこつにん》。在帝王邊也《ざいていおうへんや》。轉《てん》

寿《いのち》終《お》え、財宝消散《ざいほうしょうさん》して、身《み》を苦《くる》しましめて聚積《じゅしゃく》して、之《これ》が為《ため》に憂悩《うのう》すれども己《おのれ》に於《お》いて益無《やくな》し。徒《いたずら》に他《た》の有《う》と為《な》る。善《ぜん》として怙《たの》むべき無《な》し、徳《とく》として恃《たの》むべき無《な》し。是《こ》の故《ゆえ》に死《し》して悪趣《あくしゅ》に堕《だ》して、此《こ》の長苦《じょうく》を受《う》く。罪畢《つみおわ》りて出《い》ずることを得《え》て、生《う》まれて下賤《げせん》と為《な》りて、愚鄙廝極《ぐひしごく》にして人類《にんるい》に示同《じどう》す。世間《せけん》に帝王《ていおう》の、人中《にんちゅう》に独尊《どくそん》なる所以《ゆえ》は、皆宿世《みなしゅくせ》に徳《とく》を積《つ》めるに由《よ》りて致《いた》す所《ところ》なり。慈恵博《じえひろ》く施《ほどこ》し、仁愛兼《にんあいか》ねて済《すく》う。信《しん》を履《ふ》み善《ぜん》を修《しゅ》して、違諍《いじょう》する所無《ところな》し。是《ここ》を以《もっ》て寿終《いのちお》え、福応《ふくおう》じて善道《ぜんどう》に昇《のぼ》ることを得《え》、天上《てんじょう》に上生《じょうしょう》して[24]茲《こ》の福楽《ふくらく》を享《う》く。積善《しゃくぜん》の余慶《よけい》に、今《いま》、人《ひと》と為《な》ることを得《え》たり。適《たま》たま王家《おうけ》に生《う》まれて、自然《じねん》に尊貴《そんき》なり。儀容端正《ぎようたんじょう》にして衆《しゅ》の敬事《きょうじ》する所《ところ》なり。妙衣珍膳《みょうえちんぜん》、心《しん》に随《したが》いて服御《ふくご》す。宿福《しゅくふく》の追《お》う所《ところ》なるが故《ゆえ》に能《よ》く此《こ》れを致《いた》す。」

仏《ぶつ》、阿難《あなん》に告《つ》げたまわく、「汝《なんじ》が言《ことば》、是《ぜ》なり。[25]計《はか》りみるに、帝王《ていおう》の如《ごと》き、人中《にんちゅう》の尊貴《そんき》にして形色端正《ぎょうしきたんじょう》なりと雖《いえど》も、之《これ》を転輪聖王《てんりんじょうおう》に比《なら》ぶるに甚《はなは》だ鄙陋《ひる》なりとす。猶《なお》し彼《か》の乞人《こつにん》

輪聖王《りんじょうおう》。威相殊妙《いそうしゅみょう》。天下第一《てんげだいいち》。比之《ひし》忉利天王《とうりてんのう》。又復醜惡《うぶしゅあく》。不得相喩《ふとくそうゆ》。萬億《まんおく》倍也《ばいや》。假令天帝《けりょうてんてい》。比第六天王《ひだいろくてんのう》。百千《ひゃくせん》億倍《おくばい》。不相類也《ふそうるいや》。設第六天王《せつだいろくてんのう》。比無《ひむ》量壽佛國《りょうじゅぶつこく》。菩薩聲聞《ぼさつしょうもん》。光顔容色《こうげんようしき》。不《ふ》相及逮《そうぎつたい》。百千萬億《ひゃくせんまんおく》。不可計倍《ふかけばい》。

佛告阿難《ぶつごうあなん》。無量壽國《むりょうじゅこく》。其諸天人《ごしょてんにん》。衣《え》服飲食《ぶくおんじき》。華香瓔珞《けこうようらく》。繒蓋幢旛《ぞうがいどうばん》。微妙《みみょう》音聲《おんじょう》。所居舍宅《しょごしゃたく》。宮殿樓閣《くでんろうかく》。稱其《しょうご》形色《ぎょうしき》。高下大小《こうげだいしょう》。或一寶二寶《わくいっぽうにほう》。乃至《ないし》無量衆寶《むりょうしゅぼう》。隨意所欲《ずいいしょよく》。應念卽至《おうねんそくし》。又《う》以衆寶妙衣《いしゅぼうみょうえ》。徧布其地《へんぶごじ》。一切天人《いっさいてんにん》。踐之而行《せんしにぎょう》。無量寶網《むりょうほうもう》。彌覆佛土《みふぶつど》。皆《かい》以金縷眞珠《いこんるしんじゅ》。百千雜寶《ひゃくせんざつぽう》。奇妙珍異《きみょうちんい》。莊嚴交飾《しょうごんきょうじき》。周帀四面《しゅそうしめん》。垂以寶鈴《すいいほうりょう》。光色晃耀《こうしきこうよう》。盡極嚴麗《じんごくごんれい》。自然德風《じねんとくふう》。徐起《じょき》

の、帝王《ていおう》の辺《ほとり》に在《あ》るがごとくなり。転輪聖王《てんりんじょうおう》、威相殊妙《いそうしゅみょう》にして天下《てんげ》に第一《だいいち》なれども、之《これ》を忉利天王《とうりてんのう》に比《なら》ぶるに、又復《また》醜悪《しゅうあく》にして相喩《あいたと》うることを得《え》ざること、万億倍《まんおくばい》なり。仮令《たと》い天帝《てんてい》を第六天王《だいろくてんのう》に比《なら》ぶるに、百千億倍相類《ひゃくせんおくばいあいるい》せざるなり。設《たと》い第六天王《だいろくてんのう》を無量寿仏国《むりょうじゅぶっこく》の菩薩《ぼさつ》・声聞《しょうもん》に比《なら》ぶるに、光顔《こうげん》容色《ようしき》、相及逮《あいおよ》ばざること、百千万億不可計倍《ひゃくせんまんおくふかけばい》なり。」
[60]仏《ぶつ》、阿難《あなん》に告《つ》げたまわく、「無量寿国《むりょうじゅこく》の其《そ》の諸《もろもろ》の天人《てんにん》、衣服《えぶく》・飲食《おんじき》・華香《けこう》・瓔珞《ようらく》・繒蓋《ぞうがい》・幢旛《どうばん》・微妙《みみょう》の音声《おんじょう》・所居《しょご》の舎宅《しゃたく》・宮殿《くでん》・楼閣《ろうかく》、其《そ》の形色《ぎょうしき》に称《かな》う。高下大小《こうげだいしょう》なり。[61]或《ある》いは一宝《いちほう》・二宝《にほう》、乃至《ないし》無量《むりょう》の衆宝《しゅぼう》、意《こころ》の所欲《しょよく》に随《したが》いて、念《ねん》に応《おう》じて即《すなわ》ち至《いた》る。[62]又衆宝《またしゅぼう》の妙衣《みょうえ》を以《もっ》て、遍《あまね》く其《そ》の地《じ》に布《し》けり。一切《いっさい》の天人《てんにん》、之《これ》を践《ふ》みて行《ゆ》く。[63]無量《むりょう》の宝網《ほうもう》、仏土《ぶつど》に弥覆《みふ》せり。皆金縷《みなこんる》・真珠《しんじゅ》・百千《ひゃくせん》の雑宝《ざっぽう》、奇妙珍異《きみょうちんい》なるを以《もっ》て荘厳《しょうごん》し交飾《きょうじき》せり。四面《しめん》に周帀《しゅうそう》して垂《た》るるに宝鈴《ほうりょう》を以《もっ》てす。光色晃耀《こうしきこうよう》にして、尽極厳麗《じんごくごんれい》にして、[64]自然《じねん》の徳風《とくふう》、徐《ようや》く起《お》こりて微動《みどう》す。其《そ》の風調和《かぜじょうわ》にして、寒《さむ》からず暑《あつ》から

微動《みどう》。其風《ごふう》調和《じょうわ》。不寒不暑《ふかんふしょ》。温涼《おんりょう》柔輭《にゅうなん》。不遲不疾《ふちふしつ》。吹諸羅網《すいしょらもう》。及衆寶樹《ぎっしゅほうじゅ》。演發無量《えんぼつむりょう》。微妙法音《みみょうほうおん》。流布萬種《るふまんじゅ》。温雅德香《おんげとっこう》。其有聞者《ごうもんしゃ》。塵勞垢習《じんろうくしゅう》。自然不起《じねんふき》。風觸其身《ふうそくごしん》。皆得快樂《かいとくけらく》。譬如《ひにょ》比丘《びく》。得滅盡三昧《とくめつじんさんまい》。

又風吹散華《うふうすいさんげ》。徧滿佛土《へんまんぶつど》。隨色次第《ずいしきしだい》。而《に》不雜亂《ふぞうらん》。柔輭光澤《にゅうなんこうたく》。馨香芬烈《きょうこうふんれつ》。足履《そくり》其上《ごじょう》。陷下四寸《かんげしすん》。隨擧足已《ずいこそくい》。還復如《げんぶくにょ》故《こ》。華用已訖《けよういこつ》。地輒開裂《じちょうかいれつ》。以次化沒《いしけもつ》。清淨無遺《しょうじょうむい》。隨其時節《ずいごじせつ》。風吹散華《ふうすいさんげ》。如《にょ》是六返《ぜろっぺん》。又衆寶蓮華《うしゅほうれんげ》。周滿世界《しゅまんせかい》。一一《いちいち》寶華《ほうけ》。百千億葉《ひゃくせんおくよう》。其華光明《ごけこうみょう》。無量《むりょう》種色《しゅしき》。青色青光《しょうしきしょうこう》。白色白光《びゃくしきびゃっこう》。玄黃《げんおう》朱紫《しゅし》。光色亦然《こうしきやくねん》。暐曄煥爛《いようかんらん》。明曜日《みょうようにち》月《がつ》。一一華中《いちいちけちゅう》。出三十六百千億光《しゅつさんじゅうろっぴゃくせんおくこう》。

ず。温涼柔軟《おんりょうにゅうなん》にして、遅《おそ》からず疾《と》からず。諸《もろもろ》の羅網及《らもうおよ》び衆《もろもろ》の宝樹《ほうじゅ》を吹《ふ》くに、無量微妙《むりょうみみょう》の法音《ほうおん》を演発《えんぼつ》し、万種温雅《まんじゅおんげ》の徳香《とっこう》を流布《るふ》す。其《そ》れ聞《か》ぐこと有《あ》れば、塵労垢習《じんろうくしゅう》、自然《じねん》に起《お》こらず、風《かぜ》、其《そ》の身《み》に触《ふ》るるに、皆快楽《みなけらく》を得《う》。譬《たと》えば比丘《びく》の、滅尽三昧《めつじんさんまい》を得《う》るが如《ごと》し。

又《また》、風《かぜ》、華《はな》を吹《ふ》き散《ち》らして遍《あまね》く仏土《ぶつど》に満《み》つ。色《いろ》の次第《しだい》に随《したが》いて雑乱《ぞうらん》せず。柔軟光沢《にゅうなんこうたく》にして馨香芬烈《きょうこうふんれつ》せり。足《あし》、其《そ》の上《うえ》を履《ふ》むに、陥《くぼ》むに下《くだ》ること四寸《しすん》、足《あし》を挙《あ》げ已《おわ》るに随《したが》いて還復《げんぶく》すること故《もと》の如《ごと》し。華用《はなもち》いること已《お》訖《わ》れば、地輒《じすなわ》ち開裂《かいれつ》して、次《つ》いでを以《もっ》て化没《けもつ》す。清浄《しょうじょう》にして遺無《のこりな》し。其《そ》の時節《じせつ》に随《したが》いて、風《かぜ》、華《はな》を吹《ふ》き散《ち》らす。是《か》くの如《ごと》くして六返《ろっぺん》す。65又《また》、衆宝《しゅほう》の蓮華《れんげ》、世界《せかい》に周満《しゅうまん》せり。一一《いちいち》の宝華《ほうけ》、百千億《ひゃくせんおく》の葉《よう》あり。其《そ》の華《はな》、光明無量種《こうみょうむりょうしゅ》の色《いろ》なり。青《あお》き色《いろ》には青《あお》き光《ひかり》、白《しろ》き色《いろ》には白《しろ》き光《ひかり》あり。玄黄朱紫《げんおうしゅし》、光色《こうしき》も亦《また》然《しか》なり。暐曄煥爛《いようかんらん》として、日月《にちがつ》よりも明曜《みょうよう》なり。一一《いちいち》の華《はな》

一一光中《いちいちこうちゅう》。出三十六百千億佛《しゅつさんじゅうろつぴゃくせんおくぶつ》。身《しん》色紫金《しきしこん》。相好殊特《そうごうしゅどく》。一一諸佛《いちいちしょぶつ》。又放《うほう》百千光明《ひゃくせんこうみょう》。普爲十方《ふいじっぽう》。説微妙法《せつみみょうほう》。如是諸佛《にょぜしょぶつ》。各各安立《かくかくあんりゅう》。無量衆生《むりょうしゅじょう》。於佛正道《おぶつしょうどう》。

佛《ぶつ》説《せつ》無《む》量《りょう》壽《じゅ》經《きょう》卷《かん》上《じょう》

の中《なか》より三十六百千億《さんじゅうろっぴゃくせんおく》の光《ひかり》を出《い》だす。一一《いちいち》の光《ひかり》の中《なか》より三十六百千億《さんじゅうろっぴゃくせんおく》の仏《ぶつ》を出《い》だす。身色紫金《しんしきしこん》にして相好殊特《そうごうしゅどく》なり。一一《いちいち》の諸仏《しょぶつ》、又百千《またひゃくせん》の光明《こうみょう》を放《はな》ちて、普《あまね》く十方《じっぽう》の為《ため》に微《み》妙《みょう》の法《ほう》を説《と》きたまう。是《か》くの如《ごと》きの諸仏各各《しょぶつおのおの》、無量《むりょう》の衆《しゅ》生《じょう》を、仏《ぶつ》の正道《しょうどう》に安立《あんりゅう》せしめたまう。」

仏《ぶっ》説《せつ》無《む》量《りょう》寿《じゅ》経《きょう》巻《かん》上《じょう》

佛說《ぶっせつ》無量壽經《むりょうじゅきょう》卷《かん》下《げ》

曹魏《そうぎ》天竺《てんじく》三藏《さんぞう》康僧鎧《こうそうがい》譯《やく》

佛告阿難《ぶつごうあなん》。其有衆生《ごうしゅじょう》。生彼國者《しょうひこくしゃ》。皆《かい》悉住於正定之聚《しつじゅうおしょうじょうしじゅ》。所以者何《しょいしゃが》。彼佛《ひぶつ》國中《こくちゅう》。無諸邪聚《むしょじゃじゅ》。及不定聚《ぎつぷじょうじゅ》。十方恆《じっぽうごう》沙《じゃ》。諸佛如來《しょぶつにょらい》。皆共讚歎《かいぐさんだん》。無量壽《むりょうじゅ》佛《ぶつ》。威神功德《いじんくどく》。不可思議《ふかしぎ》。諸有衆生《しょうしゅじょう》。聞其名號《もんごみょうごう》。信心歡喜《しんじんかんぎ》。乃至一念《ないしいちねん》。至《し》心回向《しんえこう》。願生彼國《がんしょうひこく》。卽得往生《そくとくおうじょう》。住《じゅう》不退轉《ふたいてん》。唯除五逆《ゆいじょごぎゃく》。誹謗正法《ひほうしょうぼう》。

佛告阿難《ぶつごうあなん》。十方世界《じっぽうせかい》。諸天人民《しょてんにんみん》。其有《ごう》至心《ししん》。願生彼國《がんしょうひこく》。凡有三輩《ぼんうさんぱい》。其上輩《ごじょうはい》者《しゃ》。捨家棄欲《しゃけきよく》。而作沙門《にさしゃもん》。發菩提心《ほつぼだいしん》。一向專念《いっこうせんねん》。無量壽佛《むりょうじゅぶつ》。修諸功德《しゅしょくどく》。願《がん》

仏説《ぶっせつ》無量寿経《むりょうじゅきょう》巻《かん》下《げ》

曹魏《そうぎ》天竺《てんじく》三蔵《さんぞう》康僧鎧《こうそうがい》訳《やく》す

[66] [26]仏《ぶつ》、阿難《あなん》に告《つ》げたまわく、「其《そ》れ衆生《しゅじょう》有《あ》りて、彼《か》の国《くに》に[27]生《しょう》ずれば、皆悉《みなことごと》く正定《しょうじょう》の聚《じゅ》に住《じゅう》す。所以《ゆえ》は何《いか》ん。彼《か》の仏国《ぶっこく》の中《なか》には、諸《もろもろ》の邪聚及《じゃじゅおよ》び不定聚無《ふじょうじゅな》ければなり。[67]十方《じっぽう》恒沙《ごうじゃ》の諸仏如来《しょぶつにょらい》、皆共《みなとも》に無量寿仏《むりょうじゅぶつ》の威神功徳《いじんくどく》の不可思議《ふかしぎ》なることを讃歎《さんだん》したまう。[68]諸有衆生《あらゆるしゅじょう》、其《そ》の名号《みょうごう》を聞《き》きて、信心歓喜《しんじんかんぎ》せんこと、乃至一念《ないしいちねん》せん。心《しん》を至《いた》し回向《えこう》したまえり。彼《か》の国《くに》に生《う》まれんと願《がん》ずれば、即《すなわ》ち往生《おうじょう》を得《え》て不退転《ふたいてん》に住《じゅう》す。唯《ただ》五逆《ごぎゃく》と誹謗正法《ひほうしょうぼう》とを除《のぞ》く。」

[69]仏《ぶつ》、阿難《あなん》に告《つ》げたまわく、「十方世界《じっぽうせかい》の諸天《しょてん》・人民《にんみん》、其《そ》れ心《しん》を至《いた》して彼《か》の国《くに》に生《う》まれんと願《がん》ずること有《あ》らん。凡《おおよ》そ三《さん》輩有《ぱいあ》り。[70]其《そ》の[28]上輩《じょうはい》というは、家《いえ》を捨《す》て欲《よく》を棄《す》てて沙門《しゃもん》と作《な》り、菩提心《ぼだいしん》を発《おこ》し、一向《いっこう》に専《もっぱ》ら無量寿仏《むりょうじゅぶつ》を念《ねん》じ、諸《もろもろ》の

生彼國《しょうひこく》。此等衆生《しとうしゅじょう》。臨壽終時《りんじゅしゅうじ》。無量壽佛《むりょうじゅぶつ》。與諸大衆《よしょだいしゅ》。現其人前《げんごにんぜん》。卽隨彼佛《そくずいひぶつ》。往生其國《おうじょうごこく》。便於七寶華中《べんおしっぽうけちゅう》。自然化生《じねんけしょう》。住不退轉《じゅうふたいてん》。智慧勇猛《ちえゆみょう》。神通自在《じんずうじざい》。是故阿難《ぜこあなん》。其有衆生《ごうしゅじょう》。欲於今世《よくおこんぜ》。見無量壽佛《けんむりょうじゅぶつ》。應發無上菩提之心《おうほつむじょうぼだいししん》。修行功德《しゅぎょうくどく》。願生彼國《がんしょうひこく》。

佛語阿難《ぶつごあなん》。其中輩者《ごちゅうはいしゃ》。十方世界《じっぽうせかい》。諸天人民《しょてんにんみん》。其有至心《ごうししん》。願生彼國《がんしょうひこく》。雖不能行作沙門《すいふのうぎょうさしゃもん》。大修功德《だいしゅくどく》。當發無上菩提之心《とうほつむじょうぼだいししん》。一向專念《いっこうせんねん》。無量壽佛《むりょうじゅぶつ》。多少修善《たしょうしゅぜん》。奉持齋戒《ぶじさいかい》。起立塔像《きりゅうとうぞう》。飯食沙門《ぼんじきしゃもん》。懸繒然燈《けんぞうねんとう》。散華燒香《さんげしょうこう》。以此回向《いしえこう》。願生彼國《がんしょうひこく》。其人臨終《ごにんりんじゅう》。無量壽佛《むりょうじゅぶつ》。化現其身《けげんごしん》。光明相好《こうみょうそうごう》。具如眞佛《ぐにょしんぶつ》。與《よ》

功徳《くどく》を修《しゅ》して、彼《か》の国《くに》に生《う》まれんと願《がん》ぜん。此《こ》れ等《ら》の衆生《しゅじょう》、寿《いのち》終《おわ》らん時《とき》に臨《のぞ》んで、無量寿仏《むりょうじゅぶつ》と諸《もろもろ》の大衆《だいしゅ》と、其《そ》の人《ひと》の前《まえ》に現《げん》ぜん。即《すなわ》ち彼《か》の仏《ぶつ》に随《したが》いて其《そ》の国《くに》に往生《おうじょう》せん。便《すなわ》ち七宝華《しちほうけ》の中《なか》より自然《じねん》に化生《けしょう》し、不退転《ふたいてん》に住《じゅう》せん。智慧勇猛《ちえゆみょう》にして神通自在《じんずうじざい》ならん。是《こ》の故《ゆえ》に阿難《あなん》、其《そ》れ衆生《しゅじょう》有《あ》りて、今世《こんぜ》に於《お》いて無量寿仏《むりょうじゅぶつ》を見《み》たてまつらんと欲《おも》わば、無上菩提《むじょうぼだい》の心《しん》を発《おこ》し功徳《くどく》を修行《しゅぎょう》して、彼《か》の国《くに》に生《う》まれんと願《がん》ずべし。」

71 仏《ぶつ》、阿難《あなん》に語《かた》りたまわく、「其《そ》れ中輩《ちゅうはい》というは、十方世界《じっぽうせかい》の諸天《しょてん》・人民《にんみん》、其《そ》れ心《しん》を至《いた》して彼《か》の国《くに》に生《う》まれんと願《がん》ずること有《あ》らん。行《ぎょう》じて沙門《しゃもん》と作《な》り大《おお》きに功徳《くどく》を修《しゅ》すること能《あた》わずと雖《いえど》も、当《まさ》に無上菩提《むじょうぼだい》の心《しん》を発《おこ》し、一向《いっこう》に専《もっぱ》ら無量寿《むりょうじゅ》仏《ぶつ》を念《ねん》じ、多少《たしょう》に善《ぜん》を修《しゅ》し、斎戒《さいかい》を奉持《ぶじ》し、塔像《とうぞう》を起立《きりゅう》し、沙門《しゃもん》に飯食《ぼんじき》せしめ、繒《ぞう》を懸《か》け燈《とう》を然《とも》し、華《はな》を散《さん》じ香《こう》を焼《た》きて、此《こ》れを以《もっ》て回向《えこう》して、彼《か》の国《くに》に生《う》まれんと願《がん》ぜん。其《そ》の人《ひと》、終《おわり》に臨《のぞ》んで、無量寿仏《むりょうじゅぶつ》、其《そ》の身《み》を化現《けげん》せん。光明相好《こうみょうそうごう》、

諸大衆《しょだいしゅ》。現其人前《げんごにんぜん》。即隨化佛《そくずいけぶつ》。往生《おうじょう》其國《ごこく》。住不退轉《じゅうふたいてん》。功徳智慧《くどくちえ》。次如上《しにょじょう》輩者也《はいしゃや》。

佛告阿難《ぶつごうあなん》。其下輩者《ごげはいしゃ》。十方世界《じっぽうせかい》。諸天《しょてん》人民《にんみん》。其有至心《ごうししん》。欲生彼國《よくしょうひこく》。假使不《けしふ》能作諸功德《のうさしょくどく》。當發無上菩提之心《とうほつむじょうぼだいししん》。一《いっ》向專意《こうせんい》。乃至十念《ないしじゅうねん》。念無量壽佛《ねんむりょうじゅぶつ》。願《がん》生其國《しょうごこく》。若聞深法《にゃくもんじんぼう》。歡喜信樂《かんぎしんぎょう》。不《ふ》生疑惑《しょうぎわく》。乃至一念《ないしいちねん》。念於彼佛《ねんおひぶつ》。以至《いし》誠心《じょうしん》。願生其國《がんしょうごこく》。此人臨終《しにんりんじゅう》。夢見《むけん》彼佛《ひぶつ》。亦得往生《やくとくおうじょう》。功徳智慧《くどくちえ》。次如中《しにょちゅう》輩者也《はいしゃや》。

佛告阿難《ぶつごうあなん》。無量壽佛《むりょうじゅぶつ》。威神無極《いじんむごく》。十方世界《じっぽうせかい》。無量無邊《むりょうむへん》。不可思議《ふかしぎ》。諸佛《しょぶつ》如來《にょらい》。莫不稱歎於彼《まくふしょうたんおひ》。東方恆沙佛國《とうぼうごうじゃぶっこく》。無量無數《むりょうむしゅ》。諸菩薩衆《しょぼさつしゅ》。皆悉往詣《かいしつおうげい》。無《む》

具《つぶさ》に真仏《しんぶつ》の如《ごと》くならん。諸《もろもろ》の大衆《だいしゅ》と其《そ》の人《ひと》の前《まえ》に現《げん》ぜん。即《すなわ》ち化仏《けぶつ》に随《したが》いて其《そ》の国《くに》に往生《おうじょう》し不退転《ふたいてん》に住《じゅう》せん。功徳《くどく》智慧《ちえ》、次《つ》いで上輩《じょうはい》の者《もの》の如《ごと》くならん。」

72 仏《ぶつ》、阿難《あなん》に告《つ》げたまわく、「其《そ》れ下輩《げはい》というは、十方世界《じっぽうせかい》の諸天《しょてん》・人民《にんみん》、其《そ》れ心《しん》を至《いた》して彼《か》の国《くに》に生《う》まれんと欲《ほっ》せんこと有《あ》らん。仮使《たと》い諸《もろもろ》の功徳《くどく》を作《つく》ること能《あた》わざれども、当《まさ》に無上菩提《むじょうぼだい》の心《しん》を発《おこ》して、一向《いっこう》に意《こころ》を専《もっぱ》らにして、乃至十《ないしじゅう》念《ねん》、無量寿仏《むりょうじゅぶつ》を念《ねん》じて、[29]其《そ》の国《くに》に生《う》まれんと願《がん》ずべし。若《も》し深法《じんぼう》を聞《き》きて歓喜信楽《かんぎしんぎょう》せん。疑惑《ぎわく》を生《しょう》ぜず、乃至一念《ないしいちねん》、彼《か》の仏《ぶつ》を念《ねん》じて至誠心《しじょうしん》を以《もっ》て其《そ》の国《くに》に生《う》まれんと願《がん》ぜん。此《こ》の人《ひと》、終《おわり》に臨《のぞ》んで夢《ゆめ》のごとくに彼《か》の仏《ぶつ》を見《み》たてまつりて、亦往生《またおうじょう》を得《う》。功徳智慧《くどくちえ》、次《つ》いで[30]中輩《ちゅうはい》の者《もの》の如《ごと》くならん。」

73 仏《ぶつ》、阿難《あなん》に告《つ》げたまわく、「無量寿仏《むりょうじゅぶつ》の威神極《いじんきわ》まり無《な》し。十方世界《じっぽうせかい》の無量無辺不可思議《むりょうむへんふかしぎ》の諸仏如来《しょぶつにょらい》、彼《かれ》を称歎《しょうたん》せざること莫《な》し。東方恒沙《とうぼうごうじゃ》の仏国《ぶっこく》の無量無数《むりょうむしゅ》の諸《もろもろ》の菩薩衆《ぼさつしゅ》、皆《みな》悉《ことごと》く無量寿仏《むりょうじゅぶつ》の所《みもと》に往詣《おうげい》して、恭敬《くぎょう》し供養《くよう》して諸《もろもろ》の菩《ぼ》

量壽佛所《りょうじゅぶつしょ》。恭敬《くぎょう》供養《くよう》。及諸《ぎつしょ》菩薩《ぼさつ》。聲聞大衆《しょうもんだいしゅ》。聽受經法《ちょうじゅきょうぼう》。宣布道化《せんぷどうけ》。南西北方《なんざいほっぽう》。四維上下《しゆいじょうげ》。亦復如是《やくぶにょぜ》。爾《に》時世尊《じせそん》。而説頌曰《にせつじゅわつ》。

東方諸佛國《とうほうしょぶつこく》　其數如恆沙《ごしゅにょごうじゃ》
彼土菩薩衆《ひどぼさつしゅ》　往覲無量覺《おうごんむりょうかく》
南西北四維《なんざいほくしゆい》　上下亦復然《じょうげやくぶねん》
彼土菩薩衆《ひどぼさつしゅ》　往覲無量覺《おうごんむりょうかく》
一切諸菩薩《いっさいしょぼさつ》　各齎天妙華《かくさいてんみょうけ》
寶香無價衣《ほうこうむげえ》　供養無量覺《くようむりょうかく》
咸然奏天樂《げんねんそうてんがく》　暢發和雅音《ちょうほつわげおん》
歌歎最勝尊《かたんさいしょうそん》　供養無量覺《くようむりょうかく》
究達神通慧《くだつじんずうえ》　遊入深法門《ゆにゅうじんぼうもん》
具足功德藏《ぐそくくどくぞう》　妙智無等倫《みょうちむとうりん》
慧日照世間《えにちしょうせけん》　消除生死雲《しょうじょしょうじうん》
恭敬繞三帀《くぎょうにょうさんぞう》　稽首無上尊《けいしゅむじょうそん》

薩《さつ》・声聞大衆《しょうもんだいしゅ》に及《およ》ぼさん。経法《きょうぼう》を聴受《ちょうじゅ》し道化《どうけ》を宣布《せんぷ》す。南西北方《なんざいほっぽう》・四維《しゆい》・上下《じょうげ》、亦復《またま》た是《か》くの如《ごと》し。」[74]爾《そ》の時《とき》、世《せ》尊《そん》、頌《じゅ》を説《と》きて曰《のたま》わく、

東方諸仏《とうほうしょぶつ》の国《くに》、其《そ》の数《かず》恒沙《ごうじゃ》の如《ごと》し。
彼《か》の土《ど》の菩薩衆《ぼさつしゅ》、往《ゆ》いて無量覚《むりょうかく》を覲《み》たてまつる。
南西北《なんざいほく》・四維《しゆい》・上下《じょうげ》、亦復《またま》た然《しか》なり。
彼《か》の土《ど》の菩薩衆《ぼさつしゅ》、往《ゆ》いて無量覚《むりょうかく》を覲《み》たてまつる。
一切《いっさい》の諸《もろもろ》の菩薩《ぼさつ》、各《おの》おの天《てん》の妙華《みょうけ》・
宝香《ほうこう》・無価《むげ》の衣《ころも》を齎《もっ》て、無量覚《むりょうかく》を供養《くよう》したてまつる。
咸然《げんねん》として天《てん》の楽《がく》を奏《そう》し、和雅《わげ》の音《おん》を暢発《ちょうほつ》し、
最勝《さいしょう》の尊《そん》を歌歎《かたん》し、無量覚《むりょうかく》を供養《くよう》したてまつる。
神通《じんずう》と慧《え》とを究達《くだつ》して、深法門《じんぼうもん》を遊入《ゆにゅう》し、
功徳蔵《くどくぞう》を具足《ぐそく》し、妙智《みょうち》、等倫《とうりん》無《な》し。
慧日《えにち》、世間《せけん》を照《て》らして、生死《しょうじ》の雲《くも》を消除《しょうじょ》す。
恭敬《くぎょう》して繞《めぐ》ること三帀《さんぞう》して、無上尊《むじょうそん》を稽首《けいしゅ》したてまつ

見《けん》彼《ぴ》嚴《ごん》淨《じょう》土《ど》　微《み》妙《みょう》難《なん》思《し》議《ぎ》
因《いん》發《ぽつ》無《む》上《じょう》心《しん》　願《がん》我《が》國《こく》亦《やく》然《ねん》
應《おう》時《じ》無《む》量《りょう》尊《そん》　動《どう》容《よう》發《ほつ》欣《ごん》笑《しょう》
口《く》出《しゅつ》無《む》數《しゅ》光《こう》　偏《へん》照《じょう》十《じっ》方《ぽう》國《こく》
回《え》光《こう》圍《い》繞《にょう》身《しん》　三《さん》帀《ぞう》從《じゅう》頂《ちょう》入《にゅう》
一《いっ》切《さい》天《てん》人《にん》衆《しゅ》　踊《ゆ》躍《やく》皆《かい》歡《かん》喜《ぎ》
大《だい》士《じ》觀《かん》世《ぜ》音《おん》　整《しょう》服《ぶく》稽《けい》首《しゅ》問《もん》
白《びゃく》佛《ぶつ》何《が》緣《えん》笑《しょう》　唯《ゆい》然《ねん》願《がん》說《せつ》意《い》

梵《ぼん》聲《しょう》猶《ゆ》雷《らい》震《しん》　八《はっ》音《とん》暢《ちょう》妙《みょう》響《こう》
當《とう》授《じゅ》菩《ぼ》薩《さつ》記《き》　今《こん》說《せつ》仁《にん》諦《たい》聽《ちょう》

十《じっ》方《ぽう》來《らい》正《しょう》士《じ》　吾《ご》悉《しっ》知《ち》彼《ひ》願《がん》
志《し》求《ぐ》嚴《ごん》淨《じょう》土《ど》　受《じゅ》決《けつ》當《とう》作《さ》佛《ぶつ》
覺《かく》了《りょう》一《いっ》切《さい》法《ほう》　猶《ゆ》如《にょ》夢《む》幻《げん》響《こう》

る。
彼《か》の厳浄《ごんじょう》の土《ど》の、微妙《みみょう》にして思議《しぎ》し難《がた》きを見《み》て、
因《よ》りて無上心《むじょうしん》を発《おこ》して、我《わ》が国《くに》も亦然《またしか》らんと願《がん》ず。
時《とき》に応《おう》じて、無量尊《むりょうそん》、容《みかお》を動《うご》かして欣笑《ごんしょう》を発《おこ》し、
口《みくち》より無数《むしゅ》の光《ひかり》を出《い》だして、遍《あまね》く十方国《じっぽうこく》を照《て》らす。
回《めぐ》る光《ひかり》、身《み》を囲繞《いにょう》すること、三帀《さんぞう》して頂《いただき》より入《い》る。
一切《いっさい》の天人衆《てんにんしゅ》、踊躍《ゆやく》して皆歓喜《みなかんぎ》せん。
大士観世音《だいじかんぜおん》、服《きもの》を整《ととの》え稽首《けいしゅ》して問《と》うて、
仏《ぶつ》に白《もう》さく、「何《なに》に縁《よ》りてか笑《え》みたまえる。唯然《ややしか》なり。
願《ねが》わくは意《こころ》を説《と》きたまえ。」
梵《ぼん》の声《みこえ》、雷《らい》の震《ふる》うが猶《ごと》し。八音《はっとん》、妙響《みょうこう》を暢《の》べて、
「当《まさ》に菩薩《ぼさつ》に記《き》を授《さず》くべし。今説《いまと》かん、仁《なんじ》、諦《あき》らかに聴《き》
け。
十方《じっぽう》より来《き》たれる正士《しょうじ》、吾《われ》、悉《ことごと》く彼《か》の願《ねがい》を知《し》る。
厳浄《ごんじょう》の土《ど》を志求《しぐ》し、受決《じゅけつ》して当《まさ》に作仏《さぶつ》すべし。
一切《いっさい》の法《ほう》は、猶《なお》し夢《む》・幻《げん》・響《こう》の如《ごと》しと覚了《かくりょう》すれども、

滿《まん》足《ぞく》諸《しょ》妙《みょう》願《がん》　必《ひつ》成《じょう》如《にょ》是《ぜ》刹《せつ》
知《ち》法《ほう》如《にょ》電《でん》影《よう》　究《く》竟《きょう》菩《ぼ》薩《さつ》道《どう》
具《ぐ》諸《しょ》功《く》德《どく》本《ほん》　受《じゅ》決《けつ》當《とう》作《さ》佛《ぶつ》
通《つう》達《だつ》諸《しょ》法《ほっ》性《しょう》　一《いっ》切《さい》空《くう》無《む》我《が》
專《せん》求《ぐ》淨《じょう》佛《ぶつ》土《ど》　必《ひつ》成《じょう》如《にょ》是《ぜ》刹《せつ》
諸《しょ》佛《ぶつ》告《ごう》菩《ぼ》薩《さつ》　令《りょう》觀《ごん》安《あん》養《にょう》佛《ぶつ》
聞《もん》法《ぼう》樂《ぎょう》受《じゅ》行《ぎょう》　疾《しっ》得《とく》清《しょう》淨《じょう》處《しょ》
至《し》彼《ひ》嚴《ごん》淨《じょう》國《こく》　便《べん》速《そく》得《とく》神《じん》通《ずう》
必《ひつ》於《お》無《む》量《りょう》尊《そん》　受《じゅ》記《き》成《じょう》等《とう》覺《がく》
其《ご》佛《ぶつ》本《ほん》願《がん》力《りき》　聞《もん》名《みょう》欲《よく》往《おう》生《じょう》
皆《かい》悉《しつ》到《とう》彼《ひ》國《こく》　自《じ》致《ち》不《ふ》退《たい》轉《てん》
菩《ぼ》薩《さつ》興《こう》至《し》願《がん》　願《がん》己《こ》國《こく》無《む》異《い》
普《ふ》念《ねん》度《ど》一《いっ》切《さい》　名《みょう》顯《けん》達《だつ》十《じっ》方《ぽう》

諸《もろもろ》の妙願《みょうがん》を満足《まんぞく》して、[31]必《かなら》ず是《か》くの如《ごと》きの刹《せつ》を成《じょう》ぜん。

法《ほう》は電影《でんよう》の如《ごと》くなりと知《し》れども、菩薩《ぼさつ》の道《どう》を究竟《くきょう》し、諸《もろもろ》の功徳《くどく》の本《ほん》を具《ぐ》して、受決《じゅけつ》して当《まさ》に作仏《さぶつ》すべし。

諸法《しょほう》の性《しょう》は、一切空無我《いっさいくうむが》なりと通達《つうだつ》すれども、専《もっぱ》ら浄仏土《じょうぶつど》を求《もと》めて、必《かなら》ず是《か》くの如《ごと》きの刹《せつ》を成《じょう》ぜん。」

諸仏《しょぶつ》、菩薩《ぼさつ》に告《つ》げて、安養《あんにょう》の仏《ぶつ》を観《み》せしむ。

法《ほう》を聞《き》き楽《たの》しみて受行《じゅぎょう》して、疾《と》く清浄《しょうじょう》の処《ところ》を得《え》よ。

彼《か》の厳浄《ごんじょう》の国《くに》に至《いた》りなば、便《すなわ》ち速《すみ》やかに神通《じんずう》を得《え》、必《かなら》ず無量尊《むりょうそん》に於《お》いて、記《き》を受《う》けて等覚《とうがく》を成《な》らん。

其《そ》の仏《ぶつ》の本願《ほんがん》の力《ちから》、名《みな》を聞《き》きて往生《おうじょう》せんと欲《ねが》えば、皆悉《みなことごと》く彼《か》の国《くに》に到《いた》りて、自《おの》ずから不退転《ふたいてん》に致《いた》る。

菩薩《ぼさつ》、至願《しがん》を興《おこ》して、己《おの》が国《くに》も異《こと》なること無《な》からんと願《がん》ず。

普《あまね》く一切《いっさい》を度《ど》せんと念《おも》いて、名《な》、顕《あき》らかに十方《じっぽう》に達《たっ》せ

奉《ぶ》事《じ》億《おく》如《にょ》來《らい》　飛《ひ》化《け》徧《へん》諸《しょ》刹《せつ》
恭《く》敬《ぎょう》歡《かん》喜《ぎ》去《こ》　還《げん》到《とう》安《あん》養《にょう》國《こく》
若《にゃ》人《くにん》無《む》善《ぜん》本《ぽん》　不《ふ》得《とく》聞《もん》此《し》經《きょう》
清《しょう》淨《じょう》有《う》戒《かい》者《しゃ》　乃《ない》獲《ぎゃく》聞《もん》正《しょう》法《ぼう》
曾《ぞう》更《きょう》見《けん》世《せ》尊《そん》　則《そく》能《のう》信《しん》此《し》事《じ》
謙《けん》敬《きょう》聞《もん》奉《ぶ》行《ぎょう》　踊《ゆ》躍《やく》大《だい》歡《かん》喜《ぎ》
憍《きょう》慢《まん》弊《へい》懈《け》怠《だい》　難《なん》以《い》信《しん》此《し》法《ほう》
宿《しゅく》世《せ》見《けん》諸《しょ》佛《ぶつ》　樂《ぎょう》聽《ちょう》如《にょ》是《ぜ》教《きょう》
聲《しょう》聞《もん》或《わく》菩《ぼ》薩《さつ》　莫《まく》能《のう》究《く》聖《しょう》心《しん》
譬《ひ》如《にょ》從《じゅう》生《しょう》盲《もう》　欲《よく》行《ぎょう》開《かい》導《どう》人《にん》
如《にょ》來《らい》智《ち》慧《え》海《かい》　深《じん》廣《こう》無《む》涯《がい》底《てい》
二《に》乘《じょう》非《ひ》所《しょ》測《しき》　唯《ゆい》佛《ぶつ》獨《どく》明《みょう》了《りょう》

ん。
億《おく》の如来《にょらい》に奉事《ぶじ》し、飛化《ひけ》して諸刹《しょせつ》に遍《へん》じ、
恭敬《くぎょう》し歓喜《かんぎ》して去《ゆ》いて、還《かえ》りて安養国《あんにょうこく》に到《いた》らん。
若《も》し人《ひと》、善本《ぜんぽん》無《な》ければ、此《こ》の経《きょう》を聞《き》くことを得《え》ず。
清浄《しょうじょう》に戒《かい》を有《たも》てる者《もの》、乃《いま》し正法《しょうぼう》を聞《き》くことを獲《う》。
曾《むかし》、更《さら》に世尊《せそん》を見《み》たてまつるもの、則《すなわ》ち能《よ》く此《こ》の事《じ》を信《しん》ぜん。
謙敬《けんきょう》して聞《き》きて奉行《ぶぎょう》し、踊躍《ゆやく》して大《おお》きに歓喜《かんぎ》せん。
憍慢《きょうまん》と弊《へい》と懈怠《けだい》とは、以《もっ》て此《こ》の法《ほう》を信《しん》じ難《がた》し。
宿世《しゅくせ》に諸仏《しょぶつ》を見《み》たてまつれば、楽《この》んで是《か》くの如《ごと》きの教《きょう》を聴《き》かん。
声聞《しょうもん》、或《ある》いは菩薩《ぼさつ》、能《よ》く聖心《しょうしん》を究《きわ》むるもの莫《な》し。
譬《たと》えば生《う》まれてより盲《めし》いたるもの、行《ゆ》いて人《ひと》を開導《かいどう》せんと欲《おも》うが如《ごと》し。
如来《にょらい》の智慧海《ちえかい》は、深広《じんこう》にして涯底《がいてい》無《な》し。
二乗《にじょう》の測《はか》る所《ところ》に非《あら》ず。唯仏《ただぶつ》のみ独《ひと》り明《あき》らかに了《さと》りたま

假《け》使《し》一切《いっさい》人《にん》　具《ぐ》足《そく》皆《かい》得《とく》道《どう》
淨《じょう》慧《え》知《ち》本《ほん》空《ぐう》　億《おっ》劫《こう》思《し》佛《ぶっ》智《ち》
窮《ぐ》力《りき》極《ごく》講《こう》說《せつ》　盡《じん》壽《じゅ》猶《ゆ》不《ふ》知《ち》
佛《ぶっ》慧《て》無《む》邊《へん》際《ざい》　如《にょ》是《ぜ》致《ち》淸《しょう》淨《じょう》
壽《じゅ》命《みょう》甚《じん》難《なん》得《とく》　佛《ぶっ》世《せ》亦《やく》難《なん》値《ち》
人《にん》有《う》信《しん》慧《ね》難《なん》　若《にゃく》聞《もん》精《しょう》進《じん》求《ぐ》
聞《もん》法《ぽう》能《のう》不《ふ》忘《もう》　見《けん》敬《きょう》得《とく》大《だい》慶《きょう》
則《そく》我《が》善《ぜん》親《しん》友《ぬ》　是《ぜ》故《こ》當《とう》發《ほっ》意《ち》
設《せっ》滿《まん》世《せ》界《かい》火《か》　必《ひっ》過《か》要《よう》聞《もん》法《ぼう》
會《え》當《とう》成《じょう》佛《ぶつ》道《どう》　廣《こう》度《ど》生《しょう》死《じ》流《る》

佛《ぶつ》告《ごう》阿《あ》難《なん》。彼《ひ》國《こく》菩《ぼ》薩《さつ》。皆《かい》當《とう》究《く》竟《きょう》。一《いっ》生《しょう》補《ふ》處《しょ》。除《じょ》其《ご》本《ほん》願《がん》。爲《い》衆《しゅ》生《じょう》故《こ》。以《い》弘《ぐ》誓《ぜい》功《く》德《どく》。而《に》自《じ》莊《しょう》嚴《ごん》。普《ふ》欲《よく》度《ど》脫《だつ》。一切《いっさい》衆《しゅ》生《じょう》。阿《あ》難《なん》彼《ひ》佛《ぶっ》國《こく》中《ちゅう》。諸《しょ》聲《しょう》聞《もん》衆《しゅ》。

えり。
仮《たと》使い一切人《いっさいにん》、具足《ぐそく》して皆道《みなどう》を得《え》て、
浄慧《じょうえ》、本空《ほんぐう》を知《し》らん。億劫《おっこう》に仏智《ぶっち》を思《おも》いて、
力《ちから》を窮《きわ》め、極《きわ》めて講説《こうぜつ》して、寿《いのち》を尽《つ》くすとも猶《なお》知《し》らじ、
仏慧《ぶって》の辺際《へんざい》無《な》きことを。是《か》くの如《ごと》くして清浄《しょうじょう》に致《いた》る。
寿命《じゅみょう》は甚《はなは》だ得難《えがた》し。仏世《ぶっせ》亦《また》値《もうあ》い難《がた》し。
人《ひと》、信慧《しんえ》有《あ》ること難《かた》し。若《も》し聞《き》かば精進《しょうじん》して求《もと》めよ。
法《ほう》を聞《き》きて能《よ》く忘《わす》れず、見《み》て敬《うやま》い得《え》て大《おお》きに慶《よろこ》べば、
則《すなわ》ち我《わ》が善《よ》き親友《しんぬ》なり。是《こ》の故《ゆえ》に当《まさ》に意《こころ》を発《おこ》すべし。
設《たと》い世界《せかい》に満《み》てらん火《ひ》をも、必《かなら》ず過《す》ぎて要《もと》めて法《ほう》を聞《き》かば、
会《かなら》ず当《まさ》に仏道《ぶつどう》を成《じょう》ずべし。広《ひろ》く生死《しょうじ》の流《ながれ》を度《ど》せん。

75仏《ぶつ》、阿難《あなん》に告《つ》げたまわく、「彼《か》の国《くに》の菩薩《ぼさつ》は、皆当《みなまさ》に一生《いっしょう》補処《ふしょ》を究竟《くきょう》すべし。其《そ》の本願《ほんがん》、衆生《しゅじょう》の為《ため》の故《ゆえ》に、弘誓《ぐぜい》の功《く》徳《どく》を以《もっ》て自《みずか》ら荘厳《しょうごん》し、普《あまね》く一切衆生《いっさいしゅじょう》を度脱《どだつ》せんと欲《おも》わんをば除《のぞ》く。

身光一尋《しんこういちじん》。菩薩光明《ぼさつこうみょう》。照百由旬《しょうひゃくゆじゅん》。普《ふ》照三千大千世界《しょうさんぜんだいせんせかい》。阿難白佛《あなんびゃくぶつ》。彼二菩薩《ひにぼさつ》。其號云何《ごごううんが》。佛言一名觀世音《ぶつごんいちみょうかんぜおん》。二《に》名大勢至《みょうだいせいし》。是二菩薩《ぜにぼさつ》。於此國土《おしこくど》。修《しゅ》菩薩行《ぼさつぎょう》。命終轉化《みょうじゅうてんげ》。生彼佛國《しょうひぶっこく》。阿《あ》難其有衆生《なんごうしゅじょう》。生彼國者《しょうひこくしゃ》。皆悉具足《かいしつぐそく》。三十二相《さんじゅうにそう》。智慧成滿《ちえじょうまん》。深入諸法《じんにゅうしょほう》。究暢要妙《くちょうようみょう》。神通無礙《じんずうむげ》。諸根明利《しょこんみょうり》。其鈍根者《ごどんごんしゃ》。成就二忍《じょうじゅににん》。其利根者《ごりこんしゃ》。得《とく》不可計《ふかけ》。無生法忍《むしょうぼうにん》。又彼菩薩《うひぼさつ》。乃至《ないし》成佛《じょうぶつ》。不更惡趣《ふきょうあくしゅ》。神通自在《じんずうじざい》。常識《じょうしき》宿命《しゅくみょう》。除生他方《じょしょうたほう》。五濁惡世《ごじょくあくせ》。示現《じげん》同彼《どうひ》。如我國也《にょがこくや》。佛告阿難《ぶつごうあなん》。彼國菩薩《ひこくぼさつ》。承佛威神《じょうぶついじん》。一食之頃《いちじきしきょう》。往詣十方無《おうげいじっぽうむ》量世界《りょうせかい》。恭敬供養《くぎょうくよう》。諸佛世尊《しょぶつせそん》。隨心《ずいしん》

76阿難《あなん》。彼《か》の仏国《ぶっこく》の中《なか》の諸《もろもろ》の声聞衆《しょうもんしゅ》の身光《しんこう》、一尋《いちじん》なり。
菩薩《ぼさつ》の光明《こうみょう》、百由旬《ひゃくゆじゅん》を照《て》らす。二《ふたり》の菩薩有《ぼさつあ》り。最尊第一《さいそんだいいち》
なり。威神《いじん》の光明《こうみょう》、普《あまね》く三千大千世界《さんぜんだいせんせかい》を照《て》らす。」阿難《あなん》、
仏《ぶつ》に白《もう》さく、「彼《か》の二《ふたり》の菩薩《ぼさつ》、其《そ》の号《な》、云何《いかん》。」仏《ぶつ》の言《のたま》わ
く、「一《ひとり》をば観世音《かんぜおん》と名《な》づく。二《ふたり》をば大勢至《だいせいし》と名《な》づく。是《こ》
の二《ふたり》の菩薩《ぼさつ》は此《こ》の国土《こくど》にして菩薩《ぼさつ》の行《ぎょう》を修《しゅ》す。命終《みょうじゅう》して
転化《てんげ》して、彼《か》の仏国《ぶっこく》に生《しょう》ぜり。77阿難《あなん》。其《そ》れ衆生有《しゅじょうあ》りて、
彼《か》の国《くに》に生《う》まるれば、皆悉《みなことごと》く三十二相《さんじゅうにそう》を具足《ぐそく》す。78智慧《ちえ》
成満《じょうまん》して深《ふか》く諸法《しょほう》に入《い》る。要妙《ようみょう》を究暢《くちょう》す。神通無碍《じんずうむげ》にし
て諸根明利《しょこんみょうり》なり。其《そ》の鈍根《どんこん》の者《もの》は二忍《ににん》を成就《じょうじゅ》す。其《そ》の利根《りこん》
の者《もの》は不可計《ふかけ》の無生法忍《むしょうぼうにん》を得《う》。79又彼《またか》の菩薩《ぼさつ》、乃至成仏《ないしじょうぶつ》ま
で悪趣《あくしゅ》に更《かえ》らず。神通自在《じんずうじざい》にして常《つね》に宿命《しゅくみょう》を識《さと》らん。他方《たほう》
の五濁悪世《ごじょくあくせ》に生《しょう》じて、示現《じげん》して彼《かれ》に同《どう》じ、我《わ》が国《くに》の如《ごと》くせ
んをば除《のぞ》く。」
80仏《ぶつ》、阿難《あなん》に告《つ》げたまわく、「彼《か》の国《くに》の菩薩《ぼさつ》は、仏《ぶつ》の威神《いじん》を
承《う》けて、一食《いちじき》の頃《あいだ》に十方無量《じっぽうむりょう》の世界《せかい》に往詣《おうげい》して、諸仏世尊《しょぶつせそん》

所念《しょねん》。華香伎樂《けこうぎがく》。繒蓋幢旛《ぞうがいどうばん》。無數無量《むしゅむりょう》。供養之具《くようしぐ》。自然化生《じねんけしょう》。應念卽至《おうねんそくし》。珍妙殊特《ちんみょうしゅどく》。非世所有《ひせしょう》。輒以奉散《ちょういぶさん》。諸佛菩薩《しょぶつぼさつ》。聲聞大衆《しょうもんだいしゅ》。在虚空中《ざいこくうじゅう》。化成華蓋《けじょうけがい》。光色昱爍《こうしきいくしゃく》。香氣普熏《こうけふくん》。其華周圓《ごけしゅえん》。四百里者《しひゃくりしゃ》。如是轉倍《にょぜてんばい》。乃覆三千大千世界《ないふさんぜんだいせんせかい》。隨其前後《ずいごぜんご》。以次化沒《いしけもつ》。其諸菩薩《ごしょぼさつ》。僉然欣悅《せんねんごんえつ》。於虚空中《おこくうじゅう》。共奏天樂《ぐそうてんがく》。以微妙音《いみみょうおん》。歌歎佛德《かたんぶつとく》。聽受經法《ちょうじゅきょうぼう》。歡喜無量《かんぎむりょう》。供養佛已《くようぶつい》。未食之前《みじきしぜん》。忽然輕擧《こつねんきょうこ》。還其本國《げんごほんごく》。

佛語阿難《ぶつごあなん》。無量壽佛《むりょうじゅぶつ》。爲諸聲聞《いしょしょうもん》。菩薩大衆《ぼさつだいしゅ》。班宣法時《はんせんほうじ》。都悉集會《としつしゅうえ》。七寶講堂《しっぽうこうどう》。廣宣道教《こうせんどうきょう》。演暢妙法《えんちょうみょうほう》。莫不歡喜《まくふかんぎ》。心解得道《しんげとくどう》。卽時四方《そくじしほう》。自然風起《じねんふうき》。

を恭敬《くぎょう》し供養《くよう》せん。心《しん》の所念《しょねん》に随《したが》いて、華香《けこう》・伎楽《ぎがく》・繒蓋《ぞうがい》・幢旛《どうばん》、無数無量《むしゅむりょう》の供養《くよう》の具《ぐ》、自然《じねん》に化生《けしょう》して、念《ねん》に応《おう》じて即《すなわ》ち至《いた》らん。珍妙《ちんみょう》・殊特《しゅどく》にして、世《よ》の有《あ》る所《ところ》に非《あら》ず。輒《すなわ》ち以《もっ》て諸仏《しょぶつ》・菩薩《ぼさつ》・声聞大衆《しょうもんだいしゅ》に奉散《ぶさん》せん。虚空《こくう》の中《なか》に在《あ》りて、化《け》して華蓋《けがい》と成《な》る。光色昱爍《こうしきいくしゃく》して、香気《こうけ》普《あまね》く熏《くん》ず。其《そ》の華《はな》、周円《しゅうえん》、四百里《しひゃくり》なる者《もの》なり。是《か》くの如《ごと》く転《うた》た倍《ばい》して乃《すなわ》ち三千大千世界《さんぜんだいせんせかい》に覆《おお》えり。其《そ》の前後《ぜんご》に随《したが》いて、次《つ》いでを以《もっ》て化没《けもつ》す。其《そ》の諸《もろもろ》の菩薩《ぼさつ》、僉然《せんねん》として欣悦《ごんえつ》す。虚空《こくう》の中《なか》に於《お》いて共《とも》に天《てん》の楽《がく》を奏《そう》す。微妙《みみょう》の音《こえ》を以《もっ》て仏徳《ぶっとく》を歌歎《かたん》す。経法《きょうぼう》を聴受《ちょうじゅ》して歓喜《かんぎ》すること無量《むりょう》なり。仏《ぶつ》を供養《くよう》すること已《おわ》りて、未《いま》だ食《じき》せざる前《さき》に、忽然《こつねん》として軽挙《きょうこ》して其《そ》の本国《ほんごく》に還《かえ》る。」

81 仏《ぶつ》、阿難《あなん》に語《かた》りたまわく、「無量寿仏《むりょうじゅぶつ》、諸《もろもろ》の声聞《しょうもん》・菩薩大衆《ぼさつだいしゅ》の為《ため》に法《ほう》を班宣《はんせん》したまう時《とき》、都《すべ》て悉《ことごと》く七宝講堂《しちほうこうどう》に集会《しゅうえ》して、広《ひろ》く道教《どうきょう》を宣《の》べ妙法《みょうほう》を演暢《えんちょう》したまう。歓喜《かんぎ》せざること莫《な》し。心《しん》に解《さと》り道《どう》を得《え》、即《すなわ》ちの時《とき》に四方《しほう》より自然《じねん》

普吹寶樹《ふすいほうじゅ》。出五音聲《しゅつごおんじょう》。雨無量妙華《うむりょうみょうけ》。隨風周徧《ずいふうしゅへん》。自然供養《じねんくよう》。如是不絕《にょぜふぜつ》。一切《いっさい》諸天《しょてん》。皆齎天上《かいさいてんじょう》。百千華香《ひゃくせんけこう》。萬種伎《まんじゅぎ》樂《がく》。供養其佛《くようごぶつ》。及諸菩薩《ぎっしょぼさつ》。聲聞大衆《しょうもんだいしゅ》。普散華香《ふさんけこう》。奏諸音樂《そうしょおんがく》。前後來往《ぜんごらいおう》。更《きょう》相開避《そうかいひ》。當斯之時《とうししじ》。熙怡快樂《きいけらく》。不可《ふか》勝言《しょうごん》。

佛語阿難《ぶつごあなん》。生彼佛國《しょうひぶっこく》。諸菩薩等《しょぼさっとう》。所《しょ》可講說《かこうぜつ》。常宣正法《じょうせんしょうぼう》。隨順智慧《ずいじゅんちえ》。無《む》違無失《いむしつ》。於其國土《おごこくど》。所有萬物《しょうまんもつ》。無我所《むがしょ》心《しん》。無染著心《むぜんじゃくしん》。去來進止《こらいしんし》。情無所係《じょうむしょけい》。隨意自在《ずいいじざい》。無所適莫《むしょちゃくまく》。無彼無我《むひむが》。無《む》競無訟《きょうむそう》。於諸衆生《おしょしゅじょう》。得大慈悲《とくだいじひ》。饒《にょう》益之心《やくししん》。柔輭調伏《にゅうなんじょうぶく》。無忿恨心《むふんこんしん》。離蓋《りがい》清淨《しょうじょう》。無厭怠心《むえんたいしん》。等心勝心《とうしんしょうしん》。深心《じんしん》定心《じょうしん》。愛法樂法《あいほうぎょうほう》。喜法之心《きほうししん》。滅諸煩《めつしょぼん》

に風《かぜ》起《た》ちて、普《あまね》く宝樹《ほうじゅ》を吹《ふ》くに、五《いつ》つの音声《おんじょう》を出《い》だす。無《む》量《りょう》の妙華《みょうけ》を雨《ふ》らして、風《かぜ》に随《したが》いて周遍《しゅうへん》す。自然《じねん》に供養《くよう》せん。是《か》くの如《ごと》くして絶《た》えずして、一切《いっさい》の諸天《しょてん》、皆《みな》、天上《てんじょう》の百千《ひゃくせん》の華香《けこう》・万種《まんじゅ》の伎楽《ぎがく》を齎《もっ》て、其《そ》の仏《ぶつ》及《およ》び諸《もろもろ》の菩薩《ぼさつ》・声聞大衆《しょうもんだいしゅ》を供養《くよう》したまう。普《あまね》く華香《けこう》を散《さん》じて、諸《もろもろ》の音楽《おんがく》を奏《そう》し、前後《ぜんご》に来往《らいおう》して、更《かわ》るがわる相開避《あいかいひ》す。斯《こ》の時《とき》に当《あ》たりて、熙怡快楽《きいけらく》、勝《あ》げて言《い》うべからず。」

82仏《ぶつ》、阿難《あなん》に語《かた》りたまわく、「彼《か》の仏国《ぶっこく》に生《しょう》ずる諸《もろもろ》の菩薩《ぼさつ》等《とう》は、講説《こうぜつ》すべき所《ところ》には32常《つね》に正法《しょうぼう》を宣《の》べ、智慧《ちえ》に随順《ずいじゅん》して違《い》無《な》く失《しつ》無《な》し。83其《そ》の国土《こくど》の所有《しょう》の万物《まんもつ》に於《お》いて、我所《がしょ》の心《しん》無《な》し、染著《ぜんじゃく》の心《しん》無《な》し。去来進止《こらいしんし》、情《こころ》に係《か》くる所《ところ》無《な》し。意《こころ》に随《したが》いて自在《じざい》なり。適莫《ちゃくまく》する所《ところ》無《な》し。彼《ひ》無《な》く我《が》無《な》し。競《きょう》無《な》く訟《しょう》無《な》し。諸《もろもろ》の衆生《しゅじょう》に於《お》いて大慈悲《だいじひ》・饒益《にょうやく》の心《しん》を得《え》たり。柔軟《にゅうなん》・調伏《じょうぶく》にして、忿恨《ふんこん》の心《しん》無《な》し。離蓋清浄《りがいしょうじょう》にして、厭怠《えんたい》の心《しん》無《な》し。等心《とうしん》・勝心《しょうしん》・深心《じんしん》・定心《じょうしん》、愛法《あいほう》・楽法《ぎょうほう》・喜法《きほう》の心《しん》のみなり。諸《もろもろ》の煩悩《ぼんのう》を滅《めっ》し、33悪趣《あくしゅ》を離《はな》る

惱《のう》。離惡趣心《りあくしゅしん》。究竟一切菩薩所行《くきょういっさいぼさつしょぎょう》。具足成就《ぐそくじょうじゅ》。無量功德《むりょうくどく》。得深禪定《とくじんぜんじょう》。諸通明慧《しょつうみょうえ》。遊志七覺《ゆししちかく》。修心佛法《しゅしんぶっぽう》。肉眼淸徹《にくげんしょうてつ》。靡不分了《みふぶんりょう》。天眼通達《てんげんつうだつ》。無量無限《むりょうむげん》。法眼觀察《ほうげんかんざつ》。究竟諸道《くきょうしょどう》。慧眼見眞《えげんけんしん》。能度彼岸《のうどひがん》。佛眼具足《ぶつげんぐそく》。覺了法性《かくりょうほっしょう》。以無礙智《いむげち》。爲人演說《いにんえんぜつ》。等觀三界《とうかんさんがい》。空無所有《くうむしょう》。志求佛法《しぐぶっぽう》。具諸辯才《ぐしょべんざい》。除滅衆生《じょめつしゅじょう》。煩惱之患《ぼんのうしげん》。從如來生《じゅうにょらいしょう》。解法如如《げほうにょにょ》。善知習滅《ぜんちしゅうめつ》。音聲方便《おんじょうほうべん》。不欣世語《ふごんせご》。樂在正論《ぎょうざいしょうろん》。修諸善本《しゅしょぜんぽん》。志崇佛道《しそうぶつどう》。知一切法《ちいっさいほう》。皆悉寂滅《かいしつじゃくめつ》。生身煩惱《しょうじんぼんのう》。二餘俱盡《によくじん》。聞甚深法《もんじんじんぽう》。心不疑懼《しんぷぎく》。常能修行《じょうのうしゅぎょう》。其大悲者《ごだいひしゃ》。深遠微妙《じんのんみみょう》。靡不覆載《みふふさい》。究竟一乘《くきょういちじょう》。至于彼岸《しうひがん》。決斷疑網《けつだんぎもう》。慧由心出《えゆしんしゅつ》。於佛教法《おぶつきょうほう》。該羅無外《がいらむげ》。智《ち》

る心《しん》のみなり。[84]一切《いっさい》の菩薩《ぼさつ》の所行《しょぎょう》を究竟《くきょう》して、無量《むりょう》の功《く》徳《どく》を具足《ぐそく》し成就《じょうじゅ》せり。[85]深禅定《じんぜんじょう》・諸《もろもろ》の通《つう》・明《みょう》・慧《え》を得《え》て、志《こころざし》を七覚《しちかく》に遊《あそ》ばしめ、心《しん》に仏法《ぶっぽう》を修《しゅ》す。肉眼清徹《にくげんしょうてつ》にして分了《ぶんりょう》せざること靡《な》し。天眼通達《てんげんつうだつ》して無量無限《むりょうむげん》なり。法眼観《ほうげんかん》察《ざつ》して諸道《しょどう》に究竟《くきょう》せり。慧眼《えげん》、真《しん》を見《み》て能《よ》く彼岸《ひがん》に度《ど》す。仏眼具足《ぶつげんぐそく》して法性《ほっしょう》を覚了《かくりょう》す。無碍《むげ》の智《ち》を以《もっ》て人《ひと》の為《ため》に演説《えんぜつ》す。等《ひと》しく三界《さんがい》を観《み》そなわして、空《くう》にして所有《しょう》無《な》し。仏法《ぶっぽう》を志求《しぐ》し、諸《もろもろ》の弁才《べんざい》を具《ぐ》し、衆生《しゅじょう》の煩悩《ぼんのう》の患《うれえ》を除滅《じょめつ》す。如《にょ》より来生《らいしょう》して法《ほう》の如如《にょにょ》を解《さと》り、善《よ》く習滅《しゅうめつ》の音声《おんじょう》の方便《ほうべん》を知《し》りて、世語《せご》を欣《よろこ》ばず、楽《ねが》いて正論《しょうろん》に在《あ》り。諸《もろもろ》の善本《ぜんぽん》を修《しゅ》して、志《こころざし》、仏道《ぶつどう》を崇《あお》がん。一切《いっさい》の法《ほう》は皆《みな》悉《ことごと》く寂滅《じゃくめつ》なりと知《し》りて、生身煩悩《しょうじんぼんのう》二《ふた》つの余《よ》、倶《つぶさ》に尽《つ》くせり。甚深《じんじん》の法《ほう》を聞《き》き心《しん》に疑懼《ぎく》せず。常《つね》に能《よ》く其《そ》の大悲《だいひ》を修行《しゅぎょう》せる者《もの》なり。深遠微妙《じんのんみみょう》にして覆載《ふさい》せざること靡《な》し。一乗《いちじょう》を究竟《くきょう》して彼《ひ》岸《がん》に至《いた》る。疑網《ぎもう》を決断《けつだん》して、慧《え》、心《しん》に由《よ》りて出《い》ず。仏《ぶつ》の教《きょう》法《ぼう》に於《お》いて該羅《がいら》して外《ほか》無《な》し。[86]智慧《ちえ》、大海《だいかい》の如《ごと》し。三昧《さんまい》、山《せん》

慧如大海《えにょだいかい》。三昧如山王《さんまいにょせんのう》。慧光明淨《えこうみょうじょう》。超踰日月《ちょうゆにちがつ》。清白之法《しょうびゃくしほう》。具足圓滿《ぐそくえんまん》。猶如雪山《ゆにょせっせん》。照諸功德《しょうしょくどく》。等一淨故《とういちじょうこ》。猶如大地《ゆにょだいじ》。淨穢好惡《じょうえこうあく》。無異心故《むいしんこ》。猶如淨水《ゆにょじょうすい》。洗除塵勞諸垢染故《せんじょじんろうしょくぜんこ》。猶如火王《ゆにょかおう》。燒滅一切煩惱薪故《しょうめついっさいぼんのうしんこ》。猶如大風《ゆにょだいふう》。行諸世界《ぎょうしょせかい》。無障礙故《むしょうげこ》。猶如虛空《ゆにょこくう》。於一切有《おいっさいう》。無所著故《むしょじゃくこ》。猶如蓮華《ゆにょれんげ》。於諸世間《おしょせけん》。無汚染故《むわぜんこ》。猶如大乘《ゆにょだいじょう》。運載群萌《うんさいぐんもう》。出生死故《しゅっしょうじこ》。猶如重雲《ゆにょじゅううん》。震大法雷《しんだいほうらい》。覺未覺故《かくみかくこ》。猶如大雨《ゆにょだいう》。雨甘露法《うかんろほう》。潤衆生故《にんしゅじょうこ》。如金剛山《にょこんごうせん》。衆魔外道《しゅまげどう》。不能動故《ふのうどうこ》。如梵天王《にょぼんでんのう》。於諸善法《おしょぜんぽう》。最上首故《さいじょうしゅこ》。如尼拘類樹《にょにくるいじゅ》。普覆一切故《ふふいっさいこ》。如優曇鉢華《にょうどんばつけ》。希有難遇故《けうなんぐこ》。如金翅鳥《にょこんじちょう》。威伏外道故《いぶくげどうこ》。如衆遊禽《にょしゅゆきん》。無所藏積故《むしょぞうしゃくこ》。猶如牛王《ゆにょごおう》。

王《のう》の如《ごと》し。慧光《えこう》、明浄《みょうじょう》にして日月《にちがつ》に超踰《ちょうゆ》せり。清白《しょうびゃく》の法《ほう》、具足《ぐそく》し円満《えんまん》すること、猶《なお》し雪山《せっせん》の如《ごと》し、諸《もろもろ》の功徳《くどく》を照《て》らすこと、等一《とういち》にして浄《きよ》きが故《ゆえ》に。猶《なお》し大地《だいじ》の如《ごと》し、浄《じょう》穢《え》・好悪《こうあく》、異心《いしん》無《な》きが故《ゆえ》に。猶《なお》し浄水《じょうすい》の如《ごと》し、塵労《じんろう》・諸《もろもろ》の垢染《くぜん》を洗除《せんじょ》するが故《ゆえ》に。猶《なお》し火王《かおう》の如《ごと》し、一切《いっさい》の煩悩《ぼんのう》の薪《たきぎ》を焼滅《しょうめつ》するが故《ゆえ》に。猶《なお》し大風《だいふう》の如《ごと》し、諸《もろもろ》の世界《せかい》に行《ぎょう》じて障碍《しょうげ》無《な》きが故《ゆえ》に。猶《なお》し虚空《こくう》の如《ごと》し、一切《いっさい》の有《う》に於《お》いて所著《しょじゃく》無《な》きが故《ゆえ》に。猶《なお》し蓮華《れんげ》の如《ごと》し、諸《もろもろ》の世間《せけん》に於《お》いて汚《わ》染《ぜん》無《な》きが故《ゆえ》に。87猶《なお》し大乗《だいじょう》の如《ごと》し、群萌《ぐんもう》を運載《うんさい》して生死《しょうじ》を出《い》だすが故《ゆえ》に。猶《なお》し重雲《じゅううん》の如《ごと》し、大法《だいほう》の雷《らい》を震《ふる》いて未覚《みかく》を覚《さと》すが故《ゆえ》に。猶《なお》し大雨《だいう》の如《ごと》し、甘露《かんろ》の法《ほう》を雨《ふ》らして衆生《しゅじょう》を潤《うるお》すが故《ゆえ》に。金剛山《こんごうせん》の如《ごと》し、衆魔《しゅま》・外道《げどう》、動《どう》ずること能《あた》わざるが故《ゆえ》に。梵天王《ぼんてんのう》の如《ごと》し、諸《もろもろ》の善法《ぜんぽう》に於《お》いて最上首《さいじょうしゅ》なるが故《ゆえ》に。尼拘類樹《にくるいじゅ》の如《ごと》し、普《あまね》く一切《いっさい》を覆《おお》うが故《ゆえ》に。優曇鉢華《うどんばっけ》の如《ごと》し、希有《けう》にして遇《もうあ》い難《がた》きが故《ゆえ》に。金翅鳥《こんじちょう》の如《ごと》し、外道《げどう》を威伏《いぶく》するが故《ゆえ》に。衆《もろもろ》の遊禽《ゆきん》の如《ごと》し、蔵積《ぞうしゃく》する所《ところ》無《な》

無能勝故《むのうしょうこ》。猶如象王《ゆにょぞうおう》。善調伏故《ぜんじょうぶくこ》。如《にょ》師子王《ししおう》。無所畏故《むしょいこ》。曠若虚空《こうにゃくこくう》。大慈《だいじ》等故《とうこ》。摧滅嫉心《ざいめつしつしん》。不忌勝故《ふきしょうこ》。專樂求《せんぎょうぐ》法《ほう》。心無厭足《しんむえんそく》。常欲廣說《じょうよくこうぜつ》。志無疲倦《しむひけん》。擊法鼓《きゃくほっく》。建法幢《こんぼうどう》。曜慧日《ようえにち》。除癡闇《じょちあん》。修六和敬《しゅろくわきょう》。常行法施《じょうぎょうほっせ》。志勇精進《しゆうしょうじん》。心不退弱《しんぷたいにゃく》。爲世燈明《いせとうみょう》。最勝福田《さいしょうふくでん》。常爲導師《じょういどうし》。等無憎愛《とうむぞうあい》。唯樂正道《ゆいぎょうしょうどう》。無餘欣戚《むよごんしゃく》。拔諸欲刺《ばつしょよくし》。以安群生《いあんぐんじょう》。功《く》慧殊勝《えしゅしょう》。莫不尊敬《まくふそんきょう》。滅三垢障《めつさんくしょう》。遊《ゆ》諸神通《しょじんずう》。因力緣力《いんりきえんりき》。意力願力《いりきがんりき》。方便之《ほうべんし》力《りき》。常力善力《じょうりきぜんりき》。定力慧力《じょうりきえりき》。多聞之力《たもんしりき》。施戒忍辱《せかいにんにく》。精進禪定《しょうじんぜんじょう》。智慧之力《ちえしりき》。正念正觀《しょうねんしょうかん》。諸通明力《しょつうみょうりき》。如法調伏《にょほうじょうぶく》。諸衆生力《しょしゅじょうりき》。如是等力《にょぜとうりき》。一切具足《いっさいぐそく》。身《しん》色相好《しきそうごう》。功德辯才《くどくべんざい》。具足莊嚴《ぐそくしょうごん》。無與《むよ》

きが故《ゆえ》に。猶《なお》し牛王《ごおう》の如《ごと》し、能《よ》く勝《か》つもの無《な》きが故《ゆえ》に。猶《なお》し象王《ぞうおう》の如《ごと》し、善《よ》く調伏《じょうぶく》するが故《ゆえ》に。師子王《ししおう》の如《ごと》し、畏《おそ》るる所《ところ》無《な》きが故《ゆえ》に。曠《ひろ》きこと虚空《こくう》の若《ごと》し、大慈《だいじ》等《ひと》しきが故《ゆえ》に。88嫉心《しっしん》を摧滅《ざいめつ》せり。勝《まさ》るを忌《そね》まざるが故《ゆえ》に。専《もっぱ》ら法《ほう》を楽求《ぎょうぐ》して心《しん》に厭足《えんそく》無《な》し。常《つね》に広説《こうぜつ》を欲《ねが》い、志《こころざし》、疲倦《ひけん》無《な》し。法鼓《ほっく》を撃《たた》き、法幢《ほうどう》を建《た》て、慧日《えにち》を曜《かがや》かし、痴闇《ちあん》を除《のぞ》く。六和敬《ろくわきょう》を修《しゅ》し常《つね》に法施《ほうせ》を行《ぎょう》ず。志勇精進《しゆうしょうじん》にして、心《しん》、退弱《たいにゃく》せず。世《せ》の燈明《とうみょう》と為《な》りて最勝《さいしょう》の福田《ふくでん》なり。常《つね》に導師《どうし》と為《な》りて等《ひと》しく憎愛《ぞうあい》無《な》し。唯正道《ただしょうどう》を楽《ねが》いて余《よ》の欣戚《ごんしゃく》無《な》し。諸《もろもろ》の欲刺《よくし》を抜《ぬ》きて、以《もっ》て群生《ぐんじょう》を安《やす》くす。功慧殊勝《くえしゅしょう》にして尊敬《そんきょう》せざること莫《な》し。三垢《さんく》の障《さわり》を滅《めっ》し、諸《もろもろ》の神通《じんずう》に遊《あそ》ぶ。因力《いんりき》・縁《えん》力《りき》・意力《いりき》・願力《がんりき》・方便《ほうべん》の力《ちから》、常力《じょうりき》・善力《ぜんりき》・定力《じょうりき》・慧力《えりき》・多聞《たもん》の力《ちから》、施《せ》・戒《かい》・忍辱《にんにく》・精進《しょうじん》・禅定《ぜんじょう》・智慧《ちえ》の力《ちから》、正《しょう》念《ねん》・正観《しょうかん》・諸《もろもろ》の通《つう》・明《みょう》の力《ちから》、法《ほう》の如《ごと》く諸《もろもろ》の衆生《しゅじょう》を調伏《じょうぶく》する力《ちから》、是《か》くの如《ごと》き等《ら》の力《ちから》、一切具足《いっさいぐそく》せり。

89身色《しんしき》・相好《そうごう》・功徳《くどく》・弁才《べんざい》、具足《ぐそく》し荘厳《しょうごん》す。与《とも》に等《ひと》しき者《もの》

等者《とうしゃ》。恭敬供養《くぎょうくよう》。無量諸佛《むりょうしょぶつ》。常爲《じょうい》諸佛《しょぶつ》。所共稱歎《しょぐしょうたん》。究竟菩薩《くきょうぼさつ》。諸波羅《しょはら》蜜《みつ》。修空無相《しゅくうむそう》。無願三昧《むがんざんまい》。不生不《ふしょうふ》滅《めつ》。諸三昧門《しょさんまいもん》。遠離聲聞《おんりしょうもん》。緣覺之地《えんがくしじ》。阿難彼諸菩薩《あなんひしょぼさつ》。成就如是《じょうじゅにょぜ》。無量功德《むりょうくどく》。我但爲汝《がたんいにょ》。略說之耳《りゃくせつしに》。若廣說者《にゃくこうせつしゃ》。百千萬劫《ひゃくせんまんごう》。不能窮盡《ふのうぐじん》。

佛告彌勒菩薩《ぶつごうみろくぼさつ》。諸天人等《しょてんにんとう》。無量壽國《むりょうじゅこく》。聲聞菩薩《しょうもんぼさつ》。功德智慧《くどくちえ》。不可稱說《ふかしょうせつ》。又《う》其國土《ごこくど》。微妙安樂《みみょうあんらく》。清淨若此《しょうじょうにゃくし》。何《が》不力爲善《ふりきいぜん》。念道之自然《ねんどうしじねん》。著於無上《ちょおむじょう》下《げ》。洞達無邊際《とうだつむへんざい》。宜各勤精進《ぎかくごんしょうじん》。努力《ぬりき》自求之《じぐし》。必得超絕去《ひっとくちょうぜつこ》。往生安養國《おうじょうあんにょうこく》。橫截五惡趣《おうぜつごあくしゅ》。惡趣自然閉《あくしゅじねんぺい》。昇道無窮《しょうどうむぐ》極《ごく》。易往而無人《いおうにむにん》。其國不逆違《ごこくふぎゃくい》。自然《じねん》之所牽《ししょけん》。何不棄世事《がふきせじ》。勤行求道德《ごんぎょうぐどうとく》。

無《な》し。無量《むりょう》の諸仏《しょぶつ》を恭敬《くぎょう》し供養《くよう》して、常《つね》に諸仏《しょぶつ》の為《ため》に共《とも》に称歎《しょうたん》せらる。菩薩《ぼさつ》の諸波羅蜜《しょはらみつ》を究竟《くきょう》し、空《くう》・無相《むそう》・無願三昧《むがんざんまい》、不生不滅《ふしょうふめつ》諸《もろもろ》の三昧門《さんまいもん》を修《しゅ》す。声聞《しょうもん》・縁覚《えんがく》の地《じ》を遠離《おんり》せり。阿難《あなん》。彼《か》の諸《もろもろ》の菩薩《ぼさつ》、是《か》くの如《ごと》きの無量《むりょう》の功徳《くどく》を成就《じょうじゅ》せり。我《われ》、但汝《ただなんじ》が為《ため》に略《りゃく》して之《これ》を説《と》くならくのみ。若《も》し広《ひろ》く説《と》かば、百千万劫《ひゃくせんまんごう》に窮尽《ぐじん》すること能《あた》わじ。」

90仏《ぶつ》、弥勒菩薩《みろくぼさつ》・諸《もろもろ》の天人等《てんにんとう》に告《つ》げたまわく、「無量寿国《むりょうじゅこく》の声聞《しょうもん》・菩薩《ぼさつ》、功徳《くどく》・智慧《ちえ》、称説《しょうせつ》すべからず。又其《またそ》の国土《こくど》は微妙《みみょう》・安楽《あんらく》にして清浄《しょうじょう》なること此《か》くの若《ごと》し。91何《なん》ぞ力《つと》めて善《ぜん》を為《な》して、道《どう》の自然《じねん》なることを念《おも》いて、上下《じょうげ》無《な》く洞達《とうだつ》して辺際《へんざい》無《な》きことを著《あらわ》さざらん。宜《よろ》しく各《おの》おの勤《つと》めて精進《しょうじん》して、努力《ゆめゆめ》自《みずか》ら之《これ》を求《もと》むべし。必《かなら》ず超絶《ちょうぜつ》して去《さ》ることを得《え》て、安養国《あんにょうこく》に往生《おうじょう》せよ。横《よこさま》に五悪趣《ごあくしゅ》を截《き》りて、悪趣自《あくしゅじ》然《ねん》に閉《と》じん。道《どう》に昇《のぼ》ること窮極《ぐうごく》無《な》し。往《ゆ》き易《やす》くして人《ひと》無《な》し。其《そ》の国《くに》逆違《ぎゃくい》せず。自然《じねん》の牽《ひ》く所《ところ》なり。何《なん》ぞ世事《せじ》を棄《す》てて勤《ごん》

可獲極長生《かぎゃくごくじょうしょう》。壽樂無有極《じゅらくむうごく》。然世人《ねんせにん》薄俗《はくぞく》。共諍不急之事《ぐじょうふきゅうしじ》。於此劇惡《おしぎゃくあく》。極苦之中《ごっくしじゅう》。勤身營務《ごんしんようむ》。以自給濟《いじきゅうさい》。無《む》尊無卑《そんむひ》。無貧無富《むひんむふ》。少長男女《しょうちょうなんにょ》。共憂《ぐう》錢財《せんざい》。有無同然《うむどうねん》。憂思適等《うしちゃくとう》。屏營愁《びょうようしゅ》苦《く》。累念積慮《るいねんしゃくろ》。爲心走使《いしんそうし》。無有安時《むうあんじ》。有田憂田《うでんうでん》。有宅憂宅《うたくうたく》。牛馬六畜《ごめろくちく》。奴婢《ぬび》錢財《せんざい》。衣食什物《えじきじゅうもつ》。復共憂之《ぶぐうし》。重思累《じゅうしるい》息《そく》。憂念愁怖《うねんしゅふ》。横爲非常《おういひじょう》。水火盜《すいかとう》賊《ぞく》。怨家債主《おんげさいしゅ》。焚漂劫奪《ぼんぴょうこうだつ》。消散磨滅《しょうさんまめつ》。憂毒忪忪《うどくそうそう》。無有解時《むうげじ》。結憤心中《けつぷんしんじゅう》。不《ふ》離憂惱《りうのう》。心堅意固《しんけんいこ》。適無縱捨《ちゃくむじゅうしゃ》。或坐《わくざ》摧碎《ざいさい》。身亡命終《しんもうみょうじゅう》。棄捐之去《きえんしこ》。莫誰隨《まくすいずい》者《しゃ》。尊貴豪富《そんきごうふ》。亦有斯患《やくうしげん》。憂懼萬端《うくまんたん》。勤苦若此《ごんくにゃくし》。結衆寒熱《けつしゅかんねつ》。與痛共居《よつうぐこ》。貧《びん》窮下劣《ぐげれつ》。困乏常無《こんぼくじょうむ》。無田亦憂《むでんやくう》。欲有《よくう》

行《ぎょう》して道徳《どうとく》を求《もと》めざらん。極長生《ごくじょうしょう》を獲《う》べし。寿楽《じゅらく》極《きわ》まり有《あ》ること無《な》し。

92然《しか》るに世人《せにん》、薄俗《はくぞく》にして共《とも》に不急《ふきゅう》の事《じ》を諍《あらそ》う。此《こ》の劇《ぎゃく》悪極苦《あくごっく》の中《なか》に於《お》いて、身《み》の営務《ようむ》を勤《つと》めて、以《もっ》て自《みずか》ら給済《きゅうさい》す。尊《そん》も無《な》く卑《ひ》も無《な》し。貧《ひん》も無《な》く富《ふ》も無《な》し。少長男女《しょうちょうなんにょ》、共《とも》に銭《せん》財《ざい》を憂《うれ》う。有無同然《うむどうねん》なり。憂思《うし》適《まさ》に等《ひと》し。屏営愁苦《びょうようしゅうく》して、念《おもい》を累《かさ》ね慮《おもんぱかり》を積《つ》みて、心《しん》の為《ため》に走《は》せ使《つか》いて、安《やす》き時《とき》有《あ》ること無《な》し。田《でん》有《あ》れば田《でん》を憂《うれ》う。宅《たく》有《あ》れば宅《たく》を憂《うれ》う。牛馬六《ごめろく》畜《ちく》・奴婢《ぬび》・銭財《せんざい》・衣食《えじき》・什物《じゅうもつ》、復《ま》た共《とも》に之《これ》を憂《うれ》う。思《おもい》を重《かさ》ね息《そく》を累《つ》みて、憂念《いきどおり》を愁怖《しゅうふ》す。横《よこさま》に34非常《ひじょう》の水火《すいか》・盗《とう》賊《ぞく》・怨家《おんげ》・債主《さいしゅ》の為《ため》に焚漂劫奪《ぼんぴょうこうだつ》せられ、消散《しょうさん》し磨滅《まめつ》す。憂《う》毒忪忪《どくそうそう》として解《と》くる時《とき》有《あ》ること無《な》し。憤《いきどおり》を心中《しんじゅう》に結《むす》びて憂悩《うのう》を離《はな》れず。心堅《しんかた》く意固《こころかた》く、適《まさ》に縦捨《じゅうしゃ》すること無《な》し。或《ある》いは摧砕《ざいさい》に坐《つみ》して、身亡《みほろ》び命終《いのちおわ》れば、之《これ》を棄捐《きえん》して去《さ》りぬ。誰《たれ》も随《したが》う者《もの》莫《な》し。尊貴豪富《そんきごうふ》も亦《また》斯《こ》の患《うれえ》有《あ》り。憂懼万端《うくまんたん》にして、勤苦《ごんく》、此《か》くの若《ごと》し。衆《もろもろ》の寒熱《かんねつ》を結《むす》びて痛《いたみ》と共《とも》に居《こ》す。

田《でん》。無宅《むたく》亦憂《やくう》。欲有宅《よくうたく》。無牛馬六畜《むごめろくちく》。奴婢《ぬび》銭財《せんざい》。衣食什物《えじきじゅうもつ》。亦憂欲有之《やくうよくうし》。適有一《ちゃくういち》。復少一《ぶしょういち》。有是少是《うぜしょうぜ》。思有《しう》齊等《さいとう》。適欲具有《ちゃくよくぐう》。便復靡散《べんぶみさん》。如是憂《にょぜう》苦《く》。當復求索《とうぶぐさく》。不能時得《ふのうじとく》。思想無益《しそうむやく》。身心倶勞《しんじんくろう》。坐起不安《ざきふあん》。憂念相隨《うねんそうずい》。勤苦《ごんく》若此《にゃくし》。亦結衆寒熱《やくけつしゅかんねつ》。與痛共居《よつうぐこ》。或時《わくじ》坐之《ざし》。終身夭命《じゅうしんようみょう》。不肯爲善《ふこういぜん》。行道《ぎょうどう》進徳《しんとく》。壽終身死《じゅしゅうしんし》。當獨遠去《とうどくおんこ》。有所趣《うしょしゅ》向《こう》。善惡之道《ぜんあくしどう》。莫能知者《まくのうちしゃ》。世間人民《せけんにんみん》。父子兄弟《ぶしきょうだい》。夫婦室家《ふふしつけ》。中外親屬《ちゅうげしんぞく》。當《とう》相敬愛《そうきょうあい》。無相憎嫉《むそうぞうしつ》。有無相通《うむそうつう》。無得《むとく》貪惜《とんじゃく》。言色常和《ごんしきじょうわ》。莫相違戻《まくそういれい》。或時心《わくじしん》諍《じょう》。有所恚怒《うしょいぬ》。今世恨意《こんぜこんい》。微相憎嫉《みそうぞうしつ》。後世轉劇《ごせてんぎゃく》。至成大怨《しじょうだいおん》。所以者何《しょいしゃが》。世《せ》間之事《けんしじ》。更相患害《きょうそうげんがい》。雖不即時《すいふそくじ》。應急《おうきゅう》

貧窮下劣《びんぐげれつ》にして、困乏《こんぼう》して常《つね》に無《な》けたり。田《でん》無《な》ければ亦憂《またうれ》えて田有《でんあ》らんと欲《おも》う。宅無《たくな》ければ亦憂《またうれ》えて宅有《たくあ》らんと欲《おも》う。牛《ご》馬六畜《めろくちく》・奴婢《ぬび》・銭財《せんざい》・衣食《えじき》・什物無《じゅうもつな》ければ、亦憂《またうれ》えて之有《これあ》らんと欲《おも》う。適《たま》たま一《ひと》つ有《あ》れば復《ま》た一《ひと》つ少《か》けぬ。是《こ》れ有《あ》れば是《こ》れ少《か》けぬ。斉等《さいとう》に有《あ》らんことを思《おも》う。適《たま》たま具《つぶさ》に有《あ》らんと欲《おも》えば、便《すなわ》ち復《ま》た靡散《みさん》しぬ。是《か》くの如《ごと》く憂苦《うく》して当《まさ》に復《ま》た求索《ぐさく》すれども、時《とき》に得《う》ること能《あた》わず。思想《しそう》して益無《やくな》し。身《しん》心倶《じんとも》に労《つか》れて坐起安《ざきやす》からず。憂念相随《うねんあいしたが》いて、勤苦《ごんく》、此《か》くの若《ごと》し。亦《また》衆《もろもろ》の寒熱《かんねつ》を結《むす》びて痛《いたみ》と共《とも》に居《こ》す。或《あ》る時《とき》は之《これ》に
35
坐《つみ》して、身《み》を終《お》え命《いのち》を夭《ほろ》ぼす。肯《あ》えて善《ぜん》を為《な》し道《どう》を行《ぎょう》じ徳《とく》に進《すす》まず。寿終《いのちお》え身死《みし》して、当《まさ》に独《ひと》り遠《とお》く去《さ》る。趣向《しゅこう》する所有《ところあ》れども、善悪《ぜんあく》の道《どう》、能《よ》く知《し》る者莫《ものな》し。

93 世間《せけん》の人民《にんみん》、父子《ぶし》・兄弟《きょうだい》・夫婦《ふうふ》・室家《しっけ》・中外《ちゅうげ》の親属《しんぞく》、当《まさ》に相敬愛《あいきょうあい》して相憎嫉《あいぞうしつ》すること無《な》かるべし。有無相通《うむあいつう》じて貪《とん》惜《じゃく》を得《う》ること無《な》かれ。言色常《ごんしきつね》に和《わ》して相違戻《あいいれい》すること莫《な》かれ。或《あ》る時《とき》には心《しん》に諍《あらそ》いて恚怒《いぬ》する所有《ところあ》り。今世《こんぜ》の恨《うら》みの

相破《そうは》。然含毒畜怒《ねんがんどくちくぬ》。結憤精神《けつぷんしょうじん》。自然《じねん》剋識《こくし》。不得相離《ふとくそうり》。皆當對生《かいとうたいしょう》。更相報《きょうそうほう》復《ぶく》。人在世間《にんざいせけん》。愛欲之中《あいよくしじゅう》。獨生獨死《どくしょうどくし》。獨去獨來《どっこどくらい》。當行至趣《とうぎょうししゅ》。苦樂之地《くらくしじ》。身《しん》自當之《じとうし》。無有代者《むうだいしゃ》。善惡變化《ぜんあくへんげ》。殃福異《おうふくい》處《しょ》。宿豫嚴待《しゅくよごんだい》。當獨趣入《とうどくしゅにゅう》。遠到他所《おんとうたしょ》。莫能見者《まくのうけんしゃ》。善惡自然《ぜんあくじねん》。追行所生《ついぎょうしょしょう》。窈《よう》窈冥 冥《ようみょうみょう》。別離久長《べつりくじょう》。道路不同《どうろふどう》。會《え》見無期《けんむご》。甚難甚難《じんなんじんなん》。復得相値《ぶとくそうち》。何不棄《がふき》衆事《しゅじ》。各曼強健時《かくまんごうごんじ》。努力勤修善《ぬりきごんしゅぜん》。精《しょう》進願度世《じんがんどせ》。可得極長生《かとくごくじょうしょう》。如何不求道《にょがふぐどう》。安所須待《あんしょしゅだい》。欲何樂哉《よくがらくさい》。如是世人《にょぜせにん》。不信《ふしん》作善得善《さぜんとくぜん》。爲道得道《いどうとくどう》。不信人死更《ふしんにんしきょう》生《しょう》。惠施得福《えせとくふく》。善惡之事《ぜんあくしじ》。都不信之《とふしんし》。謂之不然《いしふねん》。終無有是《じゅうむうぜ》。但坐此故《たんざしこ》。且《しゃ》自見之《じけんし》。更相瞻視《きょうそうせんし》。先後同然《ぜんごどうねん》。轉相《てんそう》

意《こころ》、微《すこ》し相憎嫉《あいぞうしつ》すれば、後世《ごせ》には転《うた》た劇《はげ》しく大怨《だいおん》と成《な》るに至《いた》る。所以《ゆえ》は何《いか》んとなれば、世間《せけん》の事《じ》、更《かわ》るがわる相患害《あいげんがい》す。即《すなわ》ちの時《とき》に急《すみ》やかに相破《あいは》すべからずと雖《いえど》も、然《しか》も毒《どく》を含《ふく》み怒《いかり》を畜《たくわ》え、憤《いきどおり》を精神《しょうじん》に結《むす》びて、自然《じねん》に剋識《こくし》して相離《あいはな》ることを得《え》ず、皆当《みなまさ》に対生《たいしょう》して更《かわ》るがわる相報復《あいほうぶく》すべし。人《ひと》、世間《せけん》の愛欲《あいよく》の中《なか》に在《あ》りて、独《ひと》り生《しょう》じ独《ひと》り死《し》し独《ひと》り去《さ》り独《ひと》り来《き》たりて、行《ぎょう》に当《あ》たり苦楽《くらく》の地《じ》に至《いた》り趣《おもむ》く。身《み》、自《みずか》ら之《これ》を当《う》くるに、有《たれ》も代《か》わる者無《ものな》し。善悪変化《ぜんあくへんげ》して、殃福《おうふく》、処《ところこと》異なり、宿予《あらかじ》め厳待《ごんたい》して、当《まさ》に独《ひと》り趣入《しゅにゅう》すべし。遠《とお》く他《た》所《しょ》に到《いた》りぬれば、能《よ》く見《み》る者莫《ものな》し。善悪自然《ぜんあくじねん》にして[36]行《ぎょう》を追《お》うて生《しょう》ずる所《ところ》なり。窈窈冥 冥《ようようみょうみょう》として、別離《べつり》、久《ひさ》しく長《なが》し。道路《どうろ》同《おな》じからずして、会《あ》い見《み》ること、期無《ごな》し。甚《はなは》だ難《かた》し、甚《はなは》だ難《かた》し。復《ま》た相値《あいあ》うことを得《え》んや。何《なん》ぞ衆事《しゅじ》を棄《す》てざらん。各《おの》おの強健《ごうごん》の時《とき》に曼《およ》んで、努力《ゆめゆめ》修善《しゅぜん》を勤《つと》めて精進《しょうじん》して度世《どせ》を願《ねが》え。極《きわ》めて長 生《じょうしょう》を得《う》べし。如何《いかん》ぞ道《どう》を求《もと》めざらん。安所《いずくん》ぞ待《ま》つべき。何《なに》の楽《たの》しみをか欲《おも》わんや。

承受《じょうじゅ》。父《ぶ》餘《よ》教令《きょうりょう》。先人《せんにん》祖父《そぶ》。素《そ》不《ふ》爲善《いぜん》。不《ふ》識《しき》道徳《どうとく》。身《しん》愚《ぐ》神《じん》闇《あん》。心《しん》塞《そく》意《い》閉《へい》。無《む》死生《ししょう》之《し》趣《しゅ》。善悪《ぜんあく》之《し》道《どう》。自《じ》不《ふ》能《のう》見《けん》。無《む》有《う》語《ご》者《しゃ》。吉凶《きっきょう》禍福《かふく》。競《きょう》各《かく》作《さ》之《し》。無《む》一《いち》怪《け》也《や》。生死《しょうじ》常道《じょうどう》。轉《てん》相《そう》嗣《し》立《りゅう》。或《わく》父《ぶ》哭《こく》子《し》。或《わく》子《し》哭《こく》父《ぶ》。兄弟《きょうだい》夫《ふ》婦《ふ》。更《きょう》相《そう》哭《こく》泣《きゅう》。顚倒《てんどう》上下《じょうげ》。無常《むじょう》根本《こんぽん》。皆《かい》當《とう》過《か》去《こ》。不《ふ》可《か》常《じょう》保《ほ》。教語《きょうご》開導《かいどう》。信《しん》之《し》者《しゃ》少《しょう》。是《ぜ》以《い》生死《しょうじ》流轉《るてん》。無《む》有《う》休《く》止《し》。如《にょ》此《し》之《し》人《にん》。矇冥《もうみょう》抵突《たいとつ》。不《ふ》信《しん》經法《きょうぼう》。心《しん》無《む》遠《おん》慮《ろ》。各《かく》欲《よく》快《け》意《い》。癡惑《ちわく》於《お》愛欲《あいよく》。不《ふ》達《だつ》於《お》道《どう》徳《とく》。迷没《めいもつ》於《お》瞋怒《しんぬ》。貪狼《とんろう》於《お》財色《ざいしき》。坐《ざ》之《し》不《ふ》得道《とくどう》。當《とう》更《きょう》悪趣《あくしゅ》苦《く》。生死《しょうじ》無《む》窮《ぐ》已《い》。哀《あい》哉《さい》甚《じん》可《か》傷《しょう》。或《わく》時《じ》室家《しつけ》父子《ぶし》。兄弟《きょうだい》夫《ふ》婦《ふ》。一死《いっし》一生《いっしょう》。更《きょう》相《そう》哀愍《あいみん》。恩愛《おんない》思慕《しぼ》。憂《う》念《ねん》結縛《けつばく》。心意《しんい》痛著《つうじゃく》。迭《てつ》相《そう》顧戀《これん》。窮《ぐ》日《にち》

---

94 是《か》くの如《ごと》く、世人《せにん》、善《ぜん》を作《な》して善《ぜん》を得《え》、道《どう》を為《な》して道《どう》を得《う》ることを信《しん》ぜず。人《ひと》、死《し》して更《かえ》りて生《う》まれ、恵施《えせ》して福《ふく》を得《う》ることを信《しん》ぜず。善悪《ぜんあく》の事《じ》、都《すべ》て之《これ》を信《しん》ぜず。之《これ》を然《しか》らずと謂《おも》えり。終《つい》に是《ぜ》すること有《あ》ること無《な》し。但《ただ》[37]此《こ》れを坐《つみ》する故《ゆえ》に、且《か》つ自《みずか》ら之《これ》を見《み》れば、更《かわ》るがわる相瞻視《あいせんし》して、先後《せんご》同《おな》じく然《しか》なり。転《うた》た相承受《あいじょうじゅ》するに、[38]父《ちち》、教令《きょうりょう》を余《のこ》す。先人《せんにん》・祖父《そぶ》、素《もと》より善《ぜん》を為《な》さず、道徳《どうとく》を識《さと》らず。身《み》愚《おろ》かに神《たましい》闇《くら》く、心《しん》塞《ふさが》り意《こころ》閉《と》じて、死生《ししょう》の趣《しゅ》、善悪《ぜんあく》の道《どう》、自《みずか》ら見《み》ること能《あた》わず。語《かた》る者《もの》有《あ》ること無《な》し。吉凶《きっきょう》禍福《かふく》、競《きそ》いて各《おの》おの之《これ》を作《な》す。一《ひとり》も怪《あや》しむもの無《な》きなり。生死《しょうじ》の常《つね》の道《みち》、転《うた》た相嗣《あいつ》ぎ立《た》つ。或《ある》いは父《ちち》は子《こ》を哭《こく》し、或《ある》いは子《こ》、父《ちち》を哭《こく》す。兄弟《きょうだい》・夫婦《ふうふ》、更《かわ》るがわる相哭泣《あいこくきゅう》す。顚倒上下《てんどうじょうげ》して無常《むじょう》の根本《こんぽん》なり。皆《みな》過去《かこ》に当《う》く。常《つね》に保《たも》つべからず。教語開導《きょうごかいどう》すれども、之《これ》を信《しん》ずる者《もの》は少《すく》なし。是《ここ》を以《もっ》て生死流転《しょうじるてん》し、休《く》止《し》すること有《あ》ること無《な》し。此《か》くの如《ごと》きの人《ひと》、矇冥抵突《もうみょうたいとつ》して経法《きょうぼう》を信《しん》ぜず。心《しん》に遠《とお》き慮《おもんぱかり》無《な》し。各《おの》おの意《こころ》を快《こころよ》くせ

卒歳《そつさい》。無有解已《むうげい》。教語道徳《きょうごどうとく》。心不開《しんぷかい》明《みょう》。思想恩好《しそうおんこう》。不離情欲《ふりじょうよく》。昏矇閉塞《こんもうへいそく》。愚惑所覆《ぐわくしょふ》。不能深思熟計《ふのうじんしじゅつけ》。心自端《しんじたん》正《じょう》。専精行道《せんしょうぎょうどう》。決斷世事《けつだんせじ》。便旋至《べんせんし》竟《きょう》。年壽終盡《ねんじゅしゅうじん》。不能得道《ふのうとくどう》。無可奈何《むかないが》。總猥憒擾《そうわいかいにょう》。皆貪愛欲《かいとんあいよく》。惑道者衆《わくどうしゃしゅ》。悟《ご》之者寡《ししゃか》。世間悤悤《せけんそうそう》。無可憀頼《むかりょうらい》。尊卑《そんぴ》上下《じょうげ》。貧富貴賤《ひんぷきせん》。勤苦悤務《ごんくそうむ》。各懷殺《かくえせつ》毒《どく》。惡氣窈冥《あっけようみょう》。爲妄興事《いもうこうじ》。違逆天地《いぎゃくてんじ》。不從人心《ふじゅうにんしん》。自然非惡《じねんひあく》。先隨與之《せんずいよし》。恣《し》聽所爲《ちょうしょい》。待其罪極《だいございごく》。其壽未盡《ごじゅみじん》。便頓《べんどん》奪之《だっし》。下入惡道《げにゅうあくどう》。累世勤苦《るいせごんく》。展轉其《てんでんご》中《ちゅう》。數千億劫《しゅせんおっこう》。無有出期《むうしゅつご》。痛不可言《つうふかごん》。甚可哀愍《じんかあいみん》。

んと欲《おも》えり。愛欲《あいよく》に痴惑《ちわく》せられて道徳《どうとく》を達《さと》らず。瞋怒《しんぬ》に迷没《めいもつ》して財色《ざいしき》を貪狼《とんろう》す。之《これ》に[39]坐《つみ》して道《どう》を得《え》ず。当《まさ》に悪趣《あくしゅ》の苦《く》に更《かえ》るべし。生死《しょうじ》、窮《きわ》まり已《や》むこと無《な》し。哀《あわ》れなるかな、甚《はなは》だ傷《いた》むべし。或《あ》る時《とき》は室家《しっけ》・父子《ぶし》・兄弟《きょうだい》・夫婦《ふうふ》、一《ひとり》は死《し》し一《ひとり》は生《しょう》ず。更《かわ》るがわる相哀愍《あいあいみん》す。恩愛思慕《おんあいしぼ》して憂念結縛《うねんけつばく》す。心意痛著《しんいつうじゃく》して迭《たが》いに相顧恋《あいこれん》す。日《ひ》を窮《きわ》め歳《とし》を卒《お》えて、解《と》け已《や》むこと有《あ》ること無《な》し。道徳《どうとく》を教語《きょうご》するに、心開明《しんかいみょう》ならず。恩好《おんこう》を思想《しそう》して情欲《じょうよく》を離《はな》れず。昏矇閉塞《こんもうへいそく》して愚惑《ぐわく》に覆《おお》われたり。深《ふか》く思《おも》い熟《つら》つら計《はか》らい、心自《こころみずか》ら端正《たんじょう》にして、専精《せんしょう》に道《どう》を行《ぎょう》じて世事《せじ》を決断《けつだん》すること能《あた》わず。便《すなわ》ち旋《めぐ》り、竟《おわり》に至《いた》る。年寿終《ねんじゅおわ》り尽《つ》きぬれば、道《どう》を得《う》ること能《あた》わず。奈何《いかん》とすべきこと無《な》し。総猥憒擾《そうわいかいにょう》して皆愛欲《みなあいよく》を貪《むさぼ》る。道《どう》に惑《まど》える者《もの》は衆《おお》く、之《これ》を悟《さと》る者《もの》は寡《すく》なし。世間悤悤《せけんそうそう》として憀頼《りょうらい》すべきこと無《な》し。尊卑《そんぴ》・上下《じょうげ》・貧富《ひんぷ》・貴賤《きせん》、勤苦悤務《ごんくそうむ》して各《おの》おの殺毒《せつどく》を懐《いだ》く。悪気窈冥《あっけようみょう》して為《ため》に妄《みだ》りに事《じ》を興《おこ》す。天地《てんち》に違逆《いぎゃく》して人《ひと》の心《こころ》に従《したが》わず。自然《じねん》の非悪《ひあく》、先《ま》ず随《したが》いて之《これ》を

佛告彌勒菩薩《ぶつごうみろくぼさつ》。諸天人等《しょてんにんとう》。我今語汝世間之事《がこんごにょせけんしじ》。人用是故《にんようぜこ》。坐不得道《ざふとくどう》。當熟思計《とうじゅくしけ》。遠離衆惡《おんりしゅあく》。擇其善者《ちゃくごぜんしゃ》。勤而行之《ごんにぎょうし》。愛欲榮華《あいよくえいが》。不可常保《ふかじょうほ》。皆當別離《かいとうべつり》。無可樂者《むからくしゃ》。曼佛在世《まんぶつざいせ》。當勤精進《とうごんしょうじん》。其有至心《ごうししん》。願生安樂國者《がんしょうあんらくこくしゃ》。可得智慧明達《かとくちえみょうだつ》。功德殊勝《くどくしゅしょう》。勿得隨心所欲《もつとくずいしんしょよく》。虧負經戒《きふきょうかい》。在人後也《ざいにんごや》。儻有疑意《とううぎい》。不解經者《ふげきょうしゃ》。可具問佛《かぐもんぶつ》。當爲說之《とういせつし》。彌勒菩薩《みろくぼさつ》。長跪白言《ちょうきびゃくごん》。佛威神尊重《ぶついじんそんじゅう》。所說快善《しょせつけぜん》。聽佛經語《ちょうぶつきょうご》。貫心思之《かんしんしし》。世人實爾《せにんじつに》。如佛所言《にょぶつしょごん》。今佛慈愍《こんぶつじみん》。顯示大道《けんじだいどう》。耳目開《にもくかい》

与《あた》う。恣《ほしいまま》に所為《しょい》を聴《ゆる》して、其《そ》の罪《つみ》の極《きわ》まるを待《ま》つ。其《そ》の寿《いのち》未《いま》だ尽《つ》きざるに、便《すなわ》ち頓《たちま》ちに之《これ》を奪《うば》う。悪道《あくどう》に下《くだ》り入《い》りて、累世《るいせ》に勤苦《ごんく》す。其《そ》の中《なか》に展転《てんでん》して数千億劫《しゅせんおっこう》なり。出《い》ずる期《ご》有《あ》ること無《な》し。痛《いた》み言《い》うべからず。甚《はなは》だ哀愍《あいみん》すべし。」

95
仏《ぶつ》、弥勒菩薩《みろくぼさつ》・諸天人等《しょてんにんとう》に告《つ》げたまわく、「我今《われいま》、汝《なんじ》に世間《せけん》の事《じ》を語《かた》る。人《ひと》、是《こ》れを用《もっ》ての故《ゆえ》に、坐《つみ》して道《どう》を得《え》ず。当《まさ》に熟《つら》つら思《おも》い計《はか》りて衆悪《しゅあく》を遠離《おんり》すべし。其《そ》の善《ぜん》の者《もの》を択《えら》んで、勤《つと》めて之《これ》を行《ぎょう》ぜよ。愛欲栄華《あいよくえいが》、常《つね》に保《たも》つべからず。皆当《みなまさ》に別離《べつり》すべし。楽《たの》しむべき者無《ものな》し。仏《ぶつ》の在世《ざいせ》に曼《もうあ》い、当《まさ》に勤《つと》めて精進《しょうじん》すべし。其《そ》れ心《しん》を至《いた》して安楽国《あんらくこく》に生《う》まれんと願《がん》ずること有《あ》る者《もの》は、智慧明達《ちえみょうだつ》し功徳殊勝《くどくしゅしょう》なることを得《う》べし。心《しん》の所欲《しょよく》に随《したが》いて経戒《きょうかい》を虧負《きふ》して、人《ひと》の後《しりえ》に在《あ》ることを得《う》ること勿《なか》れ。儻《も》し疑《うたがい》の意《こころ》有《あ》りて経《きょう》を解《さと》らざる者《もの》は、具《つぶさ》に仏《ぶつ》に問《と》いたてまつるべし。当《まさ》に為《ため》に之《これ》を説《と》くべし。」

96
弥勒菩薩《みろくぼさつ》、長跪《ちょうき》して白《もう》して言《い》わく、「仏《ぶつ》は威神尊重《いじんそんじゅう》にして、説《と》きたまう所《ところ》、快《こころよ》く善《よ》し。仏《ぶつ》の経語《きょうご》を聴《き》きたまえて、

明《みょう》。長得度脱《じょうとくどだつ》。聞佛所説《もんぶつしょせつ》。莫不歡喜《まくふかんぎ》。諸天人民《しょてんにんみん》。蠕動之類《なんどうしるい》。皆蒙慈恩《かいむじおん》。解脱《げだつ》憂苦《うく》。佛語教誡《ぶつごきょうかい》。甚深甚善《じんじんじんぜん》。智慧明見《ちえみょうけん》。八方上下《はっぽうじょうげ》。去來今事《こらいこんじ》。莫不究暢《まくふくちょう》。今我衆等《こんがしゅとう》。所以蒙得度脱《しょいむとくどだつ》。皆佛前世《かいぶつぜんぜ》。求道之時《ぐどうしじ》。謙苦所致《けんくしょち》。恩徳普覆《おんどくふふ》。福祿巍巍《ふくろくぎぎ》。光明徹照《こうみょうてっしょう》。達空無極《だっくうむごく》。開入泥洹《かいにゅうないおん》。教授典攬《きょうじゅてんらん》。威制消化《いせいしょうけ》。感動十方《かんどうじっぽう》。無窮無極《むぐむごく》。佛爲法王《ぶついほうおう》。尊超衆聖《そんちょうしゅしょう》。普爲一切天人之師《ふいいっさいてんにんしし》。隨心所願《ずいしんしょがん》。皆令得道《かいりょうとくどう》。今得値佛《こんとくちぶつ》。復聞無量壽佛聲《ぶもんむりょうじゅぶっしょう》。靡不歡喜《みふかんぎ》。心得開明《しんとくかいみょう》。

佛告彌勒菩薩《ぶつごうみろくぼさつ》。汝言是也《にょごんぜや》。若有慈敬《にゃくうじきょう》

心《しん》に貫《つらぬ》きて之《これ》を思《おも》うに、世人《せにん》、実《じつ》に爾《しか》なり。仏《ぶつ》の言《のたま》う所《ところ》の如《ごと》し。今仏《いまぶつ》、慈愍《じみん》して40大道《だいどう》を顕示《けんじ》したまうに、耳目開明《にもくかいみょう》にして長《なが》く度脱《どだつ》を得《え》つ。仏《ぶつ》の所説《しょせつ》を聞《き》きて歓喜《かんぎ》せざること莫《な》し。諸天《しょてん》・人民《にんみん》・41蠕動《ねんどう》の類《たぐい》、皆《みな》、慈恩《じおん》を蒙《こうぶ》りて憂苦《うく》を解脱《げだつ》せしむ。仏語《ぶつご》の教誡《きょうかい》、甚《はなは》だ深《ふか》く甚《はなは》だ善《よ》し。智慧明《ちえあき》らかに八方《はっぽう》・上下《じょうげ》・去来今《こらいこん》の事《じ》を見《み》そなわして、究《きわ》め暢《の》べたまわざること莫《な》し。今我《いまわれ》、衆等《しゅとう》、度脱《どだつ》を得《う》ることを蒙《こうぶ》る所以《ゆえ》は、皆《みな》、仏《ぶつ》の前世《ぜんせ》に道《どう》を求《もと》めしの時《とき》、謙苦《けんく》せしが致《いた》す所《ところ》なり。恩徳《おんどく》普《あまね》く覆《おお》いて、福禄巍巍《ふくろくぎぎ》として、光明徹照《こうみょうてっしょう》す。空《くう》に達《たっ》せること極《きわ》まり無《な》し。泥洹《ないおん》に開入《かいにゅう》し、典攬《てんらん》に教授《きょうじゅ》し、威制消化《いせいしょうけ》す。十方《じっぽう》に感動《かんどう》すること、無窮無極《むぐうむごく》なり。仏《ぶつ》は法王《ほうおう》として、尊《とうと》きこと、衆聖《しゅしょう》に超《こ》えたまえり。普《あまね》く一切《いっさい》天《てん》・人《にん》の師《し》と為《な》りて、心《しん》の所願《しょがん》に随《したが》いて、皆《みな》、道《どう》を得《え》せしめたまう。今仏《いまぶつ》に値《もうあ》うことを得《え》て、復《ま》た無量寿仏《むりょうじゅぶつ》の声《みな》を聞《き》きて歓喜《かんぎ》せざるもの靡《な》し。心《こころ》、開明《かいみょう》することを得《え》つ。」

97仏《ぶつ》、弥勒菩薩《みろくぼさつ》に告《つ》げたまわく、「汝《なんじ》が言《い》えること、是《ぜ》なり。

於佛者《おぶつしゃ》。實爲大善《じついだいぜん》。天下久久《てんげくく》。乃復有《ないぶう》佛《ぶつ》。今我於此世作佛《こんがおしせさぶつ》。演說經法《えんぜつきょうぼう》。宣《せん》布道敎《ぶどうきょう》。斷諸疑網《だんしょぎもう》。拔愛欲之本《ばつあいよくしほん》。杜《と》衆惡之源《しゅあくしげん》。遊步三界《ゆぶさんがい》。無所拘礙《むしょくげ》。典攬《てんらん》智慧《ちえ》。衆道之要《しゅどうしよう》。執持綱維《しゅうじこうゆい》。昭然分《しょうねんふん》明《みょう》。開示五趣《かいじごしゅ》。度未度者《どみどしゃ》。決正生《けっしょうしょう》死《じ》。泥洹之道《ないおんしどう》。彌勒當知《みろくとうち》。汝從無數《にょじゅうむしゅ》劫來《こうらい》。修菩薩行《しゅぼさつぎょう》。欲度衆生《よくどしゅじょう》。其已久《ごいく》遠《おん》。從汝得道《じゅうにょとくどう》。至于泥洹《しうないおん》。不可稱數《ふかしょうしゅ》。汝及十方《にょぎゅうじっぽう》。諸天人民《しょてんにんみん》。一切四衆《いっさいししゅ》。永《よう》劫已來《こういらい》。展轉五道《てんでんごどう》。憂畏勤苦《ういごんく》。不可具《ふかぐ》言《ごん》。乃至今世《ないしこんぜ》。生死不絕《しょうじふぜつ》。與佛相値《よぶつそうち》。聽受經法《ちょうじゅきょうぼう》。又復得聞《うぶとくもん》。無量壽佛《むりょうじゅぶつ》。快哉甚善《けさいじんぜん》。吾助爾喜《ごじょにき》。汝今亦可《にょこんやくか》。自厭《じえん》生死《しょうじ》。老病痛苦《ろうびょうつうく》。惡露不淨《おろふじょう》。無可《むか》樂者《らくしゃ》。宜自決斷《ぎじけつだん》。端身正行《たんじんしょうぎょう》。益作諸《やくさしょ》

若《も》し仏《ぶつ》を慈敬《じきょう》すること有《あ》らば、実《じつ》に大善《だいぜん》なりとす。[98]天下《てんげ》に久久《くく》にして乃《いま》し復《ま》た仏有《ぶつまします》。今我《いまわれ》、此《こ》の世《よ》に於《お》いて仏《ぶつ》と作《な》りて、経法《きょうぼう》を演説《えんぜつ》し道教《どうきょう》を宣布《せんぷ》す。諸《もろもろ》の疑網《ぎもう》を断《た》ち、愛《あい》欲《よく》の本《もと》を抜《ぬ》き、衆悪《しゅあく》の源《みなもと》を杜《ふさ》ぐ。三界《さんがい》に遊歩《ゆぶ》するに、拘碍《くげ》する所《ところ》無《な》し。典攬《てんらん》の智慧《ちえ》、衆道《しゅどう》の要《よう》なり。綱維《こうゆい》を執持《しゅうじ》して昭然分明《しょうねんふんみょう》なり。五趣《ごしゅ》を開示《かいじ》し未度《みど》の者《もの》を度《ど》す。生死泥洹《しょうじないおん》の道《どう》を決正《けっしょう》したまう。弥勒《みろく》、当《まさ》に知《し》るべし。汝《なんじ》、無数劫《むしゅこう》より来《このかた》、菩薩《ぼさつ》の行《ぎょう》を修《しゅ》して衆生《しゅじょう》を度《ど》せんと欲《ねが》う。其《そ》れ已《すで》に久《ひさ》しく遠《とお》し。汝《なんじ》に従《したが》いて道《どう》を得《え》て泥洹《ないおん》に至《いた》るもの、称数《しょうしゅ》すべからず。汝及《なんじおよ》び十方《じっぽう》の諸天《しょてん》・人民《にんみん》、一切《いっさい》の四衆《ししゅ》、永劫《ようごう》より已来《このかた》、五道《ごどう》に展転《てんでん》して、憂畏勤苦《ういごんく》、具《つぶさ》に言《い》うべからず。乃至今世《ないしこんぜ》まで生死《しょうじ》絶《た》えず。仏《ぶつ》と相値《あいあ》うて経法《きょうぼう》を聴受《ちょうじゅ》し、又復《またま》た無量寿仏《むりょうじゅぶつ》を聞《き》くことを得《え》たり。快《よ》きかな、甚《はなは》だ善《よ》し。吾《われ》、爾《なんじ》を助《たす》けて喜《よろこ》ぶ。[99]汝《なんじ》、今亦自《いままたみずか》ら生死老病《しょうじろうびょう》の痛苦《つうく》を厭《いと》うべし。悪露不浄《おろふじょう》にして楽《たの》しむべき者無《ものな》し。宜《よろ》しく自《みずか》ら決断《けつだん》して、身《み》を端《ただ》しくし行《ぎょう》を正《ただ》しくし、益《ます》ます諸《もろもろ》の善《ぜん》

善《ぜん》。修己《しゅこ》潔體《けったい》。洗除《せんじょ》心垢《しんく》。言行忠《ごんぎょうちゅう》信《しん》。表裏《ひょうり》相應《そうおう》。人能《にんのう》自度《じど》。轉相拯《てんそうじょう》濟《さい》。精明《しょうみょう》求願《ぐがん》。積累《しゃくるい》善本《ぜんぽん》。雖《すい》一世《いっせ》勤苦《ごんく》。須臾《しゅゆ》之間《しけん》。後生《ごしょう》無量壽佛國《むりょうじゅぶっこく》。快樂《けらく》無極《むごく》。長與《じょうよ》道德《どうとく》合明《ごうみょう》。永拔《ようばつ》生《しょう》死《じ》根本《こんぽん》。無復《むぶ》貪恚《とんい》愚癡《ぐち》。苦惱《くのう》之患《しげん》。欲《よく》壽一劫《じゅいっこう》百劫《ひゃっこう》。千萬億劫《せんまんおっこう》。自在《じざい》隨意《ずいい》。皆可得之《かいかとくし》。無爲《むい》自然《じねん》。次於《しお》泥洹《ないおん》之道《しどう》。汝等《にょとう》宜《ぎ》各《かく》精進《しょうじん》。求心《ぐしん》所願《しょがん》。無得《むとく》疑惑《ぎわく》中悔《ちゅうけ》。自爲《じい》過咎《かく》。生《しょう》彼《ひ》邊地《へんじ》。七寶《しっぽう》宮《く》殿《でん》。五百歳《ごひゃくさい》中《ちゅう》。受諸《じゅしょ》厄也《やくや》。彌勒《みろく》白《びゃく》佛言《ぶつごん》。受佛《じゅぶつ》重誨《じゅうけ》。專精《せんしょう》修學《しゅがく》。如教《にょきょう》奉行《ぶぎょう》。不敢《ふかん》有疑《うぎ》。

佛告《ぶつごう》彌勒《みろく》。汝等《にょとう》能《のう》於《お》此世《しせ》。端心《たんじん》正意《しょうい》。不作《ふさ》衆惡《しゅあく》。甚爲《じんい》至德《しとく》。十方世界《じっぽうせかい》。最無《さいむ》倫匹《りんぴつ》。所以者何《しょいしゃが》。諸佛國土《しょぶつこくど》。天人之類《てんにんしるい》。

を作《つく》りて、己《おのれ》を修《しゅ》し体《たい》を潔《いさぎよ》くし心垢《しんく》を洗除《せんじょ》し、言行忠《ごんぎょうちゅう》信《しん》あって表裏相応《ひょうりそうおう》し、人能《ひとよ》く自《みずか》ら度《ど》して転《うた》た相拯済《あいじょうさい》して、精明求願《しょうみょうぐがん》して善本《ぜんぽん》を積累《しゃくるい》すべし。一世《いっせ》の勤苦《ごんく》は須臾《しゅゆ》の間《あいだ》なりと雖《いえど》も、後《のち》には無量寿仏《むりょうじゅぶつ》の国《くに》に生《しょう》じ、快楽《けらく》極《きわ》まり無《な》し。長《なが》く道徳《どうとく》と合明《ごうみょう》にして、永《なが》く生死《しょうじ》の根本《こんぽん》を抜《ぬ》き、復《ま》た貪《とん》・恚《い》・愚痴《ぐち》・苦悩《くのう》の患《うれえ》無《な》し。寿《いのち》一劫《いっこう》・百劫《ひゃっこう》・千万億劫《せんまんおっこう》ならんと欲《おも》えば、自在《じざい》に意《こころ》に随《したが》いて皆之《みなこれ》を得《う》べし。無為自《むいじ》然《ねん》にして泥洹《ないおん》の道《どう》に次《ちか》し。汝等《なんだち》、宜《よろ》しく各《おの》おの精進《しょうじん》して心《しん》の所願《しょがん》を求《もと》むべし。疑惑《ぎわく》し中悔《ちゅうけ》して自《みずか》ら過咎《かく》を為《な》して、彼《か》の辺地七宝《へんじしちほう》の宮殿《くでん》に生《しょう》じて、五百歳《ごひゃくさい》の中《うち》に諸《もろもろ》の厄《やく》を受《う》くるを得《う》ること無《な》かれ。」[100]弥勒《みろく》、仏《ぶつ》に白《もう》して言《もう》さく、「仏《ぶつ》の重誨《じゅうけ》を受《う》けて専精《せんしょう》に修学《しゅがく》し、教《おしえ》の如《ごと》く奉行《ぶぎょう》して敢《あ》えて疑《うたが》い有《あ》らじ」と。

[101][42]仏《ぶつ》、弥勒《みろく》に告《つ》げたまわく、「汝等《なんだち》、能《よ》く此《こ》の世《よ》にして、心《しん》を端《ただ》しくし意《い》を正《ただ》しくして、衆悪《しゅあく》を作《つく》らずは、甚《はなは》だ至徳《しとく》なりとす。十方世界《じっぽうせかい》に最《もっと》も倫匹《りんぴつ》無《な》けん。所以《ゆえ》は何《いか》ん。諸仏《しょぶつ》の

自然《じねん》作善《さぜん》。不大爲惡《ふだいいあく》。易可開化《いかかいけ》。今我《こんが》於此世間《おしせけん》作佛《さぶつ》。處於《しょお》五惡《ごあく》。五痛五燒《ごつうごしょう》之中《しちゅう》。爲最劇苦《いさいぎゃっく》。敎化群生《きょうけぐんじょう》。令《りょう》捨五惡《しゃごあく》。令去五痛《りょうこごつう》。令離五燒《りょうりごしょう》。降《ごう》化其意《けごい》。令持五善《りょうじごぜん》。獲其福德《ぎゃくごふくとく》。度世《どせ》長壽《じょうじゅ》。泥洹之道《ないおんしどう》。佛言何等五惡《ぶつごんがとうごあく》。何《が》等五痛《とうごつう》。何等五燒《がとうごしょう》。何等消化五惡《がとうしょうけごあく》。令持五善《りょうじごぜん》。獲其福德《ぎゃくごふくとく》。度世長壽《どせじょうじゅ》。泥洹之道《ないおんしどう》。

佛言其一惡者《ぶつごんごいちあくしゃ》。諸天人民《しょてんにんみん》。蠕動之類《なんどうしるい》。欲爲衆惡《よくいしゅあく》。莫不皆然《まくふかいねん》。强者伏弱《ごうしゃぶくにゃく》。轉《てん》相剋賊《そうこくぞく》。殘害殺戮《ざんがいせつろく》。迭相呑噬《てつそうどんぜい》。不知修《ふちしゅ》善《ぜん》。惡逆無道《あくぎゃくむどう》。後受殃罰《ごじゅおうばつ》。自然趣向《じねんしゅこう》。神明記識《じんみょうきし》。犯者不赦《ぼんしゃふしゃ》。故有貧窮下《こうびんぐげ》賤《せん》。乞匃孤獨《こつがいこどく》。聾盲瘖瘂《りょうもうおんあ》。愚癡弊惡《ぐちへいあく》。至有尩狂《しうおうきょう》。不逮之屬《ふたいしぞく》。又有尊貴豪《うそんきごう》

国土《こくど》の天人《てんにん》の類《たぐい》は、自然《じねん》に善《ぜん》[43]を作《な》して、大《おお》きに悪《あく》を為《つく》らずは、開化《かいけ》すべきこと易《やす》し。今我《いまわれ》、此《こ》の世間《せけん》に於《お》いて仏《ぶつ》に作《な》りて、五悪《ごあく》・五痛《ごつう》・五焼《ごしょう》の中《なか》に処《しょ》すること、最《もっと》も劇苦《ぎゃっく》なりとす。群生《ぐんじょう》を教化《きょうけ》して、五悪《ごあく》を捨《す》てしめ、五痛《ごつう》を去《さ》けしめ、五焼《ごしょう》を離《はな》れしめ、其《そ》の意《こころ》を降化《ごうけ》して、五善《ごぜん》を持《たも》たしめて、其《そ》の福徳《ふくとく》・度世《どせ》・長寿《ちょうじゅ》・泥洹《ないおん》の道《どう》を獲《え》しめん」と。102 仏《ぶつ》の言《のたま》わく、「何等《なんら》か五悪《ごあく》、何等《なんら》か五痛《ごつう》、何等《なんら》か五焼《ごしょう》、何等《なんら》か五悪《ごあく》を消化《しょうけ》して五善《ごぜん》を持《たも》たしめて、其《そ》の福徳《ふくとく》・度世《どせ》・長寿《ちょうじゅ》・泥洹《ないおん》の道《どう》を獲《え》しむる」と。

103 [44]仏《ぶつ》の言《のたま》わく、「其《そ》の一《ひと》つの悪《あく》というは、諸天《しょてん》・人民《にんみん》・蠕動《ねんどう》の類《たぐい》、衆悪《しゅあく》を為《つく》らんと欲《おも》えり。皆然《みなしか》らざるは莫《な》し。強《こわ》き者《もの》は弱《よわ》きを伏《ぶく》す。転《うた》た相剋賊《あいこくぞく》し、残害殺戮《ざんがいせつろく》して、迭《たが》いに相呑噬《あいどんぜい》す。善《ぜん》を修《しゅ》することを知《し》らず。悪逆無道《あくぎゃくむどう》にして後《のち》に殃罰《おうばつ》を受《う》く。自然《じねん》に趣向《しゅこう》して神明記識《じんみょうきし》す。犯《おか》せる者《もの》を赦《ゆる》さず。故《かるがゆえ》に貧窮《びんぐ》・下賤《げせん》・乞匃《こつがい》・孤独《こどく》・聾盲瘖瘂《りょうもうおんあ》・愚痴《ぐち》・弊悪《へいあく》のもの有《あ》り。尩《おう》・狂《きょう》・不逮《ふたい》の属《たぐい》有《あ》るに至《いた》る。又尊貴《またそんき》・豪富《ごうふ》・

富《ふ》。高才明達《こうざいみょうだつ》。皆由宿世《かいゆしゅくせ》。慈孝修《じきょうしゅ》善《ぜん》。積徳所致《しゃくとくしょち》。世有常道《せうじょうどう》。王法牢獄《おうぼうろうごく》。不肯畏愼《ふこういしん》。爲惡入罪《いあくにゅうざい》。受其殃罰《じゅごおうばつ》。求《ぐ》望解脱《もうげだつ》。難得免出《なんとくめんしゅつ》。世間有此《せけんうし》。目前《もくぜん》見事《けんじ》。壽終後世《じゅしゅうごせ》。尤深尤劇《うじんうぎゃく》。入其《にゅうご》幽冥《ゆうみょう》。轉生受身《てんしょうじゅしん》。譬如王法《ひにょおうぼう》。痛苦極《つうくごっ》刑《きょう》。故有自然《こうじねん》。三塗無量苦惱《さんずむりょうくのう》。轉貿《てんもう》其身《ごしん》。改形易道《かいぎょうやくどう》。所受壽命《しょじゅじゅみょう》。或長《わくじょう》或短《わくたん》。魂神精識《こんじんしょうしき》。自然趣之《じねんしゅし》。當獨値《とうどくち》向《こう》。相從共生《そうじゅうぐしょう》。更相報復《きょうそうほうぶく》。無有絶《むうぜつ》已《い》。殃惡未盡《おうあくみじん》。不得相離《ふとくそうり》。展轉其中《てんでんごちゅう》。無有出期《むうしゅつご》。難得解脱《なんとくげだつ》。痛不可言《つうふかごん》。天《てん》地之間《じしけん》。自然有是《じねんうぜ》。雖不即時卒暴《すいふそくじそつぼう》。應《おう》至善惡之道《しぜんあくしどう》。會當歸之《えとうきし》。是爲一大惡《ぜいいちだいあく》。一痛一燒《いっつういっしょう》。勤苦如是《ごんくにょぜ》。譬如大火《ひにょだいか》。焚《ぼん》燒人身《しょうにんじん》。人能於中《にんのうおちゅう》。一心制意《いっしんせいい》。端身《たんじん》

高才《こうざい》・明達《みょうだつ》なる有《あ》り。皆《みな》、宿世《しゅくせ》に慈孝《じきょう》ありて善《ぜん》を修《しゅ》し徳《とく》を積《つ》みて致《いた》す所《ところ》なるに由《よ》りてなり。世《よ》に常《つね》の道《みち》、王法《おうぼう》の牢《ろう》獄《ごく》有《あ》り。肯《あ》えて畏《おそ》り慎《つつし》まず。悪《あく》を為《な》して罪《つみ》に入《い》りて、其《そ》の殃罰《おうばつ》を受《う》く。解脱《げだつ》を求望《ぐもう》すれども免出《めんしゅつ》を得《う》ること難《かた》し。世《せ》間《けん》に此《こ》の目《め》の前《まえ》の[45]見《けん》の事《じ》有《あ》り。寿《いのち》終《おわ》りて後世《ごせ》に尤《もっと》も深《ふか》く尤《もっと》も劇《はげ》しくして、其《そ》の幽冥《ゆうみょう》に入《い》りて生《しょう》を転《てん》じて身《み》を受《う》く。譬《たと》えば王法《おうぼう》の痛苦《つうく》、極刑《ごっきょう》なるが如《ごと》し。故《かるがゆえ》に自然《じねん》の三塗《さんず》無《む》量《りょう》の苦悩《くのう》有《あ》り。転《うた》た其《そ》の身《み》を貿《か》え形《かたち》を改《あらた》め道《どう》を易《か》えて、受《う》くる所《ところ》の寿命《じゅみょう》、或《あ》るいは長《なが》く或《あ》るいは短《みじか》し。魂神精識《こんじんしょうしき》、自《じ》然《ねん》に之《これ》に趣《おもむ》く。当《まさ》に独《ひと》り値《あ》い向《む》かい、相従《あいしたが》いて共《とも》に生《う》まれて、更《かわ》りて相報復《あいほうぶく》すべし。絶《た》え已《おわ》ること有《あ》ること無《な》し。殃悪《おうあく》未《いま》だ尽《つ》きざれば、相離《あいはな》るることを得《え》ず。其《そ》の中《なか》に展転《てんでん》して出《い》ずる期《ご》有《あ》ること無《な》し。解脱《げだつ》を得難《えがた》し。痛《いたみ》言《い》うべからず。天《てん》地《ち》の間《あいだ》に自然《じねん》に是《こ》れ有《あ》り。即時《そくじ》に卒暴《にわか》に善悪《ぜんあく》の道《どう》に至《いた》るべからずと雖《いえど》も、会《かなら》ず当《まさ》に之《これ》に帰《き》すべし。是《こ》れを一《ひと》つの大悪《だいあく》、一痛《いっつう》、一焼《いっしょう》とす。勤苦《ごんく》是《か》くの如《ごと》し。譬《たと》えば大火《だいか》の、人《ひと》の身《み》

正行《しょうぎょう》。獨作諸善《どくさしょぜん》。不爲衆惡者《ふいしゅあくしゃ》。身獨《しんどく》度脱《どだつ》。獲其福德《ぎゃくごふくとく》。度世上天《どせじょうてん》。泥洹之《ないおんし》道《どう》。是爲一大善也《ぜいいちだいぜんや》。

佛言其二惡者《ぶつごんごにあくしゃ》。世間人民《せけんにんみん》。父子兄弟《ぶしきょうだい》。室家夫婦《しつけふふ》。都無義理《とむぎり》。不順法度《ふじゅんほうど》。奢《しゃ》婬憍縱《いんきょうじゅう》。各欲快意《かくよくけいい》。任心自恣《にんしんじし》。更《きょう》相欺惑《そうごわく》。心口各異《しんくかくい》。言念無實《ごんねんむじつ》。佞諂不《ねいてんふ》忠《ちゅう》。巧言諛媚《ぎょうごんゆみ》。嫉賢謗善《しつげんほうぜん》。陷入怨《かんにゅうおん》枉《おう》。主上不明《しゅしょうふみょう》。任用臣下《にんようしんか》。臣下自在《しんかじざい》。機僞多端《きぎたたん》。踐度能行《せんどのうぎょう》。知其形勢《ちごぎょうせい》。在《ざい》位不正《いふしょう》。爲其所欺《いごしょご》。妄損忠良《もうそんちゅうろう》。不當《ふとう》天心《てんしん》。臣欺其君《しんごごくん》。子欺其父《しごごぶ》。兄弟夫《きょうだいふ》婦《ふ》。中外知識《ちゅうげちしき》。更相欺誑《きょうそうごおう》。各懷貪《かくえとん》欲《よく》。瞋恚愚癡《しんにぐち》。欲自厚己《よくじこうこ》。欲貪多有《よくとんたう》。尊卑上下《そんぴじょうげ》。心俱同然《しんくどうねん》。破家亡身《はけもうしん》。不《ふ》

を焚焼《ぼんしょう》するが如《ごと》し。人《ひと》、能《よ》く中《なか》にして心《しん》を一《ひと》つにし意《い》を制《せい》し、身《み》を端《ただ》しくし行《ぎょう》を正《ただ》しくして、独《ひと》り諸《もろもろ》の善《ぜん》を作《つく》りて衆悪《しゅあく》を為《つく》らざれば、身《み》独《ひと》り度脱《どだつ》して、其《そ》の福徳《ふくとく》・度世《どせ》・上《じょう》天《てん》・泥洹《ないおん》の道《どう》を獲《え》ん。是《こ》れを一《ひと》つの大善《だいぜん》とするなり。」

104 仏《ぶつ》の言《のたま》わく、「其《そ》の二《ふた》つの悪《あく》というは、世間《せけん》の人民《にんみん》、父《ぶ》子《し》・兄弟《きょうだい》・室家《しっけ》・夫婦《ふうふ》、都《すべ》て義理《ぎり》無《な》くして法度《ほうど》に順《じゅん》ぜず。奢婬憍縦《しゃいんきょうじゅう》して各《おの》おの意《こころ》を快《こころよ》くせんと欲《おも》えり。心《しん》に任《まか》せて自《みずか》ら恣《ほしいまま》に更《かわ》るがわる相欺惑《あいごわく》す。心口《しんく》各《おの》おの異《こと》に、言念《ごんねん》実《じつ》無《な》し。佞諂不忠《ねいてんふちゅう》にして巧言諛媚《ぎょうごんゆみ》なり。賢《けん》を嫉《そね》み善《ぜん》を謗《そし》りて怨枉《おんおう》に陥《おと》し入《い》る。主上《しゅしょう》、明《あき》らかならずして臣下《しんか》を任用《にんよう》す。臣下《しんか》、自在《じざい》にして機偽《きぎ》端《はし》多《おお》し。度《ど》を践《ふ》みて能《よ》く行《おこな》いて其《そ》の形勢《ぎょうせい》を知《し》る。位《くらい》に在《あ》りて正《ただ》しからざれば、其《そ》れが為《ため》に欺《あざむ》かる。妄《みだ》りに忠良《ちゅうりょう》を損《そん》じて天《てん》の心《しん》に当《あ》たらず。臣《しん》は其《そ》の君《きみ》を欺《あざむ》き、子《こ》は其《そ》の父《ちち》を欺《あざむ》く。兄弟《きょうだい》・夫婦《ふうふ》・中外知識《ちゅうげちしき》、更《かわ》るがわる相欺誑《あいごおう》す。各《おの》おの貪欲《とんよく》・瞋恚《しんに》・愚痴《ぐち》を懐《いだ》きて自《みずか》ら己《おのれ》を厚《あつ》くせんと欲《おも》えり。多《おお》く有《あ》ることを欲貪《よくとん》す。尊卑上下《そんぴじょうげ》、

顧前後《こぜんご》。親屬內外《しんぞくないげ》。坐之而滅《ざしにめつ》。或時室家知識《わくじしっけちしき》。鄕黨市里《きょうとうしり》。愚民野人《ぐみんやにん》。轉共從事《てんぐじゅうじ》。更相利害《きょうそうりがい》。忿成怨結《ふんじょうおんけつ》。富有慳惜《ふうけんじゃく》。不肯施與《ふこうせよ》。愛寶貪重《あいほうとんじゅう》。心勞身苦《しんろうしんく》。如是至竟《にょぜしきょう》。無所恃怙《むしょじこ》。獨來獨去《どくらいどっこ》。無一隨者《むいちずいしゃ》。善惡禍福《ぜんあくかふく》。追命所生《ついみょうしょしょう》。或在樂處《わくざいらくしょ》。或入苦毒《わくにゅうくどく》。然後乃悔《ねんごないけ》。當復何及《とうぶがぎゅう》。世間人民《せけんにんみん》。心愚少智《しんぐしょうち》。見善憎謗《けんぜんぞうほう》。不思慕及《ふしぼぎゅう》。但欲爲惡《たんよくいあく》。妄作非法《もうさひほう》。常懷盜心《じょうえとうしん》。悕望他利《けもうたり》。消散糜盡《しょうさんみじん》。而復求索《にぶぐさく》。邪心不正《じゃしんふしょう》。懼人有色《くにんうしき》。不豫思計《ふよしけ》。事至乃悔《じしないけ》。今世現有《こんぜげんう》。王法牢獄《おうぼうろうごく》。隨罪趣向《ずいざいしゅこう》。受其殃罰《じゅごおうばつ》。因其前世《いんごぜんぜ》。不信道德《ふしんどうとく》。不修善本《ふしゅぜんぼん》。今復爲惡《こんぶいあく》。天神剋識《てんじんこくし》。別其名籍《べつごみょうじゃく》。壽終神逝《じゅしゅうじんせい》。下入惡道《げにゅうあくどう》。故有自然《こうじねん》。三塗無量苦惱《さんずむりょうくのう》。展轉其中《てんでんごちゅう》。

心《しん》倶《とも》に同《おな》じく然《しか》なり。家《いえ》を破《やぶ》り身《み》を亡《もう》じて前後《ぜんご》を顧《かえり》みず。親属《しんぞく》・内外《ないげ》、之《これ》に[46]坐《つみ》して滅《ほろ》ぶ。或《あ》る時《とき》は室家《しっけ》・知識《ちしき》・郷党《きょうとう》・市里《しり》・愚民《ぐみん》・野人《やにん》、転《うた》た共《とも》に事《こと》に従《したが》いて更《たが》いに相利害《あいりがい》す。忿《いかり》、怨結《おんけつ》と成《な》り、有《あ》るに富《と》みて慳惜《けんじゃく》す。肯《あ》えて施与《せよ》せず。愛宝貪重《あいほうとんじゅう》にして、心労《しんろう》し身《み》苦《くる》しくす。是《か》くの如《ごと》くして竟《おわり》に至《いた》りて恃怙《じこ》する所《ところ》無《な》し。独《ひと》り来《き》たり独《ひと》り去《さ》りて、一《ひとり》も随《したが》う者《もの》無《な》けん。善悪《ぜんあく》・禍福《かふく》、命《いのち》を追《お》いて生《しょう》ずる所《ところ》なり。或《ある》いは楽処《らくしょ》に在《あ》り、或《ある》いは苦毒《くどく》に入《い》る。然《しか》るに後《のち》に乃《いま》し悔《く》ゆとも当《まさ》に復《ま》た何《なん》ぞ及《およ》ぶべき。世間《せけん》の人民《にんみん》、心《しん》愚《おろ》かにして智《ち》少《な》し。善《ぜん》を見《み》ては憎謗《ぞうほう》し、慕《した》い及《およ》ぶことを思《おも》わず。但《ただ》し悪《あく》を為《な》さんと欲《おも》うて妄《みだ》りに非法《ひほう》を作《な》す。常《つね》に盗心《とうしん》を懐《いだ》きて他《た》の利《り》を悕望《けもう》す。消散《しょうさん》し糜尽《みじん》して復《ま》た求索《ぐさく》す。邪心《じゃしん》にして正《ただ》しからず。人《ひと》の色《し》ること有《あ》るを懼《おそ》る。予《あらかじ》め思《おも》い計《はか》らず。事《こと》至《いた》りて乃《いま》し悔《く》ゆ。今世《こんぜ》に現《げん》に王法《おうぼう》の牢獄《ろうごく》有《あ》り。罪《つみ》に随《したが》いて趣向《しゅこう》して其《そ》の殃罰《おうばつ》を受《う》く。其《そ》の前世《ぜんせ》に道徳《どうとく》を信《しん》ぜず、善本《ぜんぼん》を修《しゅ》せざるに因《よ》りて今《いま》復《ま》た悪《あく》を為《つく》れば、天神剋識《てんじんこくし》して其《そ》の名籍《みょうじゃく》を別《わか》

世世累劫《せせるいこう》。無有出期《むうしゅつご》。難得解脱《なんとくげだつ》。痛《つう》不可言《ふかごん》。是爲二大惡《ぜいにだいあく》。二痛二燒《につうにしょう》。勤《ごん》苦如是《くにょぜ》。譬如大火《ひにょだいか》。焚燒人身《ぼんしょうにんじん》。人能《にんのう》於中《おちゅう》。一心制意《いっしんせいい》。端身正行《たんじんしょうぎょう》。獨作《どくさ》諸善《しょぜん》。不爲衆惡者《ふいしゅあくしゃ》。身獨度脱《しんどくどだつ》。獲其《ぎゃくご》福德《ふくとく》。度世上天《どせじょうてん》。泥洹之道《ないおんしどう》。是爲二《ぜいに》大善也《だいぜんや》。

佛言其三惡者《ぶつごんごさんあくしゃ》。世間人民《せけんにんみん》。相因寄生《そういんきしょう》。共居天地之間《ぐこてんじしけん》。處年壽命《しょねんじゅみょう》。無能幾何《むのうきが》。上有賢明長者《じょううげんみょうちょうじゃ》。尊貴豪富《そんきごうふ》。下有貧《げうびん》窮廝賤《ぐしせん》。尫劣愚夫《おうれつぐぶ》。中有不善之人《ちゅううふぜんしにん》。常懷邪惡《じょうえじゃあく》。但念婬泆《たんねんいんいつ》。煩滿胸中《ぼんまんきょうちゅう》。愛欲交亂《あいよくきょうらん》。坐起不安《ざきふあん》。貪意守惜《とんいしゅしゃく》。但《たん》欲唐得《よくとうとく》。眄睞細色《めんらいさいしき》。邪態外逸《じゃたいげいつ》。自妻厭《じさいえん》

つ。寿終《いのちおわ》り神《たましい》逝《ゆ》きて悪道《あくどう》に下《くだ》り入《い》る。故《かるがゆえ》に自然《じねん》の三途《さんず》無量《むりょう》の苦悩《くのう》有《あ》り。其《そ》の中《なか》に展転《てんでん》して世世累劫《せせるいこう》に出《い》ずる期有《ごあ》ること無《な》し。解脱《げだつ》を得難《えがた》し。痛言《いたみい》うべからず。是《こ》れを二《ふた》つの大悪《だいあく》、二《ふた》つの痛《つう》、二《ふた》つの焼《しょう》とす。勤苦《ごんく》是《か》くの如《ごと》し。譬《たと》えば大火《だいか》の、人《ひと》の身《み》を焚焼《ぼんしょう》するが如《ごと》し。人《ひと》、能《よ》く中《なか》にして心《しん》を一《ひと》つにし意《い》を制《せい》し、身《み》を端《ただ》しくし行《ぎょう》を正《ただ》しくして、独《ひと》り諸《もろもろ》の善《ぜん》を作《つく》りて衆悪《しゅあく》を為《つく》らざれば、身独《みひと》り度脱《どだつ》して、其《そ》の福徳《ふくとく》・度世《どせ》・上天《じょうてん》・泥洹《ないおん》の道《どう》を獲《う》。是《こ》れを二《ふた》つの大善《だいぜん》とするなり。」

105
仏《ぶつ》の言《のたま》わく、「其《そ》の三《み》つの悪《あく》というは、世間《せけん》の人民《にんみん》、相因《あいよ》り寄《よ》り生《しょう》じて共《とも》に天地《てんち》の間《あいだ》に居《こ》す。処年寿命《しょねんじゅみょう》、能《よ》く幾何《いくばく》なること無《な》し。上《かみ》に賢明《げんみょう》・長者《ちょうじゃ》・尊貴《そんき》・豪富有《ごうふあ》り。下《しも》に貧《びん》窮《ぐ》・廝賤《しせん》・尫劣《おうれつ》・愚夫有《ぐぶあ》り。中《なか》に不善《ふぜん》の人有《ひとあ》りて、常《つね》に邪悪《じゃあく》を懐《いだ》けり。但《ただ》し婬泆《いんいつ》を念《おも》いて、煩《わずらい》、胸《むね》の中《うち》に満《み》てり。愛欲《あいよく》交乱《きょうらん》して坐起安《ざきやす》からず。貪意守惜《とんいしゅしゃく》して、但《ただ》し唐《いたず》らに得《え》んことを欲《おも》う。細色《さいしき》を眄睞《めんらい》して、邪態《じゃたい》、外《ほか》に逸《ほしいまま》に、自《みずか》らが

憎《ぞう》。私妄入出《しもうにゅうしゅつ》。費損家財《ひそんけざい》。事爲非法《じいひほう》。交結聚會《きょうけつじゅえ》。興師相伐《こうしそうばつ》。攻劫殺戮《こうこうせつろく》。强《ごう》奪不道《だつふどう》。惡心在外《あくしんざいげ》。不自修業《ふじしゅごう》。盗竊趣《とうせつしゅ》得《とく》。欲繋成事《よっけじょうじ》。恐熱迫憎《くねつはっきょう》。歸給妻《ききゅうさい》子《し》。恣心快意《ししんけい》。極身作樂《ごくしんさらく》。或於親屬《わくおしんぞく》。不避尊卑《ふひそんぴ》。家室中外《けしつちゅうげ》。患而苦之《げんにくし》。亦《やく》復不畏《ぶふい》。王法禁令《おうぼうきんりょう》。如是之惡《にょぜしあく》。著於《ちょお》人鬼《にんき》。日月照見《にちがつしょうけん》。神明記識《じんみょうきし》。故有自《こうじ》然《ねん》。三塗無量苦惱《さんずむりょうくのう》。展轉其中《てんでんごちゅう》。世世《せせ》累劫《るいこう》。無有出期《むうしゅつご》。難得解脱《なんとくげだつ》。痛不可《つうふか》言《ごん》。是爲三大惡《ぜいさんだいあく》。三痛三燒《さんつうさんしょう》。勤苦如《ごんくにょ》是《ぜ》。譬如大火《ひにょだいか》。焚燒人身《ぼんしょうにんじん》。人能於中《にんのうおちゅう》。一心制意《いっしんせいい》。端身正行《たんじんしょうぎょう》。獨作諸善《どくさしょぜん》。不《ふ》爲衆惡者《いしゅあくしゃ》。身獨度脱《しんどくどだつ》。獲其福德《ぎゃくごふくとく》。度《ど》世上天《せじょうてん》。泥洹之道《ないおんしどう》。是爲三大善也《ぜいさんだいぜんや》。

妻《さい》を厭《いと》い憎《にく》みて、私《ひそ》かに妄《みだ》りに入出《にゅうしゅつ》す。家財《けざい》を費損《ひそん》して、事《こと》、非法《ひほう》を為《な》す。交結聚会《きょうけつじゅえ》して師《いくさ》を興《おこ》して相伐《あいう》つ。攻劫殺《こうこうせつ》戮《ろく》して強《こわ》く奪《うば》いて不道《ふどう》なり。悪心《あくしん》、外《うとき》に在《あ》りて自《みずか》ら業《ごう》を修《しゅ》せず。盗竊《とうせつ》して趣《わず》かに得《え》て、事《じ》を繋成《けいじょう》せんと欲《おも》う。恐熱迫《くねつはっ》憎《きょう》して妻子《さいし》に帰給《ききゅう》す。心《しん》を恣《ほしいまま》に意《い》を快《こころよ》くす。身《み》を極《きわ》めて楽《たの》しみを作《な》す。或《あるい》は親属《しんぞく》にして尊卑《そんぴ》を避《さ》らず。家室《けしつ》・中外《ちゅうげ》、患《うれ》えて之《これ》を苦《くる》しむ。亦復《また》、王法《おうぼう》の禁令《きんりょう》をも畏《おそ》れず。是《か》くの如《ごと》きの悪《あく》、人鬼《にんき》に著《しる》さる。日月《にちがつ》も照見《しょうけん》し神明記識《じんみょうきし》す。故《かるがゆえ》に自然《じねん》の三塗無量《さんずむりょう》の苦悩有《くのうあ》り。其《そ》の中《なか》に展転《てんでん》して世世《せせ》累劫《るいこう》に出《い》ずる期有《ごあ》ること無《な》し。解脱《げだつ》を得難《えがた》し。痛《いたみ》言《い》うべからず。是《こ》れを三《み》つの大悪《だいあく》、三《み》つの痛《つう》、三《み》つの焼《しょう》とす。勤苦《ごんく》是《か》くの如《ごと》し。譬《たと》えば大火《だいか》の、人《ひと》の身《み》を焚焼《ぼんしょう》するが如《ごと》し。人《ひと》、能《よ》く中《なか》にして心《しん》を一《ひと》つにし意《い》を制《せい》し、身《み》を端《ただ》しくし行《ぎょう》を正《ただ》しくして、独《ひと》り諸《もろもろ》の善《ぜん》を作《つく》りて衆悪《しゅあく》を為《つく》らざれば、身独《みひと》り度脱《どだつ》して、其《そ》の福徳《ふくとく》・度世《どせ》・上天《じょうてん》・泥洹《ないおん》の道《どう》を獲《う》。是《こ》れを三《み》つの大善《だいぜん》とするなり。」

佛言《ぶつごん》其《ご》四《し》惡者《あくしゃ》。世間人民《せけんにんみん》。不念修善《ふねんしゅぜん》。轉相敎令《てんそうきょうりょう》。共爲衆惡《ぐいしゅあく》。兩舌惡口《りょうぜつあっく》。妄言綺語《もうごんきご》。讒賊鬪亂《ざんぞくとうらん》。憎嫉善人《ぞうしつぜんにん》。敗壞《はいえ》賢明《げんみょう》。於傍快喜《おぼうけき》。不孝二親《ふこうにしん》。輕慢師《きょうまんし》長《ちょう》。朋友無信《ほううむしん》。難得誠實《なんとくじょうじつ》。尊貴自大《そんきじだい》。謂己有道《いこうどう》。横行威勢《おうぎょういせい》。侵易於人《しんいおにん》。不《ふ》能自知《のうじち》。爲惡無恥《いあくむち》。自以强健《じいごうごん》。欲人《よくにん》敬難《きょうなん》。不畏天地《ふいてんじ》。神明日月《じんみょうにちがつ》。不肯作《ふこうさ》善《ぜん》。難可降化《なんかごうけ》。自用偃蹇《じようえんけん》。謂可常爾《いかじょうに》。無所憂懼《むしょうく》。常懷憍慢《じょうえきょうまん》。如是衆惡《にょぜしゅあく》。天《てん》神記識《じんきし》。頼其前世《らいごぜんぜ》。頗作福德《はさふくとく》。小善《しょうぜん》扶接《ぶしょう》。營護助之《ようごじょし》。今世爲惡《こんぜいあく》。福德盡《ふくとくじん》滅《めつ》。諸善鬼神《しょぜんきじん》。各共離之《かくぐりし》。身獨空立《しんどくくうりゅう》。無所復依《むしょぶえ》。壽命終盡《じゅみょうしゅうじん》。諸惡所歸《しょあくしょき》。自《じ》然迫促《ねんはくそく》。共趣頓之《ぐしゅとんし》。又其名籍《うごみょうじゃく》。記在《きざい》神明《じんみょう》。殃咎牽引《おうくけんいん》。當往趣向《とうおうしゅこう》。罪報自《ざいほうじ》

106 仏《ぶつ》の言《のたま》わく、「其《そ》の四《よ》つの悪《あく》というは、世間《せけん》の人民《にんみん》、善《ぜん》を修《しゅ》せんと念《おも》わず。転《うた》た相教令《あいきょうりょう》して共《とも》に衆悪《しゅあく》を為《な》す。両舌《りょうぜつ》・悪口《あっく》・妄言《もうごん》・綺語《きご》・讒賊《ざんぞく》・闘乱《とうらん》す。善人《ぜんにん》を憎嫉《ぞうしつ》し賢明《げんみょう》を敗壊《はいえ》す。傍《かたわ》らにして快喜《けき》して二親《にしん》に孝《きょう》せず。師長《しちょう》を軽《きょう》慢《まん》し朋友《ほうう》に信無《しんな》くして誠実《じょうじつ》を得難《えがた》し。尊貴自大《そんきじだい》にして、己《おのれ》、道有《どうあ》りと謂《おも》えり。横《よこさま》に威勢《いせい》を行《ぎょう》じて人《ひと》を侵易《しんい》す。自《みずか》ら知《し》ること能《あた》わず。悪《あく》を為《つく》りて恥《は》ずること無《な》し。自《みずか》ら強健《ごうごん》なるを以《もっ》て人《ひと》の敬難《きょうなん》を欲《おも》えり。天地《てんち》・神明《じんみょう》・日月《にちがつ》に畏《おそ》れず。肯《あ》えて善《ぜん》を作《つく》らず。降化《ごうけ》すべきこと難《かた》し。自《みずか》ら用《もっ》て偃蹇《えんけん》して、常《つね》に爾《しか》るべしと謂《おも》えり。憂懼《うく》する所無《ところな》し。常《つね》に憍慢《きょうまん》を懐《いだ》けり。是《か》くの如《ごと》きの衆悪《しゅあく》、天神記識《てんじんきし》す。其《そ》の前世《ぜんせ》に頗《すこぶ》る福徳《ふくとく》を作《な》ししに頼《よ》りて、小善扶接《しょうぜんぶしょう》し営護《ようご》して之《これ》を助《たす》く。今世《こんぜ》に悪《あく》を為《つく》りて福徳尽滅《ふくとくじんめつ》しぬれば、諸《もろもろ》の善鬼神《ぜんきじん》、各《おの》おの共《とも》に之《これ》を離《はな》る。身独《みひと》り空《むな》しく立《た》ちて復《ま》た依《よ》る所無《ところな》し。寿命終《じゅみょうおわ》り尽《つ》きて諸悪《しょあく》の帰《き》する所《ところ》なり。自然《じねん》に迫促《はくそく》して共《とも》に之《これ》に趣《おもむ》き頓《いた》るべし。又其《またそ》の名籍《みょうじゃく》を記《き》して神明《じんみょう》に在《あ》り。殃咎牽引《おうくけんいん》して

然《ねん》。無從捨離《むじゅうしゃり》。但得前行《たんとくぜんぎょう》。入於火《にゅうおか》鑊《かく》。身心摧碎《しんじんざいさい》。精神痛苦《しょうじんつうく》。當斯之時《とうししじ》。悔復何及《けぶがぎゅう》。天道自然《てんどうじねん》。不得蹉跌《ふとくさてつ》。故《こ》有自然《うじねん》。三塗無量苦惱《さんずむりょうくのう》。展轉其中《てんでんごちゅう》。世世累劫《せせるいこう》。無有出期《むうしゅつご》。難得解脱《なんとくげだつ》。痛《つう》不可言《ふかごん》。是爲四大惡《ぜいしだいあく》。四痛四燒《しつうししょう》。勤《ごん》苦如是《くにょぜ》。譬如大火《ひにょだいか》。焚燒人身《ぼんしょうにんじん》。人能《にんのう》於中《おちゅう》。一心制意《いっしんせいい》。端身正行《たんじんしょうぎょう》。獨作《どくさ》諸善《しょぜん》。不爲衆惡者《ふいしゅあくしゃ》。身獨度脱《しんどくどだつ》。獲其《ぎゃくご》福德《ふくとく》。度世上天《どせじょうてん》。泥洹之道《ないおんしどう》。是爲四《ぜいし》大善也《だいぜんや》。

佛言其五惡者《ぶつごんごごあくしゃ》。世間人民《せけんにんみん》。徙倚懈惰《しいけだ》。不肯作善《ふこうさぜん》。治身修業《じしんしゅごう》。家室眷屬《けしつけんぞく》。飢寒《けかん》困苦《こんく》。父母教誨《ぶもきょうけ》。瞋目怒譍《しんもくぬおう》。言令不《ごんりょうふ》和《わ》。違戾反逆《いれいほんぎゃく》。譬如怨家《ひにょおんげ》。不如無子《ふにょむし》。取與無節《しゅよむせつ》。衆共患厭《しゅぐげんえん》。負恩違義《ふおんいぎ》。無有《むう》

当《まさ》に往《ひと》り趣向《しゅこう》すべし。罪報自然《ざいほうじねん》にして捨離《しゃり》する従《ところな》無し。但《ただ》し前《さき》の行《ぎょう》に得《よ》りて火鑊《かかく》に入《い》る。身心摧砕《しんじんざいさい》して精神痛苦《しょうじんつうく》す。斯《こ》の時《とき》に当《あ》たりて悔《く》ゆとも復《ま》た何《なん》ぞ及《およ》ばん。天道自然《てんどうじねん》にして蹉跌《さてつ》を得《え》ず。故《かるがゆえ》に自然《じねん》の三塗無量《さんずむりょう》の苦悩有《くのうあ》り。其《そ》の中《なか》に展転《てんでん》して世世累劫《せせるいこう》に出《い》ずる期有《ごあ》ること無《な》し。解脱《げだつ》を得難《えがた》し。痛《いたみ》言《い》うべからず。是《こ》れを四《よ》つの大悪《だいあく》、四《よ》つの痛《つう》、四《よ》つの焼《しょう》とす。勤苦《ごんく》是《か》くの如《ごと》し。譬《たと》えば大火《だいか》の、人《ひと》の身《み》を焚焼《ぼんしょう》するが如《ごと》し。人《ひと》、能《よ》く中《なか》にして心《しん》を一《ひと》つにし意《い》を制《せい》し、身《み》を端《ただ》しくし行《ぎょう》を正《ただ》しくして、独《ひと》り諸《もろもろ》の善《ぜん》を作《つく》りて衆悪《しゅあく》を為《つく》らざれば、身独《みひと》り度脱《どだつ》して、其《そ》の福徳《ふくとく》・度世《どせ》・上天《じょうてん》・泥洹《ないおん》の道《どう》を獲《う》。是《こ》れを四《よ》つの大善《だいぜん》とするなり。」

107 仏《ぶつ》の言《のたま》わく、「其《そ》の五《いつ》つの悪《あく》というは、世間《せけん》の人民《にんみん》、徙倚《しい》懈惰《けだ》にして肯《あ》えて善《ぜん》を作《つく》らず。身《み》を治《おさ》め業《ごう》を修《しゅ》して、家室《けしつ》・眷属《けんぞく》、飢寒困苦《けかんこんく》す。父母《ぶも》教誨《きょうけ》して、目《め》を瞋《いか》らし譍《ことば》を怒《いか》らして言令和《ごんりょうやわ》らかならずして、違戻反逆《いれいほんぎゃく》す。譬《たと》えば怨家《おんげ》の如《ごと》き、子無《こな》きには如《し》かず。取与《しゅよ》、節無《せつな》くして衆《すべ》て共《とも》に患《うれ》え厭《いと》う。恩《おん》

報償《ほうしょう》之心《ししん》。貧窮困乏《びんぐこんぼく》。不能復得《ふのうぶとく》。辜《こ》較縦奪《かくじゅうだつ》。放恣遊散《ほうしゆさん》。串數唐得《かんさくとうとく》。用自《ようじ》賑給《しんきゅう》。耽酒嗜美《たんしゅじみ》。飲食無度《おんじきむど》。肆心蕩《ししんとう》逸《いつ》。魯扈牴突《ろこたいとつ》。不識人情《ふしきにんじょう》。强欲抑制《ごうよくおくせい》。見人有善《けんにんうぜん》。憎嫉惡之《ぞうしつおし》。無義無禮《むぎむれい》。無所《むしょ》顧難《こなん》。自用職當《じようしきとう》。不可諫曉《ふかかんきょう》。六親眷《ろくしんけん》屬《ぞく》。所資有無《しょしうむ》。不能憂念《ふのううねん》。不惟父母之《ふゆいぶもし》恩《おん》。不存師友之義《ふぞんしうしぎ》。心常念惡《しんじょうねんあく》。口常《くじょう》言惡《ごんあく》。身常行惡《しんじょうぎょうあく》。曾無一善《ぞうむいちぜん》。不信先《ふしんぜん》聖《しょう》。諸佛經法《しょぶつきょうぼう》。不信行道《ふしんぎょうどう》。可得度《かとくど》世《せ》。不信死後《ふしんしご》。神明更生《じんみょうきょうしょう》。不信作《ふしんさ》善得善《ぜんとくぜん》。爲惡得惡《いあくとくあく》。欲殺眞人《よくせつしんにん》。鬪亂衆《とうらんしゅ》僧《そう》。欲害父母《よくがいぶも》。兄弟眷屬《きょうだいけんぞく》。六親憎惡《ろくしんぞうお》。願令其死《がんりょうごし》。如是世人《にょぜせにん》。心意倶然《しんいくねん》。愚《ぐ》癡矇昧《ちもうまい》。而自以智慧《にじいちえ》。不知生所從《ふちしょうしょじゅう》來《らい》。死所趣向《ししょしゅこう》。不仁不順《ふにんふじゅん》。惡逆天地《あくぎゃくてんじ》。

報償《ほうしょう》の心《しん》有《あ》ること無《な》し。貧窮困乏《びんぐこんぼう》にして復《ま》た得《う》ること能《あた》わず。辜較縦奪《こかくじゅうだつ》して放恣遊散《ほうしゆさん》す。串数《かんさく》して唐《いたず》らに得《え》て、用《もっ》て自《みずか》ら賑給《しんきゅう》す。酒《さけ》に耽《ふけ》り美《うま》きに嗜《たしな》みて、飲食《おんじき》、度《たび》無《な》し。心《しん》を肆《ほしいまま》に蕩逸《とういつ》して魯扈牴突《ろこたいとつ》たり。人《ひと》の情《こころ》を識《し》らず。強《し》いて抑制《おくせい》せんと欲《おも》う。人《ひと》の善《ぜん》有《あ》るを見《み》て憎嫉《ぞうしつ》して之《これ》を悪《にく》む。義《ぎ》無《な》く礼《れい》無《な》くして顧難《こなん》する所《ところ》無《な》し。自《みずか》ら用《もっ》て職当《しきとう》して諫暁《かんきょう》すべからず。六親眷属《ろくしんけんぞく》の所資《しょし》、有無《うむ》、憂念《うねん》すること能《あた》わず。父母《ぶも》の恩《おん》を惟《おも》わず。師友《しう》の義《ぎ》を存《ぞん》ぜず。心《しん》に常《つね》に悪《あく》を念《おも》い、口《くち》に常《つね》に悪《あく》を言《い》い、身《み》に常《つね》に悪《あく》を行《ぎょう》じて、曾《かつ》て一善《いちぜん》無《な》し。先聖《ぜんしょう》・諸仏《しょぶつ》の経法《きょうぼう》を信《しん》ぜず。道《どう》を行《ぎょう》じて度世《どせ》を得《う》べきことを信《しん》ぜず。死《し》して後《のち》に神明《じんみょう》更《かわ》りて生《しょう》ずと信《しん》ぜず。善《ぜん》を作《つく》りて善《ぜん》を得《え》、悪《あく》を為《つく》りて悪《あく》を得《う》と信《しん》ぜず。真《しん》人《にん》を殺《せっ》し衆僧《しゅそう》を闘乱《とうらん》せんと欲《おも》い、父母《ぶも》・兄弟《きょうだい》・眷属《けんぞく》を害《がい》せんと欲《おも》う。六親《ろくしん》憎《にく》み悪《にく》みて、其《そ》れをして死《し》せしめんと願《ねが》う。是《か》くの如《ごと》きの世人《せにん》、心《しん》・意《い》倶《とも》に然《しか》なり。愚痴矇昧《ぐちもうまい》にして自《みずか》ら智慧《ちえ》ありと以《おも》うて、生《しょう》じて従来《じゅうらい》する所《ところ》、死《し》して趣向《しゅこう》す

而於其中《におごちゅう》。悕望僥倖《けもうぎょうこう》。欲求長生《よくぐじょうしょう》。會當歸死《えとうきし》。慈心教誨《じしんきょうけ》。令其念善《りょうごねんぜん》。開《かい》示生死《じしょうじ》。善惡之趣《ぜんあくししゅ》。自然有是《じねんうぜ》。而不《にふ》肯信之《こうしんし》。苦心與語《くしんよご》。無益其人《むやくごにん》。心中《しんじゅう》閉塞《へいそく》。意不開解《いふかいげ》。大命將終《だいみょうしょうじゅう》。悔懼《けく》交至《きょうし》。不豫修善《ふよしゅぜん》。臨窮方悔《りんぐほうけ》。悔之於《けしお》後《ご》。將何及乎《しょうかぎゅうこ》。天地之間《てんじしけん》。五道分《ごどうふん》明《みょう》。恢廓窈窕《かいかくようちょう》。浩浩茫茫《こうこうもうもう》。善惡報應《ぜんあくほうおう》。禍福相承《かふくそうじょう》。身自當之《しんじとうし》。無誰代者《むすいだいしゃ》。數《しゅ》之自然《しじねん》。應其所行《おうごしょぎょう》。殃咎追命《おうくついみょう》。無得《むとく》縱捨《じゅうしゃ》。善人行善《ぜんにんぎょうぜん》。從樂入樂《じゅうらくにゅうらく》。從《じゅう》明入明《みょうにゅうみょう》。惡人行惡《あくにんぎょうあく》。從苦入苦《じゅうくにゅうく》。從冥入冥《じゅうみょうにゅうみょう》。誰能知者《すいのうちしゃ》。獨佛知耳《どくぶつちに》。教語開示《きょうごかいじ》。信用者少《しんようしゃしょう》。生死不休《しょうじふく》。惡道不絕《あくどうふぜつ》。如是世人《にょぜせにん》。難可具盡《なんかぐじん》。故有《こう》自然《じねん》。三塗無量苦惱《さんずむりょうくのう》。展轉其中《てんでんごちゅう》。世《せ》

る所《ところ》を知《し》らず。仁《にん》ならず順《じゅん》ならず。天地《てんち》に悪逆《あくぎゃく》して其《そ》の中《なか》にして悕望僥倖《けもうぎょうこう》す。長《なが》き生《しょう》を求《もと》めんと欲《おも》うに、会《かなら》ず当《まさ》に死《し》に帰《き》すべし。慈心教誨《じしんきょうけ》して、其《そ》れをして善《ぜん》を念《ねん》ぜしむ。生死《しょうじ》・善悪《ぜんあく》の趣《おもむき》、自然《じねん》に是《こ》れ有《あ》ることを開示《かいじ》すれども、肯《あ》えて之《これ》を信《しん》ぜず。苦心《くしん》に与《とも》に語《かた》れども、其《そ》の人《ひと》に益無《やくな》し。心中閉塞《しんじゅうへいそく》して意開解《こころかいげ》せず。大命《だいみょう》、将《まさ》に終《おわ》らんとするに、悔懼交《けくまじ》わり至《いた》る。予《あらかじ》め善《ぜん》を修《しゅ》せず。窮《きわ》まるに臨《のぞ》みて方《まさ》に悔《く》ゆ。之《これ》を後《のち》に悔《く》ゆるに、将《まさ》に何《なん》ぞ及《およ》ばんや。天地《てんち》の間《あいだ》に五《ご》道分明《どうふんみょう》なり。恢廓窈窕《かいかくようちょう》として浩浩茫茫《こうこうもうもう》たり。善悪報応《ぜんあくほうおう》し禍《か》福相承《ふくあいう》けて、[47]身自《みみずか》ら之《これ》を当《う》く。誰《たれ》も代《か》わる者無《ものな》し。数《ことわり》の自然《じねん》なるなり。其《そ》の所行《しょぎょう》に応《したが》いて、殃咎《おうく》、命《いのち》を追《お》いて縦《じゅう》捨《しゃ》を得《う》ること無《な》し。善人《ぜんにん》は善《ぜん》を行《ぎょう》じて、楽《らく》より楽《らく》に入《い》り明《みょう》より明《みょう》に入《い》る。悪人《あくにん》は悪《あく》を行《ぎょう》じて、苦《く》より苦《く》に入《い》り冥《みょう》より冥《みょう》に入《い》る。誰《たれ》か能《よ》く知《し》れる者《もの》、独《ひと》り仏《ぶつ》のみ知《し》ろしめせりまくのみ。教語開示《きょうごかいじ》すれども信用《しんよう》する者《もの》は少《すく》なし。生死休《しょうじや》まず。悪道《あくどう》絶《た》えず。是《か》くの如《ごと》きの世人《せにん》、具《つぶさ》に尽《つ》くすべきこ

世《せ》累《るい》劫《こう》。無《む》有《う》出《しゅつ》期《ご》。難《なん》得《とく》解《げ》脱《だつ》。痛《つう》不《ふ》可《か》言《ごん》。是《ぜ》爲《い》五《ご》大《だい》惡《あく》。五《ご》痛《つう》五《ご》燒《しょう》。勤《ごん》苦《く》如《にょ》是《ぜ》。譬《ひ》如《にょ》大《だい》火《か》。焚《ぼん》燒《しょう》人《にん》身《じん》。人《にん》能《のう》於《お》中《ちゅう》。一《いっ》心《しん》制《せい》意《い》。端《たん》身《じん》正《しょう》念《ねん》。言《ごん》行《ぎょう》相《そう》副《ふく》。所《しょ》作《さ》至《し》誠《じょう》。所《しょ》語《ご》如《にょ》語《ご》。心《しん》口《く》不《ふ》轉《てん》。獨《どく》作《さ》諸《しょ》善《ぜん》。不《ふ》爲《い》衆《しゅ》惡《あく》者《しゃ》。身《しん》獨《どく》度《ど》脱《だつ》。獲《ぎゃく》其《ご》福《ふく》德《とく》。度《ど》世《せ》上《じょう》天《てん》。泥《ない》洹《おん》之《し》道《どう》。是《ぜ》爲《い》五《ご》大《だい》善《ぜん》也《や》。

佛《ぶつ》告《ごう》彌《み》勒《ろく》。吾《ご》語《ご》汝《にょ》等《とう》。是《ぜ》世《せ》五《ご》惡《あく》。勤《ごん》苦《く》若《にゃく》此《し》。五《ご》痛《つう》五《ご》燒《しょう》。展《てん》轉《でん》相《そう》生《しょう》。但《たん》作《さ》衆《しゅ》惡《あく》。不《ふ》修《しゅ》善《ぜん》本《ぽん》。皆《かい》悉《しつ》自《じ》然《ねん》。入《にゅう》諸《しょ》惡《あく》趣《しゅ》。或《わく》其《ご》今《こん》世《ぜ》。先《ぜん》被《ぴ》殃《おう》病《びょう》。求《ぐ》死《し》不《ふ》得《とく》。求《ぐ》生《しょう》不《ふ》得《とく》。罪《ざい》惡《あく》所《しょ》招《しょう》。示《じ》衆《しゅ》見《けん》之《し》。身《しん》死《し》隨《ずい》行《ぎょう》。入《にっ》三《さん》惡《あく》道《どう》。苦《く》毒《どく》無《む》量《りょう》。自《じ》相《そう》燋《しょう》然《ねん》。至《し》其《ご》久《く》後《ご》。共《ぐ》作《さ》怨《おん》結《けつ》。從《じゅう》小《しょう》

と難《かた》し。故《かるがゆえ》に自然《じねん》の三塗《さんず》無量《むりょう》の苦悩《くのう》有《あ》り。其《そ》の中《なか》に展転《てんでん》して世世《せせ》累劫《るいこう》に出《い》ずる期《ご》有《あ》ること無《な》し。解脱《げだつ》を得難《えがた》し。痛《いたみ》言《い》うべからず。是《こ》れを五《いつ》つの大悪《だいあく》、五《いつ》つの痛《つう》、五《いつ》つの焼《しょう》とす。勤苦《ごんく》是《か》くの如《ごと》し。譬《たと》えば大火《だいか》の、人《ひと》の身《み》を焚焼《ぼんしょう》するが如《ごと》し。人《ひと》、能《よ》く中《なか》にして心《しん》を一《ひと》つにし意《い》を制《せい》し、身《み》を端《ただ》しく念《ねん》を正《ただ》しくし、言行相副《ごんぎょうあいかな》い、作《な》す所《ところ》、誠《まこと》を至《いた》す。語《かた》る所《ところ》、語《ことば》の如《ごと》く、心口《しんく》転《てん》ぜずして、独《ひと》り諸《もろもろ》の善《ぜん》を作《つく》りて衆《しゅ》悪《あく》を為《つく》らざれば、身《み》独《ひと》り度脱《どだつ》して、其《そ》の福徳《ふくとく》・度《ど》世《せ》・上《じょう》天《てん》・泥洹《ないおん》の道《どう》を獲《う》。是《こ》れを五《いつ》つの大善《だいぜん》とするなり。

108 仏《ぶつ》、弥勒《みろく》に告《つ》げたまわく、「吾《われ》、汝等《なんだち》に語《かた》る。是《こ》の世《よ》の五《ご》悪《あく》、勤苦《ごんく》、此《か》くの若《ごと》し。五痛《ごつう》、五焼《ごしょう》、展転《てんでん》して相生《あいしょう》ず。但《ただ》し衆悪《しゅあく》を作《な》して善本《ぜんぽん》を修《しゅ》せず。皆悉《みなことごと》く自然《じねん》に諸《もろもろ》の悪趣《あくしゅ》に入《い》る。或《ある》いは其《そ》の今世《こんぜ》に、先《ま》ず殃病《おうびょう》を被《こうぶ》りて、死《し》を求《もと》むるに得《え》ず。生《しょう》を求《もと》むるに得《え》ず。罪悪《ざいあく》の招《まね》く所《ところ》、衆《しゅ》に示《しめ》して之《これ》を見《み》せしむ。身死《みし》して行《ぎょう》に随《したが》いて三悪道《さんあくどう》に入《い》りて、苦毒無《くどくむ》量《りょう》なり。自《みずか》ら相燋然《あいしょうねん》す。其《そ》の久《ひさ》しくして後《のち》、共《とも》に怨結《おんけつ》を

微起《みき》。遂成大惡《すいじょうだいあく》。皆由貪著財色《かいゆとんじゃくざいしき》。不能施恵《ふのうせえ》。癡欲所迫《ちよくしょはく》。隨心思想《ずいしんしそう》。煩惱結縛《ぼんのうけつばく》。無有解已《むうげい》。厚己諍利《こうこじょうり》。無所省錄《むしょしょうろく》。富貴榮華《ふきえいが》。當時快意《とうじけい》。不能忍辱《ふのうにんにく》。不務修善《ふむしゅぜん》。威勢無幾《いせいむき》。隨以磨滅《ずいいまめつ》。身坐勞苦《しんざろうく》。久後大劇《くごだいぎゃく》。天道施張《てんどうせちょう》。自然糺擧《じねんきゅうこ》。綱紀羅網《こうきらもう》。上下相應《じょうげそうおう》。煢煢忪忪《けいけいそうそう》。當入其中《とうにゅうごちゅう》。古今有是《ここんうぜ》。痛哉可傷《つうさいかしょう》。佛語彌勒《ぶつごみろく》。世間如是《せけんにょぜ》。佛皆哀之《ぶつかいあいし》。以威神力《いいじんりき》。摧滅衆惡《ざいめつしゅあく》。悉令就善《しつりょうじゅぜん》。棄捐所思《きえんしょし》。奉持經戒《ぶじきょうかい》。受行道法《じゅぎょうどうほう》。無所違失《むしょいしつ》。終得度世《しゅうとくどせ》。泥洹之道《ないおんしどう》。佛言汝今《ぶつごんにょこん》。諸天人民《しょてんにんみん》。及後世人《ぎゅうごせにん》。得佛經語《とくぶつきょうご》。當熟思之《とうじゅくしし》。能於其中《のうおごちゅう》。端心正行《たんじんしょうぎょう》。主上爲善《しゅしょういぜん》。率化其下《そつけごげ》。轉相敕令《てんそうちょくりょう》。各自端守《かくじたんしゅ》。尊聖敬善《そんしょうきょうぜん》。仁慈博愛《にんじはくあい》。佛語《ぶつご》

作《な》すに至《いた》りて、小微《しょうみ》より起《お》こりて遂《つい》に大悪《だいあく》と成《な》る。皆財色《みなざいしき》に貪著《とんじゃく》して施恵《せえ》すること能《あた》わざるに由《よ》りてなり。痴欲《ちよく》に迫《せ》められて心《しん》に随《したが》いて思想《しそう》す。煩悩結縛《ぼんのうけつばく》して解《と》け已《おわ》ること有《あ》ること無《な》し。己《おのれ》を厚《あつ》くし利《り》を諍《あらそ》いて省録《しょうろく》する所無《ところな》し。富《ふ》貴栄華《きえいが》、時《とき》に当《あ》たりて意《こころ》を快《こころよ》くす。忍辱《にんにく》すること能《あた》わず。務《つと》めて善《ぜん》を修《しゅ》せず。威勢幾《いせいいく》ばく無《な》くして随《したが》いて以《もっ》て磨滅《まめつ》す。身《み》、労苦《ろうく》に坐《ざ》して、久《ひさ》しくして後《のち》、大《おお》きに劇《はげ》し。天道施張《てんどうせちょう》して自然《じねん》に糺挙《きゅうこ》す。綱紀羅網《こうきらもう》、上下相応《じょうげそうおう》す。煢煢忪忪《けいけいそうそう》として当《まさ》に其《そ》の中《なか》に入《い》るべし。古今《いにしえいま》にも是《こ》れ有《あ》り。痛《いた》ましきかな、傷《いた》むべし。」[109]仏《ぶつ》、弥勒《みろく》に語《かた》りたまわく、「世間《せけん》、是《か》くの如《ごと》し。仏《ぶつ》、皆之《みなこれ》を哀《あわれ》みたまいて、威神力《いじんりき》を以《もっ》て、衆悪《しゅあく》を摧《ざい》滅《めつ》して悉《ことごと》く善《ぜん》に就《つ》けしめたまう。所思《しょし》を棄捐《きえん》し経戒《きょうかい》を奉《ぶ》持《じ》し、道法《どうほう》を受行《じゅぎょう》して、違失《いしつ》する所無《ところな》し。終《つい》に度世《どせ》・泥洹《ないおん》の道《どう》を得《う》。」[110]仏《ぶつ》の言《のたま》わく、「汝《なんじ》、今《いま》、諸天《しょてん》・人民及《にんみんおよ》び後世《ごせ》の人《ひと》、仏《ぶつ》の経語《きょうご》を得《え》て、当《まさ》に熟《つら》つら之《これ》を思《おも》いて、能《よ》く其《そ》の中《なか》にして心《しん》を端《ただ》しくし行《ぎょう》を正《ただ》しくすべし。主上《しゅじょう》、善《ぜん》を為《な》し

教誨《きょうけ》。無敢虧負《むかんきふ》。當求度世《とうぐどせ》。拔斷生死《ばつだんしょうじ》。衆惡之本《しゅあくしほん》。當離三塗《とうりさんず》。無量憂畏《むりょううい》。苦痛之道《くつうしどう》。汝等於是《にょとうおぜ》。廣植德本《こうじきとくほん》。布恩施惠《ふおんせえ》。勿犯道禁《もつぼんどうきん》。忍辱精進《にんにくしょうじん》。一心智慧《いっしんちえ》。轉相教化《てんそうきょうけ》。爲德立善《いとくりゅうぜん》。正心正意《しょうしんしょうい》。齋戒清淨《さいかいしょうじょう》。一日一夜《いちにちいちや》。勝在無量壽國《しょうざいむりょうじゅこく》。爲善百歲《いぜんひゃくさい》。所以者何《しょいしゃが》。彼佛國土《ひぶつこくど》。無爲自然《むいじねん》。皆積衆善《かいしゃくしゅぜん》。無毛髮之惡《むもうはつしあく》。於此修善《おししゅぜん》。十日十夜《じゅうにちじゅうや》。勝於他方《しょうおたほう》。諸佛國土《しょぶつこくど》。爲善千歲《いぜんせんざい》。所以者何《しょいしゃが》。他方佛國《たほうぶっこく》。爲善者多《いぜんしゃた》。爲惡者少《いあくしゃしょう》。福德自然《ふくとくじねん》。無造惡之地《むぞうあくしじ》。唯此間多惡《ゆいしけんたあく》。無有自然《むうじねん》。勤苦求欲《ごんくぐよく》。轉相欺紿《てんそうごたい》。心勞形困《しんろうぎょうこん》。飮苦食毒《おんくじきどく》。如是悤務《にょぜそうむ》。未嘗寧息《みしょうにょうそく》。吾哀汝等《ごあいにょとう》。天人之類《てんにんしるい》。苦心誨喩《くしんけゆ》。教令修善《きょうりょうしゅぜん》。隨器開導《ずいきかいどう》。授與《じゅよ》

て其《そ》の下《しも》を率化《そっけ》し、転《うた》た相勅令《あいちょくりょう》して、各《おの》おの自《みずか》ら端《ただ》しく尊聖《そんしょう》を守《まも》りて善《ぜん》を敬《うやま》い、仁慈博愛《にんじはくあい》して、仏語《ぶつご》の教誨《きょうけ》、敢《あ》えて虧負《きふ》すること無《な》し。当《まさ》に度世《どせ》を求《もと》めて生死衆悪《しょうじしゅあく》の本《ほん》を抜断《ばつだん》すべし。当《まさ》に三塗無量憂畏苦痛《さんずむりょういくつう》の道《どう》を離《はな》るべし。111汝等《なんだち》、是《ここ》に広《ひろ》く徳本《とくほん》を植《う》え恩《おん》を布《し》き恵《え》を施《ほどこ》して、道禁《どうきん》を犯《おか》すこと勿《なか》れ。忍辱精進《にんにくしょうじん》にして心《しん》を一《ひと》つにし智慧《ちえ》をもって転《うた》た相教《あいきょう》化《け》して、徳《とく》を為《な》し善《ぜん》を立《た》てて、心《しん》を正《ただ》しくし意《い》を正《ただ》しくして、斎戒清浄《さいかいしょうじょう》なること一日一夜《いちにちいちや》すれば、無量寿国《むりょうじゅこく》に在《あ》りて善《ぜん》を為《な》すこと百歳《ひゃくさい》せんに勝《すぐ》れたり。所以《ゆえ》は何《いか》ん。彼《か》の仏国土《ぶっこくど》は無為自然《むいじねん》にして、皆衆《みなもろもろ》の善《ぜん》を積《つ》みて毛髪《もうはつ》の悪《あく》無《な》ければなり。此《ここ》にして善《ぜん》を修《しゅ》すること十日十夜《じゅうにちじゅうや》せんは、他方《たほう》の諸仏《しょぶつ》の国土《こくど》にして善《ぜん》を為《な》すこと千歳《せんざい》せんには勝《まさ》らん。所以《ゆえ》は何《いか》ん。他方《たほう》の仏国《ぶっこく》は善《ぜん》を為《な》す者《もの》は多《おお》く、悪《あく》を為《つく》る者《もの》は少《すく》なし。福徳《ふくとく》自然《じねん》にして造悪《ぞうあく》の地《ところ》無《な》ければなり。唯《ただ》、此《こ》の間《あいだ》に悪多《あくおお》くして、自然《じねん》なること有《あ》ること無《な》し。勤苦《ごんく》して求欲《ぐよく》す。転《うた》た相欺《あいご》紿《たい》して、心労《しんろう》し形困《かたちくる》しくして、苦《く》を飲《の》み毒《どく》を食《く》らう。是《か》く

經法《きょうぼう》。莫不承用《まくふじょうよう》。在意所願《ざいいしょがん》。皆令《かいりょう》得道《とくどう》。佛所遊履《ぶつしょゆり》。國邑丘聚《こくおうくじゅ》。靡不蒙化《みふむけ》。天下和順《てんげわじゅん》。日月清明《にちがつしょうみょう》。風雨《ふうう》以《い》時《じ》。災厲不起《さいれいふき》。國豐民安《こくぶみんあん》。兵戈無用《ひょうがむよう》。崇《そう》德興仁《とくこうにん》。務修禮讓《むしゅらいじょう》。佛言《ぶつごん》我哀愍《があいみん》。汝《にょ》等諸天人民《とうしょてんにんみん》。甚於父母念子《じんおぶもねんし》。今我於此《こんがおし》世間作佛《せけんさぶつ》。降化五惡《ごうけごあく》。消除五痛《しょうじょごつう》。絶《ぜつ》滅五燒《めつごしょう》。以善改惡《いぜんかいあく》。拔生死之苦《ばっしょうじしく》。令獲五德《りょうぎゃくごとく》。昇無爲之安《しょうむいしあん》。吾去世後《ごこせご》。經道漸滅《きょうどうぜんめつ》。人民諂僞《にんみんてんぎ》。復爲衆惡《ぶいしゅあく》。五《ご》燒五痛《しょうごつう》。還如前法《げんにょぜんぼう》。久後轉劇《くごてんぎゃく》。不可《ふか》悉說《しっせつ》。我但爲汝《がたんいにょ》。略言之耳《りゃくごんしに》。佛語彌《ぶつごみ》勒《ろく》。汝等各善思之《にょとうかくぜんしし》。轉相敎誡《てんそうきょうかい》。如佛《にょぶつ》經法《きょうぼう》。無得犯也《むとくぼんや》。於是彌勒菩薩《おぜみろくぼさつ》。合《がっ》掌白言《しょうびゃくごん》。佛所說甚苦《ぶつしょせつじんく》。世人實爾《せにんじつに》。如《にょ》來普慈哀愍《らいふじあいみん》。悉令度脫《しつりょうどだつ》。受佛重誨《じゅぶつじゅうけ》。

の如《ごと》く悤務《そうむ》して未《いま》だ嘗《むかし》にも寧《むし》ろ息《や》まず。[112]吾《われ》、汝等《なんだち》、天《てん》・人《にん》の類《るい》を哀《あわれ》みて苦心《くしん》に誨喩《けゆ》して教《おし》えて善《ぜん》を修《しゅ》せしむ。器《うつわもの》に随《したが》いて開導《かいどう》して経法《きょうぼう》を授与《じゅよ》するに、承用《じょうよう》せざること莫《な》し。意《こころ》の所願《しょがん》に在《あ》りて皆道《みなどう》を得《え》しむ。仏《ぶつ》の遊履《ゆり》したまう所《ところ》の国《こく》邑丘聚《おうくじゅ》、化《け》を蒙《こうぶ》らざるは靡《な》し。天下和順《てんげわじゅん》し日月清明《にちがつしょうみょう》にして、風雨《ふうう》、時《とき》を以《もっ》てし、災厲《さいれい》起《お》こらず。国豊《くにゆた》かに民安《たみやす》し。兵戈《ひょうが》、用《もち》いること無《な》し。徳《とく》を崇《あが》め仁《にん》を[48]興《おこ》し、務《まつりごと》、礼譲《らいじょう》を修《しゅ》す。」仏《ぶつ》の言《のたま》わく、「我《われ》、汝等《なんだち》、諸天《しょてん》・人民《にんみん》を哀愍《あいみん》すること父母《ぶも》の子《こ》を念《おも》うよりも甚《はなは》だし。今我《いまわれ》、此《こ》の世間《せけん》に於《お》いて作仏《さぶつ》して、五悪《ごあく》を降化《ごうけ》し、五痛《ごつう》を消除《しょうじょ》し、五焼《ごしょう》を絶滅《ぜつめつ》す。善《ぜん》を以《もっ》て悪《あく》を[49]改《せ》め、生死《しょうじ》の苦《く》を抜《ぬ》きて五徳《ごとく》を獲《え》、無為《むい》の安《あん》に昇《のぼ》らしめん。吾《われ》、世《よ》を去《さ》りて後《のち》、経道漸《きょうどうようや》く滅《めっ》し人民諂偽《にんみんてんぎ》ならん。復《ま》た衆悪《しゅあく》を為《つく》らん。五焼《ごしょう》、五痛《ごつう》、還《かえ》りて前《さき》の法《ほう》の如《ごと》くならん。久《ひさ》しくして後《のち》、転《うた》た劇《はげ》しからん。悉《ことごと》く説《と》くべからず。我但《われただ》し汝《なんじ》が為《ため》に略《りゃく》して之《これ》を言《い》うまくのみ」と。仏《ぶつ》、弥勒《みろく》に語《かた》りたまわく、「汝等各《なんだちおの》おの善《よ》く之《これ》を思《おも》いて転《うた》た

不《ふ》敢《かん》違《い》失《しつ》。

佛《ぶつ》告《ごう》阿《あ》難《なん》。汝《にょ》起《き》更《きょう》整《しょう》衣《え》服《ぶく》。合《がっ》掌《しょう》恭《く》敬《ぎょう》。禮《らい》無《む》量《りょう》壽《じゅ》佛《ぶつ》。十《じっ》方《ぽう》國《こく》土《ど》。諸《しょ》佛《ぶつ》如《にょ》來《らい》。常《じょう》共《ぐ》稱《しょう》揚《よう》。讚《さん》歎《だん》彼《ひ》佛《ぶつ》。無《む》著《じゃく》無《む》礙《げ》。於《お》是《ぜ》阿《あ》難《なん》。起《き》整《しょう》衣《え》服《ぶく》。正《しょう》身《しん》西《さい》面《めん》。恭《く》敬《ぎょう》合《がっ》掌《しょう》。五《ご》體《たい》投《とう》地《じ》。禮《らい》無《む》量《りょう》壽《じゅ》佛《ぶつ》。白《びゃく》言《ごん》世《せ》尊《そん》。願《がん》見《けん》彼《ひ》佛《ぶつ》。安《あん》樂《らく》國《こく》土《ど》。及《ぎゅう》諸《しょ》菩《ぼ》薩《さつ》。聲《しょう》聞《もん》大《だい》衆《しゅ》。說《せつ》是《ぜ》語《ご》已《い》。卽《そく》時《じ》無《む》量《りょう》壽《じゅ》佛《ぶつ》。放《ほう》大《だい》光《こう》明《みょう》。普《ふ》照《しょう》一《いっ》切《さい》。諸《しょ》佛《ぶつ》世《せ》界《かい》。金《こん》剛《ごう》圍《い》山《せん》。須《しゅ》彌《み》山《せん》王《のう》。大《だい》小《しょう》諸《しょ》山《せん》。一《いっ》切《さい》所《しょ》有《う》。皆《かい》同《どう》一《いっ》色《しき》。譬《ひ》如《にょ》劫《こう》水《ずい》。彌《み》滿《まん》世《せ》界《かい》。其《ご》中《ちゅう》萬《まん》物《もつ》。沈《ちん》沒《もつ》不《ふ》

相教誡《あいきょうかい》す。仏《ぶつ》の経法《きょうぼう》の如《ごと》くして犯《おか》すこと得《う》ること無《な》かれ」と。113是《ここ》に弥勒菩薩《みろくぼさつ》、掌《たなごころ》を合《あ》わせて白《もう》して言《もう》さく、「仏《ぶつ》の所説《しょせつ》、甚《はなは》だ苦《ねんごろ》なり。世人《せにん》、実《まこと》に爾《しか》なり。如来《にょらい》、普《あまね》く慈《あわれ》みて哀愍《あいみん》して、悉《ことごと》く度脱《どだつ》せしむ。仏《ぶつ》の重誨《じゅうけ》を受《う》けて敢《あ》えて違失《いしつ》せざれ」と。

114仏《ぶつ》、阿難《あなん》に告《つ》げたまわく、「汝《なんじ》、起《た》ちて更《さら》に衣服《えぶく》を整《ととの》え、合掌恭敬《がっしょうくぎょう》して、無量寿仏《むりょうじゅぶつ》を礼《らい》したてまつるべし。十方国《じっぽうこく》土《ど》の諸仏如来《しょぶつにょらい》、常《つね》に共《とも》に彼《か》の仏《ぶつ》の無著無碍《むじゃくむげ》にましますを称《しょう》揚《よう》し讃歎《さんだん》したまう。」

115是《ここ》に阿難《あなん》、起《た》ちて衣服《えぶく》を整《ととの》え、身《み》を正《ただ》しくし面《おもて》を西《にし》にして、恭敬《くぎょう》し合掌《がっしょう》して五体《ごたい》を地《じ》に投《な》げて、無量寿仏《むりょうじゅぶつ》を礼《らい》したてまつりて白《もう》して言《もう》さく、「世尊《せそん》。願《ねが》わくは、彼《か》の仏《ぶつ》・安《あん》楽国土《らくこくど》及《およ》び諸《もろもろ》の菩薩《ぼさつ》・声聞大衆《しょうもんだいしゅ》を見《み》たてまつらん」と。

116是《こ》の語《ことば》を説《と》き已《おわ》りて、即《すなわ》ちの時《とき》に無量寿仏《むりょうじゅぶつ》、大光明《だいこうみょう》を放《はな》ちて普《あまね》く一切諸仏《いっさいしょぶつ》の世界《せかい》を照《て》らしたまう。金剛囲山《こんごういせん》・須《しゅ》弥山王《みせんのう》・大小《だいしょう》の諸山《しょせん》、一切所有《いっさいしょう》、皆同《みなおな》じく一色《いっしき》なり。譬《たと》え

現《げん》。滉瀁浩汗《こうようこうかん》。唯見大水《ゆいけんだいすい》。彼佛光明《ひぶつこうみょう》。亦復如是《やくぶにょぜ》。聲聞菩薩《しょうもんぼさつ》。一切光明《いっさいこうみょう》。皆《かい》悉隱蔽《しつおんぺい》。唯見佛光《ゆいけんぶっこう》。明曜顯赫《みょうようけんかく》。爾時《にじ》阿難《あなん》。卽見無量壽佛《そくけんむりょうじゅぶつ》。威德巍巍《いとくぎぎ》。如《にょ》須彌山王《しゅみせんのう》。高出一切《こうしゅついっさい》。諸世界上《しょせかいじょう》。相《そう》好光明《ごうこうみょう》。靡不照曜《みふしょうよう》。此會四衆《しえししゅ》。一時《いちじ》悉見《しつけん》。彼見此土《ひけんしど》。亦復如是《やくぶにょぜ》。

爾時佛告阿難《にじぶつごうあなん》。及慈氏菩薩《ぎゅうじしぼさつ》。汝見彼《にょけんひ》國《こく》。從地已上《じゅうじいじょう》。至淨居天《しじょうごてん》。其中所《ごちゅうしょ》有《う》。微妙嚴淨《みみょうごんじょう》。自然之物《じねんしもつ》。爲悉見不《いしつけんぷ》。阿難對曰《あなんたいわつ》。唯然已見《ゆいねんいけん》。汝寧復聞無量《にょにょうぶもんむりょう》壽佛大音《じゅぶつだいおん》。宣布一切世界《せんぷいっさいせかい》。化衆生不《けしゅじょうふ》。阿難對曰《あなんたいわつ》。唯然已聞《ゆいねんいもん》。彼國人民《ひこくにんみん》。乘《じょう》百千由旬《ひゃくせんゆじゅん》。七寶宮殿《しっぽうくでん》。無有障礙《むうしょうげ》。

ば劫水《こうずい》の、世界《せかい》に弥満《みまん》せる、其《そ》の中《なか》の万物《まんもつ》、沈没《ちんもつ》して現《げん》ぜず、滉瀁浩汗《こうようこうかん》として、唯《ただ》、大水《だいすい》を見《み》るが如《ごと》し。彼《か》の仏《ぶつ》の光明《こうみょう》亦《また》復《ま》た是《か》くの如《ごと》し。声聞《しょうもん》・菩薩《ぼさつ》、一切《いっさい》の光明《こうみょう》皆《みな》悉《ことごと》く隠蔽《おんぺい》して、唯《ただ》、仏《ぶつ》の光《ひかり》の明曜顕赫《みょうようけんかく》なるを見《み》たてまつる。117爾《そ》の時《とき》に阿難《あなん》、即《すなわ》ち無量寿仏《むりょうじゅぶつ》の威徳巍巍《いとくぎぎ》として、須弥山王《しゅみせんのう》の、高《たか》く一切《いっさい》の諸《もろもろ》の世界《せかい》の上《うえ》に出《い》でたるが如《ごと》くなるを見《み》たてまつる。相好光明《そうごうこうみょう》、照曜《しょうよう》せざること靡《な》し。此《こ》の会《え》の四衆《ししゅ》、一時《いちじ》に悉《ことごと》く[50]見《み》たてまつる。彼《かしこ》にして此《こ》の土《ど》を見《み》ること、亦復《またま》た是《か》くの如《ごと》し。

118爾《そ》の時《とき》に仏《ぶつ》、阿難及《あなんおよ》び慈氏菩薩《じしぼさつ》に告《つ》げたまわく、「汝《なんじ》、彼《か》の国《くに》を見《み》るに、地《じ》より已上《いじょう》、浄居天《じょうごてん》に至《いた》るまで、其《そ》の中《なか》の所有《しょう》、微妙厳浄《みみょうごんじょう》なる自然《じねん》の物《もの》、悉《ことごと》く見《み》るとやせん、不《いな》や」と。阿難《あなん》、対《こた》えて曰《もう》さく、「唯然《ややしか》なり。已《すで》に見《み》たてまえつ」と。「汝《なんじ》、寧《むし》ろ復《ま》た無量寿仏《むりょうじゅぶつ》の大音《だいおん》、一切世界《いっさいせかい》に宣布《せんぷ》して衆生《しゅじょう》を化《け》したまうを聞《き》くや、不《いな》や」と。阿難《あなん》、対《こた》えて曰《もう》さく、「唯然《ややしか》なり。已《すで》に聞《き》きたまえつ」と。「彼《か》の国《くに》の人《にん》

徧至十方《へんしじっぽう》。供養諸佛《くようしょぶつ》。汝復見不《にょぶけんぷ》。對曰《たいわつ》已見《いけん》。彼國人民《ひこくにんみん》。有胎生者《うたいしょうしゃ》。汝復見不《にょぶけんぷ》。對曰已見《たいわついけん》。其胎生者《ごたいしょうしゃ》。所處宮殿《しょしょくでん》。或百由旬《わくひゃくゆじゅん》。或五百由旬《わくごひゃくゆじゅん》。各於其中《かくおごちゅう》。受諸快樂《じゅしょけらく》。如忉利天上《にょとうりてんじょう》。亦皆自然《やくかいじねん》。

爾時慈氏菩薩《にじじしぼさつ》。白佛言世尊《びゃくぶつごんせそん》。何因何緣《がいんがえん》。彼國人民《ひこくにんみん》。胎生化生《たいしょうけしょう》。佛告慈氏《ぶつごうじし》。若有衆生《にゃくうしゅじょう》。以疑惑心《いぎわくしん》。修諸功德《しゅしょくどく》。願生彼國《がんしょうひこく》。不了佛智《ふりょうぶっち》。不思議智《ふしぎち》。不可稱智《ふかしょうち》。大乘廣智《だいじょうこうち》。無等無倫《むとうむりん》。最上勝智《さいじょうしょうち》。於此諸智《おししょち》。疑惑不信《ぎわくふしん》。然猶信罪福《ねんゆしんざいふく》。修習善本《しゅしゅうぜんぼん》。願生其國《がんしょうごこく》。此諸衆生《ししょしゅじょう》。生彼宮殿《しょうひくでん》。壽五百歲《じゅごひゃくさい》。常不見《じょうふけん》

民《みん》、百千由旬《ひゃくせんゆじゅん》の七宝《しちほう》の宮殿《くでん》に乗《じょう》じて障碍《しょうげ》すること有《あ》ること無《な》く、遍《あまね》く十方《じっぽう》に至《いた》りて諸仏《しょぶつ》を供養《くよう》するを、汝《なんじ》、復《ま》た見《み》るや、不《いな》や」と。対《こた》えて曰《もう》さく、「已《すで》に見《み》たまえつ」と。「彼《か》の国《くに》の人民《にんみん》、胎生《たいしょう》の者有《ものあ》り。汝《なんじ》、復《ま》た見《み》るや、不《いな》や」と。対《こた》えて曰《もう》さく、「已《すで》に見《み》たまえつ」と。「其《そ》の胎生《たいしょう》の者《もの》、処《しょ》する所《ところ》の宮殿《くでん》、或《あ》るいは百由旬《ひゃくゆじゅん》、或《あ》るいは五百由旬《ごひゃくゆじゅん》なり。各《おの》おの其《そ》の中《なか》にして諸《もろもろ》の快楽《けらく》を受《う》くること、忉利天《とうりてん》上《じょう》の如《ごと》し。亦皆自然《またみなじねん》なり」と。

119 爾《そ》の時《とき》に慈氏菩薩《じしぼさつ》、仏《ぶつ》に白《もう》して言《もう》さく、「世尊《せそん》。何《なに》の因《いん》、何《なに》の縁《えん》なれば、彼《か》の国《くに》の人民《にんみん》、胎生《たいしょう》・化生《けしょう》なる」と。120 仏《ぶつ》、慈氏《じし》に告《つ》げたまわく、「若《も》し衆生有《しゅじょうあ》りて、疑惑《ぎわく》の心《しん》を以《もっ》て諸《もろもろ》の功徳《くどく》を修《しゅ》して、彼《か》の国《くに》に生《しょう》ぜんと願《がん》ぜん。仏智《ぶっち》・不思《ふし》議智《ぎち》・不可称智《ふかしょうち》・大乗広智《だいじょうこうち》・無等無倫最上勝智《むとうむりんさいじょうしょうち》を了《さと》らずして、此《こ》の諸智《しょち》に於《お》いて疑惑《ぎわく》して信《しん》ぜず。然《しか》るに猶《なお》し罪福《ざいふく》を信《しん》じ[51]善本《ぜんぽん》を修習《しゅじゅう》して、其《そ》の国《くに》に生《しょう》ぜんと願《がん》ぜん。此《こ》の諸《もろもろ》の衆生《しゅじょう》、彼《か》の宮殿《くでん》に生《う》まれて、寿《いのち》五百歳《ごひゃくさい》、常《つね》に仏《ぶつ》を見《み》

佛《ぶつ》。不聞經法《ふもんきょうぼう》。不見菩薩《ふけんぼさつ》。聲聞聖衆《しょうもんしょうじゅ》。是故於彼國土《ぜこおひこくど》。謂之胎生《いしたいしょう》。若有衆生《にゃくうしゅじょう》。明信佛智《みょうしんぶっち》。乃至勝智《ないししょうち》。作諸功德《さしょくどく》。信心回向《しんじんえこう》。此諸衆生《ししょしゅじょう》。於七寶華中《おしっぽうけちゅう》。自然化生《じねんけしょう》。跏趺而坐《かふにざ》。須臾之頃《しゅゆしきょう》。身相光明《しんそうこうみょう》。智慧功德《ちえくどく》。如諸菩薩《にょしょぼさつ》。具足成就《ぐそくじょうじゅ》。

復次慈氏《ぶしじし》。他方佛國《たほうぶっこく》。諸大菩薩《しょだいぼさつ》。發心《ほっしん》欲見無量壽佛《よくけんむりょうじゅぶつ》。恭敬供養《くぎょうくよう》。及諸菩薩《ぎっしょぼさつ》。聲聞之衆《しょうもんししゅ》。彼菩薩等《ひぼさつとう》。命終得生《みょうじゅうとくしょう》。無量壽國《むりょうじゅこく》。於七寶華中《おしっぽうけちゅう》。自然化生《じねんけしょう》。彌勒當知《みろくとうち》。彼化生者《ひけしょうしゃ》。智慧勝故《ちえしょうこ》。其胎生者《ごたいしょうしゃ》。皆無智慧《かいむちえ》。於五百歳中《おごひゃくさいちゅう》。常不見佛《じょうふけんぶつ》。不聞經法《ふもんきょうぼう》。不見菩薩《ふけんぼさつ》。諸聲聞衆《しょしょうもんしゅ》。無由供養於佛《むゆくようおぶつ》。不知菩薩法式《ふちぼさつほっしき》。不得修習功德《ふとくしゅじゅうくどく》。當知《とうち》

たてまつらず、経法《きょうぼう》を聞《き》かず、菩薩《ぼさつ》・声聞聖衆《しょうもんしょうじゅ》を見《み》ず。是《こ》の故《ゆえ》に彼《か》の国土《こくど》に於《お》いて之《これ》を胎生《たいしょう》と謂《い》う。

[121]若《も》し衆生《しゅじょう》有《あ》りて、明《あき》らかに仏智《ぶっち》、乃至勝智《ないししょうち》を信《しん》じて、諸《もろもろ》の功徳《くどく》を作《な》して信心回向《しんじんえこう》せん。此《こ》の諸《もろもろ》の衆生《しゅじょう》、七宝華《しちほうけ》の中《なか》に於《お》いて自然《じねん》に化生《けしょう》せん。跏趺《かふ》して坐《ざ》せん。須臾《しゅゆ》の頃《あいだ》に、身相《しんそう》・光明《こうみょう》・智慧《ちえ》・功徳《くどく》、諸《もろもろ》の菩薩《ぼさつ》の如《ごと》く具足《ぐそく》し成就《じょうじゅ》せん。

復《ま》た次《つぎ》に慈氏《じし》、他方仏国《たほうぶっこく》の諸《もろもろ》の大菩薩《だいぼさつ》、発心《ほっしん》して無量寿仏《むりょうじゅぶつ》を見《み》たてまつり、及《およ》び諸《もろもろ》の菩薩《ぼさつ》・声聞《しょうもん》の衆《しゅ》を恭敬《くぎょう》し供養《くよう》せんと欲《おも》わん。彼《か》の菩薩等《ぼさつとう》、命終《みょうじゅう》して無量寿国《むりょうじゅこく》の七宝華《しちほうけ》の中《なか》に生《う》まるることを得《え》て、自然《じねん》に化生《けしょう》せん。[122]弥勒《みろく》、当《まさ》に知《し》るべし。彼《か》の化生《けしょう》の者《もの》は智慧《ちえ》勝《すぐ》れたるが故《ゆえ》に、其《そ》の胎生《たいしょう》の者《もの》は皆《みな》智慧《ちえ》無《な》し。五百歳《ごひゃくさい》の中《なか》にして常《つね》に仏《ぶつ》を見《み》たてまつらず、経法《きょうぼう》を聞《き》かず、菩薩《ぼさつ》・諸《もろもろ》の声聞衆《しょうもんしゅ》を見《み》ず。仏《ぶつ》を供養《くよう》せんに由《よし》無《な》し。菩薩《ぼさつ》の法式《ほっしき》を知《し》らず。功徳《くどく》を修習《しゅじゅう》することを得《え》ず。当《まさ》に知《し》るべし。此《こ》の人《ひと》、宿世《しゅくせ》の時《とき》に智慧《ちえ》有《あ》

此人《しにん》。宿世之時《しゅくせしじ》。無有智慧《むうちえ》。疑惑所《ぎわくしょ》致《ち》。

佛告彌勒《ぶつごうみろく》。譬如轉輪聖王《ひにょてんりんじょうおう》。別有七寶《べつうしっぽう》宮室《くしつ》。種種莊嚴《しゅじゅしょうごん》。張設牀帳《ちょうせつじょうちょう》。懸諸《けんしょ》繒旛《ぞうばん》。若有諸小王子《にゃくうしょしょうおうじ》。得罪於王《とくざいおおう》。輒内彼宮中《ちょうないひくじゅう》。繫以金鎖《けいいこんさ》。供給飲《くきゅうおん》食《じき》。衣服牀褥《えぶくじょうにく》。華香妓樂《けこうぎがく》。如轉輪王《にょてんりんのう》。無所乏少《むしょぼくしょう》。於意云何《おいうんが》。此諸王子《ししょおうじ》。寧《にょう》樂彼處不《ぎょうひしょふ》。對曰不也《たいわつふや》。但種種方便《たんしゅじゅほうべん》。求諸大力《ぐしょだいりき》。欲自免出《よくじめんしゅつ》。佛告彌勒《ぶつごうみろく》。此《し》諸衆生《しょしゅじょう》。亦復如是《やくぶにょぜ》。以疑惑佛智故《いぎわくぶっちこ》。生彼宮殿《しょうひくでん》。無有刑罰《むうぎょうばつ》。乃至一念悪事《ないしいちねんあくじ》。但於五百歳中《たんおごひゃくさいちゅう》。不見三寶《ふけんさんぼう》。不得供養《ふとくくよう》修諸善本《しゅしょぜんぽん》。以此爲苦《いしいく》。雖有餘樂《すいうよらく》。猶不《ゆふ》樂彼處《ぎょうひしょ》。若此衆生《にゃくししゅじょう》。識其本罪《しきごほんざい》。深《じん》自悔責《じけしゃく》。求離彼處《ぐりひしょ》。卽得如意《そくとくにょい》。往詣《おうげい》

ること無《な》くして疑惑《ぎわく》せしが致《いた》す所《ところ》なるなり。」

仏《ぶつ》、弥勒《みろく》に告《つ》げたまわく、「譬《たと》えば転輪聖王《てんりんじょうおう》に別《べつ》に七宝《しちほう》の宮室《くしつ》有《あ》りて、種種《しゅじゅ》に荘厳《しょうごん》し牀帳《しょうちょう》を張設《ちょうせつ》して、諸《もろもろ》の繒旛《ぞうばん》を懸《か》けたらんが如《ごと》し。若《も》し諸《もろもろ》の小王子《しょうおうじ》有《あ》りて、罪《つみ》を王《おう》に得《う》れば、輒《すなわ》ち彼《か》の宮中《くちゅう》に内《い》れて、繫《つな》ぐに金鎖《こんさ》を以《もっ》てせん。飲食《おんじき》・衣服《えぶく》・牀褥《しょうにく》・華香《けこう》・妓楽《ぎがく》を供給《くきゅう》せんこと、転輪王《てんりんのう》の如《ごと》くして乏少《ぼうしょう》する所無《ところな》けん。意《こころ》に於《お》いて云何《いかん》ぞ。此《こ》の諸《もろもろ》の王子《おうじ》、寧《むし》ろ彼《か》の処《ところ》を楽《ねが》いてんや、不《いな》や」と。対《こた》えて曰《もう》さく、「不《いな》なり。但種種《ただしゅじゅ》の方便《ほうべん》をして諸《もろもろ》の大力《だいりき》を求《もと》めて、自《みずか》ら免出《めんしゅつ》せんと欲《おも》う」と。仏《ぶつ》、弥勒《みろく》に告《つ》げたまわく、「此《こ》の諸《もろもろ》の衆生《しゅじょう》も亦復《またま》た是《か》くの如《ごと》し。仏智《ぶっち》を疑惑《ぎわく》するを以《もっ》ての故《ゆえ》に、彼《か》の宮殿《くでん》に生《う》まれて、刑罰《ぎょうばつ》、乃至一念《ないしいちねん》の悪事《あくじ》有《あ》ること無《な》し。但《ただ》し五百歳《ごひゃくさい》の中《うち》に於《お》いて三宝《さんぼう》を見《み》たてまつらず、諸《もろもろ》の善本《ぜんぽん》を供養《くよう》し修《しゅ》することを得《え》ず。此《こ》れを以《もっ》て苦《く》とす。余《よ》の楽《たの》しみ有《あ》りと雖《いえど》も、猶《なお》し彼《か》の処《ところ》を楽《ねが》わず。若《も》し此《こ》の衆《しゅ》

無量壽佛所《むりょうじゅぶっしょ》。恭敬供養《くぎょうくよう》。亦得徧至《やくとくへんし》。無量無數《むりょうむしゅ》。諸餘佛所《しょよぶっしょ》。修諸功德《しゅしょくどく》。彌《み》勒當知《ろくとうち》。其有菩薩《ごうぼさつ》。生疑惑者《しょうぎわくしゃ》。爲失《いしつ》大利《だいり》。是故應當明信《ぜこおうとうみょうしん》。諸佛無上智慧《しょぶつむじょうちえ》。

彌勒菩薩《みろくぼさつ》。白佛言世尊《びゃくぶつごんせそん》。於此世界《おしせかい》。有幾所不退菩薩《うきしょふたいぼさつ》。生彼佛國《しょうひぶっこく》。佛告彌《ぶつごうみ》勒《ろく》。於此世界《おしせかい》。有六十七億《うろくじゅうしちおく》。不退菩《ふたいぼ》薩《さつ》。往生彼國《おうじょうひこく》。一一菩薩《いちいちぼさつ》。已曾供《いぞうく》養《よう》。無數諸佛《むしゅしょぶつ》。次如彌勒者也《しにょみろくしゃや》。諸小《しょしょう》行菩薩《ぎょうぼさつ》。及修習少功德者《ぎっしゅしゅうしょうくどくしゃ》。不可稱《ふかしょう》計《け》。皆當往生《かいとうおうじょう》。佛告彌勒《ぶつごうみろく》。不但我《ふたんが》刹《せつ》。諸菩薩等《しょぼさつとう》。往生彼國《おうじょうひこく》。他方佛土《たほうぶつど》。亦復如是《やくぶにょぜ》。其第一佛《ごだいいちぶつ》。名曰遠照《みょうわつおんしょう》。彼《ひ》

生《じょう》、其《そ》の本《もと》の罪《つみ》を識《し》りて、深《ふか》く自《みずか》ら悔責《けしゃく》して、彼《か》の処《ところ》を離《はな》れんと求《もと》めば、即《すなわ》ち意《こころ》の如《ごと》くなることを得《え》て、無量寿《むりょうじゅ》仏《ぶつ》の所《みもと》に往詣《おうげい》して恭敬供養《くぎょうくよう》せん。亦遍《またあまね》く無量無数《むりょうむしゅ》の諸余《しょよ》の仏《ぶつ》の所《みもと》に至《いた》ることを得《え》て、諸《もろもろ》の功徳《くどく》を修《しゅ》せん。弥勒《みろく》、当《まさ》に知《し》るべし。其《そ》れ菩薩《ぼさつ》有《あ》りて、疑惑《ぎわく》を生《しょう》ずる者《もの》は大利《だいり》を失《しっ》すとす。是《こ》の故《ゆえ》に応当《まさ》に明《あき》らかに諸仏無上《しょぶつむじょう》の智慧《ちえ》を信《しん》ずべし」と。

123弥勒菩薩《みろくぼさつ》、仏《ぶつ》に白《もう》して言《もう》さく、「世尊《せそん》。此《こ》の世界《せかい》にして幾《いく》所《ばく》の不退《ふたい》の菩薩有《ぼさつあ》りてか、彼《か》の仏国《ぶっこく》に生《しょう》ぜん」と。124仏《ぶつ》、弥勒《みろく》に告《つ》げたまわく、「此《こ》の世界《せかい》に於《お》いて六十七億《ろくじゅうしちおく》の不退《ふたい》の菩薩有《ぼさつあ》りて、彼《か》の国《くに》に往生《おうじょう》せん。一一《いちいち》の菩薩《ぼさつ》、已《すで》に曾《かつ》て無《む》数《しゅ》の諸仏《しょぶつ》を供養《くよう》せるなり。次《つ》いで弥勒《みろく》の如《ごと》きの者《もの》なり。諸《もろもろ》の小行《しょうぎょう》の菩薩《ぼさつ》、及《およ》び少功徳《しょうくどく》を修習《しゅじゅう》せん者《もの》、称計《しょうげ》すべからざる、皆当《みなまさ》に往生《おうじょう》すべし。」125仏《ぶつ》、弥勒《みろく》に告《つ》げたまわく、「但《ただ》し我《わ》が刹《せつ》の諸《もろもろ》の菩薩等《ぼさつとう》の、彼《か》の国《くに》に往生《おうじょう》するのみに不《あら》ず。他方《たほう》の仏土《ぶつど》も亦復《またま》た是《か》くの如《ごと》し。其《そ》の第一《だいいち》の仏《ぶつ》を名《な》づ

有《う》百八十億《ひゃくはちじゅうおく》菩薩《ぼさつ》。皆當往生《かいとうおうじょう》。其第《ごだい》二佛《にぶつ》。名曰寶藏《みょうわつほうぞう》。彼有九十億菩薩《ひうくじゅうおくぼさつ》。皆當往生《かいとうおうじょう》。其第三佛《ごだいさんぶつ》。名曰無量音《みょうわつむりょうおん》。彼有二百二十億菩薩《ひうにひゃくにじゅうおくぼさつ》。皆當往生《かいとうおうじょう》。其第四佛《ごだいしぶつ》。名曰甘露味《みょうわつかんろみ》。彼有二百五《ひうにひゃくご》十億菩薩《じゅうおくぼさつ》。皆當往生《かいとうおうじょう》。其第五佛《ごだいごぶつ》。名曰龍勝《みょうわつりゅうしょう》。彼有十四億菩薩《ひうじゅうしおくぼさつ》。皆當《かいとう》往生《おうじょう》。其第六佛《ごだいろくぶつ》。名曰勝力《みょうわつしょうりき》。彼有《ひう》萬四千菩薩《まんしせんぼさつ》。皆當往生《かいとうおうじょう》。其第七佛《ごだいしちぶつ》。名曰師子《みょうわつしし》。彼有五百億菩薩《ひうごひゃくおくぼさつ》。皆當往《かいとうおう》生《じょう》。其第八佛《ごだいはちぶつ》。名曰離垢光《みょうわつりくこう》。彼有八《ひうはち》十億菩薩《じゅうおくぼさつ》。皆當往生《かいとうおうじょう》。其第九佛《ごだいくぶつ》。名曰德首《みょうわつとくしゅ》。彼有六十億菩薩《ひうろくじゅうおくぼさつ》。皆當往《かいとうおう》生《じょう》。其第十佛《ごだいじゅうぶつ》。名曰妙德山《みょうわつみょうとくせん》。彼有《ひう》六十億菩薩《ろくじゅうおくぼさつ》。皆當往生《かいとうおうじょう》。其第十一《ごだいじゅういち》佛《ぶつ》。名曰人王《みょうわつにんのう》。彼有十億菩薩《ひうじゅうおくぼさつ》。皆當《かいとう》

けて遠照《おんしょう》と曰《い》う。彼《かしこ》に百八十億《ひゃくはちじゅうおく》の菩薩《ぼさつ》有《あ》り。皆当《みなまさ》に往生《おうじょう》すべし。其《そ》の第二《だいに》の仏《ぶつ》を名《な》づけて宝蔵《ほうぞう》と曰《い》う。彼《かしこ》に九十億《くじゅうおく》の菩薩《ぼさつ》有《あ》り。皆当《みなまさ》に往生《おうじょう》すべし。其《そ》の第三《だいさん》の仏《ぶつ》を名《な》づけて無量音《むりょうおん》と曰《い》う。彼《かしこ》に二百二十億《にひゃくにじゅうおく》の菩薩《ぼさつ》有《あ》り。皆当《みなまさ》に往生《おうじょう》すべし。其《そ》の第四《だいし》の仏《ぶつ》を名《な》づけて甘露味《かんろみ》と曰《い》う。彼《かしこ》に二百五十億《にひゃくごじゅうおく》の菩薩《ぼさつ》有《あ》り。皆当《みなまさ》に往生《おうじょう》すべし。其《そ》の第五《だいご》の仏《ぶつ》を名《な》づけて龍勝《りゅうしょう》と曰《い》う。彼《かしこ》に十四億《じゅうしおく》の菩薩《ぼさつ》有《あ》り。皆当《みなまさ》に往生《おうじょう》すべし。其《そ》の第六《だいろく》の仏《ぶつ》を名《な》づけて勝力《しょうりき》と曰《い》う。彼《かしこ》に万四千《まんしせん》の菩薩《ぼさつ》有《あ》り。皆当《みなまさ》に往生《おうじょう》すべし。其《そ》の第七《だいしち》の仏《ぶつ》を名《な》づけて師子《しし》と曰《い》う。彼《かしこ》に五百億《ごひゃくおく》の菩薩《ぼさつ》有《あ》り。皆当《みなまさ》に往生《おうじょう》すべし。其《そ》の第八《だいはち》の仏《ぶつ》を名《な》づけて離垢光《りくこう》と曰《い》う。彼《かしこ》に八十億《はちじゅうおく》の菩薩《ぼさつ》有《あ》り。皆当《みなまさ》に往生《おうじょう》すべし。其《そ》の第九《だいく》の仏《ぶつ》を名《な》づけて徳首《とくしゅ》と曰《い》う。彼《かしこ》に六十億《ろくじゅうおく》の菩薩《ぼさつ》有《あ》り。皆当《みなまさ》に往生《おうじょう》すべし。其《そ》の第十《だいじゅう》の仏《ぶつ》を名《な》づけて妙徳山《みょうとくせん》と曰《い》う。彼《かしこ》に六十億《ろくじゅうおく》の菩薩《ぼさつ》有《あ》り。皆当《みなまさ》に往生《おうじょう》すべし。其《そ》の第十一《だいじゅういち》の仏《ぶつ》を名《な》づけて人王《にんのう》と曰《い》う。彼《かしこ》に十億《じゅうおく》の菩薩《ぼさつ》有《あ》り。皆当《みなまさ》に往生《おうじょう》すべ

往生《おうじょう》。其第十二佛《ごだいじゅうにぶつ》。名曰無上華《みょうわつむじょうけ》。彼有無數《ひうむしゅ》。不可稱計《ふかしょうけ》。諸菩薩衆《しょぼさつしゅ》。皆《かい》不退轉《ふたいてん》。智慧勇猛《ちえゆみょう》。已曾供養《いぞうくよう》。無量《むりょう》諸佛《しょぶつ》。於七日中《おしちにちちゅう》。卽能攝取《そくのうせっしゅ》。百千億《ひゃくせんおく》劫《こう》。大士所修《だいじしょしゅ》。堅固之法《けんごしほう》。斯等菩薩《しとうぼさつ》。皆當往生《かいとうおうじょう》。其第十三佛《ごだいじゅうさんぶつ》。名曰無畏《みょうわつむい》。彼有七百九十億《ひうしちひゃくくじゅうおく》。大菩薩衆《だいぼさつしゅ》。諸小《しょしょう》菩薩《ぼさつ》。及比丘等《ぎゅうびくとう》。不可稱計《ふかしょうけ》。皆當往《かいとうおう》生《じょう》。佛語彌勒《ぶつごみろく》。不但此十四佛國《ふたんしじゅうしぶつこく》中《ちゅう》。諸菩薩等《しょぼさつとう》。當往生也《とうおうじょうや》。十方世界《じっぽうせかい》。無量佛國《むりょうぶつこく》。其往生者《ごおうじょうしゃ》。亦復如是《やくぶにょぜ》。甚《じん》多無數《たむしゅ》。我但說十方《がたんせつじっぽう》。諸佛名號《しょぶつみょうごう》。及《ぎゅう》菩薩比丘《ぼさつびく》。生彼國者《しょうひこくしゃ》。晝夜一劫《ちゅうやいっこう》。尚未能竟《しょうみのうきょう》。我今爲汝《がこんいにょ》。略說之耳《りゃくせつしに》。佛語彌勒《ぶつごみろく》。其有得聞《ごうとくもん》。彼佛名號《ひぶつみょうごう》。歡《かん》喜踊躍《ぎゆやく》。乃至一念《ないしいちねん》。當知此人《とうちしにん》。爲得大《いとくだい》

し。其《そ》の第十二《だいじゅうに》の仏《ぶつ》を名《な》づけて無上華《むじょうけ》と曰《い》う。彼《かしこ》に無数《むしゅ》不可称計《ふかしょうけ》の諸《もろもろ》の菩薩衆《ぼさつしゅ》有《あ》り。皆不退転《みなふたいてん》にして智慧勇猛《ちえゆみょう》なり。已《すで》に曾《かつ》て無量《むりょう》の諸仏《しょぶつ》を供養《くよう》したてまつりて、七日《しちにち》の中《うち》に於《お》いて即《すなわ》ち能《よ》く百千億劫《ひゃくせんおっこう》の大士《だいじ》の所修《しょしゅ》・堅固《けんご》の法《ほう》を摂取《せっしゅ》せん。斯《こ》れ等《ら》の菩薩《ぼさつ》、皆当《みなまさ》に往生《おうじょう》すべし。其《そ》の第十三《だいじゅうさん》の仏《ぶつ》を名《な》づけて無畏《むい》と曰《い》う。彼《かしこ》に七百九十億《しちひゃくくじゅうおく》の大菩薩衆《だいぼさつしゅ》、諸《もろもろ》の小菩薩及《しょうぼさつおよ》び比丘等《びくとう》の、称計《しょうげ》すべからざる有《あ》り。皆当《みなまさ》に往生《おうじょう》すべし」と。[126]仏《ぶつ》、弥勒《みろく》に語《かた》りたまわく、「但《ただ》し此《こ》の十四仏国《じゅうしぶっこく》の中《なか》の諸《もろもろ》の菩薩等《ぼさつとう》の、当《まさ》に往生《おうじょう》すべきのみに不《あら》ざるなり。十方世界無量《じっぽうせかいむりょう》の仏国《ぶっこく》より其《そ》の往生《おうじょう》する者《もの》、亦復《またま》た是《か》くの如《ごと》し。甚《はなは》だ多《おお》く無数《むしゅ》なり。我《われ》、但《ただ》し十方諸仏《じっぽうしょぶつ》の名《みょう》号《ごう》、及《およ》び菩薩《ぼさつ》・比丘《びく》の、彼《か》の国《くに》に生《しょう》ずる者《もの》を説《と》かんに、昼《ちゅう》夜一劫《やいっこう》すとも尚未《なおいま》だ竟《お》うること能《あた》わじ。我今《われいま》、汝《なんじ》が為《ため》に略《りゃく》して之《これ》を説《と》くまくのみ。」

[127]仏《ぶつ》、弥勒《みろく》に語《かた》りたまわく、「其《そ》れ、彼《か》の仏《ぶつ》の名号《みょうごう》を聞《き》くことを得《え》て、歓喜踊躍《かんぎゆやく》して乃至一念《ないしいちねん》すること有《あ》らん。当《まさ》に知《し》る

利《り》。則《そく》是《ぜ》具足《ぐそく》。無上功德《むじょうくどく》。是故《ぜこ》彌勒《みろく》。設《せつ》有《う》大火《だいか》。充滿三千大千世界《じゅうまんさんぜんだいせんせかい》。要當《ようとう》過此《かし》。聞是《もんぜ》經法《きょうぼう》。歡喜信樂《かんぎしんぎょう》。受持讀誦《じゅじどくじゅ》。如說修行《にょせつしゅぎょう》。所以者何《しょいしゃが》。多有菩薩《たうぼさつ》。欲聞此經《よくもんしきょう》。而不能得《にふのうとく》。若有衆生《にゃくうしゅじょう》。聞此經者《もんしきょうしゃ》。於無上道《おむじょうどう》。終不退轉《じゅうふたいてん》。是故應當《ぜこおうとう》。專心信受《せんしんしんじゅ》。持誦說行《じじゅせつぎょう》。佛《ぶつ》言吾今《ごんごこん》。爲諸衆生《いしょしゅじょう》。說此經法《せつしきょうぼう》。令《りょう》見無量壽佛《けんむりょうじゅぶつ》。及其國土《ぎゅうごこくど》。一切所有《いっさいしょう》。所當爲者《しょとういしゃ》。皆可求之《かいかぐし》。無得以我《むとくいが》。滅度《めつど》之後《しご》。復生疑惑《ぶしょうぎわく》。當來之世《とうらいしせ》。經道滅《きょうどうめつ》盡《じん》。我以慈悲哀愍《がいじひあいみん》。特留此經《どくるしきょう》。止住《しじゅう》百歲《ひゃくさい》。其有衆生《ごうしゅじょう》。値斯經者《ちしきょうしゃ》。隨意《ずいい》所願《しょがん》。皆可得度《かいかとくど》。佛語彌勒《ぶつごみろく》。如來興世《にょらいこうせ》。難値難見《なんちなんけん》。諸佛經道《しょぶつきょうどう》。難得難聞《なんとくなんもん》。菩《ぼ》薩勝法《さつしょうほう》。諸波羅蜜《しょはらみつ》。得聞亦難《とくもんやくなん》。遇善《ぐぜん》

べし。此《こ》の人《ひと》は大利《だいり》を得《う》とす。則《すなわ》ち是《こ》れ無上《むじょう》の功徳《くどく》を具足《ぐそく》するなり。

128 是《こ》の故《ゆえ》に弥勒《みろく》、設《たと》い大火《だいか》有《あ》りて三千大千世界《さんぜんだいせんせかい》に充満《じゅうまん》せんに、要《かなら》ず当《まさ》に此《こ》れを過《す》ぎて是《こ》の経法《きょうぼう》を聞《き》きて、歓喜信楽《かんぎしんぎょう》し、受持読誦《じゅじどくじゅ》し、説《せつ》の如《ごと》く修行《しゅぎょう》すべし。所以《ゆえ》は何《いか》ん。多《おお》く菩薩《ぼさつ》有《あ》りて、此《こ》の経《きょう》を聞《き》かんと欲《おも》えども得《う》ること能《あた》わず。若《も》し衆生《しゅじょう》有《あ》りて、此《こ》の経《きょう》を聞《き》けば、無上道《むじょうどう》に於《お》いて終《つい》に退転《たいてん》せず。是《こ》の故《ゆえ》に応当《まさ》に専心《せんしん》に信受《しんじゅ》し持誦《じじゅ》し説行《せつぎょう》すべし。」

129 仏《ぶつ》の言《のたま》わく、「吾今《われいま》、諸《もろもろ》の衆生《しゅじょう》の為《ため》に此《こ》の経法《きょうぼう》を説《と》きて、無量寿仏《むりょうじゅぶつ》及《およ》び其《そ》の国土《こくど》の一切所有《いっさいしょう》を見《み》せしむ。当《まさ》に為《な》すべき所《ところ》の者《もの》は、皆之《みなこれ》を求《もと》むべし。我《わ》が滅度《めつど》の後《のち》を以《もっ》て、復《ま》た疑惑《ぎわく》を生《しょう》ずることを得《う》ること無《な》かれ。当来《とうらい》の世《よ》に経道滅尽《きょうどうめつじん》せんに、我《われ》、慈悲哀愍《じひあいみん》を以《もっ》て、特《こと》に此《こ》の経《きょう》を留《とど》めて止住《しじゅう》すること百歳《ひゃくさい》せん。其《そ》れ衆生《しゅじょう》有《あ》りて、斯《こ》の経《きょう》に値《あ》う者《もの》は、意《こころ》の所願《しょがん》に随《したが》いて皆得度《みなとくど》すべし。」

130 仏《ぶつ》、弥勒《みろく》に語《かた》りたまわく、「如来《にょらい》の興世《こうせ》、値《あ》い難《がた》く見《み》たてまつり難《がた》し。

知識《じしき》。聞法能行《もんぽうのうぎょう》。此亦為難《しやくいなん》。若聞斯《にゃくもんし》經《きょう》。信樂受持《しんぎょうじゅじ》。難中之難《なんちゅうしなん》。無過此《むかし》難《なん》。是故我法《ぜこがほう》。如是作《にょぜさ》。如是說《にょぜせつ》。如是《にょぜ》教《きょう》。應當信順《おうとうしんじゅん》。如法修行《にょほうしゅぎょう》。

爾時世尊《にじせそん》。說此經法《せつしきょうぼう》。無量衆生《むりょうしゅじょう》。皆發無上正覺之心《かいほつむじょうしょうがくししん》。萬二千那由他人《まんにせんなゆたにん》。得清淨法眼《とくしょうじょうほうげん》。二十二億《にじゅうにおく》。諸天人民《しょてんにんみん》。得阿那含果《とくあなごんか》。八十萬比丘《はちじゅうまんびく》。漏盡意解《ろじんいげ》。四十億菩薩《しじゅうおくぼさつ》。得不退轉《とくふたいてん》。以弘誓功德《いぐぜいくどく》。而自莊嚴《にじしょうごん》。於將來世《おしょうらいせ》。當成正覺《とうじょうしょうがく》。爾時三千大千世界《にじさんぜんだいせんせかい》。六種震動《ろくしゅしんどう》。大光普《だいこうふ》照十方國土《しょうじっぽうこくど》。百千音樂《ひゃくせんおんがく》。自然而作《じねんにさ》。無量妙華《むりょうみょうけ》。紛紛而降《ふんぷんにごう》。佛說經已《ぶっせつきょうい》。彌勒菩薩《みろくぼさつ》。及十方來《ぎゅうじっぽうらい》。諸菩薩衆《しょぼさつしゅ》。長《ちょう》

諸仏《しょぶつ》の経道《きょうどう》、得難《えがた》く聞《き》き難《がた》し。菩薩《ぼさつ》の勝法《しょうほう》・諸波羅蜜《しょはらみつ》、聞《き》くことを得《う》ること亦難《またかた》し。善知識《ぜんじしき》に遇《あ》い、法《ほう》を聞《き》きて能《よ》く行《ぎょう》ずること、此《こ》れ亦難《またかた》しとす。若《も》し斯《こ》の経《きょう》を聞《き》きて信楽《しんぎょう》受持《じゅじ》すること、難《かた》きが中《なか》に難《かた》し、此《こ》れに過《す》ぎて難《かた》きこと無《な》し。是《こ》の故《ゆえ》に、我《わ》が法《ほう》、是《か》くの如《ごと》く作《な》し、是《か》くの如《ごと》く説《と》き、是《か》くの如《ごと》く教《おし》う。応当《まさ》に信順《しんじゅん》して法《ほう》の如《ごと》く修行《しゅぎょう》すべし。」

131 爾《そ》の時《とき》に世尊《せそん》、此《こ》の経法《きょうぼう》を説《と》きたまうに、無量《むりょう》の衆生《しゅじょう》、皆《みな》無上正覚《むじょうしょうがく》の心《しん》を発《おこ》しき。132 万二千那由他《まんにせんなゆた》の人《ひと》、清浄法眼《しょうじょうほうげん》を得《え》き。二十二億《にじゅうにおく》の諸天《しょてん》・人民《にんみん》、阿那含果《あなごんか》を得《え》き。八十万《はちじゅうまん》の比丘《びく》、漏尽意解《ろじんいさと》り、四十億《しじゅうおく》の菩薩《ぼさつ》、不退転《ふたいてん》を得《え》、弘誓《ぐぜい》の功徳《くどく》を以《もっ》て自《みずか》ら荘厳《しょうごん》す。将来世《しょうらいせ》に於《お》いて当《まさ》に正覚《しょうがく》を成《な》るべし。133 爾《そ》の時《とき》に三千大千世界《さんぜんだいせんせかい》、六種《ろくしゅ》に震動《しんどう》す。大光普《だいこうあまね》く十方国土《じっぽうこくど》を照《て》らす。百千《ひゃくせん》の音楽《おんがく》、自然《じねん》にして作《な》し、無量《むりょう》の妙華《みょうけ》、紛紛《ふんぷん》として降《くだ》る。134 仏《ぶつ》、経《きょう》を説《と》きたまうこと已《お》わりたまいしに、弥勒菩薩《みろくぼさつ》及《およ》び十方来《じっぽうらい》の諸《もろもろ》の菩薩衆《ぼさつしゅ》、長老阿難《ちょうろうあなん》、諸大声聞《しょだいしょうもん》、一切大衆《いっさいだいしゅ》、仏《ぶつ》の所説《しょせつ》を聞《き》きたまえて歓喜《かんぎ》せざる

老《ろう》阿《あ》難《なん》。諸《しょ》大《だい》聲《しょう》聞《もん》。一《いっ》切《さい》大《だい》衆《しゅ》。聞《もん》佛《ぶつ》所《しょ》說《せつ》。靡《み》不《ふ》歡《かん》喜《ぎ》。

佛《ぶっ》說《せつ》無《む》量《りょう》壽《じゅ》經《きょう》卷《かん》下《げ》

は靡《な》し。

仏《ぶっ》説《せつ》無《む》量《りょう》寿《じゅ》経《きょう》巻《かん》下《げ》

佛説觀無量壽經《ぶっせつかんむりょうじゅきょう》

宋元嘉中《そうげんかちゅう》　畺良耶舍譯《きょうりょうやしゃやく》

如是我聞《にょぜがもん》。一時佛《いちじぶつ》。在王舍城《ざいおうしゃじょう》。耆闍《ぎしゃ》崛山中《くっせんじゅう》。與大比丘衆《よだいびくしゅ》。千二百五十《せんにひゃくごじゅう》人倶《にんく》。菩薩三萬二千《ぼさつさんまんにせん》。文殊師利法王子《もんじゅしりほうおうじ》。而爲上首《にいじょうしゅ》。

爾時王舍大城《にじおうしゃだいじょう》。有一太子《ういちたいし》。名阿闍世《みょうあじゃせ》。隨順調達《ずいじゅんじょうだつ》。惡友之敎《あくうしきょう》。收執父王《しゅしゅうぶおう》。頻婆娑羅《びんばしゃら》。幽閉置於七重室內《ゆうへいちおしちじゅうしつない》。制諸《せいしょ》群臣《ぐんしん》。一不得往《いつぷとくおう》。國大夫人《こくだいぶにん》。名韋提《みょういだい》希《け》。恭敬大王《くぎょうだいおう》。澡浴清淨《そうよくしょうじょう》。以酥蜜《いそみつ》和麨《わしょう》。用塗其身《ようずごしん》。諸瓔珞中《しょようらくちゅう》。盛蒲《じょうぶ》桃漿《どうしょう》。密以上王《みついじょうおう》。爾時大王《にじだいおう》。食麨《じきしょう》飮漿《おんしょう》。求水漱口《ぐすいそうく》。漱口畢已《そうくひつい》。合掌恭《がっしょうく》

仏説観無量寿経《ぶっせつかんむりょうじゅきょう》

宋《そう》の元嘉中《げんかちゅう》に畺良耶舎《きょうりょうやしゃ》訳《やく》す

[1]是《か》くの如《ごと》き、我《われ》聞《き》きたまえき。[2]一時《ひととき》、仏《ぶつ》、王舎城《おうしゃじょう》耆闍崛《ぎしゃくつ》山《せん》の中《うち》に在《ましま》して、大比丘衆《だいびくしゅ》千二百五十人《せんにひゃくごじゅうにん》と倶《とも》なりき。菩《ぼ》薩三万二千《さつさんまんにせん》ありき。文殊師利法王子《もんじゅしりほうおうじ》をして上首《じょうしゅ》とす。

[3]爾《そ》の時《とき》に王舎大城《おうしゃだいじょう》に一《ひとり》の太子《たいし》有《あ》り。阿闍世《あじゃせ》と名《な》づけき。調達悪友《じょうだつあくう》の教《きょう》に随順《ずいじゅん》して、父《ちち》の王頻婆娑羅《おうびんばしゃら》を収執《しゅうしゅう》し、幽閉《ゆうへい》して七重《しちじゅう》の室《しつ》の内《うち》に置《お》く。諸《もろもろ》の群臣《ぐんしん》を制《せい》して、一《ひとり》も往《ゆ》くことを得《え》しめず。国《くに》の大夫人《だいぶにん》あり。韋提希《いだいけ》と名《な》づく。大《だい》王《おう》を恭敬《くぎょう》して、澡浴清浄《そうよくしょうじょう》にして、酥蜜《そみつ》を以《もっ》て麨《しょう》に和《わ》して、用《もっ》て其《そ》の身《み》に塗《ぬ》り、諸《もろもろ》の瓔珞《ようらく》の中《なか》に蒲桃《ぶどう》の漿《しょう》を盛《い》れて、密《ひそ》かに以《もっ》て王《おう》に上《すす》む。爾《そ》の時《とき》に大王《だいおう》、麨《しょう》を食《じき》し漿《しょう》を飲《の》みて、水《みず》を求《もと》めて口《くち》を漱《すす》ぐ。口《くち》を漱《すす》ぐこと畢《すで》に已《おわ》りて、合掌恭敬《がっしょうくぎょう》

敬《ぎょう》。向耆闍崛山《こうぎしゃくっせん》。遙禮世尊《ようらいせそん》。而作是言《にさぜごん》。大目犍連《だいもっけんれん》。是吾親友《ぜごしんぬ》。願興慈悲《がんこうじひ》。授我八戒《じゅがはっかい》。時目犍連《じもっけんれん》。如鷹隼飛《にょおうじゅんぴ》。疾至王所《しっしおうしょ》。日日如是《にちにちにょぜ》。授王八戒《じゅおうはっかい》。世尊亦遣《せそんやくけん》。尊者富樓那《そんじゃふるな》。爲王説法《いおうせっぽう》。如是時間《にょぜじけん》。經三七日《きょうさんしちにち》。王食麨蜜《おうじきしょうみつ》。得聞法故《とくもんぼうこ》。顏色和悅《げんしきわえつ》。

時阿闍世《じあじゃせ》。問守門者《もんしゅもんしゃ》。父王今者《ぶおうこんしゃ》。猶存在耶《ゆぞんざいや》。時守門人《じしゅもんにん》。白言大王《びゃくごんだいおう》。國大夫人《こくだいぶにん》。身塗麨蜜《しんずしょうみつ》。瓔珞盛漿《ようらくじょうしょう》。持用上王《じようじょうおう》。沙門目連《しゃもんもくれん》。及富樓那《ぎゅうふるな》。從空而來《じゅうくうにらい》。爲王說法《いおうせっぽう》。不可禁制《ふかきんぜい》。時阿闍世《じあじゃせ》。聞此語已《もんしごい》。怒其母曰《ぬごもわつ》。我母是賊《がもぜぞく》。與賊爲伴《よぞくいばん》。沙門惡人《しゃもんあくにん》。幻惑呪術《げんわくしゅじゅつ》。令此惡王《りょうしあくおう》。多日不死《たにちふし》。卽執利劒《そくしゅうりけん》。欲害其母《よくがいごも》。時有一臣《じういっしん》。名曰月光《みょうわつがっこう》。聰明多智《そうみょうたち》。及與《ぎゅうよ》

して、耆闍崛山《ぎしゃくっせん》に向《む》かいて、遙《はる》かに世尊《せそん》を礼《らい》して、是《こ》の言《ごん》を作《な》さく、「大目犍連《だいもっけんれん》、是《こ》れ吾《わ》が親友《しんぬ》なり。願《ねが》わくは、慈悲《じひ》を興《おこ》して、我《われ》に八戒《はっかい》を授《さず》けよ」と。時《とき》に目犍連《もっけんれん》、鷹隼《おうじゅん》の飛《と》ぶが如《ごと》くして、疾《と》く王《おう》の所《ところ》に至《いた》る。日日《にちにち》に、是《か》くの如《ごと》くして王《おう》に八戒《はっかい》を授《さず》く。世尊《せそん》、亦尊者富楼那《またそんじゃふるな》を遣《つか》わして、王《おう》の為《ため》に法《ほう》を説《と》かしむ。是《か》くの如《ごと》きの時《とき》の間《あいだ》、三七日《さんしちにち》を経《ふ》るに、王《おう》、麨蜜《しょうみつ》を食《じき》し、法《ほう》を聞《き》くことを得《う》るが故《ゆえ》に、顔色和悦《げんしきわえつ》なり。

4 時《とき》に阿闍世《あじゃせ》、守門《しゅもん》の者《もの》に問《と》わまく、「父《ちち》の王《おう》、今《いま》者に猶存《なおぞん》在《ざい》せりや」と。時《とき》に守門《しゅもん》の人《ひと》、白《もう》して言《もう》さく、「大王《だいおう》。国《くに》の大夫人《だいぶにん》、身《み》に麨蜜《しょうみつ》を塗《ぬ》り、瓔珞《ようらく》に漿《しょう》を盛《い》れて、持用《もっ》て王《おう》に上《すす》む。沙門目連及《しゃもんもくれんおよ》び富楼那《ふるな》、空《そら》よりして来《き》たりて、王《おう》の為《ため》に法《ほう》を説《と》かしむ。禁制《きんぜい》すべからず」と。時《とき》に阿闍世《あじゃせ》、此《こ》の語《ご》を聞《き》き已《おわ》りて、其《そ》の母《はは》を怒《いか》りて曰《い》わまく、「我《わ》が母《はは》は是《こ》れ賊《ぞく》なり、賊《ぞく》と伴《とも》たり。沙門《しゃもん》は悪人《あくにん》なり。幻惑《げんわく》の呪術《しゅじゅつ》をもって、此《こ》の悪王《あくおう》をして多日《たにち》、死《し》せざらしむ。」即《すなわ》ち利剣《りけん》を執《と》りて、其《そ》の母《はは》を害《がい》せんとす。時《とき》に一《ひとり》の臣有《しんあ》り。名《な》をば月光《がっこう》と曰《い》う。

耆婆《ぎば》。爲王作禮《いおうさらい》。白言大王《びゃくごんだいおう》。臣聞毘《しんもんび》陀論經說《だろんぎょうせつ》。劫初已來《こっしょいらい》。有諸惡王《うしょあくおう》。貪《とん》國位故《ごくいこ》。殺害其父《せつがいごぶ》。一萬八千《いちまんはっせん》。未曾聞《みぞうもん》有《う》。無道害母《むどうがいも》。王今爲此《おうこんいし》。殺逆之事《せつぎゃくしじ》。汚刹利種《わせつりしゅ》。臣不忍聞《しんぷにんもん》。是栴陀羅《ぜせんだら》。不宜《ふぎ》住此《じゅうし》。時二大臣《じにだいじん》。說此語竟《せつしごきょう》。以手按《いしゅあん》劒《けん》。却行而退《きゃくぎょうにたい》。時阿闍世《じあじゃせ》。驚怖惶《きょうふおう》懼《く》。告耆婆言《ごうぎばごん》。汝不爲我耶《にょふいがや》。耆婆白《ぎばびゃく》言大王《ごんだいおう》。愼莫害母《しんまくがいも》。王聞此語《おうもんしご》。懺悔求《さんげぐ》救《く》。卽便捨劒《そくべんしゃけん》。止不害母《しふがいも》。敕語內官《ちょくごないかん》。閉置深宮《へいちじんぐう》。不令復出《ふりょうぶしゅつ》。

時韋提希《じいだいけ》。被幽閉已《ひゆうへいい》。愁憂憔悴《しゅううしょうすい》。遙《よう》向耆闍崛山《こうぎしゃくっせん》。爲佛作禮《いぶつさらい》。而作是言《にさぜごん》。如《にょ》來世尊《らいせそん》。在昔之時《ざいしゃくしじ》。恆遣阿難《ごうけんあなん》。來慰《らいい》

聡明《そうみょう》にして多智《たち》なり。及《およ》び耆婆《ぎば》と、王《おう》の為《ため》に、礼《らい》を作《な》して白《もう》して言《もう》さく、「大王《だいおう》。臣聞《しんき》く、『毘陀論経《びだろんぎょう》』に説《と》かく、劫《こっ》初《しょ》より已来《このかた》、諸《もろもろ》の悪王《あくおう》有《あ》りて国位《こくい》を貪《むさぼ》るが故《ゆえ》に、其《そ》の父《ちち》を殺害《せつがい》せること一万八千《いちまんはっせん》なり。未《いま》だ曾《むかし》にも聞《き》かず、無道《むどう》に母《はは》を害《がい》すること有《あ》るをば。王《おう》、今此《いまこ》の殺逆《せつぎゃく》の事《じ》を為《な》さば、刹利種《せつりしゅ》を汚《けが》してん。臣聞《しんき》くに忍《しの》びず。是《こ》れ栴陀羅《せんだら》なり。宜《よろ》しく此《ここ》に住《じゅう》すべからず。」時《とき》に二《ふたり》の大臣《だいじん》、此《こ》の語《ことば》を説《と》き竟《おわ》りて、手《て》を以《もっ》て剣《けん》を按《おさ》えて、却行《きゃくぎょう》して退《しりぞ》く。時《とき》に阿闍世《あじゃせ》、驚怖《きょうふ》し惶懼《おうく》して、耆婆《ぎば》に告《つ》げて言《い》わく、「汝《なんじ》、我《わ》が為《ため》にせざらんや」と。耆婆《ぎば》、白《もう》して言《もう》さく、「大王《だいおう》。慎《つつし》みて母《はは》を害《がい》すること莫《な》かれ」と。王《おう》、此《こ》の語《ご》を聞《き》きて、懺悔《さんげ》して救《たす》けんことを求《もと》む。即便《すなわ》ち剣《けん》を捨《す》てて、止《とど》まりて母《はは》を害《がい》せず。内《ない》官《かん》に勅語《ちょくご》し、深宮《じんぐう》に閉置《へいち》して、復《ま》た出《い》ださしめず。

5 時《とき》に韋提希《いだいけ》、幽閉《ゆうへい》せられ已《おわ》りて、愁憂憔悴《しゅううしょうすい》す。遙《はる》かに耆《ぎ》闍崛山《しゃくっせん》に向《む》かいて、仏《ぶつ》の為《みため》に礼《らい》を作《な》して、是《こ》の言《ごん》を作《な》さく、「如来世尊《にょらいせそん》、在昔《むかし》の時《とき》、恒《つね》に阿難《あなん》を遣《つか》わして来《き》たらしめて、

問《もん》我《が》。我今愁憂《がこんしゅう》。世尊威重《せそんいじゅう》。無由得《むゆとく》見《けん》。願遣目連《がんけんもくれん》。尊者阿難《そんじゃあなん》。與我相見《よがそうけん》。作是語已《さぜごい》。悲泣雨涙《ひきゅううるい》。遙向佛禮《ようこうぶつらい》。未《み》擧頭頃《こずきょう》。爾時世尊《にじせそん》。在耆闍崛山《ざいぎしゃくっせん》。知《ち》韋提希《いだいけ》。心之所念《しんししょねん》。即敕大目犍連《そくちょくだいもつけんれん》。及以阿難《ぎゅういあなん》。從空而來《じゅうくうにらい》。佛從耆闍崛《ぶつじゅうぎしゃくつ》山沒《せんもつ》。於王宮出《おおうぐうしゅつ》。時韋提希《じいだいけ》。禮已擧《らいいこ》頭《ず》。見世尊釋迦牟尼佛《けんせそんしゃかむにぶつ》。身紫金色《しんしこんじき》。坐《ざ》百寶蓮華《ひゃつぽうれんげ》。目連侍左《もくれんじさ》。阿難在右《あなんざいう》。釋《しゃく》梵護世《ぼんごせ》。諸天在虚空中《しょてんざいこくうじゅう》。普雨天華《ふうてんげ》。持用供養《じようくよう》。時韋提希《じいだいけ》。見佛世尊《けんぶつせそん》。自絶《じぜつ》瓔珞《ようらく》。擧身投地《こしんとうじ》。號泣向佛《ごうきゅうこうぶつ》。白言世《びゃくごんせ》尊《そん》。我宿何罪《がしゅくがざい》。生此惡子《しょうしあくし》。世尊復有《せそんぶう》何等因縁《がとういんねん》。與提婆達多《よだいばだった》。共爲眷屬《ぐいけんぞく》。

我《われ》を慰問《いもん》したまいき。我今《われいま》愁憂《しゅうう》す。世尊《せそん》は威重《いじゅう》にして、見《み》たてまつること得《う》るに由無《よしな》し。願《ねが》わくは目連《もくれん》と尊者阿難《そんじゃあなん》を遣《つか》わして、我《わ》が与《ため》に相見《あいみ》せしめたまうべし。」是《こ》の語《ご》を作《な》し已《おわ》りて、悲泣雨涙《ひきゅううるい》して、遙《はる》かに仏《ぶつ》に向《む》かいて礼《らい》したてまつる。未《いま》だ頭《こうべ》を挙《あ》げざる頃《あいだ》に、爾《そ》の時《とき》に世尊《せそん》、耆闍崛山《ぎしゃくっせん》に在《まし》まして、韋提希《いだいけ》の心《しん》の所念《しょねん》を知《し》ろしめして、即《すなわ》ち大目犍連《だいもっけんれん》及《およ》以び阿難《あなん》に勅《ちょく》して、空《そら》よりして来《き》たらしめたまう。仏《ぶつ》、耆闍《ぎしゃ》崛山《くっせん》より、王宮《おうぐう》に没《もっ》して出《い》でたまう。時《とき》に韋提希《いだいけ》、礼《らい》し已《おわ》りて頭《こうべ》を挙《あ》げて、[1]世尊釈迦牟尼仏《せそんしゃかむにぶつ》を見《み》たてまつる。身《しん》は紫金《しこん》色《じき》にして、百宝《ひゃくほう》の蓮華《れんげ》に坐《ざ》したまえり。目連《もくれん》は左《ひだり》に侍《はんべ》り、阿難《あなん》は右《みぎ》に在《あ》り。釈《しゃく》・梵《ぼん》・護世《ごせ》の諸天《しょてん》、虚空《こくう》の中《なか》に在《あ》りて普《あまね》く天華《てんげ》を雨《ふ》りて、持用《もっ》て供養《くよう》したてまつる。時《とき》に韋提希《いだいけ》、仏世尊《ぶっせそん》を見《み》たてまつりて、自《みずか》ら瓔珞《ようらく》を絶《た》ち、身《み》を挙《あ》げて地《じ》に投《な》ぐ。号泣《ごうきゅう》して仏《ぶつ》に向《む》かいて白《もう》して言《もう》さく、「世尊《せそん》。我《われ》、宿何《むかしなに》の罪《つみ》ありてか、此《こ》の悪子《あくし》を生《しょう》ずる。世尊復《せそんま》た何等《なんら》の因《いん》縁《ねん》有《ましま》してか、提婆達多《だいばだった》と共《とも》に眷属《けんぞく》たる。

唯願世尊《ゆいがんせそん》。爲我廣説《いがこうせつ》。無憂惱處《むうのうしょ》。我當《がとう》往生《おうじょう》。不樂《ふぎょう》閻浮提《えんぶだい》。濁惡世《じょくあくせ》也《や》。此《し》濁惡處《じょくあくしょ》。地獄餓鬼畜生《じごくがきちくしょう》。盈滿《ようまん》多《た》不善《ふぜん》聚《じゅ》。願我未來《がんがみらい》。不聞惡聲《ふもんあくしょう》。不見惡人《ふけんあくにん》。今向世尊《こんこうせそん》。五體投地《ごたいとうじ》。求哀懺悔《ぐあいさんげ》。唯願《ゆいがん》佛日《ぶつにち》。教我觀於清淨業處《きょうがかんおしょうじょうごっしょ》。爾時世《にじせ》尊《そん》。放眉間光《ほうみけんこう》。其光金色《ごこうこんじき》。偏照十《へんじょうじっ》方《ぽう》。無量世界《むりょうせかい》。還住佛頂《げんじゅうぶっちょう》。化爲金《けいこん》臺《だい》。如須彌山《にょしゅみせん》。十方諸佛《じっぽうしょぶつ》。淨妙國土《じょうみょうこくど》。皆於中現《かいおちゅうげん》。或有國土《わくうこくど》。七寶合成《しっぽうごうじょう》。復《ぶ》有國土《うこくど》。純是蓮華《じゅんぜれんげ》。復有國土《ぶうこくど》。如自《にょじ》在天宮《ざいてんぐう》。復有國土《ぶうこくど》。如玻瓈鏡《にょはりきょう》。十方《じっぽう》國土《こくど》。皆於中現《かいおちゅうげん》。有如是等《うにょぜとう》。無量諸《むりょうしょ》佛國土《ぶっこくど》。嚴顯可觀《ごんけんかかん》。令韋提希見《りょういだいけけん》。時《じ》韋提希《いだいけ》。白佛言世尊《びゃくぶつごんせそん》。是諸佛土《ぜしょぶつど》。雖《すい》復清淨《ぶしょうじょう》。皆有光明《かいうこうみょう》。我今樂生《がこんぎょうしょう》。

6
唯願《ややねが》わくは、世尊《せそん》、我《わ》が為《ため》に広《ひろ》く憂悩《うのう》無《な》き処《ところ》を説《と》きたまえ。我当《われまさ》に往生《おうじょう》すべし。閻浮提《えんぶだい》・濁悪世《じょくあくせ》をば楽《ねが》わず。此《こ》の濁悪処《じょくあくしょ》は地獄《じごく》・餓鬼《がき》・畜生《ちくしょう》盈満《ようまん》して、不善《ふぜん》の聚《ともがら》多《おお》し。願《ねが》わくは、我《われ》、未来《みらい》に悪声《あくしょう》を聞《き》かじ、悪人《あくにん》を見《み》じ。今世尊《いませそん》に向《む》かいて、五体《ごたい》を地《じ》に投《な》げて、求哀《ぐあい》し懺悔《さんげ》す。唯願《ややねが》わくは、仏日《ぶつにち》、我《われ》に清浄《しょうじょう》の業処《ごっしょ》を観《かん》ぜしむることを教《おし》えたまえ」と。爾《そ》の時《とき》に世尊《せそん》、眉間《みけん》の光《ひかり》を放《はな》ちたまう。其《そ》の光金色《ひかりこんじき》なり。遍《あまね》く十方無量《じっぽうむりょう》の世界《せかい》を照《て》らして、還《かえ》りて仏《ぶつ》の頂《いただき》に住《じゅう》して、化《け》して金台《こんだい》と為《な》りぬ。須弥山《しゅみせん》の如《ごと》し。十方諸仏《じっぽうしょぶつ》の浄妙《じょうみょう》の国土《こくど》、皆中《みなか》に於《お》いて現《げん》ず。或《ある》いは国土《こくど》有《あ》り、七宝合成《しちほうごうじょう》せり。復《ま》た国土《こくど》有《あ》り、純《もっぱ》ら是《こ》れ蓮華《れんげ》なり。復《ま》た国土《こくど》有《あ》り、自《じ》在天宮《ざいてんぐう》の如《ごと》し。復《ま》た国土《こくど》有《あ》り、玻瓈鏡《はりきょう》の如《ごと》し。十方《じっぽう》の国土《こくど》、皆中《みなか》に於《お》いて現《げん》ず。是《か》くの如《ごと》き等《ら》の無量《むりょう》の諸仏《しょぶつ》の国土《こくど》有《あ》り。厳顕《ごんけん》にして観《み》つべし。韋提希《いだいけ》をして見《み》せしめたまう。時《とき》に韋提希《いだいけ》、仏《ぶつ》に白《もう》して言《もう》さく、「世尊《せそん》。是《こ》の諸《もろもろ》の仏土《ぶつど》、復《ま》た清浄《しょうじょう》にして皆光明有《みなこうみょうあ》りと雖《いえど》も、我今《われいま》、極楽世界《ごくらくせかい》の阿弥陀仏《あみだぶつ》

極樂世界《ごくらくせかい》。阿彌陀佛所《あみだぶつしょ》。唯願世尊《ゆいがんせそん》。教我思惟《きょうがしゆい》。教我正受《きょうがしょうじゅ》。

爾時世尊《にじせそん》。即便微笑《そくべんみしょう》。有五色光《うごしきこう》。從《じゅう》佛口出《ぶっくしゅつ》。一一光照《いちいちこうしょう》。頻婆娑羅頂《びんばしゃらちょう》。

爾時大王《にじだいおう》。雖在幽閉《すいざいゆうへい》。心眼無障《しんげんむしょう》。遙《よう》見世尊《けんせそん》。頭面作禮《ずめんさらい》。自然增進《じねんぞうしん》。成《じょう》阿那含《あなごん》。

爾時世尊《にじせそん》。告韋提希《ごういだいけ》。汝今知不《にょこんちふ》。阿彌陀佛《あみだぶつ》。去此不遠《こしふおん》。汝當繫念《にょとうけねん》。諦觀彼國《たいかんひこく》。淨業成者《じょうごうじょうしゃ》。我今爲汝《がこんいにょ》。廣說衆譬《こうせつしゅひ》。亦令未來世《やくりょうみらいせ》。一切凡夫《いっさいぼんぶ》。欲修淨業者《よくしゅじょうごうしゃ》。得生西方《とくしょうさいほう》。極樂國土《ごくらくこくど》。欲生彼國者《よくしょうひこくしゃ》。當修三福《とうしゅさんぷく》。一者孝養父母《いっしゃきょうようぶも》。奉事師長《ぶじしちょう》。慈心不殺《じしんふせつ》。修十善業《しゅじゅうぜんごう》。二者受持三歸《にしゃじゅじさんき》。具足衆戒《ぐそくしゅかい》。不犯威儀《ふぼんいぎ》。三者發菩提心《さんじゃほつぼだいしん》。深信因果《じんしんいんが》。讀誦大乘《どくじゅだいじょう》。勸進《かんじん》

の所《みもと》に生《う》まれんと楽《ねが》う。唯願《ややねが》わくは、世尊《せそん》、我《われ》に思惟《しゆい》を教《おし》えたまえ、我《われ》に正受《しょうじゅ》を教《おし》えたまえ。」

[7]爾《そ》の時《とき》に世尊《せそん》、即便《すなわ》ち微笑《みしょう》したまうに、五色《ごしき》の光《ひかり》有《あ》りて仏《ぶつ》の口《みくち》より出《い》ず。一一《いちいち》の光《ひかり》、頻婆娑羅《びんばしゃら》の頂《いただき》を照《て》らしたまう。爾《そ》の時《とき》に大王《だいおう》、幽閉《ゆうへい》に在《あ》りと雖《いえど》も、心眼障《しんげんさわり》無《な》くして、遙《はる》かに世尊《せそん》を見《み》たてまつりて、頭面《ずめん》に礼《らい》を作《な》す。自然《じねん》に増進《ぞうしん》して阿那含《あなごん》と成《な》りにき。

爾《そ》の時《とき》に世尊《せそん》、韋提希《いだいけ》に告《つ》げたまわく、「汝今《なんじいまし》知れりや不《いな》や。阿弥陀仏《あみだぶつ》、此《ここ》を去《さ》りたまうこと遠《とお》からず。汝当《なんじまさ》に繫念《けねん》して、諦《あき》らかに彼《か》の国《くに》の浄業成《じょうごうじょう》じたまえる者《ひと》を観《かん》ずべし。我今汝《われいまなんじ》が為《ため》に、広《ひろ》く衆《もろもろ》の譬《たとえ》を説《と》かん。亦《また》、未来世《みらいせ》の一切《いっさい》の凡夫《ぼんぶ》の、浄業《じょうごう》を修《しゅ》せんと欲《おも》わん者《もの》をして、西方極楽国土《さいほうごくらくこくど》に生《しょう》ずることを得《え》しめん。彼《か》の国《くに》に生《う》まれんと欲《おも》わん者《もの》は、当《まさ》に三福《さんぷく》を修《しゅ》すべし。一《ひと》つには父母《ぶも》に孝養《きょうよう》し、師長《しちょう》に奉事《ぶじ》し、慈心《じしん》ありて殺《せっ》せず、十善業《じゅうぜんごう》を修《しゅ》す。二《ふた》つには三帰《さんき》を受《じゅ》持《じ》し、衆戒《しゅかい》を具足《ぐそく》し、威儀《いぎ》を犯《ぼん》せず。三《み》つには菩提心《ぼだいしん》を発《おこ》し、

行者《ぎょうじゃ》。如此三事《にょしさんじ》。名爲淨業《みょういじょうごう》。佛告《ぶつごう》韋提希《いだいけ》。汝今知不《にょこんちふ》。此三種業《しさんじゅごう》。過去未來現在《かこみらいげんざい》。三世諸佛《さんぜしょぶつ》。淨業正因《じょうごうしょういん》。

佛告阿難《ぶつごうあなん》。及韋提希《ぎゅういだいけ》。諦聽諦聽《たいちょうたいちょう》。善思念之《ぜんしねんし》。如來今者《にょらいこんしゃ》。爲未來世《いみらいせ》。一切衆生《いっさいしゅじょう》。爲煩惱賊之所害者《いぼんのうぞくししょがいしゃ》。說清淨業《せつしょうじょうごう》。善哉韋提希《ぜんざいいだいけ》。快問此事《けもんしじ》。阿難汝當受持《あなんにょとうじゅじ》。廣爲多衆《こういたしゅ》。宣說佛語《せんぜつぶつご》。如來今者《にょらいこんしゃ》。敎韋提希《きょういだいけ》。及未來世《ぎゅうみらいせ》。一切衆生《いっさいしゅじょう》。觀於西方《かんおさいほう》。極樂世界《ごくらくせかい》。以佛力故《いぶつりきこ》。當得見彼《とうとくけんぴ》。清淨國土《しょうじょうこくど》。如執明鏡《にょしゅうみょうきょう》。自見面像《じけんめんぞう》。見彼國土《けんぴこくど》。極妙樂事《ごくみょうらくじ》。心歡喜故《しんかんぎこ》。應時卽得無生法忍《おうじそくとくむしょうぼうにん》。佛告韋提希《ぶつごういだいけ》。汝是凡夫《にょぜぼんぶ》。心想羸劣《しんそうるいれつ》。未得天眼《みとくてんげん》。不能遠觀《ふのうおんかん》。諸佛如來《しょぶつにょらい》。有異方便《ういほうべん》。令《りょう》

深《ふか》く因果《いんが》を信《しん》じ、大乗《だいじょう》を読誦《どくじゅ》し、行者《ぎょうじゃ》を勧進《かんじん》す。此《か》くの如《ごと》きの三事《さんじ》を名《な》づけて浄業《じょうごう》とす。」仏《ぶつ》、韋提希《いだいけ》に告《つ》げたまわく、「汝今《なんじいまし》知れりや不《いな》や。此《こ》の三種《さんしゅ》の業《ごう》は、過去《かこ》・未来《みらい》・現在《げんざい》、三世《さんぜ》の諸仏《しょぶつ》の浄業《じょうごう》の正因《しょういん》なり。」

8 仏《ぶつ》、阿難及《あなんおよ》び韋提希《いだいけ》に告《つ》げたまわく、「諦《あき》らかに聴《き》き、諦《あき》らかに聴《き》け。善《よ》く之《これ》を思念《しねん》せよ。如来《にょらい》、今者《いま》、未来世《みらいせ》の一切《いっさい》衆生《しゅじょう》の、煩悩《ぼんのう》の賊《ぞく》の為《ため》に害《がい》せらるる者《もの》の為《ため》に、清浄《しょうじょう》の業《ごう》を説《と》かん。善《よ》きかな、韋提希《いだいけ》、快《こころよ》く此《こ》の事《じ》を問《と》えり。阿難《あなん》。汝当《なんじまさ》に受持《じゅじ》して、広《ひろ》く多衆《たしゅ》の為《ため》に仏語《ぶつご》を宣説《せんぜつ》すべし。如来《にょらい》、今者《いま》、韋提希及《いだいけおよ》び未来世《みらいせ》の一切衆生《いっさいしゅじょう》をして、西方極楽世界《さいほうごくらくせかい》を観《かん》ぜしめんことを教《おし》えん。仏力《ぶつりき》を以《もっ》ての故《ゆえ》に、当《まさ》に彼《か》の清浄《しょうじょう》の国土《こくど》を見《み》ること、明鏡《みょうきょう》を執《と》りて自《みずか》ら面像《めんぞう》を見《み》るが如《ごと》く、彼《か》の国土《こくど》の極妙《ごくみょう》の楽事《らくじ》を見《み》ることを得《う》べし。心《しん》の歓喜《かんぎ》するが故《ゆえ》に、時《とき》に即《すなわ》ち無生法忍《むしょうぼうにん》を得《う》べし。」仏《ぶつ》、韋提希《いだいけ》に告《つ》げたまわく、「汝《なんじ》は是《こ》れ凡夫《ぼんぶ》なり。心想羸劣《しんそうるいれつ》にして未《いま》だ天眼《てんげん》を得《え》ず。遠《とお》く観《み》ること能《あた》わず。諸仏如来《しょぶつにょらい》は異《い》の方便《ほうべん》

汝得見《にょとくけん》。時《じ》韋提希《いだいけ》。白佛言世尊《びゃくぶつごんせそん》。如《にょ》我今者《がこんしゃ》。以佛力故《いぶつりきこ》。見彼國土《けんぴこくど》。若佛《にゃくぶつ》滅後《めつご》。諸衆生等《しょしゅじょうとう》。濁惡不善《じょくあくふぜん》。五苦所《ごくしょ》逼《ひつ》。云何當見《うんがとうけん》。阿彌陀佛《あみだぶつ》。極樂世界《ごくらくせかい》。

佛告韋提希《ぶつごういだいけ》。汝及衆生《にょぎゅうしゅじょう》。應當專心《おうとうせんしん》。繫念一處《けねんいっしょ》。想於西方《そうおさいほう》。云何作想《うんがさそう》。凡作《ぼんさ》想者《そうしゃ》。一切衆生《いっさいしゅじょう》。自非生盲《じひしょうもう》。有目之《うもくし》徒《と》。皆見日沒《かいけんにちもつ》。當起想念《とうきそうねん》。正坐西《しょうざさい》向《こう》。諦觀於日《たいかんおにち》。令心堅住《りょうしんけんじゅう》。專想不《せんそうふ》移《い》。見日欲沒《けんにちよくもつ》。狀如懸鼓《じょうにょけんく》。既見日已《きけんにちい》。閉目開目《へいもくかいもく》。皆令明了《かいりょうみょうりょう》。是爲日想《ぜいにっそう》。名曰初觀《みょうわつしょかん》。

次作水想《しさすいそう》。見水澄清《けんすいちょうしょう》。亦令明了《やくりょうみょうりょう》。無分散意《むぶんさんい》。既見水已《きけんすいい》。當起氷想《とうきひょうそう》。見《けん》

有《まし》して、汝《なんじ》をして見《み》ることを得《え》しめたまう。」時《とき》に韋提希《いだいけ》、仏《ぶつ》に白《もう》して言《もう》さく、「世尊《せそん》。我《わ》が如《ごと》きは、今者《いま》仏力《ぶつりき》を以《もっ》ての故《ゆえ》に彼《か》の国土《こくど》を見《み》つ。若《も》し仏滅《ぶつめつ》の後《のち》の諸《もろもろ》の衆生等《しゅじょうとう》、濁悪《じょくあく》不善《ふぜん》にして五苦《ごく》に逼《せ》められん。云何《いか》にしてか当《まさ》に阿弥陀仏《あみだぶつ》の極楽世界《ごくらくせかい》を見《み》るべき」と。

9仏《ぶつ》、韋提希《いだいけ》に告《つ》げたまわく、「汝及《なんじおよ》び衆生《しゅじょう》、応当《まさ》に心《しん》を専《もっぱ》らにし、念《ねん》を一処《いっしょ》に繋《か》けて、西方《さいほう》を想《おも》うべし。云何《いかん》が想《そう》を作《な》す。凡《おおよ》そ想《そう》を作《な》すというは、一切衆生《いっさいしゅじょう》、生盲《しょうもう》に非《あら》ずよりは、有目《うもく》の徒《ともがら》、皆日没《みなにちもつ》を見《み》よ。当《まさ》に想念《そうねん》を起《お》こして、正坐西向《しょうざさいこう》して、諦《あき》らかに日《ひ》を観《かん》じて、心《しん》をして堅住《けんじゅう》ならしめて、専想《せんそう》して移《うつ》らざれ。日《ひ》の没《い》らんと欲《し》て、状《かたち》、鼓《つづみ》を懸《か》けたるが如《ごと》くなるを見《み》るべし。既《すで》に日《ひ》を見《み》ること已《おわ》りて、目《め》を閉《と》じ目《め》を開《ひら》くに、皆明了《みなみょうりょう》ならしめよ。是《こ》れを「日想《にっそう》」とす。名《な》づけて「初《はじ》めの観《かん》」と[2]曰《い》う。」

10「次《つぎ》に水想《すいそう》を作《な》せ。水《みず》の澄清《ちょうしょう》なるを見《み》て、亦明了《またみょうりょう》ならしめて、分散《ぶんさん》の意《こころ》無《な》かれ。既《すで》に水《みず》を見已《みおわ》りなば、当《まさ》に氷想《ひょうそう》

氷映徹《ぴょうえいてつ》。作《さ》瑠璃想《るりそう》。此想成已《しそうじょうい》。見瑠《けんる》璃地《りじ》。内外映徹《ないげえいてつ》。下有金剛《げうこんごう》。七寶金幢《しっぽうこんどう》。擎瑠璃地《きょうるりじ》。其幢八方《ごどうはっぽう》。八楞具足《はちりょうぐそく》。一《いち》一方面《いちほうめん》。百寶所成《ひゃっぽうしょじょう》。一一寶珠《いちいちほうしゅ》。有千《うせん》光明《こうみょう》。一一光明《いちいちこうみょう》。八萬四千色《はちまんしせんしき》。映瑠《えいる》璃地《りじ》。如億千日《にょおくせんにち》。不可具見《ふかぐけん》。瑠璃地《るりじ》上《じょう》。以黄金繩《いおうごんじょう》。雜廁間錯《ざっしけんじゃく》。以七寶《いしっぽう》界《かい》。分齊分明《ぶんざいふんみょう》。一一寶中《いちいちほうちゅう》。有五百《うごひゃく》色光《しきこう》。其光如華《ごこうにょけ》。又似星月《うじしょうがつ》。懸處虛《けんしょこ》空《くう》。成光明臺《じょうこうみょうだい》。樓閣千萬《ろうかくせんまん》。百寶合《ひゃっぽうごう》成《じょう》。於臺兩邊《おだいりょうへん》。各有百億華幢《かくうひゃくおくけどう》。無《む》量樂器《りょうがっき》。以爲莊嚴《いいしょうごん》。八種清風《はっしゅしょうふう》。從《じゅう》光明出《こうみょうしゅつ》。鼓此樂器《くしがっき》。演說苦空《えんぜつくくう》。無《む》常無我之音《じょうむがしおん》。是爲水想《ぜいすいそう》。名第二觀《みょうだいにかん》。此想成時《しそうじょうじ》。一一觀之《いちいちかんし》。極令了了《ごくりょうりょうりょう》。閉目開目《へいもくかいもく》。不令散失《ふりょうさんしつ》。唯除睡時《ゆいじょすいじ》。恆《ごう》

を起《お》こすべし。氷《こおり》の映徹《えいてつ》せるを見《み》て、瑠璃《るり》の想《そう》を作《な》せ。此《こ》の想成《そうじょう》じ已《お》わりて、瑠璃地《るりじ》の内外映徹《ないげえいてつ》せるを見《み》ん。下《した》に金剛《こんごう》七宝《しちほう》の金幢《こんどう》有《あ》りて、瑠璃地《るりじ》を擎《ささ》げたり。其《そ》の幢《はたほこ》、八方《はっぽう》にして八楞具足《はちりょうぐそく》せり。一一《いちいち》の方面《ほうめん》は百宝《ひゃくほう》の所成《しょじょう》なり。一一《いちいち》の宝珠《ほうしゅ》に千《せん》の光明《こうみょう》有《あ》り。一一《いちいち》の光明《こうみょう》、八万四千色《はちまんしせんしき》なり。瑠璃《るり》地《じ》に映《えい》ずること億千《おくせん》の日《ひ》の如《ごと》し。具《つぶさ》に見《み》るべからず。瑠璃《るり》地《じ》の上《うえ》に、黄金《おうごん》の縄《なわ》を以《もっ》て雑廁間錯《ざっしけんじゃく》し、七宝《しちほう》を以《もっ》て界《さか》いて、分斉分明《ぶんざいふんみょう》なり。一一《いちいち》の宝《たから》の中《うち》に五百色《ごひゃくしき》の光《ひかり》有《あ》り。其《そ》の光《ひかり》、華《はな》の如《ごと》し。又星月《またしょうがつ》の虚空《こくう》に懸処《けんしょ》せるに似《に》たり。光明《こうみょう》台《だい》と成《な》る。楼閣千万《ろうかくせんまん》にして、百宝合成《ひゃくほうごうじょう》す。台《だい》の両辺《りょうへん》に於《お》いて各《おの》おの百億《ひゃくおく》の華幢《けどう》有《あ》り。無量《むりょう》の楽器《がっき》を以《もっ》て荘厳《しょうごん》とす。八種《はっしゅ》の清風《しょうふう》、光明《こうみょう》より出《い》ず。此《こ》の楽器《がっき》を鼓《く》するに、苦《く》・空《くう》・無常《むじょう》・無我《むが》の音《こえ》を演説《えんぜつ》す。是《こ》れを「水想《すいそう》」とす。「第二《だいに》の観《かん》」と名《な》づく。」

11「此《こ》の想成《そうじょう》ずる時《とき》、一一《いちいち》に之《これ》を観《かん》じて、極《きわ》めて了了《りょうりょう》ならしめよ。閉目《へいもく》・開目《かいもく》に散失《さんしつ》せしめざれ。唯《やや》、睡時《すいじ》を除《のぞ》きて、

憶此事《おくしじ》。如此想者《によしそうしゃ》。名爲粗見《みょういそけん》。極樂《ごくらく》國地《こくじ》。若得三昧《にゃくとくさんまい》。見彼國地《けんぴこくじ》。了了《りょうりょう》分明《ふんみょう》。不可具說《ふかぐせつ》。是爲地想《ぜいじそう》。名第三《みょうだいさん》觀《がん》。佛告阿難《ぶつごうあなん》。汝持佛語《にょじぶつご》。爲未來世《いみらいせ》。一切大衆《いっさいだいしゅ》。欲脫苦者《よくだつくしゃ》。說是觀地法《せつぜかんじほう》。若觀是地者《にゃくかんぜじしゃ》。除八十億劫《じょはちじゅうおっこう》。生死之《しょうじし》罪《ざい》。捨身他世《しゃしんたせ》。必生淨國《ひつしょうじょうこく》。心得無疑《しんとくむぎ》。作是觀者《さぜかんしゃ》。名爲正觀《みょういしょうかん》。若他觀者《にゃくたかんしゃ》。名爲邪觀《みょういじゃかん》。

佛告阿難《ぶつごうあなん》。及韋提希《ぎゅういだいけ》。地想成已《じそうじょうい》。次《し》觀寶樹《かんほうじゅ》。觀寶樹者《かんぽうじゅしゃ》。一一觀之《いちいちかんし》。作七《さしち》重《じゅう》行樹想《ぎょうじゅそう》。一一樹高《いちいちじゅこう》。八千由旬《はっせんゆじゅん》。其諸寶樹《ごしょほうじゅ》。七寶華葉《しっぽうけよう》。無不具足《むふぐそく》。一一《いちいち》華葉《けよう》。作異寶色《さいほうしき》。瑠璃色中《るりしきちゅう》。出金色《しゅつこんじき》光《こう》。玻瓈色中《はりしきちゅう》。出紅色光《しゅつこうしきこう》。碼碯色《めのうしき》

恒《つね》に此《こ》の事《こと》を憶《おく》せよ。此《か》くの如《ごと》く想《おも》う者《もの》を、名《な》づけて「粗極《ほぼごく》楽国地《らくこくじ》を見《み》る」とす。若《も》し三昧《さんまい》を得《え》つれば、彼《か》の国地《こくじ》を見《み》ること了了分明《りょうりょうふんみょう》なり。具《つぶさ》に説《と》くべからず。是《こ》れを「地想《じそう》」とす。「第三《だいさん》の観《かん》」と名《な》づく。」仏《ぶつ》、阿難《あなん》に告《つ》げたまわく、「汝《なんじ》、仏語《ぶつご》を持《たも》ちて、未来世《みらいせ》の一切大衆《いっさいだいしゅ》の、苦《く》を脱《まぬか》れんと欲《おも》わん者《もの》の為《ため》に、是《こ》の観地《かんじ》の法《ほう》を説《と》け。若《も》し是《こ》の地《じ》を観《かん》ずる者《もの》は、八十億劫《はちじゅうおっこう》の生死《しょうじ》の罪《つみ》を除《のぞ》かん。身《み》を捨《す》てて他世《たせ》に必《かなら》ず浄国《じょうこく》に生《しょう》ずべし。心《しん》に疑《うたがい》無《な》きことを得《え》よ。是《こ》の観《かん》を作《な》すをば、名《な》づけて正観《しょうかん》とす。若《も》し他観《たかん》するをば、名《な》づけて邪観《じゃかん》とす。」

12仏《ぶつ》、阿難及《あなんおよ》び韋提希《いだいけ》に告《つ》げたまわく、「地想成《じそうじょう》じ已《おわ》りなば、次《つぎ》に宝樹《ほうじゅ》を観《かん》ぜよ。宝樹《ほうじゅ》を観《かん》ぜば、一一《いちいち》に之《これ》を観《かん》じて七重《しちじゅう》行樹《ぎょうじゅ》の想《そう》を作《な》せ。一一《いちいち》の樹《うえき》の高《たか》さ、八千由旬《はっせんゆじゅん》ならん。其《そ》の諸《もろもろ》の宝樹《ほうじゅ》、七宝《しちほう》の華葉《けよう》、具足《ぐそく》せざること無《な》し。一一《いちいち》の華《け》葉《よう》、異宝《いほう》の色《いろ》を作《な》す。瑠璃《るり》の色《いろ》の中《うち》より金色《こんじき》の光《ひかり》を出《い》だし、玻瓈《はり》の色《いろ》の中《うち》より紅色《こうしき》の光《ひかり》を出《い》だし、碼碯《めのう》の色《いろ》の中《うち》より硨《しゃ》

中《ちゅう》。出硨磲光《しゅつしゃここう》。硨磲色中《しゃこしきちゅう》。出緑眞珠光《しゅつろくしんじゅこう》。珊瑚琥珀《さんごこはく》。一切衆寶《いっさいしゅぼう》。以爲映飾《いいえいじき》。妙眞珠網《みょうしんじゅもう》。彌覆樹上《みふじゅじょう》。一一樹上《いちいちじゅじょう》。有七重網《うしちじゅうもう》。一一網間《いちいちもうけん》。有五百億《うごひゃくおく》。妙華宮殿《みょうけくでん》。如梵王宮《にょぼんのうぐう》。諸天童子《しょてんどうじ》。自然在中《じねんざいちゅう》。一一童子《いちいちどうじ》。五百億《ごひゃくおく》。釋迦毘楞伽摩尼寶《しゃかびりょうがまにほう》。以爲瓔珞《いいようらく》。其摩尼光《ごまにこう》。照百由旬《しょうひゃくゆじゅん》。猶如和合《ゆにょわごう》。百億日月《ひゃくおくにちがつ》。不可具名《ふかぐみょう》。衆寶間錯《しゅぼうけんじゃく》。色中上者《しきちゅうじょうしゃ》。此諸寶樹《ししょほうじゅ》。行行相當《ぎょうぎょうそうとう》。葉葉相次《ようようそうし》。於《お》衆葉間《しゅようけん》。生諸妙華《しょうしょみょうけ》。華上自然《けじょうじねん》。有《う》七寶果《しっぽうか》。一一樹葉《いちいちじゅよう》。縦廣正等《じゅうこうしょうとう》。二《に》十五由旬《じゅうごゆじゅん》。其葉千色《ごようせんしき》。有百種畫《うひゃくしゅが》。如天瓔珞《にょてんようらく》。有衆妙華《うしゅみょうけ》。作閻浮檀金色《さえんぶだんこんじき》。如旋火輪《にょせんがりん》。婉轉葉間《えんでんようけん》。涌生諸果《ゆしょうしょか》。如《にょ》帝釋缾《たいしゃくびょう》。有大光明《うだいこうみょう》。化成幢旛《けじょうどうばん》。無《む》

磲《こ》の光《ひかり》を出《い》だし、硨磲《しゃこ》の[3]色《いろ》の中《うち》より緑真珠《ろくしんじゅ》の光《ひかり》を出《い》だす。珊瑚《さんご》・琥珀《こはく》、一切《いっさい》の衆宝《しゅぼう》を以《もっ》て映飾《えいじき》とす。妙真珠網《みょうしんじゅもう》、樹《うえき》の上《うえ》に弥覆《みふ》せり。一一《いちいち》の樹《うえき》の上《うえ》に七重《しちじゅう》の網《もう》有《あ》り。一一《いちいち》の網《もう》の間《あいだ》に、五百億《ごひゃくおく》の妙華《みょうけ》の宮殿《くでん》有《あ》り。梵王宮《ぼんのうぐう》の如《ごと》し。諸天《しょてん》の童子《どうじ》、自然《じねん》に中《なか》に在《あ》り。一一《いちいち》の童子《どうじ》、五百億《ごひゃくおく》の釈迦毘楞伽《しゃかびりょうが》摩尼宝《まにほう》を以《もっ》て瓔珞《ようらく》とす。其《そ》の摩尼《まに》の光《ひかり》、百由旬《ひゃくゆじゅん》を照《て》らす。猶《なお》し百億《ひゃくおく》の日月《にちがつ》を和合《わごう》せるが如《ごと》し。具《つぶさ》に名《と》くべからず。衆《しゅ》宝間錯《ほうけんじゃく》して、色《いろ》の中《なか》に上《すぐ》れたる者《もの》なり。此《こ》の諸《もろもろ》の宝樹《ほうじゅ》、行行相当《ぎょうぎょうあいあ》たり、葉葉相次《ようようあいちか》し。衆《もろもろ》の葉《は》の間《あいだ》に於《お》いて、諸《もろもろ》の妙華《みょうけ》を生《しょう》ず。華《はな》の上《うえ》に自然《じねん》に七宝《しちほう》の果《このみ》有《あ》り。一一《いちいち》の樹葉《じゅよう》、縦広正等《じゅうこうしょうとう》にして二十五由旬《にじゅうごゆじゅん》なり。其《そ》の葉《は》、千色《せんしき》にして百種《ひゃくしゅ》の画《え》有《あ》り。天《てん》の瓔珞《ようらく》の如《ごと》し。衆《もろもろ》の妙華《みょうけ》有《あ》り。閻《えん》浮檀金色《ぶだんこんじき》を作《な》す。旋火輪《せんがりん》の如《ごと》し。葉《は》の間《あいだ》に婉転《えんでん》す。諸《もろもろ》の果《このみ》を涌生《ゆうしょう》す。帝釈《たいしゃく》の缾《かめ》の如《ごと》し。大光明《だいこうみょう》有《あ》り。化《け》して幢旛《どうばん》と成《な》る。無量《むりょう》の宝蓋《ほうがい》あり。是《こ》の宝蓋《ほうがい》の中《なか》に、三千大千世界《さんぜんだいせんせかい》の一切《いっさい》の仏事《ぶつじ》を映現《えいげん》す。十方《じっぽう》の仏国《ぶっこく》、亦中《またなか》に於《お》いて現《げん》ず。此《こ》

量《りょう》寶蓋《ほうがい》。是寶蓋中《ぜほうがいちゅう》。映現三千大千世界《えいげんさんぜんだいせんせかい》。一切佛事《いっさいぶつじ》。十方佛國《じっぽうぶっこく》。亦於中現《やくおちゅうげん》。見此樹已《けんしじゅい》。亦當次第《やくとうしだい》。一一觀之《いちいちかんし》。觀見《かんけん》樹莖《じゅきょう》。枝葉華果《しようけか》。皆令分明《かいりょうふんみょう》。是爲《ぜい》樹想《じゅそう》。名第四觀《みょうだいしかん》。

次當想水《しとうそうすい》。想水者《そうすいしゃ》。極樂國土《ごくらくこくど》。有八池《うはっち》水《すい》。一一池水《いちいちちすい》。七寶所成《しっぽうしょじょう》。其寶柔輭《ごほうにゅうなん》。一一《いちいち》從如意珠王生《じゅうにょいしゅおうしょう》。分爲十四支《ぶんいじゅうしし》。一一《いちいち》支《し》。作七寶色《さしっぽうしき》。黄金爲渠《おうごんいこ》。渠下皆以《こげかいい》。雜色金剛《ざっしきこんごう》。以爲底沙《いいていしゃ》。一一水中《いちいちすいちゅう》。有《う》六十億《ろくじゅうおく》。七寶蓮華《しっぽうれんげ》。一一蓮華《いちいちれんげ》。團圓《だんえん》正等《しょうとう》。十二由旬《じゅうにゆじゅん》。其摩尼水《ごまにすい》。流注《るちゅう》華間《けけん》。尋樹上下《じんじゅじょうげ》。其聲微妙《ごしょうみみょう》。演說《えんぜつ》苦空《くくう》。無常無我《むじょうむが》。諸波羅蜜《しょはらみつ》。復有讃《ぶうさん》歎《だん》。諸佛相好者《しょぶつそうごうしゃ》。如意珠王《にょいしゅおう》。涌出金《ゆしゅっこん》色《じき》。微妙光明《みみょうこうみょう》。其光化爲《ごこうけい》。百寶色《ひゃっぽうしき》

の樹《うえき》を見已《みおわ》りて、亦当《またまさ》に次第《しだい》に一一《いちいち》に之《これ》を観《かん》ずべし。樹《じゅ》茎《きょう》・枝葉《しよう》・華果《けか》を観見《かんけん》して、皆分明《みなふんみょう》ならしめよ。是《こ》れを「樹想《じゅそう》」とす。「第四《だいし》の観《かん》」と名《な》づく。」

13「次《つぎ》に当《まさ》に水《みず》を想《おも》うべし。水《みず》を想《おも》わば、極楽国土《ごくらくこくど》に八《や》つの池水有《ちすいあ》り。一一《いちいち》の池水《ちすい》、七宝《しちほう》の所成《しょじょう》なり。其《そ》の宝《たから》、柔軟《にゅうなん》なり。如意珠王《にょいしゅおう》より生《しょう》ず。分《わか》れて十四支《じゅうしし》と為《な》る。一一《いちいち》の支《えだ》、七宝《しちほう》の色《いろ》を作《な》せり。黄金《おうごん》を渠《みぞ》とす。渠《みぞ》の下《した》に、皆雑色《みなざっしき》の金剛《こんごう》を以《もっ》て、以《もっ》て底《そこ》の沙《いさご》とす。一一《いちいち》の水《みず》の中《なか》に、六十億《ろくじゅうおく》の七宝《しちほう》の蓮華有《れんげあ》り。一一《いちいち》の蓮華《れんげ》、団円正等《だんえんしょうとう》にして十二由旬《じゅうにゆじゅん》なり。其《そ》の摩尼水《まにすい》、華《はな》の間《あいだ》に流注《るちゅう》して、樹《うえき》を尋《めぐ》りて上下《じょうげ》す。其《そ》の声微妙《こえみみょう》にして、苦《く》・空《くう》・無常《むじょう》・無我《むが》・諸波羅蜜《しょはらみつ》を演説《えんぜつ》す。復《ま》た諸仏《しょぶつ》の相好《そうごう》を讃歎《さんだん》する者有《ものあ》り。如意珠王《にょいしゅおう》より金色微妙《こんじきみみょう》の光明《こうみょう》を涌出《ゆうしゅつ》す。其《そ》の光《ひかり》、化《け》して百宝色《ひゃくほうしき》の鳥《とり》と為《な》る。和《わ》鳴哀雅《みょうあいげ》にして、常《つね》に念仏《ねんぶつ》・念法《ねんぼう》・念僧《ねんそう》を讃《さん》ず。是《こ》れを「八《はっ》

鳥《ちょう》。和鳴《わみょう》哀雅《あいげ》。常讃念佛念法念僧《じょうさんねんぶつねんぽうねんそう》。是爲八功德水想《ぜいはっくどくすいそう》。名第五觀《みょうだいごかん》。

衆寶國土《しゅほうこくど》。一一界上《いちいちかいじょう》。有五百億寶樓《うごひゃくおくほうろう》閣《かく》。其樓閣中《ごろうかくちゅう》。有無量諸天《うむりょうしょてん》。作天伎《さてんぎ》樂《がく》。又有樂器《ううがっき》。懸處虚空《けんしょこくう》。如天寶幢《にょてんほうどう》。不鼓自鳴《ふくじみょう》。此衆音中《ししゅおんじゅう》。皆說念佛念法《かいせつねんぶつねんぽう》念比丘僧《ねんびくそう》。此想成已《しそうじょうい》。名爲粗見《みょういそけん》。極《ごく》樂世界《らくせかい》。寶樹寶地寶池《ほうじゅほうじほうち》。是爲總觀想《ぜいそうかんそう》。名第六觀《みょうだいろっかん》。若見此者《にゃくけんししゃ》。除無量億《じょむりょうおっ》劫《こう》。極重惡業《ごくじゅうあくごう》。命終之後《みょうじゅうしご》。必生彼《ひっしょうひ》國《こく》。作是觀者《さぜかんしゃ》。名爲正觀《みょういしょうかん》。若他觀《にゃくたかん》者《しゃ》。名爲邪觀《みょういじゃかん》。

佛告阿難《ぶつごうあなん》。及韋提希《ぎゅういだいけ》。諦聽諦聽《たいちょうたいちょう》。善思念之《ぜんしねんし》。佛當爲汝《ぶっとういにょ》。分別解說《ふんべつげせつ》。除苦《じょく》惱法《のうぼう》。汝等憶持《にょとうおくじ》。廣爲大衆《こういだいしゅ》。分別解說《ふんべつげせつ》。說是語時《せつぜごじ》。無量壽佛《むりょうじゅぶつ》。住立空中《じゅうりゅうくうじゅう》。

功徳水《くどくすい》の想《そう》」とす。「第五《だいご》の観《かん》」と名《な》づく。」

14「衆宝国土《しゅほうこくど》の一一《いちいち》の界上《かいじょう》に、五百億《ごひゃくおく》の宝楼閣《ほうろうかく》有《あ》り。其《そ》の楼閣《ろうかく》の中《うち》に、無量《むりょう》の諸天《しょてん》有《あ》りて天《てん》の伎楽《ぎがく》を作《な》す。又楽器《またがっき》有《あ》り。虚空《こくう》に懸処《けんしょ》す。天《てん》の宝幢《ほうどう》の如《ごと》し。鼓《く》せざるに自《おの》ずから鳴《な》る。此《こ》の衆音《しゅおん》の中《なか》に皆念仏《みなねんぶつ》・念法《ねんぽう》・念比丘僧《ねんびくそう》を説《と》く。此《こ》の想《そう》成《じょう》じ已《おわ》るを、名《な》づけて「粗極楽世界《ほぼごくらくせかい》の宝樹《ほうじゅ》・宝地《ほうじ》・宝池《ほうち》を見《み》る」とす。是《こ》れを「総観想《そうかんそう》」とす。「第六《だいろく》の観《かん》」と名《な》づく。若《も》し此《こ》れを見《み》る者《もの》は、無量億劫《むりょうおっこう》の極重《ごくじゅう》の悪業《あくごう》を除《のぞ》く。命終《みょうじゅう》の後《のち》に必《かなら》ず彼《か》の国《くに》に生《しょう》ず。是《こ》の観《かん》を作《な》すをば、名《な》づけて正観《しょうかん》とす。若《も》し他観《たかん》するをば、名《な》づけて邪観《じゃかん》とす。」

15仏《ぶつ》、阿難及《あなんおよ》び韋提希《いだいけ》に告《つ》げたまわく、「諦《あき》らかに聴《き》き、諦《あき》らかに聴《き》け。善《よ》く之《これ》を思念《しねん》せよ。仏《ぶつ》、当《まさ》に汝《なんじ》が為《ため》に、苦悩《くのう》を除《のぞ》く法《ほう》を分別《ふんべつ》し解説《げせつ》したまうべし。汝等《なんだち》、憶持《おくじ》して、広《ひろ》く大衆《だいしゅ》の為《ため》に分別《ふんべつ》し解説《げせつ》すべし。」是《こ》の語《ご》を説《と》きたまう時《とき》、無《む》

觀世音《かんぜおん》。大勢至《だいせいし》。是二大士《ぜにだいじ》。侍立左《じりゅうさ》右《う》。光明熾盛《こうみょうしじょう》。不可具見《ふかぐけん》。百千閻《ひゃくせんえん》浮檀金色《ぶだんこんじき》。不得爲比《ふとくいひ》。時韋提希《じいだいけ》。見無《けんむ》量壽佛已《りょうじゅぶつい》。接足作禮《せっそくさらい》。白佛言世尊《びゃくぶつごんせそん》。我今因佛力故《がこんいんぶつりきこ》。得見無量壽佛《とくけんむりょうじゅぶつ》。及二《ぎゅうに》菩薩《ぼさつ》。未來衆生《みらいしゅじょう》。當云何觀《とううんがかん》。無量壽《むりょうじゅ》佛《ぶつ》。及二菩薩《ぎゅうにぼさつ》。佛告韋提希《ぶつごういだいけ》。欲觀彼《よくかんひ》佛者《ぶっしゃ》。當起想念《とうきそうねん》。於七寶地上《おしっぽうじじょう》。作蓮《されん》華想《げそう》。令其蓮華《りょうごれんげ》。一一葉《いちいちよう》。作百寶色《さひゃっぽうしき》。有八萬四千脈《うはちまんしせんみゃく》。猶如天畫《ゆにょてんが》。脈有八萬《みゃくうはちまん》四千光《しせんこう》。了了分明《りょうりょうふんみょう》。皆令得見《かいりょうとくけん》。華《け》葉小者《ようしょうしゃ》。縱廣二百五十由旬《じゅうこうにひゃくごじゅうゆじゅん》。如《にょ》是蓮華《ぜれんげ》。有八萬四千葉《うはちまんしせんよう》。一一葉間《いちいちようけん》。各《かく》有百億《うひゃくおく》。摩尼珠王《まにしゅおう》。以爲映飾《いいえいじき》。一一《いちいち》摩尼《まに》。放千光明《ほうせんこうみょう》。其光如蓋《ごこうにょがい》。七寶合《しっぽうごう》成《じょう》。徧覆地上《へんぷじじょう》。釋迦毘楞伽寶《しゃかびりょうがほう》。以《い》

量寿仏《りょうじゅぶつ》、空中《くうちゅう》に住立《じゅうりゅう》したまう。観世音《かんぜおん》・大勢至《だいせいし》、是《こ》の二《ふたり》の大士《だいじ》、左右《さう》に侍立《じりゅう》せり。光明熾盛《こうみょうしじょう》なり、具《つぶさ》に見《み》るべからず。百千《ひゃくせん》の閻浮檀金色《えんぶだんこんじき》も比《たとえ》とすることを得《え》じ。時《とき》に韋提希《いだいけ》、無量寿仏《むりょうじゅぶつ》を見《み》たてまつり已《おわ》りて、接足作礼《せっそくさらい》して、仏《ぶつ》に白《もう》して言《もう》さく、「世尊《せそん》。我今仏力《われいまぶつりき》に因《よ》るが故《ゆえ》に、無量寿《むりょうじゅ》仏及《ぶつおよ》び二菩薩《にぼさつ》を見《み》たてまつることを得《え》つ。未来《みらい》の衆生《しゅじょう》、当《まさ》に云何《いか》にしてか無量寿仏及《むりょうじゅぶつおよ》び二菩薩《にぼさつ》を観《み》たてまつるべき。」仏《ぶつ》、韋提希《いだいけ》に告《つ》げたまわく、「彼《か》の仏《ぶつ》を観《み》んと欲《おも》わば、当《まさ》に想念《そうねん》を起《お》こすべし。七宝《しちほう》の地《じ》の上《うえ》に於《お》いて、蓮華《れんげ》の想《そう》を作《な》せ。其《そ》の蓮華《れんげ》の一一《いちいち》の葉《よう》をして、百宝《ひゃくほう》の色《いろ》を作《な》さしめよ。八万《はちまん》四千《しせん》の脈《みゃく》有《あ》り、猶《なお》し天《てん》の画《え》の如《ごと》し。脈《みゃく》に八万四千《はちまんしせん》の光《ひかり》有《あ》り。了了分明《りょうりょうふんみょう》に皆見《みなみ》ることを得《え》しめよ。華葉《けよう》の小《ちい》さきは、縦広二百五十由旬《じゅうこうにひゃくごじゅうゆじゅん》なり。是《か》くの如《ごと》きの蓮華《れんげ》に八万四千《はちまんしせん》の葉《よう》有《あ》り。一一《いちいち》の葉《よう》の間《あいだ》に、各《おの》おの百億《ひゃくおく》の摩尼珠王《まにしゅおう》有《あ》りて、以《もっ》て映飾《えいじき》とす。一一《いちいち》の摩尼《まに》、千《せん》の光明《こうみょう》を放《はな》つ。其《そ》の光《ひかり》、蓋《がい》の如《ごと》し。七宝合成《しちほうごうじょう》して、遍《あまね》く地上《じじょう》に覆《おお》えり。釈迦毘楞伽《しゃかびりょうが》

爲其臺《いごだい》。此蓮華臺《しれんげだい》。八萬金剛《はちまんこんごう》。甄叔《けんしゅく》迦寶《がほう》。梵摩尼寶《ぼんまにほう》。妙眞珠網《みょうしんじゅもう》。以爲交《いいきょう》飾《じき》。於其臺上《おごだいじょう》。自然而有《じねんにう》。四柱寶幢《しちゅうほうどう》。一一寶幢《いちいちほうどう》。如百千萬億須彌山《にょひゃくせんまんおくしゅみせん》。幢上《どうじょう》寶幔《ほうまん》。如夜摩天宮《にょやまてんぐう》。有五百億《うごひゃくおく》。微妙《みみょう》寶珠《ほうしゅ》。以爲映飾《いいえいじき》。一一寶珠《いちいちほうしゅ》。有八萬四《うはちまんし》千光《せんこう》。一一光《いちいちこう》。作八萬四千《さはちまんしせん》。異種金色《いしゅこんじき》。一一金色《いちいちこんじき》。偏其寶土《へんごほうど》。處處變化《しょしょへんげ》。各作《かくさ》異相《いそう》。或爲金剛臺《わくいこんごうだい》。或作眞珠網《わくさしんじゅもう》。或作《わくさ》雜華雲《ざっけうん》。於十方面《おじっぽうめん》。隨意變現《ずいいへんげん》。施作佛《せさぶつ》事《じ》。是爲華座想《ぜいけざそう》。名第七觀《みょうだいしちかん》。佛告阿《ぶつごうあ》難《なん》。如此妙華《にょしみょうけ》。是本法藏比丘《ぜほんほうぞうびく》。願力《がんりき》所成《しょじょう》。若欲念彼佛者《にゃくよくねんぴぶつしゃ》。當先作此華座《とうせんさしけざ》想《そう》。作此想時《さしそうじ》。不得雜觀《ふとくぞうかん》。皆應一一觀《かいおういちいちかん》之《し》。一一葉《いちいちよう》。一一珠《いちいちしゅ》。一一光《いちいちこう》。一一臺《いちいちだい》。一一幢《いちいちどう》。皆令分明《かいりょうふんみょう》。如於鏡中《にょおきょうちゅう》。自《じ》

宝《ほう》を以《もっ》て其《そ》の台《だい》とす。此《こ》の蓮華台《れんげだい》は、八万《はちまん》の金剛《こんごう》・甄叔迦《けんしゅくが》宝《ほう》・梵摩尼宝《ぼんまにほう》・妙真珠網《みょうしんじゅもう》を以《もっ》て交飾《きょうじき》とす。其《そ》の台《だい》の上《うえ》に於《お》いて、自然《じねん》として四柱《しちゅう》の宝幢《ほうどう》有《あ》り。一一《いちいち》の宝幢《ほうどう》、百千万億《ひゃくせんまんおく》の須弥山《しゅみせん》の如《ごと》し。幢上《どうじょう》の宝幔《ほうまん》は夜摩天宮《やまてんぐう》の如《ごと》し。[4]五百億《ごひゃくおく》の微妙《みみょう》の宝珠《ほうしゅ》有《あ》りて、以《もっ》て映飾《えいじき》とす。一一《いちいち》の宝珠《ほうしゅ》に八万四《はちまんし》千《せん》の光《ひかり》有《あ》り。一一《いちいち》の光《ひかり》、八万四千《はちまんしせん》の異種《いしゅ》の金色《こんじき》を作《な》す。一《いち》一の金色《こんじき》、其《そ》の宝土《ほうど》に遍《へん》ず。処処《しょしょ》に変化《へんげ》して各《おの》おの異相《いそう》を作《な》す。或《ある》いは金剛台《こんごうだい》と為《な》り、或《ある》いは真珠網《しんじゅもう》と作《な》り、或《ある》いは雑華《ざっけ》雲《うん》と作《な》る。十方面《じっぽうめん》に於《お》いて、意《こころ》に随《したが》いて変現《へんげん》して、仏事《ぶつじ》を施作《せさ》す。是《こ》れを「華座《けざ》の想《そう》」とす。「第七《だいしち》の観《かん》」と名《な》づく。」仏《ぶつ》、阿難《あなん》に告《つ》げたまわく、「此《か》くの如《ごと》きの妙華《みょうけ》は、是《こ》れ本《もと》、法蔵比丘《ほうぞうびく》の願力《がんりき》の所成《しょじょう》なり。若《も》し彼《か》の仏《ぶつ》を念《ねん》ぜんと欲《おも》わば、当《まさ》に先《ま》ず此《こ》の華座《けざ》の想《そう》を作《な》すべし。此《こ》の想《そう》を作《な》さん時《とき》、雑観《ぞうかん》することを得《え》ざれ。皆一一《みないちいち》に之《これ》を観《かん》ずべし。一一《いちいち》の葉《よう》、一一《いちいち》の珠《しゅ》、一一《いちいち》の光《こう》、一一《いちいち》の台《だい》、一一《いちいち》の幢《どう》、皆分明《みなふんみょう》ならしめて、鏡《かがみ》の中《なか》に於《お》いて自《みずか》ら面像《めんぞう》を見《み》るが如《ごと》くにせよ。此《こ》の想成《そうじょう》

見面像《けんめんぞう》。此想成者《しそうじょうしゃ》。滅除五萬劫《めつじょごまんごう》。生死之罪《しょうじしざい》。必定當生《ひつじょうとうしょう》。極樂世界《ごくらくせかい》。作是觀者《さぜかんしゃ》。名爲正觀《みょういしょうかん》。若他觀者《にゃくたかんしゃ》。名爲邪觀《みょういじゃかん》。

佛告阿難《ぶつごうあなん》。及韋提希《ぎゅういだいけ》。見此事已《けんしじい》。次當想佛《しとうそうぶつ》。所以者何《しょいしゃが》。諸佛如來《しょぶつにょらい》。是法界身《ぜほうかいしん》。入一切衆生心想中《にゅういっさいしゅじょうしんそうじゅう》。是故汝等《ぜこにょとう》。心想佛時《しんそうぶつじ》。是心卽是《ぜしんそくぜ》。三十二相《さんじゅうにそう》。八十隨形好《はちじゅうずいぎょうこう》。是心作佛《ぜしんさぶつ》。是心是佛《ぜしんぜぶつ》。諸佛正徧知海《しょぶつしょうへんちかい》。從心想生《じゅうしんそうしょう》。是故應當《ぜこおうとう》。一心繫念《いっしんけねん》。諦觀彼佛《たいかんひぶつ》。多陀阿伽度《ただあかど》。阿羅訶《あらか》。三藐三佛陀《さんみゃくさんぶつだ》。想彼佛者《そうひぶつしゃ》。先當想像《せんとうそうぞう》。閉目開目《へいもくかいもく》。見一寶像《けんいちほうぞう》。如閻浮檀金色《にょえんぶだんこんじき》。坐彼華上《ざひけじょう》。見像坐已《けんぞうざい》。心眼得開《しんげんとくかい》。了了分明《りょうりょうふんみょう》。見極樂國《けんごくらくこく》。七寶莊嚴《しつほうしょうごん》。寶地寶池《ほうじほうち》。寶樹行列《ほうじゅぎょうれつ》。諸天《しょてん》

ずれば、五万劫《ごまんごう》の生死《しょうじ》の罪《つみ》を滅除《めつじょ》す。必定《ひつじょう》して当《まさ》に極楽世界《ごくらくせかい》に生《しょう》ずべし。是《こ》の観《かん》を作《な》すをば、名《な》づけて正観《しょうかん》とす。若《も》し他観《たかん》するをば、名《な》づけて邪観《じゃかん》とす。」

16仏《ぶつ》、阿難及《あなんおよ》び韋提希《いだいけ》に告《つ》げたまわく、「此《こ》の事《じ》を見已《みおわ》りて、次《つぎ》に当《まさ》に仏《ぶつ》を想《おも》うべし。所以《ゆえ》は何《いか》ん。諸仏如来《しょぶつにょらい》は是《こ》れ法界《ほっかい》の身《しん》なり。一切衆生《いっさいしゅじょう》の心想《しんそう》の中《うち》に入《い》りたまえり。是《こ》の故《ゆえ》に汝等《なんだち》、心《しん》に仏《ぶつ》を想《おも》う時《とき》、是《こ》の心即《しんすなわ》ち是《こ》れ三十二相《さんじゅうにそう》・八十随形好《はちじゅうずいぎょうこう》なり。是《こ》の心《しん》、作仏《さぶつ》す。是《こ》の心《しん》、是《こ》れ仏《ぶつ》なり。諸仏正遍知海《しょぶつしょうへんちかい》は心想《しんそう》より生《しょう》ず。是《こ》の故《ゆえ》に応当《まさ》に一心《いっしん》に繫念《けねん》して、諦《あき》らかに彼《か》の仏《ぶつ》・多陀阿伽度《ただあかど》・阿羅訶《あらか》・三藐三仏陀《さんみゃくさんぶつだ》を観《かん》ずべし。彼《か》の仏《ぶつ》を想《おも》わば、先《ま》ず当《まさ》に像《ぞう》を想《おも》うべし。閉目《へいもく》・開目《かいもく》に、一《ひと》つの宝像《ほうぞう》の閻浮檀金色《えんぶだんこんじき》の如《ごと》くなるを見《み》よ。彼《か》の華上《けじょう》に坐《ざ》せり。像《ぞう》の坐《ざ》せるを見已《みおわ》りて、心眼開《しんげんひら》くることを得《う》。了了分明《りょうりょうふんみょう》に、極楽国《ごくらくこく》の七宝荘厳《しちほうしょうごん》の宝地《ほうじ》・宝池《ほうち》・宝樹行列《ほうじゅぎょうれつ》し、諸天《しょてん》の宝幔《ほうまん》、其《そ》の上《うえ》に弥覆《みふ》し、衆宝羅網《しゅぼうらもう》、虚空《こくう》の中《なか》に

寶幔《ほうまん》。彌覆其上《みふごじょう》。衆寶羅網《しゅぼうらもう》。滿虚空《まんこくう》中《じゅう》。見如此事《けんにょしじ》。極令明了《ごくりょうみょうりょう》。如觀《にょかん》掌中《しょうちゅう》。見此事已《けんしじい》。復當更作《ぶとうきょうさ》。一大《いちだい》蓮華《れんげ》。在佛左邊《ざいぶつさへん》。如前蓮華《にょぜんれんげ》。等無有《とうむう》異《い》。復作一大蓮華《ぶさいちだいれんげ》。在佛右邊《ざいぶつうへん》。想一觀《そういちかん》世音菩薩像《ぜおんぼさつぞう》。坐左華座《ざさけざ》。亦放金光《やくほうこんこう》。如《にょ》前無異《ぜんむい》。想一大勢至菩薩像《そういちだいせいしぼさつぞう》。坐右華座《ざうけざ》。此想成時《しそうじょうじ》。佛菩薩像《ぶつぼさつぞう》。皆放光明《かいほうこうみょう》。其《ご》光金色《こうこんじき》。照諸寶樹《しょうしょほうじゅ》。一一樹下《いちいちじゅげ》。復有《ぶう》三蓮華《さんれんげ》。諸蓮華上《しょれんげじょう》。各有一佛《かくういちぶつ》。二菩《にぼ》薩像《さつぞう》。偏滿彼國《へんまんひこく》。此想成時《しそうじょうじ》。行者當《ぎょうじゃとう》聞《もん》。水流光明《すいるこうみょう》。及諸寶樹《ぎっしょほうじゅ》。鳧雁鴛《ふがんえん》鴦《おう》。皆說妙法《かいせつみょうほう》。出定入定《しゅつじょうにゅうじょう》。恆聞《ごうもん》妙法《みょうほう》。行者所聞《ぎょうじゃしょもん》。出定之時《しゅつじょうしじ》。憶持《おくじ》不捨《ふしゃ》。令與修多羅合《りょうよしゅたらごう》。若不合者《にゃくふがっしゃ》。名爲妄想《みょういもうそう》。若有合者《にゃくうがっしゃ》。名爲麤想《みょういそそう》。

満《み》てるを見《み》よ。此《か》くの如《ごと》きの事《じ》を見《み》ること、極《きわ》めて明了《みょうりょう》ならしめてん。掌《たなごころ》の中《うち》を観《み》るが如《ごと》くせよ。此《こ》の事《じ》を見已《みおわ》りなば、復《ま》た当《まさ》に更《さら》に一《ひと》つの大蓮華《だいれんげ》を作《な》して、仏《ぶつ》の左辺《さへん》に在《お》け。前《さき》の蓮華《れんげ》の如《ごと》くして、等《ひと》しくして異《い》有《あ》ること無《な》かれ。復《ま》た一《ひと》つの大蓮華《だいれんげ》を作《な》して、仏《ぶつ》の右辺《うへん》に在《お》け。一《ひと》つの観世音菩薩《かんぜおんぼさつ》の像《ぞう》、左《ひだり》の華座《けざ》に坐《ざ》せりと想《おも》え。亦金光《またこんこう》を放《はな》つこと、前《さき》の如《ごと》くして異《こと》なること無《な》し。一《ひと》つの大勢至菩薩《だいせいしぼさつ》の像《ぞう》、右《みぎ》の華座《けざ》に坐《ざ》せりと想《おも》うべし。此《こ》の想成《そうじょう》ずる時《とき》、仏《ぶつ》・菩薩《ぼさつ》の像《ぞう》、皆光《みなこう》明《みょう》を放《はな》つ。其《そ》の光《ひかり》、金色《こんじき》にして、諸《もろもろ》の宝樹《ほうじゅ》を照《て》らす。一《いち》一《いち》の樹下《じゅげ》に復《ま》た三《み》つの蓮華《れんげ》有《あ》り。諸《もろもろ》の蓮華《れんげ》の上《うえ》に、各《おの》おの一仏《いちぶつ》・二菩薩《にぼさつ》の像有《ぞうまし》まして、彼《か》の国《くに》に遍満《へんまん》す。此《こ》の想成《そうじょう》ずる時《とき》、行者《ぎょうじゃ》、当《まさ》に水流《すいる》・光明及《こうみょうおよ》び諸《もろもろ》の宝樹《ほうじゅ》・鳧雁《ふがん》・鴛鴦《えんおう》の、皆妙法《みなみょうほう》を説《と》くを聞《き》くべし。出定《しゅつじょう》・入定《にゅうじょう》に恒《つね》に妙法《みょうほう》を聞《き》かん。行者《ぎょうじゃ》の所聞《しょもん》、出定《しゅつじょう》の時《とき》、憶持《おくじ》して捨《す》てざれ。修多《しゅた》羅《ら》と合《がっ》せしめよ。若《も》し合《がっ》せざるをば、名《な》づけて妄想《もうそう》とす。若《も》し合《がっ》すること有《あ》らんをば、名《な》づけて「麁想《そそう》に極楽世界《ごくらくせかい》を見《み》

見《けん》極《ごく》樂《らく》世《せ》界《かい》。是《ぜ》爲《い》像《ぞう》想《そう》。名《みょう》第《だい》八《はち》觀《かん》。作《さ》是《ぜ》觀《かん》者《しゃ》。除《じょ》無《む》量《りょう》億《おっ》劫《こう》。生《しょう》死《じ》之《し》罪《ざい》。於《お》現《げん》身《しん》中《じゅう》。得《とく》念《ねん》佛《ぶつ》三《さん》昧《まい》。

佛《ぶつ》告《ごう》阿《あ》難《なん》。及《ぎゅう》韋《い》提《だい》希《け》。此《し》想《そう》成《じょう》已《い》。次《し》當《とう》更《きょう》觀《かん》。無《む》量《りょう》壽《じゅ》佛《ぶつ》。身《しん》相《そう》光《こう》明《みょう》。阿《あ》難《なん》當《とう》知《ち》。無《む》量《りょう》壽《じゅ》佛《ぶつ》身《しん》。如《にょ》百《ひゃく》千《せん》萬《まん》億《おく》。夜《や》摩《ま》天《てん》閻《えん》浮《ぶ》檀《だん》金《こん》色《じき》。佛《ぶつ》身《しん》高《こう》。六《ろく》十《じゅう》萬《まん》億《おく》。那《な》由《ゆ》他《た》。恆《ごう》河《が》沙《しゃ》由《ゆ》旬《じゅん》。眉《み》間《けん》白《びゃく》毫《ごう》。右《う》旋《せん》婉《えん》轉《でん》。如《にょ》五《ご》須《しゅ》彌《み》山《せん》。佛《ぶつ》眼《げん》如《にょ》四《し》大《だい》海《かい》水《すい》。青《しょう》白《びゃく》分《ふん》明《みょう》。身《しん》諸《しょ》毛《もう》孔《く》。演《えん》出《しゅっ》光《こう》明《みょう》。如《にょ》須《しゅ》彌《み》山《せん》。彼《ひ》佛《ぶつ》圓《えん》光《こう》。如《にょ》百《ひゃく》億《おく》。三《さん》千《ぜん》大《だい》千《せん》世《せ》界《かい》。於《お》圓《えん》光《こう》中《ちゅう》。有《う》百《ひゃく》萬《まん》億《おく》那《な》由《ゆ》他《た》。恆《ごう》河《が》沙《しゃ》化《け》佛《ぶつ》。一《いち》一《いち》化《け》佛《ぶつ》。亦《やく》有《う》衆《しゅ》多《た》。無《む》數《しゅ》化《け》菩《ぼ》薩《さつ》。以《い》爲《い》侍《じ》者《しゃ》。無《む》量《りょう》壽《じゅ》佛《ぶつ》。有《う》八《はち》萬《まん》四《し》千《せん》相《そう》。一《いち》一《いち》相《そう》。各《かく》有《う》八《はち》萬《まん》四《し》千《せん》隨《ずい》形《ぎょう》好《こう》。一《いち》一《いち》好《こう》。復《ぶ》有《う》八《はち》萬《まん》四《し》

る」とす。是《こ》れを「像想《ぞうそう》」とす。「第八《だいはち》の観《かん》」と名《な》づく。是《こ》の観《かん》を作《な》せば、無量億劫《むりょうおっこう》の生死《しょうじ》の罪《つみ》を除《のぞ》く。現身《げんしん》の中《なか》に於《お》いて念仏三昧《ねんぶつさんまい》を得《う》。」

17 仏《ぶつ》、阿難《あなん》及《およ》び韋提希《いだいけ》に告《つ》げたまわく、「此《こ》の想《そう》成《じょう》じ已《おわ》りなば、次《つぎ》に当《まさ》に更《さら》に無量寿仏《むりょうじゅぶつ》の身相光明《しんそうこうみょう》を観《かん》ずべし。阿難《あなん》、当《まさ》に知《し》るべし。無量寿仏《むりょうじゅぶつ》の身《しん》は百千万億《ひゃくせんまんおく》の夜摩天閻浮檀金《やまてんえんぶだんこん》色《じき》の如《ごと》し。仏身《ぶっしん》の高《たか》さ、六十万億那由他恒河沙由旬《ろくじゅうまんおくなゆたごうがしゃゆじゅん》なり。眉間《みけん》の白毫《びゃくごう》は、右《みぎ》に旋《めぐ》りて婉転《えんでん》して、五須弥山《ごしゅみせん》の如《ごと》し。仏《ぶつ》眼《げん》は四大海水《しだいかいすい》の如《ごと》し。青白分明《しょうびゃくふんみょう》なり。身《み》の諸《もろもろ》の毛孔《もうく》より光明《こうみょう》を演出《えんしゅつ》す。須弥山《しゅみせん》の如《ごと》し。彼《か》の仏《ぶつ》の円光《えんこう》は百億《ひゃくおく》の三千大千世界《さんぜんだいせんせかい》の如《ごと》し。円光《えんこう》の中《なか》に於《お》いて、百万億那由他恒《ひゃくまんおくなゆたごう》河沙《がしゃ》の化仏《けぶつ》有《まします》す。一一《いちいち》の化仏《けぶつ》に亦衆多無数《またしゅたむしゅ》の化菩薩《けぼさつ》有《まします》す。以《もっ》て侍者《じしゃ》たり。無量寿仏《むりょうじゅぶつ》に八万四千《はちまんしせん》の相《そう》有《まします》す。一一《いちいち》の相《そう》に、各《おの》おの八万四千《はちまんしせん》の随形好《ずいぎょうこう》有《あ》り。一一《いちいち》の好《こう》に復《ま》た八万四千《はちまんしせん》の光明《こうみょう》有《あ》り。一一《いちいち》の光明《こうみょう》、遍《あまね》く十方世界《じっぽうせかい》を照《て》らす。念仏《ねんぶつ》の衆生《しゅじょう》を摂取《せっしゅ》して捨《す》てたまわず。其《そ》の光明《こうみょう》・相好《そうごう》及与《およ》び化仏《けぶつ》、

千光明《せんこうみょう》。一一光明《いちいちこうみょう》。偏照十方世界《へんじょうじっぽうせかい》。念佛衆生《ねんぶつしゅじょう》。攝取不捨《せっしゅふしゃ》。其光明相好《ごこうみょうそうごう》。及與化佛《ぎゅうよけぶつ》。不可具說《ふかぐせつ》。但當憶想《たんとうおくそう》。令《りょう》心眼見《しんげんけん》。見此事者《けんしじしゃ》。卽見十方《そくけんじっぽう》。一切諸《いっさいしょ》佛《ぶつ》。以見諸佛《いけんしょぶつ》。故名念佛三昧《こみょうねんぶつさんまい》。作是《さぜ》觀者《かんしゃ》。名觀一切佛身《みょうかんいっさいぶっしん》。以觀佛身故《いかんぶっしんこ》。亦見佛心《やくけんぶっしん》。佛心者大慈悲是《ぶっしんしゃだいじひぜ》。以無緣慈《いむえんじ》。攝諸衆生《せっしょしゅじょう》。作此觀者《さしかんしゃ》。捨身他世《しゃしんたせ》。生《しょう》諸佛前《しょぶつぜん》。得無生忍《とくむしょうにん》。是故智者《ぜこちしゃ》。應當《おうとう》繫心《けしん》。諦觀無量壽佛《たいかんむりょうじゅぶつ》。觀無量壽佛者《かんむりょうじゅぶっしゃ》。從一相好入《じゅういちそうごうにゅう》。但觀眉間白毫《たんかんみけんびゃくごう》。極令《ごくりょう》明了《みょうりょう》。見眉間白毫者《けんみけんびゃくごうしゃ》。八萬四千相《はちまんしせんそう》好《ごう》。自然當現《じねんとうげん》。見無量壽佛者《けんむりょうじゅぶっしゃ》。卽見《そくけん》十方《じっぽう》。無量諸佛《むりょうしょぶつ》。得見無量諸佛故《とくけんむりょうしょぶつこ》。諸佛現前授記《しょぶつげんぜんじゅき》。是爲偏觀《ぜいへんかん》。一切色身想《いっさいしきしんそう》。名第九觀《みょうだいくかん》。作此觀者《さしかんしゃ》。名爲正觀《みょういしょうかん》。

具《つぶさ》に説《と》くべからず。但《ただ》、当《まさ》に憶想《おくそう》して、心眼《しんげん》をして見《み》せしむべし。此《こ》の事《じ》を見《み》れば、即《すなわ》ち十方《じっぽう》一切《いっさい》の諸仏《しょぶつ》を見《み》たてまつる。諸仏《しょぶつ》を見《み》たてまつるを以《もっ》ての故《ゆえ》に「念仏三昧《ねんぶつさんまい》」と名《な》づく。是《こ》の観《かん》を作《な》すをば、「一切《いっさい》の仏身《ぶっしん》を観《かん》ず」と名《な》づく。仏身《ぶっしん》を観《かん》ずるを以《もっ》ての故《ゆえ》に、亦仏心《またぶっしん》を見《み》る。仏心《ぶっしん》というは大慈《だいじ》悲是《ひこ》れなり。無縁《むえん》の慈《じ》を以《もっ》て諸《もろもろ》の衆生《しゅじょう》を摂《せっ》す。此《こ》の観《かん》を作《な》せば、身《み》を捨《す》てて他世《たせ》に諸仏《しょぶつ》の前《みまえ》に生《しょう》じて、無生忍《むしょうにん》を得《う》。是《こ》の故《ゆえ》に智者《ちしゃ》、応当《まさ》に心《しん》を繋《か》けて、諦《あき》らかに無量寿仏《むりょうじゅぶつ》を観《かん》ずべし。無量寿仏《むりょうじゅぶつ》を観《かん》ぜば、一《ひと》つの相好《そうごう》より入《い》れ。但《ただ》、眉間《みけん》の白毫《びゃくごう》を観《かん》じて、極《きわ》めて明了《みょうりょう》ならしめよ。眉間《みけん》の白毫《びゃくごう》を見《み》れば、八万四千《はちまんしせん》の相好《そうごう》、自然《じねん》に当《まさ》に現《げん》ずべし。無量寿仏《むりょうじゅぶつ》を[5]見《み》たてまつるは、即《すなわ》ち十方無量《じっぽうむりょう》の諸仏《しょぶつ》を見《み》たてまつるなり。無量《むりょう》の諸仏《しょぶつ》を見《み》たてまつることを得《う》るが故《ゆえ》に、諸仏《しょぶつ》、現前《げんぜん》に授記《じゅき》す。是《こ》れを「遍観一切色身想《へんかんいっさいしきしんそう》」とす。「第九《だいく》の観《かん》」と名《な》づく。此《こ》の観《かん》を作《な》すをば、名《な》づけて正観《しょうかん》とす。若《も》し他観《たかん》するをば、名《な》づけて邪観《じゃかん》とす。」

若他觀者《にやくたかんしや》。名爲邪觀《みよういじやかん》。佛告阿難《ぶつごうあなん》。及韋提希《ぎゆういだいけ》。見無量壽佛《けんむりようじゆぶつ》。了了分明已《りようりようふんみようい》。次復當觀《しぶとうかん》。觀世音菩薩《かんぜおんぼさつ》。此菩薩身長《しぼさつしんちよう》。八十萬億那由他由旬《はちじゆうまんおくなゆたゆじゆん》。身紫金色《しんしこんじき》。頂有肉髻《ちよううにつけい》。項有圓光《こううえんこう》。面各百千由旬《めんかくひやくせんゆじゆん》。其圓光中《ごえんこうちゆう》。有五百化佛《うごひやくけぶつ》。如釋迦牟尼佛《によしやかむにぶつ》。一一化佛《いちいちけぶつ》。有五百化菩薩《うごひやくけぼさつ》。無量諸天《むりようしよてん》。以爲侍者《いいじしや》。擧身光中《こしんこうちゆう》。五道衆生《ごどうしゆじよう》。一切色相《いつさいしきそう》。皆於中現《かいおちゆうげん》。頂上毘楞伽摩尼寶《ちようじようびりようがまにほう》。以爲天冠《いいてんがん》。其天冠中《ごてんがんちゆう》。有一立化佛《ういちりゆうけぶつ》。高二十五由旬《こうにじゆうごゆじゆん》。觀世音菩薩《かんぜおんぼさつ》。面如閻浮檀金色《めんによえんぶだんこんじき》。眉間毫相《みけんごうそう》。備七寶色《びしつぼうしき》。流出八萬四千種光明《るしゆつはちまんしせんしゆこうみよう》。一一光明《いちいちこうみよう》。有無量無數百千化佛《うむりようむしゆひやくせんけぶつ》。一一化佛《いちいちけぶつ》。無數化菩薩《むしゆけぼさつ》。以爲侍者《いいじしや》。變現自在《へんげんじざい》。滿十方世《まんじつぽうせ》

---

18 仏《ぶつ》、阿難《あなん》及《およ》び韋提希《いだいけ》に告《つ》げたまわく、「無量寿仏《むりょうじゅぶつ》を見《み》たてまつること了了分明《りょうりょうふんみょう》なること已《おわ》りて、次《つぎ》に復《ま》た、当《まさ》に観世音菩薩《かんぜおんぼさつ》を観《かん》ずべし。此《こ》の菩薩《ぼさつ》、身《み》の長《たけ》、八十万億那由他《はちじゅうまんおくなゆた》由旬《ゆじゅん》なり。身《み》、紫金色《しこんじき》なり。頂《いただき》に肉髻《にっけい》有《あ》り。項《うなじ》に円光《えんこう》有《あ》り。面《おもて》各《おの》おの百千由旬《ひゃくせんゆじゅん》なり。其《そ》の円光《えんこう》の中《なか》に五百《ごひゃく》の化仏《けぶつ》有《ましま》す。釈迦牟尼仏《しゃかむにぶつ》の如《ごと》し。一一《いちいち》の化仏《けぶつ》に五百《ごひゃく》の化菩薩《けぼさつ》・無《む》量《りょう》の諸天《しょてん》有《あ》りて、以《もっ》て侍者《じしゃ》たり。挙身《こしん》の光《ひかり》の中《なか》に、五道《ごどう》の衆生《しゅじょう》の一切《いっさい》の色相《しきそう》、皆中《みななか》に於《お》いて現《げん》ず。頂上《ちょうじょう》に毘楞伽摩《びりょうがま》尼宝《にほう》を以《もっ》て天冠《てんがん》とす。其《そ》の天冠《てんがん》の中《なか》に[6]一《ひと》つの立化仏《りゅうけぶつ》有《ましま》す。高《たか》さ二十五由旬《にじゅうごゆじゅん》なり。観世音菩薩《かんぜおんぼさつ》の面《おもて》、閻浮檀金《えんぶだんこん》の色《いろ》の如《ごと》し。眉間《みけん》の毫相《ごうそう》、七宝《しちほう》の色《いろ》を備《そな》えたり。八万四千種《はちまんしせんしゅ》の光《こう》明《みょう》を流出《るしゅつ》す。一一《いちいち》の光明《こうみょう》に、無量無数百千《むりょうむしゅひゃくせん》の化仏《けぶつ》有《ましま》す。一一《いちいち》の化仏《けぶつ》、無数《むしゅ》の化菩薩《けぼさつ》、以《もっ》て侍者《じしゃ》たり。変現自在《へんげんじざい》にして十方世界《じっぽうせかい》に満《み》てり。譬《たと》えば紅蓮華色《こうれんげしき》の如《ごと》し。八十億《はちじゅうおく》の光明《こうみょう》有《あ》りて、以《もっ》て瓔珞《ようらく》たり。其《そ》の瓔珞《ようらく》の中《なか》に、普《あまね》く一切《いっさい》の諸《もろもろ》

界《かい》。譬如紅蓮華色《ひにょこうれんげしき》。有八十億光明《うはちじゅうおくこうみょう》。以爲瓔珞《いいようらく》。其瓔珞中《ごようらくちゅう》。普現一切《ふげんいっさい》。諸《しょ》莊嚴事《しょうごんじ》。手掌作五百億《しゅしょうさごひゃくおく》。雜蓮華色《ぞうれんげしき》。手十指端《しゅじゅうしたん》。一一指端《いちいちしたん》。有八萬四千畫《うはちまんしせんが》。猶如印文《ゆにょいんもん》。一一畫《いちいちが》。有八萬四千色《うはちまんしせんしき》。一《いち》一色《いちしき》。有八萬四千光《うはちまんしせんこう》。其光柔軟《ごこうにゅうなん》。普《ふ》照一切《しょういっさい》。以此寶手《いしほうしゅ》。接引衆生《しょういんしゅじょう》。擧《こ》足時《そくじ》。足下有千輻輪相《そくげうせんぷくりんそう》。自然化成《じねんけじょう》。五百億光明臺《ごひゃくおくこうみょうだい》。下足時《げそくじ》。有金剛摩尼《うこんごうまに》華《け》。布散一切《ふさんいっさい》。莫不彌滿《まくふみまん》。其餘身相《ごよしんそう》。衆好具足《しゅこうぐそく》。如佛無異《にょぶつむい》。唯頂上肉髻《ゆいちょうじょうにっけい》。及無見頂相《ぎゅうむけんちょうそう》。不及世尊《ふぎゅうせそん》。是爲觀《ぜいかん》。觀世音菩薩《かんぜおんぼさつ》。眞實色身想《しんじつしきしんそう》。名第十觀《みょうだいじっかん》。佛告阿難《ぶつごうあなん》。若有欲觀《にゃくうよくかん》。觀世音菩薩者《かんぜおんぼさつしゃ》。當作是觀《とうさぜかん》。作是觀者《さぜかんしゃ》。不遇諸禍《ふぐしょか》。淨《じょう》除業障《じょごっしょう》。除無數劫《じょむしゅこう》。生死之罪《しょうじしざい》。如此《にょし》

の荘厳《しょうごん》の事《じ》を現《げん》ず。手掌《しゅしょう》に五百億《ごひゃくおく》の雑蓮華《ぞうれんげ》の色《いろ》を作《な》す。手《て》の十指《じっし》の端《はし》、一一《いちいち》の指《ゆび》の端《はし》に、八万四千《はちまんしせん》の画《え》有《あ》り。猶《なお》し印《いん》文《もん》の如《ごと》し。一一《いちいち》の画《え》に八万四千《はちまんしせん》の色《いろ》有《あ》り。一一《いちいち》の色《いろ》に八万四《はちまんし》千《せん》の光《ひかり》有《あ》り。其《そ》の光《ひかり》、柔軟《にゅうなん》にして普《あまね》く一切《いっさい》を照《て》らす。此《こ》の宝手《ほうしゅ》を以《もっ》て衆生《しゅじょう》を接引《しょういん》す。足《あし》を挙《あ》ぐる時《とき》、足《あし》の下《した》に千輻《せんぷく》輪《りん》の相《そう》有《あ》り。自然《じねん》に化《け》して、五百億《ごひゃくおく》の光明台《こうみょうだい》と成《な》る。足《あし》を下《くだ》す時《とき》、金剛摩尼華《こんごうまにけ》有《あ》り。一切《いっさい》に布散《ふさん》して弥満《みまん》せざること莫《な》し。其《そ》の余《よ》の身相《しんそう》、衆好具足《しゅこうぐそく》せること、仏《ぶつ》の如《ごと》くして異《い》無《な》し。唯頂上《ただちょうじょう》の肉髻及《にっけいおよ》び無見頂《むけんちょう》の相《そう》、世尊《せそん》に及《およ》ばず。是《こ》れを「観世音菩薩《かんぜおんぼさつ》の真実色身想《しんじつしきしんそう》を観《かん》ず」とす。「第十《だいじゅう》の観《かん》」と名《な》づく。」仏《ぶつ》、阿難《あなん》に告《つ》げたまわく、「若《も》し観世音菩薩《かんぜおんぼさつ》を観《かん》ぜんと欲《ほっ》すること有《あ》らば、当《まさ》に是《こ》の観《かん》を作《な》すべし。是《こ》の観《かん》を作《な》す者《もの》は、諸禍《しょか》に遇《あ》わず。業障《ごっしょう》を浄除《じょうじょ》す。無数劫《むしゅこう》の生死《しょうじ》の罪《つみ》を除《のぞ》く。此《か》くの如《ごと》きの菩薩《ぼさつ》、但《ただ》、其《そ》の名《な》を聞《き》くに無量《むりょう》の福《ふく》を獲《う》。何《いか》に況《いわ》んや、諦《あき》らかに観《かん》ぜんをや。若《も》し観世音菩薩《かんぜおんぼさつ》を観《かん》ぜんと欲《ほっ》すること有《あ》らば、先《ま》ず頂上《ちょうじょう》の肉髻《にっけい》を観《かん》じ、次《つぎ》

菩薩《ぼさつ》。但聞其名《たんもんごみょう》。獲無量福《ぎゃくむりょうふく》。何況《がきょう》諦觀《たいかん》。若有欲觀《にゃくうよくかん》。觀世音菩薩者《かんぜおんぼさつしゃ》。先《せん》觀頂上肉髻《かんちょうじょうにっけい》。次觀天冠《しかんてんがん》。其餘衆相《ごよしゅそう》。亦次第觀之《やくしだいかんし》。亦令明了《やくりょうみょうりょう》。如觀掌《にょかんしょう》中《ちゅう》。作是觀者《さぜかんしゃ》。名爲正觀《みょういしょうかん》。若他觀《にゃくたかん》者《しゃ》。名爲邪觀《みょういじゃかん》。

次復應觀《しぶおうかん》。大勢至菩薩《だいせいしぼさつ》。此菩薩身量《しぼさつしんりょう》大小《だいしょう》。亦如觀世音《やくにょかんぜおん》。圓光面各《えんこうめんかく》。百二《ひゃくに》十五由旬《じゅうごゆじゅん》。照二百五十由旬《しょうにひゃくごじゅうゆじゅん》。擧《こ》身光明《しんこうみょう》。照十方國《しょうじっぽうこく》。作紫金色《さしこんじき》。有縁《うえん》衆生《しゅじょう》。皆悉得見《かいしつとくけん》。但見此菩薩《たんけんしぼさつ》。一毛《いちもう》孔光《くこう》。卽見十方《そくけんじっぽう》。無量諸佛《むりょうしょぶつ》。淨妙《じょうみょう》光明《こうみょう》。是故號此菩薩《ぜこごうしぼさつ》。名無邊光《みょうむへんこう》。以《い》智慧光《ちえこう》。普照一切《ふしょういっさい》。令離三塗《りょうりさんず》。得無《とくむ》上力《じょうりき》。是故號此菩薩《ぜこごうしぼさつ》。名大勢至《みょうだいせいし》。此《し》菩薩天冠《ぼさつてんがん》。有五百寶華《うごひゃっぽうけ》。一一寶華《いちいちほうけ》。

に天冠《てんがん》を観《かん》ぜよ。其《そ》の余《よ》の衆相《しゅそう》、亦次第《またしだい》に之《これ》を観《かん》じて、亦《また》明了《みょうりょう》ならしめて、掌《たなごころ》の中《うち》を観《み》るが如《ごと》くせよ。是《こ》の観《かん》を作《な》すをば、名《な》づけて正観《しょうかん》とす。若《も》し他観《たかん》するをば、名《な》づけて邪観《じゃかん》とす。」

19 7「次《つぎ》に復《ま》た、応《まさ》に大勢至菩薩《だいせいしぼさつ》を観《かん》ずべし。此《こ》の菩薩《ぼさつ》の身《しん》量《りょう》・大小《だいしょう》、亦観世音《またかんぜおん》の如《ごと》し。円光《えんこう》の面各《おもておの》おの百二十五《ひゃくにじゅうご》由旬《ゆじゅん》なり。二百五十由旬《にひゃくごじゅうゆじゅん》を照《て》らす。挙身《こしん》の光明《こうみょう》、十方《じっぽう》国《こく》を照《て》らす。紫金色《しこんじき》を作《な》す。有縁《うえん》の衆生《しゅじょう》、皆悉《みなことごと》く見《み》ることを得《う》。但此《ただこ》の菩薩《ぼさつ》の一毛孔《いちもうく》の光《ひかり》を見《み》れば、即《すなわ》ち十方無《じっぽうむ》量諸仏《りょうしょぶつ》の浄妙《じょうみょう》の光明《こうみょう》を見《み》る。是《こ》の故《ゆえ》に此《こ》の菩薩《ぼさつ》を号《ごう》して、無辺光《むへんこう》と名《な》づく。智慧《ちえ》の光《ひかり》を以《もっ》て普《あまね》く一切《いっさい》を照《て》らして、三《さん》塗《ず》を離《はな》れしむるに無上力《むじょうりき》を得《え》たり。是《こ》の故《ゆえ》に此《こ》の菩薩《ぼさつ》を号《ごう》して、大勢至《だいせいし》と名《な》づく。此《こ》の菩薩《ぼさつ》の天冠《てんがん》に五百《ごひゃく》の宝華有《ほうけあ》り。一一《いちいち》の宝華《ほうけ》に五百《ごひゃく》の宝台有《ほうだいあ》り。一一《いちいち》の台《だい》の中《うち》に、十方諸仏《じっぽうしょぶつ》

有《う》五百寶臺《ごひゃっぽうだい》。一一臺中《いちいちだいちゅう》。十方諸佛《じっぽうしょぶつ》。淨妙國土《じょうみょうこくど》。廣長之相《こうちょうしそう》。皆於中現《かいおちゅうげん》。頂上肉髻《ちょうじょうにっけい》。如鉢頭摩華《にょはずまけ》。於肉髻上《おにっけいじょう》。有一寶缾《ういちほうびょう》。盛諸光明《じょうしょこうみょう》。普現佛事《ふげんぶつじ》。餘諸身相《よしょしんそう》。如觀世音《にょかんぜおん》。等無有異《とうむうい》。此菩薩行時《しぼさつぎょうじ》。十方世界《じっぽうせかい》。一切震動《いっさいしんどう》。當地動處《とうじどうしょ》。有五百億寶華《うごひゃくおくほうけ》。一一寶華《いちいちほうけ》。莊嚴高顯《しょうごんこうけん》。如極樂世界《にょごくらくせかい》。此菩薩坐時《しぼさつざじ》。七寶國土《しっぽうこくど》。一時動搖《いちじどうよう》。從下方金光佛刹《じゅうげほうこんこうぶっせつ》。乃至上方《ないしじょうほう》。光明王佛刹《こうみょうおうぶっせつ》。於其中間《おごちゅうげん》。無量塵數《むりょうじんじゅ》。分身無量壽佛《ふんじんむりょうじゅぶつ》。分身觀世音《ふんじんかんぜおん》。大勢至《だいせいし》。皆悉雲集《かいしつうんじゅう》。極樂國土《ごくらくこくど》。側塞空中《しきそくくうじゅう》。坐蓮華座《ざれんげざ》。演說妙法《えんぜつみょうほう》。度苦衆生《どくしゅじょう》。作此觀者《さしかんしゃ》。名爲正觀《みょういしょうかん》。若他觀者《にゃくたかんしゃ》。名爲邪觀《みょういじゃかん》。見大勢至菩薩《けんだいせいしぼさつ》。是爲觀大勢至色身想《ぜいかんだいせいししきしんそう》。名第十一觀《みょうだいじゅういっかん》。

の浄妙《じょうみょう》の国土《こくど》、広長《こうちょう》の相《そう》、皆中《みななか》に於《お》いて現《げん》ず。頂上《ちょうじょう》の肉髻《にっけい》、鉢頭摩華《はずまけ》の如《ごと》し。肉髻《にっけい》の上《うえ》に於《お》いて一《ひと》つの宝缾《ほうびょう》有《あ》り。諸《もろもろ》の光明《こうみょう》を盛《い》れて、普《あまね》く仏事《ぶつじ》を現《げん》ず。余《よ》の諸《もろもろ》の身相《しんそう》、観世音《かんぜおん》の如《ごと》し。等《ひと》しくして異《い》有《あ》ること無《な》し。此《こ》の菩薩《ぼさつ》行《ぎょう》ずる時《とき》、十方世界《じっぽうせかい》、一切震動《いっさいしんどう》す。地動《じどう》の処《ところ》に当《あ》たりて五百億《ごひゃくおく》の宝華《ほうけ》有《あ》り。一一《いちいち》の宝華《ほうけ》、荘厳高《しょうごんたか》く顕《あらわ》れて極楽世界《ごくらくせかい》の如《ごと》し。此《こ》の菩薩《ぼさつ》坐《ざ》する時《とき》、七宝《しちほう》の国土《こくど》、一時《いちじ》に動揺《どうよう》す。下方《げほう》の金光《こんこう》仏刹《ぶっせつ》より乃至《ないし》上方《じょうほう》の光明王仏《こうみょうおうぶつ》の刹《せつ》まで、其《そ》の中間《ちゅうげん》に於《お》いて無量塵数《むりょうじんじゅ》なり。分身《ふんじん》の無量寿仏《むりょうじゅぶつ》、分身《ふんじん》の観世音《かんぜおん》・大勢至《だいせいし》、皆悉《みなことごと》く極楽国土《ごくらくこくど》に雲集《うんじゅう》す。空中《くうちゅう》に側塞《しきそく》して、蓮華座《れんげざ》に坐《ざ》す。妙法《みょうほう》を演説《えんぜつ》して、苦《く》の衆生《しゅじょう》を度《ど》す。此《こ》の観《かん》を作《な》すをば、名《な》づけて正観《しょうかん》とす。若《も》し他観《たかん》するをば、名《な》づけて邪観《じゃかん》とす。大勢至菩薩《だいせいしぼさつ》を見《み》る、是《こ》れを「大勢至《だいせいし》の色身想《しきしんそう》を観《かん》ず」とす。「第十一《だいじゅういち》の観《かん》」と名《な》づく。此《こ》の菩薩《ぼさつ》を観《かん》ずれば、[8]無数劫《むしゅこう》阿《あ》僧祇《そうぎ》の生死《しょうじ》の罪《つみ》を除《のぞ》く。是《こ》の観《かん》を作《な》せば胞胎《ほうたい》に処《しょ》せず。常《つね》に諸仏《しょぶつ》の浄妙《じょうみょう》の国土《こくど》に遊《あそ》ぶ。此《こ》の観《かん》成《じょう》じ已《おわ》るを、名《な》づけ

觀此菩薩者《かんしぼさつしや》。除無數劫《じよむしゆこう》。阿僧祇《あそうぎ》。生《しよう》死之罪《じしざい》。作是觀者《さぜかんしや》。不處胞胎《ふしよほうたい》。常遊《じようゆ》諸佛《しよぶつ》。淨妙國土《じようみようこくど》。此觀成已《しかんじようい》。名爲《みようい》具足觀《ぐそくかん》。觀世音大勢至《かんぜおんだいせいし》。

見此事時《けんしじじ》。當起自心《とうきじしん》。生於西方《しようおさいほう》。極《ごく》樂世界《らくせかい》。於蓮華中《おれんげちゆう》。結跏趺坐《けつかふざ》。作蓮《されん》華合想《げごうそう》。作蓮華開想《されんげかいそう》。蓮華開時《れんげかいじ》。有五《うご》百色光《ひやくしきこう》。來照身想《らいしようしんそう》。眼目開想《げんもくかいそう》。見佛《けんぶつ》菩薩《ぼさつ》。滿虚空中《まんこくうじゆう》。水鳥樹林《すいちようじゆりん》。及與《ぎゆうよ》諸佛《しよぶつ》。所出音聲《しよしゆつおんじよう》。皆演妙法《かいえんみようほう》。與十《よじゆう》二部經合《にぶきようごう》。出定之時《しゆつじようしじ》。憶持不失《おくじふしつ》。見此事已《けんしじい》。名見無量壽佛《みようけんむりようじゆぶつ》。極樂世界《ごくらくせかい》。是爲普觀想《ぜいふかんそう》。名第十二觀《みようだいじゆうにかん》。無量壽《むりようじゆ》佛《ぶつ》。化身無數《けしんむしゆ》。與觀世音《よかんぜおん》。大勢至《だいせいし》。常來至此《じようらいしし》。行人之所《ぎようにんししよ》。

佛告阿難《ぶつごうあなん》。及韋提希《ぎゆういだいけ》。若欲至心《にやくよくししん》。

て「具足《ぐそく》して観世音《かんぜおん》・大勢至《だいせいし》を観《かん》ず」とす。」

20「此《こ》の事《じ》を見《み》る時《とき》、当《まさ》に自心《じしん》を起《お》こして、西方極楽世界《さいほうごくらくせかい》に生《しょう》じて、蓮華《れんげ》の中《なか》に於《お》いて結跏趺坐《けっかふざ》し、蓮華《れんげ》の合《がっ》する想《おもい》を作《な》し、蓮華《れんげ》の[9]開《ひら》くる想《おもい》を作《な》すべし。蓮華開《れんげひら》くる時《とき》、五百《ごひゃく》色《しき》の光《ひかり》有《あ》り。来《き》たりて身《み》を照《て》らす。眼目開《げんもくひら》くと想《おも》え。仏菩《ぶつぼ》薩《さつ》の、虚空《こくう》の中《なか》に満《み》てるを見《み》ると想《おも》え。水鳥《すいちょう》・樹林《じゅりん》及《お》与《よ》び諸仏《しょぶつ》の所出《しょしゅつ》の音声《おんじょう》、皆《みな》妙法《みょうほう》を演《の》ぶ。十二部経《じゅうにぶきょう》と合《がっ》して、出定《しゅつじょう》の時《とき》、憶持《おくじ》して失《しっ》せず。此《こ》の事《じ》を見已《みおわ》るを「無量寿《むりょうじゅ》仏《ぶつ》の極楽世界《ごくらくせかい》を見《み》る」と名《な》づく。是《こ》れを「普観想《ふかんそう》」とす。「第十二《だいじゅうに》の観《かん》」と名《な》づく。無量寿仏《むりょうじゅぶつ》、化身無数《けしんむしゅ》なり。観世《かんぜ》音《おん》・大勢至《だいせいし》と、常《つね》に此《こ》の行人《ぎょうにん》の所《ところ》に来至《らいし》す。」

21仏《ぶつ》、阿難《あなん》及《およ》び韋提希《いだいけ》に告《つ》げたまわく、「若《も》し心《しん》を至《いた》して西《さい》

生西方者《しょうさいほうしゃ》。先當觀於《せんとうかんお》。一丈六像《いちじょうろくぞう》。在《ざい》池水上《ちすいじょう》。如先所說《にょせんしょせつ》。無量壽佛《むりょうじゅぶつ》。身《しん》量無邊《りょうむへん》。非是凡夫《ひぜぼんぶ》。心力所及《しんりきしょぎゅう》。然彼《ねんぴ》如來《にょらい》。宿願力故《しゅくがんりきこ》。有憶想者《うおくそうしゃ》。必得成《ひっとくじょう》就《じゅ》。但想佛像《たんそうぶつぞう》。得無量福《とくむりょうふく》。何況觀《がきょうかん》佛《ぶつ》。具足身相《ぐそくしんそう》。阿彌陀佛《あみだぶつ》。神通如意《じんずうにょい》。於十方國《おじっぽうこく》。變現自在《へんげんじざい》。或現大身《わくげんだいしん》。滿虛《まんこ》空中《くうじゅう》。或現小身《わくげんしょうしん》。丈六八尺《じょうろくはっしゃく》。所現《しょげん》之形《しぎょう》。皆眞金色《かいしんこんじき》。圓光化佛《えんこうけぶつ》。及寶蓮《ぎゅうほうれん》華《げ》。如上所說《にょじょうしょせつ》。觀世音菩薩《かんぜおんぼさつ》。及大勢《ぎゅうだいせい》至《し》。於一切處身同《おいっさいしょしんどう》。衆生但觀首相《しゅじょうたんかんしゅそう》。知是觀世音《ちぜかんぜおん》。知是大勢至《ちぜだいせいし》。此二菩薩《しにぼさつ》。助阿彌陀佛《じょあみだぶつ》。普化一切《ふけいっさい》。是爲雜觀想《ぜいぞうかんそう》。名第十三觀《みょうだいじゅうさんがん》。

佛告阿難《ぶつごうあなん》。及韋提希《ぎゅういだいけ》。上品上生者《じょうぼんじょうしょうしゃ》。若有衆生《にゃくうしゅじょう》。願生彼國者《がんしょうひこくしゃ》。發三種心《ほっさんじゅしん》。

方《ほう》に生《しょう》ぜんと欲《ほっ》せん者《もの》は、先《ま》ず当《まさ》に一《ひと》つの丈六《じょうろく》の像《ぞう》を観《かん》じて池水《ちすい》の上《うえ》に在《お》くべし。先《さき》の所説《しょせつ》の如《ごと》きは、無量寿仏《むりょうじゅぶつ》、身《しん》量無辺《りょうむへん》にして、是《こ》れ凡夫《ぼんぶ》の心力《しんりき》の及《およ》ぶ所《ところ》に非《あら》ず。然《しか》るを、彼《か》の如来《にょらい》の宿願力《しゅくがんりき》の故《ゆえ》に、憶想《おくそう》すること有《あ》れば、必《かなら》ず成《じょう》就《じゅ》することを得《う》。但《ただ》し仏像《ぶつぞう》を想《おも》うに、無量《むりょう》の福《ふく》を得《う》。何《いか》に況《いわ》んや、仏《ぶつ》の具足《ぐそく》の身相《しんそう》を観《かん》ぜんをや。阿弥陀仏《あみだぶつ》、神通如意《じんずうにょい》にして、十方《じっぽう》の国《くに》に於《お》いて変現自在《へんげんじざい》なり。或《ある》いは大身《だいしん》を現《げん》じて虚空《こくう》の中《なか》に満《み》ち、或《ある》いは小身《しょうしん》を現《げん》じて丈六八尺《じょうろくはっしゃく》なり。所現《しょげん》の形《かたち》、皆真金色《みなしんこんじき》なり。円光《えんこう》・化仏《けぶつ》及《およ》び宝蓮華《ほうれんげ》、上《かみ》の所《しょ》説《せつ》の如《ごと》し。観世音菩薩《かんぜおんぼさつ》及《およ》び大勢至《だいせいし》、一切処《いっさいしょ》に於《お》いて身《しん》同《おな》じ。衆生《しゅじょう》、但《ただ》、首相《しゅそう》を観《み》て、是《こ》れ観世音《かんぜおん》と知《し》り、是《こ》れ大勢至《だいせいし》と知《し》る。此《こ》の二菩薩《にぼさつ》、阿弥陀仏《あみだぶつ》を助《たす》けて普《あまね》く一切《いっさい》を化《け》す。是《こ》れを「[10]雑観想《ざっかんそう》」とす。「第十三《だいじゅうさん》の観《かん》」と名《な》づく。」

22 仏《ぶつ》、阿難《あなん》及《およ》び韋提希《いだいけ》に告《つ》げたまわく、「「上品上生《じょうぼんじょうしょう》」というは、若《も》し衆生《しゅじょう》有《あ》りて、彼《か》の国《くに》に生《う》まれんと願《がん》ずれば、

卽便往生《そくべんおうじょう》。何等爲三《がとういさん》。一者至誠心《いっしゃしじょうしん》。二者深心《にしゃじんしん》。三者回向發願心《さんじゃえこうほつがんしん》。具三心者《ぐさんじんしゃ》。必生彼國《ひっしょうひこく》。復有三種衆生。當得往生《とうとくおうじょう》。何等爲三《がとういさん》。一者慈心不殺《いっしゃじしんふせつ》。具諸戒行《ぐしょかいぎょう》。二者讀誦大乘《にしゃどくじゅだいじょう》。方等經典《ほうどうきょうでん》。三者修行六念《さんじゃしゅぎょうろくねん》。回向發願《えこうほつがん》。願生彼國《がんしょうひこく》。具此功德《ぐしくどく》。一日乃至七日《いちにちないししちにち》。卽得往生《そくとくおうじょう》。生彼國時《しょうひこくじ》。此人精進《しにんしょうじん》。勇猛故《ゆみょうこ》。阿彌陀如來《あみだにょらい》。與觀世音《よかんぜおん》。大勢至《だいせいし》。無數化佛《むしゅけぶつ》。百千比丘《ひゃくせんびく》。聲聞大衆《しょうもんだいしゅ》。無數諸天《むしゅしょてん》。七寶宮殿《しっぽうくでん》。觀世音菩薩《かんぜおんぼさつ》。執金剛臺《しゅうこんごうだい》。與大勢至菩薩《よだいせいしぼさつ》。至行者前《しぎょうじゃぜん》。阿彌陀佛《あみだぶつ》。放大光明《ほうだいこうみょう》。照行者身《しょうぎょうじゃしん》。與諸菩薩《よしょぼさつ》。授手迎接《じゅしゅこうしょう》。觀世音《かんぜおん》。大勢至《だいせいし》。與無數菩薩《よむしゅぼさつ》。讚歎行者《さんだんぎょうじゃ》。勸進其心《かんじんごしん》。行者見已《ぎょうじゃけんい》。歡喜踊躍《かんぎゆやく》。自見其身《じけんごしん》。乘《じょう》

三種《さんしゅ》の心《しん》を発《おこ》して即便《すなわ》ち往生《おうじょう》す。何等《なんら》をか三《み》つとする。一《ひと》つには至誠心《しじょうしん》、二《ふた》つには深心《じんしん》、三《み》つには回向発願心《えこうほつがんしん》なり。三心《さんじん》を具《ぐ》すれば、必《かなら》ず彼《か》の国《くに》に生《しょう》ず。復《ま》た三種《さんしゅ》の衆生《しゅじょう》有《あ》りて、当《まさ》に往生《おうじょう》を得《う》べし。何等《なんら》をか三《み》つとする。一《ひと》つには慈心《じしん》にして殺《せっ》せず、諸《もろもろ》の戒行《かいぎょう》を具《ぐ》す。二《ふた》つには大乗方等《だいじょうほうどう》経典《きょうでん》を読誦《どくじゅ》す。三《み》つには六念《ろくねん》を修行《しゅぎょう》す。回向発願《えこうほつがん》して彼《か》の国《くに》に生《しょう》ぜんと願《がん》ず。此《こ》の功徳《くどく》を具《ぐ》すること、一日乃至七日《いちにちないししちにち》して、即《すなわ》ち往生《おうじょう》を得《う》。彼《か》の国《くに》に生《しょう》ずる時《とき》、此《こ》の人《ひと》、精進《しょうじん》勇猛《ゆみょう》なるが故《ゆえ》に、阿弥陀如来《あみだにょらい》、観世音《かんぜおん》・大勢至《だいせいし》・無数《むしゅ》の化仏《けぶつ》・百千《ひゃくせん》の比丘《びく》・声聞大衆《しょうもんだいしゅ》・無数《むしゅ》の諸天《しょてん》・七宝《しちほう》の宮殿《くでん》と、観世音菩薩《かんぜおんぼさつ》、金剛台《こんごうだい》を執《と》りて、大勢至菩薩《だいせいしぼさつ》と、行者《ぎょうじゃ》の前《まえ》に至《いた》る。阿弥陀仏《あみだぶつ》、大光明《だいこうみょう》を放《はな》ちて行者《ぎょうじゃ》の身《み》を照《て》らしたまう。諸《もろもろ》の菩薩《ぼさつ》と手《みて》を授《さず》けて迎接《こうしょう》す。観世音《かんぜおん》・大勢至《だいせいし》、無数《むしゅ》の菩《ぼ》薩《さつ》と、行者《ぎょうじゃ》を讃歎《さんだん》して、其《そ》の心《しん》を勧進《かんじん》す。行者見已《ぎょうじゃみおわ》りて歓《かん》喜踊躍《ぎゆやく》す。自《みずか》ら其《そ》の身《み》を見《み》れば、金剛台《こんごうだい》に乗《じょう》じて、仏後《ぶつご》に随従《ずいじゅう》して、弾指《たんじ》の頃《あいだ》の如《ごと》くに彼《か》の国《くに》に往生《おうじょう》す。彼《か》の国《くに》に

金剛臺《こんごうだい》。隨從佛後《ずいじゅうぶつご》。如彈指頃《にょたんじきょう》。往《おう》生彼國《じょうひこく》。生彼國已《しょうひこくい》。見佛色身《けんぶつしきしん》。衆相《しゅそう》具足《ぐそく》。見諸菩薩《けんしょぼさつ》。色相具足《しきそうぐそく》。光明寶《こうみょうほう》林《りん》。演說妙法《えんぜつみょうほう》。聞已卽悟《もんいそくご》。無生法忍《むしょうほうにん》。經須臾間《きょうしゅゆけん》。歷事諸佛《りゃくじしょぶつ》。徧十方界《へんじっぽうかい》。於《お》諸佛前《しょぶつぜん》。次第授記《しだいじゅき》。還到本國《げんとうほんごく》。得無《とくむ》量百千陀羅尼門《りょうひゃくせんだらにもん》。是名上品上生《ぜみょうじょうぼんじょうしょう》者《しゃ》。

上品中生者《じょうぼんちゅうしょうしゃ》。不必受持讀誦方等經《ふひつじゅじどくじゅほうどうきょう》典《でん》。善解義趣《ぜんげぎしゅ》。於第一義《おだいいちぎ》。心不驚動《しんぷきょうどう》。深信因果《じんしんいんが》。不謗大乘《ふほうだいじょう》。以此功德《いしくどく》。回《え》向願求《こうがんぐ》。生極樂國《しょうごくらくこく》。行此行者《ぎょうしぎょうじゃ》。命《みょう》欲終時《よくじゅうじ》。阿彌陀佛《あみだぶつ》。與觀世音《よかんぜおん》。大勢《だいせい》至《し》。無量大衆《むりょうだいしゅ》。眷屬圍繞《けんぞくいにょう》。持紫金臺《じしこんだい》。至行者前《しぎょうじゃぜん》。讚言法子《さんごんほうし》。汝行大乘《にょぎょうだいじょう》。解第一義《げだいいちぎ》。是故我今《ぜこがこん》。來迎接汝《らいこうしょうにょ》。與《よ》

生《しょう》じ已《おわ》りて、仏《ぶつ》の色身《しきしん》の衆相具足《しゅそうぐそく》せるを見《み》たてまつる。諸《もろもろ》の菩薩《ぼさつ》の色相具足《しきそうぐそく》せるを見《み》る。光明《こうみょう》の宝林《ほうりん》、妙法《みょうほう》を演《えん》説《ぜっ》す。聞《き》き已《おわ》りて即《すなわ》ち無生法忍《むしょうほうにん》を悟《さと》る。須臾《しゅゆ》の間《あいだ》を経《へ》て諸仏《しょぶつ》に歴事《りゃくじ》し、十方界《じっぽうかい》に遍《へん》じて、諸仏《しょぶつ》の前《みまえ》に於《お》いて次第《しだい》に授記《じゅき》せらる。本国《ほんごく》に還到《げんとう》して、無量百千《むりょうひゃくせん》の陀羅尼門《だらにもん》を得《う》。是《こ》れを「上品上生《じょうぼんじょうしょう》の者《もの》」と名《な》づく。

[23]「上品中生《じょうぼんちゅうしょう》」というは、必《かなら》ずしも方等経典《ほうどうきょうでん》を受持読誦《じゅじどくじゅ》せざれども、善《よ》く義趣《ぎしゅ》を解《さと》り、第一義《だいいちぎ》に於《お》いて心驚動《しんきょうどう》せず。深《ふか》く因果《いんが》を信《しん》じて大乗《だいじょう》を謗《ほう》ぜず。此《こ》の功徳《くどく》を以《もっ》て回向《えこう》して極楽国《ごくらくこく》に生《う》まれんと願求《がんぐ》す。此《こ》の行《ぎょう》を行《ぎょう》ずれば、命終《いのちおわ》らんと欲《す》る時《とき》に、[11]阿弥陀仏《あみだぶつ》、観世音《かんぜおん》・大勢至《だいせいし》・無量《むりょう》の大衆《だいしゅ》と眷属《けんぞく》に囲繞《いにょう》せられて、紫金台《しこんだい》を持《じ》して、行者《ぎょうじゃ》の前《まえ》に至《いた》る。讃《ほ》めて言《い》わく、「法子《ほうし》。汝《なんじ》、大乗《だいじょう》を行《ぎょう》じ第一義《だいいちぎ》を解《さと》る。是《こ》の故《ゆえ》に我今来《われいまき》たりて汝《なんじ》を迎接《こうしょう》す」と。千《せん》の化仏《けぶつ》と一時《いちじ》に手《みて》

千化佛《せんけぶつ》。一時《いちじ》授手《じゅしゅ》。行者《ぎょうじゃ》自見《じけん》。坐紫《ざし》金臺《こんだい》。合掌叉手《がっしょうしゃしゅ》。讃歎諸佛《さんだんしょぶつ》。如一念《にょいちねん》頃《きょう》。卽生《そくしょう》彼國《ひこく》。七寶池中《しっぽうちちゅう》。此紫金《ししこん》臺《だい》。如大寶華《にょだいほうけ》。經宿則開《きょうしゅくそくかい》。行者身《ぎょうじゃしん》作《さ》。紫磨金色《しまこんじき》。足下亦有《そくげやくう》。七寶蓮華《しっぽうれんげ》。佛及菩薩《ぶつぎゅうぼさつ》。倶時放光明《くじほうこうみょう》。照行者身《しょうぎょうじゃしん》。目卽開明《もくそくかいみょう》。因前宿習《いんぜんしゅくじゅう》。普聞衆聲《ふもんしゅしょう》。純說甚深《じゅんぜつじんじん》。第一義諦《だいいちぎたい》。卽下金臺《そくげこんだい》。禮《らい》佛合掌《ぶつがっしょう》。讃歎世尊《さんだんせそん》。經於七日《きょうおしちにち》。應時《おうじ》卽於《そくお》。阿耨多羅三藐三菩提《あのくたらさんみゃくさんぼだい》。得不退《とくふたい》轉《てん》。應時卽能《おうじそくのう》。飛行偏至十方《ひぎょうへんしじっぽう》。歷事《りゃくじ》諸佛《しょぶつ》。於諸佛所《おしょぶつしょ》。修諸三昧《しゅしょさんまい》。經一小《きょういちしょう》劫《こう》。得無生忍《とくむしょうにん》。現前授記《げんぜんじゅき》。是名上《ぜみょうじょう》品中生者《ぼんちゅうしょうしゃ》。

上品下生者《じょうぼんげしょうしゃ》。亦信因果《やくしんいんが》。不謗大乘《ふほうだいじょう》。但發無上道心《たんぼつむじょうどうしん》。以此功德《いしくどく》。回向願《えこうがん》

を授《さず》く。行者《ぎょうじゃ》、自《みずか》ら見《み》れば紫金台《しこんだい》に坐《ざ》す。合掌叉手《がっしょうしゃしゅ》して諸仏《しょぶつ》を讃歎《さんだん》す。一念《いちねん》の頃《あいだ》の如《ごと》くに、即《すなわ》ち彼《か》の国《くに》の七宝池《しちほうち》の中《なか》に生《しょう》ず。此《こ》の紫金台《しこんだい》は大宝華《だいほうけ》の如《ごと》し。宿《しゅく》を経《へ》て則《すなわ》ち開《ひら》く。行者《ぎょうじゃ》の身《み》、紫磨金色《しまこんじき》に作《な》れり。足《あし》の下《した》に亦七宝《またしちほう》の蓮華《れんげ》有《あ》り。仏及《ぶつおよ》び菩薩《ぼさつ》、倶時《くじ》に光明《ひかり》を放《はな》ちて、行者《ぎょうじゃ》の身《み》を照《て》らす。目《め》即《すなわ》ち開《ひら》けて明《あき》らかなり。前《さき》の宿習《しゅくじゅう》に因《よ》りて、普《あまね》く衆声《しゅしょう》を聞《き》くに、純《もっぱ》ら甚深《じんじん》の第一義諦《だいいちぎたい》を説《と》く。即《すなわ》ち金台《こんだい》より下《お》りて、仏《ぶつ》を礼《らい》し合掌《がっしょう》して、世尊《せそん》を讃歎《さんだん》す。七日《しちにち》を経《へ》て、時《とき》に応《おう》じて即《すなわ》ち阿耨多羅三藐三菩提《あのくたらさんみゃくさんぼだい》に於《お》いて不退転《ふたいてん》を得《う》。時《とき》に応《おう》じて即《すなわ》ち能《よ》く飛行《ひぎょう》して、遍《あまね》く十方《じっぽう》に至《いた》り、諸仏《しょぶつ》に歴事《りゃくじ》す。諸仏《しょぶつ》の所《みもと》に於《お》いて諸《もろもろ》の三昧《さんまい》を修《しゅ》す。一小劫《いちしょうこう》を経《へ》て無生忍《むしょうにん》を得《え》、現前《げんぜん》に授記《じゅき》せらる。是《こ》れを「上品中生《じょうぼんちゅうしょう》の者《もの》」と名《な》づく。

24「上品下生《じょうぼんげしょう》」というは、亦因果《またいんが》を信《しん》じ、大乗《だいじょう》を謗《ほう》ぜず。但無上道心《ただむじょうどうしん》を発《おこ》す。此《こ》の功徳《くどく》を以《もっ》て回向《えこう》して極楽国《ごくらくこく》に生《う》ま

求《ぐ》。生極樂國《しょうごくらくこく》。行者命欲終時《ぎょうじゃみょうよくじゅうじ》。阿《あ》彌陀佛《みだぶつ》。及觀世音《ぎゅうかんぜおん》。大勢至《だいせいし》。與諸眷屬《よしょけんぞく》。持金蓮華《じこんれんげ》。化作五百化佛《けさごひゃくけぶつ》。來迎此人《らいこうしにん》。五百化佛《ごひゃくけぶつ》。一時授手《いちじじゅしゅ》。讃言法子《さんごんほうし》。汝今清淨《にょこんしょうじょう》。發無上道心《ほつむじょうどうしん》。我來迎汝《がらいこうにょ》。見此事時《けんしじじ》。卽自見身《そくじけんしん》。坐金蓮華《ざこんれんげ》。坐已華合《ざいけごう》。隨世尊後《ずいせそんご》。卽得往生《そくとくおうじょう》。七《しつ》寶池中《ぼうちちゅう》。一日一夜《いちにちいちや》。蓮華乃開《れんげないかい》。七日之中《しちにちしちゅう》。乃得見佛《ないとくけんぶつ》。雖見佛身《すいけんぶつしん》。於衆相好《おしゅそうごう》。心不明了《しんぷみょうりょう》。於三七日後《おさんしちにちご》。乃了了見《ないりょうりょうけん》。聞衆音聲《もんしゅおんじょう》。皆演妙法《かいえんみょうほう》。遊歷十方《ゆりゃくじっぽう》。供養諸佛《くようしょぶつ》。於諸佛前《おしょぶつぜん》。聞甚深法《もんじんじんぼう》。經三小劫《きょうさんしょうこう》。得百法明門《とくひゃっぽうみょうもん》。住歡喜地《じゅうかんぎじ》。是名上品下生者《ぜみょうじょうぼんげしょうしゃ》。是名上輩生想《ぜみょうじょうはいしょうそう》。名第十四觀《みょうだいじゅうしかん》。佛告阿難《ぶつごうあなん》。及韋提希《ぎゅういだいけ》。中品上生者《ちゅうぼんじょうしょうしゃ》。

れんと願求《がんぐ》す。行者《ぎょうじゃ》、命終《いのちおわ》らんと欲《す》る時《とき》に、阿弥陀仏及《あみだぶつおよ》び観世音《かんぜおん》・大勢至《だいせいし》、諸《もろもろ》の眷属《けんぞく》と、金蓮華《こんれんげ》を[12]持《も》って、五百《ごひゃく》の化仏《けぶつ》を化作《けさ》して、此《こ》の人《ひと》を来迎《らいこう》す。五百《ごひゃく》の化仏《けぶつ》、一時《いちじ》に手《みて》を授《さず》けて、讃《ほ》めて言《い》わく、「法子《ほうし》。汝《なんじ》、今清浄《いましょうじょう》にして無《む》上道心《じょうどうしん》を発《おこ》す。我来《われき》たりて汝《なんじ》を迎《むか》う」と。此《こ》の事《じ》を見《み》る時《とき》、即《すなわ》ち自《みずか》ら身《み》を見《み》れば、金蓮華《こんれんげ》に坐《ざ》す。坐《ざ》し已《おわ》れば華合《はながっ》す。世尊《せそん》の後《うしろ》に随《したが》いて、即《すなわ》ち七宝池《しちほうち》の中《なか》に往生《おうじょう》することを得《う》。一日一夜《いちにちいちや》に、蓮華《れんげ》乃《すなわ》ち開《ひら》く。七日《しちにち》の中《うち》に乃《すなわ》ち仏《ぶつ》を見《み》たてまつることを得《う》。仏身《ぶっしん》を見《み》たてまつると雖《いえど》も、衆《もろもろ》の相好《そうごう》に於《お》いて、心《しん》、明了《みょうりょう》ならず。三七日《さんしちにち》の後《のち》に於《お》いて、乃《すなわ》ち了《りょう》了《りょう》に見《み》たてまつる。衆《もろもろ》の音声《おんじょう》を聞《き》くに、皆妙法《みなみょうほう》を演《の》ぶ。十方《じっぽう》に遊歴《ゆりゃく》して諸仏《しょぶつ》を供養《くよう》す。諸仏《しょぶつ》の前《みまえ》に於《お》いて甚深《じんじん》の法《ほう》を聞《き》く。三小劫《さんしょうこう》を経《へ》て、百法明門《ひゃっぽうみょうもん》を得《え》、歓喜地《かんぎじ》に住《じゅう》す。是《こ》れを「上品下生《じょうぼんげしょう》の者《もの》」と名《な》づく。是《こ》れを「上輩生想《じょうはいしょうそう》」と名《な》づく。「第十四《だいじゅうし》の観《かん》」と名《な》づく。」

[25]仏《ぶつ》、阿難及《あなんおよ》び韋提希《いだいけ》に告《つ》げたまわく、「「中品上生《ちゅうぼんじょうしょう》」と

若有衆生《にゃくうしゅじょう》。受持五戒《じゅじごかい》。持八戒齋《じはっかいさい》。修《しゅ》行諸戒《ぎょうしょかい》。不造五逆《ふぞうごぎゃく》。無衆過患《むしゅかげん》。以此《いし》善根《ぜんごん》。回向願求《えこうがんぐ》。生於西方《しょうおさいほう》。極樂世《ごくらくせ》界《かい》。臨命終時《りんみょうじゅうじ》。阿彌陀佛《あみだぶつ》。與諸比丘《よしょびく》。眷屬圍繞《けんぞくいにょう》。放金色光《ほうこんじきこう》。至其人所《しごにんしょ》。演《えん》說苦空《ぜつくくう》。無常無我《むじょうむが》。讃歎出家《さんだんしゅっけ》。得離《とくり》衆苦《しゅく》。行者見已《ぎょうじゃけんい》。心大歡喜《しんだいかんぎ》。自見己《じけんこ》身《しん》。坐蓮華臺《ざれんげだい》。長跪合掌《ちょうきがっしょう》。爲佛作禮《いぶつさらい》。未擧頭頃《みこずきょう》。卽得往生《そくとくおうじょう》。極樂世界《ごくらくせかい》。蓮《れん》華尋開《げじんかい》。當華敷時《とうけふじ》。聞衆音聲《もんしゅおんじょう》。讃歎《さんだん》四諦《したい》。應時卽得阿羅漢道《おうじそくとくあらかんどう》。三明六通《さんみょうろくつう》。具八解脫《ぐはちげだつ》。是名中品上生者《ぜみょうちゅうぼんじょうしょうしゃ》。

中品中生者《ちゅうぼんちゅうしょうしゃ》。若有衆生《にゃくうしゅじょう》。若一日《にゃくいちにち》一夜《いちや》。受持八戒齋《じゅじはっかいさい》。若一日一夜《にゃくいちにちいちや》。持《じ》沙彌戒《しゃみかい》。若一日一夜《にゃくいちにちいちや》。持具足戒《じぐそくかい》。威《い》

いうは、若《も》し衆生《しゅじょう》有《あ》りて、五戒《ごかい》を受持《じゅじ》し、八戒斎《はっかいさい》を持《たも》ち、諸戒《しょかい》を修行《しゅぎょう》し、五逆《ごぎゃく》を造《つく》らず、衆《もろもろ》の過患《かげん》無《な》し。此《こ》の善根《ぜんごん》を以《もっ》て回向《えこう》して西方極楽世界《さいほうごくらくせかい》に生《う》まれんと願求《がんぐ》す。命終《みょうじゅう》の時《とき》に臨《のぞ》みて、阿弥陀仏《あみだぶつ》、諸《もろもろ》の比丘《びく》と眷属《けんぞく》に囲繞《いにょう》せられて、金色《こんじき》の光《ひかり》を放《はな》ちて、其《そ》の人《ひと》の所《ところ》に至《いた》る。苦《く》・空《くう》・無常《むじょう》・無我《むが》を演説《えんぜつ》し、出家《しゅっけ》の、衆苦《しゅく》を離《はな》るることを得《う》ることを讃《さん》歎《だん》す。行者《ぎょうじゃ》、見已《みおわ》りて、心大《しんおお》きに歓喜《かんぎ》す。自《みずか》ら己身《こしん》を見《み》れば、蓮華台《れんげだい》に坐《ざ》す。長跪合掌《ちょうきがっしょう》して、仏《ぶつ》の為《みため》に礼《らい》を作《な》す。未《いま》だ頭《こうべ》を挙《あ》げざる頃《あいだ》に、即《すなわ》ち極楽世界《ごくらくせかい》に往生《おうじょう》することを得《う》。蓮華《れんげ》尋《すなわ》ち開《ひら》く。華敷《はなひら》くる時《とき》に当《あ》たりて、衆《もろもろ》の音声《おんじょう》を聞《き》くに、四諦《したい》を讃歎《さんだん》す。時《とき》に応《おう》じて即《すなわ》ち阿羅漢道《あらかんどう》を得《う》。三《さん》明《みょう》・六通《ろくつう》あり、八解脱《はちげだつ》を具《ぐ》す。是《こ》れを「中品上生《ちゅうぼんじょうしょう》の者《もの》」と名《な》づく。

26「中品中生《ちゅうぼんちゅうしょう》」というは、若《も》し衆生《しゅじょう》有《あ》りて、若《も》しは一日《いちにち》一夜《いちや》、八戒斎《はっかいさい》を受持《じゅじ》し、若《も》しは一日一夜《いちにちいちや》、沙弥戒《しゃみかい》を持《たも》ち、若《も》しは一日一夜《いちにちいちや》、具足戒《ぐそくかい》を持《たも》ちて、威儀《いぎ》欠《か》くること無《な》し。此《こ》の

儀《ぎ》無《む》缺《けつ》。以《い》此《し》功《く》德《どく》。回《え》向《こう》願《がん》求《ぐ》。生《しょう》極《ごく》樂《らく》國《こく》。戒《かい》香《こう》熏《くん》修《じゅ》。如《にょ》此《し》行《ぎょう》者《じゃ》。命《みょう》欲《よく》終《じゅう》時《じ》。見《けん》阿《あ》彌《み》陀《だ》佛《ぶつ》。與《よ》諸《しょ》眷《けん》屬《ぞく》。放《ほう》金《こん》色《じき》光《こう》。持《じ》七《しっ》寶《ぽう》蓮《れん》華《げ》。至《し》行《ぎょう》者《じゃ》前《ぜん》。行《ぎょう》者《じゃ》自《じ》聞《もん》。空《くう》中《じゅう》有《う》聲《しょう》。讃《さん》言《ごん》善《ぜん》男《なん》子《し》。如《にょ》汝《にょ》善《ぜん》人《にん》。隨《ずい》順《じゅん》三《さん》世《ぜ》。諸《しょ》佛《ぶつ》敎《きょう》故《こ》。我《が》來《らい》迎《こう》汝《にょ》。行《ぎょう》者《じゃ》自《じ》見《けん》。坐《ざ》蓮《れん》華《げ》上《じょう》。蓮《れん》華《げ》卽《そく》合《ごう》。生《しょう》於《お》西《さい》方《ほう》。極《ごく》樂《らく》世《せ》界《かい》。在《ざい》寶《ほう》池《ち》中《ちゅう》。經《きょう》於《お》七《しち》日《にち》。蓮《れん》華《げ》乃《ない》敷《ふ》。華《け》既《き》敷《ふ》已《い》。開《かい》目《もく》合《がっ》掌《しょう》。讃《さん》歎《だん》世《せ》尊《そん》。聞《もん》法《ぼう》歡《かん》喜《ぎ》。得《とく》須《しゅ》陀《だ》洹《おん》。經《きょう》半《はん》劫《ごう》已《い》。成《じょう》阿《あ》羅《ら》漢《かん》。是《ぜ》名《みょう》中《ちゅう》品《ぼん》中《ちゅう》生《しょう》者《しゃ》。

中《ちゅう》品《ぼん》下《げ》生《しょう》者《しゃ》。若《にゃく》有《う》善《ぜん》男《なん》子《し》善《ぜん》女《にょ》人《にん》。孝《きょう》養《よう》父《ぶ》母《も》。行《ぎょう》世《せ》仁《にん》慈《じ》。此《し》人《にん》命《みょう》欲《よく》終《じゅう》時《じ》。遇《ぐ》善《ぜん》知《じ》識《しき》。爲《い》其《ご》廣《こう》說《せつ》。阿《あ》彌《み》陀《だ》佛《ぶつ》。國《こく》土《ど》樂《らく》事《じ》。亦《やく》說《せつ》法《ほう》藏《ぞう》比《び》丘《く》。四《し》十《じゅう》八《はち》願《がん》。

功徳《くどく》を以《もっ》て回向《えこう》して極楽国《ごくらくこく》に生《う》まれんと願求《がんぐ》す。戒香熏修《かいこうくんじゅ》せる、此《か》くの如《ごと》きの行者《ぎょうじゃ》、命終《いのちおわ》らんと欲《す》る時《とき》に、阿弥陀仏《あみだぶつ》、諸《もろもろ》の眷属《けんぞく》と金色《こんじき》の光《ひかり》を放《はな》ち、七宝《しちほう》の蓮華《れんげ》を[13]持《も》って、行者《ぎょうじゃ》の前《まえ》に至《いた》りたまうを見《み》る。行者自《ぎょうじゃみずか》ら聞《き》けば、空中《くうちゅう》に声有《こえあ》りて讃《ほ》めて言《い》わく、「善男子《ぜんなんし》。汝《なんじ》が如《ごと》きは善人《ぜんにん》なり。三世《さんぜ》の諸仏《しょぶつ》の教《きょう》に随順《ずいじゅん》するが故《ゆえ》に、我来《われき》たりて汝《なんじ》を迎《むか》う」と。行者自《ぎょうじゃみずか》ら見《み》れば蓮華《れんげ》の上《うえ》に坐《ざ》す。蓮華即《れんげすなわ》ち合《がっ》す。西方極楽世界《さいほうごくらくせかい》に生《う》まれて、宝池《ほうち》の中《なか》に在《あ》り。七日《しちにち》を経《へ》て蓮華乃《れんげすなわ》ち敷《ひら》く。華既《はなすで》に敷《ひら》け已《おわ》りて、目《め》を開《ひら》く。合掌《がっしょう》して、世尊《せそん》を讃《さん》歎《だん》す。聞法歓喜《もんぼうかんぎ》して須陀洹《しゅだおん》を得《う》。半劫《はんごう》を経已《へおわ》りて阿羅漢《あらかん》と成《な》る。是《こ》れを「中品中生《ちゅうぼんちゅうしょう》の者《もの》」と名《な》づく。

27「中品下生《ちゅうぼんげしょう》」というは、若《も》し善男子《ぜんなんし》・善女人《ぜんにょにん》有《あ》りて、父《ぶ》母《も》に孝養《きょうよう》し、世《せ》の仁慈《にんじ》を行《ぎょう》ず。此《こ》の人《ひと》、命終《いのちおわ》らんと欲《す》る時《とき》に、善知識《ぜんじしき》の、其《そ》れが為《ため》に広《ひろ》く阿弥陀仏《あみだぶつ》の国土《こくど》の楽事《らくじ》を説《と》き、亦法蔵比丘《またほうぞうびく》の四十八願《しじゅうはちがん》を説《と》くに遇《あ》わん。此《こ》の事《じ》を聞《き》き

聞此事已《もんしじい》。尋即命終《じんそくみょうじゅう》。譬如壮士《ひにょそうし》。屈伸臂頃《くっしんぴきょう》。即生西方《そくしょうさいほう》。極樂世界《ごくらくせかい》。生經七日《しょうきょうしちにち》。遇観世音《ぐかんぜおん》。及大勢至《ぎゅうだいせいし》。聞法歡喜《もんぼうかんぎ》。經一小劫《きょういちしょうこう》。成阿羅漢《じょうあらかん》。是名《ぜみょう》中品下生者《ちゅうぼんげしょうしゃ》。是名《ぜみょう》中輩生想《ちゅうはいしょうそう》。名《みょう》第十五觀《だいじゅうごかん》。

佛告阿難《ぶつごうあなん》。及韋提希《ぎゅういだいけ》。下品上生者《げぼんじょうしょうしゃ》。或有衆生《わくうしゅじょう》。作衆惡業《さしゅあくごう》。雖不誹謗《すいふひほう》。方等經典《ほうどうきょうでん》。如此愚人《にょしぐにん》。多造衆惡《たぞうしゅあく》。無有慚愧《むうざんぎ》。命欲終時《みょうよくじゅうじ》。遇善知識《ぐぜんじしき》。爲讃大乘《いさんだいじょう》。十二部經《じゅうにぶきょう》。首題名字《しゅだいみょうじ》。以聞如是《いもんにょぜ》。諸經名故《しょきょうみょうこ》。除却千劫《じょきゃくせんごう》。極重惡業《ごくじゅうあくごう》。智者復敎《ちしゃぶきょう》。合掌叉手《がっしょうしゃしゅ》。稱南無《しょうなむ》阿彌陀佛《あみだぶつ》。稱佛名故《しょうぶつみょうこ》。除五十億《じょごじゅうおっ》劫《こう》。生死之罪《しょうじしざい》。爾時彼佛《にじひぶつ》。即遣化《そくけんけ》佛《ぶつ》。化観世音《けかんぜおん》。化大勢至《けだいせいし》。至行者前《しぎょうじゃぜん》。

已《おわ》りて、尋即《すなわ》ち命終《みょうじゅう》す。譬《たと》えば壮士《そうし》の臂《ひじ》を屈伸《くっしん》する頃《あいだ》の如《ごと》くに、即《すなわ》ち西方極楽世界《さいほうごくらくせかい》に生《しょう》ず。生《しょう》じて七日《しちにち》を経《へ》て、観世音及《かんぜおんおよ》び大勢至《だいせいし》に遇《あ》いて、聞法歓喜《もんぼうかんぎ》す。一小劫《いちしょうこう》を経《へ》て阿《あ》羅漢《らかん》と成《な》る。是《こ》れを「中品下生《ちゅうぼんげしょう》の者《もの》」と名《な》づく。是《こ》れを「中輩生想《ちゅうはいしょうそう》」と名《な》づく。「第十五《だいじゅうご》の観《かん》」と名《な》づく。」

[28]仏《ぶつ》、阿難及《あなんおよ》び韋提希《いだいけ》に告《つ》げたまわく、「「下品上生《げぼんじょうしょう》」というは、或《ある》いは衆生有《しゅじょうあ》りて衆《もろもろ》の悪業《あくごう》を作《つく》れり。方等経典《ほうどうきょうでん》を誹謗《ひほう》せずと雖《いえど》も、此《か》くの如《ごと》きの愚人《ぐにん》、多《おお》く衆悪《しゅあく》を造《つく》りて慚《ざん》愧《ぎ》有《あ》ること無《な》し。命終《いのちおわ》らんと欲《す》る時《とき》に、善知識《ぜんじしき》の、為《ため》に大《だい》乗《じょう》十二部経《じゅうにぶきょう》の[14]首題《しゅだい》の名字《みょうじ》を讃《ほ》むるに遇《あ》わん。是《か》くの如《ごと》きの諸経《しょきょう》の名《な》を聞《き》くを以《もっ》ての故《ゆえ》に、千劫《せんごう》の極重《ごくじゅう》の悪業《あくごう》を除《じょ》却《きゃく》す。智者《ちしゃ》、復《ま》た教《おし》えて、合掌叉手《がっしょうしゃしゅ》して南無阿弥陀仏《なむあみだぶつ》と称《しょう》せしむ。仏名《ぶつみょう》を称《しょう》するが故《ゆえ》に、五十億劫《ごじゅうおっこう》の生死《しょうじ》の罪《つみ》を除《のぞ》く。爾《そ》の時《とき》に彼《か》の仏《ぶつ》、即《すなわ》ち化仏《けぶつ》・化観世音《けかんぜおん》・化大勢至《けだいせいし》を遣《つか》わして、行者《ぎょうじゃ》の前《まえ》に至《いた》りて、讃《ほ》めて言《い》わく、「善男子《ぜんなんし》。

讃《さん》言《ごん》善《ぜん》男《なん》子《し》。汝《にょ》稱《しょう》佛《ぶつ》名《みょう》故《こ》。諸《しょ》罪《ざい》消《しょう》滅《めつ》。我《が》來《らい》迎《こう》汝《にょ》。作《さ》是《ぜ》語《ご》已《い》。行《ぎょう》者《じゃ》卽《そく》見《けん》。化《け》佛《ぶつ》光《こう》明《みょう》。偏《へん》滿《まん》其《ご》室《しつ》。見《けん》已《い》歡《かん》喜《ぎ》。卽《そく》便《べん》命《みょう》終《じゅう》。乘《じょう》寶《ほう》蓮《れん》華《げ》。隨《ずい》化《け》佛《ぶつ》後《ご》。生《しょう》寶《ほう》池《ち》中《ちゅう》。經《きょう》七《しち》七《しち》日《にち》。蓮《れん》華《げ》乃《ない》敷《ふ》。當《とう》華《け》敷《ふ》時《じ》。大《だい》悲《ひ》観《かん》世《ぜ》音《おん》菩《ぼ》薩《さつ》。及《ぎゅう》大《だい》勢《せい》至《し》。放《ほう》大《だい》光《こう》明《みょう》。住《じゅう》其《ご》人《にん》前《ぜん》。爲《い》說《せつ》甚《じん》深《じん》。十《じゅう》二《に》部《ぶ》經《きょう》。聞《もん》已《い》信《しん》解《げ》。發《ほつ》無《む》上《じょう》道《どう》心《しん》。經《きょう》十《じっ》小《しょう》劫《こう》。具《ぐ》百《ひゃっ》法《ぽう》明《みょう》門《もん》。得《とく》入《にゅう》初《しょ》地《じ》。是《ぜ》名《みょう》下《げ》品《ぼん》上《じょう》生《しょう》者《しゃ》。得《とく》聞《もん》佛《ぶつ》名《みょう》法《ほう》名《みょう》。及《ぎゅう》聞《もん》僧《そう》名《みょう》。聞《もん》三《さん》寶《ぼう》名《みょう》。卽《そく》得《とく》往《おう》生《じょう》。

佛《ぶつ》告《ごう》阿《あ》難《なん》。及《ぎゅう》韋《い》提《だい》希《け》。下《げ》品《ぼん》中《ちゅう》生《しょう》者《しゃ》。或《わく》有《う》衆《しゅ》生《じょう》。毀《き》犯《ぼん》五《ご》戒《かい》八《はっ》戒《かい》。及《ぎゅう》具《ぐ》足《そく》戒《かい》。如《にょ》此《し》愚《ぐ》人《にん》。偸《ちゅう》僧《そう》祇《ぎ》物《もつ》。盗《とう》現《げん》前《ぜん》僧《そう》物《もつ》。不《ふ》淨《じょう》說《せっ》法《ぽう》。無《む》有《う》慙《ざん》愧《ぎ》。以《い》諸《しょ》惡《あく》業《ごう》。而《に》

汝《なんじ》、仏名《ぶつみょう》を称《しょう》するが故《ゆえ》に、諸罪消滅《しょざいしょうめつ》す。我来《われき》たりて汝《なんじ》を迎《むか》う」と。是《こ》の語《ご》を作《な》し已《おわ》りて、行者《ぎょうじゃ》、即《すなわ》ち化仏《けぶつ》の光明《こうみょう》、其《そ》の室《しつ》に遍満《へんまん》せるを見《み》たてまつる。見已《みおわ》りて歓喜《かんぎ》して、即便《すなわ》ち命終《みょうじゅう》す。宝蓮華《ほうれんげ》に乗《じょう》じ、化仏《けぶつ》の後《うしろ》に随《したが》いて、宝《ほう》池《ち》の中《なか》に生《しょう》ず。七七日《しちしちにち》を経《へ》て蓮華《れんげ》乃《すなわ》ち敷《ひら》く。華敷《はなひら》くる時《とき》に当《あ》たりて、大悲観世音菩薩《だいひかんぜおんぼさつ》及《およ》び大勢至《だいせいし》、大光明《だいこうみょう》を放《はな》ちて、其《そ》の人《ひと》の前《まえ》に住《じゅう》して、為《ため》に甚深《じんじん》の十二部経《じゅうにぶきょう》を説《と》く。聞《き》き已《おわ》りて信解《しんげ》して、無上道心《むじょうどうしん》を発《おこ》す。十小劫《じっしょうこう》を経《へ》て、百法《ひゃっぽう》明門《みょうもん》を具《ぐ》し、初地《しょじ》に入《い》ることを得《う》。是《こ》れを「下品上生《げぼんじょうしょう》の者《もの》」と名《な》づく。仏名《ぶつみょう》・法名《ほうみょう》を聞《き》き、及《およ》び僧名《そうみょう》を聞《き》くことを得《う》。三宝《さんぼう》の名《みな》を聞《き》きて、即《すなわ》ち往生《おうじょう》を得《う》。」

29仏《ぶつ》、阿難及《あなんおよ》び韋提希《いだいけ》に告《つ》げたまわく、「「下品中生《げぼんちゅうしょう》」というは、或《ある》いは衆生《しゅじょう》有《あ》りて、五戒《ごかい》・八戒及《はっかいおよ》び具足戒《ぐそくかい》を毀犯《きぼん》す。此《か》くの如《ごと》きの愚人《ぐにん》、僧祇物《そうぎもつ》を偸《ぬす》み、現前僧物《げんぜんそうもつ》を盗《ぬす》み、不浄《ふじょう》に説法《せっぽう》す。慙愧《ざんぎ》有《あ》ること無《な》し。諸《もろもろ》の悪業《あくごう》を以《もっ》てして自《みずか》ら

自莊嚴《じしょうごん》。如此罪人《にょしざいにん》。以惡業故《いあくごうこ》。應墮《おうだ》地獄《じごく》。命欲終時《みょうよくじゅうじ》。地獄衆火《じごくしゅか》。一時倶《いちじく》至《し》。遇善知識《ぐぜんじしき》。以大慈悲《いだいじひ》。爲説阿彌陀《いせつあみだ》佛《ぶつ》。十力威德《じゅうりきいとく》。廣説彼佛《こうせつひぶつ》。光明神《こうみょうじん》力《りき》。亦讚戒定慧《やくさんかいじょうえ》。解脱解脱知見《げだつげだつちけん》。此《し》人聞已《にんもんい》。除八十億劫《じょはちじゅうおっこう》。生死之罪《しょうじしざい》。地《じ》獄猛火《ごくみょうか》。化爲清涼風《けいしょうりょうふう》。吹諸天華《すいしょてんげ》。華上皆有《けじょうかいう》。化佛菩薩《けぶつぼさつ》。迎接此人《こうしょうしにん》。如《にょ》一念頃《いちねんきょう》。卽得往生《そくとくおうじょう》。七寶池中《しっぽうちちゅう》。蓮《れん》華之內《げしない》。經於六劫《きょうおろっこう》。蓮華乃敷《れんげないふ》。當華《とうけ》敷時《ふじ》。觀世音大勢至《かんぜおんだいせいし》。以梵音聲《いぼんおんじょう》。安《あん》慰彼人《にひにん》。爲説大乘《いせつだいじょう》。甚深經典《じんじんきょうでん》。聞此《もんし》法已《ほうい》。應時卽發無上道心《おうじそくほつむじょうどうしん》。是名下品《ぜみょうげぼん》中生者《ちゅうしょうしゃ》。

佛告阿難《ぶつごうあなん》。及韋提希《ぎゅういだいけ》。下品下生者《げぼんげしょうしゃ》。或有衆生《わくうしゅじょう》。作不善業《さふぜんごう》。五逆十惡《ごぎゃくじゅうあく》。

荘厳《しょうごん》す。此《か》くの如《ごと》きの罪人《ざいにん》、悪業《あくごう》を以《もっ》ての故《ゆえ》に地獄《じごく》に堕《だ》すべし。命終《いのちおわ》らんと欲《す》る時《とき》に、地獄《じごく》の衆火《しゅか》、一時《いちじ》に倶《とも》に至《いた》る。善知識《ぜんじしき》の、大慈悲《だいじひ》を以《もっ》て、為《ため》に阿弥陀仏《あみだぶつ》の十力威徳《じゅうりきいとく》を説《と》き、広《ひろ》く彼《か》の仏《ぶつ》の光明神力《こうみょうじんりき》を説《と》き、亦《また》戒《かい》・定《じょう》・慧《え》・解脱《げだつ》・解脱知見《げだつちけん》を讃《さん》ずるに遇《あ》わん。此《こ》の人《ひと》、聞《き》き已《おわ》りて八十億劫《はちじゅうおっこう》の生死《しょうじ》の罪《つみ》を除《のぞ》く。地獄《じごく》の猛火《みょうか》、化《け》して清涼《しょうりょう》の風《かぜ》と為《な》る。諸《もろもろ》の天華《てんげ》を吹《ふ》く。華《はな》の上《うえ》に皆《みな》、化仏菩薩《けぶつぼさつ》有《ましま》して、此《こ》の人《ひと》を迎接《こうしょう》す。一念《いちねん》の頃《あいだ》の如《ごと》くに即《すなわ》ち往生《おうじょう》を得《う》。七宝池《しちほうち》の中《なか》、蓮華《れんげ》の内《うち》にして、六劫《ろっこう》を経《ふ》。蓮華《れんげ》乃《すなわ》ち敷《ひら》けん。華敷《はなひら》くる時《とき》に当《あ》たりて、観世音《かんぜおん》・大勢至《だいせいし》、梵音声《ぼんおんじょう》を以《もっ》て、彼《か》の人《ひと》を安慰《あんに》す。為《ため》に大乗甚深《だいじょうじんじん》の経典《きょうでん》を説《と》く。此《こ》の法《ほう》を聞《き》き已《おわ》りて、時《とき》に応《おう》じて即《すなわ》ち無上道心《むじょうどうしん》を発《おこ》す。是《こ》れを「下品中生《げぼんちゅうしょう》の者《もの》」と名《な》づく。」

30 仏《ぶつ》、阿難《あなん》及《およ》び韋提希《いだいけ》に告《つ》げたまわく、「「下品下生《げぼんげしょう》」というは、或《ある》いは衆生《しゅじょう》有《あ》りて、不善業《ふぜんごう》たる五逆《ごぎゃく》・十悪《じゅうあく》を作《つく》る。

具《ぐ》諸不善《しょふぜん》。如此愚人《によしぐにん》。以惡業故《いあくごうこ》。應墮《おうだ》惡道《あくどう》。經歷多劫《きょうりゃくたこう》。受苦無窮《じゅくむぐ》。如此愚《によしぐ》人《にん》。臨命終時《りんみょうじゅうじ》。遇善知識《ぐぜんじしき》。種種《しゅじゅ》安《あん》慰《に》。爲說妙法《いせつみょうほう》。敎令念佛《きょうりょうねんぶつ》。此人苦《しにんく》逼《ひつ》。不遑念佛《ふおうねんぶつ》。善友告言《ぜんぬごうごん》。汝若不能《にょにゃくふのう》念者《ねんしゃ》。應稱無量壽佛《おうしょうむりょうじゅぶつ》。如是至心《にょぜししん》。令聲不絕《りょうしょうふぜつ》。具足十念《ぐそくじゅうねん》。稱南無阿彌《しょうなむあみ》陀佛《だぶつ》。稱佛名故《しょうぶつみょうこ》。於念念中《おねんねんちゅう》。除八《じょはち》十億劫《じゅうおっこう》。生死之罪《しょうじしざい》。命終之時《みょうじゅうしじ》。見《けん》金蓮華《こんれんげ》。猶如日輪《ゆにょにちりん》。住其人前《じゅうごにんぜん》。如一《にょいち》念頃《ねんきょう》。卽得往生《そくとくおうじょう》。極樂世界《ごくらくせかい》。於蓮華《おれんげ》中《ちゅう》。滿十二大劫《まんじゅうにだいこう》。蓮華方開《れんげほうかい》。觀世音《かんぜおん》大勢至《だいせいし》。以大悲音聲《いだいひおんじょう》。爲其廣說《いごこうせつ》。諸《しょ》法實相《ほうじっそう》。除滅罪法《じょめつざいほう》。聞已歡喜《もんいかんぎ》。應時卽《おうじそく》發菩提之心《ほつぼだいししん》。是名下品下生者《ぜみょうげぼんげしょうしゃ》。是《ぜ》名下輩生想《みょうげはいしょうそう》。名第十六觀《みょうだいじゅうろくかん》。

諸《もろもろ》の不善《ふぜん》を具《ぐ》せる此《か》くの如《ごと》きの愚人《ぐにん》、悪業《あくごう》を以《もっ》ての故《ゆえ》に悪《あく》道《どう》に堕《だ》すべし。多劫《たこう》を経歴《きょうりゃく》して、苦《く》を受《う》くること窮《きわ》まり無《な》からん。此《か》くの如《ごと》きの愚人《ぐにん》、命終《みょうじゅう》の時《とき》に臨《のぞ》みて、善知識《ぜんじしき》の、種種《しゅじゅ》に安慰《あんに》して、為《ため》に妙法《みょうほう》を説《と》き、教《おし》えて念仏《ねんぶつ》せしむるに遇《あ》わん。此《こ》の人《ひと》、苦《く》に逼《せ》められて念仏《ねんぶつ》するに遑《いとま》あらず。善《ぜん》友《ぬ》、告《つ》げて言《い》わく、「汝《なんじ》若《も》し念《ねん》ずるに能《あた》わずは、無量寿仏《むりょうじゅぶつ》と称《しょう》すべし」と。是《か》くの如《ごと》く心《しん》を至《いた》して、声《こえ》をして絶《た》えざらしめて、十念《じゅうねん》を具足《ぐそく》して南無阿弥陀仏《なむあみだぶつ》と称《しょう》せしむ。仏《ぶつ》名《みょう》を称《しょう》するが故《ゆえ》に、念念《ねんねん》の中《なか》に於《お》いて八十億劫《はちじゅうおっこう》の生死《しょうじ》の罪《つみ》を除《のぞ》く。命終《みょうじゅう》の時《とき》、金蓮華《こんれんげ》を見《み》る。猶《なお》し日輪《にちりん》の如《ごと》くして其《そ》の人《ひと》の前《まえ》に住《じゅう》す。一念《いちねん》の頃《あいだ》の如《ごと》くに、即《すなわ》ち極楽世界《ごくらくせかい》に往生《おうじょう》することを得《え》ん。蓮華《れんげ》の中《なか》に於《お》いて十二大劫《じゅうにだいこう》を満《み》てて、蓮華《れんげ》、方《まさ》に開《ひら》く。観世音《かんぜおん》・大勢至《だいせいし》、大悲《だいひ》の音声《おんじょう》を以《もっ》て、其《そ》れが為《ため》に広《ひろ》く諸法実相《しょほうじっそう》・除滅罪《じょめつざい》の法《ほう》を説《と》く。聞《き》き已《おわ》りて歓喜《かんぎ》す。時《とき》に応《おう》じて即《すなわ》ち菩提《ぼだい》の心《しん》を発《おこ》す。是《こ》れを「下品下生《げぼんげしょう》の者《もの》」と名《な》づく。是《こ》れを「下輩生想《げはいしょうそう》」と名《な》づく。「第十六《だいじゅうろく》の

説《せつ》是《ぜ》語《ご》時《じ》。韋提希《いだいけ》。與《よ》五百《ごひゃく》侍女《じにょ》。聞《もん》佛所說《ぶつしょせつ》。應時卽見《おうじそくけん》。極樂世界《ごくらくせかい》。廣長《こうちょう》之相《しそう》。得見佛身《とくけんぶつしん》。及二菩薩《ぎゅうにぼさつ》。心生歡喜《しんしょうかんぎ》。歎未曾有《たんみぞうう》。廓然大悟《かくねんだいご》。得無生忍《とくむしょうにん》。五百侍女《ごひゃくじにょ》。發阿耨多羅三藐三菩提心《ほつあのくたらさんみゃくさんぼだいしん》。願生彼國《がんしょうひこく》。世尊悉記《せそんしつき》。皆當往生《かいとうおうじょう》。生彼國已《しょうひこくい》。得諸佛現前三昧《とくしょぶつげんぜんざんまい》。無量諸天《むりょうしょてん》。發無上道心《ほつむじょうどうしん》。

爾時阿難《にじあなん》。卽從座起《そくじゅうざき》。前白佛言世尊《ぜんびゃくぶつごんせそん》。當何名此經《とうがみょうしきょう》。此法之要《しほうしよう》。當云何受持《とううんがじゅじ》。佛告阿難《ぶつごうあなん》。此經名觀極樂國土《しきょうみょうかんごくらくこくど》。無量壽佛《むりょうじゅぶつ》。觀世音菩薩《かんぜおんぼさつ》。大勢至菩薩《だいせいしぼさつ》。亦名淨除業障《やくみょうじょうじょごっしょう》。生諸佛前《しょうしょぶつぜん》。汝當受持《にょとうじゅじ》。無令忘失《むりょうもうしつ》。行此三昧者《ぎょうしさんまいしゃ》。現身得見《げんしんとくけん》。無量壽佛《むりょうじゅぶつ》。及二大士《ぎゅうにだいじ》。若善男《にゃくぜんなん》

観《かん》」と名《な》づく。」

31 是《こ》の語《ことば》を説《と》きたまう時《とき》に、韋提希《いだいけ》、五百《ごひゃく》の侍女《じにょ》と、仏《ぶつ》の所説《しょせつ》を聞《き》きて、時《とき》に応《おう》じて即《すなわ》ち極楽世界《ごくらくせかい》の広長《こうちょう》の相《そう》を見《み》たてまつる。仏身《ぶっしん》及《およ》び二菩薩《にぼさつ》を見《み》たてまつることを得《え》て、心《しん》に歓喜《かんぎ》を生《しょう》ず。未曾有《みぞうう》なりと歎《たん》ず。廓然《かくねん》として大《おお》きに悟《さと》りて、無生忍《むしょうにん》を得《う》。五百《ごひゃく》の侍女《じにょ》、阿耨多羅三藐三菩提心《あのくたらさんみゃくさんぼだいしん》を発《おこ》して、彼《か》の国《くに》に生《しょう》ぜんと願《がん》ず。世尊《せそん》、悉《ことごと》く「皆当《みなまさ》に往生《おうじょう》すべし」と記《き》す。彼《か》の国《くに》に生《う》まれ已《おわ》りて、諸仏現前三昧《しょぶつげんぜんざんまい》を得《え》ん。無量《むりょう》の諸天《しょてん》、無上道心《むじょうどうしん》を発《おこ》しき。

32 爾《そ》の時《とき》に阿難《あなん》、即《すなわ》ち座《ざ》より起《た》ちて、前《すす》みて仏《ぶつ》に白《もう》して言《もう》さく、「世尊《せそん》。当《まさ》に何《いか》んが此《こ》の経《きょう》を名《な》づくべき。此《こ》の法《ほう》の要《よう》を、当《まさ》に云何《いかん》が受持《じゅじ》すべき。」仏《ぶつ》、阿難《あなん》に告《つ》げたまわく、「此《こ》の経《きょう》を、『観極楽国土《かんごくらくこくど》・無量寿仏《むりょうじゅぶつ》・観世音菩薩《かんぜおんぼさつ》・大勢至菩薩《だいせいしぼさつ》』と名《な》づく。亦《また》『浄除業障生諸仏前《じょうじょごっしょうしょうしょぶつぜん》』と名《な》づく。汝《なんじ》、当《まさ》に受持《じゅじ》すべし。忘失《もうしつ》せしむること無《な》かれ。此《こ》の三昧《さんまい》を行《ぎょう》ずる者《もの》は、現身《げんしん》に無量寿仏《むりょうじゅぶつ》及《およ》び二大士《にだいじ》を見《み》たてまつること

子善女人《しぜんにょにん》。但聞佛名《たんもんぶつみょう》。二菩薩名《にぼさつみょう》。除《じょ》無量劫《むりょうこう》。生死之罪《しょうじしざい》。何況憶念《がきょうおくねん》。若《にゃく》念佛者《ねんぶつしゃ》。當知此人《とうちしにん》。是人中分陀利華《ぜにんじゅうふんだりけ》。觀世音菩薩《かんぜおんぼさつ》。大勢至菩薩《だいせいしぼさつ》。爲其勝友《いごしょうう》。當坐道場《とうざどうじょう》。生諸佛家《しょうしょぶつけ》。佛告阿難《ぶつごうあなん》。汝《にょ》好持是語《こうじぜご》。持是語者《じぜごしゃ》。卽是持無量壽《そくぜじむりょうじゅ》佛名《ぶつみょう》。佛說此語時《ぶつせつしごじ》。尊者目揵連《そんじゃもっけんれん》。阿《あ》難及韋提希等《なんぎゅういだいけとう》。聞佛所說《もんぶつしょせつ》。皆大歡喜《かいだいかんぎ》。

爾時世尊《にじせそん》。足步虛空《そくぶこくう》。還耆闍崛山《げんぎしゃくっせん》。爾《に》時阿難《じあなん》。廣爲大衆《こういだいしゅ》。說如上事《せつにょじょうじ》。無量《むりょう》諸天《しょてん》。及龍夜叉《ぎゅうりゅうやしゃ》。聞佛所說《もんぶつしょせつ》。皆大歡《かいだいかん》喜《ぎ》。禮佛而退《らいぶつにたい》。

佛說觀無量壽經《ぶっせつかんむりょうじゅきょう》

を得《う》。若《も》し善男子《ぜんなんし》・善女人《ぜんにょにん》、但《ただ》、仏名《ぶつみょう》・二菩薩名《にぼさつみょう》を聞《き》くに、無量劫《むりょうこう》の生死《しょうじ》の罪《つみ》を除《のぞ》く。何《いか》に況《いわ》んや、憶念《おくねん》せんをや。若《も》し念仏《ねんぶつ》する者《もの》は、当《まさ》に知《し》るべし、此《こ》の人《ひと》は是《こ》れ人中《にんちゅう》の分陀《ふんだ》利華《りけ》なり。観世音菩薩《かんぜおんぼさつ》・大勢至菩薩《だいせいしぼさつ》、其《そ》の勝友《しょうう》と為《な》りたまう。当《まさ》に道場《どうじょう》に坐《ざ》して、諸仏《しょぶつ》の家《いえ》に生《しょう》ずべし。」仏《ぶつ》、阿難《あなん》に告《つ》げたまわく、「汝《なんじ》、好《よ》く是《こ》の語《ことば》を持《たも》て。是《こ》の語《ことば》を持《たも》てというは、即《すなわ》ち是《こ》れ無量寿仏《むりょうじゅぶつ》の名《みな》を持《たも》てとなり。」仏《ぶつ》、此《こ》の語《ことば》を説《と》きたまう時《とき》に、尊者目揵連《そんじゃもっけんれん》・阿難及《あなんおよ》び韋提希等《いだいけとう》、仏《ぶつ》の所説《しょせつ》を聞《き》きて、皆大《みなおお》きに歓喜《かんぎ》す。

33 爾《そ》の時《とき》に世尊《せそん》、足《みあし》、虚空《こくう》を歩《あゆ》みて、耆闍崛山《ぎしゃくっせん》に還《かえ》りたまいぬ。爾《そ》の時《とき》に阿難《あなん》、広《ひろ》く大衆《だいしゅ》の為《ため》に上《かみ》の如《ごと》きの事《じ》を説《と》く。無量《むりょう》の諸天及《しょてんおよ》び龍《りゅう》・夜叉《やしゃ》、仏《ぶつ》の所説《しょせつ》を聞《き》きて、皆大《みなおお》きに歓《かん》喜《ぎ》して、仏《ぶつ》を礼《らい》して退《しりぞ》く。

仏説観無量寿経《ぶっせつかんむりょうじゅきょう》

佛說阿彌陀經《ぶっせつあみだきょう》

姚秦三藏法師鳩摩羅什奉詔譯《ようしんさんぞうほっしくまらじゅうぶじょうやく》

如是我聞《にょぜがもん》。一時佛《いちじぶつ》。在舍衛國《ざいしゃえこく》。祇樹給孤獨園《ぎじゅぎっこどくおん》。與大比丘衆《よだいびくしゅ》。千二百五十人《せんにひゃくごじゅうにん》倶《く》。皆是大阿羅漢《かいぜだいあらかん》。衆所知識《しゅしょちしき》。長老舍利弗《ちょうろうしゃりほつ》。摩訶目犍連《まかもっけんれん》。摩訶迦葉《まかかしょう》。摩訶迦旃延《まかかせんねん》。摩訶倶絺羅《まかくちら》。離婆多《りはだ》。周利槃陀伽《しゅりはんだか》。難陀《なんだ》。阿難陀《あなんだ》。羅睺羅《らごら》。憍梵波提《きょうぼんはだい》。賓頭盧頗羅墮《びんずるはらだ》。迦留陀夷《かるだい》。摩訶劫賓那《まかこうひんな》。薄拘羅《はっくら》。阿㝹樓駄《あどろうだ》。如是等《にょぜとう》。諸大弟子《しょだいでし》。幷諸菩薩摩訶薩《びょうしょぼさつまかさつ》。文殊師利法王子《もんじゅしりほうおうじ》。阿逸多菩薩《あいったぼさつ》。乾陀訶提菩薩《けんだかだいぼさつ》。常精進菩薩《じょうしょうじんぼさつ》。與如是等《よにょぜとう》。諸大菩薩《しょだいぼさつ》。及釋提桓因等《ぎっしゃくだいかんいんとう》。無量諸天《むりょうしょてん》。大衆倶《だいしゅく》。

仏説阿弥陀経《ぶっせつあみだきょう》

姚秦《ようしん》の三蔵法師鳩摩羅什《さんぞうほっしくまらじゅう》、詔《しょう》を奉《うけたまわ》りて訳《やく》す

1 是《か》くの如《ごと》き、我聞《われき》きたまえき。一時《ひととき》、仏《ぶつ》、舎衛国《しゃえこく》の祇樹給孤独園《ぎじゅぎっこどくおん》に在《まし》まして、大比丘衆千二百五十人《だいびくしゅせんにひゃくごじゅうにん》と倶《とも》なりき。皆《みな》是《こ》れ大阿羅漢《だいあらかん》なり。衆《しゅ》に知識《ちしき》せられたり。長老舎利弗《ちょうろうしゃりほつ》・摩訶目犍連《まかもっけんれん》・摩訶迦葉《まかかしょう》・摩訶迦旃延《まかかせんねん》・摩訶倶絺羅《まかくちら》・離婆多《りはだ》・周利槃陀伽《しゅりはんだか》・難陀《なんだ》・阿難陀《あなんだ》・羅睺羅《らごら》・憍梵波提《きょうぼんはだい》・賓頭盧頗羅堕《びんずるはらだ》・迦留陀夷《かるだい》・摩訶劫賓那《まかこうひんな》・薄拘羅《はっくら》・阿㝹楼駄《あどろうだ》、是《か》くの如《ごと》き等《ら》の諸《もろもろ》の大弟子《だいでし》、幷《なら》びに諸《もろもろ》の菩薩摩訶薩《ぼさつまかさつ》、文殊師利法王子《もんじゅしりほうおうじ》・阿逸多菩薩《あいったぼさつ》・乾陀訶提菩薩《けんだかだいぼさつ》・常精進菩薩《じょうしょうじんぼさつ》、是《か》くの如《ごと》き等《ら》の諸《もろもろ》の大菩薩《だいぼさつ》、及《およ》び釈提桓因等《しゃくだいかんいんとう》の無量《むりょう》の諸天《しょてん》・大衆《だいしゅ》と倶《とも》なりき。

爾時佛告《にじぶつごう》。長老舍利弗《ちょうろうしゃりほつ》。從是西方《じゅうぜさいほう》。過十萬億佛土《かじゅうまんおくぶつど》。有世界《うせかい》。名曰極樂《みょうわつごくらく》。其土有佛《ごどうぶつ》。號阿彌陀《ごうあみだ》。今現在說法《こんげんざいせっぽう》。舍利弗《しゃりほつ》。彼土何故《ひどがこ》。名爲極樂《みょういごくらく》。其國衆生《ごこくしゅじょう》。無有衆苦《むうしゅく》。但受諸樂《たんじゅしょらく》。故名極樂《こみょうごくらく》。

又舍利弗《うしゃりほつ》。極樂國土《ごくらくこくど》。七重欄楯《しちじゅうらんじゅん》。七重羅網《しちじゅうらもう》。七重行樹《しちじゅうぎょうじゅ》。皆是四寶《かいぜしほう》。周帀圍繞《しゅそういにょう》。是故彼國《ぜこひこく》。名曰極樂《みょうわつごくらく》。

又舍利弗《うしゃりほつ》。極樂國土《ごくらくこくど》。有七寶池《うしっぽうち》。八功德水《はっくどくすい》。充滿其中《じゅうまんごちゅう》。池底純以《ちていじゅんい》。金沙布地《こんしゃふじ》。四邊階道《しへんかいどう》。金銀瑠璃《こんごんるり》。玻瓈合成《はりごうじょう》。上有樓閣《じょううろうかく》。亦以金銀瑠璃《やくいこんごんるり》。玻瓈硨磲《はりしゃこ》。赤珠碼碯《しゃくしゅめのう》。而嚴飾之《にごんじきし》。池中蓮華《ちちゅうれんげ》。大如車輪《だいにょしゃりん》。青色青光《しょうしきしょうこう》。黄色黄光《おうしきおうこう》。赤色赤光《しゃくしきしゃっこう》。白色白光《びゃくしきびゃっこう》。微妙香潔《みみょうこうけつ》。

---

[2]爾《そ》の時《とき》に、仏《ぶつ》、長老舎利弗《ちょうろうしゃりほつ》に告《つ》げたまわく、「是《こ》れより西方《さいほう》に、十万億《じゅうまんおく》の仏土《ぶつど》を過《す》ぎて、世界有《せかいあ》り。名《な》づけて極楽《ごくらく》と曰《い》う。其《そ》の土《ど》に仏有《ぶつましま》す。阿弥陀《あみだ》と号《ごう》す。今現《いまげん》に在《まし》まして法《ほう》を説《と》きたまう。[3]舎利弗《しゃりほつ》。彼《か》の土《ど》を何《なに》の故《ゆえ》ぞ名《な》づけて極楽《ごくらく》とする。其《そ》の国《くに》の衆生《しゅじょう》、衆《もろもろ》の苦《く》有《あ》ること無《な》し。但《ただ》諸《もろもろ》の楽《らく》を受《う》く。故《かるがゆえ》に極楽《ごくらく》と名《な》づく。

[4]又舎利弗《またしゃりほつ》。極楽国土《ごくらくこくど》には七重《しちじゅう》の欄楯《らんじゅん》・七重《しちじゅう》の羅網《らもう》・七《しち》重《じゅう》の行樹《ぎょうじゅ》あり。皆是《みなこ》れ四宝《しほう》をもって、周帀《しゅうそう》し囲繞《いにょう》せり。是《こ》の故《ゆえ》に彼《か》の国《くに》を、[1]名《な》づけて極楽《ごくらく》と曰《い》う。

[5]又舎利弗《またしゃりほつ》。極楽国土《ごくらくこくど》には、七宝《しちほう》の池有《いけあ》り。八功徳水《はっくどくすい》、其《そ》の中《なか》に充満《じゅうまん》せり。池《いけ》の底《そこ》に純《もっぱ》ら金沙《こんしゃ》を以《もっ》て地《じ》に布《し》けり。四辺《しへん》に階道《かいどう》あり。金《こん》・銀《ごん》・瑠璃《るり》・玻瓈《はり》、合成《ごうじょう》せり。上《うえ》に楼閣有《ろうかくあ》り、亦金《またこん》・銀《ごん》・瑠璃《るり》・玻瓈《はり》・硨磲《しゃこ》・赤珠《しゃくしゅ》・碼碯《めのう》を以《もっ》てして、之《これ》を厳飾《ごんじき》せり。池《いけ》の中《なか》の蓮華《れんげ》、大《おお》きさ車輪《しゃりん》の如《ごと》し。青《あお》き色《いろ》には青《あお》き光《ひかり》、黄《き》なる色《いろ》には黄《き》なる光《ひかり》、赤《あか》き色《いろ》には赤《あか》き光《ひかり》、白《しろ》き色《いろ》には白《しろ》き光《ひかり》あり。微妙香潔《みみょうこうけつ》なり。舎利弗《しゃりほつ》。極楽国土《ごくらくこくど》

舎利弗《しゃりほつ》。極樂國土《ごくらくこくど》。成就如是《じょうじゅにょぜ》。功徳莊嚴《くどくしょうごん》。

又舎利弗《うしゃりほつ》。彼佛國土《ひぶっこくど》。常作天樂《じょうさてんがく》。黄金爲地《おうごんいじ》。晝夜六時《ちゅうやろくじ》。而雨曼陀羅華《にうまんだらけ》。其國衆生《ごこくしゅじょう》。常以清旦《じょういしょうたん》。各以衣裓《かくいえこく》。盛衆妙華《じょうしゅみょうけ》。供養他方《くようたほう》。十萬億佛《じゅうまんおくぶつ》。即以食時《そくいじきじ》。還到本國《げんとうほんごく》。飯食經行《ぼんじききょうぎょう》。舎利弗《しゃりほつ》。極樂國土《ごくらくこくど》。成就如是《じょうじゅにょぜ》。功徳莊嚴《くどくしょうごん》。

復次舎利弗《ぶししゃりほつ》。彼國常有《ひこくじょうう》。種種奇妙《しゅじゅきみょう》。雜色之鳥《ざつしきしちょう》。白鵠孔雀《びゃっこうくじゃく》。鸚鵡舎利《おうむしゃり》。迦陵頻伽《かりょうびんが》。共命之鳥《ぐみょうしちょう》。是諸衆鳥《ぜしょしゅちょう》。晝夜六時《ちゅうやろくじ》。出和雅音《しゅつわげおん》。其音演暢《ごおんえんちょう》。五根五力《ごこんごりき》。七菩提分《しちぼだいぶん》。八聖道分《はっしょうどうぶん》。如是等法《にょぜとうほう》。其土衆生《ごどしゅじょう》。聞是音已《もんぜおんい》。皆悉《かいしつ》念佛念法念僧《ねんぶつねんぼうねんそう》。舎利弗《しゃりほつ》。汝勿謂此《にょもついし》

には、是《か》くの如《ごと》きの功徳荘厳《くどくしょうごん》を成就《じょうじゅ》せり。
6 又舎利弗《またしゃりほつ》。彼《か》の仏国土《ぶっこくど》には、常《つね》に天《てん》の楽《がく》を作《な》す。黄金《おうごん》を地《じ》とす。昼夜六時《ちゅうやろくじ》に、[2]天《てん》の曼陀羅華《まんだらけ》を雨《ふ》る。其《そ》の国《くに》の衆生《しゅじょう》、常《つね》に清旦《しょうたん》を以《もっ》て、各《おの》おの衣裓《えこく》を以《もっ》て、衆《もろもろ》の妙華《みょうけ》を盛《い》れて、他方《たほう》の十万億《じゅうまんおく》の仏《ぶつ》を供養《くよう》したてまつる。即《すなわ》ち食時《じきじ》を以《もっ》て、本国《ほんごく》に還《かえ》り到《いた》りて、飯食《ぼんじき》し経行《きょうぎょう》す。舎利弗《しゃりほつ》。極楽国土《ごくらくこくど》には、是《か》くの如《ごと》きの功徳荘厳《くどくしょうごん》を成就《じょうじゅ》せり。
7 復《ま》た次《つぎ》に、舎利弗《しゃりほつ》。彼《か》の国《くに》には常《つね》に種種奇妙雑色《しゅじゅきみょうざっしき》の鳥《とり》有《あ》り。白鵠《びゃっこう》・孔雀《くじゃく》・鸚鵡《おうむ》・舎利《しゃり》・迦陵頻伽《かりょうびんが》・共命《ぐみょう》の鳥《とり》なり。是《こ》の諸《もろもろ》の衆鳥《しゅちょう》、昼夜六時《ちゅうやろくじ》に和雅《わげ》の音《こえ》を出《い》だす。其《そ》の音《こえ》、五根《ごこん》・五力《ごりき》・七菩提分《しちぼだいぶん》・八聖道分《はっしょうどうぶん》、是《か》くの如《ごと》き等《ら》の法《ほう》を演暢《えんちょう》す。其《そ》の土《ど》の衆生《しゅじょう》、是《こ》の音《こえ》を聞《き》き已《お》わりて、皆悉《みなことごと》く仏《ぶつ》を念《ねん》じ、法《ほう》を念《ねん》じ、僧《そう》を念《ねん》ず。舎利弗《しゃりほつ》。汝《なんじ》、此《こ》の鳥《とり》は実《じつ》に是《こ》れ罪報《ざいほう》の所生《しょしょう》なりと謂《おも》うこと勿《なか》れ。所以《ゆえ》は何《いか》ん。彼《か》の仏国《ぶっこく》

鳥《ちょう》。實是罪報所生《じつぜざいほうしょしょう》。所以者何《しょいしゃが》。彼佛《ひぶつ》國土《こくど》。無三惡趣《むさんあくしゅ》。舍利弗《しゃりほつ》。其佛國土《ごぶつこくど》。尙無三惡道之名《しょうむさんあくどうしみょう》。何況有實《がきょううじつ》。是諸《ぜしょ》衆鳥《しゅちょう》。皆是阿彌陀佛《かいぜあみだぶつ》。欲令法音宣流《よくりょうほうおんせんる》。變化所作《へんげしょさ》。舍利弗《しゃりほつ》。彼佛國土《ひぶつこくど》。微風吹《みふうすい》動《どう》。諸寶行樹《しょほうぎょうじゅ》。及寶羅網《ぎっぽうらもう》。出微妙《しゅつみみょう》音《おん》。譬如百千種樂《ひにょひゃくせんじゅがく》。同時俱作《どうじくさ》。聞是《もんぜ》音者《おんしゃ》。皆自然生《かいじねんしょう》。念佛念法念僧之心《ねんぶつねんぽうねんそうししん》。舍利弗《しゃりほつ》。其佛國土《ごぶつこくど》。成就如是《じょうじゅにょぜ》。功德《くどく》莊嚴《しょうごん》。

舍利弗《しゃりほつ》。於汝意云何《おにょいうんが》。彼佛何故《ひぶつがこ》。號阿《ごうあ》彌陀《みだ》。舍利弗《しゃりほつ》。彼佛光明無量《ひぶつこうみょうむりょう》。照《しょう》十方國《じっぽうこく》。無所障礙《むしょしょうげ》。是故號爲阿彌陀《ぜこごういあみだ》。又舍利弗《うしゃりほつ》。彼佛壽命《ひぶつじゅみょう》。及其人民《ぎゅうごにんみん》。無《む》量無邊《りょうむへん》。阿僧祇劫《あそうぎこう》。故名阿彌陀《こみょうあみだ》。舍《しゃ》利弗《りほつ》。阿彌陀佛《あみだぶつ》。成佛已來《じょうぶついらい》。於今十《おこんじつ》

土《ど》には三悪趣《さんあくしゅ》無《な》ければなり。舍利弗《しゃりほつ》。其《そ》の仏国土《ぶっこくど》には、尚《なお》三《さん》悪道《あくどう》の[3]名《な》無《な》し。何《いか》に況《いわ》んや、実《じつ》に是《こ》の諸《もろもろ》の衆鳥《しゅちょう》有《あ》らんや。皆是《みなこ》れ阿弥陀仏《あみだぶつ》、法音《ほうおん》をして宣流《せんる》せしめんと欲《ほっ》して、変化《へんげ》して作《な》したまう所《ところ》なり。舍利弗《しゃりほつ》。彼《か》の仏国土《ぶっこくど》には、微風《みふう》、諸《もろもろ》の宝《たから》の行樹《ぎょうじゅ》、及《およ》び宝《たから》の羅網《らもう》を吹《ふ》き動《うご》かすに、微妙《みみょう》の音《こえ》を出《い》だす。譬《たと》えば百千種《ひゃくせんじゅ》の楽《がく》の、同時《どうじ》に倶《とも》に作《な》すが如《ごと》し。是《こ》の音《こえ》を聞《き》く者《もの》、皆自然《みなじねん》に念仏《ねんぶつ》・念法《ねんぽう》・念僧《ねんそう》の心《しん》を生《しょう》ず。舍利弗《しゃりほつ》。其《そ》の仏国土《ぶっこくど》には、是《か》くの如《ごと》きの功徳荘厳《くどくしょうごん》を成就《じょうじゅ》せり。

[8]舍利弗《しゃりほつ》。汝《なんじ》が意《こころ》に於《お》いて云何《いかん》。彼《か》の仏《ぶつ》を何《なに》の故《ゆえ》ぞ阿弥陀《あみだ》と号《ごう》する。舍利弗《しゃりほつ》。彼《か》の仏《ぶつ》の光明《こうみょう》、無量《むりょう》にして、十方《じっぽう》の国《くに》を照《て》らすに、障碍《しょうげ》する所無《ところな》し。是《こ》の故《ゆえ》に号《ごう》して阿弥陀《あみだ》とす。又舍利弗《またしゃりほつ》。彼《か》の仏《ぶつ》の寿命《じゅみょう》、及《およ》び其《そ》の人民《にんみん》も、無量無辺阿僧《むりょうむへんあそう》祇劫《ぎこう》なり。故《かるがゆえ》に阿弥陀《あみだ》と名《な》づく。舍利弗《しゃりほつ》。阿弥陀仏《あみだぶつ》、成《じょう》仏《ぶつ》より已来《このかた》、今《いま》に十劫《じっこう》なり。[9]又舍利弗《またしゃりほつ》。彼《か》の仏《ぶつ》に無量無辺《むりょうむへん》

劫《こう》。又《う》舍利弗《しゃりほつ》。彼佛《ひぶつ》有《う》無量無邊《むりょうむへん》。聲《しょう》聞弟子《もんでし》。皆《かい》阿羅漢《あらかん》。非是算數《ひぜさんじゅ》。之所能《ししょのう》知《ち》。諸菩薩衆《しょぼさつしゅ》。亦復如是《やくぶにょぜ》。舍利弗《しゃりほつ》。彼《ひ》佛國土《ぶつこくど》。成就如是《じょうじゅにょぜ》。功德莊嚴《くどくしょうごん》。

又《う》舍利弗《しゃりほつ》。極樂國土《ごくらくこくど》。衆生生者《しゅじょうしょうしゃ》。皆《かい》是阿鞞跋致《ぜあびばっち》。其中多有《ごちゅうたう》。一生補處《いっしょうふしょ》。其數甚多《ごしゅじんた》。非是算數《ひぜさんじゅ》。所能知之《しょのうちし》。但可《たんか》以無量無邊《いむりょうむへん》。阿僧祇劫說《あそうぎこうせつ》。舍利弗《しゃりほつ》。衆生聞者《しゅじょうもんしゃ》。應當發願《おうとうほつがん》。願生彼國《がんしょうひこく》。所《しょ》以者何《いしゃが》。得與如是《とくよにょぜ》。諸上善人《しょじょうぜんにん》。倶會《くえ》一處《いっしょ》。舍利弗《しゃりほつ》。不可以少善根《ふかいしょうぜんごん》。福德《ふくとく》因緣《いんねん》。得生彼國《とくしょうひこく》。

舍利弗《しゃりほつ》。若有善男子善女人《にゃくうぜんなんしぜんにょにん》。聞說阿《もんせつあ》彌陀佛《みだぶつ》。執持名號《しゅうじみょうごう》。若一日《にゃくいちにち》。若二《にゃくに》日《にち》。若三日《にゃくさんにち》。若四日《にゃくしにち》。若五日《にゃくごにち》。若《にゃく》六日《ろくにち》。若七日《にゃくしちにち》。一心不亂《いっしんふらん》。其人臨命《ごにんりんみょう》

の声聞《しょうもん》の弟子《でし》有《あ》り。皆《みな》阿羅漢《あらかん》なり。是《こ》れ算数《さんじゅ》の能《よ》く知《し》る所《ところ》に非《あら》ず。諸《もろもろ》の菩薩衆《ぼさつしゅ》も亦復《またま》た是《か》くの如《ごと》し。舎利弗《しゃりほつ》。彼《か》の仏《ぶっ》国土《こくど》には、是《か》くの如《ごと》きの功徳荘厳《くどくしょうごん》を成就《じょうじゅ》せり。

又舎利弗《またしゃりほつ》。[4]極楽国土《ごくらくこくど》の衆生《しゅじょう》と生《う》まるる者《もの》は、皆《みな》是《こ》れ阿鞞《あび》跋致《ばっち》なり。其《そ》の中《なか》に、多《おお》く一生補処《いっしょうふしょ》有《あ》り。其《そ》の数《かず》甚《はなは》だ多《おお》し。是《こ》れ算数《さんじゅ》の能《よ》く之《これ》を知《し》る所《ところ》に非《あら》ず。但《ただ》、無量無辺阿僧祇劫《むりょうむへんあそうぎこう》を以《もっ》て説《と》くべし。[10]舎利弗《しゃりほつ》。衆生《しゅじょう》聞《き》かん者《もの》、応当《まさ》に願《がん》を発《おこ》し、彼《か》の国《くに》に生《う》まれんと願《がん》ずべし。所以《ゆえ》は何《いか》ん。是《か》くの如《ごと》きの諸《しょ》上善人《じょうぜんにん》と倶《とも》に一処《いっしょ》に会《え》することを得《う》ればなり。[11]舎利弗《しゃりほつ》。少善根福徳《しょうぜんごんふくとく》の因縁《いんねん》を以《もっ》て、彼《か》の国《くに》に生《う》まるることを得《う》べからず。

舎利弗《しゃりほつ》。若《も》し善男子《ぜんなんし》・善女人《ぜんにょにん》有《あ》りて、[5]阿弥陀仏《あみだぶつ》を説《と》くを聞《き》きて、名号《みょうごう》を執持《しゅうじ》すること、若《も》しは一日《いちにち》、若《も》しは二日《ににち》、若《も》しは三日《さんにち》、若《も》しは四日《しにち》、若《も》しは五日《ごにち》、若《も》しは六日《ろくにち》、若《も》しは七日《しちにち》、一心《いっしん》にして乱《みだ》れざれば、[12]其《そ》の人《ひと》、命終《みょうじゅう》の時《とき》に臨《のぞ》み

終時《じゅうじ》。阿彌陀佛《あみだぶつ》。與諸聖衆《よしょしょうじゅ》。現在其前《げんざいごぜん》。是人終時《ぜにんじゅうじ》。心不顚倒《しんぷてんどう》。即得往生《そくとくおうじょう》。阿彌陀佛《あみだぶつ》。極樂國土《ごくらくこくど》。舍利弗《しゃりほつ》。我見是利《がけんぜり》。故説此言《こせつしごん》。若有衆生《にゃくうしゅじょう》。聞是説者《もんぜせっしゃ》。應當發願《おうとうほつがん》。生彼國土《しょうひこくど》。

舍利弗《しゃりほつ》。如我今者《にょがこんしゃ》。讃歎阿彌陀佛《さんだんあみだぶつ》。不可思議功德《ふかしぎくどく》。東方亦有《とうほうやくう》。阿閦鞞佛《あしゅくびぶつ》。須彌相佛《しゅみそうぶつ》。大須彌佛《だいしゅみぶつ》。須彌光佛《しゅみこうぶつ》。妙音佛《みょうおんぶつ》。如是等《にょぜとう》。恆河沙數諸佛《ごうがしゃしゅしょぶつ》。各於其國《かくおごこく》。出廣長舌相《しゅっこうちょうぜっそう》。偏覆三千大千世界《へんぶさんぜんだいせんせかい》。説誠實言《せつじょうじつごん》。汝等衆生《にょとうしゅじょう》。當信是稱讃《とうしんぜしょうさん》。不可思議功德《ふかしぎくどく》。一切諸佛《いっさいしょぶつ》。所護念經《しょごねんぎょう》。

舍利弗《しゃりほつ》。南方世界《なんぼうせかい》。有日月燈佛《うにちがつとうぶつ》。名聞光佛《みょうもんこうぶつ》。大焰肩佛《だいえんけんぶつ》。須彌燈佛《しゅみとうぶつ》。無量精進佛《むりょうしょうじんぶつ》。如是等《にょぜとう》。恆河沙數諸佛《ごうがしゃしゅしょぶつ》。各《かく》

て、阿弥陀仏《あみだぶつ》、諸《もろもろ》の聖衆《しょうじゅ》と、現《げん》じて其《そ》の前《まえ》に在《ましま》さん。是《こ》の人《ひと》、終《おわ》らん時《とき》、心顚倒《しんてんどう》せずして、即《すなわ》ち阿弥陀仏《あみだぶつ》の極楽国《ごくらくこく》土《ど》に往生《おうじょう》することを得《え》ん。13舍利弗《しゃりほつ》。我《われ》、是《こ》の利《り》を見《み》るが故《ゆえ》に、此《こ》の言《ごん》を説《と》く。若《も》し衆生《しゅじょう》有《あ》りて、是《こ》の説《せつ》を聞《き》かん者《もの》は、応当《まさ》に願《がん》を発《おこ》し、彼《か》の国土《こくど》に生《しょう》ずべし。

14舍利弗《しゃりほつ》。我《わ》が今者《いま》阿弥陀仏《あみだぶつ》の不可思議《ふかしぎ》の功徳《くどく》を讃歎《さんだん》するが如《ごと》く、15東方《とうほう》に、亦《また》、阿閦鞞仏《あしゅくびぶつ》・須弥相仏《しゅみそうぶつ》・大須弥仏《だいしゅみぶつ》・須弥《しゅみ》光仏《こうぶつ》・妙音仏《みょうおんぶつ》、是《か》くの如《ごと》き等《ら》の恒河沙数《ごうがしゃしゅ》の諸仏有《しょぶつましま》して、各《おの》おの其《そ》の国《くに》にして、広長《こうちょう》の舌相《ぜっそう》を出《い》だして、遍《あまね》く三千大千《さんぜんだいせん》世界《せかい》に覆《おお》いて、誠実《じょうじつ》の言《ごん》を説《と》きたまう。汝等衆生《なんじらしゅじょう》、当《まさ》に是《こ》の[6]不可思議《ふかしぎ》の功徳《くどく》を称讃《しょうさん》する一切諸仏《いっさいしょぶつ》に護念《ごねん》せらるる経《きょう》を信《しん》ずべし。

16舍利弗《しゃりほつ》。南方《なんぼう》の世界《せかい》に、日月燈仏《にちがつとうぶつ》・名聞光仏《みょうもんこうぶつ》・大焰肩《だいえんけん》仏《ぶつ》・須弥燈仏《しゅみとうぶつ》・無量精進仏《むりょうしょうじんぶつ》、是《か》くの如《ごと》き等《ら》の恒河沙数《ごうがしゃしゅ》の諸《しょ》仏有《ぶつましま》して、各《おの》おの其《そ》の国《くに》にして、広長《こうちょう》の舌相《ぜっそう》を出《い》だして、

於其國《おごこく》。出廣長舌相《しゅっこうちょうぜっそう》。徧覆三千大千《へんぷさんぜんだいせん》世界《せかい》。說誠實言《せつじょうじつごん》。汝等衆生《にょとうしゅじょう》。當信是《とうしんぜ》稱讚《しょうさん》。不可思議功德《ふかしぎくどく》。一切諸佛《いっさいしょぶつ》。所《しょ》護念經《ごねんぎょう》。

舍利弗《しゃりほつ》。西方世界《さいほうせかい》。有無量壽佛《うむりょうじゅぶつ》。無《む》量相佛《りょうそうぶつ》。無量幢佛《むりょうどうぶつ》。大光佛《だいこうぶつ》。大明《だいみょう》佛《ぶつ》。寶相佛《ほうそうぶつ》。淨光佛《じょうこうぶつ》。如是等《にょぜとう》。恆河《ごうが》沙數諸佛《しゃしゅしょぶつ》。各於其國《かくおごこく》。出廣長舌相《しゅっこうちょうぜっそう》。徧覆三千大千世界《へんぷさんぜんだいせんせかい》。說誠實言《せつじょうじつごん》。汝等《にょとう》衆生《しゅじょう》。當信是稱讚《とうしんぜしょうさん》。不可思議功德《ふかしぎくどく》。一切諸佛《いっさいしょぶつ》。所護念經《しょごねんぎょう》。

舍利弗《しゃりほつ》。北方世界《ほっぽうせかい》。有焰肩佛《うえんけんぶつ》。最勝《さいしょう》音佛《おんぶつ》。難沮佛《なんそぶつ》。日生佛《にっしょうぶつ》。網明佛《もうみょうぶつ》。如《にょ》是等《ぜとう》。恆河沙數諸佛《ごうがしゃしゅしょぶつ》。各於其國《かくおごこく》。出《しゅっ》廣長舌相《こうちょうぜっそう》。徧覆三千大千世界《へんぷさんぜんだいせんせかい》。說誠《せつじょう》實言《じつごん》。汝等衆生《にょとうしゅじょう》。當信是稱讚《とうしんぜしょうさん》。不可《ふか》

遍《あまね》く三千大千世界《さんぜんだいせんせかい》に覆《おお》いて、誠実《じょうじつ》の言《ごん》を説《と》きたまう。汝《なんじ》等衆生《らしゅじょう》、当《まさ》に是《こ》の不可思議《ふかしぎ》の功徳《くどく》を称讃《しょうさん》する一切諸仏《いっさいしょぶつ》に護《ご》念《ねん》せらるる経《きょう》を信《しん》ずべし。

17
舎利弗《しゃりほつ》。西方《さいほう》の世界《せかい》に、無量寿仏《むりょうじゅぶつ》・無量相仏《むりょうそうぶつ》・無量幢《むりょうどう》仏《ぶつ》・大光仏《だいこうぶつ》・大明仏《だいみょうぶつ》・宝相仏《ほうそうぶつ》・浄光仏《じょうこうぶつ》、是《か》くの如《ごと》き等《ら》の恒《ごう》河沙数《がしゃしゅ》の諸仏有《しょぶつましま》して、各《おの》おの其《そ》の国《くに》にして、広長《こうちょう》の舌相《ぜっそう》を出《い》だして、遍《あまね》く三千大千世界《さんぜんだいせんせかい》に覆《おお》いて、誠実《じょうじつ》の言《ごん》を説《と》きたまう。汝等衆生《なんじらしゅじょう》、当《まさ》に是《こ》の不可思議《ふかしぎ》の功徳《くどく》を称讃《しょうさん》する一《いっ》切諸仏《さいしょぶつ》に護念《ごねん》せらるる経《きょう》を信《しん》ずべし。

18
舎利弗《しゃりほつ》。北方《ほっぽう》の世界《せかい》に、焔肩仏《えんけんぶつ》・最勝音仏《さいしょうおんぶつ》・難沮仏《なんそぶつ》・日《にっ》生仏《しょうぶつ》・網明仏《もうみょうぶつ》、是《か》くの如《ごと》き等《ら》の恒河沙数《ごうがしゃしゅ》の諸仏有《しょぶつましま》して、各《おの》おの其《そ》の国《くに》にして、広長《こうちょう》の舌相《ぜっそう》を出《い》だして、遍《あまね》く三千大《さんぜんだい》千世界《せんせかい》に覆《おお》いて、誠実《じょうじつ》の言《ごん》を説《と》きたまう。汝等衆生《なんじらしゅじょう》、当《まさ》に是《こ》の不可思議《ふかしぎ》の功徳《くどく》を称讃《しょうさん》する一切諸仏《いっさいしょぶつ》に護念《ごねん》せらるる

思《し》議《ぎ》功徳《くどく》。一切諸佛《いっさいしょぶつ》。所護念經《しょごねんぎょう》。

舍利弗《しゃりほつ》。下方世界《げほうせかい》。有師子佛《うししぶつ》。名聞佛《みょうもんぶつ》。名光佛《みょうこうぶつ》。達摩佛《だつまぶつ》。法幢佛《ほうどうぶつ》。持法佛《じほうぶつ》。如是等《にょぜとう》。恆河沙數諸佛《ごうがしゃしゅしょぶつ》。各於其國《かくおごこく》。出廣長舌相《しゅつこうちょうぜっそう》。徧覆三千大千世界《へんぷさんぜんだいせんせかい》。說誠實言《せつじょうじつごん》。汝等衆生《にょとうしゅじょう》。當信是稱讃《とうしんぜしょうさん》。不可思議功徳《ふかしぎくどく》。一切諸佛《いっさいしょぶつ》。所護念經《しょごねんぎょう》。

舍利弗《しゃりほつ》。上方世界《じょうほうせかい》。有梵音佛《うぼんのんぶつ》。宿王佛《しゅくおうぶつ》。香上佛《こうじょうぶつ》。香光佛《こうこうぶつ》。大焰肩佛《だいえんけんぶつ》。雜色寶華嚴身佛《ざつしきほうけごんしんぶつ》。娑羅樹王佛《しゃらじゅおうぶつ》。寶華徳佛《ほうけとくぶつ》。見一切義佛《けんいっさいぎぶつ》。如須彌山佛《にょしゅみせんぶつ》。如是等《にょぜとう》。恆河沙數諸佛《ごうがしゃしゅしょぶつ》。各於其國《かくおごこく》。出廣長舌相《しゅつこうちょうぜっそう》。徧覆三千大千世界《へんぷさんぜんだいせんせかい》。說誠實言《せつじょうじつごん》。汝等衆生《にょとうしゅじょう》。當信是稱讃《とうしんぜしょうさん》。不可思議功徳《ふかしぎくどく》。一切諸佛《いっさいしょぶつ》。所護念經《しょごねんぎょう》。

舍利弗《しゃりほつ》。於汝意云何《おにょいうんが》。何故名爲《がこみょうい》。一《いつ》

経《きょう》を信《しん》ずべし。

19舍利弗《しゃりほつ》。下方《げほう》の世界《せかい》に、師子仏《ししぶつ》・名聞仏《みょうもんぶつ》・名光仏《みょうこうぶつ》・達摩仏《だつまぶつ》・法幢仏《ほうどうぶつ》・持法仏《じほうぶつ》、是《か》くの如《ごと》き等《ら》の恒河沙数《ごうがしゃしゅ》の諸仏《しょぶつ》有《ましま》して、各《おの》おの其《そ》の国《くに》にして、広長《こうちょう》の舌相《ぜっそう》を出《い》だして、遍《あまね》く三千大千世界《さんぜんだいせんせかい》に覆《おお》いて、誠実《じょうじつ》の言《ごん》を説《と》きたまう。汝等衆生《なんじらしゅじょう》、当《まさ》に是《こ》の不可思議《ふかしぎ》の功徳《くどく》を称讃《しょうさん》する一切諸仏《いっさいしょぶつ》に護念《ごねん》せらるる経《きょう》を信《しん》ずべし。

20舍利弗《しゃりほつ》。上方《じょうほう》の世界《せかい》に、梵音仏《ぼんのんぶつ》・宿王仏《しゅくおうぶつ》・香上仏《こうじょうぶつ》・香光仏《こうこうぶつ》・大焰肩仏《だいえんけんぶつ》・雑色宝華厳身仏《ざっしきほうけごんしんぶつ》・娑羅樹王仏《しゃらじゅおうぶつ》・宝華徳仏《ほうけとくぶつ》・見一切義仏《けんいっさいぎぶつ》・如須弥山仏《にょしゅみせんぶつ》、是《か》くの如《ごと》き等《ら》の恒河沙数《ごうがしゃしゅ》の諸仏《しょぶつ》有《ましま》して、各《おの》おの其《そ》の国《くに》にして、広長《こうちょう》の舌相《ぜっそう》を出《い》だして、遍《あまね》く三千大千世界《さんぜんだいせんせかい》に覆《おお》いて、誠実《じょうじつ》の言《ごん》を説《と》きたまう。汝等衆生《なんじらしゅじょう》、当《まさ》に是《こ》の不可思議《ふかしぎ》の功徳《くどく》を称讃《しょうさん》する一切諸仏《いっさいしょぶつ》に護念《ごねん》せらるる経《きょう》を信《しん》ずべし。

21舍利弗《しゃりほつ》。汝《なんじ》が意《こころ》に於《お》いて云何《いかん》。何《なに》の故《ゆえ》ぞ、名《な》づけて「一《いっ》

切《さい》諸佛《しょぶつ》。所護念經《しょごねんぎょう》。舍利弗《しゃりほつ》。若有善《にゃくうぜん》
男子善女人《なんしぜんにょにん》。聞是諸佛所說名《もんぜしょぶつしょせつみょう》。及經《ぎつきょう》
名者《みょうしゃ》。是諸善男子善女人《ぜしょぜんなんしぜんにょにん》。皆爲一切《かいいいっさい》
諸佛《しょぶつ》。共所護念《ぐしょごねん》。皆得不退轉《かいとくふたいてん》。於阿耨《おあのく》
多羅三藐三菩提《たらさんみゃくさんぼだい》。是故舍利弗《ぜこしゃりほつ》。汝等《にょとう》
皆當《かいとう》。信受我語《しんじゅがご》。及諸佛所說《ぎつしょぶつしょせつ》。舍利弗《しゃりほつ》。
若有人《にゃくうにん》。已發願《いほつがん》。今發願《こんぼつがん》。當發願《とうほつがん》。
欲生阿彌陀佛國者《よくしょうあみだぶつこくしゃ》。是諸人等《ぜしょにんとう》。皆得《かいとく》
不退轉《ふたいてん》。於阿耨多羅三藐三菩提《おあのくたらさんみゃくさんぼだい》。於《お》
彼國土《ひこくど》。若已生《にゃくいしょう》。若今生《にゃくこんしょう》。若當《にゃくとう》
生《しょう》。是故舍利弗《ぜこしゃりほつ》。諸善男子善女人《しょぜんなんしぜんにょにん》。
若有信者《にゃくうしんしゃ》。應當發願《おうとうほつがん》。生彼國土《しょうひこくど》。
舍利弗《しゃりほつ》。如我今者《にょがこんしゃ》。稱讚諸佛《しょうさんしょぶつ》。不可《ふか》
思議功德《しぎくどく》。彼諸佛等《ひしょぶつとう》。亦稱說我《やくしょうせつが》。不《ふ》
可思議功德《かしぎくどく》。而作是言《にさぜごん》。釋迦牟尼佛《しゃかむにぶつ》。
能爲甚難《のういじんなん》。希有之事《けうしじ》。能於娑婆國土《のうおしゃばこくど》。

切諸仏《さいしょぶつ》に護念《ごねん》せらるる経《きょう》」とする。舍利弗《しゃりほつ》。若《も》し善男子《ぜんなんし》・
善女人《ぜんにょにん》有《あ》りて、是《こ》の諸仏《しょぶつ》の所説《しょせつ》の名《な》、及《およ》び経《きょう》の名《な》を聞《き》かん
者《もの》、是《こ》の諸《もろもろ》の善男子《ぜんなんし》・善女人《ぜんにょにん》、皆《みな》、一切諸仏《いっさいしょぶつ》の為《ため》に共《とも》に護《ご》
念《ねん》せられて、皆《みな》、阿耨多羅三藐三菩提《あのくたらさんみゃくさんぼだい》を退転《たいてん》せざることを
得《う》。是《こ》の故《ゆえ》に舍利弗《しゃりほつ》、汝等《なんじら》、皆当《みなまさ》に我《わ》が語《ことば》、及《およ》び諸仏《しょぶつ》の所《しょ》
説《せつ》を信受《しんじゅ》すべし。22舍利弗《しゃりほつ》。若《も》し人有《ひとあ》りて、已《すで》に願《がん》を発《おこ》し、
今願《いまがん》を発《おこ》し、当《とう》に願《がん》を発《おこ》して、阿弥陀仏国《あみだぶっこく》に生《う》まれんと欲《おも》わ
ん者《もの》は、是《こ》の諸《もろもろ》の人等《ひとら》、皆《みな》、阿耨多羅三藐三菩提《あのくたらさんみゃくさんぼだい》を退転《たいてん》
せざることを得《え》て、彼《か》の国土《こくど》に於《お》いて、若《も》しは已《すで》に生《しょう》じ、
若《も》しは今生《いましょう》じ、若《も》しは当《とう》に生《しょう》ぜん。是《こ》の故《ゆえ》に舍利弗《しゃりほつ》、諸《もろもろ》
の善男子《ぜんなんし》・善女人《ぜんにょにん》、若《も》し信有《しんあ》らん者《もの》は、応当《まさ》に願《がん》を発《おこ》して、
彼《か》の国土《こくど》に生《しょう》ずべし。
23舍利弗《しゃりほつ》。我《わ》が今者《いま》諸仏《しょぶつ》の不可思議《ふかしぎ》の功徳《くどく》を称讃《しょうさん》するが如《ごと》
く、彼《か》の諸仏等《しょぶつとう》も、亦《また》、我《わ》が不可思議《ふかしぎ》の功徳《くどく》を称説《しょうせつ》して、
是《こ》の言《ごん》を作《な》さく、「釈迦牟尼仏《しゃかむにぶつ》、能《よ》く甚難希有《じんなんけう》の[7]事《じ》を為《な》して、
能《よ》く娑婆国土《しゃばこくど》の五濁悪世《ごじょくあくせ》、劫濁《こうじょく》・見濁《けんじょく》・煩悩濁《ぼんのうじょく》・衆生《しゅじょう》

五濁惡世《ごじょくあくせ》。劫濁《こうじょく》。見濁《けんじょく》。煩惱濁《ぼんのうじょく》。衆生濁《しゅじょうじょく》。命濁中《みょうじょくちゅう》。得阿耨多羅三藐三菩提《とくあのくたらさんみゃくさんぼだい》。爲諸衆生《いしょしゅじょう》。說是一切世間《せつぜいっさいせけん》。難信之法《なんしんしほう》。舍利弗《しゃりほつ》。當知我於《とうちがお》。五濁惡世《ごじょくあくせ》。行此難事《ぎょうしなんじ》。得阿耨多羅三藐三菩提《とくあのくたらさんみゃくさんぼだい》。爲一切世間《いいっさいせけん》。說此難信之法《せつしなんしんしほう》。是爲甚難《ぜいじんなん》。佛說此經已《ぶつせつしきょうい》。舍利弗《しゃりほつ》。及諸比丘《ぎっしょびく》。一切世間《いっさいせけん》。天人阿修羅等《てんにんあしゅらとう》。聞佛所說《もんぶつしょせつ》。歡喜信受《かんぎしんじゅ》。作禮而去《さらいにこ》。

佛說阿彌陀經《ぶっせつあみだきょう》

濁《じょく》・命濁《みょうじょく》の中《なか》にして、阿耨多羅三藐三菩提《あのくたらさんみゃくさんぼだい》を得《え》て、諸《もろもろ》の衆生《しゅじょう》の為《ため》に、是《こ》の一切世間《いっさいせけん》に信《しん》じ難《がた》き法《ほう》を説《と》きたまう」と。[24]舎利弗《しゃりほつ》、当《まさ》に知《し》るべし。我《われ》、五濁悪世《ごじょくあくせ》にして、此《こ》の難事《なんじ》を行《ぎょう》じて、阿耨多羅三藐三菩提《あのくたらさんみゃくさんぼだい》を得《え》て、一切世間《いっさいせけん》の為《ため》に、此《こ》の難信《なんしん》の法《ほう》を説《と》く。是《こ》れを甚《はなは》だ難《かた》しとす。」

[25]仏《ぶつ》、此《こ》の経《きょう》を説《と》きたまうこと已《おわ》りて、舎利弗《しゃりほつ》、及《およ》び諸《もろもろ》の比丘《びく》、一切世間《いっさいせけん》の天《てん》・人《にん》・阿修羅等《あしゅらとう》、仏《ぶつ》の所説《しょせつ》を聞《き》きたまえて、歓喜《かんぎ》し信受《しんじゅ》して、礼《らい》を作《な》して去《さ》りにき。

仏説阿弥陀経《ぶっせつあみだきょう》

無《む》量《りょう》寿《じゅ》経《きょう》優《う》婆《ば》提《だい》舎《しゃ》願《がん》生《しょう》偈《げ》

[1]婆《ば》藪《そ》槃《ばん》頭《ず》菩《ぼ》薩《さつ》造《ぞう》

世《せ》尊《そん》我《が》一《いっ》心《しん》　歸《き》命《みょう》盡《じん》十《じっ》方《ぽう》
無《む》碍《げ》光《こう》如《にょ》來《らい》　願《がん》生《しょう》安《あん》樂《らく》國《こく》
我《が》依《え》修《しゅ》多《た》羅《ら》　眞《しん》實《じつ》功《く》德《どく》相《そう》
說《せつ》願《がん》偈《げ》總《そう》持《じ》　與《よ》佛《ぶっ》敎《きょう》相《そう》應《おう》
觀《かん》彼《ぴ》世《せ》界《かい》相《そう》　勝《しょう》過《が》三《さん》界《がい》道《どう》
究《く》竟《きょう》如《にょ》虛《こ》空《くう》　廣《こう》大《だい》無《む》邊《へん》際《ざい》
正《しょう》道《どう》大《だい》慈《じ》悲《ひ》　出《しゅっ》世《せ》善《ぜん》根《ごん》生《しょう》
淨《じょう》光《こう》明《みょう》滿《まん》足《ぞく》　如《にょ》鏡《きょう》日《にち》月《がつ》輪《りん》
備《び》諸《しょ》珍《ちん》寶《ぽう》性《しょう》　具《ぐ》足《そく》妙《みょう》莊《しょう》嚴《ごん》
無《む》垢《く》光《こう》炎《えん》熾《し》　明《みょう》淨《じょう》曜《よう》世《せ》間《けん》
寶《ほう》性《しょう》功《く》德《どく》草《そう》　柔《にゅう》軟《なん》左《さ》右《う》旋《せん》
觸《そく》者《しゃ》生《しょう》勝《しょう》樂《らく》　過《か》迦《か》旃《せん》隣《りん》陀《だ》

世尊《せそん》。我《われ》、一心《いっしん》に、
尽十方無碍光如来《じんじっぽうむげこうにょらい》に帰命《きみょう》して、安楽国《あんらくこく》に生《う》まれんと願《がん》[2]ず。
我《われ》、修多羅真実功徳《しゅたらしんじつくどく》の相《そう》に依《よ》りて、
願偈《がんげ》を説《と》きて総持《そうじ》して、仏教《ぶっきょう》と相応《そうおう》す。
彼《か》の世界《せかい》の相《そう》を観《かん》ずるに、三界《さんがい》の道《どう》に勝過《しょうが》せり。
究竟《くきょう》して虚空《こくう》の如《ごと》し。広大《こうだい》にして辺際無《へんざいな》し。
正道《しょうどう》の大慈悲《だいじひ》は、出世《しゅっせ》の善根《ぜんごん》より生《しょう》ず。
浄光明満足《じょうこうみょうまんぞく》すること、鏡《かがみ》と日月輪《にちがつりん》との如《ごと》し。
諸《もろもろ》の珍宝《ちんぽう》の性《しょう》を備《そな》えて、妙荘厳《みょうしょうごん》を具足《ぐそく》せり。
無垢《むく》の光炎熾《こうえんさかん》にして、明浄《みょうじょう》にして世間《せけん》を曜《かがや》かす。
宝性功徳草《ほうしょうくどくそう》、柔軟《にゅうなん》にして左右《さう》に旋《めぐ》れり。
触《ふ》るる者《もの》、勝楽《しょうらく》を生《しょう》ずること、迦旃隣陀《かせんりんだ》に過《す》ぎたり。

寶《ほう》華《け》千《せん》萬《まん》種《じゅ》　彌《み》覆《ふ》池《ち》流《る》泉《せん》
微《み》風《ふう》動《どう》華《け》葉《よう》　交《きょうしゃくこうらんでん》錯光亂轉
宮《く》殿《でん》諸《しょ》樓《ろう》閣《かく》　観《かん》十《じっ》方《ぽう》無《む》碍《げ》
雜《ぞう》樹《じゅ》異《い》光《こう》色《しき》　寶《ほう》蘭《らん》遍《へん》圍《い》繞《にょう》
無《む》量《りょう》寶《ほう》交《きょう》絡《らく》　羅《ら》網《もう》遍《へん》虚《こ》空《くう》
種《しゅ》種《じゅ》鈴《りょう》發《ほっ》響《こう》　宣《せん》吐《と》妙《みょう》法《ほう》音《おん》
雨《う》花《け》衣《え》莊《しょう》嚴《ごん》　無《む》量《りょう》香《こう》普《ふ》薰《くん》
佛《ぶっ》惠《て》明《みょう》淨《じょう》日《にち》　除《じょ》世《せ》癡《ち》闇《あん》冥《みょう》
梵《ぼん》聲《しょう》悟《ご》深《じん》遠《のん》　微《み》妙《みょう》聞《もん》十《じっ》方《ぽう》
正《しょう》覺《がく》阿《あ》彌《み》陀《だ》　法《ほう》王《おう》善《ぜん》住《じゅう》持《じ》
如《にょ》來《らい》淨《じょう》華《け》衆《しゅ》　正《しょう》覺《がく》花《け》化《け》生《しょう》
愛《あい》樂《ぎょう》佛《ぶつ》法《ぽう》味《み》　禪《ぜん》三《さん》昧《まい》爲《い》食《じき》
永《よう》離《り》身《しん》心《じん》惱《のう》　受《じゅ》樂《らく》常《じょう》無《む》間《けん》
大《だい》乘《じょう》善《ぜん》根《ごん》界《かい》　等《とう》無《む》譏《き》嫌《げん》名《みょう》
女《にょ》人《にん》及《ぎゅう》根《こん》缺《けつ》　二《に》乘《じょう》種《しゅ》不《ふ》生《しょう》
衆《しゅ》生《じょう》所《しょ》願《がん》樂《ぎょう》　一《いっ》切《さい》能《のう》滿《まん》足《ぞく》

宝華千万種《ほうけせんまんじゅ》にして、池《ち》・流《る》・泉《せん》に弥覆《みふ》せり。
微風《みふう》、華葉《けよう》を動《うご》かすに、交錯《きょうしゃく》して光乱転《ひかりらんでん》す。
宮殿《くでん》・諸《もろもろ》の楼閣《ろうかく》にして、十方《じっぽう》を観《み》ること無碍《むげ》なり。
雑樹《ぞうじゅ》に異《い》の光色《こうしき》あり。宝蘭《ほうらん》遍《あまね》く囲繞《いにょう》せり。
無量《むりょう》の宝《たから》交絡《きょうらく》して、羅網《らもう》、虚空《こくう》に遍《へん》ぜん。
種種《しゅじゅ》の鈴《すず》、響《ひびき》を発《おこ》して、妙法《みょうほう》の音《おと》を宣《の》べ吐《は》かん。
花衣《けえ》の荘厳《しょうごん》を雨《ふ》り、無量《むりょう》の香《こう》普《あまね》く[3]薫《くん》ぜん。
仏恵明《ぶってみょう》浄《じょう》なること、日《ひ》のごとくして、世《せ》の痴闇冥《ちあんみょう》を除《のぞ》く。
梵声《ぼんしょう》の悟《さとり》深遠《じんのん》にして微妙《みみょう》なり、十方《じっぽう》に聞《き》こゆ。
正覚《しょうがく》の阿弥陀《あみだ》法王《ほうおう》、善《よ》く住持《じゅうじ》したまえり。
如来浄華《にょらいじょうけ》の衆《しゅ》は、正覚《しょうがく》の花《はな》より化生《けしょう》す。
仏法《ぶっぽう》の味《み》を愛楽《あいぎょう》し、禅三昧《ぜんさんまい》を食《じき》とす。
永《なが》く身心《しんじん》の悩《なやみ》を離《はな》れて、楽《らく》を受《う》くること、常《つね》に間無《ひまな》し。
大乗善根《だいじょうぜんごん》の界《さかい》、等《ひと》しくして譏嫌《きげん》の名《な》無《な》し。
女人及《にょにんおよ》び根欠《こんけつ》・二乗《にじょう》の種《しゅ》、生《しょう》ぜず。
衆生《しゅじょう》の願楽《がんぎょう》する所《ところ》、一切《いっさい》能《よ》く満足《まんぞく》す。

故《こ》我《が》願《がん》生《しょう》彼《ひ》　阿《あ》彌《み》陀《だ》佛《ぶっ》國《こく》
無《む》量《りょう》大《だい》寶《ほう》王《おう》　微《み》妙《みょう》淨《じょう》花《け》臺《だい》
相《そう》好《ごう》光《こう》一《いち》尋《じん》　色《しき》像《ぞう》超《ちょう》群《ぐん》生《じょう》
如《にょ》來《らい》微《み》妙《みょう》聲《しょう》　梵《ぼん》響《こう》聞《もん》十《じっ》方《ぽう》
同《どう》地《じ》水《すい》火《か》風《ふう》　虚《こ》空《くう》無《む》分《ふん》別《べつ》
天《てん》人《にん》不《ふ》動《どう》衆《しゅ》　清《しょう》淨《じょう》智《ち》海《かい》生《しょう》
如《にょ》須《しゅ》彌《み》山《せん》王《のう》　勝《しょう》妙《みょう》無《む》過《か》者《しゃ》
天《てん》人《にん》丈《じょう》夫《ぶ》衆《しゅ》　恭《く》敬《ぎょう》遶《にょう》瞻《せん》仰《ごう》
觀《かん》佛《ぶつ》本《ほん》願《がん》力《りき》　遇《ぐう》無《む》空《くう》過《か》者《しゃ》
能《のう》令《りょう》速《そく》滿《まん》足《ぞく》　功《く》德《どく》大《だい》寶《ほう》海《かい》
安《あん》樂《らっ》國《こく》清《しょう》淨《じょう》　常《じょう》轉《てん》無《む》垢《く》輪《りん》
化《け》佛《ぶつ》菩《ぼ》薩《さつ》日《にち》　如《にょ》須《しゅ》彌《み》住《じゅう》持《じ》
無《む》垢《く》莊《しょう》嚴《ごん》光《こう》　一《いち》念《ねん》及《ぎゅう》一《いち》時《じ》
普《ふ》照《しょう》諸《しょ》佛《ぶっ》會《て》　利《り》益《やく》諸《しょ》群《ぐん》生《じょう》
雨《う》天《てん》樂《がく》花《け》衣《え》　妙《みょう》香《こう》等《とう》供《く》養《よう》
讚《さん》諸《しょ》佛《ぶっ》功《く》德《どく》　無《む》有《う》分《ふん》別《べつ》心《しん》

---

4 故《かるがゆえ》に我《われ》、願《ねが》わくは彼《か》の阿弥陀仏国《あみだぶっこく》に生《う》まれん。
無量大宝王《むりょうだいほうおう》、微妙《みみょう》の浄花台《じょうけだい》にいます。
相好《そうごう》の光一尋《ひかりいちじん》なり。色像《しきぞう》、群生《ぐんじょう》に超《こ》えたまえり。
如来微妙《にょらいみみょう》の声《みこえ》、梵《ぼん》の響《ひびき》、十方《じっぽう》に聞《き》こゆ。
地《じ》・水《すい》・火《か》・風《ふう》・虚空《こくう》に同《どう》じて分別無《ふんべつな》からん。
天人不動《てんにんふどう》の衆《しゅ》、清浄《しょうじょう》の智海《ちかい》より生《しょう》ず。
須弥山王《しゅみせんのう》の如《ごと》く、勝妙《しょうみょう》にして過《す》ぎたる者無《ものな》し。
天人丈夫衆《てんにんじょうぶしゅ》、恭敬《くぎょう》して遶《めぐ》りて瞻仰《せんごう》したてまつる。
仏《ぶつ》の本願力《ほんがんりき》を観《かん》ずるに、遇《もうお》うて空《むな》しく過《す》ぐる者無《ものな》し。
能《よ》く速《すみ》やかに功徳《くどく》の大宝海《だいほうかい》を満足《まんぞく》せしむ。
安楽国《あんらくこく》は清浄《しょうじょう》にして、常《つね》に無垢《むく》の輪《りん》を転《てん》ず。
化仏菩薩《けぶつぼさつ》の日《ひ》、須弥《しゅみ》の住持《じゅうじ》するが如《ごと》し。
無垢荘厳《むくしょうごん》の光《ひかり》、一念及《いちねんおよ》び一時《いちじ》に、
普《あまね》く諸仏《しょぶつ》の会《え》を照《て》らし、諸《もろもろ》の群生《ぐんじょう》を利益《りやく》す。
天《てん》の楽《がく》と花《はな》と衣《え》と妙香等《みょうこうとう》を雨《ふ》りて供養《くよう》し、
諸仏《しょぶつ》の功徳《くどく》を讃《さん》ずるに、分別《ふんべつ》の心有《しんあ》ること無《な》し。

何《が》等《とう》世《せ》界《かい》無《む》　佛《ぶっ》法《ぽう》功《く》徳《どく》寶《ほう》
我《が》願《がん》皆《かい》往《おう》生《じょう》　示《じ》佛《ぶっ》法《ぽう》如《にょ》佛《ぶつ》
我《が》作《さ》論《ろん》説《せつ》偈《げ》　願《がん》見《けん》彌《み》陀《だ》佛《ぶつ》
普《ふ》共《ぐ》諸《しょ》衆《しゅ》生《じょう》　往《おう》生《じょう》安《あん》樂《らく》國《こく》

何等《なんら》の世界《せかい》にか、仏法功徳《ぶっぽうくどく》の宝《ほう》無《ましま》さぬ。
我願《われねが》わくは、皆往生《みなおうじょう》して、仏法《ぶっぽう》を示《しめ》すこと、仏《ぶつ》の如《ごと》くせん。
我《われ》、論《ろん》を作《つく》り偈《げ》を説《と》きて、願《ねが》わくは弥陀仏《みだぶつ》を見《み》たてまつり、
普《あまね》く諸《もろもろ》の衆生《しゅじょう》と共《とも》に、安楽国《あんらくこく》に往生《おうじょう》せん。

無量寿修多羅《むりょうじゅしゅたら》の章句《しょうく》、我《われ》、偈誦《げじゅ》を以《もっ》て総《そう》じて説《と》き竟《おわ》りぬ。

[5]論《ろん》じて曰《い》わく、[6](第一・願偈大意) 此《こ》の願偈《がんげ》は、何《なん》の義《ぎ》をか明《あ》かす。彼《か》の安楽世界《あんらくせかい》を観《かん》じて、阿弥陀《あみだ》如来《にょらい》を見《み》たてまつり、彼《か》の国《くに》に生《う》まれんと願《がん》ずることを示現《じげん》するが故《ゆえ》なり。

(第二・起観生信) 云何《いかん》が観《かん》じ、云何《いかん》が信心《しんじん》を生《しょう》ずる。若《も》し善男子《ぜんなんし》・善女人《ぜんにょにん》、五念門《ごねんもん》を修《しゅ》して行成《ぎょうじょう》就《じゅ》しぬれば、畢竟《ひっきょう》じて安楽国土《あんらくこくど》に生《う》まれて、彼《か》の阿弥陀仏《あみだぶつ》を見《み》たてまつることを得《う》となり。何等《なんら》か五念門《ごねんもん》。一《ひとつ》には礼拝門《らいはいもん》、二《ふたつ》には讃嘆門《さんだんもん》、三《みっつ》には作願門《さがんもん》、四《よっつ》には観察門《かんざつもん》、五《いつつ》には回向門《えこうもん》なり。

云何《いか》なるか礼拝《らいはい》。身業《しんごう》をして、阿弥陀如来《あみだにょらい》・応《おう》・正遍知《しょうへんち》を礼拝《らいはい》[7]したまいき。彼《か》の国《くに》に生《しょう》ぜん意《い》を為《な》させんが故《ゆえ》なり。

云何《いか》なるか讃嘆《さんだん》する。口業《くごう》をして讃嘆《さんだん》したまいき。彼《か》の如来《にょらい》の名《みな》を称《しょう》し、彼《か》の如来《にょらい》の光明《こうみょう》智相《ちそう》の如《ごと》く、彼《か》の名義《みょうぎ》の如《ごと》く、実《じつ》の如《ごと》く修行《しゅぎょう》し相応《そうおう》せんと欲《おも》うが故《ゆえ》なり。

云何《いか》なるか作願《さがん》する。心《しん》に常《つね》に作願《さがん》したまえりき。一心《いっしん》に専念《せんねん》して、畢竟《ひっきょう》じて安楽国土《あんらくこくど》に往生《おうじょう》して、実《じつ》の如《ごと》く奢摩他《しゃまた》を修行《しゅぎょう》せんと欲《おも》うが故《ゆえ》にとのたまえり。

云何《いか》なるか観察《かんざつ》する。智慧《ちえ》をして観察《かんざつ》したまえりき。正念《しょうねん》に彼《かしこ》を観《かん》ずることは、実《じつ》の如《ごと》く毘婆舎《びばしゃ》那《な》を修行《しゅぎょう》せんと欲《おも》うが故《ゆえ》なり。彼《か》の観察《かんざつ》に三種《さんしゅ》有《あ》り。何等《なんら》か三種《さんしゅ》。一《ひとつ》には彼《か》の仏国土《ぶっこくど》の荘厳功徳《しょうごんくどく》を観察《かんざつ》す。二《ふたつ》には阿弥陀仏《あみだぶつ》の荘厳功徳《しょうごんくどく》を観察《かんざつ》す。三《みつ》には彼《か》の諸菩薩《しょぼさつ》の荘厳功徳《しょうごんくどく》を観察《かんざつ》す。

云何《いか》なるか回向《えこう》する。一切苦悩《いっさいくのう》の衆生《しゅじょう》を捨《す》てずして心《しん》に常《つね》に[8]作願《さがん》して、回向《えこう》を首《しゅ》として大悲心《だいひしん》を成就《じょうじゅ》することを得《え》たまえるが故《ゆえ》に。

（第三・観行体相）云何《いかん》が彼《か》の仏国土《ぶっこくど》の荘厳功徳《しょうごんくどく》を観察《かんざつ》する。彼《か》の仏国土《ぶっこくど》の荘厳功徳《しょうごんくどく》は、不可思議力《ふかしぎりき》を成就《じょうじゅ》せるが故《ゆえ》に。彼《か》の摩尼如意宝性《まににょいほうしょう》の相似相対《そうじそうたい》の法《ほう》なるが如《ごと》きの故《ゆえ》に。

彼《か》の仏国土《ぶっこくど》の荘厳功徳成就《しょうごんくどくじょうじゅ》を観察《かんざつ》すというは、十七種《じゅうしちしゅ》有《あ》り。知《し》るべし（応）。何等《なんら》か十七《じゅうしち》。一《ひとつ》には荘厳清浄功徳成就《しょうごんしょうじょうくどくじょうじゅ》、二《ふたつ》には荘厳量功徳成就《しょうごんりょうくどくじょうじゅ》、三《みつ》には荘厳性功徳成就《しょうごんしょうくどくじょうじゅ》、四《よっ》には荘厳形相《しょうごんぎょうそう》功徳成就《くどくじょうじゅ》、五《いつつ》には荘厳種種事功徳成就《しょうごんしゅじゅじくどくじょうじゅ》、六《むつ》には荘厳妙色功徳成就《しょうごんみょうしきくどくじょうじゅ》、七《ななつ》には荘厳触功徳成就《しょうごんそくくどくじょうじゅ》、八《やつ》には荘厳三種功徳成就《しょうごんさんしゅくどくじょうじゅ》、九《ここのつ》には荘厳雨功徳成就《しょうごんうくどくじょうじゅ》、十《とお》には荘厳光明功徳成就《しょうごんこうみょうくどくじょうじゅ》、十一《じゅういち》には荘厳妙声功徳成就《しょうごんみょうしょうくどくじょうじゅ》、十二《じゅうに》には荘厳主功徳成就《しょうごんしゅくどくじょうじゅ》、十三《じゅうさん》には荘厳眷属功徳成就《しょうごんけんぞくくどくじょうじゅ》、十四《じゅうし》には荘《しょう》厳受用功徳成就《ごんじゅゆうくどくじょうじゅ》、十五《じゅうご》には荘厳無諸難功徳成就《しょうごんむしょなんくどくじょうじゅ》、十六《じゅうろく》には荘厳大義門功徳成就《しょうごんだいぎもんくどくじょうじゅ》、十七《じゅうしち》には荘厳一切所求満足功徳成就《しょうごんいっさいしょぐまんぞくくどくじょうじゅ》なり。

荘厳清浄功徳成就《しょうごんしょうじょうくどくじょうじゅ》は、偈《げ》に「観彼世界相《かんぴせかいそう》　勝過三界道《しょうがさんがいどう》」と言《のたま》えるが故《ゆえ》に。荘厳量功徳成《しょうごんりょうくどくじょう》就《じゅ》は、偈《げ》に「究竟如虚空《くきょうにょこくう》　広大無辺際《こうだいむへんざい》」と言《のたま》えるが故《ゆえ》に。荘厳性功徳成就《しょうごんしょうくどくじょうじゅ》は、偈《げ》に「正道大慈《しょうどうだいじ》

悲《ひ》　出世善根生《しゅっせぜんごんしょう》」と言《のたま》えるが故《ゆえ》に。荘厳形相功徳成就《しょうごんぎょうそうくどくじょうじゅ》は、偈《げ》に「浄光明満足《じょうこうみょうまんぞく》　如鏡日月輪《にょきょうにちがつりん》」と言《のたま》えるが故《ゆえ》に。荘厳種種事功徳成就《しょうごんしゅじゅじくどくじょうじゅ》は、偈《げ》に「備諸珍宝性《びしょちんぽうしょう》　具足妙荘厳《ぐそくみょうしょうごん》」と言《のたま》えるが故《ゆえ》に。荘厳妙色功徳成就《しょうごんみょうしきくどくじょうじゅ》は、偈《げ》に「無垢光炎熾《むくこうえんし》　明浄曜世間《みょうじょうようせけん》」と言《のたま》えるが故《ゆえ》に。荘厳触功徳成就《しょうごんそくくどくじょうじゅ》は、偈《げ》に「宝性功徳草《ほうしょうくどくそう》　柔軟左右旋《にゅうなんさうせん》　触者生勝楽《そくしゃしょうしょうらく》　過迦旃隣陀《かかせんりんだ》」と言《のたま》えるが故《ゆえ》に。荘厳三種功徳《しょうごんさんしゅくどく》成就《じょうじゅ》は、三種《さんしゅ》の事有《じあ》り。知《し》るべし(応)。何等《なんら》か三種《さんしゅ》。一《ひとつ》には水《すい》、二《ふたつ》には地《じ》、三《みつ》には虚空《こくう》なり。荘厳水《しょうごんすい》功徳成就《くどくじょうじゅ》は、偈《げ》に「宝花千万種《ほうけせんまんじゅ》　弥覆池流泉《みふちるせん》　微風動花葉《みふうどうけよう》　交錯光乱転《きょうしゃくこうらんでん》」と言《のたま》えるが故《ゆえ》に。荘《しょう》厳地功徳成就《ごんじくどくじょうじゅ》は、偈《げ》に「宮殿諸楼閣《くでんしょろうかく》　観十方無碍《かんじっぽうむげ》　雑樹異光色《ぞうじゅいこうしき》　宝蘭遍囲遶《ほうらんへんいにょう》」と言《のたま》えるが故《ゆえ》に。荘厳虚空功徳成就《しょうごんこくうくどくじょうじゅ》は、偈《げ》に「無量宝交絡《むりょうほうきょうらく》　羅網遍虚空《らもうへんこくう》　種種鈴発響《しゅじゅりょうほっこう》　宣吐妙法音《せんとみょうほうおん》」と言《のたま》えるが故《ゆえ》に。荘厳雨功徳成就《しょうごんうくどくじょうじゅ》は、偈《げ》に「雨花衣荘厳《うけえしょうごん》　無量香普《むりょうこうふ》[9]薫《くん》」と言《のたま》えるが故《ゆえ》に。荘厳光明功《しょうごんこうみょうく》徳成就《どくじょうじゅ》は、偈《げ》に「仏恵明浄日《ぶってみょうじょうにち》　除世痴闇冥《じょせちあんみょう》」と言《のたま》えるが故《ゆえ》に。荘厳妙声功徳成就《しょうごんみょうしょうくどくじょうじゅ》は、偈《げ》に「梵声悟深遠《ぼんしょうごじんのん》　微妙聞十方《みみょうもんじっぽう》」と言《のたま》えるが故《ゆえ》に。荘厳主功徳成就《しょうごんしゅくどくじょうじゅ》は、偈《げ》に「正覚阿弥陀《しょうがくあみだ》　法王善《ほうおうぜん》住持《じゅうじ》」と言《のたま》えるが故《ゆえ》に。荘厳眷属功徳成就《しょうごんけんぞくくどくじょうじゅ》は、偈《げ》に「如来浄花衆《にょらいじょうけしゅ》　正覚花化生《しょうがくけけしょう》」と言《のたま》えるが故《ゆえ》に。荘厳受用功徳成就《しょうごんじゅゆうくどくじょうじゅ》は、偈《げ》に「愛楽仏法味《あいぎょうぶっぽうみ》　禅三昧為食《ぜんさんまいいじき》」と言《のたま》えるが故《ゆえ》に。荘厳無諸難功《しょうごんむしょなんく》徳成就《どくじょうじゅ》は、偈《げ》に「永離身心悩《ようりしんじんのう》　受楽常無間《じゅらくじょうむけん》」と言《のたま》えるが故《ゆえ》に。荘厳大義門功徳成就《しょうごんだいぎもんくどくじょうじゅ》は、偈《げ》に「大乗善根界《だいじょうぜんごんかい》　等無譏嫌名《とうむきげんみょう》　女人及根欠《にょにんぎゅうこんけつ》　二乗種不生《にじょうしゅふしょう》」と言《のたま》えるが故《ゆえ》に。浄土《じょうど》の果報《かほう》は、二種《にしゅ》の[10]譏嫌《きげん》を離《はな》れたり。知《し》るべし(応)。一《ひとつ》には体《たい》、二《ふたつ》には名《みょう》なり。体《たい》に三種《さんしゅ》有《あ》り。一《ひとつ》には二乗人《にじょうにん》、二《ふたつ》には女人《にょにん》、三《みつ》には諸根不具人《しょこんふぐにん》なり。此《こ》の三《さん》の過《とが》無《な》し。故《かるがゆえ》に「離体譏嫌《りたいきげん》」と名《な》づく。名《みょう》に亦三種《またさんしゅ》有《あ》り。但《ただ》、三《さん》の体無《たいな》きのみに非《あら》ず、乃至《ないし》、二乗《にじょう》と女人《にょにん》と諸根不具《しょこんふぐ》の三種《さんしゅ》の名《な》を聞《き》かず。故《かるがゆえ》に「離《り》名譏嫌《みょうきげん》」と名《な》づく。「等《とう》」は、平等一相《びょうどういっそう》の故《ゆえ》に。荘厳一切所求満足功徳成就《しょうごんいっさいしょぐまんぞくくどくじょうじゅ》は、偈《げ》に「衆生所願《しゅじょうしょがん》楽《ぎょう》　一切能満足《いっさいのうまんぞく》」と言《のたま》えるが故《ゆえ》に。略《りゃく》して彼《か》の阿弥陀仏国土《あみだぶっこくど》の十七種荘厳功徳成就《じゅうしちしゅしょうごんくどくじょうじゅ》を説《と》きて、如来《にょらい》の自身利益大功徳力成就《じしんりやくだいくどくりきじょうじゅ》と利益他功徳成就《りやくたくどくじょうじゅ》と示現《じげん》するが故《ゆえ》なり。彼《か》の無量寿仏国土《むりょうじゅぶっこくど》の荘厳《しょうごん》・第一義諦《だいいちぎたい》・妙境界相《みょうきょうがいそう》・十六句《じゅうろっく》・及《およ》び一句《いっく》、次第《しだい》に説《と》きつ。知《し》るべし(応)。

云何《いかん》が仏《ぶつ》の荘厳功徳成就《しょうごんくどくじょうじゅ》を観《かん》ずる。[11]仏《ぶつ》の荘厳功徳成就《しょうごんくどくじょうじゅ》を観《かん》ずとは八種有《はちしゅあ》り。知《し》るべし(応)。何等《なんら》か八種《はちしゅ》。一《ひとつ》には荘厳座功徳成就《しょうごんざくどくじょうじゅ》、二《ふたつ》には荘厳身業功徳成就《しょうごんしんごうくどくじょうじゅ》、三《みつ》には荘厳口業功徳成就《しょうごんくごうくどくじょうじゅ》、四《よつ》には荘厳心業功徳成就《しょうごんしんごうくどくじょうじゅ》、五《いつつ》には荘厳《しょうごん》[12]衆功徳成就《しゅくどくじょうじゅ》、六《むつ》には荘厳上首功徳成就《しょうごんじょうしゅくどくじょうじゅ》、七《ななつ》には荘厳主《しょうごんしゅ》功徳成就《くどくじょうじゅ》、八《やつ》には荘厳不虚作住持功徳成就《しょうごんふこさじゅうじくどくじょうじゅ》なり。

何者《なにもの》か荘厳座功徳成就《しょうごんざくどくじょうじゅ》。偈《げ》に「無量大宝王《むりょうだいほうおう》　微妙浄花台《みみょうじょうけだい》」と言《のたま》えるが故《ゆえ》に。何者《なにもの》か荘厳身《しょうごんしん》業功徳成就《ごうくどくじょうじゅ》。偈《げ》に「相好光一尋《そうごうこういちじん》　色像超群生《しきぞうちょうぐんじょう》」と言《のたま》えるが故《ゆえ》に。何者《なにもの》か荘厳口業功徳成就《しょうごんくごうくどくじょうじゅ》。偈《げ》に「如来微妙声《にょらいみみょうしょう》　梵響聞十方《ぼんこうもんじっぽう》」と言《のたま》えるが故《ゆえ》に。何者《なにもの》か荘厳心業功徳成就《しょうごんしんごうくどくじょうじゅ》。偈《げ》に「同地水火風《どうじすいかふう》　虚空無分別《こくうむふんべつ》」と言《のたま》えるが故《ゆえ》に。「無分別《むふんべつ》」とは、分別《ふんべつ》の心無《しんな》きが故《ゆえ》に。何者《なにもの》か荘厳大衆功徳成就《しょうごんだいしゅくどくじょうじゅ》。偈《げ》に「天人不動衆《てんにんふどうしゅ》　清浄智海生《しょうじょうちかいしょう》」と言《のたま》えるが故《ゆえ》に。何者《なにもの》か荘厳上首功徳成就《しょうごんじょうしゅくどくじょうじゅ》。偈《げ》に「如須弥《にょしゅみ》山王《せんのう》　勝妙無過者《しょうみょうむかしゃ》」と言《のたま》えるが故《ゆえ》に。何者《なにもの》か荘厳主功徳成就《しょうごんしゅくどくじょうじゅ》。偈《げ》に「天人丈夫衆《てんにんじょうぶしゅ》　恭敬繞瞻《くぎょうにょうせん》仰《ごう》」と言《のたま》えるが故《ゆえ》に。何者《なにもの》か荘厳不虚作住持功徳成就《しょうごんふこさじゅうじくどくじょうじゅ》。偈《げ》に「観仏本願力《かんぶつほんがんりき》　遇無空過者《ぐうむくうかしゃ》　能令《のうりょう》速満足《そくまんぞく》　功徳大宝海《くどくだいほうかい》」と言《のたま》えるが故《ゆえ》に。即《すなわ》ち彼《か》の仏《ぶつ》を[13]見《み》たてまつれば、未証《みしょう》浄心《じょうしん》の菩薩《ぼさつ》、畢竟《ひっきょう》じて平等法身《びょうどうほっしん》を得証《とくしょう》して、浄心《じょうしん》の菩薩《ぼさつ》と上地《じょうじ》の諸《もろもろ》の菩薩《ぼさつ》と、畢竟《ひっきょう》じて同《おな》じく寂滅平等《じゃくめつびょうどう》を得《え》しむるが故《ゆえ》なり。略《りゃく》して八句《はちく》を説《と》きて、如来《にょらい》の自利利他《じりりた》の功徳荘厳《くどくしょうごん》、次第《しだい》に成就《じょうじゅ》したまえることを示現《じげん》す。知《し》るべし(応)。

云何《いかん》が菩薩《ぼさつ》の荘厳功徳成就《しょうごんくどくじょうじゅ》を観察《かんざつ》する。菩薩《ぼさつ》の荘厳功徳成就《しょうごんくどくじょうじゅ》を観察《かんざつ》すとは、彼《か》の菩薩《ぼさつ》を観《かん》ずるに四種《ししゅ》の正修行功徳成就《しょうしゅぎょうくどくじょうじゅ》有《あ》り。知《し》るべし(応)。何者《なにもの》をか四《し》とする。

一《ひとつ》には、一仏土《いちぶつど》にして、身《しん》、動揺《どうよう》せずして、十方《じっぽう》に遍《へん》じて種種《しゅじゅ》に応化《おうげ》して、実《じつ》の如《ごと》く修行《しゅぎょう》して常《つね》に仏事《ぶつじ》を作《な》す。偈《げ》に「安楽国清浄《あんらくこくしょうじょう》　常転無垢輪《じょうてんむくりん》　化仏菩薩日《けぶつぼさつにち》　如須弥住持《にょしゅみじゅうじ》」と言《のたま》えるが故《ゆえ》に。

二《ふたつ》には、彼《か》の応化身《おうげしん》、一切《いっさい》の時《とき》、前《ぜん》ならず後《ご》ならず、一心一念《いっしんいちねん》に大光明《だいこうみょう》を放《はな》ちて、悉《ことごと》く能《よ》く遍《あまね》く十方世界《じっぽうせかい》に至《いた》りて衆生《しゅじょう》を教化《きょうけ》す。種種《しゅじゅ》に方便《ほうべん》し修行《しゅぎょう》して、所作《しょさ》に一切衆生《いっさいしゅじょう》の苦《く》を滅除《めつじょ》するが故《ゆえ》に。偈《げ》に「無垢荘厳光《むくしょうごんこう》　一念及一時《いちねんぎゅういちじ》　普照諸仏会《ふしょうしょぶつえ》　利益諸群生《りやくしょぐんじょう》」と言《のたま》えるが故《ゆえ》に。諸《もろもろ》の衆生《しゅじょう》の淤泥花《おでいけ》を開《ひら》くが故《ゆえ》に。

三《みっつ》には、彼《かれ》、一切世界《いっさいせかい》に於《お》いて余《よ》無《な》く諸仏《しょぶつ》の会《え》を照《て》らす。大衆《だいしゅ》、余《よ》無《な》く広大無量《こうだいむりょう》にして、諸仏如来《しょぶつにょらい》の功徳《くどく》を供養《くよう》し恭敬《くぎょう》し讃嘆《さんだん》す。偈《げ》に「雨天楽花衣《うてんがくけえ》　妙香等供養《みょうこうとうくよう》　讃諸仏功徳《さんしょぶつくどく》　無有分別心《むうふんべつしん》」と言《のたま》えるが故《ゆえ》に。

四《よっ》には、彼《かれ》、十方一切世界《じっぽういっさいせかい》の無三宝《むさんぼう》の処《しょ》に於《お》いて、仏法僧宝《ぶっぽうそうぼう》の功徳《くどく》の大海《だいかい》を住持《じゅうじ》し荘厳《しょうごん》して、遍《あまね》く示《しめ》して如実《にょじつ》の修行《しゅぎょう》を解《さと》らしむ。偈《げ》に「何等世界無《がとうせかいむ》　仏法功徳宝《ぶっぽうくどくほう》　我願皆往生《ががんかいおうじょう》　示仏法如仏《じぶっぽうにょぶつ》」と言《のたま》えるが故《ゆえ》に。

（第四・浄入願心）又《また》、向《さき》に観察荘厳仏土功徳成就《かんざつしょうごんぶつどくどくじょうじゅ》と荘厳仏功徳成就《しょうごんぶつくどくじょうじゅ》と荘厳菩薩功徳成就《しょうごんぼさつくどくじょうじゅ》を説《と》きつ。此《こ》の三種《さんしゅ》の成就《じょうじゅ》は、願心《がんしん》をして荘厳《しょうごん》せり。知《し》るべし(応)。略説《りゃくせつ》して一法句《いっぽっく》に入《い》るが故《ゆえ》に。一法句《いっぽっく》は、謂《い》わく清浄句《しょうじょうく》なり。清浄句《しょうじょうく》は、謂《い》わく真実《しんじつ》の智慧無為法身《ちえむいほっしん》なるが故《ゆえ》に。此《こ》の清浄《しょうじょう》に二種有《にしゅあ》り。知《し》るべし(応)。何等《なんら》か二種《にしゅ》。一《ひとつ》には器世間清浄《きせけんしょうじょう》、二《ふたつ》には衆生世間清浄《しゅじょうせけんしょうじょう》なり。器世間清浄《きせけんしょうじょう》は、[14]向《さき》に十七種《じゅうしちしゅ》の荘厳《しょうごん》と仏土功徳成就《ぶつどくどくじょうじゅ》を説《と》きつ。是《こ》れを「器世間清浄《きせけんしょうじょう》」と名《な》づく。衆生世間清浄《しゅじょうせけんしょうじょう》は、向《さき》に説《と》くが如《ごと》き八種《はちしゅ》の荘厳仏功徳成就《しょうごんぶつくどくじょうじゅ》と四種《ししゅ》の荘厳菩薩功徳成就《しょうごんぼさつくどくじょうじゅ》、是《こ》れを「衆生世間清浄《しゅじょうせけんしょうじょう》」と名《な》づく。是《か》くの如《ごと》く一法句《いっぽっく》に二種《にしゅ》の[15]清浄《しょうじょう》を摂《せっ》す。知《し》るべし(応)。

（第五・善巧摂化）是《か》くの如《ごと》く、菩薩《ぼさつ》、奢摩他《しゃまた》・毘婆舎那《びばしゃな》、広略《こうりゃく》に修行《しゅぎょう》して柔軟心《にゅうなんしん》を成就《じょうじゅ》す。実《じつ》の如《ごと》く広略《こうりゃく》の諸法《しょほう》を知《し》る。是《か》くの如《ごと》く巧方便回向《ぎょうほうべんえこう》を成就《じょうじゅ》す。

何者《なにもの》か菩薩《ぼさつ》の巧方便回向《ぎょうほうべんえこう》。菩薩《ぼさつ》の巧方便回向《ぎょうほうべんえこう》というは、謂《い》わく、[16]説《と》きつる礼拝等《らいはいとう》の五種《ごしゅ》の修行《しゅぎょう》をして、集《あつ》むる所《ところ》の一切《いっさい》の功徳善根《くどくぜんごん》をして、自身《じしん》の住持《じゅうじ》の楽《らく》を求《もと》めず、一切衆生《いっさいしゅじょう》の苦《く》を抜《ぬ》かんと欲《おも》うが故《ゆえ》に、一切衆生《いっさいしゅじょう》を摂取《せっしゅ》して共《とも》に同《おな》じく彼《か》の安楽仏国《あんらくぶっこく》に生《う》まれんと作願《さがん》せり。是《こ》れを「菩薩《ぼさつ》の巧方便回向成就《ぎょうほうべんえこうじょうじゅ》」と名《な》づく。

（第六・離菩提障）菩薩《ぼさつ》、是《か》くの如《ごと》く善《よ》く回向成就《えこうじょうじゅ》を知《し》りて、即《すなわ》ち能《よ》く三種《さんしゅ》の菩提門相違《ぼだいもんそうい》の法《ほう》を遠離《おんり》すべし。何等《なんら》か三種《さんしゅ》。

一《ひとつ》には智恵門《ちえもん》に依《よ》りて自楽《じらく》を求《もと》めず。我《わ》が心《しん》、自身《じしん》に貪着《とんじゃく》することを遠離《おんり》するが故《ゆえ》に。

二《ふたつ》には慈悲門《じひもん》に依《よ》りて一切衆生《いっさいしゅじょう》の苦《く》を抜《ぬ》く。無安衆生心《むあんしゅじょうしん》を遠離《おんり》するが故《ゆえ》に。

三《みっつ》には方便門《ほうべんもん》に依《よ》りて一切衆生《いっさいしゅじょう》を憐愍《れんみん》して、心《しん》、自身《じしん》を供養《くよう》し恭敬《くぎょう》する心《しん》を遠離《おんり》せるが故《ゆえ》に。是《こ》れを「三種《さんしゅ》の菩提門相違《ぼだいもんそうい》の法《ほう》を遠離《おんり》す」と名《な》づく。

（第七・順菩提門）菩薩《ぼさつ》、是《か》くの如《ごと》き三種《さんしゅ》の菩提門相違《ぼだいもんそうい》の法《ほう》を遠離《おんり》して、三種《さんしゅ》の随順菩提門《ずいじゅんぼだいもん》の法満足《ほうまんぞく》することを得《う》るが故《ゆえ》に。何等《なんら》か三種《さんしゅ》。

一《ひとつ》には無染清浄心《むぜんしょうじょうしん》、自身《じしん》の為《ため》に諸楽《しょらく》を求《もと》めざるを以《もっ》ての故《ゆえ》に。

二《ふたつ》には安清浄心《あんしょうじょうしん》、一切衆生《いっさいしゅじょう》の苦《く》を抜《ぬ》くを以《もっ》ての故《ゆえ》に。

三《みっつ》には楽清浄心《らくしょうじょうしん》、一切衆生《いっさいしゅじょう》をして大菩提《だいぼだい》を得《え》しむるを以《もっ》ての故《ゆえ》に。衆生《しゅじょう》を摂取《せっしゅ》して彼《か》の国土《こくど》に生《しょう》ぜしむるを以《もっ》ての故《ゆえ》に。是《こ》れを「三種《さんしゅ》の随順菩提門《ずいじゅんぼだいもん》の法満足《ほうまんぞく》す」と名《な》づく。知《し》るべし（応）。

（第八・名義摂対）向《さき》に[17]説《と》きつる智恵《ちえ》と慈悲《じひ》と方便《ほうべん》との三種《さんしゅ》の門《もん》をして般若《はんにゃ》を摂取《せっしゅ》す。般若《はんにゃ》、方便《ほうべん》を摂取《せっしゅ》す。知《し》るべし（応）。

向《さき》に遠離我心不貪着自身《おんりがしんふとんじゃくじしん》・遠離無安衆生心《おんりむあんしゅじょうしん》・遠離供養恭敬自身心《おんりくようくぎょうじしんしん》を説《と》きつ。此《こ》の三種《さんしゅ》の法《ほう》は、障菩提心《しょうぼだいしん》を遠離《おんり》するなり。知《し》るべし（応）。

向《さき》に無染清浄心《むぜんしょうじょうしん》・安清浄心《あんしょうじょうしん》・楽清浄心《らくしょうじょうしん》を説《と》きつ。此《こ》の三種《さんしゅ》の心《しん》は、略《りゃく》して一処《いっしょ》にして妙楽《みょうらく》勝真心《しょうしんじん》を成就《じょうじゅ》するなり。知《し》るべ《(応)》し。

（第九・願事成就）是《か》くの如《ごと》く、菩薩《ぼさつ》、智恵心《ちえしん》・方便心《ほうべんしん》・無障心《むしょうしん》・勝真心《しょうしんじん》をして、能《よ》く清浄《しょうじょう》の仏国《ぶっこく》土《ど》に生《しょう》ず。知《し》るべ《(応)》し。是《こ》れを「菩薩摩訶薩《ぼさつまかさつ》の随順《ずいじゅん》五種《ごしゅ》の法門《ほうもん》、所作《しょさ》、意《い》に随《したが》いて自在《じざい》に成就《じょうじゅ》せり」と名《な》づく。向《さき》の所説《しょせつ》の如《ごと》き身業《しんごう》・口業《くごう》・意業《いごう》・智業《ちごう》・方便智業《ほうべんちごう》は、随順《ずいじゅん》の法門《ほうもん》なるが故《ゆえ》に。

（第十・利行満足）復《ま》た五種《ごしゅ》の門有《もんあ》りて、漸次《ぜんじ》に五種《ごしゅ》の功徳《くどく》を成就《じょうじゅ》す。知《し》るべ《(応)》し。何者《なにもの》か五門《ごもん》。一《ひとつ》には近門《ごんもん》、二《ふたつ》には大会衆門《だいえしゅもん》、三《みつ》には宅門《たくもん》、四《よつ》には屋門《おくもん》、五《いつつ》には園林遊戯地門《おんりんゆげじもん》なり。此《こ》の五種《ごしゅ》の門《もん》は、初《はじめ》の四種《ししゅ》の門《もん》は入《にゅう》の功徳《くどく》を成就《じょうじゅ》す、第五門《だいごもん》は出《しゅつ》の功徳《くどく》を成就《じょうじゅ》せるなり。

入第一門《にゅうだいいちもん》とは、阿弥陀仏《あみだぶつ》を礼拝《らいはい》し彼《か》の国《くに》に生《う》まれんとするを以《もっ》ての故《ゆえ》に、安楽世界《あんらくせかい》に生《う》まるることを得《う》。是《こ》れを「入第一門《にゅうだいいちもん》」と名《な》づく。

入第二門《にゅうだいにもん》は、阿弥陀仏《あみだぶつ》を讃嘆《さんだん》したてまつりて、名義《みょうぎ》に随順《ずいじゅん》し、如来《にょらい》の名《みな》を称《しょう》し、如来《にょらい》の光明《こうみょう》智相《ちそう》に依《よ》りて修行《しゅぎょう》するを以《もっ》ての故《ゆえ》に、[18]大会衆《だいえしゅ》の数《かず》に入《い》ることを得《う》。是《こ》れを「入第二門《にゅうだいにもん》」と名《な》づく。

入第三門《にゅうだいさんもん》は、一心《いっしん》に専念《せんねん》し作願《さがん》して、彼《か》の国《くに》に生《う》まれて奢摩他寂静三昧《しゃまたじゃくじょうさんまい》の行《ぎょう》を修《しゅ》するを以《もっ》ての故《ゆえ》に、蓮華蔵世界《れんげぞうせかい》に入《い》ることを得《う》。是《こ》れを「入第三門《にゅうだいさんもん》」と名《な》づく。

入第四門《にゅうだいしもん》は、彼《か》の妙荘厳《みょうしょうごん》を専念《せんねん》し観察《かんざつ》して、毘婆舎那《びばしゃな》を修《しゅ》するを以《もっ》ての故《ゆえ》に、彼《か》の処《しょ》に到《いた》ることを得《え》て、種種《しゅじゅ》の法味楽《ほうみらく》を受用《じゅゆう》す。是《こ》れを「入第四門《にゅうだいしもん》」と名《な》づく。

出第五門《しゅつだいごもん》というは、大慈悲《だいじひ》を以《もっ》て一切苦悩《いっさいくのう》の衆生《しゅじょう》を観察《かんざつ》して、応化身《おうげしん》を示《しめ》して、生死《しょうじ》の園《その》・煩《ぼん》悩《のう》の林《はやし》の中《なか》に回入《えにゅう》して、神通《じんずう》に遊戯《ゆげ》し教化地《きょうけじ》に至《いた》る。本願力《ほんがんりき》の回向《えこう》を以《もっ》ての故《ゆえ》に。是《こ》れを「出第《しゅつだい》五門《ごもん》」と名《な》づく。

菩薩《ぼさつ》は入四種《にゅうししゅ》の門《もん》をして自利《じり》の行成就《ぎょうじょうじゅ》す。知《し》るべし《（応）》。菩薩《ぼさつ》は出第五門《しゅつだいごもん》の回向利益他《えこうりやくた》の行成就《ぎょうじょうじゅ》したまえり。知《し》るべし《（応）》。菩薩《ぼさつ》、是《か》くの如《ごと》く五念門《ごねんもん》の行《ぎょう》を修《しゅ》して、自利利他《じりりた》して速《すみ》やかに阿耨多羅三《あのくたらさん》藐三菩提《みゃくさんぼだい》を成就《じょうじゅ》したまえることを得《え》たまえるが故《ゆえ》に。

無量寿修多羅《むりょうじゅしゅたら》[19]優婆提舎《うばだいしゃ》[20]願生偈《がんしょうげ》、略《りゃく》して義《ぎ》を解《げ》し竟《おわ》りぬ。

[21]無量寿修多羅優婆提舎願生偈《むりょうじゅしゅたらうばだいしゃがんしょうげ》

帰《き》三《さん》宝《ぼう》偈《げ》（勧《かん》衆《しゅ》偈《げ》・十《じゅう》四《し》行《こう》偈《げ》）

先勧大衆發願歸三寶

道《どう》俗《ぞく》時《じ》衆《しゅ》等《とう》　各《かく》發《ほつ》無《む》上《じょう》心《しん》
生《しょう》死《じ》甚《じん》難《なん》厭《ねん》　佛《ぶつ》法《ぼう》復《ぶ》難《なん》欣《ごん》
共《ぐ》發《ほつ》金《こん》剛《ごう》志《し》　横《おう》超《ちょう》斷《だん》四《し》流《る》
願《がん》入《にゅう》彌《み》陀《だ》界《かい》　歸《き》依《え》合《がっ》掌《しょう》禮《らい》
世《せ》尊《そん》我《が》一《いっ》心《しん》　歸《き》命《みょう》盡《じん》十《じっ》方《ぽう》
法《ほっ》性《しょう》眞《しん》如《にょ》海《かい》　報《ほう》化《け》等《とう》諸《しょ》佛《ぶつ》
一《いち》一《いち》菩《ぼ》薩《さつ》身《しん》　眷《けん》屬《ぞく》等《とう》無《む》量《りょう》
莊《しょう》嚴《ごん》及《ぎゅう》變《へん》化《げ》　十《じゅう》地《じ》三《さん》賢《げん》海《かい》
時《じ》劫《こう》滿《まん》未《み》滿《まん》　智《ち》行《ぎょう》圓《えん》未《み》圓《えん》
正《しょう》使《し》盡《じん》未《み》盡《じん》　習《じっ》氣《け》亡《もう》未《み》亡《もう》
功《く》用《ゆう》無《む》功《く》用《ゆう》　證《しょう》智《ち》未《み》證《しょう》智《ち》
妙《みょう》覺《がく》及《ぎゅう》等《とう》覺《がく》　正《しょう》受《じゅ》金《こん》剛《ごう》心《しん》

---

[1]先《ま》ず大衆《だいしゅ》を勧《すす》む。願《がん》を発《おこ》して三宝《さんぼう》に帰《き》し、
道俗時衆等《どうぞくじしゅとう》、各《おの》おの無上心《むじょうしん》を[2]発《おこ》せども、
生死《しょうじ》甚《はなは》だ厭《いと》い難《がた》く、仏法《ぶっぽう》復《ま》た欣《ねが》い難《がた》し。
共《とも》に金剛《こんごう》の志《こころざし》を発《おこ》して、横《よこさま》に四流《しる》を超断《ちょうだん》し、
弥陀界《みだかい》に[3]願入《がんにゅう》して、帰依《きえ》し合掌《がっしょう》し[4]礼《らい》したてまつれ。
世尊《せそん》。我《われ》、[5]一心《いっしん》に、
尽十方法性真如海《じんじっぽうほっしょうしんにょかい》・報化等《ほうけとう》の[6]諸仏《しょぶつ》、
一一《いちいち》の菩薩《ぼさつ》の身《しん》、眷属等《けんぞくとう》の無量《むりょう》[7]なる、
荘厳及《しょうごんおよ》び[8]変化《へんげ》、十地《じゅうじ》・三賢海《さんげんかい》、
時劫《じこう》、[9]満《み》ちたまえると満《み》ちたまわざると、智行《ちぎょう》、[10]円《えん》なると円《えん》ならざると、
正使《しょうし》、[11]尽《つ》きつると尽《つ》きざると、習気《じっけ》、[12]亡《もう》ぜると亡《もう》ぜざると、
功用《くゆう》と無功用《むくゆう》と、証智《しょうち》と未証智《みしょうち》と、
妙覚及《みょうがくおよ》び[13]等覚《とうがく》、[14]正《まさ》しく金剛心《こんごうしん》を受《う》け、

相《そう》應《おう》一《いち》念《ねん》後《ご》　果《か》徳《とく》涅《ね》槃《はん》者《しゃ》
我《が》等《とう》咸《げん》歸《き》命《みょう》　三《さん》佛《ぶつ》菩《ぼ》提《だい》尊《そん》
無《む》碍《げ》神《じん》通《ずう》力《りき》　冥《みょう》加《が》願《がん》攝《しょう》受《じゅ》
我《が》等《とう》咸《げん》歸《き》命《みょう》　三《さん》乘《じょう》等《とう》賢《げん》聖《じょう》
學《がく》佛《ぶつ》大《だい》悲《ひ》心《しん》　長《じょう》時《じ》無《む》退《たい》者《しゃ》
請《しょう》願《がん》遙《よう》加《か》備《び》　念《ねん》念《ねん》見《けん》諸《しょ》佛《ぶつ》
我《が》等《とう》愚《ぐ》癡《ち》身《しん》　曠《こう》劫《ごう》來《らい》流《る》轉《てん》
今《こん》逢《ぶ》釋《しゃ》迦《か》佛《ぶつ》　末《まっ》法《ぼう》之《し》遺《ゆい》跡《しゃく》
彌《み》陀《だ》本《ほん》誓《ぜい》願《がん》　極《ごく》樂《らく》之《し》要《よう》門《もん》
定《じょう》散《さん》等《とう》回《え》向《こう》　速《そく》證《しょう》無《む》生《しょう》身《しん》
我《が》依《え》菩《ぼ》薩《さつ》藏《ぞう》　頓《とん》教《ぎょう》一《いち》乘《じょう》海《かい》
説《せつ》偈《げ》歸《き》三《さん》寶《ぼう》　與《よ》佛《ぶつ》心《しん》相《そう》應《おう》
十《じっ》方《ぽう》恆《ごう》沙《じゃ》佛《ぶつ》　六《ろく》通《つう》照《しょう》知《ち》我《が》
今《こん》乘《じょう》二《に》尊《そん》教《ぎょう》　廣《こう》開《かい》淨《じょう》土《ど》門《もん》
願《がん》以《に》此《し》功《く》徳《どく》　平《びょう》等《どう》施《せ》一《いっ》切《さい》
同《どう》發《ほっ》菩《ぼ》提《だい》心《しん》　往《おう》生《じょう》安《あん》樂《らく》國《こく》

相応一念《そうおういちねん》の後《のち》[15]の、果徳涅槃者《かとくねはんしゃ》に、帰命《きみょう》したてまつる。
我等《われら》咸《ことごと》く、[16]三仏菩提尊《さんぶつぼだいそん》に帰命《きみょう》したてまつる。
無碍《むげ》の[17]神通力《じんずうりき》、冥《みょう》に加《か》して、願《ねが》わくは摂受《しょうじゅ》したまえ。
我等《われら》咸《ことごと》く、三乗等《さんじょうとう》の賢聖《げんじょう》の、
仏《ぶつ》の大悲心《だいひしん》を学《がく》して、長時《じょうじ》に[18]退無《たいな》き者《もの》に帰命《きみょう》したてまつる。
請《こ》い願《ねが》わくは、遙《はる》かに加備《かび》[19]したまえ。念念《ねんねん》に諸仏《しょぶつ》を[20]見《み》たてまつらん。
我等《われら》愚痴《ぐち》の[21]身《み》、曠劫《こうごう》より来《このかた》、流転《るてん》[22]せり。
今《いま》、釈迦仏《しゃかぶつ》の、末法《まっぽう》の遺跡《ゆいしゃく》、
弥陀《みだ》の本誓願《ほんぜいがん》、極楽《ごくらく》の要門《ようもん》に逢《あ》えり。
定散等《じょうさんひと》[23]しく回向《えこう》して、速《すみ》やかに無生《むしょう》の身《しん》を証《しょう》せん。
我《われ》、菩薩蔵《ぼさつぞう》・頓教《とんぎょう》・一乗海《いちじょうかい》に依《よ》りて、
偈《げ》を説《と》きて三宝《さんぼう》に[24]帰《き》したてまつる。仏心《ぶっしん》と相応《そうおう》[25]す。
十方恒沙《じっぽうごうじゃ》の仏《ぶつ》、六通《ろくつう》をもって我《われ》を照知《しょうち》したまえ。
今《いま》、二尊《にそん》の教《きょう》に乗《じょう》じて、広《ひろ》く浄土《じょうど》の門《もん》を開《ひら》く。
願《ねが》[26]わくは、此《こ》の功徳《くどく》を以《もっ》て、平等《びょうどう》に一切《いっさい》に[27]施《ほどこ》して、
同《おな》[28]じく菩提心《ぼだいしん》を発《おこ》して、安楽国《あんらくこく》に往生《おうじょう》せん。

[1]顕《けん》浄《じょう》土《ど》真《しん》実《じつ》教《きょう》行《ぎょう》証《しょう》文《もん》類《るい》序《じょ》

1竊《ひそ》かに以《おもん》みれば、難思《なんし》の弘誓《ぐぜい》は難度海《なんどかい》を度《ど》する大船《たいせん》、無碍《むげ》の光明《こうみょう》は無明《むみょう》の闇《あん》を破《は》する恵日《えにち》なり。

2然《しか》れば則《すなわ》ち、浄《じょう》①邦縁熟《ほうえんじゅく》して、調達《じょうだつ》、闍世《じゃせ》をして逆害《ぎゃくがい》を興《こう》ぜしむ。浄業機《じょうごうき》②彰《あらわ》れて、釈迦《しゃか》、韋提《いだい》をして安養《あんにょう》を選《えら》ばしめたまえり。斯《こ》れ乃《すなわ》ち、権化《ごんけ》の仁《にん》、斉《ひと》しく苦悩《くのう》の群萌《ぐんもう》を③救済《くさい》し、世雄《せおう》の悲《ひ》、正《まさ》しく逆《ぎゃく》・謗《ほう》・闡提《せんだい》を恵《めぐ》まんと欲《おぼ》す。

3故《かるがゆえ》に知《し》りぬ、円《えん》④融至徳《ゆうしとく》の⑤嘉号《かごう》は悪《あく》を転《てん》じて徳《とく》を成《な》す正智《しょうち》、難信金剛《なんしんこんごう》の信楽《しんぎょう》は疑《うたがい》を除《のぞ》き[2]証《さとり》を獲《え》しむる真理《しんり》なりと。

竊以難思弘誓度二難度海一大船、無碍光明破二無明闇一恵日。

然則浄邦縁熟、調達闍世興二逆害一。浄業機彰、釈迦韋提選二安養一。斯乃権化仁、斉救二済苦悩群萌一、世雄悲、正欲レ恵二逆謗闡提一。

故知、円融至徳嘉号転レ悪成レ徳正智、難信金剛信楽除レ疑獲レ証真理也。

①邦…〈くに〉
②彰…〈しょう反〉
③救済…〈たすけ　すくう〉
④融…〈とおる〉
⑤嘉号…〈よし反　すぐる反　みな反〉

4 爾《しか》れば、凡小《ぼんしょう》、修《しゅ》し易《やす》き真教《しんきょう》、愚鈍《ぐどん》、往《ゆ》き易《やす》き①捷径《せっけい》なり。大聖《だいしょう》の一代《いちだい》の教《きょう》、是《こ》の徳海《とくかい》に如《し》く無《な》し。穢《え》を捨《す》て浄《じょう》を欣《ねが》い、行《ぎょう》に迷《まど》い信《しん》に惑《まど》い、心昏《しんくら》く識《さとり》②寡《すく》なく、悪重《あくおも》く障《さわり》多《おお》きもの、特《こと》に如来《にょらい》の発遣《はっけん》を仰《あお》ぎ、必《かなら》ず③最《さい》勝《しょう》の直道《じきどう》に帰《き》して、専《もっぱ》ら斯《こ》の行《ぎょう》に奉《つか》え、唯《ただ》、斯《こ》の信《しん》を崇《あが》めよ。

5 ④噫《ああ》、弘誓《ぐぜい》の強縁《ごうえん》、多生《たしょう》にも値《もうあ》い叵《がた》く、真実《しんじつ》の浄信《じょうしん》、億劫《おっこう》にも獲《え》叵《がた》し。遇《たま》たま行信《ぎょうしん》を獲《え》ば、遠《とお》く宿縁《しゅくえん》を慶《よろこ》べ。若《も》し也《ま》た此《こ》の回《たび》、疑網《ぎもう》に覆蔽《ふへい》せられば、更《かえ》って復《ま》た曠劫《こうごう》を逕歴《きょうりゃく》せん。誠《まこと》なるかな、摂取不捨《せっしゅふしゃ》の真言《しんごん》、超《ちょう》世希有《せけう》の正法《しょうぼう》、聞思《もんし》して⑤遅慮《ちりょ》すること莫《な》かれ。

6 爰《ここ》に愚禿釈《ぐとくしゃく》の親鸞《しんらん》、慶《よろこ》ばしいかな、⑥西蕃《せいばん》・月支《がっし》の聖典《しょうでん》、東夏《とうか》・日域《じちいき》の師釈《ししゃく》に、遇《あ》い難《がた》くして今《いま》遇《あ》うことを得《え》たり、聞《き》き難《がた》くして已《すで》に聞《き》くことを得《え》たり。真宗《しんしゅう》の教行証《きょうぎょうしょう》を敬信《きょうしん》して、特《こと》に如来《にょらい》の恩徳深《おんどくふか》きことを知《し》りぬ。斯《ここ》を以《もっ》て、聞《き》く所《ところ》を慶《よろこ》び、獲《う》る所《ところ》を⑦嘆《たん》ずるなり。

爾者凡小、易レ修真教、愚鈍、易レ往捷径。大聖一代教、無レ如二是之徳海一。捨レ穢欣レ浄、迷レ行惑レ信、心昏識寡、悪重障多、特仰二如来発遣一、必帰二最勝直道一、専奉二斯行一、唯崇二斯信一。

噫、弘誓強縁、多生叵レ値、真実浄信、億劫叵レ獲。遇獲二行信一、遠慶二宿縁一。若也此回覆二蔽疑網一、更復逕二歴曠劫一。誠哉、摂取不捨真言、超世希有正法、聞思莫二遅慮一。

爰愚禿釈親鸞、慶哉、西蕃月支聖典、東夏日域師釈、難レ遇今得レ遇、難レ聞已得レ聞。敬二信真宗教行証一、特知二如来恩徳深一。斯以慶レ所レ聞、嘆レ所レ獲矣。

りと[3]。

I『大《だい》無《む》量《りょう》寿《じゅ》経《きょう》』　真《しん》実《じつ》の教《きょう》　浄土《じょうど》真宗《しんしゅう》

II顕《けん》真《しん》実《じつ》教《きょう》一《いち》
顕《けん》真《しん》実《じつ》行《ぎょう》二《に》
顕《けん》真《しん》実《じつ》信《しん》三《さん》
顕《けん》真《しん》実《じつ》証《しょう》四《し》
顕《けん》真《しん》仏《ぶつ》土《ど》五《ご》
顕《けん》化《け》身《しん》土《ど》六《ろく》

『大無量寿経』　真実之教　浄土真宗

顕真実教一
顕真実行二
顕真実信三
顕真実証四
顕真仏土五
顕化身土六

①**捷径**…〈とし反　すぐちなり〉
②**寡**…〈か反〉
③**最勝**…〈もっとも　すぐれ〉
④**噫**…〈なげく〉
⑤**遅慮**…〈おそく　おもんぱかり〉
⑥**蕃**…〈さかい〉
⑦**嘆**…〈ほむ〉

顕《けん》浄《じょう》土《ど》真《しん》実《じつ》教《きょう》文《もん》類《るい》一《いち》

愚《ぐ》禿《とく》釈《しゃく》親《しん》鸞《らん》集《あつむ》

1 謹《つつし》んで浄土真宗《じょうどしんしゅう》を案《あん》ずるに、二種《にしゅ》の回向《えこう》有《あ》り。一《ひとつ》には往相《おうそう》、二《ふたつ》には還相《げんそう》なり。往相《おうそう》の回向《えこう》に就《つ》いて、真《しん》実《じつ》の教《きょう》・行《ぎょう》・信《しん》・証《しょう》有《あ》り。

2 夫《そ》れ真実《しんじつ》の教《きょう》を顕《あらわ》さば則《すなわ》ち『大無量寿経《だいむりょうじゅきょう》』、是《こ》れなり。

3 斯《こ》の『経《きょう》』の大意《たいい》は、弥陀《みだ》、誓《ちかい》を超発《ちょうほつ》して、広《ひろ》く法蔵《ほうぞう》を開《ひら》きて、凡小《ぼんしょう》を哀《あわれ》みて選《えら》びて功徳《くどく》の宝《ほう》を施《せ》することを致《いた》す。釈迦《しゃか》、世《よ》に出興《しゅっこう》して、道教《どうきょう》を光闡《こうせん》①して、群萌《ぐんもう》を拯《すく》い恵《めぐ》むに真実《しんじつ》の利《り》を以《もっ》てせんと[1]欲《おぼ》すなり。

4 是《ここ》を以《もっ》て、如来《にょらい》の本願《ほんがん》を説《と》きて『経《きょう》』の宗《しゅう》②致《ち》とす、

謹案二浄土真宗一、有二二種回向一。一者往相、二者還相。就二往相回向一有二真実教行信証一。

夫顕二真実教一者則『大無量寿経』是也。

斯経大意者、弥陀、超二発於レ誓広開二法蔵一、致下哀二凡小一選施中功徳之宝上。釈迦、出二興於レ世光二闡道教一、欲下拯二群萌一恵以中真実之利上。

是以説二如来本願一為二経宗致一、即以二仏名

①光闡…〈ひろし ひらく〉　②致…〈むねと〉

即《すなわ》ち仏《ぶつ》の名号《みょうごう》を以《もっ》て『経《きょう》』の体《たい》とするなり。　号一為二経体一也。

[5]何《なに》を以《もっ》てか出世《しゅっせ》の大事《だいじ》なりと知《し》ることを得《う》るとならば、　何以得レ知二出世大事一

[6]『大無量寿経《だいむりょうじゅきょう》』に言《のたま》わく、「『今日《きょう》、世尊《せそん》、諸根《しょこん》①悦予《えつよ》し②姿色清浄《ししきしょうじょう》にして③光顔《こうげん》④巍巍《ぎぎ》とましますこと、明《あき》らかなる鏡《かがみ》、浄《きよ》き影《かげ》、⑤表裏《ひょうり》に暢《とお》るが如《ごと》し。⑥威容顕《いようけん》⑦曜《よう》にして超《ちょう》⑧絶《ぜつ》したまえること無量《むりょう》なり。未《いま》だ曾《かつ》て⑨瞻覩《せんと》せず、⑩殊妙《しゅみょう》なること今《きょう》の如《ごと》くましますをば。唯然《やしか》なり、大聖《だいしょう》。我《わ》が[2]⑪心《しん》に念言《ねんごん》すらく、今日《きょう》、世尊《せそん》、奇特《きどく》の法《ほう》に住《じゅう》したまえり。今日《きょう》、⑫世雄《せおう》、仏《ぶつ》の所住《しょじゅう》に住《じゅう》したまえり。今日《きょう》、世眼《せげん》、導師《どうし》の行《ぎょう》に住《じゅう》したまえり。今日《きょう》、世英《せよう》、最勝《さいしょう》の道《どう》に住《じゅう》したまえり。今日《きょう》、天尊《てんそん》、如来《にょらい》の徳《とく》を行《ぎょう》じたまえり。去来現《こらいげん》の仏《ぶつ》、仏《ぶつ》と仏《ぶつ》と相念《あいねん》じたまえり。今《いま》の仏《ぶつ》も諸仏《しょぶつ》を念《ねん》じたまうこと無《な》きことを得《え》んや。何《なに》が故《ゆえ》ぞ、威神《いじん》の光《ひかり》、光乃《ひかりいま》し爾《しか》る』」と。

是《ここ》に世尊《せそん》、阿難《あなん》に告《つ》げて曰《のたま》わく、「諸天《しょてん》の汝《なんじ》を教《おし》えて来《き》たして仏《ぶつ》に問《と》わしむるや、自《みずか》ら慧見《えけん》を以《もっ》て⑬威顔《いげん》を問《と》えるや」と。

阿難《あなん》、仏《ぶつ》に白《もう》さく、「諸天《しょてん》の来《き》たりて我《われ》を教《おし》うる者有《ものあ》ること無《な》けん。自《みずか》ら所見《しょけん》を以《もっ》て斯《こ》の義《ぎ》を問《と》いたてまつるならくのみ」と。

仏《ぶつ》の言《のたま》わく、「善《よ》いかな、阿難《あなん》。問《と》える所《ところ》、甚《はなは》だ快《こころよ》し。深《ふか》き智慧《ちえ》・真妙《しんみょう》の弁才《べんざい》を発《おこ》して、衆《しゅ》生《じょう》を愍念《みんねん》せんとして斯《こ》の慧義《えぎ》を問《と》えり。如来《にょらい》、⑭無蓋《むがい》の大悲《だいひ》を以《もっ》て三界《さんがい》を矜哀《こうあい》したまう。世《よ》に出興《しゅっこう》する所以《ゆえ》は、道教《どうきょう》を光闡《こうせん》して、群萌《ぐんもう》を拯《すく》い恵《めぐ》むに真実《しんじつ》の利《り》を以《もっ》てせんと欲《おぼ》してなり。無量億劫《むりょうおっこう》に

値《もうあ》い難《がた》く見《み》たてまつり難《がた》きこと、霊瑞華《れいずいけ》の、時《とき》あって時《とき》に乃《いま》し出《い》ずるが猶《ごと》し。今問《いまと》える所《ところ》は饒益《にょうやく》する所多《ところおお》し。一切《いっさい》の諸天《しょてん》・人民《にんみん》を開化《かいけ》す。阿難《あなん》、当《まさ》に知《し》るべし。如来正覚《にょらいしょうがく》は、其《そ》の智量《ちはか》り難《がた》くして、導御《どうご》したまう所多《ところおお》し。慧見無碍《えけんむげ》にして、能《よ》く⑮遏絶《あつぜつ》すること無《な》し」と。」已上《いじょう》

7『無量寿如来会《むりょうじゅにょらいえ》』に言《のたま》わく、「阿難《あなん》、仏《ぶつ》に白《もう》して言《もう》さく、「世尊《せそん》、我《われ》、如来《にょらい》の光瑞希有《こうずいけう》なるを見《み》たてまつるが故《ゆえ》に斯《こ》の念《ねん》を発《おこ》せり。天等《てんとう》に因《よ》るに非《あら》ず」と。

仏《ぶつ》、阿難《あなん》に告《つ》げたまわく、「善《よ》いかな、善《よ》いかな。汝《なんじ》、今快《いまよ》く問《と》えり。善《よ》く微妙《みみょう》の⑯弁才《べんざい》を⑰観察《かんざつ》して、能《よ》く如来《にょらい》に如是《にょぜ》の義《ぎ》を問《と》いたてまつれり。汝《なんじ》、一切如来《いっさいにょらい》・応《おう》・正等覚《しょうとうがく》、及《およ》び大悲《だいひ》に安住《あんじゅう》して、⑱群生《ぐんじょう》を利益《りやく》せんが為《ため》に、優曇華《うどんげ》の希有《けう》なるが如《ごと》くして、大士《だいじ》、世間《せけん》に出現《しゅつげん》したまえり。故《かるがゆえ》に斯《こ》の義《ぎ》を問《と》いたてまつる。又《また》、諸《もろもろ》の有情《うじょう》を哀愍《あいみん》し利楽《りらく》せんが為《ため》の故《ゆえ》に、能《よ》く如来《にょらい》に如是《にょぜ》の義《ぎ》を問《と》いたてまつれり」と。」已上《いじょう》

8『平等覚経《びょうどうがくきょう》』に言《のたま》わく、「仏《ぶつ》、阿難《あなん》に告《つ》げたまわく、「世間《せけん》に優曇鉢樹《うどんばつじゅ》有《あ》り。但《ただ》、実有《みあ》りて、華有《はなあ》ること無《な》し。天下《てんげ》に仏有《ぶつましま》す。乃《いま》し華《はな》の出《い》ずるが如《ごと》しならくのみ。世間《せけん》に仏有《ぶつましま》せども、甚《はなは》だ値《もうあ》うこ

①**悦予**…〈よろこび　よろこぶ〉
②**姿**…〈すがた〉
③**顔**…〈かおばせ〉
④**巍**…〈すがた〉
⑤**表裏**…〈おもて　うら〉
⑥**威容**…〈すがた　かおばせ〉
⑦**曜**…〈かがやく〉
⑧**絶**…〈たえたり〉
⑨**瞻覩**…〈みたてまつら〉
⑩**殊**…〈すぐれ〉
⑪**心**…〈しく〉
⑫**世雄**…〈よにすぐれたりと〉
⑬**威顔**…〈かおばせ〉
⑭**蓋**…〈おおう反　けだし反〉
⑮**遏**…とどむ
⑯**弁才**…〈わきまえ　しる〉
⑰**観察**…〈みそなわしく　かんがみて〉
⑱**群**…〈むらがる〉

とを得《う》ること難《かた》し。今《いま》、我《われ》、仏《ぶつ》に作《な》りて、天下《てんげ》に出《い》でたり。若《も》し大徳《だいとく》有《あ》りて、聡明《そうみょう》善心《ぜんしん》にして仏意《ぶつい》を知《し》るに縁《よ》りて若《も》し妄《わす》れずは、仏辺《ぶつへん》に在《あ》りて仏《ぶつ》に[3]侍《つか》えたまうなり。若《も》し今《いま》問《と》える所《ところ》、普《あまね》く聴《き》き、諦《あき》らかに聴《き》け」と。」已上《いじょう》

9憬興師《きょうごうし》の云《い》わく（述文賛）、「[4]「今日世尊住奇特法《こんにちせそんじゅうきどくほう》」（大経）というは、神通輪《じんずうりん》に依《よ》りて現《げん》じたまう所《ところ》の相《そう》なり。唯《ただ》、常《つね》に異《こと》なるのみに非《あら》ず。亦《また》等《ひと》しき者《ひと》無《な》きが故《ゆえ》に。[5]「今日世雄住仏所住《こんにちせおうじゅうぶつしょじゅう》」（同）というは、普等三昧《ふとうさんまい》に住《じゅう》して、能《よ》く衆魔雄健天《しゅまおうけんでん》を制《せい》するが故《ゆえ》に。[6]「今日世眼住導師行《こんにちせげんじゅうどうしぎょう》」（同）というは、五眼《ごげん》を「導師《どうし》の行《ぎょう》」と名《な》づく。衆生《しゅじょう》を引導《いんどう》して過上《かじょう》無《な》きが故《ゆえ》に。[7]「今日世英住最勝道《こんにちせ①ようじゅうさいしょうどう》」（同）というは、仏《ぶつ》、四智《しち》に住《じゅう》したまう。独《ひと》り秀《ひい》でたまえること、匹《ひと》しきこと無《な》きが故《ゆえ》に。[8]「今日天尊行如来徳《こんにちてんそんぎょうにょらいとく》」（同）というは、即《すなわ》ち第一義天《だいいちぎてん》なり。仏性不《ぶっしょうふ》空《くう》の義《ぎ》を以《もっ》ての故《ゆえ》に。[9]「阿難当知如来正覚《あなんとうちにょらいしょうがく》」（同）というは、即《すなわ》ち奇特《きどく》の法《ほう》なり。[10]「慧見無碍《えけんむげ》」（同）というは、最勝《さいしょう》の道《どう》を述《じゅっ》するなり。[11]「無能遏絶《むのう②あつぜつ》」（同）というは、即《すなわ》ち如来《にょらい》の徳《とく》なり。」已上《いじょう》

10爾《しか》れば則《すなわ》ち此《こ》の顕真実教《けんしんじつきょう》の明証《みょうしょう》なり。誠《まこと》に是《こ》れ、如来興世《にょらいこうせ》の正説《しょうせつ》、奇特最勝《きどくさいしょう》の妙典《みょうでん》、一乗究竟《いちじょうくきょう》の極《ごく》説《せつ》、速疾円融《そくしつえんゆう》の金言《きんげん》、十方称讃《じっぽうしょうさん》の誠言《じょうごん》、時機純熟《じきじゅんじゅく》の真教《しんきょう》なり。知《し》るべしと。

爾者則此顕真実教明証也。誠是如来興世之正説、奇特最勝之妙典、一乗究竟之極説、速疾円融之金言、十方称讃之誠言、時機純熟之真教也。応ㇾ知。

顕《けん》浄《じょう》土《ど》真《しん》実《じつ》教《きょう》文《もん》類《るい》一《いち》

①英…すぐる

②遏絶…たえ　たうる

I 1 諸仏称名《しょぶつしょうみょう》の願《がん》　浄土真実《じょうどしんじつ》の行《ぎょう》　選択本願《せんじゃくほんがん》の行《ぎょう》

顕浄土真実行文類二《けんじょうどしんじつぎょうもんるいに》

1 謹《つつし》んで往相《おうそう》の回向《えこう》を案《あん》ずるに、大行《だいぎょう》有《あ》り、大信《だいしん》有《あ》り。

2 大行《だいぎょう》は則《すなわ》ち無碍光如来《むげこうにょらい》の名《みな》を称《しょう》するなり。斯《こ》の行《ぎょう》は即《すなわ》ち是《こ》れ諸《もろもろ》の善法《ぜんぽう》を摂《せっ》し、諸《もろもろ》の徳本《とくほん》を具《ぐ》せり。極速円満《ごくそくえんまん》す、真如一実《しんにょいちじつ》の功徳宝海《くどくほうかい》なり。故《かるがゆえ》に「大行《だいぎょう》」と名《な》づく。

3 然《しか》るに斯《こ》の行《ぎょう》は大悲《だいひ》の願《がん》より出《い》でたり。即《すなわ》ち是《こ》れ「諸仏称揚《しょぶつしょうよう》の願《がん》」と名《な》づけ、復《ま》た「諸仏称名《しょぶつしょうみょう》の願《がん》」と名《な》づく、復《ま》た「諸仏咨嗟《しょぶつししゃ》の願《がん》」と名《な》づく、亦《また》「往相回向《おうそうえこう》の願《がん》」と名《な》づくべし、亦《また》「選択称名《せんじゃくしょうみょう》の願《がん》」と名《な》づくべきなり。

諸仏称名之願　浄土真実之行　選択本願之行

謹案㆓往相回向㆒、有㆓大行㆒、有㆓大信㆒。大行者則称㆓無碍光如来名㆒。斯行即是摂㆓諸善法㆒、具㆓諸徳本㆒。極速円満真如一実功徳宝海。故名㆓大行㆒。

然斯行者出㆑於㆓大悲願㆒。即是名㆓諸仏称揚之願㆒、復名㆓諸仏称名之願㆒、復名㆓諸仏咨嗟之願㆒、亦可㆑名㆓往相回向之願㆒、亦可㆑名㆓選択称名之願㆒也。

4 諸仏称名《しょぶつしょうみょう》の願《がん》（第十七願《だいじゅうしちがん》）、『大経《だいきょう》』に言《のたま》わく、「設《たと》い我《われ》、仏《ぶつ》を得《え》んに、十方世界《じっぽうせかい》の無量《むりょう》の諸仏《しょぶつ》、悉《ことごと》く①咨嗟《ししゃ》して我《わ》が名《な》を称《しょう》せずは、正覚《しょうがく》を取《と》らじ」と。已上《いじょう》

5 又言《またのたま》わく（大経）、「我《われ》、仏道《ぶつどう》を成《な》るに至《いた》りて、名声《みょうしょう》、十方《じっぽう》に超《こ》えん。究竟《くきょう》して聞《き》こゆる所《ところ》靡《な》くは、誓《ちか》う、正覚《しょうがく》を成《な》らじと。衆《しゅ》の為《ため》に宝蔵《ほうぞう》を開《ひら》きて、広《ひろ》く功徳《くどく》の宝《ほう》を施《せ》せん。常《つね》に大衆《だいしゅ》の中《なか》にして説法師子吼《せっぽうししく》2せんこと。」抄要《しょうよう》

6 願成就《がんじょうじゅ》の文《もん》、『経《きょう》』（大経）に言《のたま》わく、「十方恒砂《じっぽうごうじゃ》の諸仏如来《しょぶつにょらい》、皆共《みなとも》に無量寿仏《むりょうじゅぶつ》の威神功徳不可思議《いじんくどくふかしぎ》なるを讃嘆《さんだん》したまう。」已上《いじょう》

7 又言《またのたま》わく（大経）、「無量寿仏《むりょうじゅぶつ》の3威神《いじん》、十方世界《じっぽうせかい》に極《きわ》まり無《な》し。無量無辺不可思議《むりょうむへんふかしぎ》の諸仏如来《しょぶつにょらい》、彼《かれ》を称嘆《しょうたん》せざるは莫《な》し」と。已上《いじょう》

8 又言《またのたま》わく（大経）、「其《そ》の仏《ぶつ》の本願力《ほんがんりき》、名《みな》を聞《き》きて往生《おうじょう》せんと欲《おも》えば、皆《みな》悉《ことごと》く彼《か》の国《くに》に到《いた》りて、自《おの》ずから不退転《ふたいてん》に致《いた》る」と。已上《いじょう》

9『無量寿如来会《むりょうじゅにょらいえ》』に言《のたま》わく、「今《いま》、如来《にょらい》に対《たい》して弘誓《ぐぜい》を発《おこ》せり。当《まさ》に無上菩提《むじょうぼだい》の因《いん》を証《しょう》すべし〔「証《しょう》」の字《じ》　諸応《しょおう》の反《かえし》。験《けん》なり。〕。若《も》し諸《もろもろ》の上願《じょうがん》を満足《まんぞく》せずは、十力無等尊《じゅうりきむとうそん》を取《と》らじと。心《しん》、或《ある》いは常行《じょうぎょう》に堪《た》えざらんもの、施《せ》せん。広《ひろ》く貧窮《びんぐ》を済《すく》いて諸《もろもろ》の苦《く》を免《まぬか》れしめ、世間《せけん》を利益《りやく》して安楽《あんらく》ならしめんと。乃至《ないし》　最勝丈夫《さいしょうじょうぶ》、修行《しゅぎょう》し已《お》わりて、彼《か》の貧窮《びんぐ》に於《お》いて伏蔵《ふくぞう》と為《な》らん。善法《ぜんぽう》を円満《えんまん》して等倫無《とうりんな》けん。大衆《だいしゅ》の中《なか》にして師子吼《ししく》せん」と。已上抄出《いじょうしょうしゅつ》

10又言《またのたま》わく（如来会）、「阿難《あなん》。此《こ》の義利《ぎり》を以《もっ》ての故《ゆえ》に、無量無数不可思議無有等等無辺世界《むりょうむしゅふかしぎむうとうどうむへんせかい》の諸仏《しょぶつ》如来《にょらい》、皆共《みなとも》に無量寿仏《むりょうじゅぶつ》の所有《しょう》の功徳《くどく》を称讃《しょうさん》したまう」と。已上《いじょう》

11『仏説諸仏阿弥陀三耶三仏薩楼仏檀過度人道経《ぶっせつしょぶつあみださん[4]やさんぶつさるぶつだんかどにんどうきょう》』（『大阿弥陀経《だいあみだきょう》』と云《い》う。『二十四願経《にじゅうしがんきょう》』と云《い》う。）に言《のたま》わく、「第四《だいし》に願《がん》ずらく、某《それがし》作仏《さぶつ》せしむ時《とき》、我《わ》が名字《みょうじ》をもって、皆《みな》、八方上下無央数《はっぽうじょうげむおうしゅ》の仏国《ぶっこく》に聞《き》こえしめん。皆《みな》、諸仏《しょぶつ》各《おの》おの比丘僧大衆《びくそうだいしゅ》の中《なか》にして、我《わ》が功徳《くどく》・国土《こくど》の善《ぜん》を説《と》かしめん。諸天《しょてん》・人民《にんみん》・②蜎飛《けんぴ》・③蠕動《ねんどう》の類《たぐい》、我《わ》が名字《みょうじ》を聞《き》きて慈心《じしん》せざるは莫《な》けん。歓喜踊躍《かんぎゆやく》せん者《もの》、皆《みな》、我《わ》が国《くに》に来生《らいしょう》せしめ、是《こ》の願《がん》を得《え》て乃《いま》し作仏《さぶつ》せん。是《こ》の願《がん》を得《え》ずは、終《つい》に作仏《さぶつ》せじ」と。已上《いじょう》

12『無量清浄平等覚経《むりょうしょうじょうびょうどうがくきょう》』巻上《まきのじょう》に言《のたま》わく、「我作仏《われさぶつ》せん時《とき》、我《わ》が名《な》をして八方上下無数《はっぽうじょうげむしゅ》の仏国《ぶっこく》に聞《き》かしめん。諸仏《しょぶつ》各《おの》おの弟子衆《でししゅ》の中《なか》にして、我《わ》が功徳《くどく》・国土《こくど》の善《ぜん》を嘆《たん》ぜん。諸天《しょてん》・人民《にんみん》・蠕動《ねんどう》の類《たぐい》、我《わ》が名字《みょうじ》を聞《き》きて、皆悉《みなことごと》く踊躍《ゆやく》せんもの、我《わ》が国《くに》に来生《らいしょう》せしめん。爾《しか》らずは、我《われ》、作仏《さぶつ》せじ」と。

13「我作仏《われさぶつ》せん時《とき》、他方仏国《たほうぶっこく》の人民《にんみん》、前世《ぜんせ》に悪《あく》の為《ため》に我《わ》が名字《みょうじ》を聞《き》き、及《およ》び正《まさ》しく道《どう》の為《ため》に我《わ》が国《くに》に来生《らいしょう》せんと欲《おも》わん。寿《いのち》終《お》えて、皆《みな》、復《ま》た三悪道《さんあくどう》に更《かえ》らざらしめて、則《すなわ》ち我《わ》が国《くに》に生《う》まれんこと、心《しん》の所願《しょがん》に在《あ》らん。爾《しか》らずは、我《われ》、作仏《さぶつ》せじ」と。

①咨嗟…ほむるなり

②蜎…むぐめく

③蠕…むぐめく

14 阿闍世王太子《あじゃせおうたいし》及《およ》び五百《ごひゃく》の長者子《ちょうじゃし》、無量清浄仏《むりょうしょうじょうぶつ》の二十四願《にじゅうしがん》を聞《き》きて、皆《みな》、大《おお》きに歓喜《かんぎ》し踊躍《ゆやく》して心中《しんちゅう》に倶《とも》に願《がん》じて言《い》わく、「我等《われら》復《ま》た作仏《さぶつ》せん時《とき》、皆《みな》、無量清浄仏《むりょうしょうじょうぶつ》の如《ごと》くならしめん」と。

仏則《ぶつすなわ》ち之《これ》を知《し》ろしめして、諸《もろもろ》の比丘僧《びくそう》に告《つ》げたまわく、「是《こ》の阿闍世王太子《あじゃせおうたいし》及《およ》び五百長者子《ごひゃくちょうじゃし》、後《のち》、無央数劫《むおうしゅこう》を却《さ》りて、皆《みな》、当《まさ》に作仏《さぶつ》して無量清浄仏《むりょうしょうじょうぶつ》の如《ごと》くなるべし」と。

仏《ぶつ》の言《のたま》わく、「是《こ》の阿闍世王太子《あじゃせおうたいし》・五百長者子《ごひゃくちょうじゃし》、菩薩《ぼさつ》の道《どう》を作《な》して以来《このかた》、無央数劫《むおうしゅこう》に、皆各《みなおの》おの四百億仏《しひゃくおくぶつ》を供養《くよう》し已《おわ》りて、今復《いまま》た来《き》たりて我《われ》を供養《くよう》せり。是《こ》の阿闍世王太子《あじゃせおうたいし》及《およ》び五百人等《ごひゃくにんとう》、皆《みな》、前《ぜん》世《せ》に迦葉仏《かしょうぶつ》の時《とき》、我《わ》が為《ため》に弟子《でし》と作《な》れりき。今《いま》、皆復《みなま》た会《え》して、是《こ》れ共《とも》に相値《あいあ》えるなり。」則《すなわ》ち諸《もろもろ》の比丘僧《びくそう》、仏《ぶつ》の言《みこと》を聞《き》きて、皆《みな》、心踊躍《しんゆやく》して歓喜《かんぎ》せざる者莫《ものな》けんと。乃至《ないし》

15 是《か》くの如《ごと》きの人《ひと》、仏《ぶつ》の名《みな》を聞《き》きて、快安穏《けあんのん》にして大利《だいり》を得《え》ん。
吾等《われら》が類《たぐい》、是《こ》の徳《とく》を得《え》ん。諸《もろもろ》の此《こ》の刹《せつ》に好《よ》き所《ところ》を獲《え》ん。
無量覚《むりょうかく》、其《そ》の決《けつ》を授《さず》けん。我《われ》、前世《ぜんせ》に本願有《ほんがんあ》り。
一切人《いっさいにん》、法《ほう》を説《と》くを聞《き》かば、皆悉《みなことごと》く我《わ》が国《くに》に来生《らいしょう》せん。
吾《わ》が願《がん》ずる所《ところ》、皆具足《みなぐそく》せん。衆《もろもろ》の国《くに》より来生《らいしょう》せん者《もの》、
皆悉《みなことごと》く此《こ》の間《けん》に来到《らいとう》して、一生《いっしょう》に不退転《ふたいてん》を得《え》ん。
速《すみ》やかに疾《と》く超《こ》えて、便《すなわ》ち安楽国《あんらくこく》の世界《せかい》に到《いた》るべし。
無量光明土《むりょうこうみょうど》に至《いた》りて、無数《むしゅ》の仏《ぶつ》を供養《くよう》せん。

是《こ》の功徳《くどく》有《あ》るに非《あら》ざる人《ひと》は、是《こ》の経《きょう》の名《な》を聞《き》くことを得《え》ず。唯《ただ》、清浄《しょうじょう》に戒《かい》を有《たも》てる者《もの》、乃《いま》し還《かえ》りて斯《こ》の正法《しょうぼう》を聞《き》く。悪《あく》と憍慢《きょうまん》と蔽《へい》と懈怠《けだい》のものは、以《もっ》て此《こ》の法《ほう》を信《しん》ずること難《かた》し。宿世《しゅくせ》の時《とき》、仏《ぶつ》を見《み》たてまつれる者《もの》、楽《この》んで世尊《せそん》の教《きょう》を聴聞《ちょうもん》せん。人《ひと》の命《いのち》、希《まれ》に得《う》べし。仏《ぶつ》、世《よ》に在《まし》ませども甚《はなは》だ値《もうあ》い難《がた》し。信慧《しんえ》有《あ》りて致《いた》るべからず。若《も》し聞見《もんけん》せば①精進《しょうじん》して求《もと》めよ。是《こ》の法《ほう》を聞《き》きて忘《わす》れず、便《すなわ》ち見《み》て敬《うやま》い得《え》て大《おお》きに慶《よろこ》ばば、則《すなわ》ち我《わ》が善《よ》き親原《しんげん》なり。是《こ》れを以《もっ》ての故《ゆえ》に道意《どうい》を発《ほっ》せよ。設令《たと》い世界《せかい》に満《み》てらん火《ひ》にも、此《こ》の中《なか》を過《す》ぎて法《ほう》を聞《き》くことを得《え》ば、会《かなら》ず当《まさ》に世尊《せそん》と作《な》りて、将《まさ》に一切生老死《いっさいしょうろうし》を度《ど》せんとすべしと。」已上《いじょう》

16『悲華経《ひけきょう》』「大施品《だいせほん》」の二巻《にかん》に言《のたま》わく 曇無讖三蔵訳《どんむしんさんぞうやく》、「願《ねが》わくは我《われ》、阿耨多羅三藐三菩提《あのくたらさんみゃくさんぼだい》を成《な》り已《お》わらんに、無量無辺阿僧祇《むりょうむへんあそうぎ》の余仏《よぶつ》の世界《せかい》の所有《しょう》の衆生《しゅじょう》、我《わ》が名《な》を聞《き》かん者《もの》、諸《もろもろ》の善本《ぜんぽん》を修《しゅ》して我《わ》が界《かい》に生《う》まれんと欲《おも》わん。願《ねが》わくは、其《そ》れ捨命《しゃみょう》の後《のち》、必定《ひつじょう》して生《しょう》を得《え》しめん。唯《ただ》、五逆《ごぎゃく》と聖人《しょうにん》を誹謗《ひほう》せんと正法《しょうぼう》を廃壊《はいえ》せんとを除《のぞ》かん」と。已上《いじょう》

①精進…このみ すすむなり

17爾《しか》れば、名《みな》を称《しょう》するに、能《よ》く衆生《しゅじょう》の一切《いっさい》の無明《むみょう》を破《は》し、能《よ》く衆生《しゅじょう》の一切《いっさい》の志願《しがん》を満《み》てたまう。称名《しょうみょう》は則《すなわ》ち是《こ》れ最勝真妙《さいしょうしんみょう》の正業《しょうごう》なり。正業則《しょうごうすなわ》ち是《こ》れ念仏《ねんぶつ》なり。念仏則《ねんぶつすなわ》ち是《こ》れ南無阿弥陀仏《なむあみだぶつ》なり。南無阿弥陀仏《なむあみだぶつ》即《すなわ》ち是《こ》れ正念《しょうねん》なりと知《し》るべしと。

爾者称レ名能破二衆生一切無明一、能満二衆生一切志願一。称名則是最勝真妙正業。正業則是念仏。念仏則是南無阿弥陀仏。南無阿弥陀仏即是正念也可レ知。

18『十住毘婆沙論《じゅうじゅうびばしゃろん》』に曰《い》わく（入初地品）、「有《あ》る人《ひと》の言《い》わく、「般舟三昧及《はんじゅさんまいおよ》び大悲《だいひ》を「諸仏《しょぶつ》の家《いえ》」と名《な》づく。此《こ》の二法《にほう》より諸《もろもろ》の如来《にょらい》を生《しょう》ず。」此《こ》の中《なか》に般舟三昧《はんじゅさんまい》を父《ちち》とす。又大悲《まただいひ》を母《はは》とす。復《ま》た次《つぎ》に般《はん》舟三昧《じゅさんまい》は是《こ》れ父《ちち》なり。無生法忍《むしょうぼうにん》は是《こ》れ母《はは》なり。『助菩提《じょぼだい》』（菩提資糧論）の中《なか》に説《と》くが如《ごと》し。般舟三昧《はんじゅさんまい》の父《ちち》、大悲無生《だいひむしょう》の母《はは》、一切《いっさい》の諸《もろもろ》の如来《にょらい》、是《こ》の二法《にほう》より生《しょう》ずと。家《いえ》に過咎無《かくな》ければ家清浄《いえしょうじょう》なり。故《かるがゆえ》に清浄《しょうじょう》は六波羅蜜《ろくはらみつ》・四功徳処《しくどくしょ》なり。方便般若波羅蜜《ほうべんはんにゃはらみつ》は善慧《ぜんえ》なり。般舟三昧《はんじゅさんまい》・大悲《だいひ》・諸忍《しょにん》、是《こ》の諸法《しょほう》、清浄《しょうじょう》にして過有《かあ》ること無《な》し。故《かるがゆえ》に「家清浄《いえしょうじょう》」と名《な》づく。是《こ》の菩薩《ぼさつ》、此《こ》の諸法《しょほう》を以《もっ》て家《いえ》とするが故《ゆえ》に過咎有《かくあ》ること無《な》けん。世間道《せけんどう》を転《てん》じて出世上道《しゅっせじょうどう》に入《い》る者《もの》なり。世間道《せけんどう》を即《すなわ》ち是《こ》れ「凡夫所行《ぼんぶしょぎょう》の道《どう》」と名《な》づく。転《てん》じて「休息《くそく》」と名《な》づく。凡夫道《ぼんぶどう》は、究竟《くきょう》して涅槃《ねはん》に至《いた》ること能《あた》わず。常《つね》に生死《しょうじ》に往来《おうらい》す。是《こ》れを「凡夫道《ぼんぶどう》」と名《な》づく。出世間《しゅっせけん》は、是《こ》の道《どう》に因《よ》りて三界《さんがい》を出《い》ずることを得《う》るが故《ゆえ》に「出世間道《しゅっせけんどう》」と名《な》づく。「上《じょう》」は妙《みょう》なるが故《ゆえ》に、名《な》づけて「上《じょう》」とす。「入《にゅう》」は正《まさ》しく道《どう》を行《ぎょう》ずるが故《ゆえ》に、名《な》づけて「入《にゅう》」とす。是《こ》の心《しん》を以《もっ》て初地《しょじ》に入《い》るを「歓喜地《かんぎじ》」と名《な》づくと。
19 問《と》うて曰《い》わく、初地《しょじ》、何《なに》が故《ゆえ》ぞ名《な》づけて「歓喜《かんぎ》」とするや。
答《こた》えて曰《い》わく、
初果《しょか》の、究竟《くきょう》して涅槃《ねはん》に至《いた》ることを得《う》るが如《ごと》し。菩薩《ぼさつ》、是《こ》の地《じ》を得《う》れば、心《しん》、常《つね》に歓喜多《かんぎおお》し。自然《じねん》に諸仏如来《しょぶつにょらい》の種《しゅ》を増長《ぞうじょう》することを得《う》。是《こ》の故《ゆえ》に此《か》くの如《ごと》きの人《ひと》を賢善者《げんぜんしゃ》と名《な》づくることを得《う》。

「初果《しょか》を得《う》るが如《ごと》し」というは、人《ひと》の、須陀洹道《しゅだおんどう》を得《う》るが如《ごと》し。善《よ》く三悪道《さんあくどう》の門《もん》を閉《と》ず。法《ほう》を見《み》、法《ほう》に入《い》り、法《ほう》を得《え》て、堅牢《けんろう》の法《ほう》に住《じゅう》して傾動《きょうどう》すべからず。究竟《くきょう》して涅槃《ねはん》に至《いた》る。見諦所断《けんたいしょだん》の法《ほう》を断《だん》ずるが故《ゆえ》に、心《しん》、大《おお》きに歓喜《かんぎ》す。設使《たと》い睡眠《すいみん》し懶堕《らだ》なれども、二十九有《にじゅうくう》に至《いた》らず。一毛《いちもう》を以《もっ》て百分《ひゃくぶん》と為《な》して、一分《いちぶん》の毛《もう》を以《もっ》て大海《だいかい》の水《みず》を分《わ》かち取《と》るが如《ごと》きは、二三渧《にさんてい》の苦《く》、已《すで》に滅《めっ》せんが若《ごと》し。大海《だいかい》の水《みず》は、余《よ》の未《いま》だ滅《めっ》せざる者《もの》の如《ごと》し。二三渧《にさんてい》の如《ごと》き心《しん》、大《おお》きに歓喜《かんぎ》せん。菩薩《ぼさつ》も是《か》くの如《ごと》し。初地《しょじ》を得《え》已《おわ》るを「如来《にょらい》の家《いえ》に生《う》まる」と名《な》づく。一切天《いっさいてん》・龍《りゅう》・夜叉《やしゃ》・乾闥婆《けんだつば》乃至《ないし》声聞《しょうもん》・辟支《びゃくし》等《とう》、共《とも》に供《く》養《よう》し恭敬《くぎょう》する所《ところ》なり。何《なに》を以《もっ》ての故《ゆえ》に。是《こ》の家《いえ》、過咎《かく》有《あ》ること無《な》し。故《かるがゆえ》に世間道《せけんどう》を転《てん》じて出世《しゅっせ》間道《けんどう》に入《い》る。但《ただ》、仏《ぶつ》を楽敬《ぎょうきょう》すれば、四功徳処《しくどくしょ》を得《え》、六波羅蜜《ろくはらみつ》の果報《かほう》を得《え》ん。①滋味《じみ》、諸《もろもろ》の仏種《ぶっしゅ》を断《だん》

①滋味…こきあじわい

ぜざるが故《ゆえ》に、心《しん》、大《おお》きに歓喜《かんぎ》す。是《こ》の菩薩所有《ぼさつしょう》の余《よ》の苦《く》は二三《にさん》の水渧《すいてい》の如《ごと》し。百千億劫《ひゃくせんおっこう》に阿耨多《あのくた》羅三藐三菩提《らさんみゃくさんぼだい》を得《う》と雖《いえど》も、無始生死《むししょうじ》の苦《く》に於《お》いては二三《にさん》の水渧《すいてい》の如《ごと》し。滅《めっ》すべき所《ところ》の苦《く》は大海《だいかい》の水《みず》の如《ごと》し。是《こ》の故《ゆえ》に此《こ》の地《じ》を名《な》づけて「歓喜《かんぎ》」とす。

20（地相品）問《と》うて曰《い》わく、初歓喜地《しょかんぎじ》の菩薩《ぼさつ》、此《こ》の地《じ》の中《なか》に在《あ》りて、「多歓喜《たかんぎ》」と名《な》づけて、諸《もろもろ》の功《く》徳《どく》を得《う》ることを為《な》すが故《ゆえ》に、歓喜《かんぎ》を地《じ》とす。法《ほう》を歓喜《かんぎ》すべし。何《なに》を以《もっ》て歓喜《かんぎ》するや。

答《こた》えて曰《い》わく、

常《つね》に諸仏及《しょぶつおよ》び諸仏《しょぶつ》の大法《だいほう》を念《ねん》ずれば、必定《ひつじょう》して希有《けう》の行《ぎょう》なり。是《こ》の故《ゆえ》に歓喜多《かんぎおお》しと。

是《か》くの如《ごと》き等《ら》の歓喜《かんぎ》の因縁《いんねん》の故《ゆえ》に、菩薩《ぼさつ》、初地《しょじ》の中《なか》に在《あ》りて心《しん》に歓喜多《かんぎおお》し。「諸仏《しょぶつ》を念《ねん》ず」というは、然燈《ねんとう》等の過去《かこ》の諸仏《しょぶつ》・阿弥陀《あみだ》等の現在《げんざい》の諸仏《しょぶつ》・弥勒《みろく》等の将来《しょうらい》の諸仏《しょぶつ》を念《ねん》ずるなり。常《つね》に是《か》くの如《ごと》きの諸仏世尊《しょぶつせそん》を念《ねん》ずれば、現《げん》に前《まえ》に在《ましま》すが如《ごと》し。三界第一《さんがいだいいち》にして、能《よ》く勝《すぐ》れたる者無《ひとまし》さず。是《こ》の故《ゆえ》に歓喜多《かんぎおお》し。諸仏《しょぶつ》の大法《だいほう》を念《ねん》ぜば、略《りゃく》して諸仏《しょぶつ》の四十不共法《しじゅうふぐほう》を説《と》かんと。一《ひとつ》には自在《じざい》の飛行《ひぎょう》、意《い》に随《したが》う。二《ふたつ》には自在《じざい》の変化《へんげ》、辺《ほとり》無《な》し。三《みっ》には自在《じざい》の所聞《しょもん》、無閡《むげ》①なり。四《よっ》には自在《じざい》に無量種門《むりょうしゅもん》を以《もっ》て一切衆生《いっさいしゅじょう》の心《しん》を知《し》ろしめすと。乃至《ないし》

念必定《ねんひつじょう》の諸《もろもろ》の菩薩《ぼさつ》は、若《も》し菩薩《ぼさつ》、阿耨多羅三藐三菩提《あのくたらさんみゃくさんぼだい》の記《き》を得《え》つれば、法位《ほうい》に入《い》り無生忍《むしょうにん》を得《う》るなり。千万億数《せんまんおくしゅ》の魔《ま》の軍衆《ぐんしゅ》、②壊乱《えらん》すること能《あた》わず。大悲心《だいひしん》を得《え》て大人法《だいにんほう》を成《じょう》ず。乃至《ないし》 是《こ》れを「念必定《ねんひつじょう》の菩薩《ぼさつ》」と名《な》づく。「希有《けう》の行《ぎょう》を念《ねん》ず」というは、必定《ひつじょう》の菩薩第一希有《ぼさつだいいちけう》の行《ぎょう》を念《ねん》ずるなり。

心《しん》に歓喜《かんぎ》せしむ。一切凡夫《いっさいぼんぶ》の及《およ》ぶこと能《あた》わざる所《ところ》なり。一切《いっさい》の声聞《しょうもん》・辟支仏《びゃくしぶつ》の行《ぎょう》ずること能《あた》わざる所《ところ》なり。仏法無閡解脱及《ぶっぽうむげげだつおよ》び薩婆若智《さつばにゃち》を開示《かいじ》す。人《ひと》、十地諸《じゅうじもろもろ》の所行《しょぎょう》の法《ほう》を念《ねん》ずれば、名《な》づけて「心多歓喜《しんたかんぎ》」とす。是《こ》の故《ゆえ》に、菩薩《ぼさつ》、初地《しょじ》に入《い》ることを得《う》れば、名《な》づけて「歓喜《かんぎ》」とすと。

21 問《と》うて曰《い》わく、凡夫人《ぼんぶにん》の、未《いま》だ無上道心《むじょうどうしん》を発《ほっ》せざる有《あ》り。或《ある》いは発心《ほっしん》する者有《ものあ》り、未《いま》だ歓喜地《かんぎじ》を得《え》ざらん。是《こ》の人《ひと》、諸仏及《しょぶつおよ》び諸仏《しょぶつ》の大法《だいほう》を念《ねん》ぜんと、必定《ひつじょう》の菩薩及《ぼさつおよ》び希有《けう》の行《ぎょう》を念《ねん》じて、亦歓喜《またかんぎ》を得《え》んと。初地《しょじ》を得《え》ん菩薩《ぼさつ》の歓喜《かんぎ》と、此《こ》の人《ひと》と、何《なん》の差別《しゃべつ》有《あ》るや。

答《こた》えて曰《い》わく、

菩薩《ぼさつ》、初地《しょじ》を得《え》ば、其《そ》の心《しん》、歓喜多《かんぎおお》し。諸仏無量《しょぶつむりょう》の徳《とく》、我亦定《われまたさだ》めて当《まさ》に得《う》べし。初地《しょじ》を得《え》ん必定《ひつじょう》の菩薩《ぼさつ》は、諸仏《しょぶつ》を念《ねん》ずるに無量《むりょう》の功徳有《くどくいま》す。「我《われ》、当《まさ》に必《かなら》ず是《か》くの如《ごと》きの事《じ》を得《う》べし。何《なに》を以《もっ》ての故《ゆえ》に。我《われ》、已《すで》に此《こ》の初地《しょじ》を得《え》、必定《ひつじょう》の中《なか》に入《い》れり。」余《よ》は是《こ》の心有《しんあ》ること無《な》けん。是《こ》の故《ゆえ》に初地《しょじ》の菩薩《ぼさつ》、多《おお》く歓喜《かんぎ》を生《しょう》ず。余《よ》は爾《しか》らず。何《なに》を以《もっ》ての故《ゆえ》に。余《よ》は、諸仏《しょぶつ》を念《ねん》ずと雖《いえど》も是《こ》の念《ねん》を作《な》すこと能《あた》わず。「我《われ》、必《かなら》ず当《まさ》に作仏《さぶつ》すべし」と。譬《たと》えば転輪聖子《てんりんじょうじ》の、転輪王《てんりんのう》の家《いえ》に生《う》まれて転輪王《てんりんのう》の相《そう》を成就《じょうじゅ》して、過去《かこ》の転輪王《てんりんのう》の功徳尊貴《くどくそんき》を念《ねん》じて是《こ》の念《ねん》を作《な》さん。「我《われ》、今亦是《いままたこ》の相有《そうあ》り。亦当《またまさ》に是《こ》の豪富尊貴《ごうふそんき》を得《う》べし。」心《しん》、大《おお》きに歓喜《かんぎ》せん。若《も》し転輪王《てんりんのう》の相無《そうな》ければ、是《か》くの如《ごと》きの喜《よろこび》

①閡…さわる　②壊乱…やぶる　みだる

無《な》からんが如《ごと》し。必定《ひつじょう》の菩薩《ぼさつ》、若《も》し諸仏及《しょぶつおよ》び諸仏《しょぶつ》の大功徳《だいくどく》・威儀尊貴《いぎそんき》を念《ねん》ずれば、「我《われ》、是《こ》の相有《そうあ》り。必《かなら》ず当《まさ》に作仏《さぶつ》すべし。」即《すなわ》ち大《おお》きに歓喜《かんぎ》せん。余《よ》は是《こ》の事有《じあ》ること無《な》けん。定心《じょうしん》は深《ふか》く仏法《ぶっぽう》に入《い》りて、心《しん》、動《どう》ずべからず。」

22又云《またい》わく(浄地品)、「信力増上《しんりきぞうじょう》は何《いか》ん。聞見《もんけん》する所有《ところあ》りて、必受《ひつじゅ》して疑《うたがい》無《な》ければ、「増上《ぞうじょう》」と名《な》づく、「殊勝《しゅしょう》」と名《な》づくと。

問《と》うて曰《い》わく、二種《にしゅ》の増上有《ぞうじょうあ》り。一《ひとつ》には多《た》、二《ふたつ》には勝《しょう》なり。今《いま》の説《せつ》、何者《なにもの》ぞと。

答《こた》えて曰《い》わく、此《こ》の中《なか》の二事《にじ》、倶《とも》に説《と》かん。菩薩《ぼさつ》、初地《しょじ》に入《い》れば、諸《もろもろ》の功徳《くどく》の味《み》を得《う》るが故《ゆえ》に信《しん》力転増《りきてんぞう》す。是《こ》の信力《しんりき》を以《もっ》て諸仏《しょぶつ》の功徳無量深妙《くどくむりょうじんみょう》なるを①籌量《ちゅうりょう》して、能《よ》く信受《しんじゅ》す。是《こ》の故《ゆえ》に此《こ》の心亦《しんまた》多《た》なり、亦勝《またしょう》なり。23深《ふか》く大悲《だいひ》を行《ぎょう》ずれば、衆生《しゅじょう》を愍念《みんねん》すること骨体《こったい》に徹入《てつにゅう》するが故《ゆえ》に、名《な》づけて「深《じん》」とす。一切衆生《いっさいしゅじょう》の為《ため》に仏道《ぶつどう》を求《もと》むるが故《ゆえ》に、名《な》づけて「大《だい》」とす。慈心《じしん》は常《つね》に利事《りじ》を求《もと》めて衆生《しゅじょう》を安穏《あんのん》す。慈《じ》に三種有《さんしゅあ》り。乃至《ないし》」

24又曰《またい》わく(易行品)、「仏法《ぶっぽう》に無量《むりょう》の門有《もんあ》り。世間《せけん》の道《どう》に難有《なんあ》り、易有《いあ》り。陸道《ろくどう》の歩行《ぶぎょう》は則《すなわ》ち苦《くる》しく、水道《しいどう》の乗船《じょうせん》は則《すなわ》ち楽《たの》しきが如《ごと》し。菩薩《ぼさつ》の道《どう》も亦是《またか》くの如《ごと》し。或《ある》いは勤行精進《ごんぎょうしょうじん》のもの有《あ》り。或《ある》いは信方便《しんほうべん》の易行《いぎょう》を以《もっ》て、疾《と》く②阿惟越致《あゆいおっち》に至《いた》る者有《ものあ》り。乃至《ないし》 25若《も》し人《ひと》、疾《と》く不退転地《ふたいてんじ》に至《いた》らんと欲《おも》わば、恭敬心《くぎょうしん》を以《もっ》て執持《しゅうじ》して名号《みょうごう》を称《しょう》すべし。若《も》し菩薩《ぼさつ》、此《こ》の身《み》に於《お》いて阿惟越致地《あゆいおっちじ》に至《いた》ることを得《え》、阿耨多羅三藐三菩提《あのくたらさんみゃくさんぼだい》を成《な》らんと欲《おも》わば、当《まさ》に是《こ》の十方諸仏《じっぽうしょぶつ》を念《ねん》ずべし。名号《みょうごう》を称《しょう》すること、『宝月童子所問経《ほうがつどうじしょもんぎょう》』の「阿惟越致品《あゆいおっちほん》」の中《なか》に説《と》くが如《ごと》しと。乃至《ないし》　西方《さいほう》に善世界《ぜんせかい》の仏《ぶつ》を「無量《むりょう》明《みょう》」と号《ごう》す。身光智慧明《しんこうちえあき》らかにして、照《て》らす所《ところ》、辺際無《へんざいな》し。其《そ》れ名《みな》を聞《き》くこと有《あ》る者《もの》は、即《すなわ》ち不《ふ》退転《たいてん》を得《う》と。乃至《ないし》　過去無数劫《かこむしゅこう》に仏有《ぶつましま》す、「海徳《かいとく》」と号《ごう》す。是《こ》の諸《もろもろ》の現在《げんざい》の仏《ぶつ》、皆《みな》、彼《かれ》に従《したが》いて願《がん》を発《おこ》せり。寿命《じゅみょう》、量有《はかりあ》ること無《な》し。光明照《こうみょうて》らして極《きわ》まり無《な》し。国土《こくど》、甚《はなは》だ清浄《しょうじょう》なり。名《みな》を聞《き》きて定《さだ》んで仏《ぶつ》に作《な》らんと。乃至《ないし》

26問《と》うて曰《い》わく、但《ただ》、是《こ》の十仏《じゅうぶつ》の名号《みょうごう》を聞《き》きて執持《しゅうじ》して心《しん》に在《お》けば、便《すなわ》ち阿耨多羅三藐三菩提《あのくたらさんみゃくさんぼだい》を退《たい》せざることを得《う》。更《ま》た余仏《よぶつ》・余菩薩《よぼさつ》の名有《みなましま》して、阿惟越致《あゆいおっち》に至《いた》ることを得《う》とやせん。

答《こた》えて曰《い》わく、阿弥陀等《あみだとう》の仏及《ぶつおよ》び諸大菩薩《しょだいぼさつ》、名《みな》を称《しょう》し一心《いっしん》に念《ねん》ずれば、亦不退転《またふたいてん》を得《う》ること、是《か》くの如《ごと》し。阿弥陀等《あみだとう》の諸仏《しょぶつ》、亦恭敬礼拝《またくぎょうらいはい》し其《そ》の名号《みょうごう》を称《しょう》すべし。

27今当《いままさ》に具《つぶさ》に無量寿仏《むりょうじゅぶつ》を説《と》くべし。世自在王仏《せじざいおうぶつ》　乃至《ないし》、其《そ》の余《よ》の仏有《ぶつましま》す、是《こ》の諸仏世尊《しょぶつせそん》、現在十方《げんざいじっぽう》の清浄世界《しょうじょうせかい》に、皆《みな》、名《みな》を称《しょう》し阿弥陀仏《あみだぶつ》の本願《ほんがん》を憶念《おくねん》すること是《か》くの如《ごと》し。「若《も》し人《ひと》、我《われ》を念《ねん》じ名《な》を称《しょう》して自《おの》ずから帰《き》すれば、即《すなわ》ち必定《ひつじょう》に入《い》りて阿耨多羅三藐三菩提《あのくたらさんみゃくさんぼだい》を得《う》。是《こ》の故《ゆえ》に常《つね》に憶念《おくねん》すべし」と。偈《げ》を以《もっ》て称讃《しょうさん》せん。

28無量光明慧《むりょうこうみょうえ》、身《み》は真金《しんこん》の山《やま》の如《ごと》し。

①籌…はからう

②阿惟越致…ふたいのくらいなり

我今《われいま》、身口意《しんくい》をして、合掌《がっしょう》し稽首《けいしゅ》し礼《らい》したてまつると。乃至《ないし》
人《ひと》、能《よ》く是《こ》の仏《ぶつ》の無量力功徳《むりょうりきくどく》を念《ねん》ずれば、
即《そく》の時《とき》に必定《ひつじょう》に入《い》る。是《こ》の故《ゆえ》に我《われ》、常《つね》に念《ねん》じたてまつる。乃至《ないし》
若《も》し人《ひと》、仏《ぶつ》に作《な》らんと願《がん》じて、心《しん》に阿弥陀《あみだ》を念《ねん》じたてまつれば、
時《とき》に応《おう》じて、為《ため》に身《み》を現《げん》じたまわん。是《こ》の故《ゆえ》に我《われ》、彼《か》の仏《ぶつ》の本願力《ほんがんりき》を帰命《きみょう》す。
十方《じっぽう》の 諸《もろもろ》 の菩薩《ぼさつ》も、来《き》たりて供養《くよう》し法《ほう》を聴《き》く。是《こ》の故《ゆえ》に我《われ》、稽首《けいしゅ》したてまつると。乃至《ないし》
若《も》し人《ひと》、善根《ぜんごん》を種《う》えて、疑《うたが》えば則《すなわ》ち華開《はなひら》けず。
信心清浄《しんじんしょうじょう》なる者《もの》は、華開《はなひら》けて則《すなわ》ち仏《ぶつ》を見《み》たてまつる。
十方現在《じっぽうげんざい》の仏《ぶつ》、種種《しゅじゅ》の因縁《いんねん》を以《もっ》て、
彼《か》の仏《ぶつ》の功徳《くどく》を嘆《たん》じたまう。我今《われいま》、帰命《きみょう》し礼《らい》したてまつると。乃至《ないし》
彼《か》の八道《はちどう》の船《ふね》に乗《じょう》じて、能《よ》く難度海《なんどかい》を度《ど》す。
自《みずか》ら度《ど》し亦彼《またかれ》を度《ど》せん。我《われ》、自在人《じざいにん》を礼《らい》したてまつる。
諸仏《しょぶつ》、無量劫《むりょうこう》に其《そ》の功徳《くどく》を讃《さん》①揚《よう》せんに、
猶尚《なお》尽《つ》くすこと能《あた》わじ。清浄人《しょうじょうにん》を帰命《きみょう》したてまつる。
我今亦是《われいままたか》くの如《ごと》し。無量《むりょう》の徳《とく》を称讃《しょうさん》す。
是《こ》の福《ふく》の因縁《いんねん》を以《もっ》て、願《ねが》わくは、仏《ぶつ》、常《つね》に我《われ》を念《ねん》じたまえと。」抄出《しょうしゅつ》

29『浄土論《じょうどろん》』に曰《い》わく、「我《われ》、修多羅真実功徳相《しゅたらしんじつくどくそう》に依《よ》りて、願偈《がんげ》②総持《そうじ》を説《と》きて仏教《ぶっきょう》と相応《そうおう》せりと。30仏《ぶつ》の本願力《ほんがんりき》を観《かん》ずるに、遇《お》うて空《むな》しく過《す》ぐる者無《ものな》し。能《よ》く速《すみ》やかに功徳《くどく》の大宝海《だいほうかい》を満足《まんぞく》せしむ」と。

31又曰《またい》わく（論）、「菩薩《ぼさつ》は四種《ししゅ》の門《もん》に入《い》りて自利《じり》の行成就《ぎょうじょうじゅ》したまえりと知《し》るべしと。菩薩《ぼさつ》は第五門《だいごもん》に出《い》でて回向利益他《えこうりやくた》の行成就《ぎょうじょうじゅ》したまえりと知《し》るべし。菩薩《ぼさつ》は是《か》くの如《ごと》く五門《ごもん》の行《ぎょう》を修《しゅ》して、自利《じり》利他《りた》して速《すみ》やかに阿耨多羅三藐三菩提《あのくたらさんみゃくさんぼだい》を成就《じょうじゅ》することを得《え》たまえるが故《ゆえ》に」と。抄出《しょうしゅつ》

32『論《ろん》の註《ちゅう》』に曰《い》わく、「謹《つつし》んで龍樹菩薩《りゅうじゅぼさつ》の『十住毘婆沙《じゅうじゅうびばしゃ》』を案《あん》ずるに云《い》わく、6「菩薩《ぼさつ》、阿毘跋致《あびばっち》を求《もと》むるに二種《にしゅ》の道有《どうあ》り。一《ひとつ》には難行道《なんぎょうどう》、二《ふたつ》には易行道《いぎょうどう》なり。」「難行道《なんぎょうどう》」は、謂《い》わく、五濁《ごじょく》の世《よ》・無仏《むぶつ》の時《とき》に於《お》いて、阿毘跋致《あびばっち》を求《もと》むるを難《なん》とす。此《こ》の難《なん》に乃《いま》し多《おお》くの③途《みち》有《あ》り。粗《ほぼ》、五三《ごさん》を言《い》うて、以《もっ》て義《ぎ》の意《い》を示《しめ》さん。一《ひとつ》には外道《げどう》の相《しょう》偱醤《しゅうしょう》の反《かえし》善《ぜん》は菩薩《ぼさつ》の法《ほう》を乱《みだ》る。二《ふたつ》には声聞《しょうもん》は自利《じり》にして大慈悲《だいじひ》を障《さ》う。三《みっ》には無④顧《むこ》の悪人《あくにん》、他《た》の勝徳《しょうとく》を破《は》す。四《よっ》には顛倒《てんどう》の善果《ぜんか》、能《よ》く梵行《ぼんぎょう》を壊《え》す。五《いつつ》には唯是《ただこ》れ自力《じりき》にして他力《たりき》の持《たも》つ無《な》し。斯《こ》れ等《ら》の如《ごと》きの事《じ》、目《め》に触《ふ》るるに皆是《みなこ》れなり。譬《たと》えば陸路《ろくろ》の歩行《ぶぎょう》は則《すなわ》ち苦《くる》しきが如《ごと》し。「易行道《いぎょうどう》」は、謂《い》わく、但《ただ》、信仏《しんぶつ》の因縁《いんねん》を以《もっ》て、浄土《じょうど》に生《う》まれんと願《がん》ず。仏願力《ぶつがんりき》に乗《じょう》じて便《すなわ》ち彼《か》の清浄《しょうじょう》の土《ど》に往生《おうじょう》することを得《え》しむ。仏力住持《ぶつりきじゅうじ》して即《すなわ》ち大乗《だいじょう》正定《しょうじょう》の聚《じゅ》に入《い》る。正定即《しょうじょうすなわ》ち是《こ》れ阿毘跋致《あびばっち》なり。譬《たと》えば水路《しいろ》に船《ふね》に乗《じょう》じて則《すなわ》ち楽《たの》しきが如《ごと》し。

①揚…あぐ　②総…すべて　③途…ず　④顧…かえりみる

此《こ》の『無量寿経優婆提舎《むりょうじゅきょううばだいしゃ》』は、蓋《けだ》し上衍《じょうえん》〔「衍《かん》」の字《じ》　口旦《こうたん》の反《かえし》。楽《らく》なり。〕の極致《ごくち》①・不退《ふたい》の風航《ふうこう》〔「航《こう》②」の字《じ》　ほなり。〕」なる者《もの》なり。「無量寿《むりょうじゅ》」は、是《こ》れ安楽浄土《あんらくじょうど》の如来《にょらい》の別号《べつごう》なり。釈迦牟尼仏《しゃかむにぶつ》、王舎城《おうしゃじょう》及《およ》び舎衛国《しゃえこく》に在《ましま》して、大衆《だいしゅ》の中《なか》にして無量寿仏《むりょうじゅぶつ》の荘厳功徳《しょうごんくどく》を説《と》きたまう。即《すなわ》ち仏《ぶつ》の名号《みょうごう》を以《もっ》て経《きょう》の体《たい》とす。後《のち》の聖者婆藪槃頭菩薩《しょうじゃばそばんずぼさつ》、如来大悲《にょらいだいひ》の教《きょう》を服膺《ふくよう》③　一升《いちしょう》の反《かえし》　して、経《きょう》に傍《そ》えて願生《がんしょう》の偈《げ》を作《つく》れり」と。已上《いじょう》

33　又云《またい》わく（論註）、「又《また》、所願《しょがん》、軽《かろ》からず。若《も》し如来《にょらい》、威神《いじん》を加《か》④せずは、将《まさ》に何《なに》を以《もっ》てか達《たっ》⑤せん。神《じん》力《りき》を乞加《こっか》⑥す。所以《このゆえ》に仰《あお》いで告《つ》げたまえり。[7]「我一心《がいっしん》」（論）は、天親菩薩《てんじんぼさつ》の自督《じとく》の詞《ことば》なり〔「督《とく》⑦」の字《じ》　勧《かん》なり。率《ひく》なり。正《しょう》なり。俗《ぞく》は「𥈠《とく》」に作《つく》る。〕。言《い》うこころは、無碍光如来《むげこうにょらい》を念《ねん》じて安楽《あんらく》に生《う》まれんと願《がん》ず。心《しん》心相続《しんそうぞく》して他想間雑《たそうけんぞう》無《な》し。乃至《ないし》

[8]「帰命尽十方無碍光如来《きみょうじんじっぽうむげこうにょらい》」（論）は、「帰命《きみょう》」は即《すなわ》ち是《こ》れ礼拝門《らいはいもん》なり。「尽十方無碍光如来《じんじっぽうむげこうにょらい》」は即《すなわ》ち是《こ》れ讃嘆門《さんだんもん》なり。何《なに》を以《もっ》てか知《し》らん、「帰命《きみょう》」、是《こ》れ礼拝《らいはい》なりとは。龍樹菩薩《りゅうじゅぼさつ》、阿弥陀如来《あみだにょらい》の讃《さん》を造《つく》れる中《なか》に、或《ある》いは[9]「稽首礼《けいしゅらい》」（易行品）と言《い》い、或《ある》いは[10]「我帰命《がきみょう》」（同）と言《い》い、或《ある》いは[11]「帰命礼《きみょうらい》」（同）と言《い》えり。此《こ》の『論《ろん》』の長行《じょうごう》の中《なか》に、亦《また》[12]「五念門《ごねんもん》を修《しゅ》す」（論）と言《い》えり。五念門《ごねんもん》の中《なか》に礼拝《らいはい》は是《こ》れ一《いち》なり。天親菩薩《てんじんぼさつ》、既《すで》⑧に往生《おうじょう》を願《がん》ず。豈《あ》に礼《らい》せざるべけんや。故《かるがゆえ》に知《し》りぬ、「帰命《きみょう》」即《すなわ》ち是《こ》れ礼拝《らいはい》なりと。然《しか》るに礼拝《らいはい》は但《ただ》是《こ》れ恭敬《くぎょう》にして、必《かなら》ず帰命《きみょう》ならず。帰命《きみょう》は是《こ》れ礼拝《らいはい》なり。若《も》し此《こ》れを以《もっ》て推《すい》⑨するに、帰命《きみょう》〔「命《みょう》」の字《じ》　⑩眉病《みびょう》の反《かえし》。使《し》なり。教《きょう》なり。道《どう》なり。信《しん》なり。計《けい》なり。召《しょう》なり。〕は重《じゅう》とす。

偈《げ》は⑪己心《こしん》を⑫申《の》ぶ、宜《よろ》しく「帰命《きみょう》」と言《い》うべし。『論《ろん》』に偈義《げぎ》を解《げ》するに、⑬汎《ひろ》く礼拝《らいはい》を談《だん》ず。彼此相《ひしそう》成《じょう》す。義《ぎ》に於《お》いて弥《いよ》いよ顕《あらわ》れたり。

何《なに》を以《もっ》てか知《し》らん、「尽十方無碍光如来《じんじっぽうむげこうにょらい》」、是《こ》れ賛嘆門《さんだんもん》なりとは。下《しも》の長行《じょうごう》の中《なか》に言《い》わく、[13]「云何《いかん》が讃嘆《さんだん》する。謂《い》わく、彼《か》の如来《にょらい》の名《みな》を称《しょう》す〔「称《しょう》」の字《じ》　処陵《しょりょう》の反《かえし》。軽重《きょうじゅう》を知《し》るなり。『説文《せつもん》』に曰《い》わく、「銓《はかり》なり。」是《これ》なり。等《とう》なり。俗《ぞく》は「秤《はかり》」に作《つく》る。⑭斤両《きんりょう》を正《ただ》すを云《い》うなり。昌孕《しょうよう》の反《かえし》。昌陵《しょうりょう》の反《かえし》。〕。彼《か》の如来《にょらい》の光明智相《こうみょうちそう》の如《ごと》く、彼《か》の名義《みょうぎ》の如《ごと》く、実《じつ》の如《ごと》く修行《しゅぎょう》し相応《そうおう》せんと欲《おも》うが故《ゆえ》に」と。乃至《ないし》　天親《てんじん》、今《いま》、「尽十方無碍《じんじっぽうむげ》光如来《こうにょらい》」と言《のたま》えり。即《すなわ》ち是《こ》れ彼《か》の如来《にょらい》の名《みな》に依《よ》りて彼《か》の如来《にょらい》の光明智相《こうみょうちそう》の如《ごと》く讃嘆《さんだん》するが故《ゆえ》に、知《し》りぬ、此《こ》の句《く》は是《こ》れ賛嘆門《さんだんもん》なりとは。

[14]「願生安楽国《がんしょうあんらくこく》」〈論〉は、此《こ》の一句《いっく》は是《こ》れ作願門《さがんもん》なり。天親菩薩《てんじんぼさつ》、帰命《きみょう》の意《い》なり。乃至《ないし》

問《と》うて曰《い》わく、大乗経論《だいじょうきょうろん》の中《なか》に処処《しょしょ》に「衆生畢竟無生《しゅじょうひっきょうむしょう》にして虚空《こくう》の如《ごと》し」と説《と》けり。云何《いかん》ぞ天親菩薩《てんじんぼさつ》、「願生《がんしょう》」と言《い》うや。

答《こた》えて曰《い》わく、衆生無生《しゅじょうむしょう》にして虚空《こくう》の如《ごと》しと説《と》くに二種《にしゅ》有《あ》り。一《ひとつ》には、凡夫《ぼんぶ》の、実《じつ》の衆生《しゅじょう》と謂《おも》

①致…むね
②航…ふなわたし
③服膺…したがい　もちいる
④加…くわう
⑤達…さとる
⑥乞…こう
⑦督…あきらかなり
⑧既…き
⑨推…おす
⑩眉…まゆ
⑪己…おのれ
⑫申…しん
⑬汎…はん
⑭斤…＊はかり

う所《ところ》の如《ごと》く、凡夫《ぼんぶ》の所見《しょけん》の実《じつ》の生死《しょうじ》の如《ごと》し。此《こ》の所見《しょけん》の事《じ》、①畢竟《ひっきょう》じて有《あ》らゆること無《な》けん。亀毛《きもう》の如《ごと》し、虚空《こくう》の如《ごと》しと。二《ふたつ》には、謂《い》わく、諸法《しょほう》は因縁生《いんねんしょう》の故《ゆえ》に即《すなわ》ち是《こ》れ不生《ふしょう》にして、有《あ》らゆること無《な》きこと虚空《こくう》の如《ごと》しと。天親菩薩《てんじんぼさつ》、願生《がんしょう》する所《ところ》は、是《こ》れ因縁《いんねん》の義《ぎ》なり。因縁《いんねん》の義《ぎ》なるが故《ゆえ》に、②仮《かり》に「生《しょう》」と名《な》づく。凡夫《ぼんぶ》、実《じつ》の衆生《しゅじょう》・実《じつ》の生死《しょうじ》有《あ》りと謂《おも》うが如《ごと》きには非《あら》ざるなり。

問《と》うて曰《い》わく、何《なん》の義《ぎ》に依《よ》りて往生《おうじょう》と説《と》くぞや。

答《こた》えて曰《い》わく、此《こ》の間《けん》の仮名《けみょう》の人《にん》の中《なか》に於《お》いて、五念門《ごねんもん》を修《しゅ》せしむ。前念《ぜんねん》と後念《ごねん》と因《いん》と作《な》る。穢《え》土《ど》の仮名《けみょう》の人《にん》、浄土《じょうど》の仮名《けみょう》の人《にん》、決定《けつじょう》して一《いち》を得《え》ず、決定《けつじょう》して異《い》を得《え》ず。前心《ぜんしん》・後心《ごしん》、亦是《またか》くの如《ごと》し。何《なに》を以《もっ》ての故《ゆえ》に。若《も》し一《いち》ならば則《すなわ》ち因果無《いんがな》けん。若《も》し異《い》ならば則《すなわ》ち相続《そうぞく》に非《あら》ず。是《こ》の義《ぎ》、一異《いちい》を観《かん》ずる門《もん》なり。『論《ろん》』の中《なか》に③委曲《いきょく》なり。第一行《だいいっこう》の三念門《さんねんもん》を釈《しゃく》し竟《おわ》りぬと。乃至《ないし》

34 15「我依修多羅《がえしゅたら》　真実功徳相《しんじつくどくそう》　説願偈総持《せつがんげそうじ》　与仏教相応《よぶっきょうそうおう》」（論）とのたまえりと。乃至《ないし》　何《いず》れの所《ところ》にか依《よ》る、何《なに》の故《ゆえ》にか依《よ》る、云何《いかん》が依《よ》ると。「何所依《がしょえ》」は、修多羅《しゅたら》に依《よ》るなり。「何故依《がこえ》」は、如来即《にょらいすなわ》ち真実功徳《しんじつくどく》の相《そう》なるを以《もっ》ての故《ゆえ》に。「云何依《うんがえ》」は、五念門《ごねんもん》を修《しゅ》して相応《そうおう》せるが故《ゆえ》にと。乃至《ないし》　「修多《しゅた》羅《ら》」は、十二部経《じゅうにぶきょう》の中《なか》の直説《じきせつ》の者《もの》を「修多羅《しゅたら》」と名《な》づく。謂《い》わく、④四阿含三蔵等《しあごんさんぞうとう》の外《ほか》の大乗《だいじょう》の諸《しょ》経《きょう》を、亦《また》「修多羅《しゅたら》」と名《な》づく。此《こ》の中《なか》に「依修多羅《えしゅたら》」と言《い》うは、是《こ》れ三蔵《さんぞう》の外《ほか》の大乗修多羅《だいじょうしゅたら》なり。阿含等《あごんとう》の経《きょう》には非《あら》ざるなり。

「真実功徳相《しんじつくどくそう》」は、二種《にしゅ》の功徳有《くどくあ》り。一《ひとつ》には有漏《うろ》の心《しん》より生《しょう》じて法性《ほっしょう》に順《じゅん》ぜず。謂《い》わゆる、凡《ぼん》

夫人天《ぶにんでん》の諸善《しょぜん》・人天《にんでん》の果報《かほう》、若《も》しは因《いん》、若《も》しは果《か》、皆是《みなこ》れ顛倒《てんどう》す、皆是《みなこ》れ虚偽《こぎ》⑤なり。是《こ》の故《ゆえ》に「不実《ふじつ》の功徳《くどく》」と名《な》づく。二《ふたつ》には菩薩《ぼさつ》の智慧《ちえ》清浄《しょうじょう》の業《ごう》より[16]起《お》こして仏事《ぶつじ》を荘厳《しょうごん》す。法性《ほっしょう》に依《よ》りて清浄《しょうじょう》の相《そう》に入《い》れり。是《こ》の法《ほう》、顛倒《てんどう》せず、虚偽《こぎ》ならず。「真実《しんじつ》の功徳《くどく》」と名《な》づく。云何《いかん》が顛倒《てんどう》せざる。法性《ほっしょう》に依《よ》り二諦《にたい》に順《じゅん》ずるが故《ゆえ》に。云何《いかん》が虚偽《こぎ》ならざる。衆生《しゅじょう》を摂《せっ》して畢竟《ひっきょう》浄《じょう》に入《い》るが故《ゆえ》なり。

「説願偈総持《せつがんげそうじ》　与仏教相応《よぶっきょうそうおう》」は、「持《じ》」は不散不失《ふさんふしつ》に名《な》づく。「総《そう》」は少《しょう》を以《もっ》て多《た》を摂《せっ》するに名《な》づく。乃至《ないし》「願《がん》」は欲楽往生《よくぎょうおうじょう》に名《な》づく。乃至《ないし》「与仏教相応《よぶっきょうそうおう》」は、譬《たと》えば函蓋相称《かんがいそうしょう》するが如《ごと》しと。

乃至《ないし》

35 [17]「云何《いかん》が回向《えこう》する。一切苦悩《いっさいくのう》の衆生《しゅじょう》を捨《す》てずして心《しん》に常《つね》に作願《さがん》すらく、回向《えこう》を首《しゅ》として大悲心《だいひしん》を成就《じょうじゅ》することを得《え》たまえるが故《ゆえ》に」（論）とのたまえり。回向《えこう》に二種《にしゅ》の相《そう》有《あ》り。一《ひとつ》には往相《おうそう》、二《ふたつ》には還相《げんそう》なり。往相《おうそう》は、己《おのれ》が功徳《くどく》を以《もっ》て一切衆生《いっさいしゅじょう》に回施《えせ》して、作願《さがん》して共《とも》に阿弥陀如来《あみだにょらい》の安楽浄土《あんらくじょうど》に往生《おうじょう》せしめたまえるなり」と。抄出《しょうしゅつ》

36『安楽集《あんらくしゅう》』に云《い》わく、「『観仏三昧経《かんぶつさんまいきょう》』に云《のたま》わく、[18]「父《ちち》の王《おう》を勧《すす》めて念仏三昧《ねんぶつさんまい》を行《ぎょう》ぜしめたまう。父《ちち》の王《おう》、仏《ぶつ》に白《もう》さく、「仏地《ぶつじ》の果徳《かとく》、真如実相第一義空《しんにょじっそうだいいちぎくう》、何《なに》に因《よ》りてか弟子《でし》をして之《これ》を行《ぎょう》[19]ぜしめざる」と。

①畢…おわる
②仮…け
③委…くわし
④含…ふくむ
⑤偽…いつわる

仏《ぶつ》、父王《ちちおう》に告《つ》げたまわく、「諸仏《しょぶつ》の果徳《かとく》、無量深妙《むりょうじんみょう》の境界《きょうがい》・神通解脱《じんずうげだつ》有《まし》ます。是《こ》れ凡夫《ぼんぶ》の所行《しょぎょう》の境界《きょうがい》に非《あら》ざるが故《ゆえ》に、父王《ちちおう》を勧《すす》めて念仏三昧《ねんぶつさんまい》を行《ぎょう》ぜしめたてまつる」と。

父王《ちちおう》、仏《ぶつ》に白《もう》さく、「念仏《ねんぶつ》の功《こう》、其《そ》の①状《かたち》、云何《いかん》ぞ」と。

仏《ぶつ》、父王《ちちおう》に告《つ》げたまわく、「②伊蘭林《いらんりん》の方《ほう》四十由旬《しじゅうゆじゅん》ならんに、一科《いっか》の牛頭梅檀《ごずせんだん》有《あ》り。③根芽《こんげ》有《あ》りと雖《いえど》も、猶未《なおいま》だ土《つち》を出《い》でざるに、其《そ》の伊蘭林《いらんりん》、唯《ただ》④臭《くさ》くして香《こう》ばしきこと無《な》し。若《も》し其《そ》の華菓《けか》を⑤噉《だん》ずること有《あ》らば、⑥狂《きょう》を発《おこ》して死《し》せん。後《のち》の時《とき》に梅檀《せんだん》の根芽《こんげ》、漸漸《ようや》く生長《しょうちょう》して、纔《わず》かに樹《き》に成《な》らんと欲《ほっ》す。香気昌盛《こうけしょうじょう》にして、遂《つい》に能《よ》く此《こ》の林《はやし》を⑦改変《かいへん》して、普《あまね》く皆香美《みなこうみ》ならしむ。衆生見《しゅじょうみ》る者《もの》、皆《みな》、希《け》有《う》の心《しん》を生《しょう》ぜんが如《ごと》し。」

仏《ぶつ》、父王《ちちおう》に告《つ》げたまわく、「一切衆生《いっさいしゅじょう》、生死《しょうじ》の中《なか》に在《あ》りて、念仏《ねんぶつ》の心《しん》も亦復《また》是《か》くの如《ごと》し。但能《ただよ》く念《ねん》を繋《か》けて止《や》まざれば、定《さだ》んで仏前《ぶつぜん》に生《しょう》ぜん。一《ひと》たび往生《おうじょう》を得《う》れば、即《すなわ》ち能《よ》く一切諸悪《いっさいしょあく》を改変《かいへん》して大慈悲《だいじひ》を成《じょう》ぜんこと、彼《か》の香樹《こうじゅ》の、伊蘭林《いらんりん》を改《あらた》むるが如《ごと》し。」と言《い》う所《ところ》の「伊蘭林《いらんりん》」は、衆生《しゅじょう》の身《み》の内《うち》の三毒《さんどく》・三障《さんしょう》・無辺《むへん》の重罪《じゅうざい》に喩《たと》う。「梅檀《せんだん》」と言《い》うは、衆生《しゅじょう》の念仏《ねんぶつ》の心《しん》に喩《たと》う。「纔《わず》かに樹《き》と成《な》らんと欲《ほっ》す」というは、謂《い》わく、一切衆生《いっさいしゅじょう》、但能《ただよ》く念《ねん》を積《つ》みて断《た》えざれば、業道成弁《ごうどうじょうべん》するなり。

問《と》うて曰《い》わく、一衆生《いちしゅじょう》の念仏《ねんぶつ》の功《こう》を⑧計《け》して、亦一切《またいっさい》知《し》るべし。何《なに》に因《よ》りてか一念《いちねん》の功力《くりき》、能《よ》く一《いっ》切《さい》の諸障《しょしょう》を断《だん》ずること、一《いち》の香樹《こうじゅ》の、四十由旬《しじゅうゆじゅん》の伊蘭林《いらんりん》を改《あらた》めて、悉《ことごと》く香美《こうみ》ならしむるが如《ごと》くならんや。

答《こた》えて曰《い》わく、諸部《しょぶ》の大乗《だいじょう》に依《よ》りて念仏三昧《ねんぶつさんまい》の功能《くのう》の不可思議《ふかしぎ》なるを顕《あらわ》さんとなり。何《なん》とならば、『華厳経《けごんぎょう》』に云《のたま》うが如《ごと》し。20「譬《たと》えば人有《ひとあ》りて、師子《しし》の筋《すじ》を用《もっ》て、以《もっ》て琴《こと》の絃《お》とせんに、音声一《おんじょうひと》たび奏《そう》するに、一切《いっさい》の余《よ》の絃《お》、悉《ことごと》く皆断壊《みなだんえ》するが如《ごと》し。若《も》し人《ひと》、菩提心《ぼだいしん》の中《なか》に念仏三昧《ねんぶつさんまい》を行《ぎょう》ずれば、一切《いっさい》の煩悩《ぼんのう》・一切《いっさい》の諸障《しょしょう》、悉《ことごと》く皆断滅《みなだんめつ》すと。亦人有《またひとあ》りて、牛《ご》・羊《よう》・驢《ろ》・馬《め》一切諸乳《いっさいしょにゅう》を搆《しぼ》し取《と》りて一器《いっき》の中《なか》に置《お》かんに、若《も》し師子《しし》の乳一渧《にゅういってい》を将《⑨もっ》て之《これ》を投《⑩とう》ずるに、直《ただ》ちに過《す》ぎて難《はばかり》無《な》し。一切《いっさい》の諸乳《しょにゅう》、悉《ことごと》く皆《みな》破壊《⑪はえ》して、変《へん》じて清水《しょうすい》と為《な》るが如《ごと》し。若《も》し人《ひと》、但能《ただよ》く菩提心《ぼだいしん》の中《なか》に念仏三昧《ねんぶつさんまい》を行《ぎょう》ずれば、一切《いっさい》の悪魔《あくま》・諸障《しょしょう》、直《ただ》ちに過《す》ぐるに難《はばかり》無《な》し。」

又彼《またか》の『経《きょう》』（華厳経）に云《のたま》わく、21「譬《たと》えば人有《ひとあ》りて、翳身薬《⑫えいしんやく》を持《も》ちて処処《しょしょ》に遊行《ゆぎょう》するに、一切《いっさい》の余行《よぎょう》、是《こ》の人《ひと》を見《み》ざるが如《ごと》し。若《も》し能《よ》く菩提心《ぼだいしん》の中《なか》に念仏三昧《ねんぶつさんまい》を行《ぎょう》ずれば、一切《いっさい》の悪神《あくじん》・一切《いっさい》の諸障《しょしょう》、是《こ》の人《ひと》を見《み》ず。諸《もろもろ》の処処《しょしょ》に随《したが》いて、能《よ》く遮障《⑬しゃしょう》すること無《な》きなり。何《なに》が故《ゆえ》ぞとならば、能《よ》く此《こ》の念仏三昧《ねんぶつさんまい》を念《ねん》ずるは、即《すなわ》ち是《こ》れ一切三昧《いっさいさんまい》の中《なか》の王《おう》なるが故《ゆえ》なり」と。」

37 又云《またい》わく（安楽集）、「『摩訶衍《まか⑭えん》』（大智度論）の中《なか》に説《と》きて云《い》うが如《ごと》し。22「諸余《しょよ》の三昧《さんまい》、三昧《さんまい》ならざる

①状…じょう
②蘭林…わるき
③芽…くき
④臭…しゅ
⑤噉…なむる　くらう
⑥狂…くるう
⑦改…あらたむ
⑧計…はかりて
⑨将…まさに
⑩投…なぐるに
⑪破壊…やぶる
⑫翳…かくす
⑬遮…さいぎる
⑭衍…＊かん反

には非《あら》ず。何《なに》を以《もっ》ての故《ゆえ》に。或《ある》いは三昧有《さんまいあ》り、但能《ただよ》く貪《とん》を除《のぞ》いて瞋痴《しんち》を除《のぞ》くこと能《あた》わず。或《ある》いは三昧《さんまい》有《あ》り、但能《ただよ》く瞋《しん》を除《のぞ》いて痴貪《ちとん》を除《のぞ》くこと能《あた》わず。或《ある》いは三昧有《さんまいあ》り、但能《ただよ》く痴《ち》を除《のぞ》いて瞋《しん》を除《のぞ》くこと能《あた》わず。或《ある》いは三昧有《さんまいあ》り、但能《ただよ》く現在《げんざい》の障《さわり》を除《のぞ》いて過去《かこ》・未来《みらい》の一切諸障《いっさいしょしょう》を除《のぞ》くこと能《あた》わず。若《も》し能《よ》く常《つね》に念仏三昧《ねんぶつさんまい》を修《しゅ》すれば、現在《げんざい》・過去《かこ》・未来《みらい》の一切諸障《いっさいしょしょう》を問《と》うこと無《な》く、皆除《みなのぞ》くなり。」

38又云《またい》わく（安楽集）、「『大経《だいきょう》の賛《さん》』（讃阿弥陀仏偈）に云《い》わく、23「若《も》し阿弥陀《あみだ》の徳号《とくごう》を聞《き》きて、歓喜賛《かんぎさん》仰《ごう》し、心《しん》、帰依《きえ》すれば、下《しも》、一念《いちねん》に至《いた》るまで大利《だいり》を得《う》。則《すなわ》ち功徳《くどく》の宝《ほう》を具足《ぐそく》すとす。設《たと》い大千世界《だいせんせかい》に満《み》てらん火《ひ》をも、亦直《またただ》ちに過《す》ぎて仏《ぶつ》の名《みな》を聞《き》くべし。阿弥陀《あみだ》を聞《き》かば復《ま》た退《たい》せず。是《こ》の故《ゆえ》に心《しん》を至《いた》して稽首《けいしゅ》し礼《らい》したてまつる」と。」

39又云《またい》わく（安楽集）、「又《また》『目連所問経《もくれんしょもんぎょう》』の如《ごと》し。「仏《ぶつ》、目連《もくれん》に告《つ》げたまわく、「譬《たと》えば万川長流《ばんせんじょうる》に草木有《そうもくあ》りて、前《まえ》は後《うしろ》を顧《かえり》みず、後《うしろ》は前《まえ》を顧《かえり》みず、都《すべ》て大海《だいかい》に会《え》するが如《ごと》し。世間《せけん》も亦爾《またしか》なり。豪《ごう》貴富楽自在《きふらくじざい》なること有《あ》りと雖《いえど》も、悉《ことごと》く生老病死《しょうろうびょうし》を勉《まぬか》るることを得《え》ず。只《ただ》、仏経《ぶっきょう》を信《しん》ぜざるに由《よ》りて、後世《ごせ》に人《ひと》と為《な》りて更《さら》に甚《はなは》だ困《こん》劇①《ぎゃく》して、千仏《せんぶつ》の国土《こくど》に生《う》まるることを得《う》ること能《あた》わず。是《こ》の故《ゆえ》に我説《われと》かく、無量寿仏国《むりょうじゅぶっこく》は往《ゆ》き易《やす》く取《と》り易《やす》くして、人《ひと》、修行《しゅぎょう》して往生《おうじょう》すること能《あた》わず。反《かえ》って九十五種《くじゅうごしゅ》の邪道《じゃどう》に事《つか》う。我《われ》、是《こ》の人《ひと》を説《と》きて「眼無《まなこな》き人《ひと》」と名《な》づく、「耳無《みみな》き人《ひと》」と名《な》づく」と。」経教《きょうきょう》、既《すで》に爾《しか》なり。何《なん》ぞ難《なん》を捨《す》てて易行道《いぎょうどう》に依《よ》らざらん」と。已上《いじょう》

40光明寺《こうみょうじ》の和尚《かしょう》（善導）の云《い》わく（往生礼讃）、「又《また》『文殊般若《もんじゅはんにゃ》』に云《のたま》うが如《ごと》し。24「一行三昧《いちぎょうさんまい》を明《あ》か

さんと欲《おも》う。唯《ただ》勧《すす》めて独《ひと》り空《くう》②閑《げん》に処《しょ》して諸《もろもろ》の乱意《らんい》を捨《す》て、心《しん》を一仏《いちぶつ》に係《か》けて、相《そう》③貌《みょう》を観《かん》ぜず専《もっぱ》ら名字《みょうじ》を称《しょう》すれば、即《すなわ》ち念《ねん》の中《なか》に於《お》いて彼《か》の阿弥陀仏《あみだぶつ》及《およ》び一切仏等《いっさいぶつとう》を見《み》ることを得《う》」といえり。

問《と》うて曰《い》わく、何《なに》が故《ゆえ》ぞ観《かん》を作《な》さしめずして直《ただ》ちに専《もっぱ》ら名字《みょうじ》を称《しょう》せ[25]しむるは、何意《なにごころ》か有《あ》るや。

答《こた》えて曰《い》わく、乃《いま》し衆生《しゅじょう》、障重《さわりおも》くして、境《きょう》は④細《さい》なり、心《しん》は⑤麁《そ》なり。⑥識《しき》颺《あが》り神《じん》飛《と》びて、観《かん》、成就《じょうじゅ》し難《がた》きに由《よ》りてなり。是《ここ》を以《もっ》て大聖《だいしょう》悲《ひ》⑦憐《れん》して、直《ただ》ちに勧《すす》めて専《もっぱ》ら名字《みょうじ》を称《しょう》せしむ。正《まさ》しく称《しょう》名易《みょうやす》きに由《よ》るが故《ゆえ》に、相続《そうぞく》して即《すなわ》ち生《しょう》ずと。〔「由《ゆ》」の字《じ》　以周《いしゅう》の反《かえし》。行《ぎょう》なり。経《きょう》なり。⑧従《じゅう》なり。用《ゆう》なり。〕

問《と》うて曰《い》わく、既《すで》に専《もっぱ》ら一仏《いちぶつ》を称《しょう》せしむるに、何《なに》が故《ゆえ》ぞ⑨境《きょう》、現《げん》ずること即《すなわ》ち多《おお》き。此《こ》れ豈《あ》に邪《じゃ》正相交《しょうあいまじ》り、一多雑現《いったぞうげん》するに非《あら》ずや。

答《こた》えて曰《い》わく、仏《ぶつ》と仏《ぶつ》と⑩斉《ひと》しく証《しょう》して、形《かたち》、二《に》の別《べつ》無《な》し。縦使《たと》い一《いち》を念《ねん》じて多《た》を見《み》ること、何《なん》の大道理《だいどうり》にか乖《そむ》かんや。

又《また》『観経《かんぎょう》』に云《のたま》うが如《ごと》し。[26]「勧《すす》めて座観《ざかん》・礼念等《らいねんとう》を行《ぎょう》ぜしむ。皆須《みなすべから》く面《おもて》を西方《さいほう》に向《む》かうは最《さい》勝《しょう》なるべし。」樹《き》の先《さき》より傾《かたぶ》けるが倒《たお》るるに、必《かなら》ず曲《まが》れるに随《したが》うが如《ごと》し。故《かるがゆえ》に必《かなら》ず事《じ》の碍《さわり》有《あ》りて西方《さいほう》に向《む》かうに及《およ》ばずは、但《ただ》、西《にし》に向《む》かう想《おもい》を作《な》す、亦得《またえ》たり。

①劇…はげし
②閑…しずかなり
③貌…かたち
④細…こまかに
⑤麁…あらし
⑥識…たましい
⑦憐…あわれむ
⑧従…よる
⑨境…さかい
⑩斉…なる　ふたたび

問《と》うて曰《い》わく、一切諸仏《いっさいしょぶつ》、三身同《さんしんおな》じく証《しょう》し、悲智果円《ひちかまど》かにして亦無二《またむに》なるべし。方《ほう》に随《したが》いて一仏《いちぶつ》を礼念《らいねん》し①課称《かしょう》せんに、亦生《またしょう》を得《う》べし。何《なに》が故《ゆえ》ぞ偏《ひとえ》に西方《さいほう》を嘆《たん》じて専《もっぱ》ら礼念等《らいねんとう》を勧《すす》むる、何《なん》の義《ぎ》か有《あ》るや。

答《こた》えて曰《い》わく、諸仏《しょぶつ》の所証《しょしょう》は平等《びょうどう》にして是《こ》れ一《いち》なれども、若《も》し願行《がんぎょう》を以《もっ》て来《き》たし取《と》るに因縁《いんねん》無《な》きに非《あら》ず。然《しか》るに弥陀世尊《みだせそん》、本《もと》、深重《じんじゅう》の誓願《せいがん》を発《おこ》して、光明名号《こうみょうみょうごう》を以《もっ》て十方《じっぽう》を摂化《せっけ》したまう。但《ただ》、信心《しんじん》をして求念《ぐねん》せしむれば、上《かみ》、一形《いちぎょう》を尽《つ》くし、下《しも》、十声《じっしょう》・一声等《いっしょうとう》に至《いた》るまで、仏願力《ぶつがんりき》を以《もっ》て往生《おうじょう》を得易《えやす》し。是《こ》の故《ゆえ》に釈迦及《しゃかおよ》び諸仏《しょぶつ》、勧《すす》めて西方《さいほう》に向《む》かうるを別異《べつい》とすならくのみと。亦是《またこ》れ余仏《よぶつ》を称念《しょうねん》して障《さわり》を除《のぞ》き罪《つみ》を滅《めつ》すること能《あた》わざるには非《あら》ざるなりと知《し》るべし。

若《も》し能《よ》く上《かみ》の如《ごと》く念念相続《ねんねんそうぞく》して畢命《ひつみょう》を期《ご》とする者《もの》は、十即十生《じっそくじっしょう》、百即百生《ひゃくそくひゃくしょう》なり。何《なに》を以《もっ》ての故《ゆえ》に。外《げ》の雑縁無《ぞうえんな》し。正念《しょうねん》を得《え》たるが故《ゆえ》に。仏《ぶつ》の本願《ほんがん》と相応《そうおう》することを得《う》るが故《ゆえ》に。教《きょう》に違《い》せざるが故《ゆえ》に。仏語《ぶつご》に随順《ずいじゅん》するが故《ゆえ》なり」と。已上《いじょう》

41又云《またい》わく（往生礼讃）、「唯《ただ》、念仏《ねんぶつ》の衆生《しゅじょう》を観《み》そなわして、摂取《せっしゅ》して捨《す》てたまわざるが故《ゆえ》に「阿弥陀《あみだ》」と名《な》づく」と。已上《いじょう》

42又云《またい》わく（往生礼讃）、「弥陀《みだ》の智願海《ちがんかい》は深広《じんこう》にして涯底無《がいていな》し。名《みな》を聞《き》きて往生《おうじょう》せんと欲《おも》えば、皆《みな》悉《ことごと》く彼《か》の国《くに》に到《いた》ると。設《たと》い大千《だいせん》に満《み》てらん火《ひ》にも、直《ただ》ちに過《す》ぎて仏《ぶつ》の名《みな》を聞《き》け。名《みな》を聞《き》きて歓喜《かんぎ》し讃《さん》ずれば、皆《みな》、当《まさ》に彼《かしこ》に生《しょう》ずることを得《う》べし。万年《まんねん》に三宝滅《さんぼうめつ》せんに、此《こ》の経《きょう》、住《じゅう》すること百年《ひゃくねん》

せん。爾《そ》の時《とき》、聞《き》きて一念《いちねん》せん。皆《みな》、当《まさ》に彼《かしこ》に生《しょう》ずることを得《う》べし」と。抄要《しょうよう》

43又云《またい》わく（往生礼讃）、「現《げん》に是《こ》れ生死《しょうじ》の凡夫《ぼんぶ》、罪障深重《ざいしょうじんじゅう》にして六道《ろくどう》に輪回《りんね》せり。苦《くるしみ》、言《い》うべからず。今《いま》、善知識《ぜんじしき》に遇《あ》いて弥陀本願《みだほんがん》の名号《みょうごう》を聞《き》くことを得《え》たり。一心称念《いっしんしょうねん》して往生《おうじょう》を求願《ぐがん》せよと。

27願《がん》は仏《ぶつ》の慈悲《じひ》、本弘誓願《ほんぐぜいがん》を捨《す》てたまわざれば、弟子《でし》を摂受《しょうじゅ》したまうべし」と。已上《いじょう》

44又云《またい》わく（往生礼讃）、「問《と》うて曰《い》わく、阿弥陀仏《あみだぶつ》を称念《しょうねん》し礼観《らいかん》して、現世《げんぜ》に何《いか》なる功徳利益《くどくりやく》か有《あ》るや。

答《こた》えて曰《い》わく、若《も》し阿弥陀仏《あみだぶつ》を称《しょう》すること一声《いっしょう》するに、即《すなわ》ち能《よ》く八十億劫《はちじゅうおっこう》の生死《しょうじ》の重罪《じゅうざい》を除《じょ》滅《めつ》す。礼念《らいねん》已下《いげ》も亦是《またか》くの如《ごと》し。

『十往生経《じゅうおうじょうきょう》』に云《のたま》わく、28「若《も》し衆生《しゅじょう》有《あ》りて、阿弥陀仏《あみだぶつ》を念《ねん》じて往生《おうじょう》を願《がん》ずれば、彼《か》の仏《ぶつ》、即《すなわ》ち二十五菩薩《にじゅうごぼさつ》を遣《つか》わして行者《ぎょうじゃ》を擁護《おうご》して、若《も》しは行《ぎょう》、若《も》しは座《ざ》、若《も》しは住《じゅう》、若《も》しは臥《が》、若《も》しは昼《ひる》、若《も》しは夜《よる》、一切時《いっさいじ》・一切処《いっさいしょ》に、悪鬼《あっき》・悪神《あくじん》をして其《そ》の便《たより》を得《え》しめざるなり。」

又《また》『観経《かんぎょう》』に云《のたま》うが如《ごと》し。29「若《も》し阿弥陀仏《あみだぶつ》を称礼念《しょうらいねん》して彼《か》の国《くに》に往生《おうじょう》せんと願《ねが》えば、彼《か》の仏《ぶつ》、即《すなわ》ち無数《むしゅ》の化仏《けぶつ》、無数《むしゅ》の化観音《けかんのん》・勢至菩薩《せいしぼさつ》を遣《つか》わして、行者《ぎょうじゃ》を護念《ごねん》したまう。復《ま》た前《さき》の二十五《にじゅうご》菩《ぼ》薩等《さつとう》と、百重千重《ひゃくじゅうせんじゅう》、行者《ぎょうじゃ》を囲遶《いにょう》して、行住座臥《ぎょうじゅうざが》・一切時処《いっさいじしょ》、若《も》しは昼《ひる》、若《も》しは夜《よる》を問《と》わず、

①課…おおせ

常《つね》に行者《ぎょうじゃ》を離《はな》れたまわず。」今既《いますで》に斯《こ》の勝益《しょうやく》有《ましま》す。①憑《たの》むべし。願《ねが》わくは諸《もろもろ》の行者《ぎょうじゃ》、各《おの》おの至心《ししん》を須《もち》いて往《ゆ》くことを求《もと》めよ。

又《また》『無量寿経《むりょうじゅきょう》』に云《のたま》うが如《ごと》し。[30]「若《も》し我成仏《われじょうぶつ》せんに、十方《じっぽう》の衆生《しゅじょう》、我《わ》が名号《みょうごう》を称《しょう》せん。下《しも》、十声《じっしょう》に至《いた》るまで、若《も》し生《う》まれずは、正覚《しょうがく》を取《と》らじ」と。彼《か》の仏《ぶつ》、今現《いまげん》に在《ましま》して成仏《じょうぶつ》したまえり。当《まさ》に知《し》るべし、本誓重願《ほんぜいじゅうがん》、虚《むな》しからず、衆生称念《しゅじょうしょうねん》すれば必《かなら》ず往生《おうじょう》を得《う》と。

又《また》『弥陀経《みだきょう》』に云《のたま》うが如《ごと》し。[31]「若《も》し衆生有《しゅじょうあ》りて、阿弥陀仏《あみだぶつ》を説《と》くを聞《き》きて、即《すなわ》ち名号《みょうごう》を執《しゅう》持《じ》すべし。若《も》しは一日《いちにち》、若《も》しは二日《ににち》、乃至七日《ないししちにち》、一心《いっしん》に仏《ぶつ》を称《しょう》して乱《みだ》れざれ。命終《いのちおわ》らんと欲《す》る時《とき》、阿弥陀仏《あみだぶつ》、諸《もろもろ》の聖衆《しょうじゅ》と、現《げん》じて其《そ》の前《まえ》に在《ましま》さん。此《こ》の人《ひと》、終《おわ》らん時《とき》、心《しん》、顚倒《てんどう》せず、即《すなわ》ち彼《か》の国《くに》に往生《おうじょう》することを得《え》ん。」仏《ぶつ》、舎利弗《しゃりほつ》に告《つ》げたまわく、「我《われ》、是《こ》の利《り》を見《み》るが故《ゆえ》に、是《こ》の言《ごん》を説《と》く。若《も》し衆生有《しゅじょうあ》りて、是《こ》の説《せつ》を聞《き》かん者《もの》は、当《まさ》に願《がん》を発《おこ》し彼《か》の国《くに》に生《う》まれんと願《がん》ずべし。」

次下《つぎしも》に説《と》きて云《のたま》わく、[32]「東方如恒河沙等《とうぼうにょごうがしゃとう》の諸仏《しょぶつ》、南西北方及《なんざいほっぽうおよ》び上下《じょうげ》、一一《いちいち》の方《ほう》に如恒河沙等《にょごうがしゃとう》の諸《しょ》仏《ぶつ》、各《おの》おの本国《ほんごく》にして其《そ》の舌相《ぜっそう》を出《い》だして、遍《あまね》く三千大千世界《さんぜんだいせんせかい》に覆《おお》いて誠実《じょうじつ》の言《ごん》を説《と》きたまわく、「汝等衆生《なんだちしゅじょう》、皆《みな》、是《こ》の一切諸仏《いっさいしょぶつ》の護念《ごねん》したまう所《ところ》の経《きょう》を信《しん》ずべし。」」云何《いかん》が「護念《ごねん》」と名《な》づくると。若《も》し衆生有《しゅじょうあ》りて、阿弥陀仏《あみだぶつ》を称念《しょうねん》せんこと、若《も》しは七日《しちにち》、一日《いちにち》・下至一声《げしいっしょう》・乃至十声《ないしじっしょう》・一念等《いちねんとう》に及《およ》ぶまで、必《かなら》ず往生《おうじょう》を得《う》と。此《こ》の事《じ》を証成《しょうじょう》せるが故《ゆえ》に「護念経《ごねんぎょう》」と名《な》づく。

次下《つぎしも》の文《もん》に云《のたま》わく、[33]「若《も》し仏《ぶつ》を称《しょう》して往生《おうじょう》する者《もの》は、常《つね》に六方恒河沙等《ろっぽうごうがしゃとう》の諸仏《しょぶつ》の為《ため》に護念《ごねん》せらる。故《かるがゆえ》に「護念経《ごねんぎょう》」と名《な》づく。」今既《いますで》に此《こ》の増上《ぞうじょう》の誓願《せいがん》有《いま》す。憑《たの》むべし。諸《もろもろ》の仏子等《ぶっしとう》、何《なん》ぞ意《い》を②励《はげ》まして③去《さ》らざらんや」と。智昇法師《ちしょうほっし》『集諸経礼懺儀《しゅうしょきょうらいさんぎ》』下巻《げかん》は、善導和尚《ぜんどうかしょう》の『礼懺《らいさん》』なり。之《これ》に依《よ》る。

45又云《またい》わく（玄義分）、「「弘願《ぐがん》」と言《い》うは、『大経《だいきょう》』の説《せつ》の如《ごと》し。一切善悪《いっさいぜんあく》の凡夫《ぼんぶ》、生《しょう》を得《う》るは、皆《みな》、阿弥陀仏《あみだぶつ》の大願業力《だいがんごうりき》に乗《じょう》じて〔「乗《じょう》」の字《じ》　食陵《じきりょう》の反《かえし》。又宝証《またほうしょう》の反《かえし》。④駕《が》なり。勝《しょう》なり。⑤登《とう》なり。⑥守《しゅ》なり。⑦覆《ふく》なり。〕増《ぞう》上縁《じょうえん》とせざるは莫《な》きなり」と。

46又云《またい》わく（玄義分）、「「南無《なむ》」と言《い》うは、即《すなわ》ち是《こ》れ帰命《きみょう》なり、亦是《またこ》れ発願回向《ほつがんえこう》の義《ぎ》なり。「阿弥陀《あみだ》仏《ぶつ》」と言《い》うは、即《すなわ》ち是《こ》れ其《そ》の行《ぎょう》なり。斯《こ》の義《ぎ》を以《もっ》ての故《ゆえ》に、必《かなら》ず往生《おうじょう》を得《う》」と。

47又云《またい》わく（観念法門）、「「摂生増上縁《せっしょうぞうじょうえん》」と言《い》うは、『無量寿経《むりょうじゅきょう》』の四十八願《しじゅうはちがん》の中《なか》に説《と》くが如《ごと》し。仏《ぶつ》の言《のたま》わく、34「若《も》し我成仏《われじょうぶつ》せんに、十方《じっぽう》の衆生《しゅじょう》、我《わ》が国《くに》に生《う》まれんと願《がん》じて、我《わ》が名字《みょうじ》を称《しょう》すること、下《しも》、十声《じっしょう》に至《いた》るまで、我《わ》が願力《がんりき》に乗《じょう》じて、若《も》し生《う》まれずは、正覚《しょうがく》を取《と》らじ」と。此《こ》れ即《すなわ》ち是《こ》れ、往生《おうじょう》を願《がん》ずる行人《ぎょうにん》、命終《いのちおわ》らんと欲《す》る時《とき》、願力摂《がんりきせっ》して往生《おうじょう》を得《え》しむ。故《かるがゆえ》に「摂生増《せっしょうぞう》上縁《じょうえん》」と名《な》づく。」

48又云《またい》わく（観念法門）、「善悪《ぜんあく》の凡夫《ぼんぶ》、回心《えしん》し起行《きぎょう》して尽《ことごと》く往生《おうじょう》を得《え》しめんと欲《ほっ》す。此《こ》れ亦是《またこ》れ

①憑…ひょう
②励…れい
③去…ゆか
④駕…のる
⑤登…のぼる
⑥守…まもる
⑦覆…おおう

証生増上縁《しょうしょうぞうじょうえん》なり」と。已上《いじょう》

49 又云《またい》わく（般舟讃）、「門門不同《もんもんふどう》にして八万四《はちまんし》なり。無明《むみょう》と果《か》と業因《ごういん》とを滅《めっ》せん為《ため》の利剣《りけん》は、即《すなわ》ち是《こ》れ弥陀《みだ》の号《みな》なり。一声称念《いっしょうしょうねん》するに、罪皆除《つみみなのぞ》こると。微塵《みじん》の故業《こごう》と随智《ずいち》と滅《めっ》す。覚《おし》えざるに〔覚《かく》」の字《じ》 教《きょう》の音《おと》。〕真如《しんにょ》の門《もん》に転入《てんにゅう》す。娑婆長劫《しゃばじょうごう》の難《なん》を免《まぬか》るることを得《う》ることは、特《こと》に知識釈迦《ちしきしゃか》の恩《おん》を蒙《こうむ》れり。種種《しゅじゅ》の思量巧方便《しりょうぎょうほうべん》をもって、選《えら》びて弥陀弘誓《みだぐぜい》の門《もん》を得《え》しめたまえり。」已上抄要《いじょうしょうよう》

50 爾《しか》れば、[35]「南無《なむ》」の言《ごん》は帰命《きみょう》なり。「帰《き》」の言《ごん》は 至《し》なり、又《また》①帰説《きえつ》なり。「説《せつ》」の字《じ》 ②悦《えつ》の音《おと》、又《また》③帰説《きさい》なり。「説《せつ》」の字《じ》 税《さい》の音《おと》。悦《えつ》・税《さい》、二《に》の音《おと》。告《つぐる》なり。述《のぶ》なり。人《ひと》の意《こころ》を④宣述《せんじゅつ》するなり。「命《みょう》」の言《ごん》は 業《ごう》なり。⑤招《まね》き引《ひ》くなり。使《し》なり。教《きょう》なり。道《どう》なり。信《しん》なり。計《はからう》なり。召《めす》なり。是《ここ》を以《もっ》て「帰命《きみょう》」は本願《ほんがん》⑥招喚《しょうかん》の⑦勅命《ちょくめい》なり。

51 [36]「発願回向《ほつがんえこう》」と言《い》うは、如来《にょらい》、已《すで》に発願《ほつがん》して衆生《しゅじょう》の行《ぎょう》を回施《えせ》したまうの心《しん》なり。

52 [37]「即是其行《そくぜごぎょう》」と言《い》うは、即《すなわ》ち選択本願《せんじゃくほんがん》、是《こ》れなり。

53 [38]「必得往生《ひっとくおうじょう》」と言《い》うは、不退《ふたい》の位《くらい》に至《いた》ることを獲《う》ることを彰《あらわ》すなり。『経《きょう》』（大経）には[39]「即得《そくとく》」と言《のたま》えり。

爾者南無之言帰命。帰言 至也、又帰説也。説字 悦音 又帰説也。説字 税音。悦税二音。告也。述也。宣㆓述人意㆒也。命言 業也。招引也。使也。教也。道也。信也。計也。召也。是以帰命者本願招喚之勅命也。

言㆓発願回向㆒者、如来已発願回㆓施衆生行㆒之心也。

言㆓即是其行㆒者、即選択本願是也。

言㆓必得往生㆒者、彰㆑獲㆑至㆓不退位㆒也。

『経』言㆓「即得。」㆒『釈』云㆓「必定。」㆒即言

『釈《しゃく》』（易行品）には40「必定《ひつじょう》」と云《い》えり。「即《そく》」の言《ごん》は、願力《がんりき》を聞《き》くに由《よ》りて報土《ほうど》の真因決定《しんいんけつじょう》する時《じ》⑧剋《こく》の極促《ごくそく》を光闡《こうせん》せるなり。「必《ひつ》」の言《ごん》は⑨審《つばひらか》なり。然《しからしむる》なり。分極《ふんごく》なり、金剛心成就《こんごうしんじょうじゅ》の貌《かおばせ》なり。

由レ聞ニ願力一光ニ闡報土真因決定時剋之極促一也。必言 審也。然也。分極也、金剛心成就之貌也。

54『浄土五会念仏略法事儀讃《じょうどごえねんぶつりゃくほうじぎさん》』に云《い》わく、「夫《そ》れ、如来《にょらい》、教《きょう》を設《もう》けたまうに、広略《こうりゃく》、根《こん》に随《したが》う。終《つい》に実相《じっそう》に帰《き》せしめんとなり。真《しん》の無生《むしょう》を得《え》ん者《もの》には、孰《たれ》か能《よ》く此《こ》れを与《あた》えんや。然《しか》るに念仏三昧《ねんぶつさんまい》は、是《こ》れ真《しん》の無上深妙《むじょうじんみょう》の門《もん》なり。弥陀法王四十八願《みだほうおうしじゅうはちがん》の名号《みょうごう》を以《もっ》て、焉《ここ》に仏《ほとけ》、願力《がんりき》を事《じ》として衆生《しゅじょう》を度《ど》したまう。乃至《ないし》　55如来《にょらい》、常《つね》に三昧海《さんまいかい》の中《なか》に於《お》いて⑩細綿《さいめん》を挙《あ》げたまえるをや。父《ちち》の王《おう》に謂《い》いて曰《のたま》わく、「王《おう》、今《いま》、座禅《ざぜん》して但当《ただまさ》に念仏《ねんぶつ》すべし」と。豈《あ》に離念《りねん》に同《どう》じて無念《むねん》を求《もと》めんや、生《しょう》を離《はな》れて無生《むしょう》を求《もと》めんや、相好《そうごう》を離《はな》れて法身《ほっしん》を求《もと》めんや、文《もん》を離《はな》れて解脱《げだつ》を求《もと》めんや。乃至《ないし》　56爾《そ》れ大《だい》なるかな、至《し》⑪理《り》の真法《しんぼう》。一如《いちにょ》にして物《もの》を化《け》し人《ひと》を利《り》す。弘誓各別《ぐぜいかくべつ》なるが故《ゆえ》に、我《わ》が釈迦《しゃか》、濁世《じょくせ》に応生《おうしょう》し、阿弥陀《あみだ》、浄土《じょうど》に出現《しゅつげん》したまう。方《ほう》は穢《え》・浄両《じょうりょう》⑫殊《しゅ》なりと雖《いえど》も、利益《りやく》⑬斉一《ざいいち》なり。若《も》し修《しゅ》し

①帰…よりたのむなり
②悦…よろこぶ
③帰…よりかかるなり
④宣…＊のぶる
⑤招…めし
⑥招喚…まねく よばう
⑦勅…おおせ
⑧剋…きわむ
⑨審…あきらか也
⑩細綿…くわし
⑪理…ことわり
⑫殊…ことなり
⑬斉…ひとし

易《やす》く証《しょう》し易《やす》きは、真《まこと》に唯浄土《ただじょうど》の教門《きょうもん》なり。然《しか》るに彼《か》の西方《さいほう》は殊妙《しゅみょう》にして、其《そ》の国土《こくど》に比《なら》び難《がた》し。

也《ま》た厳《かざ》るに百宝蓮《ひゃっぽうれん》を以《もっ》てす。九品《くぼん》に敷《ひら》いて、以《もっ》て人《ひと》を収《おさ》むること、其《そ》れ仏《ぶつ》の名号《みょうごう》なりと。乃至《ないし》

57『称讃浄土経《しょうさんじょうどきょう》』に依《よ》る。釈法照《しゃくほっしょう》

如来《にょらい》の尊号《そんごう》は甚《はなは》だ分明《ふんみょう》なり。十方世界《じっぽうせかい》に普《あまね》く流行《るぎょう》せしむ。

但《ただ》、名《みな》を称《しょう》するのみ有《あ》りて、皆《みな》、往《ゆ》くことを得《う》。観音《かんのん》・勢至《せいし》、自《おの》ずから来《き》たり迎《むか》えたまう。

弥陀《みだ》の本願《ほんがん》、特《こと》に①起殊《きしゅ》せり。慈悲方便《じひほうべん》して凡夫《ぼんぶ》を引《ひ》く。

一切衆生《いっさいしゅじょう》、皆度脱《みなどだつ》す。名《みな》を称《しょう》すれば、即《すなわ》ち罪消除《つみしょうじょ》することを得《う》。

凡夫《ぼんぶ》、若《も》し西方《さいほう》に到《いた》ることを得《う》れば、曠劫塵沙《こうごうじんじゃ》の罪消《つみしょう》②亡《もう》す。

六神通《ろくじんずう》を具《ぐ》し自在《じざい》を得《う》。永《なが》く老病《ろうびょう》を除《のぞ》き無常《むじょう》を離《はな》る。

58『仏本行経《ぶつほんぎょうきょう》』に依《よ》る。法照《ほっしょう》

何者《なにもの》をか之《これ》を名《な》づけて正法《しょうぼう》とする。若《も》し道理《どうり》に箇《よ》らば、是《こ》れ③真《しん》④宗《しゅう》なり。

好悪《こうあく》、今《いま》の時《とき》、須《すべから》く決《けっ》⑤択《ちゃく》すべし。一一《いちいち》に子細《しさい》、⑥曚朧《もうりょう》すること莫《な》かれ。

正法《しょうぼう》、能《よ》く世間《せけん》を超出《ちょうしゅつ》す。持戒座禅《じかいざぜん》を正法《しょうぼう》と名《な》づく。

念仏成仏《ねんぶつじょうぶつ》は是《こ》れ真宗《しんしゅう》なり。仏言《ぶつごん》を取《と》らざるをば外道《げどう》と名《な》づく。

因果《いんが》を⑦撥無《はつぶ》する見《けん》を空《くう》とす。正法《しょうぼう》、能《よ》く世間《せけん》を超出《ちょうしゅつ》す。

禅《ぜん》・律《りつ》、如何《いかん》ぞ是《こ》れ正法《しょうぼう》ならん。念仏三昧《ねんぶつさんまい》、是《こ》れ真宗《しんしゅう》なり。

性《しょう》を見《み》、心《しん》を了《さと》るは、便《すなわ》ち是《こ》れ仏《ぶつ》なり。如何《いかん》が、道理《どうり》、相応《そうおう》せざらん。略抄《りゃくしょう》

59
『阿弥陀経《あみだきょう》』に依《よ》る。

西方《さいほう》は道《どう》に進《すす》むこと娑婆《しゃば》に勝《すぐ》れたり。五欲及《ごよくおよ》び邪魔《じゃま》無《な》きに縁《よ》りてなり。
成仏《じょうぶつ》に諸《もろもろ》の善業《ぜんごう》を労《いた》わしくせず。華台《けだい》に⑧端座《たんざ》して弥陀《みだ》を念《ねん》ず。
五濁《ごじょく》の修行《しゅぎょう》は、多《おお》く退転《たいてん》す。念仏《ねんぶつ》して西方《さいほう》に往《ゆ》くには如《し》かず。
彼《かしこ》に到《いた》れば自然《じねん》に正覚《しょうがく》を成《な》る。苦界《くかい》に還来《かえ》りて⑨津梁《しんりょう》と作《な》らん。
万行《まんぎょう》の中《なか》に⑩急要《きゅうよう》とす。⑪迅速《じんそく》なること、浄土門《じょうどもん》に過《す》ぎたるは無《な》し。
但本師金口《ただほんじこんく》の説《せつ》のみに不《あら》ず。十方諸仏《じっぽうしょぶつ》、共《とも》に伝《つた》え証《しょう》したまう。
此《こ》の界《かい》に一人《いちにん》、仏《ぶつ》の名《みな》を念《ねん》ずれば、西方《さいほう》に便《すなわ》ち一《いち》の蓮《れん》有《あ》りて生《しょう》ず。
但《ただ》し一生常《いっしょうつね》にして不退《ふたい》ならしむれば、一華《いっけ》、此《こ》の間《けん》に還《かえ》り到《いた》りて迎《むか》う。略抄《りゃくしょう》

60
『般舟三昧経《はんじゅさんまいきょう》』に依《よ》る。慈愍和尚《じみんかしょう》

今日《きょう》、道場《どうじょう》の諸衆等《しょしゅとう》、恒沙曠劫《ごうじゃこうごう》より総《すべ》て経《へ》来《かえ》れり。
此《こ》の人身《にんじん》を度《はか》るに値遇《ちぐう》し難《がた》し。喩《たと》えば優曇華《うどんげ》の始《はじ》めて開《ひら》くが若《ごと》し。

①起殊…たつ　おこす　すぐれ
②亡…ほろぶ
③真…＊まこと
④宗…むね
⑤択…えらぶ
⑥矇朧…くらし　こもる
⑦撥…すつ
⑧端…＊なおし／うるわし
⑨津梁…つ　やな
⑩急…いそがわし
⑪迅速…とし　すみやか也

正《まさ》しく希《まれ》に浄土《じょうど》の教《きょう》を聞《き》くに値《あ》えり。正《まさ》しく念仏法門《ねんぶつほうもん》開《ひら》けるに値《もうあ》えり。

正《まさ》しく弥陀《みだ》の弘誓《ぐぜい》の喚《よ》①ばいたまうに値《もうあ》えり。正《まさ》しく大衆《だいしゅ》、信心《しんじん》あって回《え》するに値《あ》えり。

正《まさ》しく今日《きょう》、経《きょう》に依《よ》りて賛《さん》ずるに値《あ》えり。正《まさ》しく契《ちぎり》を上華台《じょうけだい》に結《むす》ぶに値《あ》えり。

正《まさ》しく道場《どうじょう》に魔事《まじ》無《な》きに値《あ》えり。正《まさ》しく無病《むびょう》にして総《すべ》て能《よ》く来《かえ》れるに値《あ》えり。

正《まさ》しく七日《しちにち》、功成就《こうじょうじゅ》するに値《あ》えり。四十八願《しじゅうはちがん》、要《かなら》ず相《あい》携《たずさ》②う。

普《あまね》く道場《どうじょう》の同行《どうぎょう》の者《ひと》を勧《すす》む。努力《ゆめゆめ》、回心《えしん》して帰去来《いざいなん》。
③借問《と》う、家郷《かきょう》は何《いず》れの処《ところ》にか在《あ》る。極楽池《ごくらくち》の中《うち》、七宝《しちほう》の台《うてな》なり。
彼《か》の仏《ぶつ》の因中《いんちゅう》に弘誓《ぐぜい》を立《た》てたまえり。名《みな》を聞《き》きて我《われ》を念《ねん》ぜば、総《すべ》て迎《むか》え来《かえ》らしめん。
貧窮《びんぐ》と将《まさ》に富貴《ふき》とを簡《えら》ばず、下智《げち》と高才《こうざい》とを簡《えら》ばず、
多聞《たもん》と浄戒《じょうかい》を持《たも》てるとを簡《えら》ばず、破戒《はかい》と罪根深《ざいこんふか》きを簡《えら》ばず。
但《ただ》、回心《えしん》して多《おお》く念仏《ねんぶつ》せしむれば、能《よ》く瓦礫《がりゃく》をして変《へん》じて金《こがね》と成《な》さんがごとくせしむ。
語《ことば》を現前大衆等《げんぜんだいしゅとう》に寄《よ》す。同縁《どうえん》、去《さ》④らん者《ひと》、早《はや》く相尋《あいたず》ねん。
借問《と》う、何《いず》れの処《ところ》を相尋《あいたず》ねてか去《ゆ》かんと。報《こた》えて道《い》わく、弥陀浄土《みだじょうど》の中《うち》へ。
借問《と》う、何《なに》に縁《よ》りてか彼《かしこ》に生《しょう》ずることを得《え》ん。報《こた》えて道《い》わく、念仏自《ねんぶつおの》ずから功《こう》を成《じょう》ず。
借問《と》う、今生《こんじょう》の罪障多《ざいしょうおお》し、如何《いかん》ぞ浄土《じょうど》に肯《あ》⑤えて相容《あいい》らんや。
報《こた》えて道《い》わく、名《みな》を称《しょう》すれば罪消滅《つみしょうめつ》す。喩《たと》えば明燈《みょうとう》の、闇中《あんちゅう》に入《い》るが若《ごと》し。

借問《と》う、凡夫《ぼんぶ》、生《しょう》を得《う》や否《いな》や。如何《いかん》ぞ一念《いちねん》に闇中明《あんちゅうあき》らかならんや。

報《こた》えて道《い》わく、疑《うたがい》を除《のぞ》きて多《おお》く念仏《ねんぶつ》すれば、弥陀《みだ》、決定《けつじょう》して自《おの》ずから親近《しんごん》したまうと。抄要《しょうよう》

61『新無量寿観経《しんむりょうじゅかんぎょう》』に依《よ》る。法照《ほっしょう》

十悪《じゅうあく》・五逆至《ごぎゃくいた》れる愚人《ぐにん》、永劫《ようごう》に沈淪《ちんりん》して久塵《くじん》に在《あ》り。一念《いちねん》、弥陀《みだ》の号《みな》を称得《しょうとく》して彼《かしこ》に至《いた》れば、還《かえ》りて法性身《ほっしょうしん》に同《どう》ず」と。已上《いじょう》

62憬興師《きょうごうし》の云《い》わく（述文賛）、「如来《にょらい》の広説《こうせつ》に二有《にあ》り。初《はじ》めには広《ひろ》く如来浄土《にょらいじょうど》の41果《か》、即《すなわ》ち所行《しょぎょう》・所成《しょじょう》を説《と》きたまえり。後《のち》には広《ひろ》く衆生往生《しゅじょうおうじょう》の因果《いんが》、即《すなわ》ち所摂《しょしょう》・所益《しょやく》を顕《あらわ》したまえるなり。」

63又云《またい》わく（述文賛）、「『悲華経《ひけきょう》』の「諸菩薩本授記品《しょぼさつほんじゅきほん》」に云《のたま》わく、42「爾《そ》の時《とき》に宝蔵如来《ほうぞうにょらい》、転輪王《てんりんのう》を讃《さん》じて言《のたま》わく、「善《よ》いかな、善《よ》いかな。乃至《ないし》　大王《だいおう》。汝《なんじ》、西方《さいほう》を見《み》るに、百千万億仏土《ひゃくせんまんおくぶつど》を⑥過《す》ぎて世界《せかい》有《あ》り、「尊善無垢《そんぜんむく》」と名《な》づく。彼《か》の界《かい》に仏有《ぶつまし》ます、「尊音王如来《そんおんおうにょらい》」と名《な》づく。乃至《ないし》　今現在《いまげんざい》に諸《もろもろ》の菩薩《ぼさつ》の為《ため》に正法《しょうぼう》を説《と》く。乃至《ないし》　純一大乗清浄《じゅんいちだいじょうしょうじょう》にして雑《まじ》わること無《な》し。其《そ》の中《うち》の衆生《しゅじょう》、等一《どういち》に化生《けしょう》す。亦女人及《またにょにんおよ》び其《そ》の名字《みょうじ》無《な》し。彼《か》の仏世界《ぶつせかい》の所有《しょう》の功徳《くどく》、清浄《しょうじょう》の荘厳《しょうごん》なり。悉《ことごと》く大王《だいおう》の所願《しょがん》の如《ごと》くして異無《いな》けん。乃至《ないし》　今《いま》、汝《なんじ》が字《な》を改《あらた》めて無量清浄《むりょうしょうじょう》とす」と。」」已上《いじょう》

①喚…＊よぶ／かん
②携…せい　けい
③借…＊しゃく／かる
④去…すつ
⑤肯…＊こう／うけす
⑥過…＊か

64『無量寿如来会《むりょうじゅにょらいえ》』に云《のたま》わく、「広《ひろ》く是《か》くの如《ごと》き大弘誓願《だいぐぜいがん》を発《おこ》して、皆已《みなすで》に成就《じょうじゅ》したまえり。世間《せけん》に希有《けう》なり。是《こ》の願《がん》を発《おこ》し已《おわ》りて実《じつ》の如《ごと》く安住《あんじゅう》して、種種《しゅじゅ》の功徳具足《くどくぐそく》して威徳広大清浄仏土《いとくこうだいしょうじょうぶつど》を荘《しょう》厳《ごん》したまえり」と。已上《いじょう》

65又云《またい》わく（述文賛）、「福《ふく》・智《ち》二《に》①厳成就《ごんじょうじゅ》したまえるが故《ゆえ》に、②備《つぶさ》に等《ひと》しく衆生《しゅじょう》に行《ぎょう》を施《ほどこ》したまえるなり。己《おのれ》が所修《しょしゅ》を以《もっ》て衆生《しゅじょう》を利《り》したまうが故《ゆえ》に功徳成《くどくじょう》ぜしめたまえり」と。

66又云《またい》わく（述文賛）、「久遠《くおん》の因《いん》に③藉《よ》りて仏《ぶつ》に値《もうあ》い、法《ほう》を聞《き》きて慶喜《きょうき》すべきが故《ゆえ》に」と。

67又云《またい》わく（述文賛）、「[43]人聖《にんしょう》、国妙《くにたえ》なり。誰《たれ》か力《ちから》を尽《つ》くさざらん。善《ぜん》を作《な》して生《しょう》を願《がん》ぜよ。善《ぜん》に因《よ》りて既《すで》に成《じょう》じたまう。自《おの》ずから果《か》を獲《え》ざらんや。故《かるがゆえ》に[44]「自然《じねん》」（大経）と云《い》う。④貴賤《きせん》を簡《えら》ばず、皆《みな》、往生《おうじょう》を得《え》しむ。故《かるがゆえ》に[45]「⑤著無上下《ちょむじょうげ》」（同）と云《い》う」と。

68又云《またい》わく（述文賛）、「[46]「易往而無人《いおうにむにん》　其国不逆違《ごこくふぎゃくい》　自然之所⑥牽《じねんししょけん》」（大経）と。因《いん》を修《しゅ》すれば即《すなわ》ち往《ゆ》く。修《しゅ》すること無《な》ければ生《う》まるること尠《すく》なし。因《いん》を修《しゅ》して来生《らいしょう》するに、終《つい》に違逆《いぎゃく》せず。即《すなわ》ち「易《い》往《おう》」なり。」

69又云《またい》わく（述文賛）、「[47]「本願力故《ほんがんりきこ》」（大経）というは、即《すなわ》ち往《ゆ》くこと、誓願《せいがん》の力《りき》なり。[48]「満足願故《まんぞくがんこ》」（同）というは、願《がん》として欠《か》くること無《な》き故《ゆえ》に。[49]「明了願故《みょうりょうがんこ》」（同）というは、之《これ》を求《もと》むるに虚《むな》しからざるが故《ゆえ》に。[50]「堅固願故《けんごがんこ》」（同）というは、縁《えん》として壊《やぶ》ること能《あた》わざるが故《ゆえ》に。[51]「究竟願故《くきょうがんこ》」（同）というは、必《かなら》ず果《は》たし⑦遂《と》ぐるが故《ゆえ》に。」

70又《また》云《い》わく（述文賛）、「総《そう》じて之《これ》を言《い》わば、凡小《ぼんしょう》、欲往生《よくおうじょう》の意《い》を増《⑧ま》さしめんと欲《おも》うが故《ゆえ》に、須《すべから》く彼《か》の土《ど》の勝《すぐ》るることを顕《あらわ》すべし」と。

71又《また》云《い》わく（述文賛）、「既《すで》に52「此《こ》の土《ど》にして菩薩《ぼさつ》の行《ぎょう》を修《しゅ》す」（大経）と言《のたま》えり。即《すなわ》ち知《し》りぬ、無《む》諍王《じょうおう》、此《こ》の方《ほう》に在《まし》ますことを。宝海《ほうかい》も亦然《またしか》なり」と。

72又《また》云《い》わく（述文賛）、「仏《ぶつ》の威徳広大《いとくこうだい》を聞《き》くが故《ゆえ》に不退転《ふたいてん》を得《う》るなり」と。已上《いじょう》

73『楽邦文類《らくほうぶんるい》』に云《い》わく、「総官《そうかん》の張掄《ちょうりん》の云《い》わく、「仏号《ぶつごう》、甚《はなは》だ持《たも》ち易《やす》し。浄土《じょうど》、甚《はなは》だ往《ゆ》き易《やす》し。八万四千《はちまんしせん》の法門《ほうもん》、是《こ》の捷徑《⑨せっけい》に如《し》く無《な》し。但能《ただよ》く清晨《しょう⑩じん》俛仰《⑪めんごう》の暇《いとま》を輟《や》めて、遂《つい》に永劫不壊《ようごうふ⑫え》の資《たすけ》を為《な》すべし。是《こ》れ則《すなわ》ち力《ちから》を用《もち》いることは甚《はなは》だ微《び》にして、功《こう》を収《おさ》むること、乃《いま》し尽《つ》くること有《あ》ること無《な》けん。衆生《しゅじょう》、亦何《またなん》の苦《くるしみ》あればか、自《みずか》ら棄《す》ててせざらんや。噫《ああ》、夢幻《⑬むげん》にして真《しん》に非《あら》ず、寿夭《じゅ⑭よう》して保《たも》ち難《がた》し。呼吸《こきゅう》の頃《⑮あいだ》に即《すなわ》ち是《こ》れ来生《らいしょう》なり。一《ひと》たび人身《にんじん》を失《うしな》いつれば、万劫《まんごう》にも復《⑯ふく》せず。此《こ》の時《とき》悟《さと》らずは、仏《ぶつ》、如《も》し衆生《しゅじょう》を何《いか》がしたまわん。願《ねが》わくは深《ふか》く無常《むじょう》を念《ねん》じて、徒《⑰いたずら》に後悔《こうかい》を貽《のこ》すこと勿《なか》

①**厳**…かざり
②**備**…＊そなわる　び
③**藉**…しゃく
④**貴賤**…とうとく　いやし
⑤**著**…＊ちゃく／あらわす　しるす　とも
⑥**牽**…ひく
⑦**遂**…すい
⑧**増**…すすむ
⑨**捷徑**…とき　すずち
⑩**晨**…あした
⑪**俛**…のけふす
⑫**壊**…やぶる
⑬**夢幻**…ゆめ　まぼろし
⑭**夭**…もろし
⑮**頃**…＊けい　きょう　とも／きょう
⑯**復**…かえる
⑰**徒**…と

れと。浄楽《じょうらく》の居士《こじ》①張掄《ちょうりん》、縁《えん》を勧《すす》む」と。」已上《いじょう》

74台教《たいきょう》の祖師《そし》山陰《さんいん》慶文法師《けいもんほっし》の云《い》わく、「良《まこと》に仏名《ぶつみょう》は、真応《しんおう》の身《しん》よりして建立《こんりゅう》せるが故《ゆえ》に、慈悲海《じひかい》よりして建立《こんりゅう》せるが故《ゆえ》に、誓願海《せいがんかい》よりして建立《こんりゅう》せるが故《ゆえ》に、智慧海《ちえかい》よりして建立《こんりゅう》せるが故《ゆえ》に、法《ほう》門海《もんかい》よりして建立《こんりゅう》せるに由《よ》るが故《ゆえ》に、若《も》し但専《ただもっぱ》ら一仏《いちぶつ》の名号《みょうごう》を称《しょう》するは則《すなわ》ち是《こ》れ具《つぶさ》に諸仏《しょぶつ》の名号《みょうごう》を称《しょう》するなり。功徳《くどく》無量《むりょう》なれば、能《よ》く罪障《ざいしょう》を滅《めっ》す、能《よ》く浄土《じょうど》に生《しょう》ず。何《なん》ぞ必《かなら》ず疑《うたがい》を生《しょう》ぜんや」と。已上《いじょう》

75律宗《りっしゅう》の祖師《そし》元照《がんじょう》の云《い》わく（観経義疏）、「況《いわ》んや我《わ》が仏大慈《ほとけだいじ》、浄土《じょうど》を開示《かいじ》して慇懃《おんごん》に遍《あまね》く諸大乗《しょだいじょう》を②勧嘱《かんぞく》したまえり。目《め》に見《み》、耳《みみ》に聞《き》きて、特《こと》に疑謗《ぎほう》を生《しょう》じて、自《みずか》ら甘《あま》く沈《ちん》③溺《にゃく》して超昇《ちょうしょう》を慕《ねが》わず。如来《にょらい》、説《と》きて④憐愍《れんびん》すべき者《もの》の為《ため》にしたまえり。良《まこと》に、此《こ》の法《ほう》の、⑤特《ひと》り常《じょう》⑥途《ず》に異《こと》なることを知《し》らざるに由《よ》りてなり。⑦賢愚《けんぐ》を択《えら》ばず、⑧緇素《しそ》を簡《えら》ばず、修行《しゅぎょう》の久近《くごん》を論《ろん》ぜず、造罪《ぞうざい》の重軽《じゅうきょう》を問《と》わず。但《ただ》、決定《けつじょう》の信心《しんじん》即《すなわ》ち是《こ》れ往生《おうじょう》の因種《いんしゅ》ならしむ」と。已上《いじょう》

76又云《またい》わく（元照観経義疏）、「今《いま》、浄土《じょうど》の諸経《しょきょう》に並《なら》びに魔《ま》を言《い》わず。即《すなわ》ち知《し》りぬ、此《こ》の法《ほう》に魔無《まな》きこと明《あき》らけしと。山陰《さんいん》の慶文法師《けいもんほっし》の『正信法門《しょうしんほうもん》』に之《これ》を⑨弁《べん》ずること、甚《はなは》だ詳《つまび》らかなり。今《いま》、為《ため》に具《つぶさ》に彼《か》の問《とい》を引《ひ》きて曰《い》わく、「或《ある》いは人有《ひとあ》りて云《い》わく、「臨終《りんじゅう》に、仏《ぶつ》・菩薩《ぼさつ》の、光《ひかり》を放《はな》ち台《うてな》を持《じ》したまえるを見《み》たてまつり、天楽《てんがく》・異香《いきょう》、来迎往生《らいこうおうじょう》す。並《なら》びに是《こ》れ魔事《まじ》なり」と。此《こ》の説《せつ》如何《いかん》ぞや。答《こた》えて曰《い》わく、53『首《しゅ》⑩楞厳《りょうごん》』に依《よ》りて三昧《さんまい》を修習《しゅじゅう》すること有《あ》り、或《ある》いは陰魔《おんま》を発動《ほつどう》す。54『摩訶衍《まかえん》

論《ろん》』（大乗起信論）に依《よ》りて三昧《さんまい》を修習《しゅじゅう》すること有《あ》り、或《ある》いは外魔《げま》を発動《ほつどう》す 天魔《てんま》を謂《い》うなり。55『止観論《しかんろん》』に依《よ》りて三昧《さんまい》を修習《しゅじゅう》すること有《あ》り、或《ある》いは時《じ》⑪魅《み》を発動《ほつどう》す。此《こ》れ等並《らなら》びに是《こ》れ禅定《ぜんじょう》を修《しゅ》する人《ひと》、其《そ》の自力《じりき》に⑫約《やく》して先《ま》ず魔種《ましゅ》有《あ》り。定《さだ》んで⑬撃発《ぎゃくほつ》を被《かぶ》るが故《ゆえ》に此《こ》の事《じ》を現《げん》ず。儻《も》し能《よ》く明《あき》らかに識《し》りて各《おの》おの対治《たいじ》を用《もち》いれば、即《すなわ》ち能《よ》く⑭除遣《じょけん》せしむ。若《も》し聖《しょう》の解《さとり》を作《な》せば、皆《みな》、魔障《ましょう》を被《かぶ》るなりと 上《かみ》に此《こ》の方《ほう》の入道《にゅうどう》を明《あ》かす。則《すなわ》ち魔事《まじ》を発《ほっ》す。今《いま》、所修《しょしゅ》の念仏三昧《ねんぶつさんまい》に⑮約《やく》するに、乃《いま》し仏力《ぶつりき》を憑《たの》む。帝王《ていおう》に近《ちか》づけば、敢《あ》えて干犯《おかすもの》無《な》きが如《ごと》し。蓋《けだ》し阿弥陀仏《あみだぶつ》、大慈悲力《だいじひりき》・大誓願力《だいせいがんりき》・大智慧力《だいちえりき》・大三昧力《だいさんまいりき》・大威神力《だいいじんりき》・大《だい》⑯摧邪力《ざいじゃりき》・大降魔力《だいごうまりき》・天眼遠見力《てんげんおんけんりき》・天耳遙聞力《てんにようもんりき》・他心《たしん》⑰徹鑑力《てっかんりき》・光明遍照摂取衆生力《こうみょうへんじょうせっしゅしゅじょうりき》有《ましま》すに由《よ》りてなり。是《か》くの如《ごと》き等《ら》の不可思議功徳《ふかしぎくどく》の力《りき》有《ましま》す。豈《あ》に念仏《ねんぶつ》の人《ひと》を護持《ごじ》して、臨終《りんじゅう》の時《とき》に至《いた》るまで障《しょう》⑱碍《げ》無《な》からしむること能《あた》わざらんや。若《も》し護持《ごじ》を為《な》さずは、則《すなわ》ち慈悲力《じひりき》、何《なん》ぞ在《ましま》さん。若《も》し魔《ま》障《しょう》を除《のぞ》くこと能《あた》わずは、智慧力《ちえりき》・三昧力《さんまいりき》・威神力《いじんりき》・摧邪力《ざいじゃりき》・降魔力《ごうまりき》、復《ま》た何《なん》ぞ在《ましま》さんや。若《も》し⑲鑑察《かんざつ》すること能《あた》わずして、魔《ま》、障《しょう》を為《な》すことを被《かぶ》らば、天眼遠見力《てんげんおんけんりき》・天耳遙聞力《てんにようもんりき》・他心徹鑑力《たしんてっかんりき》、復《ま》た何《なん》ぞ在《ましま》さんや。『経《きょう》』（観経）に云《のたま》わく、56「阿弥陀仏《あみだぶつ》の相好《そうごう》の光明《こうみょう》、遍《あまね》く十方世界《じっぽうせかい》を照《て》らす。念仏《ねんぶつ》の

①居士…＊おとこ也／いるひと
②勧嘱…すすめ　つけて
③溺…おぼる
④憐憫…あわれみ　あわれむ
⑤特…ことに
⑥途…みち
⑦賢…かしこし
⑧緇素…くろく　しろし　そうなり　おとこなり
⑨弁…わきまう
⑩楞厳…いつくし　いつくし
⑪魅…がき
⑫約…よる
⑬撃…うつ
⑭除遣…のぞく　つかわす
⑮約…つく
⑯摧…くだく
⑰徹鑑…とおり　かんがむ
⑱碍…さわる
⑲鑑察…かんがむ　かんがむ

衆生《しゅじょう》をば摂取《せっしゅ》して捨《す》てたまわず」と。若《も》し念仏《ねんぶつ》して臨終《りんじゅう》に魔障《ましょう》を被《かぶ》ると謂《い》わば、光明遍照《こうみょうへんじょう》摂取《せっしゅ》衆生力《しゅじょうりき》、復《ま》た何《なん》ぞ在《まし》さんや。況《いわ》んや念仏《ねんぶつ》の人《ひと》の臨終《りんじゅう》の①感相《かんそう》、衆経《しゅきょう》より出《い》でたり。皆是《みなこ》れ仏《ぶつ》の言《みこと》なり。何《なん》ぞ②貶《へん》して魔《ま》③境《きょう》とすることを得《え》んや。今《いま》、為《ため》に邪疑《じゃぎ》を決破《けっぱ》す。当《まさ》に正信《しょうしん》を生《しょう》ずべし」と。

已上《いじょう》彼《か》の文《もん》。」

77又《また》云《い》わく元照《がんじょう》（元照）律師《りっし》『弥陀経義《みだきょうぎ》』の文《もん》、「一乗《いちじょう》の極《ごく》④唱《しょう》、終帰《しゅうき》を咸《ことごと》く楽《らく》⑤邦《ほう》を指《さ》す。万行《まんぎょう》の円修《えんしゅ》、最勝《さいしょう》を独《ひと》り果号《かごう》に推《ゆず》る。良《まこと》に以《もっ》て因《いん》より願《がん》を建《た》つ。志《こころざし》を乗《と》り行《ぎょう》を躬《きわ》め、塵《じん》⑥点劫《でんごう》を歴《へ》て⑦済衆《さいしゅ》の⑧仁《にん》を懐《いだ》けり。⑨芥子《けし》の地《じ》も捨身《しゃしん》の処《しょ》に非《あら》ざること無《な》し。悲智六度摂化《ひちろくどせっけ》して、以《もっ》て遺《のこ》すこと無《な》し。内外《ないげ》の両財《りょうざい》、求《もと》むるに随《したが》いて必《かなら》ず応《おう》ず。機《き》と縁《えん》と熟《じゅく》し、行満《ぎょうまん》じ功成《こうな》り、一時《いちじ》に円《まど》かに三身《さんしん》を証《しょう》す。万徳《まんどく》、総《すべ》て四字《しじ》に彰《あらわ》る」と。已上《いじょう》

78又《また》云《い》わく（元照阿弥陀経義疏）、「況《いわ》んや我《わ》が弥陀《みだ》は名《な》を以《もっ》て物《もの》を接《せっ》したまう。是《ここ》を以《もっ》て耳《みみ》に聞《き》き、口《くち》に⑩誦《じゅ》するに、無辺《むへん》の聖徳《しょうとく》、識心《しきしん》に⑪攬入《らんにゅう》す。永《なが》く仏種《ぶっしゅ》と為《な》りて、⑫頓《とん》に億劫《おっこう》の重罪《じゅうざい》を除《のぞ》き、無上菩提《むじょうぼだい》を⑬獲証《ぎゃくしょう》す。信《まこと》に知《し》りぬ、少善根《しょうぜんごん》に非《あら》ず、是《こ》れ多功徳《たくどく》なりと。」已上《いじょう》

79又《また》云《い》わく（元照阿弥陀経義疏）、「正念《しょうねん》の中《なか》に、凡人《ぼんにん》の臨終《りんじゅう》は、識神《しきじん》、主無《ぬしな》し。善悪《ぜんあく》の業種《ごうしゅ》、発現《ほつげん》せざること無《な》し。或《あ》るいは悪念《あくねん》を起《お》こし、或《あ》るいは邪見《じゃけん》を起《お》こし、或《あ》るいは⑭繋恋《けれん》を生《しょう》じ、或《あ》るいは猖《しょう》⑮狂悪相《おうあくそう》を発《ほっ》せん。一《もっぱ》ら皆《みな》「顛倒《てんどう》の因《いん》」と名《な》づくるに非《あら》ずや。前《さき》に仏《ぶつ》を誦《じゅ》して、罪滅《つみめっ》し障除《さわりのぞ》こり、浄業《じょうごう》、内《うち》に熏《くん》じ、慈光《じこう》、外《そと》に摂《せっ》して、苦《く》を脱《まぬか》れ楽《らく》を得《う》ること、一刹那《いっせつな》の間《けん》なり。下《しも》の文《もん》に生《しょう》を勧《すす》む。其《そ》の

利《り》、此《こ》れに在《あ》り」と。已上《いじょう》

80慈雲法師《じうんほっし》〔天竺寺遵式《てんじくじじゅんしき》〕の云《い》わく（元照観経義疏）、「57「唯安養《ただあんにょう》の浄業《じょうごう》、⑯捷真《せっしん》なり。修《しゅ》すべし。若《も》し四衆《ししゅ》有《あ》りて、復《ま》た速《すみ》やかに無明《むみょう》を破《は》し、永《なが》く五逆《ごぎゃく》・十悪《じゅうあく》・重軽《じゅうきょう》等《とう》の罪《つみ》を滅《めっ》せんと欲《おも》わば、当《まさ》に此《こ》の法《ほう》を修《しゅ》すべし。大小《だいしょう》の戒体《かいたい》、遠《とお》く復《ま》た清浄《しょうじょう》なることを得《え》しめ、念仏三昧《ねんぶつさんまい》を得《え》しめ、菩薩《ぼさつ》の諸波羅《しょはら》蜜《みつ》を成《じょう》⑰就《じゅ》せんと欲《おも》わば、当《まさ》に此《こ》の法《ほう》を学《がく》すべし。臨終《りんじゅう》に諸《もろもろ》の⑱怖畏《ふい》を離《はな》れしめ、身心安《しんじんあん》⑲快《け》にして、衆聖現前《しゅしょうげんぜん》し⑳授手接引《じゅしゅしょういん》せらるることを得《え》、初《はじ》めて塵《じん》㉑労《ろう》を離《はな》れて便《すなわ》ち不退《ふたい》に至《いた》り、長劫《じょうごう》を歴《へ》ず即《すなわ》ち無生《むしょう》を得《え》んと欲《おも》わば、当《まさ》に此《こ》の法等《ほうとう》を学《がく》すべし。」古《こ》㉒賢《けん》の法語《ほうご》に、能《よ》く従《したが》うこと無《な》からんや。

已上五門《いじょうごもん》、㉓綱要《こうよう》を略《りゃく》㉔標《ひょう》す。自余《じょ》は尽《つ》くさず。委《くわ》しく釈文《しゃくもん》に在《あ》り。58『開元《かいげん》の蔵《ぞう》㉕録《ろく》』（開元釈教録）を案《あん》ずるに、此《こ》の『経《きょう》』（観経）、凡《おおよ》そ両訳有《りょうやくあ》り。前本《ぜんぽん》は已《すで》に亡《もう》じぬ。今《いま》の本《ほん》は乃《すなわ》ち畺良耶舎《きょうりょうやしゃ》の訳《やく》なり。『僧伝《そうでん》』（梁高僧伝）に云《い》わく、59「畺良耶舎《きょうりょうやしゃ》、此《ここ》には「時称《じしょう》」と云《い》う。宋《そう》の元嘉《げんか》の初《はじ》めに京《きょう》㉖邑《おう》に建《はじ》めたり。文帝《ぶんてい》のとき。」」

①感…かんがむ
②貶…おとしむ
③境…さかい
④唱…となう
⑤邦…くに
⑥点…しるす
⑦済…たすく
⑧仁…あわれみ
⑨芥…み
⑩誦…よむ
⑪攬…とる　みる　とも
⑫頓…とし　にわかに
⑬獲証…うる　かなう
⑭繫恋…つなぐ　したう　こう　とも
⑮狂…くるう
⑯捷…とし
⑰就…つく　なる　とも
⑱怖畏…おそれ　おそる
⑲快…たのしむ
⑳授…さずけ
㉑労…いたわし
㉒賢…かしこし
㉓綱…つな
㉔標…あらわす
㉕録…しるす
㉖邑…むら

[81]慈雲《じうん》〔遵式《じゅんしき》なり。〕の讃《さん》に云《い》わく（元照観経義疏）、「了義《りょうぎ》の中《なか》の了義《りょうぎ》なり。円頓《えんどん》の中《なか》の円頓《えんどん》なり」と。已上《いじょう》

[82]大智《だいち》〔元照律師《がんじょうりっし》なり。〕唱《とな》えて云《い》わく（元照観経義疏）、「円頓一乗《えんどんいちじょう》なり。①純一《じゅんいち》にして雑無《ぞうな》し」と。已上《いじょう》

[83]律宗《りっしゅう》の戒度《かいど》〔元照《がんじょう》の弟子《でし》なり。〕の云《い》わく（観経義疏正観記）、「仏名《ぶつみょう》は乃《すなわ》ち是《こ》れ、劫《こう》を積《つ》んで薫修《くんじゅ》し、其《そ》の万徳《まんどく》を攬《と》る。総《すべ》て四字《しじ》に彰《あらわ》る。是《こ》の故《ゆえ》に之《これ》を称《しょう》するに益《やく》を獲《う》ること浅《あさ》きに非《あら》ず」と。已上《いじょう》

[84]律宗《りっしゅう》の用欽《ようきん》〔元照《がんじょう》の弟子《でし》なり。〕の云《い》わく（超玄記）、「今若《いまも》し我《わ》が心口《しんく》を以《もっ》て一仏《いちぶつ》の②嘉号《かごう》を称念《しょうねん》すれば、則《すなわ》ち因《いん》より果《か》に至《いた》るまで、無量《むりょう》の功徳《くどく》、具足《ぐそく》せざること無《な》し」と。已上《いじょう》

[85]又云《またい》わく（同）、「一切諸仏《いっさいしょぶつ》、微塵劫《みじんごう》を歴《へ》て実相《じっそう》を了悟《りょうご》して一切《いっさい》を得《え》ざるが故《ゆえ》に、無相《むそう》の大願《だいがん》を発《おこ》して、修《しゅ》するに妙行《みょうぎょう》に住《じゅう》すること無《な》し、証《しょう》するに菩提《ぼだい》を得《う》ること無《な》し、住《じゅう》するに国土《こくど》を荘厳《しょうごん》するに非《あら》ず。現《げん》ずるに神通《じんずう》の神通無《じんずうな》きが故《ゆえ》に、舌相《ぜっそう》を大千《だいせん》に遍《あまね》くして無説《むせつ》の説《せつ》を示《しめ》す。故《かるがゆえ》に是《こ》の経《きょう》を勧信《かんしん》せしむ。豈《あ》に心《こころ》に思《おも》い口《くち》に議《はか》るべけんや。私《わたくし》に謂《い》わく、諸仏《しょぶつ》の不思議《ふしぎ》の功徳《くどく》、須臾《しゅゆ》に弥陀《みだ》の二報荘厳《にほうしょうごん》に[60]収《おさ》む。持名《じみょう》の行法《ぎょうほう》は、彼《か》の諸仏《しょぶつ》の中《なか》に亦須《またすべから》く弥陀《みだ》を[61]収《おさ》むべきなり」と。已上《いじょう》

[86]三論《さんろん》の祖師《そし》③嘉祥《かしょう》の云《い》わく（吉蔵観経義疏）、「問《と》う。念仏三昧《ねんぶつさんまい》は、何《なに》に因《よ》りてか能《よ》く此《か》くの如《ごと》き多罪《たざい》を滅《めっ》することを得《う》るやと。

④解《げ》して云《い》わく、仏《ぶつ》に無量《むりょう》の功徳有《くどくいま》す。仏《ぶつ》の無量《むりょう》の功徳《くどく》を念《ねん》ずるが故《ゆえ》に、無量《むりょう》の罪《つみ》を滅《めっ》することを得《え》しむ」と。已上《いじょう》

87法相《ほっそう》の祖師《そし》法位《ほうい》の云《い》わく（大経義疏）、「諸仏《しょぶつ》は皆《みな》、徳《とく》を名《みな》に施《ほどこ》す。名《みな》を称《しょう》するは即《すなわ》ち徳《とく》を称《しょう》するなり。徳《とく》、能《よ》く罪《つみ》を滅《めっ》し福《ふく》を生《しょう》ず。名《みな》も亦《また》是《か》くの如《ごと》し。若《も》し仏名《ぶつみょう》を信《しん》ずれば、能《よ》く善《ぜん》を生《しょう》じ悪《あく》を滅《めっ》すること、決定《けつじょう》して疑《うたが》い無《な》し。称名往生《しょうみょうおうじょう》、此《こ》れ何《なん》の惑《まどい》か有《あ》らんや」と。已上《いじょう》

88禅宗《ぜんしゅう》の飛錫《ひしゃく》の云《い》わく（念仏三昧宝王論）、「念仏三昧《ねんぶつさんまい》の善《ぜん》、之《これ》、最上《さいじょう》なり。万行《まんぎょう》の⑤元首《がんしゅ》なるが故《ゆえ》に、「三昧王《さんまいおう》」と曰《い》う」と。已上《いじょう》

89『往生要集《おうじょうようしゅう》』に云《い》わく、「『⑥双巻経《そうかんぎょう》』（大経）の三《さん》⑦輩《ぱい》の業《ごう》、浅深《せんじん》有《あ》りと雖《いえど》も、然《しか》るに通《つう》じて皆《みな》62「一向専念無量寿仏《いっこうせんねんむりょうじゅぶつ》」と云《のたま》えり。三《みつ》に四十八願《しじゅうはちがん》の中《なか》に、念仏門《ねんぶつもん》に於《お》いて別《べっ》して一《ひとつ》の願《がん》を発《おこ》して云《のたま》わく、63「乃至十念若不生者不取正覚《ないしじゅうねんにゃくふしょうじゃふしゅしょうがく》」と。四《よつ》に『観経《かんぎょう》』には64「極重《ごくじゅう》の悪人《あくにん》、他《た》の方便《ほうべん》無《な》し。唯《ただ》、弥陀《みだ》を称《しょう》して極楽《ごくらく》に生《しょう》ずることを得《う》」と。」已上《いじょう》

90又云《またい》わく（往生要集）、「『心地観経《しんじかんぎょう》』の六種《ろくしゅ》の功徳《くどく》に依《よ》るべし。65「一《ひとつ》には無上大功徳田《むじょうだいくどくでん》、二《ふたつ》には無上大恩徳《むじょうだいおんどく》、三《みつ》には無《む》⑧足《そく》・二足《にそく》及《お》び多足衆生《たそくしゅじょう》の中《なか》の尊《そん》なり。四《よつ》に極《きわ》めて⑨値遇《ちぐう》し難《がた》きこと、優曇《うどん》華《げ》の如《ごと》し。五《いつつ》に独《ひと》り三千大千界《さんぜんだいせんかい》に出《い》でたまう。六《むつ》に世《せ》・出世間《しゅっせけん》の功徳円満《くどくえんまん》せり。義《ぎ》、具《つぶさ》に此《か》くの如《ごと》き等《ら》の六種《ろくしゅ》の功徳《くどく》に依《よ》る。常《つね》に能《よ》く一切衆生《いっさいしゅじょう》を利益《りやく》したまう」と。」已上《いじょう》

①純…もっぱら
②嘉…よき
③嘉祥…よし　つばひらかなり
④解…さとす
⑤元首…はじめ　こうべ
⑥双…ならぶ
⑦輩…ともがら
⑧足…たる
⑨値…あい

91此《こ》の六種《ろくしゅ》の功徳《くどく》に依《よ》りて、信和尚《しんかしょう》（源信）の云《い》わく（往生要集）、「一《ひとつ》には念《ねん》ずべし。[66]「一称南無仏《いっしょうなむぶつ》皆已成仏道《かいいじょうぶつどう》」（法華経）の故《ゆえ》に、我《われ》、無上功徳田《むじょうくどくでん》を帰命《きみょう》し礼《らい》したてまつる。二《ふたつ》に念《ねん》ずべし。慈眼《じげん》をもって衆生《しゅじょう》を視《み》そなわすこと、平等《びょうどう》にして一子《いっし》の如《ごと》し。故《かるがゆえ》に我《われ》、極大慈悲母《ごくだいじひも》を帰命《きみょう》し礼《らい》したてまつる。三《みっつ》に念《ねん》ずべし。十方《じっぽう》の諸大士《しょだいじ》、弥陀尊《みだそん》を恭敬《くぎょう》したてまつるが故《ゆえ》に、我《われ》、無上両足尊《むじょうりょうぞくそん》を帰命《きみょう》し礼《らい》したてまつる。四《よっつ》に念《ねん》ずべし。一《ひと》たび仏名《ぶつみょう》を聞《き》くことを得《う》ること、優曇華《うどんげ》よりも過《す》ぎたり。故《かるがゆえ》に我《われ》、極難値遇者《ごくなんちぐうしゃ》を帰命《きみょう》し礼《らい》したてまつる。五《いつつ》に念《ねん》ずべし。一百倶胝界《いっぴゃくくていかい》には、二尊《にそん》、①並《なら》んで出《い》でたまわず。故《かるがゆえ》に我《われ》、希有大法王《けうだいほうおう》を帰命《きみょう》し礼《らい》したてまつる。六《むっつ》に念《ねん》ずべし。仏法衆徳海《ぶっぽうしゅとくかい》は三世同《さんぜおな》じく一体《いったい》なり。故《かるがゆえ》に我《われ》、円融万徳尊《えんゆうまんどくそん》を帰命《きみょう》し礼《らい》したてまつる」と。已上《いじょう》

92又云《またい》わく（往生要集）、「波利質多樹《はりしったじゅ》の華《はな》、一日《いちにち》、衣《ころも》に薫《くん》ずるに、②瞻蔔華《せんぷくけ》・波師迦華《はしかけ》、千歳薫《せんざいくん》ずと雖《いえど》も、及《およ》ぶこと能《あた》わざる所《ところ》なり。」已上《いじょう》

93又云《またい》わく（往生要集）、「一斤《いっこん》の石汁《せきじゅう》、能《よ》く千斤《せんこん》の銅《あかがね》を変《へん》じて金《こがね》と為《な》す。雪山《せっせん》に草有《くさあ》り、名《な》づけて「忍辱《にんにく》」とす。牛《うし》、若《も》し食《じき》すれば即《すなわ》ち醍醐《だいご》を得《う》。月利沙《がつりしゃ》、昴星《ぼうせい》を見《み》れば則《すなわ》ち③菓実《かじつ》を出《い》だすが如《ごと》し。」

94『選択本願念仏集《せんじゃくほんがんねんぶつしゅう》』源空集《げんくうあつむ》に云《い》わく、「南無阿弥陀仏《なむあみだぶつ》 往生《おうじょう》の業《ごう》は、念仏《ねんぶつ》を本《ほん》とす。」と。已上《いじょう》

95又云《またい》わく（選択集）、「夫《そ》れ速《すみ》やかに生死《しょうじ》を離《はな》れんと欲《おも》わば、二種《にしゅ》の勝法《しょうぼう》の中《なか》に、且《しばら》く聖道門《しょうどうもん》を閣《さしお》きて、選《えら》びて浄土門《じょうどもん》に入《い》れ。浄土門《じょうどもん》に入《い》らんと欲《おも》わば、正《しょう》・雑二行《ぞうにぎょう》の中《なか》に、且《しばら》く諸《もろもろ》の雑《ぞう》

行《ぎょう》を抛《なげう》ちて、選《えら》びて正行《しょうぎょう》に帰《き》すべし。正行《しょうぎょう》を修《しゅ》せんと欲《おも》わば、正《しょう》・助二業《じょにごう》の中《なか》に、猶《なお》、助業《じょごう》を傍《かたわ》らにして、選《えら》びて正定《しょうじょう》を専《もっぱ》らすべし。正定《しょうじょう》の業《ごう》とは即《すなわ》ち是《こ》れ仏《ぶつ》の名《みな》を称《しょう》するなり。称《しょう》名《みょう》は必《かなら》ず生《しょう》を得《う》。仏《ぶつ》の本願《ほんがん》に依《よ》るが故《ゆえ》に」と。已上《いじょう》

96明《あき》らかに知《し》りぬ。是《こ》れ凡聖自力《ぼんしょうじりき》の行《ぎょう》に非《あら》ず。故《かるがゆえ》に「不回向《ふえこう》の行《ぎょう》」と名《な》づくるなり。大小聖人《だいしょうしょうにん》、重《じゅう》軽悪人《きょうあくにん》、皆同《みなおな》じく斉《ひと》しく選択大宝海《せんじゃくだいほうかい》に帰《き》して念仏成《ねんぶつじょう》仏《ぶつ》すべし。

97是《ここ》を以《もっ》て『論註《ろんちゅう》』に曰《い》わく、「彼《か》の安楽国土《あんらくこくど》は、阿弥陀如来《あみだにょらい》の正覚浄華《しょうがくじょうけ》の化生《けしょう》する所《ところ》に非《あら》ざること莫《な》し。同一《どういつ》に念仏《ねんぶつ》して別《べつ》の道《どう》無《な》きが故《ゆえ》に」とのたまえり。已上《いじょう》

98爾《しか》れば、真実《しんじつ》の行信《ぎょうしん》を獲《う》れば、心《しん》に歓喜《かんぎ》多《おお》きが故《ゆえ》に、是《こ》れを「歓喜地《かんぎじ》」と名《な》づく。是《こ》れを初果《しょか》に喩《たと》うることは、初果《しょか》の聖者《しょうじゃ》、尚睡眠《なおすいみん》し懶堕《らだ》なれども、二十九有《にじゅうくう》に至《いた》らず。何《いか》に況《いわ》んや、十方群生海《じっぽうぐんじょうかい》、斯《こ》の行信《ぎょうしん》に帰命《きみょう》すれば摂取《せっしゅ》して捨《す》てたまわず。故《かるがゆえ》に「阿弥陀仏《あみだぶつ》」と名《な》づ

明知。是非二凡聖自力之行一。故名二不回向之行一也。大小聖人重軽悪人、皆同斉応下帰二選択大宝海一念仏成仏上。

爾者獲二真実行信一者、心多二歓喜一故、是名二歓喜地一。是喩二初果一者、初果聖者、尚睡眠懶堕不レ至二二十九有一。何況十方群生海、帰二命斯行信一者摂取不レ捨。故名二阿弥陀仏一。是曰二「他力一。」

---

①並…びょう

②瞻…みる

③菓…はな

けたてまつると。是《こ》れを「他力《たりき》」と曰《い》う。

99 是《ここ》を以《もっ》て、龍樹大士《りゅうじゅだいじ》は[67]「即時入必定《そくじにゅうひつじょう》」（易行品）と曰《い》えり。曇鸞大師《どんらんだいし》は[68]「入正定聚之数《にゅうしょうじょうじゅししゅ》」（論註）と云《い》えり。仰《あお》いで斯《こ》れを憑《たの》むべし、専《もっぱ》ら斯《こ》れを行《ぎょう》ずべきなり。

100 良《まこと》に知《し》りぬ。徳号《とくごう》の慈父《じぶ》無《ましま》さずは、能生《のうしょう》の因《いん》闕《か》①けなん。光明《こうみょう》の悲母《ひも》無《ましま》さずは、所生《しょしょう》の縁乖《えんそむ》きなん。能《のう》所《しょ》の因縁《いんねん》、和合《わごう》すべしと雖《いえど》も、信心《しんじん》の業識《ごっしき》に非《あら》ずは、光明土《こうみょうど》に到《いた》ること無《な》し。真実信《しんじつしん》の業識《ごっしき》、斯《こ》れ則《すなわ》ち内因《ないいん》とす。光明名《こうみょうみょう》の父母《ぶも》、斯《こ》れ則《すなわ》ち外縁《げえん》とす。内外因縁《ないげいんねん》和合《わごう》して報土《ほうど》の真身《しんしん》を得証《とくしょう》す。

101 故《かるがゆえ》に宗師《しゅうし》（善導）は[69]「光明名号《こうみょうみょうごう》を以《もっ》て十方《じっぽう》を摂《せっ》化《け》したまう。但《ただ》、信心《しんじん》をして求念《ぐねん》せしむ」（往生礼讃）と言《い》えり。

又《また》[70]「念仏成仏是《ねんぶつじょうぶつこ》れ真宗《しんしゅう》」（五会法事讃）と云《い》えり。

又《また》[71]「真宗《しんしゅう》、遇《あ》い叵《がた》し」（散善義）と云《い》えるをや。知《し》るべしと。

是以龍樹大士曰二「即時入必定。一」曇鸞大師云二「入正定聚之数。一」仰可レ憑レ斯、専可レ行レ斯也。

良知。無二徳号慈父一、能生因闕。無二光明悲母一、所生縁乖。能所因縁、雖レ可二和合一、非二信心業識一、無レ到二光明土一。真実信業識、斯則為二内因一。光明名父母、斯則為二外縁一。内外因縁和合得二証報土真身一。

故宗師言下「以二光明名号一摂二化十方一但使中信心求念上。」

又云二「念仏成仏是真宗。一」

又云二「真宗叵レ遇」也。可レ知。

102凡《おおよ》そ往相回向《おうそうえこう》の行信《ぎょうしん》に就《つ》いて、行《ぎょう》に則《すなわ》ち一念《いちねん》有《あ》り、亦信《またしん》に一念《いちねん》有《あ》り。「行《ぎょう》の一念《いちねん》」と言《い》うは、謂《い》わく、称《しょう》名《みょう》の遍数《へんじゅ》に就《つ》いて選択易行《せんじゃくいぎょう》の至極《しごく》を顕開《けんかい》す。

103故《かるがゆえ》に『大本《だいほん》』（大経）に言《のたま》わく、「仏《ぶつ》、弥勒《みろく》に語《かた》りたまわく、「其《そ》れ彼《か》の仏《ぶつ》の名号《みょうごう》を聞《き》くことを得《え》て、歓喜踊躍《かんぎゆやく》して乃至一念《ないしいちねん》せんこと有《あ》らん。当《まさ》に知《し》るべし。此《こ》の人《ひと》は大利《だいり》を得《う》とす。則《すなわ》ち是《こ》れ無《む》上《じょう》の功徳《くどく》を具足《ぐそく》するなり」」と。已上《いじょう》

104光明寺《こうみょうじ》の和尚《かしょう》（善導）は、「下至一念《げしいちねん》」（散善義）と云《い》えり。又《また》「一声《いっしょう》・一念《いちねん》」（往生礼讃）と云《い》えり。又《また》「専心《せんしん》・専念《せんねん》」（散善義）と云《い》えりと。已上《いじょう》

105智昇師《ちしょうし》の『集諸経礼懺儀《しゅうしょきょうらいさんぎ》』の下巻《げかん》に云《い》わく、「深心《じんしん》は即《すなわ》ち是《こ》れ真実《しんじつ》の信心《しんじん》なり。自身《じしん》は是《こ》れ煩《ぼん》悩《のう》を具足《ぐそく》せる凡夫《ぼんぶ》、善根薄少《ぜんごんはくしょう》にして三界《さんがい》に流転《るてん》して火宅《かたく》を出《い》でずと信知《しんち》す。今《いま》、弥陀《みだ》の本弘誓願《ほんぐぜいがん》は、名号《みょうごう》を称《しょう》すること、下至十声聞等《げしじっしょうもんとう》に及《およ》ぶまで、定《さだ》んで往生《おうじょう》を得《え》しむと信知《しんち》して、一念《いちねん》に至《いた》るに及《およ》ぶまで疑心《ぎしん》有《あ》ること無《な》し。故《かるがゆえ》に72「深心《じんしん》」（観経）と名《な》づく」と。已上《いじょう》

106『経《きょう》』（大経）に「乃至《ないし》」と言《のたま》い、『釈《しゃく》』（散善義）に「下至《げし》」と曰《い》えり。「乃《ない》」・「下《げ》」、其《そ》の言異《ことばこと》なりと雖《いえど》も、其《そ》の意《こころ》、惟《こ》れ一《いち》なり。復《ま》た「乃至《ないし》」とは一多《いった》②包容《ほうよう》の

凡就二往相回向行信一、行則有二一念一、亦信有二一念一。言二行之一念一者、謂就二称名遍数一顕二開選択易行至極一。

『経』言二「乃至一」『釈』曰二「下至一。」乃・下、其言雖レ異、其意惟一也。復乃至者一多包容之言。

①闕…けつ　②包容…かぬ いるる

言《ことば》なり。

107「大利《だいり》」と言《い》うは小利《しょうり》に対《たい》せるの言《ことば》なり。「無上《むじょう》」と言《い》うは有上《うじょう》に対《たい》せるの言《ことば》なり。

信《まこと》に知《し》りぬ。大利無上《だいりむじょう》は一乗真実《いちじょうしんじつ》の利益《りやく》なり。小利有上《しょうりうじょう》は則《すなわ》ち是《こ》れ八万四千《はちまんしせん》の①仮門《けもん》なり。

108『釈《しゃく》』（散善義）に「専心《せんしん》」と云《い》えるは即《すなわ》ち一心《いっしん》なり。二心無《にしんな》きことを形《あらわ》すなり。「専念《せんねん》」と云《い》えるは即《すなわ》ち一行《いちぎょう》なり。二行無《にぎょうな》きことを形《あらわ》すなり。

109今《いま》、弥勒付嘱《みろくふぞく》の一念《いちねん》は即《すなわ》ち是《こ》れ一声《いっしょう》なり。一声即《いっしょうすなわ》ち是《こ》れ一念《いちねん》なり。一念即《いちねんすなわ》ち是《こ》れ一行《いちぎょう》なり。一行即《いちぎょうすなわ》ち是《こ》れ正行《しょうぎょう》なり。正行即《しょうぎょうすなわ》ち是《こ》れ正業《しょうごう》なり。正業即《しょうごうすなわ》ち是《こ》れ正念《しょうねん》なり。正念即《しょうねんすなわ》ち是《こ》れ念仏《ねんぶつ》なり。則《すなわ》ち是《こ》れ南無阿弥陀仏《なむあみだぶつ》なり。

110爾《しか》れば、大悲《だいひ》の願船《がんせん》に乗《じょう》じて、光明《こうみょう》の広海《こうかい》に②浮《う》かびぬれば、至徳《しとく》の風静《かぜしず》かに、衆③禍《しゅか》の波転《なみてん》ず。即《すなわ》ち無明《むみょう》の闇《あん》を破《は》し、速《すみ》やかに無量光明土《むりょうこうみょうど》に到《いた》りて大般涅槃《だいはつねはん》を

言二大利一者対二小利一之言。言二無上一者対二有上一之言也。

信知。大利無上者一乗真実之利益也。小利有上者則是八万四千仮門也。

『釈』云二「専心一」者即一心。形レ無二二心一也。云二「専念一」者即一行。形レ無二二行一也。

今弥勒付嘱之一念即是一声。一声即是一念。一念即是一行。一行即是正行。正行即是正業。正業即是正念。正念即是念仏。則是南無阿弥陀仏也。

爾者乗二大悲願船一、浮二光明広海一、至徳風静、衆禍波転。即破二無明闇一、速到二無量光明土一証二大般涅槃一。遵二普賢之徳一也。可レ知。

証《しょう》す。普賢《ふげん》の徳《とく》に遵④《したが》うなり。知《し》るべしと。

111『安楽集《あんらくしゅう》』に云《い》わく、「十念相続《じゅうねんそうぞく》とは、是《こ》れ聖者《しょうじゃ》の一《いち》の数《かず》の名《な》ならくのみ。即《すなわ》ち能《よ》く念《ねん》を積《つ》み思《おもい》を凝《こ》らして他事《たじ》を縁《えん》ぜざれば、業道成《ごうどうじょう》弁⑤《べん》せしめて便《すなわ》ち罷《や》みぬ。亦労《またいた》わしく、之《これ》を頭⑥数《ずしゅ》を記《き》せざれとなり。又云《またい》わく、若《も》し久行《くぎょう》の人《ひと》の念《ねん》は、多《おお》く此《こ》れに依《よ》るべし。若《も》し始⑦行《しぎょう》の人《ひと》の念《ねん》は、数《かず》を記《き》する、亦好《またよ》し。此《こ》れ亦聖教《またしょうぎょう》に依《よ》るなり」と。已上《いじょう》

112斯《こ》れ乃《すなわ》ち真実《しんじつ》の行《ぎょう》を顕《あらわ》す明証《みょうしょう》なり。誠《まこと》に知《し》りぬ。選択摂取《せんじゃくせっしゅ》の本願《ほんがん》、超世希有《ちょうせけう》の勝行《しょうぎょう》、円融真妙《えんゆうしんみょう》の正法《しょうぼう》、至極無碍《しごくむげ》の大行《だいぎょう》なり。知《し》るべしと。

113「他力《たりき》」と言《い》うは如来《にょらい》の本願力《ほんがんりき》なり。

114『論《ろん》』（論註）に曰《い》わく、「73「本願力《ほんがんりき》」と言《い》うは、大菩薩《だいぼさつ》、法身《ほっしん》の中《なか》にして常《つね》に三昧《さんまい》に在《ましま》して、種種《しゅじゅ》の身《しん》・種種《しゅじゅ》の神通《じんずう》・種種《しゅじゅ》の説法《せっぽう》を現《あらわ》したまうことを示《しめ》す。皆《みな》、本願力《ほんがんりき》より起《お》こるを以《もっ》てなり。譬《たと》えば阿修羅《あしゅら》の琴《こと》の、鼓⑧《こ》する者無《ものな》しと雖《いえど》も音曲自然《いんぎょくじねん》なるが如《ごと》し。是《こ》れを「教化地《きょうけじ》の第五《だいご》の功徳相《くどくそう》」と名《な》づく。乃至《ないし》

斯乃顕㆓真実行㆒明証。誠知。選択摂取之本願、超世希有之勝行、円融真妙之正法、至極無碍之大行也。可㆑知。

言㆓他力㆒者如来本願力也。

①仮…かりに　②浮…ふ　③禍…わざわい　④遵…じゅん　⑤弁…すなわち　⑥頭…はし　⑦始…はじめ　⑧鼓…うつ

115 74「菩薩《ぼさつ》は四種《ししゅ》の門《もん》に入《い》りて自利《じり》の行《ぎょう》 成就《じょうじゅ》したまえりと知《し》る応《べ》し。」(論)「成就《じょうじゅ》」は、謂《い》わく、自《じ》利満足《りまんぞく》せるなり。「応知《おうち》」というは、謂《い》わく、自利《じり》に由《よ》るが故《ゆえ》に則《すなわ》ち能《よ》く利他《りた》す、是《こ》れ自利《じり》に能《あた》わずして能《よ》く利他《りた》するには非《あら》ざるなりと知《し》る応《べ》し。

75「菩薩《ぼさつ》は第五門《だいごもん》に出《い》でて回向利益他《えこうりやくた》の行《ぎょう》 成就《じょうじゅ》したまえりと知《し》る応《べ》し。」(論)「成就《じょうじゅ》」は、謂《い》わく、回向《えこう》の因《いん》を以《もっ》て教化地《きょうけじ》の果《か》を証《しょう》す。若《も》しは因《いん》、若《も》しは果《か》、一事《いちじ》として利他《りた》に能《あた》わざること有《あ》ること無《な》きなり。「応知《おうち》」は、謂《い》わく、利他《りた》に由《よ》るが故《ゆえ》に則《すなわ》ち能《よ》く自利《じり》す、是《こ》れ利他《りた》に能《あた》わずして能《よ》く自利《じり》するには非《あら》ずと知《し》る応《べ》しなりと。

76「菩薩《ぼさつ》は、是《か》くの如《ごと》き五門《ごもん》の行《ぎょう》を修《しゅ》して、自利利他《じりりた》して速《すみ》やかに阿耨多羅三藐三菩提《あのくたらさんみゃくさんぼだい》を成就《じょうじゅ》することを得《え》たまえるが故《ゆえ》に。」(論)仏所得法《ぶつしょとくほう》を、名《な》づけて「阿耨多羅三藐三菩提《あのくたらさんみゃくさんぼだい》」とす。此《こ》の菩提《ぼだい》を得《う》るを以《もっ》ての故《ゆえ》に、名《な》づけて「仏《ぶつ》」とす。今《いま》、「速得阿耨多羅三藐三菩提《そくとくあのくたらさんみゃくさんぼだい》」と言《い》えるは、是《こ》れ早《はや》く仏《ぶつ》に作《な》ることを得《え》たまえるなり。「阿《あ》」をば無《む》に名《な》づく。「耨多羅《のくたら》」をば上《じょう》に名《な》づく。「三藐《さんみゃく》」をば正《しょう》に名《な》づく。「三《さん》」をば遍《へん》①に名《な》づく。「菩提《ぼだい》」をば道《どう》に名《な》づく。綜《か》ねて之《これ》を訳《やく》して、名《な》づけて「無上正遍道《むじょうしょうへんどう》」とす。「無上《むじょう》」は、言《い》うこころは、此《こ》の道《どう》、理《り》を窮《きわ》め性《しょう》を尽《つ》くすこと、更《さら》に過《す》ぎたる者無《ひとな》し。何《なに》を以《もっ》てか之《これ》を言《い》わば、正《しょう》を以《もっ》ての故《ゆえ》に。「正《しょう》」は聖智《しょうち》なり。法相《ほっそう》の如《ごと》くして知《し》るが故《ゆえ》に、称《しょう》して「正智《しょうち》」とす。法性《ほっしょう》は相無《そうな》き故《ゆえ》に聖智無知《しょうちむち》なり。「遍《へん》」に二種《にしゅ》有《あ》り。一《ひとつ》には聖心《しょうしん》、遍《あまね》く一切《いっさい》の法《ほう》を知《し》ろしめす。二《ふたつ》には法身《ほっしん》、遍《あまね》く法界《ほっかい》に満《み》てり。若《も》しは身《しん》、若《も》しは心《しん》、遍《へん》ぜざること無《な》きなり。

「道《どう》」は無碍道《むげどう》なり。

『経《きょう》』(晋訳華厳経)に言《のたま》わく、77「十方無碍人《じっぽうむげにん》、一道《いちどう》より生死《しょうじ》を出《い》でたまえり。」「一道《いちどう》」は一無碍《いちむげ》道《どう》なり。「無碍《むげ》」は、謂《い》わく、生死即《しょうじすなわ》ち是《こ》れ涅槃《ねはん》なりと知《し》るなり。是《か》くの如《ごと》き等《ら》の入不二《にゅうふに》の法門《ほうもん》は無碍《むげ》の相《そう》なり。

116問《と》うて曰《い》わく、何《なん》の因縁有《いんねんあ》りてか、「速得成就阿耨多羅三藐三菩提《そくとくじょうじゅあのくたらさんみゃくさんぼだい》」と言《い》えるや。

答《こた》えて曰《い》わく、『論《ろん》』に「五門《ごもん》の行《ぎょう》を修《しゅ》して、以《もっ》て自利利他成就《じりりたじょうじゅ》したまえるが故《ゆえ》に」と言《い》えり。然《しか》るに117②覈《まこと》に其《そ》の本《もと》を求《もと》むれば、阿弥陀如来《あみだにょらい》を増上縁《ぞうじょうえん》とするなり。78他利《たり》と之《これ》を利他《りた》と談《だん》ずるに左《さ》右有《うあ》り。若《も》し自《おの》ずから仏《ぶつ》をして言《い》わば、宜《よろ》しく「利他《りた》」と言《い》うべし。自《おの》ずから衆生《しゅじょう》をして言《い》わば、宜《よろ》しく「他利《たり》」と言《い》うべし。今将《いままさ》に仏力《ぶつりき》を談《だん》ぜんとす。是《こ》の故《ゆえ》に「利他《りた》」を以《もっ》て之《これ》を言《い》う。当《まさ》に知《し》るべし。此《こ》の意《い》なり。

凡《おおよ》そ是《こ》れ、彼《か》の浄土《じょうど》に生《う》まるると、及《およ》び彼《か》の菩薩《ぼさつ》・人天《にんでん》の起《お》こす所《ところ》の諸行《しょぎょう》は、皆《みな》、阿弥陀如来《あみだにょらい》の本願力《ほんがんりき》に縁《よ》るが故《ゆえ》に。何《なに》を以《もっ》て之《これ》を言《い》わば、若《も》し仏力《ぶつりき》に非《あら》ずは、四十八願《しじゅうはちがん》、便《すなわ》ち是《こ》れ徒《いたずら》に設《もう》けたまえらん。118今的《いまひと》しく三願《さんがん》を取《と》りて、用《もっ》て義《ぎ》の意《い》を証《しょう》せん。

願《がん》に言《のたま》わく(第十八願)、79「設《たと》い我《われ》、仏《ぶつ》を得《え》たらんに、十方《じっぽう》の衆生《しゅじょう》、心《しん》を至《いた》し信楽《しんぎょう》して我《わ》が国《くに》に生《う》

①遍…あまねし
②覈…あきら

まれんと欲《おも》うて乃至十念《ないしじゅうねん》せん。若《も》し生《う》まれずは、正覚《しょうがく》を取《と》らじと。唯《ただ》、五逆《ごぎゃく》と誹謗正法《ひほうしょうぼう》とをば除《のぞ》く」（大経）と。仏願力《ぶつがんりき》に縁《よ》るが故《ゆえ》に、十念念仏《じゅうねんねんぶつ》して便《すなわ》ち往生《おうじょう》を得《う》。往生《おうじょう》を得《う》るが故《ゆえ》に即《すなわ》ち三界《さんがい》輪転《りんでん》の事《じ》を勉《まぬか》る。輪転無《りんでんな》き故《ゆえ》に、所以《このゆえ》に速《すみ》やかなることを得《う》る一《いち》の証《しょう》なり。

願《がん》に言《のたま》わく（第十一願）、80「設《たと》い我《われ》、仏《ぶつ》を得《え》たらんに、国《くに》の中《うち》の人天《にんでん》、定聚《じょうじゅ》に住《じゅう》し、必《かなら》ず滅度《めつど》に至《いた》らずは、正覚《しょうがく》を取《と》らじ」（大経）と。仏願力《ぶつがんりき》に縁《よ》るが故《ゆえ》に、正定聚《しょうじょうじゅ》に住《じゅう》せん。正定聚《しょうじょうじゅ》に住《じゅう》せるが故《ゆえ》に、必《かなら》ず滅度《めつど》に至《いた》らん。諸《もろもろ》の①回伏《えぶく》の難《なん》無《な》し。所以《このゆえ》に速《すみ》やかなることを得《う》る二《に》の証《しょう》なり。

願《がん》に言《のたま》わく（第二十二願）、81「設《たと》い我《われ》、仏《ぶつ》を得《え》たらんに、他方仏土《たほうぶつど》の諸《もろもろ》の菩薩衆《ぼさつしゅ》、我《わ》が国《くに》に来生《らいしょう》して、究竟《くきょう》して必《かなら》ず一生補処《いっしょうふしょ》に至《いた》らしめん。其《そ》の本願《ほんがん》の自在《じざい》の所化《しょけ》、衆生《しゅじょう》の為《ため》の故《ゆえ》に弘誓《ぐぜい》の②鎧《がい》を被《き》て、徳本《とくほん》を積累《しゃくるい》し一切《いっさい》を度脱《どだつ》して、諸仏《しょぶつ》の国《くに》に遊《あそ》び菩薩《ぼさつ》の行《ぎょう》を修《しゅ》して、十方諸仏如来《じっぽうしょぶつにょらい》を供養《くよう》し恒《ごう》砂無量《じゃむりょう》の衆生《しゅじょう》を開化《かいけ》して、無上正真《むじょうしょうしん》の道《どう》を立《りゅう》せしめんをば除《のぞ》く。常倫《じょうりん》に超出《ちょうしゅつ》し、諸地《しょじ》の行《ぎょう》現前《げんぜん》し、普賢《ふげん》の徳《とく》を修習《しゅじゅう》せん。若《も》し爾《しか》らずは、正覚《しょうがく》を取《と》らじ」（大経）と。仏願力《ぶつがんりき》に縁《よ》るが故《ゆえ》に、③常倫《じょうりん》に超出《ちょうしゅつ》し、諸地《しょじ》の行現前《ぎょうげんぜん》し、普賢《ふげん》の徳《とく》を修習《しゅじゅう》せん。常倫《じょうりん》に超出《ちょうしゅつ》し諸地《しょじ》の行現前《ぎょうげんぜん》するを以《もっ》ての故《ゆえ》に、所以《このゆえ》に速《すみ》やかなることを得《う》る三《さん》の証《しょう》なり。斯《こ》れを以《もっ》て他力《たりき》を④推《すい》するに、増上縁《ぞうじょうえん》とす。然《しか》らざることを得《え》んや。

当《まさ》に復《ま》た例《れい》を引《ひ》きて自力《じりき》・他力《たりき》の相《そう》を示《しめ》すべし。人《ひと》、三塗《さんず》を畏《おそ》るるが故《ゆえ》に⑤禁戒《きんかい》を受持《じゅじ》す。禁戒《きんかい》を受持《じゅじ》するが故《ゆえ》に能《よ》く禅定《ぜんじょう》を修《しゅ》す。禅定《ぜんじょう》を修《しゅ》するを以《もっ》ての故《ゆえ》に神通《じんずう》を修習《しゅじゅう》す。神通《じんずう》を以《もっ》ての故《ゆえ》に能《よ》く四天下《してんげ》に遊《あそ》ぶが如《ごと》し。是《か》くの如《ごと》き等《ら》を名《な》づけて「自力《じりき》」とす。又《また》、⑥劣夫《れっぷ》の、驢《ろ》に⑦跨《また》がりて上《のぼ》らざれども、転輪王《てんりんのう》の行《ゆ》くに従《したが》えば、便《すなわ》ち虚空《こくう》に乗《じょう》じて四天下《してんげ》に遊《あそ》ぶに障碍《しょうげ》する所《ところ》無《な》きが如《ごと》し。是《か》くの如《ごと》き等《ら》を名《な》づけて「他力《たりき》」とす。愚《ぐ》なるかな、後《のち》の学者《がくしゃ》。他力《たりき》の乗《じょう》ずべきを聞《き》きて、当《まさ》に信心《しんじん》を生《しょう》ずべし。自《みずか》ら局分《きょくぶん》〔「⑧局《きょく》」の字《じ》　古玉《こぎょく》の反《かえし》。せばし。ちかし。かぎる。〕することを勿《なか》れ」と。已上《いじょう》

119元照律師《がんじょうりっし》の云《い》わく（元照観経義疏）、「或《ある》いは此《こ》の方《ほう》にして惑《わく》を破《は》し真《しん》を証《しょう》すれば、則《すなわ》ち自力《じりき》を運《はこ》ぶが故《ゆえ》に大小《だいしょう》の諸経《しょきょう》に談《だん》ず。或《ある》いは他方《たほう》に往《ゆ》きて法《ほう》を聞《き》き道《どう》を悟《さと》るは、須《すべから》く他力《たりき》を憑《たの》むべきが故《ゆえ》に往生浄土《おうじょうじょうど》を説《と》く。彼《ひ》・此《し》、異《こと》なりと雖《いえど》も、方便《ほうべん》に非《あら》ざること莫《な》し。自心《じしん》を悟《さと》らしめんとなり」と。已上《いじょう》

120「一乗海《いちじょうかい》」と言《い》うは、「一乗《いちじょう》」は大乗《だいじょう》なり。[82]大乗《だいじょう》は仏乗《ぶつじょう》なり。一乗《いちじょう》を得《う》るは阿耨多羅三藐三菩提《あのくたらさんみゃくさんぼだい》を得《う》るなり。阿耨菩提《あのくぼだい》は即《すなわ》ち是《こ》れ涅槃界《ねはんがい》なり。涅槃界《ねはんがい》は即《すなわ》ち是《こ》れ究竟法身《くきょうほっしん》なり。究竟法身《くきょうほっしん》を得《う》るは則《すなわ》ち一乗《いちじょう》を究竟《くきょう》するなり。[83]異《こと》なること如来《にょらい》無《ましま》さず、異《こと》なること

言㆓一乗海㆒者、一乗者大乗。大乗者仏乗。得㆓一乗㆒者得㆓阿耨多羅三藐三菩提㆒。阿耨菩提者即是涅槃界。涅槃界者即是究竟法身。得㆓究竟法身㆒者則究㆓竟一乗㆒。無㆓異如来㆒無㆓異法身㆒。如来即法身。究㆓竟一乗㆒者即

①回伏…かえる　したがう
②鎧…よろい
③倫…ともがら
④推…おしておもう
⑤禁…いましめ
⑥劣…おとる
⑦跨…か
⑧局…ごく反

法身無《ほっしんましま》さず。如来《にょらい》は即《すなわ》ち法身《ほっしん》なり。一乗《いちじょう》を究竟《くきょう》するは即《すなわ》ち是《こ》れ無辺不断《むへんふだん》なり。大乗《だいじょう》は二乗《にじょう》・三乗《さんじょう》有《あ》ること無《な》し。二乗《にじょう》・三乗《さんじょう》は一乗《いちじょう》に入《い》らしめんとなり。一乗《いちじょう》は即《すなわ》ち第一義乗《だいいちぎじょう》なり。唯是《ただこ》れ誓願一仏乗《せいがんいちぶつじょう》なり。

是無辺不断。大乗無レ有二二乗三乗一。二乗三乗者入レ於二一乗一。一乗者即第一義乗。唯是誓願一仏乗也。

121『涅槃経《ねはんぎょう》』（聖行品）に言《のたま》わく、「善男子《ぜんなんし》。実諦《じったい》は名《な》づけて「大乗《だいじょう》」と曰《い》う。大乗《だいじょう》に非《あら》ざるは「実諦《じったい》」と名《な》づけず。善男子《ぜんなんし》。実諦《じったい》は是《こ》れ仏《ぶつ》の所説《しょせつ》なり。魔《ま》の所説《しょせつ》に非《あら》ず。若《も》し是《こ》れ魔説《ませつ》は仏説《ぶっせつ》に非《あら》ざれば、「実諦《じったい》」と名《な》づけず。善男子《ぜんなんし》。実諦《じったい》は一道清浄《いちどうしょうじょう》にして二《に》有《あ》ること無《な》きなり。」已上《いじょう》

122又言《またのたま》わく（徳王菩薩品）、「云何《いかん》が菩薩《ぼさつ》、一実《いちじつ》に信順《しんじゅん》する。菩薩《ぼさつ》は、一切衆生《いっさいしゅじょう》をして、皆《みな》、一道《いちどう》に帰《き》せしむと了知《りょうち》するなり。一道《いちどう》は、謂《い》わく、大乗《だいじょう》なり。諸仏《しょぶつ》・菩薩《ぼさつ》、衆生《しゅじょう》の為《ため》の故《ゆえ》に、之《これ》を分《わ》ちて三《さん》とす。是《こ》の故《ゆえ》に菩薩《ぼさつ》、不逆《ふぎゃく》に信順《しんじゅん》す」と。已上《いじょう》

123又言《またのたま》わく（師子吼菩薩品）、「善男子《ぜんなんし》。畢竟《ひっきょう》に二種《にしゅ》有《あ》り。一《ひとつ》には荘厳畢竟《しょうごんひっきょう》、二《ふたつ》には究竟畢竟《くきょうひっきょう》なり。一《ひとつ》には世間畢竟《せけんひっきょう》、二《ふたつ》には出世畢竟《しゅっせひっきょう》なり。荘厳畢竟《しょうごんひっきょう》は六波羅蜜《ろくはらみつ》なり。究竟畢竟《くきょうひっきょう》は、一切衆生《いっさいしゅじょう》、得《う》る所《ところ》の一乗《いちじょう》なり。一乗《いちじょう》は名《な》づけて「仏性《ぶっしょう》」とす。是《こ》の義《ぎ》を以《もっ》ての故《ゆえ》に、我《われ》、「一切衆生悉有仏性《いっさいしゅじょうしつうぶっしょう》」と説《と》くなり。一切衆生《いっさいしゅじょう》、悉《ことごと》く一乗《いちじょう》有《あ》り。無明覆《むみょうおお》えるを以《もっ》ての故《ゆえ》に見《み》ることを得《う》ること能《あた》わず」と。已上《いじょう》

124又言《またのたま》わく（師子吼菩薩品）、「云何《いかん》が一《いち》とする。一切衆生《いっさいしゅじょう》、悉《ことごと》く一乗《いちじょう》なるが故《ゆえ》に。云何《いかん》が非一《ひいち》な

る。三乗《さんじょう》を説《と》くが故《ゆえ》に。云何《いかん》が非一《ひいち》・非非一《ひひいち》なる。無数《むしゅ》の法《ほう》なるが故《ゆえ》なり」と。已上《いじょう》

125『華厳経《けごんぎょう》』（晋訳・唐訳）に言《のたま》わく、「文殊《もんじゅ》の法《ほう》は常《つね》に爾《しか》なり。法王《ほうおう》は唯一法《ただいっぽう》なり。一切無碍人《いっさいむげにん》、一《いち》道《どう》より生死《しょうじ》を出《い》でたまえり。一切諸仏《いっさいしょぶつ》の身《しん》、唯是《ただこ》れ一法身《いちほっしん》なり。一心《いっしん》・一智慧《いちちえ》なり。力《りき》・無畏《むい》も亦《また》然《しか》なり」と。已上《いじょう》

126爾《しか》れば斯《こ》れ等《ら》の覚悟《かくご》①は、皆以《みなもっ》て安養浄刹《あんにょうじょうせつ》の大利《だいり》、仏願難思《ぶつがんなんし》の至徳《しとく》なり。

127「海《かい》」と言《い》うは、久遠《くおん》より已来《このかた》、凡聖所修《ぼんしょうしょしゅ》の雑修《ざっしゅ》・雑《ぞう》善《ぜん》の川水《せんしい》を転《てん》じ、逆《ぎゃく》・謗《ほう》・闡提《せんだい》・恒沙無明《ごうじゃむみょう》の海水《かいしい》を転《てん》じて、本願大悲《ほんがんだいひ》・智慧真実《ちえしんじつ》・恒沙万徳《ごうじゃまんどく》の大宝海水《だいほうかいしい》と成《な》る。之《これ》を海《うみ》の如《ごと》きに喩《たと》うるなり。良《まこと》に知《し》りぬ、『経《きょう》』に説《と》きて84「煩悩《ぼんのう》の氷《こおり》解《と》けて、功徳《くどく》の水《みず》と成《な》る」と言《のたま》えるが如《ごと》し。已上《いじょう》

願海《がんかい》は、二乗雑善《にじょうぞうぜん》の中下《ちゅうげ》の屍《し》骸《がい》②を宿《やど》さず。何《いか》に況《いわ》んや、人天《にんでん》の虚仮邪《こけじゃ》偽《ぎ》③の善業《ぜんごう》・雑毒雑心《ぞうどくざっしん》の屍骸《しがい》を宿《やど》さ

爾者斯等覚悟、皆以安養浄刹之大利、仏願難思之至徳也。

言レ海者、従二久遠一已来、転二凡聖所修雑修雑善川水一、転二逆謗闡提恒沙無明海水一、成二本願大悲智慧真実恒沙万徳大宝海水一。喩二之如レ海也。良知、如四『経』説三「煩悩氷解成二功徳水一。」已上

願海者不レ宿二二乗雑善中下屍骸一。何況宿二人天虚仮邪偽善業雑毒雑心屍骸一乎。

①悟…さとり
②骸…かばね
③偽…いつわる

んや。
128 故《かるがゆえ》に『大本《だいほん》』（大経）に言《のたま》わく、「声聞《しょうもん》、或《ある》いは菩薩《ぼさつ》、能《よ》く聖心《しょうしん》を究《きわ》むること莫《な》し。譬《たと》えば生《う》まれてより盲《めし》いたるものの、行《ゆ》いて人《ひと》を開導《かいどう》せんと欲《おも》わんが如《ごと》し。如来《にょらい》の智慧海《ちえかい》は、深広《じんこう》にして涯底《がいてい》無《な》し。二乗《にじょう》の測《はか》る所《ところ》に非《あら》ず。唯仏《ただぶつ》のみ独《ひと》り明《あき》らかに了《さと》りたまえり」と。已上《いじょう》
129『浄土論《じょうどろん》』（論註）に曰《い》わく、「[85]「何者《なにもの》か荘厳不虚作住持功徳成就《しょうごんふこさじゅうじくどくじょうじゅ》。偈《げ》に「仏本願力《ぶつほんがんりき》を観《かん》ずるに、遇《もうお》うて空《むな》しく過《す》ぐる者《もの》無《な》し。能《よ》く速《すみ》やかに功徳《くどく》の大宝海《だいほうかい》を満足《まんぞく》せしむるが故《ゆえ》に」と言《のたま》えり。」（論）「不虚作住持功徳成就《ふこさじゅうじくどくじょうじゅ》」は、蓋《けだ》し是《こ》れ阿弥陀如来《あみだにょらい》の本願力《ほんがんりき》なり。今当《いままさ》に略《りゃく》して、虚空《こくう》の相《そう》の、住持《じゅうじ》に能《あた》わざるを示《しめ》して、用《もっ》て彼《か》の不虚作住持《ふこさじゅうじ》の義《ぎ》を顕《あらわ》す。乃至《ないし》 言《い》う所《ところ》の不虚作住持《ふこさじゅうじ》は、本《もと》、法蔵菩薩《ほうぞうぼさつ》の四十八願《しじゅうはちがん》と、今日《こんにち》、阿弥陀如来《あみだにょらい》の自在神力《じざいじんりき》とに依《よ》る。願《がん》以《もっ》て力《りき》を成《じょう》ず、力《りき》以《もっ》て願《がん》に就《つ》く。願《がん》、①徒然《とぜん》ならず、力《りき》、②虚設《こせつ》ならず。力《りき》・願相府《がんあいかな》いて畢竟《ひっきょう》じて差《たが》わず。故《かるがゆえ》に「成就《じょうじゅ》」と曰《い》う。」
130 又曰《またい》わく（論註）、「[86]「海《かい》」（論）は、言《い》うこころは、仏《ぶつ》の一切種智《いっさいしゅち》、深広《じんこう》にして涯無《きしな》し。二乗雑善《にじょうぞうぜん》の中下《ちゅうげ》の屍骸《しがい》を宿《やど》さず。之《これ》を海《うみ》の如《ごと》しと[87]喩《たと》う。是《こ》の故《ゆえ》に[88]「天人不動衆《てんにんふどうしゅ》　清浄智海生《しょうじょうちかいしょう》」（論）と言《のたま》えり。「不動《ふどう》」は、言《い》うこころは、彼《か》の天人《てんにん》、大乗根《だいじょうこん》を成就《じょうじゅ》して傾動《きょうどう》すべからざるなり」と。已上《いじょう》
131 光明師《こうみょうし》（善導）の云《い》わく（玄義分）、「我《われ》、菩薩蔵《ぼさつぞう》・頓教《とんぎょう》と一乗海《いちじょうかい》とに依《よ》る。」
132 又云《またい》わく（般舟讃）、「『瓔珞経《ようらくきょう》』の中《なか》には漸教《ぜんぎょう》を説《と》けり。万劫《まんごう》、功《こう》を修《しゅ》して不退《ふたい》を証《しょう》す。『観《かん》

経《ぎょう》』・『弥陀経《みだきょう》』等《とう》の説《せつ》は、即《すなわ》ち是《こ》れ頓教《とんぎょう》なり、菩提蔵《ぼだいぞう》なり」と。已上《いじょう》

133『楽邦文類《らくほうぶんるい》』に云《い》わく、「宗釈禅師《しゅうしゃくぜんじ》(宗暁)の云《い》わく、「還丹《かんたん》の一粒《いちりゅう》は鉄《くろがね》を変《へん》じて金《こがね》と成《な》す。真《しん》理《り》の一言《いちごん》は悪業《あくごう》を転《てん》じて善業《ぜんごう》と成《な》す」と。」已上《いじょう》

134然《しか》るに教《きょう》に就《つ》いて、念仏《ねんぶつ》・諸善《しょぜん》、比《ひ》③校対論《きょうたいろん》するに、難《なん》・易《い》④対《たい》、⑤頓《とん》・漸対《ぜんたい》、横《おう》・⑥竪対《じゅたい》、超《ちょう》・⑦渉対《しょうたい》、順《じゅん》・⑧逆対《ぎゃくたい》、大《だい》・小対《しょうたい》、多《た》・少対《しょうたい》、勝《しょう》・⑨劣対《れつたい》、親《しん》・⑩疎対《そたい》、⑪近《ごん》・遠対《おんたい》、深《じん》・⑫浅対《せんたい》、⑬強《ごう》・弱対《にゃくたい》、重《じゅう》・⑭軽対《きょうたい》、広《こう》・⑮狭対《ぎょうたい》、⑯純《じゅん》・雑対《ぞうたい》、⑰俓《きょう》・迂対《うたい》、⑱捷《しょう》・遅対《ちたい》、⑲通《つう》・別対《べつたい》、不退《ふたい》・⑳退対《たいたい》、㉑直弁《じきべん》・㉒因明対《いんみょうたい》、名号《みょうごう》・定散対《じょうさんたい》、㉓理尽《りじん》・非理尽対《ひりじんたい》、㉔勧《かん》・無勧対《むかんたい》、無《む》㉕間《けん》・間対《けんたい》、㉖断《だん》・不断対《ふだんたい》、相《そう》㉗続《ぞく》・不続対《ふぞくたい》、無上《むじょう》・有上対《うじょうたい》、上上《じょうじょう》・下《げ》

然就レ教、念仏・諸善、比校対論、有ニ難易対、頓漸対、横竪対、超渉対、順逆対、大小対、多少対、勝劣対、親疎対、近遠対、深浅対、強弱対、重軽対、広狭対、純雑対、俓迂対、捷遅対、通別対、不退退対、直弁因明対、名号定散対、理尽非理尽対、勧無勧対、無間間対、断不断対、相続不続対、

①徒然…いたずら　しからしむ
②設…もうく
③校…たくらぶ
④対…むかう
⑤頓漸…たちまち　ようやく
⑥竪…たたさま
⑦渉…ようやく
⑧逆…さかさま
⑨劣…おとる
⑩疎…うとき
⑪近…ちかし
⑫浅…あさし
⑬強弱…こわく　よわし
⑭軽…かろし
⑮狭…せばし
⑯純…もっぱら
⑰俓迂…すずなり　めぐる
⑱捷遅…とし　おそし
⑲通別…かよう　わかつ
⑳退…しりぞく
㉑直弁…まさしく　わきまう
㉒因…ちなみ
㉓理尽…ことわり　つくす
㉔勧…すすむ
㉕間…ひま
㉖断…たつ
㉗続…つぐ

下《げ》対《たい》、思《し》・不思議対《ふしぎたい》、因行《いんぎょう》・果徳対《かとくたい》、自説《じせつ》・他説対《たせつたい》、回《え》・不回向対《ふえこうたい》、①護《ご》・不護対《ふごたい》、証《しょう》・不証対《ふしょうたい》、讃《さん》・不讃対《ふさんたい》、②付嘱《ふぞく》・不嘱対《ふぞくたい》、了《りょう》・不了《ふりょう》教《きょう》対《たい》、③機《き》堪《かん》・不堪対《ふかんたい》、選《せん》・不選対《ふせんたい》、真《しん》④・仮対《けたい》、仏滅《ぶつめつ》・不滅対《ふめつたい》、法滅利《ほうめつり》・不利対《ふりたい》、自力《じりき》・他力対《たりきたい》、有願《うがん》・無願対《むがんたい》、摂《しょう》・不摂対《ふしょうたい》、入定聚《にゅうじょうじゅ》・不入対《ふにゅうたい》、報《ほう》・化《け》対有《たいあ》り。斯《こ》の義《ぎ》、斯《か》くの如《ごと》し。

135 然《しか》るに本願一乗海《ほんがんいちじょうかい》を案《あん》ずるに、円《えん》⑤融《ゆう》満《まん》⑥足《ぞく》・極《ごく》⑦速《そく》無碍《むげ》・絶対不二《ぜったいふに》の教《きょう》なり。

136 亦《また》機《き》に就《つ》いて対論《たいろん》するに、信《しん》・疑対《ぎたい》、善《ぜん》・悪対《あくたい》、正《しょう》・邪《じゃ》対《たい》、是《ぜ》・非対《ひたい》、実《じつ》・虚対《こたい》、真《しん》⑧・偽対《ぎたい》、浄《じょう》・穢対《えたい》、⑨利《り》・鈍対《どんたい》、⑩奢《しゃ》・促対《そくたい》、豪《ごう》・賤対《せんたい》、明《みょう》・闇対有《あんたいあ》り。斯《こ》の義《ぎ》、斯《か》くの如《ごと》し。

137 然《しか》るに一乗海《いちじょうかい》の機《き》を案《あん》ずるに、金剛《こんごう》の信心《しんじん》は絶対不《ぜったいふ》二《に》の機《き》なり。知《し》るべし。

138 敬《うやま》いて一切往生人等《いっさいおうじょうにんとう》に白《もう》さく、弘誓一乗海《ぐぜいいちじょうかい》は無碍《むげ》無辺《むへん》・⑪最勝深妙《さいしょうじんみょう》・不可説《ふかせつ》・不可称《ふかしょう》・不可思議《ふかしぎ》の至徳《しとく》を成就《じょうじゅ》したまえり。何《なに》を以《もっ》ての故《ゆえ》に。誓願不可思議《せいがんふかしぎ》な

無上有上対、上上下対、思不思議対、因行果徳対、自説他説対、回不回向対、護不護対、証不証対、讃不讃対、付嘱不嘱対、了不了教対、機堪不堪対、選不選対、真仮対、仏滅不滅対、法滅利不利対、自力他力対、有願無願対、摂不摂対、入定聚不入対、報化対一。斯義如レ斯。

然案二本願一乗海一、円融満足極速無碍絶対不二之教也。

亦就レ機対論、有二信疑対、善悪対、正邪対、是非対、実虚対、真偽対、浄穢対、利鈍対、奢促対、豪賤対、明闇対一。斯義如レ斯。

然案二一乗海之機一、金剛信心絶対不二之機也。可レ知。

敬白二一切往生人等一、弘誓一乗海者成二就無碍無辺最勝深妙不可説不可称不可思議至

るが故《ゆえ》に。
139 悲願《ひがん》は、喩《たと》えば「太虚空《たいこくう》」の如《ごと》し、諸妙功徳広無辺《しょみょうくどくこうむへん》なるが故《ゆえ》に。猶《なお》「大車《たいきょ》」の如《ごと》し、普《あまね》く能《よ》く諸《もろもろ》の凡聖《ぼんしょう》を⑫運載《うんざい》するが故《ゆえ》に。猶《なお》「妙蓮華《みょうれんげ》」の如《ごと》し、一切世間《いっさいせけん》の法《ほう》に⑬染《ぜん》せられざるが故《ゆえ》に。「善見薬王《ぜんけんやくおう》」の如《ごと》し、能《よ》く一《いっ》切煩悩《さいぼんのう》の病《やまい》を破《やぶ》るが故《ゆえ》に。猶《なお》「利剣《りけん》」の如《ごと》し、能《よ》く一《いっ》切憍慢《さいきょうまん》の⑭鎧《がい》を断《た》つが故《ゆえ》に。「⑮勇将《ゆうしょう》⑯幢《どう》」の如《ごと》し、能《よ》く一切諸魔軍《いっさいしょまぐん》を⑰伏《ぶく》するが故《ゆえ》に。猶《なお》「利⑱鋸《りこ》」の如《ごと》し、能《よ》く一《いっ》切無明《さいむみょう》の樹《き》を截《き》るが故《ゆえ》に。猶《なお》「利⑲斧《りふ》」の如《ごと》し、能《よ》く一《いっ》切諸苦《さいしょく》の枝《えだ》を⑳伐《き》るが故《ゆえ》に。「善知識《ぜんじしき》」の如《ごと》し、一切生死《いっさいしょうじ》の㉑縛《ばく》を解《と》くが故《ゆえ》に。猶《なお》「導師《どうし》」の如《ごと》し、善《よ》く凡夫出要《ぼんぶしゅつよう》

徳一。何以故。誓願不可思議故。猶
悲願喩如二太虚空一、諸妙功徳広無辺故。猶
如二大車一、普能運二載諸凡聖一故。猶如二妙蓮
華一、不レ染二一切世間法一故。如二善見薬王一、
能破二一切煩悩病一故。猶如二利剣一、能断二一
切憍慢鎧一故。如二勇将幢一、能伏二一切諸魔
軍一故。猶如二利鋸一、能截二一切無明樹一故。
猶如二利斧一、能伐二一切諸苦枝一故。如二善知
識一、解二一切生死縛一故。猶如二導師一、善令レ
知二凡夫出要道一故。猶如二涌泉一、出二智慧
水一無二窮尽一故。猶如二蓮華一、不レ染二一切諸

①護…まもる
②付…つけ
③機堪…はたもの　たえたり
④仮…かりなり
⑤融…とおる
⑥足…たる
⑦速…とし
⑧偽…いつわる
⑨利鈍…とし　にぶし
⑩奢促…おそし　とし
⑪最…もっとも
⑫運載…はこぶ　のす
⑬染…そむ
⑭鎧…かぶと
⑮勇…たけし
⑯幢…はたぼこ
⑰伏…したがう
⑱鋸…のこぎり
⑲斧…おの
⑳伐…ばつ
㉑縛…しばる

の道《どう》を知《し》らしむるが故《ゆえ》に。猶《なお》①「涌泉《ゆせん》」の如《ごと》し、智慧《ちえ》の水《みず》を出《い》だして②窮尽《ぐじん》無《な》きが故《ゆえ》に。猶《なお》「蓮華《れんげ》」の如《ごと》し、一切《いっさい》諸《もろもろ》の罪《ざい》③垢《く》に染《ぜん》せられざるが故《ゆえ》に。猶《なお》④「疾風《しっぷう》」の如《ごと》し、能《よ》く一切諸障《いっさいしょしょう》の霧《きり》を散《さん》ずるが故《ゆえ》に。猶《なお》「好蜜《こうみつ》」の如《ごと》し、一切功徳《いっさいくどく》の味《み》を円満《えんまん》せるが故《ゆえ》に。猶《なお》「正道《しょうどう》」の如《ごと》し、諸《もろもろ》の群生《ぐんじょう》をして智《ち》⑤城《じょう》に入《い》らしむるが故《ゆえ》に。猶《なお》「磁石《じしゃく》」の如《ごと》し、本願《ほんがん》の因《いん》を吸《す》うが故《ゆえ》に。「閻浮檀金《えんぶだんこん》」の如《ごと》し、一切有為《いっさいうい》の善《ぜん》を⑥映奪《えいだつ》するが故《ゆえ》に。猶《なお》「伏蔵《ふくぞう》」の如《ごと》し、能《よ》く一切諸仏《いっさいしょぶつ》の法《ほう》を摂《せつ》するが故《ゆえ》に。猶《なお》「大地《だいじ》」の如《ごと》し、三世十方一切如来出生《さんぜじっぽういっさいにょらいしゅっしょう》するが故《ゆえ》に。「日輪《にちりん》の光《ひかり》」の如《ごと》し、一切凡愚《いっさいぼんぐ》の⑦痴闇《ちあん》を破《は》して信楽《しんぎょう》を出生《しゅっしょう》するが故《ゆえ》に。猶《なお》「君王《くんのう》」の如《ごと》し、一切上乗人《いっさいじょうじょうにん》に勝出《しょうしゅつ》せるが故《ゆえ》に。猶《なお》「⑧厳父《げんぶ》」の如《ごと》し、一切諸《いっさいもろもろ》の凡聖《ぼんしょう》を⑨訓導《くんどう》するが故《ゆえ》に。猶《なお》「悲母《ひも》」の如《ごと》し、一切凡聖《いっさいぼんしょう》の報土真実《ほうどしんじつ》の因《いん》を長生《ちょうしょう》するが故《ゆえ》に。猶《なお》「乳母《にゅうぼ》」の如《ごと》し、一切善悪《いっさいぜんあく》の往生人《おうじょうにん》を養育《よういく》し⑩守護《しゅご》したまうが故《ゆえ》に。猶《なお》「大地《だいじ》」の如《ごと》し、能《よ》く一《いっ》

罪垢㆒故。猶如㆓疾風㆒、能散㆓一切諸障霧㆒故。猶如㆓好蜜㆒、円㆓満一切功徳味㆒故。猶如㆓正道㆒、令㆔諸群生入㆓智城㆒故。猶如㆓磁石㆒、吸㆓本願因㆒故。如㆓閻浮檀金㆒、映㆓奪一切有為善㆒故。猶如㆓伏蔵㆒、能摂㆓一切諸仏法㆒故。猶如㆓大地㆒、三世十方一切如来出生故。如㆓日輪光㆒、破㆓一切凡愚痴闇㆒出㆓生信楽㆒故。猶如㆓君王㆒、勝㆓出一切上乗人㆒故。猶如㆓厳父㆒、訓㆓導一切諸凡聖㆒故。猶如㆓悲母㆒、長㆓生一切凡聖報土真実因㆒故。猶如㆓乳母㆒、養㆓育守㆔護一切善悪往生人㆒故。猶如㆓大地㆒、能持㆓一切往生㆒故。猶如㆓大水㆒、能滌㆓一切煩悩垢㆒故。猶如㆓大火㆒、能焼㆓一切諸見薪㆒故。猶如㆓大風㆒、普行㆓世間㆒無㆑所㆑碍故。能出㆓三有繫縛城㆒、能閉㆓二十五有門㆒。能得㆓真実報土㆒、能弁㆓邪正道路㆒。能竭㆓愚

切《さい》の往生《おうじょう》を持《たも》つが故《ゆえ》に。猶《なお》「大水《だいしい》」の如《ごと》し、能《よ》く一切《いっさい》煩悩《ぼんのう》の垢《あか》を滌《すす》ぐが故《ゆえ》に。猶《なお》「大火《だいか》」の如《ごと》し、能《よ》く一切諸《いっさいしょ》見《けん》の薪《たきぎ》を焼《や》くが故《ゆえ》に。猶《なお》「大風《だいふう》」の如《ごと》し、普《あまね》く世間《せけん》に行《ぎょう》ぜしめて碍《さわ》る所《ところ》無《な》きが故《ゆえ》に。140能《よ》く三有《さんぬ》⑪繋縛《けばく》の城《しろ》を出《い》で、能《よ》く二十五有《にじゅうごう》の門《もん》を閉《と》ず。能《よ》く真実報土《しんじつほうど》を得《え》しめ、能《よ》く邪正《じゃしょう》の道路《どうろ》を⑫弁《べん》ず。能《よ》く愚痴海《ぐちかい》を⑬竭《かわ》かして、諸《もろもろ》の群生海《ぐんじょうかい》に浮《う》かぶ。福智蔵《ふくちぞう》を円満《えんまん》し、方便蔵《ほうべんぞう》を開顕《かいけん》せしむ。良《まこと》に⑭奉持《ぶじ》すべし、⑮特《こと》に⑯頂戴《ちょうだい》すべきなり。

能《よ》く願海《がんかい》に流入《るにゅう》せしむ。一切智船《いっさいちせん》に乗《じょう》ぜしめて、

141凡《おおよ》そ誓願《せいがん》に就《つ》いて、真実《しんじつ》の行信《ぎょうしん》有《あ》り、亦方便《またほうべん》の行《ぎょう》信《しん》有《あ》り。其《そ》の真実《しんじつ》の行願《ぎょうがん》は諸仏称名《しょぶつしょうみょう》の願《がん》なり。其《そ》の真実《しんじつ》の信願《しんがん》は至心信楽《ししんしんぎょう》の願《がん》なり。斯《こ》れ乃《すなわ》ち選択本願《せんじゃくほんがん》

痴海一、能流二入願海一。乗二一切智船一、浮二諸群生海一。円二満福智蔵一、開二顕方便蔵一。良可二奉持一、特可二頂戴一也。

凡就二誓願一、有二真実行信一、亦有二方便行信一。其真実行願者諸仏称名願。其真実信願者至心信楽願。斯乃選択本願之行信也。其機者

---

①涌泉…わく　いずみ
②窮…きわめ
③垢…あか
④疾…とき
⑤城…みやこ
⑥映奪…かがやき　うばう
⑦痴闇…おろかなり
⑧厳…きびし
⑨訓導…おしえ　みちびく
⑩守…まもり
⑪繋縛…つなぎ　しばる
⑫弁…わきまう
⑬竭…かつ
⑭奉…＊つかう／うけたまわる
⑮特…ひとり
⑯頂戴…いただき　いただく

の行信なり。其の機は則ち一切善悪大小凡愚なり。往生は則ち難思議往生なり。仏土は則ち報仏報土なり。斯れ乃ち誓願不可思議・一実真如海なり。『大無量寿経』の宗致、他力真宗の正意なり。

142 是を以て知恩報徳の為に宗師（曇鸞）の『釈』（論註）を披きたるに言わく、「夫れ菩薩は仏に帰す。孝子の父母に帰し、忠臣の君后に帰して、動静己に非ず、出没、必ず由あるが如し。恩を知りて徳を報ず、理、宜しく先ず啓すべし。又、所願、軽からず。若し如来、威神を加えたまわずは、将に何を以てか達せんとする。神力を乞加す。所以に仰いで告ぐ」と。已上

爾れば、大聖の真言に帰し、大祖の解釈に閲して、仏恩の深遠なるを信知して、「正信念仏偈」を作りて曰わく、

143 無量寿如来に帰命し、不可思議光に南無したてまつる。

144 法蔵菩薩の因位の時、世自在王仏の所に在して、諸仏の浄土の因、国土・人天の善悪を観見して、無上殊勝の願を建立し、希有の大弘誓を超発せり。

則一切善悪大小凡愚也。往生者則難思議往生也。仏土者則報仏報土也。斯乃誓願不可思議・一実真如海。『大無量寿経』之宗致、他力真宗之正意也。

是以為知恩報徳披宗師『釈』言、「夫菩薩帰仏。如孝子之帰父母、忠臣之帰君后、動静己非、出没必有由。知恩報徳、理宜先啓。又、所願非軽。若如来不加威神、将何以達。乞加神力。所以仰告」。已上

爾者帰大聖真言、閲大祖解釈、信知仏恩深遠、作正信念仏偈曰、

帰命無量寿如来
南無不可思議光

法蔵菩薩因位時
在世自在王仏所
覩見諸仏浄土因
国土人天之善悪
建立無上殊勝願
超発希有大弘誓

五劫《ごこう》、之《これ》を思惟《しゆい》して摂受《しょうじゅ》す。重《かさ》ねて誓《ちか》うらくは、名《みょう》声《しょう》、十方《じっぽう》に聞《き》こえんと。

普《あまね》く、無量《むりょう》・無辺光《むへんこう》・無碍《むげ》・無対《むたい》・光炎王《こうえんのう》・清浄《しょうじょう》・歓喜《かんぎ》・智慧光《ちえこう》・不断《ふだん》・難思《なんし》・無称光《むしょうこう》・超日月光《ちょうにちがっこう》を放《はな》ちて、⑬塵《じん》⑭刹《せつ》を照《て》らす。一切《いっさい》の⑮群生《ぐんじょう》、光《こう》照《しょう》を蒙《かぶ》る。

本願《ほんがん》の名号《みょうごう》は正定《しょうじょう》の業《ごう》なり。至心信楽《ししんしんぎょう》の願《がん》を因《いん》とす。等覚《とうがく》を成《な》り大涅槃《だいねはん》を証《しょう》することは、必至滅度《ひっしめつど》の願成就《がんじょうじゅ》なり。

145 如来《にょらい》、世《よ》に⑯興出《こうしゅつ》したまう所以《ゆえ》は、唯《ただ》、弥陀本願海《みだほんがんかい》を説《と》かんとなり。

五濁悪時《ごじょくあくじ》の群生海《ぐんじょうかい》、如来如実《にょらいにょじつ》の言《みこと》を信《しん》ずべし。

五劫思㆓惟之㆒摂受　重誓名声聞㆓十方㆒
普放㆓無量無辺光　無碍無対光炎王
清浄歓喜智慧光　不断難思無称光
超日月光照㆓塵刹㆒　一切群生蒙㆓光照㆒
本願名号正定業　至心信楽願為ㇾ因
成㆓等覚㆒証㆓大涅槃㆒　必至滅度願成就
如来所㆔以興㆓出世㆒　唯説㆓弥陀本願海㆒
五濁悪時群生海　応ㇾ信㆓如来如実言㆒

①議…はからう
②致…むね
③恩…めぐむ
④忠…こころざし
⑤帰…よりたのむ
⑥静…しずかなり
⑦啓…ひらく
⑧達…さとる
⑨乞加…こう　くわう
⑩祖…おおじ
⑪閲…みる
⑫建立…はじめ　なす
⑬塵…＊ちり
⑭刹…くに
⑮群…むらがる
⑯興…おこる

能《よ》く一念《いちねん》喜《き》①愛《あい》の心《しん》を発《ほっ》すれば、煩悩《ぼんのう》を断《だん》ぜずして涅槃《ねはん》を得《う》るなり。
凡聖《ぼんしょう》・逆謗《ぎゃくほう》、斉《ひと》しく回入《えにゅう》すれば、衆水《しゅしい》、海《うみ》に入《い》りて一味《いちみ》なるが如《ごと》し。
摂取《せっしゅ》の心光《しんこう》、常《つね》に照護《しょうご》したまう。已《すで》に能《よ》く無明《むみょう》の闇《あん》を破《は》すと雖《いえど》も、
貪愛《とんあい》・瞋憎《しんぞう》の雲《うん》②霧《む》、常《つね》に真実信心《しんじつしんじん》の天《てん》に覆《おお》えり。
譬《たと》えば、日光《にっこう》の、雲霧《うんむ》に覆《おお》わるれども、雲霧《うんむ》の下《した》、明《あき》らかにして闇《くらき》無《な》きが如《ごと》し。
89 信《しん》を獲《え》て見《み》て敬《うやま》い大《おお》きに慶《よろこ》ぶ人《ひと》、即《すなわ》ち横《よこさま》に五悪《ごあく》の趣《しゅ》を超《ちょう》③截《ぜつ》す。
一切善悪《いっさいぜんあく》の凡夫人《ぼんぶにん》、如来《にょらい》の弘誓願《ぐぜいがん》を聞信《もんしん》すれば、
仏《ぶつ》、広大勝解《こうだいしょうげ》の者《ひと》と言《のたま》えり。是《こ》の人《ひと》を分陀利華《ふんだりけ》と名《な》づく。
146 弥陀仏《みだぶつ》の本願念仏《ほんがんねんぶつ》は、邪見《じゃけん》・④憍慢悪衆生《きょうまんあくしゅじょう》、
信楽受持《しんぎょうじゅじ》すること甚《はなは》だ以《もっ》て難《かた》し。難《なん》の中《なか》の難《なん》、斯《こ》れに過《す》ぎたるは無《な》し。

能発二一念喜愛心一　不レ断二煩悩一得二涅槃一
凡聖逆謗斉回入　如二衆水入レ海一味一
摂取心光常照護　已能雖レ破二無明闇一
貪愛瞋憎之雲霧　常覆二真実信心天一
譬如下日光覆二雲霧一　雲霧之下明無上レ闇
獲信見敬大慶人　即横超二截五悪趣一
一切善悪凡夫人　聞二信如来弘誓願一
仏言二広大勝解者一　是人名二分陀利華一
弥陀仏本願念仏　邪見憍慢悪衆生
信楽受持甚以難　難中之難無レ過レ斯

147 印度《いんど》・西天《さいてん》の論家《ろんげ》、中夏《ちゅうか》・日《じち》⑤域《いき》の高僧《こうそう》、大聖興世《だいしょうこうせ》の正意《しょうい》を顕《あらわ》し、如来《にょらい》の本誓《ほんぜい》、機《き》に応《おう》ずることを明《あ》かす。

148 釈迦如来《しゃかにょらい》、楞伽山《りょうがせん》にして、衆《しゅ》の為《ため》に告《ごう》⑥命《みょう》したまわく、南天竺《なんてんじく》に、龍樹大士《りゅうじゅだいじ》、世《よ》に出《い》でて、悉《ことごと》く能《よ》く有無《うむ》の見《けん》を⑦摧破《ざいは》せん。大乗無上《だいじょうむじょう》の法《ほう》を⑧宣説《せんぜつ》し、歓喜地《かんぎじ》を証《しょう》して安楽《あんらく》に生《しょう》ぜんと。

難行《なんぎょう》の陸路《ろくろ》、苦《く》しきことを顕示《けんじ》して、易行《いぎょう》の水道《しいどう》、楽《たの》しきことを信楽《しんぎょう》せしむ。

弥陀仏《みだぶつ》の本願《ほんがん》を憶念《おくねん》すれば、自然《じねん》に即《そく》の時《とき》、必定《ひつじょう》に入《い》る。

唯《ただ》能《よ》く常《つね》に如来《にょらい》の号《みな》を称《しょう》して、大悲弘誓《だいひぐぜい》の恩《おん》を報《ほう》ずべしといえり。

印度西天之論家　中夏日域之高僧
顕㆓大聖興世正意㆒　明㆓如来本誓応㆑機
釈迦如来楞伽山　為㆑衆告命南天竺
龍樹大士出㆑於㆑世　悉能摧㆓破有無見㆒
宣㆓説大乗無上法㆒　証㆓歓喜地㆒生㆓安楽㆒
顕㆓示難行陸路苦㆒　信㆓楽易行水道楽㆒
憶㆓念弥陀仏本願㆒　自然即時入㆓必定㆒
唯能常称㆓如来号㆒　応㆑報㆓大悲弘誓恩㆒

①愛…＊よみす／めぐむ
②霧…きり
③截…きる
④憍慢…おごる　あなどる
⑤域…さかい
⑥命…おおせ
⑦摧…くだく
⑧宣…のぶ

149天親《てんじん》菩薩《ぼさつ》、『論《ろん》』を造《つく》りて説《と》かく、無碍光如来《むげこうにょらい》に帰命《きみょう》したてまつる。
修多羅《しゅたら》に依《よ》りて真実《しんじつ》を顕《あらわ》して、横超《おうちょう》の大誓願《だいせいがん》を光闡《こうせん》①す。
広《ひろ》く本願力《ほんがんりき》の回向《えこう》に由《よ》りて、群生《ぐんじょう》を度《ど》せんが為《ため》に一心《いっしん》を彰《あらわ》す。
功徳大宝海《くどくだいほうかい》に帰入《きにゅう》すれば、必《かなら》ず大会衆《だいえしゅ》の数《かず》に入《い》ることを獲《う》。
蓮華蔵世界《れんげぞうせかい》に至《いた》ることを得《う》れば、即《すなわ》ち真如法性《しんにょほっしょう》の身《しん》を証《しょう》せしむと。
煩悩《ぼんのう》の林《はやし》に遊《あそ》びて神通《じんずう》を現《げん》じ、生死《しょうじ》の園《その》②に入《い》りて応化《おうげ》を示《しめ》すといえり。
150本師曇鸞《ほんじどんらん》は、梁《りょう》の天子《てんし》、常《つね》に鸞《らん》の処《ところ》に向《む》かいて菩薩《ぼさつ》と礼《らい》したてまつる。
三蔵流支《さんぞうるし》、浄教《じょうきょう》を授《さず》けしかば、仙経《せんぎょう》を焚焼《ぼんしょう》③して楽邦《らくほう》に帰《き》したまいき。
天親菩薩《てんじんぼさつ》の『論《ろん》』、註解《ちゅうげ》④して、報土《ほうど》の因果《いんが》、誓願《せいがん》に顕《あらわ》す。

天親菩薩造レ論説　帰二命無碍光如来一
依二修多羅一顕二真実一　光二闡横超大誓願一
広由二本願力回向一　為レ度二群生一彰二一心一
帰二入功徳大宝海一　必獲レ入二大会衆数一
得レ至二蓮華蔵世界一　即証二真如法性身一
遊二煩悩林一現二神通一　入二生死園一示二応化一
本師曇鸞梁天子　常向二鸞処一菩薩礼
三蔵流支授二浄教一　焚二焼仙経一帰二楽邦一
天親菩薩論註解　報土因果顕二誓願一

往《おう》⑤還《げん》の回向《えこう》は他力《たりき》に由《よ》る。正定《しょうじょう》の因《いん》は唯《ただ》信心《しんじん》なり。
惑染《わくぜん》の凡夫《ぼんぶ》、信心発《しんじんほっ》すれば、生死《しょうじ》即《すなわ》ち涅槃《ねはん》なりと証《しょう》知《ち》せしむ。
必《かなら》ず無量光明土《むりょうこうみょうど》に至《いた》れば、諸有《しょう》の衆生《しゅじょう》、皆《みな》普《あまね》く化《け》すといえり。

151 道綽《どうしゃく》、聖道《しょうどう》の証《しょう》し難《がた》きことを⑥決《けっ》して、唯《ただ》、浄土《じょうど》の通《つう》入《にゅう》すべきことを明《あ》かす。
万善《まんぜん》の自力《じりき》、勤修《ごんしゅ》を⑦貶《へん》す、円満《えんまん》の徳号《とくごう》、専称《せんしょう》を勧《すす》む。
三不三信《さんぷさんしん》の誨《おしえ》、⑧慇懃《おんごん》にして、像《ぞう》・末《まつ》・法滅《ほうめつ》、同《おな》じく⑨悲引《ひいん》す。
一生《いっしょう》、悪《あく》を造《つく》れども、弘誓《ぐぜい》に⑩値《もうあ》いぬれば、安養界《あんにょうかい》に至《いた》りて妙果《みょうか》を証《しょう》せしむといえり。

152 善導《ぜんどう》、独《ひと》り仏《ぶつ》の正意《しょうい》を90明《あき》らかなり。定散《じょうさん》と逆悪《ぎゃくあく》とを⑪矜哀《こうあい》して、

往還回向由㆓他力㆒　正定之因唯信心
惑染凡夫信心発　証㆓知生死即涅槃㆒
必至㆓無量光明土㆒　諸有衆生皆普化
道綽決㆓聖道難㆑証　唯明㆔浄土可㆓通入㆒
万善自力貶㆓勤修㆒　円満徳号勧㆓専称㆒
三不三信誨慇懃　像末法滅同悲引
一生造㆑悪値㆓弘誓㆒　至㆓安養界㆒証㆓妙果㆒
善導独明㆓仏正意㆒　矜㆔哀定散与㆓逆悪㆒

①闡…ひらく
②園…＊おん
③焚…やく
④註…ちゅう　しるす
⑤還…かえる
⑥決…さだむ
⑦貶…おとしむ
⑧慇懃…ねんごろ
⑨悲…かなしみ
⑩値…＊ち
⑪矜…おおきに

光明《こうみょう》名号《みょうごう》、因縁《いんねん》を顕《あらわ》す。本願《ほんがん》の大智海《だいちかい》に開入《かいにゅう》すれば、行者《ぎょうじゃ》、正《まさ》しく金剛心《こんごうしん》を受《う》けしめ、慶喜《きょうき》の一念相応《いちねんそうおう》して後《のち》、韋提《いだい》と等《ひと》しく三忍《さんにん》を獲《え》、即《すなわ》ち法性《ほっしょう》の常楽《じょうらく》を証《しょう》せしむといえり。

153 源信《げんしん》、広《ひろ》く一代《いちだい》の教《きょう》を開《ひら》きて、偏《ひとえ》に安養《あんにょう》に帰《き》して一切《いっさい》を勧《すす》む。

専雑《せんぞう》の①執心《しゅうしん》、浅深《せんじん》を判《はん》じて、報《ほう》・化《け》二土《にど》、正《まさ》しく②弁立《べんりゅう》せり。

極重《ごくじゅう》の悪人《あくにん》は、唯《ただ》、仏《ぶつ》を称《しょう》すべし。我亦彼《われまたか》の摂取《せっしゅ》の中《なか》に在《あ》れども、

煩悩《ぼんのう》、眼《まなこ》を障《さ》えて見《み》ずと雖《いえど》も、大悲《だいひ》倦《ものう》きこと無《な》くして常《つね》に我《われ》を照《て》らしたまうといえり。

154 本師源空《ほんじげんくう》は仏教《ぶっきょう》に明《あき》らかにして、善悪《ぜんあく》の凡夫人《ぼんぶにん》を③憐愍《れんみん》せしむ。

真宗《しんしゅう》の教証《きょうしょう》、片州《へんしゅう》に④興《こう》ず。選択本願《せんじゃくほんがん》、悪世《あくせ》に弘《ひろ》む。

生死輪転《しょうじりんでん》の家《いえ》に還来《かえ》ることは、決《けっ》するに疑情《ぎじょう》を以《もっ》て所《しょ》

光明名号顕二因縁一　開二入本願大智海一

行者正受二金剛心一　慶喜一念相応後

与二韋提一等獲二三忍一　即証二法性之常楽一

源信広開二一代教一　偏帰二安養一勧二一切一

専雑執心判二浅深一　報化二土正弁立

極重悪人唯称レ仏　我亦在二彼摂取中一

煩悩障レ眼雖レ不レ見　大悲無レ倦常照レ我

本師源空明二仏教一　憐二愍善悪凡夫人一

真宗教証興二片州一　選択本願弘二悪世一

還二来生死輪転家一　決以二疑情一為二所止一

止《し》とす。
速《すみ》やかに寂静無為《じゃくじょうむい》の楽《みやこ》に入《い》ることは、必《かなら》ず信心《しんじん》を以《もっ》て能入《のうにゅう》とすといえり。
155 弘経《ぐきょう》の大士《だいじ》・宗師等《しゅうしとう》、無辺《むへん》の極濁悪《ごくじょくあく》を拯済《じょうさい》したまう。
道俗時衆《どうぞくじしゅ》、共《とも》に同心《どうしん》に、唯《ただ》、斯《こ》の高僧《こうそう》の説《せつ》を信《しん》ずべしと。
六十行《ろくじっこう》、已《すで》に畢《おわ》りぬ。一百二十句《いっぴゃくにじっく》なり。

顕浄土真実行文類二《けんじょうどしんじつぎょうもんるいに》 91

速入二寂静無為楽一　必以二信心一為二能入一
弘経大士宗師等　拯二済無辺極濁悪一
道俗時衆共同心　唯可レ信二斯高僧説一
六十行已畢　一百二十句

①執…とる
②弁…わきまえ
③憐愍…あわれむ
④興…おこす

顕《けん》浄《じょう》土《ど》真《しん》実《じつ》信《しん》文《もん》類《るい》三《さん》

I 復有一臣名悉知義

昔者有王名曰羅摩害其父得紹王位　跋提大王　毘楼真王　那睺沙王　迦帝迦王　毘舎佉王
月光明王　日光明王　愛王　持多人王　如是等王皆害其父得紹王位　然無一王入地獄者　於
今現在毘瑠璃王　優《う》陀《だ》邪《や》王　悪性王　鼠王　蓮華王　如是等王皆害其父悉無一王生愁悩者文

顕《けん》浄《じょう》土《ど》真《しん》実《じつ》信《しん》文《もん》類《るい》序《じょ》

愚《ぐ》禿《とく》釈《しゃく》親《しん》鸞《らん》集《あつむ》

1 夫《そ》れ以《おもん》みれば、信楽《しんぎょう》を獲得《ぎゃくとく》することは如来選択《にょらいせんじゃく》の願心《がんしん》より発起《ほっき》す。真心《しんじん》を開闡《かいせん》することは大聖矜哀《だいしょうこうあい》の善《ぜん》巧《ぎょう》より顕彰《けんしょう》せり。

2 然《しか》るに、末代《まつだい》の道俗《どうぞく》、近世《ごんせ》の宗師《しゅうし》、自性唯心《じしょうゆいしん》に沈《しず》み

夫以獲二得信楽一発三起自二如来選択願心一。
開二闡真心一顕三彰従二大聖矜哀善巧一。
然末代道俗近世宗師、沈二自性唯心一貶二浄

て浄土《じょうど》の真証《しんしょう》を貶《へん》①す、定散《じょうさん》の自心《じしん》に迷《まど》うて金剛《こんごう》の真《しん》信《しん》に昏《くら》し。

3爰《ここ》に愚禿釈《ぐとくしゃく》の親鸞《しんらん》、諸仏如来《しょぶつにょらい》の真説《しんせつ》に信順《しんじゅん》して、論《ろん》家《げ》・釈家《しゃっけ》の宗義《しゅうぎ》を披閲《ひえつ》す。広《ひろ》く三経《さんぎょう》の光沢《こうたく》を蒙《かぶ》りて、特《こと》に一心《いっしん》の華文《かもん》を開《ひら》く。且《しばら》く疑問《ぎもん》を至《いた》して、遂《つい》に明《みょう》証《しょう》を出《い》だす。誠《まこと》に仏恩《ぶっとん》の深重《じんじゅう》なるを念《ねん》じて、人倫《じんりん》の哢言《ろうげん》を恥《は》じず。4浄邦《じょうほう》を欣《ねが》う徒衆《としゅ》、穢域《えいき》を厭《いと》う庶類《しょるい》、取《しゅ》捨《しゃ》を加《くわ》うと雖《いえど》も、毀謗《きほう》を生《しょう》ずること莫《な》かれと。

Ⅱ至心信楽《ししんしんぎょう》の願《がん》　正定聚《しょうじょうじゅ》の機《き》

顕《けん》浄《じょう》土《ど》真《しん》実《じつ》信《しん》文《もん》類《るい》三《さん》

愚《ぐ》禿《とく》釈《しゃく》親《しん》鸞《らん》集《あつむ》

1謹《つつし》んで往相《おうそう》の回向《えこう》を案《あん》ずるに、大信《だいしん》有《あ》り。

2大信心《だいしんじん》は則《すなわ》ち是《こ》れ、長生不死《ちょうせいふし》の神方《しんぽう》、欣浄厭穢《ごんじょうえんえ》の

土真証一、迷二定散自心一昏二金剛真信一。

爰愚禿釈親鸞、信二順諸仏如来真説一、披二閲論家釈家宗義一。広蒙二三経光沢一、特開二一心華文一。且至二疑問一遂出二明証一。誠念二仏恩深重一、不レ恥二人倫哢言一。欣二浄邦一徒衆厭二穢域一庶類、雖レ加二取捨一、莫レ生二毀謗一矣。

至心信楽之願　正定聚之機

謹案二往相回向一有二大信一。

大信心者則是長生不死之神方、欣浄厭穢之

妙術《みょうじゅつ》、選択《せんじゃく》回向《えこう》の直心《じきしん》、利他深広《りたじんこう》の信楽《しんぎょう》、金剛不壊《こんごうふえ》の真心《しんじん》、易往無人《いおうむにん》の浄信《じょうしん》、心光摂護《しんこうしょうご》の一心《いっしん》、希有最勝《けうさいしょう》の大信《だいしん》、世間難信《せけんなんしん》の捷径《せっけい》、証大涅槃《しょうだいねはん》の真因《しんいん》、極速円融《ごくそくえんゆう》の白道《びゃくどう》、真如一実《しんにょいちじつ》の信海《しんかい》なり。

3 斯《こ》の心《しん》、即《すなわ》ち是《こ》れ念仏往生《ねんぶつおうじょう》の願《がん》より出《い》でたり。斯《こ》の大願《だいがん》を「選択本願《せんじゃくほんがん》」と名《な》づく、亦《また》「本願三心《ほんがんさんしん》の願《がん》」と名《な》づく、復《ま》た「至心信楽《ししんしんぎょう》の願《がん》」と名《な》づく、亦《また》「往相信心《おうそうしんじん》の願《がん》」と名《な》づくべきなり。

4 然《しか》るに、常没《じょうもつ》の凡愚《ぼんぐ》、流転《るてん》の群生《ぐんじょう》、無上妙果《むじょうみょうか》の成《じょう》じ難《がた》きに不《あら》ず、真実《しんじつ》の信楽《しんぎょう》、実《まこと》に獲《う》ること難《かた》し。何《なに》を以《もっ》ての故《ゆえ》に。乃《いま》し如来《にょらい》の加威力《かいりき》に由《よ》るが故《ゆえ》なり。博《ひろ》く大悲広慧《だいひこうえ》の力《りき》に因《よ》るが故《ゆえ》なり。

5 遇《たま》たま浄信《じょうしん》を獲《え》ば、是《こ》の心《しん》、顚倒《てんどう》せず、是《こ》の心《しん》、虚偽《こぎ》ならず。是《ここ》を以《もっ》て極悪深重《ごくあくじんじゅう》の衆生《しゅじょう》、大慶喜心《だいきょうきしん》を得《え》、

妙術、選択回向之直心、利他深広之信楽、金剛不壊之真心、易往無人之浄信、心光摂護之一心、希有最勝之大信、世間難信之捷径、証大涅槃之真因、極速円融之白道、真如一実之信海也。

斯心即是出レ於二念仏往生之願一。斯大願名二選択本願一、亦名二本願三心之願一、復名二至心信楽之願一、亦可レ名二往相信心之願一也。

然常没凡愚流転群生、無上妙果不レ難レ成、真実信楽実難レ獲。何以故。乃由二如来加威力一故。博因二大悲広慧力一故。

遇獲二浄信一者、是心不二顚倒一、是心不二虚偽一。是以極悪深重衆生、得二大慶喜心一、獲二

①貶…おとしむ

諸《もろもろ》の聖尊《しょうそん》の重愛《じゅうあい》を獲《う》るなり。

——諸聖尊重愛一也。

6至心信楽《ししんしんぎょう》の本願《ほんがん》の文《もん》、『大経《だいきょう》』に言《のたま》わく、「設《たと》い我《われ》、仏《ぶつ》を得《え》たらんに、十方《じっぽう》の衆生《しゅじょう》、心《しん》を至《いた》し信《しん》楽《ぎょう》して我《わ》が国《くに》に生《う》まれんと欲《おも》うて乃至《ないし》十念《じゅうねん》せん。若《も》し生《う》まれざれば、正覚《しょうがく》を取《と》らじと。唯《ただ》、五逆《ごぎゃく》と誹謗《ひほう》正法《しょうぼう》を除《のぞ》く」と。已上《いじょう》

7『無量寿如来会《むりょうじゅにょらいえ》』に言《のたま》わく、「若《も》し我《われ》、無上覚《むじょうかく》を証得《しょうとく》せん時《とき》、余仏《よぶつ》の刹《せつ》の中《うち》の諸《もろもろ》の有情類《うじょうるい》、我《わ》が名《な》を聞《き》き已《おわ》りて、所有《しょう》の善根《ぜんごん》、心心《しんしん》に回向《えこう》せしむ。我《わ》が国《くに》に生《う》まれんと願《がん》じて乃至《ないし》十念《じゅうねん》せん。若《も》し生《う》まれずは、菩提《ぼだい》を取《と》らじと。唯《ただ》、無間悪業《むけんあくごう》を造《つく》り正法《しょうぼう》及《およ》び諸《もろもろ》の聖人《しょうにん》を誹謗《ひほう》せんをば除《のぞ》く」と。已上《いじょう》

8本願成就《ほんがんじょうじゅ》の文《もん》、『経《きょう》』（大経）に言《のたま》わく、「諸有衆生《あらゆるしゅじょう》、其《そ》の名号《みょうごう》を聞《き》きて信心歓喜《しんじんかんぎ》せんこと乃至《ないし》一念《いちねん》せん。至心《ししん》に回向《えこう》せしめたまえり。彼《か》の国《くに》に生《う》まれんと願《がん》ずれば、即《すなわ》ち往生《おうじょう》を得《え》、不退転《ふたいてん》に住《じゅう》せん。唯《ただ》、五逆《ごぎゃく》と誹謗正法《ひほうしょうぼう》とをば除《のぞ》く」と。已上《いじょう》

9『無量寿如来会《むりょうじゅにょらいえ》』に言《のたま》わく 菩提流支《ぼだいるし》、「他方《たほう》の仏国《ぶっこく》の所有《しょう》の有情《うじょう》、無量寿如来《むりょうじゅにょらい》の名号《みょうごう》を聞《き》きて、能《よ》く一念浄信《いちねんじょうしん》を発《おこ》して歓喜《かんぎ》せしめ、所有《しょう》の善根回向《ぜんごんえこう》したまえるを愛楽《あいぎょう》して無量寿国《むりょうじゅこく》に生《う》まれんと願《がん》ぜば、願《がん》に随《したが》いて皆生《みなう》まれ、不退転《ふたいてん》乃至《ないし》無上正等菩提《むじょうしょうとうぼだい》を得《え》んと。五無間《ごむけん》・誹謗正法《ひほうしょうぼう》及《およ》び謗聖《ほうしょう》者《じゃ》を除《のぞ》く」と。已上《いじょう》

10又言《またのたま》わく（大経）、「法《ほう》を聞《き》きて能《よ》く忘《わす》れず、見《み》て敬《うやま》い得《え》て大《おお》きに慶《よろこ》ばば、則《すなわ》ち我《わ》が善《よ》き親友《しんぬ》な

り。是《こ》の故《ゆえ》に当《まさ》に意《こころ》を発《おこ》すべし」と。已上《いじょう》

11又言《またのたま》わく（如来会）、「是《か》くの如《ごと》き等《ら》の類《るい》は大威徳《だいいとく》の者《ひと》なり。能《よ》く広大仏法異門《こうだいぶっぽういもん》に生《しょう》ぜん」と。已上《いじょう》

12又言《またのたま》わく（如来会）、「如来《にょらい》の功徳《くどく》は、仏《ぶつ》のみ自《みずか》ら知《し》ろしめせり。唯《ただ》、世尊有《せそんましま》して能《よ》く開示《かいじ》したまう。天《てん》・龍《りゅう》・夜叉《やしゃ》、及《およ》ばざる所《ところ》なり。二乗《にじょう》、自《おの》ずから名言《みょうごん》を絶《た》つ。若《も》し諸《もろもろ》の有情《うじょう》、当《まさ》に作仏《さぶつ》して、行《ぎょう》、普賢《ふげん》に超《こ》え、彼岸《ひがん》に登《のぼ》りて一仏《いちぶつ》の功徳《くどく》を①敷演《ふえん》せん時《とき》、多劫《たこう》の不思議《ふしぎ》を②逾《こ》えん。是《こ》の中間《ちゅうげん》に於《お》いて身《み》は滅度《めつど》すとも、仏《ぶつ》の勝慧《しょうえ》は能《よ》く量《はか》ること莫《な》けん。是《こ》の故《ゆえ》に信聞及《しんもんおよ》び諸《もろもろ》の善友《ぜんぬ》の摂受《しょうじゅ》を具足《ぐそく》して、是《か》くの如《ごと》きの深妙《じんみょう》の法《ほう》を聞《き》くことを得《え》ば、当《まさ》に諸《もろもろ》の聖尊《しょうそん》に重愛《じゅうあい》せらるることを獲《う》べし。如来《にょらい》の勝智《しょうち》・遍虚空《へんこくう》の所説義言《しょせつぎごん》は、唯仏《ただぶつ》のみ悟《さと》りたまえり。是《こ》の故《ゆえ》に博《ひろ》く諸智士《しょちど》を聞《き》きて、我《わ》が教《きょう》・如実《にょじつ》の言《ごん》を信《しん》ずべし。人《にん》③趣《しゅ》の身《しん》、得《う》ること甚《はなは》だ難《かた》し。如来《にょらい》の出世《しゅっせ》、遇《もうあ》うこと亦難《またかた》し。信慧多《しんえおお》き時《とき》、方《まさ》に乃《いま》し獲《え》ん。是《こ》の故《ゆえ》に修《しゅ》せん者《もの》、精進《しょうじん》すべし。是《か》くの如《ごと》きの妙法《みょうほう》、已《すで》に聴聞《ちょうもん》せば、常《つね》に諸仏《しょぶつ》をして喜《よろこび》を生《しょう》ぜしめたてまつるなり」と。抄出《しょうしゅつ》

13『論《ろん》の註《ちゅう》』に曰《い》わく、「[1]「彼《か》の如来《にょらい》の名《みな》を称《しょう》し、彼《か》の如来《にょらい》の光明智相《こうみょうちそう》の如《ごと》く、彼《か》の名義《みょうぎ》の如《ごと》く、実《じつ》の如《ごと》く修行《しゅぎょう》し相応《そうおう》せんと欲《おも》うが故《ゆえ》に」（論）といえりと。「称彼如来名《しょうひにょらいみょう》」とは、謂《い》わく、無碍光《むげこう》

①敷演…ひらき　のぶ
②逾…ゆ
③趣…おもむく

如来《にょらい》の名《みな》を称《しょう》するなり。「如彼如来光明智相《にょひにょらいこうみょうちそう》」は、仏《ぶつ》の光明《こうみょう》は是《こ》れ智慧《ちえ》の相《そう》なり。此《こ》の光明《こうみょう》、十方世界《じっぽうせかい》を照《て》らすに障碍《しょうげ》有《あ》ること無《な》し。能《よ》く十方衆生《じっぽうしゅじょう》の無明《むみょう》の黒闇《こくあん》を除《のぞ》く。日《にち》・月《がつ》・珠光《しゅこう》の、但《ただ》、室穴《しっく》の中《うち》の闇《やみ》を破《は》するが如《ごと》きには非《あら》ざるなり。

14「如彼名義欲如実修行相応《にょひみょうぎよくにょじつしゅぎょうそうおう》」は、彼《か》の無碍光如来《むげこうにょらい》の名号《みょうごう》、能《よ》く衆生《しゅじょう》の一切《いっさい》の無明《むみょう》を破《は》す、能《よ》く衆生《しゅじょう》の一切《いっさい》の志願《しがん》を満《み》てたまう。然《しか》るに称名憶念《しょうみょうおくねん》有《あ》れども、無明《むみょう》、由存《なおぞん》して所願《しょがん》を満《み》てざるは何《いか》んとならば、如実修行《にょじつしゅぎょう》せざると、名義《みょうぎ》と相応《そうおう》せざるに由《よ》るが故《ゆえ》なり。云何《いかん》が不如実修行《ふにょじつしゅぎょう》と名義不《みょうぎふ》相応《そうおう》とする。謂《い》わく、如来《にょらい》は是《こ》れ実相《じっそう》の身《しん》なり、是《こ》れ物《もの》の為《ため》の身《しん》なりと知《し》らざるなり。15又三種《またさんしゅ》の不《ふ》相応《そうおう》有《あ》り。一《ひとつ》には信心《しんじん》、淳《あつ》からず〔「淳《じゅん》」の字《じ》 常倫《じょうりん》の反《かえし》。又音純《またおとじゅん》なり。又厚《またこう》なり。朴《ぼく》なり。「朴《ぼく》」の字《じ》、音卜《おとぼく》なり。薬名《やくみょう》なり。「諄《じゅん》」の字《じ》 至《し》なり。誠懇《じょうこん》の貌《かおばせ》なり。上《かみ》の字《じ》に同《おな》じ。〕。存《ぞん》ぜるが若《ごと》し、亡《もう》ぜるが若《ごと》きの故《ゆえ》に。二《ふたつ》には信心《しんじん》、一《いち》ならず。決定《けつじょう》無《な》きが故《ゆえ》に。三《みつ》には信心《しんじん》、相続《そうぞく》せず。余念間《よねんへだ》つるが故《ゆえ》に。此《こ》の三句《さんく》、①展転《てんでん》して相成《そうじょう》す。信心《しんじん》、淳《あつ》からざるを以《もっ》ての故《ゆえ》に決定《けつじょう》無《な》し。決定無《けつじょうな》きが故《ゆえ》に、念《ねん》、相続《そうぞく》せず。亦《また》、念《ねん》、相続《そうぞく》せざるが故《ゆえ》に決定《けつじょう》の信《しん》を得《え》ず。決定《けつじょう》の信《しん》を得《え》ざるが故《ゆえ》に、心《しん》、淳《あつ》からざるべし。此《こ》れと相違《そうい》②せるを「如実修行相応《にょじつしゅぎょうそうおう》」と名《な》づく。是《こ》の故《ゆえ》に論主《ろんじゅ》、建《はじ》めに2「我一心《がいっしん》」と言《のたま》えり」と。已上《いじょう》

16『讃阿弥陀仏偈《さんあみだぶつげ》』に曰《い》わく 曇鸞和尚造《どんらんかしょうぞう》なり、「諸《あらゆる》もの阿弥陀《あみだ》の徳号《とくごう》を聞《き》きて、信心歓喜《しんじんかんぎ》して聞《き》く所《ところ》を慶《よろこ》ばんこと乃《いま》し一念《いちねん》に曁《およ》ぶまでせん。至心《ししん》の者回向《ひとえこう》したまえり。生《う》まれんと願《がん》ずれば、皆《みな》、往《おう》を得《え》しむ。唯《ただ》、五逆《ごぎゃく》と謗正法《ほうしょうぼう》とをば除《のぞ》く。故《かるがゆえ》に我頂礼《われちょうらい》して往生《おうじょう》を願《がん》ず」と。已上《いじょう》

17光明寺《こうみょうじ》（善導）の『観経義《かんぎょうぎ》』（定善義）に云《い》わく、3「如意《にょい》」（観経）と言《い》うは二種《にしゅ》有《あ》り。一《ひと》には衆《しゅ》生《じょう》の意《こころ》の如《ごと》し。彼《か》の心念《しんねん》に随《したが》いて、皆《みな》、之《これ》を度《ど》すべし。二《ふたつ》には弥陀《みだ》の意《おんこころ》の如《ごと》し。五眼円《ごげんまど》かに照《て》らし、六通自在《ろくつうじざい》にして、③機《き》の度《ど》すべき者《もの》を観《み》そなわして、一念《いちねん》の中《うち》に前無《ぜんな》く後無《ごな》く、身心等《しんじんひと》しく④赴《おもむ》き、三輪開《さんりんかい》⑤悟《ご》して、各《おの》おの⑥益《やく》すること同《おな》じからざるなり」と。已上《いじょう》

18又云《またい》わく（序分義）、「此《こ》の五濁《ごじょく》・五苦等《ごくとう》は、六道《ろくどう》に通《つう》じて受《う》けて、未《いま》だ無《な》き者《もの》は有《あ》らず。常《つね》に之《これ》に⑦逼悩《ひつのう》す。若《も》し此《こ》の苦《く》を受《う》けざる者《もの》は、即《すなわ》ち凡数《ぼんじゅ》の摂《しょう》に非《あら》ざるなり」と。抄出《しょうしゅつ》

19又云《またい》わく（散善義）、4「何等為三《がとういさん》」（観経）より下《しも》5「必生彼国《ひっしょうひこく》」（同）に至《いた》るまで已来《このかた》は、正《まさ》しく三心《さんじん》を⑧弁定《べんじょう》して、以《もっ》て正因《しょういん》とすることを明《あ》かす。即《すなわ》ち其《そ》れ二《に》有《あ》り。一《ひとつ》には、世尊《せそん》、機《き》に随《したが》いて益《やく》を顕《あらわ》すこと、意《い》、密《みつ》にして知《し》り難《がた》し。仏自《ぶつみずか》ら問《と》うて自《みずか》ら⑨徴《ちょう》したまうに非《あら》ずは、解《さとり》を得《う》るに由無《よしな》きを明《あ》かす。二《ふたつ》に、如来《にょらい》、還《かえ》りて自《みずか》ら前《さき》の三心《さんじん》の数《かず》を答《こた》えたまうことを明《あ》かす。

20『経《きょう》』（観経）に云《のたま》わく、6「一者至誠心《いっしゃしじょうしん》。」「至《し》」は真《しん》なり、「誠《じょう》」は実《じつ》なり。一切衆生《いっさいしゅじょう》の身口意《しんくい》業《ごう》の所修《しょしゅ》の解行《げぎょう》、必《かなら》ず真実心《しんじつしん》の中《なか》に作《な》したまえるを須《もち》いんことを明《あ》かさんと欲《おも》う。外《ほか》に賢善精進《げんぜんしょうじん》の相《そう》を現《げん》ずることを得《え》ざれ。内《うち》に虚仮《こけ》を⑩懐《いだ》いて、⑪貪瞋邪《とんじんじゃ》⑫偽《ぎ》⑬奸《かん》⑭詐《さ》百端《ももはし》にして悪性《あくしょう》⑮侵《や》め難《がた》し。事《じ》、蛇《じゃ》

①展…のぶ
②違…たがう
③機…はたもの
④赴…ふ
⑤悟…さとり
⑥益…たすく　ます　とも
⑦逼悩…せむ　なやます
⑧弁…わきまう
⑨徴…ち反　せむ　あらわす　とも
⑩懐…え
⑪貪瞋…むさぼる　いかる
⑫偽…いつわる
⑬奸…いつわり
⑭詐…そ反　いつわる
⑮侵…しん

①蝎《かつ》に同《おな》じ。三業《さんごう》を起《お》こすと雖《いえど》も、名《な》づけて「雑毒《ぞうどく》の善《ぜん》」とす。亦《また》「虚仮《こけ》の行《ぎょう》」と名《な》づく。「真実《しんじつ》の業《ごう》」と名《な》づけざるなり。若《も》し此《か》くの如《ごと》き安心起行《あんじんきぎょう》を作《な》すは、縦使《たと》い身心《しんじん》を苦《く》②励《れい》して、日夜十二時《にちやじゅうにじ》、③急《きゅう》に走《もと》め急《きゅう》に作《な》して、頭《ず》の燃《ねん》を④灸《はら》うが如《ごと》くする者《もの》、⑤衆《すべ》て「雑毒《ぞうどく》の善《ぜん》」と名《な》づく。此《こ》の雑毒《ぞうどく》の行《ぎょう》を回《え》して彼《か》の仏《ぶつ》の浄土《じょうど》に求生《ぐしょう》せんと欲《ほっ》するは、此《こ》れ必《かなら》ず不可《ふか》なり。何《なに》を以《もっ》ての故《ゆえ》に。正《まさ》しく、彼《か》の阿弥陀仏《あみだぶつ》、因中《いんちゅう》に菩薩《ぼさつ》の行《ぎょう》を行《ぎょう》じたまいし時《とき》、乃至一念《ないしいちねん》・一刹⑥那《いっせつな》も、三業《さんごう》の所修《しょしゅ》、皆是《みなこ》れ真実心《しんじつしん》の中《なか》に作《な》したまいしに由《よ》りて〔「由《ゆ》」の字《じ》　以周《いしゅう》の反《かえし》。経《きょう》なり。行《ぎょう》なり。従《じゅう》なり。用《ゆう》なり。〕なり。凡《おおよ》そ⑦施《ほどこ》したまう所《ところ》、⑧趣求《しゅぐ》を為《な》す。亦皆真実《またみなしんじつ》なり。又《また》、真実《しんじつ》に二種《にしゅ》有《あ》り。一《ひとつ》には自利真実《じりしんじつ》、二《ふたつ》には利他真実《りたしんじつ》なり。乃至《ないし》不善《ふぜん》の三業《さんごう》は、必《かなら》ず真実心《しんじつしん》の中《なか》に捨《す》てたまえるを須《もち》いよ。又《また》、若《も》し善《ぜん》の三業《さんごう》を起《お》こさば、必《かなら》ず真実《しんじつ》心《しん》の中《なか》に作《な》したまいしを須《もち》いて、内外明闇《ないげみょうあん》を簡《えら》ばず、皆《みな》、真実《しんじつ》を須《もち》いるが故《ゆえ》に「至誠心《しじょうしん》」と名《な》づく。

217「二者深心《にしゃじんしん》。」（観経）「深心《じんしん》」と言《い》うは即《すなわ》ち是《こ》れ深信《じんしん》の心《しん》なり。亦二種有《またにしゅあ》り。一《ひとつ》には、決定《けつじょう》して深《ふか》く「自身《じしん》は現《げん》に是《こ》れ罪悪生死《ざいあくしょうじ》の凡夫《ぼんぶ》、曠劫《こうごう》より已来《このかた》、常《つね》に⑨没《もっ》し常《つね》に流転《るてん》して出離《しゅつり》の縁有《えんあ》ること無《な》し」と信《しん》ず。二《ふたつ》には、決定《けつじょう》して深《ふか》く「彼《か》の阿弥陀仏《あみだぶつ》の四十八願《しじゅうはちがん》は衆生《しゅじょう》を摂受《しょうじゅ》して、疑《うたがい》無《な》く慮《おもんぱかり》無《な》く、彼《か》の願力《がんりき》に乗《じょう》じて定《さだ》んで往生《おうじょう》を得《う》」と信《しん》ず。又《また》、決定《けつじょう》して深《ふか》く「釈迦仏《しゃかぶつ》、此《こ》の『観《かん》経《ぎょう》』に三福九品《さんぷくくぼん》・定散二善《じょうさんにぜん》を説《と》きて、彼《か》の仏《ぶつ》の依正二報《えしょうにほう》を証讃《しょうさん》して、人《ひと》をして⑩欣慕《ごんぼ》せしむ」と信《しん》ず。又《また》、決定《けつじょう》して『弥陀経《みだきょう》』の中《なか》に、十方恒沙《じっぽうごうじゃ》の諸仏《しょぶつ》、一切凡夫《いっさいぼんぶ》を⑪証勧《しょうかん》して、決定《けつじょう》して生《しょう》を得《う》」と深信《じんしん》するなり。又《また》、深信《じんしん》する者《もの》、仰《あお》ぎ願《ねが》わくは一切行者等《いっさいぎょうじゃとう》、一心《いっしん》に唯《ただ》、仏語《ぶつご》を信《しん》じて身命《しんみょう》を顧《かえり》みず、決定《けつじょう》して行《ぎょう》に依《よ》りて、仏《ぶつ》の捨《す》てしめたまうをば即《すなわ》ち捨《す》て、仏《ぶつ》の行《ぎょう》ぜしめたまうをば即《すなわ》ち行《ぎょう》ず。仏《ぶつ》の去《す》てしめたまう処《ところ》をば即《すなわ》ち⑫去《す》つ。是《こ》れを「仏教《ぶっきょう》に随順《ずいじゅん》し、仏意《ぶつい》に随順《ずいじゅん》す」と名《な》づく。是《こ》れを「仏願《ぶつがん》に随順《ずいじゅん》す」と名《な》づく。是《こ》れを「真《しん》の仏弟子《ぶつでし》」と名《な》づく。又《また》、一切《いっさい》の行者《ぎょうじゃ》、但能《ただよ》く此《こ》の『経《きょう》』（観経）に依《よ》りて行《ぎょう》を深信《じんしん》するは、必《かなら》ず衆生《しゅじょう》を⑬悞《あやま》らざるなり。何《なに》を以《もっ》ての故《ゆえ》に。仏《ぶつ》は是《こ》れ満足大悲《まんぞくだいひ》の人《ひと》なるが故《ゆえ》に、実語《じつご》なるが故《ゆえ》に。仏《ぶつ》を除《のぞ》きて已還《いげん》は、智行《ちぎょう》、未《いま》だ満《み》たず、其《そ》れ学地《がくじ》に在《あ》りて、正《しょう》⑭習《じゅう》の二障《にしょう》有《あ》りて未《いま》だ除《のぞ》からざるに由《よ》りて、果願《かがん》、未《いま》だ円《まど》かならず。此《こ》れ等《ら》の凡聖《ぼんしょう》は、縦使《たと》い諸仏《しょぶつ》の教意《きょうい》を⑮測量《しきりょう》すれども、未《いま》だ決了《けつりょう》すること能《あた》わず。平《びょう》⑯章《しょう》有《あ》りと雖《いえど》も、要《かなら》ず須《すべか》らく仏証《ぶっしょう》を請《こ》うて定《じょう》とすべきなり。若《も》し仏意《ぶつい》に称《かな》えば、即《すなわ》ち⑰印可《いんか》して「如是如是《にょぜにょぜ》」と言《のたま》う。若《も》し仏意《ぶつい》に可《かな》わざれば、即《すなわ》ち「汝等《なんだち》が所説《しょせつ》、是《こ》の義《ぎ》、不如是《ふにょぜ》」と言《のたま》う。⑱印《いん》せざるは即《すなわ》ち無記《むき》・無《む》⑲利《り》・無益《むやく》の語《ご》に同《おな》じ。仏《ぶつ》の印可《いんか》したまうをば、即《すなわ》ち仏《ぶつ》の正教《しょうきょう》に随順《ずいじゅん》す。若《も》し仏《ぶつ》の所有《しょう》の言説《ごんせつ》は、即《すなわ》ち是《こ》れ正教《しょうきょう》・正義《しょうぎ》・正行《しょうぎょう》・正解《しょうげ》・正業《しょうごう》・正智《しょうち》なり。若《も》しは多《た》、若《も》しは少《しょう》、衆《すべ》て菩薩《ぼさつ》・人《にん》天等《でんとう》を問《と》わず、其《そ》の是非《ぜひ》を定《さだ》めんや。若《も》し仏《ぶつ》の所説《しょせつ》は即《すなわ》ち是《こ》れ了教《りょうきょう》なり。菩薩等《ぼさつとう》の説《せつ》は尽《ことごと》く

①蝎…むし
②励…はげます
③急…いそがわし
④灸…きゅう反
⑤衆…みな　ことごとく
⑥那…いかん
⑦施…ほどこす　はつす　とも
⑧趣…おもむき
⑨没…しずむ
⑩欣慕…ねがい　したう
⑪証…かなう
⑫去…ゆく
⑬悞…ご
⑭習…ならう
⑮測…はからう
⑯章…のり　はからう　とも
⑰印…おして
⑱印…ひく
⑲利…めぐみ

「不了教《ふりょうきょう》」と名《な》づくるなり。知《し》るべしと。是《こ》の故《ゆえ》に今《いま》の時《とき》、仰《あお》いで一切有縁《いっさいうえん》の往生人等《おうじょうにんとう》を勧《すす》む。唯《ただ》、仏語《ぶつご》を深信《じんしん》して専《せん》①注《ちゅう》②奉《ぶ》行《ぎょう》すべし。菩薩等《ぼさつとう》の不相応《ふそうおう》の教《きょう》を信用《しんゆう》して、以《もっ》て③疑碍《ぎげ》を為《な》し、惑《まどい》を④抱《いだ》いて自《みずか》ら⑤迷《まど》いて、往生《おうじょう》の大益《だいやく》を⑥廃失《はいしつ》すべからざれとなり。乃至《ないし》

釈迦《しゃか》、一切《いっさい》の凡夫《ぼんぶ》を⑦指勧《しかん》して、此《こ》の一身《いっしん》を尽《つ》くして専念専修《せんねんせんじゅ》して、⑧捨命已後《しゃみょういご》、定《さだ》んで彼《か》の国《くに》に生《う》まるれば、即《すなわ》ち十方諸仏《じっぽうしょぶつ》、悉《ことごと》く皆同《みなおな》じく讃《ほ》め、同《おな》じく勧《すす》め、同《おな》じく証《しょう》したまう。何《なに》を以《もっ》ての故《ゆえ》に。同体《どうたい》の大悲《だいひ》なるが故《ゆえ》に。一仏《いちぶつ》の所化《しょけ》は即《すなわ》ち是《こ》れ一切仏《いっさいぶつ》の化《け》なり。一切仏《いっさいぶつ》の化《け》は即《すなわ》ち是《こ》れ一仏《いちぶつ》の所化《しょけ》なり。

即《すなわ》ち『弥陀経《みだきょう》』の中《なか》に説《と》かく、8「釈迦《しゃか》、極楽《ごくらく》の種種《しゅじゅ》の荘厳《しょうごん》を讃嘆《さんだん》したまう。又《また》、一切《いっさい》の凡夫《ぼんぶ》を勧《すす》めて、一日《いちにち》・七日《しちにち》、一心《いっしん》に弥陀《みだ》の名号《みょうごう》を専念《せんねん》せしめて、定《さだ》んで往生《おうじょう》を得《え》しめたまう」と。

次下《つぎしも》の文《もん》に云《のたま》わく、9「十方《じっぽう》に各《おの》おの恒河砂等《ごうがしゃとう》の諸仏《しょぶつ》有《ましま》して、同《おな》じく「釈迦《しゃか》、能《よ》く五濁悪時《ごじょくあくじ》・悪《あく》世界《せかい》・悪衆生《あくしゅじょう》・悪見《あっけん》・悪煩悩《あくぼんのう》・悪邪無信《あくじゃむしん》の盛《さか》りなる時《とき》に於《お》いて、弥陀《みだ》の名号《みょうごう》を指讃《しさん》して衆生《しゅじょう》を勧《かん》⑨励《れい》せしめて、称念《しょうねん》すれば必《かなら》ず往生《おうじょう》を得《う》」と⑩讃《さん》じたまう。」即《すなわ》ち其《そ》の証《しょう》なり。

又《また》、十方仏等《じっぽうぶつとう》、衆生《しゅじょう》の、釈迦一仏《しゃかいちぶつ》の所説《しょせつ》を信《しん》ぜざらんを⑪恐畏《おそ》れて、即《すなわ》ち共《とも》に同心《どうしん》・同時《どうじ》に、各《おの》おの舌相《ぜっそう》を出《い》だして遍《あまね》く三千世界《さんぜんせかい》に覆《おお》いて誠実《じょうじつ》の言《ごん》を説《と》きたまわく、10「汝等衆生《なんだちしゅじょう》、皆《みな》、是《こ》の釈迦《しゃか》の所説《しょせつ》・所賛《しょさん》・所証《しょしょう》を信《しん》ずべし。」一切《いっさい》の凡夫《ぼんぶ》、罪福《ざいふく》の多少《たしょう》・時節《じせつ》の久近《くごん》を問《と》わず、但能《ただよ》く、上《かみ》、百《ひゃく》年《ねん》を尽《つ》くし、下《しも》、一日《いちにち》・七日《しちにち》に至《いた》るまで、一心《いっしん》に弥陀《みだ》の名号《みょうごう》を専念《せんねん》して定《さだ》んで往生《おうじょう》を得《う》ること、

必《かなら》ず疑《うたが》い無《な》きなり。是《こ》の故《ゆえ》に一仏《いちぶつ》の所説《しょせつ》をば、即《すなわ》ち一切仏《いっさいぶつ》、同《おな》じく其《そ》の事《じ》を証誠《しょうじょう》したまうなり。此《こ》れを「人《にん》に就《つ》いて信《しん》を立《た》つ」と名《な》づくるなり。乃至《ないし》

又《また》、此《こ》の正《しょう》の中《なか》に就《つ》いて復《ま》た二種《にしゅ》有《あ》り。一《ひとつ》には、一心《いっしん》に弥陀《みだ》の名号《みょうごう》を専念《せんねん》して、行住座臥《ぎょうじゅうざが》、時節《じせつ》の久近《くごん》を問《と》わず、念念《ねんねん》に捨《す》てざるは、是《こ》れを「正定《しょうじょう》の業《ごう》」と名《な》づく。彼《か》の仏願《ぶつがん》に順《じゅん》ずるが故《ゆえ》に。若《も》し礼《らい》⑫誦等《じゅとう》に依《よ》るは、即《すなわ》ち名《な》づけて「助業《じょごう》」とす。此《こ》の正《しょう》・助《じょ》二行《にぎょう》を除《のぞ》きて已外《いげ》の自余《じよ》の諸《もろもろ》の善《ぜん》は、悉《ことごと》く「雑行《ぞうぎょう》」と名《な》づく。乃至《ないし》　⑬衆《すべ》て「⑭疎雑《そぞう》の行《ぎょう》」と名《な》づくるなり。故《かるがゆえ》に「深心《じんしん》」と名《な》づく。

22 [11]「三者回向発願心《さんじゃえこうほつがんしん》。」（観経）乃至《ないし》　又《また》、回向発願《えこうほつがん》して生《しょう》ずる者《もの》は、必《かなら》ず決定《けつじょう》して真実心《しんじつしん》の中《なか》に回向《えこう》したまえる願《がん》を須《もち》いて得生《とくしょう》の想《そう》を作《な》せ。此《こ》の心《しん》、深信《じんしん》せること金剛《こんごう》の若《ごと》くなるに由《よ》りて、一切《いっさい》の異見《いけん》・異学《いがく》・別解《べつげ》・別行《べつぎょう》の人等《ひとら》の為《ため》に動《どう》⑮乱《らん》⑯破壊《はえ》せられず。唯《ただ》是《こ》れ決定《けつじょう》して一心《いっしん》に⑰捉《と》りて、正直《しょうじき》に進《すす》みて彼《か》の人《ひと》の語《ことば》を聞《き》くことを得《え》ざれ。即《すなわ》ち⑱進退《しんたい》の心《しん》有《あ》りて⑲怯弱《こうにゃく》を生《しょう》じて回《え》⑳顧《こ》すれば、道《どう》に落《お》ちて即《すなわ》ち往生《おうじょう》の大益《だいやく》を失《しつ》するなり。

①注…もっぱら
②奉…うけたまわる
③疑碍…うたがい　さわり
④抱…ほう
⑤迷…めい
⑥廃…すたる
⑦指…＊おしえ
⑧捨…すつ
⑨励…はげます
⑩讃…ほむ
⑪恐畏…くい
⑫誦…おがむ
⑬衆…ことごとく
⑭疎…うとし
⑮乱…みだる
⑯破壊…われ　やぶれ
⑰捉…＊そく
⑱進退…すすみ　しりぞく
⑲怯弱…こわし　よわし
⑳顧…かえりみる

問《と》うて曰《い》わく、若《も》し解行不同《げぎょうふどう》の邪雑《じゃぞう》の人等《ひとら》有《あ》りて、来《き》たりて相《あい》①惑乱《わくらん》して、或《ある》いは種種《しゅじゅ》の疑難《ぎなん》を説《と》きて、「往生《おうじょう》を得《え》じ」と道《い》い、或《ある》いは云《い》わん、「汝等衆生《なんだちしゅじょう》、曠劫《こうごう》より已来《このかた》、及以《およ》び今生《こんじょう》の身口意業《しんくいごう》に、一切凡聖《いっさいぼんしょう》の身《み》の上《うえ》に於《お》いて、具《つぶさ》に十悪《じゅうあく》・五逆《ごぎゃく》・四重《しじゅう》・謗法《ほうぼう》・闡提《せんだい》・破戒《はかい》・破見等《はけんとう》の罪《つみ》を造《つく》りて、未《いま》だ除尽《じょじん》すること能《あた》わず。然《しか》るに此《こ》れ等《ら》の罪《つみ》は、三界悪道《さんがいあくどう》に②繋属《けぞく》す。云何《いかん》ぞ一生《いっしょう》の修福念仏《しゅふくねんぶつ》をして、即《すなわ》ち彼《か》の無漏無生《むろむしょう》の国《くに》に入《い》りて、永《なが》く不退《ふたい》の位《くらい》を証悟《しょうご》することを得《え》んや。」

答《こた》えて曰《い》わく、諸仏《しょぶつ》の教行《きょうぎょう》、数《かず》、塵砂《じんじゃ》に越《こ》えたり。識《さとり》を③稟《う》くる機縁《きえん》、情《じょう》に随《したが》いて一《いち》に非《あら》ず。譬《たと》えば世間《せけん》の人《ひと》、眼《まなこ》に見《み》るべく信《しん》ずべきが如《ごと》きは、明《みょう》の能《よ》く闇《あん》を破《は》し、空《くう》の能《よ》く有《う》を④含《ふく》み、地《じ》の能《よ》く⑤載養《さいよう》し、水《みず》の能《よ》く生《しょう》⑥潤《にん》し、火《ひ》の能《よ》く⑦成壊《じょうえ》するが如《ごと》し。此《こ》れ等《ら》の如《ごと》きの事《じ》、悉《ことごと》く⑧「待対《だいたい》の法《ほう》」と名《な》づく。即《すなわ》ち目《め》に見《み》つべし。千《せん》⑨差万別《じゃまんべつ》なり。何《いか》に況《いわ》んや仏法不思議《ぶっぽうふしぎ》の力《りき》、豈《あ》に種種《しゅじゅ》の益《やく》無《な》からんや。随《したが》いて一門《いちもん》を出《い》ずるは、即《すなわ》ち一煩悩《いちぼんのう》の門《もん》を出《い》ずるなり。随《したが》いて一門《いちもん》に入《い》るは、即《すなわ》ち一解脱智《いちげだつち》慧《え》の門《もん》に入《い》るなり。此《こ》れを為《も》って〔「為《い》」の字《じ》　定《じょう》なり。用《ゆう》なり。彼《ひ》なり。作《さ》なり。是《ぜ》なり。相《そう》なり。〕縁《えん》に随《したが》いて行《ぎょう》を起《お》こして、各《おの》おの解脱《げだつ》を求《もと》めよ。汝《なんじ》、何《なに》を以《もっ》てか乃《いま》し将《まさ》に有縁《うえん》の要行《ようぎょう》に非《あら》ざるをもって我《われ》を障《しょう》惑《わく》する。然《しか》るに我《わ》が所愛《しょあい》は即《すなわ》ち是《こ》れ我《わ》が有縁《うえん》の行《ぎょう》なり。即《すなわ》ち汝《なんじ》が所求《しょぐ》に非《あら》ず。汝《なんじ》が所愛《しょあい》は即《すなわ》ち是《こ》れ汝《なんじ》が有縁《うえん》の行《ぎょう》なり。亦《また》我《わ》が所求《しょぐ》に非《あら》ず。是《こ》の故《ゆえ》に各《おの》おの所楽《しょぎょう》に随《したが》いて其《そ》の行《ぎょう》を修《しゅ》するは、必《かなら》ず疾《と》く解脱《げだつ》を得《う》るなり。行者《ぎょうじゃ》、当《まさ》に知《し》るべし。若《も》し解《げ》を学《まな》ばんと欲《おも》わば、凡《ぼん》より聖《しょう》に至《いた》るまで、乃至仏果《ないしぶっか》まで、一切《いっさい》、碍《さわり》無《な》し。皆《みな》、学《まな》ぶことを得《え》よとなり。若《も》し行《ぎょう》を学《まな》ばんと欲《おも》わば、必《かなら》ず有縁《うえん》の法《ほう》に⑩藉《よ》れ。少《すこ》しき功労《くろう》を用《もち》いるに、多《おお》く益《やく》を得《う》ればなりと。
23 又《また》、一切往生人等《いっさいおうじょうにんとう》に白《もう》さく、今更《いまさら》に行者《ぎょうじゃ》の為《ため》に一《ひとつ》の譬喩《ひゆ》〔「喩《ゆ》」の字《じ》　さとす。〕を説《と》きて、信心《しんじん》を守護《しゅご》して、以《もっ》て外邪異見《げじゃいけん》の難《なん》を防《ふせ》がん。何者《なにもの》か是《こ》れや。譬《たと》えば、人《ひと》有《あ》りて西《にし》に向《む》かいて行《ゆ》かんと欲《ほっ》するに百千《ひゃくせん》の里《り》ならん。忽然《こつねん》として中路《ちゅうろ》に二《ふたつ》の河《かわ》有《あ》り。一《ひとつ》には是《こ》れ火《ひ》の河《かわ》、南《みなみ》に在《あ》り、二《ふたつ》には是《こ》れ水《みず》の河《かわ》、北《きた》に在《あ》り。二河《にが》各《おの》おの⑪闊《ひろ》さ百歩《ひゃくぶ》、各《おの》おの深《ふか》くして底無《そこな》し。南北《なんぼく》、辺無《ほとりな》し。正《まさ》しく水火《しいか》の中間《ちゅうげん》に一《ひとつ》の白道《びゃくどう》有《あ》り。闊《ひろ》さ四五寸《しごすん》⑫許《ばか》りなるべし。此《こ》の道《みち》、東《ひがし》の岸《きし》より西《にし》の岸《きし》に至《いた》るに、亦長《またなが》さ百歩《ひゃくぶ》、其《そ》の水《みず》の⑬波浪《はろう》、交《まじ》わり過《す》ぎて道《みち》を湿《うるお》す。其《そ》の火《か》⑭焔《えん》〔「焔《ほのお》」　けむりあるなり。「炎《えん》」　けむりなきほのおり。〕、亦来《またき》たりて道《みち》を焼《や》く。水火《しいか》、相交《あいまじ》わりて、常《つね》にして⑮休息《くそく》無《な》けん。此《こ》の人《ひと》、既《すで》に空曠《くうこう》の迥《はる》かなる処《ところ》に至《いた》るに、更《さら》に人物《にんもつ》無《な》し。多《おお》く⑯群賊《ぐんぞく》・悪《あく》⑰獣《じゅう》有《あ》りて、此《こ》の人《ひと》の⑱単独《たんどく》なるを見《み》て、競《きお》い来《き》たりて此《こ》の人《ひと》を殺《せっ》せんと欲《ほっ》す。死《し》を怖《おそ》れて、直《ただ》ちに走《はし》りて西《にし》に向《む》かうに、忽然《こつねん》として此《こ》の大河《だいが》を見《み》て、即《すなわ》ち自《みずか》ら念言《ねんごん》すらく、「此《こ》の河《かわ》、南北《なんぼく》、辺《へん》⑲畔《ぱん》を見《み》ず。中間《ちゅうげん》に一《ひとつ》の白道《びゃくどう》を見《み》る。極《きわ》めて是《こ》れ⑳狭少《きょうしょう》なり。二《ふたつ》の岸《きし》、相去《あいさ》ること近《ちか》しと雖《いえど》も、何《なに》に由《よ》りてか行《ゆ》くべき。今日《きょう》、定《さだ》んで死《し》せんこと疑《うたが》わず。

①惑…まどい
②繋属…つなぎ　つく
③稟…ほん反
④含…がん
⑤載養…のせ　やしなう
⑥潤…うるおす
⑦成壊…なし　やぶる
⑧待対…まつ　むかう
⑨差…しな
⑩藉…しゃく反
⑪闊…かつ
⑫許…＊こ／きょ
⑬波浪…大なみ　小なみ
⑭焔…ほのお
⑮休息…やみ　やむ
⑯群…むらがる
⑰獣…けだもの
⑱単独…ひとえ　ひとり
⑲畔…ほとり
⑳狭…せばし

正《まさ》しく到《いた》り回《かえ》らんと欲《ほっ》すれば、群賊《ぐんぞく》・悪獣《あくじゅう》、漸漸《ぜんぜん》に来《き》たり逼《せ》む。正《まさ》しく南北《なんぼく》に避《さ》り走《はし》らんと欲《ほっ》すれば、悪獣《あくじゅう》・毒虫《どくちゅう》、競《きお》い来《き》たりて我《われ》に向《む》かう。正《まさ》しく西《にし》に向《む》かいて道《みち》を尋《たず》ねて去《ゆ》かんと欲《ほっ》すれば、復《ま》た恐《おそ》らくは、此《こ》の水火《しいか》の二河《にが》に堕《だ》せんことを。」時《とき》に当《あ》たりて惶怖《①おうふ》すること、復《ま》た言《い》うべからず。即《すなわ》ち自《みずか》ら思念《しねん》すらく、「我《われ》、今回《いまかえ》らば亦《また》死《し》せん、住《とど》まらば亦《また》死《し》せん、去《ゆ》かば亦《また》死《し》せん。一種《いっしゅ》として死《し》を勉《②まぬか》れざれば、我《われ》、寧《やす》く此《こ》の道《みち》を尋《たず》ねて、前《さき》に向《む》かいて去《ゆ》かん。既《すで》に此《こ》の道有《みちあ》り。必《かなら》ず度《ど》すべし」と。此《こ》の念《ねん》を作《な》す時《とき》、東《ひがし》の岸《きし》に忽《たちま》ちに人《ひと》の勧《すす》むる声《こえ》を聞《き》く。「仁者《きみ》、但決定《ただけつじょう》して此《こ》の道《みち》を尋《③たず》ねて行《ゆ》け。必《かなら》ず死《し》の難無《なんな》けん。若《も》し住《とど》まらば即《すなわ》ち死《し》せん」と。又《また》、西《にし》の岸《きし》の上《うえ》に人有《ひとあ》りて喚《よ》ぼうて言《い》わく、「汝《なんじ》、一心《いっしん》に正念《しょうねん》にして直《ただ》ちに来《き》たれ。我《われ》、能《よ》く汝《なんじ》を護《まも》らん。衆《すべ》て水火《しいか》の難《なん》に堕《だ》することを畏《おそ》れざれ」と。此《こ》の人《ひと》、既《すで》に此《ここ》に遣《つか》わし彼《かしこ》に喚《よ》ばうを聞《き》きて、即《すなわ》ち自《みずか》ら正《まさ》しく身心《しんじん》に当《あ》たりて、決定《けつじょう》して道《みち》を尋《たず》ねて直《ただ》ちに進《すす》みて、疑《ぎ》怯《④こう》退心《⑤たいしん》を生《しょう》ぜずして、或《ある》いは行《ゆ》くこと一分二分《いちぶんにぶん》するに、東《ひがし》の岸《きし》の群賊等《ぐんぞくら》、喚《よ》ぼうて言《い》わく、「仁者《きみ》、回《かえ》り来《き》たれ。此《こ》の道《みち》、嶮悪《⑥けんあく》なり。過《す》ぐることを得《え》じ。必《かなら》ず死《し》せんこと疑《うたが》わず。我等衆《われらすべ》て、悪心《あくしん》あって相向《あいむ》かうこと無《な》し」と。此《こ》の人《ひと》、喚《よ》ぶ声《こえ》を聞《き》くと雖《いえど》も、亦回顧《またかえり》みず。一心《いっしん》に直《ただ》ちに進《すす》みて、道《みち》を念《ねん》じて行《ゆ》けば、須臾《しゅゆ》に即《すなわ》ち西《にし》の岸《きし》に到《いた》りて、永《なが》く諸難《しょなん》を離《はな》る。善《ぜん》友《ぬ》、相見《あいまみ》えて慶楽《⑦きょうらく》すること已《や》むこと無《な》からんが如《ごと》し。此《こ》れは是《こ》れ喩《たとえ》なり。

24 次《つぎ》に喩《たとえ》〔「喩《ゆ》」の字《じ》　おしえなり。〕を合《がっ》せば、「東岸《とうがん》」と言《い》うは、即《すなわ》ち此《こ》の娑婆《しゃば》の火宅《かたく》に喩《たと》うるなり。「西岸《さいがん》」と言《い》うは、即《すなわ》ち極楽宝国《ごくらくほうこく》に喩《たと》うるなり。「群賊《ぐんぞく》・悪獣《あくじゅう》、詐《⑧いつわ》り親《した》しむ」と言《い》うは、即《すなわ》ち衆生《しゅじょう》の六根《ろっこん》・六《ろく》⑨識《しき》・六塵《ろくじん》・五陰《ごおん》・四大《しだい》に喩《たと》うるなり。「無人空《むにんく》⑩迥《ぎょう》の沢《さわ》」と言《い》うは、即《すなわ》ち常《つね》に悪友《あくう》に随《したが》いて、真《しん》の善知識《ぜんじしき》に値《あ》わざるに喩《たと》うるなり。「水火二河《しいかにが》」と言《い》うは、即《すなわ》ち衆生《しゅじょう》の貪愛《とんあい》は水《みず》の如《ごと》し、瞋憎《しんぞう》は火《ひ》の如《ごと》しと喩《たと》うるなり。「中間《ちゅうげん》の白道四五寸《びゃくどうしごすん》」と言《い》うは、即《すなわ》ち衆生《しゅじょう》の貪瞋煩悩《とんじんぼんのう》の中《なか》に能《よ》く清浄願往生《しょうじょうがんおうじょう》の心《しん》を生《しょう》ぜしむるに喩《たと》うるなり。乃《いま》し貪瞋強《とんじんこわ》きに由《よ》るが故《ゆえ》に、即《すなわ》ち水火《しいか》の如《ごと》しと喩《たと》う。善心《ぜんしん》⑪微《み》なるが故《ゆえ》に、白道《びゃくどう》の如《ごと》しと喩《たと》う。又《また》「水波《しいは》、常《つね》に道《みち》を湿《うるお》す」というは、即《すなわ》ち愛心《あいしん》、常《つね》に起《お》こりて能《よ》く善心《ぜんしん》を⑫染汚《ぜんわ》するに喩《たと》うるなり。又《また》「火焔《かえん》、常《つね》に道《みち》を焼《や》く」というは、即《すなわ》ち⑬瞋嫌《しんけん》の心《しん》、能《よ》く功徳《くどく》の法財《ほうざい》を焼《や》くに喩《たと》うるなり。「人《ひと》、道《みち》の上《うえ》を行《ゆ》きて直《ただ》ちに西《にし》に向《む》かう」と言《い》うは、即《すなわ》ち諸《もろもろ》の行業《ぎょうごう》を回《え》して、直《ただ》ちに西方《さいほう》に向《む》かうに喩《たと》うるなり。「東《ひがし》の岸《きし》に、人《ひと》の声《こえ》、勧《すす》め遣《つか》わすを聞《き》きて、道《みち》を尋《たず》ねて直《ただ》ちに西《にし》に進《すす》む」と言《い》うは、即《すなわ》ち釈迦《しゃか》、已《すで》に滅《めっ》したまいて後《のち》の人《ひと》、見《み》たてまつらず。由《なお》、教法《きょうぼう》有《あ》りて尋《たず》ぬべきに喩《たと》う。即《すなわ》ち之《これ》を声《こえ》の如《ごと》しと喩《たと》うるなり。「或《ある》いは行《ゆ》くこと一分二分《いちぶんにぶん》するに、群賊《ぐんぞく》等《ら》、喚《よ》び回《かえ》す」と言《い》うは、即《すなわ》ち別解《べつげ》・別行《べつぎょう》・悪見《あっけん》の人等《ひとら》、⑭妄説《もうせつ》し見解《けんげ》をもって迭《たが》いに相惑乱《あいわくらん》し、及《およ》び自《みずか》ら罪《つみ》を造《つく》りて退失《たいしつ》すと喩《たと》うるなり。「西《にし》の岸《きし》の上《うえ》に、人有《ひとあ》りて喚《よ》ばう」と言《い》うは、即《すなわ》ち弥陀《みだ》の願意《がんい》に喩《たと》うるなり。「須臾《しゅゆ》に西《にし》の岸《きし》に到《いた》りて、善友《ぜんぬ》、相見《あいまみ》えて喜《よろこ》ぶ」と言《い》うは、即《すなわ》ち衆生《しゅじょう》、久《ひさ》し

①惶怖…おそれ　おそる
②勉…＊めん
③尋…＊じん
④怯…こわく
⑤退…しりぞく
⑥嶮悪…さかし
⑦慶…よろこぶ
⑧詐…＊そ　さ
⑨識…こころ
⑩迥…はるかなり
⑪微…すくなし
⑫染汚…そめ　けがす
⑬瞋嫌…いかり　きらう
⑭妄…みだりに

く生死《しょうじ》に沈《しず》みて、曠劫《こうごう》より淪回《りんね》し迷倒《めいとう》して、自《みずか》ら纏《まと》うて解脱《げだつ》に由無《よしな》し。仰《あお》いで、釈迦発遣《しゃかはっけん》して指《おし》えて西方《さいほう》に向《む》かえたまうことを蒙《かぶ》り、又《また》、弥陀《みだ》の悲心《ひしん》①招喚《しょうかん》したまうに藉《よ》りて、今《いま》、二尊《にそん》の意《おんこころ》に信《しん》順《じゅん》して、水火二河《しいかにが》を顧《かえり》みず、念念《ねんねん》に遺《わす》るること無《な》く、彼《か》の願力《がんりき》の道《どう》に乗《じょう》じて、捨命已後《しゃみょういご》、彼《か》の国《くに》に生《しょう》ずることを得《え》て、仏《ぶつ》と相見《あいまみ》えて慶喜《きょうき》すること、何《なん》ぞ極《きわ》まらんと喩《たと》うるなり。

又《また》、一切《いっさい》の行者《ぎょうじゃ》、行住座臥《ぎょうじゅうざが》に、三業《さんごう》の所修《しょしゅ》、昼夜時節《ちゅうやじせつ》を問《と》うこと無《な》く、常《つね》に此《こ》の解《げ》を作《な》し、常《つね》に此《こ》の想《そう》を作《な》すが故《ゆえ》に、「回向発願心《えこうほつがんしん》」と名《な》づく。又《また》「回向《えこう》」と言《い》うは、彼《か》の国《くに》に生《しょう》じ已《おわ》りて、還《かえ》りて大悲《だいひ》を起《お》こして、生死《しょうじ》に回入《えにゅう》して衆生《しゅじょう》を教化《きょうけ》する、亦《また》「回向《えこう》」と名《な》づくるなり。

三心《さんじん》、既《すで》に具《ぐ》すれば、行《ぎょう》として成《じょう》ぜざる無《な》し。願《がん》・行《ぎょう》、既《すで》に成《じょう》じて、若《も》し生《う》まれずは、是《こ》の処《ことわり》有《あ》ること無《な》しと。又《また》、此《こ》の三心《さんじん》、亦定善《またじょうぜん》の義《ぎ》を通摂《つうしょう》すと知《し》るべし」と。已上《いじょう》

25又云《またい》わく（般舟讃）、「敬《うやま》いて一切往生《いっさいおうじょう》の知識等《ちしきとう》に白《もう》さく、大《おお》きに須《すべから》く慚愧《ざんぎ》すべし。釈迦如来《しゃかにょらい》は、実《まこと》に是《こ》れ慈悲《じひ》の父母《ぶも》なり。種種《しゅじゅ》の方便《ほうべん》をして、我等《われら》が無上《むじょう》の信心《しんじん》を発起《ほっき》せしめたまえり」と。已上《いじょう》

26『貞元《ていげん》の新定釈教《しんじょうしゃっきょう》の目録《もくろく》』巻第十一《まきのだいじゅういち》に云《い》わく（貞元釈教録）、「『集諸経礼懺儀《しゅうしょきょうらいさんぎ》』上下《じょうげ》、大唐西《たいとうさい》崇福寺《しゅふくじ》の沙門智昇《しゃもんちしょう》の撰《せん》なり。貞元十五年十月二十三日《ていげんじゅうごねんじゅうがつにじゅうさんにち》に准《なずら》えて②勘編《かんぺん》して入《い》ると云云《うんぬん》。『懺儀《さんぎ》』の上巻《じょうかん》は、智昇《ちしょう》、諸経《しょきょう》に依《よ》りて『懺儀《さんぎ》』を造《つく》る中《なか》に、『観経《かんぎょう》』に依《よ》りては、善導《ぜんどう》の『礼懺《らいさん》』の日中《にっちゅう》の時《じ》の礼《らい》を引《ひ》けり。下巻《げかん》は比丘善導《びくぜんどう》の集記《じっきうんぬん》云云。」

27彼《か》の『懺儀《さんぎ》』に依《よ》りて要文《ようもん》を③鈔《しょう》して云《い》わく、12「二《ふたつ》には深心《じんしん》。」（観経）即《すなわ》ち是《こ》れ真実《しんじつ》の信心《しんじん》なり。

自身《じしん》は是《こ》れ煩悩《ぼんのう》を具足《ぐそく》せる凡夫《ぼんぶ》、善根《ぜんごん》④薄少《はくしょう》にして三界《さんがい》に流転《るてん》して火宅《かたく》を出《い》でずと信知《しんち》す。今《いま》、弥陀《みだ》の本弘誓願《ほんぐぜいがん》は、名号《みょうごう》を称《しょう》すること、下至十声聞等《げしじっしょうもんとう》に及《およ》ぶまで、定《さだ》んで往生《おうじょう》を得《え》しむと信知《しんち》して、一念《いちねん》に至《いた》るに及《およ》ぶまで疑心《ぎしん》有《あ》ること無《な》し。故《かるがゆえ》に「深心《じんしん》」と名《な》づくと。乃至《ないし》　其《そ》れ彼《か》の弥陀仏《みだぶつ》の名《みょう》号《ごう》を聞《き》くことを得《う》ること有《あ》りて、歓喜《かんぎ》して一心《いっしん》を至《いた》せば、皆《みな》、当《まさ》に彼《かしこ》に生《しょう》ずることを得《う》べし」と。

抄出《しょうしゅつ》

28『往生要集《おうじょうようしゅう》』に云《い》わく、「「入法界品《にゅうほっかいぼん》」に言《のたま》わく、13「譬《たと》えば、人有《ひとあ》りて不可壊《ふかえ》の薬《くすり》を得《う》れば、一切《いっさい》の⑤怨敵《おんてき》、其《そ》の便《たより》を得《え》ざるが如《ごと》し。菩薩摩訶薩《ぼさつまかさつ》も亦復是《またか》くの如《ごと》し。菩提心不可壊《ぼだいしんふかえ》の法薬《ほうやく》を得《う》れば、一切《いっさい》の煩悩《ぼんのう》・諸魔《しょま》・怨敵《おんてき》、⑥壊《え》すること能《あた》わざる所《ところ》なり。譬《たと》えば人有《ひとあ》りて、住水宝珠《じゅうすいほうしゅ》を得《え》て其《そ》の身《み》に瓔珞《ようらく》とすれば、深《ふか》き水中《すいちゅう》に入《い》りて⑦没溺《もつにゃく》せざるが如《ごと》し。菩提心住水宝珠《ぼだいしんじゅうすいほうしゅ》を得《う》れば、生死海《しょうじかい》に入《い》りて沈没《ちんもつ》せず。譬《たと》えば金剛《こんごう》は、百千劫《ひゃくせんごう》に於《お》いて水中《すいちゅう》に処《しょ》して⑧爛壊《らんえ》し亦《また》異《い》⑨変《へん》無《な》きが如《ごと》し。菩提《ぼだい》の心《しん》も亦《ま》復是《たか》くの如《ごと》し。無量劫《むりょうこう》に於《お》いて生死《しょうじ》の中《なか》・諸《もろもろ》の煩悩業《ぼんのうごう》に処《しょ》するに、断滅《だんめつ》すること能《あた》わず。亦《また》⑩損減《そんげん》無《な》し」と。」已上《いじょう》

29又云《またい》わく（往生要集）、「我《われ》、亦《また》、彼《か》の摂取《せっしゅ》の中《なか》に在《あ》れども、煩悩《ぼんのう》、眼《まなこ》を障《さ》えて見《み》たてまつるに能《あた》わ

①招喚…まねき よぶ
②勘編…かんがう つらぬ
③鈔…ぬく えらぶ とも
④薄…うすし
⑤怨敵…あた かたき
⑥壊…やぶる
⑦没溺…しずみ おぼる
⑧爛…みだる
⑨変…かわる
⑩損減…ほろぶ すくなし

ずと雖《いえど》も、大悲《だいひ》、①倦《ものう》きこと無《な》くして、常《つね》に我《わ》が身《み》を照《て》らしたまう」と。已上《いじょう》

30爾《しか》れば、若《も》しは行《ぎょう》、若《も》しは信《しん》、一事《いちじ》として阿弥陀如《あみだにょ》来《らい》の清浄願心《しょうじょうがんしん》の回向成就《えこうじょうじゅ》したまう所《ところ》に非《あら》ざること有《あ》ること無《な》し。因無《いんな》くして他《た》の因《いん》の有《あ》るには非《あら》ざるなりと知《し》るべし。

31問《と》う。如来《にょらい》の本願《ほんがん》、已《すで》に至心《ししん》・信楽《しんぎょう》・欲生《よくしょう》の誓《ちかい》を発《おこ》したまえり。何《なに》を以《もっ》ての故《ゆえ》に、論主《ろんじゅ》（天親）、[14]「一心《いっしん》」と言《のたま》うや。

32答《こた》う。愚鈍《ぐどん》の衆生《しゅじょう》、解了易《げりょうやす》からしめんが為《ため》に、弥陀《みだ》如来《にょらい》、三心《さんしん》を発《おこ》したまうと雖《いえど》も、涅槃《ねはん》の真因《しんいん》は、唯《ただ》、信心《しんじん》を以《もっ》てす。是《こ》の故《ゆえ》に論主《ろんじゅ》、三《さん》を合《がっ》して一《いち》と為《な》したまえるか。

33私《わたくし》に三心《さんしん》の字《じ》②訓《くん》を闚《うかが》うに、三即《さんすなわ》ち一《いち》なるべし。其《そ》の意《こころ》、何《いか》んとなれば、「至心《ししん》」と言《い》うは、「至《し》」は即《すなわ》ち是《こ》れ真《しん》なり、実《じつ》なり、誠《じょう》なり。「心《しん》」は即《すなわ》ち是《こ》れ種《しゅ》なり、実《じつ》なり。

爾者若行若信、無㆑有㆕一事非㆔阿弥陀如来清浄願心之所㆓回向成就㆒。非㆓無㆑因他因有㆒也可㆑知。

問。如来本願已発㆓至心・信楽・欲生誓㆒。何以故論主言㆓「一心」㆒也。

答。愚鈍衆生、解了為㆑令㆑易、弥陀如来、雖㆑発㆓三心㆒、涅槃真因、唯以㆓信心㆒。是故論主、合㆑三為㆑一歟。

私闚㆓三心字訓㆒、三即合㆑一。其意何者、言㆓至心㆒者、至者即是真也、実也、誠也。心者即是種也、実也。

「信楽《しんぎょう》」と言《い》うは、「信《しん》」は即《すなわ》ち是《こ》れ真《しん》なり、実《じつ》なり、誠《じょう》なり、③満《まん》なり、極《ごく》なり、成《じょう》なり、用《ゆう》なり、重《じゅう》なり、④審《しん》なり、⑤験《げん》なり、⑥宣《せん》なり、⑦忠《ちゅう》なり。「楽《ぎょう》」は即《すなわ》ち是《こ》れ欲《よく》なり、願《がん》なり、⑧愛《あい》なり、⑨悦《えつ》なり、歓《かん》なり、喜《き》なり、⑩賀《か》なり、慶《けい》なり。

「欲生《よくしょう》」と言《い》うは、「欲《よく》」は即《すなわ》ち是《こ》れ願《がん》なり、楽《ぎょう》なり、⑪覚《かく》なり、知《ち》なり。「生《しょう》」は即《すなわ》ち是《こ》れ成《じょう》なり、作《さ》なり〔「作《さ》」の字《じ》　則羅《そくら》の反《かえし》。則落《そくらく》の反《かえし》。蔵洛《ぞうらく》の反《かえし》。為《い》なり。起《き》なり。行《ぎょう》なり。役《やく》なり。始《し》なり。生《しょう》なり。〕、為《い》なり、⑫興《こう》なり。

34 明《あき》らかに知《し》りぬ。「至心《ししん》」即《すなわ》ち是《こ》れ真実《しんじつ》⑬誠種《じょうしゅ》の心《しん》なるが故《ゆえ》に、疑《ぎ》⑭蓋《がい》、雑《まじ》わること無《な》きなり。「信楽《しんぎょう》」即《すなわ》ち是《こ》れ真実誠満《しんじつじょうまん》の心《しん》なり、極成用重《ごくじょうゆうじゅう》の心《しん》なり、⑮審《しん》⑯験宣《げんせん》忠《ちゅう》の心《しん》なり、欲願愛悦《よくがんあいえつ》の心《しん》なり、歓喜賀慶《かんぎかけい》の心《しん》なるが

言㆓信楽㆒者、信者即是真也、実也、誠也、満也、極也、成也、用也、重也、審也、験也、宣也、忠也。楽者即是欲也、願也、愛也、悦也、歓也、喜也、賀也、慶也。

言㆓欲生㆒者、欲者即是願也、楽也、覚也、知也。生者即是成也、作也、為也、興也。

明知。至心即是真実誠種之心故、疑蓋無㆑雑也。信楽即是真実誠満之心、極成用重之心、審験宣忠之心、欲願愛悦之心、歓喜賀慶之心故、疑蓋無㆑雑也。欲生即是願楽覚

---

①倦…けん
②訓…おしえ
③満…みつ
④審…つまびらかなり
⑤⑯験…しるし
⑥宣…のぶ
⑦忠…こころざし
⑧愛…よみす
⑨悦…よろこぶ
⑩賀…＊よろこぶ
⑪覚…さとる
⑫興…おこす
⑬誠…まこと
⑭蓋…おおう
⑮審…あきらかなり

故《ゆえ》に、疑蓋《ぎがい》、雑《まじ》わること無《な》きなり。「欲生《よくしょう》」即《すなわ》ち是《こ》れ願楽覚知《がんぎょうかくち》の心《しん》なり、成作為興《じょうさいこう》の心《しん》なり、大悲回向《だいひえこう》の心《しん》なるが故《ゆえ》に、疑蓋《ぎがい》、雑《まじ》わること無《な》きなり。

35今《いま》、三心《さんしん》の字《じ》①訓《くん》を案《あん》ずるに、真実《しんじつ》の心《しん》にして、虚仮《こけ》、雑《まじ》わること無《な》し、正直《しょうじき》の心《しん》にして、邪偽《じゃぎ》、雑《まじ》わること無《な》し。真《まこと》に知《し》りぬ。疑蓋《ぎがい》、間雑《けんぞう》無《な》きが故《ゆえ》に、是《こ》れを「信楽《しんぎょう》」と名《な》づく。「信楽《しんぎょう》」即《すなわ》ち是《こ》れ一心《いっしん》なり。一心《いっしん》即《すなわ》ち是《こ》れ真実信心《しんじつしんじん》なり。是《こ》の故《ゆえ》に論主《ろんじゅ》、建《はじ》めに「一心《いっしん》」と言《のたま》えるなりと知《し》るべし。

36又問《またと》う。字訓《じくん》の如《ごと》き論主《ろんじゅ》の意《こころ》、三《さん》を以《もっ》て一《いち》とせる義《ぎ》、其《そ》の理《り》、然《しか》るべしと雖《いえど》も、愚悪《ぐあく》の衆生《しゅじょう》の為《ため》に、阿弥陀《あみだ》如来《にょらい》、已《すで》に三心《さんしん》の願《がん》を発《おこ》したまえり。云何《いかん》が思念《しねん》せんや。

37答《こた》う。仏意《ぶっい》、測《はか》り難《がた》し。然《しか》りと雖《いえど》も竊《ひそ》かに斯《こ》の心《しん》を②推《すい》するに、一切《いっさい》の群生海《ぐんじょうかい》、無始《むし》より已来《このかた》、乃至今日《ないしこんにち》、今時《こんじ》に至《いた》るまで、③穢《え》悪《あく》④汚《わ》⑤染《ぜん》にして清浄《しょうじょう》の心《しん》無《な》し、虚《こ》仮《け》⑥諂偽《てんぎ》にして真実《しんじつ》の心《しん》無《な》し。是《ここ》を以《もっ》て如来《にょらい》、一切苦悩《いっさいくのう》

知之心、成作為興之心、大悲回向之心故、疑蓋無レ雑也。

今案二三心字訓一、真実心而虚仮無レ雑、正直心而邪偽無レ雑。真知。疑蓋無二間雑一故、是名二信楽一。信楽即是一心。一心即是真実信心。是故論主建言二「一心」一也応レ知。

又問。如二字訓一論主意、以レ三為レ一義、其理雖レ可レ然、為二愚悪衆生一、阿弥陀如来、已発二三心願一。云何思念也。

答。仏意難レ測。雖レ然竊推二斯心一、一切群生海、自二従無始一已来、乃至今日、至二今時一、穢悪汚染無二清浄心一、虚仮諂偽無二真実心一。是以如来悲二憫一切苦悩衆生海一、於二不

の衆生海《しゅじょうかい》を悲《ひ》⑦愍《びん》して、不可思議《ふかしぎ》兆載永劫《ちょうさいようごう》に於《お》いて菩《ぼ》薩《さつ》の行《ぎょう》を行《ぎょう》じたまいし時《とき》、三業《さんごう》の所修《しょしゅ》、一念《いちねん》・一刹那《いっせつな》も、清浄《しょうじょう》ならざること無《な》し、真心《しんじん》ならざること無《な》し。如来《にょらい》、清浄《しょうじょう》の真心《しんじん》を以《もっ》て、円融無碍《えんゆうむげ》・不可思議《ふかしぎ》・不可《ふか》称《しょう》・不可説《ふかせつ》の至徳《しとく》を成《じょう》⑧就《じゅ》したまえり。如来《にょらい》の至心《ししん》を以《もっ》て、諸有《しょう》の一切煩悩《いっさいぼんのう》・悪業邪智《あくごうじゃち》の群生海《ぐんじょうかい》に回《え》⑨施《せ》したまえり。則《すなわ》ち是《こ》れ利他《りた》の真心《しんじん》を彰《あらわ》す。故《かるがゆえ》に疑《ぎ》⑩蓋《がい》、雑《まじ》わること無《な》し。斯《こ》の至心《ししん》は則《すなわ》ち是《こ》れ至徳《しとく》の尊号《そんごう》を其《そ》の体《たい》とせるなり。

可思議兆載永劫㆒行㆓菩薩行㆒時、三業所修、一念一刹那、無㆑不㆓清浄㆒、無㆑不㆓真心㆒。如来、以㆓清浄真心㆒、成㆓就円融無碍不可思議不可称不可説至徳㆒。以㆓如来至心㆒、回㆓施諸有一切煩悩悪業邪智群生海㆒。則是彰㆓利他真心㆒。故疑蓋無㆑雑。斯至心則是至徳尊号為㆓其体㆒也。

38 是《ここ》を以《もっ》て『大経《だいきょう》』に言《のたま》わく、「欲覚《よっかく》・瞋覚《しんかく》・害覚《がいかく》を生《しょう》ぜず。欲想《よくそう》・瞋想《しんそう》・害想《がいそう》を起《お》こさず。色《しき》・声《しょう》・香《こう》・味《み》の法《ほう》に著《じゃく》せず。忍力成就《にんりきじょうじゅ》して衆苦《しゅく》を計《はか》らず。少欲知《しょうよくち》⑪足《そく》にして⑫染《ぜん》・恚《い》・痴《ち》無《な》し。三昧《さんまい》常《じょう》⑬寂《じゃく》にして智慧無碍《ちえむげ》なり。虚《こ》⑭偽《ぎ》⑮諂曲《てんごく》の心有《しんあ》ること無《な》し。和《わ》⑯顔《げん》⑰愛語《あいご》にして、意《こころ》を先《さき》にして⑱承問《じょうもん》

①訓…おしえ　こころという
②推…おす
③穢…＊くらし／けがらわし
④汚…＊あせ／お反　けがす
⑤染…そむ
⑥⑮諂…へつらう
⑦愍…あわれぶ
⑧就…つく　なる　とも
⑨施…ほどこす　はつす　とも
⑩蓋…ぼんのう
⑪足…たる
⑫染恚痴…つく　いかる　おろ
　かなり
⑬寂…しずかなり
⑭偽…いつわる
⑯顔…かおばせ
⑰愛語…あわれみ　ことば
⑱承…うけ

す。①勇猛《ゆみょう》②精進《しょうじん》にして、志願《しがん》、③倦《ものう》きこと無《な》し。専《もっぱ》ら④清白《しょうびゃく》の法《ほう》を求《もと》めて、以《もっ》て群生《ぐんじょう》を⑤恵利《えり》しき。三宝《さんぼう》を⑥恭敬《くぎょう》し、師長《しちょう》に⑦奉事《ぶじ》しき。大《だい》⑧荘厳《しょうごん》を以《もっ》て衆行《しゅぎょう》を具足《ぐそく》して、諸《もろもろ》の衆生《しゅじょう》をして功徳成就《くどくじょうじゅ》せしむ」とのたまえりと。已上《いじょう》

39『無量寿如来《むりょうじゅにょらい》⑨会《え》』に言《のたま》わく、「仏《ぶつ》、阿難《あなん》に告《つ》げたまわく、「彼《か》の法処比丘《ほっしょびく》、世間自在王如来《せけんじざいおうにょらい》及《およ》び諸《しょ》天《てん》・人《にん》・魔《ま》・梵《ぼん》・沙門《しゃもん》・婆羅門等《ばらもんとう》の前《まえ》にして、広《ひろ》く是《か》くの如《ごと》き大弘誓《だいぐぜい》を発《おこ》しき。皆已《みなすで》に成就《じょうじゅ》したまえり。世間《せけん》に⑩希有《けう》にして、是《こ》の願《がん》を発《おこ》し已《おわ》りて実《じつ》の如《ごと》く安住《あんじゅう》す。種種《しゅじゅ》の功徳具足《くどくぐそく》して、威徳広大《いとくこうだい》清浄仏土《じょうぶつど》を荘厳《しょうごん》せり。是《か》くの如《ごと》き菩薩《ぼさつ》の行《ぎょう》を⑪修習《しゅじゅう》せること、時《とき》、無量無数不可思議無有等等億那《むりょうむしゅふかしぎむうとうどうおくな》由他百千劫《ゆたひゃくせんごう》を経《ふ》る内《うち》に、初《はじ》めて未《いま》だ曾《かつ》て貪《とん》・瞋《じん》及《およ》び痴《ち》・欲《よく》・害《がい》・⑫恚《い》の想《そう》を起《お》こさず。色《しき》・声《しょう》・香《こう》・味《み》・触《そく》の想《そう》を起《お》こさず。諸《もろもろ》の衆生《しゅじょう》に於《お》いて、常《つね》に愛敬《あいきょう》を⑬楽《ねが》うこと、猶《なお》⑭親属《しんぞく》の如《ごと》し。乃至《ないし》其《そ》の性《しょう》、⑮調順《じょうじゅん》にして⑯暴悪《ぼうあく》有《あ》ること無《な》し。諸《もろもろ》の有情《うじょう》に於《お》いて、常《つね》に慈忍《じにん》の心《しん》を懐《いだ》いて⑰詐諂《さてん》せず、亦《また》⑱懈怠無《けだいな》し。善言《ぜんごん》⑲策進《しゃくしん》して諸《もろもろ》の白法《びゃくほう》を求《もと》めしめ、普《あまね》く群生《ぐんじょう》の為《ため》に⑳勇猛《ゆみょう》にして退無《たいな》く、世間《せけん》を利益《りやく》せしめ大願円満《だいがんえんまん》したまえり」と。」略出《りゃくしゅつ》

40光明寺《こうみょうじ》の和尚《かしょう》（善導）の云《い》わく（散善義）、「此《こ》の雑毒《ぞうどく》の行《ぎょう》を回《え》して、彼《か》の仏《ぶつ》の浄土《じょうど》に求生《ぐしょう》せんと欲《おも》うは、此《こ》れ必《かなら》ず不可《ふか》なり。何《なに》を以《もっ》ての故《ゆえ》に。正《まさ》しく、彼《か》の阿弥陀仏《あみだぶつ》、因中《いんちゅう》に菩薩《ぼさつ》の行《ぎょう》を行《ぎょう》ぜし時《とき》、乃至一念《ないしいちねん》・一刹那《いっせつな》も、三業《さんごう》の所修《しょしゅ》、皆是《みなこ》れ真実心《しんじつしん》の中《なか》に作《な》したまえるに由《よ》りてなり。凡《おおよ》そ施《ほどこ》したまう所《ところ》、㉑趣求《しゅぐ》を為《な》す。亦皆真実《またみなしんじつ》なり。又《また》、真実《しんじつ》に二種有《にしゅあ》り。一《ひとつ》には自利真実《じりしんじつ》、二《ふたつ》には利他真実《りたしんじつ》な

りと。乃至《ないし》　不善《ふぜん》の三業《さんごう》をば、必《かなら》ず真実心《しんじつしん》の中《なか》に捨《す》てたまえるを須《もち》いよ。又《また》、若《も》し善《ぜん》の三業《さんごう》を起《お》こさば、必《かなら》ず真実心《しんじつしん》の中《なか》に作《な》したまえるを須《もち》いて、内外明闇《ないげみょうあん》を簡《えら》ばず、皆真実《みなしんじつ》を須《もち》いるが故《ゆえ》に「至《し》誠心《じょうしん》」と名《な》づく」と。抄要《しょうよう》

41 爾《しか》れば、大聖《だいしょう》の真言《しんごん》、宗師《しゅうし》の釈義《しゃくぎ》、信《まこと》に知《し》りぬ。斯《こ》の心《しん》、則《すなわ》ち是《こ》れ不可思議《ふかしぎ》・不可称《ふかしょう》・不可説《ふかせつ》・一乗《いちじょう》大智願海《だいちがんかい》・回向利益他《えこうりやくた》の真実心《しんじつしん》なり。是《こ》れを「至心《ししん》」と名《な》づく。

42 既《すで》に「真実《しんじつ》」と言《い》えり。「真実《しんじつ》」と言《い》うは、『涅槃経《ねはんぎょう》』に言《のたま》わく（聖行品）、「実諦《じったい》は一道清浄《いちどうしょうじょう》にして二有《にあ》ること無《な》きなり。「真実《しんじつ》」と言《い》うは即《すなわ》ち是《こ》れ如来《にょらい》なり。如来《にょらい》は即《すなわ》ち是《こ》れ真実《しんじつ》なり。真実《しんじつ》は即《すなわ》ち是《こ》れ虚空《こくう》なり。虚空《こくう》は即《すなわ》ち是《こ》れ真実《しんじつ》なり。真実《しんじつ》は即《すなわ》ち是《こ》れ仏性《ぶっしょう》なり。仏性《ぶっしょう》は即《すなわ》ち是《こ》れ真実《しんじつ》なり」と。已上《いじょう》

爾者大聖真言、宗師釈義、信知。斯心、則是不可思議不可称不可説一乗大智願海回向利益他之真実心。是名二至心一。

既言二真実一。言二真実一者、

①勇猛…いさむ　たけし
②精…もっぱら
③倦…けん
④清…きよし
⑤恵…めぐむ
⑥恭…つつしむ
⑦奉…つかう
⑧荘厳…かざり　いつくし
⑨会…あつむ　あう
⑩希…まれに
⑪修習…つくろう　ならう
⑫恚…いかる
⑬楽…このむ
⑭親…したし
⑮調…ととのう
⑯暴…あらし
⑰詐…＊そ
詐諂せず…いつわり　へつらわず
⑱懈怠…おこたり
⑲策…むちうつ
⑳勇猛…いさみ　たけし
㉑趣…おもむく

43『釈《しゃく》』(散善義)に15「不簡内外明闇《ふけんないげみょうあん》」と云《い》えり。「内《ない》外《げ》」は、「内《ない》」は即《すなわ》ち是《こ》れ出世《しゅっせ》なり、「外《げ》」は即《すなわ》ち是《こ》れ世間《せけん》なり。「明闇《みょうあん》」は、「明《みょう》」は即《すなわ》ち是《こ》れ出世《しゅっせ》なり、「闇《あん》」は即《すなわ》ち是《こ》れ世間《せけん》なり。又復《また》「明《みょう》」は即《すなわ》ち智明《ちみょう》なり、「闇《あん》」は即《すなわ》ち無明《むみょう》なり。

44『涅槃経《ねはんぎょう》』に言《のたま》わく(迦葉菩薩品)、「闇《あん》は即《すなわ》ち世間《せけん》なり。明《みょう》は即《すなわ》ち出世《しゅっせ》なり。闇《あん》は即《すなわ》ち無明《むみょう》なり。明《みょう》は即《すなわ》ち智明《ちみょう》なり」と。已上《いじょう》

45次《つぎ》に「信楽《しんぎょう》」と言《い》うは、則《すなわ》ち是《こ》れ如来《にょらい》の満足大悲《まんぞくだいひ》・円融無碍《えんゆうむげ》の信心海《しんじんかい》なり。是《こ》の故《ゆえ》に、疑蓋《ぎがい》、間雑《けんぞう》有《あ》ること無《な》し。故《かるがゆえ》に「信楽《しんぎょう》」と名《な》づく。即《すなわ》ち利他回向《りたえこう》の至《し》心《しん》を以《もっ》て信楽《しんぎょう》の体《たい》とするなり。

然《しか》るに、無始《むし》より已来《このかた》、一切群生海《いっさいぐんじょうかい》、無明海《むみょうかい》に流転《るてん》し、諸有輪《しょうりん》に①沈迷《ちんめい》し、衆苦輪《しゅくりん》に②繋縛《けばく》せられて、清浄《しょうじょう》の信楽《しんぎょう》無《な》し、法爾《ほうに》として真実《しんじつ》の信楽《しんぎょう》無《な》し。是《ここ》を以《もっ》て、無《む》上功徳《じょうくどく》、③値遇《ちぐう》し④難叵《がた》く、最勝《さいしょう》の浄信《じょうしん》、⑤獲得《ぎゃくとく》し難叵《がた》し。一切凡小《いっさいぼんしょう》、一切時《いっさいじ》の中《なか》に、貪愛《とんあい》の心《しん》、常《つね》に能《よ》く善心《ぜんしん》を

『釈』云㆓「不簡内外明闇。」㆒内外者、内者即是出世、外者即是世間。明闇者、明者即是出世、闇者即是世間。又復明者即智明、闇者即無明也。

次言㆓信楽㆒者、則是如来満足大悲円融無碍信心海。是故疑蓋無㆑有㆓間雑㆒。故名㆓信楽㆒。即以㆓利他回向之至心㆒為㆓信楽体㆒也。

然従㆓無始㆒已来、一切群生海、流㆓転無明海㆒、沈㆓迷諸有輪㆒、繫㆓縛衆苦輪㆒、無㆓清浄信楽㆒、法爾無㆓真実信楽㆒。是以無上功徳、難㆓叵値遇㆒、最勝浄信、難㆓叵獲得㆒。一切凡小、一切時中、貪愛之心、常能汚㆓善心㆒、

汚《けが》し、瞋憎《しんぞう》の心《しん》、常《つね》に能《よ》く法財《ほうざい》を焼《や》く。急作急修《きゅうさきゅうしゅ》して頭燃《ずねん》を灸《はら》うが如《ごと》くすれども、衆《すべ》て「雑毒雑修《ぞうどくざっしゅ》の善《ぜん》」と名《な》づく、亦《また》「虚仮諂偽《こけてんぎ》の行《ぎょう》」と名《な》づく、「真実《しんじつ》の業《ごう》」と名《な》づけざるなり。此《こ》の虚仮雑毒《こけぞうどく》の善《ぜん》を以《もっ》て無量光明土《むりょうこうみょうど》に生《う》まれんと欲《ほっ》する、此《こ》れ必《かなら》ず不可《ふか》なり。何《なに》を以《もっ》ての故《ゆえ》に。正《まさ》しく、如来《にょらい》、菩薩《ぼさつ》の行《ぎょう》を行《ぎょう》じたまいし時《とき》、三業《さんごう》の所修《しょしゅ》、乃至一念《ないしいちねん》・一《いっ》⑥刹那《せつな》も、疑蓋《ぎがい》、雑《まじ》わること無《な》きに由《よ》りてなり。斯《こ》の心《しん》は即《すなわ》ち如来《にょらい》の大悲心《だいひしん》なるが故《ゆえ》に、必《かなら》ず報土《ほうど》の正定《しょうじょう》の因《いん》と成《な》る。如来《にょらい》、苦悩《くのう》の群生海《ぐんじょうかい》を悲⑦憐《ひれん》して、無碍広大《むげこうだい》の浄信《じょうしん》を以《もっ》て諸有海《しょうかい》に回⑧施《えせ》したまえり。是《こ》れを「利他真実《りたしんじつ》の信心《しんじん》」と名《な》づく。

46 本願信心《ほんがんしんじん》の願成就《がんじょうじゅ》の文《もん》、『経《きょう》』（大経）に言《のたま》わく、「諸有《しょう》の衆生《しゅじょう》、其《そ》の名号《みょうごう》を聞《き》きて信心歓喜《しんじんかんぎ》せんこと乃至一念《ないしいちねん》せん」と。已上《いじょう》

47 又言《またのたま》わく（如来会）、「他方仏国《たほうぶっこく》の所有《しょう》の衆生《しゅじょう》、無量寿如来《むりょうじゅにょらい》の名号《みょうごう》を聞《き》きて、能《よ》く一念《いちねん》の浄信《じょうしん》を

瞋憎之心、常能焼二法財一。急作急修如レ灸二頭燃一、衆名二雑毒雑修之善一、亦名二虚仮諂偽之行一、不レ名二真実業一也。以二此虚仮雑毒之善一欲レ生二無量光明土一、此必不可也。何以故。正由下如来行二菩薩行一時、三業所修、乃至一念一刹那、疑蓋無上レ雑。斯心者即如来大悲心故、必成二報土正定之因一。如来悲二憐苦悩群生海一以二無碍広大浄信一回二施諸有海一。是名二利他真実信心一。

①沈迷…しずみ　まどう
②繫縛…つなぐ　しばる
③値遇…あう　あう
④回…＊は／かたし
⑤獲得…うる
⑥刹那…くに　なに
⑦憐…あわれむ
⑧施…あたう

発《おこ》して歓喜《かんぎ》せん」と。已上《いじょう》

48『涅槃経《ねはんぎょう》』に言《のたま》わく（師子吼菩薩品）、「善男子《ぜんなんし》。大慈大悲《だいじだいひ》を名《な》づけて「仏性《ぶっしょう》」とす。何《なに》を以《もっ》ての故《ゆえ》に。大慈大悲《だいじだいひ》は常《つね》に菩薩《ぼさつ》に随《したが》うこと、影《かげ》の形《かたち》に随《したが》うが如《ごと》し。一切衆生《いっさいしゅじょう》、畢《つい》に定《さだ》んで当《まさ》に大慈大悲《だいじだいひ》を得《う》べし。是《こ》の故《ゆえ》に説《と》きて「一切衆生悉有仏性《いっさいしゅじょうしつうぶっしょう》」と言《のたま》えるなり。大慈大悲《だいじだいひ》は名《な》づけて「仏性《ぶっしょう》」とす。仏性《ぶっしょう》は名《な》づけて「如来《にょらい》」とす。大喜大捨《だいきだいしゃ》を名《な》づけて「仏性《ぶっしょう》」とす。何《なに》を以《もっ》ての故《ゆえ》に。菩薩摩訶《ぼさつまか》薩《さつ》は、若《も》し二十五有《にじゅうごう》に能《あた》わずは、則《すなわ》ち阿耨多羅三藐三菩提《あのくたらさんみゃくさんぼだい》を得《う》ること能《あた》わず。諸《もろもろ》の衆生《しゅじょう》、畢《つい》に当《まさ》に得《う》べきを以《もっ》ての故《ゆえ》に、是《こ》の故《ゆえ》に説《と》きて「一切衆生悉有仏性《いっさいしゅじょうしつうぶっしょう》」と言《のたま》えるなり。大喜大捨《だいきだいしゃ》は即《すなわ》ち是《こ》れ仏性《ぶっしょう》なり。仏性《ぶっしょう》は即《すなわ》ち是《こ》れ如来《にょらい》なり。仏性《ぶっしょう》は「大信心《だいしんじん》」と名《な》づく。何《なに》を以《もっ》ての故《ゆえ》に。信心《しんじん》を以《もっ》ての故《ゆえ》に、菩薩摩訶薩《ぼさつまかさつ》は則《すなわ》ち能《よ》く檀波羅蜜乃至般若波羅蜜《だんはらみつないしはんにゃはらみつ》を具足《ぐそく》せり。一切衆生《いっさいしゅじょう》は畢《つい》に定《さだ》んで当《まさ》に大信心《だいしんじん》を得《う》べきを以《もっ》ての故《ゆえ》に、是《こ》の故《ゆえ》に説《と》きて「一切衆生悉有仏性《いっさいしゅじょうしつうぶっしょう》」と言《のたま》えるなり。大信心《だいしんじん》は即《すなわ》ち是《こ》れ仏性《ぶっしょう》なり。仏性《ぶっしょう》は即《すなわ》ち是《こ》れ如来《にょらい》なり。仏性《ぶっしょう》は「一子地《いっしじ》」と名《な》づく。何《なに》を以《もっ》ての故《ゆえ》に。一子地《いっしじ》の因縁《いんねん》を以《もっ》ての故《ゆえ》に、菩薩《ぼさつ》は則《すなわ》ち一切衆生《いっさいしゅじょう》に於《お》いて平等心《びょうどうしん》を得《え》たり。一切衆生《いっさいしゅじょう》は畢《つい》に定《さだ》んで当《まさ》に一子地《いっしじ》を得《う》べきが故《ゆえ》に、是《こ》の故《ゆえ》に説《と》きて「一切衆生悉有仏性《いっさいしゅじょうしつうぶっしょう》」と言《のたま》えるなり。一子地《いっしじ》は即《すなわ》ち是《こ》れ仏性《ぶっしょう》なり。仏性《ぶっしょう》は即《すなわ》ち是《こ》れ如来《にょらい》なり」と。已上《いじょう》

49又言《またのたま》わく（迦葉菩薩品）、「或《ある》いは阿耨多羅三藐三菩提《あのくたらさんみゃくさんぼだい》を[16]説《と》く、信心《しんじん》を因《いん》とす。是《こ》れ菩提《ぼだい》の因《いん》、復《ま》た無量《むりょう》なりと雖《いえど》も、若《も》し信心《しんじん》を説《と》けば、則《すなわ》ち已《すで》に摂尽《しょうじん》しぬ」と。已上《いじょう》

50又言《またのたま》わく（迦葉菩薩品）、「信《しん》に復《ま》た二種《にしゅ》有《あ》り。一《ひとつ》には聞《もん》より生《しょう》ず、二《ふたつ》には思《し》より生《しょう》ず。是《こ》の人《ひと》の信心《しんじん》、聞《もん》よりして生《しょう》じて思《し》より生《しょう》ぜざる、是《こ》の故《ゆえ》に名《な》づけて「信不具足《しんふぐそく》」とす。復《ま》た二種《にしゅ》有《あ》り。一《ひとつ》には道有《どうあ》りと信《しん》ず、二《ふたつ》には得者《とくしゃ》を信《しん》ず。是《こ》の人《ひと》の信心《しんじん》、唯《ただ》、道有《どうあ》りと信《しん》じて、都《すべ》て得道《とくどう》の人有《ひとあ》りと信《しん》ぜざらん。是《こ》れを名《な》づけて「信不具足《しんふぐそく》」とす」といえり。已上抄出《いじょうしょうしゅつ》

51『華厳経《けごんぎょう》』に言《のたま》わく（晋訳入法界品）、「此《こ》の法《ほう》を聞《き》きて信心《しんじん》を歓喜《かんぎ》して疑《うたがい》無《な》き者《もの》は、速《すみ》やかに無《む》上道《じょうどう》を成《な》らん。諸《もろもろ》の如来《にょらい》と等《ひと》し」となり。

52又言《またのたま》わく（唐訳入法界品）、「如来《にょらい》、能《よ》く永《なが》く一切衆生《いっさいしゅじょう》の疑《うたがい》を断《た》たしむ。其《そ》の心《しん》の所楽《しょぎょう》に随《したが》いて、普《あまね》く皆満足《みなまんぞく》せしむ」となり。

53又言《またのたま》わく（唐訳賢首品）、「信《しん》は道《どう》の元《もと》とす、功徳《くどく》の母《はは》なり。一切諸《いっさいもろもろ》の善法《ぜんぽう》を長養《じょうよう》す。疑網《ぎもう》を断除《だんじょ》して愛流《あいる》を出《い》で、涅槃無上道《ねはんむじょうどう》を開示《かいじ》せしむ。信《しん》は垢濁《くじょく》の心無《しんな》し。清浄《しょうじょう》にして憍慢《きょうまん》を滅除《めつじょ》す。恭《く》敬《ぎょう》の本《ほん》なり。亦法蔵第一《またほうぞうだいいち》の財《ざい》とす。清浄《しょうじょう》の手《て》として衆行《しゅぎょう》を受《う》く。信《しん》は能《よ》く恵施《えせ》して心《しん》に①悋《おし》むこと無《な》し。信《しん》は能《よ》く歓喜《かんぎ》して仏法《ぶっぽう》に入《い》る。信《しん》は能《よ》く智功徳《ちくどく》を増長《ぞうじょう》す。信《しん》は能《よ》く必《かなら》ず如来地《にょらいじ》に到《いた》る。信《しん》は諸根《しょこん》をして浄明利《じょうみょうり》ならしむ。信力《しんりき》②堅固《けんご》なれば、能《よ》く壊《え》すること無《な》し。信《しん》は能《よ》く永《なが》く煩悩《ぼんのう》の本《ほん》を滅《めっ》す。信《しん》は能《よ》く専《もっぱ》ら仏功徳《ぶつくどく》に向《む》かえしむ。信《しん》は境界《きょうがい》に於《お》いて所著無《しょじゃくな》し。諸難《しょなん》を遠離《おんり》して無難《むなん》を得《え》し

①悋…りん　②堅…かたし

む。信《しん》は能《よ》く衆魔《しゅま》の路《ろ》を超出《ちょうしゅつ》し、無上解脱道《むじょうげだつどう》を示現《じげん》せしむ。信《しん》は功徳《くどく》の為《ため》に種《たね》を壊《やぶ》らず。信《しん》は能《よ》く菩提樹《ぼだいじゅ》を生長《しょうじょう》す。信《しん》は能《よ》く最勝智《さいしょうち》を増益《ぞうやく》す。信《しん》は能《よ》く一切仏《いっさいぶつ》を示現《じげん》せしむ。是《こ》の故《ゆえ》に行《ぎょう》に依《よ》りて次第《しだい》を説《と》く。信楽最勝《しんぎょうさいしょう》にして甚《はなは》だ得《う》ること難《かた》し。乃至《ないし》 若《も》し常《つね》に諸仏《しょぶつ》を信奉《しんぶ》すれば、則《すなわ》ち能《よ》く大供養《だいくよう》を興集《こうじゅう》す。若《も》し能《よ》く大供養《だいくよう》を興集《こうじゅう》すれば、彼《か》の人《ひと》、仏《ぶつ》の不思議《ふしぎ》を信《しん》ず。若《も》し常《つね》に尊法《そんぽう》に信奉《しんぶ》すれば、則《すなわ》ち仏法《ぶっぽう》を聞《き》くに①厭足《えんそく》無《な》し。若《も》し仏法《ぶっぽう》を聞《き》くに厭足《えんそく》無《な》ければ、彼《か》の人《ひと》、法《ほう》の不思議《ふしぎ》を信《しん》ず。若《も》し常《つね》に清浄僧《しょうじょうそう》に信奉《しんぶ》すれば、則《すなわ》ち信心《しんじん》、退転《たいてん》せざることを得《う》。若《も》し信心不退転《しんじんふたいてん》を得《う》れば、彼《か》の人《ひと》の信力《しんりき》、能《よ》く動《うご》くこと無《な》し。若《も》し信力《しんりき》を得《え》て能《よ》く動《うご》くこと無《な》ければ、則《すなわ》ち諸根浄明利《しょこんじょうみょうり》を得《え》ん。若《も》し諸根浄明利《しょこんじょうみょうり》を得《う》れば、則《すなわ》ち善知識《ぜんじしき》に親近《しんごん》することを得《う》。則《すなわ》ち善知識《ぜんじしき》に親近《しんごん》することを得《う》れば、則《すなわ》ち能《よ》く広大善《こうだいぜん》を修集《しゅじゅう》す。若《も》し能《よ》く広大善《こうだいぜん》を修集《しゅじゅう》すれば、彼《か》の人《ひと》、大因力《だいいんりき》を成就《じょうじゅ》す。若《も》し人《ひと》、大《だい》因力《いんりき》を成就《じょうじゅ》すれば、則《すなわ》ち殊勝決定《しゅしょうけつじょう》の解《げ》を得《う》。若《も》し殊勝決定《しゅしょうけつじょう》の解《げ》を得《う》れば、則《すなわ》ち諸仏《しょぶつ》の為《ため》に護《ご》念《ねん》せらる。若《も》し諸仏《しょぶつ》の為《ため》に護念《ごねん》せらるれば、則《すなわ》ち能《よ》く菩提心《ぼだいしん》を発起《ほっき》す。若《も》し能《よ》く菩提心《ぼだいしん》を発起《ほっき》すれば、則《すなわ》ち能《よ》く仏功徳《ぶつくどく》を勤修《ごんしゅ》せしむ。若《も》し能《よ》く仏功徳《ぶつくどく》を勤修《ごんしゅ》すれば、則《すなわ》ち能《よ》く生《う》まれて如来《にょらい》の家《いえ》に在《あ》らん。若《も》し生《う》まれて如来《にょらい》の家《いえ》に在《あ》ることを得《う》れば、則《すなわ》ち善《ぜん》をして巧方便《ぎょうほうべん》を修行《しゅぎょう》せん。若《も》し善《ぜん》をして巧方便《ぎょうほうべん》を修行《しゅぎょう》すれば、則《すなわ》ち信楽《しんぎょう》の心清浄《しんしょうじょう》なることを得《う》。若《も》し信楽《しんぎょう》の心清浄《しんしょうじょう》を得《う》れば、則《すなわ》ち増上《ぞうじょう》の最勝心《さいしょうしん》を得《う》。若《も》し増上《ぞうじょう》の最勝心《さいしょうしん》を得《う》れば、則《すなわ》ち常《つね》に波羅蜜《はらみつ》を修《しゅ》②習《じゅう》せん。若《も》し常《つね》に波《は》羅蜜《らみつ》を修習《しゅじゅう》すれば、則《すなわ》ち能《よ》く摩《ま》訶《か》③衍《えん》を具足《ぐそく》せん。若《も》し能《よ》く摩訶衍《まかえん》を具足《ぐそく》すれば、則《すなわ》ち能《よ》く法《ほう》の如《ごと》く仏《ぶつ》を供養《くよう》せん。若《も》し能《よ》く如法《にょほう》に仏《ぶつ》を供養《くよう》すれば、則《すなわ》ち能《よ》く念仏《ねんぶつ》の心《しん》、動《どう》ぜず。若《も》し能《よ》く念仏《ねんぶつ》の心《しん》、動《どう》ぜざれば、則《すなわ》ち常《つね》に無量仏《むりょうぶつ》を観見《とけん》せん。若《も》し常《つね》に無量仏《むりょうぶつ》を観見《とけん》すれば、則《すなわ》ち如来《にょらい》の④体常住《たいじょうじゅう》を見《み》ん。若《も》し如来《にょらい》の体常住《たいじょうじゅう》を見《み》れば、則《すなわ》ち能《よ》く法永《ほうなが》く不滅《ふめつ》なることを知《し》らん。若《も》し能《よ》く法永《ほうなが》く不滅《ふめつ》なるを知《し》れば、弁才《べんざい》を得《え》、無障碍《むしょうげ》を得《え》ん。若《も》し弁才無障碍《べんざいむしょうげ》を得《う》れば、則《すなわ》ち能《よ》く無辺《むへん》の法《ほう》を開⑤演《かいえん》せん。若《も》し能《よ》く無辺《むへん》の法《ほう》を開演《かいえん》せば、則《すなわ》ち能《よ》く慈愍《じみん》して衆生《しゅじょう》を度《ど》せん。若《も》し能《よ》く衆生《しゅじょう》を慈愍《じみん》し度《ど》すれば、則《すなわ》ち⑥堅固《けんご》の大悲心《だいひしん》を得《え》ん。若《も》し堅固《けんご》の大悲心《だいひしん》を得《う》れば、則《すなわ》ち能《よ》く⑦甚深《じんじん》の法《ほう》を愛楽《あいぎょう》せん。若《も》し能《よ》く甚深《じんじん》の法《ほう》を愛楽《あいぎょう》すれば、則《すなわ》ち能《よ》く有為《うい》の過《とが》を捨離《しゃり》せん。若《も》し能《よ》く有為《うい》の過《とが》を捨離《しゃり》すれば、則《すなわ》ち憍慢及《きょうまんおよ》び放逸《ほういつ》を離《はな》る。若《も》し憍慢及《きょうまんおよ》び放逸《ほういつ》を離《はな》るれば、則《すなわ》ち能《よ》く一切衆《いっさいしゅ》を⑧兼利《けんり》せん。若《も》し能《よ》く一切衆《いっさいしゅ》を兼利《けんり》すれば、則《すなわ》ち生死《しょうじ》に処《しょ》して⑨疲厭無《ひえんな》けん」となり。略抄《りゃくしょう》

54『論註《ろんちゅう》』に曰《い》わく、17「如実修行相応《にょじつしゅぎょうそうおう》」（論）と名《な》づく。是《こ》の故《ゆえ》に論主《ろんじゅ》、建《はじ》めに18「我一心《がいっしん》」（同）と言《のたま》えり。」已上《いじょう》

55又言《またのたま》わく（論註）、「経《きょう》の⑩始《はじ》めに「如是《にょぜ》」と称《しょう》することは、信《しん》を彰《あらわ》して能入《のうにゅう》とす。」已上《いじょう》

56次《つぎ》に「欲生《よくしょう》」と言《い》うは、則《すなわ》ち是《こ》れ、如来《にょらい》、諸有《しょうう》の群《ぐん》――　次言㆓欲生㆒者、則是如来招㆓喚諸有群生㆒之

①厭足…いとい　たる
②習…ならう
③衍…かん
④体…み
⑤演…のぶ
⑥堅固…かたく　かたし
⑦甚…＊はなはだ
⑧兼…かぬ
⑨疲厭…つかれ　いとう
⑩始…＊し

生《じょう》を招喚《①しょうかん》したまうの勅命《ちょくめい》なり。即《すなわ》ち真実《しんじつ》の信楽《しんぎょう》を以《もっ》て欲生《よくしょう》の体《たい》とするなり。誠《まこと》に是《こ》れ大小凡聖定散自《だいしょうぼんしょうじょうさんじ》力《りき》の回向《えこう》に非《あら》ず。故《かるがゆえ》に「不回向《ふえこう》」と名《な》づくるなり。

然《しか》るに、微塵界《みじんかい》の有情《うじょう》、煩悩海《ぼんのうかい》に流転《るてん》し、生死海《しょうじかい》に漂没《②ひょうもつ》して、真実《しんじつ》の回向心《えこうしん》無《な》し、清浄《しょうじょう》の回向心《えこうしん》無《な》し。是《こ》の故《ゆえ》に如来《にょらい》、一切苦悩《いっさいくのう》の群生海《ぐんじょうかい》を矜哀《③こうあい》して、菩薩《ぼさつ》の行《ぎょう》を行《ぎょう》じたまいし時《とき》、三業《さんごう》の所修《しょしゅ》、乃至一念《ないしいちねん》・一刹那《いっせつな》も、回向心《えこうしん》を首《しゅ》として大悲心《だいひしん》を成就《じょうじゅ》することを得《え》たまえるが故《ゆえ》に、利他真実《りたしんじつ》の欲生心《よくしょうしん》を以《もっ》て諸有海《しょうかい》に回施《えせ》したまえり。「欲生《よくしょう》」即《すなわ》ち是《こ》れ回向心《えこうしん》なり。斯《こ》れ則《すなわ》ち大《だい》悲心《ひしん》なるが故《ゆえ》に、疑蓋《ぎがい》、雑《まじ》わること無《な》し。

勅命。即以㆓真実信楽㆒為㆓欲生体㆒也。誠是非㆓大小凡聖定散自力之回向㆒。故名㆓不回向㆒也。

然微塵界有情、流㆓転煩悩海㆒、漂㆓没生死海㆒、無㆓真実回向心㆒、無㆓清浄回向心㆒。是故如来矜㆓哀一切苦悩群生海㆒、行㆓菩薩行㆒時、三業所修、乃至一念一刹那、回向心為㆑首得㆔成㆓就大悲心㆒故、以㆓利他真実欲生心㆒回㆓施諸有海㆒。欲生即是回向心。斯則大悲心故、疑蓋無㆑雑。

57是《ここ》を以《もっ》て本願《ほんがん》の欲生心成就《よくしょうしんじょうじゅ》の文《もん》、『経《きょう》』(大経)に言《のたま》わく、「至心回向《ししんえこう》したまえり。彼《か》の国《くに》に生《う》まれんと願《がん》ずれば、即《すなわ》ち往生《おうじょう》を得《え》、不退転《ふたいてん》に住《じゅう》せんと。唯《ただ》、五逆《ごぎゃく》と誹謗正法《ひほうしょうぼう》とを除《のぞ》く」と。已上《いじょう》

58又言《またのたま》わく(如来会)、「所有《しょう》の善根回向《ぜんごんえこう》したまえるを愛楽《あいぎょう》して無量寿国《むりょうじゅこく》に生《う》まれんと願《がん》ずれば、願《がん》に随《したが》いて皆生《みなしょう》ぜしめ、不退転乃至無上正等菩提《ふたいてんないしむじょうしょうとうぼだい》を得《え》んと。五無間《ごむけん》・誹謗正法及《ひほうしょうぼうおよ》び謗聖者《ほうしょうじゃ》を除《のぞ》く」と。已上《いじょう》

59『浄土論《じょうどろん》』(論註)に曰《い》わく、「19「云何《いかん》が回向《えこう》したまえる。一切苦悩《いっさいくのう》の衆生《しゅじょう》を捨《す》てずして、心《しん》に常《つね》に作願《さがん》すらく、回向《えこう》を首《しゅ》として大悲心《だいひしん》を成就《じょうじゅ》することを得《え》たまえるが故《ゆえ》に」(論)とのたまえり。回向《えこう》に二種《にしゅ》の相《そう》有《あ》り。一《ひとつ》には往相《おうそう》、二《ふたつ》には還相《げんそう》なり。往相《おうそう》は、己《おのれ》が功徳《くどく》を以《もっ》て一切衆生《いっさいしゅじょう》に回施《えせ》したまいて、作願《さがん》して共《とも》に彼《か》の阿弥陀如来《あみだにょらい》の安楽浄土《あんらくじょうど》に往生《おうじょう》せしめたまうなり。還相《げんそう》は、彼《か》の土《ど》に生《しょう》じ已《おわ》りて、奢摩他《しゃまた》・毘婆舎那《びばしゃな》・方便力成就《ほうべんりきじょうじゅ》することを得《え》て、生死《しょうじ》の稠林《ちゅうりん》に回入《えにゅう》して、一切衆生《いっさいしゅじょう》を教化《きょうけ》して共《とも》に仏道《ぶつどう》に向《む》かえしめたまうなり。若《も》しは往《おう》、若《も》しは還《げん》、皆《みな》、衆生《しゅじょう》を抜《ぬ》きて生死海《しょうじかい》を渡《ど》せんが為《ため》にとのたまえり。是《こ》の故《ゆえ》に「回向為首得成就大悲心故《えこういしゅとくじょうじゅだいひしんこ》」と言《のたま》えり」と。已上《いじょう》

60又《また》云《い》わく(論註)、「浄入願心《じょうにゅうがんしん》は、『論《ろん》』に曰《い》わく、20「又《また》、向《さき》に観察荘厳仏土《かんざつしょうごんぶつど》功徳成就《くどくじょうじゅ》・荘厳仏《しょうごんぶつ》功徳成就《くどくじょうじゅ》・荘厳菩薩功徳成就《しょうごんぼさつくどくじょうじゅ》を説《と》きつ。此《こ》の三種《さんしゅ》の成就《じょうじゅ》は願心《がんしん》の荘厳《しょうごん》したまえるなりと知《し》る応《べ》し」(論)といえりと。「応知《おうち》」は、此《こ》の三種《さんしゅ》の荘厳成就《しょうごんじょうじゅ》は、本《もと》、四十八願等《しじゅうはちがんとう》の清浄《しょうじょう》の願心《がんしん》の荘《しょう》厳《ごん》したまう所《ところ》なるに由《よ》りて、因浄《いんじょう》なるが故《ゆえ》に果浄《かじょう》なり。因無《いんな》くして他《た》の因《いん》の有《あ》るには非《あら》ざるなりと知《し》る応《べ》しとなり」と。已上《いじょう》

61又《また》『論《ろん》』(論註)に曰《い》わく、21「出第五門《しゅつだいごもん》は、大慈悲《だいじひ》を以《もっ》て一切苦悩《いっさいくのう》の衆生《しゅじょう》を観《かん》④察《ざつ》して、応化《おうげ》の身《しん》を示《しめ》して、生死《しょうじ》の⑤園《その》・煩悩《ぼんのう》の林《はやし》の中《なか》に回入《えにゅう》して、神通《じんずう》に遊⑥戯《ゆげ》し教化地《きょうけじ》に至《いた》る。本願力《ほんがんりき》の回向《えこう》を以《もっ》て

①招喚…まねき　よぶ
②漂…ただよう
③矜哀…おおきに　あわれむ
④察…かんがむ
⑤園…おん
⑥戯…たわぶる

の故《ゆえ》に。是《こ》れを「出第五門《しゅつだいごもん》」と名《な》づく」（論）とのたまえり」と。已上《いじょう》

62光明寺《こうみょうじ》の和尚《かしょう》（善導）の云《い》わく（散善義）、「又《また》、回向発願《えこうほつがん》して生《う》まるる者《もの》は、必《かなら》ず決定真実心《けつじょうしんじつしん》の中《なか》に回向《えこう》したまえる願《がん》を須《もち》いて得生《とくしょう》の想《そう》を作《な》す。此《こ》の心《しん》、深《ふか》く信《しん》ぜること、金剛《こんごう》の若《ごと》くなるに由《よ》りて、一切《いっさい》の異見《いけん》・異学《いがく》・別解《べつげ》・別行《べつぎょう》の人等《ひとら》の為《ため》に動乱破壊《どうらんはえ》せられず。唯是《ただこ》れ決定《けつじょう》して一心《いっしん》に①捉《と》りて正直《しょうじき》に進《すす》みて、彼《か》の人《ひと》の語《ことば》を聞《き》くことを得《え》ざれ。即《すなわ》ち進退《しんたい》の心《しん》有《あ》りて、②怯弱《こうにゃく》を生《しょう》じ③回顧《えこ》すれば、道《どう》に落《お》ちて即《すなわ》ち往生《おうじょう》の大益《だいやく》を失《しっ》するなり」と。已上《いじょう》

63真《まこと》に知《し》りぬ。二河《にが》の譬喩《ひゆ》の中《なか》に、22「白道四五寸《びゃくどうしごすん》」と言《い》うは、「白道《びゃくどう》」は、「白《びゃく》」の言《ごん》は黒《こく》に対《たい》するなり。「白《びゃく》」は即《すなわ》ち是《こ》れ選択摂取《せんじゃくせっしゅ》の白業《びゃくごう》、往相回向《おうそうえこう》の浄業《じょうごう》なり。「黒《こく》」は即《すなわ》ち是《こ》れ無明煩悩《むみょうぼんのう》の黒業《こくごう》、二乗人天《にじょうにんでん》の雑善《ぞうぜん》なり。「道《どう》」の言《ごん》は路《ろ》に対《たい》せるなり。「道《どう》」は則《すなわ》ち是《こ》れ本願一実《ほんがんいちじつ》の直道《じきどう》、大般涅槃無上《だいはつねはんむじょう》の大道《だいどう》なり。「路《ろ》」は則《すなわ》ち是《こ》れ二乗《にじょう》・三乗《さんじょう》・万善諸行《まんぜんしょぎょう》の小路《しょうろ》なり。「四《し》五寸《ごすん》」と言《い》うは、衆生《しゅじょう》の四大《しだい》・五陰《ごおん》に喩《たと》うるなり。

64 23「能生清浄願心《のうしょうしょうじょうがんしん》」と言《い》うは、金剛《こんごう》の真心《しんじん》を獲得《ぎゃくとく》するなり。本願力回向《ほんがんりきえこう》の大信心海《だいしんじんかい》なるが故《ゆえ》に破壊《はえ》すべから

真知。二河譬喩中、言㆓白道四五寸㆒者、白道者、白之言対㆑黒也。白者即是選択摂取之白業、往相回向之浄業也。黒者即是無明煩悩之黒業、二乗人天之雑善也。道之言対㆑路。道者則是本願一実之直道、大般涅槃無上之大道也。路者則是二乗・三乗・万善諸行之小路也。言㆓四五寸㆒者喩㆓衆生四大五陰㆒也。

言㆓能生清浄願心㆒者、獲㆓得金剛真心㆒也。本願力回向大信心海故不㆑可㆓破壊㆒。喩㆔之

ず。之《これ》を「金剛《こんごう》の如《ごと》し」と喩《たと》うるなり。

65『観経義《かんぎょうぎ》』（玄義分）に「道俗時衆等《どうぞくじしゅとう》、各《おの》おの無上心《むじょうしん》を発《おこ》せども、生死《しょうじ》、甚《はなは》だ厭《いと》い難《がた》く、仏法《ぶっぽう》、復《ま》た欣《ねが》い難《がた》し。共《とも》に金剛《こんごう》の志《こころざし》を発《おこ》して、横《よこさま》に四流《しる》を超断《ちょうだん》せよ。正《まさ》しく金剛心《こんごうしん》を受《う》け、一念《いちねん》に相《そう》応《おう》して後《のち》、果《か》、涅槃《ねはん》を得《え》ん者《ひと》」と云《い》えり。抄要《しょうよう》

66又云《またい》わく（序分義）、「真心《しんじん》④徹到《てっとう》して、苦《く》の娑婆《しゃば》を厭《いと》い、楽《らく》の無為《むい》を欣《ねが》いて、永《なが》く常楽《じょうらく》に帰《き》すべし。但無為《ただむい》の⑤境《きょう》、⑥軽爾《きょうに》として即《すなわ》ち⑦階《かな》うべからず。苦悩《くのう》の娑婆《しゃば》、⑧輒然《ちょうねん》として離《はな》るることを得《う》るに由無《よしな》し。金剛《こんごう》の志《こころざし》を発《おこ》すに非《あら》ずよりは、永《なが》く生死《しょうじ》の元《もと》を絶《た》たんや。若《も》し親《まのあた》り慈尊《じそん》に従《したが》いたてまつらずは、何《なん》ぞ能《よ》く斯《こ》の長《なが》き歎《なげき》を勉《まぬか》れん」と。

67又云《またい》わく（定善義）、[24]「金剛《こんごう》」（観経）と言《い》うは即《すなわ》ち是《こ》れ無漏《むろ》の体《たい》なり。」已上《いじょう》

68信《まこと》に知《し》りぬ。「至心《ししん》」・「信楽《しんぎょう》」・「欲生《よくしょう》」、其《そ》の言異《ことばこと》なりと雖《いえど》も、其《そ》の意《こころ》、惟《こ》れ一《いち》なり。何《なに》を以《もっ》ての故《ゆえ》に。三心《さんしん》、已《すで》に疑蓋《ぎがい》、雑《まじ》わること無《な》し。故《かるがゆえ》に真実《しんじつ》の一心《いっしん》なり。是《こ》れを「金剛《こんごう》の真心《しんじん》」と名《な》づく。金剛《こんごう》の真心《しんじん》、是《こ》

如㆓金剛㆒也。

信知。至心・信楽・欲生、其言雖㆑異、其意惟一。何以故。三心已疑蓋無㆑雑。故真実一心。是名㆓金剛真心㆒。金剛真心、是名㆓真実信心㆒。真実信心必具㆓名号㆒、名号必不㆑

①捉…とう
②怯…よわく
③顧…かえりみる
④徹…とおる
⑤境…さかい
⑥軽爾…かろく しからしむ
⑦階…はし
⑧輒然…たやすし しからしむ

れを「真実《しんじつ》の信心《しんじん》」と名《な》づく。69真実《しんじつ》の信心《しんじん》は必《かなら》ず名《みょう》号《ごう》を具《ぐ》す、名号《みょうごう》は必《かなら》ずしも願力《がんりき》の信心《しんじん》を具《ぐ》せざるなり。是《こ》の故《ゆえ》に論主《ろんじゅ》、建《はじ》めに25「我一心《がいっしん》」と言《のたま》えり。又《また》26「如彼《にょひ》名義欲如実修行相応故《みょうぎよくにょじつしゅぎょうそうおうこ》」と言《のたま》えり。

70凡《おお》そ大信海《だいしんかい》を案《あん》ずれば、貴賤《きせん》①緇素《しそ》を簡《えら》ばず、男女老《なんにょろう》少《しょう》を謂《い》わず、造罪《ぞうざい》の多少《たしょう》を問《と》わず、修行《しゅぎょう》の久近《くごん》を論《ろん》ぜず、行《ぎょう》に非《あら》ず、善《ぜん》に非《あら》ず、頓《とん》に非《あら》ず、漸《ぜん》に非《あら》ず、定《じょう》に非《あら》ず、散《さん》に非《あら》ず、正観《しょうかん》に非《あら》ず、邪観《じゃかん》に非《あら》ず、有念《うねん》に非《あら》ず、無念《むねん》に非《あら》ず、尋常《じんじょう》に非《あら》ず、臨終《りんじゅう》に非《あら》ず、多念《たねん》に非《あら》ず、一念《いちねん》に非《あら》ず。唯是《ただこ》れ不可思議《ふかしぎ》・不可説《ふかせつ》・不可称《ふかしょう》の信楽《しんぎょう》なり。喩《たと》えば阿伽陀薬《あかだやく》の、能《よ》く一切《いっさい》の毒《どく》を滅《めっ》するが如《ごと》し。如来誓願《にょらいせいがん》の薬《やく》は能《よ》く智愚《ちぐ》の毒《どく》を滅《めっ》するなり。

71然《しか》るに菩提心《ぼだいしん》に就《つ》いて二種《にしゅ》有《あ》り。一《ひとつ》には竪《しゅ》、二《ふたつ》には横《おう》なり。又《また》「竪《しゅ》」に就《つ》いて復《ま》た二種《にしゅ》有《あ》り。一《ひとつ》には竪超《しゅちょう》、二《ふたつ》には竪出《しゅしゅつ》なり。「竪超《しゅちょう》」・「竪出《しゅしゅつ》」は、権実《ごんじつ》・顕《けん》密《みつ》・大《だい》27小《しょう》の教《きょう》に明《あ》かせり。歴劫迂回《りゃっこううえ》の菩提心《ぼだいしん》、自力《じりき》

具二願力信心一也。是故論主建言二「我一心。」一又言二「如彼名義欲如実修行相応故。」一

凡案二大信海一者、不レ簡二貴賤緇素一、不レ謂二男女老少一、不レ問二造罪多少一、不レ論二修行久近一、非レ行、非レ善、非レ頓、非レ漸、非レ定、非レ散、非二正観一、非二邪観一、非二有念一、非二無念一、非二尋常一、非二臨終一、非二多念一、非二一念一。唯是不可思議不可説不可称信楽也。喩如三阿伽陀薬、能滅二一切毒一。如来誓願薬能滅二智愚毒一也。

然就二菩提心一有二二種一。一者竪、二者横。又就レ竪復有二二種一。一者竪超、二者竪出。竪超竪出、明二権実顕密大小之教一。歴劫迂回之菩提心、自力金剛心、菩薩大心也。亦

の金剛心《こんごうしん》、菩薩《ぼさつ》の大心《だいしん》なり。亦《また》「横《おう》」に就《つ》いて復《ま》た二種《にしゅ》有《あ》り。一《ひとつ》には横超《おうちょう》、二《ふたつ》には横出《おうしゅつ》なり。「横出《おうしゅつ》」は、正雑《しょうぞう》・定散《じょうさん》・他力《たりき》の中《なか》の自力《じりき》の菩提心《ぼだいしん》なり。「横超《おうちょう》」は、斯《こ》れ乃《すなわ》ち願力回向《がんりきえこう》の信楽《しんぎょう》、是《こ》れを[28]「願作仏心《がんさぶっしん》」(論註)と曰《い》う。願作仏心《がんさぶっしん》即《すなわ》ち是《こ》れ横《おう》の大菩提心《だいぼだいしん》なり。是《こ》れを「横超《おうちょう》の金剛心《こんごうしん》」と名《な》づくるなり。

72 横《おう》・竪《じゅ》の菩提心《ぼだいしん》、其《そ》の言《ことば》、一《いち》にして、其《そ》の心《しん》、異《こと》なりと雖《いえど》も、入真《にゅうしん》を正要《しょうよう》とす、真心《しんじん》を根本《こんぽん》とす、邪雑《じゃぞう》を②錯《しゃく》とす、疑情《ぎじょう》を失《しつ》とするなり。欣求浄刹《ごんぐじょうせつ》の道俗《どうぞく》、深《ふか》く信不具足《しんふぐそく》の金言《きんげん》を了知《りょうち》し、永《なが》く聞不具足《もんふぐそく》の邪心《じゃしん》を離《はな》るべきなり。

就レ横復有二二種一。一者横超、二者横出。横出者正雑定散他力中之自力菩提心也。横超者斯乃願力回向之信楽、是曰二「願作仏心。」一願作仏心即是横大菩提心。是名二横超金剛心一也。

横・竪菩提心、其言一而、其心雖レ異、入真為二正要一、真心為二根本一、邪雑為レ錯、疑情為レ失也。欣求浄刹道俗、深了二知信不具足之金言一、永応レ離二聞不具足之邪心一也。

73『論註《ろんちゅう》』に曰《い》わく、「王舎城所説《おうしゃじょうしょせつ》の『無量寿経《むりょうじゅきょう》』を案《あん》ずるに、三輩生《さんぱいしょう》の中《なか》に行《ぎょう》に優劣《うれつ》有《あ》りと雖《いえど》も、皆《みな》無上菩提《むじょうぼだい》の心《しん》を発《ほっ》せざるは莫《な》し。此《こ》の無上菩提心《むじょうぼだいしん》は即《すなわ》ち是《こ》れ願作仏心《がんさぶっしん》なり。願作仏心《がんさぶっしん》は即《すなわ》ち是《こ》れ度衆生心《どしゅじょうしん》なり。度衆生心《どしゅじょうしん》は即《すなわ》ち是《こ》れ衆生《しゅじょう》を摂取《せっしゅ》して有仏《うぶつ》の国土《こくど》に[29]生《しょう》ぜしむる心《しん》なり。

①緇素…ほうし　おとこ
②錯…あやまり

是《こ》の故《ゆえ》に彼《か》の安楽浄土《あんらくじょうど》に生《う》まれんと願《がん》ずるは、要《かなら》ず無上菩提心《むじょうぼだいしん》を発《ほっ》するなり。若《も》し人《ひと》、無上菩提《むじょうぼだい》心《しん》を発《ほっ》せずして、但《ただ》、彼《か》の国土《こくど》の受楽《じゅらく》、間無《ひまな》きを聞《き》きて、楽《らく》の為《ため》の故《ゆえ》に生《う》まれんと願《がん》ぜん。亦当《またまさ》に往《おう》生《じょう》を得《え》ざるべきなり。是《こ》の故《ゆえ》に言《い》うこころは、[30]「自身住持《じしんじゅうじ》の楽《らく》を求《もと》めず。一切衆生《いっさいしゅじょう》の苦《く》を抜《ぬ》かんと欲《おも》うが故《ゆえ》に」（論）と。「住持楽《じゅうじらく》」は、謂《い》わく、彼《か》の安楽浄土《あんらくじょうど》は、阿弥陀如来《あみだにょらい》の本願力《ほんがんりき》の為《ため》に住《じゅう》持《じ》せられて、受楽《じゅらく》、間無《ひまな》きなり。凡《おおよ》そ回向《えこう》の名義《みょうぎ》を釈《しゃく》せば、謂《い》わく、己《おのれ》が所集《しょじゅう》の一切《いっさい》の功徳《くどく》を以《もっ》て、一切衆生《いっさいしゅじょう》に施与《せよ》したまいて、共《とも》に仏道《ぶつどう》に向《む》かえしめたまうなり」と。抄出《しょうしゅつ》

[74]元昭《がんじょう》（元照）律師《りっし》の云《い》わく（阿弥陀経義疏）、「他《た》の為《な》すこと能《あた》わざるが故《ゆえ》に[31]「甚難《じんなん》」（阿弥陀経）なり。世《よ》、挙《こぞ》って未《いま》だ見《み》たてまつらざるが故《ゆえ》に[32]「希有《けう》」（同）なり」といえり。

[75]又云《またい》わく（元照阿弥陀経義疏）、「念仏法門《ねんぶつほうもん》は、愚智豪賤《ぐちごうせん》を簡《えら》ばず、久近善悪《くごんぜんあく》を論《ろん》ぜず。唯《ただ》、決誓猛信《けっせいみょうしん》を取《と》れば、臨終悪相《りんじゅうあくそう》なれども十念《じゅうねん》に往生《おうじょう》す。此《こ》れ乃《すなわ》ち具縛《ぐばく》の凡愚《ぼんぐ》、屠沽《とこ》の下類《げるい》、刹那《せつな》に超越《ちょうおつ》する成仏《じょうぶつ》の法《ほう》なり。「世間甚難信《せけんじんなんしん》」と謂《い》うべきなり。」

[76]又云《またい》わく（元照阿弥陀経義疏）、「此《こ》の悪世《あくせ》にして修行成仏《しゅぎょうじょうぶつ》するを難《なん》とするなり。諸《もろもろ》の衆生《しゅじょう》の為《ため》に此《こ》の法門《ほうもん》を説《と》くを二《に》の難《なん》とするなり。前《さき》の二難《になん》を承《う》けて、則《すなわ》ち諸仏所讃《しょぶつしょさん》の虚《むな》しからざる意《い》を彰《あらわ》す。衆生《しゅじょう》、聞《き》きて信受《しんじゅ》せしめよとなり」と。已上《いじょう》

[77]律宗《りっしゅう》の用欽《ようきん》の云《い》わく（超玄記）、「法難《ほうなん》を説《と》く中《なか》に、良《まこと》に此《こ》の法《ほう》を以《もっ》て凡《ぼん》を転《てん》じて聖《しょう》と成《な》すこと、掌《たなごころ》を反《かえ》すが猶《ごと》くなるをや。大《おお》きに為《こ》れ易《やす》かるべきが故《ゆえ》に。凡《おおよ》そ浅《あさ》き衆生《しゅじょう》は多《おお》く疑惑《ぎわく》を生《しょう》ぜん。

即《すなわ》ち『大本《だいほん》』（大経）に[33]「易往而無人《いおうにむにん》」と云《のたま》えり。故《かるがゆえ》に知《し》りぬ、難信《なんしん》なりと。」

78『聞持記《もんじき》』に云《い》わく、「[34]「不簡愚智《ふけんぐち》」（元照阿弥陀経義疏）というは、性《しょう》に利鈍《りどん》有《あ》り。[35]「不択豪賤《ふちゃくごうせん》」（同）というは、報《ほう》に強弱《ごうにゃく》有《あ》り。[36]「不論久近《ふろんくごん》」（同）というは、功《こう》に浅深《せんじん》有《あ》り。[37]「不選善悪《ふせんぜんあく》」（同）というは、行《ぎょう》に好醜《こうしゅう》有《あ》り。[38]「取決誓猛信臨終悪相《しゅけつせいみょうしんりんじゅうあくそう》」（同）というは、即《すなわ》ち『観経《かんぎょう》』の下品中生《げぼんちゅうしょう》に[39]「地獄《じごく》の衆火《しゅか》、一時《いちじ》に倶《とも》に至《いた》る」と等《ら》。[40]「具縛凡愚《ぐばくぼんぐ》」（同）というは、二惑《にわく》、全《まった》く在《あ》るが故《ゆえ》に。[41]「屠沽下類刹那超越成仏之法可謂一切世間甚難信也《とこげるいせつなちょうおつじょうぶつしほうかいいいっさいせけんじんなんしんや》」（同）というは、「屠《と》」は、謂《い》わく、殺《せつ》を宰《つかさど》る。「沽《こ》」は即《すなわ》ち醞売《うんばい》、此《か》くの如《ごと》し。悪人《あくにん》、止《ただ》、十念《じゅうねん》に由《よ》りて、便《すなわ》ち超往《ちょうおう》を得《う》。豈《あ》に難信《なんしん》に非《あら》ずや。」

79阿弥陀如来《あみだにょらい》は、「真実明《しんじつみょう》」・「平等覚《びょうどうがく》」・「難思議《なんしぎ》」・「畢竟依《ひっきょうえ》」・「大応供《だいおうぐ》」・「大安慰《だいあんに》」・「無等等《むとうどう》」・「不可思議光《ふかしぎこう》」と号《ごう》したてまつるなりと。已上《いじょう》

阿弥陀如来、号二真実明・平等覚・難思議・畢竟依・大応供・大安慰・無等等・不可思議光一。已上

80『楽邦文類《らくほうぶんるい》』の「後序《ごじょ》」に曰《い》わく、「浄土《じょうど》を修《しゅ》する者《もの》、常《つね》に多《おお》けれども、其《そ》の門《もん》を得《え》て径《ただ》ちに造《いた》る者《もの》、幾《いく》ばく無《な》し。浄土《じょうど》を論《ろん》ずる者《もの》、常《つね》に多《おお》けれども、其《そ》の要《よう》を得《え》て直《ただ》ちに指《おし》うる者《もの》、或《ある》いは寡《すく》なし。曾《かつ》て未《いま》だ聞《き》かず、自障自蔽《じしょうじへい》を以《もっ》て説《せつ》を為《な》すこと有《あ》る者《もの》。得《う》るに因《よ》りて、以《もっ》て之《これ》を言《い》う。夫《そ》れ自障《じしょう》は愛《あい》に若《し》く莫《な》し、自蔽《じへい》は疑《ぎ》に若《し》く莫《な》し。但《ただ》、疑《ぎ》・愛《あい》の二心《にしん》、了《つい》に障碍《しょうげ》無《な》からしむるは則《すなわ》ち浄土《じょうど》の一門《いちもん》なり。未《いま》だ始《はじ》めて間隔《けんきゃく》せず。弥陀《みだ》の洪願《こうがん》、常《つね》に自《おの》ずから摂持《しょうじ》したまう。必然《ひつねん》の理《り》なり。」已上《いじょう》

81夫《そ》れ真実信楽《しんじつしんぎょう》を案《あん》ずるに、信楽《しんぎょう》に一念《いちねん》有《あ》り。「一念《いちねん》」――

夫案二真実信楽一、信楽有二一念一。一念者斯

は、断《こ》れ信楽開発《しんぎょうかいほつ》の時剋《じこく》の極促《ごくそく》を顕《あらわ》し、広大難思《こうだいなんし》の慶心《きょうしん》を彰《あらわ》すなり。

——顕二信楽開発時剋之極促一、彰二広大難思慶心一也。

82是《ここ》を以《もっ》て『大経《だいきょう》』に言《のたま》わく、「諸有衆生《あらゆるしゅじょう》、其《そ》の名号《みょうごう》を聞《き》きて信心歓喜《しんじんかんぎ》せんこと乃至一念《ないしいちねん》せん。至心回向《ししんえこう》したまえり。彼《か》の国《くに》に生《う》まれんと願《がん》ずれば、即《すなわ》ち往生《おうじょう》を得《え》、不退転《ふたいてん》に住《じゅう》せん」と。

83又《また》（如来会）「他方仏国《たほうぶっこく》の所有《しょう》の衆生《しゅじょう》、無量寿如来《むりょうじゅにょらい》の名号《みょうごう》を聞《き》きて、能《よ》く一念《いちねん》の浄信《じょうしん》を発《おこ》して歓喜《かんぎ》せん」と言《のたま》えり。

84又《また》（大経）「其《そ》の仏《ぶつ》の本願《ほんがん》の力《ちから》、名《みな》を聞《き》きて往生《おうじょう》せんと欲《おも》え」と言《のたま》えり。

85又言《またのたま》わく（如来会）、「仏《ぶつ》の聖徳《しょうとく》の名《みな》を聞《き》く」と。已上《いじょう》

86『涅槃経《ねはんぎょう》』（迦葉菩薩品）に言《のたま》わく、「云何《いかん》が名《な》づけて「聞不具足《もんふぐそく》」とする。如来《にょらい》の所説《しょせつ》は十二部《じゅうにぶ》経《きょう》なり。唯《ただ》、六部《ろくぶ》を信《しん》じて、未《いま》だ六部《ろくぶ》を信《しん》ぜず。是《こ》の故《ゆえ》に名《な》づけて「聞不具足《もんふぐそく》」とす。復《ま》た是《こ》の六部《ろくぶ》の経《きょう》を受持《じゅじ》すと雖《いえど》も、読誦《どくじゅ》に能《あた》わずして他《た》の為《ため》に解説《げせつ》するは利益《りやく》する所無《ところな》けん。是《こ》の故《ゆえ》に名《な》づけて「聞不具足《もんふぐそく》」とす。又復《また》、是《こ》の六部《ろくぶ》の経《きょう》を受《う》け已《おわ》りて、論議《ろんぎ》の為《ため》の故《ゆえ》に、勝他《しょうた》の為《ため》の故《ゆえ》に、利養《りよう》の為《ため》の故《ゆえ》に、諸有《しょう》の為《ため》の故《ゆえ》に、持読誦説《じどくじゅせつ》せん。是《こ》の故《ゆえ》に名《な》づけて「聞不具足《もんふぐそく》」とす」とのたまえり。已上《いじょう》

87光明寺《こうみょうじ》の和尚《かしょう》（善導）は「一心専念《いっしんせんねん》」（散善義）と云《い》い、又《また》「専心《せんしん》・専念《せんねん》」（同）と云《い》えりと。已上《いじょう》

88然《しか》るに、『経《きょう》』（大経）に「聞《もん》」と言《い》うは、衆生《しゅじょう》、仏《ぶつ》

——然『経』言レ「聞」者、衆生聞二仏願生起本

願《がん》の生起本末《しょうきほんまつ》を聞《き》きて疑心《ぎしん》有《あ》ること無《な》し。是《こ》れを「聞《もん》」と曰《い》うなり。「信心《しんじん》」と言《い》うは則《すなわ》ち本願力回向《ほんがんりきえこう》の信心《しんじん》なり。「歓喜《かんぎ》」と言《い》うは身心《しんじん》の悦予《えつよ》の貌《かおばせ》を形《あらわ》すなり。「乃至《ないし》」と言《い》うは多少《たしょう》の言《ごん》を摂《せっ》するなり。「一念《いちねん》」と言《い》うは、信心《しんじん》、二心《にしん》無《な》きが故《ゆえ》に「一念《いちねん》」と曰《い》う。是《こ》れを「一心《いっしん》」と名《な》づく。一心《いっしん》は則《すなわ》ち清浄報土《しょうじょうほうど》の真因《しんいん》なり。

89 金剛《こんごう》の真心《しんじん》を獲得《ぎゃくとく》すれば、横《よこさま》に五趣八難《ごしゅはちなん》の道《どう》を超《こ》え、必《かなら》ず現生《げんしょう》に十種《じっしゅ》の益《やく》を獲《う》。何者《なにもの》か十《じゅう》とする。一《ひとつ》には冥衆護持《みょうしゅごじ》の益《やく》、二《ふたつ》には至徳具足《しとくぐそく》の益《やく》、三《みっつ》には転悪《てんあく》成善《じょうぜん》の益《やく》、四《よっつ》には諸仏護念《しょぶつごねん》の益《やく》、五《いつつ》には諸仏称讃《しょぶつしょうさん》の益《やく》、六《むっつ》には心光常護《しんこうじょうご》の益《やく》、七《ななつ》には心多歓喜《しんたかんぎ》の益《やく》、八《やっつ》には知恩報徳《ちおんほうとく》の益《やく》、九《ここのつ》には常行大悲《じょうぎょうだいひ》の益《やく》、十《とお》には正《しょう》定聚《じょうじゅ》に入《い》る益《やく》なり。

90 宗師《しゅうし》（善導）の「専念《せんねん》」と云《い》えるは即《すなわ》ち是《こ》れ一行《いちぎょう》なり、「専心《せんしん》」と云《い》えるは即《すなわ》ち是《こ》れ一心《いっしん》なり。

91 然《しか》れば願成就《がんじょうじゅ》の一念《いちねん》は即《すなわ》ち是《こ》れ専心《せんしん》なり。専心即《せんしんすなわ》ち

末一無レ有二疑心一。是曰レ聞也。言二「信心一」者則本願力回向之信心也。言二「歓喜一」者形二身心悦予之貌一也。言二「乃至一」者摂二多少之言一也。言二「一念一」者信心無二二心一故曰二一念一。是名二一心一。一心則清浄報土真因也。

獲二得金剛真心一者、横超二五趣八難道一、必獲二現生十種益一。何者為レ十。一者冥衆護持益、二者至徳具足益、三者転悪成善益、四者諸仏護念益、五者諸仏称讃益、六者心光常護益、七者心多歓喜益、八者知恩報徳益、九者常行大悲益、十者入二正定聚一益也。

宗師云二「専念一」即是一行、云二「専心一」即是一心也。

然者願成就一念即是専心。専心即是深心。

ち是《こ》れ深心《じんしん》なり。深心即《じんしんすなわ》ち是《こ》れ深信《じんしん》なり。深信即《じんしんすなわ》ち是《こ》れ堅固深信《けんごじんしん》なり。堅固深信即《けんごじんしんすなわ》ち是《こ》れ決定心《けつじょうしん》なり。決《けつ》定心即《じょうしんすなわ》ち是《こ》れ無上上心《むじょうじょうしん》なり。無上上心即《むじょうじょうしんすなわ》ち是《こ》れ真心《しんじん》なり。真心即《しんじんすなわ》ち是《こ》れ相続心《そうぞくしん》なり。相続心即《そうぞくしんすなわ》ち是《こ》れ淳心《じゅんしん》なり。淳心即《じゅんしんすなわ》ち是《こ》れ憶念《おくねん》なり。憶念即《おくねんすなわ》ち是《こ》れ真《しん》実一心《じついっしん》なり。真実一心即《しんじついっしんすなわ》ち是《こ》れ大慶喜心《だいきょうきしん》なり。大慶《だいきょう》喜心即《きしんすなわ》ち是《こ》れ真実信心《しんじつしんじん》なり。真実信心即《しんじつしんじんすなわ》ち是《こ》れ金剛心《こんごうしん》なり。金剛心即《こんごうしんすなわ》ち是《こ》れ願作仏心《がんさぶっしん》なり。願作仏心即《がんさぶっしんすなわ》ち是《こ》れ度衆生心《どしゅじょうしん》なり。度衆生心即《どしゅじょうしんすなわ》ち是《こ》れ衆生《しゅじょう》を摂取《せっしゅ》して安楽浄土《あんらくじょうど》に生《しょう》ぜしむる心《しん》なり。是《こ》の心即《しんすなわ》ち是《こ》れ大菩《だいぼ》提心《だいしん》なり。是《こ》の心即《しんすなわ》ち是《こ》れ大慈悲心《だいじひしん》なり。92是《こ》の心即《しんすなわ》ち是《こ》れ無量光明慧《むりょうこうみょうえ》に由《よ》りて生《しょう》ずるが故《ゆえ》に。願海平等《がんかいびょうどう》なるが故《ゆえ》に発心等《ほっしんひと》し。発心等《ほっしんひと》しきが故《ゆえ》に道等《どうひと》し。道等《どうひと》しきが故《ゆえ》に大慈悲等《だいじひひと》し。大慈悲《だいじひ》は是《こ》れ仏道《ぶつどう》の正因《しょういん》なるが故《ゆえ》に。

93『論《ろん》の註《ちゅう》』に曰《い》わく、「彼《か》の安楽浄土《あんらくじょうど》に生《う》まれんと願《がん》ずるは、発無上菩提心《ほつむじょうぼだいしん》を要《よう》す」とのたまえ

深心即是深信。深信即是堅固深信。堅固深信即是決定心。決定心即是無上上心。無上上心即是真心。真心即是相続心。相続心即是淳心。淳心即是憶念。憶念即是真実一心。真実一心即是大慶喜心。大慶喜心即是真実信心。真実信心即是金剛心。金剛心即是願作仏心。願作仏心即是度衆生心。度衆生心即是摂㆓取衆生㆒生㆓安楽浄土㆒心。是心即是大菩提心。是心即是大慈悲心。是心即是由㆓無量光明慧㆒生故。願海平等故発心等。発心等故道等。道等故大慈悲等。大慈悲者是仏道正因故。

り。

94又云《また い》わく（論註）、「42「是心作仏《ぜしんさぶつ》」（観経）は、言《い》うこころは、心《しん》、能《よ》く作仏《さぶつ》するなり。43「是心是仏《ぜしんぜぶつ》」（同）は、心《しん》の外《ほか》に仏無《ぶつましま》さずとなり。譬《たと》えば、火《ひ》、木《き》より出《い》でて、火《ひ》、木《き》を離《はな》るることを得《え》ざるなり。木《き》を離《はな》れざるを以《もっ》ての故《ゆえ》に、則《すなわ》ち能《よ》く木《き》を焼《や》く。木《き》、火《ひ》の為《ため》に焼《や》かれて、木即《きすなわ》ち火《ひ》と為《な》るが如《ごと》きなり。」

95光明《こうみょう》（善導）の云《い》わく（定善義）、「是《こ》の心作仏《しんさぶつ》す。是《こ》の心《しん》、是《こ》れ仏《ぶつ》なり。是《こ》の心《しん》の外《ほか》に異仏無《いぶつましま》さず」とのたまえり。已上《いじょう》

96故《かるがゆえ》に知《し》りぬ。一心《いっしん》、是《こ》れを「如実修行相応《にょじつしゅぎょうそうおう》」と名《な》づく。即《すなわ》ち是《こ》れ正教《しょうきょう》なり、是《こ》れ正義《しょうぎ》なり、是《こ》れ正行《しょうぎょう》なり、是《こ》れ正解《しょうげ》なり、是《こ》れ正業《しょうごう》なり、是《こ》れ正智《しょうち》なり。三心即《さんしんすなわ》ち一心《いっしん》なり。一心即《いっしんすなわ》ち金剛真心《こんごうしんじん》の義《ぎ》、答《こた》え竟《おわ》りぬ。知《し》るべしと。

97『止観《しかん》』の一《いち》に云《い》わく、「「菩提《ぼだい》」は、天竺《てんじく》の語《ことば》、此《ここ》には「道《どう》」と称《しょう》す。「質多《しった》」は天竺《てんじく》の音《おと》なり、此《こ》の方《ほう》には「心《しん》」と云《い》う。「心《しん》」は即《すなわ》ち慮知《りょち》なり。」已上《いじょう》

98「横超断四流《おうちょうだんしる》」と言《い》うは、「横超《おうちょう》」は、「横《おう》」は竪《しゅ》超《ちょう》・竪出《しゅしゅつ》に対《たい》す。「超《ちょう》」は、迂《う》に対《たい》し、回《え》に対《たい》するの

故知。一心是名二如実修行相応一。即是正教、是正義、是正行、是正解、是正業、是正智也。三心即一心。一心即金剛真心之義、答竟。可レ知。

言二横超断四流一者、横超者、横者対二竪超竪出一。超者対レ迂、対レ回之言。竪超者大乗

言《ことば》なり。「竪超《しゅちょう》」は大乗真実《だいじょうしんじつ》の教《きょう》なり。「竪出《しゅしゅつ》」は大乗権方便《だいじょうごんほうべん》の教《きょう》、二乗三乗迂回《にじょうさんじょううえ》の教《きょう》なり。「横超《おうちょう》」は即《すなわ》ち願成就一実円満《がんじょうじゅいちじつえんまん》の真教《しんきょう》、真宗《しんしゅう》是《こ》れなり。亦復《また》「横出《おうしゅつ》」有《あ》り。即《すなわ》ち三輩九品《さんぱいくぼん》・定散《じょうさん》の教《きょう》、化土懈慢《けどけまん》迂回《うえ》の善《ぜん》なり。大願清浄《だいがんしょうじょう》の報土《ほうど》には品位階次《ほんいかいし》を云《い》わず。一念須臾《いちねんしゅゆ》の傾《あいだ》に速《すみ》やかに疾《と》く無上正真道《むじょうしょうしんどう》を超証《ちょうしょう》す。故《かるがゆえ》に「横超《おうちょう》」と曰《い》うなり。

真実之教也。竪出者大乗権方便之教、二乗三乗迂回之教也。横超者即願成就一実円満之真教真宗是也。亦復有㆓横出㆒。即三輩九品定散之教、化土懈慢迂回之善也。大願清浄報土不㆑云㆓品位階次㆒。一念須臾傾速疾超㆓証無上正真道㆒。故曰㆓横超㆒也。

99『大本《だいほん》』（大経）に言《のたま》わく、「無上殊勝《むじょうしゅしょう》の願《がん》を超発《ちょうほつ》す」と。

100又言《またのたま》わく（大経）、「我《われ》、超世《ちょうせ》の願《がん》を建《た》つ。必《かなら》ず無上道《むじょうどう》に至《いた》らんと。名声《みょうしょう》、十方《じっぽう》に超《こ》えて、究竟《くきょう》して聞《き》こゆる靡《な》くは、誓《ちか》う、正覚《しょうがく》を成《な》らじ」と。

101又言《またのたま》わく（大経）、「必《かなら》ず超絶《ちょうぜつ》して去《す》つることを得《え》て、安養国《あんにょうこく》に往生《おうじょう》して、横《よこさま》に五悪趣《ごあくしゅ》を截《き》り、悪趣《あくしゅ》、自然《じねん》に閉《と》じん。道《どう》に昇《のぼ》るに窮極《ぐうごく》無《な》し。往《ゆ》き易《やす》くして人無《ひとな》し。其《そ》の国《くに》、逆違《ぎゃくい》せず。自然《じねん》の牽《ひ》く所《ところ》なり。」已上《いじょう》

102『大阿弥陀経《だいあみだきょう》』[44]支謙《しけん》に言《のたま》わく、「超絶《ちょうぜつ》して去《す》つることを得《う》べし。阿弥陀仏国《あみだぶっこく》に往生《おうじょう》すれば、横《よこさま》に五悪道《ごあくどう》を截《き》りて自然《じねん》に閉塞《へいそく》す。道《どう》に昇《のぼ》るに、之《これ》、極《きわ》まり無《な》し。往《ゆ》き易《やす》くして、人有《ひとあ》ること無《な》し。其《そ》の国土《こくど》、逆違《ぎゃくい》せず。自然《じねん》の牽《ひ》く随《ところ》なり」と。已上《いじょう》

103「断《だん》」と言《い》うは、往相《おうそう》の一心《いっしん》を発起《ほっき》するが故《ゆえ》に、生《しょう》として当《まさ》に受《う》くべき生《しょう》無《な》し。趣《しゅ》として更《ま》た到《いた》るべき趣《しゅ》無《な》し。已《すで》に六趣四生《ろくしゅししょう》、因亡《いんもう》じ果滅《かめつ》す。故《かるがゆえ》に即《すなわ》ち頓《とん》に三有《さんぬ》の生死《しょうじ》を断絶《だんぜつ》す。故《かるがゆえ》に「断《だん》」と曰《い》うなり。
「四流《しる》」は則《すなわ》ち四暴流《しぼうる》なり、又生老病死《またしょうろうびょうし》なり。

言レ断者、発二起往相一心一故、無二生而当レ受生一。無二趣而更応レ到趣一。已六趣四生、因亡果滅。故即頓断二絶三有生死一。故曰レ断也。
四流者則四暴流、又生老病死也。

104『大本《だいほん》』(大経)に言《のたま》わく、「会《かなら》ず当《まさ》に仏道《ぶつどう》を成《な》りて、広《ひろ》く生死《しょうじ》の流《る》を度《ど》すべし」と。
105又言《またのたま》わく(平等覚経)、「会《かなら》ず当《まさ》に世尊《せそん》と作《な》りて、将《まさ》に一切生老死《いっさいしょうろうし》を度《ど》せんとす」と。已上《いじょう》
106『涅槃経《ねはんぎょう》』(師子吼菩薩品)に言《のたま》わく、「又《また》、涅槃《ねはん》は名《な》づけて「洲渚《すしょ》」とす。何《なに》を以《もっ》ての故《ゆえ》に。四大《しだい》の暴河《ぼうが》に漂《ただよ》うこと能《あた》わざるが故《ゆえ》に。何等《なんら》をか四《し》とする。一《ひとつ》には欲暴《よくぼう》、二《ふたつ》には有暴《うぼう》、三《みっ》には見暴《けんぼう》、四《よっ》には無明暴《むみょうぼう》なり。是《こ》の故《ゆえ》に涅槃《ねはん》を名《な》づけて「洲渚《すしょ》」とす」と。已上《いじょう》
107光明寺《こうみょうじ》の和尚《かしょう》(善導)の云《い》わく(般舟讃)、「諸《もろもろ》の行者《ぎょうじゃ》に白《もう》さく、凡夫《ぼんぶ》、生死《しょうじ》、貪《とん》して厭《いと》わざるべからず、弥陀《みだ》の浄土《じょうど》、軽《かろ》めて欣《ねが》わざるべからず。厭《いと》えば則《すなわ》ち娑婆《しゃば》永《なが》く隔《へだ》つ。欣《ねが》えば則《すなわ》ち浄土《じょうど》に常《つね》に居《こ》せり。隔《へだ》つれば則《すなわ》ち六道《ろくどう》の因亡《いんもう》じ、淪回《りんね》の果《か》、自《おの》ずから滅《めっ》す。因果《いんが》、既《すで》に亡《もう》じて、則《すなわ》ち形《かたち》と名《な》と頓《とん》に絶《た》うるをや。」
108又云《またい》わく(往生礼讃)、「仰《あお》ぎ願《ねが》わくは一切往生人等《いっさいおうじょうにんとう》、善《よ》く自《みずか》ら己《おのれ》が能《のう》を思量《しりょう》せよ。今身《こんじん》に彼《か》の国《くに》に生《う》まれんと願《ねが》わん者《もの》は、行住座臥《ぎょうじゅうざが》に、必《かなら》ず須《すべから》く心《しん》を励《はげ》まし己《おのれ》に剋《こく》して、昼夜《ちゅうや》に廃《はい》すること

莫《な》かるべし。畢命《ひつみょう》を期《ご》として、上《かみ》、一形《いちぎょう》に在《あ》るは、少《すこ》しき苦《くる》しきに似如《に》たれども、前念《ぜんねん》に命終《みょうじゅう》して、後念《ごねん》に即《すなわ》ち彼《か》の国《くに》に生《う》まれて、長時永劫《じょうじようごう》に常《つね》に無為《むい》の法楽《ほうらく》を受《う》く。乃至成仏《ないしじょうぶつ》までに生死《しょうじ》を逕《へ》ず。豈《あ》に快《たのしみ》に非《あら》ずや。知《し》るべし」と。已上《いじょう》

109
45「真仏弟子《しんぶつでし》」と言《い》うは、「真《しん》」の言《ごん》は、偽《ぎ》に対《たい》し、仮《け》に対《たい》するなり。「弟子《でし》」は、釈迦《しゃか》・諸仏《しょぶつ》の弟子《でし》なり、金《こん》剛心《ごうしん》の行人《ぎょうにん》なり。斯《こ》の信行《しんぎょう》に由《よ》りて必《かなら》ず大涅槃《だいねはん》を超《ちょう》証《しょう》すべきが故《ゆえ》に、「真仏弟子《しんぶつでし》」と曰《い》う。

言㆓真仏弟子㆒者、真言、対㆑偽、対㆑仮也。弟子者、釈迦・諸仏之弟子、金剛心行人也。由㆓斯信行㆒必可㆔超㆓証大涅槃㆒故、曰㆓真仏弟子㆒。

110『大本《だいほん》』（大経）に言《のたま》わく、「設《たと》い我《われ》、仏《ぶつ》を得《え》たらんに、十方無量不可思議《じっぽうむりょうふかしぎ》の諸仏世界《しょぶつせかい》の衆生《しゅじょう》の類《るい》、我《わ》が光明《こうみょう》を蒙《かぶ》りて其《そ》の身《み》に触《ふ》るる者《もの》、身心柔軟《しんじんにゅうなん》にして人天《にんでん》に超過《ちょうか》せん。若《も》し爾《しか》らずは、正覚《しょうがく》を取《と》らじと。

111設《たと》い我《われ》、仏《ぶつ》を得《え》んに、十方無量不可思議《じっぽうむりょうふかしぎ》の諸仏世界《しょぶつせかい》の衆生《しゅじょう》の類《るい》、我《わ》が名字《みょうじ》を聞《き》きて菩薩《ぼさつ》の無生《むしょう》法忍《ぼうにん》・諸《もろもろ》の深総持《じんそうじ》を得《え》ずは、正覚《しょうがく》を取《と》らじ」と。已上《いじょう》

112『無量寿如来会《むりょうじゅにょらいえ》』に言《のたま》わく、「若《も》し我《われ》成仏《じょうぶつ》せんに、周遍十方無量無辺不可思議無等界《しゅうへんじっぽうむりょうむへんふかしぎむとうかい》の有情《うじょう》の輩《ともがら》、仏《ぶつ》の威光《いこう》を蒙《かぶ》りて照触《しょうそく》せらるる者《もの》、身心安楽《しんじんあんらく》にして人天《にんでん》に超過《ちょうか》せん。若《も》し爾《しか》らずは、菩提《ぼだい》を取《と》らじ」と。已上《いじょう》

113又《また》（大経）「法《ほう》を聞《き》きて能《よ》く忘《わす》れず、見《み》て敬《うやま》い得《え》て大《おお》きに慶《よろこ》ばば、則《すなわ》ち我《わ》が善《よ》き親友《しんぬ》なり」と言《のたま》

えりと。

114又言《またのたま》わく(大経)、「其《そ》れ至心《ししん》有《あ》りて安楽国《あんらくこく》に生《う》まれんと願《がん》ずれば、智慧《ちえ》明《あき》らかに達《たっ》し、功徳殊勝《くどくしゅしょう》を得《う》べし」と。

115又《また》(如来会)「広大勝解者《こうだいしょうげしゃ》」と言《のたま》えりと。

116又《また》(如来会)「是《か》くの如《ごと》き等《ら》の類《るい》、大威徳《だいいとく》の者《ひと》、能《よ》く広大異門《こうだいいもん》に生《う》まる」と言《のたま》えりと。

117又言《またのたま》わく(観経)、「若《も》し念仏《ねんぶつ》する者《ひと》は、当《まさ》に知《し》るべし、此《こ》の人《ひと》は是《こ》れ人中《にんちゅう》の分陀利華《ふんだりけ》なりと。」已上《いじょう》

118『安楽集《あんらくしゅう》』に云《い》わく、「諸部《しょぶ》の大乗《だいじょう》に拠《よ》りて説聴《せっちょう》の方軌《ほうき》を明《あ》かさば、『大集経《だいじっきょう》』に云《のたま》わく、46「説法《せっぽう》の者《ひと》に於《お》いては、医王《いおう》の想《そう》を作《な》せ、抜苦《ばっく》の想《そう》を作《な》せ。所説《しょせつ》の法《ほう》をば、甘露《かんろ》の想《そう》を作《な》せ、醍醐《だいご》の想《そう》を作《な》せ。其《そ》れ聴法《ちょうぼう》の者《ひと》をば、増長勝解《ぞうじょうしょうげ》の想《そう》を作《な》せ、愈病《ゆびょう》の想《そう》を作《な》せ。若《も》し能《よ》く是《か》くの如《ごと》き説者《せっしゃ》・聴者《ちょうじゃ》は、皆《みな》、仏法《ぶっぽう》を①紹隆《じょうりゅう》するに堪《た》えたり。常《つね》に仏前《ぶつぜん》に生《しょう》ぜん」と。乃至《ないし》

119『涅槃経《ねはんぎょう》』に依《よ》るに、47「仏《ぶつ》の言《のたま》わく、「若《も》し人《ひと》、但能《ただよ》く心《しん》を至《いた》して常《つね》に念仏三昧《ねんぶつさんまい》を修《しゅ》すれば、十方《じっぽう》諸仏《しょぶつ》、恒《つね》に此《こ》の人《ひと》を見《み》そなわすこと、現《げん》に前《まえ》に在《ましま》すが如《ごと》し。」」是《こ》の故《ゆえ》に『涅槃経《ねはんぎょう》』に云《のたま》わく、48「仏《ぶつ》、迦葉菩薩《かしょうぼさつ》に告《つ》げたまわく、「若《も》し善男子《ぜんなんし》・善女人《ぜんにょにん》有《あ》りて、常《つね》に能《よ》く心《しん》を至《いた》し専《もっぱ》ら念仏《ねんぶつ》する者《ひと》

①紹…つぐ

は、若《も》しは山林《せんりん》にも在《あ》れ、若《も》しは聚落《じゅらく》にも在《あ》れ、若《も》しは昼《ひる》、若《も》しは夜《よる》、若《も》しは座《ざ》、若《も》しは臥《が》、諸仏世《しょぶつせ》尊《そん》、常《つね》に此《こ》の人《ひと》を見《み》そなわすこと、目《め》の前《まえ》に現《げん》ぜるが如《ごと》し。恒《つね》に此《こ》の人《ひと》の為《ため》にして受施《じゅせ》を作《な》さん」と。」乃至《ないし》

120『大智度論《だいちどろん》』に依《よ》るに三番《さんばん》の解釈《げしゃく》有《あ》り。[49]第一《だいいち》には、仏《ぶつ》は是《こ》れ無上法王《むじょうほうおう》なり。菩薩《ぼさつ》は法臣《ほっしん》とす。尊《たっと》ぶ所《ところ》、重《おも》くする所《ところ》、唯仏世尊《ただぶつせそん》なり。是《こ》の故《ゆえ》に当《まさ》に常《つね》に念仏《ねんぶつ》すべきなり。第二《だいに》に、諸《もろもろ》の菩薩《ぼさつ》有《あ》りて自《みずか》ら云《い》わく、「我《われ》、曠劫《こうごう》より已来《このかた》、世尊《せそん》、我等《われら》が法身《ほっしん》・智身《ちしん》・大慈悲身《だいじひしん》を長養《じょうよう》することを蒙《こうむ》ることを得《え》たりき。禅定《ぜんじょう》・智慧《ちえ》・無量《むりょう》の行願《ぎょうがん》、仏《ぶつ》に由《よ》りて成《じょう》ずることを得《え》たり。報恩《ほうおん》の為《ため》の故《ゆえ》に、常《つね》に仏《ぶつ》に近《ちか》づかんことを願《がん》ず。亦《また》、大臣《だいじん》の、王《おう》の恩寵《おんちょう》を蒙《こうむ》りて、常《つね》に其《そ》の王《おう》を念《おも》うが如《ごと》し。」第三《だいさん》に、諸《もろもろ》の菩薩《ぼさつ》有《あ》りて復《ま》た是《こ》の言《ごん》を作《な》さく、「我《われ》、因地《いんじ》にして、善知識《ぜんじしき》に遇《あ》いて波若《はにゃ》を誹謗《ひほう》して悪道《あくどう》に堕《だ》しき。無量劫《むりょうこう》を逕《へ》て余行《よぎょう》を修《しゅ》すと雖《いえど》も、未《いま》だ出《い》ずること能《あた》わず。後《のち》に一時《いちじ》に於《お》いて、善知識《ぜんじしき》の辺《ほとり》に依《よ》りしに、我《われ》を教《おし》えて念仏三昧《ねんぶつさんまい》を行《ぎょう》ぜん。其《そ》の時《とき》に即《すなわ》ち能《よ》く併《しか》しながら、諸《もろもろ》の障《さわり》、方《まさ》に解脱《げだつ》を得《え》しむ。斯《こ》の大益《だいやく》有《あ》るが故《ゆえ》に、願《がん》じて仏《ぶつ》を離《はな》れず」と。乃至《ないし》

121『大経《だいきょう》』に云《のたま》わく、[50]「凡《おおよ》そ浄土《じょうど》に往生《おうじょう》せんと欲《おも》わば、発菩提心《ほつぼだいしん》を須《もち》いるを要《よう》とするを源《みなもと》とす。」云何《いかん》ぞ。菩提《ぼだい》は乃《すなわ》ち是《こ》れ無上仏道《むじょうぶつどう》の名《な》なり。若《も》し発心作仏《ほっしんさぶつ》せんと欲《おも》わば、此《こ》の心《しん》、広大《こうだい》にして法界《ほっかい》に周遍《しゅうへん》せん。此《こ》の心《しん》、長遠《じょうおん》にして未来際《みらいざい》を尽《つ》くす。此《こ》の心《しん》、普《あまね》く備《つぶさ》に二乗《にじょう》の障《さわり》を離《はな》る。若《も》し能《よ》く一《ひと》たび発心《ほっしん》すれば、無始生死《むししょうじ》の有輪《うりん》を傾《かたぶ》くと。乃至《ないし》

122『大悲経《だいひきょう》』に云《のたま》わく、[51]「云何《いかん》が名《な》づけて「大悲《だいひ》」とする。若《も》し専《もっぱ》ら念仏相続《ねんぶつそうぞく》して断《た》えざれば、其《そ》の命終《みょうじゅう》に随《したが》いて、定《さだ》んで安楽《あんらく》に生《しょう》ぜん。若《も》し能《よ》く展転《てんでん》して相勧《あいすす》めて念仏《ねんぶつ》を行《ぎょう》ぜしむるは、此《こ》れ等《ら》を悉《ことごと》く「大悲《だいひ》を行《ぎょう》ずる人《ひと》」と名《な》づく」と。」已上抄出《いじょうしょうしゅつ》

123光明師《こうみょうし》（善導）の云《い》わく（般舟讃）、「唯恨《ただうら》むらくは、衆生《しゅじょう》の、疑《うたが》うまじきを疑《うたが》うことを。浄土《じょうど》、対面《たいめん》して相忤《あいたが》わず。弥陀《みだ》の摂《しょう》と不摂《ふしょう》を論《ろん》ずること莫《な》かれ。意《い》、専心《せんしん》にして回《え》すると回《え》せざるとに在《あ》り。乃至《ないし》　或《ある》いは道《い》わく、今《きょう》より仏果《ぶっか》に至《いた》るまで、長劫《じょうごう》に仏《ぶつ》を讃《さん》じて慈恩《じおん》を報《ほう》ぜんと。弥陀《みだ》の弘誓《ぐぜい》の力《ちから》を蒙《かぶ》らずは、何《いず》れの時《とき》、何《いず》れの劫《こう》にか娑婆《しゃば》を出《い》でんと。乃至《ないし》　何《いか》んが今日《きょう》、宝国《ほうこく》に至《いた》ることを期《ご》せん。実《まこと》に是《こ》れ娑婆本師《しゃばほんじ》の力《ちから》なり。若《も》し本師知識《ほんじちしき》の勧《すすめ》に非《あら》ずは、弥陀《みだ》の浄土《じょうど》、云何《いかん》してか入《い》らん」と。

124又云《またい》わく（往生礼讃）、「仏世《ぶっせ》、甚《はなは》だ値《もうあ》い難《がた》し。人《ひと》、信慧《しんえ》有《あ》ること難《かた》し。遇《たま》たま希有《けう》の法《ほう》を聞《き》くこと、斯《こ》れ復《ま》た最《もっと》も難《かた》しとす。自《みずか》ら信《しん》じ人《ひと》を教《おし》えて信《しん》ぜしむ、難《かた》きが中《なか》に転《うた》た更《ま》た難《かた》し。大悲《だいひ》、弘《ひろ》く普《あまね》く化《け》する、真《まこと》に仏恩《ぶっとん》を報《ほう》ずるに成《な》る」と。

125又云《またい》わく（往生礼讃）、「弥陀《みだ》の身色《しんしき》は金山《こんぜん》の如《ごと》し。相好《そうごう》の光明《こうみょう》は十方《じっぽう》を照《て》らす。唯《ただ》、念仏《ねんぶつ》する有《あ》りて光摂《こうしょう》を蒙《かぶ》る。当《まさ》に知《し》るべし。本願《ほんがん》、最《もっと》も強《こわ》しとす。十方《じっぽう》の如来《にょらい》、舌《みした》を舒《の》べて証《しょう》したまう。専《もっぱ》ら名号《みょうごう》を称《しょう》して西方《さいほう》に至《いた》る。彼《か》の華台《けだい》に到《いた》りて妙法《みょうほう》を聞《き》く。十地《じゅうじ》の願行《がんぎょう》、自然《じねん》に彰《あらわ》る」と。

126又云《またい》わく（観念法門）、「但《ただ》、阿弥陀仏《あみだぶつ》を専念《せんねん》する衆生《しゅじょう》有《あ》りて、彼《か》の仏心《ぶっしん》の光《ひかり》、常《つね》に是《こ》の人《ひと》を照《て》らし

て摂護《しょうご》して捨《す》てたまわず。総《すべ》て余《よ》の雑業《ぞうごう》の行者《ぎょうじゃ》を照《て》らし摂《おさ》むと論《ろん》ぜず。此《こ》れ亦是《またこ》れ現生護念増上《げんしょうごねんぞうじょう》縁《えん》なり」と。已上《いじょう》

127又云《またい》わく（序分義）、「[52]「心歓喜得忍《しんかんぎとくにん》」（観経）と言《い》うは、此《こ》れは阿弥陀仏国《あみだぶっこく》の清浄《しょうじょう》の光明《こうみょう》、忽《たちま》ちに眼前《げんぜん》に現《げん》ぜん、何《なん》ぞ踊躍《ゆやく》に勝《た》えん。茲《こ》の喜《よろこび》に因《よ》るが故《ゆえ》に、即《すなわ》ち無生《むしょう》の忍《にん》を得《う》。亦《また》「喜忍《きにん》」と名《な》づく。亦《また》「悟忍《ごにん》」と名《な》づく。亦《また》「信忍《しんにん》」と名《な》づく。此《こ》れ乃《すなわ》ち玄《はる》かに談《だん》ずるに、未《いま》だ得処《とくしょ》を標《あらわ》さず。夫人《ぶにん》をして等《ひと》しく心《こころ》に此《こ》の益《やく》を悕《ねが》わしめんと欲《おも》う。勇猛専精《ゆみょうせんしょう》にして心《こころ》に見《み》んと想《おも》う時《とき》に、方《まさ》に忍《にん》を悟《さと》るべし。此《こ》れ多《おお》く是《こ》れ十信《じっしん》の中《なか》の忍《にん》なり。解行已上《げぎょういじょう》の忍《にん》には非《あら》ざることを明《あ》かすなり」と。

128又云《またい》わく（散善義）、「[53]「若念仏者《にゃくねんぶつしゃ》」（観経）というより下《しも》、[54]「生諸仏家《しょうしょぶっけ》」（同）に至《いた》るまで已来《このかた》は、正《まさ》しく、念仏三昧《ねんぶつさんまい》の功能超絶《くのうちょうぜつ》して、実《まこと》に雑善《ぞうぜん》をして比類《ひるい》とすることを得《う》るに非《あら》ざることを顕《あらわ》す。即《すなわ》ち其《そ》れに五有《ごあ》り。一《ひとつ》には弥陀仏《みだぶつ》の名《みな》を専念《せんねん》することを明《あ》かす。二《ふたつ》には能念《のうねん》の人《ひと》を指讃《しさん》することを明《あ》かす。三《みつ》には、若《も》し能《よ》く相続《そうぞく》して念仏《ねんぶつ》する者《ひと》、此《こ》の人《ひと》、甚《はなは》だ希有《けう》なりとす。更《さら》に物《もの》として以《もっ》て之《これ》に方《たくら》ぶべきこと無《な》きことを明《あ》かす。故《かるがゆえ》に芬陀利《ふんだり》を引《ひ》きて喩《たとえ》とす。「分陀利《ふんだり》」と言《い》うは、「人中《にんちゅう》の好華《こうけ》」と名《な》づく。亦《また》「希有華《けうけ》」と名《な》づく。亦《また》「人中《にんちゅう》の上上華《じょうじょうけ》」と名《な》づく。亦《また》「人中《にんちゅう》の妙好華《みょうこうけ》」と名《な》づく。此《こ》の華《はな》、相伝《あいつた》えて「蔡華《さいけ》」と名《な》づくる是《こ》れなり。若《も》し念仏《ねんぶつ》の者《ひと》は、即《すなわ》ち是《こ》れ人中《にんちゅう》の好人《こうにん》なり、人中《にんちゅう》の妙好人《みょうこうにん》なり、人中《にんちゅう》の上上人《じょうじょうにん》なり、人中《にんちゅう》の希有人《けうにん》なり、人中《にんちゅう》の最勝人《さいしょうにん》なり。四《よつ》には、弥陀名《みだみょう》を専念《せんねん》すれば、即《すなわ》ち観音《かんのん》・勢至《せいし》、常《つね》に随《したが》いて影護《ようご》したまうこと、亦親友知識《またしんぬちしき》の如《ごと》くな

ることを明《あ》かすなり。五《いつつ》には、今生《こんじょう》に既《すで》に此《こ》の益《やく》を蒙《こうむ》れり。命《いのち》を捨《す》てて即《すなわ》ち諸仏《しょぶつ》の家《いえ》に入《い》らん。即《すなわ》ち浄土《じょうど》是《こ》れなり。彼《かしこ》に到《いた》りて長時《じょうじ》に法《ほう》を聞《き》き歴事供養《りゃくじくよう》せん。因円《いんまど》かに果満《かまん》ず。道場《どうじょう》の座《ざ》、豈《あ》に賖《はる》かならんやということを明《あ》かす。」已上《いじょう》

129王日休《おうじっきゅう》の云《い》わく（龍舒浄土文）、「我《われ》、『無量寿経《むりょうじゅきょう》』を聞《き》くに、55「衆生《しゅじょう》、是《こ》の仏名《ぶつみょう》を聞《き》きて信心歓喜《しんじんかんぎ》せんこと乃至《ないし》一念《いちねん》せんもの、彼《か》の国《くに》に生《う》まれんと願《がん》ずれば、即《すなわ》ち往生《おうじょう》を得《え》、不退転《ふたいてん》に住《じゅう》す」と。「不退転《ふたいてん》」は、梵語《ぼんご》には之《これ》を「阿惟越致《あゆいおっち》」と謂《い》う。『法華経《ほけきょう》』には、謂《い》わく、弥勒菩薩《みろくぼさつ》の所得《しょとく》の報地《ほうじ》なり。一念往生《いちねんおうじょう》、便《すなわ》ち弥勒《みろく》に同《おな》じ。仏語虚《ぶつごむな》しからず。此《こ》の『経《きょう》』は、寔《まこと》に往生《おうじょう》の径術《けいじゅつ》、脱苦《だっく》の神方《しんぽう》なり。皆信受《みなしんじゅ》すべし」と。已上《いじょう》

130『大経《だいきょう》』に言《のたま》わく、「仏《ぶつ》、弥勒《みろく》に告《つ》げたまわく、「此《こ》の世界《せかい》より、六十七億《ろくじゅうしちおく》の不退《ふたい》の菩薩《ぼさつ》有《あ》りて彼《か》の国《くに》に往生《おうじょう》せん。一一《いちいち》の菩薩《ぼさつ》は、已《すで》に曾《むかし》、無数《むしゅ》の諸仏《しょぶつ》を供養《くよう》せりき。次《つ》いで弥勒《みろく》の如《ごと》し」と。」

131又言《またのたま》わく（如来会）、「仏《ぶつ》、弥勒《みろく》に告《つ》げたまわく、「此《こ》の仏土《ぶつど》の中《なか》に七十二億《しちじゅうにおく》の菩薩《ぼさつ》有《あ》り。彼《かれ》は無量億那由他百千《むりょうおくなゆたひゃくせん》の仏《ぶつ》の所《みもと》にして、諸《もろもろ》の善根《ぜんごん》を種《う》えて不退転《ふたいてん》を成《じょう》ぜるなり。当《まさ》に彼《か》の国《くに》に生《しょう》ずべし」と。」抄出《しょうしゅつ》

132律宗《りっしゅう》の用欽師《ようきんし》の云《い》わく（超玄記）、「至《いた》れること、『華厳《けごん》』の極唱《ごくしょう》・『法華《ほっけ》』の妙談《みょうだん》に如《し》かんや。且《かつ》は未《いま》だ普授《ふじゅ》有《あ》ることを見《み》ず。衆生《しゅじょう》、一生《いっしょう》に皆《みな》、阿耨多羅三藐三菩提《あのくたらさんみゃくさんぼだい》の記《き》を得《う》ることは、誠《まこと》に謂《い》う所《ところ》の不可思議功徳《ふかしぎくどく》の利《り》なり」と。已上《いじょう》

133真《まこと》に知《し》りぬ。弥勒大士《みろくだいじ》、等覚金剛心《とうがくこんごうしん》を窮《きわ》むるが故《ゆえ》に、龍華三会《りゅうげさんね》の暁《あかつき》、当《まさ》に無上覚位《むじょうかくい》を極《きわ》むべし。念仏衆生《ねんぶつしゅじょう》は、横超《おうちょう》の金剛心《こんごうしん》を窮《きわ》むるが故《ゆえ》に、臨終一念《りんじゅういちねん》の夕《ゆうべ》、大般涅槃《だいはつねはん》を超証《ちょうしょう》す。故《かるがゆえ》に56「便同《べんどう》」（龍舒浄土文）と曰《い》うなり。

加之《しかのみ》ならず、金剛心《こんごうしん》を獲《う》る者《もの》は、則《すなわ》ち韋提《いだい》と等《ひと》しく、即《すなわ》ち喜《き》・悟《ご》・信《しん》の忍《にん》を獲得《ぎゃくとく》すべし。是《こ》れ則《すなわ》ち、往相《おうそう》回向《えこう》の真心徹到《しんじんてっとう》するが故《ゆえ》に、不可思議《ふかしぎ》の本誓《ほんぜい》に藉《よ》るが故《ゆえ》なり。

134禅宗《ぜんしゅう》の智覚《ちかく》、念仏行者《ねんぶつぎょうじゃ》を讃《さん》じて云《い》わく（楽邦文類）、「奇《まれ》なるかな。仏力難思《ぶつりきなんし》なれば、古今《ここん》も未《いま》だ有《あ》らず」と。

135律宗《りっしゅう》の元照師《がんじょうし》（元照）の云《い》わく（楽邦文類）、「嗚呼《ああ》、教観《きょうかん》に明《あき》らかなること、孰《たれ》か智者《ちしゃ》（智顗）に如《し》かんや。終《おわ》りに臨《のぞ》みて『観経《かんぎょう》』を挙《きょ》し、浄土《じょうど》を讃《さん》じて長《なが》く逝《ゆ》きんき。法界《ほっかい》に達《たっ》せること、孰《たれ》か杜《と》順《じゅん》に如《し》かんや。四衆《ししゅ》を勧《すす》め、仏陀《ぶつだ》を念《ねん》じて勝相《しょうそう》を感《かん》じて西《にし》に邁《ゆ》きき。禅《ぜん》に参《まじ》わり性《しょう》を見《み》ること、孰《たれ》か高玉《こうぎょく》・智覚《ちかく》に如《し》かんや。皆《みな》、社《しゃ》を結《むす》び仏《ぶつ》を念《ねん》じて、倶《とも》に上品《じょうぼん》に登《のぼ》りき。業儒《ぎょうじゅ》、才有《さいあ》る、孰《たれ》か劉《りゅう》（劉程子）・雷《らい》（雷次宗）・柳子厚《りゅうしこう》・白楽天《はくらくてん》に如《し》かんや。然《しか》るに皆《みな》、筆《ふで》を秉《と》り誠《まこと》を書《しょ》して彼《か》の土《ど》に生《う》

真知。弥勒大士、窮㆓等覚金剛心㆒故、龍華三会之暁、当㆑極㆓無上覚位㆒。念仏衆生、窮㆓横超金剛心㆒故、臨終一念之夕、超㆓-証大般涅槃㆒。故曰㆓便同㆒也。

加之獲㆓金剛心㆒者則与㆓韋提㆒等即可㆔獲㆓-得喜悟信之忍㆒。是則往相回向之真心徹到故、藉㆓不可思議之本誓㆒故也。

まれんと願《がん》じき」と。已上《いじょう》

136「仮《け》」と言《い》うは、即《すなわ》ち是《こ》れ聖道《しょうどう》の諸機《しょき》、浄土《じょうど》の定《じょう》散《さん》の機《き》なり。

言レ仮者、即是聖道諸機、浄土定散機也。

137故《かるがゆえ》に光明師《こうみょうし》（善導）の云《い》わく（般舟讃）、「仏教多門《ぶっきょうたもん》にして八万四《はちまんし》なり。正《まさ》しく、衆生《しゅじょう》の機《き》、不《ふ》同《どう》なるが為《ため》なり」と。

138又云《またい》わく（法事讃）、「方便《ほうべん》の仮門《けもん》、等《ひと》しくして殊無《しゅな》し」と。

139又云《またい》わく（般舟讃）、「門門不同《もんもんふどう》なるを「漸教《ぜんぎょう》」と名《な》づく。万劫苦行《まんごうくぎょう》して無生《むしょう》を証《しょう》す」と。已上《いじょう》

140「偽《ぎ》」と言《い》うは、則《すなわ》ち六十二見《ろくじゅうにけん》、九十五種《くじゅうごしゅ》の邪道《じゃどう》、是《こ》れなり。

言レ偽者、則六十二見、九十五種之邪道、是也。

141『涅槃経《ねはんぎょう》』（大衆所問品）に言《のたま》わく、「世尊《せそん》、常《つね》に説《と》きたまわく、「一切《いっさい》の外《げ》は九十五種《くじゅうごしゅ》を学《まな》びて、皆《みな》、悪道《あくどう》に趣《おもむ》く」と。」已上《いじょう》

142光明師《こうみょうし》（善導）の云《い》わく（法事讃）、「九十五種《くじゅうごしゅ》、皆《みな》、世《よ》を汚《けが》す。唯仏《ただぶつ》の一道《いちどう》、独《ひと》り清閑《しょうげん》なり」と。已上《いじょう》

143誠《まこと》に知《し》りぬ、悲《かな》しきかな、愚禿鸞《ぐとくらん》、愛欲《あいよく》の広海《こうかい》に沈《ちん》没《もっ》し、名利《みょうり》の太山《たいせん》に迷惑《めいわく》して、定聚《じょうじゅ》の数《かず》に入《い》ることを喜《よろこ》ばず、真証《しんしょう》の証《しょう》に近《ちか》づくことを快《たの》しまざることを、

誠知、悲哉、愚禿鸞、沈二没於愛欲広海一、迷二惑於名利太山一、不レ喜レ入二定聚之数一、不レ快レ近二真証之証一、可レ恥、可レ傷矣。

恥《は》ずべし、傷《いた》むべしと。

144 夫《そ》れ、仏《ぶつ》、難治《なんじ》の機《き》を説《と》きて、『涅槃経《ねはんぎょう》』（現病品）に言《のたま》わく、「迦葉《かしょう》。世《よ》に三人《さんにん》有《あ》り、其《そ》の病《やまい》、治《じ》し難《がた》し。一《ひとつ》には謗大乗《ほうだいじょう》、二《ふたつ》には五逆罪《ごぎゃくざい》、三《みつ》には一闡提《いっせんだい》なり。是《か》くの如《ごと》きの三病《さんびょう》、世《よ》の中《なか》に極《ごく》重《じゅう》なり。悉《ことごと》く声聞《しょうもん》・縁覚《えんがく》・菩薩《ぼさつ》の、能《よ》く治《じ》する所《ところ》に非《あら》ず。善男子《ぜんなんし》。譬《たと》えば、病有《やまいあ》れば必《かなら》ず死《し》するに治無《じな》からんに、若《も》し瞻病《せんびょう》・随意《ずいい》の医薬有《いやくあ》らんが如《ごと》し。若《も》し瞻病《せんびょう》・随意《ずいい》の医薬無《いやくな》からん。是《か》くの如《ごと》きの病《やまい》、定《さだ》んで治《じ》すべからず。当《まさ》に知《し》るべし、是《こ》の人《ひと》、必《かなら》ず死《し》せんこと疑《うたが》わずと。善男子《ぜんなんし》。是《こ》の三種《さんしゅ》の人《ひと》、亦復是《またか》くの如《ごと》し。仏《ぶつ》・菩薩《ぼさつ》に従《したが》いて聞治《もんじ》を得已《えおわ》りて、即便《すなわ》ち能《よ》く阿耨多羅三藐三菩提心《あのくたらさんみゃくさんぼだいしん》を発《ほっ》せん。若《も》し声聞《しょうもん》・縁覚《えんがく》・菩薩有《ぼさつあ》りて、或《ある》いは法《ほう》を説《と》き、或《ある》いは法《ほう》を説《と》かざる有《あ》らん。其《そ》れをして阿耨多羅三藐三菩提心《あのくたらさんみゃくさんぼだいしん》を発《ほっ》せしむること能《あた》わず」と。已上《いじょう》

145 又言《またのたま》わく（梵行品）、「爾《そ》の時《とき》に王舎大城《おうしゃだいじょう》に阿闍世王《あじゃせおう》あり。其《そ》の性弊悪《しょうへいあく》にして、善《よ》く殺戮《せつろく》を行《ぎょう》ず。口《く》の四悪《しあく》・貪《とん》・恚《い》・愚痴《ぐち》を具《ぐ》して、其《そ》の心熾盛《しんしじょう》なり。乃至《ないし》　而《しか》るに眷属《けんぞく》の為《ため》に現世《げんぜ》の五欲《ごよく》の楽《らく》に貪著《とんじゃく》するが故《ゆえ》に、父《ちち》の王《おう》、辜無《つみな》きに横《よこさま》に逆害《ぎゃくがい》を加《か》す。父《ちち》を害《がい》するに因《よ》りて、己《おのれ》が心《しん》に悔熱《けねつ》を生《しょう》ず。乃至《ないし》　心《しん》、悔熱《けねつ》するが故《ゆえ》に遍体《へんたい》に瘡《かさ》を生《しょう》ず。其《そ》の瘡《かさ》、臭穢《しゅえ》にして附近《ふごん》すべからず。尋《すなわ》ち自《みずか》ら念言《ねんごん》すらく、「我今《われいま》、此《こ》の身《み》に已《すで》に華報《けほう》を受《う》けたり。地獄《じごく》の果報《かほう》、将《まさ》に近《ちか》づきて遠《とお》からずとす。」

爾《そ》の時《とき》に、其《そ》の母韋提希后《ははいだいけこう》、種種《しゅじゅ》の薬《くすり》を以《もっ》て、為《ため》に之《これ》を塗《ぬ》る。其《そ》の瘡《かさ》、遂《つい》に増《ぞう》すれども降損有《ごうそんあ》ること無《な》し。王即《おうすなわ》ち母《はは》に白《もう》さく、「是《か》くの如《ごと》きの瘡《かさ》は心《しん》よりして生《しょう》ぜり。四大《しだい》より起《お》これるに非《あら》ず。

若《も》し衆生《しゅじょう》、能《よ》く治《じ》すること有《あ》りと言《い》わば、是《こ》の処《ことわり》有《あ》ること無《な》けん。」
146時《とき》に大臣《だいじん》有《あ》り、「日月称《にちがつしょう》」と名《な》づく。王《おう》の所《ところ》に往至《おうし》して、一面《いちめん》に在《あ》りて立《た》ちて白《もう》して言《もう》さく、「大《だい》王《おう》。何《なに》が故《ゆえ》ぞ愁悴《しゅうすい》して顔容《げんよう》悦《よろこ》ばざる。身痛《しんつう》とやせん、心痛《しんつう》とやせん」と。

王《おう》、臣《しん》に答《こた》えて言《い》わまく、「我今《われいま》、身心《しんじん》、豈《あ》に痛《いた》まざることを得《え》んや。我《わ》が父《ちち》、辜無《つみな》きに横《よこさま》に逆《ぎゃく》害《がい》を加《か》す。我《われ》、智者《ちしゃ》に従《したが》いて、曾《かつ》て是《こ》の義《ぎ》を聞《き》きき。「世《よ》に五人《ごにん》有《あ》り、地獄《じごく》を脱《まぬか》れず」と。謂《い》わく、五逆罪《ごぎゃくざい》なり。我《われ》、今已《いますで》に無量無辺阿僧祇《むりょうむへんあそうぎ》の罪《つみ》有《あ》り。云何《いかん》ぞ身心《しんじん》をして痛《いた》まざることを得《え》ん。又《また》、良医《りょうい》の我《わ》が身心《しんじん》を治《じ》せんもの無《な》けん」と。

臣《しん》、大王《だいおう》に言《もう》さく、「大《おお》きに愁苦《しゅうく》すること莫《な》かれ」と。即《すなわ》ち偈《げ》を説《と》きて言《もう》さく、

若《も》し常《つね》に愁苦《しゅうく》せば、愁《うれえ》、遂《つい》に増長《ぞうじょう》せん。人《ひと》、眠《ねぶり》を喜《この》めば、眠則《ねぶりすなわ》ち滋《しげ》く多《おお》きが如《ごと》し。
婬《いん》を貪《とん》し酒《さけ》を嗜《たし》むも、亦復《また》是《か》くの如《ごと》しと。

「王《おう》の言《のたま》う所《ところ》の如《ごと》し、「世《よ》に五人《ごにん》有《あ》り、地獄《じごく》を脱《まぬか》れず」とは、誰《たれ》か往《ゆ》きて之《これ》を見《み》て、来《き》たりて王《おう》に語《かた》るや。「地獄《じごく》」と言《い》うは、直《ただ》ちに是《こ》れ世間《せけん》に多《おお》く智者説《ちしゃと》かく。王《おう》の言《い》う所《ところ》の如《ごと》し、「世《よ》に良医《りょうい》の身《しん》心《じん》を治《じ》する者《もの》無《な》けん。」今大医《いまだいい》有《あ》り、「富蘭那《ふらんな》」と名《な》づく。一切知見《いっさいちけん》して自在《じざい》を得《え》て、定《さだ》んで畢竟《ひっきょう》じて清浄梵行《しょうじょうぼんぎょう》を修習《しゅじゅう》して、常《つね》に無量無辺《むりょうむへん》の衆生《しゅじょう》の為《ため》に無上涅槃《むじょうねはん》の道《どう》を演説《えんぜつ》す。諸《もろもろ》の弟子《でし》の為《ため》に是《か》くの如《ごと》きの法《ほう》を説《と》けり。「黒業《こくごう》有《あ》ること無《な》ければ、黒業《こくごう》の報《ほう》無《な》し。白業《びゃくごう》有《あ》ること無《な》ければ、白《びゃく》業《ごう》の報《ほう》無《な》し。黒白業《こくびゃくごう》無《な》ければ、黒白《こくびゃく》の業報《ごうほう》無《な》し。上業《じょうごう》及《およ》び下業《げごう》有《あ》ること無《な》し」と。是《こ》の師《し》、今《いま》、

王舍城《おうしゃじょう》の中《うち》に在《いま》す。惟願《ややねが》わくは大王《だいおう》、崛駕《くつが》して彼《かしこ》に往《ゆ》け。是《こ》の師《し》、身心《しんじん》を療治《りょうじ》せしむべし」と。

時《とき》に王答《おうこた》えて言《い》わまく、「審《あき》らかに能《よ》く是《か》くの如《ごと》き我《わ》が罪《つみ》を滅除《めつじょ》せば、我《われ》、当《まさ》に帰依《きえ》すべし」と。
147 復《ま》た一《ひとり》の臣有《しんあ》り、名《な》づけて「蔵徳《ぞうとく》」と曰《い》う。復《ま》た王《おう》の所《ところ》に往《ゆ》きて是《こ》の言《ごん》を作《な》さく、「大王《だいおう》。何故《なにゆえ》ぞ面貌《めんみょう》憔悴《しょうすい》して①脣口乾燋《しょうくかんしょう》し、音声《おんじょう》微細《みさい》なるやと。乃至《ないし》何《なん》の苦《くる》しむ所《ところ》あってか、身痛《しんつう》とやせん、心痛《しんつう》とやせん」と。
王《おう》、即《すなわ》ち答《こた》えて言《い》わく、「我今《われいま》、身心《しんじん》、云何《いかん》ぞ痛《いた》まざらん。我《われ》、痴盲《ちもう》にして慧目《えもく》有《あ》ること無《な》し。諸《もろもろ》の悪友《あくう》に近《ちか》づきて、為《こ》れ善《よ》く提婆達多《だいばだった》悪人《あくにん》の言《ことば》に随《したが》いて、正法《しょうぼう》の王《おう》に横《よこさま》に逆害《ぎゃくがい》を加《か》す。我《われ》、昔曾《むかしかつ》て智人《ちにん》の偈説《げせつ》を聞《き》きき。

若《も》し父母《ぶも》、仏及《ぶつおよ》び弟子《でし》に於《お》いて、不善《ふぜん》の心《しん》を生《しょう》じ、悪業《あくごう》を起《お》こさん。

是《か》くの如《ごと》きの果報《かほう》、阿鼻獄《あびごく》に在《あ》りと。

是《こ》の事《じ》を以《もっ》ての故《ゆえ》に、我《われ》、心怖《しんふ》して大苦悩《だいくのう》を生《しょう》ぜしむと。

又《また》、良医《りょうい》の救療《くりょう》を見《み》ること無《な》けん」と。

大臣《だいじん》、復《ま》た言《もう》さく、「惟願《ややねが》わくは大王《だいおう》、且《しばら》く愁怖《しゅうふ》すること莫《な》かれ。法《ほう》に二種有《にしゅあ》り。一《ひとつ》には出家《しゅっけ》、二《ふたつ》には王法《おうぼう》なり。王法《おうぼう》は、謂《い》わく、其《そ》の父《ちち》を害《がい》せり、則《すなわ》ち王国土《おうこくど》、是《こ》れ逆《ぎゃく》なりと云《い》うと雖《いえど》も、実《じつ》に罪有《つみあ》ること無《な》けん。迦羅羅虫《かららちゅう》の、要《かなら》ず母《はは》の腹《はら》を壊《やぶ》りて、然《しこ》うして後《のち》、乃《すなわ》ち生《しょう》ずるが如《ごと》し。生《しょう》の法《ほう》、是《か》くの如《ごと》し。母《はは》の身《み》を破《は》すと雖《いえど》も、実《じつ》に亦罪無《またつみな》し。騾腹懐妊等《らふくかいにんとう》、亦復《またか》是《か》くの如《ごと》し。治国《じこく》の法《ほう》、法《ほう》として是《か》くの如《ごと》くなるべし。父兄《ぶきょう》を殺《せっ》すと雖《いえど》も、実《じつ》に罪有《つみあ》ること無《な》けん。出家《しゅっけ》の法《ほう》は、乃至《ないし》蚊《もん》蟻《ぎ》殺《せっ》する、亦罪有《またつみあ》り。乃至《ないし》　王《おう》の言《い》う所《ところ》の如《ごと》し、「世《よ》に良医《りょうい》の身心《しんじん》を治《じ》する者無《ものな》けん」と。今《いま》、大《だい》師有《しあ》り。「末伽梨拘賖梨子《まかりくしゃりし》」と名《な》づく。一切知見《いっさいちけん》して、衆生《しゅじょう》を憐愍《れんみん》すること赤子《しゃくし》の猶如《ごと》し。已《すで》に煩《ぼん》悩《のう》を離《はな》れて、能《よ》く衆生《しゅじょう》の三毒《さんどく》の利箭《りせん》を抜《ぬ》くと。乃至《ないし》　是《こ》の師《し》、今《いま》、王舎大城《おうしゃだいじょう》に在《いま》す。惟願《ややねが》わくは大《だい》王《おう》、其《そ》の所《みもと》に往至《おうし》して、王《おう》、若《も》し見《み》ば、衆罪消滅《しゅざいしょうめつ》せん」と。

時《とき》に王答《おうこた》えて言《い》わく、「審《あき》らかに能《よ》く是《か》くの如《ごと》き我《わ》が罪《つみ》を滅除《めつじょ》せば、我《われ》、当《まさ》に帰依《きえ》すべし」と。

148
復《ま》た一《ひとり》の臣有《しんあ》り、名《な》づけて「実徳《じっとく》」と曰《い》う。復《ま》た王《おう》の所《ところ》に到《いた》りて即《すなわ》ち偈《げ》を説《と》きて言《もう》さく、「大王《だいおう》。何《なに》が故《ゆえ》ぞ身《み》の瓔珞《ようらく》を脱《ぬ》ぎ、首《くび》の髪蓬乱《かみほうらん》せる。乃至《ないし》是《か》くの如《ごと》きなるやと。乃至《ないし》　是《こ》れ心痛《しんつう》とやせん、身《しん》痛《つう》とやせん。」

王即《おうすなわ》ち答《こた》えて言《い》わく、「我今《われいま》、身心《しんじん》、豈《あ》に痛《いた》まざることを得《え》んや。我《わ》が父先王《ちちせんおう》、慈愛仁惻《じあいにんしき》して、特《こと》に見《み》て矜念《こうねん》せり。実《じつ》に辜無《つみな》きに、往《ゆ》きて相師《そうし》に問《と》う。相師答《そうしこた》えて言《い》わく、「是《こ》の児《こ》、生《う》まれ已《おわ》りて、定《さだ》んで当《まさ》に父《ちち》を害《がい》すべし」と。是《こ》の語《ご》を聞《き》くと雖《いえど》も、猶見《なおみ》て瞻養《せんよう》す。曽《むかし》、智者《ちしゃ》の、是《か》くの如《ごと》きの言《ごん》を作《な》ししを聞《き》きき。「若《も》し人《ひと》、通《つう》の母《はは》と、及《およ》び比丘尼《びくに》を汚《けが》し、僧祇物《そうぎもつ》を偸《ぬす》み、無上菩提心《むじょうぼだいしん》を発《ほっ》せる人《ひと》を殺《せっ》し、及《およ》び其《そ》の父《ちち》を殺《せっ》せん。是《か》くの如《ごと》きの人《ひと》は、必定《ひつじょう》して当《まさ》に阿鼻地獄《あびじごく》に堕《だ》すべし」と。我今《われいま》、

①屑…かわき

身心《しんじん》、豈《あ》に痛《いた》まざることを得《え》んや。」

　大臣《だいじん》、復《ま》た言《もう》さく、「惟願《ややねが》わくは大王《だいおう》、且《ま》た愁苦《しゅうく》すること莫《な》かれと。乃至《ないし》　一切衆生《いっさいしゅじょう》、皆《みな》、余業《よごう》有《あ》り。業縁《ごうえん》を以《もっ》ての故《ゆえ》に、数数《しばしば》生死《しょうじ》を受《う》く。若《も》し先生《せんしょう》に余業《よごう》有《あ》らしめば、王《おう》、今《いま》、之《これ》を殺《せっ》せん。竟《つい》に何《なん》の罪《つみ》か有《あ》らん。惟願《ややねが》わくは、大《おお》きに、王《おう》、意《い》を寛《ゆた》かにして、愁《うれ》うること莫《な》かれ。何《なに》を以《もっ》ての故《ゆえ》に。若《も》し常《つね》に愁苦《しゅうく》すれば、愁《うれえ》、遂《つい》に増長《ぞうじょう》す。人《ひと》、眠《ねぶり》を喜《この》めば、眠《ねぶり》則《すなわ》ち滋《しげ》く多《おお》きが如《ごと》し。婬《いん》を貪《とん》し酒《さけ》を嗜《たし》むも、亦復《またか》是《か》くの如《ごと》し。」乃至《ないし》「刪闍耶毘羅胝子《さんじゃやびらせんし》。」

149 復《ま》た一《ひとり》の臣《しん》有《あ》り、「悉知義《しっちぎ》」と名《な》づく。即《すなわ》ち王《おう》の所《ところ》に至《いた》りて是《か》くの如《ごと》きの言《ごん》を作《な》さく、乃至《ないし》

王《おう》、即《すなわ》ち答《こた》えて言《い》わまく、「我今《われいま》、身心《しんじん》、豈《あ》に痛無《いたみな》きを得《え》んや。乃至《ないし》　先王《せんおう》、辜無《つみな》きに、横《よこさま》に逆害《ぎゃくがい》を興《こう》ず。我《われ》、亦曾《またかつ》て智者《ちしゃ》説《と》きて言《い》いしを聞《き》きき。「若《も》し父《ちち》を害《がい》すること有《あ》れば、当《まさ》に無量阿僧《むりょうあそう》祇劫《ぎこう》に於《お》いて大苦悩《だいくのう》を受《う》くべし」と。我今《われいま》、久《ひさ》しからずして、必《かなら》ず地獄《じごく》に堕《だ》せん。又《また》、良医《りょうい》の我《わ》が罪《つみ》を救療《くりょう》すること無《な》けん」と。

　大臣《だいじん》、即《すなわ》ち言《もう》さく、「惟願《ややねが》わくは大王《だいおう》、愁苦《しゅうく》を放捨《ほうしゃ》せよ。王《おう》、聞《き》かずや。昔者《むかし》、王有《おうあ》りき。名《な》づけて「羅摩《らま》」と曰《い》いき。其《そ》の父《ちち》を害《がい》し已《おわ》りて王位《おうい》を紹《つ》ぐことを得《え》たりき。跋提大王《ばつだいだいおう》・毘楼真王《びるしんのう》・那睺《なご》沙王《しゃおう》・迦帝迦王《かていかおう》・毘舎佉王《びしゃきゃおう》・月光明王《がっこうみょうおう》・日光明王《にっこうみょうおう》・愛王《あいおう》・持多人王《じたにんのう》、是《か》くの如《ごと》き等《ら》の王《おう》、皆《みな》、其《そ》の父《ちち》を害《がい》して王位《おうい》を紹《つ》ぐことを得《え》たりき。然《しか》るに一《ひとり》として王《おう》の地獄《じごく》に入《い》る者無《ものな》し。於今現在《いまげんざい》に、毘瑠《びる》璃王《りおう》・優陀邪王《うだやおう》・悪性王《あくしょうおう》・鼠王《そおう》・蓮華王《れんげおう》、是《か》くの如《ごと》き等《ら》の王《おう》、皆《みな》、其《そ》の父《ちち》を害《がい》せりき。悉《ことごと》く一《ひとり》と

して王《おう》の愁悩《しゅうのう》を生《しょう》ずる者無《ものな》し。地獄《じごく》・餓鬼《がき》・天中《てんちゅう》と言《い》うと雖《いえど》も、誰《たれ》か見《み》る者有《ものあ》るや。大王《だいおう》。唯《ただ》、二《に》の有《う》有《あ》り。一《ひとつ》には人道《にんどう》、二《ふたつ》には畜生《ちくしょう》なり。是《こ》の二有《にあ》りと雖《いえど》も、因縁生《いんねんしょう》に非《あら》ず、因縁死《いんねんし》に非《あら》ず。若《も》し因縁《いんねん》に非《あら》ずは、何者《なにもの》か善悪有《ぜんあくあ》らん。惟願《ややねが》わくは大王《だいおう》、愁怖《しゅうふ》を懐《いだ》くこと勿《なか》れ。何《なに》を以《もっ》ての故《ゆえ》に。若《も》し常《つね》に愁苦《しゅうく》すれば、愁《うれえ》、遂《つい》に増長《ぞうじょう》す。人《ひと》、眠《ねぶり》を喜《この》めば、眠《ねぶり》則《すなわ》ち滋《しげ》く多《おお》きが如《ごと》し。婬《いん》を貪《とん》し酒《さけ》を嗜《たし》むも亦復《また》是《か》くの如《ごと》し」と。乃至《ないし》「阿耆多翅金欽婆羅《あぎたしきんきんばら》。」

150
復《ま》た大臣《だいじん》有《あ》り、名《な》づけて「吉徳《きっとく》」と曰《い》う。乃至《ないし》「「地獄《じごく》」と言《い》うは、何《なん》の義有《ぎあ》りとかせんと。臣《しん》、当《まさ》に之《これ》を説《と》くべしと。「地《じ》」は地《じ》に名《な》づく、「獄《ごく》」は破《は》に名《な》づく。地獄《じごく》を破《は》せん、罪報有《ざいほうあ》ること無《な》けん。是《こ》れを「地獄《じごく》」と名《な》づく。又復《また》「地《じ》」は人《にん》に名《な》づく、「獄《ごく》」は天《てん》に名《な》づく。其《そ》の父《ちち》を害《がい》するを以《もっ》ての故《ゆえ》に、人天《にんでん》に到《いた》らん。是《こ》の義《ぎ》を以《もっ》ての故《ゆえ》に、婆蘇仙人《ばそせんにん》、唱《とな》えて言《い》わく、「羊《ひつじ》を殺《せっ》して人天《にんでん》の楽《らく》を得《う》く。」是《こ》れを「地獄《じごく》」と名《な》づく。又復《また》「地《じ》」は命《みょう》に名《な》づく、「獄《ごく》」は長《じょう》に名《な》づく。
57
彼《か》の寿命《じゅみょう》の長《じょう》を殺《せっ》するを以《もっ》ての故《ゆえ》に「地獄《じごく》」と名《な》づく。大王《だいおう》。是《こ》の故《ゆえ》に当《まさ》に知《し》るべし、実《じつ》に地獄無《じごくな》けんと。大王《だいおう》。麦《むぎ》を種《う》えて麦《むぎ》を得《え》、稲《いね》を種《う》えて稲《いね》を得《う》るが如《ごと》し。地獄《じごく》を殺《せっ》しては、還《かえ》りて地獄《じごく》を得《え》ん。人《にん》を殺害《せつがい》しては、還《かえ》りて人《にん》を得《う》べし。大王《だいおう》。今《いま》、当《まさ》に臣《しん》の所説《しょせつ》を聴《き》くに、実《じつ》に殺害無《せつがいな》かるべしと。若《も》し有我《うが》ならば、実《じつ》に亦害無《またがいな》し。若《も》し無我《むが》ならば、復《ま》た害《がい》する所無《ところな》けん。何《なに》を以《もっ》ての故《ゆえ》に。若《も》し有我《うが》ならば、常《つね》に変《へん》易無《やくな》し。常住《じょうじゅう》を以《もっ》ての故《ゆえ》に殺害《せつがい》すべからず。不破《ふは》・不壊《ふえ》・不繫《ふけ》・不縛《ふばく》・不瞋《ふしん》・不喜《ふき》は、虚空《こくう》の猶如《ごと》し。云何《いかん》ぞ当《まさ》に殺害《せつがい》の罪有《つみあ》るべき。若《も》し無我《むが》ならば諸法無常《しょほうむじょう》なり。無常《むじょう》を以《もっ》ての故《ゆえ》に念念《ねんねん》に壊滅《えめつ》す。

念念《ねんねん》に滅《めっ》するが故《ゆえ》に、殺者《せっしゃ》・死者《ししゃ》、皆《みな》、念念《ねんねん》に滅《めっ》す。若《も》し念念《ねんねん》に滅《めっ》せば誰《たれ》か当《まさ》に罪有《つみあ》るべきや。大王《だいおう》。火《ひ》、木《き》を焼《や》くに、火則《ひすなわ》ち罪無《つみな》きが如《ごと》し。斧《おの》、樹《き》を斫《き》るに、斧亦罪無《おのまたつみな》きが如《ごと》し。鎌《かま》、草《くさ》を刈《か》るに、鎌《かま》、実《じつ》に罪無《つみな》きが如《ごと》し。刀《かたな》、人《ひと》を殺《せっ》するに、刀《かたな》、実《じつ》に人《ひと》に非《あら》ず。刀《かたな》、既《すで》に罪無《つみな》きが如《ごと》し。人《ひと》、云何《いかん》ぞ罪《つみ》あらんや。毒《どく》、人《ひと》を殺《せっ》す。毒《どく》、実《じつ》に人《ひと》に非《あら》ず。毒薬《どくやく》、罪人《ざいにん》に非《あら》ざるが如《ごと》し。云何《いかん》ぞ罪《つみ》あらんや。一《いっ》切万物《さいまんもつ》、皆亦是《みなまたか》くの如《ごと》し。実《じつ》に殺害無《せつがいな》けん。云何《いかん》ぞ罪有《つみあ》らんや。惟願《ややねが》わくは大王《だいおう》、愁苦《しゅうく》を生《しょう》ずること莫《な》かれ。何《なに》を以《もっ》ての故《ゆえ》に。若《も》し常《つね》に愁苦《しゅうく》せば、愁《うれえ》、遂《つい》に増長《ぞうじょう》せん。人《ひと》、眠《ねぶり》を喜《この》めば、眠則《ねぶりすなわ》ち滋《しげ》く多《おお》きが如《ごと》し。婬《いん》を貪《とん》し酒《さけ》を嗜《たし》むも、亦復是《またか》くの如《ごと》し。今大師有《いまだいしあ》り、「迦羅鳩駄迦旃延《からくだかせんえん》」と名《な》づく。」

151復《ま》た一臣有《いっしんあ》り、「無所畏《むしょい》」と名《な》づく。「今大師有《いまだいしあ》り、「尼乾陀若犍子《にけんだにゃけんじ》」と名《な》づく。」乃至《ないし》

152爾《そ》の時《とき》に、大医《だいい》、名《な》づけて「耆婆《ぎば》」と曰《い》う。王《おう》の所《ところ》に往至《おうし》して白《もう》して言《もう》さく、「大王《だいおう》。安《いず》んぞ眠《ねぶ》ることを得《え》んや不《いな》や」と。

王《おう》、偈《げ》を以《もっ》て答《こた》えて言《い》わまく、乃至《ないし》「耆婆《ぎば》。我今《われいま》、病重《やまいおも》し。正法《しょうぼう》の王《おう》に於《お》いて悪逆害《あくぎゃくがい》を興《こう》ず。一切良医《いっさいりょうい》・妙薬《みょうやく》・呪術《しゅじゅつ》・善巧瞻病《ぜんぎょうせんびょう》の治《じ》すること能《あた》わざる所《ところ》なり。何《なに》を以《もっ》ての故《ゆえ》に。我《わ》が父法王《ちちほうおう》、法《ほう》の如《ごと》く国《くに》を治《おさ》む。実《じつ》に辜無《つみな》し。横《よこさま》に逆害《ぎゃくがい》を加《か》す。魚《うお》の陸《くが》に処《しょ》するが如《ごと》し。乃至《ないし》我《われ》、昔曽《むかしかつ》て、智者《ちしゃ》説《と》きて言《い》うことを聞《き》きき。「身口意業《しんくいごう》、若《も》し清浄《しょうじょう》ならずは、当《まさ》に知《し》るべし、是《こ》の人《ひと》、必《かなら》ず地獄《じごく》に堕《だ》せんと。」我亦是《われまたか》くの如《ごと》し。云何《いかん》ぞ当《まさ》に安穏《あんのん》に眠《ねぶ》ることを得《う》べきや。今《いま》、我《われ》、又《また》、無上《むじょう》の大医無《だいいな》し。法薬《ほうやく》を演説《えんぜつ》せんに、我《わ》が病苦《びょうく》を除《のぞ》きてんや。」

耆婆《ぎば》、答《こた》えて言《もう》さく、「善《よ》いかな、善《よ》いかな。王《おう》、罪《つみ》を作《な》すと雖《いえど》も、心《しん》に重悔《じゅうけ》を生《しょう》じて慚愧《ざんぎ》を懐《いだ》けり。大王《だいおう》。諸仏世尊《しょぶつせそん》、常《つね》に是《こ》の言《ごん》を説《と》きたまわく、「二《に》の白法《びゃくほう》有《あ》り、能《よ》く衆生《しゅじょう》を救《たす》く。一《ひとつ》には慚《ざん》、二《ふたつ》には愧《き》なり。「慚《ざん》」は自《みずか》ら罪《つみ》を作《つく》らず、「愧《き》」は他《た》を教《おし》えて作《な》さしめず。「慚《ざん》」は内《うち》に自《みずか》ら①羞恥《しゅうち》す、「愧《き》」は発露《ほつろ》して人《ひと》に向《む》かう。「慚《ざん》」は人《ひと》に羞《は》ず、「愧《き》」は天《てん》に羞《は》ず。是《こ》れを「慚愧《ざんぎ》」と名《な》づく。無慚愧《むざんぎ》は、名《な》づけて「人《にん》」とせず、名《な》づけて「畜生《ちくしょう》」とす。」慚愧《ざんぎ》有《あ》るが故《ゆえ》に、則《すなわ》ち能《よ》く父母《ぶも》・師《し》長《ちょう》を恭敬《くぎょう》す。慚愧《ざんぎ》有《あ》るが故《ゆえ》に、父母《ぶも》・兄弟《きょうだい》・姉妹《しまい》有《あ》ることを説《と》く。善《よ》いかな、大王《だいおう》。具《つぶさ》に慚愧《ざんぎ》有《あ》りと。乃至《ないし》　王《おう》の言《い》う所《ところ》の如《ごと》し、「能《よ》く治《じ》する者《もの》無《な》けん。」大王《だいおう》、当《まさ》に知《し》るべし。迦毘羅城《かびらじょう》に浄飯《じょうぼん》王《おう》の子《こ》、姓《しょう》は瞿曇氏《くどんし》、「悉達多《しっだった》」と字《な》づく。師《し》無《な》くして自然《じねん》に覚悟《かくご》して阿耨多羅三藐三菩提《あのくたらさんみゃくさんぼだい》を得《え》たまえりと。乃至《ないし》　是《こ》れ仏世尊《ぶつせそん》なり。金剛智《こんごうち》有《ましま》して、能《よ》く衆生《しゅじょう》の一切悪罪《いっさいあくざい》を破《は》せしむること、若《も》し能《あた》わずと言《い》わば、是《こ》の処《ことわり》有《あ》ること無《な》けんと。乃至《ないし》　大王《だいおう》。如来《にょらい》、弟提婆達多《ていだいばだった》有《あ》り。衆僧《しゅそう》を破壊《はえ》し、仏《ぶっ》身《しん》より血《ち》を出《い》だし、蓮華比丘尼《れんげびくに》を害《がい》す。三逆罪《さんぎゃくざい》を作《つく》れり。如来《にょらい》、為《ため》に種種《しゅじゅ》の法要《ほうよう》を説《と》きたまうに、其《そ》の重罪《じゅうざい》をして、尋《すなわ》ち微薄《みはく》なることを得《え》しめたまう。是《こ》の故《ゆえ》に如来《にょらい》を大良医《だいりょうい》とす。六師《ろくし》には非《あら》ざるなり」と。乃至《ないし》

153「大王《だいおう》。一逆《いちぎゃく》を作《つく》れば、則便《すなわ》ち具《つぶさ》に是《か》くの如《ごと》き一罪《いちざい》を受《う》く。若《も》し二逆罪《にぎゃくざい》を造《つく》らば、則《すなわ》ち二倍《にばい》な

①羞恥…はじ　はず

らん。五逆《ごぎゃく》具《つぶさ》ならば、罪《つみ》も亦《また》五倍《ごばい》ならんと。大王《だいおう》、今定《いまさだ》んで知《し》りぬ。王《おう》の悪業《あくごう》、必《かなら》ず勉《まぬか》るることを得《え》じ。惟願《ややねが》わくは大王《だいおう》、速《すみ》やかに仏《ぶつ》の所《みもと》に往《もう》ずべし。仏世尊《ぶっせそん》を除《のぞ》きて余《よ》は、能《よ》く救《すく》うこと無《な》けん。我今《われいま》、汝《なんじ》を愍《あわ》れむが故《ゆえ》に相勧《あいすす》めて導《みちび》くなり」と。

爾《そ》の時《とき》に大王《だいおう》、是《こ》の語《ご》を聞《き》き已《お》わりて、心《しん》に怖《ふ》〔或《あ》る本《ほん》、「惶《おう》」の字《じ》に作《つく》る。〕懼《く》を懐《いだ》けり。身《み》を挙《あ》げて戦《せん》①慓《ぴょう》す。五体捽動《ごたいしんどう》して苞蕉樹《ばしょうじゅ》の如《ごと》し。仰《あお》いで答《こた》えて曰《い》わく、「天《てん》に是《こ》れ誰《たれ》とかせん。色像《しきぞう》を現《げん》ぜずして、但《ただ》、声《こえ》のみ有《あ》ることは。」

「大王《だいおう》。吾是《われこ》れ汝《なんじ》が父頻婆沙羅《ちちびんばしゃら》なり。汝《なんじ》、今当《いままさ》に耆婆《ぎば》の所説《しょせつ》に随《したが》うべし。邪見六臣《じゃけんろくしん》の言《ことば》に随《したが》うこと莫《な》かれ。」

時《とき》に聞《き》き已《お》わりて、悶絶躃地《もんぜつびゃくじ》す。身《み》の瘡増劇《かさぞうぎゃく》して臭穢《しゅえ》なること、前《さき》よりも倍《まさ》れり。冷薬《りょうやく》を以《もっ》て塗《ぬ》り、瘡《かさ》を治療《じりょう》すと雖《いえど》も、瘡蒸《かさあつかわ》し。毒熱《どくねつ》、但増《ただま》せども損《そん》ずること無《な》し」と。已上略出《いじょうりゃくしゅつ》

154 一大臣《いちだいじん》、「日月称《にちがっしょう》」と名《な》づく。　一《いち》「富蘭那《ふらんな》」と名《な》づく。

二《に》「蔵徳《ぞうとく》」　二《に》「末伽梨拘賖梨子《まかりくしゃりし》」と名《な》づく。

三一臣有《さんいっしんあ》り、名《な》づけて「実徳《じっとく》」と曰《い》う。　三《さん》「那闡邪毘羅肱子《なせんやびらせんし》」と名《な》づく。

四一臣有《しいっしんあ》り、「悉知義《しっちぎ》」と名《な》づく。　四《し》「阿耆多翅金欽婆羅《あぎたしきんきんばら》」と名《な》づく。

五大臣《ごだいじん》、名《な》づけて「吉徳《きっとく》」と曰《い》う。　五《ご》「婆蘇仙《ばそせん》」

六《ろく》「加羅鳩駄迦旃延《からくだかせんえん》」　六《ろく》「尼乾陀若犍子《にけんだにゃけんじ》」と名《な》づく。

155
又《また》言《のたま》わく（梵行品）、「善男子《ぜんなんし》。我《わ》が言《い》う所《ところ》の如《ごと》し、「阿闍世王《あじゃせおう》の為《ため》に涅槃《ねはん》に入《い》らず。」是《か》くの如《ごと》きの密義《みつぎ》、汝《なんじ》、未《いま》だ解《と》くこと能《あた》わず。何《なに》を以《もっ》ての故《ゆえ》に。我《われ》、「為《い》」と言《い》うは一切凡夫《いっさいぼんぶ》、「阿闍世《あじゃせ》」は普《あまね》く及《およ》び一切《いっさい》、五逆《ごぎゃく》を造《つく》る者《もの》なり。又復《また》「為《い》」は即《すなわ》ち是《こ》れ一切有為《いっさいうい》の衆生《しゅじょう》なり。我《われ》、終《つい》に無為《むい》の衆生《しゅじょう》の為《ため》にして世《よ》に住《じゅう》せず。何《なに》を以《もっ》ての故《ゆえ》に。夫《そ》れ無為《むい》は衆生《しゅじょう》に非《あら》ざるなり。「阿闍世《あじゃせ》」は即《すなわ》ち是《こ》れ煩悩等《ぼんのうとう》を具足《ぐそく》せる者《もの》なり。又復《また》「為《い》」は即《すなわ》ち是《こ》れ仏性《ぶっしょう》を見《み》ざる衆生《しゅじょう》なり。若《も》し仏性《ぶっしょう》を見《み》んものには、我《われ》、終《つい》に為《ため》に久《ひさ》しく世《よ》に住《じゅう》せず。何《なに》を以《もっ》ての故《ゆえ》に。仏性《ぶっしょう》を見《み》る者《もの》は衆生《しゅじょう》に非《あら》ざるなり。「阿闍世《あじゃせ》」は即《すなわ》ち是《こ》れ一切《いっさい》、未《いま》だ阿耨多羅三藐三菩提心《あのくたらさんみゃくさんぼだいしん》を発《ほっ》せざる者《もの》なり。乃至《ないし》　又復《また》「為《い》」は名《な》づけて「仏性《ぶっしょう》」とす。「阿闍《あじゃ》」は名《な》づけて「不生《ふしょう》」とす。「世《せ》」は怨《おん》に名《な》づく。仏性《ぶっしょう》を生《しょう》ぜざるを以《もっ》ての故《ゆえ》に則《すなわ》ち煩悩《ぼんのう》の怨生《あたしょう》ず。煩悩《ぼんのう》の怨生《あたしょう》ずるが故《ゆえ》に仏性《ぶっしょう》を見《み》ざるなり。煩悩《ぼんのう》を生《しょう》ぜざるを以《もっ》ての故《ゆえ》に則《すなわ》ち仏性《ぶっしょう》を見《み》る。仏性《ぶっしょう》を見《み》るを以《もっ》ての故《ゆえ》に則《すなわ》ち大般涅槃《だいはつねはん》に安住《あんじゅう》することを得《う》。是《こ》れを「不生《ふしょう》」と名《な》づく。是《こ》の故《ゆえ》に名《な》づけて「阿闍世《あじゃせ》」とす。善男子《ぜんなんし》。「阿闍《あじゃ》」は不生《ふしょう》に名《な》づく。不生《ふしょう》は「涅槃《ねはん》」と名《な》づく。「世《せ》」は世法《せほう》に名《な》づく。「為《い》」は不汚《ふわ》に名《な》づく。世《せ》の八法《はっぽう》を以《もっ》て汚《けが》さざる所《ところ》なるが故《ゆえ》に無量無辺阿僧祇劫《むりょうむへんあそうぎこう》に涅槃《ねはん》に入《い》らずと。是《こ》の故《ゆえ》に我《われ》、「阿闍世《あじゃせ》の為《ため》に無量億劫《むりょうおっこう》に涅槃《ねはん》に入《い》らず」と言《のたま》えり。善男子《ぜんなんし》。如来《にょらい》の密語《みつご》不可思議《ふかしぎ》なり。仏《ぶつ》・法《ほう》・衆僧《しゅそう》、亦不可思議《またふかしぎ》なり。菩薩摩訶薩《ぼさつまかさつ》、亦不可《またふか》

①戦慓…おののく　おそる

思議《しぎ》なり。大涅槃経《だいねはんぎょう》、亦不可思議《またふかしぎ》なり。」

156 爾《そ》の時《とき》に世尊大悲導師《せそんだいひどうし》、阿闍世王《あじゃせおう》の為《ため》に月愛三昧《がつあいさんまい》に入《い》れり。三昧《さんまい》に入《い》り已《おわ》りて大光明《だいこうみょう》を放《はな》つ。其《そ》の光《ひかり》、清涼《しょうりょう》にして、往《ゆ》きて王身《おうしん》を照《て》らしたまうに、身《み》の瘡《かさ》即《すなわ》ち愈《い》えぬ。乃至《ないし》

58 王白《おうもう》して言《い》わまく、「耆婆《ぎば》。彼《かれ》は天中天《てんちゅうてん》なり。何《なん》の因縁《いんねん》を以《もっ》て斯《こ》の光明《こうみょう》を放《はな》ちたまうぞや」と。

「大王《だいおう》。今《いま》、是《こ》の瑞相《ずいそう》は、及《およ》び王《おう》の為《ため》に相似《あいに》たり。先《ま》ず言《い》わまく、世《よ》に良医《りょうい》の身心《しんじん》を療治《りょうじ》するもの無《な》きが故《ゆえ》に、此《こ》の光《ひかり》を放《はな》ちて先《ま》ず王身《おうしん》を治《じ》す。然《しこ》うして後《のち》に心《しん》に及《およ》ぶ。」

王《おう》の、耆婆《ぎば》に言《い》わまく、「如来世尊《にょらいせそん》、亦見《またみ》たてまつらんと念《おも》うをや」と。

耆婆答《ぎばこた》えて言《い》わく、「譬《たと》えば、一人《いちにん》して七子《しちし》有《あ》らん。是《こ》の七子《しちし》の中《なか》に病《やまい》に遇《あ》えば、父母《ぶも》の心《しん》、平等《びょうどう》ならざるに非《あら》ざれども、然《しか》るに病子《びょうし》に於《お》いて、心則《しんすなわ》ち偏《ひとえ》に重《おも》きが如《ごと》し。大王《だいおう》。如来《にょらい》も亦爾《またしか》なり。諸《もろもろ》の衆生《しゅじょう》に於《お》いて平等《びょうどう》ならざるに非《あら》ざれども、然《しか》るに罪者《ざいしゃ》に於《お》いて心則《しんすなわ》ち偏《ひとえ》に重《おも》し。放逸《ほういつ》の者《もの》に於《お》いて、仏則《ぶつすなわ》ち慈念《じねん》したまう。不放逸《ふほういつ》の者《もの》は、心則《しんすなわ》ち①放捨《ほうしゃ》す。何等《なんら》をか名《な》づけて「不放逸《ふほういつ》の者《もの》」とすると。謂《い》わく、六住《ろくじゅう》の菩薩《ぼさつ》なりと。大王《だいおう》。諸仏世尊《しょぶつせそん》、諸《もろもろ》の衆生《しゅじょう》に於《お》いて、種姓《しゅしょう》・老少中年《ろうしょうちゅうねん》・貧富《ひんぷ》・時節《じせつ》・日月星宿《にちがつしょうしゅく》・工巧《くぎょう》・下賤《げせん》・僮僕《どうぼく》・婢使《ひし》を観《み》そなわさず。唯《ただ》、衆生《しゅじょう》の善心有《ぜんしんあ》る者《もの》を観《み》そなわす。若《も》し善心有《ぜんしんあ》れば、則便《すなわ》ち慈念《じねん》したまう。大王《だいおう》、当《まさ》に知《し》るべし。是《か》くの如《ごと》きの瑞相《ずいそう》は、即《すなわ》ち是《こ》れ、如来《にょらい》、月愛三昧《がつあいさんまい》に入《い》りて放《はな》つ所《ところ》の光明《こうみょう》なり」と。

王即《おうすなわ》ち問《と》うて言《い》わまく、「何等《なんら》をか名《な》づけて「月愛三昧《がつあいさんまい》」とする」と。

耆婆《ぎば》答《こた》えて言《い》わまく、「譬《たと》えば月《つき》の光《ひかり》、能《よ》く一切《いっさい》の優鉢羅華《うはつらけ》をして開敷《かいふ》し鮮明《せんみょう》ならしむるが如《ごと》し。月愛三昧《がつあいさんまい》も亦復《またか》是くの如《ごと》し。能《よ》く衆生《しゅじょう》をして善心開敷《ぜんしんかいふ》せしむ。是《こ》の故《ゆえ》に名《な》づけて「月愛三昧《がつあいさんまい》」とす。大王《だいおう》。譬《たと》えば月《つき》の光《ひかり》、能《よ》く一切路《いっさいみち》を行《ゆ》くの人《ひと》、心《しん》に歓喜《かんぎ》を生《しょう》ぜしむるが如《ごと》し。月愛三昧《がつあいさんまい》も亦復《またか》是くの如《ごと》し。能《よ》く涅槃道《ねはんどう》を修習《しゅじゅう》せん者《もの》の心《しん》に歓喜《かんぎ》を生《しょう》ぜしむ。是《こ》の故《ゆえ》に復《ま》た「月愛三昧《がつあいさんまい》」と名《な》づくと。乃至《ないし》　諸善《しょぜん》の中《なか》の王《おう》なり。甘露味《かんろみ》とす。一切衆生《いっさいしゅじょう》の愛楽《あいぎょう》する所《ところ》なり。是《こ》の故《ゆえ》に復《ま》た「月愛三昧《がつあいさんまい》」と名《な》づく」と。乃至《ないし》

157 爾《そ》の時《とき》に、仏《ぶつ》、諸《もろもろ》の大衆《だいしゅ》に告《つ》げて言《のたま》わく、「一切衆生《いっさいしゅじょう》、阿耨多羅三藐三菩提《あのくたらさんみゃくさんぼだい》近《ちか》づく因縁《いんねん》の為《ため》には、無《し》かず、善友《ぜんぬ》を先《さき》とするには。何《なに》を以《もっ》ての故《ゆえ》に。阿闍世王《あじゃせおう》、若《も》し耆婆《ぎば》の語《ことば》に随順《ずいじゅん》せずは、来月《らいげつ》の七日《しちにち》、必定《ひつじょう》して命終《みょうじゅう》して阿鼻獄《あびごく》に堕《だ》せん。是《こ》の故《ゆえ》に日《ひ》に近《ちか》づきにたり。善友《ぜんぬ》に若《し》くこと莫《な》かれ。阿闍世王《あじゃせおう》、復《ま》た前路《ぜんろ》に於《お》いて聞《き》く。「舎婆提《しゃばだい》に、毘瑠璃王《びるりおう》、船《ふね》に乗《じょう》じて海辺《かいへん》に入《い》りて災《さい》して〔或《あ》る本《ほん》、「火《ひ》に遇《あ》う」〕死《し》ぬ。瞿伽離比丘《くかりびく》、生身《しょうじん》に地《じ》に入《い》りて阿鼻獄《あびごく》に至《いた》れり。須那刹多《しゅなせった》は種種《しゅじゅ》の悪《あく》を作《つく》りしかども、仏所《ぶっしょ》に到《いた》りて衆罪消滅《しゅざいしょうめつ》しぬ」と。是《こ》の語《ことば》を聞《き》き已《おわ》りて、耆婆《ぎば》に語《かた》りて言《い》わまく、「吾今《われいま》、是《か》くの如《ごと》きの二語《にことば》を聞《き》くと雖《いえど》も、猶未《なおいま》だ審《あき》らかならず。定《さだ》んで汝来《なんじき》たれり。耆婆《ぎば》。吾《われ》、汝《なんじ》と同《おな》じく一象《いちぞう》に載《の》らんと欲《おも》う。設《たと》い我《われ》、当《まさ》に阿鼻地獄《あびじごく》に入《い》るべくとも、冀《ねが》わくは汝《なんじ》、投持《とうじ》して我《われ》をして堕《おと》さ

①放捨…ゆるしすつ

しめざれと。何《なに》を以《もっ》ての故《ゆえ》に。吾《われ》、昔曾《むかしかつ》て聞《き》き、「得道《とくどう》の人《ひと》、地獄《じごく》に入《い》らず」と。」乃至《ないし》
「云何《いかん》ぞ説《と》きて、「定《さだ》んで地獄《じごく》に入《い》る」と言《い》わん。大王《だいおう》。一切衆生《いっさいしゅじょう》の所作《しょさ》の罪業《ざいごう》に、凡《おおよ》そ二種《にしゅ》有《あ》り。一《ひとつ》には軽《きょう》、二《ふたつ》には重《じゅう》なり。若《も》し心《しん》と口《く》とに作《つく》るは則《すなわ》ち名《な》づけて「軽《きょう》」とす。身《しん》と口《く》と心《しん》とに作《つく》るは則《すなわ》ち名《な》づけて「重《じゅう》」とすと。大王《だいおう》。心《しん》に念《おも》い口《く》に説《と》きて、身《しん》に作《な》さざれば、得《う》る所《ところ》の報《ほう》、軽《きょう》なり。大王《だいおう》、昔日《むかし》、口《く》に「殺《せっ》せよ」と勅《ちょく》せず。但《ただ》「足《あと》を削《けず》れ」と言《い》えりき。大王《だいおう》、若《も》し侍臣《じしん》に勅《ちょく》せましかば、立《た》ちどころに王《おう》の首《くび》を斬《き》らまし。坐《つみ》の時《とき》に乃《すなわ》ち斬《き》るとも、猶罪《なおつみ》を得《え》じ。況《いわ》んや王《おう》、勅《ちょく》せず。云何《いかん》ぞ罪《つみ》を得《え》ん。王《おう》、若《も》し罪《つみ》を得《え》ば、諸仏世尊《しょぶつせそん》も亦罪《またつみ》を得《え》たまうべし。何《なに》を以《もっ》ての故《ゆえ》に。汝《なんじ》が父先王頻婆沙羅《ちちせんおうびんばしゃら》、常《つね》に諸仏《しょぶつ》に於《お》いて諸《もろもろ》の善根《ぜんごん》を種《う》えたりき。是《こ》の故《ゆえ》に今日《きょう》、王位《おうい》に居《こ》することを得《え》たり。諸仏《しょぶつ》、若《も》し其《そ》の供養《くよう》を受《う》けたまわざらましかば、則《すなわ》ち王《おう》たらざらまし。若《も》し王《おう》たらざらましかば、汝《なんじ》、則《すなわ》ち国《くに》の為《ため》に害《がい》を生《しょう》ずることを得《え》ざらましと。若《も》し汝《なんじ》、父《ちち》を殺《せっ》して当《まさ》に罪有《つみあ》るべくは、我等諸仏《われらしょぶつ》、亦罪有《またつみまします》べし。若《も》し諸仏世尊《しょぶつせそん》、罪《つみ》を得《え》たまうこと無《な》くは、汝独《なんじひと》り云何《いかん》ぞ罪《つみ》を得《え》んや。大王《だいおう》。頻婆沙羅《びんばしゃら》、往《むかし》、悪心有《あくしんあ》りて、毘富羅山《びぶらせん》にして遊行《ゆぎょう》し、鹿《しし》を射猟《しゃりょう》して曠野《こうや》に周遍《しゅうへん》しき。悉《ことごと》く得《う》る所《ところ》無《な》し。唯《ただ》、一《ひとり》の仙《せん》の五通具足《ごつうぐそく》せるを見《み》る。見已《みおわ》りて即《すなわ》ち瞋恚悪心《しんにあくしん》を生《しょう》じき。「我今《われいま》、遊《ゆ》猟《りょう》す。所以《このゆえ》に正《まさ》しく坐《つみ》を得《え》ず。此《こ》の人《ひと》、駆《か》りて逐《お》うに去《さ》らしむ。」即《すなわ》ち左右《さう》に勅《ちょく》して、之《これ》を殺《せっ》せしむ。其《そ》の人《ひと》、終《おわり》に臨《のぞ》みて瞋《いか》りて悪心《あくしん》を生《しょう》ず。神通《じんずう》を退失《たいしつ》して誓言《せいごん》を作《な》さく、「我《われ》、実《じつ》に辜無《つみな》し。汝《なんじ》、心口《しんく》を以《もっ》て横《よこさま》に戮害《ろくがい》を加《か》す。我《われ》、来世《らいせ》に於《お》いて、亦当《またまさ》に是《か》くの如《ごと》く還《かえ》りて、心口《しんく》を以《もっ》てして汝《なんじ》を

害《がい》すべし」と。時《とき》に王《おう》、聞《き》き已《おわ》りて即《すなわ》ち悔心《けしん》を生《しょう》じて、死屍《しし》を供養《くよう》しき。先王《せんおう》、是《か》くの如《ごと》く、尚軽《なおかる》く受《う》くることを得《え》て、地獄《じごく》に堕《お》ちず。況《いわ》んや王《おう》、爾《しか》らずして、当《まさ》に地獄《じごく》の果報《かほう》を受《う》くべけんや。先王《せんおう》、自《みずか》ら作《つく》りて還《かえ》りて自《みずか》ら之《これ》を受《う》く。云何《いかん》ぞ王《おう》をして殺罪《せつざい》を得《え》しめん。王《おう》の言《い》う所《ところ》の如《ごと》し。父《ちち》の王《おう》、辜無《つみな》くは、大王《だいおう》、云何《いかん》ぞ失無《とがな》きに罪有《つみあ》りと言《い》わば則《すなわ》ち罪報有《ざいほうあ》らん。悪業無《あくごうな》くは則《すなわ》ち罪報無《ざいほうな》けん。汝《なんじ》が父先王《ちちせんおう》、若《も》し辜罪無《こざいな》くは、云何《いかん》ぞ報有《ほうあ》らん。頻婆沙羅《びんばしゃら》、現世《げんぜ》の中《なか》に於《お》いて、亦善果及《またぜんかおよ》び悪果《あっか》を得《え》たり。是《こ》の故《ゆえ》に先王《せんおう》、亦復不定《またふじょう》なり。不定《ふじょう》を以《もっ》ての故《ゆえ》に、殺《せつ》も亦不定《またふじょう》なり。[59]殺不定《せつふじょう》は、云何《いかん》してか「定《さだ》んで地獄《じごく》に入《い》る」と言《い》わんと。

大王《だいおう》。衆生《しゅじょう》の狂惑《きょうわく》に凡《おおよ》そ四種有《ししゅあ》り。一《ひとつ》には貪狂《とんきょう》、二《ふたつ》には薬狂《やっきょう》、三《みつ》には呪狂《しゅきょう》、四《よつ》には本業縁《ほんごうえん》狂《きょう》なり。大王《だいおう》。我《わ》が弟子《でし》の中《なか》に是《こ》の四狂有《しきょうあ》り。多《おお》く悪《あく》を作《な》すと雖《いえど》も、我終《われつい》に、是《こ》の人《ひと》、戒《かい》を犯《ぼん》せりと記《き》せず。是《こ》の人《ひと》の所作《しょさ》、三悪《さんあく》に至《いた》らず。若《も》し還《かえ》りて心《しん》を得《え》ば、亦《また》「犯《ぼん》」と言《い》わず。王《おう》、本《もと》、国《くに》を貪《とん》して、此《こ》れ父《ちち》の王《おう》を逆害《ぎゃくがい》す。貪狂《とんきょう》の心《しん》をもって、与《ため》に作《な》せり。云何《いかん》ぞ罪《つみ》を得《え》ん。大王《だいおう》。人《ひと》、耽酔《たんすい》として其《そ》の母《はは》を逆害《ぎゃくがい》せん。既《すで》に醒悟《しょうご》し已《おわ》りて、心《しん》に悔恨《けこん》を生《しょう》ぜんが如《ごと》し。当《まさ》に知《し》るべし。是《こ》の業《ごう》、亦報《またほう》を得《え》じ。王《おう》、今貪酔《いまとんすい》せり。本心《ほんしん》の作《な》せるに非《あら》ず。若《も》し本心《ほんしん》に非《あら》ずは、云何《いかん》ぞ罪《つみ》を得《え》んや。

大王《だいおう》。譬《たと》えば幻師《げんし》の、四衢道《しくどう》の頭《ほとり》にして種種《しゅじゅ》の男女《なんにょ》・象馬《ぞうめ》・瓔珞《ようらく》・衣服《えぶく》を幻作《げんさ》するが如《ごと》し。愚痴《ぐち》の人《ひと》は謂《おも》うて真実《しんじつ》とす。有智《うち》の人《ひと》は真《しん》に非《あら》ずと知《し》れり。殺《せつ》も亦是《またか》くの如《ごと》し。凡夫《ぼんぶ》は実《じつ》と謂《おも》えり。諸仏《しょぶつ》世尊《せそん》は、其《そ》れ真《しん》に非《あら》ずと知《し》ろしめせり。大王《だいおう》。譬《たと》えば山谷《せんこく》の響《ひびき》の声《こえ》の如《ごと》し。愚痴《ぐち》の人《ひと》は、之《これ》を実《じつ》の声《こえ》と謂《おも》えり。有智《うち》の人《ひと》は、其《そ》れ真《しん》に非《あら》ずと知《し》れり。殺《せつ》も亦是《またか》くの如《ごと》し。凡夫《ぼんぶ》は実《じつ》と謂《おも》えり。諸仏世尊《しょぶつせそん》は、其《そ》れ真《しん》に非《あら》ずと知《し》ろしめせり。大王《だいおう》。人《ひと》の怨《あた》有《あ》るが詐《いつわ》り来《き》たりて親附《しんぷ》するが如《ごと》し。愚痴《ぐち》の人《ひと》は、謂《おも》うて実《まこと》に親《した》しむとす。智者《ちしゃ》は了達《りょうだつ》して、乃《すなわ》ち其《そ》れ虚《むな》しく詐《いつわ》れりと知《し》る。殺《せつ》も亦是《またか》くの如《ごと》し。凡夫《ぼんぶ》は実《じつ》と謂《おも》う。諸仏世尊《しょぶつせそん》は、其《そ》れ真《しん》に非《あら》ずと知《し》ろしめせり。大王《だいおう》。人《ひと》、鏡《かがみ》を執《と》りて自《みずか》ら面像《めんぞう》を見《み》るが如《ごと》し。愚痴《ぐち》の人《ひと》は、謂《おも》うて真《しん》の面《おもて》とす。智者《ちしゃ》は了達《りょうだつ》して、其《そ》れ真《しん》に非《あら》ずと知《し》れり。殺《せつ》も亦是《またか》くの如《ごと》し。凡夫《ぼんぶ》は実《じつ》と謂《おも》う。諸仏世尊《しょぶつせそん》は、其《そ》れ真《しん》に非《あら》ずと知《し》ろしめせり。大王《だいおう》。熱《ねつ》の時《とき》の炎《ほのお》の如《ごと》し。愚痴《ぐち》の人《ひと》は、之《これ》は是《こ》れ水《みず》と謂《おも》わん。智者《ちしゃ》は了達《りょうだつ》して、其《そ》れ水《みず》に非《あら》ずと知《し》らん。殺《せつ》も亦是《またか》くの如《ごと》し。凡夫《ぼんぶ》は実《じつ》と謂《おも》わん。諸仏世尊《しょぶつせそん》は、其《そ》れ真《しん》に非《あら》ずと知《し》ろしめせり。大王《だいおう》。乾闥婆城《けんだつばじょう》の如《ごと》し。愚痴《ぐち》の人《ひと》は、謂《おも》うて真実《しんじつ》とす。智者《ちしゃ》は了達《りょうだつ》して、其《そ》れ真《しん》に非《あら》ずと知《し》れり。殺《せつ》も亦是《またか》くの如《ごと》し。凡夫《ぼんぶ》は実《じつ》と謂《おも》えり。諸仏世尊《しょぶつせそん》は、其《そ》れ真《しん》に非《あら》ずと了知《し》ろしめたまえり。大王《だいおう》。人《ひと》の、夢《ゆめ》の中《なか》に五欲《ごよく》の楽《らく》を受《う》くるが如《ごと》し。愚痴《ぐち》の人《ひと》は、之《これ》を謂《おも》うて実《じつ》とす。智者《ちしゃ》は了達《りょうだつ》して、其《そ》れ真《しん》に非《あら》ずと知《し》れり。殺《せつ》も亦是《またか》くの如《ごと》し。凡夫《ぼんぶ》は実《じつ》と謂《おも》えり。諸仏世尊《しょぶつせそん》は、其《そ》れ真《しん》に非《あら》ずと知《し》ろしめせり。

大王《だいおう》。殺法《せつほう》・殺業《せつごう》・殺者《せっしゃ》・殺果《せっか》及《およ》び解脱《げだつ》、我《われ》、皆《みな》、之《これ》を了《さと》れり。則《すなわ》ち罪有《つみあ》ること無《な》けん。王《おう》、殺《せつ》を知《し》ると雖《いえど》も云何《いかん》ぞ罪有《つみあ》らんや。大王《だいおう》。譬《たと》えば、人主有《にんしゅあ》りて、酒《さけ》を典《つかさど》れりと知《し》れども、如《も》し其《そ》れ飲《の》まざれば則《すなわ》ち亦酔《またよ》わざるが如《ごと》し。復《ま》た火《ひ》と知《し》ると雖《いえど》も焼燃《しょうねん》せず。王《おう》も亦是《またか》くの如《ごと》し。復《ま》た殺《せつ》を知《し》ると雖《いえど》も云何《いかん》ぞ罪有《つみあ》らんや。大王《だいおう》。諸《もろもろ》の衆生有《しゅじょうあ》りて、日《ひ》の出《い》ずる時《とき》に於《お》いて種種《しゅじゅ》の罪《つみ》を作《つく》る。

月《つき》の出《い》ずる時《とき》に於《お》いて復《ま》た劫盗《こうとう》を行《ぎょう》ぜん。日月《にちがつ》出《い》でざるに則《すなわ》ち罪《つみ》を作《つく》らず。日月《にちがつ》に因《よ》りて、其《そ》れ罪《つみ》を作《つく》らしむと雖《いえど》も、然《しか》るに此《こ》の日月《にちがつ》、実《じつ》に罪《つみ》を得《え》ず。殺《せつ》も亦是《またか》くの如《ごと》し。乃至《ないし》

大王《だいおう》。譬《たと》えば涅槃《ねはん》は非有非無《ひうひむ》にして、亦是《またこ》れ有《う》なるが如《ごと》し。殺《せつ》も亦是《またか》くの如《ごと》し。非有非無《ひうひむ》にして、亦是《またこ》れ有《う》なりと雖《いえど》も、慙愧《ざんぎ》の人《ひと》は則《すなわ》ち非有《ひう》とす。無慙愧《むざんぎ》の者《もの》は則《すなわ》ち非無《ひむ》とす。果報《かほう》を受《う》くる者《もの》、之《これ》を名《な》づけて「有《う》」とす。空見《くうけん》の人《ひと》は則《すなわ》ち非有《ひう》とす。有見《うけん》の人《ひと》は則《すなわ》ち非無有《ひむう》とす。有見《うけん》の者《もの》は亦名《またな》づけて「有《う》」とす。何《なに》を以《もっ》ての故《ゆえ》に。有有見《ううけん》の者《もの》は果報《かほう》を得《う》るが故《ゆえ》に。無有見《むうけん》の者《もの》は則《すなわ》ち果報無《かほうな》し。常見《じょうけん》の人《ひと》は則《すなわ》ち非有《ひう》とす。無常見《むじょうけん》の者《もの》は則《すなわ》ち非無《ひむ》とす。常常見《じょうじょうけん》の者《もの》は無《む》とすることを得《え》ず。何《なに》を以《もっ》ての故《ゆえ》に。常常見《じょうじょうけん》の者《もの》は悪業果《あくごうか》有《あ》るが故《ゆえ》に。是《こ》の故《ゆえ》に常常見《じょうじょうけん》の者《もの》は無《む》とすることを得《え》ず。是《こ》の義《ぎ》を以《もっ》ての故《ゆえ》に、非有非無《ひうひむ》にして亦是《またこ》れ有《う》なりと雖《いえど》も、大王《だいおう》、夫《そ》れ衆生《しゅじょう》は出入《しゅつにゅう》の息《いき》に名《な》づく。出入《しゅつにゅう》の息《いき》を断《た》つ故《ゆえ》に、名《な》づけて「殺《せつ》」とす。諸仏《しょぶつ》、俗《ぞく》に随《したが》いて、亦説《またと》きて「殺《せつ》」とす。」乃至《ないし》

158「世尊《せそん》。我《われ》、世間《せけん》を見《み》るに、伊蘭子《いらんし》より伊蘭樹《いらんじゅ》を生《しょう》ず。伊蘭《いらん》より栴檀樹《せんだんじゅ》を生《しょう》ずるをば見《み》ず。我《われ》、今始《いまはじ》めて伊蘭子《いらんし》より栴檀樹《せんだんじゅ》を生《しょう》ずるを見《み》る。「伊蘭子《いらんし》」は我《わ》が身《しん》、是《こ》れなり。「栴檀樹《せんだんじゅ》」は即《すなわ》ち是《こ》れ我《わ》が心《しん》、無根《むこん》の信《しん》なり。「無根《むこん》」は、我《われ》、初《はじ》めて如来《にょらい》を恭敬《くぎょう》せんことを知《し》らず、法《ほう》・僧《そう》を信《しん》ぜず。是《こ》れを「無根《むこん》」と名《な》づく。世尊《せそん》。我《われ》、若《も》し如来世尊《にょらいせそん》に遇《もうあ》わずは、当《まさ》に無量阿僧祇劫《むりょうあそうぎこう》に於《お》いて大地獄《だいじごく》に在《あ》りて無量《むりょう》の苦《く》を受《う》くべし。我今《われいま》、仏《ぶつ》を見《み》たてまつる。是《こ》れ仏《ぶつ》を見《み》たてまつるを以《もっ》て得《う》る所《ところ》の功徳《くどく》、衆生《しゅじょう》の煩悩悪心《ぼんのうあくしん》を破壊《はえ》せしむ」と。

仏《ぶつ》の言《のたま》わく、「大王《だいおう》。善《よ》いかな、善《よ》いかな。我今《われいま》、汝《なんじ》、必《かなら》ず能《よ》く衆生《しゅじょう》の悪心《あくしん》を破壊《はえ》することを知《し》れり。」

「世尊《せそん》。若《も》し我《われ》、審《あき》らかに能《よ》く衆生《しゅじょう》の諸《もろもろ》の悪心《あくしん》を破壊《はえ》せば、我《われ》、常《つね》に阿鼻地獄《あびじごく》に在《あ》りて無量劫《むりょうこう》の中《なか》に諸《もろもろ》の衆生《しゅじょう》の為《ため》に苦悩《くのう》を受《う》けしむ。以《もっ》て苦《く》とせず。」

爾《そ》の時《とき》に摩伽陀国《まかだこく》の無量《むりょう》の人民《にんみん》、悉《ことごと》く阿耨多羅三藐三菩提心《あのくたらさんみゃくさんぼだいしん》を発《おこ》しき。是《か》くの如《ごと》き等《ら》の無量《むりょう》の人民《にんみん》、大心《だいしん》を発《ほっ》するを以《もっ》ての故《ゆえ》に、阿闍世王所有《あじゃせおうしょう》の重罪《じゅうざい》、即《すなわ》ち微薄《みはく》なることを得《え》しむ。王及《おうおよ》び夫人《ぶにん》・後宮采女《こうきゅうさいにょ》、悉《ことごと》く皆同《みなおな》じく阿耨多羅三藐三菩提心《あのくたらさんみゃくさんぼだいしん》を発《おこ》しき。

爾《そ》の時《とき》に阿闍世王《あじゃせおう》、耆婆《ぎば》に語《かた》りて言《い》わまく、「耆婆《ぎば》。我今《われいま》、未《いま》だ死《し》せざるに已《すで》に天身《てんしん》を得《え》たり。短命《たんみょう》を捨《す》てて長命《じょうみょう》を得《え》、無常《むじょう》の身《しん》を捨《す》てて常身《じょうしん》を得《え》たり。諸《もろもろ》の衆生《しゅじょう》をして阿耨多羅三藐三菩提心《あのくたらさんみゃくさんぼだいしん》を発《ほっ》せしむ。」乃至《ないし》

諸仏《しょぶつ》の弟子《でし》、是《こ》の語《ご》を説《と》き已《おわ》りて、即《すなわ》ち種種《しゅじゅ》の宝幢《ほうどう》を以《もっ》て、乃至《ないし》 復《ま》た偈頌《げじゅ》を以《もっ》て讃嘆《さんだん》して言《もう》さく、

実語《じつご》、甚《はなは》だ微妙《みみょう》なり。善巧《ぜんぎょう》、句義《くぎ》に於《お》いて、甚深秘密《じんじんひみつ》の蔵《ぞう》なり。
衆《しゅ》の為《ため》の故《ゆえ》に、所有広博《しょうこうはく》の言《ごん》を顕示《けんじ》す。衆《しゅ》の為《ため》の故《ゆえ》に略《りゃく》して説《と》かく。
是《か》くの如《ごと》きの語《ご》を具足《ぐそく》して、善《よ》能く衆生《しゅじょう》を療《りょう》す。
若《も》し諸《もろもろ》の衆生《しゅじょう》有《あ》りて、是《こ》の語《ご》を聞《き》くことを得《う》る者《もの》は、

若《も》しは信及《しんおよ》び不信《ふしん》、定《さだ》んで是《こ》の仏説《ぶっせつ》を知《し》らん。

諸仏《しょぶつ》、常《つね》に軟語《なんご》をもって、衆《しゅ》の為《ため》の故《ゆえ》に麁《そ》を説《と》きたまう。

麁語及《そごおよ》び軟語《なんご》、皆《みな》、第一義《だいいちぎ》に帰《き》せん。

是《こ》の故《ゆえ》に我今者《われいま》、世尊《せそん》に帰依《きえ》したてまつる。

如来《にょらい》の語《みこと》は一味《いちみ》なること、猶大海《なおだいかい》の水《みず》の如《ごと》し。是《こ》れを第一諦《だいいちたい》と名《な》づく。

故《かるがゆえ》に無無義《むむぎ》の語《みこと》にして、如来《にょらい》、今《いま》、説《と》きたまう所《ところ》の種種無量《しゅじゅむりょう》の法《ほう》、
男女《なんにょ》・大小《だいしょう》、聞《き》きて、同《おな》じく第一義《だいいちぎ》を獲《え》しめん。

無因亦無果《むいんまたむか》なり。無生亦無滅《むしょうまたむめつ》なり。是《こ》れを大涅槃《だいねはん》と名《な》づく。聞《き》く者《もの》、諸結《しょけつ》を破《は》す。

如来《にょらい》、一切《いっさい》の為《ため》に、常《つね》に慈父母《じぶも》と作《な》りたまえり。

当《まさ》に知《し》るべし。諸《もろもろ》の衆生《しゅじょう》は、皆是《みなこ》れ如来《にょらい》の子《こ》なり。

世尊大慈悲《せそんだいじひ》は、衆《しゅ》の為《ため》に苦行《くぎょう》を修《しゅ》したまうこと、
人《ひと》の、鬼魅《きみ》に著《くる》わされて、狂乱《きょうらん》して所為多《しょいおお》きが如《ごと》し。

我今《われいま》、仏《ぶつ》を見《み》たてまつることを得《え》たり。

得《う》る所《ところ》の三業《さんごう》の善《ぜん》、願《ねが》わくは此《こ》の功徳《くどく》を以《もっ》て、無上道《むじょうどう》に回向《えこう》せん。

我今《われいま》、供養《くよう》する所《ところ》の、仏《ぶつ》・法及《ほうおよ》び衆僧《しゅそう》、願《ねが》わくは此《こ》の功徳《くどく》を以《もっ》て、三宝《さんぼう》、常《つね》に世《よ》に在《ましま》さん。

我今《われいま》、当《まさ》に獲《う》べき所《ところ》の種種《しゅじゅ》の諸《もろもろ》の功徳《くどく》、願《ねが》わくは此《こ》れを以《もっ》て、衆生《しゅじょう》の四種《ししゅ》の魔《ま》を破壊《はえ》せん。

我《われ》、悪知識《あくちしき》に遇《あ》いて三世《さんぜ》の罪《つみ》を造作《ぞうさ》せり。今《いま》、仏前《ぶつぜん》にして悔《く》ゆ。
願《ねが》わくは、後《のち》に更《ま》た造《つく》ること莫《な》からん。
願《ねが》わくは、諸《もろもろ》の衆生《しゅじょう》、等《ひと》しく悉《ことごと》く菩提心《ぼだいしん》を発《ほっ》せしむ。
心《しん》を繋《か》けて、常《つね》に十方一切仏《じっぽういっさいぶつ》を思念《しねん》せん。
復《ま》た願《ねが》わくは、諸《もろもろ》の衆生《しゅじょう》、永《なが》く諸《もろもろ》の煩悩《ぼんのう》を破《は》し、
了了《りょうりょう》に仏性《ぶっしょう》を見《み》ること、妙徳《みょうとく》の猶如《ごと》くして等《ひと》しからんと。

爾《そ》の時《とき》に世尊《せそん》、阿闍世王《あじゃせおう》を讃《ほ》めたまわく、「善《よ》いかな、善《よ》いかな。若《も》し人有《ひとあ》りて、能《よ》く菩提心《ぼだいしん》を発《ほっ》せん。当《まさ》に知《し》るべし。是《こ》の人《ひと》は則《すなわ》ち諸仏大衆《しょぶつだいしゅ》を荘厳《しょうごん》すとす。大王《だいおう》。汝《なんじ》、昔已《むかしすで》に毘婆尸仏《びばしぶつ》のみもとにして、初《はじ》めて阿耨多羅三藐三菩提心《あのくたらさんみゃくさんぼだいしん》を発《おこ》しき。是《こ》れより已来《このかた》、我《わ》が出世《しゅっせ》に至《いた》るまで、其《そ》の中間《ちゅうげん》に於《お》いて、未《いま》だ曾《かつ》て復《ま》た地獄《じごく》に堕《だ》して苦《く》を受《う》けず。大王《だいおう》、当《まさ》に知《し》るべし。菩提《ぼだい》の心《しん》は、乃《いま》し是《か》くの如《ごと》き無量《むりょう》の果報有《かほうあ》り。大王《だいおう》、今《きょう》より已往《いおう》に、常《つね》に当《まさ》に菩提《ぼだい》の心《しん》を懃修《ごんしゅ》すべし。何《なに》を以《もっ》ての故《ゆえ》に。是《こ》の因縁《いんねん》に従《したが》いて、当《まさ》に無量《むりょう》の悪《あく》を消滅《しょうめつ》することを得《う》べき故《ゆえ》なり。」

爾《そ》の時《とき》に、阿闍世王《あじゃせおう》、及《およ》び摩伽陀国《まかだこく》の、人民挙《にんみんこぞ》って座《ざ》よりして起《た》ちて、仏《ぶつ》を遶《めぐ》ること三帀《さんぞう》して辞退《じたい》して宮《みや》に還《かえ》りにき」と。已上抄出《いじょうしょうしゅつ》

159 又言《またのたま》わく（迦葉菩薩品）、「善男子《ぜんなんし》。羅閲祇《らえつぎ》の王頻婆沙羅《おうびんばしゃら》、其《そ》の王《おう》の太子《たいし》、名《な》づけて「善見《ぜんけん》」と曰《い》う。業因縁《ごういんねん》の故《ゆえ》に悪逆《あくぎゃく》の心《しん》を生《しょう》じて、其《そ》の父《ちち》を害《がい》せんと欲《ほっ》するに便《たより》を得《え》ず。爾《そ》の時《とき》に、悪人提婆達多《あくにんだいばだった》、

亦《また》過去《かこ》の業因縁《ごういんねん》に因《よ》るが故《ゆえ》に、復《ま》た我《わ》が所《ところ》に於《お》いて不善《ふぜん》の心《しん》を生《しょう》じて我《われ》を害《がい》せんと欲《ほっ》す。即《すなわ》ち五《ご》通《つう》を修《しゅ》して、久《ひさ》しからずして善見太子《ぜんけんたいし》と共《とも》に親原《しんげん》たることを獲得《ぎゃくとく》せり。太子《たいし》の為《ため》の故《ゆえ》に種種《しゅじゅ》の神通《じんずう》の事《じ》を現作《げんさ》す。門《もん》に非《あら》ざるより出《い》でて、門《もん》よりして入《い》りて、門《もん》よりして出《い》で、門《もん》に非《あら》ざるよりして入《い》る。或《あ》る時《とき》は、象《ぞう》・馬《め》・牛《ご》・羊《よう》・男子《なんし》の身《しん》を示現《じげん》す。善見太子《ぜんけんたいし》、見已《みおわ》りて、即《すなわ》ち愛心《あいしん》・喜心《きしん》・敬信《きょうしん》の心《しん》を生《しょう》ず。是《こ》れを本《ほん》とするが故《ゆえ》に、厳《きび》しく種種《しゅじゅ》の供養《くよう》の具《ぐ》を説《と》きて、之《これ》を供養《くよう》す。又復《またもう》白して言《もう》さく、「大師聖人《だいししょうにん》。我今《われいま》、曼陀羅華《まんだらけ》を見《み》んと欲《おも》う」と。時《とき》に提婆達多《だいばだった》、即便《すなわ》ち法《ほう》として三十三天《さんじゅうさんてん》に至《いた》りて、彼《か》の天人《てんにん》に従《したが》いて之《これ》を求索《ぐしゃく》するに、其《そ》の福尽《ふくつ》きつるが故《ゆえ》に、都《すべ》て与《あた》うる者無《ものな》し。既《すで》に華《はな》を得《え》ず。是《こ》の思惟《しゅい》を作《な》さく、「曼陀羅樹《まんだらじゅ》、我《が》・我所《がしょ》無《な》し。若《も》し自《みずか》ら取《と》らん、当《まさ》に何《なん》の罪《つみ》か有《あ》るべき。」即《すなわ》ち前《すす》んで取《と》らんと欲《ほっ》するに、便《すなわ》ち神通《じんずう》を失《うしな》えり。還《かえ》りて己身《こしん》を見《み》れば、王舎城《おうしゃじょう》に在《あ》り。心《しん》に慙愧《ざんぎ》を生《しょう》ずるに、復《ま》た見《み》ること能《あた》わず。

善見太子《ぜんけんたいし》、復《ま》た是《こ》の念《ねん》を作《な》さく、「我今《われいま》、当《まさ》に如来《にょらい》の所《みもと》に往至《おうし》して大衆《だいしゅ》を求索《ぐしゃく》すべしと。仏《ぶつ》、若《も》し聴《ゆる》さば、我《われ》、当《まさ》に意《い》に随《したが》いて、教《おし》えて便《すなわ》ち舎利弗等《しゃりほっとう》に詔勅《しょうちょく》すべし」と。爾《そ》の時《とき》に、提婆達多《だいばだった》、便《すなわ》ち我《わ》が所《ところ》に来《き》たりて、是《か》くの如《ごと》きの言《ごん》を作《な》さく、「唯願《ややねが》わくは如来《にょらい》、此《こ》の大衆《だいしゅ》を以《もっ》て我《われ》に付嘱《ふぞく》せよ。我《われ》、当《まさ》に種種《しゅじゅ》に法《ほう》を説《と》きて教化《きょうけ》して、其《そ》れをして①調伏《じょうぶく》せしむべし」と。我《われ》、痴人《ちにん》に言《い》わく、

①調伏…ととのう　したがう

「舎利弗等《しゃりほつとう》、大智《だいち》を聴聞《ちょうもん》して世《よ》に信伏《しんぶく》する所《ところ》なり。我《われ》、猶大衆《なおだいしゅ》を以《もっ》て付嘱《ふぞく》せじ。況《いわ》んや汝痴人《なんじちにん》、唾《つばき》を食《く》らう者《もの》をや」と。時《とき》に提婆達多《だいばだった》、復《ま》た我《わ》が所《ところ》に於《お》いて、倍《ます》ます悪心《あくしん》を生《しょう》じて是《か》くの如《ごと》きの言《ごん》を作《な》さく、「瞿曇《くどん》。汝《なんじ》、今復《いまま》た大衆《だいしゅ》を調伏《じょうぶく》すと雖《いえど》も、勢《いきお》い亦久《またひさ》しからじ。当《まさ》に見《げん》に磨滅《まめつ》すべし」と。是《こ》の語《ご》を作《な》し已《おわ》るに、大地《だいじ》、即時《そくじ》に六反震動《ろっぺんしんどう》す。提婆達多《だいばだった》、①尋《すなわ》ちの時《とき》に地《じ》に躃《たお》れて、其《そ》の身《しん》の辺《ほとり》より大《だい》②暴風《ぼうふう》を出《い》だして、諸《もろもろ》の塵土《じんど》を吹《ふ》きて之《これ》を③汚坌《わふん》す。提婆達多《だいばだった》、悪相《あくそう》を見已《みおわ》りて、復《ま》た是《こ》の言《ごん》を作《な》さく、「若《も》し我《わ》が此《こ》の身《しん》、現世《げんぜ》に必《かなら》ず阿鼻地獄《あびじごく》に入《い》らば、我《わ》が悪《あく》、当《まさ》に是《か》くの如《ごと》きの大悪《だいあく》を報《むく》うべし」と。

時《とき》に提婆達多《だいばだった》、尋《すなわ》ち起《た》ちて善見太子《ぜんけんたいし》の所《ところ》に往至《おうし》す。善見《ぜんけん》、見已《みおわ》りて即《すなわ》ち聖人《しょうにん》に問《と》わく、「何《なに》が故《ゆえ》ぞ顔容憔悴《げんようしょうすい》して、憂《うれえ》の色《いろ》有《あ》るや」と。提婆達多《だいばだった》言《い》わく、「我《われ》、常《つね》に是《か》くの如《ごと》し。汝《なんじ》、知《し》らずや」と。善見《ぜんけん》、答《こた》えて言《い》わく、「其《そ》の意《い》を④領説《りょうぜつ》す。何《なん》の因縁《いんねん》あってか爾《しか》る」と。提婆達《だいばだつ》の言《い》わく、「我今《われいま》、汝《なんじ》が与《ため》に極《きわ》めて親愛《しんあい》を成《な》す。外人《がいじん》、汝《なんじ》を⑤罵《の》りて、以《もっ》て⑥非理《ひり》とす。我《われ》、是《こ》の事《じ》を聞《き》くに、豈《あ》に憂《うれ》えざることを得《え》んや」と。善見太子《ぜんけんたいし》、復《ま》た是《こ》の言《ごん》を作《な》さく、「国《くに》の人《ひと》、云何《いかん》ぞ我《われ》を⑦罵辱《めにく》する」と。提婆達《だいばだつ》の言《い》わく、「国《くに》の人《ひと》、汝《なんじ》を罵《の》りて「未生《みしょう》⑧怨《おん》」とす。」善見《ぜんけん》、復《ま》た言《い》わく、「何故《なにゆえ》ぞ我《われ》を名《な》づけて「未生怨《みしょうおん》」とする。⑨誰《たれ》か此《こ》の名《な》を作《つく》る」と。提婆達《だいばだつ》の言《い》わく、「汝《なんじ》、未《いま》だ生《う》まれざりし時《とき》、一切相師《いっさいそうし》、皆《みな》、是《こ》の言《ごん》を作《な》さく、「是《こ》の児《こ》、生《う》まれ已《おわ》りて、当《まさ》に其《そ》の父《ちち》を殺《せっ》すべし」と。是《こ》の故《ゆえ》に外人《がいじん》、皆 悉《みなことごと》く汝《なんじ》を号《ごう》して「未生怨《みしょうおん》」とす。一切内《いっさいない》の人《ひと》、汝《なんじ》が心《こころ》を護《まも》るが故《ゆえ》に、謂《い》いて「善見《ぜんけん》」とす。毘提夫《びだいぶ》人《にん》、是《こ》の語《ご》を聞《き》き已《おわ》りて、既《すで》に汝《なんじ》を生《う》まんとして、身《み》を高楼《こうろう》の上《うえ》より、之《これ》を地《じ》に棄《す》てしに、汝《なんじ》が一《ひとつ》の指《ゆび》を壊《やぶ》れり。是《こ》の因縁《いんねん》を以《もっ》て、人《ひと》、復《ま》た汝《なんじ》を号《ごう》して「婆羅留枝《ばらおんし》」とす。我《われ》、是《こ》れを聞《き》き已《おわ》りて、心《こころ》に愁憒《しゅうふん》を生《しょう》じて、復《ま》た汝《なんじ》に向《む》かいて之《これ》を説《と》くこと能《あた》わず。」提婆達多《だいばだった》、是《か》くの如《ごと》き等《ら》の種種《しゅじゅ》の悪事《あくじ》を以《もっ》て、教《おし》えて父《ちち》を殺《せっ》せしむ。「若《も》し汝《なんじ》が父《ちち》死《し》せば、我《われ》、亦《また》能《よ》く瞿曇沙門《くどんしゃもん》を殺《せっ》せん」と。

善見太子《ぜんけんたいし》、一《ひとり》の大臣《だいじん》に問《と》わく。名《な》づけて「雨行《うぎょう》」〔或《あ》る本《ほん》、「雨行《うぎょう》」〕と曰《い》う。「大王《だいおう》、何《なに》が故《ゆえ》ぞ、我《わ》が字《な》を立《た》てんとするに、「未生怨《みしょうおん》」と作《つく》るや」と。大臣《だいじん》、即《すなわ》ち為《ため》に其《そ》の本末《ほんまつ》を説《と》く。提婆達《だいばだつ》の所説《しょせつ》の如《ごと》くして異無《いな》けん。善見《ぜんけん》、聞《き》き已《おわ》りて即《すなわ》ち大臣《だいじん》と与《とも》に其《そ》の父《ちち》の王《おう》を収《と》りて、之《これ》を城《しろ》の外《そと》に⑩閉《と》ず。四種《ししゅ》の兵《つわもの》を以《もっ》て、之《これ》を守《しゅ》⑪衛《え》せしむ。毘提夫人《びだいぶにん》、是《こ》の事《じ》を聞《き》き已《おわ》りて、即《すなわ》ち王《おう》の所《ところ》に至《いた》る。時《とき》に王《おう》を守《まも》りて、人《ひと》をして⑫遮《しゃ》して入《い》ることを聴《ゆる》さず。爾《そ》の時《とき》に夫人《ぶにん》、瞋恚《しんに》の心《しん》を生《しょう》じて、便《すなわ》ち之《これ》を⑬呵罵《かめ》す。時《とき》に諸《もろもろ》の守人《しゅにん》、即《すなわ》ち太子《たいし》に告《つ》ぐらく、「大王《だいおう》の夫人《ぶにん》、父《ちち》の王《おう》を見《み》んと欲《おも》うをば、不審《いぶかし》、聴《ゆる》してんや不《いな》や」と。善見《ぜんけん》、聞《き》き已《おわ》りて、復《ま》た瞋《しん》⑭嫌《けん》を生《しょう》じて、即《すなわ》ち母《はは》の所《ところ》に往《ゆ》きて、前《すす》んで母《はは》の髪《かみ》を⑮牽《ひ》きて、刀《かたな》を抜《ぬ》きて⑯斫《き》らんと欲《ほっ》す。爾《そ》の時《とき》に、[60]耆婆《ぎば》、大王《だいおう》に白《もう》して言《もう》さく、「国《くに》を有《たも》ちてより已来《このかた》、罪《つみ》、極《きわ》めて重《おも》しと雖《いえど》も、女人《にょにん》に及《およ》ばず。況《いわ》んや所生《しょしょう》の母《はは》をや」と。善見太子《ぜんけんたいし》、是《こ》の語《ご》を聞《き》き已《おわ》りて、

①尋…じん
②暴…あらき
③汚垒…けがす　ぬる
④領…うく
⑤罵…め
⑥理…ことわり
⑦辱…にくむ
⑧怨…あた
⑨誰…すい
⑩閉…へい反
⑪衛…まもる
⑫遮…さいぎる
⑬呵罵…いましむ　のる
⑭嫌…きらう
⑮牽…けん反
⑯斫…せつ反

耆婆《ぎば》の為《ため》の故《ゆえ》に即便《すなわ》ち放捨《ほうしゃ》して、遮《さいぎ》りて大王《だいおう》の衣服《えぶく》・臥具《がぐ》・飲食《おんじき》・湯薬《とうやく》を断《た》つ。七日《しちにち》を過《す》ぎ已《お》るに、王《おう》の命《いのち》、便《すなわ》ち終《おわ》りぬと。

善見太子《ぜんけんたいし》、父《ちち》の①喪《そう》を見已《みおわ》りて、方《まさ》に悔心《けしん》を生《しょう》ず。雨行大臣《うぎょうだいじん》〔或《あ》る本《ほん》、「行雨《ぎょうう》」〕、復《ま》た種種《しゅじゅ》の悪邪《あくじゃ》の法《ほう》を以《もっ》て、為《ため》に之《これ》を説《と》く。「大王《だいおう》。一切《いっさい》の業行《ごうぎょう》、都《すべ》て罪有《つみあ》ること無《な》し。何故《なにゆえ》ぞ今者《いま》、悔心《けしん》を生《しょう》ずるや」と。耆婆《ぎば》、復《ま》た言《い》わく、「大王《だいおう》、当《まさ》に知《し》るべし。是《か》くの如《ごと》きの業《ごう》は、罪業二重《ざいごうにじゅう》なり。一《ひとつ》には父《ちち》の王《おう》を殺《せっ》す、二《ふたつ》には須陀洹《しゅだおん》を殺《せっ》せり。是《か》くの如《ごと》きの罪《つみ》は、仏《ぶつ》を除《のぞ》きて更《さら》に能《よ》く除滅《じょめつ》したまう者無《ひとましま》さず」と。善見王《ぜんけんおう》言《い》わく、「如来《にょらい》は清浄《しょうじょう》にして、②穢濁《えじょく》有《ましま》すこと無《な》し。我等罪人《われらざいにん》、云何《いかん》してか、見《み》たてまつることを得《え》ん。」

善男子《ぜんなんし》。我《われ》、是《こ》の事《じ》を知《し》らんと。阿難《あなん》に告《つ》げたまわく、「三月《さんがつ》を過《す》ぎ已《おわ》りて、吾《われ》、当《まさ》に涅槃《ねはん》すべきが故《ゆえ》に」と。善見《ぜんけん》、聞《き》き已《おわ》りて、即《すなわ》ち我《わ》が所《ところ》に来《き》たれり。我《われ》、為《ため》に法《ほう》を説《と》きて、重罪《じゅうざい》をして薄《うす》きことを得《え》しめき。無根《むこん》の信《しん》を[61]獲《え》しむ。

善男子《ぜんなんし》。我《わ》が諸《もろもろ》の弟子《でし》、是《こ》の説《せつ》を聞《き》き已《おわ》りて、我《わ》が意《い》を解《さと》らざるが故《ゆえ》に是《こ》の言《ごん》を作《な》さく、「如来《にょらい》、定《さだ》んで畢竟涅槃《ひっきょうねはん》を説《と》きたまえり。」善男子《ぜんなんし》。菩薩《ぼさつ》に二種《にしゅ》あり。一《ひとつ》には実義《じつぎ》、二《ふたつ》には仮名《けみょう》なり。仮《け》名《みょう》の菩薩《ぼさつ》、我《われ》、三月《さんがつ》あって当《まさ》に涅槃《ねはん》に入《い》るべしと聞《き》きて、皆《みな》、退心《たいしん》を生《しょう》じて是《こ》の言《ごん》を作《な》さく、「如《も》し其《そ》れ如来《にょらい》、無常《むじょう》にして住《じゅう》したまわずは、我等《われら》、何《いか》がせん。是《こ》の事《じ》の為《ため》の故《ゆえ》に無量世《むりょうせ》の中《なか》に大苦《だいく》悩《のう》を受《う》けき。如来世尊《にょらいせそん》は無量《むりょう》の功徳《くどく》を成就《じょうじゅ》し具足《ぐそく》したまいて、尚《なお》③壊《え》すること能《あた》わず、是《か》くの如《ごと》きの死魔《しま》をや。況《いわ》んや我等《われら》が輩《ともがら》、当《まさ》に能《よ》く壊《え》すべけんや。」善男子《ぜんなんし》。是《こ》の故《ゆえ》に、我《われ》、是《か》くの如《ごと》きの菩《ぼ》薩《さつ》の為《ため》にして是《こ》の言《ごん》を作《な》さく、「如来《にょらい》は常住《じょうじゅう》にして④変易《へんやく》有《あ》ること無《な》し。」我《わ》が諸《もろもろ》の弟子《でし》、是《こ》の説《せつ》を聞《き》き已《おわ》りて、我《わ》が意《い》を解《さと》らざれば定《さだ》んで言《い》わく、「如来《にょらい》は終《つい》に畢竟《ひっきょう》じて涅槃《ねはん》に入《い》りたまわず」と。」

已上抄出《いじょうしょうしゅつ》

160是《ここ》を以《もっ》て、今《いま》、大聖《だいしょう》の真説《しんせつ》に拠《よ》るに、難化《なんけ》の三機《さんき》、難治《なんじ》の三病《さんびょう》は、大悲《だいひ》の弘誓《ぐぜい》を憑《たの》み、利他《りた》の信海《しんかい》に帰《き》すれば、斯《こ》れを⑤矜哀《こうあい》して治《じ》す、斯《こ》れを⑥憐憫《れんびん》して療《りょう》したまう。喩《たと》えば醍醐《だいご》の妙薬《みょうやく》の、一切《いっさい》の病《やまい》を療《りょう》するが如《ごと》し。濁世《じょくせ》の⑦庶類《しょるい》、穢悪《えあく》の群生《ぐんじょう》、金剛不壊《こんごうふえ》の真心《しんじん》を求念《ぐねん》すべし、本願醍醐《ほんがんだいご》の妙薬《みょうやく》を⑧執持《しゅうじ》すべきなりと知《し》るべし。

161夫《そ》れ諸大乗《しょだいじょう》に拠《よ》るに難化《なんけ》の機《き》を説《と》けり。今《いま》『大経《だいきょう》』には62「唯除五逆誹謗正法《ゆいじょごぎゃくひほうしょうぼう》」と言《のたま》い、或《ある》いは63「唯除造《ゆいじょぞう》無間悪業誹謗正法及諸聖人《むけんあくごうひほうしょうぼうぎゅうしょしょうにん》」（如来会）と言《のたま》えり。『観経《かんぎょう》』には五逆《ごぎゃく》の往生《おうじょう》を明《あ》かして謗法《ほうぼう》を説《と》かず。

是以今拠二大聖真説一、難化三機、難治三病者、憑二大悲弘誓一、帰二利他信海一、矜二哀斯一治、憐二憫斯一療。喩如三醍醐妙薬療二一切病一。濁世庶類穢悪群生、応三求二念金剛不壊真心一、可三執二持本願醍醐妙薬一也応レ知。

夫拠二諸大乗一説二難化機一。今『大経』言二「唯除五逆誹謗正法」一、或言二「唯除造無間悪業誹謗正法及諸聖人」一。『観経』明二五逆往生一不レ説二謗法一。『涅槃経』説二難治機与レ

①喪…も
②穢…けがらわし
③壊…やぶる
④変易…かわる　かわる
⑤矜哀…おおきに　あわれむ
⑥憐憫…あわれみ　あわれむ
⑦庶…もろもろ
⑧執…とる

『涅槃経《ねはんぎょう》』には難治《なんじ》の機《き》と病《やまい》とを説《と》けり。斯《こ》れ等《ら》の真《しん》教《きょう》、云何《いかん》が思量《しりょう》せんや。

病。斯等真教、云何思量邪。

162報《こた》えて道《い》わく、『論《ろん》の註《ちゅう》』に曰《い》わく、「問《と》うて曰《い》わく、『無量寿経《むりょうじゅきょう》』に言《のたま》わく、64「往生《おうじょう》を願《がん》ぜん者《もの》、皆《みな》、往生《おうじょう》を得《え》しむ。唯《ただ》、五逆《ごぎゃく》と誹謗正法《ひほうしょうぼう》とを除《のぞ》く」と。『観無量寿経《かんむりょうじゅきょう》』に65「五逆《ごぎゃく》・十悪《じゅうあく》、諸《もろもろ》の不善《ふぜん》を具《ぐ》せるもの、亦往生《またおうじょう》を得《う》」と言《のたま》えり。此《こ》の二経《にきょう》、云何《いかん》が会《え》①せんや。

答《こた》えて曰《い》わく、一経《いっきょう》には二種《にしゅ》の重罪《じゅうざい》を具《ぐ》するを以《もっ》てなり。一《ひとつ》には五逆《ごぎゃく》、二《ふたつ》には誹謗正法《ひほうしょうぼう》なり。此《こ》の二種《にしゅ》の罪《つみ》を以《もっ》ての故《ゆえ》に、所以《このゆえ》に往生《おうじょう》を得《え》ず。一経《いっきょう》は但《ただ》「十悪《じゅうあく》・五逆等《ごぎゃくとう》の罪《つみ》を作《つく》る」と言《のたま》いて、「正法《しょうぼう》を誹謗《ひほう》す」と言《のたま》わず。正法《しょうぼう》を謗《ほう》ぜざるを以《もっ》ての故《ゆえ》に、是《こ》の故《ゆえ》に生《しょう》を得《え》しむと。

163問《と》うて曰《い》わく、仮使《たと》い一人《いちにん》は五逆罪《ごぎゃくざい》を具《ぐ》して正法《しょうぼう》を誹謗《ひほう》せざれば、経《きょう》に得生《とくしょう》を許《ゆる》す。復《ま》た一人《いちにん》有《あ》りて、但《ただ》、正法《しょうぼう》を誹謗《ひほう》して、五逆《ごぎゃく》・諸《もろもろ》の罪無《つみな》きもの、往生《おうじょう》を願《がん》ぜば、生《しょう》を得《う》るや以不《いな》や。

答《こた》えて曰《い》わく、但《ただ》、正法《しょうぼう》を誹謗《ひほう》せしめて更《さら》に余《よ》の罪無《つみな》しと雖《いえど》も、必《かなら》ず生《しょう》を得《え》じ。何《なに》を以《もっ》て之《これ》を言《い》わば、『経《きょう》』（大品般若経信毀品）に言《のたま》わく、66「五逆《ごぎゃく》の罪人《ざいにん》、阿鼻大地獄《あびだいじごく》の中《なか》に堕《だ》して、具《つぶさ》に一劫《いっこう》重罪《じゅうざい》を受《う》く。誹謗正法《ひほうしょうぼう》の人《ひと》は阿鼻大地獄《あびだいじごく》の中《なか》に堕《だ》して、此《こ》の劫《こう》、若《も》し尽《つ》くれば、復《ま》た転《てん》じて他方《たほう》の阿鼻大地獄《あびだいじごく》の中《なか》に至《いた》る。是《か》くの如《ごと》く展転《てんでん》して百千《ひゃくせん》の阿鼻大地獄《あびだいじごく》を逕《ふ》。」仏《ぶつ》、出《い》ずることを得《う》る時節《じせつ》を記《き》したまわず。誹謗正法《ひほうしょうぼう》の罪極重《つみごくじゅう》なるを以《もっ》ての故《ゆえ》なり。又《また》、正法《しょうぼう》は即《すなわ》ち是《こ》れ仏法《ぶっぽう》なり。此《こ》の愚痴《ぐち》の人《ひと》、既《すで》に誹謗《ひほう》を生《しょう》ず。安《いずく》んぞ仏土《ぶつど》に願生《がんしょう》するの理《ことわり》有《あ》らんや。仮使《たと》い、但《ただ》、彼《か》の安楽《あんらく》に生《しょう》ずることを貪《とん》して生《しょう》を願《がん》ぜんは、亦《また》水《みず》に非《あら》ざるの氷《こおり》、煙《けむり》無《な》きの火《ひ》を求《もと》めんが如《ごと》し。豈《あ》に得《う》る理《ことわり》有《あ》らんや。

164問《と》うて曰《い》わく、何等《なんら》の相《そう》か、是《こ》れ誹謗正法《ひほうしょうぼう》なるや。

答《こた》えて曰《い》わく、若《も》し「無仏《むぶつ》・無仏法《むぶっぽう》・無菩薩《むぼさつ》・無菩薩法《むぼさつほう》」と言《い》わん。是《か》くの如《ごと》き等《ら》の見《けん》をもって、若《も》しは心《しん》に自《みずか》ら解《さと》り、若《も》しは他《た》に従《したが》いて、其《そ》の心《しん》を受《う》けて決定《けつじょう》するを、皆《みな》「誹謗正法《ひほうしょうぼう》」と名《な》づくと。

165問《と》うて曰《い》わく、是《か》くの如《ごと》き等《ら》の②計《け》は、但《ただ》是《こ》れ己《おのれ》が事《じ》なり。衆生《しゅじょう》に於《お》いて何《なん》の苦悩《くのう》有《あ》ればか、五《ご》逆重罪《ぎゃくじゅうざい》に踰《こ》えんや。

答《こた》えて曰《い》わく、若《も》し諸仏《しょぶつ》・菩薩《ぼさつ》、世間《せけん》・出世間《しゅっせけん》の善道《ぜんどう》を説《と》きて衆生《しゅじょう》を教化《きょうけ》する者《ひと》無《ましま》さずは、豈《あ》に仁《じん》・義《ぎ》・礼《れい》・智《ち》・信《しん》有《あ》ることを知《し》らんや。是《か》くの如《ごと》き世間《せけん》の一切善法《いっさいぜんぼう》、皆断《みなだん》じ、出世間《しゅっせけん》の一切賢《いっさいげん》聖《じょう》、皆滅《みなめっ》しなん。汝《なんじ》、但《ただ》、五逆罪《ごぎゃくざい》の重《じゅう》たることを知《し》りて、五逆罪《ごぎゃくざい》の正法《しょうぼう》無《な》きより生《しょう》ずることを知《し》らず。是《こ》の故《ゆえ》に謗正法《ほうしょうぼう》の人《ひと》は、其《そ》の罪《つみ》、③最重《さいじゅう》なりと。

166問《と》うて曰《い》わく、業道経《ごうどうきょう》に言《のたま》わく、「業道《ごうどう》は称《はかり》の如《ごと》し。重《おも》き者《もの》、先《ま》ず牽《ひ》く」と。『観無量寿経《かんむりょうじゅきょう》』に言《のたま》うが如《ごと》し。[67]「人有《ひとあ》りて、五逆《ごぎゃく》・十悪《じゅうあく》を造《つく》り諸《もろもろ》の不善《ふぜん》を具《ぐ》せらん。悪道《あくどう》に堕《だ》して多劫《たこう》を逕《きょう》

①会…わかつ　②計…はからう　③最…＊すぐる／もっとも

歴《りゃく》して無量《むりょう》の苦《く》を受《う》くべし。命終《みょうじゅう》の時《とき》に臨《のぞ》みて、善知識《ぜんじしき》、教《おし》えて南無無量寿仏《なむむりょうじゅぶつ》を称《しょう》せしむるに遇《あ》わん。是《か》くの如《ごと》き、心《しん》を至《いた》して声《こえ》をして絶《た》えざらしめて十念《じゅうねん》を具足《ぐそく》すれば、便《すなわ》ち安楽浄土《あんらくじょうど》に往生《おうじょう》することを得《え》て、即《すなわ》ち大乗正定《だいじょうしょうじょう》の聚《じゅ》に入《い》りて、畢竟《ひっきょう》じて不退《ふたい》ならん。三塗《さんず》①の諸《もろもろ》の苦《く》と永《なが》く隔《へだ》つ。」「先《ま》ず牽《ひ》く」の義《ぎ》、理《り》に於《お》いて如何《いかん》ぞ。又《また》、曠劫《こうごう》より已来《このかた》、備《つぶさ》に諸《もろもろ》の行《ぎょう》を造《つく》れる有漏《うろ》の法《ほう》は三界《さんがい》に繋属《けぞく》②せり。但《ただ》、十念《じゅうねん》を以《もっ》て阿弥陀仏《あみだぶつ》を念《ねん》じて便《すなわ》ち三界《さんがい》を出《い》でば、繋業《けごう》の義《ぎ》、復《ま》た云何《いかん》が欲《せ》んとするや。

答《こた》えて曰《い》わく、汝《なんじ》、五逆《ごぎゃく》・十悪《じゅうあく》・繋業等《けごうとう》を重《じゅう》とし、下下品《げげぼん》の人《ひと》の十念《じゅうねん》を以《もっ》て軽《きょう》として、罪《つみ》の為《ため》に牽《ひ》かれて先《ま》ず地獄《じごく》に堕《だ》して三界《さんがい》に繋在《けざい》すべしと謂《い》わば、今当《いまさ》に義《ぎ》を以《もっ》て軽重《きょうじゅう》の義《ぎ》を校量《きょうりょう》③すべし。心《しん》に在《あ》り、縁《えん》に在《あ》り、決定《けつじょう》に在《あ》り。時節《じせつ》の久近《くごん》・多少《たしょう》に在《あ》るには不《あら》ざるなり。

167云何《いかん》が「心《しん》に在《あ》る」と。彼《か》の罪《つみ》を造《つく》る人《ひと》は、自《みずか》らが虚妄顛倒《こもうてんどう》の見《けん》に依止《えじ》して生《しょう》ず。此《こ》の十念《じゅうねん》は、善知識《ぜんじしき》、方便安慰《ほうべんあんに》して実相《じっそう》の法《ほう》を聞《き》かしむるに依《よ》りて生《しょう》ず。一《いち》は実《じつ》、一《いち》は虚《こ》なり。豈《あ》に相比《あいたくら》ぶることを得《え》んや。譬《たと》えば、千歳《せんざい》の闇室《あんしつ》④に、光《ひかり》、若《も》し暫《しばら》⑤く至《いた》れば、即便《すなわ》ち明朗《みょうろう》⑥なるが如《ごと》し。闇《やみ》、豈《あ》に室《しつ》に在《あ》ること千歳《せんざい》にして去《さ》らじと言《い》うことを得《え》んや。是《こ》れを「在心《ざいしん》」と名《な》づく。

168云何《いかん》が「縁《えん》に在《あ》る」と。彼《か》の罪《つみ》を造《つく》る人《ひと》は、自《みずか》らが妄想《もうぞう》⑦の心《しん》に依止《えじ》し、煩悩虚妄《ぼんのうこもう》の果報《かほう》の衆生《しゅじょう》に依《よ》りて生《しょう》ず。此《こ》の十念《じゅうねん》は、無上《むじょう》の信心《しんじん》に依止《えじ》し、阿弥陀如来《あみだにょらい》の方便荘厳真実清浄無量功徳《ほうべんしょうごんしんじつしょうじょうむりょうくどく》の名号《みょうごう》に依《よ》りて生《しょう》ず。譬《たと》えば人《ひと》有《あ》りて、毒《どく》の箭《や》を被《かぶ》りて、中《あた》る所《ところ》、筋《すじ》を截《き》り骨《ほね》を破《やぶ》るに、滅除薬《めつじょやく》の鼓《つづみ》を聞《き》けば、即《すなわ》ち箭《や》出《ぬ》け毒除《どくのぞ》こるが如《ごと》し『首楞厳経《しゅりょうごんぎょう》』に言《のたま》わく、68「譬《たと》えば薬《くすり》有《あ》り、名《な》づけて「滅除《めつじょ》」と曰《い》う。若《も》し⑧闘戦《とうせん》の時《とき》に、用以《もっ》て鼓《つづみ》に塗《ぬ》るに、鼓《つづみ》の声《こえ》を聞《き》く者《もの》、箭《や》出《ぬ》け毒除《どくのぞ》こるが如《ごと》し。菩薩摩訶薩《ぼさつまかさつ》も亦復《また》是《か》くの如《ごと》し。首《しゅ》楞厳三昧《りょうごんざんまい》に住《じゅう》して、其《そ》の名《な》を聞《き》く者《もの》、三毒《さんどく》の箭《や》、自然《じねん》に⑨抜出《ばっしゅつ》す」と。豈《あ》に「彼《か》の箭《や》深《ふか》く毒《どく》⑩厲《はげ》しからん。鼓《つづみ》の音声《おんじょう》を聞《き》くとも、箭《や》を抜《ぬ》き毒《どく》を去《さ》ること能《あた》わじ」と言《い》うことを得《う》べけんや。是《こ》れを「在縁《ざいえん》」と名《な》づく。

169云何《いかん》が「決定《けつじょう》に在《あ》る」と。彼《か》の罪《つみ》を造《つく》る人《ひと》は有後心《うごしん》・有間心《うけんしん》に依止《えじ》して生《しょう》ず。此《こ》の十念《じゅうねん》は無後《むご》心《しん》・無間心《むけんしん》に依止《えじ》して生《しょう》ず。是《こ》れを「決定《けつじょう》」と名《な》づく。

三《さん》の義《ぎ》を校量《きょうりょう》するに、十念《じゅうねん》は重《じゅう》なり。重《おも》き者《もの》、先《ま》ず⑪牽《ひ》きて、能《よ》く三有《さんぬ》を出《い》ず。両経《りょうきょう》、一義《いちぎ》なるならくのみと。

170問《と》うて曰《い》わく、幾《いく》ばくの時《とき》をか、名《な》づけて「一念《いちねん》」とするや。

答《こた》えて曰《い》わく、百一《ひゃくいち》の生滅《しょうめつ》を「一刹那《いちせつな》」と名《な》づく。六十《ろくじゅう》の刹那《せつな》を、名《な》づけて「一念《いちねん》」とす。此《こ》の中《なか》に「念《ねん》」と云《い》うは、此《こ》の時節《じせつ》を取《と》らざるなり。但《ただ》、阿弥陀仏《あみだぶつ》を憶念《おくねん》して、若《も》しは総相《そうそう》、若《も》しは別《べっ》相《そう》、所観《しょかん》の縁《えん》に随《したが》いて、心《しん》に他想《たそう》無《な》くして十念相続《じゅうねんそうぞく》するを、名《な》づけて「十念《じゅうねん》」とすと言《い》うなり。

但《ただ》し名号《みょうごう》を称《しょう》することも亦復《また》是《か》くの如《ごと》し。

①塗…みち
②繫属…つなぎ つく
③校量…はからう
④闇…やみ
⑤蹔…ざん
⑥朗…ほがらかなり
⑦想…おもう
⑧闘戦…たたかう
⑨抜…ぬく
⑩厲…れい
⑪牽…けん反

171問《と》うて曰《い》わく、心《しん》、若《も》し他縁《たえん》せば、之《これ》を摂《せっ》して還《かえ》らしめて、念《ねん》の多少《たしょう》を知《し》るべし。但《ただ》、多少《たしょう》を知《し》らば、復《ま》た間無《ひまな》きに非《あら》ず。若《も》し心《しん》を①凝《こ》らし想《そう》を注《とど》めば、復《ま》た何《なに》に依《よ》りてか念《ねん》の多少《たしょう》を記《き》することを得《う》べきや。

答《こた》えて曰《い》わく、『経《きょう》』（観経）に69「十念《じゅうねん》」と言《い》うは、業事成《ごうじじょう》②弁《べん》を明《あ》かすならくのみと。必《かなら》ず須《すべから》く頭数《ずしゅ》を知《し》るべからざるなり。70「蟪蛄《けいこ》、春秋《しゅんじゅう》を識《し》らず。伊虫《いちゅう》、豈《あ》に③朱陽《しゅよう》の節《せつ》を知《し》らんや」と言《い》うが如《ごと》し。知《し》る者《もの》、之《これ》を言《い》うならくのみと。十念業成《じゅうねんごうじょう》とは、是《こ》れ亦《また》、神《しん》に通《つう》ずる者《もの》、之《これ》を言《い》うならくのみと。但《ただ》、念《ねん》を積《つ》み相続《そうぞく》して他事《たじ》を縁《えん》ぜざれば、便《すなわ》ち罷《や》みぬ。復《ま》た何《なん》ぞ仮《かり》に念《ねん》の頭数《ずしゅ》を知《し》ることを須《もち》いんや。若《も》し必《かなら》ず知《し》ることを須《もち》いば、亦方便有《またほうべんあ》り。必《かなら》ず口《く》④授《じゅ》を須《もち》いよ。筆点《ひってん》に⑤題《だい》することを得《え》ざれ」と。已上《いじょう》

172光明寺《こうみょうじ》の和尚《かしょう》（善導）の云《い》わく（散善義）、「問《と》うて曰《い》わく、四十八願《しじゅうはちがん》の中《なか》の如《ごと》きは、唯《ただ》、五逆《ごぎゃく》と誹謗正法《ひほうしょうぼう》とを除《のぞ》きて往生《おうじょう》を得《え》しめず。今此《いまこ》の『観経《かんぎょう》』の下品下生《げぼんげしょう》の中《なか》には、誹謗《ひほう》を簡《きら》いて五逆《ごぎゃく》を摂《せっ》せるは、何意《なにごころ》か有《あ》るや。

答《こた》えて曰《い》わく、此《こ》の義《ぎ》、仰《あお》いで⑥抑止門《おくしもん》の中《なか》に就《つ》いて解《げ》す。四十八願《しじゅうはちがん》の中《なか》の如《ごと》き、謗法《ほうぼう》・五逆《ごぎゃく》を除《のぞ》くことは、然《しか》るに此《こ》の二業《にごう》、其《そ》の障《さわり》極重《ごくじゅう》なり。衆生《しゅじょう》、若《も》し造《つく》れば、直《ただ》ちに阿鼻《あび》に入《い》りて歴劫周《りゃっこうしゅう》章《しょう》して出《い》ずべきに由無《よしな》し。但如来《ただにょらい》、其《そ》れ斯《こ》の二《に》の⑦過《か》を造《つく》らんを恐《おそ》れて、方便《ほうべん》して止《とど》めて「往生《おうじょう》を得《え》ず」と言《のたま》えり。亦是《またこ》れ摂《せっ》せざるには不《あら》ざるなり。又《また》、下品下生《げぼんげしょう》の中《なか》に五逆《ごぎゃく》を取《と》りて謗法《ほうぼう》を除《のぞ》くこ

とは、其《そ》れ五逆《ごぎゃく》は已《すで》に作《つく》れり。捨《す》てて流転《るてん》せしむべからず。還《かえ》りて大悲《だいひ》を発《おこ》して摂取《せっしゅ》して往生《おうじょう》せしむ。然《しか》るに謗法《ほうぼう》の罪《つみ》は、未《いま》だ為《つく》らざれば、又止《またとど》めて、「若《も》し謗法《ほうぼう》を起《お》こさば、即《すなわ》ち生《しょう》ずることを得《え》じ」と言《のたま》う。此《こ》れは未造業《みぞうごう》に就《つ》いて解《げ》するなり。若《も》し造《つく》らば、還《かえ》りて摂《せっ》して生《しょう》を得《え》しめん。彼《かしこ》に生《しょう》ずることを得《う》と雖《いえど》も、華合《はながっ》して多劫《たこう》を逕《へ》ん。此《こ》れ等《ら》の罪人《ざいにん》、華《はな》の内《うち》に在《あ》る時《とき》、三種《さんしゅ》の障《さわ》り有《あ》り。一《ひとつ》には仏及《ぶつおよ》び諸《もろもろ》の聖衆《しょうじゅ》を見《み》ることを得《え》じ。二《ふたつ》には正法《しょうぼう》を聴聞《ちょうもん》することを得《え》じ。三《みつ》には歴事供養《りゃくじくよう》を得《え》じと。此《こ》れを除《のぞ》きて已外《いげ》は、更《さら》に諸《もろもろ》の苦無《くな》けんと。『経《きょう》』（悲華経）に云《のたま》わく、71「猶《なお》、比丘《びく》の三禅《さんぜん》の楽《らく》に入《い》るが如《ごと》きなり」と。知《し》るべし。華《はな》の中《なか》に在《あ》りて、多劫開《たこうひら》けずと雖《いえど》も、阿鼻地獄《あびじごく》の中《なか》にして長《じょう》時永劫《じようごう》に諸《もろもろ》の苦痛《くつう》を受《う》けんに勝《すぐ》れざるべけんや。此《こ》の義《ぎ》、抑止門《おくしもん》に就《つ》いて⑧解《げ》し竟《おわ》りぬ」と。已上《いじょう》

173又云《またい》わく（法事讃）、「永《なが》く譏《き》⑨嫌《げん》を絶《た》ち、等《ひと》しくして憂悩《うのう》無《な》し。人天《にんでん》・善悪《ぜんあく》、皆《みな》、往《おう》を得《う》。彼《かしこ》に到《いた》りて殊《こと》なること無《な》し。⑩斉同不退《ざいどうふたい》なり。何意《なにごころ》か然《しか》るとならば、乃《いま》し弥陀《みだ》の因地《いんじ》にして、世饒王仏《せにょうおうぶつ》の所《みもと》にして位《くらい》を捨《す》てて家《いえ》を出《い》ず。即《すなわ》ち悲智《ひち》の心《しん》を起《お》こして、広《ひろ》く四十八願《しじゅうはちがん》を弘《ひろ》めしめたまいしに由《よ》りてなり。仏願力《ぶつがんりき》を以《もっ》て、五逆《ごぎゃく》と十悪《じゅうあく》と、罪滅《つみめっ》し生《しょう》を得《え》しむ。⑪謗法《ほうぼう》・闡提《せんだい》、回心《えしん》すれば皆往《みなゆ》く」と。抄出《しょうしゅつ》

①凝…ぎょう
②弁…わきまう
③朱…あかし
④授…さずく
⑤題…しるす
⑥抑…おさう
⑦過…とが
⑧解…さとす
⑨嫌…きらう
⑩斉…ひとし
⑪謗…そしる

174「「五逆《ごぎゃく》」と言《い》うは、若《も》し72淄州《ししゅう》に依《よ》るに五逆《ごぎゃく》に二有《にあ》り。一《ひとつ》には三乗《さんじょう》の五逆《ごぎゃく》なり。謂《い》わく、「一《ひとつ》には故《ことさ》らに思《おも》いて父《ちち》を殺《せっ》す。二《ふたつ》には故《ことさ》らに思《おも》いて母《はは》を殺《せっ》す。三《みっ》には故《ことさ》らに思《おも》いて羅漢《らかん》を殺《せっ》す。四《よっ》には①倒見《とうけん》して和合僧《わごうそう》を破《は》す。五《いつつ》には悪心《あくしん》をもって仏身《ぶっしん》より血《ち》を出《い》だす。恩田《おんでん》に背《そむ》き福田《ふくでん》に②違《い》するを以《もっ》ての故《ゆえ》に、之《これ》を名《な》づけて「逆《ぎゃく》」とす。此《こ》の逆《ぎゃく》を③執《しゅう》する者《もの》は、身壊《しんやぶ》れ命終《いのちお》えて、必定《ひつじょう》して無間地獄《むけんじごく》に堕《だ》して、一大劫《いちだいこう》の中《うち》に無間《むけん》の苦《く》を受《う》けん。「無間業《むけんごう》」と名《な》づく」と。

又《また》『倶舎論《くしゃろん》』の中《なか》に五無間《ごむけん》の同類《どうるい》の業有《ごうあ》り。彼《か》の頌《じゅ》に云《い》わく、73「母《も》・無学尼《むがくに》を④汚《けが》す 母《はは》を殺《せっ》する罪《つみ》の同類《どうるい》。住定《じゅうじょう》の菩薩《ぼさつ》 父《ちち》を殺《せっ》する罪《つみ》の同類《どうるい》、及《およ》び有学《うがく》・無学《むがく》 羅漢《らかん》を殺《せっ》する同類《どうるい》を殺《せっ》す。僧《そう》の和合縁《わごうえん》を奪《うば》う 破僧罪《はそうざい》の同類《どうるい》。率都波《そとば》を破壊《はえ》する 仏身《ぶっしん》より血《ち》を出《い》だす。」

二《ふたつ》には大乗《だいじょう》の五逆《ごぎゃく》なり。『薩遮尼乾子経《さっしゃにけんじきょう》』に説《と》くが如《ごと》し。74「一《ひとつ》には塔《とう》を破壊《はえ》し経蔵《きょうぞう》を⑤焚焼《ぼんしょう》する、及《およ》び三宝《さんぼう》の財物《ざいもつ》を盗用《とうゆう》する。二《ふたつ》には三乗《さんじょう》の法《ほう》を謗《そし》りて聖教《しょうぎょう》に非《あら》ずと言《い》いて障《しょう》破《は》⑥留難《るなん》し、⑦隠蔽落《おんぺいらく》⑧蔵《ぞう》する。三《みっ》には一切出家《いっさいしゅっけ》の人《ひと》、若《も》しは戒《かい》・無戒《むかい》・破戒《はかい》のものを⑨打罵《ちょうめ》し⑩呵責《かしゃく》して過《とが》を説《と》き、⑪禁閉《きんぺい》し還俗《げんぞく》せしめ、⑫駆使《くし》⑬債調《さいじょう》し断命《だんみょう》せしむる。四《よっ》には父《ちち》を殺《せっ》し、母《はは》を害《がい》し、仏身《ぶっしん》より血《ち》を出《い》だし、和合僧《わごうそう》を破《は》し、阿羅漢《あらかん》を殺《せっ》するなり。五《いつつ》には謗《ほう》じて因果《いんが》無《な》く、長夜《じょうや》に常《つね》に十不善業《じゅうふぜんごう》を行《ぎょう》ずるなり」と。已上《いじょう》

彼《か》の『経《きょう》』（地蔵十輪経）に云《のたま》わく、75「一《ひとつ》には不善心《ふぜんしん》を起《お》こして⑭独覚《どっかく》を殺害《せつがい》する、是《こ》れ殺生《せっしょう》なり。二《ふたつ》には羅漢《らかん》の尼《に》を婬《いん》する、是《こ》れを邪行《じゃぎょう》と云《い》うなり。三《みっ》には所施《しょせ》の三宝物《さんぼうもつ》を⑮侵損《しんそん》する、是《こ》れ⑯不与取《ふよしゅ》な

り。四《よつ》には倒見《とうけん》して和合僧衆《わごうそうしゅ》を破《は》する、是《こ》れ虚誑語《こおうご》なり。」略出《りゃくしゅつ》

顕浄土真実信文類三《けんじょうどしんじつしんもんるいさん》

①倒…たおるる
②違…たがう
③執…とる
④汚…＊わ

⑤焚…やき
⑥留…とどむ
⑦隠蔽…かくす　おおう
⑧蔵…かくす

⑨打罵…うつ　のる
⑩呵責…せめ　せむ
⑪禁閉…いましめ　とず
⑫駆…かり

⑬債調…つぐのう　ととのう
⑭独…ひとり
⑮侵…おかす
⑯与…あたえ

顕浄土真実証文類《けんじょうどしんじつしょうもんるい》四《し》 1

I必至滅度《ひっしめつど》の願《がん》
難思議往生《なんしぎおうじょう》

顕浄土真実証文類《けんじょうどしんじつしょうもんるい》四《し》

愚禿釈親鸞《ぐとくしゃくしんらん》集《あつむ》

1謹《つつし》んで真実証《しんじつしょう》を顕《あらわ》さば、則《すなわ》ち是《こ》れ利他円満《りたえんまん》の妙《みょう》位《い》、無上涅槃《むじょうねはん》の極果《ごくか》なり。2即《すなわ》ち是《こ》れ必至滅度《ひっしめつど》の願《がん》より出《い》でたり。亦《また》「証大涅槃《しょうだいねはん》の願《がん》」と名《な》づくるなり。3然《しか》るに、煩悩成就《ぼんのうじょうじゅ》の凡夫《ぼんぶ》、生死罪濁《しょうじざいじょく》の群萌《ぐんもう》①、往相《おうそう》

必至滅度之願
難思議往生

謹顕㆓真実証㆒者、則是利他円満之妙位、無上涅槃之極果也。即是出㆑於㆓必至滅度之願㆒。亦名㆓証大涅槃之願㆒也。然煩悩成就凡夫生死罪濁群萌、獲㆓往相回

①群萌…むらがる　きざす

回向《えこう》の心行《しんぎょう》を獲《う》れば、即《そく》の時《とき》に大乗《だいじょう》正定《しょうじょう》①聚《じゅ》の数《かず》に入《い》るなり。正定聚《しょうじょうじゅ》に住《じゅう》するが故《ゆえ》に、必《かなら》ず滅度《めつど》に至《いた》る。必《かなら》ず滅度《めつど》に至《いた》るは即《すなわ》ち是《こ》れ常楽《じょうらく》なり。常楽《じょうらく》は即《すなわ》ち是《こ》れ②畢竟寂滅《ひっきょうじゃくめつ》なり。寂滅《じゃくめつ》は即《すなわ》ち是《こ》れ無上涅槃《むじょうねはん》なり。無上涅槃《むじょうねはん》は即《すなわ》ち是《こ》れ無為法身《むいほっしん》なり。無為法身《むいほっしん》は即《すなわ》ち是《こ》れ実相《じっそう》なり。実相《じっそう》は即《すなわ》ち是《こ》れ法性《ほっしょう》なり。法性《ほっしょう》は即《すなわ》ち是《こ》れ真如《しんにょ》なり。真如《しんにょ》は即《すなわ》ち是《こ》れ一如《いちにょ》なり。

4 然《しか》れば、弥陀如来《みだにょらい》は如《にょ》より来生《らいしょう》して、報《ほう》・応《おう》・化《け》、種種《しゅじゅ》の身《しん》を示《しめ》し現《あらわ》したまうなり。

5 必至滅度《ひっしめつど》の願文《がんもん》、『大経《だいきょう》』に言《のたま》わく、「設《たと》い我《われ》、仏《ぶつ》を得《え》んに、国《くに》の中《うち》の人天《にんでん》、定聚《じょうじゅ》に住《じゅう》し、必《かなら》ず滅度《めつど》に至《いた》らずは、正覚《しょうがく》を取《と》らじ」と。已上《いじょう》

6 『無量寿如来会《むりょうじゅにょらいえ》』に言《のたま》わく、「若《も》し我成仏《われじょうぶつ》せんに、国《くに》の中《うち》の有③情《うじょう》、若《も》し決定《けつじょう》して等正覚《とうしょうがく》を成《な》り、大涅槃《だいねはん》を証《しょう》せずは、菩提《ぼだい》を取《と》らじ」と。已上《いじょう》

7 願成就文《がんじょうじゅもん》、『経《きょう》』（大経）に言《のたま》わく、「其《そ》れ衆生《しゅじょう》有《あ》りて、彼《か》の国《くに》に生《う》まるれば、皆悉《みなことごと》く正定《しょうじょう》の聚《じゅ》に住《じゅう》す。所以《ゆえ》は何《いか》ん。彼《か》の仏国《ぶっこく》の中《うち》には、諸《もろもろ》の邪聚《じゃじゅ》及《およ》び不定聚《ふじょうじゅ》無《な》ければなり」と。

8 又言《またのたま》わく（大経）、「彼《か》の仏国土《ぶっこくど》は、清浄安《しょうじょうあん》④穏《のん》にして微妙《みみょう》⑤快楽《けらく》なり。無為泥洹《むいないおん》の道《どう》に次《ちか》し。其《そ》

向心行一、即時入二大乗正定聚之数一。住二正定聚一故、必至二滅度一。必至二滅度一即是常楽。常楽即是畢竟寂滅。寂滅即是無上涅槃。無上涅槃即是無為法身。無為法身即是実相。実相即是法性。法性即是真如。真如即是一如。

然者弥陀如来、従レ如来生、示二現報応化種種身一也。

れ諸《もろもろ》の声聞《しょうもん》・菩薩《ぼさつ》・天《てん》・人《にん》、智慧高明《ちえこうみょう》にして神通《じんずう》⑥洞《とう》⑦達《だつ》せり。咸《ことごと》く同《おな》じく一類《いちるい》にして、形《かたち》、異《い》⑧状《じょう》無《な》し。但《ただ》、余方《よほう》に因順《いんじゅん》するが故《ゆえ》に、人天《にんでん》の名《な》有《あ》り。⑨顔貌端政《げんみょうたんじょう》にして、世《よ》に超《こ》えて⑩希有《けう》なり。⑪容色《ようしき》⑫微妙《みみょう》にして、天《てん》に非《あら》ず人《にん》に非《あら》ず。皆《みな》、自然虚無《じねんこむ》の身《しん》・無極《むごく》の体《たい》を受《う》けたるなり」と。

9 又言《またのたま》わく（如来会）、「彼《か》の国《くに》の衆生《しゅじょう》、若《も》し当《とう》に生《う》まれん者《もの》、皆悉《みなことごと》く無上菩提《むじょうぼだい》を⑬究竟《くきょう》し、涅槃《ねはん》の処《しょ》に到《いた》らしめん。何《なに》を以《もっ》ての故《ゆえ》に。若《も》し邪定聚及《じゃじょうじゅおよ》び不定聚《ふじょうじゅ》は、彼《か》の因《いん》を建立《こんりゅう》せることを了知《りょうち》すること能《あた》わざるが故《ゆえ》なり」と。已上《いじょう》、要《よう》を抄《ぬ》きいず。

10『浄土論《じょうどろん》』（論註）に曰《い》わく、「[2]「荘厳妙声功徳成就《しょうごんみょうしょうくどくじょうじゅ》は、偈《げ》に「梵《ぼん》⑭声《しょう》⑮悟《ご》深遠《じんのん》　微妙《みみょう》聞十方《もんじっぽう》」の故《ゆえ》にと言《のたま》えり」（論）と。此《こ》れ云何《いかん》ぞ不思議《ふしぎ》なるや。『経《きょう》』に言《のたま》わく、[3]「若《も》し人《ひと》、但《ただ》、彼《か》の国土《こくど》の清浄安楽《しょうじょうあんらく》なるを聞《き》きて、⑯剋念《こくねん》して生《う》まれんと願《がん》ぜんものと、亦往生《またおうじょう》を得《う》るものとは、即《すなわ》ち正定聚《しょうじょうじゅ》に入《い》る。」此《こ》れは是《こ》れ国土《こくど》の名《みょう》⑰字《じ》、仏事《ぶつじ》を為《な》す。安《いず》くんぞ思《し》⑱議《ぎ》すべきやと。

11 [4]「荘厳主功徳成就《しょうごんしゅくどくじょうじゅ》は、偈《げ》に「正覚阿弥陀《しょうがくあみだ》　法王善住持《ほうおうぜんじゅうじ》」の故《ゆえ》にと言《のたま》えり。」（論）此《こ》れ云何《いかん》が不思議《ふしぎ》なるや。正覚《しょうがく》の阿弥陀《あみだ》、不可思議《ふかしぎ》にまします。彼《か》の安楽浄土《あんらくじょうど》は正覚阿弥陀《しょうがくあみだ》の善力《ぜんりき》の為《ため》に住《じゅう》

①聚…＊ともがら
②畢竟…おわり　きわまる
③情…なさけ　こころ
④穏…おだし
⑤快楽…たのし　こころよし
⑥洞…＊あきらかなり／ほがらかなり
⑦達…さとる
⑧状…＊かたち
⑨顔貌端政…かおばせ　かおばせ　なおし　ただし
⑩希…まれなり
⑪容…かおばせ
⑫微…こまかなり
⑬究竟…きわめ　きわむ
⑭声…な
⑮悟…さとり
⑯剋…きざす
⑰字…あざな
⑱議…はからう

持《じ》せられたり。云何《いかん》が思議《しぎ》することを得《う》べきや。「住《じゅう》」は不《ふ》①異不滅《いふめつ》に名《な》づく。「持《じ》」は不散不失《ふさんふしつ》に名《な》づく。不《ふ》②朽《きゅう》③薬《やく》を以《もっ》て④種《しゅ》⑤子《し》に⑥塗《ぬ》りて、水《みず》に在《お》くに蘭《みだ》れず、火《ひ》に在《お》くに燋《こが》れず。⑦因縁《いんねん》を得《え》て、即《すなわ》ち生《しょう》ずるが如《ごと》し。何《なに》を以《もっ》ての故《ゆえ》に。不朽薬《ふきゅうやく》の力《ちから》なるが故《ゆえ》なり。若《も》し人《ひと》、一《ひと》たび安楽浄土《あんらくじょうど》に生《しょう》ずれば、後《のち》の時《とき》に、意《い》、三界《さんがい》に生《う》まれて衆生《しゅじょう》を教化《きょうけ》せんと願《がん》じて、浄土《じょうど》の命《いのち》を捨《す》てて願《がん》に随《したが》いて生《しょう》を得《え》て、三界雑生《さんがいざっしょう》の火《ひ》の中《なか》に生《う》まると雖《いえど》も、無上菩提《むじょうぼだい》の種子《しゅし》、畢竟《ひっきょう》じて⑧朽《く》ちず。何《なに》を以《もっ》ての故《ゆえ》に。正覚阿弥陀《しょうがくあみだ》の善《よ》く住持《じゅうじ》を逕《ふ》るを以《もっ》ての故《ゆえ》にと。

12 5「荘厳眷属功徳成就《しょうごんけんぞくくどくじょうじゅ》は、偈《げ》に「如来浄華衆《にょらいじょうけしゅ》　正覚華化生《しょうがくけけしょう》」の故《ゆえ》にと言《のたま》えり。」（論）此《こ》れ云何《いかん》ぞ不思議《ふしぎ》なるや。凡《おおよ》そ是《こ》れ雑生《ざっしょう》の世界《せかい》には、若《も》しは⑨胎《たい》、若《も》しは⑩卵《らん》、若《も》しは⑪湿《しつ》、若《も》しは化《け》、眷属若干《けんぞくそこばく》なり。苦楽万品《くらくまんぼん》なり。雑業《ぞうごう》を以《もっ》ての故《ゆえ》に。彼《か》の安楽国土《あんらくこくど》は、是《こ》れ阿弥陀如来正《あみだにょらいしょう》⑫覚浄華《がくじょうけ》の化生《けしょう》する所《ところ》に非《あら》ざること莫《な》し。同一《どういつ》に念仏《ねんぶつ》して別《べつ》の道《どう》無《な》きが故《ゆえ》に。遠《とお》く通《つう》ずるに、夫《そ》れ四海《しかい》の内《うち》、皆《みな》、兄《きょう》弟《だい》とするなり。眷属無量《けんぞくむりょう》なり。焉《いずく》んぞ思議《しぎ》すべきや。」

13 又言《またい》わく（論註）、「往生《おうじょう》を願《ねが》う者《もの》、本《もと》は則《すなわ》ち三三《さんざん》の品《ほん》なれども、今《いま》は一二《いちに》の⑬殊《しゅ》無《な》し。亦《また》⑭淄澠《しじょう》　食《しょく》陵《りょう》の反《かえし》　の一味《いちみ》なるが如《ごと》し。焉《いずく》んぞ思議《しぎ》すべきや。」

14 又《また》『論《ろん》』（論註）に曰《い》わく、「6「荘厳清浄功徳成就《しょうごんしょうじょうくどくじょうじゅ》は、偈《げ》に「観彼世界相《かんぴせかいそう》　勝《しょう》⑮過三界道《がさんがいどう》」の故《ゆえ》にと言《のたま》えり。」（論）此《こ》れ云何《いかん》ぞ不思《ふし》⑯議《ぎ》なるや。凡夫人《ぼんぶにん》の煩悩成就《ぼんのうじょうじゅ》せる有《あ》りて、亦《また》彼《か》の浄土《じょうど》に生《しょう》ずることを得《う》れば、三界《さんがい》の⑰繋業《けごう》、畢竟《ひっきょう》じて⑱牽《ひ》かず。則《すなわ》ち是《こ》れ煩悩《ぼんのう》を断《だん》ぜずして涅槃分《ねはんぶん》を得《う》。焉《いずく》んぞ

思議《しぎ》すべきや。」已上《いじょう》抄要《しょうよう》
15『安楽集《あんらくしゅう》』に云《い》わく、「然《しか》るに二仏《にぶつ》の神力《じんりき》、亦《また》⑲斉等《ざいどう》なるべし。但《ただ》釈迦《しゃか》如来《にょらい》、己《おのれ》が能《のう》を申《の》べずして、故《ことさ》らに彼《か》の長《ちょう》ぜるを顕《あらわ》したまうことは、一切衆生《いっさいしゅじょう》をして⑳斉《ひと》しく帰《き》せざること莫《な》からしめんと欲《おぼ》してなり。是《こ》の故《ゆえ》に釈迦《しゃか》、処処《しょしょ》に㉑嘆帰《たんき》せしめたまえり。須《すべから》く此《こ》の意《い》を知《し》るべしとなり。是《こ》の故《ゆえ》に曇鸞《どんらん》法師《ほっし》の正意《しょうい》、西《にし》に帰《かえ》るが故《ゆえ》に、『大経《だいきょう》』に傍《そ》えて㉒奉讃《ぶさん》して曰《い》わく、7「安楽《あんらく》の声聞《しょうもん》・菩薩衆《ぼさつしゅ》・人天《にんでん》、智慧《ちえ》咸《ことごと》く㉓洞達《とうだつ》せり。身相荘厳《しんそうしょうごん》、㉔殊異無《しゅいな》し。但《ただ》、他方《たほう》に順《じゅん》ずるが故《ゆえ》に名《な》を㉕列《つら》ぬ。㉖顔容端政《げんようたんじょう》にして㉗比《たくら》ぶべき無《な》し。㉘精《しょう》㉙微妙《みみょう》㉚軀《く》にして人天《にんでん》に非《あら》ず。虚無《こむ》の身《しん》・無極《むごく》の体《たい》なり。是《こ》の故《ゆえ》に平等力《びょうどうりき》を頂《ちょう》礼《らい》したてまつる」（讃阿弥陀仏偈）と。」已上《いじょう》

16光明寺《こうみょうじ》（善導）の『疏《しょ》』（玄義分）に云《い》わく、「『弘願《ぐがん》』と言《い》うは、『大経《だいきょう》』の説《せつ》の如《ごと》し。一切善悪《いっさいぜんあく》の凡夫《ぼんぶ》、生《しょう》を得《う》るは、皆《みな》、阿弥陀仏《あみだぶつ》の大願業力《だいがんごうりき》に乗《じょう》じて増上縁《ぞうじょうえん》とせざるは莫《な》しとなり。又《また》、仏《ぶつ》の密《みつ》

①異…ことなり
②朽…くちさる
③薬…くすり
④種…＊たね
⑤子…み
⑥塗…ず
⑦因縁…たね　たすく
⑧朽…＊き
⑨胎…はらむ
⑩卵…かいこ
⑪湿…うるおう
⑫覚…さとる
⑬殊…ことなる
⑭淄澠…水　水名
⑮過…すぐる
⑯議…はかる
⑰繫…つなぐ
⑱牽…けん反
⑲斉…ひとし
⑳斉…＊たすく　とも／さい
㉑嘆…ほめ
㉒奉…たてまつる
㉓洞達…あきらかに　さとる
㉔殊…ことに　すぐる　とも
㉕列…れつ
㉖顔容端政…かおばせ　かおばせ　なおし　ただし
㉗比…ならぶ
㉘精…よし
㉙微…よし
㉚軀…み

意《い》弘《ぐ》深《じん》なれば教門《きょうもん》をして暁《さと》り難《がた》し。三賢《さん①げん》・十聖《じっしょう》、測《はか》りて闚《②うかが》う所《ところ》に弗《あら》ず。況《いわ》んや我《われ》、信外《しんげ》の軽《きょう》毛《もう》なり。敢《あ》えて旨趣《ししゅ》を知《し》らんや。仰《あお》いで惟《おもん》みれば、釈迦《しゃか》は此《こ》の方《ほう》より発遣《はっけん》し、弥陀《みだ》は即《すなわ》ち彼《か》の国《くに》より来迎《らいこう》す。彼《かしこ》に喚《よ》ばい、此《ここ》に遣《つか》わす。豈《あ》に去《ゆ》かざるべけんや。唯《ただ》、懃《ねんごろ》に法《ほう》に奉《③つか》えて、畢命《ひつみょう》を期《ご》として、此《こ》の穢身《えしん》を捨《す》てて即《すなわ》ち彼《か》の法性《ほっしょう》の常楽《じょうらく》を証《しょう》すべし」と。

17又云《またい》わく（定善義）、「西方寂静《さいほうじゃくじょう》無為《むい》の楽《みやこ》には、畢竟《ひっきょう》逍遙《④しょうよう》して有無《うむ》を離《はな》れたり。大悲《だいひ》、心《しん》に熏《くん》じて法界《ほっかい》に遊《あそ》ぶ。分身《ふんじん》して物《もの》を利《り》すること、等《ひと》しくして殊《こと》なること無《な》し。或《ある》いは神通《じんずう》を現《げん》じて法《ほう》を説《と》き、或《ある》いは相好《そうごう》を現《げん》じて無余《むよ》に入《い》る。変現《へんげん》の荘厳《しょうごん》、意《い》に随《したが》いて出《い》ず。群生《ぐんじょう》見《み》る者《もの》、罪《つみ》、皆除《みなのぞ》こると。又賛《またさん》じて云《い》わく、帰去来《いざいなん》、魔郷《まきょう》には停《とど》まるべからず。曠劫《こうごう》より来《このかた》、六道《ろくどう》に流転《るてん》して尽《ことごと》く皆逕《みなへ》たり。到《いた》る処《ところ》に余《よ》の楽《たのしみ》無《な》し。唯《ただ》、愁歎《⑤しゅう⑥たん》〔或《あ》る本《ほん》、「生死《しょうじ》」の字《じ》なり。〕の声《こえ》を聞《き》く。此《こ》の生平《しょうびょう》を畢《お》えて後《のち》、彼《か》の涅槃《ねはん》の城《みやこ》に入《い》らん」と。已上《いじょう》

18夫《そ》れ真宗《しんしゅう》の教《きょう》・行《ぎょう》・信《しん》・証《しょう》を案《あん》ずれば、如来《にょらい》の大《だい》悲回向《ひえこう》の利益《りやく》なり。故《かるがゆえ》に、若《も》しは因《いん》、若《も》しは果《か》、一《いち》事《じ》として阿弥陀如来《あみだにょらい》の清浄願心《しょうじょうがんしん》の回向成就《えこうじょうじゅ》したまえる所《ところ》に非《あら》ざること有《あ》ること無《な》し。因浄《いんじょう》なるが故《ゆえ》に果《か》亦《また》浄《じょう》なり。知《し》るべしとなり。

19二《ふたつ》に「還相《げんそう》の回向《えこう》」と言《い》うは、則《すなわ》ち是《こ》れ利他教化《りたきょうけ》

夫案㆓真宗教行信証㆒者、如来大悲回向之利益。故若因若果、無㆑有㆕一事非㆔阿弥陀如来清浄願心之所㆓回向成就㆒。因浄故果亦浄也。応㆑知。

二言㆓還相回向㆒者、則是利他教化地益也。

地《じ》の益《やく》⑦なり。20則《すなわ》ち是《こ》れ必至補処《ひっしふしょ》⑧の願《がん》より出《い》でたり。21亦《また》「一生補処《いっしょうふしょ》の願《がん》」と名《な》づく。亦《また》「還相回向《げんそうえこう》の願《がん》」と名《な》づくべきなり。22『註論《ちゅうろん》』（論註）に顕《あらわ》れたり。故《かるがゆえ》に願文《がんもん》を出《い》ださず。『論《ろん》の註《ちゅう》』を披《ひら》くべし。

則是出レ於二必至補処之願一。亦名二一生補処之願一。亦可レ名二還相回向之願一也。顕二『註論』一。故不レ出二願文一。可レ披二『論註』一。

23『浄土論《じょうどろん》』に曰《い》わく、「出第五門《しゅつだいごもん》は、大慈悲《だいじひ》を以《もっ》て一切苦悩《いっさいくのう》の衆生《しゅじょう》を観察《かんざつ》⑨して、応化《おうげ》の身《しん》を示《しめ》す。生死《しょうじ》の園《その》⑩・煩悩《ぼんのう》の林《はやし》の中《なか》に回入《えにゅう》して、神通《じんずう》に遊戯《ゆげ》⑪して教化地《きょうけじ》に至《いた》る。本願力《ほんがんりき》の回向《えこう》を以《もっ》ての故《ゆえ》に。是《こ》れを「出第五門《しゅつだいごもん》」と名《な》づく」と。已上《いじょう》

24『論註《ろんちゅう》』に曰《い》わく、「還相《げんそう》は、彼《か》の土《ど》に生《しょう》じ已《おわ》りて、奢摩他《しゃまた》・毘婆舎那《びばしゃな》・方便力成就《ほうべんりきじょうじゅ》することを得《え》て、生死《しょうじ》の稠林《ちゅうりん》⑫に回入《えにゅう》して、一切衆生《いっさいしゅじょう》を教化《きょうけ》して、共《とも》に仏道《ぶつどう》に向《む》かえしむるなり。若《も》しは往《おう》、若《も》しは還《げん》、皆《みな》、衆生《しゅじょう》を抜《ぬ》いて生死海《しょうじかい》を渡《ど》せんが為《ため》なり。是《こ》の故《ゆえ》に[8]「回向《えこう》を首《しゅ》として大悲心《だいひしん》を成就《じょうじゅ》することを得《う》るが故《ゆえ》に」（論）と言《のたま》えり」と。

25又《また》言《い》わく（論註）、「[9]「即《すなわ》ち彼《か》の仏《ぶつ》を見《み》たてまつれば、未証浄心《みしょうじょうしん》の菩薩《ぼさつ》、畢竟《ひっきょう》じて平等法身《びょうどうほっしん》を得《とく》

①賢…かしこし
②闚…＊き
③奉…うけたまわりて
④逍遙…はるかに　はるかなり
⑤愁…＊うれえ
⑥歎…なげき
⑦益…ます　たすく　とも
⑧補…つぐ
⑨観察…みそなわし　かんがむ
⑩園…おん　えん
⑪戯…たわぶる
⑫稠…しげし

証《しょう》す。浄心《じょうしん》の菩薩《ぼさつ》と上地《じょうじ》の諸《もろもろ》の菩薩《ぼさつ》と、畢竟《ひっきょう》じて同《おな》じく寂滅平等《じゃくめつびょうどう》を得《う》るが故《ゆえ》に」（論）とのたまえり。「平等法身《びょうどうほっしん》」は、八地已上《はちじいじょう》、法性生身《ほっしょうしょうじん》の菩薩《ぼさつ》なり。寂滅平等《じゃくめつびょうどう》の法《ほう》なり。此《こ》の寂滅《じゃくめつ》平等《びょうどう》の法《ほう》を得《う》るを以《もっ》ての故《ゆえ》に、名《な》づけて「平等法身《びょうどうほっしん》」とす。平等法身《びょうどうほっしん》の菩薩《ぼさつ》の所得《しょとく》なるを以《もっ》ての故《ゆえ》に、名《な》づけて「寂滅平等《じゃくめつびょうどう》の法《ほう》」とするなり。此《こ》の菩薩《ぼさつ》は報生三昧《ほうしょうざんまい》を得《う》。三昧神力《さんまいじんりき》を以《もっ》て、能《よ》く一処《いっしょ》・一念《いちねん》・一時《いちじ》に十方世界《じっぽうせかい》に遍《へん》じて、種種《しゅじゅ》に一切諸仏及《いっさいしょぶつおよ》び諸仏大会衆海《しょぶつだいえしゅかい》を供養《くよう》す。能《よ》く無量世界《むりょうせかい》に仏法僧無《ぶっぽうそうましま》さぬ処《ところ》にして、種種《しゅじゅ》に示現《じげん》し、種種《しゅじゅ》に一切衆生《いっさいしゅじょう》を教化《きょうけ》し度《ど》①脱《だつ》して、常《つね》に仏事《ぶつじ》を作《な》す。初《はじ》めに往来《おうらい》の想《おもい》・供養《くよう》の想《おもい》・度脱《どだつ》の想無《おもいな》し。是《こ》の故《ゆえ》に此《こ》の身《しん》を名《な》づけて「平等法身《びょうどうほっしん》」とす。此《こ》の法《ほう》を名《な》づけて「寂滅平等《じゃくめつびょうどう》の法《ほう》」とす。「未証浄心《みしょうじょうしん》の菩薩《ぼさつ》」は、初地已上《しょじいじょう》、七地以還《しちじいげん》の諸《もろもろ》の菩薩《ぼさつ》なり。此《こ》の菩薩《ぼさつ》、亦能《またよ》く身《しん》を現《あらわ》すこと、若《も》しは百《ひゃく》、若《も》しは千《せん》、若《も》しは万《まん》、若《も》しは億《おく》、若《も》しは百千《ひゃくせん》万億《まんおく》、無仏《むぶつ》の国土《こくど》にして仏事《ぶつじ》を②施作《せさ》す。③要《かなら》ず心《しん》を作《な》して三昧《さんまい》に入《い》りて、乃《いま》し能《よ》く作心《さしん》せざるに非《あら》ず。作心《さしん》を以《もっ》ての故《ゆえ》に、名《な》づけて「未証浄心《みしょうじょうしん》」とす。此《こ》の菩薩《ぼさつ》、安楽浄土《あんらくじょうど》に生《う》まれて即《すなわ》ち阿弥陀仏《あみだぶつ》を見《み》たてまつらんと願《がん》ず。阿弥陀仏《あみだぶつ》を見《み》たてまつる時《とき》、上地《じょうじ》の諸《もろもろ》の菩薩《ぼさつ》と、畢竟《ひっきょう》じて身等《しんひと》しく法等《ほうひと》しと。龍樹菩薩《りゅうじゅぼさつ》・婆藪槃頭菩薩《ばそばんずぼさつ》の輩《ともがら》、彼《かしこ》に生《う》まれんと願《がん》ずるは、当《まさ》に此《こ》の為《ため》なるべしならくのみと。

問《と》うて曰《い》わく、『十地経《じゅうじきょう》』を案《あん》ずるに、菩薩《ぼさつ》の④進趣階級《しんしゅかいきゅう》、漸《ようや》く無量《むりょう》の功《く》⑤勲《くん》有《あ》り。多《た》の劫数《こうしゅ》を逕《ふ》。然《しこ》うして後《のち》、乃《いま》し此《こ》れを得《う》。云何《いかん》ぞ阿弥陀仏《あみだぶつ》を見《み》たてまつる時《とき》、畢竟《ひっきょう》じて上地《じょうじ》の諸《もろもろ》の菩薩《ぼさつ》と身《しん》等《ひと》しく法《ほう》等《ひと》しきや。

答《こた》えて曰《い》わく、「畢竟《ひっきょう》」は、未《いま》だ「即《すなわ》ち等《ひと》し」と言《い》うにはあらずなりと。畢竟《ひっきょう》じて、此《こ》の等《ひと》しきことを失《しっ》せざるが故《ゆえ》に、「等《とう》」と言《い》うならくのみと。

問《と》うて曰《い》わく、若《も》し即《すなわ》ち等《ひと》しからずは、復《ま》た何《なん》ぞ「菩薩《ぼさつ》」と言《い》うことを得《え》ん。但《ただ》、初地《しょじ》に登《のぼ》れば、以《もっ》て漸《ようや》く増進《ぞうしん》して、自然《じねん》に当《まさ》に仏《ぶつ》と等《ひと》しかるべし。何《なん》ぞ仮《かり》に「上地《じょうじ》の菩薩《ぼさつ》と等《ひと》し」と言《い》うや。

答《こた》えて曰《い》わく、菩薩《ぼさつ》、七地《しちじ》の中《なか》にして大寂滅《だいじゃくめつ》を得《う》れば、上《かみ》に諸仏《しょぶつ》の求《もと》むべきを見《み》ず、下《しも》に衆生《しゅじょう》の度《ど》すべきを見《み》ず。仏道《ぶつどう》を捨《す》てて実《じっ》⑥際《さい》を証《しょう》せんと欲《ほっ》す。爾《そ》の時《とき》に、若《も》し十方諸仏《じっぽうしょぶつ》の神力《じんりき》⑦加勧《かかん》を得《え》ずは、即便《すなわ》ち滅度《めつど》して二乗《にじょう》と異《い》無《な》けん。菩薩《ぼさつ》、若《も》し安楽《あんらく》に往生《おうじょう》して阿弥陀仏《あみだぶつ》を見《み》たてまつるに、即《すなわ》ち此《こ》の難《なん》無《な》けん。是《こ》の故《ゆえ》に須《すべから》く「畢竟平等《ひっきょうびょうどう》」と言《い》うべし。

復《ま》た次《つぎ》に『無量寿経《むりょうじゅきょう》』の中《なか》に、阿弥陀如来《あみだにょらい》の本願《ほんがん》に言《のたま》わく（第二十二願）、[10]「設《たと》い我《われ》、仏《ぶつ》を得《え》たらんに、他方仏土《たほうぶつど》の諸《もろもろ》の菩薩衆《ぼさつしゅ》、我《わ》が国《くに》に来生《らいしょう》して、究竟《くきょう》して必《かなら》ず一生補処《いっしょうふしょ》に至《いた》らん。其《そ》の本願《ほんがん》の自在《じざい》の所化《しょけ》、衆生《しゅじょう》の為《ため》の故《ゆえ》に弘誓《ぐぜい》の⑧鎧《がい》を被《き》て、徳本《とくほん》を⑨積累《しゃくるい》し一切《いっさい》を度脱《どだつ》せしめ、諸仏《しょぶつ》の国《くに》に遊《あそ》びて菩薩《ぼさつ》の行《ぎょう》を修《しゅ》し、十方諸仏如来《じっぽうしょぶつにょらい》を供養《くよう》し、恒砂無量《ごうじゃむりょう》の衆生《しゅじょう》を開《かい》⑩化《け》して、無上正真《むじょうしょうしん》の道《どう》を立《りゅう》

①脱…まぬかる
②施…ほどこす　はつす　とも
③要…もとむ
④進趣階級…すすみ　おもむく　しなわい　しなわい
⑤勲…におう
⑥際…きわ
⑦加勧…くわう　すすむ
⑧鎧…よろい
⑨積累…つみ　かさぬ
⑩化…めぐむ

せしめんをば除《のぞ》く。常《じょう》①倫《りん》に超出《ちょうしゅつ》し、諸地《しょじ》の行現前《ぎょうげんぜん》し、普賢《ふげん》の徳《とく》を修《しゅ》②習《じゅう》せん。若《も》し爾《しか》らずは、正覚《しょうがく》を取《と》らじ」と。此《こ》の『経《きょう》』を案《あん》じて彼《か》の国《くに》の菩薩《ぼさつ》を推《すい》するに、或《あ》いは一地《いちじ》より一地《いちじ》に至《いた》らざるべし。「十地《じゅうじ》の③階次《かいし》」と言《い》うは是《こ》れ、釈迦如来《しゃかにょらい》、閻浮提《えんぶだい》にして一《いち》の応化道《おうげどう》ならくのみと。他方《たほう》の浄《じょう》土《ど》は、何《なん》ぞ必《かなら》ず此《か》くの如《ごと》くせん。五種《ごしゅ》の不思議《ふしぎ》の中《なか》に仏法《ぶっぽう》④最《さい》不可思議《ふかしぎ》なり。若《も》し、菩薩《ぼさつ》、必《かなら》ず一《いち》地《じ》より一地《いちじ》に至《いた》りて、超越《ちょうおつ》の⑤理《り》無《な》しと言《い》わば、未《いま》だ敢《あ》えて詳《つまび》らかならざるなり。11譬《たと》えば樹《き》有《あ》り。名《な》づけて「好堅《こうけん》」と曰《い》う。是《こ》の樹《き》、地《じ》より生《しょう》じて百歳《ひゃくさい》ならん。乃《いま》し具《つぶさ》に一日《いちにち》に長高《ちょうこう》なること百《ひゃく》丈《じょう》なるが如《ごと》し。日日《にちにち》に此《か》くの如《ごと》し。百歳《ひゃくさい》の長《たけ》を計《はか》るに、豈《あ》に⑥脩《しゅう》松《しょう》に⑦類《るい》せんや。松《まつ》の生長《しょうちょう》するを見《み》るに、日《ひ》に寸《すん》を過《す》ぎず。彼《か》の好堅《こうけん》を聞《き》きて、何《なん》ぞ能《よ》く即日《そくじつ》を疑《うたが》わざらん。人《ひと》有《あ》りて、釈迦如来《しゃかにょらい》、羅漢《らかん》を一《いっ》⑧聴《ちょう》に証《しょう》し、無生《むしょう》を終朝《しゅうちょう》に⑨制《せい》すとのたまえるを聞《き》きて、是《こ》れ⑩接誘《しょうゆう》の言《みこと》にして称実《しょうじつ》の説《せつ》に非《あら》ずと謂《おも》えり。此《こ》の論事《ろんじ》を聞《き》きて、亦当《またまさ》に信《しん》ぜざるべし。夫《そ》れ非常《ひじょう》の言《ことば》は常人《じょうにん》の耳《みみ》に入《い》らず。之《これ》を然《しか》らずと謂《おも》えり。亦其《またそ》れ宜《よろ》しかるべきなり。

12「略《りゃく》して八句《はちく》を説《と》きて、如来《にょらい》の自利利他《じりりた》の功徳荘厳《くどくしょうごん》、次第《しだい》に成就《じょうじゅ》したまえるを示現《じげん》したまえるなりと知《し》るべし。」（論）此《こ》れは云何《いかん》が次第《しだい》なるとならば、前《さき》の十七句《じゅうしちく》は、是《こ》れ荘厳国土《しょうごんこくど》の功徳成就《くどくじょうじゅ》なり。既《すで》に国土《こくど》の相《そう》を知《し》りぬ。国土《こくど》の主《しゅ》を知《し》るべし。是《こ》の故《ゆえ》に次《つぎ》に仏荘厳功徳《ぶつしょうごんくどく》を観《かん》ず。彼《か》の仏《ぶつ》、若《も》し荘厳《しょうごん》を為《な》して何《いず》れの処《ところ》にしてか座《ざ》すると。是《こ》の故《ゆえ》に先《ま》ず座《ざ》を観《かん》ずべし。既《すで》に座《ざ》を知《し》りぬ。已《すで》に宜《よろ》しく座主《ざしゅ》を知《し》るべし。是《こ》の故《ゆえ》に次《つぎ》に、仏《ぶつ》、身業《しんごう》を荘厳《しょうごん》したまえるを観《かん》ず。既《すで》に身業《しんごう》を知《し》りぬ。何《いか》なる声名《しょうみょう》か有《ましま》すと知《し》るべし。是《こ》の故《ゆえ》に次《つぎ》に、仏《ぶつ》、口業《くごう》を荘厳《しょうごん》したまえるを観《かん》ず。既《すで》に名聞《みょうもん》を知《し》りぬ。宜《よろ》しく得名《とくみょう》の所以《ゆえ》を知《し》るべし。是《こ》の故《ゆえ》に次《つぎ》に、仏《ぶつ》の、心業《しんごう》を荘厳《しょうごん》したまえるを観《かん》ず。既《すで》に三業《さんごう》具足《ぐそく》したまえるを知《し》りぬ。人天《にんでん》の大師《だいし》と為《な》りて化《け》を受《う》くるに堪《た》えたる者《ひと》は是《こ》れ誰《たれ》ぞと知《し》るべし。是《こ》の故《ゆえ》に次《つぎ》に大衆《だいしゅ》の功徳《くどく》を観《かん》ず。既《すで》に大衆《だいしゅ》、無量《むりょう》の功徳有《くどくいま》すことを知《し》りぬ。宜《よろ》しく上首《じょうしゅ》は誰《たれ》ぞと知《し》るべし。是《こ》の故《ゆえ》に次《つぎ》に上首《じょうしゅ》を観《かん》ず。上首《じょうしゅ》は是《こ》れ仏《ぶつ》なり。既《すで》に、上首《じょうしゅ》、恐《おそ》らくは長劫《じょうごう》に同《おな》じきことを知《し》りぬ。是《こ》の故《ゆえ》に次《つぎ》に主《しゅ》を観《かん》ず。既《すで》に是《こ》の主《しゅ》を知《し》りぬ。主《しゅ》、何《いか》なる⑪増上《ぞうじょう》か有《ましま》すと。是《こ》の故《ゆえ》に次《つぎ》に荘厳不虚作住持《しょうごんふこさじゅうじ》を観《かん》ず。八句《はちく》の次第《しだい》成《じょう》ぜるなり。

菩薩《ぼさつ》を観《かん》ぜば、13「云何《いかん》が菩薩《ぼさつ》の荘厳功徳成《しょうごんくどくじょう》⑫就《じゅ》を⑬観察《かんざつ》する。菩薩《ぼさつ》の荘厳功徳成就《しょうごんくどくじょうじゅ》を観察《かんざつ》せば、彼《か》の菩薩《ぼさつ》を観《かん》ずるに四種《ししゅ》の正修行功徳成就《しょうしゅぎょうくどくじょうじゅ》したまえること有《あ》りと知《し》るべし。」（論）真如《しんにょ》は、是《こ》れ諸法《しょほう》の正体《しょうたい》なり。体《たい》、如《にょ》にして行《ぎょう》ずれば則《すなわ》ち是《こ》れ不行《ふぎょう》なり。不行《ふぎょう》にして行《ぎょう》ずるを「如実修行《にょじつしゅぎょう》」と名《な》づく。体《たい》は唯一如《ただいちにょ》にして、⑭義《ぎ》をして分《わ》かちて四《し》とす。是《こ》の故《ゆえ》に四行《しぎょう》、一《いち》を以《もっ》て正《まさ》しく之《これ》を⑮絯《か》ぬ。

14「何者《なにもの》をか四《し》とする。一《ひと》つには、一仏土《いちぶつど》に於《お》いて、身《み》、⑯動揺《どうよう》せずして十方《じっぽう》に遍《へん》ず。種種《しゅじゅ》に応化《おうげ》して、実《じつ》の如《ごと》く修行《しゅぎょう》して常《つね》に仏事《ぶつじ》を作《な》す。偈《げ》に「安楽国《あんらくこく》は清浄《しょうじょう》にして、常《つね》に無垢《むく》の輪《りん》を転《てん》ず。化仏《けぶつ》・菩《ぼ》

①倫…ともがら
②習…ならう
③階…しなわい
④最…もっとも
⑤理…ことわり
⑥偱松…ながし まつ
⑦類…たとう
⑧聴…きく
⑨制…とどむ
⑩接誘…とる こしらう
⑪増…まさる すぐる とも
⑫就…＊つく／なる
⑬観察…みそなわす かんがむ
⑭義…はからう
⑮絯…＊がい
⑯動揺…おごく うごく

薩《さつ》は、日《ひ》の、須弥《しゅみ》に住持《じゅうじ》するが如《ごと》きの故《ゆえ》に」と言《のたま》えり。諸《もろもろ》の衆生《しゅじょう》の①淤泥華《おでいけ》を開《ひら》くが故《ゆえ》に」（論）とのたまえり。八地已上《はちじいじょう》の菩薩《ぼさつ》は、常《つね》に三昧《さんまい》に在《あ》りて、三昧力《さんまいりき》を以《も》て、身《しん》、本処《ほんじょ》を動《どう》ぜずして能《よ》く遍《あまね》く十方《じっぽう》に至《いた》りて、諸仏《しょぶつ》を供養《くよう》し衆生《しゅじょう》を教化《きょうけ》す。「無②垢輪《むくりん》」は仏地《ぶつじ》の功徳《くどく》なり。仏地《ぶつじ》の功徳《くどく》は③習《しっ》気《け》・煩悩《ぼんのう》の垢《く》無《ましま》さず。仏《ぶつ》、諸《もろもろ》の菩薩《ぼさつ》の為《ため》に常《つね》に此《こ》の法輪《ほうりん》を④転《てん》ず。諸《もろもろ》の大菩薩《だいぼさつ》、亦《また》能《よ》く此《こ》の法輪《ほうりん》を以《もっ》て一切《いっさい》を開導《かいどう》して、⑤蹔時《ざんじ》も⑥休息《くそく》無《な》けん。故《かるがゆえ》に「常転《じょうてん》」と言《い》う。法身《ほっしん》は日《ひ》の如《ごと》くして、応化身《おうげしん》の光《ひかり》、諸《もろもろ》の世界《せかい》に遍《へん》ずるなり。「日《ひ》」と言《い》わば、未《いま》だ以《もっ》て不動《ふどう》を明《あ》かすに足《た》らざれば、復《ま》た「如須《にょしゅ》弥住持《みじゅうじ》」と言《い》うなり。「淤泥華《おでいけ》」とは、『経《きょう》』（維摩経）に言《のたま》わく、15「高原《こうげん》の陸地《ろくじ》には蓮華《れんげ》を生《しょう》ぜず。⑦卑湿《ひしつ》の淤泥《おでい》に乃《いま》し蓮華《れんげ》を生《しょう》ず。」此《こ》れは、凡夫《ぼんぶ》、煩悩《ぼんのう》の泥《どろ》の中《なか》に在《あ》りて、菩薩《ぼさつ》の為《ため》に開導《かいどう》せられて、能《よ》く仏《ぶつ》の正覚《しょうがく》の華《はな》を生《しょう》ずるに喩《たと》う。諒《まこと》に夫《そ》れ三宝《さんぼう》を⑧紹隆《じょうりゅう》して、常《つね》に絶《た》えざらしむと。

16「二《ふたつ》には、彼《か》の応化身《おうげしん》、一切《いっさい》の時《とき》、前《ぜん》ならず後《ご》ならず、一心《いっしん》・一念《いちねん》に大光明《だいこうみょう》を放《はな》ちて、悉《ことごと》く能《よ》く遍《あまね》く十方世界《じっぽうせかい》に至《いた》りて衆生《しゅじょう》を教化《きょうけ》す。種種《しゅじゅ》に方便《ほうべん》し、修行所作《しゅぎょうしょさ》して、一切衆生《いっさいしゅじょう》の苦《く》を滅除《めつじょ》するが故《ゆえ》に、偈《げ》に「無垢荘厳《むくしょうごん》の光《ひかり》、一念及《いちねんおよ》び一時《いちじ》に、普《あまね》く諸仏《しょぶつ》の⑨会《え》を照《て》らして、諸《もろもろ》の群生《ぐんじょう》を利益《りやく》する故《ゆえ》に」と言《のたま》えり。」（論）上《かみ》に「不動《ふどう》にして至《いた》る」と言《い》えり。或《あ》いは至《いた》るに前後《ぜんご》有《あ》るべし。是《こ》の故《ゆえ》に復《ま》た「一念《いちねん》・一時《いちじ》、無前《むぜん》・無後《むご》」と言《い》えるなり。

17「三《みっ》には、彼《かれ》、一切《いっさい》の世界《せかい》に於《お》いて、⑩余無《よな》く諸《もろもろ》の仏会《ぶつえ》を照《て》らす。大衆《だいしゅ》、余無《よな》く広大無量《こうだいむりょう》にして、諸仏如来《しょぶつにょらい》の功徳《くどく》を供養《くよう》し恭敬《くぎょう》し賛嘆《さんだん》す。偈《げ》に「天《てん》の楽《がく》・華《け》・衣《え》・妙香等《みょうこうとう》を雨《あめふ》りて、諸仏《しょぶつ》の功徳《くどく》を供養《くよう》し讃《さん》ずるに、分別《ふんべつ》の心《しん》有《あ》ること無《な》きが故《ゆえ》に」と言《のたま》えり」(論)と。「無余《むよ》」とは、遍《あまね》く一切世《いっさいせ》界《かい》・一切諸仏大会《いっさいしょぶつだいえ》に至《いた》りて、一世界《いちせかい》・一仏会《いちぶつえ》として至《いた》らざること有《あ》ること無《な》きことを明《あ》かすなり。肇公《じょうこう》の言《い》わく(注維摩詰経序)、[18]「法身《ほっしん》は像《かたち》無《な》くして形《かたち》を殊《こと》にす。並《なら》びに至《し》⑪韻《いん》に応《おう》ず。言《ことば》無《な》くして⑫玄籍弥《けんせきいよ》いよ⑬布《し》き、⑭冥権《みょうごん》、⑮謀《はかりごと》無《な》くして動《どう》じて事《じ》と⑯会《え》す」と。蓋《けだ》し斯《こ》の意《い》なり。

[19]「四《よつ》には、彼《かれ》、十方一切《じっぽういっさい》の世界《せかい》に三宝無《さんぼうましま》さぬ処《ところ》に於《お》いて、仏法僧宝功徳大海《ぶっぽうそうぼうくどくだいかい》を住持《じゅうじ》し荘厳《しょうごん》して、遍《あまね》く示《しめ》して如実《にょじつ》の修行《しゅぎょう》を解《さと》らしむ。偈《げ》に「何等《なんら》の世界《せかい》にか、仏法功徳宝無《ぶっぽうくどくほうましま》さざらん。我願《われねが》わくは、皆往生《みなおうじょう》して、仏法《ぶっぽう》を示《しめ》して仏《ぶつ》の如《ごと》くせん」と言《のたま》えるが故《ゆえ》に」(論)と。上《かみ》の三句《さんく》に「遍《あまね》く至《いた》る」と言《い》うと雖《いえど》も、皆是《みなこ》れ有仏《うぶつ》の国土《こくど》なり。若《も》し此《こ》の句無《くな》くは、便《すなわ》ち是《こ》れ法身《ほっしん》、所《ところ》として法《ほう》ならざることと有《あ》らん。上善《じょうぜん》、所《ところ》として善《ぜん》ならざること有《あ》らん。観行《かんぎょう》の体相《たいそう》は竟《おわ》りぬ。

26已下《いげ》は是《こ》れ解義《げぎ》の中《なか》の第四重《だいしじゅう》なり。名《な》づけて「浄入願心《じょうにゅうがんしん》」とす。浄入願心《じょうにゅうがんしん》は、[20]「又向《またさき》に観察《かんざつ》荘厳仏土功徳成就《しょうごんぶつどくどくじょうじゅ》・荘厳仏功徳成就《しょうごんぶつくどくじょうじゅ》・荘厳菩薩功徳成就《しょうごんぼさつくどくじょうじゅ》を説《と》きつ。此《こ》の三種《さんしゅ》の成就《じょうじゅ》は願心《がんしん》の荘厳《しょうごん》したまえるなりと知《し》る応《べ》し」(論)といえり。「応知《おうち》」とは、此《こ》の三種《さんしゅ》の荘厳成就《しょうごんじょうじゅ》は、本《もと》、四《し》十八願等《じゅうはちがんとう》の清浄《しょうじょう》の願心《がんしん》の荘厳《しょうごん》せる所《ところ》なるに由《よ》りて、因浄《いんじょう》なるが故《ゆえ》に果浄《かじょう》なり、因無《いんな》くして他《た》

①**淤**…けがらわし
②**垢**…あか
③**習**…ならう
④**転**…かぶる
⑤**暫**…しばらく
⑥**休息**…やみ　やむ
⑦**卑湿**…いやしく　うるおう
⑧**紹隆**…つぎ　たつ
⑨**会**…あつまる
⑩**余**…あまる
⑪**韻**…ひびき
⑫**玄籍**…あらわす　ふみ
⑬**布**…あまねし
⑭**冥**…かそかなり
⑮**謀**…ぼう反
⑯**会**…かなう

の因《いん》の有《あ》るには非《あら》ずと知《し》る応《べ》しとなり。

21「略《りゃく》して入一法句《にゅういっぽっく》を説《と》くが故《ゆえ》に」(論)とのたまえり。上《かみ》の国土《こくど》の荘厳《しょうごん》十七句《じゅうしちく》と如来《にょらい》の荘厳《しょうごん》八《はち》句《く》と菩薩《ぼさつ》の荘厳《しょうごん》四句《しく》とを「広《こう》」とす。「入一法句《にゅういっぽっく》」は「略《りゃく》」とす。何故《なにゆえ》ぞ広略相入《こうりゃくそうにゅう》を示現《じげん》するとならば、諸仏菩薩《しょぶつぼさつ》に二種《にしゅ》の法身《ほっしん》有《あ》り。一《ひとつ》には法性法身《ほっしょうほっしん》、二《ふたつ》には方便法身《ほうべんほっしん》なり。法性法身《ほっしょうほっしん》に由《よ》りて方便法身《ほうべんほっしん》を生《しょう》ず。方便法身《ほうべんほっしん》に由《よ》りて法性法身《ほっしょうほっしん》を出《い》だす。此《こ》の二《に》の法身《ほっしん》は、異《い》にして分《わ》かつべからず、一《いち》にして同《おな》じかるべからず。是《こ》の故《ゆえ》に広略相入《こうりゃくそうにゅう》して、該《か》ぬるに法《ほう》の名《な》を以《もっ》てす。菩薩《ぼさつ》、若《も》し広略《こうりゃく》相入《そうにゅう》を知《し》らざれば、則《すなわ》ち自利利他《じりりた》に能《あた》わず。

22「一法句《いっぽっく》は、謂《い》わく、清浄句《しょうじょうく》なり。清浄句《しょうじょうく》は、謂《い》わく、真実《しんじつ》の智慧無為法身《ちえむいほっしん》なるが故《ゆえ》に」(論)とのたまえり。此《こ》の三句《さんく》は展転《てんでん》して相入《あいい》る。何《なん》の義《ぎ》に依《よ》りてか、之《これ》を名《な》づけて「法《ほう》」とする。清浄《しょうじょう》を以《もっ》ての故《ゆえ》に。何《なん》の義《ぎ》に依《よ》りてか、名《な》づけて「清浄《しょうじょう》」とする。真実《しんじつ》の智慧無為法身《ちえむいほっしん》を以《もっ》ての故《ゆえ》なり。「真実《しんじつ》の智慧《ちえ》」は実相《じっそう》の智慧《ちえ》なり。実相《じっそう》は無相《むそう》なるが故《ゆえ》に真智《しんち》①無知《むち》なり。「無為法身《むいほっしん》」は法性身《ほっしょうしん》なり。法性《ほっしょう》寂滅《じゃくめつ》なるが故《ゆえ》に法身《ほっしん》は無相《むそう》なり。無相《むそう》の故《ゆえ》に能《よ》く相《そう》ならざること無《な》し。是《こ》の故《ゆえ》に相好荘厳即《そうごうしょうごんすなわ》ち法身《ほっしん》なり。無知《むち》の故《ゆえ》に能《よ》く知《し》らざること無《な》し。是《こ》の故《ゆえ》に一切種智即《いっさいしゅちすなわ》ち真実《しんじつ》の智慧《ちえ》なり。真実《しんじつ》を以《もっ》てして智慧《ちえ》に目《な》づくることは、智慧《ちえ》は作《さ》に非《あら》ず、非作《ひさ》に非《あら》ざることを明《あ》かすなり。無為を以てして法身《ほっしん》を樹《た》つることは、法身《ほっしん》は色《しき》に非《あら》ず、非色《ひしき》に非《あら》ざることを明《あ》かすなり。非《ひ》に非《あら》ざれば、豈《あ》に非《ひ》の能《よ》く是《ぜ》なるに非《あら》ざらんや。②蓋《けだ》し非無《ひな》き、之《これ》を「是《ぜ》」と曰《い》うなり。自《おの》ずから是《ぜ》にして、復《ま》た是《ぜ》に非《あら》ざることを待《ま》つこと無《な》きなり。是《ぜ》に非《あら》ず非《ひ》に非《あら》ず、百非《ひゃくひ》の喩《たと》えざる所《ところ》なり。是《こ》の故《ゆえ》に「清浄句《しょうじょうく》」と言《のたま》えり。「清浄句《しょうじょうく》」は、謂《い》わく、真実《しんじつ》の智慧無為法身《ちえむいほっしん》なり。23「此《こ》の清浄《しょうじょう》に二種《にしゅ》有《あ》り。知《し》る応《べ》し」(論)といえり。上《かみ》の転入句《てんにゅうく》の中《なか》に、一法《いっぽう》に通《つう》じて清浄《しょうじょう》に入《い》る。清浄《しょうじょう》に通《つう》じて法身《ほっしん》に入《い》る。今将《いままさ》に清浄《しょうじょう》を別《わか》ちて二種《にしゅ》を出《い》だすが故《ゆえ》なり。故《かるがゆえ》に「知《し》る応《べ》し」と言《い》えり。

24「何等《なんら》か二種《にしゅ》。一《ひとつ》には③器世間清浄《きせけんしょうじょう》、二《ふたつ》には衆生世間清浄《しゅじょうせけんしょうじょう》なり。器世間清浄《きせけんしょうじょう》は、向《さき》に説《と》くが如《ごと》きの十七種《じゅうしちしゅ》の荘厳仏土功徳成就《しょうごんぶつどくどくじょうじゅ》、是《こ》れを「器世間清浄《きせけんしょうじょう》」と名《な》づく。衆生世間清浄《しゅじょうせけんしょうじょう》は、向《さき》に説《と》くが如《ごと》きの八種《はちしゅ》の荘厳仏功徳成就《しょうごんぶつくどくじょうじゅ》と四種《ししゅ》の荘厳菩薩功徳成就《しょうごんぼさつくどくじょうじゅ》と、是《こ》れを「衆生世間清浄《しゅじょうせけんしょうじょう》」と名《な》づく。是《か》くの如《ごと》きの一法句《いっぽっく》に、二種《にしゅ》の清浄《しょうじょう》の義《ぎ》を摂《せっ》すと知《し》る応《べ》し」(論)とのたまえり。夫《そ》れ衆生《しゅじょう》は別報《べっぽう》の体《たい》とす、国土《こくど》は共報《ぐほう》の用《ゆう》とす。体《たい》・用《ゆう》、一《いち》ならず。所以《このゆえ》に知《し》る応《べ》し。然《しか》るに諸法《しょほう》は心《しん》をして無余《むよ》の境界《きょうがい》を成《じょう》ず。衆生及《しゅじょうおよ》び器《き》、復《ま》た異《い》にして一《いち》ならざることを得《え》ず。則《すなわ》ち義《ぎ》をして分《わ》かつに異《い》ならず。同《おな》じく清浄《しょうじょう》なり。「器《き》」は用《ゆう》なり。謂《い》わく、彼《か》の浄土《じょうど》は、是《こ》れ彼《か》の清浄《しょうじょう》の衆生《しゅじょう》の受用《じゅゆう》する所《ところ》なるが故《ゆえ》に、名《な》づけて「器《き》」とす。浄食《じょうじき》に不浄《ふじょう》の器《き》を用《もち》いれば、器不浄《きふじょう》なるを以《もっ》ての故《ゆえ》に食亦不浄《じきまたふじょう》なり。不浄《ふじょう》の食《じき》に浄器《じょうき》を用《もち》いれば、食不浄《じきふじょう》なるが故《ゆえ》に器亦不浄《きまたふじょう》なるが如《ごと》し。要《かなら》ず

①智…さとる　②蓋…ふた　③器…うつわもの

二倶《にとも》に潔《①けつ》して、乃《いま》し「浄《じょう》」と称《しょう》することを得《え》しむ。是《ここ》を以《もっ》て一《いち》の「清浄《しょうじょう》」の名《な》、必《かなら》ず二種《にしゅ》を摂《せっ》す。問《と》うて曰《い》わく、「衆生清浄《しゅじょうしょうじょう》」と言《い》えるは、則《すなわ》ち是《こ》れ仏《ぶつ》と菩薩《ぼさつ》となり。彼《か》の諸《もろもろ》の人天《にんでん》、此《こ》の清《しょう》浄《じょう》の数《かず》に入《い》ることを得《え》んや不《いな》や。

答《こた》えて曰《い》わく、「清浄《しょうじょう》」と名《な》づくることを得《う》るは、実《じつ》の清浄《しょうじょう》に非《あら》ず。譬《たと》えば、出家《しゅっけ》の聖人《しょうにん》は煩悩《ぼんのう》の賊《②ぞく》を殺《ころ》すを以《もっ》ての故《ゆえ》に、名《な》づけて「比丘《びく》」とす。凡夫《ぼんぶ》の出家《しゅっけ》の者《もの》を亦《また》「比丘《びく》」と名《な》づくるが如《ごと》し。又《また》、灌頂王子《③かんじょうおうじ》初生《しょしょう》の時《とき》、三十二相《さんじゅうにそう》を具《ぐ》して即《すなわ》ち七宝《しちほう》の為《ため》に属《ぞく》せらる。未《いま》だ転輪王《てんりんのう》の事《じ》を為《な》すこと能《あた》わずと雖《いえど》も、亦《また》「転輪王《てんりんのう》」と名《な》づくるが如《ごと》し。其《そ》れ必《かなら》ず転輪王《てんりんのう》たるべきを以《もっ》ての故《ゆえ》に。彼《か》の諸《もろもろ》の人天《にんでん》も亦復《また》是《か》くの如《ごと》し。皆《みな》、大乗正定《だいじょうしょうじょう》の聚《じゅ》に入《い》りて、畢竟《ひっきょう》じて当《まさ》に清浄法身《しょうじょうほっしん》を得《う》べし。当《まさ》に得《う》べきを以《もっ》ての故《ゆえ》に、「清浄《しょうじょう》」と名《な》づくることを得《う》るなりと。

27善巧摂化《④ぜんぎょうせっけ》とは、25「是《か》くの如《ごと》きの菩薩《ぼさつ》は、奢摩他《しゃまた》・毘婆舎那《びばしゃな》、広略修行成就《こうりゃくしゅぎょうじょうじゅ》して柔軟心《⑤にゅうなんしん》なり」（論）とのたまえり。「柔軟心《にゅうなんしん》」は、謂《い》わく、広略《こうりゃく》の止観《しかん》、相順《あいじゅん》じ修行《しゅぎょう》して不二《ふに》の心《しん》を成《じょう》ぜるなり。譬《たと》えば水《みず》を以《もっ》て影《⑥えい》を取《と》るに、清《しょう》と静《⑦じょう》と相資《あいたす》けて成就《じょうじゅ》するが如《ごと》しとなり。

26「実《じつ》の如《ごと》く広略《こうりゃく》の諸法《しょほう》を知《し》る」（論）とのたまえり。「如実知《にょじっち》」とは、実相《じっそう》の如《ごと》くして知《し》るなり。広《こう》の中《なか》の二十九句《にじゅうくく》、略《りゃく》の中《なか》の一句《いっく》、実相《じっそう》に非《あら》ざること莫《な》きなり。

27「是《か》くの如《ごと》き巧方便回向《ぎょうほうべんえこう》を成就《じょうじゅ》したまえり」（論）とのたまえり。「是《か》くの如《ごと》き」というは、前後《ぜんご》の広略《こうりゃく》、皆《みな》、実相《じっそう》なるが如《ごと》きなり。実相《じっそう》を知《し》るを以《もっ》ての故《ゆえ》に、則《すなわ》ち三界《さんがい》の衆生《しゅじょう》の虚妄《こもう》の相《そう》を知《し》るなり。衆生《しゅじょう》の虚妄《こもう》を知《し》れば、則《すなわ》ち真実《しんじつ》の慈悲《じひ》を生《しょう》ずるなり。真実《しんじつ》の法身《ほっしん》を知《し》るは則《すなわ》ち真実《しんじつ》の帰依《きえ》を起《お》こすなり。慈悲《じひ》と帰依《きえ》と巧方便《ぎょうほうべん》とは下《しも》に在《あ》り。

28「何者《なにもの》か、菩薩《ぼさつ》の巧方便回向《ぎょうほうべんえこう》。菩薩《ぼさつ》の巧方便回向《ぎょうほうべんえこう》は、謂《い》わく、礼拝等《らいはいとう》の五種《ごしゅ》の修行《しゅぎょう》を説《と》く。所《しょ》集《じゅう》の一切《いっさい》の功徳善根《くどくぜんごん》は、自身住持《じしんじゅうじ》の楽《らく》を求《もと》めず、一切衆生《いっさいしゅじょう》の苦《く》を抜《ぬ》かんと欲《おぼ》すが故《ゆえ》に、作願《さがん》して一切衆生《いっさいしゅじょう》を摂取《せっしゅ》して、共《とも》に同《おな》じく彼《か》の安楽仏国《あんらくぶっこく》に生《しょう》ぜしむ。是《こ》れを「菩薩《ぼさつ》の巧方便回向成就《ぎょうほうべんえこうじょうじゅ》」と名《な》づく」(論)とのたまえり。王舎城所説《おうしゃじょうしょせつ》の『無量寿経《むりょうじゅきょう》』を案《あん》ずるに、三輩生《さんぱいしょう》の中《なか》に、行《ぎょう》に⑧優劣《うれつ》有《あ》りと雖《いえど》も、皆《みな》、無上菩提《むじょうぼだい》の心《しん》を発《ほっ》せざるは莫《な》けん。此《こ》の無上菩提心《むじょうぼだいしん》は即《すなわ》ち是《こ》れ願作仏心《がんさぶっしん》なり。願作仏心《がんさぶっしん》は即《すなわ》ち是《こ》れ度衆生心《どしゅじょうしん》なり。度衆生心《どしゅじょうしん》は即《すなわ》ち是《こ》れ衆生《しゅじょう》を摂取《せっしゅ》して有仏《うぶつ》の国土《こくど》に生《しょう》ぜしむる心《しん》なり。是《こ》の故《ゆえ》に彼《か》の安楽浄土《あんらくじょうど》に生《う》まれんと願《がん》ずるは、要《かなら》ず無上菩提心《むじょうぼだいしん》を発《ほっ》するなり。若《も》し人《ひと》、無上菩提心《むじょうぼだいしん》を発《ほっ》せずして、但《ただ》、彼《か》の国土《こくど》の受楽無間《じゅらくむけん》なるを聞《き》きて、楽《らく》の為《ため》の故《ゆえ》に生《う》まれんと願《がん》ずるは、亦当《またまさ》に往生《おうじょう》を得《え》ざるべきなり。是《こ》の故《ゆえ》に「自身住持《じしんじゅうじ》の楽《らく》を求《もと》めず、一切衆生《いっさいしゅじょう》の苦《く》を抜《ぬ》かんと欲《おぼ》すが故《ゆえ》に」と言《い》えり。「住持楽《じゅうじらく》」とは、謂《い》わく、彼《か》の安楽浄土《あんらくじょうど》は、阿弥陀如来《あみだにょらい》の本願力《ほんがんりき》の為《ため》に住《じゅう》持《じ》せられて、楽《らく》を受《う》くること間無《ひまな》きなり。

凡《おおよ》そ回向《えこう》の名義《みょうぎ》を釈《しゃく》せば、謂《い》わく、己《おのれ》が所集《しょじゅう》の一切《いっさい》の功徳《くどく》を以《もっ》て、一切衆生《いっさいしゅじょう》に施与《せよ》して、共《とも》

①潔…いさぎよく
②賊…あた
③灌…そそぐ
④巧…たくみ
⑤柔軟…やわらかなり
⑥影…かげ
⑦静…しずかなり
⑧優劣…まさる　おとる

に仏道《ぶつどう》に向《む》かえしめたまうなりと。「巧便《ぎょうべん》」は、謂《い》わく、菩薩願《ぼさつがん》ずらく、「己《おのれ》が智慧《ちえ》の火《ひ》を以《もっ》て一切《いっさい》衆生《しゅじょう》の煩悩《ぼんのう》の草木《そうもく》を焼《や》かんと。若《も》し一衆生《いちしゅじょう》として成仏《じょうぶつ》せざること有《あ》らば、我《われ》、仏《ぶつ》に作《な》らじ」と。而《しか》るに衆生《しゅじょう》、未《いま》だ尽《ことごと》く成仏《じょうぶつ》せざるに、菩薩《ぼさつ》、已《すで》に自《みずか》ら成仏《じょうぶつ》せんは、譬《たと》えば火《か》①擿《てん》聴念《ちょうねん》の反《かえし》して、一切《いっさい》の草木《そうもく》を擿《つ》聴歴《ちょうれき》の反《かえし》んで〔②「擿《ちゃく》」の字《じ》他暦《たれき》の反《かえし》。排除《はらいのぞく》なり。とる。つむ。おく。たく。〕焼《や》きて尽《つ》くさしめんと欲《ほっ》するに、草木《そうもく》、未《いま》だ尽《つ》きざるに、火擿《かてん》、已《すで》に尽《つ》きんが如《ごと》し。其《そ》の身《み》を後《のち》にして、身《み》を先《さき》にするを以《もっ》ての故《ゆえ》に、「方便《ほうべん》」と名《な》づく。此《こ》の中《なか》に「方便《ほうべん》」と言《い》うは、謂《い》わく、作願《さがん》して一切衆生《いっさいしゅじょう》を摂取《せっしゅ》して、共《とも》に同《おな》じく彼《か》の安楽仏国《あんらくぶっこく》に生《しょう》ぜしむ。彼《か》の仏国《ぶっこく》は、即《すなわ》ち是《こ》れ畢竟成仏《ひっきょうじょうぶつ》の道路《どうろ》・無上《むじょう》の方便《ほうべん》なり。

28障《しょう》菩提門《ぼだいもん》は、29「菩薩《ぼさつ》、是《か》くの如《ごと》き、善《よ》く回向成《えこうじょう》③就《じゅ》したまえるを知《し》れば、即《すなわ》ち能《よ》く三種《さんしゅ》の菩提《ぼだい》門相《もんそう》④違《い》の法《ほう》を遠離《おんり》するなり。何等《なんら》か三種《さんしゅ》。一《ひとつ》には智慧門《ちえもん》に依《よ》りて自楽《じらく》を求《もと》めず。我心《がしん》、自身《じしん》に貪《とん》著《じゃく》するを遠離《おんり》せるが故《ゆえ》に」（論）とのたまえり。進《すす》むを知《し》りて退《しりぞ》くを守《まも》るを「智《ち》」と曰《い》う。空無我《くうむが》を知《し》るを「慧《え》」と曰《い》う。智《ち》に依《よ》るが故《ゆえ》に自楽《じらく》を求《もと》めず。慧《え》に依《よ》るが故《ゆえ》に、我心《がしん》、自身《じしん》に貪著《とんじゃく》するを遠《おん》離《り》せり。

30「二《ふたつ》には慈悲門《じひもん》に依《よ》れり。一切衆生《いっさいしゅじょう》の苦《く》を抜《ぬ》いて、無安衆生心《むあんしゅじょうしん》を遠離《おんり》せるが故《ゆえ》に」（論）とのたまえり。苦《く》を抜《ぬ》くを「慈《じ》」と曰《い》う。楽《らく》を与《あた》うるを「悲《ひ》」と曰《い》う。慈《じ》に依《よ》るが故《ゆえ》に一切衆生《いっさいしゅじょう》の苦《く》を抜《ぬ》く。悲《ひ》に依《よ》るが故《ゆえ》に無安衆生心《むあんしゅじょうしん》を遠離《おんり》せり。

「[31]三《みっ》には方便門《ほうべんもん》に依《よ》れり。一切衆生《いっさいしゅじょう》を⑤憐愍《れんみん》したまう心《しん》なり。自身《じしん》を供養《くよう》し恭敬《くぎょう》する心《しん》を遠離《おんり》せるが故《ゆえ》に」（論）とのたまえり。正直《しょうじき》を「方《ほう》」と曰《い》う。⑥外己《げこ》を「便《べん》」と曰《い》う。正直《しょうじき》に依《よ》るが故《ゆえ》に、一《いっ》切衆生《さいしゅじょう》を憐愍《れんみん》する心《しん》を生《しょう》ず。外己《げこ》に依《よ》るが故《ゆえ》に、自身《じしん》を供養《くよう》し恭敬《くぎょう》する心《しん》を遠離《おんり》せり。是《こ》れを「三種《さんしゅ》の菩提門相違《ぼだいもんそうい》の法《ほう》を遠離《おんり》す」と名《な》づく。

29 順菩提門《じゅんぼだいもん》とは、[32]「菩薩《ぼさつ》は、是《か》くの如《ごと》き三種《さんしゅ》の菩提門相違《ぼだいもんそうい》の法《ほう》を遠離《おんり》して、三種《さんしゅ》の随順菩提門《ずいじゅんぼだいもん》の法《ほう》満足《まんぞく》することを得《え》たまえるが故《ゆえ》に。何等《なんら》か三種《さんしゅ》。一《ひとつ》には無⑦染清浄心《むぜんしょうじょうしん》。自身《じしん》の為《ため》に諸楽《しょらく》を求《もと》めざるを以《もっ》ての故《ゆえ》に」（論）とのたまえり。菩提《ぼだい》は是《こ》れ無染清浄《むぜんしょうじょう》の処《しょ》なり。若《も》し身《み》の為《ため》に楽《らく》を求《もと》めば、即《すなわ》ち菩提《ぼだい》に違《い》しなん。是《こ》の故《ゆえ》に無染清浄心《むぜんしょうじょうしん》は是《こ》れ菩提門《ぼだいもん》に順《じゅん》ずるなり。

[33]「二《ふたつ》には安清浄心《あんしょうじょうしん》。一切衆生《いっさいしゅじょう》の苦《く》を抜《ぬ》くを以《もっ》ての故《ゆえ》に」（論）とのたまえり。菩提《ぼだい》は是《こ》れ一切衆《いっさいしゅ》生《じょう》を安穏《あんのん》する清浄《しょうじょう》の処《しょ》なり。若《も》し作心《さしん》して一切衆生《いっさいしゅじょう》を抜《ぬ》きて生死《しょうじ》の苦《く》を離《はな》れしめずは、即便《すなわ》ち菩提《ぼだい》に違《い》しなん。是《こ》の故《ゆえ》に一切衆生《いっさいしゅじょう》の苦《く》を抜《ぬ》くは是《こ》れ菩提門《ぼだいもん》に順《じゅん》ずるなりと。

[34]「三《みっ》には楽清浄心《らくしょうじょうしん》。一切衆生《いっさいしゅじょう》をして大菩提《だいぼだい》を得《え》しむるを以《もっ》ての故《ゆえ》に、衆生《しゅじょう》を摂取《せっしゅ》して彼《か》の国土《こくど》に生《しょう》ぜしむるを以《もっ》ての故《ゆえ》に」（論）とのたまえり。菩提《ぼだい》は是《こ》れ畢竟常楽《ひっきょうじょうらく》の処《しょ》なり。若《も》し一切衆生《いっさいしゅじょう》をして畢竟常楽《ひっきょうじょうらく》を得《え》しめずは、則《すなわ》ち菩提《ぼだい》に違《い》しなん。此《こ》の畢竟常楽《ひっきょうじょうらく》は何《なに》に依《よ》りてか得《う》る。大乗《だいじょう》

①摘…うつ
②摘…てき反
③就…つく　なる
④違…たがう
⑤憐愍…あわれみ　あわれむ
⑥外己…ほかにす　おのれ
⑦染…そむ

〔或《あ》る本《ほん》、「義《ぎ》」の字《じ》に作《つく》る。〕門《もん》に依《よ》るなり。大乗門《だいじょうもん》は、謂《い》わく、彼《か》の安楽仏国土《あんらくぶっこくど》、是《こ》れなり。是《こ》の故《ゆえ》に又《また》「衆生《しゅじょう》を摂取《せっしゅ》して彼《か》の国土《こくど》に生《しょう》ぜしむるを以《もっ》ての故《ゆえ》に」と言《のたま》えり。是《こ》れを「三種《さんしゅ》の随順《ずいじゅん》菩提門《ぼだいもん》の法満足《ほうまんぞく》せりと知《し》る応《べ》し」と名《な》づくと。

名《みょう》義《ぎ》摂《せっ》①対《たい》は、「向《さき》に智慧《ちえ》・慈悲《じひ》・方便《ほうべん》、三種《さんしゅ》の門《もん》、②般若《はんにゃ》を摂取《せっしゅ》す。般若《はんにゃ》、方便《ほうべん》を摂取《せっしゅ》すと説《と》きつ。知《し》る応《べ》し」（論）とのたまえり。「般若《はんにゃ》」は、如《にょ》に③達《たつ》するの④慧《え》の名《な》なり。「方便《ほうべん》」は、⑤権《ごん》に通《つう》ずるの智《ち》の⑥称《しょう》なり。如《にょ》に達《たつ》すれば則《すなわ》ち心行《しんぎょう》寂滅《じゃくめつ》なり。権《ごん》に通《つう》ずれば則《すなわ》ち⑦備《つぶさ》に衆機《しゅき》に⑧省《はぶ》くの智《ち》なり。備《つぶさ》に応《おう》じて無知《むち》なり。寂滅《じゃくめつ》の慧《え》、亦《また》無知《むち》にして備《つぶさ》に省《はぶ》く。然《しか》れば則《すなわ》ち智慧《ちえ》と方便《ほうべん》と、相《あい》⑨縁《えん》じて動《どう》じ、相縁《あいえん》じて⑩静《じょう》なり。動《どう》、静《じょう》を失《しっ》せざることは、智慧《ちえ》の功《こう》なり。静《じょう》、動《どう》を⑪廃《はい》せざることは、方便《ほうべん》の力《りき》なり。是《こ》の故《ゆえ》に智慧《ちえ》と慈悲《じひ》と方便《ほうべん》と、般若《はんにゃ》を摂取《せっしゅ》す。般若《はんにゃ》、方便《ほうべん》を摂取《せっしゅ》す。「応知《おうち》」は、謂《い》わく、智慧《ちえ》と方便《ほうべん》は是《こ》れ菩薩《ぼさつ》の父母《ぶも》なり。若《も》し智慧《ちえ》と方便《ほうべん》とに依《よ》らずは、菩薩《ぼさつ》の法《ほう》、則《すなわ》ち成就《じょうじゅ》せざることを知《し》る応《べ》し。何《なに》を以《もっ》ての故《ゆえ》に。若《も》し智慧無《ちえな》くして衆生《しゅじょう》の為《ため》にする時《とき》んば、則《すなわ》ち⑫顛倒《てんどう》に⑬堕《だ》せん。若《も》し方便無《ほうべんな》くして法性《ほっしょう》を観《かん》ずる時《とき》んば、則《すなわ》ち実《じっ》⑭際《さい》を証《しょう》せん。是《こ》の故《ゆえ》に「知《し》る応《べ》し」と。

「向《さき》に遠離我心貪著自身《おんりがしんとんじゃくじしん》・遠離無安衆生心《おんりむあんしゅじょうしん》・遠離供養恭敬自身心《おんりくようくぎょうじしんしん》を説《と》きつ。此《こ》の三種《さんしゅ》の法《ほう》は障《しょう》菩提心《ぼだいしん》を遠離《おんり》するなりと知《し》る応《べ》し」（論）とのたまえり。諸法《しょほう》に各《おの》おの障《しょう》⑮碍《げ》の相《そう》有《あ》り。風《かぜ》は能《よ》く⑯静《じょう》を障《さ》う、土《ど》は能《よ》く水《みず》を障《さ》う、湿《しつ》は能《よ》く火《ひ》を障《さ》う、五黒《ごこく》・十悪《じゅうあく》は人天《にんでん》を障《さ》う、四《し》⑰顛倒《てんどう》は声聞《しょうもん》の果《か》を障《さ》うるが如《ごと》し。此《こ》の中《なか》の三種《さんしゅ》は、菩提《ぼだい》を障《さ》うる心《しん》を遠離《おんり》せずと。「応知《おうち》」は、若《も》し無障《むしょう》を得《え》んと欲《おも》わば、当《まさ》に此《こ》の三種《さんしゅ》の障碍《しょうげ》を遠離《おんり》すべしとなり。

36「向《さき》に無染清浄心《むぜんしょうじょうしん》・安清浄心《あんしょうじょうしん》・楽清浄心《らくしょうじょうしん》を説《と》きつ。此《こ》の三種《さんしゅ》の心《しん》は、略《りゃく》して一処《いっしょ》にして妙《みょう》楽勝真心《らくしょうしんじん》を成就《じょうじゅ》したまえりと知《し》る応《べ》し」（論）とのたまえり。楽《らく》に三種《さんしゅ》有《あ》り。一《ひとつ》には外楽《げらく》、謂《い》わく、五⑱識所生《ごしきしょしょう》の楽《らく》なり。二《ふたつ》には内楽《ないらく》、謂《い》わく、初禅《しょぜん》・二禅《にぜん》・三禅《さんぜん》の意識所生《いしきしょしょう》の楽《らく》なり。三《みっ》には法楽《ほうがく》五角《ごかく》の反《かえし》　楽《らく》　魯各《ろかく》の反《かえし》、謂《い》わく、智慧所生《ちえしょしょう》の楽《らく》なり。此《こ》の智慧所生《ちえしょしょう》の楽《らく》は、仏《ぶつ》の功徳《くどく》を愛《あい》するより起《お》これり。是《こ》れは遠離我心《おんりがしん》と遠離無安衆生心《おんりむあんしゅじょうしん》と遠離自供養心《おんりじくようしん》と、是《こ》の三種《さんしゅ》の心《しん》、清浄《しょうじょう》に増進《ぞうしん》して、略《りゃく》して「妙楽勝真心《みょうらくしょうしんじん》」とす。「妙《みょう》」の言《ごん》は、其《そ》れ好《こう》なり。此《こ》の楽《らく》は仏《ぶつ》を縁《えん》じて生《しょう》ずるを以《もっ》ての故《ゆえ》に。「勝《しょう》」の言《ごん》は、三界《さんがい》の中《なか》の楽《らく》に勝出《しょうしゅつ》せり。「真《しん》」の言《ごん》は、虚⑲偽《こぎ》ならず、顛倒《てんどう》せざるなり。

31願事成就《がんじじょうじゅ》は、37「是《か》くの如《ごと》き菩薩《ぼさつ》は、智慧心《ちえしん》・方便心《ほうべんしん》・無障心《むしょうしん》・勝真心《しょうしんじん》をもって、能《よ》く清浄仏《しょうじょうぶっ》国土《こくど》に生《しょう》ぜしめたまえりと知《し》る応《べ》し」（論）とのたまえり。「応知《おうち》」は、謂《い》わく、此《こ》の四種《ししゅ》の清浄《しょうじょう》の功徳《くどく》、能《よ》く彼《か》の清浄仏国土《しょうじょうぶっこくど》に生《しょう》ずることを得《え》しむ。是《こ》れ他縁《たえん》をして生《しょう》ずるには非《あら》ずと知《し》る応《べ》しとなり。

①対…むかう
②般…かさぬ
③達…さとる
④慧…さとる　めぐむ
⑤権…かり
⑥称…なづく
⑦備…び
⑧省…＊しょう
⑨縁…よる
⑩静…しずか也
⑪廃…すたる
⑫⑰顛倒…たおれ　たおる
⑬堕…おつ
⑭際…きわ
⑮碍…さうる
⑯静…しずかなり
⑱識…＊さとる／しる
⑲偽…いつわる

38「是《こ》れを「菩薩摩訶薩《ぼさつまかさつ》、五種《ごしゅ》の法門《ほうもん》に随順《ずいじゅん》して、所作《しょさ》、意《い》に随《したが》いて自在《じざい》に成就《じょうじゅ》したまえり」と名《な》づく。向《さき》の所説《しょせつ》の如《ごと》き身業《しんごう》・口業《くごう》・意業《いごう》・智業《ちごう》・方便智業《ほうべんちごう》、法門《ほうもん》に随順《ずいじゅん》せるが故《ゆえ》に」（論）とのたまえり。「随意自在《ずいいじざい》」は、言《い》うこころは、此《こ》の五種《ごしゅ》の功徳力《くどくりき》、能《よ》く清浄仏土《しょうじょうぶつど》に生《しょう》ぜしめて出《しゅつ》①没《もつ》自《じ》在《ざい》なるなり。「身業《しんごう》」は②礼拝《らいはい》なり。「口業《くごう》」は讃嘆《さんだん》なり。「意業《いごう》」は作願《さがん》なり。「智業《ちごう》」は観察《かんざつ》なり。「方便智業《ほうべんちごう》」は回向《えこう》なり。此《こ》の五種《ごしゅ》の業和合《ごうわごう》せり。則《すなわ》ち是《こ》れ往生浄土《おうじょうじょうど》の法門《ほうもん》に随順《ずいじゅん》して、自在《じざい》の業成就《ごうじょうじゅ》したまえりと言《のたま》えりと。

32③利行満足《りぎょうまんぞく》は、39「復《ま》た五種《ごしゅ》の門《もん》有《あ》りて、④漸次《ぜんじ》に五種《ごしゅ》の功徳《くどく》を成就《じょうじゅ》したまえりと知《し》る応《べ》しと。何者《なにもの》か五門《ごもん》。一《ひとつ》には近門《ごんもん》、二《ふたつ》には大会衆門《だいえしゅもん》、三《みっ》には宅門《たくもん》、四《よっ》には屋門《おくもん》、五《いつつ》には⑤園林遊《おんりんゆ》⑥戯地門《げじもん》なり」（論）とのたまえり。此《こ》の五種《ごしゅ》は、入出《にゅうしゅつ》の次第《しだい》の相《そう》を示現《じげん》せしむ。入相《にゅうそう》の中《なか》に、初《はじ》めに浄土《じょうど》に至《いた》るは、是《こ》れ近相《ごんそう》なり。謂《い》わく、大乗正定聚《だいじょうしょうじょうじゅ》に入《い》るは、阿耨多羅三藐三菩提《あのくたらさんみゃくさんぼだい》に近《ちか》づくなり。浄土《じょうど》に入《い》り已《おわ》るは、便《すなわ》ち如来《にょらい》の大会衆《だいえしゅ》の数《かず》に入《い》るなり。衆《しゅ》の数《かず》に入《い》り已《おわ》りぬれば、当《まさ》に修行安心《しゅぎょうあんじん》の宅《たく》に至《いた》るべし。宅《たく》に入《い》り已《おわ》れば、当《まさ》に修行所《しゅぎょうしょ》⑦居《こ》の⑧屋宇《おくう》 尤挙《うこ》の反《かえし》 に至《いた》るべし。修行《しゅぎょう》成就《じょうじゅ》し已《おわ》りぬれば、当《まさ》に教化地《きょうけじ》に至《いた》るべし。教化地《きょうけじ》は即《すなわ》ち是《こ》れ菩薩《ぼさつ》の自《じ》⑨娯楽《ごらく》の地《じ》なり。是《こ》の故《ゆえ》に出門《しゅつもん》を「園林遊戯地門《おんりんゆげじもん》」と⑩称《しょう》すと。

40「此《こ》の五種《ごしゅ》の門《もん》は、初《はじ》めの四種《ししゅ》の門《もん》は入《にゅう》の功徳《くどく》を成就《じょうじゅ》したまえり。第五門《だいごもん》は出《しゅつ》の功徳《くどく》を成就《じょうじゅ》したまえり」（論）とのたまえり。此《こ》の入出《にゅうしゅつ》の功徳《くどく》は、何者《なにもの》か是《こ》れや。

釈《しゃく》すらく、41「「入第一門《にゅうだいいちもん》」と言《い》うは、阿弥陀仏《あみだぶつ》を礼拝《らいはい》して、彼《か》の国《くに》に生《しょう》ぜしめんが為《ため》にするを以《もっ》ての故《ゆえ》に、安楽世界《あんらくせかい》に生《しょう》ずることを得《え》しむ。是《こ》れを「第一門《だいいちもん》」と名《な》づく。」（論）仏《ぶつ》を礼《らい》して仏国《ぶっこく》に生《う》まれんと願《がん》ずるは、是《こ》れ初《しょ》の功徳《くどく》の相《そう》なりと。

42「入第二門《にゅうだいにもん》は、阿弥陀仏《あみだぶつ》を賛嘆《さんだん》し、名義《みょうぎ》に随順《ずいじゅん》して如来《にょらい》の名《みな》を称《しょう》せしめ、如来《にょらい》の光明智相《こうみょうちそう》に依《よ》りて修行《しゅぎょう》せるを以《もっ》ての故《ゆえ》に、大会衆《だいえしゅ》の数《かず》に入《い》ることを得《え》しむ。是《こ》れを「入第二門《にゅうだいにもん》」と名《な》づく」（論）とのたまえり。如来《にょらい》の名義《みょうぎ》に依《よ》りて讃嘆《さんだん》する、是《こ》れ第二《だいに》の功徳相《くどくそう》なりと。

43「入第三門《にゅうだいさんもん》は、一心《いっしん》に専念《せんねん》し作願《さがん》して彼《かしこ》に生《しょう》じて、奢摩他寂静三昧《しゃまたじゃくじょうさんまい》の行《ぎょう》を修《しゅ》するを以《もっ》ての故《ゆえ》に、蓮華蔵世界《れんげぞうせかい》に入《い》ることを得《え》しむ。是《こ》れを「入第三門《にゅうだいさんもん》」と名《な》づく。」（論）寂静止《じゃくじょうし》を修《しゅ》せん為《ため》の故《ゆえ》に、一心《いっしん》に彼《か》の国《くに》に生《う》まれんと願《がん》ずる、是《こ》れ第三《だいさん》の功徳相《くどくそう》なりと。

44「入第四門《にゅうだいしもん》は、彼《か》の妙荘厳《みょうしょうごん》を専念《せんねん》し観察《かんざつ》して毘婆舎那《びばしゃな》を修《しゅ》せしむるを以《もっ》ての故《ゆえ》に、彼《か》の所《しょ》に到《いた》ることを得《え》て、種種《しゅじゅ》の法味《ほうみ》の楽《らく》を受用《じゅゆう》せしむ。是《こ》れを「入第四門《にゅうだいしもん》」と名《な》づく」（論）とのたまえり。「種種《しゅじゅ》の法味《ほうみ》の楽《らく》」は、毘婆舎那《びばしゃな》の中《なか》に、観仏国土清浄味《かんぶつこくどしょうじょうみ》・摂受衆生大乗味《しょうじゅしゅじょうだいじょうみ》・畢竟住持不虚作味《ひっきょうじゅうじふこさみ》・類事起行願取仏土味《るいじきぎょうがんしゅぶつどみ》有《あ》り。是《か》くの如《ごと》き等《ら》の無量《むりょう》の荘厳仏道《しょうごんぶつどう》の味《み》有《あ》るが故《ゆえ》に、「種種《しゅじゅ》」と言《のたま》え

①没…いる　とも
②礼…おがむ
③利…とし
④漸…ようやく
⑤園…その
⑥戯…たわぶる
⑦居…いる
⑧屋宇…いえ　いえ
⑨娯…たのしみ
⑩称…いう

り。是《こ》れ第四《だいし》の功徳相《くどくそう》なりと。

45「出第五門《しゅつだいごもん》は、大慈悲《だいじひ》を以《もっ》て一切苦悩《いっさいくのう》の衆生《しゅじょう》を観《かん》①察《ざつ》して、応化身《おうげしん》を示《しめ》して、生死《しょうじ》の園《その》・煩悩《ぼんのう》の林《はやし》の中《なか》に回入《えにゅう》して、神通《じんずう》に遊戯《ゆげ》し教化地《きょうけじ》に至《いた》る。本願力《ほんがんりき》の回向《えこう》を以《もっ》ての故《ゆえ》に。是《こ》れを「出第五《しゅつだいご》門《もん》」と名《な》づく」（論）とのたまえり。「示応化身《じおうげしん》」とは、『法華経《ほけきょう》』の普門示現《ふもんじげん》の②類《るい》の如《ごと》きなり。「遊《ゆ》戯《げ》」に二《に》の義《ぎ》有《あ》り。一《ひとつ》には自在《じざい》の義《ぎ》。菩薩《ぼさつ》、衆生《しゅじょう》を度《ど》す、譬《たと》えば師子《しし》の、鹿《しし》を搏《う》つに、所為《しょい》、難《はばか》らざるが如《ごと》きは、遊戯《ゆげ》するが如似《ごとし》し。二《ふたつ》には度無所度《どむしょど》の義《ぎ》なり。菩薩《ぼさつ》、衆生《しゅじょう》を観《かん》ずるに、畢竟《ひっきょう》じて有《あ》らゆる所無《ところな》し。無量《むりょう》の衆生《しゅじょう》を度《ど》すと雖《いえど》も、実《じつ》に一衆生《いちしゅじょう》として滅度《めつど》を得《う》る者無《ものな》し。衆生《しゅじょう》を度《ど》すと示《しめ》すこと、遊戯《ゆげ》するが如似《ごとし》し。「本願力《ほんがんりき》」と言《い》うは、大菩薩《だいぼさつ》、法身《ほっしん》の中《なか》にして、常《つね》に三昧《さんまい》に在《まし》まして、種種《しゅじゅ》の身《しん》・種種《しゅじゅ》の神通《じんずう》・種種《しゅじゅ》の説法《せっぽう》を現《あらわ》すことを示《しめ》すこと、皆《みな》、本願力《ほんがんりき》より起《お》こるを以《も》てなり。譬《たと》えば阿修羅《あしゅら》の琴《こと》の、③鼓《こ》する者無《ものな》しと雖《いえど》も音曲自然《いんぎょくじねん》なるが如《ごと》し。是《こ》れを「教化地《きょうけじ》の第五《だいご》の功徳相《くどくそう》」と名《な》づくとのたまえり。」已上抄出《いじょうしょうしゅつ》

33爾《しか》れば、大聖《だいしょう》の真言《しんごん》、誠《まこと》に知《し》りぬ。大涅槃《だいねはん》を証《しょう》することは願力《がんりき》の回向《えこう》に藉《よ》りてなり。還相《げんそう》の利益《りやく》は利他《りた》の正意《しょうい》を顕《あらわ》すなり。

是《ここ》を以《もっ》て、論主《ろんじゅ》（天親）は広大無碍《こうだいむげ》の一心《いっしん》を④宣布《せんぷ》して、普遍《あまね》く雑《ぞう》⑤染《ぜん》⑥堪忍《かんにん》の⑦群萌《ぐんもう》を開化《かいけ》す。宗師《しゅうし》（曇鸞）は大悲《だいひ》

爾者大聖真言、誠知。証㆓大涅槃㆒藉㆓願力回向㆒。還相利益顕㆓利他正意㆒。

是以論主宣㆓布広大無碍一心㆒、普遍開㆓化雑染堪忍群萌㆒。宗師顕㆓示大悲往還回向㆒、慇

往還《おうげん》の回向《えこう》を顕示《けんじ》して、慇懃《ねんごろ》に他利《たり》・利他《りた》の深義《じんぎ》を弘宣《ぐせん》したまえり。仰《あお》いで⑧奉持《ぶじ》すべし、⑨特《こと》に頂《ちょう》⑩戴《だい》すべしと。

顕浄土真実証文類四《けんじょうどしんじつしょうもんるいし》

懃弘㆓宣他利利他深義㆒。仰可㆓奉持㆒、特可㆓頂戴㆒矣。

①察…かんがむ
②類…たぐい
③鼓…うつ
④宣布…のべ　しく
⑤染…そむ
⑥堪…かなう
⑦群萌…むらがる　きざす
⑧奉持…うけたまわる
⑨特…＊とく
⑩戴…いただく

顕《けん》浄《じょう》土《ど》真《しん》仏《ぶつ》土《ど》文《もん》類《るい》五《ご》 1

I 光明《こうみょう》無量《むりょう》の願《がん》
寿命《じゅみょう》無量《むりょう》の願《がん》

2 顕《けん》浄《じょう》土《ど》真《しん》仏《ぶつ》土《ど》文《もん》類《るい》五《ご》

愚《ぐ》禿《とく》釈《しゃく》親《しん》鸞《らん》集《あつむ》

1①謹《つつし》んで真仏土《しんぶつど》を案《あん》ずれば、仏《ぶつ》は則《すなわ》ち是《こ》れ不可思議光《ふかしぎこう》如来《にょらい》なり、土《ど》は亦《また》是《こ》れ無量光明土《むりょうこうみょうど》なり。2然《しか》れば則《すなわ》ち大悲《だいひ》の誓願《せいがん》に②酬報《しゅうほう》するが故《ゆえ》に「真《しん》の報仏《ほうぶつ》土《ど》」と曰《い》うなり。3既《すで》にして願有《がんいま》す。即《すなわ》ち光明《こうみょう》・寿命《じゅみょう》

光明無量之願
寿命無量之願

謹案㆓真仏土㆒者、仏者則是不可思議光如来、土者亦是無量光明土也。然則酬㆓報大悲誓願㆒故曰㆓真報仏土㆒。既而有㆑願。即光明寿命之願是也。

①謹…うやまう
②酬…こたう

の願《がん》、是《こ》れなり。

4『大経《だいきょう》』に言《のたま》わく、「設《たと》い我《われ》、仏《ぶつ》を得《え》たらんに、光明《こうみょう》、能《よ》く限量《げんりょう》有《あ》りて、下《しも》、百千億那由他《ひゃくせんおくなゆた》の諸仏《しょぶつ》の国《くに》を照《て》らさざるに至《いた》らば、正覚《しょうがく》を取《と》らじ」と。

5又願《またがん》に言《のたま》わく、「設《たと》い我《われ》、仏《ぶつ》を得《え》んに、寿命《じゅみょう》、能《よ》く限量《げんりょう》有《あ》りて、下《しも》、百千億那由他《ひゃくせんおくなゆた》の劫《こう》に至《いた》らば、正覚《しょうがく》を取《と》らじ」と。

6願成就《がんじょうじゅ》の文《もん》に言《のたま》わく、「仏《ぶつ》、阿難《あなん》に告《つ》げたまわく、「無量寿仏《むりょうじゅぶつ》の威神光明《いじんこうみょう》、最尊第一《さいそんだいいち》にして諸仏《しょぶつ》の光明《こうみょう》の及《およ》ぶこと能《あた》わざる所《ところ》なり。乃至《ないし》　是《こ》の故《ゆえ》に無量寿仏《むりょうじゅぶつ》は、「無量光仏《むりょうこうぶつ》」・「無辺光仏《むへんこうぶつ》」・「無《む》碍光仏《げこうぶつ》」・「無対光仏《むたいこうぶつ》」・「炎王光仏《えんのうこうぶつ》」・「清浄光仏《しょうじょうこうぶつ》」・「歓喜光仏《かんぎこうぶつ》」・「智慧光仏《ちえこうぶつ》」・「不断光仏《ふだんこうぶつ》」・「難思光《なんしこう》仏《ぶつ》」・「無称光仏《むしょうこうぶつ》」・「超日月光仏《ちょうにちがっこうぶつ》」と号《ごう》す。其《そ》れ衆生《しゅじょう》有《あ》りて、斯《こ》の光《ひかり》に遇《もうあ》う者《もの》は、三垢消滅《さんくしょうめつ》し身《しん》意柔軟《いにゅうなん》なり。歓喜踊躍《かんぎゆやく》し善心生《ぜんしんしょう》ず[3]。若《も》し三塗勤苦《さんずごんく》の処《しょ》に在《あ》りて此《こ》の光明《こうみょう》を見《み》ば、皆《みな》、①休息《くそく》を得《え》て、復《ま》た苦悩《くのう》無《な》けん。寿《いのち》終《お》えての後《のち》、皆《みな》、解脱《げだつ》を蒙《かぶ》る。無量寿仏《むりょうじゅぶつ》の光明《こうみょう》、顕《けん》②赫《かく》にして、十方諸仏《じっぽうしょぶつ》の国土《こくど》を照《しょう》③耀《よう》して聞《き》こえざること莫《な》し。但我今《ただわれいま》、其《そ》の光明《こうみょう》を称《しょう》するに不《あら》ず。一切諸仏《いっさいしょぶつ》・声聞《しょうもん》・縁《えん》覚《がく》・諸《もろもろ》の菩薩衆《ぼさつしゅ》、咸《ことごと》く共《とも》に④嘆誉《たんよ》すること、亦復是《またか》くの如《ごと》し。若《も》し衆生《しゅじょう》有《あ》りて、其《そ》の光明威神功《こうみょういじんく》徳《どく》を聞《き》きて日夜《にちや》に称説《しょうせつ》し、心《しん》を至《いた》して断《た》えざれば、意《い》の所願《しょがん》に随《したが》いて其《そ》の国《くに》に生《う》まるることを得《え》て、諸《もろもろ》の菩薩声聞大衆《ぼさつしょうもんだいしゅ》の為《ため》に共《とも》に其《そ》の功徳《くどく》を嘆誉《たんよ》し称《しょう》せられん。其《そ》れ然《しこ》うして後《のち》、仏道《ぶつどう》を得《う》る時《とき》に至《いた》りて、普《あまね》く十方《じっぽう》の諸仏《しょぶつ》・菩薩《ぼさつ》の為《ため》に、其《そ》の光明《こうみょう》を嘆《たん》ぜられんこと、亦今《またいま》の如《ごと》きならん」と。

仏《ぶつ》の言《のたま》わく、「我《われ》、無量寿仏《むりょうじゅぶつ》の光明威神《こうみょういじん》、⑤巍巍《ぎぎ》⑥殊妙《しゅみょう》なるを説《と》かんに、昼夜一劫《ちゅうやいっこう》すとも、尚未《なおいま》だ尽《つ》くすこと能《あた》わじ」と。

7仏《ぶつ》、阿難《あなん》に語《かた》りたまわく、「無量寿仏《むりょうじゅぶつ》は寿命長久《じゅみょうじょうく》にして勝計《しょうげ》すべからず。汝《なんじ》、寧《むし》ろ知《し》らんや。仮使《たと》い十方世界《じっぽうせかい》の無量《むりょう》の衆生《しゅじょう》、皆《みな》、人身《にんじん》を得《え》て、悉《ことごと》く声聞《しょうもん》・縁覚《えんがく》を成就《じょうじゅ》せしめて、都《すべ》て共《とも》に集会《しゅうえ》して、思《おもい》を禅《もっぱ》らにし心《しん》を一《ひとつ》にして、其《そ》の智力《ちりき》を竭《つ》くして百千万劫《ひゃくせんまんごう》に於《お》いて悉《ことごと》く共《とも》に⑦推算《すいさん》して其《そ》の寿命《じゅみょう》の長遠《じょうおん》の数《かず》を計《かぞ》えんに、⑧窮尽《ぐじん》して其《そ》の⑨限極《げんごく》を知《し》ること能《あた》わじ」と。抄出《しょうしゅつ》

8『無量寿如来会《むりょうじゅにょらいえ》』に言《のたま》わく、「阿難《あなん》。是《こ》の義《ぎ》を以《もっ》ての故《ゆえ》に、無量寿仏《むりょうじゅぶつ》、復《ま》た異名《いみょう》有《ましま》す。謂《い》わく、「無量光《むりょうこう》」・「無辺光《むへんこう》」・「無⑩著光《むじゃくこう》」・「無碍光《むげこう》」・「光照王《こうしょうおう》」・「⑪端厳光《たんごんこう》」・「愛光《あいこう》」・「喜光《きこう》」・「⑫可観光《かかんこう》」・「不可思議光《ふかしぎこう》」・「無等不可称量光《むとうふかしょうりょうこう》」・「⑬暎蔽日光《えいへいにっこう》」・「暎蔽月光《えいへいがっこう》」・「⑭掩奪日月光《あんだつにちがっこう》」なり。彼《か》の光明《こうみょう》、清浄広大《しょうじょうこうだい》にして、普《あまね》く衆生《しゅじょう》をして身心《しんじん》⑮悦楽《えつらく》せしむ。復《ま》た一切余《いっさいよ》の仏⑯刹《ぶっせつ》の中《うち》の天《てん》・龍《りゅう》・夜叉《やしゃ》・阿修羅等《あしゅらとう》、皆歓悦《みなかんえつ》を得《え》しむ」と。已上《いじょう》

9『無量清浄平等覚経《むりょうしょうじょうびょうどうがくきょう》』〔帛延《はくえん》⑰訳《やく》〕に言《のたま》わく、「速疾《そくしつ》に超《こ》えて、便《すなわ》ち安楽国《あんらくこく》の世界《せかい》に到《いた》るべし。

①休息…やみ　やむ
②赫…かがやく
③耀…かがやく
④嘆誉…ほめ　ほむ
⑤巍…よし
⑥殊…すぐれ
⑦推算…おして　かぞう
⑧窮尽…きわめ　つくす
⑨限…かぎり
⑩著…つく　くるう　とも
⑪端…なおし
⑫可…ゆるす
⑬暎蔽…おおう　おおう
⑭掩奪…おおう　うばう
⑮悦…よろこぶ
⑯刹…くに
⑰訳…つくる

無量光明土《むりょうこうみょうど》に至《いた》りて無数《むしゅ》の仏《ぶつ》を供養《くよう》す」と。已上《いじょう》

[10]『仏説諸仏阿弥陀三《ぶっせつしょぶつあみださん》[4]耶三仏薩楼仏檀過度人道経《やさんぶつさるぶつだんかどにんどうきょう》』[5]支謙訳《しけんやく》に言《のたま》わく、「仏《ぶつ》の言《のたま》わく、「阿弥陀仏《あみだぶつ》の光明《こうみょう》は最尊第一《さいそんだいいち》にして比無《ならびな》し。諸仏《しょぶつ》の光明《こうみょう》、皆及《みなおよ》ばざる所《ところ》なり。八方上下無《はっぽうじょうげむ》①央数《おうしゅ》の諸仏《しょぶつ》の中《なか》に、仏《ぶつ》の頂中《ちょうちゅう》の光明《こうみょう》、七丈《しちじょう》を照《て》らす有《あ》り。仏《ぶつ》の頂中《ちょうちゅう》の光明《こうみょう》、一里《いちり》を照《て》らす有《あ》り。乃至《ないし》　仏《ぶつ》の頂《ちょう》中《ちゅう》の光明《こうみょう》、二百万仏国《にひゃくまんぶっこく》を照《て》らす有《あ》り。」

仏《ぶつ》の言《のたま》わく、「諸《もろもろ》の八方上下無央数《はっぽうじょうげむおうしゅ》の仏《ぶつ》の頂中《ちょうちゅう》の光明《こうみょう》の②炎照《えんしょう》する所《ところ》、皆《みな》、是《か》くの如《ごと》くなり。阿弥陀仏《あみだぶつ》の頂中《ちょうちゅう》の光明《こうみょう》の炎照《えんしょう》する所《ところ》、千万仏国《せんまんぶっこく》なり。諸仏《しょぶつ》の光明《こうみょう》の照《て》らす所《ところ》に近遠有《ごんおんあ》る所以《ゆえ》は何《いか》んとなれば、本《もと》、其《そ》れ前世《ぜんせ》の宿命《しゅくみょう》に道《どう》を求《もと》めて菩薩《ぼさつ》たりしに、所願《しょがん》を照《て》らすに、功徳各《くどくおの》おの自《おの》ずから大小有《だいしょうあ》り。其《そ》れ然《しこ》うして後《のち》、仏《ぶつ》に作《な》る時《とき》に至《いた》りて、各《おの》おの自《みずか》ら之《これ》を得《え》たり。是《こ》の故《ゆえ》に光明《こうみょう》、転《うた》た同等《どうとう》ならざらしむ。諸仏《しょぶつ》の威神《いじん》、同等《どうとう》なるならくのみと。自在《じざい》の意《い》の所欲《しょよく》、作為《さい》して③予《あらかじ》め計《はか》らず。阿弥陀仏《あみだぶつ》の光明《こうみょう》の照《て》らす所《ところ》、最大《さいだい》なり。諸仏《しょぶつ》の光明《こうみょう》、皆《みな》、及《およ》ぶこと能《あた》わざる所《ところ》なり。」

仏《ぶつ》、阿弥陀仏《あみだぶつ》の光明《こうみょう》の極善《ごくぜん》なることを称《しょう》④誉《よ》したまう。「阿弥陀仏《あみだぶつ》の光明《こうみょう》は極善《ごくぜん》にして善《ぜん》の中《なか》の明好《みょうこう》なり。其《そ》れ快《よ》きこと比無《ならびな》し。⑤絶殊無極《ぜっしゅむごく》なり。阿弥陀仏《あみだぶつ》の光明《こうみょう》は清《しょう》⑥潔《けつ》して⑦瑕穢無《かえな》し、⑧欠減無《けつげんな》きなり。阿弥陀仏《あみだぶつ》の光明《こうみょう》は、殊好《しゅこう》なること日月《にちがつ》の明《みょう》よりも勝《すぐ》れたること百千億万《ひゃくせんおくまん》⑨倍《ばい》なり。諸仏《しょぶつ》の光明《こうみょう》の中《なか》の極明《ごくみょう》なり。光明《こうみょう》の中《なか》の極好《ごくこう》なり。光明《こうみょう》の中《なか》の極《ごく》⑩雄傑《おうけつ》なり。光明《こうみょう》の中《なか》の快善《けぜん》なり。諸仏《しょぶつ》の中《なか》の王《おう》なり。光明《こうみょう》の中《なか》の極尊《ごくそん》なり。光明《こうみょう》の中《なか》の最明無極《さいみょうむごく》なり。諸《もろもろ》の無数天下《むしゅてんげ》の⑪幽冥《ようみょう》の処《しょ》

を⑫炎照《えんしょう》するに、皆常《みなつね》に大明《だいみょう》なり。諸有《しょう》の人民《にんみん》・⑬蜎飛《けんぴ》⑭蠕動《ねんどう》の類《たぐい》、阿弥陀仏《あみだぶつ》の光明《こうみょう》を見《み》ざること莫《な》きなり。見《み》たてまつる者《もの》、慈心歓喜《じしんかんぎ》せざる者莫《ものな》けん。世間諸有《せけんしょう》の婬《いん》⑮泆《いつ》・瞋《しん》⑯怒《ぬ》・愚《ぐ》⑰痴《ち》の者《もの》、阿弥陀仏《あみだぶつ》の光明《こうみょう》を見《み》たてまつりて、善《ぜん》を作《な》さざるは莫《な》きなり。諸《もろもろ》の⑱泥梨《でいり》・⑲禽狩《きんじゅ》・⑳辟荔《へきれい》・考掠《こうりょう》・㉑勤苦《ごんく》の処《しょ》に在《あ》りて阿弥陀仏《あみだぶつ》の光明《こうみょう》を見《み》たてまつれば、至《いた》りて皆《みな》㉒休止《くし》して、復《ま》た治《じ》することを得《え》ざれども、死《し》して後《のち》、㉓憂苦《うく》を解《げ》㉔脱《だつ》することを得《え》ざる者《もの》は莫《な》きなり。阿弥陀仏《あみだぶつ》の光明《こうみょう》と名《みな》とは、八方上下《はっぽうじょうげ》無《む》㉕窮《ぐう》無極《むごく》無央数《むおうしゅ》の諸仏《しょぶつ》の国《くに》に聞《き》かしめたまう。諸天《しょてん》・人民《にんみん》、聞知《もんち》せざるは莫《な》し。聞知《もんち》せん者《もの》、度《ど》㉖脱《だつ》せざるは莫《な》きなり。」

仏《ぶつ》の言《のたま》わく、「独《ひと》り我《われ》、阿弥陀仏《あみだぶつ》の光明《こうみょう》を㉗称誉《しょうよ》せざるなり。八方上下《はっぽうじょうげ》無央数《むおうしゅ》の仏《ぶつ》・㉘辟支仏《びゃくしぶつ》・菩《ぼ》薩《さつ》・阿羅漢《あらかん》、称誉《しょうよ》する所《ところ》、皆《みな》、是《か》くの如《ごと》し。」

仏《ぶつ》の言《のたま》わく、「其《そ》れ人民《にんみん》・善男子《ぜんなんし》・善女人《ぜんにょにん》有《あ》りて、阿弥陀仏《あみだぶつ》の声《みな》を聞《き》きて、光明《こうみょう》を称誉《しょうよ》して、

①央…なかば
②炎…かがやかし
③予…かねて
④誉…ほむ
⑤絶殊…たえ すぐる
⑥潔…あざやかなり いさぎよし
⑦瑕穢…きず けがらわし
⑧欠减…かくる おとる
⑨倍…ます
⑩雄傑…すぐれ すぐる万人
⑪幽冥…かそかに くらし
⑫炎…かがやき ほのお
⑬蜎…むぐめき
⑭蠕…むぐめく
⑮泆…よくなり
⑯怒…いかる
⑰痴…おろかなり
⑱泥梨…がき(餓鬼)なり
⑲禽狩…とり けだものなり
⑳辟荔…ちくしょうなり
㉑勤…つとむ
㉒休止…やみ やんで
㉓憂…うれえ
㉔脱…まぬかる ぬぐ とも
㉕窮…きわめ
㉖脱…ぬぐ
㉗称誉…ほめ ほむ
㉘辟…ひがむ

朝暮《ちょうぼ》に常《つね》に其《そ》の光好《こうこう》を称誉《しょうよ》して心《しん》を至《いた》して断絶《だんぜつ》せざれば、心《しん》の所願《しょがん》に在《あ》りて阿弥陀仏国《あみだぶっこく》に往生《おうじょう》す」と。」已上《いじょう》

11『不空羂索神変真言経《ふくうけんじゃくじんべんしんごんぎょう》』に言《のたま》わく、「汝当生《なんじとうしょう》の処《しょ》は、是《こ》れ阿弥陀仏《あみだぶつ》の清浄報土《しょうじょうほうど》なり。蓮華《れんげ》より化生《けしょう》して常《つね》に諸仏《しょぶつ》を見《み》たてまつる。諸《もろもろ》の法忍《ほうにん》を証《しょう》せん。寿命無量百千劫数《じゅみょうむりょうひゃくせんごうしゅ》ならん。直《ただ》ちに阿耨多羅三藐三菩提《あのくたらさんみゃくさんぼだい》に至《いた》る。復《ま》た退転《たいてん》せず。我《われ》、常《つね》に①祐護《ゆうご》す」と。已上《いじょう》

12『涅槃経《ねはんぎょう》』(四相品)に言《のたま》わく、「又《また》、②解脱《げだつ》は名《な》づけて「虚無《こむ》」と曰《い》う。虚無即《こむすなわ》ち是《こ》れ解脱《げだつ》なり。解脱即《げだつすなわ》ち是《こ》れ如来《にょらい》なり。如来即《にょらいすなわ》ち是《こ》れ虚無《こむ》なり。非作《ひさ》の所作《しょさ》なり。乃至《ないし》 真解脱《しんげだつ》は不生不滅《ふしょうふめつ》なり。是《こ》の故《ゆえ》に解脱即《げだつすなわ》ち是《こ》れ如来《にょらい》なり。如来《にょらい》、亦爾《またしか》なり。不生《ふしょう》・不滅《ふめつ》・不老《ふろう》・不死《ふし》・③不破《ふは》・④不壊《ふえ》にして、有為《うい》の法《ほう》に非《あら》ず。是《こ》の義《ぎ》を以《もっ》ての故《ゆえ》に名《な》づけて「如来入大涅槃《にょらいにゅうだいねはん》」と曰《い》う。乃至《ないし》 又《また》、解脱《げだつ》は「無上上《むじょうじょう》」と名《な》づく。乃至《ないし》 無上上《むじょうじょう》は即《すなわ》ち真解脱《しんげだつ》なり。真解脱《しんげだつ》は即《すなわ》ち是《こ》れ如来《にょらい》なり。乃至《ないし》 若《も》し阿耨多羅三藐三菩提《あのくたらさんみゃくさんぼだい》を成《じょう》ずることを得已《えおわ》りて、⑤無愛無疑《むあいむぎ》なり。無愛無疑《むあいむぎ》は即《すなわ》ち真解脱《しんげだつ》なり。真解脱《しんげだつ》は即《すなわ》ち是《こ》れ如来《にょらい》なり。乃至《ないし》 如来《にょらい》は即《すなわ》ち是《こ》れ涅槃《ねはん》なり。涅槃《ねはん》は即《すなわ》ち是《こ》れ無尽《むじん》なり。⑥無尽《むじん》は即《すなわ》ち是《こ》れ仏性《ぶっしょう》なり。仏性《ぶっしょう》は即《すなわ》ち是《こ》れ決定《けつじょう》なり。決定《けつじょう》は即《すなわ》ち是《こ》れ阿耨多羅三藐三菩提《あのくたらさんみゃくさんぼだい》なり」と。

迦葉菩薩《かしょうぼさつ》、仏《ぶつ》に白《もう》して言《もう》さく、「世尊《せそん》。若《も》し涅槃《ねはん》と仏性《ぶっしょう》と決定《けつじょう》と如来《にょらい》と、是《こ》れ一義名《いちぎみょう》ならば、云何《いかん》ぞ説《と》きて「三帰依有《さんきえあ》り」と言《のたま》えるや」と。

仏《ぶつ》、迦葉《かしょう》に告《つ》げたまわく、「善男子《ぜんなんし》。一切衆生《いっさいしゅじょう》、生死《しょうじ》を⑦怖畏《ふい》するが故《ゆえ》に三帰《さんき》を求《もと》む。三帰《さんき》を以《もっ》て

の故《ゆえ》に、則《すなわ》ち仏性《ぶっしょう》と決定《けつじょう》と涅槃《ねはん》とを知《し》るなりと。善男子《ぜんなんし》。法《ほう》の名一義異《みょういちぎい》なる有《あ》り。法《ほう》の名義倶《みょうぎく》異《い》なる有《あ》り。名一義異《みょういちぎい》とは、「仏《ぶつ》」と「常法《じょうほう》」と「常比丘僧《じょうびくそう》」とは常《じょう》なり。「涅槃《ねはん》」・「虚空《こくう》」、皆《みな》亦是《またこ》れ常《じょう》なり。是《こ》れを「名一義異《みょういちぎい》」と名《な》づく。名義倶異《みょうぎくい》とは、仏《ぶつ》を名《な》づけて「覚《かく》」とす。法《ほう》を「不覚《ふかく》」と名《な》づく。僧《そう》を「和合《わごう》」と名《な》づく。涅槃《ねはん》を「解脱《げだつ》」と名《な》づく。虚空《こくう》を「非善《ひぜん》」と名《な》づく。亦《また》「無碍《むげ》」と名《な》づく。是《こ》れを名義倶異《みょうぎくい》とす。善男子《ぜんなんし》。三帰依《さんきえ》とは亦復是《またか》くの如《ごと》し」と。略出《りゃくしゅつ》

13又言《またのたま》わく（四依品）、「光明《こうみょう》は不《ふ》⑧羸劣《るいれつ》に名《な》づく。不羸劣《ふるいれつ》とは、名《な》づけて「如来《にょらい》」と曰《い》う。又《また》、光明《こうみょう》は名《な》づけて「智慧《ちえ》」とす」と。已上《いじょう》

14又言《またのたま》わく（聖行品）、「善男子《ぜんなんし》。一切有為《いっさいうい》は皆是《みなこ》れ無常《むじょう》なり。虚空《こくう》は無為《むい》なり。是《こ》の故《ゆえ》に常《じょう》とす。仏性《ぶっしょう》は無為《むい》なり。是《こ》の故《ゆえ》に常《じょう》とす。虚空《こくう》は即《すなわ》ち是《こ》れ仏性《ぶっしょう》なり。仏性《ぶっしょう》は即《すなわ》ち是《こ》れ如来《にょらい》なり。如来《にょらい》は即《すなわ》ち是《こ》れ無為《むい》なり。無為《むい》は即《すなわ》ち是《こ》れ常《じょう》なり。常《じょう》は即《すなわ》ち是《こ》れ法《ほう》なり。法《ほう》は即《すなわ》ち是《こ》れ僧《そう》なり。僧《そう》即《すなわ》ち無為《むい》なり。無為《むい》は即《すなわ》ち是《こ》れ常《じょう》なり。乃至《ないし》善男子《ぜんなんし》。譬《たと》えば、牛《うし》より乳《にゅう》を出《い》だす。乳《にゅう》より酪《らく》を出《い》だす。酪《らく》より生《しょう》⑨蘇《そ》を出《い》だす。生蘇《しょうそ》より熟蘇《じゅくそ》を出《い》だす。熟蘇《じゅくそ》より醍醐《だいご》を出《い》だす。醍醐最上《だいごさいじょう》なり。若《も》し服《ぶく》すること有《あ》る者《もの》は、衆病《しゅびょう》、皆除《みなのぞ》こる。⑩所有《しょう》の諸《もろもろ》の薬《くすり》、悉《ことごと》く其《そ》の中《なか》に入《い》るが如《ごと》し。善《ぜん》

①祐護…＊ゆ／たすく まもる
②解脱…さとり さとる
③破…やぶれ
④壊…やぶる
⑤愛…よみす
⑥尽…つくる
⑦怖畏…おそれ おそる
⑧羸劣…おとろえ おとろう
⑨蘇…よみがえる
⑩所有…あらゆる

男子《なんし》。仏《ぶつ》も亦是《またか》くの如《ごと》し。仏《ぶつ》より十二部経《じゅうにぶきょう》を出《い》だす。十二部経《じゅうにぶきょう》より修多羅《しゅたら》を出《い》だす。修多羅《しゅたら》より方等経《ほうどうきょう》を出《い》だす。方等経《ほうどうきょう》より般若波羅蜜《はんにゃはらみつ》を出《い》だす。般若波羅蜜《はんにゃはらみつ》より大涅槃《だいねはん》を出《い》だす。猶醍醐《なおだいご》の如《ごと》し。「醍醐《だいご》」と言《い》うは、仏性《ぶっしょう》に喩《たと》う。仏性《ぶっしょう》は即《すなわ》ち是《こ》れ如来《にょらい》なり。善男子《ぜんなんし》。是《か》くの如《ごと》きの義《ぎ》の故《ゆえ》に、説《と》きて「如来所有《にょらいしょう》の功徳《くどく》、無量無辺不可称計《むりょうむへんふかしょうげ》」と言《い》えり」と。抄出《しょうしゅつ》

15 又言《またのたま》わく（梵行品）、「善男子《ぜんなんし》。道《どう》に二種《にしゅ》有《あ》り。一《ひとつ》には常《じょう》、二《ふたつ》には無常《むじょう》なり。菩薩《ぼさつ》の相《そう》に亦二種《またにしゅ》有《あ》り。一《ひとつ》には常《じょう》、二《ふたつ》には無常《むじょう》なり。涅槃《ねはん》も亦爾《またしか》なり。外道《げどう》の道《どう》を、名《な》づけて「無常《むじょう》」とす。内《ない》道《どう》の道《どう》は、之《これ》を名《な》づけて「常《じょう》」とす。声聞《しょうもん》・縁覚所有《えんがくしょう》の菩提《ぼだい》を、名《な》づけて「無常《むじょう》」とす。菩薩《ぼさつ》・諸仏《しょぶつ》の所有《しょう》の菩提《ぼだい》、之《これ》を名《な》づけて「常《じょう》」とす。外《げ》の解脱《げだつ》は、名《な》づけて「無常《むじょう》」とす。内《ない》の解脱《げだつ》は、之《これ》を名《な》づけて「常《じょう》」とすと。善男子《ぜんなんし》。道《どう》と菩提《ぼだい》及《およ》び涅槃《ねはん》と、悉《ことごと》く名《な》づけて「常《じょう》」とす。一切衆《いっさいしゅ》生《じょう》は、常《つね》に無量《むりょう》の煩悩《ぼんのう》の為《ため》に覆《おお》われて慧眼無《えげんな》きが故《ゆえ》に、見《み》ることを得《う》ること能《あた》わずして、諸《もろもろ》の衆《しゅ》生《じょう》、戒《かい》・定《じょう》・慧《え》を修《しゅ》するを見《み》んと欲《おも》うが為《ため》に修行《しゅぎょう》するを以《もっ》ての故《ゆえ》に、道《どう》と菩提《ぼだい》と及《およ》び涅槃《ねはん》とを見《み》る。是《こ》れを「菩薩《ぼさつ》の得道《とくどう》・菩提《ぼだい》・涅槃《ねはん》」と名《な》づく。道《どう》の性相《しょうそう》、実《じつ》に不生滅《ふしょうめつ》なり。是《こ》の義《ぎ》を以《もっ》ての故《ゆえ》に、①投持《とうじ》すべからず。乃至《ないし》 道《どう》は色像無《しきぞうな》しと雖《いえど》も見《み》つべし。称量《しょうりょう》して知《し》りぬべし。而《しか》るに実《じつ》に用有《ゆうあ》りと。乃至《ないし》 衆生《しゅじょう》の心《しん》の如《ごと》きは、是《こ》れ色《しき》に非《あら》ず、長《じょう》に非《あら》ず、短《たん》に非《あら》ず、②麁《そ》に非《あら》ず、③細《さい》に非《あら》ず、④縛《ばく》に非《あら》ず、解《げ》に非《あら》ず、見《けん》に非《あら》ずと雖《いえど》も、法而《ほうに》として亦是《またこ》れ有《う》なり」と。抄出《しょうしゅつ》

16 又言《またのたま》わく（徳王菩薩品）、「善男子《ぜんなんし》。大楽有《だいらくあ》るが故《ゆえ》に「大涅槃《だいねはん》」と名《な》づく。涅槃《ねはん》は無楽《むらく》なり。四楽《しらく》を

以《もっ》ての故《ゆえ》に「大涅槃《だいねはん》」と名《な》づく。何等《なんら》をか四《し》とする。一《ひとつ》には諸楽《しょらく》を断《だん》ずるが故《ゆえ》に。楽《らく》を断《だん》ぜざるは則《すなわ》ち名《な》づけて「苦《く》」とす。若《も》し苦有《くあ》らば「大楽《だいらく》」と名《な》づけず。楽《らく》を断《だん》ずるを以《もっ》ての故《ゆえ》に則《すなわ》ち苦有《くあ》ること無《な》けん。無苦無楽《むくむらく》、乃《すなわ》ち「大楽《だいらく》」と名《な》づく。涅槃《ねはん》の性《しょう》は無苦無楽《むくむらく》なり。是《こ》の故《ゆえ》に涅槃《ねはん》を名《な》づけて「大楽《だいらく》」とす。是《こ》の義《ぎ》を以《もっ》ての故《ゆえ》に「大涅槃《だいねはん》」と名《な》づく。復《ま》た次《つぎ》に善男子《ぜんなんし》。楽《らく》に二種《にしゅ》有《あ》り。一《ひとつ》には凡夫《ぼんぶ》、二《ふたつ》には諸仏《しょぶつ》なり。凡夫《ぼんぶ》の楽《らく》は無常《むじょう》⑤敗壊《はいえ》なり。是《こ》の故《ゆえ》に無楽《むらく》なり。諸仏《しょぶつ》は常楽《じょうらく》なり。⑥変《へん》易《やく》有《あ》ること無《な》きが故《ゆえ》に「大楽《だいらく》」と名《な》づく。復《ま》た次《つぎ》に善男子《ぜんなんし》。三種《さんしゅ》の受《じゅ》有《あ》り。一《ひとつ》には苦受《くじゅ》、二《ふたつ》には楽《らく》受《じゅ》、三《みつ》には不苦不楽《ふくふらく》⑦受《じゅ》なり。不苦不楽《ふくふらく》、是《こ》れ亦《また》苦《く》とす。涅槃《ねはん》も不苦不楽《ふくふらく》に同《おな》じと雖《いえど》も、然《しか》るに「大楽《だいらく》」と名《な》づく。大楽《だいらく》を以《もっ》ての故《ゆえ》に「大涅槃《だいねはん》」と名《な》づく。

二《ふたつ》には大寂静《だいじゃくじょう》の故《ゆえ》に名《な》づけて「大楽《だいらく》」とす。涅槃《ねはん》の性《しょう》、是《こ》れ大寂静《だいじゃくじょう》なり。何《なに》を以《もっ》ての故《ゆえ》に。一切《いっさい》⑧憒閙《かいにょう》の法《ほう》を遠離《おんり》せる故《ゆえ》に。大寂《だいじゃく》を以《もっ》ての故《ゆえ》に「大涅槃《だいねはん》」と名《な》づく。

三《みつ》には一切智《いっさいち》の故《ゆえ》に名《な》づけて「大楽《だいらく》」とす。一切智《いっさいち》に非《あら》ざるをば「大楽《だいらく》」と名《な》づけず。諸仏如来《しょぶつにょらい》は一切智《いっさいち》の故《ゆえ》に名《な》づけて「大楽《だいらく》」とす。大楽《だいらく》を以《もっ》ての故《ゆえ》に「大涅槃《だいねはん》」と名《な》づく。

四《よつ》には身不壊《しんふえ》の故《ゆえ》に名《な》づけて「大楽《だいらく》」とす。身《しん》、若《も》し壊《え》すべきは則《すなわ》ち「楽《らく》」と名《な》づけず。如来《にょらい》の

①投…とる
②麁…あらし
③細…こまかなり
④縛…しばる
⑤敗壊…やぶれ　やぶる
⑥変易…かわり　かわる
⑦受…うくる
⑧憒閙…いつわる　わろきことなり　いつわる

身《しん》は金剛《こんごう》にして壊無《えな》し。煩悩《ぼんのう》の身《しん》・無常《むじょう》の身《しん》に非《あら》ず。故《かるがゆえ》に「大楽《だいらく》」と名《な》づく。大楽《だいらく》を以《もっ》ての故《ゆえ》に「大涅槃《だいねはん》」と名《な》づく。」已上《いじょう》

17又言《またのたま》わく（徳王菩薩品）、「不可称量《ふかしょうりょう》・不可思議《ふかしぎ》なるが故《ゆえ》に名《な》づけて「大《だい》①般涅槃《はつねはん》」とすることを得《う》。②純浄《じゅんじょう》を以《もっ》ての故《ゆえ》に「大涅槃《だいねはん》」と名《な》づく。云何《いかん》が純浄《じゅんじょう》なる。浄《じょう》に四種《ししゅ》有り。何等《なんら》をか四《し》とする。一《ひとつ》には二十五有《にじゅうごう》、名《な》づけて「不浄《ふじょう》」とす。能《よ》く永《なが》く断《だん》ずるが故《ゆえ》に名《な》づけて「浄《じょう》」とすることを得《う》。浄即《じょうすなわ》ち涅槃《ねはん》なり。是《か》くの如《ごと》きの涅槃《ねはん》、亦《また》「有《う》にして是《こ》れ涅槃《ねはん》」と名《な》づくることを得《う》。実《じつ》に是《こ》れ有《う》に非《あら》ず。諸仏如来《しょぶつにょらい》、世俗《せぞく》に随《したが》うが故《ゆえ》に「涅槃有《ねはんう》なり」と説《と》きたまえり。譬《たと》えば世人《せにん》の、父《ちち》に非《あら》ざるを「父《ちち》」と言《い》い、母《はは》に非《あら》ざるを「母《はは》」と言《い》う。実《じつ》に父母《ぶも》に非《あら》ずして「父母《ぶも》」と言《い》うが如《ごと》し。涅槃《ねはん》も亦爾《またしか》なり。世俗《せぞく》に随《したが》うが故《ゆえ》に、説《と》きて「諸仏《しょぶつ》、有《う》にして大涅槃《だいねはん》なり」と言《い》えり。

二《ふたつ》には業清浄《ごうしょうじょう》の故《ゆえ》に。一切凡夫《いっさいぼんぶ》の業《ごう》は不清浄《ふしょうじょう》の故《ゆえ》に涅槃無《ねはんな》し。諸仏如来《しょぶつにょらい》は業清浄《ごうしょうじょう》の故《ゆえ》に、故《かるがゆえ》に「大浄《だいじょう》」と名《な》づく。大浄《だいじょう》を以《もっ》ての故《ゆえ》に「大涅槃《だいねはん》」と名《な》づく。

三《みっつ》には身清浄《しんしょうじょう》の故《ゆえ》に。身《しん》、若《も》し無常《むじょう》なるを、則《すなわ》ち「不浄《ふじょう》」と名《な》づく。如来《にょらい》の身《しん》は常《じょう》なるが故《ゆえ》に「大浄《だいじょう》」と名《な》づく。大浄《だいじょう》を以《もっ》ての故《ゆえ》に「大涅槃《だいねはん》」と名《な》づく。

四《よっつ》には心清浄《しんしょうじょう》の故《ゆえ》に。心《しん》、若《も》し有漏《うろ》③なるを、名《な》づけて「不浄《ふじょう》」と曰《い》う。仏心《ぶっしん》は無漏《むろ》なるが故《ゆえ》に「大浄《だいじょう》」と名《な》づく。大浄《だいじょう》を以《もっ》ての故《ゆえ》に、「大涅槃《だいねはん》」と名《な》づく。善男子《ぜんなんし》。是《こ》れを「善男子《ぜんなんし》・善女人《ぜんにょにん》」と名《な》づく」と。抄出《しょうしゅつ》

18又言《またのたま》わく（徳王菩薩品）、「善男子《ぜんなんし》。諸仏如来《しょぶつにょらい》は煩悩《ぼんのう》起《お》こらず。是《こ》れを「涅槃《ねはん》」と名《な》づく。所有《しょう》の智《ち》慧《え》、法《ほう》に於《お》いて無碍《むげ》なり。是《こ》れを如来《にょらい》とす。如来《にょらい》は、是《こ》れ凡夫《ぼんぶ》・声聞《しょうもん》・縁覚《えんがく》・菩薩《ぼさつ》に非《あら》ず。是《こ》れを「仏性《ぶっしょう》」と名《な》づく。如来《にょらい》は、身心智慧《しんじんちえ》、無量無辺阿僧祇《むりょうむへんあそうぎ》④の土《ど》に遍満《へんまん》したまうに、障碍《しょうげ》する所無《ところな》し。是《こ》れを「虚空《こくう》」と名《な》づく。如来《にょらい》は常住《じょうじゅう》にして変易《へんやく》有《あ》ること無《な》ければ、名《な》づけて「実相《じっそう》」と曰《い》う。是《こ》の義《ぎ》を以《もっ》ての故《ゆえ》に、如来《にょらい》は実《じつ》に畢竟涅槃《ひっきょうねはん》に不《あら》ざる、是《こ》れを「菩薩《ぼさつ》」と名《な》づく」と。已上《いじょう》

19又言《またのたま》わく（迦葉菩薩品）、「迦葉菩薩《かしょうぼさつ》言《い》わく、「世尊《せそん》。仏性《ぶっしょう》は常《じょう》なり。猶虚空《なおこくう》の如《ごと》し。何故《なにゆえ》ぞ、如来《にょらい》、説《と》きて「未来《みらい》」と言《のたま》うやと。如来《にょらい》、若《も》し「一闡提《いっせんだい》の輩《ともがら》、善法無《ぜんぽうな》し」と言《い》わば、一闡提《いっせんだい》の輩《ともがら》、其《そ》れ同学《どうがく》・同師《どうし》・父母《ぶも》・親《しん》族⑤《ぞく》・妻⑥子《さいし》に於《お》いて、豈《あ》に当《まさ》に愛念《あいねん》の心《しん》を生《しょう》ぜざるべきや。如《も》し其《そ》れ生《しょう》ぜば、是《こ》れ善《ぜん》に非《あら》ずや」と。

仏《ぶつ》の言《のたま》わく、「善《よ》いかな、善《よ》いかな、善男子《ぜんなんし》。快《こころよ》く斯《こ》の問《とい》を発《ほっ》せり。仏性《ぶっしょう》は猶虚空《なおこくう》の如《ごと》し。過《か》去《こ》に非《あら》ず、未来《みらい》に非《あら》ず、現在《げんざい》に非《あら》ず。一切衆生《いっさいしゅじょう》、三種《さんしゅ》の身有《しんあ》り。謂《い》わゆる過去《かこ》・未来《みらい》・現在《げんざい》なり。衆生《しゅじょう》、未来《みらい》に荘厳清浄《しょうごんしょうじょう》の身《しん》を具足《ぐそく》して仏性《ぶっしょう》を見《み》ることを得《え》ん。是《こ》の故《ゆえ》に我《われ》、「仏性未来《ぶっしょうみらい》」と言《い》えりと。善男子《ぜんなんし》。或《ある》いは衆生《しゅじょう》の為《ため》に、或《あ》る時《とき》は因《いん》を説《と》きて果《か》とす。或《あ》る時《とき》は果《か》を説《と》きて因《いん》とす。是《こ》の故《ゆえ》に経《きょう》の中《なか》に命《みょう》を説《と》きて「食《じき》」とす。色《しき》を見《み》て「触⑦《そく》」と名《な》づく。未来《みらい》の身浄《しんじょう》なるが故《ゆえ》に「仏《ぶっ》

①般…かさぬ　②純…もっぱら　③漏…もらす　④祇…まこと　⑤族…やから　⑥妻…め　⑦触…ふるる

性《しょう》」と説《と》く。」

「世尊《せそん》。仏《ぶつ》の所説《しょせつ》の義《ぎ》の如《ごと》し。是《か》くの如《ごと》きの者《もの》、何《なに》が故《ゆえ》ぞ、説《と》きて「一切衆生悉有仏性《いっさいしゅじょうしつうぶっしょう》」と言《のたま》えるや」と。

「善男子《ぜんなんし》。衆生《しゅじょう》の仏性《ぶっしょう》は、現在《げんざい》に無《む》なりと雖《いえど》も「無《む》」と言《い》うべからず。虚空《こくう》の如《ごと》し。性《しょう》は無《む》なりと雖《いえど》も、現在《げんざい》に「無《む》」と言《い》うことを得《え》ず。一切衆生《いっさいしゅじょう》、復《ま》た無常《むじょう》なりと雖《いえど》も、是《こ》れ仏性《ぶっしょう》は常《じょう》住《じゅう》にして変無《へんな》し。是《こ》の故《ゆえ》に我《われ》、此《こ》の経《きょう》の中《なか》に於《お》いて、「衆生《しゅじょう》の仏性《ぶっしょう》は非内非外《ひないひげ》にして、猶《なお》虚空《こくう》の如《ごと》し」と説《と》きたまう。非内非外《ひないひげ》にして、其《そ》れ虚空《こくう》の如《ごと》くして有《う》なり。内外《ないげ》は虚空《こくう》なれども、名《な》づけて「一《いち》とし常《じょう》」とせず。亦《また》「一切処有《いっさいしょう》」と言《い》うことを得《え》ず。[6]虚空《こくう》、復《ま》た非内非外《ひないひげ》なりと雖《いえど》も、而《しか》れども、諸《もろもろ》の衆生《しゅじょう》悉《ことごと》く皆《みな》、之有《これあ》り。衆生《しゅじょう》の仏性《ぶっしょう》も亦復《また》是《か》くの如《ごと》し。汝《なんじ》言《い》う所《ところ》の一闡提《いっせんだい》の輩《ともがら》の如《ごと》し。若《も》し身業《しんごう》・口業《くごう》・意業《いごう》・取業《しゅごう》・求業《ぐごう》・後業《ごごう》・解業《げごう》、是《か》くの如《ごと》き等《ら》の業有《ごうあ》れども、悉《ことごと》く是《こ》れ邪《じゃ》業《ごう》なり。何《なに》を以《も》ての故《ゆえ》に。因果《いんが》を求《もと》めざるが故《ゆえ》なりと。善男子《ぜんなんし》。訶梨勒《かりろく》の果《か》・根《こん》・茎《きょう》・枝《し》・葉《よう》・華《け》・実《じつ》、悉《ことごと》く苦《にが》きが如《ごと》し。一闡提《いっせんだい》の業《ごう》も亦復《また》是《か》くの如《ごと》し。」」已上《いじょう》

[20]又言《またのたま》わく（迦葉菩薩品）、「「善男子《ぜんなんし》。如来《にょらい》は知諸根力《ちしょこんりき》を具足《ぐそく》したまえり。[7]是《こ》の故《ゆえ》に善《よ》く衆生《しゅじょう》の上《じょう》中下《ちゅうげ》の根《こん》を解《さと》り分別《ふんべつ》して、能《よ》く是《こ》の人《ひと》を知《し》ろしめして、下《げ》を転《てん》じて中《ちゅう》と作《な》す。能《よ》く是《こ》の人《ひと》を知《し》ろしめして、中《ちゅう》を転《てん》じて上《じょう》と作《な》す。[8]能《よ》く是《こ》の人《ひと》を知《し》ろしめして、上《じょう》を転《てん》じて中《ちゅう》と作《な》す。能《よ》く是《こ》の人《ひと》を知《し》ろしめして、中《ちゅう》を転《てん》じて下《げ》と作《な》す。是《こ》の故《ゆえ》に当《まさ》に知《し》るべし。衆生《しゅじょう》の根性《こんじょう》に決定有《けつじょうあ》ること無《な》し。

定無《じょうな》きを以《もっ》ての故《ゆえ》に、或《ある》いは善根《ぜんごん》を断《だん》ず。断《だん》じ已《おわ》りて還《かえ》りて生《しょう》ず。若《も》し諸《もろもろ》の衆生《しゅじょう》の根性《こんじょう》、定《じょう》ならば、終《つい》に、先《さき》に断《だん》じて、断《だん》じ已《おわ》りて復《ま》た生《しょう》ぜざらん。亦《また》「一闡提《いっせんだい》の輩《ともがら》、地獄《じごく》に堕《だ》して寿命一劫《じゅみょういっこう》なり」と説《と》くべからずと。善男子《ぜんなんし》。是《こ》の故《ゆえ》に如来《にょらい》、「一切《いっさい》の法《ほう》は定相有《じょうそうあ》ること無《な》し」と説《と》きたまえり。」

迦葉菩薩《かしょうぼさつ》、仏《ぶつ》に白《もう》して言《もう》さく、「世尊《せそん》。如来《にょらい》は知諸根力《ちしょこんりき》を具足《ぐそく》して、定《さだ》んで、善星《ぜんしょう》、当《まさ》に善根《ぜんごん》を断《だん》ずべしと知《し》ろしめさん。何《なん》の因縁《いんねん》を以《もっ》て其《そ》の出家《しゅっけ》を聴《ゆる》したまう」と。

仏《ぶつ》の言《のたま》わく、「善男子《ぜんなんし》。我《われ》、往《おう》①昔《じゃく》の初《そのかみ》に於《お》いて出家《しゅっけ》の時《とき》、吾《わ》が弟難陀《ていなんだ》、弟阿難《ていあなん》・提婆達多《だいばだった》・子羅睺羅《こらごら》に従《したが》う。是《か》くの如《ごと》き等《ら》の輩《ともがら》、皆悉《みなことごと》く我《われ》に随《したが》いて家《いえ》を出《い》で道《どう》を修《しゅ》しき。我《われ》、若《も》し善星《ぜんしょう》が出家《しゅっけ》を聴《ゆる》さずは、其《そ》の人《ひと》、次《つぎ》に当《まさ》に王位《おうい》を紹《つ》ぐことを得《う》べし。其《そ》の力自在《ちからじざい》にして、当《まさ》に仏法《ぶっぽう》を壊《え》すべし。是《こ》の因縁《いんねん》を以《もっ》て、我《われ》、便《すなわ》ち其《そ》の家《いえ》を出《い》で道《どう》を修《しゅ》することを聴《ゆる》す。善男子《ぜんなんし》。善星比丘《ぜんしょうびく》、若《も》し出家《しゅっけ》せずは、亦善根《またぜんごん》を断《だん》ぜん。無量世《むりょうせ》に於《お》いて都《すべ》て利益無《りやくな》けん。今出家《いましゅっけ》し已《おわ》りて善根《ぜんごん》を断《だん》ずと雖《いえど》も、能《よ》く戒《かい》を受持《じゅじ》して、耆旧《ぎきゅう》・長宿《ちょうしゅく》・有徳《うとく》の人《ひと》を供養《くよう》し恭敬《くぎょう》せん。初禅乃至四禅《しょぜんないししぜん》を修習《しゅじゅう》せん。是《こ》れを「善因《ぜんいん》」と名《な》づく。是《か》くの如《ごと》き善因《ぜんいん》、能《よ》く善法《ぜんぽう》を生《しょう》ぜん。善法《ぜんぽう》、既《すで》に生《しょう》ぜば、能《よ》く道《どう》を修《しゅ》習《じゅう》せん。既《すで》に道《どう》を修習《しゅじゅう》せば、当《まさ》に阿耨多羅三藐三菩提《あのくたらさんみゃくさんぼだい》を得《う》べし。是《こ》の故《ゆえ》に我《われ》、善星《ぜんしょう》が出家《しゅっけ》を聴《ゆる》す。善男子《ぜんなんし》。若《も》し我《われ》、善星比丘《ぜんしょうびく》が出家《しゅっけ》を聴《ゆる》し戒《かい》を受《う》けずは、則《すなわ》ち我《われ》を称《しょう》して「如来具足十力《にょらいぐそくじゅうりき》」

①昔…むかし

とすることを得《え》ざらんと。乃至《ないし》　善男子《ぜんなんし》。如来《にょらい》、善《よ》く衆生《しゅじょう》、是《か》くの如《ごと》き上中下《じょうちゅうげ》の根《こん》と知《し》ろしめす。是《こ》の故《ゆえ》に「仏《ぶつ》は具知根力《ぐちこんりき》」と称《しょう》せん。」

迦葉菩薩《かしょうぼさつ》、仏《ぶつ》に白《もう》して言《もう》さく、「世尊《せそん》。如来《にょらい》は是《こ》の知根力《ちこんりき》を具足《ぐそく》したまえり。是《こ》の故《ゆえ》に能《よ》く一切衆生《いっさいしゅじょう》の上中下《じょうちゅうげ》の根《こん》・利鈍《りどん》の差別《しゃべつ》を知《し》ろしめして、人《にん》に随《したが》い、意《い》に随《したが》い、時《とき》に随《したが》うが故《ゆえ》に、「如来知諸根力《にょらいちしょこんりき》」と名《な》づけたてまつる。乃至《ないし》　或《ある》いは説《と》きて「犯四重禁《ぼんしじゅうきん》・作五逆罪《さごぎゃくざい》・一闡提等《いっせんだいとう》、皆仏性《みなぶっしょう》有《あ》り」と言《い》うこと有《あ》り」と。乃至《ないし》

21「如来世尊《にょらいせそん》、国土《こくど》の為《ため》の故《ゆえ》に、時節《じせつ》の為《ため》の故《ゆえ》に、他語《たご》の為《ため》の故《ゆえ》に、人《にん》の為《ため》の故《ゆえ》に、衆根《しゅこん》の為《ため》の故《ゆえ》に、一法《いっぽう》の中《なか》に於《お》いて二種《にしゅ》の説《せつ》を作《な》す。一名《いちみょう》の法《ほう》に於《お》いて無量名《むりょうみょう》を説《と》く。一義《いちぎ》の中《なか》に於《お》いて無量《むりょう》の名《な》を説《と》く。無量《むりょう》の義《ぎ》に於《お》いて無量《むりょう》の名《な》を説《と》く。

云何《いかん》が一名《いちみょう》に無量《むりょう》の名《な》を説《と》くや。猶《なお》、涅槃《ねはん》の如《ごと》し。亦《また》「涅槃《ねはん》」と名《な》づく。亦《また》「無生《むしょう》」と名《な》づく。亦《また》「無出《むしゅつ》」と名《な》づく。亦《また》「無作《むさ》」と名《な》づく。亦《また》「無為《むい》」と名《な》づく。亦《また》「帰依《①きえ》」と名《な》づく。亦《また》「窟宅《②くったく》」と名《な》づく。亦《また》「解脱《げだつ》」と名《な》づく。亦《また》「光明《こうみょう》」と名《な》づく。亦《また》「燈明《とうみょう》」と名《な》づく。亦《また》「彼岸《ひがん》」と名《な》づく。亦《また》「無畏《む③い》」と名《な》づく。亦《また》「無退《む④たい》」と名《な》づく。亦《また》「安処《あんしょ》」と名《な》づく。亦《また》「寂静《⑤じゃくじょう》」と名《な》づく。亦《また》「無相《むそう》」と名《な》づく。亦《また》「無二《むに》」と名《な》づく。亦《また》「一行《いちぎょう》」と名《な》づく。亦《また》「清涼《しょう⑥りょう》」と名《な》づく。亦《また》「無闇《む⑦あん》」と名《な》づく。亦《また》「無碍《む⑧げ》」と名《な》づく。亦《また》「無静《むじょう》」と名《な》づく。亦《また》「無濁《むじょく》」と名《な》づく。亦《また》「広大《こうだい》」と名《な》づく。亦《また》「甘露《かんろ》」と名《な》づく。亦《また》「吉祥《きち⑨じょう》」と名《な》づく。是《こ》れを「一名《いちみょう》に無量名《むりょうみょう》を作《つく》る」と名《な》づく。

云何《いかん》が一義《いちぎ》に無量《むりょう》の名《な》を説《と》くや。猶《なお》、帝釈《たいしゃく》の如《ごと》し。乃至《ないし》
云何《いかん》が無量《むりょう》の義《ぎ》に於《お》いて無量《むりょう》の名《な》を説《と》くやと。仏如来《ぶつにょらい》の名《みな》の如《ごと》し。如来《にょらい》の義異名異《ぎいみょうい》とす。亦《また》「阿羅呵《あらか》」と名《な》づく。義異名異《ぎいみょうい》なり。亦《また》「三藐三仏陀《さんみゃくさんぶっだ》」と名《な》づく。義異名異《ぎいみょうい》なり。亦《また》「⑩船師《せんし》」と名《な》づく。亦《また》「導師《どうし》」と名《な》づく。亦《また》「正覚《しょうがく》」と名《な》づく。亦《また》「明行足《みょうぎょうそく》」と名《な》づく。亦《また》「大師子王《だいししおう》」と名《な》づく。亦《また》「沙門《しゃもん》」と名《な》づく。亦《また》「婆羅門《ばらもん》」と名《な》づく。亦《また》「寂静《じゃくじょう》」と名《な》づく。亦《また》「⑪施主《せしゅ》」と名《な》づく。亦《また》「到彼岸《とうひがん》」と名《な》づく。亦《また》「大医王《だいいおう》」と名《な》づく。亦《また》「大象王《だいぞうおう》」と名《な》づく。亦《また》「大龍王《だいりゅうおう》」と名《な》づく。亦《また》「施眼《せげん》」と名《な》づく。亦《また》「大力士《だいりきじ》」と名《な》づく。亦《また》「大無畏《だいむい》」と名《な》づく。亦《また》「宝《ほう》⑫聚《じゅ》」と名《な》づく。亦《また》「⑬商主《しょうしゅ》」と名《な》づく。亦《また》「得解脱《とくげだつ》」と名《な》づく。亦《また》「大丈夫《だいじょうぶ》」と名《な》づく。亦《また》「天人師《てんにんし》」と名《な》づく。亦《また》「大分陀利《だいふんだり》」と名《な》づく。亦《また》「⑭独無等《どくむとう》⑮侶《りょ》」と名《な》づく。亦《また》「大福田《だいふくでん》」と名《な》づく。亦《また》「大《だい》⑯智海《ちかい》」と名《な》づく。亦《また》「無相《むそう》」と名《な》づく。亦《また》「具足八智《ぐそくはっち》」と名《な》づく。是《か》くの如《ごと》き一切《いっさい》、義異名異《ぎいみょうい》なりと。善男子《ぜんなんし》。是《こ》れを「無量義《むりょうぎ》の中《なか》に無量《むりょう》の名《な》を説《と》く」と名《な》づく。
復《ま》た一義《いちぎ》に無量《むりょう》の名《な》を説《と》くこと有《あ》り。謂《い》わゆる陰《おん》の如《ごと》し。亦名《またな》づけて「陰《おん》」とす。亦《また》「⑰顛倒《てんどう》」と

①帰…たのむ　よる　とも
②窟…あな
③畏…おそれ
④退…しりぞく
⑤寂静…しずかに　しずかなり
⑥涼…すずし
⑦闇…やみ
⑧碍…さわる
⑨祥…あきらかなり
⑩船…ふね
⑪施…あたう
⑫聚…ともがら
⑬商…あきない
⑭独…ひとり
⑮侶…＊ろ　とも／ともがら
⑯智…さとる
⑰顛倒…たおれ　たおる

名《な》づく。亦名《またな》づけて「諦《①たい》」とす。亦名《またな》づけて「四念処《しねんじょ》」とす。亦《また》「四食《しじき》」と名《な》づく。亦《また》「四《し》識住《②しきじゅう》処《しょ》」と名《な》づく。亦名《またな》づけて「有《う》」とす。亦名《またな》づけて「道《どう》」とす。亦名《またな》づけて「時《じ》」とす。亦名《またな》づけて「衆生《しゅじょう》」とす。亦名《またな》づけて「世《せ》」とす。亦《また》「第一義《だいいちぎ》」と名《な》づく。亦《また》「三修《さん③しゅ》」と名《な》づく。謂《い》わく、身《しん》・戒《④かい》・心《しん》なり。亦《また》「因果《いんが》」と名《な》づく。亦《また》「煩悩《ぼんのう》」と名《な》づく。亦《また》「解脱《げだつ》」と名《な》づく。亦《また》「十二因縁《じゅうにいんねん》」と名《な》づく。亦《また》「声聞《しょうもん》・辟支仏《⑤びゃくしぶつ》」と名《な》づく。仏《ぶつ》を亦《また》「地獄《じごく》・餓鬼《がき》・畜生《ちくしょう》・人《にん》・天《てん》」と名《な》づく。亦《また》「過去《かこ》・現在《げんざい》・未来《みらい》」と名《な》づく。是《こ》れを「一義《いちぎ》に無量《むりょう》の名《な》を説《と》く」と名《な》づく。

善男子《ぜんなんし》。如来世尊《にょらいせそん》、衆生《しゅじょう》の為《ため》の故《ゆえ》に、広《こう》の中《なか》に略《りゃく》を説《と》く、略《りゃく》の中《なか》に広《こう》を説《と》く。第一義諦《だいいちぎ⑥たい》を説《と》きて「世諦《せたい》」とす。世諦《せたい》の法《ほう》を説《と》きて「第一義諦《だいいちぎたい》」とす」と。」略出《りゃくしゅつ》

22又言《またのたま》わく（梵行品）、「迦葉《かしょう》、復《ま》た言《もう》さく、「世尊《せそん》。第一義諦《だいいちぎたい》を亦名《またな》づけて「道《どう》」とす。亦《また》「菩提《ぼだい》」と名《な》づく。亦《また》「涅槃《ねはん》」と名《な》づく」と。乃至《ないし》」

23又言《またのたま》わく（迦葉菩薩品）、「善男子《ぜんなんし》。我《われ》、以《もっ》て経《きょう》の中《なか》に如来《にょらい》の身《しん》を説《と》くに、凡《おおよ》そ二種《にしゅ》有《あ》り。一《ひとつ》には生身《しょうじん》、二《ふたつ》には法身《ほっしん》なり。「生身《しょうじん》」と言《い》うは即《すなわ》ち是《こ》れ方便応化《ほうべんおうげ》の身《しん》なり。是《か》くの如《ごと》きの身《しん》は、「是《こ》れ生老病死《しょうろうびょうし》・長短黒白《じょうたんこくびゃく》・是此是彼《ぜしぜひ》・是学無学《ぜがくむがく》」と言《い》うことを得《う》べし。我《わ》が諸《もろもろ》の弟子《でし》、是《こ》の説《せつ》を聞《き》き已《お》わりて我《わ》が意《い》を解《さと》らざれば唱《⑦とな》えて言《い》わく、「如来《にょらい》、定《さだ》んで仏身《ぶっしん》は是《こ》れ有為《うい》の法《ほう》なりと説《と》かん」と。「法身《ほっしん》」は即《すなわ》ち是《こ》れ常《じょう》・楽《らく》・我《が》・浄《じょう》なり。永《なが》く一切生老病死《いっさいしょうろうびょうし》・非白非黒《ひびゃくひこく》・非長非短《ひじょうひたん》・非此非彼《ひしひひ》・非学非無学《ひがくひむがく》を離《はな》れたまえれば、若《も》し仏《ぶつ》の出世《しゅっせ》及《およ》び不出世《ふしゅっせ》に、常《つね》に動《どう》ぜずして変易《⑧へんやく》有《あ》ること無《な》け

ん。善男子《ぜんなんし》。我《わ》が諸《もろもろ》の弟子《でし》、是《こ》の説《せつ》を聞《き》き已《おわ》りて我《わ》が意《い》を解《さと》らざれば唱《とな》えて言《い》わく、「如来《にょらい》、定《さだ》んで仏身《ぶっしん》は是《こ》れ無為《むい》の法《ほう》なりと説《と》きたまえり」と。」

24又言《またのたま》わく（迦葉菩薩品）、「我《わ》が所説《しょせつ》の十二部経《じゅうにぶきょう》の如《ごと》し。或《ある》いは随自意説《ずいじいせつ》、或《ある》いは随他意説《ずいたいせつ》、或《ある》いは随自他意説《ずいじたいせつ》なり。乃至《ないし》 善男子《ぜんなんし》。我《わ》が所説《しょせつ》の如《ごと》き、「十住《じゅうじゅう》の菩薩《ぼさつ》、少《すこ》しき、仏性《ぶっしょう》を見《み》る」、是《こ》れを「随他意説《ずいたいせつ》」と名《な》づく。何《なに》を以《もっ》ての故《ゆえ》に「少見《しょうけん》」と名《な》づくるやと。十住《じゅうじゅう》の菩薩《ぼさつ》は首楞厳等《しゅりょうごんとう》の三《さん》昧《まい》・三千《さんぜん》の法門《ほうもん》を得《え》たり。是《こ》の故《ゆえ》に、声聞《しょうもん》、自《みずか》ら知《し》りて当《まさ》に阿耨多羅三藐三菩提《あのくたらさんみゃくさんぼだい》を得《う》べくとも、一切衆生《いっさいしゅじょう》、定《さだ》んで阿耨多羅三藐三菩提《あのくたらさんみゃくさんぼだい》を得《え》んことを見《み》ず。是《こ》の故《ゆえ》に我《われ》、「十住《じゅうじゅう》の菩薩《ぼさつ》、少分《しょうぶん》、仏《ぶっ》性《しょう》を見《み》る」と説《と》くなり。

善男子《ぜんなんし》。常《つね》に「一切衆生悉有仏性《いっさいしゅじょうしつうぶっしょう》」と⑨宣説《せんぜつ》する。是《こ》れを「随自意説《ずいじいせつ》」と名《な》づく。「一切衆生《いっさいしゅじょう》、不《ふ》断不滅《だんふめつ》にして、乃至阿耨多羅三藐三菩提《ないしあのくたらさんみゃくさんぼだい》を得《う》る。」是《こ》れを「随自意説《ずいじいせつ》」と名《な》づく。「一切衆生《いっさいしゅじょう》は悉《ことごと》く仏性《ぶっしょう》有《あ》れども、煩悩覆《ぼんのうおお》えるが故《ゆえ》に見《み》ることを得《う》ること能《あた》わずと。我《わ》が説《せつ》、是《か》くの如《ごと》し。汝《なんじ》が説《せつ》、亦爾《またしか》なり」と。是《こ》れを「随自他意説《ずいじたいせつ》」と名《な》づく。善男子《ぜんなんし》。如来《にょらい》、或《あ》る時《とき》は一法《いっぽう》の為《ため》の故《ゆえ》に無量《むりょう》の法《ほう》を説《と》く」と。抄出《しょうしゅつ》

①⑥諦…あきらかなり
②識…しる
③修…つくろう
④戒…いましむ
⑤辟…あやまる
⑦唱…さかり
⑧変易…かえ　かうる
⑨宣…のぶ

25又言《またのたま》わく（師子吼菩薩品）、「「一切覚者《いっさいかくしゃ》を、名《な》づけて「仏性《ぶっしょう》」とす。十住《じゅうじゅう》の菩薩《ぼさつ》は、名《な》づけて「一切覚《いっさいかく》」とすることを得《え》ざるが故《ゆえ》に、是《こ》の故《ゆえ》に見《み》ると雖《いえど》も明了《みょうりょう》ならず。善男子《ぜんなんし》。見《けん》に二種《にしゅ》有《あ》り。一《ひとつ》には眼見《げんけん》、二《ふたつ》には聞見《もんけん》なり。

諸仏世尊《しょぶつせそん》は、眼《まなこ》に仏性《ぶっしょう》を見《み》そなわす。掌《たなごころ》の中《うち》に於《お》いて阿摩勒菓《あまろくか》を観《かん》ずるが如《ごと》し。十住《じゅうじゅう》の菩《ぼ》薩《さつ》、仏性《ぶっしょう》を聞見《もんけん》すれども、故《ことさ》ら了了《りょうりょう》ならず。十住《じゅうじゅう》の菩薩《ぼさつ》、唯能《ただよ》く自《みずか》ら定《さだ》んで阿耨多羅三藐三《あのくたらさんみゃくさん》菩提《ぼだい》を得《う》ることを知《し》りて、一切衆生《いっさいしゅじょう》は悉《ことごと》く仏性《ぶっしょう》有《あ》りと知《し》ること能《あた》わず。善男子《ぜんなんし》。復《ま》た眼見《げんけん》有《あ》り。諸仏如来《しょぶつにょらい》なり。十住《じゅうじゅう》の菩薩《ぼさつ》は、仏性《ぶっしょう》を眼見《げんけん》し、復《ま》た聞見《もんけん》すること有《あ》り。一切衆生《いっさいしゅじょう》、乃至九地《ないしくじ》までに仏性《ぶっしょう》を聞見《もんけん》す。菩薩《ぼさつ》、若《も》し「一切衆生悉《いっさいしゅじょうことごと》く仏性《ぶっしょう》有《あ》り」と聞《き》けども心《しん》に信《しん》を生《しょう》ぜざれば、「聞《もん》見《けん》」と名《な》づけず」と。乃至《ないし》

師子吼菩薩摩訶薩《ししくぼさつまかさつ》言《もう》さく、「世尊《せそん》。一切衆生《いっさいしゅじょう》は如来《にょらい》の心相《しんそう》を知《し》ることを得《う》ること能《あた》わず。当《まさ》に云何《いかん》が観《かん》じて知《し》ることを得《う》べしや。」

「善男子《ぜんなんし》。一切衆生《いっさいしゅじょう》は、実《じつ》に如来《にょらい》の心相《しんそう》を知《し》ること能《あた》わず。若《も》し観察《かんざつ》して知《し》ることを得《え》んと欲《おも》わば二《に》の因縁有《いんねんあ》り。一《ひとつ》には眼見《げんけん》、二《ふたつ》には聞見《もんけん》なり。

若《も》し如来所有《にょらいしょう》の身業《しんごう》を見《み》たてまつらんは、当《まさ》に知《し》るべし、是《こ》れ則《すなわ》ち如来《にょらい》とするなり。是《こ》れを「眼《げん》見《けん》」と名《な》づく。若《も》し如来所有《にょらいしょう》の口業《くごう》を観《かん》ぜん。当《まさ》に知《し》るべし、是《こ》れ則《すなわ》ち如来《にょらい》とするなり。是《こ》れを「聞見《もんけん》」と名《な》づく。若《も》し色貌《しきみょう》を見《み》たてまつること、一切衆生《いっさいしゅじょう》の、与《とも》に等《ひと》しき者無《ものな》けん。当《まさ》に知《し》るべ

し、是《こ》れ則《すなわ》ち如来《にょらい》とするなり。是《こ》れを「眼見《げんけん》」と名《な》づく。若《も》し音声微妙最勝《おんじょうみみょうさいしょう》なるを聞《き》かん。衆《しゅ》生所有《じょうしょう》の音声《おんじょう》には同《おな》じからじ。当《まさ》に知《し》るべし、是《こ》れ則《すなわ》ち如来《にょらい》とするなり。是《こ》れを「聞見《もんけん》」と名《な》づく。若《も》し如来所作《にょらいしょさ》の神通《じんずう》を見《み》たてまつらんに、衆生《しゅじょう》の為《ため》とやせん、利養《りよう》の為《ため》とやせん。若《も》し衆生《しゅじょう》の為《ため》にして利養《りよう》の為《ため》に不《あら》ず。当《まさ》に知《し》るべし、是《こ》れ則《すなわ》ち如来《にょらい》とするなり。是《こ》れを「眼見《げんけん》」と名《な》づく。若《も》し如来《にょらい》を観《かん》ずるに、他心智《たしんち》を以《もっ》て衆生《しゅじょう》を観《み》そなわす時《とき》、利養《りよう》の為《ため》に説《と》き、衆生《しゅじょう》の為《ため》に説《と》かん。若《も》し衆生《しゅじょう》の為《ため》にして利養《りよう》の為《ため》にせざらん。当《まさ》に知《し》るべし、是《こ》れ則《すなわ》ち如来《にょらい》とするなり。是《こ》れを「聞見《もんけん》」と名《な》づく。」略出《りゃくしゅつ》

26『浄土論《じょうどろん》』に曰《い》わく、「世尊《せそん》。我《われ》、一心《いっしん》に尽十方《じんじっぽう》の無碍光如来《むげこうにょらい》に帰命《きみょう》したてまつりて、安楽国《あんらくこく》に生《う》まれんと願《がん》ず。27彼《か》の世界《せかい》の相《そう》を観《かん》ずるに、三界《さんがい》の道《どう》に勝過《しょうが》せり。究竟《くきょう》して虚空《こくう》の如《ごと》し、広大《こうだい》にして辺際無《へんざいな》し」とのたまえり。已上《いじょう》

28『註論《ちゅうろん》』（論註）に曰《い》わく、「[9]「荘厳清浄功徳成就《しょうごんしょうじょうくどくじょうじゅ》は、偈《げ》に「観彼世界相《かんぴせかいそう》　勝過三界道故《しょうがさんがいどうこ》」と言《のたま》えり。」（論）此《こ》れ云何《いかん》が不思議《ふしぎ》なるや。凡夫人煩悩成就《ぼんぶにんぼんのうじょうじゅ》せる有《あ》りて、亦《また》彼《か》の浄土《じょうど》に生《しょう》ずることを得《う》るに、三界《さんがい》の繋業《けごう》、畢竟《ひっきょう》じて牽《ひ》①かず。則《すなわ》ち是《こ》れ煩悩《ぼんのう》を断《だん》ぜずして涅槃分《ねはんぶん》を得《う》。焉《いずく》んぞ思議《しぎ》すべきや」と。

①牽…＊けん

29又云《また い》わく（論註）、「10「正道《しょうどう》の大慈悲《だいじひ》は、出世《しゅっせ》の善根《ぜんごん》より生《しょう》ず」（論）とのたまえり。此《こ》の二句《にく》は、「荘厳性功徳成就《しょうごんしょうくどくじょうじゅ》」と名《な》づく。乃至《ないし》「性《しょう》」は是《こ》れ本《ほん》の義《ぎ》なり。言《い》うこころは、此《こ》れ浄土《じょうど》は法性《ほっしょう》に随順《ずいじゅん》して法本《ほうほん》に乖《そむ》かず。事《じ》、『華厳経《けごんぎょう》』の宝王如来《ほうおうにょらい》の性起《しょうき》の義《ぎ》に同《おな》じ。又《また》、言《い》うこころは、①積《しゃく》習《じゅう》して性《しょう》を成《じょう》ず。法蔵菩薩《ほうぞうぼさつ》を②指《さ》す。諸《もろもろ》の波羅蜜《はらみつ》を集《あつ》めて、積習《しゃくじゅう》して成《じょう》ぜる所《ところ》なり。亦《また》「性《しょう》」と言《い》うは、是《こ》れ聖種性《しょうしゅしょう》なり。序《はじ》めに法蔵菩薩《ほうぞうぼさつ》、世自在王仏《せじざいおうぶつ》の所《みもと》にして無生忍《むしょうにん》を悟《さと》る。爾《そ》の時《とき》の位《くらい》を「聖種性《しょうしゅしょう》」と名《な》づく。是《こ》の性《しょう》の中《なか》に於《お》いて四十八大願《しじゅうはちだいがん》を発《おこ》して、此《こ》の土《ど》を修起《しゅき》したまえり。即《すなわ》ち「安楽浄土《あんらくじょうど》」と曰《い》う。是《こ》れ、彼《か》の因《いん》の所得《しょとく》なり。果《か》の中《なか》に因《いん》を説《と》く。故《かるがゆえ》に名《な》づけて「性《しょう》」とす。又《また》「性《しょう》」と言《い》うは、是《こ》れ必然《ひつねん》の義《ぎ》なり、③不改《ふがい》の義《ぎ》なり。海《かい》の性一味《しょういちみ》にして、衆流《しゅる》入《い》る者《もの》、必《かなら》ず一味《いちみ》と為《な》りて、海《かい》の味《あじ》、彼《かれ》に随《したが》いて改《あらた》まらざるが如《ごと》しとなり。又《また》、人身《にんじん》の性《しょう》不浄《ふじょう》なるが故《ゆえ》に、種種《しゅじゅ》の妙好色《みょうこうしき》・香《こう》・④美味《みみ》、身《み》に入《い》りぬれば、皆不浄《みなふじょう》と為《な》るが如《ごと》し。安楽浄土《あんらくじょうど》は、諸《もろもろ》の往生《おうじょう》の者《ひと》、不浄《ふじょう》の色《しき》無《な》し、不浄《ふじょう》の心《しん》無《な》し。畢竟《ひっきょう》じて、皆《みな》、清浄平等無為法身《しょうじょうびょうどうむいほっしん》を得《え》しむ。安《あん》楽国土《らくこくど》清浄《しょうじょう》の性《しょう》成就《じょうじゅ》したまえるを以《もっ》ての故《ゆえ》なり。

11「正道《しょうどう》の大道大慈悲《だいどうだいじひ》は、出世《しゅっせ》の善根《ぜんごん》より生《しょう》ず」（論）というは、平等《びょうどう》の大道《だいどう》なり。平等《びょうどう》の道《どう》を名《な》づけて「正道《しょうどう》」とする所以《ゆえ》は、平等《びょうどう》は是《こ》れ諸法《しょほう》の体相《たいそう》なり。諸法平等《しょほうびょうどう》なるを以《もっ》ての故《ゆえ》に発心等《ほっしんひと》し。発心等《ほっしんひと》しきが故《ゆえ》に道等《どうひと》し。道等《どうひと》しきが故《ゆえ》に大慈悲等《だいじひひと》し。大慈悲《だいじひ》は是《こ》れ仏道《ぶつどう》の正因《しょういん》なるが故《ゆえ》に、「正道大慈悲《しょうどうだいじひ》」と言《のたま》えり。慈悲《じひ》に三縁《さんえん》有《あ》り。一《ひとつ》には衆生縁《しゅじょうえん》、是《こ》れ小悲《しょうひ》なり。二《ふたつ》には法縁《ほうえん》、是《こ》れ中悲《ちゅうひ》なり。三《みっ》には無縁《むえん》、是《こ》れ大悲《だいひ》なり。大悲《だいひ》は即《すなわ》ち是《こ》れ出世《しゅっせ》の善《ぜん》なり。安楽浄土《あんらくじょうど》は、此《こ》の大悲《だいひ》より生《しょう》ずるが故《ゆえ》なればなり。故《かるがゆえ》に此《こ》の大悲《だいひ》を謂《い》いて、「浄土《じょうど》の根《こん》」とす。故《かるがゆえ》に「出世善根生《しゅっせぜんごんしょう》」と曰《い》うなり」と。

30又云《またい》わく（論註）、「問《と》うて曰《い》わく、法蔵菩薩《ほうぞうぼさつ》の本願力《ほんがんりき》、及《およ》び龍樹菩薩《りゅうじゅぼさつ》の所讃《しょさん》を尋《たず》ぬるに、皆《みな》、彼《か》の国《くに》に声聞衆多《しょうもんしゅた》なるを以《もっ》て奇⑤《き》とするに似《に》たり。此《こ》れ何《なん》の義《ぎ》有《あ》るや。

答《こた》えて曰《い》わく、声聞《しょうもん》は実際⑥《じっさい》を以《もっ》て証《しょう》とす。計《はか》るに更《さら》に能《よ》く仏道《ぶつどう》の根芽⑦《こんげ》を生《しょう》ずべからず。而《しか》るを、仏《ぶつ》、本願《ほんがん》の不可思議《ふかしぎ》の神力《じんりき》を以《もっ》て、摂《せっ》して彼《かしこ》に生《しょう》ぜしむるに、必《かなら》ず当《まさ》に復《ま》た神力《じんりき》を以《もっ》て、其《そ》れをして無上道心《むじょうどうしん》を生《しょう》ぜしむべし。譬《たと》えば、鴆鳥《ちんちょう》、水《みず》に入《い》れば、魚蚌⑧《ぎょほう》、咸《ことごと》く死《し》す。犀牛《さいぎゅう》、之《これ》に触《ふ》るれば、死《し》する者《もの》、皆活《みなよみが》えるが如《ごと》し。此《か》くの如《ごと》き、生《しょう》ずべからずして生《しょう》ぜしむ。所以《このゆえ》に奇《き》とすべし。然《しか》るに五不思議《ごふしぎ》の中《なか》に仏法最不可思議《ぶっぽうさいふかしぎ》なり。仏《ぶつ》、能《よ》く声聞《しょうもん》をして復《ま》た無上道心《むじょうどうしん》を生《しょう》ぜしめたまう。真《まこと》に不可思議《ふかしぎ》の至《いたり》なり。」

31又云《またい》わく（論註）、「不可思議力《ふかしぎりき》は、総《すべ》て彼《か》の仏国土《ぶっこくど》の十七種荘厳功徳力不可得思議《じゅうしちしゅしょうごんくどくりきふかとくしぎ》なることを指《さ》すなり。諸経《しょきょう》に説《と》きて言《のたま》わく、[12]「五種《ごしゅ》の不可思議《ふかしぎ》有《あ》り。一《ひとつ》には衆生多少不可思議《しゅじょうたしょうふかしぎ》、二《ふたつ》には業力不可思議《ごうりきふかしぎ》、三《みっ》には龍力不可思議《りゅうりきふかしぎ》、四《よっ》には禅定力不可思議《ぜんじょうりきふかしぎ》、五《いつっ》には仏法力不可思議《ぶっぽうりきふかしぎ》なり。」此《こ》の中《なか》に

①積習…つむ　ならう
②指…ゆび
③改…あらたまる
④美…よし
⑤奇…＊あやしむ／よし
⑥際…きわ
⑦芽…くき
⑧蚌…かい

仏土不可思議《ぶつどふかしぎ》に二種《にしゅ》の力有《りきあ》り。一《ひとつ》には業力《ごうりき》、謂《い》わく、法蔵菩薩《ほうぞうぼさつ》の出世《しゅっせ》の善根《ぜんごん》と大願業力《だいがんごうりき》の所成《しょじょう》なり。二《ふたつ》には正覚《しょうがく》の阿弥陀法王《あみだほうおう》の、善《よ》く住持力《じゅうじりき》をして摂《せっ》したまう所《ところ》なり。」

32又云《またい》わく（論註）、「自利利他《じりりた》を示現《じげん》すというは、[13]「略《りゃく》して彼《か》の阿弥陀仏《あみだぶつ》の国土《こくど》の十七種《じゅうしちしゅ》の荘厳功徳成就《しょうごんくどくじょうじゅ》を説《と》きつ。如来《にょらい》の自身利益大功徳力成就《じしんりやくだいくどくりきじょうじゅ》と利益他功徳成就《りやくたくどくじょうじゅ》とを示現《じげん》したまえるが故《ゆえ》に」（論）とのたまえり。「略《りゃく》」と言《い》うは、彼《か》の浄土《じょうど》の功徳無量《くどくむりょう》にして、唯十七種《ただじゅうしちしゅ》のみに非《あら》ざることを彰《あらわ》すなり。夫《そ》れ、須弥《しゅみ》を、之《これ》を芥子《けし》に入《い》れ、毛孔《もうく》に、之《これ》を大海《だいかい》を納《おさ》む。豈《あ》に山海《さんかい》の神《しん》ならんや、毛芥《もうけ》の力《りき》ならんや。能神《のうしん》の者《ひと》の神《しん》ならくのみ」と。

33又云《またい》わく（論註）、[14]「何者《なにもの》か荘厳不虚作住持功徳成就《しょうごんふこさじゅうじくどくじょうじゅ》。偈《げ》に「仏本願力《ぶつほんがんりき》を観《かん》ずるに、遇《もうお》うて空《むな》しく過《す》ぐる者《もの》無《な》し。能《よ》く速《すみ》やかに功徳大宝海《くどくだいほうかい》を満足《まんぞく》せしむる」が故《ゆえ》にと言《のたま》えり。」（論）「不虚作住持功徳成就《ふこさじゅうじくどくじょうじゅ》」は、蓋《けだ》し是《こ》れ阿弥陀如来《あみだにょらい》の本願力《ほんがんりき》なり。乃至《ないし》 言《い》う所《ところ》の「不虚作住持《ふこさじゅうじ》」は、本《もと》、法蔵菩薩《ほうぞうぼさつ》の四十八願《しじゅうはちがん》と、今日《こんにち》の阿弥陀如来《あみだにょらい》の自在神力《じざいじんりき》とに依《よ》りてなり。願以《がんもっ》て力《りき》を成《じょう》ず、力以《りきもっ》て願《がん》に就《つ》く。願《がん》、①徒然《とぜん》ならず、力《りき》、②虚設《こせつ》ならず。力《りき》・願相府《がんあいかな》いて畢竟《ひっきょう》じて差《たが》わず。故《かるがゆえ》に「成就《じょうじゅ》」と曰《い》う」と。抄出《しょうしゅつ》

34[15]『讃阿弥陀仏偈《さんあみだぶつげ》』に曰《い》わく 曇鸞和尚造《どんらんかしょうぞう》なり、「南無阿弥陀仏《なむあみだぶつ》 釈《しゃく》して「無量寿傍経《むりょうじゅほうきょう》」と名《な》づく。賛《ほ》め奉《たてまつ》りて亦《また》「安養《あんにょう》」と曰《い》う。成仏《じょうぶつ》より已来《このかた》、十劫《じっこう》を歴《へ》たまえり。寿命《じゅみょう》、方将《まさ》に量有《はかりあ》ること無《な》けん。法身《ほっしん》の光輪《こうりん》、法界《ほっかい》に遍《へん》じて、世《せ》の盲冥《もうみょう》を照《て》らす。故《かるがゆえ》に頂礼《ちょうらい》したてまつる。智慧《ちえ》の光明《こうみょう》、量《はか》るべから

ず。故《かるがゆえ》に仏《ぶつ》を又《また》「無量光《むりょうこう》」と号《ごう》す。有量《うりょう》の諸相《しょそう》、光暁《こうきょう》を蒙《かぶ》る。是《こ》の故《ゆえ》に真実明《しんじつみょう》を稽首《けいしゅ》したてまつる。解脱《げだつ》の光輪《こうりん》、③限斉《げんさい》無《な》し。故《かるがゆえ》に仏《ぶつ》を又《また》「無辺光《むへんこう》」と号《ごう》す。光《こう》④触《そく》を蒙《かぶ》る者《もの》、有無《うむ》を離《はな》る。是《こ》の故《ゆえ》に平等覚《びょうどうがく》を稽首《けいしゅ》したてまつる。光《ひかり》、雲《くも》のごとくにして無碍《むげ》なること虚空《こくう》の如《ごと》し。故《かるがゆえ》に仏《ぶつ》を又《また》「無碍光《むげこう》」と号《ごう》す。一切《いっさい》の有碍《うげ》、光沢《こうたく》を蒙《かぶ》る。是《こ》の故《ゆえ》に難思議《なんしぎ》を頂礼《ちょうらい》したてまつる。清浄《しょうじょう》の光《こう》明《みょう》、対有《たいあ》ること無《な》し。故《かるがゆえ》に仏《ぶつ》を又《また》「無対光《むたいこう》」と号《ごう》す。斯《こ》の光《ひかり》に遇《もうあ》う者《もの》は、⑤業繋《ごうけ》除《のぞ》こる。是《こ》の故《ゆえ》に畢竟依《ひっきょうえ》を稽首《けいしゅ》したてまつる。仏光《ぶっこう》、照耀《しょうよう》して⑥最第一《さいだいいち》なり。故《かるがゆえ》に仏《ぶつ》を又《また》「光炎王《こうえんのう》」と号《ごう》す。三《さん》⑦塗《ず》の黒闇《こくあん》、光《こう》⑧啓《けい》を蒙《かぶ》る。是《こ》の故《ゆえ》に大応供《だいおうぐ》を頂礼《ちょうらい》したてまつる。道光《どうこう》、明《みょう》⑨朗《ろう》にして、色《しき》、超絶《ちょうぜつ》したまえり。故《かるがゆえ》に仏《ぶつ》を又《また》「清浄光《しょうじょうこう》」と号《ごう》す。一《ひと》たび光照《こうしょう》を蒙《かぶ》るに罪《ざい》⑩垢《く》除《のぞ》こる。皆《みな》、解脱《げだつ》を得《え》しむ。故《かるがゆえ》に頂礼《ちょうらい》したてまつる。慈光《じこう》、遐《はる》かに被《かぶ》らしめ安楽《あんらく》を施《せ》す。故《かるがゆえ》に仏《ぶつ》を又《また》「歓喜光《かんぎこう》」と号《ごう》す。光《ひかり》の至《いた》る所《ところ》の処《しょ》に法喜《ほうき》を得《え》しむ。大安慰《だいあんに》を稽首《けいしゅ》し頂礼《ちょうらい》したてまつる。仏光《ぶっこう》、能《よ》く無明《むみょう》の闇《あん》を破《は》す。故《かるがゆえ》に仏《ぶつ》を又《また》「智慧光《ちえこう》」と号《ごう》す。一切諸仏《いっさいしょぶつ》・三乗衆《さんじょうしゅ》、咸《ことごと》く共《とも》に嘆《たん》⑪誉《よ》す。故《かるがゆえ》に稽首《けいしゅ》したてまつる。光明《こうみょう》、一切《いっさい》の時《じ》、普《あまね》く照《て》らす。故《かるがゆえ》に仏《ぶつ》を又《また》「不断光《ふだんこう》」と号《ごう》す。聞光力《もんこうりき》の故《ゆえ》に、心《しん》、断《た》えずして、皆《みな》、往生《おうじょう》を得《え》しむ。故《かるがゆえ》に頂礼《ちょうらい》したてまつる。其《そ》の光《ひかり》、仏《ぶつ》を除《のぞ》きては能《よ》く測《はか》ること

①徒…いたずらに
②設…もうく
③限斉…かぎる　ひとし
④触…ふるる
⑤業繋…なりわい　つなぐなり
⑥最…＊すぐる／もっとも
⑦塗…みち
⑧啓…ひらく
⑨朗…ほがらかなり
⑩垢…あか
⑪誉…ほむ

莫《な》けん。故《かるがゆえ》に仏《ぶつ》を又《また》「難思光《なんしこう》」と号《ごう》す。十方諸仏《じっぽうしょぶつ》、往生《おうじょう》を嘆《たん》じ、其《そ》の功徳《くどく》を称《しょう》せしむ。故《かるがゆえ》に稽首《けいしゅ》したてまつる。神光《じんこう》は相《そう》を離《はな》れたること、名《な》づくべからず。故《かるがゆえ》に仏《ぶつ》を又《また》「無称光《むしょうこう》」と号《ごう》す。光《ひかり》に因《よ》りて成仏《じょうぶつ》したまう。光《ひかり》、①赫然《かくねん》たり。諸仏《しょぶつ》の②嘆《たん》じたまう所《ところ》なり。故《かるがゆえ》に頂礼《ちょうらい》したてまつる。光明照曜《こうみょうしょうよう》して日月《にちがつ》に過《す》ぎたり。故《かるがゆえ》に仏《ぶつ》を「超日月光《ちょうにちがっこう》」と号《ごう》す。釈迦仏《しゃかぶつ》、嘆《たん》じたまうこと尚尽《なおつ》きず。故《かるがゆえ》に我《われ》、無等等《むとうどう》を稽首《けいしゅ》したてまつると。乃至《ないし》

35 本師龍樹摩訶薩《ほんじりゅうじゅまかさつ》、形像《ぎょうぞう》を③誕《たん》ず。始《はじ》めて頽《たい》④綱《こう》〔「頽《たい》」の字《じ》 崩《たおるる》なり。破《は》なり。落《おつる》なり。纏《まつわる》なり。〕を理《ことわ》る。邪《じゃ》⑤扇《せん》を関《かん》⑥閉《ぺい》して正轍《しょうてつ》〔「轍《てつ》」の字《じ》 直刹《じきせつ》の反《かえし》。通《かよう》なり。車《しゃ》なり。⑦跡《あと》なり。〕を開《ひら》く。是《こ》れ閻浮提《えんぶだい》の一切《いっさい》の眼《まなこ》なり。尊語《そんご》を⑧伏承《ぶくじょう》して、歓喜地《かんぎじ》にして阿弥陀《あみだ》に帰《き》して安楽《あんらく》に生《しょう》ぜしむ。我《われ》、無始《むし》より三界《さんがい》に⑨循《めぐ》りて虚《こ》⑩妄輪《もうりん》の為《ため》に回転《えてん》せらる。一念《いちねん》・一時《いちじ》に造《つく》る所《ところ》の業足《ごうそく》、六道《ろくどう》に繋《つな》がれ三塗《さんず》に滞《とど》まる。唯願《ややねが》わくは、慈光《じこう》、我《われ》を護念《ごねん》して、我《われ》をして菩提心《ぼだいしん》を⑪失《しっ》せざらしめたまえ。我《われ》、仏恵功徳《ぶってくどく》の音《こえ》を讃《さん》ず。願《ねが》わくは、十方《じっぽう》の諸《もろもろ》の有縁《うえん》に聞《き》かしめて、安楽《あんらく》に往生《おうじょう》することを得《え》んと欲《おも》わん者《もの》、普《あまね》く皆《みな》、意《い》の如《ごと》くして障碍無《しょうげな》からしめん。有《あ》らゆる功徳《くどく》、若《も》しは大小《だいしょう》、一切《いっさい》に回施《えせ》して、共《とも》に往生《おうじょう》せしめん。不可思議光《ふかしぎこう》に南無《なむ》し、一心《いっしん》に⑫帰命《きみょう》し⑬稽首《けいしゅ》し礼《らい》したてまつる。十方三世《じっぽうさんぜ》の無量慧《むりょうえ》、同《おな》じく一如《いちにょ》に乗《じょう》じて「正覚《しょうがく》」と号《ごう》す。二智円満《にちえんまん》して道平等《どうびょうどう》なり。摂化《せっけ》すること、縁《えん》に随《したが》う。⑭故《まこと》に若干《そこばく》ならん。我《われ》、阿弥陀《あみだ》の浄土《じょうど》に帰《き》するは、即《すなわ》ち是《こ》れ諸仏《しょぶつ》の国《くに》を帰命《きみょう》するなり。我《われ》、一心《いっしん》を以《もっ》て一仏《いちぶつ》を賛《さん》ず。願《ねが》わくは、十方無碍人《じっぽうむげにん》に遍《へん》ぜん。是《か》くの如《ごと》き十方無量仏《じっぽうむりょうぶつ》、咸《ことごと》く各《おの》おの、心《しん》を至《いた》して頭面《ずめん》に礼《らい》したてまつるなり」と。已上抄出《いじょうしょうしゅつ》

36光明寺《こうみょうじ》の和尚《かしょう》（善導）の云《い》わく（玄義分）、「問《と》うて曰《い》わく、弥陀浄国《みだじょうこく》は、当《はた》、是《こ》れ報《ほう》なりや、是《こ》れ化《け》なりとやせん。

答《こた》えて曰《い》わく、是《こ》れ報《ほう》にして化《け》に非《あら》ず。云何《いかん》が知《し》ることを得《う》る。

『大乗同性経《だいじょうどうしょうきょう》』に説《と》くが如《ごと》し、16「西方《さいほう》の安楽阿弥陀仏《あんらくあみだぶつ》は、是《こ》れ報仏《ほうぶつ》・報土《ほうど》なり」と。

又《また》『無量寿経《むりょうじゅきょう》』に云《のたま》わく、17「法蔵比丘《ほうぞうびく》、世饒王仏《せにょうおうぶつ》の所《みもと》に在《ましま》して、菩薩《ぼさつ》の道《どう》を行《ぎょう》じたまいし時《とき》、四十八願《しじゅうはちがん》を発《おこ》して一一《いちいち》の願《がん》に言《のたま》わく、「若《も》し我《われ》、仏《ぶつ》を得《え》んに、十方《じっぽう》の衆生《しゅじょう》、我《わ》が名号《みょうごう》を称《しょう》して、我《わ》が国《くに》に生《う》まれんと願《がん》ぜん。下《しも》、十念《じゅうねん》に至《いた》るまで、若《も》し生《う》まれずは、正覚《しょうがく》を取《と》らじ」と。今《いま》⑮既《すで》に成仏《じょうぶつ》したまえり。即《すなわ》ち是《こ》れ⑯酬因《しゅういん》の身《しん》なり。

又《また》『観経《かんぎょう》』の中《なか》に、上輩三人《じょうはいさんにん》、命終《みょうじゅう》の時《とき》に臨《のぞ》みて、皆《みな》、18「阿弥陀仏《あみだぶつ》及《およ》び化仏《けぶつ》、「与《とも》に」此《こ》の人《ひと》を来迎《らいこう》す」と言《のたま》えり。然《しか》るに、報身《ほうじん》、化《け》を兼《か》ねて共《とも》に来《き》たりて手《みて》を授《さず》くと。故《かるがゆえ》に名《な》づけて「与《よ》」とす。此《こ》の文証《もんしょう》を以《もっ》ての故《ゆえ》に知《し》りぬ、是《こ》れ報《ほう》なりと。

37然《しか》るに報《ほう》・応二身《おうにしん》とは眼《げん》・目《もく》の異名《いみょう》なり。前《さき》には「報《ほう》」を⑰翻《ほん》じて「応《おう》」と作《な》る。後《のち》には「応《おう》」を

①赫然…かがやく
②嘆…ほむ
③誕…うむ
④綱…つな
⑤扇…おうぎ
⑥閉…ふさぐ
⑦跡…せき
⑧伏承…したがい　うけたまわる
⑨循…＊しゅう
⑩妄…みだる
⑪失…うしなう
⑫帰命…よる　おおせ
⑬稽首…いたす　こうべ
⑭故…ことさらに
⑮既…＊き
⑯酬…こたう
⑰翻…ひるがえす

翻《ほん》じて「報《ほう》」と作《な》る。凡《おおよ》そ「報《ほう》」と言《い》うは、因行虚《いんぎょうむな》しからず、定《さだ》んで来果《らいか》を招《まね》①く。果《か》を以《もっ》て因《いん》に応《おう》ず。故《かるがゆえ》に名《な》づけて「報《ほう》」とす。又《また》、三大僧祇《さんだいそうぎ》の所修《しょしゅ》の万行《まんぎょう》、必定《ひつじょう》して菩提《ぼだい》を得《う》べし。今既《いますで》に道《どう》成《じょう》ぜり。即《すなわ》ち是《こ》れ応身《おうじん》なり。斯《こ》れ乃《すなわ》ち過《か》・現《げん》の諸仏《しょぶつ》、三身《さんしん》を弁立《べんりゅう》す。斯《こ》れを除《のぞ》きて已外《いげ》は更《さら》に別《べつ》の体無《たいましま》さず。縦使《たと》い無窮《むぐう》②の八相《はっそう》・名号塵沙《みょうごうじんじゃ》なり、体《たい》に剋《こく》③して、而《しこ》うして論《ろん》ぜば、衆《すべ》て化《け》に帰《き》して摂《せっ》す。今《いま》、彼《か》の弥陀《みだ》、現《げん》に是《こ》れ報《ほう》なりと。

38問《と》うて曰《い》わく、既《すで》に「報《ほう》」と言《い》わば、報身常住《ほうじんじょうじゅう》にして永《なが》く生滅無《しょうめつな》し。何《なに》が故《ゆえ》ぞ、『観音授記経《かんのんじゅききょう》』に説《と》かく、[19]「阿弥陀仏《あみだぶつ》、亦入涅槃《またにゅうねはん》の時有《ときあ》り」と。此《こ》の一義《いちぎ》、若為《いかん》が通釈《つうしゃく》せんや。

答《こた》えて曰《い》わく、入《にゅう》・不入《ふにゅう》の義《ぎ》は、唯是《ただこ》れ諸仏《しょぶつ》の境界《きょうがい》④なり。尚《なお》、三乗浅智《さんじょうせんち》の闚《うかが》う所《ところ》に非《あら》ず。豈《あ》に況《いわ》んや小凡《しょうぼん》、輒《たやす》く能《よ》く知《し》らんや。然《しか》りと雖《いえど》も、必《かなら》ず知《し》らんと欲《おも》わば、敢《あ》えて仏経《ぶっきょう》を引《ひ》きて、以《もっ》て明証《みょうしょう》とせん。

何《なん》となれば、『大品経《だいほんぎょう》』の「涅槃非化品《ねはんひけほん》」の中《なか》に説《と》きて云《のたま》うが如《ごと》し。[20]「仏《ぶつ》、⑤須菩提《しゅぼだい》に告《つ》げたまわく、「汝《なんじ》が意《い》に於《お》いて云何《いかん》。若《も》し化人有《けにんあ》りて化人《けにん》を作《な》す。是《こ》の化《け》、⑥頗《すこぶ》る実事有《じつじあ》りや不《いな》や。空《むな》しき者《もの》なりや不《いな》や。」

須菩提《しゅぼだい》の言《もう》さく、「不《いな》や。世尊《せそん》。」

仏《ぶつ》、須菩提《しゅぼだい》に告《つ》げたまわく、「色即《しきすなわ》ち是《こ》れ化《け》なり。受《じゅ》・想《そう》・行《ぎょう》・識即《しきすなわ》ち是《こ》れ化《け》なり。乃至一切種《ないしいっさいしゅ》智即《ちすなわ》ち是《こ》れ化《け》なり。」

須菩提《しゅぼだい》、仏《ぶつ》に白《もう》して言《もう》さく、「世尊《せそん》。若《も》し世間《せけん》の法《ほう》、是《こ》れ化《け》なりや、出世間《しゅっせけん》の法《ほう》、亦是《またこ》れ化《け》なりやと。謂《い》わゆる、四念処《しねんじょ》・四正《ししょう》⑦勤《ごん》・四如意《しにょい》⑧足《そく》・五根五力《ごこんごりき》・七覚分《しちかくぶん》・八聖道分《はっしょうどうぶん》・三解脱門《さんげだつもん》・仏十力《ぶつじゅうりき》・四無所《しむしょ》⑨畏《い》・四無碍智《しむげち》・十八不共法《じゅうはちふぐほう》、并《なら》びに諸法《しょほう》の果及《かおよ》び⑩賢聖人《げんじょうにん》、謂《い》わゆる、須陀洹《しゅだおん》・斯陀含《しだごん》・阿那含《あなごん》・阿羅漢《あらかん》・辟支仏《びゃくしぶつ》・菩薩摩訶薩《ぼさつまかさつ》・諸仏世尊《しょぶつせそん》、是《こ》の法《ほう》、亦是《またこ》れ化《け》なりや不《いな》や」と。

仏《ぶつ》、須菩提《しゅぼだい》に告《つ》げたまわく、「一切《いっさい》の法《ほう》、皆是《みなこ》れ化《け》なり。是《こ》の法《ほう》の中《なか》に於《お》いて、声聞《しょうもん》の法《ほう》の変化有《へんげあ》り。辟支仏《びゃくしぶつ》の法《ほう》の変化有《へんげあ》り。菩薩《ぼさつ》の法《ほう》の変化有《へんげあ》り。諸仏《しょぶつ》の法《ほう》の変化有《へんげあ》り。煩悩《ぼんのう》の法《ほう》の変化有《へんげあ》り。業因縁《ごういんねん》の法《ほう》の変化有《へんげあ》り。是《こ》の因縁《いんねん》を以《もっ》ての故《ゆえ》に、須菩提《しゅぼだい》、一切《いっさい》の法《ほう》、皆是《みなこ》れ化《け》なり」とのたまえり。

須菩提《しゅぼだい》、仏《ぶつ》に白《もう》して言《もう》さく、「世尊《せそん》。是《こ》の諸《もろもろ》の煩悩断《ぼんのうだん》は、謂《い》わゆる、須陀洹果《しゅだおんか》・斯陀含果《しだごんか》・阿那含果《あなごんか》・阿羅漢果《あらかんか》・辟支仏道《びゃくしぶつどう》は、諸《もろもろ》の煩悩《ぼんのう》の⑪習《しゅう》を断《だん》ず。皆是《みなこ》れ変化《へんげ》なりや不《いな》や」と。

仏《ぶつ》、須菩提《しゅぼだい》に告《つ》げたまわく、「若《も》し法《ほう》の生滅《しょうめつ》の相有《そうあ》るは、皆是《みなこ》れ変化《へんげ》なり」とのたまえり。

須菩提言《しゅぼだいもう》さく、「世尊《せそん》。何等《なんら》の法《ほう》か、変化《へんげ》に非《あら》ざる」と。

仏《ぶつ》の言《のたま》わく、「若《も》し法《ほう》の無生無滅《むしょうむめつ》なる、是《こ》れ変化《へんげ》に非《あら》ず」と。

須菩提言《しゅぼだいもう》さく、「何等《なんら》か是《こ》れ不生不滅《ふしょうふめつ》にして変化《へんげ》に非《あら》ざる」と。

①招…しょう
②窮…きわまり
③剋…えて　とき　とも
④境界…さかい　さかい
⑤須…もちいる
⑥頗…＊は
⑦勤…つとむ
⑧足…たる
⑨畏…おそる
⑩賢…かしこし
⑪習…ならう

仏《ぶつ》の言《のたま》わく、「①誑相無《おうそうな》き涅槃《ねはん》、是《こ》の法《ほう》、変化《へんげ》に非《あら》ず」と。

「世尊《せそん》。仏自《ぶつみずか》ら説《と》きたまうが如《ごと》き、諸法平等《しょほうびょうどう》にして、声聞《しょうもん》の作《さ》に非《あら》ず、辟支仏《びゃくしぶつ》の作《さ》に非《あら》ず、諸《もろもろ》の菩薩摩訶薩《ぼさつまかさつ》の作《さ》に非《あら》ず、諸仏《しょぶつ》の作《さ》に非《あら》ず、有仏《うぶつ》・無仏《むぶつ》、諸法《しょほう》の性《しょう》、常《つね》に空《くう》なり。性空《しょうくう》なる、即《すなわ》ち是《こ》れ涅槃《ねはん》なり。云何《いかん》ぞ涅槃《ねはん》の一法《いっぽう》、化《け》の如《ごと》くに非《あら》ざる」と。

仏《ぶつ》、須菩提《しゅぼだい》に告《つ》げたまわく、「是《か》くの如《ごと》し、是《か》くの如《ごと》し。諸法《しょほう》は平等《びょうどう》にして、声聞《しょうもん》の所作《しょさ》に非《あら》ず、乃至性空《ないししょうくう》なれば即《すなわ》ち是《こ》れ涅槃《ねはん》なり。若《も》し②新発意《しんぼっち》の菩薩《ぼさつ》、是《こ》の一切《いっさい》の法《ほう》、皆《みな》、畢竟《ひっきょう》じて性空《しょうくう》なり、乃至涅槃《ないしねはん》も亦《また》、皆《みな》、化《け》の如《ごと》しと聞《き》かば、心則《しんすなわ》ち③驚怖《きょうふ》しなん。是《こ》れ新発意《しんぼっち》の菩薩《ぼさつ》の為《ため》に、故《ことさ》らに生《しょう》滅《めつ》の者《もの》は化《け》の如《ごと》し、不生不滅《ふしょうふめつ》の者《もの》は化《け》の如《ごと》きに不《あら》ざるをと分別《ふんべつ》するをや。」」

今既《いますで》に斯《こ》の聖教《しょうぎょう》を以《もっ》て験《あき》らかに知《し》りぬ。弥陀《みだ》は定《さだ》んで是《こ》れ報《ほう》なり。縦使《たと》い後《のち》に涅槃《ねはん》に入《い》らん、其《そ》の義《ぎ》、妨無《さまたげな》けん。諸《もろもろ》の有智《うち》の者《もの》、知《し》るべしと。

39 問《と》うて曰《い》わく、彼《か》の仏及《ぶつおよ》び土《ど》、既《すで》に「報《ほう》」と言《い》わば、報法高妙《ほうほうこうみょう》にして、小聖《しょうしょう》、階《かな》い難《がた》し。垢障《くしょう》の凡夫《ぼんぶ》、云何《いかん》が入《い》ることを得《え》んや。

答《こた》えて曰《い》わく、若《も》し衆生《しゅじょう》の垢障《くしょう》を論《ろん》ぜば、実《まこと》に④欣趣《ごんしゅ》し難《がた》し。正《まさ》しく仏願《ぶつがん》に⑤託《たく》するに由《よ》りて、以《もっ》て強縁《ごうえん》と作《な》りて五乗斉《ごじょうひと》しく入《い》らしむることを致《いた》す」と。

40 又云《またい》わく（序分義）、「[21]「我今楽生弥陀《がこんぎょうしょうみだ》」（観経）より已下《いげ》は、正《まさ》しく、夫人《ぶにん》、別《べっ》して所求《しょぐ》を選《えら》ぶことを明《あ》かす。此《こ》れは弥陀《みだ》の本国四十八願《ほんごくしじゅうはちがん》なることを明《あ》かす。願願皆《がんがんみな》、増上《ぞうじょう》の勝因《しょういん》を発《おこ》せり。因《いん》に依《よ》りて勝行《しょうぎょう》を起《お》こせり。行《ぎょう》に依《よ》りて勝果《しょうか》を感《かん》ず。果《か》に依《よ》りて勝報《しょうほう》を感成《かんじょう》せり。報《ほう》に依《よ》りて極楽《ごくらく》を感成《かんじょう》せり。楽《らく》に依《よ》りて悲化《ひけ》を顕通《けんつう》す。悲化《ひけ》に依《よ》りて智慧《ちえ》の門《もん》を顕開《けんかい》せり。然《しか》るに、悲心無尽《ひしんむじん》にして、智亦無窮《ちまたむぐう》なり。悲智双《ひちなら》べ行《ぎょう》じて、即《すなわ》ち広《ひろ》く甘露《かんろ》を開《ひら》けり。茲《こ》れに因《よ》りて、法《ほう》⑥潤《にん》、普《あまね》く群生《ぐんじょう》を摂《せっ》したまうなり。諸余《しょよ》の経典《きょうでん》に勧《すす》むる処《ところ》、弥《ひろ》く多《おお》し。衆聖《しゅしょう》、心《しん》を斉《ひと》しくして、皆同《みなおな》じく⑦指讃《しさん》したまう。此《こ》の因縁有《いんねんあ》りて、如来《にょらい》、密《ひそ》かに夫人《ぶにん》を遣《つか》わして、別《べっ》して選《えら》ばしめたまうことを致《いた》すなり。」

41又云《またい》わく（定善義）、「西方寂静無為《さいほうじゃくじょうむい》の楽《みやこ》は、畢竟逍遙《ひっきょうしょうよう》して有無《うむ》を離《はな》れたり。大悲《だいひ》、心《しん》に薫《くん》じて法界《ほっかい》に遊《あそ》ぶ。分身《ふんじん》して物《もの》を利《り》すること、等《ひと》しくして殊《こと》なること無《な》し。帰去来《いざいなん》、魔郷《まきょう》には停《とど》まるべからず。曠劫《こうごう》より来《このかた》、六道《ろくどう》に流転《るてん》して尽《ことごと》く皆逕《みなへ》たり。到《いた》る処《ところ》に余《よ》の楽《たのしみ》無《な》し。唯《ただ》、愁歎《しゅうたん》（或《あ》る本《ほん》、「生死《しょうじ》」なり。）の声《こえ》を聞《き》く。此《こ》の生平《しょうびょう》を畢《お》えて後《のち》、彼《か》の涅槃《ねはん》の城《みやこ》に入《い》らん」と。

42又云《またい》わく（法事讃）、「極楽《ごくらく》は無為涅槃《むいねはん》の界《かい》なり。随縁《ずいえん》の雑善《ぞうぜん》、恐《おそ》らくは生《しょう》じ難《がた》し。故《かるがゆえ》に如来《にょらい》、要法《ようほう》を選《えら》びて教《おし》えて弥陀《みだ》を念《ねん》ぜしめて、専《もっぱ》らにして復《ま》た専《もっぱ》らならしめたまえり。」

43又云《またい》わく（法事讃）、「仏《ぶっ》に従《したが》いて逍遙《しょうよう》して自然《じねん》に帰《き》す。自然《じねん》は即《すなわ》ち是《こ》れ弥陀《みだ》の国《くに》なり。無漏無《むろむ》生《しょう》、還《かえ》りて即《すなわ》ち真《しん》なり。行来進止《ぎょうらいしんし》に常《つね》に仏《ぶっ》に随《したが》いて、無為法性身《むいほっしょうしん》を証得《しょうとく》す」と。

44又云《またい》わく（法事讃）、「弥陀《みだ》の妙果《みょうか》をば号《ごう》して「無上涅槃《むじょうねはん》」と曰《い》う」と。已上抄出《いじょうしょうしゅつ》

①誑…くるう
②新…あたらし
③驚怖…おどろき　おそる
④欣趣…ねがい　おもむき
⑤託…つく
⑥潤…うるおう
⑦指…おしう

45①憬興師《きょうごうし》の云《い》わく（述文賛）、「[22]「無量光仏《むりょうこうぶつ》」（大経）算数《さんじゅ》に非《あら》ざるが故《ゆえ》に。[23]「無辺光仏《むへんこうぶつ》」（同）縁《えん》として照《て》らさざること無《な》きが故《ゆえ》に。[24]「無碍光仏《むげこうぶつ》」（同）人法《にんぼう》として能《よ》く障《さ》うること有《あ》ること無《な》きが故《ゆえ》に。[25]「無対光仏《むたいこうぶつ》」（同）諸《しょ》菩薩《ぼさつ》の及《およ》ぶ所《ところ》に非《あら》ざるが故《ゆえ》に。[26]「光炎王仏《こうえんのうぶつ》」（同）光明自在《こうみょうじざい》にして、更《さら》に為《な》すこと上無《じょうな》きが故《ゆえ》に。[27]「清浄光仏《しょうじょうこうぶつ》」（同）無貪《むとん》の善根《ぜんごん》よりして現《げん》ずるが故《ゆえ》に、亦衆生貪濁《またしゅじょうとんじょく》の心《しん》を除《のぞ》くなり。貪濁《とんじょく》の心無《しんな》きが故《ゆえ》に「清浄《しょうじょう》」と云《い》う。[28]「歓喜《かんぎ》光仏《こうぶつ》」（同）無瞋《むしん》の善根《ぜんごん》よりして生《しょう》ずるが故《ゆえ》に、能《よ》く衆生《しゅじょう》の②瞋恚《しんに》③盛心《じょうしん》を除《のぞ》く故《ゆえ》に。[29]「智慧光仏《ちえこうぶつ》」（同）無痴《むち》の善根《ぜんごん》の心《しん》より起《お》これり。復《ま》た衆生《しゅじょう》の無明品心《むみょうほんじん》を除《のぞ》くが故《ゆえ》に。[30]「不断光仏《ふだんこうぶつ》」（同）仏《ぶつ》の常光《じょうこう》、恒《つね》に照益《しょうやく》を為《な》すが故《ゆえ》に。[31]「難思光仏《なんしこうぶつ》」（同）諸《もろもろ》の二乗《にじょう》の④測度《しきたく》する所《ところ》に非《あら》ざるが故《ゆえ》に。[32]「無称光仏《むしょうこうぶつ》」（同）亦余乗等《またよじょうとう》、説《と》くこと堪《た》うる所《ところ》に非《あら》ざるが故《ゆえ》に。[33]「超日月光仏《ちょうにちがっこうぶつ》」（同）日《ひ》は応《おう》じて恒《つね》に照《て》らすこと周《あまね》からず。娑婆《しゃば》一⑤耀《いちよう》の光《ひかり》なるが故《ゆえ》に。皆是《みなこ》れ光⑥触《こうそく》を身《み》に蒙《かぶ》るは、身心柔軟《しんじんにゅうなん》の願《がん》の致《いた》す所《ところ》なり。」已上抄要《いじょうしょうよう》

46爾《しか》れば、如来《にょらい》の真説《しんせつ》、宗師《しゅうし》の釈義《しゃくぎ》、明《あき》らかに知《し》りぬ。安養浄刹《あんにょうじょうせつ》は真《しん》の報土《ほうど》なることを顕《あらわ》す。47惑染《わくぜん》の衆生《しゅじょう》、此《ここ》にして性《しょう》を見《み》ること能《あた》わず。煩悩《ぼんのう》に覆《おお》わるるが故《ゆえ》に。『経《きょう》』（涅槃経）には[34]「我《われ》、「十住《じゅうじゅう》の菩薩《ぼさつ》、少分《しょうぶん》、仏《ぶっ》性《しょう》を見《み》る」と説《と》く」と言《のたま》えり。故《かるがゆえ》に知《し》りぬ。安楽《あんらく》仏国《ぶっこく》に到《いた》れば即《すなわ》ち必《かなら》ず仏性《ぶっしょう》を顕《あらわ》す。本願力《ほんがんりき》の回向《えこう》に由《よ》るが故《ゆえ》に。

爾者如来真説、宗師釈義、明知。顕㆓安養浄刹真報土㆒。惑染衆生、於㆑此不㆑能㆑見㆑性。所㆑覆㆓煩悩㆒故。『経』言㆕「我説㆔十住菩薩少分見㆓仏性㆒。」㆓故知。到㆓安楽仏国㆒即必顕㆓仏性㆒。由㆓本願力回向㆒故。

亦《また》『経《きょう》』（涅槃経）には35「衆生《しゅじょう》、未来《みらい》に清浄《しょうじょう》の身《しん》を具足《ぐそく》して荘厳《しょうごん》して仏性《ぶっしょう》を見《み》ることを得《う》」と言《のたま》えり。

48『起信論《きしんろん》』（念仏三昧宝王論）に曰《い》わく、「若《も》し説《と》くと雖《いえど》も能説《のうせつ》の有《あ》りて説《と》くべきも無《な》く、亦能念《またのうねん》の念《ねん》ずべきも無《な》しと知《し》るを、名《な》づけて「随順《ずいじゅん》」とす。若《も》し念《ねん》を離《はな》るるを名《な》づけて「得入《とくにゅう》」とす。得入《とくにゅう》は真如三昧《しんにょざんまい》なり。いかに況《いわ》んや、無念《むねん》の位《くらい》は妙覚《みょうがく》に在《あ》り。蓋《けだ》し以《もっ》て了心《りょうしん》は初生《しょしょう》の相《そう》なり。而《しか》も初《しょ》相《そう》を知《し》ると言《い》うは、謂《い》わゆる、無念《むねん》は菩薩十地《ぼさつじゅうじ》の知《し》る所《ところ》に非《あら》ず。而《しか》るに今《いま》の人《ひと》、尚未《なおいま》だ十信《じっしん》に階《かな》わず。即《すなわ》ち馬《め》⑦鳴《みょう》大士《だいじ》に依《よ》らざらんや。説《せつ》より無説《むせつ》に入《い》り、念《ねん》より無念《むねん》に入《い》る」とのたまえり。略抄《りゃくしょう》

49夫《そ》れ報《ほう》を案《あん》ずれば、如来《にょらい》の願海《がんかい》に由《よ》りて果成《かじょう》の土《ど》を⑧酬報《しゅうほう》せり。故《かるがゆえ》に「報《ほう》」と曰《い》うなり。

50然《しか》るに願海《がんかい》に就《つ》いて、真有《しんあ》り、⑨仮有《けあ》り。是《ここ》を以《もっ》て復《ま》た仏土《ぶつど》に就《つ》いて、真有《しんあ》り、仮有《けあ》り。選択本願《せんじゃくほんがん》の正因《しょういん》に由《よ》りて真仏土《しんぶつど》を成就《じょうじゅ》せり。

「真仏《しんぶつ》」と言《い》うは、『大経《だいきょう》』には36「無辺光仏《むへんこうぶつ》・無碍光《むげこう》

亦『経』言下「衆生未来具三足荘三厳清浄之身一而得上見二仏性一。」

夫案レ報者由二如来願海一酬三報果成土一。故曰レ報也。

然就二願海一、有レ真、有レ仮。是以復就二仏土一、有レ真有レ仮。由二選択本願之正因一、成三就真仏土一。

言二真仏一者、『大経』言二「無辺光仏・無碍

①憬…＊けい
②瞋恚…おもういかり　いかる
③盛…さかり
④測度…はからう　ど
⑤耀…＊かがやく
⑥触…ふるる
⑦鳴…ほゆ
⑧酬…こたう
⑨仮…かりなり

仏《ぶつ》」と言《のたま》えり。
又《また》37「諸仏中《しょぶつちゅう》の王《おう》なり。光明中《こうみょうちゅう》の極尊《ごくそん》なり」（過度人道経）と言《のたま》えり。已上《いじょう》
『論《ろん》』（浄土論）には38「帰命尽十方無碍光如来《きみょうじんじっぽうむげこうにょらい》」と曰《い》えるなり。
「真土《しんど》」と言《い》うは、『大経《だいきょう》』には39「無量光明土《むりょうこうみょうど》」（平等覚経）と言《のたま》えり。
或《ある》いは40「諸智土《しょちど》」（如来会）と言《のたま》えり。已上《いじょう》
『論《ろん》』（浄土論）には41「究竟《くきょう》して虚空《こくう》の如《ごと》し、広大《こうだい》して辺《へん》①際無《ざいな》し」と曰《い》うなり。
「往生《おうじょう》」と言《い》うは、『大経《だいきょう》』には42「皆受自然虚無之身《かいじゅじねんこむししん》無極之体《むごくしたい》」と言《のたま》えり。已上《いじょう》
『論《ろん》』（浄土論）には43「如来浄華衆《にょらいじょうけしゅ》　正覚華化生《しょうがくけけしょう》」と曰《い》えり。
又《また》は44「同一念仏《どういつねんぶつ》して無別《むべつ》の道故《どうこ》」（論註）と云《い》えり。已上《いじょう》
又《また》45「難思議往生《なんし②ぎおうじょう》」（法事讃）と云《い》える、是《こ》れなり。

光仏。一」
又言二「諸仏中之王也。光明中之極尊也。一」
已上
『論』曰二「帰命尽十方無碍光如来一」也。
言二真土一者、『大経』言二「無量光明土。一」
或言二「諸智土。一」已上
『論』曰下「究竟如二虚空一広大無中辺際上」也。
言二往生一者、『大経』言二「皆受自然虚無之身無極之体。一」已上
『論』曰二「如来浄華衆　正覚華化生。一」
又云二「同一念仏無別道故。一」已上
又云二「難思議往生一」是也。

51 仮《け》の仏土《ぶつど》とは、下《しも》に在《あ》りて知《し》るべし。既《すで》に以《もっ》て真《しん》・仮《け》、皆是《みなこ》れ大悲《だいひ》の願海《がんかい》に酬報《しゅうほう》せり。故《かるがゆえ》に知《し》りぬ、報仏土《ほうぶつど》なりということを。良《まこと》に仮《け》の仏土《ぶつど》の業因千《ごういんせん》③差《じゃ》なれば、土《ど》も復《ま》た千《せん》④差《じゃ》なるべし。是《こ》れを「方便化身化土《ほうべんけしんけど》」と名《な》づく。真《しん》・仮《け》を知《し》らざるに由《よ》りて、如来広大《にょらいこうだい》の恩徳《おんどく》を⑤迷《めい》失《しっ》す。

52 茲《こ》れに因《よ》りて、今《いま》、真仏《しんぶつ》・真土《しんど》を顕《あらわ》す。斯《こ》れ乃《すなわ》ち真《しん》宗《しゅう》の正意《しょうい》なり。経家《きょうげ》・論家《ろんげ》の正説《しょうせつ》、浄土宗師《じょうどしゅうし》の解《げ》義《ぎ》、仰《あお》いで敬信《きょうしん》すべし、特《こと》に⑥奉持《ぶじ》すべきなり。知《し》るべしとなり。

顕浄土真仏土文類五《けんじょうどしんぶつどもんるいご》

仮之仏土者、在レ下応レ知。既以真仮皆是酬二報大悲願海一。故知報仏土也。良仮仏土業因千差、土復応二千差一。是名二方便化身化土一。由レ不レ知二真仮一、迷二失如来広大恩徳一。

因レ茲今顕二真仏真土一。斯乃真宗之正意也。経家論家之正説、浄土宗師之解義、仰可二敬信一、特可二奉持一也。可レ知。

①際…きわ
②議…はかり
③差…しなわい
④差…たがう
⑤迷…まどい
⑥奉…うけたまわり

顕《けん》浄《じょう》土《ど》方《ほう》便《べん》化《け》身《しん》土《ど》文《もん》類《るい》六《ろく》 本《ほん》

無《む》量《りょう》寿《じゅ》仏《ぶつ》観《かん》経《ぎょう》の意《こころ》
[I]至《し》心《しん》発《ほっ》願《がん》の願《がん》　邪《じゃ》定《じょう》聚《じゅ》の機《き》
双《そう》樹《じゅ》林《りん》下《げ》往《おう》生《じょう》

阿《あ》弥《み》陀《だ》経《きょう》の意《こころ》なり
至《し》心《しん》回《え》向《こう》の願《がん》　不《ふ》定《じょう》聚《じゅ》の機《き》
難《なん》思《し》往《おう》生《じょう》

顕《けん》浄《じょう》土《ど》方《ほう》便《べん》化《け》身《しん》土《ど》文《もん》類《るい》六《ろく》

愚《ぐ》禿《とく》釈《しゃく》親《しん》鸞《らん》集《あつむ》

[1]謹《つつし》んで化《け》身《しん》土《ど》を顕《あらわ》さば、仏《ぶつ》は『無《む》量《りょう》寿《じゅ》仏《ぶつ》観《かん》経《ぎょう》』の説《せつ》の如《ごと》し。真《しん》身《しん》観《かん》の仏《ぶつ》、是《こ》れなり。[2]土《ど》は『観《かん》経《ぎょう》』の浄《じょう》土《ど》、是《こ》れなり。復《ま》た『菩《ぼ》薩《さつ》処《しょ》胎《たい》経《きょう》』等《とう》の説《せつ》の如《ごと》し。

無量寿仏観経之意
至心発願之願　邪定聚機
双樹林下往生

阿弥陀経之意也
至心回向之願　不定聚機
難思往生

謹顕二化身土一者、仏者如二『無量寿仏観経』説一。真身観仏是也。土者『観経』浄土是也。復如二『菩薩処胎経』等説一。即懈慢界是也。

即《すなわ》ち①解慢界《けまんがい》、是《こ》れなり。亦《また》『大無量寿経《だいむりょうじゅきょう》』の説《せつ》の如《ごと》し。即《すなわ》ち疑城胎宮《ぎじょうたいぐう》、是《こ》れなり。

3然《しか》るに、濁世《じょくせ》の②群萌《ぐんもう》、③穢悪《えあく》の④含識《がんしき》、乃《いま》し九十五種《くじゅうごしゅ》の邪道《じゃどう》を出《い》でて、半満権実《はんまんごんじつ》の法門《ほうもん》に入《い》ると雖《いえど》も、真《しん》なる者《もの》は甚《はなは》だ以《もっ》て難《かた》く、実《じつ》なる者《もの》は甚《はなは》だ以《もっ》て希《まれ》なり。⑤偽《ぎ》なる者《もの》は甚《はなは》だ以《もっ》て多《おお》く、虚《こ》なる者《もの》は甚《はなは》だ以《もっ》て滋《しげ》し。

4是《ここ》を以《もっ》て、釈迦牟尼仏《しゃかむにぶつ》、福徳蔵《ふくとくぞう》を顕説《けんぜつ》して、群生海《ぐんじょうかい》を⑥誘引《ゆういん》し、阿弥陀如来《あみだにょらい》、本《もと》、誓願《せいがん》を発《おこ》して、普《あまね》く諸有《しょう》海《かい》を化《け》したまう。5⑦既《すで》にして悲願《ひがん》有《いま》す。「修諸功徳《しゅしょくどく》の願《がん》」と名《な》づく、6復《ま》た「臨終現前《りんじゅうげんぜん》の願《がん》」と名《な》づく、復《ま》た「現前導生《げんぜんどうしょう》の願《がん》」と名《な》づく、復《ま》た「来迎引接《らいこういんじょう》の願《がん》」と名《な》づく、亦《また》「至心発願《ししんほつがん》の願《がん》」と名《な》づくべきなり。

亦如二『大無量寿経』説一。即疑城胎宮是也。

然濁世群萌穢悪含識、乃出二九十五種之邪道一、雖レ入二半満権実之法門一、真者甚以難、実者甚以希。偽者甚以多、虚者甚以滋。

是以釈迦牟尼仏、顕二説福徳蔵一、誘二引群生海一、阿弥陀如来、本発二誓願一、普化二諸有海一。既而有二悲願一。名二修諸功徳之願一、復名二臨終現前之願一、復名二現前導生之願一、復名二来迎引接之願一、亦可レ名二至心発願之願一也。

7是《ここ》を以《もっ》て『大経《だいきょう》』の願《がん》に言《のたま》わく、「設《たと》い我《われ》、仏《ぶつ》を得《え》んに、十方《じっぽう》の衆生《しゅじょう》、菩提心《ぼだいしん》を発《おこ》し諸《もろもろ》の功徳《くどく》を修《しゅ》し、心《しん》を至《いた》し発願《ほつがん》して我《わ》が国《くに》に生《う》まれんと欲《おも》わん。寿終《じゅしゅう》の時《とき》に臨《のぞ》みて、仮令《たと》い大衆《だいしゅ》と囲遶《いにょう》して、其《そ》の人《ひと》の前《まえ》に現《げん》ぜずは、正覚《しょうがく》を取《と》らじ」と。

8『悲華経《ひけきょう》』の「大施品《だいせほん》」に言《のたま》わく、「願《ねが》わくは我《われ》、阿耨多羅三藐三菩提《あのくたらさんみゃくさんぼだい》を成《な》り已《おわ》らんに、其《そ》の余《よ》の無量無辺阿僧祇《むりょうむへんあそうぎ》の諸仏世界《しょぶつせかい》の所有《しょう》の衆生《しゅじょう》、若《も》し阿耨多羅三藐三菩提心《あのくたらさんみゃくさんぼだいしん》を発《おこ》し、諸《もろもろ》の善根《ぜんごん》を修《しゅ》して我《わ》が界《かい》に生《う》まれんと欲《おも》わん者《もの》、臨終《りんじゅう》の時《とき》、我《われ》、当《まさ》に大衆《だいしゅ》と⑧囲繞《いにょう》して、其《そ》の人《ひと》の前《まえ》に現《げん》ずべし。其《そ》の人《ひと》、我《われ》を見《み》て、即《すなわ》ち我《わ》が前《まえ》にして心《しん》に歓喜《かんぎ》を得《え》ん。我《われ》を見《み》るを以《もっ》ての故《ゆえ》に、諸《もろもろ》の⑨障閡《しょうげ》を離《はな》れて、即便《すなわ》ち身《み》を捨《す》てて我《わ》が界《かい》に来生《らいしょう》せしめん」と。已上《いじょう》

9 此《こ》の願成就《がんじょうじゅ》の文《もん》は、即《すなわ》ち三《さん》⑩輩《ぱい》の文《もん》、是《こ》れなり。『観経《かんぎょう》』の定散九品《じょうさんくぼん》の文《もん》、是《こ》れなり。

此願成就文者即三輩文是也。『観経』定散九品之文是也。

10 又《また》『大経《だいきょう》』に言《のたま》わく、「又《また》、無量寿仏《むりょうじゅぶつ》の其《そ》の道⑪場樹《どうじょうじゅ》は、高《たか》さ四百《しひゃく》⑫万里《まんり》なり。其《そ》の本《もと》、⑬周囲《しゅうい》五十由旬《ごじゅうゆじゅん》なり。枝葉《しよう》、四《よも》に布《し》きて二十万里《にじゅうまんり》なり。一切《いっさい》の衆宝《しゅぼう》、自然《じねん》に合成《ごうじょう》せり。月光摩尼持海輪《がっこうまにじかいりん》宝《ぼう》の衆宝《しゅぼう》の王《おう》たるを以《もっ》て、之《これ》を荘厳《しょうごん》せり。乃至《ないし》 阿難《あなん》。若《も》し彼《か》の国《くに》の人天《にんでん》、此《こ》の樹《じゅ》を見《み》る者《もの》は三法《さんぼう》忍《にん》を得《え》ん。一《ひとつ》には音⑭響忍《おんこうにん》、二《ふたつ》には⑮柔順忍《にゅうじゅんにん》、三《みつ》には無生法忍《むしょうぼうにん》なり。此《こ》れ皆《みな》、無量寿仏《むりょうじゅぶつ》の威神力《いじんりき》の故《ゆえ》に、本願力《ほんがんりき》の故《ゆえ》に、満⑯足願《まんぞくがん》の故《ゆえ》に、明了願《みょうりょうがん》の故《ゆえ》に、⑰堅固願《けんごがん》の故《ゆえ》に、究竟願《くきょうがん》の故《ゆえ》なりと。乃至《ないし》 又《また》、⑱講堂《こうどう》・⑲精舎《しょうじゃ》・宮殿《くでん》・楼観《ろうかん》、皆《みな》、七宝《しちほう》をもって荘厳《しょうごん》し、自然《じねん》に化成《けじょう》せり。復《ま》た真珠《しんじゅ》・明月摩尼《みょうがつまに》・

①懈慢…おこたる　あなどる
②群萌…むらがり　きざす
③穢…けがらわし
④含識…ふくむ　さとる
⑤偽…いつわる
⑥誘…こしらえ
⑦既…＊き
⑧囲繞…めぐり　めぐる
⑨障閡…さわり　さわる
⑩輩…ともがら
⑪場…にわ
⑫万…＊よろず
⑬周…めぐり
⑭響…ひびき
⑮柔…やわらかに
⑯足…たる
⑰堅固…かたく　かたし
⑱講…おこなう
⑲精…もっぱら

衆宝《しゅぼう》を以《もっ》て、以《もっ》て①交露《きょうろ》とす。其《そ》の上《うえ》に覆《ふ》②蓋《がい》せり。内外左右《ないげさう》に諸《もろもろ》の③浴地《よくち》有《あ》り。十由旬《じゅうゆじゅん》、或《あ》いは二《に》十《じゅう》・三十《さんじゅう》、乃至百千由旬《ないしひゃくせんゆじゅん》なり。④縦広《じゅうこう》・深浅《じんせん》、各《おの》おの皆一等《みないっとう》なり。八功徳水《はっくどくすい》、⑤湛然《たんねん》として⑥盈満《ようまん》せり。清浄香《しょうじょうこう》⑦潔《けつ》にして、味《あじわい》、甘露《かんろ》の如《ごと》し」と。

11又言《またのたま》わく（大経）、「其《そ》れ胎生《たいしょう》の者《もの》は、処《しょ》する所《ところ》の宮殿《くでん》、或《あ》いは百由旬《ひゃくゆじゅん》、或《あ》いは五百由旬《ごひゃくゆじゅん》なり。各《おの》おの其《そ》の中《なか》にして、諸《もろもろ》の快楽《けらく》を受《う》くること、忉利天上《とうりてんじょう》の如《ごと》し。亦皆自然《またみなじねん》なり。」

爾《そ》の時《とき》に慈氏菩薩《じしぼさつ》、仏《ぶつ》に白《もう》して言《もう》さく、「世尊《せそん》。何《なん》の因《いん》、何《なん》の縁《えん》あってか、彼《か》の国《くに》の人《にん》⑧民《みん》、胎《たい》生《しょう》・化生《けしょう》なる」と。

仏《ぶつ》、慈《じ》⑨氏《し》に告《つ》げたまわく、「若《も》し衆生有《しゅじょうあ》りて、疑惑心《ぎわくしん》を以《もっ》て諸《もろもろ》の功徳《くどく》を修《しゅ》して、彼《か》の国《くに》に生《う》まれんと願《がん》ぜん。仏智《ぶっち》・不思議智《ふしぎち》・不可称智《ふかしょうち》・大乗広智《だいじょうこうち》・無等無倫最上勝智《むとうむりんさいじょうしょうち》を了《さと》らずして、此《こ》の諸智《しょち》に於《お》いて疑惑《ぎわく》して信《しん》ぜず。然《しか》も猶《なお》、罪福《ざいふく》を信《しん》じて善本《ぜんぽん》を⑩修習《しゅじゅう》して、其《そ》の国《くに》に生《う》まれんと願《がん》ぜん。此《こ》の諸《もろもろ》の衆生《しゅじょう》、彼《か》の宮殿《くでん》に生《う》まれて寿五百歳《いのちごひゃくさい》、常《つね》に仏《ぶつ》を見《み》ず、経法《きょうぼう》を聞《き》かず、菩薩《ぼさつ》・声聞《しょうもん》・聖《しょう》衆《じゅ》を見《み》ず。是《こ》の故《ゆえ》に彼《か》の国土《こくど》には、之《これ》を「胎生《たいしょう》」と謂《い》う。乃至《ないし》 弥勒《みろく》、当《まさ》に知《し》るべし。彼《か》の化生《けしょう》の者《もの》は、智慧勝《ちえすぐ》れたるが故《ゆえ》に。其《そ》の胎生《たいしょう》の者《もの》は皆《みな》、智慧無《ちえな》きなり。」乃至《ないし》

仏《ぶつ》、弥勒《みろく》に告《つ》げたまわく、「譬《たと》えば転輪聖王《てんりんじょうおう》の如《ごと》し。七宝《しちほう》の⑪牢獄《ろうごく》有《あ》らん。種種《しゅじゅ》に荘厳《しょうごん》し、⑫牀帳《しょうちょう》を⑬張設《ちょうせつ》し、諸《もろもろ》の⑭繒幡《ぞうばん》を懸《か》けたらん。若《も》し諸《もろもろ》の小王子《しょうおうじ》、罪《つみ》を王《おう》に得《え》たらん。輒《すなわ》ち彼《か》の獄《ごく》の中《うち》に内《い》れて、繋《つな》ぐに金《こん》⑮鎖《さ》を以《もっ》てせん。」乃至《ないし》

仏《ぶつ》、弥勒《みろく》に告《つ》げたまわく、「此《こ》の諸《もろもろ》の衆生《しゅじょう》、亦復《またか》是くの如《ごと》し。仏智《ぶっち》を疑惑《ぎわく》するを以《もっ》ての故《ゆえ》に彼《か》の胎宮《たいぐう》に生《う》まれん。乃至《ないし》 若《も》し此《こ》の衆生《しゅじょう》、其《そ》の本《もと》の罪《つみ》を識《し》りて、深《ふか》く自《みずか》ら悔責⑯《けしゃく》して、彼《か》の処《しょ》を離《はな》ることを求《もと》めん。乃至《ないし》 弥勒《みろく》、当《まさ》に知《し》るべし。其《そ》れ菩薩《ぼさつ》有《あ》りて、疑惑《ぎわく》を生《しょう》ぜば大利《だいり》を失《しっ》すとす。」已《い》上抄出《じょうしょうしゅつ》

12『如来会《にょらいえ》』に言《のたま》わく、「仏《ぶつ》、弥勒《みろく》に告《つ》げたまわく、「若《も》し衆生《しゅじょう》有《あ》りて、疑悔⑰《ぎけ》に随《したが》いて善根《ぜんごん》を積集⑱《しゃくじゅう》して、仏智《ぶっち》・普遍智《ふへんち》・不思議智《ふしぎち》・無等智《むとうち》・威徳智《いとくち》・広大智《こうだいち》を希求⑲《けぐ》せん。自《みずか》らの善根《ぜんごん》に於《お》いて信《しん》を生《しょう》ずること能《あた》わず。此《こ》の因縁《いんねん》を以《もっ》て、五百歳《ごひゃくさい》に於《お》いて宮殿《くでん》の中《うち》に住《じゅう》せん。乃至《ないし》 阿逸多⑳《あいった》。汝《なんじ》、殊勝《しゅしょう》智《ち》の者《もの》を観《かん》ずるに、彼《かれ》は広慧《こうえ》の力《りき》に因《よ》るが故《ゆえ》に、彼《か》の導華《どうけ》の中《なか》に化生《けしょう》することを受㉑《う》けて結跏趺座《けっかふざ》せん。汝《なんじ》、下劣《げれつ》の輩《ともがら》を観《かん》ずるに、乃至《ないし》 諸《もろもろ》の功徳《くどく》を修習㉒《しゅじゅう》すること能《あた》わず。故《かるがゆえ》に因《いん》無《な》くして無量寿仏《むりょうじゅぶつ》に奉事《ぶじ》せん。是《こ》の諸《もろもろ》の人等《ひとら》は皆《みな》、昔《むかし》の縁《えん》、疑悔《ぎけ》を為《な》して致《いた》す所《ところ》なればなり」と。乃至《ないし》 仏《ぶつ》、弥勒《みろく》に告《つ》げたまわく、「是《か》くの如《ごと》し、是《か》くの如《ごと》し。若《も》し疑悔《ぎけ》に随《したが》いて諸《もろもろ》の善根《ぜんごん》を種《う》えて、仏智《ぶっち》、乃至広大智《ないしこうだいち》を希求《けぐ》すること有《あ》らん。自《みずか》らの善根《ぜんごん》に於《お》いて信《しん》を生《しょう》ずること能《あた》わず。仏《ぶつ》の名《みな》を聞《き》く

①交…まじわる
②蓋…おおう
③浴…あむる
④縦広…よこさま
⑤湛…たたうる
⑥盈…みち
⑦潔…あざやかなり
⑧民…たみ
⑨氏…うじ
⑩修習…つくる　ならう
⑪牢獄…かたし　いましむ
⑫牀…ゆか
⑬張設…はり　もうく
⑭繒幡…はた　はた
⑮鎖…くさり
⑯悔責…くゆる　せむ
⑰悔…くゆ
⑱積…つみ
⑲希…まれに
⑳逸…ほしいままに
㉑受…うく
㉒習…ならう

に由《よ》りて信心《しんじん》を起《お》こすが故《ゆえ》に彼《か》の国《くに》に生《う》まると雖《いえど》も、蓮華《れんげ》の中《うち》にして出現《しゅつげん》することを得《え》ず。彼等《かれら》の衆生《しゅじょう》、華胎《けたい》の中《うち》に処《しょ》すること、猶《なお》、①園《おん》②苑宮殿《おんくでん》の想《おもい》の如《ごと》し」と。抄要《しょうよう》

13『大経《だいきょう》』に[1]言《のたま》わく、「諸《もろもろ》の少行《しょうぎょう》の菩薩及《ぼさつおよ》び少功徳《しょうくどく》を修習《しゅじゅう》する者《もの》、称計《しょうげ》すべからざる、皆《みな》、当《まさ》に往生《おうじょう》すべし」と。

14又言《またのたま》わく（如来会）、「況《いわ》んや余《よ》の菩薩《ぼさつ》、少善根《しょうぜんごん》に由《よ》りて彼《か》の国《くに》に生《しょう》ずる者《もの》、称計《しょうげ》すべからず」と。已上《いじょう》

15光明寺《こうみょうじ》（善導）の『釈《しゃく》』（定善義）に云《い》わく、「華《はな》に③含《ふく》みて未《いま》だ出《い》でず。或《ある》いは辺界《へんかい》に生《しょう》じ、或《ある》いは宮胎《くたい》に④堕《だ》せん」と。已上《いじょう》

16憬興師《きょうごうし》の云《い》わく（述文賛）、「仏智《ぶっち》を疑《うたが》うに由《よ》りて、彼《か》の国《くに》に生《う》まれて辺地《へんじ》に在《あ》りと雖《いえど》も、聖化《しょうけ》の事《じ》を被《かぶ》らず。若《も》し胎生《たいしょう》せば、宜《よろ》しく之《これ》を重《おも》く捨《す》つべし」と。已上《いじょう》

17首楞厳院《しゅりょうごんいん》（源信）の『要集《ようしゅう》』（往生要集）に、感禅師《かんぜんじ》（懐感）の『釈《しゃく》』（群疑論）を引《ひ》きて云《い》わく、[2]「問《と》う。『菩薩処胎経《ぼさつしょたいきょう》』の第二《だいに》に説《と》かく、[3]「西方《さいほう》、此《こ》の閻浮提《えんぶだい》を去《さ》ること、十二億那由他《じゅうにおくなゆた》に、懈慢《けまん》界有《がいあ》り。乃至《ないし》　意《い》を発《ほっ》する衆生《しゅじょう》、阿弥陀仏国《あみだぶっこく》に生《しょう》ぜんと欲《ほっ》する者《もの》、皆《みな》、深《ふか》く懈慢国土《けまんこくど》を⑤着《じゃく》して、前《す》進《す》んで阿弥陀仏国《あみだぶっこく》に生《しょう》ずること能《あた》わず。億千万《おくせんまん》の衆《しゅ》、時《とき》に一人有《いちにんあ》りて、能《よ》く阿弥陀仏国《あみだぶっこく》に生《しょう》ず」と云云《うんぬん》。此《こ》の『経《きょう》』を以《もっ》て⑥准難《じゅんなん》するに、生《しょう》を得《う》べしや。」

答《こた》う。『群疑論《ぐんぎろん》』に善導和尚《ぜんどうかしょう》の前《さき》の文《もん》を引《ひ》きて、此《こ》の難《なん》を釈《しゃく》して、又自《またみずか》ら⑦助成《じょじょう》して云《い》わく、[4]「此《こ》

の『経《きょう》』の下《しも》の文《もん》に云《のたま》わく、[5]「何《なに》を以《もっ》ての故《ゆえ》に。皆《みな》、懈慢《けまん》に由《よ》りて⑧執心《しゅうしん》⑨牢固《ろうこ》ならず」と。是《ここ》に知《し》りぬ。雑修《ざっしゅ》の者《もの》は執心不牢《しゅうしんふろう》の人《ひと》とす。故《かるがゆえ》に懈慢国《けまんこく》に生《しょう》ず。若《も》し雑修《ざっしゅ》せずして専《もっぱ》ら此《こ》の業《ごう》を行《ぎょう》ずるは、此《こ》れ即《すなわ》ち執心牢固《しゅうしんろうこ》にして、定《さだ》めて極楽国《ごくらくこく》に生《しょう》ず。乃至《ないし》　又《また》、報《ほう》の浄土《じょうど》に生《しょう》ずる者《もの》は極《きわ》めて少《すく》なし。化《け》の浄土《じょうど》の中《うち》に生《しょう》ずる者《もの》は少《すく》なからず。故《かるがゆえ》に経《きょう》の別説《べっせつ》、実《まこと》に相違《そうい》せざるなり」と。已上略抄《いじょうりゃくしょう》

18 爾《しか》れば夫《そ》れ楞厳《りょうごん》の和尚《かしょう》（源信）の解義《げぎ》⑩を案《あん》ずるに、「念仏証拠門《ねんぶつしょうこもん》」（往生要集）の中《なか》に、第十八《だいじゅうはち》の願《がん》は[6]別願《べつがん》の中《なか》の別願《べつがん》なりと顕開《けんかい》したまえり。『観経《かんぎょう》』の定散諸《じょうさんしょ》機《き》は、[7]「極重悪人唯称弥陀《ごくじゅうあくにんゆいしょうみだ》」と⑪勧励《かんれい》したまえるなり。濁世《じょくせ》の道俗《どうぞく》、善《よ》く自《みずか》ら己《おのれ》が能《のう》を思量《しりょう》せよとなり。知《し》るべし。

19 問《と》う。『大本《だいほん》』（大経）の三心《さんしん》と『観経《かんぎょう》』の三心《さんじん》と、一《いち》異云何《いいいかん》ぞや。

爾者夫案㆓楞厳和尚解義㆒、念仏証拠門中第十八願者顕㆓開別願中之別願㆒。『観経』定散諸機者勧㆓励「極重悪人唯称弥陀」㆒也。濁世道俗、善自思㆓量己能㆒也。応㆑知。

問。『大本』三心与㆓『観経』三心㆒、一異云何。

①園…その
②苑…＊えん／その
③含…〈がん〉
④堕…〈おつ〉
⑤着…＊くるおさる／つく
⑥准…なずらう
⑦助…たすく
⑧執…とる
⑨牢固…かたく　かたし
⑩義…はからう
⑪勧励…すすめ　はげます

20答《こた》う。釈家《しゃっけ》（善導）の意《い》に依《よ》りて『無量寿仏観経《むりょうじゅぶつかんぎょう》』を案《あん》ずれば、顕彰《けんしょう》①隠密《おんみつ》の義《ぎ》有《あ》り。

21「顕《けん》」と言《い》うは、即《すなわ》ち定散諸善《じょうさんしょぜん》を顕《あらわ》し、三輩《さんぱい》・三心《さんじん》を開《ひら》く。然《しか》るに二善《にぜん》・三福《さんぷく》は報土《ほうど》の真因《しんいん》に非《あら》ず。諸機《しょき》の三心《さんじん》は自利各別《じりかくべつ》にして、利他《りた》の一心《いっしん》に非《あら》ず。如来《にょらい》の異《い》の方便《ほうべん》、②欣慕浄土《ごんぼじょうど》の善根《ぜんごん》なり。是《こ》れは此《こ》の『経《きょう》』（観経）の意《い》なり。即《すなわ》ち是《こ》れ顕《けん》の義《ぎ》なり。

22③「彰《しょう》」と言《い》うは、如来《にょらい》の弘願《ぐがん》を彰《あらわ》し、利他通入《りたつうにゅう》の一心《いっしん》を④演暢《えんちょう》す。達多《だった》・闍世《じゃせ》の悪逆《あくぎゃく》に縁《よ》りて、釈迦《しゃか》⑤微咲《みしょう》の⑥素懐《そかい》を彰《あらわ》す。韋提別選《いだいべっせん》の正意《しょうい》に因《よ》りて、弥陀大悲《みだだいひ》の本願《ほんがん》を開《かい》⑦闡《せん》す。斯《こ》れ乃《すなわ》ち此《こ》の『経《きょう》』（同）の⑧隠彰《おんしょう》の義《ぎ》なり。

23是《ここ》を以《もっ》て、『経《きょう》』（同）には、8「教我観於清浄業処《きょうがかんおしょうじょうごっしょ》」と言《のたま》えり。「清浄業処《しょうじょうごっしょ》」と言《い》うは則《すなわ》ち是《こ》れ本願《ほんがん》成就《じょうじゅ》の報土《ほうど》なり。

9「教我思⑨惟《きょうがしゆい》」（同）と言《い》うは即《すなわ》ち方便《ほうべん》なり。

答。依二釈家之意一案二『無量寿仏観経一』者
有二顕彰隠密義一。
言レ顕者、即顕二定散諸善一、開二三輩三心一。
然二善三福非二報土真因一。諸機三心自利各
別而非二利他一心一。如来異方便、欣慕浄土
善根。是此『経』之意。即是顕義也。
言レ彰者、彰二如来弘願一、演二暢利他通入一
心一。縁二達多・闍世悪逆一、彰二釈迦微咲素懐一。
因二韋提別選正意一、開二闡弥陀大悲本願一。斯
乃此『経』隠彰義也。
是以『経』言二「教我観於清浄業処一。」
言二「清浄業処一」者則是本願成就報土也。
言二「教我思惟一」者即方便也。

10「教《きょう》我《が》正受《しょうじゅ》」と言《い》うは即《すなわ》ち金剛《こんごう》の真心《しんじん》なり。11「諦観《たいかん》彼《ひ》国浄業成者《こくじょうごうじょうしゃ》」(同)と言《のたま》えり。本願成就《ほんがんじょうじゅ》の尽十方無碍光如来《じんじっぽうむげこうにょらい》を観知《かんち》すべしとなり。12「広説衆譬《こうせつしゅひ》」(同)と言《のたま》えり。則《すなわ》ち十三観《じゅうさんかん》、是《こ》れなり。13「汝是凡夫心想《にょぜぼんぶしんそう》⑩羸劣《るいれつ》」(同)と言《のたま》えり。則《すなわ》ち是《こ》れ悪《あく》人往生《にんおうじょう》の機《き》たることを彰《あらわ》すなり。14「諸仏如来有異方便《しょぶつにょらいういほうべん》」(同)と言《のたま》えり。則《すなわ》ち是《こ》れ定《じょう》散諸善《さんしょぜん》、方便《ほうべん》の教《きょう》たることを顕《あらわ》すなり。15「以仏力故見彼国土《いぶつりきこけんぴこくど》」(同)と言《のたま》えり。斯《こ》れ乃《すなわ》ち他力《たりき》の意《い》を顕《あらわ》すなり。16「若仏滅後諸衆生等《にゃくぶつめつごしょしゅじょうとう》」(同)と言《のたま》えり。即《すなわ》ち是《こ》れ未《み》来《らい》の衆生《しゅじょう》、往生《おうじょう》の正機《しょうき》たることを顕《あらわ》すなり。

言二「教我正受一」者即金剛真心也。
言二「諦観彼国浄業成者。一」応三観二知本願成就尽十方無碍光如来一也。
言二「広説衆譬。一」則十三観是也。
言二「汝是凡夫心想羸劣。一」則是彰レ為二悪人往生機一也。
言二「諸仏如来有異方便。一」則是定散諸善顕レ為二方便之教一也。
言二「以仏力故見彼国土。一」斯乃顕二他力之意一也。
言二「若仏滅後諸衆生等。一」即是未来衆生顕レ為二往生正機一也。

①隠密…かくす かくす
②欣慕…ねがい したう
③彰…あらわす
④演暢…のべ のぶ
⑤微咲…すこしき えむ
⑥素懐…もと おもい
⑦闡…ひらく
⑧隠…かくす
⑨惟…おもう
⑩羸…おとり

17「若《にゃく》有《う》合《がっ》者《しゃ》名《みょう》為《い》麁《そ》想《そう》」(同)と言《のたま》えり。是《こ》れ定観《じょうかん》成《じょう》じ難《がた》きことを顕《あらわ》すなり。18「於《お》現《げん》身《しん》中《じゅう》得《とく》念《ねん》仏《ぶつ》三《さん》昧《まい》」(同)と言《のたま》えり。即《すなわ》ち是《こ》れ定観成就《じょうかんじょうじゅ》の益《やく》①は、念仏三昧《ねんぶつさんまい》を獲《う》るを以《もっ》て観《かん》の益《やく》とすることを顕《あらわ》す。即《すなわ》ち観門《かんもん》を以《もっ》て方便《ほうべん》の教《きょう》とせるなり。19「発《ほっ》三《さん》種《じゅ》心《しん》即《そく》便《べん》往《おう》生《じょう》」(同)と言《のたま》えり。又《また》20「復《ぶ》有《う》三《さん》種《じゅ》衆《しゅ》生《じょう》当《とう》得《とく》往《おう》生《じょう》」(同)と言《のたま》えり。此《こ》れ等《ら》の文《もん》に依《よ》るに、三輩《さんぱい》に就《つ》いて三種《さんしゅ》の三心《さんじん》有《あ》り、復《ま》た二種《にしゅ》の往生《おうじょう》有《あ》り。

24良《まこと》に知《し》りぬ、此《こ》れ乃《いま》し此《こ》の『経《きょう》』(同)に顕彰隠密《けんしょうおんみつ》の義《ぎ》有《あ》ることを。二経《にきょう》の三心《さんしん》、将《まさ》に一異《いちい》を談《だん》ぜんとす。善《よ》く思量《しりょう》すべきなり。『大経《だいきょう》』・『観経《かんぎょう》』、顕《けん》の義《ぎ》に依《よ》れば異《い》なり、彰《しょう》の義《ぎ》に依《よ》れば一《いち》なり。知《し》るべし。

25爾《しか》れば光明寺《こうみょうじ》の和尚《かしょう》(善導)の云《い》わく(玄義分)、「然《しか》るに、娑婆《しゃば》の化主《けしゅ》、其《そ》の請《しょう》②に因《よ》るが故《ゆえ》に即《すなわ》ち広《ひろ》く浄土《じょうど》の要門《ようもん》を開《ひら》く。安楽《あんらく》の能人《のうにん》の別意《べつい》の弘願《ぐがん》を顕彰《けんしょう》す。其《そ》れ「要門《ようもん》」とは即《すなわ》ち此《こ》の『観《かん》経《ぎょう》』の定散《じょうさん》二門《にもん》、是《こ》れなり。「定《じょう》」は即《すなわ》ち慮《おもんぱかり》を息《や》めて、以《もっ》て心《しん》を凝《こ》らす。「散《さん》」は即《すなわ》ち悪《あく》を

言㆓「若有合者名為麁想。」㆒是顕㆓定観難㆑成也。言㆓「於現身中得念仏三昧。」㆒即是顕㆘定観成就之益以㆑獲㆓念仏三昧㆒為㆗観益㆖。即以㆓観門㆒為㆓方便之教㆒也。言㆓「発三種心即便往生。」㆒又言㆓「復有三種衆生当得往生。」㆒依㆓此等文㆒、就㆓三輩㆒有㆓三種三心㆒、復有㆓二種往生㆒。

良知、此乃此『経』有㆓顕彰隠密之義㆒。二経三心、将㆑談㆓一異㆒。応㆓善思量㆒也。『大経』『観経』依㆓顕義㆒異、依㆓彰義㆒一也。可㆑知。

③廃《はい》して、以《もっ》て善《ぜん》を修《しゅ》す。此《こ》の二行《にぎょう》を回《え》して往生《おうじょう》を求願《ぐがん》せよとなり。「弘願《ぐがん》」と言《い》うは、『大経《だいきょう》』の説《せつ》の如《ごと》し」といえり。

26 又云《またい》わく（玄義分）、「今此《いまこ》の『観経《かんぎょう》』は、即《すなわ》ち観仏三昧《かんぶつさんまい》を以《もっ》て宗《しゅう》とす、亦《また》、念仏三昧《ねんぶつさんまい》を以《もっ》て宗《しゅう》とす。一心《いっしん》に回願《えがん》して浄土《じょうど》に往生《おうじょう》するを体《たい》とすと。

「教《きょう》の大小《だいしょう》」と言《い》うは、問《と》うて曰《い》わく、此《こ》の『経《きょう》』は、二蔵《にぞう》の中《なか》には何《いず》れの蔵《ぞう》にか摂《せっ》する、二《に》教《きょう》の中《なか》には何《いず》れの教《きょう》にか収《おさ》むるや。

答《こた》えて曰《い》わく、今此《いまこ》の『観経《かんぎょう》』は菩薩蔵《ぼさつぞう》に④収《おさ》む、頓教《とんぎょう》の摂《しょう》なり」と。

27 又云《またい》わく（序分義）、「又《また》[21]「如是《にょぜ》」（観経）と言《い》うは、即《すなわ》ち此《こ》れは法《ほう》を指《さ》す。定散両門《じょうさんりょうもん》なり。是《こ》れ即《すなわ》ち定《さだ》むる辞《ことば》なり。機行《きぎょう》、必《かなら》ず益《やく》す。此《こ》れは如来《にょらい》の所説《しょせつ》の言《みこと》、⑤錯謬《しゃくみょう》無《な》きことを明《あ》かす。故《かるがゆえ》に「如是《にょぜ》」と名《な》づく。又《また》「如《にょ》」と言《い》うは、衆生《しゅじょう》の意《こころ》の如《ごと》しとなり。心《しん》の所楽《しょぎょう》に随《したが》いて、仏《ぶつ》、即《すなわ》ち之《これ》を度《ど》したまう。機教相応《ききょうそうおう》せるを、復《ま》た⑥称《しょう》して「是《ぜ》」とす。故《かるがゆえ》に「如是《にょぜ》」と言《い》う。又《また》「如是《にょぜ》」と言《い》うは、如来《にょらい》の所説《しょせつ》を明《あ》かさんと欲《ほっ》す。⑦漸《ぜん》を説《と》くことは漸《ぜん》の如《ごと》し、頓《とん》を説《と》くことは頓《とん》の如《ごと》し。相《そう》を説《と》くこと相《そう》の如《ごと》し、空《くう》を説《と》くこと空《くう》の如《ごと》し。人法《にんぼう》を説《と》くこと人法《にんぼう》の如《ごと》し、天法《てんぼう》を説《と》くこと天法《てんぼう》の如《ごと》し。小《しょう》を説《と》くこと小《しょう》の如《ごと》し、大《だい》を説《と》くこと大《だい》の如《ごと》し。凡《ぼん》を説《と》くこと凡《ぼん》の如《ごと》し、聖《しょう》を説《と》くこと聖《しょう》の如《ごと》し。

①益…たすく
②請…こう
③廃…すつ
④収…＊しゅう
⑤錯謬…あやまり　あやまる
⑥称…いう
⑦漸…ようやく

因《いん》を説《と》くこと因《いん》の如《ごと》し、果《か》を説《と》くこと果《か》の如《ごと》し。苦《く》を説《と》くこと苦《く》の如《ごと》し、楽《らく》を説《と》くこと楽《らく》の如《ごと》し。遠《おん》を説《と》くこと遠《おん》の如《ごと》し、近《ごん》を説《と》くこと近《ごん》の如《ごと》し。同《どう》を説《と》くこと同《どう》の如《ごと》し、別《べつ》を説《と》くこと別《べつ》の如《ごと》し。浄《じょう》を説《と》くこと浄《じょう》の如《ごと》し、穢《え》を説《と》くこと穢《え》の如《ごと》し。一切《いっさい》の法《ほう》を説《と》くこと千《せん》①差万別《じゃまんべつ》なり。如来《にょらい》の観知《かんち》、②歴《れき》歴了然《れきりょうねん》として、心《しん》に随《したが》いて行《ぎょう》を起《お》こして、各《おの》おの③益《やく》すること同《おな》じからず。業果法然《ごうかほうねん》として、衆《すべ》て④錯失無《しゃくしつな》し。又称《またしょう》して「是《ぜ》」とす。故《かるがゆえ》に「如是《にょぜ》」と言《い》う。」

28又云《またい》わく（序分義）、22「欲生彼国者《よくしょうひこくしゃ》」（観経）より下《しも》、23「名為浄業《みょういじょうごう》」（同）に至《いた》るまで已来《このかた》は、正《まさ》しく三福《さんぷく》の行《ぎょう》を勧修《かんしゅ》することを明《あ》かす。此《こ》れは、一切衆生《いっさいしゅじょう》の機《き》に二種《にしゅ》有《あ》ることを明《あ》かす。一《ひとつ》には定《じょう》、二《ふたつ》には散《さん》なり。若《も》し定行《じょうぎょう》に依《よ》れば、即《すなわ》ち生《しょう》を摂《せっ》するに尽《つ》きず。是《こ》れを以《もっ》て如来《にょらい》、方便《ほうべん》して三福《さんぷく》を顕開《けんかい》して、以《もっ》て散動《さんどう》の根機《こんき》に応《おう》じたまえり」と。

29又云《またい》わく（散善義）、「又《また》、真実《しんじつ》に二種《にしゅ》有《あ》り。一《ひとつ》には自利真実《じりしんじつ》、二《ふたつ》には利他真実《りたしんじつ》なり。「自利真実《じりしんじつ》」と言《い》うは、復《ま》た二種《にしゅ》有《あ》り。一《ひとつ》には、真実心《しんじつしん》の中《なか》に自他《じた》の諸悪及《しょあくおよ》び穢国等《えこくとう》を⑤制作《せいさ》して、行住座臥《ぎょうじゅうざが》に、一切菩薩《いっさいぼさつ》の、諸悪《しょあく》を制捨《せいしゃ》するに同《おな》じく、我《われ》も亦《また》是《か》くの如《ごと》くせんと想《おも》うなり。

二《ふたつ》には、真実心《しんじつしん》の中《なか》に自他凡聖等《じたぼんしょうとう》の善《ぜん》を懃修《ごんしゅ》す。真実心《しんじつしん》の中《なか》の口業《くごう》に、彼《か》の阿弥陀仏及《あみだぶつおよ》び依正《えしょう》二報《にほう》を讃嘆《さんだん》す。又《また》、真実心《しんじつしん》の中《なか》の口業《くごう》に、三界六道等《さんがいろくどうとう》の自他依正《じたえしょう》の二報《にほう》・苦悪《くあく》の事《じ》を⑥毀厭《きえん》す。亦《また》、一切衆生《いっさいしゅじょう》の三業所為《さんごうしょい》の善《ぜん》を讃嘆《さんだん》す。若《も》し善業《ぜんごう》に非《あら》ずは、敬《つつし》んで之《これ》を遠《とお》ざかれ、亦随喜《またずいき》せざれとなり。又《また》、真実心《しんじつしん》の中《なか》の身業《しんごう》に、合掌《がっしょう》し礼敬《らいきょう》し、四事等《しじとう》をもって彼《か》の阿弥陀仏及《あみだぶつおよ》び依正二報《えしょうにほう》を供養《くよう》す。

又《また》、真実心《しんじつしん》の中《なか》の身業《しんごう》に、此《こ》の生死三界等《しょうじさんがいとう》の自他《じた》の依正二報《えしょうにほう》を⑦軽慢《きょうまん》し厭捨《えんしゃ》す。又《また》、真実心《しんじつしん》の中《なか》の意業《いごう》に、彼《か》の阿弥陀仏《あみだぶつ》及《およ》び依正二報《えしょうにほう》を思想《しそう》し観察《かんざつ》し憶念《おくねん》して、目《め》の前《まえ》に現《げん》ぜるが如《ごと》くす。又《また》、真実《しんじつ》心《しん》の中《なか》の意業《いごう》に、此《こ》の生死三界等《しょうじさんがいとう》の自他《じた》の依正二報《えしょうにほう》を軽《きょう》⑧賤《せん》し厭捨《えんしゃ》すと。乃至《ないし》

又《また》、決定《けつじょう》して「釈迦仏《しゃかぶつ》、此《こ》の『観経《かんぎょう》』に三福九品《さんぷくくほん》・定散二善《じょうさんにぜん》を説《と》きて、彼《か》の仏《ぶつ》の依正二報《えしょうにほう》を証賛《しょうさん》して、人《ひと》をして⑨欣慕《ごんぼ》せしむ」と深信《じんしん》すと。乃至《ないし》

又《また》、深心《じんしん》の深信《じんしん》とは、決定《けつじょう》して自心《じしん》を建立《こんりゅう》して、教《きょう》に順《じゅん》じて修行《しゅぎょう》し、永《なが》く疑《ぎ》⑩錯《しゃく》を除《のぞ》きて、一切《いっさい》の別解《べつげ》・別行《べつぎょう》・異学《いがく》・異見《いけん》・異執《いしゅう》の為《ため》に退失《たいしつ》⑪傾動《きょうどう》せられざるなりと。乃至《ないし》

次《つぎ》に行《ぎょう》に就《つ》いて信《しん》を立《た》てば、然《しか》るに行《ぎょう》に二種《にしゅ》有《あ》り。一《ひとつ》には正行《しょうぎょう》、二《ふたつ》には雑行《ぞうぎょう》なり。「正《しょう》行《ぎょう》」と言《い》うは、専《もっぱ》ら往生経《おうじょうきょう》の行《ぎょう》に依《よ》りて行《ぎょう》ずるは、是《こ》れを「正行《しょうぎょう》」と名《な》づく。何者《なにもの》か是《こ》れや。一心《いっしん》に専《もっぱ》ら此《こ》の『観経《かんぎょう》』・『弥陀経《みだきょう》』・『無量寿経《むりょうじゅきょう》』等《とう》を読誦《どくじゅ》する。一心《いっしん》に彼《か》の国《くに》の二報荘厳《にほうしょうごん》を専《せん》⑫注《ちゅう》し思想《しそう》し観察《かんざつ》し憶念《おくねん》する。若《も》し礼《らい》せば、即《すなわ》ち一心《いっしん》に専《もっぱ》ら彼《か》の仏《ぶつ》を礼《らい》する。若《も》し口《くち》に称《しょう》せば、即《すなわ》ち一心《いっしん》に専《もっぱ》ら彼《か》の仏《ぶつ》を称《しょう》せよ。若《も》し讃嘆供養《さんだんくよう》せば、即《すなわ》ち一心《いっしん》に専《もっぱ》ら讃嘆供養《さんだんくよう》する。是《こ》れを名《な》づけて「正《しょう》」とすと。

①差…しな
②歴…ふる
③益…たすく
④錯…あやまり
⑤制…とどむ
⑥毀厭…そしり　いとう
⑦軽慢…かろめ　あなどる
⑧賤…いやしゅうす
⑨欣慕…ねがい　したう
⑩錯…あやまる
⑪傾…かたぶく
⑫注…とどむ

又《また》、此《こ》の正《しょう》の中《なか》に就《つ》いて、復《ま》た二種《にしゅ》有《あ》り。一《ひとつ》には、一心《いっしん》に弥陀《みだ》の名号《みょうごう》を専念《せんねん》して、行住座臥《ぎょうじゅうざが》に時節《じせつ》の久近《くごん》を問《と》わず、念念《ねんねん》に捨《す》てざるは、是《こ》れを「正定《しょうじょう》の業《ごう》」と名《な》づく。彼《か》の仏願《ぶつがん》に順《じゅん》ずるが故《ゆえ》に。若《も》し礼《らい》・誦《じゅ》等《とう》に依《よ》るを、即《すなわ》ち名《な》づけて「助業《じょごう》」とす。此《こ》の正《しょう》・助《じょ》二行《にぎょう》を除《のぞ》きて已外《いげ》の自余《じよ》の諸善《しょぜん》は、悉《ことごと》く「雑行《ぞうぎょう》」と名《な》づく。若《も》し前《さき》の正《しょう》・助《じょ》二行《にぎょう》を修《しゅ》するは、心《しん》、常《つね》に親近《しんごん》し憶念《おくねん》断《た》えず。名《な》づけて「無間《むけん》」とするなり。若《も》し後《のち》の雑行《ぞうぎょう》を行《ぎょう》ずるは、即《すなわ》ち心《しん》、常《つね》に間断《けんだん》す。回向《えこう》して生《しょう》を得《う》べしと雖《いえど》も、衆《すべ》て「①疎雑《そぞう》の行《ぎょう》」と名《な》づくるなり。故《かるがゆえ》に[24]「深心《じんしん》」（観経）と名《な》づくと。

[25]「三者回向発願心《さんじゃえこうほつがんしん》。」（観経）「回向発願心《えこうほつがんしん》」と言《い》うは、過去《かこ》及《およ》び今生《こんじょう》の身口意業《しんくいごう》に修《しゅ》する所《ところ》の世《せ》・出世《しゅっせ》の善根《ぜんごん》及《およ》び他《た》の一切《いっさい》の凡聖《ぼんしょう》の身口意業《しんくいごう》に修《しゅ》する所《ところ》の世《せ》・出世《しゅっせ》の善根《ぜんごん》を随喜《ずいき》して、此《こ》の自《じ》他所修《たしょしゅ》の善根《ぜんごん》を以《もっ》て、悉《ことごと》く皆《みな》、真実《しんじつ》の深信《じんしん》の心《しん》の中《なか》に回向《えこう》して彼《か》の国《くに》に生《う》まれんと願《がん》ず。故《かるがゆえ》に「回向発願心《えこうほつがんしん》」と名《な》づくるなり」と。

[30]又云《またい》わく（序分義）、「定善《じょうぜん》は観《かん》を示《しめ》す縁《えん》なり」と。

[31]又云《またい》わく（序分義）、「散善《さんぜん》は行《ぎょう》を顕《あらわ》す縁《えん》なり」と。

[32]又云《またい》わく（散善義）、「浄土《じょうど》の要《よう》、②逢《あ》い難《がた》し」と。文《もん》 抄出《しょうしゅつ》

[33]又云《またい》わく（往生礼讃）、「『観経《かんぎょう》』の説《せつ》の如《ごと》し。先《ま》ず三心《さんじん》を具《ぐ》して、必《かなら》ず往生《おうじょう》を得《う》。何等《なんら》をか三《さん》とする。一《ひとつ》には至誠心《しじょうしん》。謂《い》わゆる、身業《しんごう》に彼《か》の仏《ぶつ》を礼拝《らいはい》す、口業《くごう》に彼《か》の仏《ぶつ》を讃嘆《さんだん》し称揚《しょうよう》す、意業《いごう》に彼《か》の仏《ぶつ》を専念《せんねん》し観察《かんざつ》す。凡《おおよ》そ三業《さんごう》を起《お》こすに、必《かなら》ず真実《しんじつ》を須《もち》いるが故《ゆえ》に、「至誠心《しじょうしん》」と名《な》づくと。

乃至《ないし》　三《みつ》には回向発願心《えこうほつがんしん》。所作《しょさ》の一切《いっさい》の善根《ぜんごん》、悉《ことごと》く皆回《みなえ》して往生《おうじょう》を願《がん》ず。故《かるがゆえ》に「回向発願心《えこうほつがんしん》」と名《な》づく。此《こ》の三心《さんじん》を具《ぐ》して必《かなら》ず生《しょう》を得《う》るなり。若《も》し一心少《いっしんか》けぬれば、即《すなわ》ち生《しょう》を得《え》ず。『観経《かんぎょう》』に具《つぶさ》に説《と》くが如《ごと》し。知《し》るべしと。乃至《ないし》

又《また》、菩薩《ぼさつ》は、已《すで》に生死《しょうじ》を勉《まぬか》れて、所作《しょさ》の善法《ぜんぼう》、回《え》して仏果《ぶっか》を求《もと》む。即《すなわ》ち是《こ》れ自利《じり》③なり。衆生《しゅじょう》を教化《きょうけ》して未来際《みらいさい》を尽《つ》くす。即《すなわ》ち是《こ》れ利他《りた》なり。然《しか》るに今《いま》の時《とき》の衆生《しゅじょう》、悉《ことごと》く煩悩《ぼんのう》の為《ため》に繋縛《けばく》④せられて、未《いま》だ悪道生死等《あくどうしょうじとう》の苦《く》を勉《まぬか》れず。縁《えん》に随《したが》いて行《ぎょう》を起《お》こして、一切《いっさい》の善根《ぜんごん》、具《つぶさ》に速《すみ》やかに回《え》して、阿弥陀仏国《あみだぶっこく》に往生《おうじょう》せんと願《がん》ぜん。彼《か》の国《くに》に到《いた》り已《おわ》りて、更《さら》に畏《おそ》⑤るる所無《ところな》けん。上《かみ》の如《ごと》きの四《し》修《しゅ》、自然《じねん》　任運《にんうん》⑥にして、自利《じり》・利他《りた》、具足《ぐそく》せざること無《な》しと知《し》るべし」と。

34 又云《またい》わく（往生礼讃）、「若《も》し専《せん》を捨《す》てて雑業《ぞうごう》を修《しゅ》せんと欲《ほっ》する者《もの》は、百《ひゃく》は時《とき》に希《まれ》に一二《いちに》を得《う》。千《せん》は時《とき》に希《まれ》に五三《ごさん》を得《う》。何《なに》を以《もっ》ての故《ゆえ》に。乃《いま》し雑縁乱動《ぞうえんらんどう》す。正念《しょうねん》を失《しっ》するに由《よ》るが故《ゆえ》に。仏《ぶつ》の本願《ほんがん》と相《そう》応《おう》せざるが故《ゆえ》に。教《きょう》と相違《そうい》せるが故《ゆえ》に。仏語《ぶつご》に順《じゅん》ぜざるが故《ゆえ》に。係念相続《けねんそうぞく》⑦せざるが故《ゆえ》に。憶想間断《おくそうけんだん》するが故《ゆえ》に。回願《えがん》　慇重真実《いんじゅうしんじつ》⑧ならざるが故《ゆえ》に。貪瞋《とんじん》・諸見《しょけん》の煩悩《ぼんのう》来《き》たり間断《けんだん》するが故《ゆえ》に。慚愧《ざんぎ》⑨・懺悔《さんげ》⑩の心有《しんあ》ること無《な》きが故《ゆえ》に。

①疏…うとし
②逢…＊ぶ
③利…たすく
④繋縛…つなぎ　しばる
⑤畏…＊い
⑥任運…まかせ　はこぶ
⑦係…かくる
⑧慇…ねんごろに
⑨慚愧…はじ　はず
⑩懺悔…くい　くゆ

懺悔《さんげ》に三品《さんぼん》有《あ》り。乃至《ないし》 上中下《じょうちゅうげ》なり。上品《じょうぼん》の懺悔《さんげ》は、身《み》の毛孔《もうく》の中《なか》より血《ち》を流《なが》し、眼《まなこ》の中《なか》より血《ち》出《い》だすをば、「上品《じょうぼん》の懺悔《さんげ》」と名《な》づく。中品《ちゅうぼん》の懺悔《さんげ》は、遍身《へんしん》に熱《あつ》き汗《あせ》、毛孔《もうく》より出《い》ず。眼《まなこ》の中《なか》より血《ち》の流《なが》るるは、「中品《ちゅうぼん》の懺悔《さんげ》」と名《な》づく。下品《げぼん》の懺悔《さんげ》は、遍身徹《へんしんとお》り熱《あつ》く、眼《まなこ》の中《なか》より涙《なみだ》出《い》ずるをば、「下品《げぼん》の懺悔《さんげ》」と名《な》づく。此《こ》れ等《ら》の三品《さんぼん》、差別《しゃべつ》有《あ》りと雖《いえど》も、是《こ》れ久《ひさ》しく解脱分《げだつぶん》の善根《ぜんごん》を種《う》えたる人《ひと》なり。今生《こんじょう》に法《ほう》を敬《うやま》い、人《ひと》を重《おも》くし、身命《しんみょう》を惜《お》しまず、乃至小罪《ないししょうざい》も、若《も》し①懺《さん》すれば、即《すなわ》ち能《よ》く心髄《しんずい》に徹《とお》りて、能《よ》く此《か》くの如《ごと》く懺《さん》すれば、久近《くごん》を問《と》わず、所有《しょう》の重障《じゅうしょう》、皆頓《みなたちま》ちに滅尽《めつじん》せしむることを致《いた》す。若《も》し此《か》くの如《ごと》くせざれば、縦使《たと》い日夜十二時《にちやじゅうにじ》、急《きゅう》に②走《もと》むれども、終《つい》に是《こ》れ益無《やくな》し。差《たが》いて作《な》さざる者《もの》は知《し》りぬべしと。③流涙《るるい》・流血等《るけつとう》に能《あた》わずと雖《いえど》も、但能《ただよ》く真心《しんじん》④徹到《てっとう》するは、即《すなわ》ち上《かみ》と同《おな》じ」と。已上《いじょう》

35又云《またい》わく（観念法門）、「総《すべ》て余《よ》の雑業《ぞうごう》の行者《ぎょうじゃ》を照摂《しょうしょう》すと論《ろん》ぜず」と。

36又云《またい》わく（法事讃）、「如来《にょらい》、五濁《ごじょく》に出現《しゅつげん》して、宜《よろ》しきに随《したが》いて方便《ほうべん》して群萌《ぐんもう》を化《け》したまう。或《ある》いは多聞《たもん》にして得度《とくど》すと説《と》き、或《ある》いは少《すこ》しき解《さと》りて三明《さんみょう》を証《しょう》すと説《と》く。或《ある》いは⑤福恵《ふくえ》双《なら》べて障《さわり》を除《のぞ》くと教《おし》え、或《ある》いは禅念《ぜんねん》して座《ざ》して思量《しりょう》せよと教《おし》う。種種《しゅじゅ》の法門《ほうもん》、皆《みな》、解脱《げだつ》す」と。

37又云《またい》わく（般舟讃）、「万劫《まんごう》、功《こう》を修《しゅ》せんこと、実《まこと》に続《つづ》き難《がた》し。一時《いちじ》に煩悩《ぼんのう》、百《もも》たび千《ち》たび間《まじ》わる。若《も》し娑婆《しゃば》にして法忍《ほうにん》を証《しょう》せんことを⑥待《ま》たば、六道《ろくどう》にして恒沙《ごうじゃ》の劫《こう》にも未《いま》だ期《ご》あらじ。門門不同《もんもんふどう》なるを「漸教《ぜんぎょう》」と名《な》づく。万劫苦行《まんごうくぎょう》して無生《むしょう》を証《しょう》す。畢命《ひつみょう》を期《ご》として専《もっぱ》ら念仏《ねんぶつ》すべし。⑦須臾《しゅゆ》に命《いのち》

断《た》うれば、仏《ほとけ》、迎《むか》え将《い》てまします。一食《いちじき》の時《とき》、尚《なお》、間《ひま》有《あ》り。如何《いかん》が、万劫《まんごう》、貪瞋《とんじん》せざらん。貪瞋《とんじん》は人天《にんでん》を受《う》くる路《みち》を障《さ》う。三悪《さんあく》・四趣《ししゅ》の内《うち》に身《み》を安《あん》ず」と。抄要《しょうよう》

38又云《またい》わく（般舟讃）、「定《じょう》・散《さん》、倶《とも》に回《え》して宝国《ほうこく》に入《い》れ。即《すなわ》ち是《こ》れ如来《にょらい》の異《い》の方便《ほうべん》なり。韋提《いだい》は即《すなわ》ち是《こ》れ女人《にょにん》の相《そう》、貪瞋具足《とんじんぐそく》の凡夫《ぼんぶ》の位《くらい》なり」と。已上《いじょう》

39『論註《ろんちゅう》』に曰《い》わく、「二種《にしゅ》の功徳相《くどくそう》有《あ》り。一《ひとつ》には有漏《うろ》の心《しん》より生《しょう》じて法性《ほっしょう》に順《じゅん》ぜず。謂《い》わゆる、凡夫《ぼんぶ》・人天《にんでん》の諸善《しょぜん》、人天《にんでん》の果報《かほう》、若《も》しは因《いん》、若《も》しは果《か》、皆《みな》是《こ》れ顛倒《てんどう》す、皆《みな》是《こ》れ虚偽《こぎ》⑧なり。故《かるがゆえ》に「不実《ふじつ》の功徳《くどく》」と名《な》づく」と。已上《いじょう》

40『安楽集《あんらくしゅう》』に云《い》わく、「『大集経《だいじっきょう》』の「月蔵分《がつぞうぶん》」を引《ひ》きて言《のたま》わく、「我《わ》が末法《まっぽう》の時《とき》の中《うち》に、億億《おくおく》の衆生《しゅじょう》、行《ぎょう》を起《お》こし道《どう》を修《しゅ》せんに、未《いま》だ一人《いちにん》も得《う》る者有《ものあ》らじ」と。当今《とうこん》は末法《まっぽう》なり。是《こ》れ五濁悪世《ごじょくあくせ》には、唯《ただ》、浄土《じょうど》の一門有《いちもんあ》りて通入《つうにゅう》すべき路《みち》なり」と。

41又云《またい》わく（安楽集）、「未《いま》だ一万劫《いちまんごう》を満《み》たざる已来《このかた》は、恒《つね》に未《いま》だ火宅《かたく》を勉《まぬか》れず。顛倒《てんどう》⑨墜堕《ついだ》するが故《ゆえ》に。各《おの》おの用功《ゆうくう》は至《いた》りて重《おも》く、獲《う》る報《ほう》は偽《ぎ》⑩なり」と。已上《いじょう》

42然《しか》るに今《いま》、『大本《だいほん》』（大経）に⑪拠《よ》るに、真実方便《しんじつほうべん》の願《がん》を ―― 然今拠二『大本一』超三発真実方便之願一。亦

①懺…くゆ
②走…はしる
③涙…なみだ
④徹到…とおり いたる
⑤福恵…さいわい めぐむ
⑥待…＊だい
⑦須…すべからく
⑧⑩偽…へつらう
⑨墜堕…おつ おつ
⑪拠…＊こ／きょ とも

超発《ちょうほつ》す。亦《また》『観経《かんぎょう》』には、方便真実《ほうべんしんじつ》の教《きょう》を顕彰《けんしょう》す。『小本《しょうほん》』（阿弥陀経）には、唯《ただ》、真門《しんもん》を開《ひら》きて方便《ほうべん》の善無《ぜんな》し。是《ここ》を以《もっ》て三経《さんぎょう》の真実《しんじつ》は選択本願《せんじゃくほんがん》を宗《しゅう》とするなり。復《ま》た三経《さんぎょう》の方便《ほうべん》は即《すなわ》ち是《こ》れ諸《もろもろ》の善根《ぜんごん》を修《しゅ》するを要《よう》とするなり。

43此《こ》れに依《よ》りて方便《ほうべん》の願《がん》を案《あん》ずるに、仮有《けあ》り、真有《しんあ》り。亦行有《またぎょうあ》り、信有《しんあ》り。願《がん》は即《すなわ》ち是《こ》れ臨終現前《りんじゅうげんぜん》の願《がん》なり。行《ぎょう》は即《すなわ》ち是《こ》れ修諸功徳《しゅしょくどく》の善《ぜん》なり。信《しん》は即《すなわ》ち是《こ》れ至心《ししん》発願欲生《ほつがんよくしょう》の心《しん》なり。

44此《こ》の願《がん》の行信《ぎょうしん》に依《よ》りて、浄土《じょうど》の要門《ようもん》・方便権仮《ほうべんごんけ》を顕開《けんかい》す。此《こ》の要門《ようもん》より正《しょう》・①助《じょ》・雑《ぞう》の三行《さんぎょう》を出《い》だせり。

此《こ》の「正《しょう》・助《じょ》」の中《なか》に就《つ》いて、専修有《せんじゅあ》り、雑修有《ざっしゅあ》り。②機《き》に就《つ》いて二種有《にしゅあ》り。一《ひとつ》には定機《じょうき》、二《ふたつ》には散機《さんき》なり。

又二種《またにしゅ》の三心有《さんじんあ》り。亦二種《またにしゅ》の往生有《おうじょうあ》り。「二種《にしゅ》の三心《さんじん》」とは、一《ひとつ》には定《じょう》の三心《さんじん》、二《ふたつ》には散《さん》の三心《さんじん》なり。定《じょう》・散《さん》の心《しん》は即《すなわ》ち自利各別《じりかくべつ》の心《しん》なり。「二種《にしゅ》の往生《おうじょう》」

『観経』顕三彰方便真実之教一。『小本』唯開二真門一無二方便之善一。是以三経真実選択本願為レ宗也。復三経方便即是修二諸善根一為レ要也。

依レ此案二方便之願一、有レ仮、有レ真。亦有レ行、有レ信。願者即是臨終現前之願也。行者即是修諸功徳之善也。信者即是至心発願欲生之心也。

依二此願之行信一、顕三開浄土之要門方便権仮一。従二此要門一出二正助雑三行一。

就二此正助中一、有二専修一、有二雑修一。就レ機有二二種一。一者定機、二者散機也。

又有二二種三心一。亦有二二種往生一。二種三心者、一者定三心、二者散三心。定散心者即自利各別心也。二種往生者、一者即往生、

は、一《ひとつ》には即往生《そくおうじょう》、二《ふたつ》には③便往生《べんおうじょう》なり。「便往生《べんおうじょう》」は即《すなわ》ち是《こ》れ胎生辺地《たいしょうへんじ》・④双樹林《そうじゅりん》下《げ》の往生《おうじょう》なり。「即往生《そくおうじょう》」は即《すなわ》ち是《こ》れ報土化生《ほうどけしょう》なり。

45 亦此《またこ》の『経《きょう》』（観経）に真実有《しんじつあ》り。斯《こ》れ乃《すなわ》ち金剛《こんごう》の真心《しんじん》を開《ひら》きて、摂取不捨《せっしゅふしゃ》を顕《あらわ》さんと欲《ほっ》す。然《しか》れば、濁世《じょくせ》能化《のうけ》の釈迦善⑤逝《しゃかぜんぜい》、至心信⑥楽《ししんしんぎょう》の願心《がんしん》を⑦宣説《せんぜつ》したまう。報土《ほうど》の真因《しんいん》は信楽《しんぎょう》を正《しょう》とするが故《ゆえ》なり。

是《ここ》を以《もっ》て、『大経《だいきょう》』には[26]「信楽《しんぎょう》」と言《のたま》えり。如来《にょらい》の誓願《せいがん》、疑⑧蓋雑《ぎがいまじ》わること無《な》きが故《ゆえ》に「信《しん》」と言《のたま》えるなり。『観経《かんぎょう》』には[27]「深心《じんしん》」と説《と》けり。諸機《しょき》の浅信《せんしん》に⑨対《たい》せるが故《ゆえ》に「深《じん》」と言《のたま》えるなり。『小本《しょうほん》』（阿弥陀経）には[28]「一心《いっしん》」と言《のたま》えり。二行《にぎょう》、雑《まじ》わること無《な》きが故《ゆえ》に「一《いち》」と言《のたま》えるなり。復《ま》た一心《いっしん》に就《つ》いて、深有《じんあ》り、浅有《せんあ》り。

二者便往生。便往生者即是胎生辺地双樹林下往生也。即往生者即是報土化生也。

亦此『経』有二真実一。斯乃開二金剛真心一、欲レ顕二摂取不捨一。然者濁世能化釈迦善逝、宣三説至心信楽之願心二。報土真因信楽為レ正故也。

是以『大経』言二「信楽。」一如来誓願、疑蓋無レ雑故言レ信也。『観経』説二「深心。」一対二諸機浅信一故言レ深也。『小本』言二「一心。」一二行無レ雑故言レ一也。復就二一心一、有レ深、有レ浅。深者利他真実之心是也。浅者定散自利之心是也。

①助…たすく
②機…はたもの
③便…たより
④双…ならぶ
⑤逝…ゆく さる
⑥楽…このみねがう
⑦宣…のべ
⑧蓋…ふた
⑨対…むかう

「深《じん》」は利他真実《りたしんじつ》の心《しん》、是《こ》れなり。「浅《せん》」は定散自利《じょうさんじり》の心《しん》、是《こ》れなり。

46 宗師《しゅうし》（善導）の意《い》に依《よ》るに、[29]「心《しん》に依《よ》りて勝行《しょうぎょう》を起《お》こせり。門《もん》、八万四千《はちまんしせん》に余《あま》れり。漸《ぜん》・頓《とん》則《すなわ》ち各《おの》おの所《しょ》①宜《ぎ》に称《かな》いて、縁《えん》に随《したが》う者《もの》、則《すなわ》ち皆《みな》、解脱《げだつ》を蒙《こうむ》れり」（玄義分）と云《い》えり。

47 然《しか》るに常没《じょうもつ》の凡愚《ぼんぐ》、定心《じょうしん》、修《しゅ》し難《がた》し。②息《そく》③慮《りょ》④凝心《ぎょうしん》の故《ゆえ》に。散心《さんしん》、行《ぎょう》じ難《がた》し。⑤廃悪修善《はいあくしゅぜん》の故《ゆえ》に。是《ここ》を以《もっ》て立相住心《りっそうじゅうしん》、尚《なお》、成《じょう》じ難《がた》きが故《ゆえ》に、[30]「縦《たと》い千《せん》年寿《ねんじゅ》を尽《つ》くすとも、法眼《ほうげん》、未《いま》だ曾《かつ》て開《ひら》けず」（定善義）と言《い》えり。何《いか》に況《いわ》んや無相離念《むそうりねん》、誠《まこと》に獲《え》難《がた》し。故《かるがゆえ》に[31]「如来《にょらい》、⑥懸《はる》かに末代罪濁《まつだいざいじょく》の凡夫《ぼんぶ》を知《し》ろしめす、立相住心《りっそうじゅうしん》、尚《なお》、得《う》ること能《あた》わじと。何《いか》に況《いわ》んや相《そう》を離《はな》れて事《じ》を求《もと》むるは、術通無《じゅっつうな》き人《ひと》の、空《くう》に居《い》て⑦舎《や》を立《た》てんが如似《ごと》きなり」（定善義）と言《い》えり。

48「門余《もんよ》」と言《い》うは、「門《もん》」は即《すなわ》ち八万四千《はちまんしせん》の仮門《けもん》なり。

依二宗師意一、云下「依レ心起レ於二勝行一。門余二八万四千一。漸頓則各称二所宜一、随レ縁者則皆蒙中解脱上。」

然常没凡愚、定心難レ修。息慮凝心故。散心難レ行。廃悪修善故。

是以立相住心尚難レ成故、言下「縦尽二千年寿一、法眼未中曾開上。」何況無相離念、誠難レ獲。

故言下「如来、懸知二末代罪濁凡夫一、立相住心尚不レ能レ得。何況離レ相而求レ事者、如中似無二術通一人居レ空立上レ舎也。」

言二門余一者、門者即八万四千仮門也。余者

「余《よ》」は則《すなわ》ち本願一乗海《ほんがんいちじょうかい》なり。

49 凡《おおよ》そ一代《いちだい》の教《きょう》に就《つ》いて、此《こ》の界《かい》の中《うち》にして入聖得果《にっしょうとっ》するを、「聖道門《しょうどうもん》」と名《な》づく。「難行道《なんぎょうどう》」と云《い》えり。此《こ》の門《もん》の中《なか》に就《つ》いて、大《だい》・小《しょう》、漸《ぜん》・頓《とん》、一乗《いちじょう》・二《に》乗《じょう》・三乗《さんじょう》、権《ごん》・実《じつ》、顕《けん》・密《みつ》、⑧竪出《しゅしゅつ》・竪超《しゅちょう》有《あ》り。則《すなわ》ち是《こ》れ自力《じりき》・利他《りた》教化地《きょうけじ》・方便権門《ほうべんごんもん》の道路《どうろ》なり。

50 安養浄刹《あんにょうじょうせつ》にして入聖証果《にっしょうしょうか》するを、「浄土門《じょうどもん》」と名《な》づく。「易行道《いぎょうどう》」と云《い》えり。此《こ》の門《もん》の中《なか》に就《つ》いて、横《おう》出《しゅつ》・横超《おうちょう》、仮《け》・真《しん》、漸《ぜん》・頓《とん》、助《じょ》・正《しょう》・雑行《ぞうぎょう》、雑修《ざっしゅ》・専修有《せんじゅあ》るなり。

51「正《しょう》」は五種《ごしゅ》の正行《しょうぎょう》なり。「助《じょ》」は名号《みょうごう》を除《のぞ》きて已《い》外《げ》の五種《ごしゅ》、是《こ》れなり。「雑行《ぞうぎょう》」は正《しょう》・助《じょ》を除《のぞ》きて已外《いげ》を、悉《ことごと》く「雑行《ぞうぎょう》」と名《な》づく。此《こ》れ乃《すなわ》ち、横出《おうしゅつ》、漸《ぜん》教《ぎょう》、定散《じょうさん》・三福《さんぷく》、三輩《さんぱい》・九品《くぼん》、自力仮門《じりきけもん》なり。

則本願一乗海也。

凡就㆓一代教㆒、於㆓此界中㆒入聖得果、名㆓聖道門㆒。云㆓難行道㆒。就㆓此門中㆒、有㆓大小漸頓一乗二乗三乗権実顕密竪出竪超㆒。則是自力利他教化地方便権門之道路也。

於㆓安養浄刹㆒入聖証果、名㆓浄土門㆒。云㆓易行道㆒。就㆓此門中㆒、有㆓横出横超仮真漸頓助正雑行雑修専修㆒也。

正者五種正行也。助者除㆓名号㆒已外五種是也。雑行者除㆓正助㆒已外、悉名㆓雑行㆒。此乃横出漸教定散三福三輩九品自力仮門也。

①宜…よろし
②息…やめて
③慮…おもんぱかり
④凝…こらす
⑤廃…すてて
⑥懸…＊げん
⑦舎…いえ
⑧竪…たとさま

52「横超《おうちょう》」は本願《ほんがん》を憶念《おくねん》して自力《じりき》の心《しん》を離《はな》るる、是《こ》れを「横超他力《おうちょうたりき》」と名《な》づくるなり。斯《こ》れ即《すなわ》ち専《せん》の中《なか》の専《せん》、頓《とん》の中《なか》の頓《とん》、真《しん》の中《なか》の真《しん》、乗《じょう》の中《なか》の一乗《いちじょう》なり。斯《こ》れ乃《すなわ》ち真宗《しんしゅう》なり。已《すで》に「真実行《しんじつぎょう》」（行巻）の中《なか》に顕《あらわ》し畢《おわ》りぬ。

53夫《そ》れ、「雑行《ぞうぎょう》」・「雑修《ざっしゅ》」、其《そ》の言《ことば》、一《いち》にして、其《そ》の意《こころ》、惟《こ》れ異《い》なり。「雑《ぞう》」の言《ごん》に於《お》いて万行《まんぎょう》を摂入《しょうにゅう》す。五正行《ごしょうぎょう》に対《たい》して、五種《ごしゅ》の雑行《ぞうぎょう》有《あ》り。「雑《ぞう》」の言《ごん》は、人《にん》天《でん》・菩薩等《ぼさつとう》の解行《げぎょう》雑《ぞう》せるが故《ゆえ》に、「雑《ぞう》」と曰《い》えり。本《もと》より往生《おうじょう》の因種《いんしゅ》に非《あら》ず。回心回向《えしんえこう》の善《ぜん》なり。故《かるがゆえ》に「浄土《じょうど》の雑行《ぞうぎょう》」と曰《い》うなり。

復《ま》た「雑行《ぞうぎょう》」に就《つ》いて、専行《せんぎょう》有《あ》り、専心《せんしん》有《あ》り。復《ま》た雑行《ぞうぎょう》有《あ》り、雑心《ざっしん》有《あ》り。「専行《せんぎょう》」は、専《もっぱ》ら一善《いちぜん》を修《しゅ》す。故《かるがゆえ》に「専行《せんぎょう》」と曰《い》う。「専心《せんしん》」は、回向《えこう》を専《もっぱ》らするが故《ゆえ》に「専心《せんしん》」と曰《い》えり。「雑行雑心《ぞうぎょうざっしん》」は、諸善《しょぜん》①兼《けん》行《ぎょう》するが故《ゆえ》に「雑行《ぞうぎょう》」と曰《い》う、定散心雑《じょうさんしんぞう》するが故《ゆえ》に

横超者憶二念本願一離二自力之心一、是名二横超他力一也。斯即専中之専、頓中之頓、真中之真、乗中之一乗。斯乃真宗也。已顕二「真実行」之中一畢。

夫雑行・雑修、其言一而、其意惟異。於二雑之言一摂二入万行一。対二五正行一有二五種雑行一。雑言、人天菩薩等解行雑故曰レ雑。自レ本非二往生因種一。回心回向之善。故曰二浄土之雑行一也。

復就二雑行一、有二専行一、有二専心一。復有二雑行一、有二雑心一。専行者専修二一善一。故曰二専行一。専心者専二回向一故曰二専心一。雑行雑心者、諸善兼行故曰二雑行一、定散心雑故曰二雑心一也。

「雑心《ざっしん》」と曰《い》うなり。

54 亦《また》「正《しょう》・助《じょ》」に就《つ》いて、専修《せんじゅ》有《あ》り、雑修《ざっしゅ》有《あ》り。此《こ》の雑修《ざっしゅ》に就《つ》いて、専心《せんしん》有《あ》り、雑心《ざっしん》有《あ》り。

「専修《せんじゅ》」に就《つ》いて二種《にしゅ》有《あ》り。一《ひと》には唯《ただ》、仏名《ぶつみょう》を称《しょう》す。二《ふたつ》には五専《ごせん》有《あ》り。此《こ》の行業《ぎょうごう》に就《つ》いて、専心《せんしん》有《あ》り、雑心《ざっしん》有《あ》り。「五専《ごせん》」は、一《ひとつ》には専礼《せんらい》、二《ふたつ》には専読《せんどく》、三《みつ》には専観《せんかん》、四《よつ》には専名《せんみょう》、五《いつつ》には専讃嘆《せんさんだん》なり。是《こ》れを「五《ご》の専修《せんじゅ》」と名《な》づく。「専修《せんじゅ》」、其《そ》の言《ことば》、一《いち》にして、其《そ》の意《こころ》、惟《こ》れ異《い》なり。即《すなわ》ち是《こ》れ定専修《じょうせんじゅ》なり、復《ま》た散専修《さんせんじゅ》なり。「専心《せんしん》」は、五正行《ごしょうぎょう》を専《もっぱ》らして二心《にしん》無《な》きが故《ゆえ》に「専《せん》心《しん》」と曰《い》う。即《すなわ》ち是《こ》れ定専心《じょうせんしん》なり、復《ま》た是《こ》れ散専心《さんせんしん》なり。

「雑修《ざっしゅ》」は、助《じょ》・正兼行《しょうけんぎょう》するが故《ゆえ》に「雑修《ざっしゅ》」と曰《い》う。「雑心《ざっしん》」は、定《じょう》・散《さん》の心雑《しんぞう》するが故《ゆえ》に「雑心《ざっしん》」と曰《い》うなり。

①兼…かねて

亦就㆓正助㆒、有㆓専修㆒、有㆓雑修㆒。就㆓此雑修㆒、有㆓専心㆒、有㆓雑心㆒。就㆓専修㆒有㆓二種㆒。一者唯称㆓仏名㆒。二者有㆓五専㆒。就㆓此行業㆒、有㆓専心㆒、有㆓雑心㆒。五専者、一専礼、二専読、三専観、四専名、五専讃嘆。是名㆓五専修㆒。専修、其言一而、其意惟異。即是定専修、復散専修也。専心者、専㆓五正行㆒而無㆓二心㆒故曰㆓専心㆒。即是定専心、復是散専心也。

雑修者助正兼行故曰㆓雑修㆒。雑心者定散心雑故曰㆓雑心㆒也。応㆑知。

り。知《し》るべし。

55凡《おおよ》そ浄土《じょうど》の一切諸行《いっさいしょぎょう》に於《お》いて、綽和尚《しゃくかしょう》（道綽）は「万行《まんぎょう》」（安楽集）と云《い》い、導和尚《どうかしょう》（善導）は「雑行《ぞうぎょう》」（散善義）と称《しょう》す。感禅師《かんぜんじ》（懐感）は「諸行《しょぎょう》」（群疑論）と云《い》えり。信和尚《しんかしょう》（源信・往生要集）は感師《かんし》に依《よ》れり。空聖人《くうしょうにん》（源空・選択集）は導和尚《どうかしょう》に依《よ》りたまうなり。経家《きょうげ》に拠《よ》りて師釈《ししゃく》を披《ひら》くに、雑行《ぞうぎょう》の中《なか》の雑行雑心《ぞうぎょうざっしん》・雑行専心《ぞうぎょうせんしん》・専行雑心《せんぎょうざっしん》なり。亦正行《またしょうぎょう》の中《なか》の専修専心《せんじゅせんしん》・専修雑心《せんじゅざっしん》・雑修雑心《ざっしゅざっしん》は、此《こ》れ皆《みな》、辺地《へんじ》・胎宮《たいぐう》・懈慢界《けまんがい》の業因《ごういん》なり。故《かるがゆえ》に極楽《ごくらく》に生《う》まると雖《いえど》も三宝《さんぽう》を見《み》たてまつらず。仏心《ぶっしん》の光明《こうみょう》、余《よ》の雑業《ぞうごう》の行者《ぎょうじゃ》を照摂《しょうしょう》せざるなり。仮令《けりょう》の誓願《せいがん》、良《まこと》に由有《ゆえあ》るかな。仮門《けもん》の教《きょう》、①欣慕《ごんぼ》の釈《しゃく》、是《こ》れ弥《いよ》いよ明《あき》らかなり。

56二経《にきょう》の三心《さんしん》、顕《けん》の義《ぎ》に依《よ》れば異《い》なり、②彰《しょう》の義《ぎ》に依《よ》れば一《いち》なり。三心一異《さんしんいちい》の義《ぎ》、答《こた》え竟《おわ》りぬと。

57又問《またと》う。『大本《だいほん》』（大経）と『観経《かんぎょう》』の三心《さんしん》と、『小《しょう》

凡於二浄土一切諸行一、綽和尚云二「万行一」導和尚称二「雑行一。」感禅師云二「諸行一。」信和尚依二感師一。空聖人依二導和尚一也。拠二経家一披二師釈一、雑行之中、雑行雑心・雑行専心・専行雑心。亦正行之中、専修専心・専修雑心・雑修雑心、此皆辺地・胎宮・懈慢界業因。故雖レ生二極楽一不レ見二三宝一。仏心光明不三照二摂余雑業行者一也。仮令之誓願、良有レ由哉。仮門之教、欣慕之釈、是弥明也。

二経之三心、依二顕之義一異也、依二彰之義一一也。三心一異之義、答竟。

又問。『大本』『観経』三心与二『小本』一

本《ほん》』（阿弥陀経）の一心《いっしん》と、一異云何《いちいいかん》ぞや。

58答《こた》う。今《いま》、方便真門《ほうべんしんもん》の誓願《せいがん》に就《つ》いて、行有《ぎょうあ》り、信有《しんあ》り。亦真実有《またしんじつあ》り、方便有《ほうべんあ》り。願《がん》は即《すなわ》ち③植諸徳本《じきしょとくほん》の願《がん》、是《こ》れなり。行《ぎょう》は此《こ》れに二種有《にしゅあ》り。一《ひとつ》には善本《ぜんぽん》、二《ふたつ》には徳本《とくほん》なり。信《しん》は即《すなわ》ち至心回向欲生《ししんえこうよくしょう》の心《しん》、是《こ》れなり〔二十願《にじゅうがん》なり〕。機《き》に就《つ》いて、定有《じょうあ》り、散有《さんあ》り。往生《おうじょう》は此《こ》れ難思往生《なんしおうじょう》、是《こ》れなり。仏《ぶつ》は即《すなわ》ち化身《けしん》なり。土《ど》は即《すなわ》ち疑《ぎ》④城胎宮《じょうたいぐう》、是《こ》れなり。

59『観経《かんぎょう》』に⑤準知《じゅんち》するに、此《こ》の『経《きょう》』（阿弥陀経）に亦《また》顕彰隠密《けんしょうおんみつ》の義有《ぎあ》るべし。

60「顕《けん》」と言《い》うは、経家《きょうげ》は一切諸行《いっさいしょぎょう》の少善《しょうぜん》を⑥嫌貶《けんぺん》して善本《ぜんぽん》・徳本《とくほん》の真門《しんもん》を開《かい》⑦示《じ》し、自利《じり》の一心《いっしん》を励《はげ》まして難《なん》思《し》の往生《おうじょう》を勧《すす》む。

是《ここ》を以《もっ》て『経《きょう》』（襄陽石碑経）には32「多善根《たぜんごん》・多功徳《たくどく》・

①欣慕…ねがい したう
②彰…内にあらわす
③植…ううる
④城…みやこ
⑤准…なずらう
⑥嫌貶…きらう おとしむ
⑦示…＊しめす

心一、一異云何。

答。今就二方便真門誓願一、有レ行、有レ信。亦有二真実一、有二方便一。願者即植諸徳本之願是也。行者此有二二種一。一者善本、二者徳本也。信者即至心回向欲生之心是也。就レ機有レ定、有レ散。往生者此難思往生是也。仏者即化身。土者即疑城胎宮是也。

准二知『観経一』此『経』亦応レ有二顕彰隠密之義一。

言レ顕者、経家嫌二貶一切諸行少善一開二示善本徳本真門一、励二自利一心一勧二難思往生一。

是以『経』説二「多善根・多功徳・多福徳因

多福徳因縁《たふくとくいんねん》」と説《と》き、『釈《しゃく》』（法事讃）には33「九品《くぼん》、倶《とも》に回《え》して不退《ふたい》を得《え》よ」と云《い》えり。或《あ》るいは34「無過念仏往西方《むかねんぶつおうさいほう》三念五念仏来迎《さんねんごねんぶつらいこう》」と云《い》えり。此《こ》れは是《こ》れ、此《こ》の『経《きょう》』の顕《けん》の義《ぎ》を示《しめ》すなり。此《こ》れ乃《すなわ》ち真門《しんもん》の中《なか》の方便《ほうべん》なり。

61「彰《しょう》」と言《い》うは、真実難信《しんじつなんしん》の法《ほう》を彰《あらわ》す。斯《こ》れ乃《すなわ》ち不《ふ》可思議《かしぎ》の願海《がんかい》を光①闡《こうせん》して、無碍《むげ》の大信心海《だいしんじんかい》に帰《き》せしめんと欲《おぼ》す。良《まこと》に、勧《すすめ》、既《すで》に恒沙《ごうじゃ》の勧《すすめ》なれば、信《しん》も亦《また》恒沙《ごうじゃ》の信《しん》なり。故《かるがゆえ》に35「②甚難《じんなん》」（阿弥陀経）と言《のたま》えるなり。『釈《しゃく》』（法事讃）に36「直《ただ》ちに弥陀《みだ》の弘誓重《ぐぜいかさ》なれるに為《よ》りて、凡夫念《ぼんぶねん》ずれば、即生《そくしょう》せしむることを致《いた》す」と云《い》えり。斯《こ》れは是《こ》れ、隠彰《おんしょう》の義《ぎ》を開《ひら》くなり。

62『経《きょう》』（阿弥陀経）に37「執持《しゅうじ》」と言《のたま》えり。亦《また》38「一心《いっしん》」と言《のたま》えり。「執《しゅう》」の言《ごん》は、心《しん》③堅牢《けんろう》にして④移転《いてん》せざることを彰《あらわ》すなり。「持《じ》」の言《ごん》は不散不失《ふさんふしつ》に名《な》づくるなり。「一《いち》」の言《ごん》は無二《むに》に名《な》づくるの言《みこと》なり。「心《しん》」の言《ごん》は真《しん》実《じつ》に名《な》づくるなり。

縁㆓、」『釈』云㆔「九品倶回得㆓不退㆒。」或云㆓「無過念仏往西方　三念五念仏来迎㆒。」此是此『経』示㆓顕義㆒也。此乃真門中之方便也。

言㆑彰者、彰㆓真実難信之法㆒。斯乃光㆔闡不可思議願海㆒、欲㆑令㆑帰㆓無碍大信心海㆒。良勧、既恒沙勧、信亦恒沙信。故言㆓「甚難㆒」也。『釈』云㆘「直為㆓弥陀弘誓重㆒致㆖使㆓凡夫念即生㆒。」斯是開㆓隠彰義㆒也。

『経』言㆓「執持。」㆒亦言㆓「一心。」㆒執言彰㆔心堅牢而不㆓移転㆒也。持言名㆓不散不失㆒也。一之言者名㆓無二㆒之言也。心之言者名㆓真実㆒也。

63斯《こ》の『経《きょう》』は大乗修多羅《だいじょうしゅたら》の中《なか》の無問自説経《むもんじせつきょう》なり。爾《しか》れば、如来《にょらい》、世《よ》に興出《こうしゅつ》したまう所以《ゆえ》は、恒沙《ごうじゃ》の諸仏《しょぶつ》証《しょう》護⑤《ご》の正意《しょうい》、唯《ただ》斯《こ》れに在《あ》るなり。

64是《ここ》を以《もっ》て、四依弘経《しえぐきょう》の大士《だいじ》、三朝浄土《さんちょうじょうど》の宗師《しゅうし》、真《しん》宗念仏《しゅうねんぶつ》を開《ひら》きて濁世《じょくせ》の邪《じゃ》偽⑥《ぎ》を導《みちび》く。

65三経《さんぎょう》の大《たい》綱⑦《こう》、顕彰隠密《けんしょうおんみつ》の義《ぎ》有《あ》りと雖《いえど》も、信心《しんじん》を彰《あらわ》して能入《のうにゅう》とす。故《かるがゆえ》に経《きょう》の始《はじ》めに「如是《にょぜ》」と称《しょう》す。「如是《にょぜ》」の義《ぎ》は則《すなわ》ち善《よ》く信《しん》ずる相《そう》なり。今《いま》、三経《さんぎょう》を案《あん》ずるに、皆以《みなもっ》て金剛《こんごう》の真心《しんじん》を最要《さいよう》とせり。真心即《しんじんすなわ》ち是《こ》れ大信心《だいしんじん》なり。大信心《だいしんじん》は希有最勝《けうさいしょう》・真妙清浄《しんみょうしょうじょう》なり。何《なに》を以《もっ》ての故《ゆえ》に。大信心海《だいしんじんかい》は、甚《はなは》だ以《もっ》て入《い》り回⑧《がた》し。仏力《ぶつりき》より発起《ほっき》するが故《ゆえ》に。真実《しんじつ》の楽《らく》邦⑨《ほう》、甚《はなは》だ以《もっ》て往《ゆ》き易《やす》し。願力《がんりき》に藉《よ》りて即生《そくしょう》するが故《ゆえ》なり。

斯『経』大乗修多羅中之無問自説経也。爾者如来所㆔以興㆓出於㆒㆑世、恒沙諸仏証護正意、唯在㆑斯也。

是以四依弘経大士三朝浄土宗師、開㆓真宗念仏㆒、導㆓濁世邪偽㆒。

三経大綱雖㆑有㆓顕彰隠密之義㆒、彰㆓信心㆒為㆓能入㆒。故経始称㆓如是㆒。如是之義則善信相也。今案㆓三経㆒、皆以金剛真心為㆓最要㆒。真心即是大信心。大信心希有最勝真妙清浄。何以故。大信心海、甚以回㆑入。従㆓仏力㆒発起故。真実楽邦、甚以易㆑往。藉㆓願力㆒即生故。

---

①闡…ひらく
②甚…はなはだ
③堅牢…かたく かたし
④移転…うつり うつる
⑤護…まもる
⑥偽…いつわる
⑦綱…つな
⑧回…は反
⑨邦…くに

今将《いままさ》に一心一異《いっしんいちい》の義《ぎ》を談《だん》ぜんとす。当《まさ》に此《こ》の意《い》なるべしとなり。三経一心《さんぎょういっしん》の義《ぎ》、答《こた》え竟《おわ》りぬ。

66夫《そ》れ濁世《じょくせ》の道俗《どうぞく》、速《すみ》やかに円修至徳《えんしゅしとく》の真門《しんもん》に入《い》りて難思往生《なんしおうじょう》を願《ねが》うべし。67真門《しんもん》の方便《ほうべん》に就《つ》いて、善本有《ぜんぽんあ》り、徳本有《とくほんあ》り。復《ま》た定専心有《じょうせんしんあ》り。復《ま》た散専心有《さんせんしんあ》り。復《ま》た定《じょう》散雑心有《さんざっしんあ》り。

68「雑心《ざっしん》」は、大小凡聖《だいしょうぼんしょう》、一切善悪《いっさいぜんあく》、各《おの》おの助《じょ》・正間《しょうけん》雑《ぞう》の心《しん》を以《もっ》て名号《みょうごう》を称念《しょうねん》す。良《まこと》に教《きょう》は頓《とん》にして、根《こん》は漸機《ぜんき》なり。行《ぎょう》は専《せん》にして、心《しん》は間雑《けんぞう》す。故《かるがゆえ》に「雑《ざつ》心《しん》」と曰《い》うなり。

69「定《じょう》・散《さん》の専心《せんしん》」は、罪福《ざいふく》を信《しん》ずる心《しん》を以《もっ》て本願力《ほんがんりき》を願求《がんぐ》す。是《こ》れを「自力《じりき》の専心《せんしん》」と名《な》づくるなり。

70「善本《ぜんぽん》」は如来《にょらい》の①嘉名《かみょう》なり。此《こ》の嘉名《かみょう》は万善円《まんぜんえん》②備《び》せり。一切善法《いっさいぜんぽう》の本《ほん》なり。故《かるがゆえ》に「善本《ぜんぽん》」と曰《い》うなり。

71「徳本《とくほん》」は如来《にょらい》の徳号《とくごう》なり。此《こ》の徳号《とくごう》は、一声称念《いっしょうしょうねん》するに、至徳成満《しとくじょうまん》し衆《しゅ》③禍《か》皆《みな》転《てん》ず。十方三世《じっぽうさんぜ》の徳号《とくごう》の本《ほん》

今将レ談二一心一異義一。当二此意一也。三経一心之義、答竟。

夫濁世道俗、応下速入二円修至徳真門一願中難思往生上。就二真門之方便一、有二善本一、有二徳本一。復有二定専心一。復有二散専心一。復有二定散雑心一。

雑心者、大小凡聖一切善悪、各以二助正間雑心一称二念名号一。良教者頓而根者漸機。行者専而心者間雑。故曰二雑心一也。

定散之専心者、以下信二罪福一心上願二求本願力一。是名二自力之専心一也。

善本者如来嘉名。此嘉名者万善円備一切善法之本。故曰二善本一也。

徳本者如来徳号。此徳号者一声称念至徳成満衆禍皆転。十方三世徳号之本。故曰二徳

なり。故《かるがゆえ》に「徳本《とくほん》」と曰《い》うなり。

72然《しか》れば則《すなわ》ち、釈迦牟尼仏《しゃかむにぶつ》は、功徳蔵《くどくぞう》を開演《かいえん》して、十《じっ》方濁世《ぼうじょくせ》を勧《かん》④化《け》したまう。阿弥陀如来《あみだにょらい》は、本《もと》、⑤果遂《かすい》の誓《ちかい》〔此《こ》の果遂《かすい》の願《がん》は二十願《にじゅうがん》なり。〕を発《おこ》して、諸有《しょう》の群生海《ぐんじょうかい》を悲引《ひいん》したまえり。73既《すで》にして悲願《ひがん》有《いま》す。「⑥植諸徳本《じきしょとくほん》の願《がん》」と名《な》づく、復《ま》た「⑦係念定生《けねんじょうしょう》の願《がん》」と名《な》づく、復《ま》た「不《ふ》果遂者《かすいしゃ》の願《がん》」と名《な》づく、亦《また》「至心回向《ししんえこう》の願《がん》」と名《な》づくべきなり。


本一也。

然則釈迦牟尼仏、開二演功徳蔵一勧二化十方濁世一。阿弥陀如来、本発二果遂之誓一悲二引諸有群生海一。既而有二悲願一。名二植諸徳本之願一、復名二係念定生之願一、復名二不果遂者之願一、亦可レ名二至心回向之願一也。


74是《ここ》を以《もっ》て『大経《だいきょう》』の願《がん》に言《のたま》わく、「設《たと》い我《われ》、仏《ぶつ》を得《え》たらんに、十方《じっぽう》の衆生《しゅじょう》、我《わ》が名号《みょうごう》を聞《き》きて、念《ねん》を我《わ》が国《くに》に係《か》けて諸《もろもろ》の徳本《とくほん》を植《う》えて、心《しん》を至《いた》し回向《えこう》して我《わ》が国《くに》に生《う》まれんと欲《おも》わん。果遂《かすい》せずは、正覚《しょうがく》を取《と》らじ」と。

75又言《またのたま》わく（大経）、「此《こ》の諸智《しょち》に於《お》いて疑惑《ぎわく》して信《しん》ぜず。然《しか》るに猶《なお》、罪福《ざいふく》を信《しん》じて善本《ぜんぽん》を修習《しゅじゅう》して其《そ》の国《くに》に生《う》まれんと願《がん》ぜん。此《こ》の諸《もろもろ》の衆生《しゅじょう》、彼《か》の宮殿《くでん》に生《う》まる」と。

76又言《またのたま》わく（大経）、「若《も》し人《ひと》、善本《ぜんぽん》無《な》ければ、此《こ》の経《きょう》を聞《き》くことを得《え》ず。清浄《しょうじょう》に戒《かい》を有《たも》てる者《もの》、

①嘉…よし
②備…そなわる　つぶさなり
③禍…わざわい
④化…めぐむ
⑤果遂…はたし　とげん
⑥植…うう
⑦係…かく

乃《いま》し正法《しょうぼう》を聞《き》くことを獲《え》ん」と。已上《いじょう》

77『無量寿如来会《むりょうじゅにょらいえ》』に言《のたま》わく、「若《も》し我成仏《われじょうぶつ》せんに、無量国《むりょうこく》の中《なか》の所有《しょう》の衆生《しゅじょう》、我《わ》が名《な》を説《と》かんを聞《き》きて、以《もっ》て己《おのれ》が善根《ぜんごん》として極楽《ごくらく》に回向《えこう》せん。若《も》し生《う》まれずは、菩提《ぼだい》を取《と》らじ」と。已上《いじょう》

78『平等覚経《びょうどうがくきょう》』に言《のたま》わく、「是《こ》の功徳《くどく》有《あ》るに非《あら》ざる人《ひと》は、是《こ》の経《きょう》の名《な》を聞《き》くことを得《え》ず。唯《ただ》、清《しょう》浄《じょう》に戒《かい》を有《たも》てる者《もの》、乃《いま》し還《かえ》りて斯《こ》の正法《しょうぼう》を聞《き》く。悪《あく》と①憍慢《きょうまん》と②蔽《へい》と③懈怠《けだい》とは、以《もっ》て此《こ》の法《ほう》を信《しん》ずること難《かた》し。宿世《しゅくせ》の時《とき》に仏《ぶつ》を見《み》たてまつれる者《もの》、楽《この》みて世尊《せそん》の教《きょう》を④聴聞《ちょうもん》せん。人《ひと》の命《いのち》、希《まれ》に得《う》べし。仏《ぶつ》は世《よ》に在《ましま》せども、甚《はなは》だ値《もうあ》い難《がた》し。信慧《しんえ》有《あ》りて致《いた》るべからず。若《も》し聞見《もんけん》せば、⑤精進《しょうじん》して求《もと》めよ」と。已上《いじょう》

79『観経《かんぎょう》』に言《のたま》わく、「仏《ぶつ》、阿難《あなん》に告《つ》げたまわく、「汝《なんじ》、好《よ》く是《こ》の語《ご》を持《たも》て。是《こ》の語《ご》を持《たも》てというは、即《すなわ》ち是《こ》れ無量寿仏《むりょうじゅぶつ》の名《みな》を持《たも》てとなり」と。」已上《いじょう》

80『阿弥陀経《あみだきょう》』に言《のたま》わく、「少善根福徳《しょうぜんごんふくとく》の因縁《いんねん》を以《もっ》て、彼《か》の国《くに》に生《う》まるることを得《う》べからず。阿弥《あみ》陀仏《だぶつ》を説《と》くを聞《き》きて、39名号《みょうごう》を⑥執持《しゅうじ》せよ」と。已上《いじょう》

81光明寺《こうみょうじ》の和尚《かしょう》（善導）の云《い》わく（定善義）、「自余《じょよ》の衆行《しゅぎょう》、是《こ》れ「善《ぜん》」と名《な》づくと雖《いえど》も、若《も》し念仏《ねんぶつ》に比《たくら》ぶれば、⑦全《まった》く⑧比校《ひきょう》に非《あら》ざるなり。是《こ》の故《ゆえ》に諸経《しょきょう》の中《なか》に処処《しょしょ》に広《ひろ》く念仏《ねんぶつ》の功能《くのう》を讃《さん》じたり。『無量寿経《むりょうじゅきょう》』の四十八願《しじゅうはちがん》の中《なか》の如《ごと》き、唯《ただ》、弥陀《みだ》の名号《みょうごう》を専念《せんねん》して生《しょう》を得《う》と明《あ》かす。又《また》『弥陀経《みだきょう》』の中《なか》の如《ごと》し。40 41「一日《いちにち》・七日《しちにち》、弥陀《みだ》の名号《みょうごう》を専念《せんねん》して生《しょう》を得《う》」と。又《また》、十方恒沙《じっぽうごうじゃ》の

諸仏《しょぶつ》の証成《しょうじょう》、虚《むな》しからざるなり。

又、此《こ》の『経《きょう》』（観経）の定散《じょうさん》の文《もん》の中《なか》に、唯《ただ》、名号《みょうごう》を専念《せんねん》して生《しょう》を得《う》と標《あらわ》す。此《こ》の例《れい》、一《いち》に非《あら》ざるなり。広《ひろ》く念仏三昧《ねんぶつさんまい》を顕《あらわ》し竟《おわ》りぬ」と。

82又云《またい》わく（散善義）、「又《また》、決定《けつじょう》して「『弥陀経《みだきょう》』の中《なか》に十方恒沙《じっぽうごうじゃ》の諸仏《しょぶつ》、一切凡夫《いっさいぼんぶ》を証勧《しょうかん》して、決定《けつじょう》して生《しょう》を得《う》」と深信《じんしん》せよ。乃至《ないし》　諸仏《しょぶつ》は、言行《ごんぎょう》、相《あい》⑨違《い》失《しつ》したまわず。縦令《たと》い、釈迦《しゃか》、⑩指《おし》えて一切凡夫《いっさいぼんぶ》を勧《すす》めて、此《こ》の一身《いっしん》を尽《つ》くして専念専⑪修《せんねんせんじゅ》して、⑫捨命已後《しゃみょういご》、定《さだ》んで彼《か》の国《くに》に生《う》まるるは、即《すなわ》ち十方《じっぽう》の諸仏《しょぶつ》、悉《ことごと》く皆同《みなおな》じく賛《ほ》め、同《おな》じく勧《すす》め、同《おな》じく証《しょう》したまう。何《なに》を以《もっ》ての故《ゆえ》に。同体大悲《どうたいだいひ》の故《ゆえ》に。一仏《いちぶつ》の所化《しょけ》は即《すなわ》ち是《こ》れ一切仏《いっさいぶつ》の化《け》なり。一切仏《いっさいぶつ》の化《け》は即《すなわ》ち是《こ》れ一仏《いちぶつ》の所化《しょけ》なり。即《すなわ》ち『弥陀経《みだきょう》』の中《なか》に説《と》かく、乃至《ないし》　又一切《またいっさい》42凡夫《ぼんぶ》を勧《すす》めて、43「一日《いちにち》・七日《しちにち》、一心《いっしん》にして弥陀《みだ》の名号《みょうごう》を専念《せんねん》すれば、定《さだ》んで往生《おうじょう》を得《え》ん」と。

次下《つぎしも》の文《もん》に云《のたま》わく、44「十方《じっぽう》に各《おの》おの恒河沙等《ごうがしゃとう》の諸仏有《しょぶつましま》して、同《おな》じく釈迦《しゃか》を賛《ほ》めたまわく、「能《よ》く五濁悪時《ごじょくあくじ》・悪世界《あくせかい》・悪衆生《あくしゅじょう》・悪煩悩《あくぼんのう》・悪邪無信《あくじゃむしん》の盛《さか》りなる時《とき》に於《お》いて、弥陀《みだ》の名号《みょうごう》を指賛《しさん》して、衆生《しゅじょう》を勧励《かんれい》して称念《しょうねん》せしむれば、必《かなら》ず往生《おうじょう》を得《う》」」と。即《すなわ》ち其《そ》の証《しょう》なり。

①**惰慢**…おごる　あなどる
②**蔽**…おおう
③**懈怠**…おこた(り)　おこたる
④**聴聞**…ゆりてきく　信じてきく
⑤**精**…＊よし／もっぱらこのむ
⑥**執**…とり
⑦**全**…＊ぜん
⑧**比校**…ならぶ　たくらぶ
⑨**違**…たがう
⑩**指**…おしう
⑪**修**…つくろう
⑫**捨**…すつ

又《また》、十方仏等《じっぽうぶつとう》、衆生《しゅじょう》、釈迦一仏《しゃかいちぶつ》の所説《しょせつ》を信《しん》ぜざらんことを恐畏《おそ》れて、即《すなわ》ち共《とも》に同心同時《どうしんどうじ》に各《おの》おの舌相《ぜっそう》を出《い》だして、遍《あまね》く三千世界《さんぜんせかい》に覆《おお》いて誠実《じょうじつ》の言《ごん》を説《と》きたまわく、[45]「汝等衆生《なんだちしゅじょう》、皆《みな》、是《こ》の釈迦《しゃか》の所説《しょせつ》・所讃《しょさん》・所証《しょしょう》を信《しん》ずべし。」一切凡夫《いっさいぼんぶ》、罪福《ざいふく》の多少《たしょう》・時節《じせつ》の久近《くごん》を問《と》わず、但能《ただよ》く、上《かみ》、百年《ひゃくねん》を尽《つ》くし、下《しも》、一日《いちにち》・七日《しちにち》に至《いた》るまで、一心《いっしん》に弥陀《みだ》の名号《みょうごう》を専念《せんねん》すれば、定《さだ》んで往生《おうじょう》を得《う》ること、必《かなら》ず疑《うたが》い無《な》きなり。是《こ》の故《ゆえ》に、一仏《いちぶつ》の所説《しょせつ》は、一切仏《いっさいぶつ》、同《おな》じく其《そ》の事《じ》を証成《しょうじょう》したまうなり。此《こ》れを「人《にん》に就《つ》いて信《しん》を立《た》つ」と名《な》づくるなり。」抄要《しょうよう》

83又云《またい》わく（散善義）、「然《しか》るに、仏願《ぶつがん》の意《い》を望《のぞ》むには、唯《ただ》、正念《しょうねん》を勧《すす》め名《みな》を称《しょう》せしむ。往生《おうじょう》の義《ぎ》、疾《と》きごときは雑散《ぞうさん》の業《ごう》には同《おな》じからず。此《こ》の『経《きょう》』（観経）及《およ》び諸部《しょぶ》の中《なか》に処処《しょしょ》に広《ひろ》く嘆《たん》ずるが如《ごと》きは、勧《すす》めて名《みな》を称《しょう》せしむるを、将《まさ》に要益《ようやく》とせんとするなり。知《し》るべし」と。

84又云《またい》わく（散善義）、[46]「仏告阿難汝好持是語《ぶつごうあなんにょこうじぜご》」（観経）より已下《いげ》は、正《まさ》しく弥陀《みだ》の名号《みょうごう》を付嘱《ふぞく》して遐《か》①代《だい》に流通《るずう》することを明《あ》かす。上《かみ》より来《このかた》、定散両門《じょうさんりょうもん》の益《やく》を説《と》くと雖《いえど》も、仏《ぶつ》の本願《ほんがん》の意《い》を望《のぞ》まんには、衆生《しゅじょう》をして一向《いっこう》に専《もっぱ》ら弥陀仏《みだぶつ》の名《みな》を称《しょう》するに在《あ》り」と。

85又云《またい》わく（法事讃）、「極楽《ごくらく》は無為涅槃《むいねはん》の界《かい》なり。随縁《ずいえん》の雑善《ぞうぜん》、恐《おそ》らくは生《しょう》じ難《がた》し。故《かるがゆえ》に如来《にょらい》、要法《ようほう》を選《えら》びて教《おし》えて弥陀《みだ》を念《ねん》ぜしめて、専《もっぱ》らにして復《ま》た専《もっぱ》らならしめたまえり」と。

86又云《またい》わく（法事讃）、「劫尽《こうつ》きんと欲《ほっ》する時《とき》、五濁盛《ごじょくさか》りなり。衆生邪見《しゅじょうじゃけん》にして甚《はなは》だ信《しん》じ難《がた》し。専《もっぱ》らにして専《もっぱ》らなれと指授《しじゅ》②して西路《さいろ》に帰《き》せしめしに、他《た》の為《ため》に破壊《はえ》せられて還《かえ》りて故《もと》の如《ごと》し。曠劫《こうごう》よ

り已来《このかた》、常《つね》に此《か》くの如《ごと》し。是《こ》れ今生《こんじょう》に始《はじ》めて自《みずか》ら悟《さと》るに非《あら》ず。正《まさ》しく好《よ》き強縁《ごうえん》に遇《あ》わざるに由《よ》りて、輪回《りんね》して得度《とくど》し難《がた》からしむることを致《いた》す」と。

87又云《またい》わく（法事讃）、「種種《しゅじゅ》の法門《ほうもん》、皆解脱《みなげだつ》すれども、念仏《ねんぶつ》して西方《さいほう》に往《ゆ》くに過《す》ぎたるは無《な》し。上《かみ》、一形《いちぎょう》を尽《つ》くし、十念《じゅうねん》・三念《さんねん》・五念《ごねん》に至《いた》るまで、仏《ぶつ》、来迎《らいこう》したまう。直《ただ》ちに弥陀《みだ》の弘誓重《ぐぜいかさ》なれるを為《もっ》て、凡夫念《ぼんぶねん》ずれば即生《そくしょう》せしむることを致《いた》す」と。

88又云《またい》わく（般舟讃）、「一切如来《いっさいにょらい》、方便《ほうべん》を設《もう》けたまうこと、亦今日《またこんにち》の釈迦尊《しゃかそん》に同《おな》じ。機《き》に随《したが》いて法《ほう》を説《と》きたまうに、皆《みな》、益《やく》を蒙《かぶ》る。各《おの》おの悟解《ごげ》を得《え》て真門《しんもん》に入《い》れと。乃至《ないし》　仏教多門《ぶっきょうたもん》にして八万四《はちまんし》なり。正《まさ》しく衆生《しゅじょう》の機不同《きふどう》なるが為《ため》なり。安身常住《あんじんじょうじゅう》の処《しょ》を③覓《もと》めんと欲《おも》わば、先《ま》ず要行《ようぎょう》を求《もと》めて真門《しんもん》に入《い》れ」と。

89又云《またい》わく〔智昇師《ちしょうし》『礼懺儀《らいさんぎ》』の文《もん》に云《い》わく、「光明寺《こうみょうじ》（善導）の『礼賛《らいさん》』なり。」〕（往生礼讃）、「爾《それ》、此日《このごろ》、自《みずか》ら諸方《しょほう》の道俗《どうぞく》を見聞《けんもん》するに、解行不同《げぎょうふどう》にして専修《せんじゅ》に異有《いあ》り。但《ただ》、意《い》を専《もっぱ》らして作《な》さしむれば、十《じゅう》は即《すなわ》ち十《じゅう》ながら生《しょう》ず。雑《ぞう》を修《しゅ》するは至心《ししん》ならざれば、千《せん》が中《なか》に一《ひとり》も無《な》し」と。已上《いじょう》

90元照律師《がんじょうりっし》の『弥陀経《みだきょう》の義疏《ぎしょ》』に云《い》わく、「如来《にょらい》、持名《じみょう》の功勝《こうすぐ》れたることを明《あ》かさんと欲《おぼ》す。先《ま》ず余善《よぜん》を④貶《へん》して少善根《しょうぜんごん》とす。謂《い》わゆる、布施《ふせ》・持戒《じかい》・立寺《りゅうじ》・⑤造像《ぞうぞう》・礼《らい》⑥誦《じゅ》・座禅《ざぜん》・⑦懺念苦行《さんねんくぎょう》・一切福《いっさいふく》

①遐…はるかに　②授…さずく　③覓…もとむ　④貶…おとしむ　⑤造…つくる　⑥誦…よむ　⑦懺…くゆ

業《ごう》、若《も》し正信無《しょうしんな》ければ、回向願求《えこうがんぐ》するに、皆《みな》、少善《しょうぜん》とす。往生《おうじょう》の因《いん》に非《あら》ず。若《も》し此《こ》の『経《きょう》』（阿弥陀経）に依《よ》りて名号《みょうごう》を執持《しゅうじ》せば、決定《けつじょう》して往生《おうじょう》せん。即《すなわ》ち知《し》りぬ、称名《しょうみょう》は是《こ》れ多善根《たぜんごん》・多福《たふく》徳《とく》なりと。昔《むかし》、此《こ》の解《げ》を作《な》しし。人《ひと》、尚《なお》①遅疑《ちぎ》しき。近《ちか》く襄陽《じょうよう》の石碑《せきひ》②の『経《きょう》』の本文《ほんもん》を得《え》て、理《ことわり》、③冥符《みょうふ》せり。始《はじ》めて深信《じんしん》を懐《いだ》く。彼《かれ》に云《のたま》わく、「善男子《ぜんなんし》・善女人《ぜんにょにん》、阿弥陀仏《あみだぶつ》を説《と》くを聞《き》きて、一《いっ》心《しん》にして乱《みだ》れず名号《みょうごう》を専称《せんしょう》せよ。称名《しょうみょう》を以《もっ》ての故《ゆえ》に諸罪消滅《しょざいしょうめつ》す。即《すなわ》ち是《こ》れ多功徳《たくどく》・多善根《たぜんごん》・多《た》福徳因縁《ふくとくいんねん》なり」と。已上《いじょう》

91孤山《こざん》（智円）の『疏《しょ》』（阿弥陀経疏）に云《い》わく、「[47]「執持名号《しゅうじみょうごう》」（阿弥陀経）は、「執《しゅう》」は、謂《い》わく、④執受《しゅうじゅ》なり。「持《じ》」は、謂《い》わく、住持《じゅうじ》なり。信力《しんりき》の故《ゆえ》に、執受《しゅうじゅ》、心《しん》に在《あ》り。念力《ねんりき》の故《ゆえ》に、住持《じゅうじ》して忘《わす》れず」と。已上《いじょう》

92『大本《だいほん》』（大経）に言《のたま》わく、「如来《にょらい》の興世《こうせ》、値《もうあ》い難《がた》く見《み》たてまつり難《がた》し。諸仏《しょぶつ》の経道《きょうどう》、得難《えがた》く聞《き》き難《がた》し。菩薩《ぼさつ》の勝法《しょうぼう》・諸波羅蜜《しょはらみつ》、聞《き》くことを得《う》ること亦難《またかた》し。善知識《ぜんじしき》に遇《あ》い、法《ほう》を聞《き》き能《よ》く行《ぎょう》ずること、此《こ》れ亦難《またかた》しとす。若《も》し斯《こ》の経《きょう》を聞《き》きて信楽受持《しんぎょうじゅじ》すること、難《なん》の中《なか》の難《なん》、此《こ》れに過《す》ぎて難《かた》きは無《な》けん。是《こ》の故《ゆえ》に我《わ》が法《ほう》、是《か》くの如《ごと》く作《な》しき、是《か》くの如《ごと》く説《と》く、是《か》くの如《ごと》く教《おし》う。当《まさ》に信順《しんじゅん》して法《ほう》の如《ごと》く修行《しゅぎょう》すべし」と。已上《いじょう》

93『涅槃経《ねはんぎょう》』（迦葉菩薩品）に言《のたま》わく、「経《きょう》の中《なか》に説《と》くが如《ごと》し。一切梵行《いっさいぼんぎょう》の因《いん》は善知識《ぜんじしき》なり。一切梵《いっさいぼん》行《ぎょう》の因《いん》、無量《むりょう》なりと雖《いえど》も、善知識《ぜんじしき》を説《と》けば則《すなわ》ち已《すで》に摂尽《しょうじん》しぬ。我《わ》が所説《しょせつ》の如《ごと》し。一切悪行《いっさいあくぎょう》は邪《じゃ》

見《けん》なり。一切悪行《いっさいあくぎょう》の因《いん》、無量《むりょう》なりと雖《いえど》も、若《も》し邪見《じゃけん》を説《と》けば則《すなわ》ち已《すで》に摂尽《しょうじん》しぬ。或《ある》いは説《と》かく、阿耨多羅三藐三菩提《あのくたらさんみゃくさんぼだい》は信心《しんじん》を因《いん》とす。是《こ》れ菩提《ぼだい》の因《いん》、復《ま》た無量《むりょう》なりと雖《いえど》も、若《も》し信心《しんじん》を説《と》けば則《すなわ》ち已《すで》に摂尽《しょうじん》しぬ」と。

94 又言《またのたま》わく（迦葉菩薩品）、「善男子《ぜんなんし》。信《しん》に二種《にしゅ》有《あ》り。一《ひとつ》には信《しん》、二《ふたつ》には求《ぐ》なり。是《か》くの如《ごと》きの人《ひと》、復《ま》た信《しん》有《あ》りと雖《いえど》も⑤推求《すいぐ》に能《あた》わざる、是《こ》の故《ゆえ》に名《な》づけて「信不具足《しんふぐそく》」とす。信《しん》に復《ま》た二種《にしゅ》有《あ》り。一《ひとつ》には聞《もん》より生《しょう》ず。二《ふたつ》には思《し》より生《しょう》ず。是《こ》の人《ひと》の信心《しんじん》、聞《もん》よりして生《しょう》じて思《し》より生《しょう》ぜず。是《こ》の故《ゆえ》に名《な》づけて「信不具足《しんふぐそく》」とす。復《ま》た二種《にしゅ》有《あ》り。一《ひとつ》には道有《どうあ》ることを信《しん》ず。二《ふたつ》には得者《とくしゃ》を信《しん》ず。是《こ》の人《ひと》の信心《しんじん》、唯《ただ》、道有《どうあ》ることを信《しん》じて、都《すべ》て得道《とくどう》の人有《ひとあ》ることを信《しん》ぜず。是《こ》れを名《な》づけて「信不具足《しんふぐそく》」とす。復《ま》た二種有《にしゅあ》り。一《ひとつ》には信正《しんしょう》、二《ふたつ》には信邪《しんじゃ》なり。「因果有《いんがあ》り、仏《ぶつ》・法《ぽう》・僧有《そうあ》り」と言《い》わん。是《こ》れを「信正《しんしょう》」と名《な》づく。「因果三宝《いんがさんぽう》の性《しょう》異無《いな》し」と言《い》いて、諸《もろもろ》の邪語《じゃご》・富闌那《ふらんな》等《とう》を信《しん》ずる、是《こ》れを「信邪《しんじゃ》」と名《な》づく。是《こ》の人《ひと》、仏《ぶつ》・法《ほう》・僧宝《そうぼう》を信《しん》ずと雖《いえど》も、三宝同一性相《さんぼうどういつしょうそう》を信《しん》ぜず。因果《いんが》を信《しん》ずと雖《いえど》も得者《とくしゃ》を信《しん》ぜず。是《こ》の故《ゆえ》に名《な》づけて「信不具足《しんふぐそく》」とす。是《こ》の人《ひと》、不具足信《ふぐそくしん》を成就《じょうじゅ》すと。乃至《ないし》
善男子《ぜんなんし》。四《し》の善事有《ぜんじあ》り。悪果《あっか》を⑥獲得《ぎゃくとく》せん。何等《なんら》をか四《し》とする。一《ひとつ》には勝他《しょうた》の為《ため》の故《ゆえ》に経典《きょうでん》を読誦《どくじゅ》す。二《ふたつ》には利養《りよう》の為《ため》の故《ゆえ》に⑦禁戒《きんかい》を受持《じゅじ》せん。三《みつ》には他属《たぞく》の為《ため》の故《ゆえ》にして布施《ふせ》を行《ぎょう》ぜん。四《よつ》には非

①遅…おそし　②碑…あらわす　③冥符…かない かなう　④執受…とり うく　⑤推…もとめ　⑥獲…うる　⑦禁戒…いましむ

想《そう》非《ひ》非《ひ》想処《そうしょ》の為《ため》の故《ゆえ》に繫念《けねん》思《し》①惟《ゆい》せん。是《こ》の四《し》の善事《ぜんじ》、悪果報《あくかほう》を得《え》ん。若《も》し人《ひと》、是《か》くの如《ごと》きの四事《しじ》を修《しゅ》②習《じゅう》せん。是《こ》れを「没《もっ》して没《もっ》し已《おわ》りて還《かえ》りて出《い》ず。出《い》で已《おわ》りて還《かえ》りて没《もっ》す」と名《な》づく。何《なに》が故《ゆえ》ぞ「没《もっ》」と名《な》づくる。三有《さんぬ》を楽《ねが》うが故《ゆえ》に。何故《なにゆえ》ぞ「出《しゅつ》」と名《な》づくる。明《みょう》を見《み》るを以《もっ》ての故《ゆえ》に。明《みょう》は即《すなわ》ち是《こ》れ戒《かい》・施《せ》・定《じょう》を聞《き》くなり。何《なに》を以《もっ》ての故《ゆえ》に還《かえ》りて出没《しゅつもつ》するや。邪見《じゃけん》を増長《ぞうじょう》し憍慢《きょうまん》を生《しょう》ずるが故《ゆえ》に。是《こ》の故《ゆえ》に、我《われ》、経《きょう》の中《なか》に於《お》いて偈《げ》を説《と》かく、

若《も》し衆生《しゅじょう》有《あ》りて、諸有《しょう》を楽《ねが》いて、有《う》の為《ため》に善悪《ぜんあく》の業《ごう》を造作《ぞうさ》する、
是《こ》の人《ひと》は涅槃道《ねはんどう》を③迷失《めいしつ》するなり。是《こ》れを④蹔出還復没《ざんしゅつげんぶくもつ》と名《な》づく。
黒闇生死海《こくあんしょうじかい》を行《ぎょう》じて、解脱《げだつ》を得《う》と雖《いえど》も煩悩《ぼんのう》を雑《ぞう》するは、
是《こ》の人《ひと》、還《かえ》りて悪果報《あくかほう》を受《う》く。是《こ》れを蹔出還復没《ざんしゅつげんぶくもつ》と名《な》づくと。

如来《にょらい》に則《すなわ》ち二種《にしゅ》の涅槃《ねはん》有《あ》り。一《ひとつ》には有為《うい》、二《ふたつ》には無為《むい》なり。有為涅槃《ういねはん》は無常《むじょう》なり。楽《らく》・我《が》・浄《じょう》は無為涅槃《むいねはん》なり。常人《じょうにん》有《あ》りて、深《ふか》く是《こ》の二種《にしゅ》の戒倶《かいとも》に因果《いんが》有《あ》りと信《しん》ぜん。是《こ》の故《ゆえ》に名《な》づけて「戒《かい》」とす。戒不具足《かいふぐそく》、是《こ》の人《ひと》は信《しん》・戒《かい》の二事《にじ》を具《ぐ》せず。所楽《しょぎょう》多聞《たもん》にして亦不具足《またふぐそく》なり。

云何《いか》なるをか名《な》づけて「聞不具足《もんふぐそく》」とする。如来《にょらい》の所説《しょせつ》は十二部経《じゅうにぶきょう》なり。唯《ただ》、六部《ろくぶ》を信《しん》じて、未《いま》だ六部《ろくぶ》を信《しん》ぜず。是《こ》の故《ゆえ》に名《な》づけて「聞不具足《もんふぐそく》」とす。復《ま》た是《こ》の六部《ろくぶ》の経《きょう》を受持《じゅじ》すと雖《いえど》も⑤読誦《どくじゅ》に能《あた》わずして他《た》の為《ため》に解説《げせつ》するは、利《り》⑥益《やく》する所《ところ》無《な》けん。是《こ》の故《ゆえ》に名《な》づけて「聞不具足《もんふぐそく》」とす。又復《また》、是《こ》の六部《ろくぶ》の経《きょう》を受《う》け已《おわ》りて、論議《ろんぎ》の為《ため》の故《ゆえ》に、勝他《しょうた》の為《ため》の故《ゆえ》に、利養《りよう》の為《ため》の故《ゆえ》に、諸有《しょう》の為《ため》の故《ゆえ》に、

持読⑦《じどく》 誦説⑧《じゅせつ》せん。是《こ》の故《ゆえ》に名《な》づけて「聞不具足《もんふぐそく》」とす」と。略抄《りゃくしょう》

95 又言《またのたま》わく（徳王菩薩品）、「「善男子《ぜんなんし》。第一真実《だいいちしんじつ》の善知識《ぜんじしき》は、謂《い》わゆる、菩薩《ぼさつ》・諸仏《しょぶつ》なり。」

「世尊《せそん》。何《なに》を以《もっ》ての故《ゆえ》に。」

「常《つね》に三種《さんしゅ》の善《ぜん》調御⑨《じょうご》を以《もっ》ての故《ゆえ》なり。何等《なんら》をか三《さん》とする。一《ひとつ》には畢竟《ひっきょう》軟語⑩《なんご》、二《ふたつ》には畢竟《ひっきょう》呵責⑪《かしゃく》、三《みっ》つには軟語呵責《なんごかしゃく》なり。是《こ》の義《ぎ》を以《もっ》ての故《ゆえ》に菩薩《ぼさつ》・諸仏《しょぶつ》は即《すなわ》ち是《こ》れ真実《しんじつ》の善知識《ぜんじしき》なり。復《ま》た次《つぎ》に善男子《ぜんなんし》。仏及《ぶつおよ》び菩薩《ぼさつ》を大医《だいい》とするが故《ゆえ》に「善知識《ぜんじしき》」と名《な》づく。何《なに》を以《もっ》ての故《ゆえ》に。病《やまい》を知《し》りて薬《くすり》を知《し》る。病《やまい》に応《おう》じて薬《くすり》を授《さず》くるが故《ゆえ》に。譬《たと》えば良医《りょうい》の善《よ》き八種《はちしゅ》の術《じゅつ》の如《ごと》し。先《ま》ず病相《びょうそう》を観《かん》ず。相《そう》に三種有《さんしゅあ》り。何等《なんら》をか三《さん》とする。謂《い》わく、風《ふう》・熱《ねつ》・水《すい》なり。風病《ふうびょう》の人《ひと》には、之《これ》に蘇油《そゆ》を授《さず》く。熱病《ねつびょう》の人《ひと》には、之《これ》に石蜜《しゃくみつ》を授《さず》く。水病《すいびょう》の人《ひと》には、之《これ》に薑湯《きょうとう》を授《さず》く。病根《びょうこん》を知《し》るを以《もっ》て、薬《くすり》を授《さず》くるに差⑫《しゃ》することを得《う》。故《かるがゆえ》に「良医《りょうい》」と名《な》づく。仏及《ぶつおよ》び菩薩《ぼさつ》も亦復《また》是《か》くの如《ごと》し。諸《もろもろ》の凡夫《ぼんぶ》の病《やまい》を知《し》るに三種有《さんしゅあ》り。一《ひとつ》には貪欲《とんよく》、二《ふたつ》には瞋恚《しんに》、三《みっ》つには愚痴《ぐち》なり。貪欲《とんよく》の病《やまい》には骨相《こっそう》を教観《きょうかん》せしむ。瞋恚《しんに》の病《やまい》には慈悲相《じひそう》を観《かん》ぜしむ。愚痴《ぐち》の病《やまい》には十二縁相《じゅうにえんそう》を観《かん》ぜしむ。是《こ》の義《ぎ》を以《もっ》ての故《ゆえ》に諸仏《しょぶつ》・菩薩《ぼさつ》を「善知識《ぜんじしき》」と名《な》づく。善男子《ぜんなんし》。譬《たと》えば、船師《せんし》の、善《よ》く人《ひと》を度《わた》すが故《ゆえ》に「大船師《だいせんし》」と名《な》づくるが

①惟…おもう
②習…ならう
③迷…まどい
④暫…しばらく
⑤読誦…よみ よむ
⑥益…ます
⑦読…こころえよむなり
⑧誦…うかべよむなり
⑨調…ととのう
⑩軟…やわらかなり
⑪呵責…せめ せむ
⑫差…いゆる

如《ごと》し。諸仏《しょぶつ》・菩薩《ぼさつ》も亦復《また》是《か》くの如《ごと》し。諸《もろもろ》の衆生《しゅじょう》をして生死《しょうじ》の大海《だいかい》を度《わた》す。是《こ》の義《ぎ》を以《もっ》ての故《ゆえ》に「善知識《ぜんじしき》」と名《な》づく」と。」 抄出《しょうしゅつ》

96『華厳経《けごんぎょう》』（唐訳入法界品）に言《のたま》わく、「汝《なんじ》、善知識《ぜんじしき》を念《ねん》ずるに、我《われ》を生《う》める父母《ぶも》の如《ごと》し。我《われ》を養《やしな》う乳母《にゅうも》の如《ごと》し。菩提分《ぼだいぶん》を増長《ぞうじょう》す。衆《しゅ》①疾《しつ》を医療《いりょう》するが如《ごと》し。天《てん》の、甘露《かんろ》を②灑《そそ》ぐが如《ごと》し。日《ひ》の、正《しょう》道《どう》を③示《しめ》すが如《ごと》し。月《つき》の、浄輪《じょうりん》を④転《てん》ずるが如《ごと》し。」

97又言《またのたま》わく（唐訳入法界品）、「如来大慈悲《にょらいだいじひ》、世間《せけん》に出現《しゅつげん》して、普《あまね》く諸《もろもろ》の衆生《しゅじょう》の為《ため》に無上法輪《むじょうほうりん》を転《てん》じたまう。如来《にょらい》、無数劫《むしゅこう》に⑤勤苦《ごんく》せしことは衆生《しゅじょう》の為《ため》なり。云何《いかん》ぞ諸《もろもろ》の世間《せけん》、能《よ》く大師《だいし》の恩《おん》を報《ほう》ぜん」と。已上《いじょう》

98光明寺《こうみょうじ》の和尚《かしょう》（善導）の云《い》わく（般舟讃）、「唯《ただ》⑥恨《うら》むらくは、衆生《しゅじょう》の、疑《うたが》うまじきを疑《うたが》うことを。浄土《じょうど》、対面《たいめん》して相《あい》⑦忤《たが》わず。弥陀《みだ》の摂《しょう》と不摂《ふしょう》とを論《ろん》ずること莫《な》かれ。意《い》、専心《せんしん》にして回《え》すると回《え》せざるに在《あ》り。或《ある》いは道《い》わく、今《きょう》より仏果《ぶっか》に至《いた》るまで、長劫《じょうごう》に仏《ぶつ》を讃《さん》じて慈恩《じおん》を報《ほう》ぜん。弥陀《みだ》の弘《ぐ》誓《ぜい》の力《ちから》を蒙《かぶ》らずは、何《いず》れの時《とき》、何《いず》れの劫《こう》にか娑婆《しゃば》を出《い》でん。何《いか》んしてか今日《きょう》、宝国《ほうこく》に至《いた》ることを⑧期《ご》せん。実《まこと》に是《こ》れ娑婆本師《しゃばほんじ》の力《ちから》なり。若《も》し本師知識《ほんじちしき》の勧《すすめ》に非《あら》ずは、弥陀《みだ》の浄土《じょうど》、云何《いかん》してか入《い》らん。浄土《じょうど》に生《しょう》ずることを得《え》て慈恩《じおん》を報《ほう》ぜよ」と。

99又云《またい》わく（往生礼讃）、「仏世《ぶっせ》、甚《はなは》だ値《もうあ》い難《がた》し。人《ひと》、信慧《しんえ》有《あ》ること難《かた》し。遇《たま》たま希有《けう》の法《ほう》を聞《き》くこと、此《こ》れ復《ま》た最《もっと》も難《かた》しとす。自《みずか》ら信《しん》じ人《ひと》を教《おし》えて信《しん》ぜしむること、難《なん》の中《なか》に転《うた》た更《ま》た難《かた》し。大悲《だいひ》、弘《ひろ》く

〔「弘《ぐ》」の字《じ》、智昇法師《ちしょうほっし》『懺儀《さんぎ》』の文《もん》なり。〕普《あまね》く化《け》するは、真《まこと》に仏恩《ぶっとん》を報《ほう》ずるに成《な》る」と。

100又《また》云《い》わく（法事讃）、「帰去来《いざいなん》、他郷《たきょう》には停《とど》まるべからず。仏《ぶつ》に従《⑨したが》いて本家《ほんけ》に帰《き》せよ。本国《ほんごく》に還《かえ》りぬれば、一切《いっさい》の行願《ぎょうがん》、自然《じねん》に成《じょう》ず。⑩悲喜《ひき》交《まじ》わり流《なが》る。深《ふか》く自《みずか》ら度《⑪はか》るに、釈迦仏《しゃかぶつ》の開悟《かいご》に因《よ》らずは、弥陀《みだ》の名願《みょうがん》、何《いず》れの時《とき》にか聞《き》かん。仏《ぶつ》の慈恩《じおん》を荷《⑫にな》いても、実《まこと》に報《ほう》じ難《がた》し」と。

101又《また》云《い》わく（法事讃）、「十方六道《じっぽうろくどう》、同《おな》じく此《こ》れ輪回《りんね》して際無《きわな》し。⑬循循《しゅうしゅう》として愛波《あいは》に沈《しず》みて苦海《くかい》に沈《しず》む。仏道《ぶつどう》、人身《にんじん》、得難《えがた》くして今已《いますで》に得《え》たり。浄土《じょうど》、聞《き》き難《がた》くして今已《いますで》に聞《き》けり。信心《しんじん》、発《おこ》し難《がた》くして今已《いますで》に発《おこ》せり」と。已上《いじょう》

102真《まこと》に知《し》りぬ。専修《せんじゅ》にして雑心《ざっしん》なる者《もの》は、大慶喜心《だいきょうきしん》を獲《え》ず。故《かるがゆえ》に宗師《しゅうし》（善導）は、48「彼《か》の仏恩《ぶっとん》を念報《ねんぽう》すること無《な》し。業行《ごうぎょう》を作《な》すと雖《いえど》も、心《しん》に⑭軽慢《きょうまん》を生《しょう》ず。常《つね》に名利《みょうり》と相応《そうおう》するが故《ゆえ》に。人我《にんが》自《おの》ずから覆《おお》いて同行善《どうぎょうぜん》知識《じしき》に親近《しんごん》せざるが故《ゆえ》に。楽《この》みて雑縁《ぞうえん》に近《ちか》づきて往生《おうじょう》の正行《しょうぎょう》を自障障他《じしょうしょうた》するが故《ゆえ》に」（往生礼讃）と云《い》えり。

真知。専修而雑心者、不レ獲二大慶喜心一。故宗師云下「無三念二報彼仏恩一。雖レ作二業行一心生二軽慢一。常与二名利一相応故。人我自覆不三親二近同行善知識一故。楽近二雑縁一自三障障三他往生正行一故上。」

①疾…やまい
②灑…しゃ反
③示…おしう
④転…うつる
⑤勤…つとむ
⑥恨…＊こん
⑦忤…＊く／ご
⑧期…まつ
⑨従…したがう
⑩悲喜…かなしみ　よろこぶ
⑪度…＊たく／ど
⑫荷…＊か／になう
⑬循…ながく
⑭軽慢…かろめ　あなどる

103 悲《かな》しきかな、垢障《くしょう》の凡愚《ぼんぐ》、無際《むさい》より已来《このかた》、助《じょ》・正間《しょうけん》雑《ぞう》し、定散心雑《じょうさんしんぞう》するが故《ゆえ》に、出離《しゅつり》、其《そ》の期《ご》無《な》し。自《みずか》ら流転輪回《るてんりんね》を度《はか》るに、微塵劫《みじんごう》を超過《ちょうか》すれども、仏願力《ぶつがんりき》に帰《き》し①叵《がた》く、大信海《だいしんかい》に入《い》り叵《がた》し。良《まこと》に②傷嗟《しょうさ》すべし、深《ふか》く③悲歎《ひたん》すべし。

104 凡《おおよ》そ大小聖人《だいしょうしょうにん》、一切善人《いっさいぜんにん》、本願《ほんがん》の④嘉号《かごう》を以《もっ》て己《おのれ》が善根《ぜんごん》とするが故《ゆえ》に、信《しん》を生《しょう》ずること能《あた》わず、仏智《ぶっち》を了《さと》らず、彼《か》の因《いん》を建立《こんりゅう》せることを了知《りょうち》すること能《あた》わざる故《ゆえ》に、報土《ほうど》に入《い》ること無《な》きなり。

105 是《ここ》を以《もっ》て愚禿釈《ぐとくしゃく》の鸞《らん》、論主《ろんじゅ》の解義《げぎ》を仰《あお》ぎ、宗師《しゅうし》の勧化《かんけ》に依《よ》りて、久《ひさ》しく万行諸善《まんぎょうしょぜん》の仮門《けもん》を出《い》でて、永《なが》く双樹林下《そうじゅりんげ》の往生《おうじょう》を離《はな》る。善本《ぜんぽん》・徳本《とくほん》の真門《しんもん》に回入《えにゅう》して、偏《ひとえ》に難思往生《なんしおうじょう》の心《しん》を発《おこ》しき。然《しか》るに今《いま》、⑤特《まこと》に方便《ほうべん》の真門《しんもん》を出《い》でて、選択《せんじゃく》の願海《がんかい》に転入《てんにゅう》せり。速《すみ》やかに難思往生《なんしおうじょう》の心《しん》を離《はな》れて、⑥難思議往生《なんしぎおうじょう》を遂《と》げんと欲《おも》う。果遂《かすい》の誓《ちかい》、良《まこと》に由有《ゆえあ》るかな。

悲哉、垢障凡愚、自㆓従無際㆒已来、助正間雑定散心雑故、出離無㆓其期㆒。自度㆓流転輪回㆒、超㆓過微塵劫㆒、叵㆑帰㆓仏願力㆒、叵㆑入㆓大信海㆒。良可㆓傷嗟㆒、深可㆓悲歎㆒。

凡大小聖人一切善人、以㆓本願嘉号㆒為㆓己善根㆒故、不㆑能㆑生㆑信、不㆑了㆓仏智㆒、不㆑能㆕了㆔知建㆓立彼因㆒故、無㆑入㆓報土㆒也。

是以愚禿釈鸞、仰㆓論主解義㆒、依㆓宗師勧化㆒、久出㆓万行諸善之仮門㆒、永離㆓双樹林下之往生㆒。回㆓入善本徳本真門㆒、偏発㆓難思往生之心㆒。然今特出㆓方便真門㆒、転㆓入選択願海㆒。速離㆓難思往生心㆒、欲㆑遂㆓難思議往生㆒。果遂之誓、良有㆑由哉。

106 爰《ここ》に久《ひさ》しく願海《がんかい》に入《い》りて、深《ふか》く仏恩《ぶっとん》を知《し》れり。至徳《しとく》を報《ほう》⑦謝《しゃ》せん為《ため》に、真宗《しんしゅう》の簡要《かんよう》を摭《ひろ》うて、⑧恒常《ごうじょう》に不可思《ふかし》議《ぎ》の徳海《とくかい》を称念《しょうねん》す。弥《いよ》いよ斯《こ》れを喜愛《きあい》し、特《こと》に斯《こ》れを⑨頂《ちょう》⑩戴《だい》するなり。

107 信《まこと》に知《し》りぬ。聖道《しょうどう》の諸教《しょきょう》は、在世《ざいせ》・正法《しょうぼう》の為《ため》にして、全《まった》く像末《ぞうまつ》・法滅《ほうめつ》の時機《じき》に非《あら》ず。已《すで》に時《とき》を失《しっ》し、機《き》に⑪乖《そむ》けるなり。浄土真宗《じょうどしんしゅう》は、在世《ざいせ》・正法《しょうぼう》・像末《ぞうまつ》・法《ほう》滅《めつ》、濁悪《じょくあく》の群萌《ぐんもう》、斉《ひと》しく悲引《ひいん》したまうをや。

108 是《ここ》を以《もっ》て経家《きょうげ》に拠《よ》りて師釈《ししゃく》を披《ひら》きたるに、49「説人《せつにん》の差別《しゃべつ》を⑫弁《べん》ぜば、凡《おお》そ諸経《しょきょう》の起説《きせつ》、五種《ごしゅ》に過《す》ぎず。一《ひとつ》には仏説《ぶっせつ》、二《ふたつ》には聖弟子説《しょうでしせつ》、三《みつ》には天仙説《てんせんせつ》、四《よつ》には鬼《き》神説《じんせつ》、五《いつつ》には変化説《へんげせつ》なり。」

爾《しか》れば四種《ししゅ》の所説《しょせつ》は信用《しんゆう》に足《た》らず。斯《こ》の三経《さんぎょう》は則《すなわ》ち

爰久入二願海一、深知二仏恩一。為三報二謝至徳一、摭二真宗簡要一、恒常称二念不可思議徳海一。弥喜二愛斯一、特頂二戴斯一也。

信知。聖道諸教、為二在世・正法一而、全非二像末・法滅之時機一。已失レ時乖レ機也。浄土真宗者、在世・正法・像末・法滅、濁悪群萌、斉悲引也。

是以拠二経家一披二師釈一、「弁二説人差別一者、凡諸経起説、不レ過二五種一。一者仏説、二者聖弟子説、三者天仙説、四者鬼神説、五者変化説。」

爾者四種所説不レ足二信用一。斯三経者則大聖

①叵…＊は　②傷嗟…なげき なげく　③歎…なげく
④嘉…よし　⑤特…ひとり　⑥議…はからう
⑦謝…むくう　⑧恒…つね　⑨頂…＊いただき
⑩戴…いただく　⑪乖…そむく　⑫弁…わきまう

大聖《だいしょう》の自説《じせつ》なり。

109『大論《だいろん》』（大智度論）に四依《しえ》を釈《しゃく》して云《い》わく、「涅槃《ねはん》に入《い》りなんと欲《ほっ》せし時《とき》、諸《もろもろ》の比丘《びく》に語《かた》りたまわく、「今日《きょう》より、法《ほう》に依《よ》りて人《ひと》に依《よ》らざるべし。義《ぎ》に依《よ》りて語《ご》に依《よ》らざるべし。智《ち》に依《よ》りて①識《しき》に依《よ》らざるべし。了義経《りょうぎきょう》に依《よ》りて不了義《ふりょうぎ》に依《よ》らざるべし」と。「法《ほう》に依《よ》る」とは、法《ほう》に十二部《じゅうにぶ》有《あ》り、此《こ》の法《ほう》に随《したが》うべし。人《ひと》に随《したが》うべからず。「依義《えぎ》」とは、義《ぎ》の中《なか》に好悪《こうあく》・罪福《ざいふく》・虚実《こじつ》を諍《あらそ》うこと無《な》し。故《かるがゆえ》に②語《ご》は已《すで》に義《ぎ》を得《え》たり。義《ぎ》は語《ご》に非《あら》ざるなり。人《ひと》、指《ゆび》を以《もっ》て月《つき》を指《おし》う。以《もっ》て我《われ》を示教《じきょう》するに、指《ゆび》を③看視《かんし》して月《つき》を視《み》ざるが如《ごと》し。人《ひと》、④語《かた》りて言《い》わん、「我《われ》、指《ゆび》を以《もっ》て月《つき》を指《おし》う。汝《なんじ》をして之《これ》を知《し》らしむ。汝《なんじ》、何《なん》ぞ指《ゆび》を看《み》て月《つき》を視《み》ざるや」と。此《こ》れ亦《また》是《か》くの如《ごと》し。語《ご》は義《ぎ》の指《ゆび》とす。語《ご》は義《ぎ》に非《あら》ざるなり。此《こ》れを以《もっ》ての故《ゆえ》に語《ご》に依《よ》るべからず。「依智《えち》」とは、智《ち》、能《よ》く善悪《ぜんあく》を⑤籌量《ちゅうりょう》し分別《ふんべつ》す。⑥識《しき》は常《つね》に楽《らく》を求《もと》む。正要《しょうよう》に入《い》らず。是《こ》の故《ゆえ》に「不応依識《ふおうえしき》」と言《のたま》えり。「依了義経《えりょうぎきょう》」とは、一切智人《いっさいちにん》有《いま》す、仏第一《ぶつだいいち》なり。一切諸経《いっさいしょきょう》⑦書《しょ》の中《なか》に仏法第一《ぶっぽうだいいち》なり。一切衆《いっさいしゅ》の中《なか》に比丘僧第一《びくそうだいいち》なり。無仏世《むぶっせ》の衆生《しゅじょう》を、仏《ぶつ》、此《こ》れを重罪《じゅうざい》としたまえり。見仏《けんぶつ》の善根《ぜんごん》を種《う》えざる人《ひと》なり」と。已上《いじょう》

爾《しか》れば末代《まつだい》の道俗《どうぞく》、善《よ》く四依《しえ》を知《し》りて法《ほう》を修《しゅ》すべきなりと。

110然《しか》るに、正真《しょうしん》の教意《きょうい》に拠《よ》りて、古徳《ことく》の⑧伝説《でんせつ》を披《ひら》く。聖道《しょうどう》・浄土《じょうど》の真《しん》・仮《け》を顕開《けんかい》して、邪《じゃ》⑨偽《ぎ》異執《いしゅう》の外教《げきょう》

自説也。

爾者末代道俗、善可㆘知㆓四依㆒修㆖法也。

然拠㆓正真教意㆒、披㆓古徳伝説㆒。顕㆓開聖道浄土真仮㆒、教㆓誡邪偽異執外教㆒。勘㆓決如来

涅槃之時代一、開二示正像末法旨際一。

を教《きょう》⑩誡《かい》す。如来涅槃《にょらいねはん》の時代《じだい》を⑪勘決《かんけつ》して、正《しょう》・像《ぞう》・末《まっ》法《ぽう》の⑫旨際《しさい》を開示《かいじ》す。

111是《ここ》を以《もっ》て玄忠寺《げんちゅうじ》の綽和尚《しゃくかしょう》（道綽）の云《い》わく（安楽集）、「然《しか》るに、修道《しゅどう》の身《しん》、相《そう》⑬続《ぞく》して絶《た》えずして、一万劫《いちまんごう》を逕《へ》て始《はじ》めて不退《ふたい》の位《くらい》を証《しょう》す。当今《とうこん》の凡夫《ぼんぶ》は、現《げん》に「信想軽毛《しんそうきょうもう》」と名《な》づく。亦《また》「仮名《けみょう》」と曰《い》えり。亦《また》「不定聚《ふじょうじゅ》」と名《な》づく。亦《また》「外《げ》の凡夫《ぼんぶ》」と名《な》づく。未《いま》だ火宅《かたく》を出《い》でず。何《なに》を以《もっ》て知《し》ることを得《え》んと。『菩薩瓔珞経《ぼさつようらくきょう》』に拠《よ》りて、具《つぶさ》に入道行位《にゅうどうぎょうい》を⑭弁《べん》ずるに、法爾《ほうに》なるが故《ゆえ》に「難行道《なんぎょうどう》」と名《な》づく」と。

112又《また》云《い》わく（安楽集）、「教《きょう》⑮興《こう》の所由《しょゆ》を明《あ》かして、時《とき》に⑯約《やく》し機《き》に⑰被《かぶ》らしめて浄土《じょうど》に勧帰《かんき》すること有《あ》らば、若《も》し機《き》と教《きょう》と時《とき》と⑱乖《そむ》けば、修《しゅ》し難《がた》く入《い》り難《がた》し。『正法念経《しょうぼうねんぎょう》』に云《のたま》わく、50「行者《ぎょうじゃ》、一心《いっしん》に道《どう》を求《もと》めん時《とき》、常《つね》に当《まさ》に時《とき》と方便《ほうべん》とを観察《かんざつ》すべし。若《も》し時《とき》を得《え》ざれば方便無《ほうべんな》し。是《こ》れを名《な》づけて「失《しつ》」とす。「利《り》」と名《な》づけず。何《なん》となれば、湿《うるお》える木《き》を攅《き》りて、以《もっ》て火《ひ》を求《もと》むるに、火《ひ》、得《う》べからず。時《とき》に非《あら》ざるが故《ゆえ》に。若《も》し乾《か》れたる薪《たきぎ》を折《お》りて、以《もっ》て

①識…しるに
②語…ことば
③看視…みる　みる
④語…かたる
⑤籌…はからい
⑥識…さとる
⑦書…ふみ
⑧伝…つたう
⑨偽…いつわる
⑩誡…いましむ
⑪勘決…かんがう　さだむ
⑫旨際…むね　きわ
⑬続…つぐ
⑭弁…わきまう
⑮興…おこる
⑯約…よる
⑰被…かぶる
⑱乖…そむく

水《みず》を覓《もと》むるに、水《みず》、得《う》べからず。智《ち》無《な》きが如《ごと》きの故《ゆえ》に」と。
『大集《だいじゅう》の月蔵経《がつぞうきょう》』に云《のたま》わく、51「仏滅度《ぶつめつど》の後《のち》の第一《だいいち》の五百年《ごひゃくねん》には、我《わ》が諸《もろもろ》の弟子《でし》、慧《え》を学《まな》ぶこと①堅固《けんご》を得《え》ん。第二《だいに》の五百年《ごひゃくねん》には定《じょう》を学《まな》ぶこと堅固《けんご》を得《え》ん。第三《だいさん》の五百年《ごひゃくねん》には多聞読誦《たもんどくじゅ》を学《まな》ぶこと堅固《けんご》を得《え》ん。第四《だいし》の五百年《ごひゃくねん》には塔寺《とうじ》を造立《ぞうりゅう》し福《ふく》を修《しゅ》し、懺悔《さんげ》すること堅固《けんご》を得《え》ん。第五《だいご》の五百《ごひゃく》年《ねん》には白法《びゃくほう》②隠滞《おんたい》して多《おお》く③諍訟《じょうじゅ》有《あ》らん。微《すこ》しき善法《ぜんぽう》有《あ》りて堅固《けんご》を得《え》ん。」
今《いま》の時《とき》の衆生《しゅじょう》を計《はか》るに、即《すなわ》ち、仏《ぶつ》、世《よ》を去《さ》りたまいて後《のち》の第四《だいし》の五百年《ごひゃくねん》に当《あ》たれり。正《まさ》しく是《こ》れ懺悔《さんげ》し福《ふく》を修《しゅ》し、仏《ぶつ》の名号《みょうごう》を称《しょう》すべき時《とき》の者《もの》なり。一念《いちねん》、阿弥陀仏《あみだぶつ》を称《しょう》するに、即《すなわ》ち能《よ》く八《はち》十億劫《じゅうおっこう》の生死《しょうじ》の罪《つみ》を除却《じょきゃく》せん。一念《いちねん》、既《すで》に爾《しか》なり。況《いわ》んや常念《じょうねん》に修《しゅ》するは即《すなわ》ち是《こ》れ恒《つね》に懺悔《さんげ》する人《ひと》なり。」

113又云《またい》わく（安楽集）、「経《きょう》の住滅《じゅうめつ》を④弁《べん》ぜば、謂《い》わく、釈迦牟尼仏一代《しゃかむにぶついちだい》、正法五百年《しょうぼうごひゃくねん》、像法一千年《ぞうぼういっせんねん》、末法一万年《まっぽういちまんねん》には衆生減《しゅじょうげん》じ尽《つ》き諸経《しょきょう》悉《ことごと》く滅《めつ》せん。如来《にょらい》、⑤痛焼《つうしょう》の衆生《しゅじょう》を悲哀《ひあい》して、特《こと》に此《こ》の経《きょう》を留《とど》めて止住《しじゅう》せんこと百年《ひゃくねん》ならん」と。

114又云《またい》わく（安楽集）、「『大集経《だいじっきょう》』に云《のたま》わく、52「我《わ》が末法《まっぽう》の時《とき》の中《うち》の億億《おくおく》の衆生《しゅじょう》、行《ぎょう》を起《お》こし道《どう》を修《しゅ》せんに、未《いま》だ一人《いちにん》も得《う》る者《もの》有《あ》らじ」と。当今《とうこん》、末法《まっぽう》にして、是《こ》れ五濁悪世《ごじょくあくせ》なり。唯《ただ》、浄土《じょうど》の一門《いちもん》有《あ》りて通入《つうにゅう》すべき路《みち》なり」と。已上《いじょう》

115爾《しか》れば穢悪濁世《えあくじょくせ》の群生《ぐんじょう》、末代《まつだい》の旨際《しさい》を知《し》らず、僧尼《そうに》——爾者穢悪濁世群生、不㆑知㆓末代旨際㆒、毀㆓

の威儀《いぎ》を毀《そし》る。今《いま》の時《とき》の道俗《どうぞく》、己《おのれ》が分《ぶん》を思量《しりょう》せよ。

116 三時教《さんじきょう》を案《あん》ずれば、如来般涅槃《にょらいはつねはん》の時代《じだい》を⑥勘《かんが》うるに、周《しゅう》の第五《だいご》の主《しゅ》・穆王五十一年《ぼくおうごじゅういちねん》壬申《みずのえさる》に当《あ》たれり。其《そ》の壬申《みずのえさる》より我《わ》が元仁元年《げんにんがんねん》〔「元仁《げんにん》」は後堀川院《ごほりかわいん》 諱《いみな》茂仁《ほしん》 聖代《せいたい》なり。〕甲申《きのえさる》に至《いた》るまで二千一百八十三歳《にせんいっぴゃくはちじゅうさんさい》なり。又《また》『賢劫経《げんごうきょう》』・『仁王経《にんのうきょう》』・『涅槃《ねはん》』等《とう》の説《せつ》に依《よ》るに、已《すで》に以《もっ》て末法《まっぽう》に入《い》りて六百八十三歳《ろっぴゃくはちじゅうさんさい》なり。

117『末法燈明記《まっぽうとうみょうき》』最澄《さいちょう》⑦製作《せいさく》を⑧披閲《ひえつ》するに曰《い》わく、「夫《そ》れ、一如《いちにょ》に⑨範衛《はんえい》して、以《もっ》て化《け》を流《なが》す者《もの》は法王《ほうおう》、四海《しかい》に光宅《こうたく》して、以《もっ》て風《ふう》に乗《じょう》ずる者《もの》は仁王《にんのう》なり。然《しか》れば則《すなわ》ち仁王《にんのう》・法王《ほうおう》、互《たが》いに顕《あらわ》れて物《もの》を開《かい》し、真諦《しんたい》・俗諦《ぞくたい》、遞《たが》いに因《よ》りて教《きょう》を弘《ひろ》む。所以《このゆえ》に、⑩玄籍《けんせき》、⑪宇内《うだい》に盈《み》ち、嘉《か》⑫猷《ゆう》、天下《てんか》に⑬溢《み》てり。爰《ここ》に愚僧《ぐそう》等《とう》、率《そっ》して天網《てんもう》に容《い》り、俯《ふ》して⑭厳科《げんか》を仰《あお》ぐ。未《いま》だ⑮寧処《みょうしょ》に遑《いとま》あらず。然《しか》るに法《ほう》に三時《さんじ》有《あ》り、人《ひと》、亦三《またさん》品《ぼん》なり。化制《けせい》の旨《むね》、時《とき》に依《よ》りて⑯興讃《こうさん》す。⑰毀讃《きさん》の文《もん》、人《ひと》に遂《したが》いて取捨《しゅしゃ》す。夫《そ》れ、三石《さんせき》の⑱運《うん》、⑲減衰《げんすい》、同《おな》じか

僧尼威儀㆒。今時道俗、思㆓量己分㆒。

案㆓三時教㆒者、勘㆓如来般涅槃時代㆒、当㆓周第五主穆王五十一年壬申㆒。従㆓其壬申㆒至㆓我元仁元年甲申㆒二千一百八十三歳也。又依㆓『賢劫経』『仁王経』『涅槃』等説㆒、已以入㆓末法㆒六百八十三歳也。

①堅固…かたく かたし
②隠滞…かくれ とどまる
③諍訟…あらそう うったう
④弁…わきまう
⑤痛焼…いたむ やく
⑥勘…かんがう
⑦製…＊ご
⑧披閲…ひらき みる
⑨範衛…のり さかう まもる
⑩玄籍…よし ふだ
⑪宇…＊いえの反／いえ
⑫猶…にたるなり
⑬溢…いち反
⑭厳科…いつくしき しなわい
⑮寧…やすし
⑯興…おこし
⑰毀…そしる
⑱運…はこぶ
⑲減衰…おとろえ おとろう

らず、後五《こうご》の機《き》、慧悟《えご》、又異《またい》なり。豈《あ》に一途《いちず》①に拠《よ》りて済《すく》わんや、一理《いちり》に就《つ》いて整《ただ》②さんや。故《かるがゆえ》に正《しょう》・像《ぞう》・末《まつ》の旨際《しさい》を詳《つばひ》らかにして、③試《こころ》みに破《は》④持僧《じそう》の事《じ》を彰《あらわ》さん。中《なか》に於《お》いて三有《さんあ》り。初《はじ》めには正《しょう》・像《ぞう》・末《まつ》を決《けっ》⑤す。次《つぎ》に破持僧《はじそう》の事《じ》を定《さだ》む。後《のち》に教《きょう》を挙《あ》げて比例《ひれい》⑥す。

118 初《はじ》めに正《しょう》・像《ぞう》・末《まつ》を決《けっ》するに、諸説《しょせつ》を出《い》だすこと同《おな》じからず。且《しばら》く一説《いっせつ》を述《じゅっ》⑦せん。大乗《だいじょう》基《き》⑧（慈恩・弥勒上生経疏）に『賢劫経《げんごうきょう》』を引《ひ》きて言《い》わく、53「仏涅槃《ぶつねはん》の後《のち》、正法五百年《しょうぼうごひゃくねん》、像法一千年《ぞうぼういっせんねん》ならん。此《こ》の千五百年《せんごひゃくねん》の後《のち》、釈迦《しゃか》の法《ほう》、滅尽《めつじん》せん」と。末法《まっぽう》を言《い》わず。余《よ》の所説《しょせつ》に准《なずら》うるに、尼《に》、八敬《はっきょう》に順《したが》わずして懈怠《けだい》なるが故《ゆえ》に、法《ほう》、更増《きょうぞう》⑨せず。故《かるがゆえ》に彼《かれ》に依《よ》らず。又《また》『涅槃経《ねはんぎょう》』に、54「末法《まっぽう》の中《なか》に於《お》いて十二万《じゅうにまん》の大菩薩衆《だいぼさつしゅ》有《ましま》して、法《ほう》を持《たも》ちて滅《めっ》せず」と。此《こ》れは上位《じょうい》に拠《よ》るが故《ゆえ》に亦同《またおな》じからず。

問《と》う。若《も》し爾《しか》らば千五百年《せんごひゃくねん》の内《うち》の行事《ぎょうじ》、云何《いかん》ぞや。

答《こた》う。『大術経《だいじゅつきょう》』（摩訶摩耶経）に依《よ》るに、55「仏涅槃《ぶつねはん》の後《のち》の初《はじ》めの五百年《ごひゃくねん》には、大迦葉等《だいかしょうとう》の七賢《しちげん》⑩聖僧《しょうそう》、次第《しだい》に正法《しょうぼう》を持《たも》ちて滅《めっ》せず。五百年《ごひゃくねん》の後《のち》、正法滅尽《しょうぼうめつじん》せんと。六百年《ろっぴゃくねん》に至《いた》りて後《のち》、九十五《くじゅうご》種《しゅ》の外道《げどう》、競《きお》い起《お》こらん。馬鳴《めみょう》、世《よ》に出《い》で諸《もろもろ》の外道《げどう》を伏《ぶく》⑪せん。七百年《しちひゃくねん》の中《うち》に、龍樹《りゅうじゅ》、世《よ》に出《い》で邪見《じゃけん》の幢《はたぼこ》を摧《くだ》かん。八百年《はっぴゃくねん》に於《お》いて、比丘《びく》、⑫縦逸《じゅういつ》にして、⑬僅《わず》かに一二《いちに》、道果《どうか》を得《う》るもの有《あ》らん。九百年《くひゃくねん》に至《いた》りて、⑭奴《ぬ》を比丘《びく》とし、⑮婢《ひ》を尼《に》とせん。一千年《いっせんねん》の中《うち》に、不浄観《ふじょうかん》を開《ひら》かん。瞋恚《しんに》して欲《ほっ》せじ。千一百年《せんいっぴゃくねん》に、僧尼《そうに》⑯嫁娶《かじゅ》せん。僧毘尼《そうびに》を毀謗《きほう》せん。千二百年《せんにひゃくねん》に、諸僧尼等《しょそうにとう》、倶《とも》に子息《しそく》有《あ》らん。千三《せんさん》百年《びゃくねん》に、袈裟変《けさへん》じて白《しろ》からん。千四百年《せんしひゃくねん》に、四部《しぶ》の弟子《でし》、皆《みな》、⑰猟師《りょうし》の如《ごと》し。三宝物《さんぽうもつ》を売《う》らん。爰《ここ》に曰《い》わく、千五百年《せんごひゃくねん》に、拘睒弥国《くせんみこく》に二《ふたり》の僧有《そうあ》りて、互《たが》いに是非《ぜひ》を起《お》こして遂《つい》に殺害《せつがい》せん。仍《よ》って、教法《きょうぼう》、龍宮《りゅうぐう》に蔵《おさ》まるなり。」

56『涅槃《ねはん》』の十八及《じゅうはちおよ》び57『仁王《にんのう》』等《とう》に、復《ま》た此《こ》の文有《もんあ》り。此《こ》れ等《ら》の経文《きょうもん》に⑱準《なずら》うるに、千五百年《せんごひゃくねん》の後《のち》、戒《かい》・定《じょう》・慧有《えあ》ること無《な》きなり。

故《かるがゆえ》に『大集経《だいじっきょう》』の五十一《ごじゅういち》に言《のたま》わく、58「我《わ》が滅度《めつど》の後《のち》、初《はじ》めの五百年《ごひゃくねん》には、諸《もろもろ》の比丘等《びくとう》、我《わ》が正法《しょうぼう》に於《お》いて解脱堅固《げだつけんご》ならん 初《はじ》めに聖果《しょうか》を得《う》るを名《な》づけて「解脱《げだつ》」とす。次《つぎ》の五百年《ごひゃくねん》には禅定堅固《ぜんじょうけんご》ならん。次《つぎ》の五百年《ごひゃくねん》には多聞堅固《たもんけんご》ならん。次《つぎ》の五百年《ごひゃくねん》には造寺堅固《ぞうじけんご》ならん。後《のち》の五百年《ごひゃくねん》には⑲闘諍堅固《とうじょうけんご》ならん。白法隠没《びゃくほうおんもつ》せん」と云云《うんぬん》。

此《こ》の意《い》、初《はじ》めの三分《さんぶん》の五百年《ごひゃくねん》は、次《つ》いでの如《ごと》く戒《かい》・定《じょう》・慧《え》の三法《さんぽう》、堅固《けんご》に住《じゅう》することを得《え》ん。即《すなわ》ち上《かみ》に引《ひ》く所《ところ》の正法五百年《しょうぼうごひゃくねん》、像法一千《ぞうほういっせん》の二時《にじ》、是《こ》れなり。造寺已後《ぞうじいご》は、並《なら》びに是《こ》れ末法《まっぽう》なり。

故《かるがゆえ》に基《き》（慈恩）、『般若会《はんにゃえ》の釈《しゃく》』（金剛般若論会釈）に云《い》わく、59「正法五百年《しょうぼうごひゃくねん》、像法一千年《ぞうほういっせんねん》、此《こ》の千五《せんご》

①途…みち
②整…しょう反
③試…＊し
④持…たもち
⑤決…さだむ
⑥例…たくらぶ
⑦述…のぶ
⑧基…もと
⑨更…さらに　かえる　とも
⑩賢…かしこし
⑪伏…したがう
⑫縦…ほしきまま
⑬僅…まれに　きん反
⑭奴…おとこじゅうしゃ
⑮婢…おうなじゅうしゃ
⑯嫁娶…むことり　よめとり
⑰猟…かり
⑱準…＊じゅん
⑲闘諍…たたかう　あらそう

百年《ひゃくねん》の後《のち》の正法滅尽《しょうぼうめつじん》せん」と。故《かるがゆえ》に知《し》りぬ。已後《いご》は是《こ》れ末法《まっぽう》に属《ぞく》す。

問《と》う。若《も》し爾《しか》らば、今《いま》の世《よ》は正《まさ》しく何《いず》れの時《とき》にか当《あ》たるや。

答《こた》う。滅後《めつご》の年代《ねんだい》、多説有《たせつあ》りと雖《いえど》も、且《しばら》く両説《りょうせつ》を挙《あ》ぐ。

一《ひとつ》には、法上師等《ほうじょうしとう》、『周異《しゅうい》』の説《せつ》に依《よ》りて言《い》わく、「仏《ぶつ》、第五《だいご》の主《しゅ》・穆王満五十一年《ぼくおうまんごじゅういちねん》壬申《みずのえさる》に当《あ》たりて入滅《にゅうめつ》したまう」と。若《も》し此《こ》の説《せつ》に依《よ》らば、其《そ》の壬申《みずのえさる》より我《わ》が延暦二十年辛《えんりゃくにじゅうねんかのと》の巳《み》に至《いた》るまで一千七百五十歳《いっせんしちひゃくごじっさい》なりと。

二《ふたつ》には、費長房等《ひちょうぼうとう》、魯《ろ》『春秋《しゅんじゅう》』に依《よ》らば、「仏《ぶつ》、周《しゅう》の第二十《だいにじゅう》の主《しゅ》・匡王班四年《きょうおうはんしねん》壬子《みずのえね》に当《あ》たりて入滅《にゅうめつ》したまう。」若《も》し此《こ》の説《せつ》に依《よ》らば、其《そ》の壬子《みずのえね》より我《わ》が延暦二十年辛《えんりゃくにじゅうねんかのと》の巳《み》に至《いた》るまで一千四百十歳《いっせんしひゃくじっさい》なり。故《かるがゆえ》に今《いま》の時《とき》の如《ごと》きは是《こ》れ最末《さいまつ》の時《とき》なり。彼《か》の時《とき》の行事《ぎょうじ》、既《すで》に末法《まっぽう》に同《どう》ぜり。然《しか》れば則《すなわ》ち末法《まっぽう》の中《なか》に於《お》いては、但《ただ》、言教《ごんきょう》のみ有《あ》りて行証無《ぎょうしょうな》けん。若《も》し[60]我《わ》が法有《ほうあ》らば破戒有《はかいあ》るべし。既《すで》に戒法無《かいほうな》し。何《なん》の戒《かい》を破《は》せんに由《よ》りてか、破戒有《はかいあ》らんや。破戒《はかい》、尚無《なおな》し。何《いか》に況《いわ》んや持戒《じかい》をや。故《かるがゆえ》に『大集《だいじゅう》』に云《のたま》わく、[61]「仏涅槃《ぶつねはん》の後《のち》、無戒《むかい》、州《くに》に満《み》たん」と云云《うんぬん》。

119 問《と》う。諸経律《しょきょうりつ》の中《なか》に広《ひろ》く破戒《はかい》を制《せい》して衆《しゅ》に入《い》ることを聴《ゆる》さず。破戒《はかい》、尚爾《なおしか》なり。何《いか》に況《いわ》んや無戒《むかい》をやと。而《しか》るに今重《いまかさ》ねて末法《まっぽう》を論《ろん》ずるに戒無《かいな》し。豈《あ》に①瘡無《かさな》くして自《みずか》ら以《もっ》て傷《いた》まんやと。

答《こた》う。此《こ》の理《り》、然《しか》らず。正《しょう》・像《ぞう》・末法《まっぽう》の所有《しょう》の行事《ぎょうじ》、広《ひろ》く諸経《しょきょう》に載《の》せたり。内外《ないげ》の道俗《どうぞく》、誰《たれ》か②披諷《ひふう》せざらん。豈《あ》に自身《じしん》の邪活《じゃかつ》を貪求《とんぐ》して、持国《じこく》の正法《しょうぼう》を隠蔽《おんぺい》せんや。但《ただ》し今論《いまろん》ずる所《ところ》の末法《まっぽう》には、唯《ただ》、名字《みょうじ》の比丘有《びくあ》らん。此《こ》の名字《みょうじ》を世《せ》の真宝《しんぽう》とせん。福田無《ふくでんな》からんや。設《たと》い末法《まっぽう》の中《なか》に持戒有《じかいあ》らば、既《すで》に是《こ》れ③怪異《けい》なり。市《いち》に虎有《とらあ》らんが如《ごと》し。此《こ》れ誰《たれ》か信《しん》ずべきや。

120 問《と》う。正《しょう》・像《ぞう》・末《まつ》の事《じ》、已《すで》に衆経《しゅきょう》に見《み》えたり。末法《まっぽう》の名字《みょうじ》を世《せ》の真宝《しんぽう》とせんことは、聖典《しょうてん》に出《い》でたりや。

答《こた》う。『大集《だいじゅう》』の第九《だいく》に云《のたま》わく、62「譬《たと》えば真金《しんこん》を無価《むげ》④の宝《たから》とするが如《ごと》し。若《も》し真金無《しんこんな》くは、銀《しろがね》を無価《むげ》の宝《たから》とす。若《も》し銀《しろがね》無《な》くは、鍮石《ちゅうじゃく》偽宝《ぎほう》を無価《むげ》とす。若《も》し偽宝無《ぎほうな》くは、赤白《しゃくびゃく》⑤銅鉄《どうてつ》・白錫《びゃくろう》⑥鉛《えん》を無価《むげ》とす。是《か》くの如《ごと》き、一切世間《いっさいせけん》の宝《たから》なれども、仏法無価《ぶっぽうむげ》なり。若《も》し仏宝無《ぶっぽうまし》ま さずは、縁覚無《えんがくむ》上《じょう》なり。若《も》し縁覚無《えんがくな》くは、羅漢無上《らかんむじょう》なり。若《も》し羅漢無《らかんな》くは、余《よ》の賢聖衆《げんしょうじゅ》、以《もっ》て無上《むじょう》なり。若《も》し余《よ》の賢聖衆無《げんしょうじゅな》くは、得定《とくじょう》の凡夫《ぼんぶ》、以《もっ》て無上《むじょう》とす。若《も》し得定《とくじょう》の凡夫無《ぼんぶな》くは、浄持戒《じょうじかい》を、以《もっ》て無上《むじょう》とす。若《も》し浄持戒無《じょうじかいな》くは、⑦漏戒《ろかい》の比丘《びく》を、以《もっ》て無上《むじょう》とす。若《も》し漏戒無《ろかいな》くは、剃除鬚髪《たいじょしゅほつ》して身《み》に袈裟《けさ》を著《き》たる名字比丘《みょうじびく》を無上《むじょう》の宝《たから》と為《な》す。余《よ》の九十五種《くじゅうごしゅ》の異道《いどう》に比《ひ》するに、最《もっと》も第一《だいいち》と為《な》す。世《せ》の⑧供《く》を受《う》くべし。物《もの》の為《ため》の初《はじ》めの福田《ふくでん》なり。何《なに》を以《もっ》ての故《ゆえ》に。能身《のうしん》を破《やぶ》る衆生《しゅじょう》、⑨怖畏《ふい》する所《ところ》なるが故《ゆえ》に。護持《ごじ》し養育《よういく》して是《こ》の人《ひと》を安置《あんち》⑩すること有《あ》らんは、久《ひさ》しからずして忍地《にんじ》を得《え》ん」と。已上経文《いじょうきょうもん》

①瘡…きず　②披諷…ひらく みる　③怪…あやしみ
④価…あたい　⑤銅鉄…あかがね くろがね　⑥鉛…なまり
⑦漏…もらす　⑧供…あたう　⑨怖畏…おそれ おそる
⑩置…たもつ

此《こ》の文《もん》の中《なか》に八重《はちじゅう》の無価《むげ》有り。謂《い》わゆる、如来像《にょらいぞう》、縁覚《えんがく》、声聞《しょうもん》、及《およ》び前三果《ぜんさんか》、得定《とくじょう》の凡夫《ぼんぶ》、持《じ》戒《かい》、破戒《はかい》、無戒名字《むかいみょうじ》、其《そ》れ次《つ》いでの如《ごと》し。名《な》づけて「正《しょう》・像《ぞう》・末《まつ》の時《とき》の無価《むげ》の宝《たから》」とするなり。初《はじ》めの四《し》は正法時《しょうぼうじ》、次《つぎ》の三《さん》は像法時《ぞうぼうじ》、後《のち》の一《いち》は末法時《まっぽうじ》なり。此《こ》れに由《よ》りて明《あき》らかに知《し》りぬ、破戒《はかい》、無戒《むかい》、咸《ことごと》く是《こ》れ真宝《しんぽう》なりと。

121問《と》う。①伏《ふ》して前《さき》の文《もん》を観《み》るに、破戒《はかい》、名字《みょうじ》、真宝《しんぽう》ならざること莫《な》し。何《なに》が故《ゆえ》ぞ、『涅槃《ねはん》』と『大集経《だいじっきょう》』に、63「国王《こくおう》・大臣《だいじん》、破戒《はかい》の僧《そう》を②供《く》すれば、国《くに》に三《さん》③災《さい》起《お》こり、遂《つい》に地獄《じごく》に生《しょう》ず」と。破戒《はかい》、尚《なお》爾《しか》なり。何《いか》に況《いわ》んや無戒《むかい》をや。而《しか》爾るに如来《にょらい》、一《ひと》つ破戒《はかい》に於《お》いて、或《ある》いは毀《そし》り、或《ある》いは讃《ほ》む。豈《あ》に一《いっ》聖《しょう》の説《せつ》に両《りょう》④判《はん》の失《とが》有《あ》るをや。

答《こた》う。此《こ》の理《り》、然《しか》らず。『涅槃《ねはん》』等《とう》の経《きょう》に且《しばら》く正法《しょうぼう》の破戒《はかい》を制《せい》す。像《ぞう》・末代《まつだい》の比丘《びく》には非《あら》ず。其《そ》の名《な》、同《おな》じと雖《いえど》も、時《とき》に異《い》有《あ》り。時《とき》に随《したが》いて制《せい》⑤許《こ》す。是《こ》れ大聖《だいしょう》の⑥旨破《しは》なり。世尊《せそん》に於《お》いて両判《りょうはん》の⑦失無《しつましま》さず。

122問《と》う。若《も》し爾《しか》らば、何《なに》を以《もっ》てか知《し》らん、『涅槃《ねはん》』等《とう》の経《きょう》は、但《ただ》、正法所有《しょうぼうしょう》の破戒《はかい》を制止《せいし》して、像《ぞう》・末《まつ》の僧《そう》に非《あら》ずとは。

答《こた》う。引《ひ》く所《ところ》の『大集《だいじゅう》』所説《しょせつ》の八重《はちじゅう》の真宝《しんぽう》の如《ごと》し。是《こ》れ其《そ》の証《しょう》なり。皆《みな》、時《とき》に当《あ》たりて無価《むげ》と為《な》す故《ゆえ》に。但《ただ》し正法《しょうぼう》の時《とき》の破戒比丘《はかいびく》は清浄衆《しょうじょうしゅ》を穢《けが》す。故《かるがゆえ》に仏《ぶつ》、固《かた》く⑧禁制《きんぜい》して衆《しゅ》に入《い》れず。然《しか》る所以《ゆえ》は『涅槃《ねはん》』の第三《だいさん》に云《のたま》わく、64「如来《にょらい》、今《いま》、無上《むじょう》の正法《しょうぼう》を以《もっ》て諸王《しょおう》・大臣《だいじん》・宰相《さいしょう》・比《び》丘《く》・比丘尼《びくに》に付嘱《ふぞく》したまえり。乃至《ないし》　破戒有《はかいあ》りて、正法《しょうぼう》を⑨毀《そし》らば、王及《おうおよ》び大臣《だいじん》、四部《しぶ》の衆《しゅ》、当《まさ》に苦《く》治《じ》すべし。是《か》くの如《ごと》きの王臣等《おうしんとう》、無量《むりょう》の功徳《くどく》を得《え》ん。乃至《ないし》　是《こ》れ我《わ》が弟子《でし》なり。真《しん》の声聞《しょうもん》なり。福《ふく》を得《う》ること無量《むりょう》ならん。」乃至《ないし》　是《か》くの如《ごと》きの制文《せいもん》の法《ほう》、往往衆多《おうおうしゅた》なり。皆是《みなこ》れ正法《しょうぼう》に明《あ》かす所《ところ》の制文《せいもん》なり。像《ぞう》・末《まつ》の教《きょう》に非《あら》ず。然《しか》る所以《ゆえ》は、像季《ぞうき》・末法《まっぽう》には正法《しょうぼう》を行《ぎょう》ぜざれば、法《ほう》として⑩毀《そし》るべき無《な》し。何《なに》をか「毀法《きほう》」と名《な》づけん。戒《かい》として破《は》すべき無《な》し。誰《たれ》をか「破戒《はかい》」と名《な》づけん。又其《またそ》の時《とき》、大王《だいおう》、行《ぎょう》として護《まも》るべき無《な》し。何《なに》に由《よ》りてか三災《さんさい》を出《い》だし、及《およ》び戒《かい》・慧《え》を失《しっ》せんや。又像《またぞう》・末《まつ》には証果《しょうか》の人無《ひとな》し。如何《いかん》ぞ二聖《にしょう》に⑪聴護《ちょうご》せらるることを明《あ》かさん。故《かるがゆえ》に知《し》りぬ。上《かみ》の所説《しょせつ》は皆《みな》、正《しょう》法世《ぼうせ》に持戒有《じかいあ》る時《とき》に⑫約《やく》して破戒有《はかいあ》るが故《ゆえ》なり。

次《つぎ》に像法千年《ぞうほうせんねん》の中《なか》に、初《はじ》めの五百年《ごひゃくねん》には、持戒《じかい》、漸《ようや》く減《げん》じ、破戒《はかい》、漸《ようや》く増《ぞう》せん。戒行有《かいぎょうあ》りと雖《いえど》も証果無《しょうかな》し。

故《かるがゆえ》に『涅槃《ねはん》』の七《しち》に云《のたま》わく、[65]「迦葉菩薩《かしょうぼさつ》、仏《ぶつ》に白《もう》して言《もう》さく、「世尊《せそん》。仏《ぶつ》の所説《しょせつ》の如《ごと》きは四種《ししゅ》の魔有《まあ》り。若《も》し魔《ま》の所説及《しょせつおよ》び仏《ぶつ》の所説《しょせつ》、我《われ》、当《まさ》に云何《いかん》してか分別《ふんべつ》することを得《う》べき。諸《もろもろ》の衆生有《しゅじょうあ》りて、魔行《まぎょう》に⑬随逐《ずいちく》せん。復《ま》た仏説《ぶっせつ》に随順《ずいじゅん》すること有《あ》らば、是《か》くの如《ごと》き等《ら》の輩《ともがら》、復《ま》た云何《いかん》が知《し》ら

①伏…したがう
②供…あたう
③災…わざわい
④判…ことわる
⑤許…ゆるす
⑥旨…むね
⑦失…とが
⑧禁…いましむ
⑨⑩毀…＊き
⑪聴…ゆるす
⑫約…よる
⑬逐…したがう

ん」と。

仏《ぶつ》、迦葉《かしょう》に告《つ》げたまわく、「我涅槃《われねはん》して七百歳《しちひゃくさい》の後《のち》に、是《こ》れ魔波旬《まはじゅん》、漸《ようや》く起《お》こりて、当《まさ》に頻《①しき》りに我《わ》が正法《しょうぼう》を壊《②え》すべし。譬《たと》えば猟師《③りょうし》の、身《み》に法衣《ほうえ》を服《ぶく》せんが如《ごと》し。魔波旬《まはじゅん》も亦復是《またか》くの如《ごと》し。比《び》丘像《くぞう》・比丘尼像《びくにぞう》・優婆塞優婆夷像《うばそくうばいぞう》と作《な》らんこと亦復是《またか》くの如《ごと》しと。乃至《ないし》「諸《もろもろ》の比丘《びく》、奴僕使《ぬぼくし》・牛《ご》羊象馬《ようぞうめ》・乃至《ないし》銅鉄釜錫《④どうてつこくちょう》・大小銅盤《だいしょうどうばん》・所須《しょ⑤しゅ》の物《もの》を受畜《じゅ⑥ちく》し、耕田《⑦こうでん》種《⑧しゅ》・敗売《⑨ばいばい》市易《しやく》して穀米《⑩こくまい》を儲《⑪もう》くることを聴《ゆる》すと。是《か》くの如《ごと》きの衆事《しゅじ》、仏《ぶつ》、大悲《だいひ》の故《ゆえ》に衆生《しゅじょう》を憐愍《⑫れんみん》して、皆《みな》、畜《たくわ》うることを聴《⑬ゆる》さん」と。

是《か》くの如《ごと》きの経律《きょうりつ》は悉《ことごと》く是《こ》れ魔説《ませつ》なり」」と云云《うんぬん》。

既《すで》に「七百歳《しちひゃくさい》の後《のち》に、波旬《はじゅん》、漸《ようや》く起《お》こらん」と云《のたま》えり。故《かるがゆえ》に知《し》りぬ。彼《か》の時《とき》の比丘《びく》、漸《ようや》く八不浄物《はちふじょうもつ》を貪畜《⑭とんちく》せん。此《こ》の妄説《もうせつ》を作《な》さん、即《すなわ》ち是《こ》れ魔《ま》の流《⑮る》なり。此《こ》れ等《ら》の経《きょう》の中《なか》に、明《あき》らかに年《ねん》代《だい》を指《さ》して具《とも》に行事《ぎょうじ》を説《と》けり。更《さら》に疑《うたが》うべからず。其《そ》れ一文《いちもん》を挙《あ》ぐ。余《よ》、皆《みな》準知《⑯じゅんち》せよ。

次《つぎ》に像法《ぞうぼう》の後半《のちなか》ば、持戒《じかい》、減少《⑰げんしょう》し、破戒《はかい》、巨多《こた》ならん。故《かるがゆえ》に『涅槃《ねはん》』の六《ろく》に云《のたま》わく、乃至《ないし》

又《また》『十輪《じゅうりん》』に言《のたま》わく、[66]「若《も》し我《わ》が法《ほう》に依《よ》りて出家《しゅっけ》して悪行《あくぎょう》を造作《ぞうさ》せん。此《こ》れ沙門《しゃもん》に非《あら》ずして自《みずか》ら「沙門《しゃもん》」と称《しょう》し、亦《また》、梵行《ぼんぎょう》に非《あら》ずして自《みずか》ら「梵行《ぼんぎょう》」と称《しょう》せん。是《か》くの如《ごと》きの比丘《びく》、能《よ》く一《いっ》切天《さいてん》・龍《りゅう》・夜叉《やしゃ》・一切善法功徳伏蔵《いっさいぜんぼうくどくふくぞう》を開示《かいじ》して、衆生《しゅじょう》の善知識《ぜんじしき》と為《な》らん。少欲知足《しょうよくちそく》ならずと雖《いえど》も、剃除鬚髪《たいじょしゅほつ》して法服《ほうぶく》を被著《⑱ひじゃく》せん。是《こ》の因縁《いんねん》を以《もっ》ての故《ゆえ》に、能《よ》く衆生《しゅじょう》の為《ため》に善根《ぜんごん》を増長《ぞうじょう》せん。諸《もろもろ》の天人《てんにん》に於《お》いて善道《ぜんどう》を開示《かいじ》せん。乃至《ないし》、破戒《はかい》の比丘《びく》、是《こ》れ死《し》せる人《ひと》なりと雖《いえど》も、戒《かい》の余才《⑲よざい》、牛黄《ごおう》の如《ごと》

し。此《こ》れ死《し》するものと雖《いえど》も、人《ひと》、故《ことさ》らに之《これ》を取《と》る。亦麝香《またじゃこう》の、復《のち》に用有《ゆうあ》るが如《ごと》し」と云云《うんぬん》。既《すで》に67「迦羅林《からりん》の中《なか》に一《いち》の鎮頭迦樹《ちんずかじゅ》有《あ》り」（涅槃経）と云《のたま》えり。此《こ》れは像《ぞう》⑳運《うん》、已《すで》に衰《おとろ》えて、破戒濁《はかいじょく》世《せ》に、㉑僅《わず》かに一二《いちに》、持戒《じかい》の比丘《びく》有《あ》らんに喩《たと》うるなりと。又云《またのたま》わく、68「破戒《はかい》の比丘《びく》、是《こ》れ死《し》せる人《ひと》なりと雖《いえど》も、猶麝香《なおじゃこう》の死《し》して用有《ゆうあ》るが如《ごと》し。」（十輪経）衆生《しゅじょう》の善知識《ぜんじしき》と為《な》ること、明《あき》らかに知《し》りぬ。

此《こ》の時《とき》、漸《ようや》く破戒《はかい》を許《ゆる》して世《せ》の福田《ふくでん》とす。前《さき》の『大集《だいじゅう》』に同《おな》じと。

次《つぎ》に像《ぞう》㉒季《き》の後《のち》、㉓全《まった》く是《こ》れ戒無《かいな》し。仏《ぶつ》、時運《じうん》を知《し》ろしめして、末俗《まつぞく》を済《すく》わんが為《ため》に名字《みょうじ》の僧《そう》を讃《ほ》めて世《せ》の福田《ふくでん》と為《な》したまえりと。

又《また》『大集《だいじゅう》』の五十二《ごじゅうに》に云《のたま》わく、69「若《も》し後《のち》の末世《まっせ》に我《わ》が法《ほう》の中《なか》に於《お》いて、㉔剃除《たいじょ》㉕鬚髪《しゅほつ》し身《み》に袈裟《けさ》を著《き》たらん名字《みょうじ》の比丘《びく》、若《も》し壇越有《だんおつあ》りて供養《くよう》を捨《す》てば、無量《むりょう》の福《ふく》を得《え》ん」と。

又《また》『賢愚経《げんぐきょう》』に言《のたま》わく、70「若《も》し壇越《だんおつ》、㉖将来末世《しょうらいまっせ》に、法乗《ほうじょう》、尽《つ》きんと欲《ほっ》せんに、正《まさ》しく妻《め》を蓄《たくわ》え、子《こ》を俠《わきはさ》ましめん。四人以上《しにんいじょう》の名字僧衆《みょうじそうしゅ》、当《まさ》に礼敬《らいきょう》せんこと、舎利弗《しゃりほつ》・大目連《だいもくれん》等《とう》の如《ごと》くすべし」と。

①頻…＊びん
②壊…やぶる
③猟…かり
④銅鉄釜錫…あかがね　くろがね　かま　かなえ
⑤須…もちいる
⑥畜…たくわう
⑦耕…つくる
⑧種…たね
⑨敗売市易…わかつ　うる　いち　かうる
⑩穀米…こめ　こめ
⑪儲…ちょ
⑫憐愍…あわれみ　あわれむ
⑬聴…ゆるす
⑭貪畜…むさぼり　たくわう
⑮流…ともがら
⑯準…なずらえ
⑰滅…おとろえ
⑱被著…きる　きる
⑲余才…あまる　たから
⑳運…はこぶ
㉑僅…＊きん
㉒季…すえ
㉓全…＊ぜん
㉔剃…そる
㉕鬚髪…ひげ　かみ
㉖将…まさに

又云《またのたま》わく（大集経）、71「若《も》し破戒《はかい》を①打罵《ちょうめ》し、身《み》に袈裟《けさ》を着《き》たるを知《し》ること無《な》からん罪《つみ》は、万億《まんおく》の仏《ぶっ》身《しん》より血《ち》を出《い》だすに同《おな》じからんと。若《も》し衆生《しゅじょう》有《あ》りて、我《わ》が法《ほう》の為《ため》に剃除鬚髪《たいじょしゅほっ》し袈裟《けさ》を②被服《ひぶく》せんは、設《たと》い戒《かい》を持《たも》たずとも、彼等《かれら》は悉《ことごと》く已《すで》に涅槃《ねはん》の③印《いん》の為《ため》に印《いん》せらるるなり。」乃至《ないし》

『大悲経《だいひきょう》』に云《のたま》わく、72「仏《ぶつ》、阿難《あなん》に告《つ》げたまわく、「将来世《しょうらいせ》に於《お》いて、法《ほう》、滅尽《めつじん》せんと欲《ほっ》せん時《とき》、当《まさ》に比丘《びく》・比丘尼《びくに》有《あ》りて、我《わ》が法《ほう》の中《なか》に於《お》いて出家《しゅっけ》を得《え》たらんもの、己《おのれ》が手《て》に児《こ》の臂《ひじ》を牽《ひ》きて共《とも》に遊行《ゆぎょう》して、彼《か》の酒家《しゅけ》より酒家《しゅけ》に至《いた》らん。我《わ》が法《ほう》の中《なか》に於《お》いて非梵行《ひぼんぎょう》を作《な》さん。彼等《かれら》、酒《さけ》の因縁《いんねん》たりと雖《いえど》も、此《こ》の賢劫《げんごう》の中《なか》に於《お》いて、当《まさ》に千仏《せんぶつ》有《ましま》して④興出《こうしゅつ》したまわんに、我《わ》が弟子《でし》と為《な》るべしと。次《つぎ》に後《のち》に、弥勒《みろく》、当《まさ》に我《わ》が所《ところ》を補《つ》ぐべし。乃至最後盧至如来《ないしさいごるしにょらい》まで、是《か》くの如《ごと》き次第《しだい》に、汝《なんじ》、当《まさ》に知《し》るべし。阿難《あなん》。我《わ》が法《ほう》の中《なか》に於《お》いて、但《ただ》、性《しょう》は是《こ》れ沙門《しゃもん》の行《ぎょう》にして自《みずか》ら「沙門《しゃもん》」と称《しょう》せん。形《かたち》は沙門《しゃもん》に似《に》て、尚《ひさ》しく袈裟《けさ》を被着《ひじゃく》すること有《あ》らしめんは、賢劫《げんごう》に於《お》いて弥勒《みろく》を首《しゅ》として乃至盧至如来《ないしるしにょらい》まで、彼《か》の諸《もろもろ》の沙門《しゃもん》、是《か》くの如《ごと》きの仏《ぶつ》の所《みもと》にして無余涅槃《むよねはん》に於《お》いて次第《しだい》に涅槃《ねはん》に入《い》ることを得《え》ん。⑤遺余《ゆいよ》有《あ》ること無《な》けん。何《なに》を以《もっ》ての故《ゆえ》に。如来一切沙門《にょらいいっさいしゃもん》の中《なか》に、乃至一《ないしひと》たび仏《ぶつ》の名《みな》を称《しょう》し、一《ひと》たび信《しん》を生《しょう》ぜん者《もの》の所作《しょさ》の功徳《くどく》、終《つい》に⑥虚設《こせつ》ならじ。我《われ》、仏智《ぶっち》を以《もっ》て法界《ほっかい》を⑦測知《しきち》するが故《ゆえ》なり」」と云云《うんぬん》。

乃至《ないし》

此《こ》れ等《ら》の諸経《しょきょう》に、皆《みな》、年代《ねんだい》を指《さ》して将来末世《しょうらいまっせ》の名字比丘《みょうじびく》を世《せ》の尊師《そんし》とすと。若《も》し正法時《しょうぼうじ》の⑧制文《せいもん》を以《もっ》て末法世《まっぽうせ》の名字僧《みょうじそう》を制《せい》せば、教《きょう》・機《き》相乖《あいそむ》き、人《にん》・法合《ほうがっ》せず。此《こ》れに由《よ》りて『律《りつ》』（四分律）に云《い》

わく、73「非制《ひせい》を制《せい》するは則《すなわ》ち三明《さんみょう》を断《だん》ず。⑨記説《きせつ》する所《ところ》、是《こ》れ罪有《つみあ》り」と。此《こ》の上《かみ》に経《きょう》を引《ひ》きて⑩配《はい》当《とう》し已訖《おわ》りぬ。

123後《のち》に教《きょう》を挙《あ》げて比例《ひれい》せば、末法《まっぽう》、法爾《ほうに》として正法《しょうぼう》⑪毀壊《きえ》し、三業《さんごう》、記《しる》無《な》し。四儀《しぎ》、⑫乖《そむ》くこと有《あ》らん。⑬且《しばら》く『像法決疑経《ぞうぼうけつぎきょう》』に云《のたま》わく、乃至《ないし》　又《また》『遺教経《ゆいきょうぎょう》』に云《のたま》わく、乃至《ないし》　又《また》『法行経《ほうぎょうきょう》』に云《のたま》わく、乃至《ないし》　『鹿子母経《ろくしもきょう》』に云《のたま》わく、乃至《ないし》　又《また》『仁王経《にんのうきょう》』に云《のたま》うが如《ごと》しと。乃至《ないし》」已上略抄《いじょうりゃくしょう》

①打罵…うち　のる
②被服…きる　きる
③印…おして
④興…おこり
⑤遺余…のこり　あまる
⑥設…もうく
⑦測…＊はかり
⑧制…とどむ
⑨記…しるし
⑩配当…あて　あつ
⑪毀壊…そしり　やぶる
⑫乖…＊け
⑬且…かつがつ

顕《けん》浄《じょう》土《ど》方《ほう》便《べん》化《け》身《しん》土《ど》文《もん》類《るい》六《ろく》

愚《ぐ》禿《とく》釈《しゃく》親《しん》鸞《らん》集《あつむ》

夫拠㆓諸修多羅㆒勘㆓決真偽㆒、教㆓誡外教邪偽異執㆒者、

124 夫《そ》れ、諸《もろもろ》の修多羅《しゅたら》に拠《よ》りて真偽《しんぎ》を勘決《かんけつ》して、外教《げきょう》邪偽《じゃぎ》の異執《いしゅう》を教誡《きょうかい》せば、

125『涅槃経《ねはんぎょう》』（如来性品）に言《のたま》わく、「仏《ぶつ》に帰依《きえ》せば、終《つい》に更《ま》た其《そ》の余《よ》の諸天神《しょてんじん》に帰依《きえ》せざれ」と。略出《りゃくしゅつ》

126『般舟三昧経《はんじゅさんまいきょう》』に言《のたま》わく、「優婆夷《うばい》、是《こ》の三昧《さんまい》を聞《き》きて学《まな》ばんと欲《おも》わば、乃至《ないし》　自《みずか》ら仏《ぶつ》に帰命《きみょう》し、法《ほう》に帰命《きみょう》し、比丘僧《びくそう》に帰命《きみょう》せよ。余道《よどう》に事《つか》うることを得《え》ざれ、天《てん》を拝《はい》することを得《え》ざれ、鬼神《きじん》を祠《し》することを得《え》ざれ、吉良日《きちりょうにち》を視《み》ることを得《え》ざれ」と。已上《いじょう》

127 又言《またのたま》わく（般舟三昧経）、「優婆夷《うばい》、三昧《さんまい》を学《まな》ばんと欲《おも》わば、乃至《ないし》　天《てん》を拝《はい》し神《じん》を祠祀《しし》することを得《え》ざれ」と。略出《りゃくしゅつ》

128『大乗大方等日蔵経《だいじょうだいほうどうにちぞうきょう》』巻第八《まきのだいはち》「魔王波旬《まおうはじゅん》星宿品《しょうしゅくほん》の第八《だいはち》の二《に》」に言《のたま》わく、「「爾《そ》の時《とき》に佉盧虱吒《かるしった》、天衆《てんしゅ》に告《つ》げて言《い》わく、「是《こ》の諸《もろもろ》の月等《がっとう》、各《おの》おの主儻《しゅとう》有《あ》り。汝《なんじ》、四種《ししゅ》の衆生《しゅじょう》を救済《くさい》すべし。何者《なにもの》をか四《し》とする。地上《じじょう》の人《にん》・諸龍《しょりゅう》・夜叉《やしゃ》・乃至《ないし》蝎等《かっとう》を救《たす》けん。斯《か》くの如《ごと》きの類《たぐい》、皆悉《みなことごと》く之《これ》を救《たす》けん。

我《われ》、諸《もろもろ》の衆生《しゅじょう》を安楽《あんらく》するを以《もっ》ての故《ゆえ》に星宿《しょうしゅく》を布置《ふち》す。各《おの》おの、分部《ぶんぶ》・乃至《ないし》摸呼羅《まくこら》の時等《じとう》有《あ》り。亦皆具《またみなつぶさ》に説《と》かん。其《そ》の国土方面《こくどほうめん》の処《しょ》に随《したが》いて、所作《しょさ》の事業《じごう》、随順《ずいじゅん》し増長《ぞうじょう》せん。」

佉盧虱吒《かるしつた》、大衆《だいしゅ》の前《まえ》にして、掌《たなごころ》を合《あ》わせて説《と》きて言《い》わまく、「是《か》くの如《ごと》き、日《にち》・月《がつ》・年時《ねんじ》・大《だい》小星宿《しょうしょうしゅく》を安置《あんち》す。何者《なにもの》をか名《な》づけて「有六時《ゆうろくじ》」とするや。正月《しょうがつ》・二月《にがつ》を「暄暖時《えんかんじ》」と名《な》づく。三《さん》月《がつ》・四月《しがつ》を「種作時《しゅさじ》」と名《な》づく。五月《ごがつ》・六月《ろくがつ》は「求降雨時《ぐこううじ》」なり。七月《しちがつ》・八月《はちがつ》は「物欲熟時《もつよくじゅくじ》」なり。九月《くがつ》・十月《じゅうがつ》は「寒涼《かんれい》の時《とき》」なり。十有一月《じゅうゆういちがつ》、合《がっ》して十二月《じゅうにがつ》は「大雪《たいせつ》の時《とき》」なり。是《こ》れ十二月《じゅうにがつ》を分《わ》かちて六時《ろくじ》とす。又《また》、大星宿《だいしょうしゅく》、其《そ》の数《かず》、八有《はちあ》り。謂《い》わゆる、①歳星《さいしょう》・熒惑《けいこく》・鎮星《ちんしょう》・太白《たいはく》・辰星《しんしょう》・日《にち》・月《がつ》・荷羅睺星《からこしょう》なり。又《また》、小星宿《しょうしょうしゅく》、二十八有《にじゅうはちあ》り。謂《い》わゆる、昴《ぼう》より胃《い》に至《いた》るまでの諸宿《しょしゅく》、是《こ》れなり。我《われ》、是《か》くの如《ごと》き次第安置《しだいあんち》を作《な》す。其《そ》の法《ほう》を説《と》き已《おわ》りぬ。汝等皆《なんだちみな》、須《すべか》らく亦見《またみ》、亦聞《またき》くべし。一切大衆《いっさいだいしゅ》、意《い》に於《お》いて云何《いかん》。我《わ》が置《お》く所《ところ》の法《ほう》、其《そ》の事《じ》、是《こ》れ二十八宿及《にじゅうはちしゅくおよ》び八大星《はちだいしょう》の所行諸業《しょぎょうしょごう》に不《あら》ず。汝《なんじ》が喜楽《きらく》は、是《ぜ》の為《ため》、非《ひ》の為《ため》にせず。宜《よろ》しく各《おの》おの宣説《せんぜつ》すべし。」

爾《そ》の時《とき》に一切天人《いっさいてんにん》・仙人《せんにん》・阿修羅《あしゅら》・龍《りゅう》・及《およ》び緊那羅等《きんならとう》、皆悉《みなことごと》く掌《たなごころ》を合《あ》わせて、咸《ことごと》く是《こ》の言《ごん》を作《な》さく、「今《いま》、大仙《だいせん》の如《ごと》きは、天人《てんにん》の間《あいだ》に於《お》いて最《もっと》も尊重《そんじゅう》とす。乃至諸龍及《ないししょりゅうおよ》び阿修羅《あしゅら》、能《よ》く勝《すぐ》れたる者《もの》無《な》けん。智慧《ちえ》・慈悲《じひ》、最《もっと》も第一《だいいち》とす。無量劫《むりょうこう》に於《お》いて忘《わす》れず、一切衆生《いっさいしゅじょう》を憐愍《れんみん》するが故《ゆえ》に、福報《ふくほう》を獲《え》、誓願満《せいがんみ》ち已《おわ》りて、功徳《くどく》、海《うみ》の如《ごと》し。能《よ》く過去《かこ》・現在《げんざい》・当来《とうらい》・一切諸事《いっさいしょじ》・天人《てんにん》の間《けん》を知《し》るに、是《か》くの如《ごと》きの智慧《ちえ》の者有《ものあ》ること無《な》し。是《か》くの如《ごと》きの法用《ほうゆう》、日夜《にちや》・刹那及《せつなおよ》び迦羅時《からじ》・大小星《だいしょうしょう》宿《しゅく》・月半《がっはん》・月満《がつまん》・年満《ねんまん》の法用《ほうゆう》、更《さら》に衆生《しゅじょう》、能《よ》く是《こ》の法《ほう》を作《な》すこと無《な》けん。皆悉《みなことごと》く随喜《ずいき》し安楽《あんらく》ならん。我等《われら》、善《よ》いかな。大徳《だいとく》、衆生《しゅじょう》を安穏《あんのん》す。」

是《こ》の時《とき》、佉盧虱吒仙人《かるしったせんにん》、復《ま》た是《こ》の言《ごん》を作《な》さく、「此《こ》の十二月《じゅうにがつ》・一年始終《いちねんしじゅう》、此《か》くの如《ごと》き方便《ほうべん》す。大《だい》小星等《しょうしょうとう》、刹那時法《せつなじほう》、皆已《みなすで》に説《と》き竟《おわ》りぬ。129又復《また》、四天大王《してんだいおう》を須弥山《しゅみせん》の四方面所《しほうめんしょ》に安置《あんち》す。各《おの》おの一《いち》王《おう》を置《お》く。是《こ》の諸《もろもろ》の方所《ほうしょ》にして各《おの》おの衆生《しゅじょう》を領《りょう》す。北方天王《ほっぽうてんのう》を「毘沙門《びしゃもん》」と名《な》づく。是《こ》れ其《そ》の界《かい》の内《うち》に多《おお》く夜叉《やしゃ》有《あ》り。南方天王《なんぽうてんのう》を「毘留荼《びるだ》」と名《な》づく。倶《とも》に是《こ》れ其《そ》の界《かい》の内《うち》に多《おお》く鳩槃荼《くはんだ》有《あ》り。西方《さいほう》天王《てんのう》を「毘留博叉《びるはくしゃ》」と名《な》づく。是《こ》れ其《そ》の界《かい》の内《うち》に多《おお》く諸龍《しょりゅう》有《あ》り。東方天王《とうぼうてんのう》を「題頭隷吒《だいずらた》」と名《な》づく。是《こ》れ其《そ》の界《かい》の内《うち》に乾闥婆《けんだつば》多《おお》し。四方《しほう》・四維《しゆい》、皆悉《みなことごと》く一切洲渚《いっさいすしょ》及《およ》び諸《もろもろ》の城邑《じょうおう》を擁護《おうご》す。亦《また》、鬼神《きじん》を置《お》きて之《これ》を守護《しゅご》せしむ。」

爾《そ》の時《とき》に佉盧虱吒仙人《かるしったせんにん》、諸天《しょてん》・龍《りゅう》・夜叉《やしゃ》・阿修羅《あしゅら》・緊那羅《きんなら》・摩睺羅伽《まごらか》・人《にん》・非人等《ひにんとう》・一切大衆《いっさいだいしゅ》に於《お》いて、皆称《みなしょう》して「善《よ》いかな」、歓喜無量《かんぎむりょう》なることを為《な》す。是《こ》の時《とき》に天《てん》・龍《りゅう》・夜叉《やしゃ》・阿修羅等《あしゅらとう》、日《にち》夜《や》に佉盧虱吒《かるしった》を供養《くよう》す。

130次《つぎ》に復《ま》た後《のち》に無量世《むりょうせ》を過《す》ぎて、更《ま》た仙人《せんにん》有《あ》らん。「伽力伽《かりきか》」と名《な》づけん。世《よ》に出現《しゅつげん》して、復《ま》た更《さら》に別《べっ》して諸《もろもろ》の星宿《しょうしゅく》・小大月《しょうだいがつ》の法《ほう》・時節要略《じせつようりゃく》を説《と》き置《お》かん。」

①歳星…せい せい

爾《そ》の時《とき》に諸龍《しょりゅう》、佉羅坻山聖人《からていせんしょうにん》の住処《じゅうしょ》に在《あ》りて、光味仙人《こうみせんにん》を尊重《そんじゅう》し恭敬《くぎょう》せん。其《そ》れ龍力《りゅうりき》を尽《つ》くして、之《これ》を供養《くよう》せん」と。已上抄出《いじょうしょうしゅつ》

131『日蔵経《にちぞうきょう》』巻第九《まきのだいく》に「念仏三昧品《ねんぶつさんまいほん》の第十《だいじゅう》」に言《のたま》わく、「爾《そ》の時《とき》に波旬《はじゅん》、是《こ》の偈《げ》を説《と》き已《おわ》るに、彼《か》の衆《しゅ》の中《なか》に一《ひとり》の魔女《まにょ》有り。名《な》づけて「離暗《りあん》」とす。此《こ》の魔女《まにょ》は、曽《むかし》、過去《かこ》に衆《もろもろ》の徳本《とくほん》を植《う》えたりき。是《こ》の説《せつ》を作《な》して言《い》わまく、「沙門瞿曇《しゃもんくどん》は名《な》づけて「福徳《ふくとく》」と称《しょう》す。若《も》し衆生《しゅじょう》有《あ》りて、仏名《ぶつみょう》を聞《き》くことを得《え》て一心《いっしん》に帰依《きえ》せん。一切《いっさい》の諸魔《しょま》、彼《か》の衆生《しゅじょう》に於《お》いて悪《あく》を加《くわ》うること能《あた》わず。何《いか》に況《いわ》んや仏《ぶつ》を見《み》たてまつり親《まのあた》り法《ほう》を聞《き》かん人《ひと》、種種《しゅじゅ》に方便《ほうべん》し慧解深広《えげじんこう》ならん。乃至《ないし》　設《たと》い千万億《せんまんおく》の一切魔《いっさいま》軍《ぐん》、終《つい》に須臾《しゅゆ》も害《がい》を為《な》すことを得《う》ること能《あた》わず。如来《にょらい》、今者《いま》、涅槃道《ねはんどう》を開《ひら》きたまえり。女《にょ》、彼《かしこ》に往《ゆ》きて仏《ぶつ》に帰依《きえ》せんと欲《おも》う」と。即《すなわ》ち其《そ》の父《ちち》の為《ため》にして偈《げ》を説《と》きて言《い》わまく、乃至《ないし》

三世《さんぜ》の諸仏《しょぶつ》の法《ほう》を修学《しゅがく》して、一切苦《いっさいく》の衆生《しゅじょう》を度脱《どだつ》せん。
善《よ》く諸法《しょほう》に於《お》いて自在《じざい》を得《え》、当来《とうらい》に願《ねが》わくは我《われ》、還《かえ》りて仏《ぶつ》の如《ごと》くならんと。

爾《そ》の時《とき》に離暗《りあん》、是《こ》の偈《げ》を説《と》き已《おわ》るに、父《ちち》の王宮《おうぐう》の中《うち》の五百《ごひゃく》の魔女姉妹眷属《まにょしまいけんぞく》、一切皆《いっさいみな》、菩提《ぼだい》の心《しん》を発《ほっ》せしむ。是《こ》の時《とき》に魔王《まおう》、其《そ》の宮《みや》の中《うち》の五百《ごひゃく》の諸女《しょにょ》、皆《みな》、仏《ぶつ》に帰《き》して菩提心《ぼだいしん》を発《おこ》さしむるを見《み》るに、大瞋忿《だいしんふん》・怖畏《ふい》・憂愁《うしゅう》を益《ま》すと。乃至《ないし》　是《こ》の時《とき》に五百《ごひゃく》の諸《もろもろ》の魔女等《まにょとう》、更《ま》た波旬《はじゅん》の為《ため》にして偈《げ》を説《と》きて言《い》わまく、

若《も》し衆生《しゅじょう》有《あ》りて、仏《ぶつ》に帰《き》すれば、彼《か》の人《ひと》、千億《せんおく》の魔《ま》に畏《おそ》れず。

何《いか》に況《いわ》んや生死《しょうじ》の流《る》を度《ど》せんと欲《おも》う。無為涅槃《むいねはん》の岸《きし》に到《いた》らん。
若《も》し能《よ》く一香華《いちこうげ》を以《もっ》て、三宝《さんぼう》・仏《ぶつ》・法《ほう》・僧《そう》に持散《じさん》すること有《あ》りて、
堅固勇猛《けんごゆみょう》の心《しん》を発《おこ》さん。一切《いっさい》の衆魔《しゅま》、壊《え》すること能《あた》わじ。乃至《ないし》
我等《われら》、過去《かこ》の無量《むりょう》の悪《あく》、一切亦滅《いっさいまためつ》して余有《よあ》ること無《な》けん。
至誠専心《しじょうせんしん》に仏《ぶつ》に帰《き》したてまつり已《おわ》らば、決《さだ》めて阿耨菩提《あのくぼだい》の果《か》を得《え》んと。

爾《そ》の時《とき》に魔王《まおう》、是《こ》の偈《げ》を聞《き》き已《おわ》りて、大《おお》きに瞋恚《しんに》・怖畏《ふい》を倍《ま》して、心《こころ》を煎《こ》がし憔悴憂愁《しょうすいうしゅう》して独《ひと》り宮《みや》の内《うち》に坐《ざ》す。

132是《こ》の時《とき》に光味菩薩摩訶薩《こうみぼさつまかさつ》、仏《ぶつ》の説法《せっぽう》を聞《き》きて、一切衆生《いっさいしゅじょう》、尽《ことごと》く攀縁《へんえん》を離《はな》れ四梵行《しぼんぎょう》を得《え》しむと。

乃至《ないし》

133「浄《きよ》く洗浴《せんよく》し鮮潔《せんけつ》の衣《え》を着《き》て、菜食長斎《さいじきちょうさい》して辛《から》く臭《くさ》きものを噉《だん》ずること勿《なか》るべし。寂静処《じゃくじょうしょ》にして道場《どうじょう》を荘厳《しょうごん》して、正念結跏《しょうねんけっか》し、或《ある》いは行《ぎょう》じ、或《ある》いは坐《ざ》して、仏《ぶつ》の身相《しんそう》を念《ねん》じて乱心《らんしん》せしむること無《な》かれ。更《ま》た他縁《たえん》し其《そ》の余《よ》の事《じ》を念《ねん》ずること莫《な》かれ。或《ある》いは一日夜《いちにちや》、或《ある》いは七日夜《しちにちや》、余業《よごう》を作《な》さざれ。至心念仏《ししんねんぶつ》すれば、乃至《ないし》、仏《ぶつ》を見《み》たてまつる。小念《しょうねん》は小《しょう》を見《み》たてまつり、大念《だいねん》は大《だい》を見《み》たてまつる。乃至無量念《ないしむりょうねん》は仏色身無量無辺《ぶつしきしんむりょうむへん》を見《み》たてまつらん」と。」略抄《りゃくしょう》

134『日蔵経《にちぞうきょう》』巻第十《まきのだいじゅう》「護塔品第十三《ごとうほんだいじゅうさん》」に言《のたま》わく、「時《とき》に魔波旬《まはじゅん》、其《そ》の眷属八十億衆《けんぞくはちじゅうおくしゅ》と前後《ぜんご》に囲遶《いにょう》して、仏所《ぶっしょ》に往至《おうし》せしむ。到《いた》り已《おわ》りて、接足《せっそく》して世尊《せそん》を頂礼《ちょうらい》したてまつる。是《か》くの如《ごと》きの偈《げ》を説《と》

かく、乃至《ないし》

三世《さんぜ》の諸仏大慈悲《しょぶつだいじひ》、我《わ》が礼《らい》を受《う》けたまえ。一切《いっさい》の殃《つみ》を懺《さん》ぜしむ。
法《ほう》・僧二宝《そうにほう》も亦復然《またしか》なり。至心帰依《ししんきえ》したてまつるに異有《いあ》ること無《な》し。
願《ねが》わくは我《われ》、今日《きょう》、世《せ》の導師《どうし》を供養《くよう》し恭敬《くぎょう》し尊重《そんじゅう》したてまつる所《ところ》なり。
諸悪《しょあく》、永《なが》く尽《つ》くして復《ま》た生《しょう》ぜじ。寿《いのち》を尽《つ》くすまで如来《にょらい》の法《ほう》に帰依《きえ》せんと。

時《とき》に魔波旬《まはじゅん》、是《こ》の偈《げ》を説《と》き已《おわ》りて仏《ぶつ》に白《もう》して言《もう》さく、「世尊如来《せそんにょらい》、我及《われおよ》び諸《もろもろ》の衆生《しゅじょう》に於《お》いて、平等無二《びょうどうむに》の心《しん》にして常《つね》に歓喜《かんぎ》し慈悲含忍《じひがんにん》せん」と。

仏《ぶつ》の言《のたま》わく、「是《か》くの如《ごと》し。」

時《とき》に魔波旬《まはじゅん》、大歓喜《だいかんぎ》を生《しょう》じて清浄心《しょうじょうしん》を発《おこ》し、重《かさ》ねて仏前《ぶつぜん》にして接足頂礼《せっそくちょうらい》し、右《みぎ》に遶《めぐ》ること三《さん》帀《ぞう》して恭敬合掌《くぎょうがっしょう》して、却《しりぞ》きて一面《いちめん》に住《じゅう》して世尊《せそん》を瞻仰《せんごう》したてまつるに、心《しん》に厭足無《えんそくな》し」と。已《い》上抄出《じょうしょうしゅつ》

135『大方等大集月蔵経《だいほうどうだいじゅうがつぞうきょう》』巻第五《まきのだいご》「諸悪鬼神得敬信品第八《しょあくきじんとくきょうしんぼんだいはち》の上《じょう》」に言《のたま》わく、「諸《もろもろ》の仁者《にんしゃ》、彼《か》の邪見《じゃけん》を遠離《おんり》する因縁《いんねん》に於《お》いて、十種《じっしゅ》の功徳《くどく》を獲《え》ん。何等《なんら》をか十《じゅう》とする。一《ひとつ》には心性柔《しんしょうにゅう》〔煗《なん》〕善《ぜん》にして伴侶賢良《ばんりょげんりょう》ならん。二《ふたつ》には業報乃至奪命《ごうほうないしだつみょう》有《あ》ることを信《しん》じて諸《もろもろ》の悪《あく》を起《お》こさず。三《みつ》には三宝《さんぼう》を帰《き》敬《きょう》して天神《てんじん》を信《しん》ぜず。四《よつ》には正見《しょうけん》を得《え》て歳次日月《さいじにちがつ》の吉凶《きっきょう》を択《えら》ばず。五《いつつ》には常《つね》に人天《にんでん》に生《う》まれて諸《もろもろ》の悪道《あくどう》を離《はな》る。六《むつ》には賢善《げんぜん》の心明《しんあき》らかなることを得《え》、人《ひと》、讃誉《さんよ》せしむ。七《ななつ》には世俗《せぞく》を棄《す》てて常《つね》

に聖道《しょうどう》を求《もと》めん。八《やつ》には断常見《だんじょうけん》を離《はな》れて因縁《いんねん》の法《ほう》を信《しん》ず。九《ここのつ》には常《つね》に正信《しょうしん》・正行《しょうぎょう》・正発心《しょうほっしん》の人《ひと》と共《とも》に相会《あいあつ》まり遇《あ》わん。十《とお》には善道《ぜんどう》に生《しょう》ずることを得《え》しむ。是《こ》の邪見《じゃけん》を遠離《おんり》する善根《ぜんごん》を以《もっ》て、阿《あ》耨多羅三藐三菩提《のくたらさんみゃくさんぼだい》に回向《えこう》せん。是《こ》の人《ひと》、速《すみ》やかに六波羅蜜《ろくはらみつ》を満《まん》ぜん。善浄仏土《ぜんじょうぶつど》にして正覚《しょうがく》を成《な》らん。菩提《ぼだい》を得已《えおわ》りて、彼《か》の仏土《ぶつど》にして、功徳《くどく》・智慧《ちえ》・一切善根《いっさいぜんごん》、衆生《しゅじょう》を荘厳《しょうごん》せん。其《そ》の国《くに》に来生《らいしょう》して、天神《てんじん》を信《しん》ぜず、悪道《あくどう》の畏《い》を離《はな》れて、彼《かしこ》にして命終《みょうじゅう》して還《かえ》りて善道《ぜんどう》に生《しょう》ぜん」と。略抄《りゃくしょう》

136『月蔵経《がつぞうきょう》』巻第六《まきのだいろく》「諸悪鬼神得敬信品《しょあくきじんとくきょうしんぼん》の第八《だいはち》の下《げ》」に言《のたま》わく、

「仏《ぶつ》の出世《しゅっせ》、甚《はなは》だ難《かた》し。法《ほう》・僧《そう》も亦復《またかた》難し。
衆生《しゅじょう》の浄信《じょうしん》、難《かた》し。諸難《しょなん》を離《はな》るること亦難《またかた》し。
衆生《しゅじょう》を哀愍《あいみん》すること難《かた》し。知足《ちそく》、第一《だいいち》に難《かた》し。
正法《しょうぼう》を聞《き》くことを得《う》ること難《かた》し。能《よ》く修《しゅ》すること第一《だいいち》に難《かた》し。
難《なん》を知《し》ることを得《え》て平等《びょうどう》なれば、世《よ》に於《お》いて常《つね》に楽《らく》を受《う》く。
此《こ》の十平等処《じゅうびょうどうしょ》は、智者《ちしゃ》、常《つね》に速《すみ》やかに知《し》らんと。乃至《ないし》

爾《そ》の時《とき》に世尊《せそん》、彼《か》の諸《もろもろ》の悪鬼神衆《あっきじんしゅ》の中《なか》にして法《ほう》を説《と》きたまう時《とき》に、彼《か》の諸《もろもろ》の悪鬼神衆中《あっきじんしゅちゅう》にして、「彼《か》の悪鬼神《あっきじん》は、昔《むかし》、仏法《ぶっぽう》に於《お》いて決定《けつじょう》の信《しん》を作《な》せりしかども、彼《かれ》、後《のち》の時《とき》に於《お》いて悪知識《あくちしき》に近《ちか》づきて、心《しん》に他《た》の過《とが》を見《み》る。是《こ》の因縁《いんねん》を以《もっ》て悪鬼神《あっきじん》に生《う》まる」と。」略出《りゃくしゅつ》

137『大方等大集経《だいほうどうだいじっきょう》』巻第六《まきのだいろく》「月蔵分《がつぞうぶん》」中《ちゅう》に「諸天王護持品第九《しょてんのうごじほんだいく》」に言《のたま》わく、「爾《そ》の時《とき》に世尊《せそん》、世間《せけん》

を示《しめ》すが故《ゆえ》に、娑婆世界《しゃばせかい》の主大梵天王《しゅだいぼんてんのう》に問《と》うて言《のたま》わまく、「此《こ》の四天下《してんげ》に、是《こ》れ誰《たれ》か能《よ》く護持養育《ごじよういく》を作《な》す」と。

時《とき》に娑婆世界主大梵天王《しゃばせかいしゅだいぼんてんのう》、是《か》くの如《ごと》きの言《ごん》を作《な》さく、「大徳婆伽婆《だいとくばかば》。兜率陀天王《とそつだてんのう》、無量百千《むりょうひゃくせん》の兜率陀天子《とそつだてんし》と共《とも》に①北鬱単越《ほくうつたんおつ》を護持《ごじ》し養育《よういく》せしむ。他化自在天王《たけじざいてんのう》、無量百千《むりょうひゃくせん》の他化自在天子《たけじざいてんし》と共《とも》に東弗婆提《とうふつばだい》を護持《ごじ》し養育《よういく》せしむ。化楽天王《けらくてんのう》、無量百千《むりょうひゃくせん》の化楽天子《けらくてんし》と共《とも》に南閻浮提《なんえんぶだい》を護持《ごじ》し養育《よういく》せしむ。須夜摩天王《しゅやまてんのう》、無量百千《むりょうひゃくせん》の須夜摩天子《しゅやまてんし》と共《とも》に西瞿陀尼《さいくだに》を護持《ごじ》し養育《よういく》せしむ。

138大徳婆伽婆《だいとくばかば》。毘沙門天王《びしゃもんてんのう》、無量百千《むりょうひゃくせん》の諸夜叉衆《しょやしゃしゅ》と共《とも》に北鬱単越《ほくうつたんおつ》を護持《ごじ》し養育《よういく》せしむ。提頭頼吒天王《だいずらたてんのう》、無量百千《むりょうひゃくせん》の乾闥婆衆《けんだつばしゅ》と共《とも》に東弗婆提《とうふつばだい》を護持《ごじ》し養育《よういく》せしむ。毘楼勒天王《びるろくてんのう》、無量百千《むりょうひゃくせん》の鳩槃荼衆《くはんだしゅ》と共《とも》に南閻浮提《なんえんぶだい》を護持《ごじ》し養育《よういく》せしむ。毘楼博叉天王《びるはくしゃてんのう》、無量百千《むりょうひゃくせん》の龍衆《りゅうしゅ》と共《とも》に西瞿陀尼《さいくだに》を護持《ごじ》し養育《よういく》せしむ。

139大徳婆伽婆《だいとくばかば》。天仙七宿《てんせんしちしゅく》・三曜《さんよう》・三天童女《さんてんどうにょ》、北鬱単越《ほくうつたんおつ》を護持《ごじ》し養育《よういく》せしむ。彼《か》の天仙七宿《てんせんしちしゅく》は虚《きょ》・危《き》・室《しつ》・壁《へき》・奎《けい》・婁《ろう》・胃《い》なり。三曜《さんよう》は鎮星《ちんしょう》・歳星《さいしょう》・熒惑星《けいこくしょう》なり。三天童女《さんてんどうにょ》は鳩槃《くはん》・弥那《みな》・迷沙《めいしゃ》なり。大徳婆伽婆《だいとくばかば》。彼《か》の天仙七宿《てんせんしちしゅく》の中《なか》に、虚《きょ》・危《き》・室《しつ》の三宿《さんしゅく》は是《こ》れ鎮星《ちんしょう》の土境《どきょう》なり。鳩槃《くはん》は是《こ》れ辰《しん》なり。壁《へき》・奎《けい》の二宿《にしゅく》は是《こ》れ歳星《さいしょう》の土境《どきょう》なり。弥那《みな》は是《こ》れ辰《しん》なり。婁《ろう》・胃《い》の二宿《にしゅく》は是《こ》れ熒惑《けいこく》の土境《どきょう》なり。迷沙《めいしゃ》は是《こ》れ辰《しん》なり。大徳婆伽婆《だいとくばかば》。是《か》くの如《ごと》き天仙七宿《てんせんしちしゅく》・三曜《さんよう》・三天童女《さんてんどうにょ》、北鬱単越《ほくうつたんおつ》を護持《ごじ》し養育《よういく》せしむ。

大徳婆伽婆《だいとくばかば》。天仙七宿《てんせんしちしゅく》・三曜《さんよう》・三天童女《さんてんどうにょ》、東弗婆提《とうふつばだい》を護持《ごじ》し養育《よういく》せしむ。彼《か》の天仙七宿《てんせんしちしゅく》は昴《ぼう》・畢《ひつ》・觜《し》・参《しん》・井《せい》・鬼《き》・柳《りゅう》なり。三曜《さんよう》は太白星《たいはくしょう》・歳星《さいしょう》・月《がつ》なり。三天童女《さんてんどうにょ》は毘利沙《びりしゃ》・弥偸那《みちゅうな》・羯迦《かっか》吒迦《たか》なり。大徳婆伽婆《だいとくばかば》。彼《か》の天仙七宿《てんせんしちしゅく》の中《なか》に、昴《ぼう》・畢《ひつ》の二宿《にしゅく》は是《こ》れ太白《たいはく》の土境《どきょう》なり。毘利沙《びりしゃ》は是《こ》れ辰《しん》なり。觜《し》・参《しん》・井《せい》の三宿《さんしゅく》は是《こ》れ歳星《さいしょう》の土境《どきょう》なり。弥偸那《みちゅうな》は是《こ》れ辰《しん》なり。鬼《き》・柳《りゅう》の二宿《にしゅく》は是《こ》れ月《がつ》の土境《どきょう》なり。羯迦吒迦《かったかか》は是《こ》れ辰《しん》なり。大徳婆伽婆《だいとくばかば》。是《か》くの如《ごと》き天仙七宿《てんせんしちしゅく》・三曜《さんよう》・三天童女《さんてんどうにょ》、東《とう》弗婆提《ふつばだい》を護持《ごじ》し養育《よういく》せしむ。

大徳婆伽婆《だいとくばかば》。天仙七宿《てんせんしちしゅく》・三曜《さんよう》・三天童女《さんてんどうにょ》、南閻浮提《なんえんぶだい》を護持《ごじ》し養育《よういく》せしむ。彼《か》の天仙七宿《てんせんしちしゅく》は星《せい》・張《ちょう》・翼《よく》・軫《しん》・角《かく》・亢《こう》・氐《てい》なり。三曜《さんよう》は日《にち》・辰星《しんしょう》・太白星《たいはくしょう》なり。三天童女《さんてんどうにょ》は線訶《しゃくか》・迦若《かにゃ》・兜羅《とら》なり。大徳婆伽婆《だいとくばかば》。彼《か》の天仙七宿《てんせんしちしゅく》の中《なか》に、星《せい》・張《ちょう》・翼《よく》は是《こ》れ日《にち》の土境《どきょう》なり。線訶《しゃくか》は是《こ》れ辰《しん》なり。軫《しん》・角《かく》の二宿《にしゅく》は是《こ》れ辰星《しんしょう》の土境《どきょう》なり。迦若《かにゃ》は是《こ》れ辰《しん》なり。亢《こう》・氐《てい》、二《に》の宿《しゅく》は是《こ》れ太白《たいはく》の土境《どきょう》なり。兜《と》羅《ら》は是《こ》れ辰《しん》なり。大徳婆伽婆《だいとくばかば》。是《か》くの如《ごと》き天仙七宿《てんせんしちしゅく》・三曜《さんよう》・三天童女《さんてんどうにょ》、南閻浮提《なんえんぶだい》を護持《ごじ》し養育《よういく》せしむ。

大徳婆伽婆《だいとくばかば》。彼《か》の天仙七宿《てんせんしちしゅく》・三曜《さんよう》・三天童女《さんてんどうにょ》、西瞿陀尼《さいくだに》を護持《ごじ》し養育《よういく》せしむ。彼《か》の天仙七宿《てんせんしちしゅく》は房《ぼう》・心《しん》・尾《び》・箕《き》・斗《と》・牛《ぎゅう》・女《じょ》なり。三曜《さんよう》は熒惑星《けいこくしょう》・歳星《さいしょう》・鎮星《ちんしょう》なり。三天童女《さんてんどうにょ》は毘離支迦《びりしか》・檀兜《だと》

①北鬱単越…北州也

婆《ば》・摩伽羅《まから》なり。大徳婆伽婆《だいとくばかば》。彼《か》の天仙七宿《てんせんしちしゅく》の中《なか》に、房《ぼう》・心《しん》の二宿《にしゅく》は是《こ》れ熒惑《けいこく》の土境《どきょう》なり。毘利《びり》支迦《しか》は是《こ》れ辰《しん》なり。尾《び》・箕《き》・斗《と》の三宿《さんしゅく》は是《こ》れ歳星《さいしょう》の土境《どきょう》なり。擅毚婆《だとば》は是《こ》れ辰《しん》なり。牛《ぎゅう》・女《じょ》の二《に》宿《しゅく》は是《こ》れ鎮星《ちんしょう》の土境《どきょう》なり。摩伽羅《まから》は是《こ》れ辰《しん》なり。大徳婆伽婆《だいとくばかば》。是《か》くの如《ごと》き天仙七宿《てんせんしちしゅく》・三曜《さんよう》・三天《さんてん》童女《どうにょ》、西瞿陀尼《さいくだに》を護持《ごじ》し養育《よういく》せしむ。

140大徳婆伽婆《だいとくばかば》。此《こ》の四天下《してんげ》に南閻浮提《なんえんぶだい》は最《もっと》も殊勝《しゅしょう》なりとす。何《なに》を以《もっ》ての故《ゆえ》に。閻浮提《えんぶだい》の人《ひと》は勇健聡《ゆごんそう》慧《え》にして、梵行《ぼんぎょう》、仏《ぶっ》に相応《そうおう》す。婆伽婆《ばかば》、中《なか》に於《お》いて出世《しゅっせ》したまう。是《こ》の故《ゆえ》に四大天王《しだいてんのう》、此《ここ》に倍増《ばいぞう》して此《こ》の閻浮提《えんぶだい》を護持《ごじ》し養育《よういく》せしむ。十六《じゅうろく》の大国有《だいこくあ》り。謂《い》わく、鴦伽摩伽陀国《おうかまかだこく》・傍伽摩伽陀国《ぼうかまかだこく》・阿槃《あはん》多国《だこく》・支提国《しだいこく》なり。此《こ》の四《し》の大国《だいこく》は、毘沙門天王《びしゃもんてんのう》、夜叉衆《やしゃしゅ》と囲遶《いにょう》して護持《ごじ》し養育《よういく》せしむ。迦尸国《かしこく》・都薩羅国《とさらこく》・婆蹉国《ばしゃこく》・摩羅国《まらこく》、此《こ》の四《し》の大国《だいこく》は、提頭頼吒天王《だいずらたてんのう》、乾闥婆衆《けんだつばしゅ》と囲遶《いにょう》して護持《ごじ》し養育《よういく》せしむ。鳩羅婆国《くらばこく》・毘時国《びじこく》・槃遮羅国《はんじゃらこく》・疎那国《そなこく》、此《こ》の四《し》の大国《だいこく》は、毘楼勒叉天王《びるろくしゃてんのう》、鳩槃荼衆《くはんだしゅ》と囲遶《いにょう》して護持養育《ごじょういく》せしむ。阿湿婆国《あしっばこく》・蘇摩国《そまこく》・蘇羅吒国《そらたこく》・甘満闍国《かんまんしゃこく》、此《こ》の四《し》の大国《だいこく》は、毘楼博叉天王《びるはくしゃてんのう》、諸《もろもろ》の龍衆《りゅうしゅ》と囲遶《いにょう》して護持《ごじ》し養育《よういく》せしむ。

141大徳婆伽婆《だいとくばかば》。過去《かこ》の天仙《てんせん》、此《こ》の四天下《してんげ》を護持《ごじ》し養育《よういく》せしが故《ゆえ》に、亦皆《またみな》是《か》くの如《ごと》き分布安置《ぶんぷあんち》せしむ。後《のち》に於《お》いて、其《そ》の国土《こくど》・城邑《じょうおう》①・村落《じゅらく》・塔寺《とうじ》・園林《おんりん》・樹下《じゅげ》・塚間《ちょけん》②・山谷《せんこく》・曠野《こうや》・河泉《かせん》・陂泊乃至海《ははくないしかい》中宝洲《ちゅうほうす》・天祠《てんし》に随《したが》いて、彼《か》の卵生《らんしょう》③・胎生《たいしょう》・湿生《しっしょう》・化生《けしょう》に於《お》いて、諸龍《しょりゅう》・夜叉《やしゃ》・羅刹《らせつ》・餓鬼《がき》・毘舎遮《びしゃしゃ》・富単那《ふたんな》・迦吒富単那等《かたふたんなとう》、彼《か》の中《なか》に生《しょう》じて、彼《か》の処《しょ》に還住《げんじゅう》して繋属《けぞく》する所無《ところな》し。他《た》の教《おしえ》を受《う》けず。是《こ》の故《ゆえ》に、願《ねが》わくは、仏《ぶつ》、此《こ》の閻浮提《えんぶだい》の一切国土《いっさいこくど》に於《お》いて、彼《か》の諸鬼神《しょきじん》、分布安置《ぶんぷあんち》して、護持《ごじ》の為《ため》の故《ゆえ》、一切《いっさい》諸《もろもろ》の衆生《しゅじょう》を護《まも》らんが為《ため》の故《ゆえ》に、我等《われら》、此《こ》の説《せつ》に於《お》いて随喜《ずいき》せんと欲《おも》う」と。

142 仏《ぶつ》の言《のたま》わく、「是《か》くの如《ごと》き、大梵《だいぼん》、汝《なんじ》が所説《しょせつ》の如《ごと》し」と。

爾《そ》の時《とき》に、世尊《せそん》、重《かさ》ねて此《こ》の義《ぎ》を明《あ》かさんと欲《おぼ》しめして、偈《げ》を説《と》きて言《のたま》わく、

世間《せけん》に示現《じげん》するが故《ゆえ》に、導師《どうし》、梵王《ぼんのう》に問《と》わまく、
此《こ》の四天下《してんげ》に於《お》いて、誰《たれ》か護持《ごじ》し養育《よういく》せんと。
是《か》くの如《ごと》き天師《てんし》・梵《ぼん》・諸天王《しょてんのう》を首《しゅ》として、
兜率《とそつ》・他化天《たけてん》・化楽《けらく》・須夜摩《しゅやま》、
能《よ》く此《か》くの如《ごと》き四天下《してんげ》を護持《ごじ》し養育《よういく》せしむ。
四王及《しおうおよ》び眷属《けんぞく》、亦復《またよ》能く護持《ごじ》せしむ。
二十八宿等《にじゅうはちしゅくとう》及《およ》び十二辰《じゅうにしん》・
十二天童女《じゅうにてんどうにょ》、四天下《してんげ》を護持《ごじ》せしむ。
其《そ》の所生《しょしょう》の処《しょ》に随《したが》いて、龍《りゅう》・鬼《き》・羅刹等《らせつとう》、
他《た》の教《おしえ》を受《う》けずは、彼《かしこ》に於《お》いて還《かえ》りて護《ご》を作《な》さしむ。

①邑…むら
②塚…つか
③卯…かいこ

天神等《てんじんとう》、差別《しゃべつ》して、願《がん》じて、仏《ぶつ》、分布《ぶんぷ》せしめたまえり。

衆生《しゅじょう》を憐愍《れんみん》せんが故《ゆえ》に、正法《しょうぼう》の燈《ともしび》を熾然《しねん》ならしむ。

143 爾《そ》の時《とき》に仏《ぶつ》、月蔵菩薩摩訶薩《がつぞうぼさつまかさつ》に告《つ》げて言《のたま》わく、「清浄士《しょうじょうし》を了知《りょうち》するに、此《こ》の賢劫《げんごう》の初《はじ》め人寿《にんじゅし》四万歳《まんざい》の時《とき》、鳩留孫仏《くるそんぶつ》、世《よ》に出興《しゅっこう》したまいき。彼《か》の仏《ぶつ》、無量阿僧祇億那由他百千《むりょうあそうぎおくなゆたひゃくせん》の衆生《しゅじょう》の為《ため》に、生死《しょうじ》に回《え》して正法輪《しょうぼうりん》を輪転《りんでん》せしむ。追《お》うて悪道《あくどう》に回《え》して、善道及《ぜんどうおよ》び解脱《げだつ》の果《か》を安置《あんち》せしむ。彼《か》の仏《ぶつ》、此《こ》の四大天下《しだいてんげ》を以《も》て、娑婆世界《しゃばせかい》の主大梵天王《しゅだいぼんてんのう》・他化自在天王《たけじざいてんのう》・化楽天王《けらくてんのう》・兜率陀天王《とそつだてんのう》・須夜摩天王等《しゅやまてんのうとう》に付嘱《ふぞく》せしむ。護持《ごじ》の故《ゆえ》に、養育《よういく》の故《ゆえ》に、衆生《しゅじょう》を憐陀《れんだ》の故《ゆえ》に、三宝《さんぼう》の種《しゅ》、断絶《だんぜつ》せざらしめんが故《ゆえ》に、熾然《しねん》ならんが故《ゆえ》に、地《じ》の精気《しょうけ》・衆生《しゅじょう》の精気《しょうけ》・正法《しょうぼう》の精気《しょうけ》、久《ひさ》しく住《じゅう》せしめ増長《ぞうじょう》せんが故《ゆえ》に、諸《もろもろ》の衆生《しゅじょう》をして三悪道《さんあくどう》を休息《くそく》せしめんが故《ゆえ》に、三善道《さんぜんどう》に趣向《しゅこう》せんが故《ゆえ》に、四天下《してんげ》を以《も》て大梵及《だいぼんおよ》び諸《しょ》天王《てんのう》に付嘱《ふぞく》せしむ。

是《か》くの如《ごと》き漸次《ぜんじ》に、劫尽《こうつ》き、諸天人尽《しょてんにんつ》き、一切善業《いっさいぜんごう》・白法尽滅《びゃくほうじんめつ》して、大悪《だいあく》・諸《もろもろ》の煩悩溺《ぼんのうにゃく》を増《ぞう》長《じょう》せん。人寿三万歳《にんじゅさんまんざい》の時《とき》、拘那含牟尼仏《くなごんむにぶつ》、世《よ》に出興《しゅっこう》したまわん。彼《か》の仏《ぶつ》、此《こ》の四大天下《しだいてんげ》を以《も》て、娑《しゃ》婆世界主大梵天王《ばせかいしゅだいぼんてんのう》・他化自在天王《たけじざいてんのう》、乃至四大天王及《ないししだいてんのうおよ》び諸《もろもろ》の眷属《けんぞく》に付嘱《ふぞく》したまう。護持養育《ごじよういく》の故《ゆえ》に、乃至《ないし》、一切衆生《いっさいしゅじょう》をして三悪道《さんあくどう》を休息《くそく》して三善道《さんぜんどう》に趣向《しゅこう》せしめんが故《ゆえ》に、此《こ》の四天下《してんげ》を以《も》て大梵及《だいぼんおよ》び諸天王《しょてんのう》に付嘱《ふぞく》したまう。

是《か》くの如《ごと》き次第《しだい》に、劫尽《こうつ》き、諸天人尽《しょてんにんつ》き、白法亦尽《びゃくほうまたつ》きて、大悪《だいあく》・諸《もろもろ》の煩悩溺《ぼんのうにゃく》を増長《ぞうじょう》せん。人《にん》寿二万歳《じゅにまんざい》の時《とき》、迦葉如来《かしょうにょらい》、世《よ》に出興《しゅっこう》したまう。彼《か》の仏《ぶつ》、此《こ》の四大天下《しだいてんげ》を以《もっ》て娑婆世界《しゃばせかい》の主大梵天《しゅだいぼんてん》王《のう》・他化自在天王《たけじざいてんのう》・化楽天王《けらくてんのう》・兜率陀天王《とそつだてんのう》・須夜摩天王《しゅやまてんのう》・憍尸迦帝釈《きょうしかたいしゃく》・四天王等及《してんのうとうおよ》び諸《もろもろ》の眷属《けんぞく》に付嘱《ふぞく》したまえり。護持養育《ごじよういく》の故《ゆえ》に、乃至《ないし》、一切衆生《いっさいしゅじょう》をして三悪道《さんあくどう》を休息《くそく》せしめ三善道《さんぜんどう》に趣向《しゅこう》せしめんが故《ゆえ》に、彼《か》の迦葉仏《かしょうぶつ》、此《こ》の四天下《してんげ》を以《もっ》て大梵《だいぼん》・四天王等《してんのうとう》に付嘱《ふぞく》し、及《およ》び諸天仙衆《しょてんせんしゅ》・七曜《しちよう》・十二天《じゅうにてん》童女《どうにょ》・二十八宿等《にじゅうはちしゅくとう》に付《ふ》したまえり。護持《ごじ》の故《ゆえ》に、養育《よういく》の故《ゆえ》に。

清浄士《しょうじょうし》を了知《りょうち》するに、是《か》くの如《ごと》き次第《しだい》に、今《いま》、劫濁《こうじょく》・煩悩濁《ぼんのうじょく》・衆生濁《しゅじょうじょく》・大悪煩悩濁《だいあくぼんのうじょく》・闘《とう》諍悪世《じょうあくせ》の時《とき》、人寿百歳《にんじゅひゃくさい》に至《いた》るまで、一切《いっさい》の白法《びゃくほう》尽《つ》き、一切諸悪《いっさいしょあく》①闇翳《あんえい》ならん。世間《せけん》は、譬《たと》えば海水《かいしい》の一味《いちみ》にして大《だい》②鹹《かん》なるが如《ごと》し。大煩悩《だいぼんのう》の味《み》、世《よ》に遍満《へんまん》せん。集会《じゅうえ》の悪《あく》③党《とう》、手《て》に髑髏《どくろ》を執《と》り血《ち》を其《そ》の掌《たなごころ》に塗《ぬ》らん。共《とも》に相殺害《あいせつがい》せん。是《か》くの如《ごと》きの悪《あく》の衆生《しゅじょう》の中《なか》に、我《われ》、今《いま》、菩提樹下《ぼだいじゅげ》に出世《しゅっせ》して、初《はじ》めて正覚《しょうがく》を成《な》れり。④提謂《だいい》・⑤波利《はり》の諸《もろもろ》の商人《しょうにん》の食《じき》を受《う》けて、彼等《かれら》が為《ため》の故《ゆえ》に、此《こ》の閻浮提《えんぶだい》を以《もっ》て、天《てん》・龍《りゅう》・乾闥婆《けんだつば》・鳩槃荼《くはんだ》・夜叉等《やしゃとう》に分布《ぶんぷ》せしむ。護持養育《ごじよういく》の故《ゆえ》に。

是《こ》れを以《もっ》て大集十方所有《だいじゅうじっぽうしょう》の仏土一切無余《ぶつどいっさいむよ》の菩薩摩訶薩等《ぼさつまかさつとう》、悉《ことごと》く此《ここ》に来集《らいじゅう》せん。乃至《ないし》、此《こ》の娑婆《しゃば》仏土《ぶつど》に於《お》いて、其《そ》の処《しょ》の百億《ひゃくおく》の日月《にちがつ》・百億《ひゃくおく》の四天下《してんげ》・百億《ひゃくおく》の四大海《しだいかい》・百億《ひゃくおく》の鉄囲山《てっちせん》・大鉄囲山《だいてっちせん》・百億《ひゃくおく》の須弥山《しゅみせん》・百億《ひゃくおく》の四阿修羅城《しあしゅらじょう》・百億《ひゃくおく》の四大天王《しだいてんのう》・百億《ひゃくおく》の三十三天《さんじゅうさんてん》、乃至百億《ないしひゃくおく》の非想非非《ひそうひひ》

①闇翳…くらく　かすかなり
②鹹…しわいし
③党…あつまる
④提謂…＊経名也／ひとなり
　謂…＊いわく
⑤波利…ひとなり

想処《そうしょ》、是《か》くの如《ごと》きの数《かず》を略《りゃく》せり。娑婆《しゃば》の仏土《ぶつど》、我《われ》、是《こ》の処《しょ》にして仏事《ぶつじ》を作《な》す。乃至《ないし》、娑婆仏土《しゃばぶつど》の所有《しょう》の諸梵天王及《しょぼんてんのうおよ》び諸《もろもろ》の眷属《けんぞく》、魔天王《まてんのう》・他化自在天王《たけじざいてんのう》・化楽天王《けらくてんのう》・兜率陀天王《とそつだてんのう》・須夜摩天王《しゅやまてんのう》・帝釈天王《たいしゃくてんのう》・四大天王《しだいてんのう》・阿修羅王《あしゅらおう》・龍王《りゅうおう》・夜叉王《やしゃおう》・羅刹王《らせつおう》・乾闥婆王《けんだつばおう》・緊那羅王《きんならおう》・迦楼羅王《かるらおう》・摩睺羅伽王《まごらかおう》・鳩槃荼王《くはんだおう》・餓鬼王《がきおう》・毘舎遮王《びしゃしゃおう》・富単那王《ふたんなおう》・迦吒富単那王等《かたふたんなおうとう》に於《お》いて、悉《ことごと》く将《まさ》に眷属《けんぞく》として此《ここ》に大集《だいじゅう》せり。法《ほう》を聞《き》かんが為《ため》の故《ゆえ》に。乃至《ないし》、此《ここ》に娑婆仏土《しゃばぶつど》の所有《しょう》の諸《もろもろ》の菩薩摩訶薩等及《ぼさつまかさつとうおよ》び諸《もろもろ》の声聞《しょうもん》、一切《いっさい》、余無《よな》く悉《ことごと》く此《ここ》に来集《らいじゅう》せり。聞法《もんぽう》の為《ため》の故《ゆえ》に。我《われ》、今《いま》、此《こ》の所集《しょじゅう》の大衆《だいしゅ》の為《ため》に、甚深《じんじん》の仏法《ぶっぽう》を顕示《けんじ》せしむ。復《ま》た世間《せけん》を護《まも》らんが為《ため》の故《ゆえ》に、此《こ》の閻浮提所集《えんぶだいしょじゅう》の鬼神《きじん》を以《もっ》て分布安置《ぶんぷあんち》す。護持《ごじ》養育《よういく》すべし」と。

144爾《そ》の時《とき》に世尊《せそん》、復《ま》た娑婆世界主大梵天王《しゃばせかいしゅだいぼんてんのう》に問《と》うて言《のたま》わく、「過去《かこ》の諸仏《しょぶつ》、此《こ》の四大天下《しだいてんげ》を以《もっ》て、曾《かつ》て誰《たれ》に付嘱《ふぞく》して護持養育《ごじよういく》を作《な》さしめたまうぞ」と。

時《とき》に娑婆世界《しゃばせかい》の主大梵天王《しゅだいぼんてんのう》言《もう》さく、「過去《かこ》の諸仏《しょぶつ》、此《こ》の四天下《してんげ》を以《もっ》て、曾《かつ》て、我及《われおよ》び憍尸迦《きょうしか》に付嘱《ふぞく》したまえりき。護持《ごじ》を作《な》さしめて、我《われ》、失有《しつあ》りや不《いな》や。己《おのれ》が名及《なおよ》び帝釈《たいしゃく》が名《な》を彰《あらわ》す。但《ただ》、諸余《しょよ》の天王及《てんのうおよ》び宿《しゅく》・曜《よう》・辰《しん》を称《しょう》せしむ。護持養育《ごじよういく》すべしと。」

爾《そ》の時《とき》に娑婆世界主大梵天王及《しゃばせかいしゅだいぼんてんのうおよ》び憍尸迦帝釈《きょうしかたいしゃく》、仏足《ぶっそく》を頂礼《ちょうらい》して是《こ》の言《ごん》を作《な》さく、「大徳婆伽婆《だいとくばかば》、大徳修伽陀《だいとくしゅかだ》。我今《われいま》、過《とが》を謝《しゃ》すべし。我《われ》、小児《しょうに》の如《ごと》くして愚痴無智《ぐちむち》にして、如来《にょらい》の前《みまえ》にして自《みずか》ら称名《しょうみょう》せざらんや。大徳婆伽婆《だいとくばかば》。唯願《ややねが》わくは容恕《ようじょ》したまえ。大徳修伽陀《だいとくしゅかだ》。唯願《ややねが》わくは容恕《ようじょ》したまえ。諸《しょ》来《らい》の大衆《だいしゅ》。亦願《またねが》わくは容恕《ようじょ》したまえ。我《われ》、境界《きょうがい》に於《お》いて言説教令《ごんせつきょうりょう》す。自在《じざい》の処《しょ》を得《え》て護持養育《ごじよういく》すべし。乃至《ないし》、諸《もろもろ》の衆生《しゅじょう》をして善道《ぜんどう》に趣《おもむ》かしめんが故《ゆえ》に。我等《われら》、曽《むかし》、鳩留孫仏《くるそんぶつ》のみもとにして、已《すで》に教勅《きょうちょく》を受《う》けたまわりて、乃至《ないし》、三宝《さんぼう》の種《しゅ》、已《すで》に熾然《しねん》作《な》らしむ。拘那含牟尼仏《くなごんむにぶつ》・迦葉仏《かしょうぶつ》の所《みもと》にして、我《われ》、教勅《きょうちょく》を受《う》けたまわりしこと、亦是《またか》くの如《ごと》し。三宝種《さんぼうしゅ》に於《お》いて、已《すで》に勤《ねんごろ》にして熾然《しねん》ならしむ。地《じ》の精気《しょうけ》・衆生《しゅじょう》の精気《しょうけ》・正法《しょうぼう》の味醍醐《みだいご》の精気《しょうけ》、久《ひさ》しく住《じゅう》し増長《ぞうじょう》せしむるが故《ゆえ》に。亦我《またわ》が如《ごと》きも、今《いま》、世尊《せそん》の所《みもと》にして、己《おのれ》が境界《きょうがい》に頂受《ちょうじゅ》し教勅《きょうちょく》して言説教令《ごんせつきょうりょう》す。自在《じざい》の処《しょ》を得《え》て、一切闘諍《いっさいとうじょう》・飢饉《けごん》を休息《くそく》せしめ、乃至《ないし》、三宝《さんぼう》の種《しゅ》、断絶《だんぜつ》せざらしむるが故《ゆえ》に、三種《さんしゅ》の精気《しょうけ》、久住《くじゅう》して増長《ぞうじょう》せん。故《かるがゆえ》に悪行《あくぎょう》の衆生《しゅじょう》を遮障《しゃしょう》して、行法《ぎょうほう》の衆生《しゅじょう》を護養《ごよう》するが故《ゆえ》に、衆生《しゅじょう》をして三悪《さんあく》道《どう》を休息《くそく》せしめ三善道《さんぜんどう》に趣向《しゅこう》するが故《ゆえ》に、仏法《ぶっぽう》をして久《ひさ》しく住《じゅう》せんことを得《え》しめんが為《ため》の故《ゆえ》に、勤《ねんごろ》に護持《ごじ》を作《な》す」と。

145 仏《ぶつ》の言《のたま》わく、「善《よ》いかな、善《よ》いかな、妙丈夫《みょうじょうぶ》。汝《なんじ》、是《か》くの如《ごと》くなるべし」と。

爾《そ》の時《とき》に仏《ぶつ》、百億《ひゃくおく》の大梵天王《だいぼんてんのう》に告《つ》げて言《のたま》わく、「所有《しょう》の行法《ぎょうほう》、法《ほう》に住《じゅう》し法《ほう》に順《じゅん》じて悪《あく》を厭捨《えんしゃ》せん者《もの》は、今悉《いまことごと》く汝等《なんだち》が手《て》の中《うち》に付嘱《ふぞく》す。汝等賢首《なんだちげんじゅ》、百億《ひゃくおく》の四天下《してんげ》、各各《おのおの》の境界《きょうがい》に於《お》いて言説教令《ごんせつきょうりょう》す。自在《じざい》の処《しょ》を得《え》て、所有《しょう》の衆生《しゅじょう》、弊悪《へいあく》・麁獷《そこう》・悩害《のうがい》、他《た》に於《お》いて慈愍《じみん》有《あ》ること無《な》し。後世《ごせ》の畏《い》を観《かん》ぜずして、刹利心及《せつりしんおよ》び婆羅門《ばらもん》・毘舎《びしゃ》・首陀《しゅだ》の心《しん》を触悩《そくのう》せん。乃至《ないし》、畜生心《ちくしょうしん》を触悩《そくのう》せん。是《か》くの如《ごと》き殺生《せっしょう》を作《な》す因縁《いんねん》、乃至《ないし》、邪見《じゃけん》を作《な》す因縁《いんねん》、其《そ》の所作《しょさ》に随《したが》いて非時《ひじ》の風雨《ふうう》あらん。乃至《ないし》、地《じ》の精気《しょうけ》・衆生《しゅじょう》の精気《しょうけ》・正法《しょうぼう》の精気《しょうけ》、損減《そんげん》の因縁《いんねん》を作《な》さしめば、汝《なんじ》、遮止《しゃし》して善法《ぜんぼう》に住《じゅう》せしむべし。

若《も》し衆生有《しゅじょうあ》りて、善《ぜん》を得《え》んと欲《おも》わん者《もの》、法《ほう》を得《え》んと欲《おも》わん者《もの》、生死《しょうじ》の彼岸《ひがん》に度《ど》せんと欲《おも》わん者《もの》、檀波羅蜜《だんはらみつ》を修行《しゅぎょう》すること有《あ》らん所《ところ》の者《もの》、乃至《ないし》、般若波羅蜜《はんにゃはらみつ》を修行《しゅぎょう》せん者《もの》、所有《しょう》の行法《ぎょうほう》、法《ほう》に住《じゅう》せん衆生及《しゅじょうおよ》び行法《ぎょうほう》の為《ため》に事《じ》を営《いとな》まん者《もの》、彼《か》の諸《もろもろ》の衆生《しゅじょう》、汝等《なんだち》、当《まさ》に護持養育《ごじよういく》すべし。

若《も》し衆生有《しゅじょうあ》りて、受持《じゅじ》し読誦《どくじゅ》して、他《た》の為《ため》に演説《えんぜつ》し種種《しゅじゅ》に経論《きょうろん》を解説《げせつ》せん。汝等《なんだち》、当《まさ》に彼《か》の諸《もろもろ》の衆生《しゅじょう》と念持方便《ねんじほうべん》して堅固力《けんごりき》を得《う》べし。所聞《しょもん》に入《い》りて忘《わす》れず、諸法《しょほう》の相《そう》を智信《ちしん》して生死《しょうじ》を離《はな》れしめ、八聖道《はっしょうどう》を修《しゅ》して三昧《さんまい》の根相応《こんそうおう》せん。

若《も》し衆生有《しゅじょうあ》りて、汝《なんじ》が境界《きょうがい》に於《お》いて法《ほう》に住《じゅう》せん。奢摩他《しゃまた》・毘婆舎那《びばしゃな》、次第方便《しだいほうべん》して諸《もろもろ》の三昧《さんまい》と相応《そうおう》して勤《ねんごろ》に三種《さんしゅ》の菩提《ぼだい》を修習《しゅじゅう》せんと求《もと》めん者《もの》、汝等《なんだち》、当《まさ》に遮護《しゃご》し摂受《しょうじゅ》して、勤《ねんごろ》に捨施《しゃせ》を作《な》して乏少《ぼうしょう》せしむること勿《なか》るべし。

若《も》し衆生有《しゅじょうあ》りて、其《そ》の飲食《おんじき》・衣服《えぶく》・臥具《がぐ》を施《ほどこ》し、病患《びょうげん》の因縁《いんねん》に湯薬《とうやく》を施《せ》せん者《もの》、汝等《なんだち》、当《まさ》に彼《か》の施主《せしゅ》をして五利増長《ごりぞうじょう》せしむべし。何等《なんら》をか五《ご》とする。一《ひとつ》には寿増長《じゅぞうじょう》せん。二《ふたつ》には財増長《ざいぞうじょう》せん。三《みつ》には楽増長《らくぞうじょう》せん。四《よっ》には善行増長《ぜんぎょうぞうじょう》せん。五《いつつ》には慧増長《えぞうじょう》するなり。汝等《なんだち》、長夜《じょうや》に利益安楽《りやくあんらく》を得《え》ん。是《こ》の因縁《いんねん》を以《もっ》て、汝等《なんだち》、能《よ》く六波羅蜜《ろくはらみつ》を満《み》てん。久《ひさ》しからずして一切種智《いっさいしゅち》を成《じょう》ずることを得《え》ん。」

146時《とき》に娑婆世界主大梵天王《しゃばせかいしゅだいぼんてんのう》を首《しゅ》として、百億《ひゃくおく》の諸梵天王《しょぼんてんのう》と共《とも》に咸《ことごと》く是《こ》の言《ごん》を作《な》さく、「是《か》くの如《ごと》し、是《か》くの如《ごと》し。大徳婆伽婆《だいとくばかば》。我等各各《われらおのおの》に、己《おのれ》が境界《きょうがい》・弊悪《へいあく》・麁獷《そこう》・悩害《のうがい》に於《お》いて、他《た》に於《お》いて慈愍《じみん》の心無《しんな》く、後世《ごせ》の畏《い》を観《かん》ぜざらん。乃至《ないし》、我《われ》、当《まさ》に遮障《しゃしょう》し、彼《か》の施主《せしゅ》と五事《ごじ》を増長《ぞうじょう》すべし」と。

仏《ぶつ》の言《のたま》わく、「善《よ》いかな、善《よ》いかな。汝《なんじ》、是《か》くの如《ごと》くなるべし。」

爾《そ》の時《とき》に復《ま》た一切菩薩摩訶薩《いっさいぼさつまかさつ》・一切諸大声聞《いっさいしょだいしょうもん》・一切天《いっさいてん》・龍《りゅう》、乃至一切人《ないしいっさいにん》・非人等有《ひにんとうあ》りて、讃《さん》じて言《もう》さく、「善《よ》いかな、善《よ》いかな、大雄猛士《だいおうみょうじ》。汝等《なんだち》、是《か》くの如《ごと》き法《ほう》、久《ひさ》しく住《じゅう》することを得《え》、諸《もろもろ》の衆生《しゅじょう》をして悪道《あくどう》を離《はな》るることを得《え》、速《すみ》やかに善道《ぜんどう》に趣《おもむ》かしめん」と。

147爾《そ》の時《とき》に世尊《せそん》、重《かさ》ねて此《こ》の義《ぎ》を明《あき》らかならんと欲《おぼ》しめして、偈《げ》を説《と》きて言《のたま》わく、

我《われ》、月蔵《がつぞう》に告《つ》げて言《い》わく、此《こ》の賢劫《げんごう》の初《はじ》めに入《い》りて、
鳩留仏《くるぶつ》、梵等《ぼんとう》に四天下《してんげ》を付嘱《ふぞく》したまう。
諸悪《しょあく》を遮障《しゃしょう》するが故《ゆえ》に、正法《しょうぼう》の眼《まなこ》を熾然《しねん》ならしむ。
諸《もろもろ》の悪事《あくじ》を捨離《しゃり》し、行法《ぎょうほう》の者《もの》を護持《ごじ》し、
三宝《さんぼう》の種《しゅ》を断《た》たず、三精気《さんしょうけ》を増長《ぞうじょう》し、
諸《もろもろ》の悪趣《あくしゅ》を休息《くそく》し、諸《もろもろ》の善道《ぜんどう》に向《む》かえしむ。
拘那含牟尼《くなごんむに》、復《ま》た大梵王《だいぼんのう》・
他化《たけ》・化楽天《けらくてん》、乃至四天王《ないししてんのう》に嘱《ぞく》したまう。

次後《つぎのち》に迦葉仏《かしょうぶつ》、復《ま》た梵天王《ぼんてんのう》・
化楽等四天《けらくとうしてん》・帝釈《たいしゃく》・護世王《ごせおう》・
過去《かこ》の諸《もろもろ》の天仙《てんせん》に嘱《ぞく》したまう。諸《もろもろ》の世間《せけん》の為《ため》の故《ゆえ》に、
諸《もろもろ》の曜宿《ようしゅく》を安置《あんち》して、護持《ごじ》し養育《よういく》せしめたまえり。
濁悪世《じょくあくせ》に至《いた》りて、白法尽滅《びゃくほうじんめつ》せん時《とき》、
我《われ》、独覚無上《どっかくむじょう》にして、人民《にんみん》を安置《あんち》し護《まも》らん。
今《いま》、大衆《だいしゅ》の前《まえ》にして、数数《しばしば》、我《われ》を悩乱《のうらん》せん。
当《まさ》に説法《せっぽう》を捨《す》つべし。我《われ》を置《お》きて護持《ごじ》せしめよ。
十方《じっぽう》の諸《もろもろ》の菩薩《ぼさつ》、一切悉《いっさいことごと》く来集《らいじゅう》せん。
天王《てんのう》も亦《また》、此《こ》の娑婆仏国土《しゃばぶっこくど》に来《き》たらしめん。
我《われ》、大梵王《だいぼんのう》に問《と》わく、誰《たれ》か昔《むかし》護持《ごじ》せし者《もの》と。
帝釈《たいしゃく》・大梵天《だいぼんてん》、余《よ》の天王《てんのう》を指示《しじ》す。
時《とき》に釈《しゃく》・梵王《ぼんのう》、過《とが》を導師《どうし》に謝《しゃ》して言《い》わまく、
我等《われら》、王《おう》の処《ところ》の所《みもと》にして、一切《いっさい》の悪《あく》を遮障《しゃしょう》し、
三宝《さんぼう》の種《しゅ》を熾然《しねん》ならしめ、三精気《さんしょうけ》を増長《ぞうじょう》せん。
諸悪《しょあく》の朋《①とも》を遮障《しゃしょう》して、善《ぜん》の朋党《ほう②とう》を護持《ごじ》せしむと。」已上抄出《いじょうしょうしゅつ》

148『月蔵経《がつぞうきょう》』巻第七《まきのだいしち》「諸魔得敬信品第十《しょまとくきょうしんぼんだいじゅう》」に言《のたま》わく、「爾《そ》の時《とき》に復《ま》た百億《ひゃくおく》の諸魔《しょま》有《あ》り。倶共《とも》に同《どう》時《じ》に座《ざ》よりして起《た》ちて、合掌《がっしょう》して仏《ぶつ》に向《む》かいたてまつりて、仏足《ぶっそく》を頂礼《ちょうらい》して仏《ぶつ》に白《もう》して言《もう》さく、「世尊《せそん》。我等《われら》、亦当《またまさ》に大勇猛《だいゆみょう》を発《おこ》して仏《ぶつ》の正法《しょうぼう》を護持《ごじ》し養育《よういく》して、三宝《さんぼう》の種《しゅ》を③熾然《しねん》ならしめて久《ひさ》しく世間《せけん》に住《じゅう》せしむ。今《いま》、地《じ》の④精気《しょうけ》・衆生《しゅじょう》の精気《しょうけ》・法《ほう》の精気《しょうけ》、皆悉《みなことごと》く増長《ぞうじょう》せしむべし。若《も》し世《せ》尊声聞弟子《そんしょうもんでし》有《あ》りて、法《ほう》に住《じゅう》し法《ほう》に順《じゅん》じて、三業相応《さんごうそうおう》して修行《しゅぎょう》せば、我等皆《われらみな》、悉《ことごと》く護持《ごじ》し養育《よういく》して、一切所《いっさいしょ》⑤須《しゅ》、乏《とも》しき所無《ところな》からしめん」と。乃至《ないし》

149此《こ》の娑婆界《しゃばかい》にして、初《はじ》め賢劫《げんごう》に入《い》りし時《とき》、
拘楼孫如来《くるそんにょらい》、已《すで》に四天《してん》を、
帝釈《たいしゃく》・梵天王《ぼんてんのう》に嘱《ぞく》せしめて、護持《ごじ》し養育《よういく》せしむ。
三宝《さんぼう》の種《しゅ》を熾燃《しねん》ならしめ、三精気《さんしょうけ》を増長《ぞうじょう》せしめたまいき。
拘那含牟尼《くなごんむに》、亦《また》、四天下《してんげ》を、
梵《ぼん》・釈《しゃく》・諸天王《しょてんのう》に嘱《ぞく》して、護持《ごじ》し養育《よういく》せしむ。
迦葉《かしょう》も亦是《またか》くの如《ごと》し。已《すで》に四天下《してんげ》を、
梵《ぼん》・釈《しゃく》・護世王《ごせおう》に嘱《ぞく》して、行法《ぎょうほう》の者《ひと》を護持《ごじ》せしめき。

①朋…ほう反
②党…とも
③熾…さかり
④精気…たましい
⑤須…もちいる

過去《かこ》の諸《しょ》①仙衆《せんしゅ》、及《およ》び諸天仙《しょてんせん》・
星辰《しょうしん》・諸《もろもろ》の宿曜《しゅくよう》、亦嘱《またぞく》し分布《ぶんぷ》せしめき。
我《われ》、五濁世《ごじょくせ》に出《い》でて、諸魔《しょま》の怨《あた》を降伏《ごうぶく》して、
大集《だいじゅう》②会《え》を作《な》して、仏《ぶつ》の正法《しょうぼう》を顕現《けんげん》せしむ。乃至《ないし》
一切《いっさい》の諸天衆《しょてんしゅ》、咸《ことごと》く共《とも》に仏《ぶつ》に白《もう》して言《もう》さく、
我等《われら》、王《おう》の処《ところ》の所《しょ》にして、皆《みな》、正法《しょうぼう》を護持《ごじ》し、
三宝《さんぼう》の種《しゅ》を熾燃《しねん》ならしめ、三精気《さんしょうけ》を増長《ぞうじょう》せしめん。
諸《もろもろ》の病疫《びょうやく》・飢饉《けごん》及《およ》び闘諍《とうじょう》を息《や》めしむと。」乃至略出《ないしりゃくしゅつ》

150「提頭頼吒天王護持品《だいずらたてんのうごじほん》」に云《のたま》わく、「仏《ぶつ》の言《のたま》わく、「日天子《にってんじ》・月天子《がってんじ》、汝《なんじ》、我《わ》が法《ほう》に於《お》いて護持《ごじ》し養育《よういく》せば、汝《なんじ》、長寿《じょうじゅ》にして諸《もろもろ》の衰《すい》③患《げん》無《な》からしめん」と。

爾《そ》の時《とき》に復《ま》た百億《ひゃくおく》の提頭頼吒天王《だいずらたてんのう》・百億《ひゃくおく》の毘楼勒叉天王《びるろくしゃてんのう》・百億《ひゃくおく》の毘楼博叉天王《びるはくしゃてんのう》・百億《ひゃくおく》の毘沙門《びしゃもん》天王《てんのう》有《あ》り。彼等《かれら》同時《どうじ》に、及《およ》び眷属《けんぞく》と座《ざ》よりして起《た》ちて衣服《えぶく》を④整理《しょうり》し、合掌《がっしょう》し敬礼《きょうらい》して是《か》くの如《ごと》きの言《ごん》を作《な》さく、「大徳婆伽婆《だいとくばかば》。我等各各《われらおのおの》、己《おのれ》が天下《てんげ》にして、懃《ねんごろ》に仏法《ぶっぽう》を護持《ごじ》し養育《よういく》を作《な》さん。三宝《さんぼう》の⑤種《しゅ》、熾然《しねん》として久《ひさ》しく住《じゅう》し、三種《さんしゅ》の精気《しょうけ》、皆悉《みなことごと》く増長《ぞうじょう》せしめん」と。乃至《ないし》

151「我《われ》、今亦《いままた》、上首毘沙門天王《じょうしゅびしゃもんてんのう》と同心《どうしん》に、此《こ》の閻浮提《えんぶだい》と北方《ほっぽう》と諸仏《しょぶつ》の法《ほう》を護持《ごじ》す」と。」已上略抄《いじょうりゃくしょう》

152『月蔵経《がつぞうきょう》』巻第八《まきのだいはち》「忍辱品第十六《にんにくほんだいじゅうろく》」に言《のたま》わく、「仏《ぶつ》の言《のたま》わく、「是《か》くの如《ごと》し、是《か》くの如《ごと》し。汝《なんじ》

が言《い》う所《ところ》の如《ごと》し。若《も》し己《おのれ》が苦《く》を厭《いと》い楽《らく》を求《もと》むるを愛《あい》すること有《あ》らん。応当《まさ》に諸仏《しょぶつ》の正法《しょうぼう》を護持《ごじ》すべし。此《こ》れより当《まさ》に無量《むりょう》の福報《ふくほう》を得《う》べし。若《も》し衆生《しゅじょう》有《あ》りて、我《わ》が為《ため》に出家《しゅっけ》し鬚髪《しゅほつ》を剃除《たいじょ》して袈裟《けさ》を被服《ひふく》せん。設《たと》い戒《かい》を持《たも》たざらん、彼等《かれら》悉《ことごと》く已《すで》に涅槃《ねはん》の印《いん》の為《ため》に印《いん》せらるるなり。若《も》し復《ま》た出家《しゅっけ》して戒《かい》を持《たも》たざらん者《もの》、非法《ひほう》を以《もっ》てして悩乱《のうらん》を作《な》し、罵辱《めにく》し⑥毀呰《きし》せん。手《て》を以《もっ》て刀杖《とうじょう》打縛《ちょうばく》し⑦斫截《しゃくぜつ》すること有《あ》らん。若《も》し衣鉢《えはつ》を奪《うば》い、及《およ》び種種《しゅじゅ》の資生《ししょう》の具《ぐ》を奪《うば》わん者《もの》、是《こ》の人《ひと》は則《すなわ》ち三世《さんぜ》の諸仏《しょぶつ》の真実《しんじつ》の報身《ほうじん》を壊《え》するなり。則《すなわ》ち一切天人《いっさいてんにん》の眼目《げんもく》を挑《はら》うなり。是《こ》の人《ひと》、諸仏所有《しょぶつしょう》の正法《しょうぼう》・三宝種《さんぼうしゅ》を隠没《おんもつ》せんと為欲《あいおも》うが故《ゆえ》に、諸《もろもろ》の天人《てんにん》をして利益《りやく》を得《え》ざらしむ。地獄《じごく》に堕《だ》せん。故《かるがゆえ》に三悪道増長《さんあくどうぞうじょう》し盈満《ようまん》を為《な》すなり」と。」已上《いじょう》

153 又言《またのたま》わく（忍辱品）、「爾《そ》の時《とき》に復《ま》た一切天《いっさいてん》・龍《りゅう》・乃至一切迦吒富単那《ないしいっさいかたふたんな》・人《にん》・非人等《ひにんとう》有《あ》りて、皆《みな》悉《ことごと》く合掌《がっしょう》して是《か》くの如《ごと》きの言《ごん》を作《な》さく、「我等《われら》、仏一切声聞弟子《ぶついっさいしょうもんでし》、乃至《ないし》、若《も》し復《ま》た禁戒《きんかい》を持《たも》たざれども、⑧鬚髪《しゅほつ》を⑨剃除《たいじょ》し袈裟《けさ》を片《かた》に著《き》ん者《もの》に於《お》いて、師長《しちょう》の想《そう》を作《な》さん。護持養育《ごじよういく》して諸《もろもろ》の所《しょ》⑩須《しゅ》を与《あた》えて乏少《ぼうしょう》無《な》からしめん。若《も》し余《よ》の天《てん》・龍《りゅう》・乃至迦吒富単那等《ないしかたふたんなとう》、其《そ》の悩乱《のうらん》を作《な》し、乃至悪心《ないしあくしん》をして眼《まなこ》を以《もっ》て之《これ》を視《み》ば、我等《われら》悉《ことごと》く共《とも》に、彼《か》の天《てん》・龍《りゅう》・富単那等所有《ふたんなとうしょう》の諸相《しょそう》、⑪欠減《けつげん》し⑫醜陋《しゅる》ならしめん。

①仙…ひじり
②会…あつまりあう
③恚…おとろう
④整理…つくろう　つくろう
⑤種…たね
⑥毀呰…そしり　そしる
⑦斫截…くだき　きる
⑧鬚…ひげ
⑨剃…そる
⑩須…もちいる
⑪欠減…かけ　おとる
⑫醜陋…みにくし　みにくし

彼《かれ》をして、復《ま》た我等《われら》、共《とも》に住《じゅう》し共《とも》に食《じき》を与《あた》うることを得《え》ざらしめん。亦復《また》、同処《どうしょ》にして①戯咲《けしょう》を得《え》じ。是《か》くの如《ごと》く②擯罰《ひんばつ》せん」と。」已上《いじょう》

154 又言《またのたま》わく（晋訳華厳経）、「③占相《せんそう》を離《はな》れて正見《しょうけん》を修習《しゅじゅう》せしめ、決定《けつじょう》して深《ふか》く罪福《ざいふく》の因縁《いんねん》を信《しん》ずべし」と。抄出《しょうしゅつ》

155『首楞厳経《しゅりょうごんきょう》』に言《のたま》わく、「彼等《かれら》の諸魔《しょま》、彼《か》の諸鬼神《しょきじん》、彼等《かれら》の群邪《ぐんじゃ》、亦徒衆有《またとしゅあ》りて各各自《おのおのみずか》ら謂《い》わん、「無上道《むじょうどう》を成《な》りて。」我《わ》が滅度《めつど》の後《のち》、末法《まっぽう》の中《なか》に、此《こ》の魔民多《まみんおお》からん、此《こ》の鬼神多《きじんおお》からん、此《こ》の④妖邪《ようじゃ》多《おお》からん。世間《せけん》に熾《し》⑤盛《じょう》にして、善知識《ぜんじしき》と為《な》りて、諸《もろもろ》の衆生《しゅじょう》をして愛見《あいけん》の坑《あな》に⑥落《おと》さしめん。菩提《ぼだい》の路《ろ》を失《しっ》し、⑦眩惑無識《げんわくむしき》にして、恐《おそ》らくは心《しん》を失《しっ》せしめん。所過《しょか》の処《しょ》に、其《そ》の家《いえ》⑧耗散《もうさん》して、愛見《あいけん》の魔《ま》と成《な》りて如来《にょらい》の種《しゅ》を失《しっ》せん」と。已上《いじょう》

156『灌頂経《かんじょうぎょう》』に言《のたま》わく、「三十六部《さんじゅうろくぶ》の神王《じんのう》、万億恒沙《まんおくごうじゃ》の鬼神《きじん》を眷属《けんぞく》として、⑨相《そう》を陰《かく》し番《ばん》に代《か》わりて、三帰《さんき》を受《う》くる者《ひと》を護《まも》る」と。已上《いじょう》

157『地蔵十輪経《じぞうじゅうりんきょう》』に言《のたま》わく、「具《つぶさ》に正《まさ》しく帰依《きえ》して、一切妄執《いっさいもうじゅう》・吉凶《きっきょう》を遠離《おんり》せんものは、終《つい》に邪神外道《じんげどう》に帰依《きえ》せざれ」と。

158 又言《またのたま》わく（地蔵十輪経）、「或《ある》いは、種種《しゅじゅ》に、若《も》しは少《しょう》、若《も》しは多《た》、吉凶《きっきょう》の相《そう》を執《しゅう》して鬼神《きじん》を祭《まつ》りて、乃至《ないし》　極重大罪悪業《ごくじゅうだいざいあくごう》を生《しょう》じ無間罪《むけんざい》に近《ちか》づく。是《か》くの如《ごと》きの人《ひと》、若《も》し未《いま》だ是《か》くの如《ごと》きの大罪悪業《だいざいあくごう》を懺悔《さんげ》し除滅《じょめつ》せずは、出家《しゅっけ》して及《およ》び具戒《ぐかい》を受《う》けしめざらんも、若《も》しは出家《しゅっけ》して或《ある》いは具戒《ぐかい》を受《う》けし

めんも、即《すなわ》ち罪《つみ》を得《え》ん」と。已上《いじょう》

159『集一切福徳三昧経《しゅういっさいふくとくさんまいきょう》』の中《ちゅう》に言《のたま》わく、「余乗《よじょう》に向《む》かわざれ、余天《よてん》を礼《らい》せざれ」と。已上《いじょう》

160『本願薬師経《ほんがんやくしきょう》』に言《のたま》わく、「若《も》し浄信《じょうしん》の善男子《ぜんなんし》・善女人等《ぜんにょにんとう》有《あ》りて、乃至尽形《ないしじんぎょう》までに余天《よてん》に事《つか》えざれ」と。

161又言《またのたま》わく（本願薬師経）、「又《また》、世間《せけん》の邪魔《じゃま》・外道《げどう》・⑩妖孽《ようげき》の師《し》の妄説《もうせつ》を信《しん》じて、⑪禍福《かふく》、便《すなわ》ち生《しょう》ぜん。恐《おそ》らくは動《やや》もすれば、心《しん》、自《みずか》ら正《ただ》しからず。⑫卜問《ぼくもん》して禍《か》を⑬覓《もと》め、種種《しゅじゅ》の衆生《しゅじょう》を⑭殺《せっ》せん。神明《じんみょう》に⑮解《げ》奏《そう》し諸《もろもろ》の魍魎《もうりょう》を呼《よ》ぼうて、福祐《ふくゆう》を⑯請乞《しょうこつ》し延年《えんねん》を⑰冀《ねが》わんと欲《ほっ》するに、終《つい》に得《う》ること能《あた》わず。愚痴《ぐち》⑱迷惑《めいわく》して、邪《じゃ》を信《しん》じ倒見《とうけん》して、遂《つい》に横死《おうし》せしめ、地獄《じごく》に入《い》りて出《しゅつ》⑲期《ご》有《あ》ること無《な》けん。乃至《ないし》　八《やつ》には横《よこさま》に毒薬《どくやく》・⑳厭禱《えんとう》・㉑呪咀《じゅしょ》し㉒起屍鬼《きしき》等《とう》の為《ため》に㉓中害《ちゅうがい》せらる」と。已上抄出《いじょうしょうしゅつ》

162『菩薩戒経《ぼさつかいきょう》』に言《のたま》わく、「出家《しゅっけ》の人《ひと》の法《ほう》は、国王《こくおう》に向《む》かいて礼拝《らいはい》せず、父母《ぶも》に向《む》かいて礼拝《らいはい》せず、六《ろく》㉔親《しん》に務《つか》えず、鬼神《きじん》を礼《らい》せず」と。已上《いじょう》

①戯咲…たわぶれ　わらう
②擯罰…おいいだす　うつ
③占…〈うら〉
④妖…ほろぶ
⑤盛…さかり
⑥落…おとす
⑦詃惑…くるい　まどう
⑧耗…ちる
⑨相…おもい
⑩妖孽…ほろぶ　ほろぶ
⑪禍福…わざわい　さいわい
⑫卜…うら
⑬覓…＊みゃく
⑭殺…ころす
⑮解奏…さとす　もうす
⑯請乞…うけこう　こう
⑰冀…き反
⑱迷…まどい
⑲期…まつ
⑳厭禱…いとい　いのる
㉑呪咀…まじく　のり　のる
㉒起屍…たつ　しにかばね
㉓中害…あたる　そこなう
㉔親…したし

163『仏本行集経《ぶつほんぎょうじっきょう》』第四十二巻《だいしじゅうにかん》に「優婆斯那品《うばしなほん》」〔闍那崛多《じゃなくった》の訳《やく》〕に言《のたま》わく、「爾《そ》の時《とき》に彼《か》の三迦葉《さんかしょう》兄弟《きょうだい》、一《ひとり》の外《がい》[2]①甥《せい》②螺髻梵志《らけいぼんじ》有《あ》り。其《そ》の梵志《ぼんじ》を「優婆斯那《うばしな》」と名《な》づく。乃至《ないし》 恒《つね》に二百五十《にひゃくごじゅう》の螺髻《らけい》梵志弟子《ぼんじでし》と共《とも》に仙道《せんどう》を修学《しゅがく》しき。彼《かれ》、其《そ》の[3]③舅迦葉三人《きゅうかしょうさんにん》を聞《き》くに、諸《もろもろ》の弟子《でし》、彼《か》の大沙門《だいしゃもん》の辺《へん》に往詣《おうげい》して、阿舅《あきゅう》、鬚髪《しゅほつ》を剃除《たいじょ》し袈裟衣《けさえ》を着《き》ると。見已《みおわ》りて、④舅《きゅう》に向《む》かいて偈《げ》を説《と》きて言《い》わく、「舅《きゅう》等《とう》、虚《むな》しく火《ひ》を祀《まつ》ること百年《ひゃくねん》、亦復空《またむな》しく彼《か》の苦行《くぎょう》を修《しゅ》しき。今日《こんにち》、同《おな》じく此《こ》の法《ほう》を捨《す》つること、猶《なお》、蛇《じゃ》の故《ふる》き皮《かわ》を脱《ぬ》ぐが如《ごと》くするをや。」

爾《そ》の時《とき》に彼《か》の⑤舅迦葉三人《きゅうかしょうさんにん》、同《おな》じく共《とも》に偈《げ》を以《もっ》て其《そ》の外《がい》⑥甥《せい》優波斯那《うばしな》に⑦報《ほう》じて是《か》くの如《ごと》きの言《ごん》を作《な》さく、「我等《われら》、昔《むかし》、空《むな》しく火神《かじん》を祀《まつ》りて、亦復《また》徒《いたずら》に苦行《くぎょう》を修《しゅ》しき。我等《われら》、今日《きょう》、此《こ》の法《ほう》を捨《す》つること、実《まこと》に蛇《じゃ》の、故《ふる》き皮《かわ》を脱《ぬ》ぐが如《ごと》くす」と。」 抄出《しょうしゅつ》

164『起信論《きしんろん》』に曰《い》わく、「或《ある》いは衆生有《しゅじょうあ》りて、善根力無《ぜんごんりきな》ければ則《すなわ》ち諸魔《しょま》・外道《げどう》・鬼神《きじん》の為《ため》に誑惑《おうわく》せらる。若《も》しは座中《ざちゅう》にして形《かたち》を現《げん》じて⑧恐怖《くふ》せしむ。或《ある》いは⑨端正《たんじょう》の男女等《なんにょとう》の相《そう》を現《げん》ず。当《まさ》に唯心《ゆいしん》の境界《きょうがい》を念《ねん》ずべし。則《すなわ》ち滅《めっ》して、終《つい》に悩《なやみ》を為《な》さず。或《ある》いは天像《てんぞう》・菩薩像《ぼさつぞう》を現《げん》じ、亦《また》、如来像《にょらいぞう》の相好具足《そうごうぐそく》せるを作《な》して、若《も》しは陀羅尼《だらに》を説《と》き、若《も》しは布施《ふせ》・持戒《じかい》・忍辱《にんにく》・精進《しょうじん》・禅定《ぜんじょう》・智慧《ちえ》を説《と》き、或《ある》いは「平等《びょうどう》・空《くう》・無相《むそう》・無願《むがん》・無怨無親《むおんむしん》・無因無果《むいんむか》・畢竟空寂《ひっきょうくうじゃく》、是《こ》れ真《しん》の涅槃《ねはん》なり」と説《と》かん。或《ある》いは人《ひと》をして宿命過去《しゅくみょうかこ》の事《じ》を知《し》らしめ、亦《また》、未来《みらい》の事《じ》を知《し》る。他心智《たしんち》を得《え》、⑩弁才無碍《べんざいむげ》ならしむ。能《よ》く衆生《しゅじょう》をして世間《せけん》の名利《みょうり》の事《じ》に貪著《とんじゃく》せしむ。又《また》、人《ひと》をして数《しば》しば瞋《いか》り、数《しば》しば喜《よろこ》ばしめ、性無常《しょうむじょう》の

⑪准《ならい》ならせしむ。或《ある》いは多《おお》く慈愛《じあい》し、多《おお》く睡《ねぶ》り、多《おお》く宿《やど》る。多《おお》く病《やまい》す。其《そ》の心《しん》、懈怠《けだい》なり。或《ある》いは率《にわ》かに精進《しょうじん》を起《お》こして、後《のち》には便《すなわ》ち休《く》⑫廃《はい》す。不信《ふしん》を生《しょう》じて、疑《うたがい》多《おお》く、慮《おもんぱかり》多《おお》し。或《ある》いは本《もと》の勝行《しょうぎょう》を捨《す》てて、更《さら》に雑業《ぞうごう》を修《しゅ》せしめ、若《も》しは世事《せじ》に⑬著《じゃく》せしめ、種種《しゅじゅ》に⑭牽纏《けんでん》せらる。亦《また》、能《よ》く人《ひと》をして諸《もろもろ》の三昧《さんまい》の少分《しょうぶん》⑮相似《そうじ》せるを得《え》しむ。皆是《みなこ》れ外道《げどう》の所得《しょとく》なり。真《しん》の三昧《さんまい》に非《あら》ず。或《ある》いは復《ま》た、人《ひと》をして、若《も》しは一日《いちにち》、若《も》しは二日《ににち》、若《も》しは三日《さんにち》、乃至七日《ないししちにち》、定中《じょうちゅう》に住《じゅう》して自然《じねん》の香《こう》⑯美《み》飲食《おんじき》を得《え》しむ。身心《しんじん》⑰適悦《ちゃくえつ》して、⑱飢《う》えず渇《かわ》かず、人《ひと》をして愛著《あいじゃく》せしむ。或《ある》いは亦《また》、人《ひと》をして食《じき》に分《ぶん》⑲斉《ざい》無《な》からしむ。⑳乍《たちま》ちに多《おお》く、乍《たちま》ちに少《すく》なくして、顔色《げんしき》㉑変異《へんい》す。是《こ》の義《ぎ》を以《もっ》ての故《ゆえ》に、行者《ぎょうじゃ》、常《つね》に智慧《ちえ》をして観察《かんざつ》して、此《こ》の心《しん》をして邪《じゃ》㉒網《もう》に堕《だ》せしむること勿《なか》るべし。当《まさ》に勤《つと》めて正念《しょうねん》にして、取《と》らず着《じゃく》せずして則《すなわ》ち能《よ》く是《こ》の諸《もろもろ》の業障《ごっしょう》を遠離《おんり》すべし。知《し》るべし。外道《げどう》の所有《しょう》の三昧《さんまい》は、皆《みな》、見愛《けんあい》・我《が》㉓慢《まん》の心《しん》を離《はな》れず。世間《せけん》の名利《みょうり》・恭敬《くぎょう》に貪著《とんじゃく》するが故《ゆえ》なり」と。已上《いじょう》

165『弁正論《べんしょうろん》』法琳《ほうりん》の撰《せん》に曰《い》わく、「十喩九《じゅうゆうきゅう》㉔箴《しん》㉕篇《へん》。㉖答《とう》す、㉗李道士《りどうし》、十異九《じゅういきゅう》㉘述《じゅつ》。

①⑥甥…おい
②螺髻…もとどり　もとどり
③④⑤舅…おじ
⑦報…こたう
⑧恐怖…おそれ　おそる
⑨端正…ただし　いつくし　とも
⑩弁…わきまう
⑪准…じゅん反
⑫廃…＊すたる
⑬著…つく　くるおす　とも
⑭牽纏…ひき　まつう
⑮相似…あい　にたり
⑯美…よし
⑰適…＊しゃく／すなわち　まさに　とも　たまたま　とも
⑱飢…＊け
⑲斉…きわ
⑳乍…＊さ
㉑変…かわる
㉒網…あみ
㉓慢…あなどる
㉔箴…いましむ
㉕篇…つらぬ
㉖答…こたう
㉗李…もも
㉘述…のぶ

166 外《がい》の一異《いつい》に曰《い》わく、「太子老君《たいしろうくん》は、①神《しん》を玄妙玉女《けんびょうぎょくじょ》に②託《たく》して、左③腋《さえき》を割《ひら》きて生《う》まれたり。釈迦牟尼《しゃかむに》は、④胎《たい》を摩耶夫人《まやぶにん》に寄《よ》せて、右脇《ゆうきょう》を開《ひら》いて出《い》でたり」と。乃至《ないし》

内《だい》の一喩《いつゆう》に曰《い》わく、「老君《ろうくん》は常《しょう》に逆《たが》い、⑤牧女《ぼくじょ》に託《つ》きて左《ひだり》より出《い》ず。世尊《せそん》は化《け》に順《したが》いて、聖母《せいぼ》に因《よ》りて右《みぎ》より出《い》でたまう」と。

開士《かいし》の曰《い》わく、「慮景裕《りょけいゆ》・戴詵《たいしん》・韋処玄等《いしょけんとう》が『解五千文《かいごせんぶん》』、及《およ》び梁元帝《りょうげんてい》・周弘政等《しゅうこうせいとう》が『[4]老義類《ろうぎるい》』を案《あん》ずるに云《い》わく、「太上《たいしょう》に四有《しあ》り。謂《い》わく、三皇及《さんこうおよ》び尭舜《ぎょうしゅん》、是《こ》れなり。」言《い》うこころは、上古《しょうこ》に此《こ》の大徳《たいとく》の君有《くんあ》り。万民《ばんみん》の上《かみ》に臨《のぞ》めり。故《かるがゆえ》に「太上《たいしょう》」と云《い》うなり。郭荘《かくそう》云《い》わく、「時《とき》に之《これ》を⑥賢《けん》とする所《ところ》の者《もの》を君《くん》とす。材《さい》、世《よ》に称《しょう》せられざる者《もの》を臣《しん》とす。」老子《ろうし》、帝《てい》に非《あら》ず、皇《こう》に非《あら》ず。四種《ししゅ》の限《かぎり》に在《あ》らず。何《いず》れの⑦典拠有《てんきょあ》りてか、輒《たやす》く「太上《たいしょう》」と称《しょう》するや。道家《どうか》が『玄妙《けんびょう》』、及《およ》び『中胎《ちゅうたい》』・『[5]朱韜王礼《しゅとうおうれい》』等《とう》の経《けい》、幷《なら》びに『出塞記《しゅっさいき》』を撿《かんが》うるに云《い》わく、「老《ろう》は是《こ》れ李母《りぼ》が生《しょう》ずる所《ところ》、玄妙《けんびょう》玉女有《ぎょくじょあ》り」と云《い》わず。既《すで》に正説《せいせつ》に非《あら》ず。尤《もっと》も仮《かり》の謬談《びょうたん》なり。『仙人玉《せんにんぎょく》⑧録《ろく》』に云《い》わく、「仙人《せんにん》は妻《さい》無《な》し。玉女《ぎょくじょ》は夫《ふ》無《な》し。女形《じょけい》を受《う》けたりと雖《いえど》も畢竟《つい》に産《さん》せず。」若《も》し茲《こ》の⑨瑞有《ずいあ》らば誠《まこと》に⑩嘉《か》とすべしと曰《い》う。何《いず》れぞせん、『史記《しき》』にも文無《ぶんな》し、『周書《しゅうしょ》』に⑪載《の》せず。虚《きょ》を求《もと》めて実《しつ》を責《せ》めば、⑫矯盲《きょうぼう》の者《もの》の言《げん》を信《しん》ずるならくのみと。『礼《れい》』に云《い》わく、「⑬官《かん》を退《しりぞ》きて位無《くらいな》きは左《さ》⑭遷《せん》す。」『論語《ろんご》』に云《い》わく、「左衽《さしん》は礼《れい》に非《あら》ざるなり。」若《も》し左《ひだり》を以《もっ》て右《みぎ》に勝《まさ》るとせんは、道上行道《とうしょうこうとう》するに、何《なん》ぞ左《ひだり》に旋《めぐ》らずして、右《みぎ》に還《かえ》りて転《めぐ》るや。国《くに》の⑮詔書《じょうしょ》に皆云《みない》わく、「右《みぎ》の如《ごと》し。」並《なら》びに天《てん》の常《しょう》に順《したが》うなり。」乃至《ないし》

167 外《がい》の四異《しい》に曰《い》わく、「老君《ろうくん》は、文王《ぶんおう》の日《ひ》、隆周《りゅうしゅう》の宗師《そうし》たり。釈迦《しゃか》は、荘王《そうおう》の時《とき》、罽賓《けいひん》の教主《きょうしゅ》たり。」

内《だい》の四喩《しゆ》に曰《い》わく、「伯楊《はくよう》は、⑯職《しょく》、小臣《しょうしん》に処《お》り、忝《かたじけな》く⑰蔵吏《そうり》に充《あ》たれり。文王《ぶんおう》の日《ひ》に在《あ》らず。亦《また》、隆周《りゅうしゅう》の師《し》に非《あら》ず。牟尼《むに》は、位《くらい》、太子《たいし》に居《きょ》して、身《み》、特尊《どくそん》を証《しょう》したまえり。昭王《しょうおう》の⑱盛年《せいねん》に当《あ》たれり。閻浮《えんぶ》の教主《きょうしゅ》たり」と。乃至《ないし》

168 外《がい》の六異《りくい》に曰《い》わく、「老君《ろうくん》は、世《よ》に⑲降《こう》して、始《はじ》め周文《しゅうぶん》の日《ひ》より孔丘《こうきゅう》の時《とき》に訖《おわ》れり。釈迦《しゃか》は、肇《はじ》めて浄《じょう》⑳飯《ぼん》の家《いえ》に下生《かせい》して、我《わ》が荘王《そうおう》の世《よ》に当《あ》たれり。」

内《だい》の六喩《りくゆ》に曰《い》わく、「迦葉《かしょう》は桓王《かんおう》㉑丁卯《ていぼう》の歳《とし》に生《う》まれて、景王《けいおう》㉒壬午《じんご》の年《とし》に終《お》う。孔丘《こうきゅう》の時《とき》に㉓訖《お》うと雖《いえど》も㉔姫昌《きょしょう》の世《よ》に出《い》でず。調御《じょうご》は昭王《しょうおう》甲《こう》㉕寅《いん》の年《とし》に㉖誕《たん》じて、穆王《ぼくおう》壬《じん》㉗申《しん》の歳《とし》に終《お》う。是《こ》れ浄《じょう》㉘飯《ぼん》の㉙胤《いん》たり。本《もと》、荘王《そうおう》の前《さき》に出《い》でたまえり。」

開士《かいし》曰《い》わく、「㉚孔子《こうし》、周《しゅう》に至《いた》りて老聃《ろうさん》を見《み》て礼《れい》を問《と》う。焉《ここ》に『史記《しき》』に具《つぶさ》に顕《あらわ》る。文王《ぶんおう》の師《し》たる

①神…たましい
②託…つく
③腋…わき
④胎…はらむ
⑤牧…まき
⑥賢…かしこし
⑦典拠…ふみ よる
⑧録…しるす
⑨瑞…よし
⑩嘉…よし
⑪載…＊さい
⑫矯盲…いつわり めしい
⑬官…つかさ
⑭遷…うつる
⑮詔書…せんじ(宣旨)なり
⑯職…つかさ
⑰蔵吏…くにのかみ(長官)なり
⑱盛…さかり
⑲降…くだる
⑳㉘飯…いい
㉑丁卯…ひのと う
㉒壬午…みずのえ うま
㉓訖…おわる
㉔姫昌…おう(王)なり
㉕寅…とら
㉖誕…うまる
㉗申…さる
㉘胤…たね
㉚孔子…くし

こと則《すなわ》ち①典証《てんしょう》無《な》し。周《しゅう》②末《まつ》に出《い》でたり。其《そ》の事《し》、周《しゅう》の初《はじ》めに尋《たず》ぬべし。史文《しぶん》に載《の》せず。」乃至《ないし》

169外《がい》の七異《しちい》に曰《い》わく、「老君《ろうくん》、初《はじ》めて周《しゅう》の代《だい》に生《う》まれて、③晩《くま》に流沙《りゅうさ》に適《ゆ》く。始終《しじゅう》を測《はか》らず、方所《ほうしょ》を知《し》ること莫《な》し。釈迦《しゃか》は、西国《せいこく》に生《う》まれ、彼《か》の提河《だいが》に終《おわ》りぬ。弟子《ていし》、胸《むね》を④捉《う》ち、⑤群胡《くんこ》、大《おお》きに⑥叫《さけ》ぶ。」

内《だい》の七喩《しちゆう》に曰《い》わく、「老子《ろうし》は頼郷《れいけい》に生《う》まれて槐里《かいり》に⑦葬《はぶ》らる。秦佚《しんいつ》の⑧弔《ちょう》に詳《つまび》らかんず。責《せめ》、⑨遁天《とんてん》の形《けい》に在《あ》り。瞿曇《くどん》は彼《か》の王宮《おうぐう》に出《い》で慈《じ》⑩鵠《かく》⑪樹《しゅう》に隠《かく》れたまう。漢明《かんめい》の世《よ》に伝《つた》わりて秘《ひそ》かに蘭台《らんたい》の書《しょ》に在《ましま》す。」

開士《かいし》曰《い》わく、「『荘子《そうじ》』「内篇《ないへん》」に云《い》わく、「老聃《ろうさん》死《し》して、秦佚《しんいつ》弔《とぶら》う。焉《ここ》に三《み》たび号《さけ》んで出《い》ず。弟子《ていし》、怪《あや》しんで問《と》う、「夫子《ふうし》の徒《ともがら》に非《あら》ざるか。」秦佚《しんいつ》曰《い》わく、「向《さき》に吾《われ》入《い》りて⑫少者《しょうしゃ》を見《み》るに、之《これ》を⑬哭《こく》す。其《そ》の父《ちち》を哭《こく》するが如《ごと》く、老者《ろうしゃ》、之《これ》を哭《こく》す。其《そ》の子《こ》を哭《こく》するが如《ごと》し。」」古《いにしえ》は、之《これ》を「⑭遁天《とんてん》の⑮形《けい》」と謂《い》う。始《はじ》めは以為《おも》えらく、其《そ》の人《ひと》なり。而《しか》るに今《いま》、非《ひ》なり。「遁《とん》」は隠《いん》なり。「天《てん》」は⑯免縛《べんばく》なり。「形《けい》」は身《しん》なり。言《い》うこころは、始《はじ》め老子《ろうし》を以《もっ》て免縛形《べんばくけい》の仙《せん》とす。今則《いますなわ》ち非《ひ》なり。⑰嗟《ああ》、其《そ》の諂《いつわ》れる⑱典《てん》、人《ひと》の情《こころ》を取《と》る。故《ことさ》らに死《し》を免《まぬか》れず。我《わ》が友《とも》に非《あら》ず」と。乃至《ないし》

170内《だい》の十喩《しゅうゆう》。答《とう》す、外《がい》の十異《しゅうい》。外《がい》、生《せい》より左右《さゆう》の異《い》、一《いつ》。内《だい》、生《せい》より勝劣《しょうれつ》有《あ》り。

内喩《だいさと》して曰《い》わく、「左衽《さじん》は則《すなわ》ち⑲戎狄《じゅうてき》の尊《たっと》む所《ところ》、右命《ゆうめい》は中華《ちゅうか》の尚《たっと》む所《ところ》とす。故《かるがゆえ》に『春秋《しゅんじゅう》』に云《い》わく、「冢郷《ちょうけい》は命無《めいな》し。介卿《かいけい》は之有《これあ》り。亦左《またひだり》ならずや。」『史記《しき》』に云《い》わく、「藺相如《りんしょうじょ》は、功大《こうおお》きにして、位《くらい》、麁頗《そは》が右《みぎ》に在《あ》り。之《これ》を恥《は》ず。」又云《またい》わく、「張儀相《ちょうぎしょう》、秦《しん》を右《みぎ》にして魏《ぎ》を左《ひだり》にす。犀《せい》

首相《しゅしょう》、6緯《い》を右《みぎ》にして魏《ぎ》を左《ひだり》にす。」7蓋《かい》に云《い》わく、「便《たより》ならずや。『礼《れい》』に云《い》わく、「左道乱群《さとうらんくん》をば、之《これ》を殺《せっ》す。」豈《あ》に右《みぎ》は優《まさ》りて左《ひだり》は劣《おと》るに非《あら》ずや。皇甫謐《こうほひつ》が『高士伝《こうしでん》』に云《い》わく、「老子《ろうし》は楚《そ》の相人《しょうじん》、8温水《うんしい》の陰《きた》に家《いえ》とす。事《し》を常《しょう》⑳従子《しょうし》に押《ひと》し。常子《しょうし》、疾《やもう》有《あ》るに及《およ》びて、李耳《りじ》往《ゆ》きて疾《やもう》を問《と》う。」焉《ここ》に嵆康《けいこう》の云《い》わく、「李耳《りじ》、涓子《けんし》に従《したが》いて九仙《きゅうせん》の術《じゅつ》を学《まな》ぶ。」9㉑撥《はい》するに太史《たいし》に云《い》わく、衆《しゅう》㉒画《か》を等《ひと》しきが、「老子《ろうし》、左腋《さえき》を剖《ひら》いて生《う》まる」と云《い》わず。既《すで》に正《まさ》しく出《い》でたること無《な》し。承信《しょうしん》すべからざることと明《あき》らけし。験《あき》らかに知《し》りぬ。㉓戈《か》を揮《ふる》い㉔翰《かん》を操《あやつ》れば、蓋《けだ》し文武《ぶんぶ》の先《せん》、五気《ごき》・三光《さんこう》は、寔《まこと》に陰陽《いんよう》の首《はじめ》なり。是《ここ》を以《もっ》て釈門《しゃくもん》には右《みぎ》に転《てん》ずること、且《ま》た人用《じんよう》を快《たの》しくす。張陵《ちょうりょう》、左道《さとう》にす。逆天《げきてん》の常《しょう》に信《しん》ず。何《いか》んとなれば、釈迦《しゃか》、無縁《むえん》の慈《じ》を超《こ》えて有機《ゆうき》の㉕召《ちょう》に応《よう》ず。其《そ》の迹《あと》を語《かた》るなり。」乃至《ないし》

171「夫《そ》れ釈氏《しゃくし》は、天上天下《てんしょうてんか》に介《かい》㉖然《ねん》として、其《そ》の尊《そん》に居《きょ》す。三界六道《さんかいりくどう》、卓《たく》㉗爾《じ》として、其《そ》の妙《びょう》を㉘推《お》す。」乃至《ないし》

172外論《がいろん》に曰《い》わく、「老君《ろうくん》、㉙範《はん》と作《な》す、唯《ただ》㉚孝《こう》、唯《ただ》㉛忠《ちゅう》。世《よ》を救《すく》い人《ひと》を度《ど》す。慈《し》を極《きわ》め愛《あい》を極《きわ》む。是《ここ》を以《もっ》

①⑱典…ふみ
②末…すえ
③晩…くれ
④捉…たたき
⑤群胡…あつまり　あつまる
⑥叫…きょう
⑦葬…＊そう
⑧弔…とぶらう
⑨⑭遁…のがる
⑩鵠…つる
⑪樹…＊しゅ／き
⑫少…おさなき
⑬哭…なく
⑮形…かたち
⑯免…まぬかる
⑰嗟…なげく
⑲戎狄…にしのえびす　きたのえびす
⑳従…＊じゅう
㉑撥…すつ
㉒画…＊かく　とも／え
㉓戈…ほこを
㉔翰…ふでを
㉕召…めす　まねく　とも
㉖然…しからしむ
㉗爾…しからしむ
㉘推…すい
㉙範…のり
㉚孝…きょう
㉛忠…こころざし

て、①声教《せいこう》、永《なが》く伝《つた》え、百王《はくおう》、改《あらた》まらず。②玄風《げんぷう》、長《なが》く被《かぶ》らしめて、万古《ばんこ》、差《たが》うこと無《な》し。所以《このゆえ》に国《くに》を治《おさ》め家《いえ》を治《おさ》むるに常然《しょうぜん》たり、③楷式《かいしょく》たり。釈教《しゃくこう》は義《ぎ》を棄《す》て親《しん》を棄《す》て、④仁《じん》ならず、孝《こう》ならず。闍王《しゃおう》、父《ちち》を殺《せっ》せる、⑤翻《ほん》じて愆《とが》無《な》しと説《と》く。調達《じょうだつ》、⑥兄《けい》を射《い》て無間《むけん》に罪《つみ》を得《う》。此《こ》れを以《もっ》て凡《ぼん》を導《みちび》く、更《さら》に悪《あく》を長《ま》すことを為《な》す。斯《こ》れを用《もっ》て世《よ》に⑦範《のり》とする、何《なん》ぞ能《よ》く善《せん》を生《しょう》ぜんや。此《こ》れ逆順《ぎゃくじゅん》の異《い》、十《じゅう》なり。」

⑧内喩《だいゆう》に曰《い》わく、「義《ぎ》は乃《すなわ》ち、道徳《とうとく》、卑《いや》しゅうする所《ところ》、礼《れい》は忠信《ちゅうしん》の薄《うす》きより生《しょう》ず。璅仁《さじん》、⑨匹婦《ひっぷ》を譏《そし》り、大孝《たいこう》は不匱《ふき》を存《ぞん》す。然《しこ》うして凶《きょう》に対《む》かいて歌《うた》い咲《わら》う。中夏《ちゅうか》の容《かたち》に⑩乖《かい》す。喪《も》に臨《のぞ》みて⑪盆《ほとぎ》を扣《たた》く、華俗《かぞく》の訓《おしえ》に非《あら》ず 原壌母死《げんじょうははし》して、⑫騎棺《きかん》して譏《そし》らず。子桑《しそう》死《し》するとき、子貢《しこう》弔《とぶら》う。四子相《ししあい》⑬視《み》て歌《うた》う。孔子《こうし》、時《とき》に助《たす》けて祭《まつ》りて咲《わら》う。荘子妻死《そうしめし》す。盆《ほとぎ》を扣《たた》きて歌《うた》うなり。故《かるがゆえ》に之《これ》を教《おし》うるに⑭孝《こう》を以《もっ》てす。天下《てんか》の人父《じんぷ》たるを⑮敬《けい》する所以《ゆえ》なり。之《これ》を教《おし》うるに⑯忠《ちゅう》を以《もっ》てす。天下《てんか》の人君《じんくん》たるを敬《けい》する所以《ゆえ》なり。化《か》、万国《ばんこく》に⑰周《しゅう》し、乃《すなわ》ち明辟《めいへき》の至《いた》るなり。仁《じん》、四海《しかい》に形《あらわ》る。実《しつ》に聖王《せいおう》の臣《しん》、孝《こう》なり。仏経《ふっけい》に言《のたま》わく、「識体《しょくてい》、六趣《りくしゅ》に輪回《りんかい》す。父母《ふぼ》に非《あら》ざる無《な》し。10生死変《しょうじへん》⑱易《えき》す。三界《さんかい》、孰《たれ》か⑲怨親《おんしん》を弁《わきま》えん。」又言《またのたま》わく、「無明《ぶめい》、慧眼《けいがん》を覆《おお》う。11生死《せいし》の中《なか》に来往《らいおう》す。往来《おうらい》して、之《これ》、所作《しょさ》す。更《さら》に互《たが》いに父子《ふし》たり。怨親《えんしん》、数《しば》しば知識《ちしき》たり。知識《ちしき》、数《しば》しば怨親《えんしん》たり。」是《ここ》を以《もっ》て、沙門《しゃもん》、⑳俗《しょく》を捨《す》て真《しん》に趣《おもむ》く。庶類《しょるい》を天属《てんしょく》に均《ひと》しゅうす。㉑栄《えい》を遺《す》てて道《とう》に即《つ》く。含気《がんき》を㉒己親《こしん》に等《ひと》しゅうす 行《こう》、普《あまね》く正《ただ》しきの心《しん》、等《ひと》しく普《あまね》き親《しん》の 志《こころざし》。且《ま》た道《とう》は清虚《せいきょ》を尚《たっと》ぶ。㉓爾《それ》は恩愛《おんあい》を重《おも》くす。法《ほう》は平等《へいとう》を貴《たっと》ぶ。㉔爾《それ》、㉕怨親《えんしん》を簡《きら》わんや、豈《あ》に惑《わく》に非《あら》ずや。㉖勢競《せいけい》、親《しん》を遺《わす》る。12文史明事《ぶんしめいし》、斉桓《せいかん》・楚穆《そぼく》、此《こ》れ其《そ》の 流《ともがら》 なり。以《もっ》て聖《せい》を訾《そし》らんと欲《おも》う、豈《あ》に謬《あやま》れるに不《あら》ずや。㉗爾《それ》、道《とう》

の劣《れつ》、十《しゅう》なり。」乃至《ないし》
173「二皇《じこう》、化《か》を統《す》べて『須弥四域経《しゅみしいききょう》』に云《のたま》わく、「応声《おうしょう》菩薩《ぼさつ》を[13]伏羲《ふくき》とす、吉祥《きちじょう》菩薩《ぼさつ》を女媧《じょか》とするなり。」渟風《ていふう》の初《はじ》めに居《お》り、三聖《さんせい》、言《げん》を立《た》てて『空寂所問経《くうじゃくしょもんぎょう》』に云《のたま》わく、「迦葉《かしょう》を老子《ろうし》とす、儒童《じゅどう》を孔子《こうし》とす、光浄《こうじょう》を顔回《がんかい》とするなり。」已澆《いきょう》の末《すえ》を㉘興《こう》ず。㉙玄虚沖一《けんきょちゅういつ》の旨《むね》、黄老《こうろう》、其《そ》の㉚談《だん》を盛《さか》りにす。詩書礼楽《ししょれいがく》の文《ぶん》、周《しゅう》・孔《こう》、其《そ》の教《こう》を隆《たか》くす。㉛謙《けん》を明《あき》らかにし㉜質《しつ》を守《まも》る、乃《すなわ》ち聖《せい》に登《のぼ》るに、之《これ》、㉝階梯《かいてい》なり。三畏《さんい》・五常《ごしょう》は人天《じんてん》の由漸《ゆうせん》とす。蓋《けだ》し㉞冥《みょう》に仏理《ふつり》に符《かな》う。正弁極談《せいべんきょくたん》に非《あら》ずや。猶《なお》、道《とう》を㉟瘖聾《おんりょう》に誘《そし》る、方《ほう》を麾《おしまど》いて遠邇《えんじ》を窮《きわ》むること莫《な》かれ。律《りつ》を菟馬《とば》に問《と》う、済《わた》るを知《し》りて浅深《せんしん》を測《はか》らず。斯《こ》れに因《よ》りて談《だん》ずるに、殷《いん》・周《しゅう》の世《よ》は、釈教《しゃくこう》の宜《よろ》しく行《こう》ずるべき所《ところ》に非《あら》ざるなり。猶《なお》、炎《えん》㊱威《い》、耀《ひかり》を赫《かがや》かす。童子《とうし》、目《め》を正《ただ》しくして視《み》ること能《あた》わず。㊲迅雷《しんらい》、奮《ふる》い撃《う》つ。㊳懦夫《たんぷ》、耳《じ》を張《は》りて聴《き》くこと能《あた》わず。是《ここ》を以《もっ》て河池《かち》㊴涌《わ》き浮《う》かぶ。

①声…こえ
②㉙玄…はるかなり
③楷式…かなう　のり
④仁…あわれみ
⑤翻…ひるがえす
⑥兄…あに
⑦範…＊はん
⑧喩…おしえ
⑨匹婦…かたしめ
⑩乖…たがう

⑪盆…かわら
⑫騎棺…のる　ひつぎ
⑬視…し
⑭孝…おしう
⑮敬…うやまう
⑯忠…ねんごろ
⑰周…あまねし
⑱易…やく
⑲㉕怨親…あた　したし
⑳俗…よ

㉑栄…さかえ
㉒己…おのれ
㉓㉔爾…なんじは
㉖勢競…よそおい　あらそい
㉗爾…なんじが
㉘興…おこす
㉚談…おしう
㉛謙…＊へる／ねんごろに
㉜質…＊すなおを／すがた
㉝階梯…はし　はし

㉞冥…かすかに
㉟瘖聾…おし　みみしい
㊱威…よそおい
㊲迅雷…とし　いかずち
㊳懦…やわらかなり
㊴涌…＊ゆ

昭王《しょうおう》、神《しん》を誕《たん》ずることを懼《おそ》る。雲霓《うんけい》、色《しき》を変《はん》じ、穆后《ぼくこう》、聖《せい》を亡《うしな》わんことを欣《よろこ》ぶ『周書異記《しゅうしょいき》』に云《い》わく、「昭王二十四年四月八日《しょうおうじしゅうしねんしげつはちじつ》、江河《ごうが》・泉水《せんすい》、悉《ことごと》く①泛漲《はんちょう》せり。穆王五十二年二月十五日《ぼくおうごしゅうじねんじげつしゅうごじつ》、②暴風《ぼうふう》起《た》ちて樹木《しゅうぼく》折《お》れ、天陰《てんくも》り雲黒《くもくら》し。白虹《はくこう》の③怪《けい》有《あ》り。豈《あ》に能《よ》く④葱河《そうか》を越《こ》えて化《か》を禀《う》け、雪《せつ》⑤嶺《れい》を踰《こ》えて誠《まこと》を効《いた》さんや。『浄名《じょうみょう》』（維摩経）に云《のたま》わく、[14]「是《こ》れ⑥盲者遇《もうじゃもうあ》えり。日月《じつげつ》の咎《とが》に非《あら》ず。」適《たま》たま其《そ》の⑦蟿窽《しゃんげき》の弁《わきまえ》を窮《きわ》めんと欲《ほっ》す。恐《おそ》らくは、吾《わ》が子混沌《しこんとん》の性《せい》を傷《いた》む。爾《それ》、知《し》る所《ところ》に非《あら》ず。其《そ》の盲《ぼう》の一《いつ》なり。」

174「内《だい》には像塔《ぞうとう》を建造《けんぞう》す。指《おし》うる二《じ》。

漢明《かんめい》より已下《いか》、斉《せい》・梁《りょう》、王《おう》・公《こう》・守牧《しゅうぼく》、清信士《せいしんじ》・女《じょ》、及《およ》び比丘《ひきゅう》・比丘尼等《ひきゅうじとう》に訖《お》う。冥《みょう》に至聖《しせい》を⑧感《かん》じ、国《くに》に神光《しんこう》を観《み》る者《もの》、凡《おおよ》そ二百余人《じはくよじん》、迹《あと》を万山《ばんざん》に見《み》、耀《ひかり》を⑨滬瀆《ことく》に浮《う》かべ、清台《せいたい》の下《もと》に満月《ばんげつ》の容《かたち》を観《み》、雍門《ようもん》の外《ほか》に相輪《そうりん》の影《かげ》を観《み》るが如《ごと》きに至《いた》りては、南平《なんぺい》は応《おう》を⑩瑞像《すいぞう》に獲《え》、文宣《ぶんせん》は夢《ゆめ》を聖《せい》⑪牙《が》に感《かん》ず。⑫蕭后《そうこう》、一《ひと》たび⑬鋳《い》て⑭剋成《こくじょう》し、宗皇《そうこう》、四《よ》たび⑮摸《ぼ》して就《な》らず。其《そ》の例《れい》、甚《はなは》だ衆《おお》し。具《つぶさ》に陳《の》ぶべからず。豈《あ》に爾《なんじ》が無目《ぶぼく》を以《もっ》て彼《か》の有霊《ゆうれい》を斥《きら》わんや。

175然《しか》るに、徳《とく》として備《そな》わらざる者無《ものな》し、之《これ》を謂《い》いて「涅槃《でいはん》」とす。道《とう》として通《とう》ぜざる者無《ものな》し、之《これ》を名《な》づけて「菩提《ほてい》」とす。智《ち》として周《あまね》からざる者無《ものな》し、之《これ》を称《しょう》して「仏陀《ふった》」とす。此《こ》の漢語《かんぎょ》を以《もっ》て彼《か》の梵言《ばんげん》を⑯訳《やく》す。則《すなわ》ち彼《ひ》・此《し》の仏《ぶつ》、照然《しょうぜん》として信《しん》ずべきなり。何《なに》を以《もっ》てか之《これ》を明《あ》かすとならば、夫《そ》れ「仏陀《ふった》」は、漢《かん》には「大覚《たいかく》」と言《い》うなり。「菩提《ほてい》」をば、漢《かん》には「大道《たいとう》」と言《い》うなり。「涅槃《でいはん》」は、漢《かん》には「無為《ぶい》」と言《い》うなり。而《しか》るに吾子《ごし》、⑰終日《しゅうじつ》に菩提《ほてい》の地《ち》を践《ふ》んで大道《たいとう》を知《し》らず。即《すなわ》ち菩提《ほてい》の異号《いこう》なり。形《かたち》を大覚《たいかく》の境《けい》に稟《う》けて、未《いま》だ大覚《たいかく》を閑《なら》わず。即《すなわ》ち仏陀《ふつた》の訳名《やくめい》なり。故《かるがゆえ》に荘周公《そうしゅうこう》、且《ま》た大覚《たいかく》有《あ》れば、而後《じご》に其《そ》の大夢《たいぼう》を知《し》るなり。『⑱郭註《かくちゅう》』に云《い》わく、「覚《かく》は聖人《せいじん》なり。」言《い》うこころは、⑲患《げん》、懐《こころ》に在《あ》るは皆夢《みなゆめ》なり。『註《ちゅう》』に云《い》わく、「夫子《ふうし》、子《し》淤《お》と未《いま》だ言《い》うことを忘《わす》れて神解《しんかい》することと能《あた》わず。故《かるがゆえ》に大覚《たいかく》に非《あら》ざるなり。」君子《くんし》の曰《い》わく、「孔丘《こうきゅう》の⑳談《だん》、茲《ここ》に亦尽《またつ》きぬ。」涅槃寂照《でいはんせきしょう》、識《しょく》として識《さと》るべからず、智《ち》をして智《し》るべからず。則《すなわ》ち言語断《げんぎょだん》じて心行滅《しんこうめっ》す。故《かるがゆえ》に言《げん》を忘《わす》るるなり。法身《ほうしん》は乃《すなわ》ち三《さん》㉑点《てん》・四徳《しとく》の成《じょう》ずる所《ところ》、粛然《しょうぜん》として無《ぶ》㉒累《るい》なり。故《かるがゆえ》に「解脱《かいたつ》」と称《しょう》す。此《こ》れ其《そ》の神解《しんかい》として患息《げんそく》するなり。夫子《ふうし》、聖《せい》なりと雖《いえど》も、遙《はる》かに以《もっ》て、功《こう》を仏《ぶつ》に推《ゆず》れり。何《いか》んとなれば、㉓劉《りゅう》向《きょう》が『古《こ》㉔旧《きゅう》二《じ》㉕録《りょく》』を案《あん》ずるに云《い》わく、「仏流《ぶつりゅう》、中夏《ちゅうか》を経《へ》て、一百五十年《いつはくごじゅうねん》の後《のち》、老子《ろうし》、方《まさ》に『五千文《ごせんぶん》』を説《と》けり。」然《しか》るに、周《しゅう》と老《ろう》と、並《なら》びに仏経《ふつけい》の所説《しょせつ》を見《み》る。言教往往《げんこうおうおう》たり。験《かんが》えつべし。」乃至《ないし》

176『正法念経《しょうぼうねんぎょう》』に云《のたま》わく、「人《ひと》、戒《かい》を持《たも》たざれば、諸天《しょてん》㉖減少《げんしょう》し、阿修羅盛《あしゅらさか》りなり。善龍《ぜんりゅう》、力無《りきな》し。悪龍《あくりゅう》、力有《りきあ》り。悪龍《あくりゅう》、力有《りきあ》れば、則《すなわ》ち霜《しょう》㉗雹《ほう》を降《くだ》して、非時《ひじ》の暴風疾雨《ぼうふうしつう》あり。五穀《ごこく》、登《みの》らず、

①泛…＊うかび
　漲…みなぎる
②暴…あらき
③怪…あやしみ
④葱…＊きなり
⑤嶺…みね
⑥盲…めしい
⑦鑿竅…ほる　あきらかなり
⑧感…かなう
⑨滬瀆…みぞなり
⑩瑞…よき
⑪牙…きば
⑫蕭后…おう也　きさき也
⑬鋳…とう
⑭剋…うる
⑮摸…うつす
⑯訳…つくり　つたう
⑰終日…ひめもすに
⑱郭註…かく　しるす
⑲患…うれえ
⑳談…おしえ
㉑点…しるす
㉒累…かさなる
㉓劉…たかし
㉔旧…ふるし
㉕録…しるす
㉖減…おとる
㉗雹…あられ

疾疫《しつやく》、競《きお》い起《お》こり、人民《にんみん》、飢饉《けごん》す。互《たが》いに相《あい》①残害《ざんがい》す。若《も》し人《ひと》、戒《かい》を持《たも》てば、多《おお》く諸天《しょてん》、威光《いこう》を増《ぞう》②足《そく》す。修羅《しゅら》③減少《げんしょう》し、悪龍《あくりゅう》、力無《りきな》し、善龍《ぜんりゅう》、力有《りきあ》り。善龍《ぜんりゅう》、力有《りきあ》れば、風雨《ふうう》、時《とき》に順《じゅん》じ、四気和《しきわ》④暢《ちょう》なり。甘雨降《かんうくだ》りて、⑤稔穀《ねいこく》⑥豊《ゆた》かなり。人民安楽《にんみんあんらく》にして、⑦兵戈戦息《ひょうかせんそく》す。疾疫《しつやく》、行《ぎょう》ぜざるなり。」

乃至《ないし》

177君子曰《くんしい》わく、「道士大霄《とうしたいしょう》が『隠書《いんしょ》』、元上《げんしょう》が『真書《しんしょ》』等《とう》に云《い》わく、「元上大道君《げんしょうたいとうくん》、治《じ》、五十五重《ごじゅうごじゅう》無極大羅天《ぶきょくたいらてん》の中《うち》、玉京《ぎょくきょう》の上《うえ》、七宝台《しちほうだい》・金床《きんしょう》・玉《ぎょく》⑧机《き》に在《あ》り。仙童玉女《せんとうぎょくじょ》の侍衛《しえい》する所《ところ》、三十二《さんしゅうじ》天三界《てんさんかい》の外《ほか》に住《じゅう》す。」『神仙五《しんせんご》⑨岳《かく》⑩図《ず》』を案《あん》ずるに云《い》わく、「大道天尊《たいとうてんそん》は大玄《たいけん》⑪都《と》・玉光州《ぎょくこうしゅう》・金真《きんしん》の⑫郡《くん》・天保《てんぽう》の⑬県《けん》・元明《げんめい》の⑭郷《けい》・定志《ていし》の⑮里《り》を治《ち》す。⑯災《さい》、及《およ》ばざる所《ところ》なり。」『霊書経《れいしょけい》』に云《い》わく、「大羅《たいら》は是《こ》れ五億五万五千五百五十五重天《ごよくごばんごせんごはくごじゅうごちゅうてん》の上天《しょうてん》なり。」『五《ご》⑰岳図《かくず》』に云《い》わく、「『都《と》』は⑱都《と》なり。太上大道《たいしょうたいとう》、道《とう》の中道《ちゅうとう》、神明君《しんめいくん》⑲最《さい》、⑳静《せい》を守《まも》りて太玄《たいけん》の都《と》に居《お》り。」『諸天内音《しょてんないいん》』に云《い》わく、「天《てん》、諸仙《しょせん》と㉑楼都《ろうと》の鼓《つづみ》を鳴《な》らす。玉京《ぎょくきょう》に朝《ちょう》㉒晏《あん》して、以《もっ》て道君《とうくん》を楽《たの》しましむ」と。」

178道士《とうし》の上《あ》ぐる所《ところ》の経《けい》の目《な》を案《あん》ずるに皆云《みない》わく、「宋人陸《そうじんりく》㉓脩静《しゅうせい》に依《よ》りて一千二百二十八巻《いっせんじはくじしゅうはちけん》を列《つら》ねたり。」本《もと》、雑書諸子《ぞうしょしょし》の名《な》無《な》し。而《しか》るに道士《とうし》、今列《いまつら》ぬるに乃《すなわ》ち二千四十巻有《じせんしじゅうけんあ》り。其《そ》の中《なか》に多《おお》く『漢書《かんじょ》』「芸文志《けいぶんし》」の目《な》を取《と》りて、忘《みだ》りに八百八十四巻《はちはくはちしゅうしけん》を註《ちゅう》して、道《とう》の経論《けいろん》とす。乃至《ないし》

陶朱《とうしゅ》を案《あん》ずれば即《すなわ》ち是《こ》れ范蠡《はんれい》なり。親《まのあた》り越《えつ》の王勾践《おうこうせん》に事《つか》えて、君臣《くんしん》、悉《ことごと》く呉《ご》に囚《とら》われて、屎《ふん》を嘗《な》め尿《にょう》を飲《の》んで、亦以《またもっ》て甚《はなは》だし。又復《また》、范蠡《はんれい》の子《こ》は斉《せい》に戮《ころ》さらる。父《ちち》、既《すで》に変化《へんか》の術有《じゅつあ》らば、

何《なん》ぞ以《もっ》て変化《へんか》して之《これ》を免《まぬか》るること能《あた》わざらん。『造立天地《そうりつてんち》の記《き》』を案《あん》ずるに称《しょう》すらく、「老子《ろうし》、幽王《ゆうおう》の皇后《こうこう》の腹《はら》の中《なか》に託生《たくせい》す。」即《すなわ》ち是《こ》れ幽王《ゆうおう》の子《こ》なり。又《また》、身《み》、柱史《ちゅうし》たり。復《ま》た是《こ》れ幽王《ゆうおう》の臣《しん》なり。『化胡《かこ》[15]経《けい》』に言《い》わく、「老子《ろうし》、漢《かん》に在《あ》りては東方朔《とうぼうさく》とす。」若《も》し審《あき》らかに爾《しか》らば、知《し》りぬ。幽王《ゆうおう》、犬戎《けんじゅう》の為《ため》に殺《せっ》せらる。豈《あ》に君父《くんぷ》を愛《あい》して神符《しんぷ》を与《あた》えて、君父《くんぷ》をして死《し》せざらしめざるべけんや。乃至《ないし》「陸脩静《りくしゅうせい》が『目録《もくろく》』を指《さ》す。既《すで》に正本無《せいほんな》し。」何《なん》ぞ謬《あやまり》の甚《はなは》だしきをや。然《しか》るに、脩静《しゅうせい》、目《な》を為《な》すこと、已《すで》に是《こ》れ大《たい》㉔偽《ぎ》なり。今《いま》、『玄都録《げんとろく》』、復《ま》た是《こ》れ偽中《ぎちゅう》の㉕偽《ぎ》なり。乃至《ないし》」

179又云《またい》わく（弁正論）、「『大経《たいけい》』（涅槃経）の中《なか》に説《と》かく、[16]「道《とう》に九十六種《きゅうじゅうろくしゅ》有《あ》り。唯仏《ゆいぶつ》の一道《いっとう》、是《こ》れ正道《せいとう》なり。其《そ》の余《よ》の九十五種《きゅうじゅうごしゅ》に於《お》いては皆是《みなこ》れ外道《がいどう》なり」と。㉖朕《ちん》、外道《がいどう》を捨《す》てて、以《もっ》て如来《じょらい》に事《つか》う。若《も》し公卿《こうけい》有《あ》りて、能《よ》く此《こ》の誓《ちかい》に入《い》る者《もの》は、各《おの》おの菩薩《ぼさつ》の心《しん》を発《おこ》すべし。老子《ろうし》・周公《しゅうこう》・孔子等《こうしとう》、是《こ》れ如来《じょらい》の弟子《ていし》として化《か》を為《な》すと雖《いえど》も、既《すで》に邪《じゃ》なり。止是《ただこ》れ世間《せいかん》の善《ぜん》なり。凡《ぼん》を隔《へだ》てて聖《せい》と成《な》ること能《あた》わず。公卿《こうけい》・百官《はくかん》・侯王《こうおう》・宗室《そうしつ》、宜《よろ》しく㉗偽《ぎ》を反《かえ》し真《しん》に就《つ》き、邪《じゃ》を捨《す》て正《せい》に入《い》るべし。

①残…ころす
②足…たる
③減…おとる
④暢…のぶ
⑤稔…こめ
⑥豊…＊ぶ
⑦兵戈戦息…つわもの　ほこ　たたかう　やむ
⑧机…つくえ
⑨⑰岳…おか
⑩図…しるす
⑪⑱都…みやこ
⑫郡…こおり
⑬県…あがた
⑭郷…さと
⑮里…さと
⑯災…わざわい
⑲最…すぐる
⑳静…しずかに
㉑楼…いえ
㉒晏…しずかに
㉓脩…ながし
㉔偽…あやまり
㉕偽…いつわる
㉖朕…われ
㉗偽…いつわり

故《かるがゆえ》に経教《けいこう》、『成実論《せいしつろん》』に説《と》きて云《い》わく、17「若《も》し外道《がいどう》に事《つか》えて心重《しんおも》く、仏法《ぶっぽう》は心軽《しんかろ》し。即《すなわ》ち是《こ》れ邪《じゃ》見《けん》なり。若《も》し心一等《しんいっとう》なる、是《こ》れ無記《むき》にして当《あ》たらず。」若《も》し善悪《せんあく》、仏《ぶつ》に事《つか》えて、孝子《こうし》に強《こわ》くして、心《しん》少《すく》なきは、乃《すなわ》ち是《こ》れ清信《せいしん》なり。「清《せい》」と言《い》うは、「清《せい》」は是《こ》れ表《ひょう》①裏《り》倶《とも》に浄《きよ》く、②垢穢惑《くえわく》③累《るい》、皆尽《みなつ》くす。「信《しん》」は是《こ》れ正《せい》を信《しん》じて邪《じゃ》ならざる故《ゆえ》に、「清信仏弟子《せいしんふつていし》」と言《い》う。其《そ》の余《よ》、等《ひと》しく皆邪見《みなじゃけん》なり。「清信《せいしん》」と称《しょう》することを得《え》ざるなり。」乃至《ないし》180「老子《ろうし》の邪風《じゃふう》を捨《す》てて、法《ほう》の真教《しんこう》に入流《じゅうりゅう》せよとなり。」已上《いじょう》

抄出《しょうしゅつ》

181光明寺《こうみょうじ》の和尚《かしょう》（善導）の云《い》わく（法事讃）、「上方《じょうほう》の諸仏《しょぶつ》、恒沙《ごうじゃ》の如《ごと》し。還《かえ》りて舌相《ぜっそう》を舒《の》べたまうことは、娑婆《しゃば》の十悪《じゅうあく》・五逆《ごぎゃく》、多《おお》く疑謗《ぎほう》し、邪《じゃ》を信《しん》じ鬼《き》に事《つか》え神魔《しんま》を餧《あが》しめて、妄《みだ》りに想《おも》いて恩《おん》を求《もと》めて福有《ふくあ》らんと謂《おも》えば、④災障《さいしょう》⑤禍《か》、横《よこさま》に転《うた》た弥《いよ》いよ多《おお》し。連年《れんねん》に病《やまい》の⑥床枕《しょうちん》に臥《が》す。聾《みみし》い盲《めし》い脚《あし》折《お》れ手《て》攣《ひ》き撅《お》る。神明《じんみょう》に⑦承事《じょうじ》して此《こ》の報《ほう》を得《う》るものの為《ため》なり。如何《いかん》ぞ捨《す》てて弥陀《みだ》を念《ねん》ぜざらん」と。

已上《いじょう》

182天台《てんだい》（智顗）の『法界次第《ほっかいしだい》』に云《い》わく、「一《ひとつ》には仏《ぶつ》に帰依《きえ》す。『経《きょう》』（涅槃経）に云《のたま》わく、18「仏《ぶつ》に帰《き》依《え》せん者《もの》、終《つい》に⑧更《かえ》って其《そ》の余《よ》の諸《もろもろ》の外天神《げてんじん》に帰依《きえ》せざれ」と。又云《またのたま》わく（長阿含経）、19「謂《い》わく（無《な》きか）、仏《ぶつ》に帰依《きえ》せん者《もの》、終《つい》に悪趣《あくしゅ》に⑨堕《だ》せず」と云《のたま》えり。二《ふたつ》に法《ほう》に帰依《きえ》す。謂《い》わく、大聖《だいしょう》の所説《しょせつ》、若《も》しは教《きょう》、若《も》しは理《り》、帰依《きえ》し修《しゅ》⑩習《じゅう》せよとなり。三《みつ》に僧《そう》に帰依《きえ》す。謂《い》わく、心《しん》、家《いえ》を出《い》でたる三《さん》乗正行《じょうしょうぎょう》の伴《とも》に帰《き》するが故《ゆえ》に。『経《きょう》』（涅槃経）に云《のたま》わく、20「永《なが》く復《ま》た更《かえ》って其《そ》の余《よ》の諸《もろもろ》の外道《げどう》に

帰依《きえ》せざるなり」と。」已上《いじょう》

183慈雲大師《じうんだいし》（遵式）の云《い》わく（楽邦文類）、「然《しか》るに、⑪祭祀《さいし》の法《ほう》は、天竺《てんじく》には「韋陀《いだ》」、支那《しな》には「祀典《しでん》」といえり。既《すで》に未《いま》だ世《よ》を逃《のが》れず。真《しん》を論《ろん》ずるは俗《ぞく》を誘《こしら》うるの権方《ごんほう》なり」と。文《もん》

184高麗《こうらい》の観法師《かんほっし》（諦観）の云《い》わく（天台四教儀）、「「餓鬼道《がきどう》」、梵語《ぼんご》には「闍黎多《しゃれいた》」、此《こ》の道《どう》、亦諸趣《またしょしゅ》に⑫遍《へん》ず。福徳有《ふくとくあ》る者《もの》は山林《せんりん》⑬塚広神《ちょこうじん》と作《な》る。福徳無《ふくとくな》き者《もの》は不浄処《ふじょうしょ》に居《こ》し飲食《おんじき》を得《え》ず、常《つね》に⑭鞭打《べんちょう》を受《う》く。河《かわ》を填《ふさ》ぎ海《うみ》を⑮塞《ふさ》ぎて、苦《く》を受《う》くること無量《むりょう》なり。⑯諂誑《てんおう》の心意《しんい》なり。下品《げぼん》の五逆《ごぎゃく》・十悪《じゅうあく》を作《つく》りて、此《こ》の道《どう》の身《しん》を⑰感《かん》ず」と。已上《いじょう》

185神智法師《しんちほっし》（従義）、釈《しゃく》して云《い》わく（四教儀集解）、「⑱餓鬼道《がきどう》は、常《つね》に⑲飢《う》えたるを「餓《が》」と曰《い》う。「鬼《き》」の言《ごん》は、⑳尸《し》に帰《き》す。子《し》の曰《い》わく、「古《いにしえ》は「人死《にんし》」と名《な》づく。帰人《きにん》とす。」又《また》、天神《てんじん》を「鬼《き》」と云《い》う。地神《じじん》を「㉑祇《ぎ》」と曰《い》うなり。乃至《ないし》　形《かたち》、或《あ》るいは人《ひと》に似《に》たり。或《あ》るいは㉒獣等《じゅうとう》の如《ごと》し。心《しん》、正直《しょうじき》ならざれば、名《な》づけて「諂誑《てんおう》」とす」と。

①裏…うら
②垢穢…あか　けがれ
③累…かさなる
④災…わざわい
⑤禍…わざわい
⑥床枕…ゆか　まくらに
⑦承事…うけ　つかえ
⑧更…また
⑨堕…おつ
⑩習…ならう
⑪祭祀…まつり　まつる
⑫遍…みつ
⑬塚…つか
⑭鞭打…むち　うつ
⑮塞…ふさぐ
⑯諂誑…へつらう　くるう
⑰感…うく
⑱餓…うえたる
⑲飢…け
⑳尸…かばね
㉑祇…まこと
㉒獣…けだもの

186 大智律師《だいちりっし》（元照）の云《い》わく（盂蘭盆経疏新記）、「「神《じん》」は、謂《い》わく、鬼神《きじん》なり。総《すべ》て四趣《ししゅ》・天《てん》・修《しゅ》・鬼《き》・獄《ごく》に収《おさ》む」」と。

187 度律師《どりっし》（戒度）の云《い》わく（観経扶新論）、「魔《ま》は即《すなわ》ち悪道《あくどう》の所収《しょしゅう》なり」と。

188 『止観《しかん》』（摩訶止観）の「魔事境《まじきょう》」に云《い》わく、「二《ふたつ》には魔《ま》の発相《ほっそう》を明《あ》かすには、管属《かんぞく》に通《つう》じて、皆《みな》、称《しょう》して「魔《ま》」とす。細《くわ》しく枝異《しい》を尋《たず》ぬれば、三種《さんしゅ》を出《い》でず。一《ひとつ》には慢悵鬼《まんちょうき》、二《ふたつ》には時媚鬼《じみき》、三《みつ》には魔羅鬼《まらき》なり。三種《さんしゅ》の発相《ほっそう》、各各不同《おのおのふどう》なり」と。

189 源信《げんしん》、『止観《しかん》』（摩訶止観）に依《よ》りて云《い》わく（往生要集）、「魔《ま》は煩悩《ぼんのう》に依《よ》りて菩提《ぼだい》を①妨《さまた》ぐるなり。鬼《き》は病悪《びょうあく》を起《お》こす。命根《みょうこん》を奪《うば》う。」已上《いじょう》

190 『論語《ろんご》』に云《い》わく、「季路《きろ》問《と》わく、「鬼神《きじん》に事《つか》えんか」と。子《し》の曰《い》わく、「事《つか》うること能《あた》わず。人《ひと》、焉《いずく》んぞ能《よ》く鬼神《きじん》に事《つか》えんや」と。」已上抄出《いじょうしょうしゅつ》

191 竊《ひそ》かに以《おもん》みれば、聖道《しょうどう》の諸教《しょきょう》は行証久《ぎょうしょうひさ》しく廃《すた》れ、浄土《じょうど》の真宗《しんしゅう》は証道今盛《しょうどういまさか》りなり。

192 然《しか》るに、諸寺《しょじ》の釈門《しゃくもん》、教《きょう》に昏《くら》く21して真仮《しんけ》の門戸《もんこ》②を知《し》らず、③洛都《らくと》の④儒林《じゅりん》、行《ぎょう》に迷《まど》うて邪正《じゃしょう》の道路《どうろ》を弁《わきま》うること無《な》し。

斯《ここ》を以《もっ》て、興福寺《こうぶくじ》の学徒《がくと》、　太上天皇《だいじょうてんのう》　諱尊成《いみなそんせい》〔後《のち》

竊以聖道諸教行証久廃、浄土真宗証道今盛。

然諸寺釈門、昏レ教兮不レ知二真仮門戸一、洛都儒林、迷レ行兮無レ弁二邪正道路一。

斯以興福寺学徒、奏二達　太上天皇　諱尊

鳥羽院《とばのいん》」と号《こう》す。〕　今上《きんじょう》　諱《いみな》　⑤為仁《いじん》〔「土御門院《つちみかどのいん》」と号《こう》す。〕聖暦承元《せいれきしょうげん》丁《ひのと》の卯《う》の歳《とし》、仲春上旬《ちゅうしゅんしょうしゅん》の⑥候《こう》に⑦奏達《そうたつ》す。　主上臣下《しゅしょうしんか》、法《ほう》に背《そむ》き義《ぎ》に⑧違《い》し、忿《いかり》を成《な》し怨《うらみ》を結《むす》ぶ。

193 茲《こ》れに因《よ》りて、真宗興隆《しんしゅうこうりゅう》の大《たい》⑨祖《そ》源空法師《げんくうほっし》、幷《なら》びに門徒《もんと》⑩数輩《すはい》、罪《ざい》⑪科《か》を考《かんが》えず、猥《みだ》りがわしく死罪《しざい》に坐《つみ》す。或《ある》いは僧儀《そうぎ》を改《あらた》めて姓名《しょうみょう》を賜《たま》うて遠流《おんる》に処《しょ》す。⑫予《よ》は其《そ》の一《いち》なり。爾《しか》れば已《すで》に僧《そう》に非《あら》ず俗《ぞく》に非《あら》ず。是《こ》の故《ゆえ》に⑬「禿《とく》」の字《じ》を以《もっ》て姓《しょう》とす。空師《くうし》、幷《なら》びに弟子《でし》等《ら》、諸方《しょほう》の辺州《へんしゅう》に坐《つみ》して五年《ごねん》の居諸《きょしょ》を経《へ》たりき。　194 皇帝《こうてい》　諱《いみな》　⑭守成《しゅうせい》〔佐土院《さどのいん》〕聖代建暦《せいたいけんりゃく》辛《かのと》の未《ひつじ》の歳《とし》、⑮子月《しげつ》の中旬第《ちゅうしゅんだい》七日《しちにち》に、勅免《ちょくめん》を蒙《かぶ》りて入洛《じゅうらく》して已後《いご》、空《くう》（源空）、洛陽《らくよう》

成　今上 諱為仁 聖暦承元丁卯歳仲春上旬之候一。　主上臣下、背レ法違レ義、成レ忿結レ怨。

因レ茲真宗興隆大祖源空法師幷門徒数輩、不レ考二罪科一、猥坐二死罪一。或改二僧儀一賜二姓名一処二遠流一。予其一也。爾者已非レ僧非レ俗。是故以二禿字一為レ姓。空師幷弟子等、坐二諸方辺州一経二五年居諸一。　皇帝 諱守成 聖代建暦辛未歳子月中旬第七日、蒙二　勅免一入洛已後、空居二洛陽東山西麓鳥部野北辺大谷一。同二年壬申寅月下旬第五日午時入滅。

---

①妨…＊ぼう
②戸…と
③洛都…みやこ　みやこ
④儒林…ぞくがくしょうなり
⑤為仁…ためひと
⑥候…かたち
⑦奏…もうす
⑧違…たがう
⑨祖…おおじ
⑩数輩…かずの　ともがら
⑪科…しなわい
⑫予…われ
⑬禿…かぶろなり
⑭守…もり
⑮子…ね

の東山《ひがしやま》の西《にし》の麓《ふもと》・鳥部野《とりべの》の北《きた》の辺《ほとり》・大谷《おおたに》に居《い》たまいき。同《おな》じき二年《にねん》壬申《みずのえさる》寅月《いんげつ》の下旬第五日《げじゅんだいごにち》午《うま》の時《とき》、入滅《にゅうめつ》したまう。①奇瑞《きずい》、称計《しょうげ》すべからず。別伝《べつでん》に見《み》えたり。

195 然《しか》るに、愚禿釈《ぐとくしゃく》の鸞《らん》、建仁《けんにん》②辛《かのと》の酉《とり》の③暦《れき》、雑行《ぞうぎょう》を棄《す》てて本願《ほんがん》に帰《き》す。元久《げんきゅう》乙《きのと》の丑《うし》の歳《とし》、④恩恕《おんじょ》を蒙《かぶ》りて『選択《せんじゃく》』を⑤書《しょ》しき。同《おな》じき年《とし》の⑥初夏中旬第四日《しょかちゅうしゅんだいしにち》に、「選択本願念仏集《せんじゃくほんがんねんぶつしゅう》」の内題《ないだい》の字《じ》、并《なら》びに「南無阿弥陀仏《なむあみだぶつ》　往生之業《おうじょうしごう》　念仏為本《ねんぶついほん》」と「釈《しゃく》の綽空《しゃっくう》」の字《じ》と、空《くう》の真筆《しんぴつ》を以《もっ》て之《これ》を書《しょ》せしめたまいき。同《おな》じき日《ひ》、空《くう》の真影《しんえい》、申《もう》し預《あず》かりて⑦図画《ずえ》し奉《たてまつ》る。同《おな》じき二年《にねん》閏七月《うるうしちげつ》下旬第九日《げじゅんだいくにち》、真影《しんえい》の⑧銘《めい》に、真筆《しんぴつ》を以《もっ》て、「南無阿弥陀仏《なむあみだぶつ》」と「若我成仏十方衆生《にゃくがじょうぶつじっぽうしゅじょう》　称我名号下至十声《しょうがみょうごうげしじっしょう》　若不生者不取正覚《にゃくふしょうじゃふしゅしょうがく》　彼仏今現在成仏《ひぶつこんげんざいじょうぶつ》　当知本誓重願不虚《とうちほんぜいじゅうがんふこ》　衆生称念必得往生《しゅじょうしょうねんひっとくおうじょう》」の真文《しんもん》とを書《しょ》せしめたまう。又《また》、夢《ゆめ》の告《つげ》に依《よ》りて「綽空《しゃっくう》」の字《じ》を⑨改《あらた》めて、同《おな》じき日《ひ》、御筆《ごひつ》を以《もっ》て名《な》の字《じ》を書《か》かしめたまい畢《おわ》りぬ。本《ほん》

奇瑞不㆑可㆓称計㆒。見㆓別伝㆒。

然愚禿釈鸞、建仁辛酉暦、棄㆓雑行㆒兮帰㆓本願㆒。元久乙丑歳、蒙㆓恩恕㆒兮書㆓『選択㆒。』同年初夏中旬第四日、「選択本願念仏集」内題字并「南無阿弥陀仏　往生之業　念仏為本」与㆓釈綽空字㆒、以㆓空真筆㆒令㆑書㆑之。同日空之真影申預奉㆓図画㆒。同二年閏七月下旬第九日、真影銘以㆓真筆㆒令㆑書㆔「南無阿弥陀仏」与㆓「若我成仏十方衆生　称我名号下至十声　若不生者不取正覚　彼仏今現在成仏　当知本誓重願不虚　衆生称念必得往生」之真文㆒。又依㆓夢告㆒改㆓綽空字㆒、同日以㆓御筆㆒令㆑書㆓名之字㆒畢。本師聖人今年七旬三御歳也。

師聖人《じしょうにん》、今年《こんねん》は七《しち》⑩旬三《しゅんさん》の御歳《おんとし》なり。

『選択本願念仏集《せんじゃくほんがんねんぶつしゅう》』は、禅定博陸《ぜんじょうはくりく》 月輪殿《つきのわどの》⑪兼実《けんじつ》 法《ほう》名円照《みょうえんしょう》 の教命《こうめい》に依《よ》りて撰集《せんじゅう》せしむる所《ところ》なり。真宗《しんしゅう》の簡要《かんよう》、念仏《ねんぶつ》の⑫奥義《おうぎ》、斯《こ》れに摂在《しょうざい》せり。見《み》る者《もの》、諭《さと》り易《やす》し。誠《まこと》に是《こ》れ希有最勝《けうさいしょう》の華文《かもん》、無上甚深《むじょうじんじん》の宝典《ほうでん》なり。年《とし》を渉《わた》り日《ひ》を渉《わた》りて、其《そ》の教誨《きょうけ》を蒙《かぶ》るの人《ひと》、千万《せんまん》と雖《いえど》も、親《しん》と云《い》い⑬疎《そ》と云《い》い、此《こ》の見《けん》⑭写《しゃ》を獲《う》るの徒《ともがら》、甚《はなは》だ以《もっ》て難《かた》し。爾《しか》るに、既《すで》に製作《せいさく》を書写《しょしゃ》し、真影《しんえい》を図画《ずえ》せり。是《こ》れ専念正業《せんねんしょうごう》の徳《とく》なり。是《こ》れ決定往生《けつじょうおうじょう》の⑮徴《しるし》〔「徴《ちょう》」の字《じ》 ち反《はん》。あらわす。〕なり。仍《よ》って悲喜《ひき》の涙《なみだ》を抑《おさ》えて由来《ゆらい》の縁《えん》を註《ちゅう》す。

196 慶《よろこ》ばしいかな。心《しん》を弘誓《ぐぜい》の仏地《ぶつじ》に樹《た》て、念《ねん》を難思《なんじ》の法海《ほうかい》に流《なが》す。深《ふか》く如来《にょらい》の⑯矜哀《こうあい》を知《し》りて、良《まこと》に師教《しきょう》の恩《おん》

『選択本願念仏集』者依二禅定博陸 月輪殿兼実法名円照 之教命一所レ令二撰集一也。真宗簡要、念仏奥義、摂三在于レ斯。見者易レ諭。誠是希有最勝之華文、無上甚深之宝典也。渉レ年渉レ日、蒙二其教誨一之人雖二千万一、云レ親云レ疎、獲二此見写一之徒甚以難。爾既書三写製作一、図三画真影一。是専念正業之徳也。是決定往生之徴也。仍抑二悲喜之涙一註二由来之縁一。

慶哉。樹二心弘誓仏地一、流二念難思法海一。深知二如来矜哀一、良仰二師教恩厚一。慶喜弥至、

---

①奇瑞…よし よし
②辛(の)酉…＊しんゆう
③暦…こよみ
④恩恕…あわれみ あわれみ
⑤書…かく
⑥初…はじめ
⑦画…かく
⑧銘…しるしなり
⑨改…あらたむ
⑩旬…ころ
⑪兼実…かねざね
⑫奥…ふかし
⑬疎…うとき
⑭写…うつす
⑮徴…＊ち
⑯矜…おおきなる

①厚《こう》を仰《あお》ぐ。慶喜《きょうき》、弥《いよ》いよ至《いた》り、至孝《しこう》、弥《いよ》いよ重《おも》し。茲《こ》れに因《よ》りて、真宗《しんしゅう》の詮《せん》を鈔《しょう》し、浄土《じょうど》の要《よう》を摭《ひろ》う。唯《ただ》、仏恩《ぶっとん》の深《ふか》きことを念《ねん》じて、人《じん》②倫《りん》の嘲《あざけり》を恥《は》じず。若《も》し斯《こ》の書《しょ》を見聞《けんもん》せん者《もの》、信順《しんじゅん》を因《いん》とし、疑謗《ぎほう》を縁《えん》として、信楽《しんぎょう》を願力《がんりき》に彰《あらわ》し、妙果《みょうか》を安養《あんにょう》に顕《あらわ》さんと。

197『安楽集《あんらくしゅう》』に云《い》わく、「真言《しんごん》を③採《と》り集《あつ》めて往益《おうやく》を助《じょ》④修《しゅ》せしむ。何《なん》となれば、前《さき》に生《う》まれん者《もの》は後《のち》を導《みちび》き、後《のち》に生《う》まれん者《ひと》は前《さき》を訪《とぶら》え。連《れん》⑤続《ぞく》無窮《むぐう》にして、願《ねが》わくは⑥休止《くし》せざらしめんと欲《ほっ》す。無辺《むへん》の生死海《しょうじかい》を⑦尽《つ》くさんが為《ため》の故《ゆえ》なり」と。已上《いじょう》

爾《しか》れば、末代《まつだい》の道俗《どうぞく》、仰《あお》いで信敬《しんきょう》すべきなり。知《し》るべし。

198『華厳経《けごんぎょう》』の偈《げ》に云《のたま》うが如《ごと》し、「若《も》し、菩薩《ぼさつ》、種種《しゅじゅ》の行《ぎょう》を修行《しゅぎょう》するを見《み》て、善《ぜん》・不善《ふぜん》の心《しん》を起《お》こすこと有《あ》りとも、菩薩《ぼさつ》、皆《みな》、摂取《せっしゅ》せん」と。已上《いじょう》

顕浄土真実教行証文類《けんじょうどしんじつきょうぎょうしょうもんるい》六《ろく》 22

至孝弥重。因レ茲鈔二真宗詮一、摭二浄土要一。唯念二仏恩深一、不レ恥二人倫嘲一。若見二聞斯書一者、信順為レ因、疑謗為レ縁、信楽彰レ於二願力一、妙果顕レ於二安養一矣。

爾者末代道俗、可二仰信敬一也。可レ知。

---

①厚…あつし
②倫…ともがら
③採…さぐり
④修…おこなう
⑤続…つぐ
⑥休…やむ
⑦尽…つくす

浄土文類聚鈔《じょうどもんるいじゅしょう》

愚禿釈親鸞《ぐとくしゃくしんらん》集《あつむ》

夫《そ》れ、無碍難思《むげなんし》の光耀《こうよう》は、苦《く》を滅《めっ》し楽《らく》を証《しょう》す。万行《まんぎょう》円備《えんび》の[1]嘉号《かごう》は、障《さわり》を消《け》し疑《うたがい》を除《のぞ》く。末代《まつだい》の[2]教行《きょうぎょう》、専《もっぱ》ら此《こ》れを修《しゅ》すべし。濁世《じょくせ》の目足《もくそく》、必《かなら》ず斯《こ》れを勤《つと》むべし。

爾《しか》れば、最勝《さいしょう》の弘誓《ぐぜい》を受行《じゅぎょう》して、穢《え》を捨《す》て浄《じょう》を欣《ねが》え。如来《にょらい》の教勅《きょうちょく》を奉持《ぶじ》して、恩《おん》を報《ほう》じ徳《とく》を謝《しゃ》せよ。爰《ここ》に片州《へんしゅう》の愚禿《ぐとく》、印度《いんど》・西蕃《せいばん》の論説《ろんせつ》に帰《き》し、華漢《かかん》・日域《じちいき》の師釈《ししゃく》を仰《あお》いで、真宗《しんしゅう》の教行証《きょうぎょうしょう》を敬信《きょうしん》す。特《こと》に知《し》りぬ、仏恩《ぶっとん》窮尽《ぐじん》し叵《がた》ければ、明《あき》らかに浄土《じょうど》の文類聚《もんるいじゅ》を用《もち》いるなり。

然《しか》るに「教《きょう》」と言《い》うは、則《すなわ》ち『大無量寿経《だいむりょうじゅきょう》』なり。斯《こ》の『経《きょう》』の大意《たいい》は、弥陀《みだ》、誓《ちかい》を超発《ちょうほつ》して、広《ひろ》く法《ほう》

夫無碍難思光耀、滅レ苦証レ楽。万行円備嘉号、消レ障除レ疑。末代教行、専応レ修レ此。濁世目足、必可レ勤レ斯。

爾者受二行最勝弘誓一而、捨レ穢欣レ浄。奉二持如来教勅一而、報レ恩謝レ徳。爰片州愚禿、帰二印度西蕃論説一、仰二華漢日域師釈一、敬二信真宗教行証一。特知仏恩叵二窮尽一、明用二浄土文類聚一矣。

然言レ教者則『大無量寿経』也。斯経大意者、弥陀、超二発於レ誓、広開二法蔵一、致下

蔵《ぞう》を開《ひら》いて、凡小《ぼんしょう》を哀《あわれ》みて選《えら》びて功徳《くどく》の宝《ほう》を施《せ》することを致《いた》す。釈迦《しゃか》、世《よ》に出興《しゅっこう》して、道教《どうきょう》を光闡《こうせん》して、群萌《ぐんもう》を拯《すく》い[3]恵《めぐ》むに真実《しんじつ》の利《り》を以《もっ》てせんと欲《おぼ》してなり。誠《まこと》に是《こ》れ、如来興世《にょらいこうせ》の真説《しんせつ》、奇特最勝《きどくさいしょう》の妙典《みょうでん》、一乗究竟《いちじょうくきょう》の極説《ごくせつ》、十方称讃《じっぽうしょうさん》の正教《しょうきょう》なり。如来《にょらい》の本願《ほんがん》を説《と》くを、『経《きょう》』の宗致《しゅうち》とす、即《すなわ》ち仏《ぶつ》の名号《みょうごう》を以《もっ》て、『経《きょう》』の体《たい》とするなり。

「行《ぎょう》」と言《い》うは、則《すなわ》ち利他円満《りたえんまん》の大行《だいぎょう》なり。即《すなわ》ち是《こ》れ諸仏《しょぶつ》①咨嗟《ししゃ》の願《がん》より出《い》でたり。復《ま》た「諸仏《しょぶつ》[4]称名《しょうみょう》の願《がん》」と名《な》づく。亦《また》「往相正業《おうそうしょうごう》の願《がん》」と名《な》づく[5]べきなり。

然《しか》るに本願力《ほんがんりき》の回向《えこう》に二種《にしゅ》の相《そう》有《あ》り。一《ひとつ》には往相《おうそう》、二《ふたつ》には還相《げんそう》なり。往相《おうそう》に就《つ》きて、大行《だいぎょう》有《あ》り、亦浄信《またじょうしん》有《あ》り。「大行《だいぎょう》」とは則《すなわ》ち無碍光如来《むげこうにょらい》の名《みな》を称《しょう》するなり。斯《こ》の行《ぎょう》、遍《あまね》く一切《いっさい》の行《ぎょう》を摂《せっ》す、極速円満《ごくそくえんまん》せり。故《かるがゆえ》に「大行《だいぎょう》」と名《な》づく。是《こ》の故《ゆえ》に、称名《しょうみょう》は、能《よ》く衆生《しゅじょう》の一切《いっさい》の無明《むみょう》を破《は》す、能《よ》く衆生《しゅじょう》の一切《いっさい》の志願《しがん》を満《み》てた

哀㆓凡小㆒選施㆗功徳之宝㆖。釈迦、出㆓興於㆑世、光㆓闡道教㆒、欲㆘拯㆓群萌㆒恵以㆗真実之利㆖。誠是如来興世之真説、奇特最勝之妙典、一乗究竟之極説、十方称讃之正教也。説㆓如来本願㆒、為㆓経宗致㆒、即以㆓仏名号㆒、為㆓経体㆒也。

言㆑行者則利他円満大行也。即是出㆑於㆓諸仏咨嗟之願㆒。復名㆓諸仏称名之願㆒。亦可㆑名㆓往相正業之願㆒。

然本願力回向有㆓二種相㆒。一者往相、二者還相。就㆓往相㆒、有㆓大行㆒、亦有㆓浄信㆒。大行者則称㆓無碍光如来名㆒。斯行遍摂㆓一切行㆒、極速円満。故名㆓大行㆒。是故称名能破㆓衆生一切無明㆒、能満㆓衆生一切志願㆒。称名即憶念。憶念即念仏。念仏即是南無阿弥陀仏。

まう。称名《しょうみょう》は即《すなわ》ち憶念《おくねん》なり。憶念《おくねん》は即《すなわ》ち念仏《ねんぶつ》なり。念仏《ねんぶつ》は[6]即《すなわ》ち是《こ》れ南無阿弥陀仏《なむあみだぶつ》なり。

願成就《がんじょうじゅ》の[7]文《もん》、『経《きょう》』（大経）に言《のたま》わく、[8]「十方恒沙《じっぽうごうじゃ》の諸仏如来《しょぶつにょらい》、皆共《みなとも》に無量寿仏《むりょうじゅぶつ》の威神功徳不可思議《いじんくどくふかしぎ》なるを讃嘆《さんだん》したまう。諸有衆生《あらゆるしゅじょう》、其《そ》の名号《みょうごう》を聞《き》いて信心歓喜《しんじんかんぎ》せんこと乃至一念《ないしいちねん》せん。至心回向《ししんえこう》したまえり。彼《か》の国《くに》に生《う》まれんと願《がん》ぜば、即《すなわ》ち往生《おうじょう》を得《え》、不退転《ふたいてん》に住《じゅう》せん」と。

又言《またのたま》わく（大経）、[9]「仏《ぶつ》、弥勒《みろく》に語《かた》りたまわく、「其《そ》れ彼《か》の仏《ぶつ》の[10]名号《みょうごう》を聞《き》くことを得《う》ること有《あ》って、歓喜踊躍《かんぎゆやく》して乃至一念《ないしいちねん》[11]せん。当《まさ》に知《し》るべし、此《こ》の人《ひと》、大利《だいり》を得《う》とす。則《すなわ》ち是《こ》れ無上《むじょう》の功徳《くどく》を具足《ぐそく》するなり」」と。已上《いじょう》

龍樹菩薩《りゅうじゅぼさつ》の『十住毘婆沙論《じゅうじゅうびばしゃろん》』（易行品）に云《い》わく、[12]「若《も》し人《ひと》、疾《と》く不退転地《ふたいてんじ》を得《え》んと欲《おも》わば、恭敬心《くぎょうしん》を以《もっ》て執持《しゅうじ》して名号《みょうごう》を称《しょう》すべし。若《も》し人《ひと》、善根《ぜんごん》を種《う》えて、疑《うたが》えば則《すなわ》ち華開《はなひら》けず。信心清浄《しんじんしょうじょう》なれば、華開《はなひら》けて即《すなわ》ち仏《ぶつ》を見《み》たてまつる」と。

天親菩薩《てんじんぼさつ》、『浄土論《じょうどろん》』に云《い》わく、[13]「世尊《せそん》。我《われ》、一心《いっしん》に尽十方無碍光如来《じんじっぽうむげこうにょらい》に帰命《きみょう》[14]したてまつりて、安楽国《あんらくこく》に生《う》まれんと願《がん》ず。我《われ》、修多羅真実功徳相《しゅたらしんじつくどくそう》に依《よ》りて、願偈総持《がんげそうじ》を[15]説《と》いて仏教《ぶっきょう》と相応《そうおう》せりと。仏《ぶつ》の本願力《ほんがんりき》を観《かん》ずるに、遇《もうお》うて空《むな》しく過《す》ぐる者無《ものな》し。能《よ》く速《すみ》やかに功徳《くどく》の大宝海《だいほうかい》を満足《まんぞく》せしめん」

①咨嗟…ほめ　ほむる

と。已上《いじょう》

聖言《しょうごん》・論説《ろんせつ》、特《こと》に①用《もっ》て知《し》りぬ。凡夫回向《ぼんぶえこう》の行《ぎょう》に非《あら》ず。是《こ》れ大悲回向《だいひえこう》の行《ぎょう》なるが故《ゆえ》に「不回向《ふえこう》」と名《な》づく。誠《まこと》に是《こ》れ、選択摂取《せんじゃくせっしゅ》の本願《ほんがん》、無上超世《むじょうちょうせ》の弘誓《ぐぜい》、一乗真《いちじょうしん》妙《みょう》の正法《しょうぼう》、万善円修《まんぜんえんしゅ》の勝行《しょうぎょう》なり。

16『経《きょう》』（大経）に言《のたま》わく、「乃至《ないし》」は上下《じょうげ》を兼《か》ぬるなり、中《ちゅう》を略《りゃく》するの言《ことば》なり。「一念《いちねん》」と言《い》うは、即《すなわ》ち是《こ》れ専念《せんねん》なり。専念《せんねん》は即《すなわ》ち是《こ》れ一声《いっしょう》なり。一声《いっしょう》は即《すなわ》ち是《こ》れ称名《しょうみょう》なり。称名《しょうみょう》は即《すなわ》ち是《こ》れ憶念《おくねん》なり。憶念《おくねん》は即《すなわ》ち是《こ》れ正念《しょうねん》なり。正念《しょうねん》は即《すなわ》ち是《こ》れ正業《しょうごう》なり。復《ま》た「乃至一念《ないしいちねん》」とは、是《こ》れ更《さら》に17観想《かんそう》・功徳《くどく》・遍数等《へんじゅとう》の一念《いちねん》を言《い》うには非《あら》ず。往生《おうじょう》の心行《しんぎょう》を獲得《ぎゃくとく》する時節《じせつ》の延促《えんそく》に就《つ》きて、「乃至一念《ないしいちねん》」と言《い》うなり。知《し》るべし。

「浄信《じょうしん》」と言《い》うは、則《すなわ》ち利他深広《りたじんこう》の信心《しんじん》なり。即《すなわ》ち是《こ》れ念仏往生《ねんぶつおうじょう》の願《がん》より出《い》でたり。亦《また》「至心信楽《ししんしんぎょう》の願《がん》」と名《な》づく。復《ま》た「往相信心《おうそうしんじん》の願《がん》」と名《な》づくべきなり。

聖言・論説、特用知。非二凡夫回向行一。是大悲回向行故名二不回向一。誠是選択摂取之本願、無上超世之弘誓、一乗真妙之正法、万善円修之勝行也。

『経』言「乃至」者兼二上下一、略レ中之言。言二「一念一」者即是専念。専念即是一声。一声即是称名。称名即是憶念。憶念即是正念。正念即是正業也。復「乃至一念」者、是更非レ言二観想・功徳・遍数等之一念一。就下獲二得往生心行一時節延促上、言二「乃至一念」一也。応レ知。

言二浄信一者則利他深広信心也。即是出レ於二念仏往生之願一。亦名二至心信楽之願一。復可レ名二往相信心之願一。

然《しか》るに、薄地《はくじ》の凡夫《ぼんぶ》、底下《ていげ》の群生《ぐんじょう》、浄信獲叵《じょうしんえがた》く、極果証《ごくかしょう》し叵《がた》きなり。何《なに》を以《もっ》ての故《ゆえ》に。往相《おうそう》の回向《えこう》に由《よ》らざるが故《ゆえ》に、疑網《ぎもう》に②纏縛《てんばく》せらるるに由《よ》るが故《ゆえ》なり。乃《いま》し如来《にょらい》の加威力《かいりき》に由《よ》るが故《ゆえ》に、博《ひろ》く大悲広慧《だいひこうえ》の力《りき》に因《よ》るが故《ゆえ》に、清浄真実《しょうじょうしんじつ》の信心《しんじん》を[18]獲《え》せしむ。是《こ》の心《しん》、顚倒《てんどう》せず。是《こ》の心《しん》、③虚偽《こぎ》ならず。信《まこと》に知《し》りぬ。無上妙果《むじょうみょうか》の成《じょう》じ難《がた》きには不《あら》ず、真実《しんじつ》の浄信《じょうしん》、[19]実《じつ》に得難《えがた》し。真実《しんじつ》の浄信《じょうしん》を獲《う》れば、大慶喜心《だいきょうきしん》を得《う》るなり。大慶喜心《だいきょうきしん》を得《う》というは、

然薄地凡夫、底下群生、浄信叵ㇾ獲、極果叵ㇾ証也。何以故。不ㇾ由二往相回向一故、由ㇾ所三纏二縛疑網一故。乃由二如来加威力一故、博因二大悲広慧力一故、獲二清浄真実信心一。是心不二顚倒一。是心不二虚偽一。信知。無上妙果不ㇾ難ㇾ成、真実浄信実難ㇾ得。獲二真実浄信一、得二大慶喜心一。得二大慶喜心一、

『経《きょう》』（大経）に言《のたま》わく、[20]「其《そ》れ至心《ししん》に安楽国《あんらくこく》に生《しょう》ぜんと願《がん》ずること有《あ》れば、智慧《ちえ》[21]明《あき》らかに達《たっ》し、功徳殊勝《くどくしゅしょう》なることを得《う》べし」と。[22]取意《しゅい》

又《また》『経《きょう》』（如来会）に言《のたま》わく、[23]「是《こ》の人《ひと》は即《すなわ》ち是《こ》れ大威徳《だいいとく》の者《ひと》なり。」亦《また》「広大勝解《こうだいしょうげ》の者《ひと》なり」と説《と》けりと。已上《いじょう》

誠《まこと》に是《こ》れ、除疑獲徳《じょぎぎゃくとく》の神方《しんぽう》、極速円融《ごくそくえんゆう》の真詮《しんせん》、長《ちょう》 ―― 誠是除疑獲徳之神方、極速円融之真詮、長

①用…もちいるに
②纏縛…まとわり　しばらる
③虚偽…いつわり　へつらう

生不死《せいふし》の妙術《みょうじゅつ》、威徳広大《いとくこうだい》の浄信《じょうしん》なり。

爾《しか》れば、若《も》しは行《ぎょう》、若《も》しは信《しん》、一事《いちじ》として阿弥陀如《あみだにょ》来《らい》の清浄願心《しょうじょうがんしん》の回向成就《えこうじょうじゅ》したまう所《ところ》に非《あら》ざること有《あ》ること無《な》し。因無《いんな》くして他《た》の因《いん》の有《あ》るには非《あら》ざるなり。知《し》るべし。

「証《しょう》」と言《い》うは、則《すなわ》ち利他円満《りたえんまん》の妙果《みょうか》なり。即《すなわ》ち[24]是《こ》れ必至滅度《ひっしめつど》の願《がん》より出《い》でたり。亦《また》「証大涅槃《しょうだいねはん》の願《がん》」と名《な》づく。亦《また》「往相証果《おうそうしょうか》の願《がん》」と名《な》づくべし。即《すなわ》ち是《こ》れ清浄真実《しょうじょうしんじつ》・至極畢竟《しごくひっきょう》の無生《むしょう》なり。


生不死之妙術、威徳広大之浄信也。爾者若行若信、無レ有四一事非三阿弥陀如来清浄願心之所二回向成就一。非二無レ因他因有一也。応レ知。

言レ証者則利他円満妙果也。即是出レ於二必至滅度之願一。亦名二証大涅槃之願一。亦可レ名二往相証果之願一。即是清浄真実至極畢竟無生。


無上涅槃《むじょうねはん》の願成就《がんじょうじゅ》の文《もん》、『経《きょう》』(大経)に言《のたま》わく、[25]「其《そ》れ衆生《しゅじょう》有《あ》って、[26]彼《か》の国《くに》に生《しょう》ずる者《もの》は、皆悉《みなことごと》く正定《しょうじょう》の聚《じゅ》に住《じゅう》す。所以何《ゆえいか》にとなれば、彼《か》の仏国《ぶっこく》の中《うち》には、[27]諸《もろもろ》の邪聚及《じゃじゅおよ》び不定聚無《ふじょうじゅな》ければなり。」

又言《またのたま》わく(大経)、[28]「但《ただ》、[29]余方《よほう》に因順《いんじゅん》するが故《ゆえ》に、人天《にんでん》の名有《なあ》り。顔貌端正《げんみょうたんじょう》にして、世《よ》に超《こ》えて希有《けう》なり。容色微妙《ようしきみみょう》にして、天《てん》に非《あら》ず人《にん》に非《あら》ず。皆《みな》、自然《じねん》[30]虚無《こむ》の身《しん》・無極《むごく》の体《たい》を受《う》けたり」と。

又言《またのたま》わく(大経)、[31]「必《かなら》ず[32]超絶《ちょうぜつ》して去《す》つることを得《え》て、安養国《あんにょうこく》に往生《おうじょう》せよ。横《おう》に五悪趣《ごあくしゅ》を截《き》り、悪趣《あくしゅ》、自然《じねん》に閉《と》ず。道《どう》に昇《のぼ》るに窮極無《ぐうごくな》し。往《ゆ》き易《やす》くして人無《ひとな》し。其《そ》の国《くに》、逆違《ぎゃくい》せず。自然《じねん》の牽《ひ》く所《ところ》

なり。」已上《いじょう》
聖言《しょうごん》、明《あき》らかに知《し》りぬ。煩悩成就《ぼんのうじょうじゅ》の凡夫《ぼんぶ》、[33]生死罪《しょうじざい》濁《じょく》の群萌《ぐんもう》、往相《おうそう》の心行《しんぎょう》を獲《う》れば、即《すなわ》ち大乗正定《だいじょうしょうじょう》の聚《じゅ》に住《じゅう》[34]せん。正定聚《しょうじょうじゅ》に住《じゅう》すれば、必《かなら》ず滅度《めつど》に至《いた》る。必《かなら》ず滅度《めつど》に至《いた》れば、即《すなわ》ち是《こ》れ常楽《じょうらく》なり。常楽《じょうらく》は即《すなわ》ち是《こ》れ大涅槃《だいねはん》なり。則《すなわ》ち是《こ》れ利他教化地《りたきょうけじ》の果《か》なり。是《こ》の身即《しんすなわ》ち是《こ》れ無為法身《むいほっしん》なり。無為法身即《むいほっしんすなわ》ち是《こ》れ畢竟《ひっきょう》平等身《びょうどうしん》なり。畢竟平等身《ひっきょうびょうどうしん》は即《すなわ》ち是《こ》れ寂滅《じゃくめつ》なり。寂《じゃく》滅即《めつすなわ》ち是《こ》れ実相《じっそう》なり。実相即《じっそうすなわ》ち是《こ》れ法性《ほっしょう》なり。法性《ほっしょう》即《すなわ》ち是《こ》れ真如《しんにょ》なり。真如即《しんにょすなわ》ち是《こ》れ一如《いちにょ》なり。
爾《しか》れば、若《も》しは因《いん》、若《も》しは果《か》、[35]一事《いちじ》として阿弥陀如《あみだにょ》来《らい》の清浄願心《しょうじょうがんしん》の回向成就《えこうじょうじゅ》したまう所《ところ》に非《あら》ざること有《あ》ること無《な》し。因浄《いんじょう》なるが故《ゆえ》に果亦浄《かまたじょう》なり。知《し》るべし。
二《ふたつ》に「還《げん》[36]相回向《そうえこう》」と言《い》うは、則《すなわ》ち利他教化地《りたきょうけじ》の益《やく》なり。即《すなわ》ち是《こ》れ必至補処《ひっしふしょ》の願《がん》より出《い》でたり。亦《また》「一生《いっしょう》補処《ふしょ》の願《がん》」と名《な》づく。亦《また》「還相回向《げんそうえこう》の願《がん》」と名《な》づくべし。

聖言、明知。煩悩成就凡夫生死罪濁群萌、獲二往相心行一即住二大乗正定之聚一。住二正定聚一、必至二滅度一。必至二滅度一、即是常楽。常楽即是大涅槃。則是利他教化地果。是身即是無為法身。無為法身即是畢竟平等身。畢竟平等身即是寂滅。寂滅即是実相。実相即是法性。法性即是真如。真如即是一如也。

爾者若因若果、無レ有四一事非三阿弥陀如来清浄願心之所二回向成就一。因浄故果亦浄也。

応レ知。

二言二還相回向一者則利他教化地益也。即是出レ於二必至補処之願一。亦名二一生補処之願一。

亦可レ名二還相回向之願一。

願成就《がんじょうじゅ》の文《もん》、『経《きょう》』(大経)に[37]言《のたま》えり、[38]「彼《か》の国《くに》の菩薩《ぼさつ》は、皆当《みなまさ》に一生補処《いっしょうふしょ》を究竟《くきょう》すべし。其《そ》の本願《ほんがん》の、衆生《しゅじょう》の為《ため》の故《ゆえ》に、弘誓《ぐぜい》の功徳《くどく》を[39]以《もっ》てして自《みずか》ら荘厳《しょうごん》し、普《あまね》く一切衆生《いっさいしゅじょう》を度脱《どだつ》せんと欲《おも》わんをば除《のぞ》かん」と。已上《いじょう》

[40]聖言《しょうごん》、明《あき》らかに知《し》りぬ。大慈大悲《だいじだいひ》の弘誓《ぐぜい》、広大難思《こうだいなんし》の利益《りやく》なり。乃《いま》し煩悩《ぼんのう》の[41]稠林《ちゅうりん》に入《い》り[42]て諸有《しょう》を開導《かいどう》す。則《すなわ》ち普賢《ふげん》の徳《とく》に遵《したご》うて群生《ぐんじょう》を悲引《ひいん》す。

爾《しか》れば、若《も》しは往《おう》、若《も》しは還《げん》、一事《いちじ》として如来清浄《にょらいしょうじょう》の願心《がんしん》の回向成就《えこうじょうじゅ》したまう所《ところ》に非《あら》ざること有《あ》ること無《な》きなり。知《し》るべし。

是《ここ》を以《もっ》て、浄土縁熟《じょうどえんじゅく》して、[43]調達《じょうだつ》・闍王《じゃおう》、逆害《ぎゃくがい》を興《こう》[44]ず。濁世《じょくせ》の機《き》を①憫《あわれ》んで、釈迦《しゃか》、韋提《いだい》[45]をして安《あん》養《にょう》を選《えら》ばしめたま[46]うなり。倩《つら》つら彼《かれ》を思《おも》い、静《しず》かに此《こ》れを念《おも》うに、達多《だった》・闍世《じゃせ》、博《ひろ》く仁慈《にんじ》を施《せ》し、弥陀《みだ》・釈迦《しゃか》、深《ふか》く素懐《そかい》を顕《あらわ》せり。之《これ》に依《よ》りて、論主《ろんじゅ》(天親)、広大無《こうだいむ》碍《げ》の浄信《じょうしん》を宣布《せんぷ》し、[47]普遍《あまね》く雑染堪忍《ぞうぜんかんにん》の群生《ぐんじょう》を②開化《かいけ》せしむ。宗師《しゅうし》(曇鸞)、往還大悲《おうげんだいひ》の回向《えこう》を顕示《けんじ》して、[48]慇懃《おんごん》

聖言、明知。大慈大悲弘誓、広大難思利益。乃入㆓煩悩稠林㆒開㆓導諸有㆒。則遵㆓普賢之徳㆒悲㆓引群生㆒。

爾者若往若還、無㆑有㆕一事非㆔如来清浄願心之所㆓回向成就㆒也。応㆑知。

是以浄土縁熟、調達・闍王興㆓逆害㆒。濁世機憫、釈迦韋提選㆓安養㆒。倩思㆑彼、静念㆑此、達多闍世、博施㆓仁慈㆒、弥陀釈迦、深顕㆓素懐㆒。依㆑之論主宣㆓布広大無碍浄信㆒、普遍開㆓化雑染堪忍群生㆒。宗師顕㆓示往還大悲回向㆒、慇懃弘㆓宣他利利他深義㆒。聖権化益、偏為㆑利㆓一切凡愚㆒、広大心行、唯欲㆑引㆓逆

に他利《たり》・利他《りた》の深義《じんぎ》を弘宣《ぐせん》せり。聖権《しょうごん》の化益《けやく》、偏《ひとえ》に一《いっ》切凡愚《さいぼんぐ》を利《り》せんが為《ため》、広大《こうだい》の心行《しんぎょう》、唯《ただ》、逆悪《ぎゃくあく》・闡提《せんだい》を引《いん》ぜんと欲《おぼ》してなり。今庶《いまねが》わくは道俗等《どうぞくとう》、大悲《だいひ》の願船《がんせん》は、清浄信心《しょうじょうしんじん》をして順風《じゅんぷう》とす、無明《むみょう》の闇夜《あんや》には、功徳《くどく》の宝珠《ほうしゅ》をして大炬《たいこ》とす。心昏《しんくら》く[49]して識寡《しきすく》なきものは、敬《つつし》んで斯《こ》の道《どう》を勉《つと》めよ。悪重《あくおも》く障多《さわりおお》きものは、深《ふか》く斯《こ》の信《しん》を崇《あが》めよ。[50]噫《ああ》、弘誓《ぐぜい》の強縁《ごうえん》、多生《たしょう》にも値《もうあ》い難《がた》く、真実《しんじつ》の浄信《じょうしん》、億劫《おっこう》にも獲叵《えがた》し。遇《たま》たま信心《しんじん》を獲《え》ば、遠《とお》く宿縁《しゅくえん》を慶《よろこ》べ。若《も》し也《ま》た此《こ》の回《たび》、[51]疑網《ぎもう》に覆蔽《ふくへい》せられば、更《かえ》って必《かなら》ず曠劫多生《こうごうたしょう》を逕歴《きょうりゃく》せん。摂取不捨《せっしゅふしゃ》の真《しん》理《り》、[52]③超捷易往《ちょうせついおう》の教勅《きょうちょく》、聞思《もんし》して遅慮《ちりょ》すること莫《な》かれ。

慶《よろこ》ばしきかな。愚禿《ぐとく》、仰《あお》いで惟《おも》いみれば、心《しん》を弘誓《ぐぜい》の仏地《ぶつじ》に樹《た》て、④情《じょう》を難思《なんじ》の法海《ほうかい》に流《なが》す。聞《き》く所《ところ》を嘆《たん》じ、

①憫…びん反
②開化…ひらき　めぐむ
③超捷…こえて　ときなり
④情…こころ

悪闡提一。今庶道俗等、大悲願船、清浄信心而為二順風一、無明闇夜、功徳宝珠而為二大炬一。心昏識寡、敬勉二斯道一。悪重障多、深崇二斯信一。噫、弘誓強縁、多生難レ値、真実浄信、億劫叵レ獲。遇獲二信心一、遠慶二宿縁一。若也此回覆二蔽疑網一、更必逕二歴曠劫多生一。摂取不捨之真理、超捷易往之教勅、聞思莫二遅慮一。

慶哉。愚禿仰惟、樹二心弘誓仏地一、流二情難思法海一。嘆レ所レ聞、慶レ所レ獲、採二集真言一、

獲《う》る所《ところ》を53慶《よろこ》びて、54①真言《しんごん》を探《さぐ》り集《あつ》め、師釈《ししゃく》を②鈔出《しょうしゅつ》して、専《もっぱ》ら無上尊《むじょうそん》を念《ねん》じて、55特《まこと》に広大《こうだい》の恩《おん》を報《ほう》ず。茲《こ》れに因《よ》りて、曇鸞菩薩《どんらんぼさつ》の『註論《ちゅうろん》』(論註)を③披閲《ひえつ》するに言《のたま》わく、56「夫《そ》れ菩薩《ぼさつ》は仏《ぶつ》に帰《き》す。孝子《きょうし》の父母《ぶも》に帰《き》し、忠臣《ちゅうしん》の君后《くんこう》に帰《き》して、動静《どうじょう》、己《おのれ》に非《あら》ず、出没《しゅつもつ》、必《かなら》ず由《ゆえ》あるが如《ごと》し。恩《おん》を知《し》りて徳《とく》を報《ほう》ず。理《り》、57宜《よろ》しく先《ま》ず啓《けい》すべし」と。取要《しゅよう》

　仏恩《ぶっとん》の深重《じんじゅう》なることを信知《しんち》して、「念仏正信偈《ねんぶつしょうしんげ》」を作《つく》りて58曰《い》わく、

西方不可思議尊《さいほうふかしぎそん》、法蔵菩薩因位《ほうぞうぼさついんに》の中《なか》に、殊勝《しゅしょう》の本弘誓《ほんぐぜい》を超発《ちょうほつ》し、無上大悲《むじょうだいひ》の願《がん》を建立《こんりゅう》せり。

思惟摂取《しゆいせっしゅ》するに五劫《ごこう》を経《へ》たり。菩提妙果《ぼだいみょうか》、上《かみ》の願《がん》に④酬《こた》えたり。

本誓《ほんぜい》を満足《まんぞく》するに十劫《じっこう》を歴《へ》たり。寿命延長《じゅみょうえんちょう》、能《よ》く量《はか》ること莫《な》し。

慈悲深遠《じひじんのん》にして虚空《こくう》の如《ごと》し。智慧円満《ちええんまん》して巨海《こかい》の如《ごと》し。

清浄微妙無辺《しょうじょうみみょうむへん》の⑤刹《せつ》にして、広大《こうだい》の荘厳《しょうごん》、等《ひと》しく具足《ぐそく》せり。

鈔㆓出師釈㆒、専念㆓無上尊㆒、特報㆓広大恩㆒。

信㆓知仏恩深重㆒、作㆓念仏正信偈㆒曰、

西方不可思議尊　法蔵菩薩因位中
超㆓発殊勝本弘誓㆒　建㆓立無上大悲願㆒
思惟摂取経㆓五劫㆒　菩提妙果酬㆓上願㆒
満㆓足本誓㆒歴㆓十劫㆒　寿命延長莫㆓能量㆒
慈悲深遠如㆓虚空㆒　智慧円満如㆓巨海㆒
清浄微妙無辺刹　広大荘厳等具足

種種《しゅじゅ》の功徳《くどく》、悉《ことごと》く成満《じょうまん》せり。十方《じっぽう》59諸仏《しょぶつ》の国《くに》に超《ちょう》逾《ゆ》⑥せり。

普《あまね》く難思《なんし》・無碍《むげ》の光《ひかり》を放《はな》ちて、能《よ》く無明大夜《むみょうだいや》の闇《あん》⑦を破《は》す。

智光明朗《ちこうみょうろう》にして慧眼《えげん》を開《ひら》く。名声《みょうしょう》、十方《じっぽう》に聞《き》こえざること靡《な》し。

如来《にょらい》の功徳《くどく》は唯仏《ただぶつ》のみ知《し》ろしめせり。60仏法蔵《ぶつほうぞう》を集《あつ》めて凡愚《ぼんぐ》に施《せ》す。

弥陀仏《みだぶつ》の日《にち》、普《あまね》く照耀《しょうよう》す。已《すで》に能《よ》く無明《むみょう》の闇《あん》を破《は》すと雖《いえど》も、貪愛《とんあい》・瞋嫌《しんけん》の雲霧《うんむ》、常《つね》に清浄信心《しょうじょうしんじん》の天《てん》に覆《おお》えり。

譬《たと》えば日月《にちがつ》・星宿《しょうしゅく》の、煙霞《えんか》・雲霧等《うんむとう》に覆《おお》わると雖《いえど》も、其《そ》の雲霧《うんむ》の下《した》、61曜《てら》して闇無《やみな》きが猶如《ごと》し。信知《しんち》するに日《にち》

種種功徳悉成満　超二逾十方諸仏国一

普放二難思無碍光一　能破二無明大夜闇一

智光明朗開二慧眼一　名声靡レ不レ聞二十方一

如来功徳唯仏知　集二仏法蔵一施二凡愚一

弥陀仏日普照耀　已能雖レ破二無明闇一

貪愛瞋嫌之雲霧　常覆二清浄信心天一

譬猶下如日月星宿　雖レ覆二煙霞雲霧等一

其雲霧下曜無上闇　信知超二日月光益一

①真言…ほとけみことなり
②鈔出…ぬきえらぶ
③披閲…ひらき　みるに
④酬…むくう
⑤刹…くになり
⑥逾…こゆる
⑦闇…くらし　やみ

月《がっ》の光益《こうやく》に超《こ》えたり。

必《かなら》ず無上《むじょう》浄信《じょうしん》の暁《あかつき》に至《いた》れば、[62]三有《さんぬ》生死《しょうじ》の[63]雲《くも》晴《は》る。

清浄《しょうじょう》無碍《むげ》の光耀《こうよう》、朗《ほが》らかにして、一如法界《いちにょほっかい》の真身《しんしん》顕《あらわ》る。

信《しん》を発《ほっ》して[64]称名《しょうみょう》すれば、光摂護《ひかりしょうご》したまう。亦現生《またげんしょう》無量《むりょう》の徳《とく》を獲《う》。

無辺《むへん》・難思《なんし》の光《ひかり》、不断《ふだん》にして、更《さら》に時処諸縁《じしょしょえん》を隔《へだ》つること無《な》し。

諸仏《しょぶつ》の護念《ごねん》、[65]真《まこと》に疑《うたがい》莫《な》し。十方《じっぽう》、同《おな》じく称讃《しょうさん》し悦可《えっか》す。

惑染《わくぜん》・逆悪《ぎゃくあく》、斉《ひと》しく皆生《みなう》まれ、謗法《ほうぼう》・闡提《せんだい》、回《え》すれば皆往《みなゆ》く。

当来《とうらい》の世《よ》、経道滅《きょうどうめつ》せんに、特《こと》に此《こ》の経《きょう》を留《とど》めて、住《じゅう》すること百歳《ひゃくさい》せん。

如何《いかん》ぞ斯《こ》の大願《だいがん》を疑惑《ぎわく》せん。唯《ただ》、釈迦如実《しゃかにょじつ》の言《みこと》を信《しん》ぜよ。

印度《いんど》・西天《さいてん》の論家《ろんげ》、中夏《ちゅうか》・日域《じちいき》の高僧《こうそう》、大聖世雄《だいしょうせおう》の正意《しょうい》を開《ひら》き、如来《にょらい》の本誓《ほんぜい》、機《き》に応《おう》ずることを[66]明《あ》かす。

必至㆓無上浄信暁㆒　三有生死之雲晴
清浄無碍光耀朗　一如法界真身顕
発㆑信称名光摂護　亦獲㆓現生無量徳㆒
無辺難思光不断　更無㆑隔㆓時処諸縁㆒
諸仏護念真莫㆑疑　十方同称讃悦可
惑染逆悪斉皆生　謗法闡提回皆往
当来之世経道滅　特留㆓此経㆒住百歳
如何疑㆓惑斯大願㆒　唯信㆓釈迦如実言㆒
印度西天之論家　中夏日域之高僧
開㆓大聖世雄正意㆒　如来本誓明㆑応㆑機

釈迦如来《しゃかにょらい》、楞伽《りょうが》[67]山《せん》にして、衆《しゅ》の為《ため》に告命《ごうみょう》したまわく、
南天竺《なんてんじく》に、龍樹菩薩《りゅうじゅぼさつ》、世《よ》に興出《こうしゅつ》して、悉《ことごと》く能《よ》く有無《うむ》
の見《けん》を①摧破《ざいは》せん。
大乗無上《だいじょうむじょう》の法《ほう》を宣説《せんぜつ》し、歓喜地《かんぎじ》を証《しょう》して安楽《あんらく》に生《しょう》ぜん。
『十住毘婆沙論《じゅうじゅうびばしゃろん》』を造《つく》りて、難行《なんぎょう》の嶮路《けんろ》、特《こと》に悲憐《ひれん》[68]せん。
易往《いおう》の大道《だいどう》、広《ひろ》く開示《かいじ》[69]せん。恭敬心《くぎょうしん》を以《もっ》て執持《しゅうじ》して、
名号《みょうごう》を称《しょう》して疾《と》く不退《ふたい》を得《う》べし。信心清浄《しんじんしょうじょう》なれば、
即《すなわ》ち仏《ぶつ》を見《み》たてまつると。
天親菩薩《てんじんぼさつ》、『論《ろん》』を作《つく》りて説《と》かく、修多羅《しゅたら》に依《よ》りて真実《しんじつ》
を顕《あらわ》す。
[70]横超《おうちょう》の本弘誓《ほんぐぜい》を光闡《こうせん》し、不可思議《ふかしぎ》の願《がん》を演暢《えんちょう》したまえり。
本願力《ほんがんりき》の回向《えこう》に由《よ》るが故《ゆえ》に、具縛《ぐばく》を度《ど》せんが為《ため》に一心《いっしん》を
彰《あらわ》す。
功徳《くどく》の大宝海《だいほうかい》に帰入《きにゅう》すれば、必《かなら》ず[71]大会衆《だいえしゅ》の数《かず》に入《い》る

①摧…くだく

釈迦如来楞伽山　為㆑衆告命南天竺
龍樹菩薩興㆓出世㆒　悉能摧㆓破有無見㆒
宣㆓説大乗無上法㆒　証㆓歓喜地㆒生㆓安楽㆒
造㆓十住毘婆沙論㆒　難行嶮路特悲憐
易往大道広開示　応㆘以㆓恭敬心㆒執持
称㆓名号㆒疾得㆗不退㆖　信心清浄即見㆑仏
天親菩薩作㆑論説　依㆓修多羅㆒顕㆓真実㆒
光㆓闡横超本弘誓㆒　演㆓暢不可思議願㆒
由㆓本願力回向㆒故　為㆑度㆓具縛㆒彰㆓一心㆒
帰㆓入功徳大宝海㆒　必獲㆑入㆓大会衆数㆒

ことを獲《う》。

蓮華蔵世界《れんげぞうせかい》に至《いた》ることを得《う》れば、即《すなわ》ち寂滅平等《じゃくめつびょうどう》の身《しん》を証《しょう》[72]せん。

煩悩《ぼんのう》の林《はやし》に遊《あそ》びて神通《じんずう》を現《げん》じ、生死《しょうじ》の園《その》に入《い》りて応化《おうげ》を示《しめ》すと。

曇鸞大師《どんらんだいし》、梁《りょう》の蕭王《そうおう》、常《つね》に鸞《らん》の[73]方《かた》に向《む》こうて菩薩《ぼさつ》と礼《らい》すと。

三蔵流支《さんぞうるし》、浄教《じょうきょう》を授《さず》けしかば、仙経《せんぎょう》を焚焼《ぼんしょう》して楽邦《らくほう》に帰《き》す。

天親菩薩《てんじんぼさつ》の『論《ろん》』、註解《ちゅうげ》して、如来《にょらい》の本願《ほんがん》、称名《しょうみょう》に[74]顕《あらわ》る。

往還《おうげん》の回向《えこう》、本誓《ほんぜい》に由《よ》る。煩悩成就《ぼんのうじょうじゅ》の凡夫人《ぼんぶにん》、信心開発《しんじんかいほっ》すれば即《すなわ》ち忍《にん》を獲《う》。生死即《しょうじすなわ》ち涅槃《ねはん》なりと証知《しょうち》すと。

必《かなら》ず無量光明土《むりょうこうみょうど》に[75]至《いた》りて、諸有《しょうう》の衆生《しゅじょう》、皆普《みなあまね》く化《け》すと。

道綽《どうしゃく》、聖道《しょうどう》の証《しょう》し難《がた》きことを決《けっ》して、唯《ただ》、浄土《じょうど》の通《つう》

得レ至二蓮華蔵世界一　即証二寂滅平等身一
遊二煩悩林一現二神通一　入二生死園一示二応化一
曇鸞大師梁蕭王　常向二鸞方一菩薩礼
三蔵流支授二浄教一　焚二焼仙経一帰二楽邦一
天親菩薩論註解　如来本願顕二称名一
往還回向由二本誓一　煩悩成就凡夫人
信心開発即獲レ忍　証二知生死即涅槃一
必至二無量光明土一　諸有衆生皆普化
道綽決二聖道難レ証　唯明三浄土可二通入一

入《にゅう》すべきことを明《あ》かす。

万善《まんぜん》は自力《じりき》なれば勤修《ごんしゅ》を[76]①貶《へん》す。円満《えんまん》の徳号《とくごう》、専称《せんしょう》[77]を勧《すす》む。

三不三信《さんぷさんしん》の誨《おしえ》、[78]②慇懃《おんごん》にして、像《ぞう》・末《まつ》・法滅《ほうめつ》、同《おな》じく悲《ひ》引《いん》すと。

一生《いっしょう》、悪《あく》を造《つく》れども、弘誓《ぐぜい》に遇《もうあ》えば、安養界《あんにょうかい》に至《いた》りて妙果《みょうか》を証《しょう》す。

善導《ぜんどう》、独《ひと》り仏《ぶつ》の正意《しょうい》に明《あき》らかなり。深《ふか》く本願《ほんがん》に藉《よ》りて真宗《しんしゅう》を興《こう》ず。

定散《じょうさん》と[79]逆悪《ぎゃくあく》とを③矜哀《こうあい》して、光明名号《こうみょうみょうごう》、因縁《いんねん》を示《しめ》す。

涅槃《ねはん》の門《もん》に入《い》るは、真心《しんじん》に値《もうあ》うなり。必《かなら》ず信《しん》・喜《き》・悟《ご》の忍《にん》を獲《う》れば、難思議往生《なんしぎおうじょう》を得《う》る人《ひと》なり。即《すなわ》ち法性《ほっしょう》の常楽《じょうらく》を証《しょう》すと。

源信《げんしん》、広《ひろ》く一代《いちだい》の教《きょう》を[80]開《ひら》く。偏《ひとえ》に安養《あんにょう》に帰《き》して一切《いっさい》を勧《すす》む。

万善自力貶二勤修一　円満徳号勧二専称一
三不三信誨慇懃　像末法滅同悲引
一生造レ悪遇二弘誓一　至二安養界一証二妙果一
善導独明二仏正意一　深藉二本願一興二真宗一
矜三哀定散与二逆悪一　光明名号示二因縁一
入二涅槃門一値二真心一　必獲レ於二信喜悟忍一
得二難思議往生一人　即証二法性之常楽一
源信広開二一代教一　偏帰二安養一勧二一切一

①貶…おとしむ
②慇懃…ねんごろ
③矜哀…おおきにあわれむ

諸経論《しょきょうろん》に依《よ》って、教行《きょうぎょう》を撰《えら》びたまう。誠《まこと》に是《こ》れ、濁世《じょくせ》の目足《もくそく》とす。
得失《とくしつ》を専雑《せんぞう》に決判《けっぱん》して、念仏《ねんぶつ》の真実門《しんじつもん》に回入《えにゅう》せしむ。
唯《ただ》、浅深《せんじん》を執心《しゅうしん》に定《さだ》めて、報《ほう》・化《け》二土《にど》、正《まさ》しく弁立《べんりゅう》せりと。
源空《げんくう》、諸《もろもろ》の聖典《しょうでん》を暁了《きょうりょう》して、善悪凡夫人《ぜんあくぼんぶにん》を憐愍《れんみん》せしむ。
真宗《しんしゅう》の教証《きょうしょう》、片州《へんしゅう》に興《こう》ず。選択本願《せんじゃくほんがん》、濁世《じょくせ》に施《ほどこ》す。
生死流転《しょうじるてん》の家《いえ》に還来《げんらい》すること、決《けっ》するに疑情《ぎじょう》を以《もっ》て所止《しょし》とす。
速《すみ》やかに寂静無為《じゃくじょうむい》の楽《みやこ》に[81]入《い》ることは、必《かなら》ず信心《しんじん》を以《もっ》て能入《のうにゅう》とすといえり。
論説《ろんせつ》・師釈《ししゃく》、共《とも》に同心《どうしん》に、無辺極濁悪《むへんごくじょくあく》を拯済《じょうさい》せしむ。
道俗時衆《どうぞくじしゅ》、皆悉《みなことごと》く共《とも》に、唯《ただ》、斯《こ》の高僧《こうそう》の説《せつ》を信《しん》ずべし。
六十行一百二十《ろくじっこういっぴゃくにじっ》[82]句《く》、[83]偈頌《げじゅ》已《すで》に[84]畢《おわ》りぬ。
問《と》う。念仏往生《ねんぶつおうじょう》の願《がん》、已《すで》に三心《さんしん》を発《おこ》したまえり。論《ろん》

依二諸経論一撰二教行一　誠是為二濁世目足一
決三判得失於二専雑一　回二入念仏真実門一
唯定三浅深於二執心一　報化二土正弁立
源空暁二了諸聖典一　憐二愍善悪凡夫人一
真宗教証興二片州一　選択本願施二濁世一
還二来生死流転家一　決以二疑情一為二所止一
速入二寂静無為楽一　必以二信心一為二能入一
論説師釈共同心　拯二済無辺極濁悪一
道俗時衆皆悉共　唯可レ信二斯高僧説一
六十行一百二十句、偈頌已畢。
問。念仏往生願已発二三心一。論主何以故言二

主《じゅ》（天親）、何《なに》を以《もっ》ての故《ゆえ》に「一心《いっしん》」と言《のたま》うや。

答《こた》う。愚鈍《ぐどん》の衆生《しゅじょう》、覚知易《かくちやす》からしめんが為《ため》の故《ゆえ》に、論主《ろんじゅ》、三《さん》を合《がっ》して一《いち》と為《な》したまうか。

「三心《さんしん》」と言《い》うは、一《ひとつ》には至心《ししん》、二《ふたつ》には信楽《しんぎょう》、三《みつ》には欲生《よくしょう》なり。私《わたくし》に字《じ》①訓《くん》を以《もっ》て、『論《ろん》』（浄土論）の意《こころ》を闚《うかが》うに、三《さん》を合《がっ》して一《いち》とすべし。其《そ》の意《こころ》、何《いか》んとなれば、一《ひとつ》には「至心《ししん》」。「至《し》」というは、真《しん》なり、誠《じょう》なり。「心《しん》」というは、②種《しゅ》なり、実《じつ》なり。二《ふたつ》には「信楽《しんぎょう》」。「信《しん》」とは、真《しん》なり、実《じつ》なり、誠《じょう》なり、満《まん》なり、極《ごく》なり、成《じょう》なり、[85]用《ゆう》なり、重《じゅう》なり、審《しん》なり、験《げん》なり。「楽《ぎょう》」というは、欲《よく》なり、願《がん》なり、慶《きょう》なり、喜《き》なり、[86]楽《らく》なり。三《みつ》には「欲生《よくしょう》」。「欲《よく》」というは、願《がん》なり、楽《ぎょう》なり、覚《かく》なり、知《ち》なり。「生《しょう》」というは、成《じょう》なり、興《こう》なり。
[87]爾《しか》れば、「至心《ししん》」は即《すなわ》ち是《こ》れ誠種真実《じょうしゅしんじつ》の心《しん》なり。

一心一。

答。愚鈍衆生、覚知為レ令レ易故、論主合レ三為レ一歟。

言二三心一者、一者至心、二者信楽、三者欲生。私以二字訓一、闚二『論』意一、合レ三応レ一。其意何者、一者至心。至者真・誠。心者種・実。二者信楽。信者真・実・誠・満・極・成・用・重・審・験。楽者欲・願・慶・喜・楽。三者欲生。欲者願・楽・覚・知。生者成・興也。

爾者至心即是誠種真実之心。故無レ有二疑

①訓…おしえ
②種…たねなり

故《かるがゆえ》に疑心《ぎしん》有《あ》ること無《な》し。「信楽《しんぎょう》」は即《すなわ》ち是《こ》れ真実誠《しんじつじょう》満《まん》の心《しん》なり、極成《ごくじょう》88用重《ゆうじゅう》の心《しん》なり、欲願《よくがん》審《①しん》験《②げん》の心《しん》なり、慶喜《きょうき》89楽《らく》の心《しん》なり。故《かるがゆえ》に疑心《ぎしん》有《あ》ること無《な》し。「欲《よく》生《しょう》」は即《すなわ》ち是《こ》れ90願楽《がんぎょう》の心《しん》なり、覚知成興《かくちじょうこう》の心《しん》なり。故《かるがゆえ》に三心皆共《さんしんみなとも》に真実《しんじつ》にして疑心《ぎしん》無《な》し。疑心《ぎしん》無《な》きが故《ゆえ》に、三心即《さんしんすなわ》ち一心《いっしん》なり。字訓《じくん》、斯《か》くの如《ごと》し。之《これ》を思択《しちゃく》すべし。

復《ま》た「三心《さんしん》」と言《い》うは、一《ひと》つには「至心《ししん》」。斯《こ》の心即《しんすなわ》ち是《こ》れ如来《にょらい》の至徳円修《しとくえんしゅ》・満足真実《まんぞくしんじつ》の心《しん》なり。阿弥陀如来《あみだにょらい》、真実《しんじつ》の功徳《くどく》を以《もっ》て一切《いっさい》に回施《えせ》したまえり。即《すなわ》ち名号《みょうごう》を以《もっ》て至心《ししん》の体《たい》とせり。然《しか》るに、十方衆生《じっぽうしゅじょう》、穢悪汚染《えあくわぜん》にして清浄《しょうじょう》の心《しん》無《な》し、虚仮雑毒《こけぞうどく》にして真実《しんじつ》の心《しん》無《な》し。91是《ここ》を以《もっ》て、如来《にょらい》、因中《いんちゅう》に菩薩《ぼさつ》の行《ぎょう》を行《ぎょう》じたまいし時《とき》、三業《さんごう》の所修《しょしゅ》、乃至一念《ないしいちねん》・一刹那《いっせつな》も、清浄真実《しょうじょうしんじつ》の心《しん》に非《あら》ざること有《あ》ること無《な》し。如来《にょらい》、清浄《しょうじょう》の真心《しんじん》を以《もっ》て諸有《しょう》の衆生《しゅじょう》に回向《えこう》したまえり。

心一。信楽即是真実誠満之心、極成用重之心、欲願審験之心、慶喜楽之心。故無レ有二疑心一。欲生即是願楽之心、覚知成興之心。故三心皆共真実而無二疑心一。無二疑心一故、三心即一心。字訓如レ斯。可三思二択之一。

復言二三心一者、一者至心。斯心即是如来至徳円修満足真実之心。阿弥陀如来、以二真実功徳一回二施一切一。即以二名号一為二至心体一。然十方衆生、穢悪汚染無二清浄心一、虚仮雑毒無二真実心一。是以如来因中行二菩薩行一時、三業所修、乃至一念一刹那、無レ有レ非二清浄真実心一。如来以二清浄真心一回二向諸有衆生一。

『経《きょう》』（大経）に言《のたま》わく、92「93欲覚《よっかく》・瞋覚《しんかく》・害覚《がいかく》を生《しょう》ぜず。欲想《よくそう》・瞋想《しんそう》・害想《がいそう》を起《お》こさず。色《しき》・声《しょう》・香《こう》・味《み》の法《ほう》に着《じゃく》せず。94忍力成就《にんりきじょうじゅ》して衆苦《しゅく》を計《はか》らず。少欲知足《しょうよくちそく》にして染《ぜん》・恚《い》・痴《ち》無《な》し。三昧《さんまい》常寂《じょうじゃく》にして智慧無碍《ちえむげ》なり。虚偽諂曲《こぎてんごく》の心有《しんあ》ること無《な》し。和顔愛語《わげんあいご》して、意《こころ》を先《さき》にして承《じょう》95問《もん》す。勇猛精進《ゆみょうしょうじん》にして、志願《しがん》、倦《もの》きこと無《な》し。専《もっぱ》ら清白《しょうびゃく》の法《ほう》を求《もと》めて、以《もっ》て群生《ぐんじょう》を恵利《えり》しき。三宝《さんぼう》を恭敬《くぎょう》し、師長《しちょう》に奉事《ぶじ》す。大荘厳《だいしょうごん》を以《もっ》て衆行《しゅぎょう》を具足《ぐそく》して、諸《もろもろ》の衆生《しゅじょう》をして功徳成就《くどくじょうじゅ》せしめたまう」と。抄出《しょうしゅつ》

聖言《しょうごん》、明《あき》らかに知《し》りぬ。今《いま》、斯《こ》の心《しん》、是《こ》れ如来《にょらい》の清浄広大《しょうじょうこうだい》の至心《ししん》なり。是《こ》れを「真実心《しんじつしん》」と名《な》づく。至心《ししん》は即《すなわ》ち是《こ》れ大悲心《だいひしん》なるが故《ゆえ》に、疑心有《ぎしんあ》ること無《な》し。

二《ふたつ》には「信楽《しんぎょう》」。即《すなわ》ち是《こ》れ真実心《しんじつしん》を以《もっ》て信楽《しんぎょう》の体《たい》とす。然《しか》るに、具縛《ぐばく》の群萠《ぐんもう》、穢濁《えじょく》の凡愚《ぼんぐ》、清浄《しょうじょう》の信心無《しんじんな》し、96真実《しんじつ》の信心無《しんじんな》し。是《こ》の故《ゆえ》に、真実功徳《しんじつくどく》、値《もうあ》い難《がた》く、清浄《しょうじょう》の信楽《しんぎょう》、獲《ぎゃく》97得《とく》し難《がた》叵し。

之《これ》に依《よ》りて『釈《しゃく》』（散善義）の意《こころ》を闚《うかが》うに、愛心《あいしん》、

聖言、明知。今斯心是如来清浄広大至心。是名二真実心一。至心即是大悲心故、無レ有二疑心一。

二者信楽。即是以二真実心一為二信楽体一。然具縛群萠穢濁凡愚、無二清浄信心一、無二真実信心一。是故真実功徳難レ値、清浄信楽難二叵獲得一。

依レ之闚二『釈』意一、愛心常起、能汚二善心一。

①審…つまびらかなり　②験…しるし

常《つね》に起《お》こ[98]して、能《よ》く善心《ぜんしん》を汚《けが》す。瞋嫌《しんけん》の心《しん》、能《よ》く法財《ほうざい》を焼《や》く。身心《しんじん》を①苦励《くれい》して、日夜十二時《にちやじゅうにじ》に急《きゅう》に走《もと》め急《きゅう》に作《な》して、頭燃《ずねん》を灸《はら》うが如《ごと》くすれども、衆《すべ》て「雑毒《ぞうどく》の善《ぜん》」と名《な》づく、亦《また》「虚仮《こけ》の行《ぎょう》」と名《な》づく、「真実《しんじつ》の業《ごう》」と名《な》づけざるなり。此《こ》の雑毒《ぞうどく》の善《ぜん》を以《もっ》て彼《か》の浄土《じょうど》に回向《えこう》する、此《こ》れ必《かなら》ず不可《ふか》なり。何《なに》を以《もっ》ての故《ゆえ》に。正《まさ》しく、彼《か》の如来《にょらい》、菩薩《ぼさつ》の行《ぎょう》を行《ぎょう》じたまいし時《とき》、乃至一念《ないしいちねん》・一刹那《いっせつな》も、三業《さんごう》の所修《しょしゅ》、皆《みな》是《こ》れ真実心《しんじつしん》の中《なか》に作《な》したまうに由《よ》るが故《ゆえ》に、疑蓋《ぎがい》雑《まじ》わること無《な》し。如来《にょらい》、清浄真実《しょうじょうしんじつ》の信楽《しんぎょう》を以《もっ》て諸有《しょう》の衆生《しゅじょう》に回向《えこう》したまえり。

瞋嫌之心、能焼二法財一。苦二励身心一、日夜十二時急走急作、如レ灸二頭燃一、衆名二雑毒之善一、亦名二虚仮之行一、不レ名二真実業一也。以二此雑毒之善一回二向彼浄土一、此必不可也。何以故。正由下彼如来行二菩薩行一時、乃至一念一刹那、三業所修、皆是真実心中作上故、疑蓋無レ雑。如来以二清浄真実信楽一回二向諸有衆生一。

本願成就《ほんがんじょうじゅ》の文《もん》、『経《きょう》』（大経）に言《のたま》わく、[99]「諸有《しょう》の衆生《しゅじょう》、其《そ》の名号《みょうごう》を聞《き》きて信心歓喜《しんじんかんぎ》せん」と。

抄出《しょうしゅつ》

聖言《しょうごん》、明《あき》らかに知《し》りぬ。今《いま》、斯《こ》の心《しん》即《すなわ》ち是《こ》れ本願円満《ほんがんえんまん》・清浄《しょうじょう》[100]真実《しんじつ》の信楽《しんぎょう》なり。是《こ》れを「信心《しんじん》」と名《な》づく。信心《しんじん》即《すなわ》ち是《こ》れ大悲心《だいひしん》なるが故《ゆえ》に、疑蓋《ぎがい》有《あ》ること無《な》し。

三《みっ》には「欲生《よくしょう》」。即《すなわ》ち清浄真実《しょうじょうしんじつ》の信心《しんじん》を以《もっ》て欲生《よくしょう》

聖言、明知。今斯心即是本願円満清浄真実信楽。是名二信心一。信心即是大悲心故、無レ有二疑蓋一。

三者欲生。即以二清浄真実信心一為二欲生体一。

の体《たい》とす。然《しか》る101に、流転輪回《るてんりんね》の凡夫《ぼんぶ》、曠劫多生《こうごうたしょう》の群生《ぐんじょう》、清浄《しょうじょう》の回向心《えこうしん》無《な》し、亦《また》真実《しんじつ》の回向心《えこうしん》無《な》し。是《こ》れを以《もっ》て、如来《にょらい》、因中《いんちゅう》に菩薩《ぼさつ》の行《ぎょう》を102行《ぎょう》じたまいし時《とき》、三業《さんごう》の所《しょ》修《しゅ》、乃至一念《ないしいちねん》・一刹那《いっせつな》も、回向《えこう》を首《しゅ》として大悲心《だいひしん》を成《じょう》就《じゅ》することを得《え》たまうに非《あら》ざること有《あ》ること無《な》し。故《かるがゆえ》に如来《にょらい》、清浄真実《しょうじょうしんじつ》の欲生心《よくしょうしん》を以《もっ》て諸有《しょう》の衆生《しゅじょう》に回向《えこう》したまえり。

本願成就《ほんがんじょうじゅ》の文《もん》、『経《きょう》』（大経）に言《のたま》わく、103「至心回向《ししんえこう》したまえり。彼《か》の国《くに》に願生《がんしょう》すれば、即《すなわ》ち往《おう》生《じょう》を得《え》、不退転《ふたいてん》に住《じゅう》104す」と。取要《しゅよう》

聖言《しょうごん》、明《あき》らかに知《し》りぬ。今《いま》、斯《こ》の心《しん》、是《こ》れ如来《にょらい》の大《だい》悲《ひ》、諸有《しょう》の衆生《しゅじょう》を招喚《しょうかん》したまう105の教勅《きょうちょく》なり。即《すなわ》ち大悲《だいひ》の欲生心《よくしょうしん》を以《もっ》て、是《こ》れを「回向《えこう》」と名《な》づく。三心《さんしん》、皆《みな》是《こ》れ大悲回向《だいひえこう》の心《しん》なる故《ゆえ》に、清浄真実《しょうじょうしんじつ》にして、疑蓋《ぎがい》、雑《まじ》わること無《な》きが故《ゆえ》に一心《いっしん》なり。

①苦励…ねんごろに　はげます

然流転輪回凡夫曠劫多生群生、無㆓清浄回向心㆒、亦無㆓真実回向心㆒。是以如来因中行㆓菩薩行㆒時、三業所修、乃至一念一刹那、無㆑有㆑非㆕回向為㆑首得㆔成㆓就大悲心㆒。故如来以㆓清浄真実欲生心㆒回㆓向諸有衆生㆒。

聖言、明知。今斯心是如来大悲招㆓喚諸有衆生㆒之教勅。即以㆓大悲之欲生心㆒、是名㆓回向㆒。三心皆是大悲回向心故、清浄真実、疑蓋無㆑雑故一心也。

之《これ》に依《よ》りて、師釈《ししゃく》を抜《ひら》きたるに云《い》わく（散善義）、[106]「西岸《さいがん》の上《うえ》に、人有《ひとあ》りて喚《よ》ぼうて言《い》わく、「汝《なんじ》、一心正念《いっしんしょうねん》にして直《じき》に来《き》たれ。我《われ》、能《よ》く汝《なんじ》を護《まぼ》らん。衆《すべ》て水火《しいか》の難《なん》に堕《お》ちんことを畏《おそ》れざれ」」と。又言《またのたま》わく（散善義）、[107]「「中間《ちゅうげん》の白道《びゃくどう》」というは、即《すなわ》ち貪瞋煩悩《とんじんぼんのう》の中《なか》に能《よ》く清浄願往生《しょうじょうがんおうじょう》の心《しん》を生《しょう》ずるに喩《たと》うるなり。仰《あお》いで釈迦《しゃか》の発遣《はっけん》を蒙《こうぶ》り、又《また》、弥陀《みだ》の招喚《しょうかん》に藉《よ》りて、水火二河《しいかにが》を顧《かえり》みず、彼《か》の願力《がんりき》の道《どう》に乗《の》る[108]」と。略出《りゃくしゅつ》

是《ここ》に知《し》りぬ。「能生清浄願心《のうしょうしょうじょうがんしん》」は、是《こ》れ凡夫自力《ぼんぶじりき》の心《しん》に非《あら》ず、大悲回向《だいひえこう》の心《しん》なり。故《かるがゆえ》に「清浄願心《しょうじょうがんしん》」と言《い》えり。

爾《しか》れば、「一心正念《いっしんしょうねん》」というは、「正念《しょうねん》」は即《すなわ》ち是《こ》れ称名《しょうみょう》なり。称名《しょうみょう》は即《すなわ》ち是《こ》れ念仏《ねんぶつ》なり。「一心《いっしん》」は即《すなわ》ち是《こ》れ深心《じんしん》なり。深心《じんしん》は即《すなわ》ち是《こ》れ堅固深信《けんごじんしん》なり。堅《けん》固深信《ごじんしん》は即《すなわ》ち是《こ》れ真心《しんじん》なり。真心《しんじん》は即《すなわ》ち是《こ》れ金剛心《こんごうしん》なり。金剛心《こんごうしん》は即《すなわ》ち是《こ》れ無上心《むじょうしん》なり。無上心《むじょうしん》は即《すなわ》ち是《こ》れ[109]淳一相続心《じゅんいちそうぞくしん》なり。淳一相続心《じゅんいちそうぞくしん》は即《すなわ》ち大慶喜心《だいきょうきしん》なり。大慶喜心《だいきょうきしん》を獲《う》れば、是《こ》の心《しん》、三不《さんぷ》に違《い》す、是《こ》の心《しん》、三信《さんしん》に順《じゅん》ず。是《こ》の心即《しんすなわ》ち是《こ》れ大菩提心《だいぼだいしん》なり。[110]大菩提《だいぼだい》

是知。能生清浄願心、是非二凡夫自力心一、大悲回向心。故言二清浄願心一。

爾者一心正念者、正念即是称名。称名即是念仏。一心即是深心。深心即是堅固深信。堅固深信即是真心。真心即是金剛心。金剛心即是無上心。無上心即是淳一相続心。淳一相続心即是大慶喜心。獲二大慶喜心一、是心違二三不一、是心順二三信一。是心即是大菩提心。大菩提心即是真実信心。真実信心即是願作仏心。願作仏心即是度衆生心。度衆生心即

心《しん》は即《すなわ》ち是《こ》れ真実《しんじつ》の信心《しんじん》なり。真実《しんじつ》の信心《しんじん》は即《すなわ》ち是《こ》れ願作仏心《がんさぶっしん》なり。願作仏心《がんさぶっしん》は即《すなわ》ち是《こ》れ度衆生心《どしゅじょうしん》なり。度衆生心《どしゅじょうしん》は即《すなわ》ち是《こ》れ衆生《しゅじょう》を摂取《せっしゅ》して安楽浄土《あんらくじょうど》に生《しょう》ぜしむる心《しん》なり。是《こ》の心《しん》即《すなわ》ち是《こ》れ畢竟平等心《ひっきょうびょうどうしん》なり。是《こ》の心《しん》即《すなわ》ち是《こ》れ大悲心《だいひしん》なり。是《こ》の心《しん》作仏《さぶつ》す。是《こ》の心《しん》、是《こ》れ仏《ぶつ》なり。是《こ》れを「如実修行相応《にょじつしゅぎょうそうおう》」と名《な》づくるなり。知《し》るべし。三心即《さんしんすなわ》ち一心《いっしん》の義《ぎ》、答《こた》え竟《おわ》りぬと。

又問《またと》う。『大経《だいきょう》』の三心《さんしん》と『観経《かんぎょう》』の三心《さんじん》と、一異《いちい》云何《いかん》ぞと。

答《こた》う。両経《りょうきょう》の三心即《さんしんすなわ》ち是《こ》れ一《ひと》つなり。何《なに》を以《もっ》てか知《し》ることを得《う》る。

111宗師《しゅうし》（善導）の『釈《しゃく》』（散善義）に云《い》わく、至誠心《しじょうしん》の中《なか》に云《い》わく、112「「至《し》」というは真《しん》なり、「誠《じょう》」というは実《じつ》なり」と。

人《ひと》に就《つ》き行《ぎょう》に就《つ》きて信《しん》を立《た》つる中《なか》に云《い》わく（散善義）、113「一心《いっしん》に弥陀《みだ》の名号《みょうごう》を専念《せんねん》する、是《こ》れを「正定《しょうじょう》の業《ごう》」と名《な》づく」と。

又云《またい》わく（往生礼讃）、114「深心即《じんしんすなわ》ち是《こ》れ真実《しんじつ》の信心《しんじん》なり」と。

是摂㆓取衆生㆒生㆓安楽浄土㆒心。是心即是畢竟平等心。是心即是大悲心。是心作仏。是心是仏。是名㆓如実修行相応㆒也。応㆑知。三心即一心之義、答竟。

又問。『大経』三心与㆓『観経』三心㆒、一異云何。

答。両経三心即是一也。何以得㆑知。

回向発願心《えこうほつがんしん》の中《なか》に云《い》わく（散善義）、115「此《こ》の心《しん》、深信《じんしん》116せること金剛《こんごう》の若《ごと》くなるに由《よ》る」と。明《あき》らかに知《し》りぬ。一心《いっしん》は是《こ》れ信心《しんじん》なり。専念《せんねん》は即《すなわ》ち正業《しょうごう》なりと。一心《いっしん》の中《うち》に至誠《しじょう》・回向《えこう》の二心《にしん》を摂在《しょうざい》117せり。向《さき》の問《もん》の中《なか》に答《こた》え竟《おわ》りぬと。

又《また》問《と》う。已前《いぜん》二経《にきょう》の三心《さんしん》と『小経《しょうきょう》』（阿弥陀経）の118「執持《しゅうじ》」と一異《いちい》云何《いかん》ぞや。

答《こた》う。『経《きょう》』（阿弥陀経）に言《のたま》わく、119「名号《みょうごう》を執持《しゅうじ》すべし」と。「執《しゅう》」は心《しん》①堅牢《けんろう》にして移《うつ》らず、「持《じ》」というは不散不失《ふさんふしつ》に名《な》づく。故《かるがゆえ》に120「不乱《ふらん》」と曰《い》えり。「執持《しゅうじ》」は即《すなわ》ち121「一心《いっしん》」なり。「一心《いっしん》」は即《すなわ》ち信心《しんじん》なりと。然《しか》れば則《すなわ》ち、「執持名号《しゅうじみょうごう》」の真説《しんせつ》、「一心不乱《いっしんふらん》」の誠言《じょうごん》、必《かなら》ず之《これ》に帰《き》すべし、122特《まこと》に之《これ》を仰《あお》ぐべし。論《ろん》家《げ》・宗師《しゅうし》、浄土真宗《じょうどしんしゅう》を開《ひら》き123たるに、濁世《じょくせ》の邪偽《じゃぎ》を導《みちび》かんとなり。

三経《さんぎょう》の大《たい》②綱《こう》、隠顕《おんけん》有《あ》りと雖《いえど》も、一心《いっしん》を能入《のうにゅう》とす。故《かるがゆえ》に経《きょう》の始《はじ》めに「如是《にょぜ》」と称《しょう》す。論主《ろんじゅ》（天親）、建《はじ》め

明知。一心是信心。専念即正業。一心之中摂㆓在至誠回向之二心㆒。向問中答竟。

又問。已前二経三心与㆓『小経』「執持」㆒一異云何。

答。『経』言、「執㆓持名号㆒。」執者心堅牢而不㆑移、持者名㆓不散不失㆒。故曰㆓「不乱。」㆒執持即一心。一心即信心。然則執持名号之真説、一心不乱之誠言、必可㆑帰㆑之、特可㆑仰㆑之。論家宗師、開㆓浄土真宗㆒、導㆓濁世邪偽㆒。

三経大綱雖㆑有㆓隠顕㆒、一心為㆓能入㆒。故経始称㆓「如是。」㆒論主建㆓言「一心。」㆒即是彰㆓如

に「一心《いっしん》」と言《い》えり。即《すなわ》ち是《こ》れ如是《にょぜ》の義《ぎ》を彰《あらわ》すなり。

―是之義㆒。

今《いま》、宗師《しゅうし》（善導）の『解《げ》』（定善義）を披《ひら》きたるに云《い》わく、124「「如意《にょい》」と言《い》うは二種《にしゅ》有《あ》り。一《ひとつ》には衆生《しゅじょう》の意《こころ》の如《ごと》し。彼《か》の心念《しんねん》に随《したご》うて、皆之《みなこれ》を度《ど》すべし。二《ふたつ》に弥陀《みだ》の意《こころ》の如《ごと》し。五眼円《ごげんまどか》に125照《て》らし、六通自在《ろくつうじざい》にして、機《き》の度《ど》すべき者《もの》を観《み》そなわして、一念《いちねん》の中《うち》に前無《ぜんな》く後無《ごな》く、身心等《しんじんひと》しく赴《おもむ》き、三輪開悟《さんりんかいご》して、各《おの》おの126益《やく》したまうこと、同《おな》じからずとなり。」」

又言《またのたま》わく（般舟讃）、127「敬《うやま》いて一切往生《いっさいおうじょう》の知識等《ちしきとう》に白《もう》さく、大《おお》きに128須《すべから》く慚愧《ざんぎ》すべし。釈迦如来《しゃかにょらい》は、実《じつ》に是《こ》れ慈悲《じひ》の父母《ぶも》なり。種種《しゅじゅ》に方便《ほうべん》して、我等《われら》が無上《むじょう》の信心《しんじん》を発起《ほっき》したまう」と。已上《いじょう》

明《あき》らかに知《し》りぬ。二尊《にそん》の大悲《だいひ》に縁《よ》りて、一心《いっしん》の仏因《ぶついん》を獲《え》たり。当《まさ》に知《し》るべし。斯《こ》の人《ひと》は、希有人《けうにん》なり、最勝人《さいしょうにん》なり。然《しか》るに、流転《るてん》の愚夫《ぐぶ》、輪回《りんね》の群生《ぐんじょう》、信心起《しんじんお》こること無《な》し、真心起《しんじんお》こること無《な》し。

明知。縁㆓二尊大悲㆒、獲㆓一心仏因㆒。当㆑知。斯人希有人最勝人也。然流転愚夫輪回群生、信心無㆑起、真心無㆑起。

是《こ》れを以《もっ》て『経《きょう》』（大経）に言《のたま》わく、129「若《も》し斯《こ》の経《きょう》を聞《き》きて信楽受持《しんぎょうじゅじ》130せること、131難中《なんちゅう》の難《なん》なり。132此《こ》れに過《す》ぎたる難《なん》無《な》し」と。

亦《また》133「一切世間極難信法《いっさいせけんごくなんしんほう》」（称讃浄土経）と説《と》きたまえり。

①堅牢…かたく　かたし　　②綱…つな

誠《まこと》に知《し》りぬ。大聖世尊《だいしょうせそん》、世《よ》に出興《しゅっこう》したまう大事《だいじ》の因縁《いんねん》、悲願《ひがん》の真利《しんり》を顕《あらわ》し、如来《にょらい》の直説《じきせつ》と為《な》したまえり。凡夫即生《ぼんぶそくしょう》を示《しめ》すを、大悲《だいひ》の宗致《しゅうち》と為《な》すとなり。

茲《こ》れに因《よ》りて諸仏《しょぶつ》の教意《きょうい》を闚《うかが》うに、三世《さんぜ》の諸《もろもろ》の如来《にょらい》、出世《しゅっせ》の正《まさ》しき本意《ほんい》、唯《ただ》、阿弥陀不可思議《あみだふかしぎ》の願《がん》を説《と》かんとなり。常没《じょうもつ》の凡夫人《ぼんぶにん》、願力《がんりき》の回向《えこう》に縁《よ》りて、真実《しんじつ》の功徳《くどく》を聞《き》き無上《むじょう》の信心《しんじん》を獲《う》。則《すなわ》ち大慶喜《だいきょうき》を得《え》、不退転地《ふたいてんじ》を獲《う》。煩悩《ぼんのう》を断《だん》ぜしめずして、速《すみ》やかに大涅槃《だいねはん》を証《しょう》すとなり。

浄土文類聚鈔《じょうどもんるいじゅしょう》

建長七歳（一二五五）七月十四日書レ之　愚禿釈親鸞《ぐとくしゃくしんらん》八十三歳

誠知。大聖世尊、出二興於レ世大事因縁、顕二悲願真利一、為二如来直説一。示二凡夫即生一、為二大悲宗致一。

因レ茲闚二諸仏教意一、三世諸如来出世正本意、唯説二阿弥陀不可思議願一。常没凡夫人、縁二願力回向一、聞二真実功徳一獲二無上信心一。則得二大慶喜一、獲二不退転地一。不レ令レ断二煩悩一、速証二大涅槃一矣。

愚《ぐ》禿《とく》鈔《しょう》上

賢者《げんじゃ》の信《しん》を聞《き》きて、愚禿《ぐとく》が心《しん》を顕《あらわ》す。
賢者《げんじゃ》の信《しん》は、内《ない》は賢《げん》にして外《げ》は愚《ぐ》なり。
愚禿《ぐとく》が心《しん》は、内《ない》は愚《ぐ》にして外《げ》は賢《げん》なり。
聖道《しょうどう》・浄土《じょうど》の教《きょう》に就《つ》いて二教《にきょう》有《あ》り。
一《いち》には大乗《だいじょう》の教《きょう》、二《に》には小乗《しょうじょう》の教《きょう》。
大乗教《だいじょうきょう》に就《つ》いて二教《にきょう》有《あ》り。
一《いち》には頓教《とんぎょう》、二《に》には漸教《ぜんぎょう》なり。
頓教《とんぎょう》に就《つ》いて、復《ま》た二教《にきょう》・二超《にちょう》有《あ》り。
二教《にきょう》は、
一《いち》には難行《なんぎょう》　聖道《しょうどう》の実教《じっきょう》なり。謂《い》わゆる、
仏心《ぶっしん》・真言《しんごん》・法華《ほっけ》・華厳《けごん》等《とう》の教《きょう》なり。
二《に》には易行《いぎょう》　浄土本願真実《じょうどほんがんしんじつ》の教《きょう》、『大無量《だいむりょう》寿経《じゅきょう》』等《とう》なり。
二超《にちょう》は、

聞㆓賢者信㆒　顕㆓愚禿心㆒
賢者信　内賢外愚也
愚禿心　内愚外賢也
就㆓聖道・浄土教㆒有㆓二教㆒
一大乗教　二小乗教
就㆓大乗教㆒有㆓二教㆒
一頓教　二漸教
就㆓頓教㆒復有㆓二教・二超㆒
二教者
一難行　聖道之実教　所㆑謂仏心　真言　法華　華厳等之教也
二易行　浄土本願真実之教『大無量寿経』等也
二超者

一《いち》には竪超《しゅちょう》　即身是仏《そくしんぜぶつ》・即身成仏等《そくしんじょうぶつとう》の証果《しょうか》なり。
二《に》には横超《おうちょう》　選択本願《せんじゃくほんがん》・真実報土《しんじつほうど》・即得往生《そくとくおうじょう》なり。
漸教《ぜんぎょう》に就《つ》いて、復《ま》た二教《にきょう》・二出《にしゅつ》有《あ》り。
二教《にきょう》は、
一《いち》には難行道《なんぎょうどう》　聖道権教《しょうどうごんきょう》、法相等《ほっそうとう》、歴劫修《りゃっこうしゅ》行《ぎょう》の教《きょう》なり。
二《に》には易行道《いぎょうどう》　浄土要門《じょうどようもん》、『無量寿仏観経《むりょうじゅぶつかんぎょう》』の意《こころ》、定散《じょうさん》・三福九品《さんぷくくぼん》の教《きょう》なり。
二出《にしゅつ》は、
一《いち》には竪出《しゅしゅつ》　聖道《しょうどう》、歴劫修行《りゃっこうしゅぎょう》の証《しょう》なり。
二《に》には横出《おうしゅつ》　浄土《じょうど》、胎宮《たいぐう》・辺地《へんじ》・懈慢《けまん》の往《おう》生《じょう》なり。
小乗教《しょうじょうきょう》に就《つ》いて二教《にきょう》有《あ》り。
一《いち》には縁覚教《えんがくきょう》、一《いち》に麟喩独覚《りんゆどっかく》、二《に》に部行独覚《ぶぎょうどっかく》。
二《に》には声聞教《しょうもんきょう》なり。　初果《しょか》　預流向《よるこう》、
第二果《だいにか》　一来向《いちらいこう》、

一竪超　即身是仏即身成仏等之証果也
二横超　選択本願真実報土即得往生也
就㆓漸教㆒復有㆓二教・二出㆒
二教者
一難行道　聖道権教法相等歴劫修
行之教也
二易行道　浄土要門『無量寿仏観
経』之意定散三福九品之教也
二出者
一竪出　聖道　歴劫修行之証也
二横出　浄土　胎宮辺地懈慢之往生
也
就㆓小乗教㆒有㆓二教㆒
一縁覚教　一麟喩独覚　二部行独覚
二声聞教　初　果　預流向
第二果　一来向

第三果《だいさんか》　不還向《ふげんこう》、
第四果《だいしか》　阿羅漢向《あらかんこう》、八輩《はっぱい》なり。
唯《ただ》、阿弥陀如来選択本願《あみだにょらいせんじゃくほんがん》を除《のぞ》きて已外《いげ》、大小《だいしょう》・権実《ごんじつ》・顕密《けんみつ》の諸教《しょきょう》、皆是《みなこ》れ難行道《なんぎょうどう》・聖道門《しょうどうもん》なり。
又《また》、易行道《いぎょうどう》・浄土門《じょうどもん》の教《きょう》、是《こ》れを「浄土回向発願自《じょうどえこうほつがんじ》力方便《りきほうべん》の仮門《けもん》」と曰《い》うなり。知《し》るべしと。
『大経《だいきょう》』に、選択《せんじゃく》に三種《さんしゅ》あり。
一法蔵菩薩《いちほうぞうぼさつ》　選択本願《せんじゃくほんがん》　選択浄土《せんじゃくじょうど》　選択摂生《せんじゃくせっしょう》
選択証果《せんじゃくしょうか》
二世饒王仏《にせにょうおうぶつ》　選択本願《せんじゃくほんがん》　選択浄土《せんじゃくじょうど》　選択讃嘆《せんじゃくさんだん》
選択証成《せんじゃくしょうじょう》
三釈迦如来《さんしゃかにょらい》　選択弥勒付属《せんじゃくみろくふぞく》
『観経《かんぎょう》』に、選択《せんじゃく》に二種《にしゅ》あり。
一釈迦如来《いちしゃかにょらい》　選択功徳《せんじゃくくどく》　選択摂取《せんじゃくせっしゅ》　選択讃嘆《せんじゃくさんだん》
選択護念《せんじゃくごねん》　選択阿難付属《せんじゃくあなんふぞく》
二韋提夫人《にいだいぶにん》　選択浄土《せんじゃくじょうど》　選択浄土《せんじゃくじょうど》の機《き》

第三果　不還向
第四果　阿羅漢向　八輩也
唯除㆓阿弥陀如来選択本願㆒已外　大小権実
顕密諸教　皆是難行道　聖道門
又易行道　浄土門之教　是曰㆓浄土回向発願
自力方便仮門㆒也　応㆑知
『大経』選択三種
一法蔵菩薩　選択本願　選択浄土　選択摂生
選択証果
二世饒王仏　選択本願　選択浄土　選択讃嘆
選択証成
三釈迦如来　選択弥勒付属
『観経』選択二種
一釈迦如来　選択功徳　選択摂取　選択讃嘆
選択護念　選択阿難付属
二韋提夫人　選択浄土　選択浄土機

『小経《しょうきょう》』に、勧信《かんしん》に二《に》、証成《しょうじょう》に二《に》、護念《ごねん》に二《に》、讃嘆《さんだん》に二《に》、難易《なんい》に二《に》あり。

勧信《かんしん》に二《に》とは、　一《いち》に[1]釈迦勧信《しゃかかんしん》、二《に》に[2]諸仏勧信《しょぶつかんしん》。

証成《しょうじょう》に二《に》とは、　一《いち》に功徳証成《くどくしょうじょう》　[3]釈迦《しゃか》に二《に》あり、諸仏《しょぶつ》に二《に》あり。
二《に》に往生証成《おうじょうしょうじょう》

護念《ごねん》に二《に》とは、　[4]一《いち》に執持護念《しゅうじごねん》　釈迦護念《しゃかごねん》　諸仏護念《しょぶつごねん》
[5]二《に》に発願護念《ほつがんごねん》

讃嘆《さんだん》に二《に》とは、　一《いち》に釈迦讃嘆《しゃかさんだん》に[6]二《に》、
二《に》に諸仏讃嘆《しょぶつさんだん》に[7]二《に》。

難易《なんい》に二《に》とは、　一《いち》に難《なん》は[8]疑情《ぎじょう》、二《に》に易《い》は[9]信心《しんじん》。

執持《しゅうじ》に[10]三《さん》　已《い》・今《こん》・当《とう》　発願《ほつがん》に[11]三《さん》　已《い》・今《こん》・当《とう》

『法事讃《ほうじさん》』に[12]三往生《さんおうじょう》有《あ》り。
一《いち》に難思議往生《なんしぎおうじょう》は、　『大経《だいきょう》』の宗《しゅう》なり。
二《に》に双樹林下往生《そうじゅりんげおうじょう》は、　『観経《かんぎょう》』の宗《しゅう》なり。
三《さん》に難思往生《なんしおうじょう》は、　『弥陀経《みだきょう》』の宗《しゅう》なり。

『大経《だいきょう》』に言《のたま》わく、「本願《ほんがん》を証成《しょうじょう》したまうに、三身《さんしん》ま

『小経』勧信二　証成二　護念二　讃嘆二
難易二
勧信二者　一釈迦勧信　二諸仏勧信
証成二者　一功徳証成　釈迦二　諸仏二
二往生証成
護念二者　一執持護念　釈迦護念　諸仏護念
二発願護念
讃嘆二者　一釈迦讃嘆二
二諸仏讃嘆二
難易二者　一難疑情　二易信心
執持三　已今当　発願三　已今当
『法事讃』有㆓三往生㆒
一難思議往生　『大経』宗
二双樹林下往生　『観経』宗
三難思往生　『弥陀経』宗
『大経』言「証㆓成本願㆒三身」

します。」

法身《ほっしん》の証成《しょうじょう》

『経《きょう》』（大経）に言《のたま》わく、13「空中《くうちゅう》にして讃《さん》じて言《のたま》わく、「決定《けつじょう》して必《かなら》ず無上正覚《むじょうしょうがく》を成《じょう》じたまうべし」と。」文《もん》

報身《ほうじん》の証成《しょうじょう》　十方如来《じっぽうにょらい》なり。

化身《けしん》の証成《しょうじょう》　世饒王仏《せにょうおうぶつ》なり。

仏土《ぶつど》に就《つ》いて二種《にしゅ》有《あ》り。　一《いち》には仏《ぶつ》、二《に》には土《ど》なり。

仏《ぶつ》に就《つ》いて四種《ししゅ》有《あ》り。　一《いち》には法身《ほっしん》、二《に》には報身《ほうじん》、
三《さん》には応身《おうじん》、四《し》には化身《けしん》なり。

法身《ほっしん》に就《つ》いて二種《にしゅ》有《あ》り。　一《いち》には法性法身《ほっしょうほっしん》、
二《に》には方便法身《ほうべんほっしん》なり。

報身《ほうじん》に就《つ》いて三種《さんしゅ》有《あ》り。　一《いち》には弥陀《みだ》、二《に》は釈迦《しゃか》、
三《さん》は十方《じっぽう》。

応《おう》・化《け》に就《つ》いて三種《さんしゅ》有《あ》り。　一《いち》は弥陀《みだ》、二《に》は釈迦《しゃか》、
三《さん》は十方《じっぽう》。

土《ど》に就《つ》いて四種《ししゅ》有《あ》り。　一《いち》に法身《ほっしん》の土《ど》、二《に》に報身《ほうじん》の土《ど》、

法身証成

『経』言「空中讃言決定必成二無上正覚一」文

報身証成　十方如来

化身証成　世饒王仏

就二仏土一有二二種一　一者仏　二者土

就レ仏有二四種一　一法身　二報身
三応身　四化身

就二法身一有二二種一　一法性法身
二方便法身

就二報身一有二三種一　一弥陀　二釈迦
三十方

就二応化一有二三種一　一弥陀　二釈迦
三十方

就レ土有二四種一　一法身土　二報身土

三《さん》に応身《おうじん》の土《ど》、四《し》に化身《けしん》の土《ど》なり。

報土《ほうど》に就《つ》いて三種《さんしゅ》有《あ》り。　一《いち》に弥陀《みだ》、二《に》に釈迦《しゃか》、
三《さん》に十方《じっぽう》なり。

弥陀《みだ》の化土《けど》に就《つ》いて二種《にしゅ》有《あ》り。　一《いち》に疑城胎宮《ぎじょうたいぐう》、
二《に》に懈慢辺地《けまんへんじ》。

本願一乗《ほんがんいちじょう》は、頓極頓速《とんごくとんそく》・円融円満《えんゆうえんまん》の教《きょう》なれば、絶対不《ぜったいふ》二《に》の教《きょう》、一実真如《いちじつしんにょ》の道《どう》なりと知《し》るべし。専《せん》が中《なか》の専《せん》なり、頓《とん》が中《なか》の頓《とん》なり、真《しん》の中《なか》の真《しん》なり、円《えん》の中《なか》の円《えん》なり。一乗一実《いちじょういちじつ》は、大誓願海《だいせいがんかい》なり。第一希有《だいいちけう》の行《ぎょう》なり。

金剛《こんごう》の真心《しんじん》は、無碍《むげ》の信海《しんかい》なりと知《し》るべし。

『疏《しょ》』（玄義分）に云《い》わく、14「我《われ》、15菩薩蔵《ぼさつぞう》・頓教《とんぎょう》と一乗海《いちじょうかい》とに依《よ》る」といえり。

『讃《さん》』（般舟讃）に云《い》わく、16「『瓔珞経《ようらくきょう》』の中《なか》には漸教《ぜんぎょう》を説《と》く。万劫《まんごう》、功《こう》を修《しゅ》して不退《ふたい》を証《しょう》す。『観《かん》経《ぎょう》』・『弥陀経《みだきょう》』等《とう》の説《せつ》は、即《すなわ》ち是《こ》れ頓教《とんぎょう》と菩《ぼ》17薩蔵《さつぞう》となり。」文《もん》

円頓《えんどん》は、「円《えん》」は円融円満《えんゆうえんまん》に名《な》づく。
「頓《とん》」は頓極頓速《とんごくとんそく》に名《な》づく。

二教対《にきょうたい》　本願一乗海《ほんがんいちじょうかい》は、頓極頓速《とんごくとんそく》・円融円満《えんゆうえんまん》の教《きょう》なり。知《し》るべ

三応身土　四化身土

就㆓報土㆒有㆓三種㆒　一弥陀　二釈迦
三十方

就㆓弥陀化土㆒有㆓二種㆒　一疑城胎宮
二懈慢辺地

本願一乗　頓極頓速円融円満之教者　絶対不二之教一実真如之道也　応㆑知　専中之専　頓中之頓　真中之真　円中之円　一乗一実　大誓願海　第一希有之行也

金剛真心　無碍信海　応㆑知

円頓者　円名㆓円融円満㆒
頓名㆓頓極頓速㆒

二教対　本願一乗海　頓極頓速円融円満之教

し。

浄土《じょうど》の要門《ようもん》は、定散二善《じょうさんにぜん》・方便仮門《ほうべんけもん》・三福九品《さんぷくくぼん》の教《きょう》なり。知《し》るべしと。

難《なん》・易対《いたい》　横《おう》・竪対《じゅたい》　頓《とん》・漸対《ぜんたい》　[18]超《ちょう》・渉対《しょうたい》
真《しん》・仮対《けたい》　順《じゅん》・逆対《ぎゃくたい》　純《じゅん》・雑対《ぞうたい》　邪《じゃ》・正対《しょうたい》
勝《しょう》・劣対《れつたい》　親《しん》・疎対《そたい》　大《だい》・小対《しょうたい》　多《た》・少対《しょうたい》
重《じゅう》・軽対《きょうたい》　通《つう》・別対《べつたい》　①径《きょう》・②迂対《うたい》　[19]捷《しょう》・遅対《ちたい》
広《こう》・狭対《ぎょうたい》　近《ごん》・遠対《おんたい》　了《りょう》・不了教対《ふりょうきょうたい》
大利《だいり》・小利対《しょうりたい》　無上《むじょう》・有上対《うじょうたい》　不回《ふえ》・回向対《えこうたい》
自説《じせつ》・不説対《ふせつたい》　有願《うがん》・無願対《むがんたい》　有誓《うせい》・無誓対《むせいたい》
選《せん》・不選対《ふせんたい》　讃《さん》・不讃対《ふさんたい》　証《しょう》・不証対《ふしょうたい》
護《ご》・不護対《ふごたい》　因明《いんみょう》・直弁対《じきべんたい》　理尽《りじん》・非理尽対《ひりじんたい》
無間《むけん》・有間対《うけんたい》　相続《そうぞく》・不続対《ふぞくたい》　退《たい》・不退対《ふたいたい》
断《だん》・不断対《ふだんたい》　因行《いんぎょう》・果徳対《かとくたい》　法滅《ほうめつ》・不滅対《ふめつたい》

也応レ知
浄土要門　定散二善方便仮門三福九品
之教也　応レ知
難易対　横竪対　頓漸対　超渉対
真仮対　順逆対　純雑対　邪正対
勝劣対　親疎対　大小対　多少対
重軽対　通別対　径迂対　捷遅対
広狭対　近遠対　了不了教対
大利小利対　無上有上対　不回回向対
自説不説対　有願無願対　有誓無誓対
選不選対　讃不讃対　証不証対
護不護対　因明直弁対　理尽非理尽対
無間有間対　相続不続対　退不退対
断不断対　因行果徳対　法滅不滅対

①径…すぐち
②迂…めぐる

自力《じりき》・他力対《たりきたい》　摂取《せっしゅ》・不摂対《ふせったい》　入定聚《にゅうじょうじゅ》・不入対《ふにゅうたい》

思《し》・不思議対《ふしぎたい》　報《ほう》・化二土対《けにどたい》

已上四十二対《いじょうしじゅうにたい》　教法《きょうぼう》に就《つ》くと知《し》るべし。

真実浄信心《しんじつじょうしんじん》は、内因《ないいん》なり。摂取不捨《せっしゅふしゃ》は、外縁《げえん》なり。

本願《ほんがん》を信受《しんじゅ》するは、前念命終《ぜんねんみょうじゅう》なり。

[20]「即《すなわ》ち正定聚《しょうじょうじゅ》の数《かず》に入《い》る。」（論註）文《もん》

[21]「即《そく》の時《とき》、必定《ひつじょう》に入《い》る。」（十住論）文《もん》

[22]「又《また》「必定《ひつじょう》の菩薩《ぼさつ》」と名《な》づくるなり。」（十住論）文《もん》

即得往生《そくとくおうじょう》は、後念即生《ごねんそくしょう》なり。

他力金剛心《たりきこんごうしん》なり。知《し》るべし。

便《すなわ》ち弥勒菩薩《みろくぼさつ》に同《おな》じ。自力金剛心《じりきこんごうしん》なり。知《し》るべし。

『大経《だいきょう》』には[23]「次如弥勒《しにょみろく》」と言《のたま》えり。文《もん》

二機対《にきたい》　一乗円満《いちじょうえんまん》の機《き》は、他力《たりき》なり。

[24]漸頓回向《ぜんとんえこう》の機《き》は、自力《じりき》なり。

信《しん》・疑対《ぎたい》　賢《げん》・愚対《ぐたい》　善《ぜん》・悪対《あくたい》　正《しょう》・邪対《じゃたい》

是《ぜ》・非対《ひたい》　実《じつ》・虚対《こたい》　真《しん》・偽対《ぎたい》　浄《じょう》・穢対《えたい》

自力他力対　摂取不摂対　入定聚不入対

思不思議対　報化二土対

已上四十二対　就教法　応知

真実浄信心　内因　摂取不捨　外縁

信二受本願一　前念命終

「即入二正定聚之数一」文

「即時入二必定一」文

「又名二必定菩薩一也」文

即得往生　後念即生

他力金剛心也　応レ知

便同二弥勒菩薩一　自力金剛心也　応レ知

『大経』言二「次如弥勒一」文

二機対　一乗円満機　他力

漸頓回向機　自力

信疑対　賢愚対　善悪対　正邪対

是非対　実虚対　真偽対　浄穢対

好《こう》・醜対《しゅうたい》　妙《みょう》・麁対《そたい》　利《り》・鈍対《どんたい》　奢《しゃ》・促対《そくたい》
希《け》・常対《じょうたい》　強《ごう》・弱対《にゃくたい》　上上《じょうじょう》・下下対《げげたい》
勝《しょう》・劣対《れつたい》　直入《じきにゅう》・回心対《えしんたい》　明《みょう》・闇対《あんたい》
已上十八対《いじょうじゅうはちたい》　二機《にき》に就《つ》くと知《し》るべし。
又《また》、二種《にしゅ》の機《き》に就《つ》いて、復《ま》た二種《にしゅ》の性《しょう》有《あ》り。
二機《にき》は、一《いち》には善機《ぜんき》、二《に》には悪機《あっき》なり。
二性《にしょう》は、一《いち》には善性《ぜんしょう》、二《に》には悪性《あくしょう》なり。
又復《また》、善機《ぜんき》に就《つ》いて二種《にしゅ》有《あ》り。又《また》、傍正《ぼうしょう》有《あ》り。
一《いち》には定機《じょうき》、二《に》には散機《さんき》なり。
『疏《しょ》』(序分義)に[25]「一切衆生《いっさいしゅじょう》の機《き》に二種《にしゅ》有《あ》り。一《ひとつ》には定《じょう》、二《ふたつ》には散《さん》なり」と云《い》えり。文《もん》
又《また》、傍正《ぼうしょう》有《あ》りとは、
一《いち》に菩薩《ぼさつ》　大《だい》・小《しょう》、二《に》には縁覚《えんがく》、
三《さん》には声聞《しょうもん》・辟支等《びゃくしとう》　浄土《じょうど》の傍機《ぼうき》なり、
四《し》には天《てん》、五《ご》には人等《にんとう》なり　浄土《じょうど》の正機《しょうき》なり。
又復《また》、善性《ぜんしょう》に就《つ》いて五種《ごしゅ》有《あ》り。

好醜対　妙麁対　利鈍対　奢促対
希常対　強弱対　上上下下対
勝劣対　直入回心対　明闇対
已上十八対　就㆓二機㆒応㆑知
又就㆓二種機㆒復有㆓二種性㆒
二機者　一善機　二悪機
二性者　一善性　二悪性
又復就㆓善機㆒有㆓二種㆒　又有㆓傍正㆒
一定機　二散機
『疏』云「一切衆生機有二種一者定二者散」文
又有傍正者
一菩薩　大小　二縁覚
三声聞辟支等　浄土之傍機也
四天　五人等　浄土之正機也
又復就㆓善性㆒有㆓五種㆒

一《いち》には善性《ぜんしょう》、二《に》には正性《しょうしょう》、三《さん》には実性《じっしょう》、
四《し》には是性《ぜしょう》、五《ご》には真性《しんしょう》なり。
又復《また》、悪機《あっき》に就《つ》いて七種《しちしゅ》有《あ》り。
一《いち》には十悪《じゅうあく》、二《に》には四重《しじゅう》、三《さん》には破見《はけん》、
四《し》には破戒《はかい》、五《ご》には五逆《ごぎゃく》、六《ろく》には謗法《ほうぼう》、
七《しち》は闡提《せんだい》なり。
又復《また》、悪性《あくしょう》に就《つ》いて五種《ごしゅ》有《あ》り。
一《いち》には悪性《あくしょう》、二《に》には邪性《じゃしょう》、三《さん》には虚性《こしょう》、
四《し》には非性《ひしょう》、五《ご》には偽性《ぎしょう》なり。

一善性　二正性　三実性
四是性　五真性
又復就㆓悪機㆒有㆓七種㆒
一十悪　二四重　三破見
四破戒　五五逆　六謗法
七闡提
又復就㆓悪性㆒有㆓五種㆒
一悪性　二邪性　三虚性
四非性　五偽性

光明寺《こうみょうじ》の和尚《かしょう》（善導）の[26]云《い》わく（玄義分）、[27]「道俗時衆等《どうぞくじしゅとう》、各《おの》おの無上《むじょう》の心《しん》を発《おこ》せども、生死《しょうじ》、甚《はなは》だ厭《いと》い難《がた》く、仏法《ぶっぽう》、復《ま》た欣《ねが》い難《がた》し。共《とも》に金剛《こんごう》の志《こころざし》を発《おこ》して、横《よこさま》に四流《しる》を超断《ちょうだん》せよ。弥陀界《みだかい》に[28]観入《かんにゅう》して、帰依《きえ》し合掌《がっしょう》し礼《らい》したてまつれ。[29]正《まさ》しく金剛心《こんごうしん》を受《う》けて、相応一念《そういちねん》の後《のち》、果《か》、涅槃《ねはん》を得《え》ん者《ひと》」といえり。文《もん》

『浄土論《じょうどろん》』に曰《い》わく、[30]「世尊《せそん》。我《われ》、一心《いっしん》に尽十方無碍光如来《じんじっぽうむげこうにょらい》に帰命《きみょう》したてまつりて、安楽国《あんらくこく》に生《しょう》ぜんと願《がん》ず。我《われ》、修多羅真実功徳相《しゅたらしんじつくどくそう》に依《よ》りて、願偈総持《がんげそうじ》を説《と》く。仏教《ぶっきょう》と相応《そうおう》せり」とのたまえり。文《もん》

『仏説無量寿経《ぶっせつむりょうじゅきょう》』に言《のたま》わく、康僧鎧三蔵訳《こうそうがいさんぞうやく》、[31]「『我《わ》が滅度《めつど》の後《のち》を以《も》て、復《ま》た疑惑《ぎわく》を生《しょう》ずることを

得《う》ること無《な》かれ。当来《とうらい》の世《よ》に経道滅尽《きょうどうめつじん》せんに、我《われ》、慈悲哀愍《じひあいみん》を以《もっ》て、特《こと》に此《こ》の経《きょう》を留《とど》めて止住《しじゅう》することを百歳《ひゃくさい》せん。其《そ》れ衆生《しゅじょう》有《あ》りて、斯《こ》の経《きょう》に値《もうあ》う者《もの》、意《こころ》の所願《しょがん》に随《したが》いて、皆得度《みなとくど》すべし」と。仏《ぶつ》、弥勒《みろく》に語《かた》りたまわく、「如来《にょらい》の興世《こうせ》、値《もうあ》い難《がた》く見《み》たてまつり難《がた》し。諸仏《しょぶつ》の経道《きょうどう》、得難《えがた》く聞《き》き難《がた》し。菩薩《ぼさつ》の勝法《しょうぼう》・諸波羅蜜《しょはらみつ》、聞《き》くことを得《う》ること亦難《またかた》し。善知識《ぜんじしき》に遇《あ》い、法《ほう》を聞《き》き能《よ》く行《ぎょう》ずること、此《こ》れ亦難《またかた》しとす。若《も》し斯《こ》の経《きょう》を聞《き》きて信楽《しんぎょう》し受持《じゅじ》すること、難《なん》の中《なか》の難《なん》、[32]此《こ》の難《なん》に過《す》ぎたるは無《な》けん。是《こ》の故《ゆえ》に我《わ》が法《ほう》、是《か》くの如《ごと》く作《な》しき、是《か》くの如《ごと》く説《と》き、是《か》くの如《ごと》く教《おし》う。当《まさ》に信順《しんじゅん》して法《ほう》の如《ごと》く修行《しゅぎょう》すべし」と。」文《もん》

『無量寿如来会《むりょうじゅにょらいえ》』に言《のたま》わく、菩提流支三蔵訳《ぼだいるしさんぞうやく》、[33]「如来《にょらい》の勝智《しょうち》・遍虚空《へんこくう》の所説義言《しょせつぎごん》は、唯仏《ただぶつ》のみ悟《さと》るなり。是《こ》の故《ゆえ》に博《ひろ》く諸智土《しょちど》を聞《き》きて、我《わ》が教《きょう》・如実《にょじつ》の言《ごん》を信《しん》ずべし」と。文《もん》

『無量清浄平等覚経《むりょうしょうじょうびょうどうがくきょう》』に言《のたま》わく、帛延三蔵訳《はくえんさんぞうやく》、[34]「速疾《そくしつ》に超《こ》えて、便《すなわ》ち安楽国《あんらくこく》の世界《せかい》に到《いた》るべし。無量光明土《むりょうこうみょうど》に至《いた》りて無数《むしゅ》の仏《ぶつ》[35]を供養《くよう》したてまつれ」と。文《もん》

『諸仏阿弥陀三《しょぶつあみださん》[36]耶三仏薩楼仏檀過度人道経《やさんぶつさるぶつだんかどにんどうきょう》』に言《のたま》わく、[37]支謙三蔵訳《しけんさんぞうやく》、[38]「我《われ》、般泥洹《はつないおん》して去《さ》りて後《のち》、経道留止《きょうどうるし》せんこと千歳《せんざい》せん。千歳《せんざい》の後《のち》、経道断絶《きょうどうだんぜつ》せん。我《われ》、皆慈哀《みなじあい》して、特《こと》に是《こ》の経法《きょうぼう》を留《とど》めて止住《しじゅう》せんこと百歳《ひゃくさい》せん。百歳《ひゃくさい》の中《うち》に竟《おわ》らん。乃《いま》し休止《くし》し断絶《だんぜつ》せん。心《しん》の所願《しょがん》に在《あ》りて、皆《みな》、道《どう》を得《う》べし」と。略出《りゃくしゅつ》

元《がん》[39]照律師《じょうりっし》『阿弥陀経義疏《あみだきょうのぎしょ》』に云《い》わく大智律師《だいちりっし》なり、[40]「「勢至章《せいししょう》」（首楞厳経）に云《のたま》わく、[41]「十方《じっぽう》

如来《にょらい》、衆生《しゅじょう》を憐念《れんねん》したまうこと、母《はは》の、子《こ》を憶《おも》うが如《ごと》し」と。『大論《だいろん》』（大智度論）に云《い》わく、42「譬《たと》えば、魚母《ぎょも》の、若《も》し子《こ》を念《おも》わざれば、子《こ》即《すなわ》ち壊爛《えらん》する等《とう》の如《ごと》し」と。「阿耨多羅《あのくたら》」、此《ここ》には「無上《むじょう》」と翻《ほん》ず。「三藐《さんみゃく》」は「正等《しょうとう》」と云《い》う。「三菩提《さんぼだい》」は「正覚《しょうがく》」と云《い》う。即《すなわ》ち仏果《ぶっか》の号《ごう》なり。薄地《はくじ》の凡夫《ぼんぶ》、業惑《ごうわく》に纏縛《てんばく》せられて五道《ごどう》に流転《るてん》せること、百千万劫《ひゃくせんまんごう》なり。忽《たちま》ちに浄土《じょうど》を聞《き》きて、志願《しがん》して生《う》まれんと求《もと》む。一日《いちにち》、名《みな》を称《しょう》すれば、即《すなわ》ち彼《か》の国《くに》に超《こ》ゆ。諸仏護念《しょぶつごねん》して直《ただ》ちに菩提《ぼだい》に趣《おもむ》かしむ。謂《おも》うべし、万劫《まんごう》にも逢《もうあ》い難《がた》し。千生《せんじょう》に一《ひと》たび誓《ちかい》に遇《もうあ》えり。今日《きょう》より、未来《みらい》を終尽《しゅうじん》すとも、在処《ざいしょ》にして讃揚《さんよう》し、多方《たほう》にして勧誘《かんゆう》せん。所感《しょかん》の身土《しんど》、所化《しょけ》の機縁《きえん》、阿弥陀《あみだ》と等《ひと》しくして異有《いあ》ること無《な》けん。此《こ》の心《しん》、極罔《きわまりな》し。唯《ただ》、仏《ぶつ》、証知《しょうち》したまえ。是《こ》の故《ゆえ》に下《しも》に三《み》たび信《しん》を勧《すす》む。我《わ》が語《ご》を信《しん》ずるは、教《きょう》を信《しん》ずと謂《い》うなり。我《わ》が十方諸仏《じっぽうしょぶつ》を信《しん》ぜざるが如《ごと》しと、豈《あ》に虚妄《こもう》なるをや」と。略出《りゃくしゅつ》

43建長七歳（一二五五）乙卯《きのとう》八月二十七日書レ之　　愚禿親鸞《ぐとくしんらん》　八十三歳

永仁元年（一二九三）　癸巳《みずのとみ》　十月六日書二写之一

愚《ぐ》禿《とく》鈔《しょう》　下

聞㆓賢者信㆒　顕㆓愚禿心㆒
賢者信　内賢外愚也
愚禿心　内愚外賢也

賢者《けんじゃ》の[44]信《しん》を聞《き》きて、愚禿《ぐとく》が心《しん》を[45]顕《あらわ》す。
賢者《けんじゃ》の信《しん》は、内《ない》は賢《けん》にして外《げ》は愚《ぐ》なり。
愚禿《ぐとく》が心《しん》は、内《ない》は愚《ぐ》にして外《げ》は賢《けん》なり。

唐朝《とうちょう》の光明寺《こうみょうじ》の和尚《かしょう》（善導）の『観経義《かんぎょうぎ》』（散善義）に云《い》わく、[46]「先《ま》ず上品上生《じょうぼんじょうしょう》の位《くらい》の中《なか》に就《つ》いて、乃至《ないし》　一《いち》に[47]「仏告阿難《ぶつごうあなん》」（観経）より已下《いげ》は、即《すなわ》ち双《なら》べて二《に》の意《い》を標《ひょう》す。一《ひとつ》に告命《ごうみょう》を明《あ》かす。二《ふたつ》に其《そ》の位《くらい》を弁定《べんじょう》することを明《あ》かす。此《こ》れ即《すなわ》ち大乗《だいじょう》の上善《じょうぜん》を修学《しゅがく》する凡夫人《ぼんぶにん》なり。

[48]二《に》に[49]「若有衆生《にゃくうしゅじょう》」（同）より下《しも》[50]「即便往生《そくべんおうじょう》」（同）に至《いた》るまで已来《このかた》は、正《まさ》しく総《そう》じて有生《うしょう》の類《るい》を挙《あ》ぐることを明《あ》かす。即《すなわ》ち其《そ》れに四有《しあ》り。一《ひとつ》には能信《のうしん》の人《ひと》を明《あ》かす。二《ふたつ》には往生《おうじょう》を求願《ぐがん》することを明《あ》かす。三《みつ》には発心《ほっしん》の多少《たしょう》を明《あ》かす。四《よつ》は得生《とくしょう》の益《やく》を明《あ》かす。

[51]三《さん》には[52]「何等為三《がとういさん》」（同）より下《しも》[53]「必生彼国《ひっしょうひこく》」（同）に至《いた》るまで已来《このかた》は、正《まさ》しく三心《さんじん》を弁定《べんじょう》して、以《もっ》て正因《しょういん》とすることを明《あ》かす。即《すなわ》ち二有《にあ》り。一《ひとつ》は、世尊《せそん》、機《き》に随《したが》いて益《やく》を顕《あらわ》すこと、意《い》、密《みつ》にして知《し》り難《がた》し。仏自《ぶつみずか》ら問《と》うて自《みずか》ら徴《あらわ》したまうに非《あら》ずは、解《さとり》を得《う》ること、由無《よしな》きことを明《あ》かす。二《ふたつ》は、如来《にょらい》、還《かえ》りて自《みずか》ら前《さき》の三心《さんじん》の数《かず》を答《こた》えたまうことを明《あ》かす。

『経《きょう》』（観経）に云《のたま》わく、[54]「一者至誠心《いっしゃしじょうしん》。」「至《し》」は真《しん》なり、「誠《じょう》」は実《じつ》なり。一切衆生《いっさいしゅじょう》、身口意《しんくい》業《ごう》に修《しゅ》する所《ところ》の解行《げぎょう》、必《かなら》ず真実心《しんじつしん》の中《なか》に作《な》したまえるを須《もち》いんことを明《あ》かさんと欲《おも》う。外《ほか》に賢善《げんぜん》精進《しょうじん》の相《そう》を現《げん》ずることを得《え》ざれ。内《うち》に虚仮《こけ》を[55]懐《いだ》いて、貪瞋邪偽奸詐百端《とんじんじゃぎかんさひゃくたん》にして、悪性《あくしょう》侵め難《がた》し。事《じ》、蛇蝎《じゃかつ》に同《おな》じ。三業《さんごう》を起《お》こすと雖《いえど》も、名《な》づけて「雑毒《ぞうどく》の善《ぜん》」とす。亦《また》「虚仮《こけ》の行《ぎょう》」と名《な》づく。「真実《しんじつ》の業《ごう》」と[56]名《な》づけざるなり。若《も》し此《か》くの如《ごと》き安心起行《あんじんきぎょう》を[57]作《な》すは、縦使《たと》い身心《しんじん》を苦励《くれい》して、日夜《にちや》十二時《じゅうにじ》、急《きゅう》に走《もと》め急《きゅう》に[58]作《な》すこと、頭燃《ずねん》を炙《はら》うが[59]如《ごと》くするは、衆《すべ》て「雑毒《ぞうどく》の善《ぜん》」と名《な》づく。此《こ》の雑毒《ぞうどく》の行《ぎょう》を回《え》して彼《か》の仏《ぶつ》の浄土《じょうど》に求生《ぐしょう》せんと[60]欲《おも》うは、此《こ》れ必《かなら》ず不可《ふか》なり。何《なに》を以《もっ》ての故《ゆえ》に。正《まさ》しく、彼《か》の阿弥陀仏《あみだぶつ》、因中《いんちゅう》に菩薩《ぼさつ》の行《ぎょう》を行《ぎょう》じたまいし時《とき》、乃至一念《ないしいちねん》・一刹那《いっせつな》も、三業《さんごう》の所修《しょしゅ》、皆《みな》是《こ》れ真実心《しんじつしん》の中《なか》に作《な》したまいしに由《よ》りてなり。凡《おおよ》そ施《ほどこ》したまう所《ところ》、[61]趣求《しゅぐ》を為《な》す。亦皆真実《またみなしんじつ》なりと。又《また》、真実《しんじつ》に二種有《にしゅあ》り。一《ひとつ》には自利真実《じりしんじつ》、二《ふたつ》には利他真実《りたしんじつ》なり」と。文《もん》

「利他真実《りたしんじつ》」に就《つ》いて、亦《また》[62]二種有《にしゅあ》り。

一《ひとつ》には「凡《おおよ》そ施《ほどこ》したまう所《ところ》、[63]趣求《しゅぐ》を為《な》すは、亦《また》皆真実《みなしんじつ》なり」と。

二《ふたつ》には[64]「不善《ふぜん》の三業《さんごう》は、必《かなら》ず真実心《しんじつしん》の中《なか》に捨《す》てたまいしを須《もち》いよ。又《また》、若《も》し善《ぜん》の三業《さんごう》を起《お》こさば、必《かなら》ず真実心《しんじつしん》の中《なか》に作《な》したまいしを須《もち》いて、内外明闇《ないげみょうあん》を簡《えら》ばず、皆《みな》、真実《しんじつ》を須《もち》いるが故《ゆえ》に「至誠心《しじょうしん》」と名《な》づく」

就「利他真実」亦有二種

一者「凡所レ施為二趣求一亦皆真実」

二者「不善三業必須二真実心中捨一又若起二善三業一者 必須二真実心中作一 不レ簡二内外明闇一 皆須二真実一故 名二至誠心一」

文

と。文《もん》

[65]「自利真実《じりしんじつ》」と言《い》うは、復《ま》た二種《にしゅ》有《あ》り。

一《ひと》つには、真実心《しんじつしん》の中《なか》に自他《じた》の諸悪《しょあく》及《およ》び穢国《えこく》等《とう》を制捨《せいしゃ》して、行住座臥《ぎょうじゅうざが》に、一切菩薩《いっさいぼさつ》の、諸悪《しょあく》を制捨《せいしゃ》するに同《おな》じく、我《われ》も亦是《またか》くの如《ごと》くせんと[66]想《おも》えとなり。

二《ふた》つには、真実心《しんじつしん》の中《なか》に自他凡聖《じたぼんしょう》等《とう》の善《ぜん》を[67]勤修《ごんしゅ》すべしと。

真実心《しんじつしん》の中《なか》の口業《くごう》に、彼《か》の阿弥陀仏《あみだぶつ》及《およ》び依正二報《えしょうにほう》を[68]讃嘆《さんだん》すべし。又《また》、真実心《しんじつしん》の中《なか》の口業《くごう》に、三界《さんがい》六道《ろくどう》等《とう》の自他《じた》の依正二報《えしょうにほう》・苦悪《くあく》の事《じ》を[69]毀厭《きえん》し、亦一切衆生三業所為《またいっさいしゅじょうさんごうしょい》の善《ぜん》を[70]讃嘆《さんだん》すべし。若《も》し善業《ぜんごう》に非《あら》ずは、敬《うやま》いて之《これ》を遠《とお》ざかれ、亦随喜《またずいき》せざれとなり。

又《また》、真実心《しんじつしん》の中《なか》の身業《しんごう》に、合掌《がっしょう》し礼敬《らいきょう》して、四事《しじ》等《とう》[71]をして彼《か》の阿弥陀仏《あみだぶつ》及《およ》び依正二報《えしょうにほう》を供養《くよう》したてまつれ。又《また》、真実心《しんじつしん》の中《なか》の身業《しんごう》に、此《こ》の生死三界《しょうじさんがい》等《とう》の自他《じた》の依正二報《えしょうにほう》を軽慢《きょうまん》し厭捨《えんしゃ》すべし。

又《また》、真実心《しんじつしん》の中《なか》の意業《いごう》に、彼《か》の阿弥陀仏《あみだぶつ》及《およ》び依正二報《えしょうにほう》を思想《しそう》し観察《かんざつ》し憶念《おくねん》して、目《め》の前《まえ》に現《げん》ぜるが如《ごと》くすべし。又《また》、真実心《しんじつしん》の中《なか》の意業《いごう》に、此《こ》の生死三界《しょうじさんがい》等《とう》の自他《じた》の依正二報《えしょうにほう》を軽賤《きょうせん》し厭捨《えんしゃ》すべしとなり。」文《もん》

「一者至誠心《いっしゃしじょうしん》」というは、「「至《し》」は真《しん》なり、「誠《じょう》」は実《じつ》なり。」即《すなわ》ち真実《しんじつ》なり。

真実《しんじつ》に二種《にしゅ》有《あ》り。

「一者至誠心」者「至者真 誠者実」即真実也

真実有二種

一《いち》には自利真実《じりしんじつ》なり。
難行道《なんぎょうどう》　聖道門《しょうどうもん》
竪超《しゅちょう》　即身是仏《そくしんぜぶつ》・即身成仏《そくしんじょうぶつ》　自力《じりき》なり。
竪出《しゅしゅつ》　自力中《じりきちゅう》の漸教《ぜんぎょう》・歴劫修行《りゃっこうしゅぎょう》なり。
二《に》には利他真実《りたしんじつ》なり。
易行道《いぎょうどう》　浄土門《じょうどもん》
横超《おうちょう》　如来《にょらい》の誓願他力《せいがんたりき》なり。
横出《おうしゅつ》　他力中《たりきちゅう》の自力《じりき》なり。定散諸行《じょうさんしょぎょう》なり。
自利真実《じりしんじつ》に就《つ》いて、復《ま》た二種《にしゅ》有《あ》り。
一《いち》には厭離真実《えんりしんじつ》
聖道門《しょうどうもん》　難行道《なんぎょうどう》
竪出《しゅしゅつ》　自力《じりき》
竪出《しゅしゅつ》は、難行道《なんぎょうどう》の教《きょう》なり。厭離《えんり》を以《もっ》て本《ほん》とす。
自力《じりき》の心《しん》なるが故《ゆえ》なり。
二《に》には欣求真実《ごんぐしんじつ》
浄土門《じょうどもん》　易行道《いぎょうどう》

一者自利真実
難行道　聖道門
竪超　即身是仏即身成仏　自力也
竪出　自力中之漸教　歴劫修行也
二者利他真実
易行道　浄土門
横超　如来誓願他力也
横出　他力中之自力　定散諸行也
就㆓自利真実㆒復有㆓二種㆒
一者厭離真実
聖道門　難行道
竪出　自力
竪出者難行道之教　以㆓厭離㆒為㆑本　自力之心故也
二者欣求真実
浄土門　易行道

横出《おうしゅつ》　他力《たりき》

横出《おうしゅつ》は、易行道《いぎょうどう》の教《きょう》なり。欣求《ごんぐ》を以《もっ》て本《ほん》とす。何《なに》を以《もっ》ての故《ゆえ》に。願力《がんりき》に由《よ》りて生死《しょうじ》を厭捨《えんしゃ》せしむるが故《ゆえ》なりと。

又《また》、横出《おうしゅつ》の真実《しんじつ》に就《つ》いて、復《ま》た三種《さんしゅ》有《あ》り。

一《いち》には、口業《くごう》に欣求真実《ごんぐしんじつ》、
口業《くごう》に厭離真実《えんりしんじつ》なり。

二《に》には、身業《しんごう》に欣求真実《ごんぐしんじつ》、
身業《しんごう》に厭離真実《えんりしんじつ》なり。

三《さん》には、意業《いごう》に欣求真実《ごんぐしんじつ》、
意業《いごう》に厭離真実《えんりしんじつ》なり。

宗師《しゅうし》（善導）の釈文《しゃくもん》を案《あん》ずるに、

「一者真実心中《いっしゃしんじつしんちゅう》」已下《いげ》より、「自他凡聖等善《じたぼんしょうとうぜん》」に至《いた》るまでは、厭離《えんり》を先《せん》とし、欣求《ごんぐ》を後《ご》とす。則《すなわ》ち是《こ》れ難行《なんぎょう》道《どう》・自力竪出《じりきしゅしゅつ》の義《ぎ》なり。

「真実心中口業《しんじつしんちゅうくごう》」已下《いげ》より、「自他依正二報《じたえしょうにほう》」に至《いた》るま

横出　他力

横出者易行道之教　以二欣求一為レ本　何以故　由二願力一令三厭二捨生死一之故也

又就二横出真実一　復有二三種一

一者口業欣求真実
口業厭離真実

二者身業欣求真実
身業厭離真実

三者意業欣求真実
意業厭離真実

案二宗師釈文一

従二「一者真実心中」已下一至二「自他凡聖等善」一者　厭離為レ先　欣求為レ後　則是難行道　自力竪出之義也

従二「真実心中口業」已下一至二「自他依正

では、則《すなわ》ち是《こ》れ易行道《いぎょうどう》・他力横出《たりきおうしゅつ》の義《ぎ》なり。

72「73「二者深心《にしゃじんしん》。」（観経）「深心《じんしん》」と言《い》うは即《すなわ》ち是《こ》れ深信《じんしん》の心《しん》なり。亦《また》二種《にしゅ》有《あ》り。

一《ひとつ》には、決定《けつじょう》して自身《じしん》は現《げん》に是《こ》れ罪悪生死《ざいあくしょうじ》の凡夫《ぼんぶ》、曠劫《こうごう》より已来《このかた》、常《つね》に没《もっ》し常《つね》に流転《るてん》して出離《しゅつり》の縁《えん》有《あ》ること無《な》しと74深信《じんしん》すべし。

二《ふたつ》には、決定《けつじょう》して75彼《か》の阿弥陀仏《あみだぶつ》の四十八願《しじゅうはちがん》、衆生《しゅじょう》を摂受《しょうじゅ》したまう。疑《うたがい》無《な》く慮《おもんぱかり》無《な》く、彼《か》の願力《がんりき》に乗《じょう》ずれば、定《さだ》んで往生《おうじょう》を得《う》と76深信《じんしん》せよとなり。」文《もん》77
今斯《いまこ》の深信《じんしん》は、他力至極《たりきしごく》の金剛心《こんごうしん》・一乗無上《いちじょうむじょう》の真実信《しんじつしん》海《かい》なり。

文《もん》の意《い》を案《あん》ずるに、深信《じんしん》に就《つ》いて、78七深信《しちじんしん》有《あ》り、六決《ろくけつ》定《じょう》有《あ》り。

七深信《しちじんしん》は、
第一《だいいち》の深信《じんしん》は、「決定《けつじょう》して自身《じしん》を深信《じんしん》する。」即《すなわ》ち是《こ》れ自利《じり》の信心《しんじん》なり。

第二《だいに》の深信《じんしん》は、「決定《けつじょう》して79彼《か》の願力《がんりき》に乗《じょう》じて深信《じんしん》する。」即《すなわ》ち是《こ》れ利他《りた》の信海《しんかい》なり。

第三《だいさん》には、「決定《けつじょう》して『観経《かんぎょう》』を深信《じんしん》す。」

二報一」者　則是易行道　他力横出之義也
今斯深信者　他力至極之金剛心　一乗無上之真実信海也
案二文意一就二深信一　有二七深信一　有二六決定一
七深信者
第一深信「決定深三信自身二」　即是自利信心也
第二深信「決定深三信乗二彼願力一」　即是利他信海也
第三「決定深二信『観経一』」

第四《だいし》には、「決定《けつじょう》して『弥陀経《みだきょう》』を深信《じんしん》す。」
第五《だいご》には、「唯《ただ》、仏語《ぶつご》を信《しん》じ、決定《けつじょう》して行《ぎょう》に依《よ》る。」
第六《だいろく》には、「此《こ》の経《きょう》に依《よ》りて深信《じんしん》す。」
第七《だいしち》には、「又《また》、深心《じんしん》の深信《じんしん》は、決定《けつじょう》して80自心《じしん》を建立《こんりゅう》せよ」と。

六決定《ろくけつじょう》は、已上《いじょう》、次《つ》いでの如《ごと》し。知《し》るべし。

利他信心《りたしんじん》

第五《だいご》の「唯信仏語《ゆいしんぶつご》」に就《つ》いて、81三遣《さんけん》・三随順《さんずいじゅん》・三是《さんぜ》名有《みょうあ》り。

三遣《さんけん》は、
一《いち》には「仏《ぶつ》の捨《す》て遣《し》めたまうをば即《すなわ》ち捨《す》つ。」
二《に》には「仏《ぶつ》の行《ぎょう》ぜ遣《し》めたまうをば即《すなわ》ち行《ぎょう》ず。」
三《さん》には「仏《ぶつ》の去《さ》ら遣《し》めたまう処《ところ》をば即《すなわ》ち去《さ》る」となり。

三随順《さんずいじゅん》は、
一《いち》には「是《こ》れを「仏教《ぶっきょう》に随順《ずいじゅん》す」と名《な》づく。」

第四「決定深㆓信『弥陀経㆒』」
第五「唯信㆓仏語㆒決定依㆑行」
第六「依㆓此経㆒深信」
第七「又深心深信者決定建㆓立自心㆒」

六決定者　已上　如㆑次　応㆑知

利他信心

就㆓第五「唯信仏語㆒」有㆓三遣・三随順・三是名㆒

三遣者
一「仏遣㆑捨者即捨」
二「仏遣㆑行者即行」
三「仏遣㆑去処即去」

三随順者
一「是名㆔随㆓順仏教㆒」

二《に》には「仏意《ぶつい》に随順《ずいじゅん》す。」

三《さん》には「是《こ》れを「仏願《ぶつがん》に随順《ずいじゅん》す」と名《な》づく」と。

三是名《さんぜみょう》は、
一《いち》には「是《こ》れを「真仏弟子《しんぶつでし》」と名《な》づく。」

上《かみ》の「是名《ぜみょう》」と此《こ》れと合《がっ》して三是名《さんぜみょう》なり。

『観経《かんぎょう》』に依《よ》る
第六《だいろく》に「此《こ》の経《きょう》に依《よ》りて深信《じんしん》する」に就《つ》いて、[82]六即《ろくそく》・三印《さんいん》・三無《さんむ》・六正《ろくしょう》・二了《にりょう》有《あ》り。

六即《ろくそく》は、
一《いち》には「若《も》し仏意《ぶつい》に称《かな》えば、即《すなわ》ち印可《いんか》して「如是《にょぜ》如是《にょぜ》」と言《のたま》う。」

二《に》には「若《も》し仏意《ぶつい》に可《かな》わざれば、即《すなわ》ち「汝等《なんだち》が所《しょ》説《せつ》、是《こ》の義《ぎ》、不如是《ふにょぜ》」と言《のたま》う。」

三《さん》には「印《いん》せざるは、即《すなわ》ち無記《むき》・無利《むり》・無益《むやく》の語《ご》に同《おな》じ」と。

四《し》には「仏《ぶつ》の印可《いんか》したまうは、即《すなわ》ち仏《ぶつ》の正教《しょうきょう》に

二「随㆓順仏意㆒」
三「是名㆔随㆓順仏願㆒」
三是名者
一「是名㆓真仏弟子㆒」
上「是名」与㆑此合三是名也
依観経
就㆘第六「依㆓此経㆒深信㆖」有㆓六即・三印・三無・六正・二了㆒
六即者
一「若称㆓仏意㆒ 即印可言㆓如是如是㆒」
二「若不㆑可㆓仏意㆒者 即言㆓汝等所説是義不如是㆒」
三「不㆑印者即同㆓無記無利無益之語㆒」
四「仏印可者即随㆓順仏之正教㆒」

随順《ずいじゅん》するなり。」
五《ご》には「若《も》し仏《ぶつ》の所有《しょう》の言説《ごんせつ》は、即《すなわ》ち是《こ》れ正教《しょうきょう》なり。」
六《ろく》には「若《も》し仏《ぶつ》の所説《しょせつ》は、即《すなわ》ち是《こ》れ了教《りょうきょう》なり。」
三印《さんいん》は、
一《いち》には即印可《そくいんか》、二《に》には不印《ふいん》、三《さん》には仏印可《ぶついんか》。
三印《さんいん》は、上《かみ》の六即《ろくそく》の文《もん》の中《なか》に有《あ》り。
三無《さんむ》は、
一《いち》には無記《むき》、二《に》には無利《むり》、三《さん》には無益《むやく》。
三無《さんむ》は、六即《ろくそく》の文《もん》の中《なか》に有《あ》り。
六正《ろくしょう》は、
一《いち》には正教《しょうきょう》、二《に》には正義《しょうぎ》、三《さん》には正行《しょうぎょう》、
四《し》には正解《しょうげ》、五《ご》には正業《しょうごう》、六《ろく》には正智《しょうち》。
二了《にりょう》は、
一《いち》には「若《も》し仏《ぶつ》の所説《しょせつ》は、即《すなわ》ち是《こ》れ了教《りょうきょう》なり。」
二《に》には「菩薩等《ぼさつとう》の説《せつ》は、尽《ことごと》く「不了教《ふりょうきょう》」と名《な》づ

五「若仏所有言説即是正教」
六「若仏所説即是了教」
三印者
一即印可　二不印　三仏印可
三印者有㆓上六即文中㆒
三無者
一無記　二無利　三無益
三無者有㆓六即文中㆒
六正者
一正教　二正義　三正行
四正解　五正業　六正智
二了者
一「若仏所説即是了教」
二「菩薩等説尽名㆓不了教㆒也　応㆑知」

くるなり。知《し》るべし。」

自利信心《じりしんじん》

第七《だいしち》の「又深心深信《うじんしんじんしん》」に就《つ》いては、「決定《けつじょう》して自心《じしん》を建《こん》立《りゅう》する」に、[83]二別《にべつ》・三異《さんい》・一問答《いちもんどう》有《あ》り。

二別《にべつ》は、一《いち》に別解《べつげ》、二《に》に別行《べつぎょう》。

三異《さんい》は、一《いち》に異学《いがく》、二《に》に異見《いけん》、三《さん》に異執《いしゅう》なり。

一問答《いちもんどう》の中《なか》に、四別《しべつ》・四信《ししん》有《あ》り。

四別《しべつ》は、

一《いち》に処別《しょべつ》、二《に》に時別《じべつ》、三《さん》に対機別《たいきべつ》、

四《し》に利益別《りやくべつ》なり。

四信《ししん》は、

一《いち》に「往生《おうじょう》の信心《しんじん》。」凡夫《ぼんぶ》の疑難《ぎなん》なり。

二《に》に「清浄《しょうじょう》の信心《しんじん》。」地前《じぜん》の菩薩《ぼさつ》・羅漢《らかん》・辟《びゃく》[84]支仏等《しぶつとう》の疑難《ぎなん》なり。

三《さん》に「上上《じょうじょう》の信心《しんじん》。」初地已上《しょじいじょう》、十地已来《じゅうじいらい》の疑難《ぎなん》なり。

自利信心

就㆓第七「又深心深信㆒」者「決定建㆓立自心㆒」有㆓二別・三異・一問答㆒

二別者　一別解　二別行

三異者　一異学　二異見　三異執

一問答中有㆓四別・四信㆒

四別者

一処別　二時別　三対機別

四利益別

四信者

一「往生信心」　凡夫疑難也

二「清浄信心」　地前菩薩羅漢辟支仏等疑難也

三「上上信心」　初地已上十地已来疑難也

四《し》に「畢竟《ひっきょう》じて一念《いちねん》疑退《ぎたい》の心《しん》を起《お》こさざるなり。」報仏《ほうぶつ》・化仏《けぶつ》の疑難《ぎなん》なり。

「上上《じょうじょう》の信心《しんじん》」に就《つ》いて、[85]五実《ごじつ》・二異《にい》有《あ》り。

五実《ごじつ》は、

一《いち》に真実決了《しんじつけつりょう》の義《ぎ》なり、二《に》に実知《じっち》、三《さん》に実解《じつげ》、

四《し》に実見《じっけん》、五《ご》に実証《じっしょう》なり。

二異《にい》は、一《いち》に異見《いけん》なり、二《に》に異解《いげ》なり。

「報《ほう》・化《け》二仏《にぶつ》の疑難《ぎなん》」に就《つ》いて、『弥陀経《みだきょう》』を引《ひ》きて信《しん》を勧《すす》むるに、[86]二専《にせん》・四同《しどう》・[87]二所化《にしょけ》・六悪《ろくあく》・二同《にどう》・三所《さんしょ》有《あ》り。

二専《にせん》は、一《いち》に専念《せんねん》、二《に》に専修《せんじゅ》　五種《ごしゅ》なり。

四同《しどう》は、

一《いち》に同讃《どうさん》、二《に》に同勧《どうかん》、三《さん》に同証《どうしょう》、四《し》に同体《どうたい》。

二所化《にしょけ》は、

一《いち》に「一仏《いちぶつ》の所化《しょけ》は即《すなわ》ち是《こ》れ一切仏《いっさいぶつ》の化《け》なり。」

二《に》に「一切仏《いっさいぶつ》の所化《しょけ》は即《すなわ》ち是《こ》れ一仏《いちぶつ》の化《け》なり。」

四「畢竟不㆑起㆓一念疑退之心㆒也」

報仏化仏疑難也

就㆓「上上信心㆒」有㆓五実・二異㆒

五実者

一真実決了義　二実知　三実解

四実見　五実証

二異者　一異見　二異解

就㆓「報化二仏疑難㆒」引㆓『弥陀経㆒』勧㆑信有㆓二専・四同・二所化・六悪・二同・三所㆒

二専者　一専念　二専修　五種也

四同者

一同讃　二同勧　三同証　四同体

二所化者

一「一仏所化即是一切仏化」

二「一切仏所化即是一仏化」

六悪《ろくあく》は、
一《いち》に悪時《あくじ》、二《に》に悪世界《あくせかい》、三《さん》に悪衆生《あくしゅじょう》、四《し》に悪見《あっけん》、
五《ご》に悪煩悩《あくぼんのう》、六《ろく》に悪邪無信《あくじゃむしん》盛時《じょうじ》なり。
二同《にどう》は、
一《いち》に「十方仏等同心《じっぽうぶつとうどうしん》なり。」
二《に》に「同時《どうじ》に各《おの》おの舌相《ぜっそう》を出《い》だす。」
三所《さんしょ》は、
一《いち》に所説《しょせつ》、二《に》に所讃《しょさん》、三《さん》に所証《しょしょう》なり。
[88]「一仏《いちぶつ》の所説《しょせつ》は、即《すなわ》ち一切仏《いっさいぶつ》、同《おな》じく其《そ》の事《じ》を証成《しょうじょう》したまうなり。此《こ》れを「人《にん》に就《つ》いて信《しん》を立《た》つ」と名《な》づくるなり。知《し》るべしと。
次《つぎ》に行《ぎょう》に就《つ》いて信《しん》を立《た》てば、然《しか》るに行《ぎょう》に二種《にしゅ》有《あ》り。一《ひとつ》には正行《しょうぎょう》、二《ふたつ》には雑行《ぞうぎょう》なり。」
正行《しょうぎょう》に就《つ》いて、[89]五正行《ごしょうぎょう》・六一心《ろくいっしん》・六専修《ろくせんじゅ》有《あ》り。
五正行《ごしょうぎょう》は、
一《いち》に一心《いっしん》に専読誦《せんどくじゅ》、二《に》に一心《いっしん》に専観察《せんかんざつ》、
三《さん》に一心《いっしん》に専礼仏《せんらいぶつ》、四《し》に一心《いっしん》に[90]専称名《せんしょうみょう》、
五《ご》に一心《いっしん》に専讃嘆供養《せんさんだんくよう》なり。

六悪者
一悪時　二悪世界　三悪衆生　四悪見
五悪煩悩　六悪邪無信盛時也
二同者
一「十方仏等同心」
二「同時各出㆓舌相㆒」
三所者
一所説　二所讃　三所証
就㆓正行㆒有㆓五正行・六一心・六専修㆒
五正行者
一一心専読誦　二一心専観察
三一心専礼仏　四一心専称名
五一心専讃嘆供養

又《また》、此《こ》の正《しょう》の中《なか》に就《つ》いて、復《ま》た二種《にしゅ》有《あ》り。
一《いち》には「一心《いっしん》に弥陀《みだ》の名号《みょうごう》を専念《せんねん》する。是《こ》れを「正定《しょうじょう》の業《ごう》」と名《な》づく。」
二《に》には「若《も》し礼誦等《らいじゅとう》に依《よ》るは、即《すなわ》ち名《な》づけて「助《じょ》業《ごう》」とす」と。
六一心《ろくいっしん》は、　次《つ》いでの[91]如《ごと》しと。一心《いっしん》なり。
六専修《ろくせんじゅ》は、　次《つ》いでの如《ごと》く専修《せんじゅ》なり。
又復《また》、正雑二行《しょうぞうにぎょう》に就《つ》いて、復《ま》た二行《にぎょう》有《あ》り。
一《いち》には定行《じょうぎょう》、二《に》には散行《さんぎょう》なり。
又復《また》、正雑《しょうぞう》に就《つ》いて、復《ま》た二種《にしゅ》有《あ》り。
一《いち》には念仏《ねんぶつ》、二《に》には観仏《かんぶつ》なり。
又《また》、念仏《ねんぶつ》に就《つ》いて、復《ま》た二種《にしゅ》有《あ》り。
一《いち》には弥陀念仏《みだねんぶつ》、二《に》には諸仏念仏《しょぶつねんぶつ》。
法身《ほっしん》　報身《ほうじん》　応身《おうじん》　化身《けしん》
又復《また》、弥陀念仏《みだねんぶつ》に就《つ》いて二種《にしゅ》有《あ》り。
一《いち》には正行《しょうぎょう》定心念仏《じょうしんねんぶつ》なり、

又就㆓此正中㆒復有㆓二種㆒
一者「一心専㆓念弥陀名号㆒是名㆓正定之業㆒」
二者「若依㆓礼誦等㆒即名為㆓助業㆒」
六一心者　如㆑次一心也
六専修者　如㆑次専修也
又復就㆓正雑二行㆒復有㆓二行㆒
一者定行　二者散行
又復就㆓正雑㆒復有㆓二種㆒
一念仏　二観仏
又就㆓念仏㆒復有㆓二種㆒
一弥陀念仏　二諸仏念仏
法身　報身　応身　化身
又復就㆓弥陀念仏㆒有㆓二種㆒
一正行定心念仏

二《に》には正行散心念仏《しょうぎょうさんしんねんぶつ》なり。

弥陀定散《みだじょうさん》の念仏《ねんぶつ》、是《こ》れを「浄土《じょうど》の真門《しんもん》」と曰《い》う。亦《また》「一向専修《いっこうせんじゅ》」と名《な》づくるなり。知《し》るべし。

又復《また》、諸仏念仏《しょぶつねんぶつ》に就《つ》いて二種有《にしゅあ》り。

一《いち》には雑行定心念仏《ぞうぎょうじょうしんねんぶつ》、二《に》には雑行散心念仏《ぞうぎょうさんしんねんぶつ》。

諸仏定散《しょぶつじょうさん》の念仏《ねんぶつ》、是《こ》れ雑中《ぞうちゅう》の専行《せんぎょう》なりと知《し》るべし。

92 愚《ぐ》禿《とく》鈔《しょう》 下末

又復《また》、観仏《かんぶつ》に就《つ》いて、復《ま》た二種有《にしゅあ》り。
一《いち》には正《しょう》の観仏《かんぶつ》、二《に》には雑《ぞう》の観仏《かんぶつ》なり。
又復《また》、正《しょう》の観仏《かんぶつ》に就《つ》いて、復《ま》た二種有《にしゅあ》り。
一《いち》には真観《しんかん》なり、二《に》には仮観《けかん》なり。
又復《また》、真《しん》・仮《け》に就《つ》いて十三《じゅうさん》の観想有《かんそうあ》り。
日想《にっそう》　水想《すいそう》　地想《じそう》　宝樹想《ほうじゅそう》　宝池《ほうち》
宝楼《ほうろう》　華座《けざ》　像想《ぞうそう》　真観《しんかん》　観音《かんのん》

二正行散心念仏
弥陀定散念仏　是曰二浄土真門一　亦
名二一向専修一也　応レ知
又復就二諸仏念仏一　有二二種一
一雑行定心念仏　二雑行散心念仏
諸仏定散念仏　是雑中之専行也
応レ知

又復就二観仏一　復有二二種一
一正之観仏　二雑之観仏
又復就二正観仏一　復有二二種一
一真観　二仮観
又復就二真仮一　有二十三観想一
日想　水想　地想　宝樹想　宝池
宝楼　華座　像想　真観　観音

勢至《せいし》　普観《ふかん》　雑観《ざっかん》

又復《また》、[93]正《しょう》の散行《さんぎょう》に就《つ》いて四種《ししゅ》有《あ》り。

読誦《どくじゅ》　礼拝《らいはい》　讃嘆《さんだん》　供養《くよう》

上《かみ》より来《このかた》、定散六種兼行《じょうさんろくしゅけんぎょう》するが故《ゆえ》に「雑修《ざっしゅ》」と曰《い》う。是《こ》れを「助業《じょごう》」と名《な》づく、名《な》づけて「方便仮門《ほうべんけもん》」とす、亦《また》「浄土《じょうど》の要門《ようもん》」と名《な》づくるなり。知《し》るべしと。

又復《また》、雑《ぞう》の観仏《かんぶつ》に就《つ》いて二種《にしゅ》有《あ》り。又《また》、真《しん》・仮《け》有《あ》り。

一《いち》には無相離念《むそうりねん》、二《に》には立相住心《りっそうじゅうしん》なり。

又復《また》、雑《ぞう》の散行《さんぎょう》に就《つ》いて[94]三福《さんぷく》有《あ》り。

一《いち》には「孝養父母《きょうようぶも》　奉事師長《ぶじしちょう》　慈心不殺《じしんふせつ》　修《しゅ》十善業《じゅうぜんごう》」なり。

二《に》には「受持三帰《じゅじさんき》　具足衆戒《ぐそくしゅかい》　不犯威儀《ふぼんいぎ》」なり。

三《さん》には「発菩提心《ほつぼだいしん》　深信因果《じんしんいんが》　読誦大乗《どくじゅだいじょう》　勧進《かんじん》行者《ぎょうじゃ》」なりと。

上《かみ》より来《このかた》、一切定散諸善《いっさいじょうさんしょぜん》、悉《ことごと》く「雑行《ぞうぎょう》」と名《な》づく。[95]六種《ろくしゅ》の正《しょう》に対《たい》して六種《ろくしゅ》の雑有《ぞうあ》るべし。「雑行《ぞうぎょう》」の言《ごん》は、

勢至　普観　雑観

又復就㆓正散行㆒有㆓四種㆒

読誦　礼拝　讃嘆　供養

上来定散六種兼行故曰㆓雑修㆒　是名㆓助業㆒　名為㆓方便仮門㆒　亦名㆓浄土要門㆒也　応㆑知

又復就㆓雑観仏㆒　有㆓二種㆒　又有㆓真仮㆒

一無相離念　二立相住心

又復就㆓雑散行㆒　有㆓三福㆒

一「孝養父母奉事師長慈心不殺修十善業」

二「受持三帰具足衆戒不犯威儀」

三「発菩提心深信因果読誦大乗勧進行者」

上来一切定散諸善　悉名㆓雑行㆒　対㆓六種正㆒　応㆑有㆓六種雑㆒　雑行之言　人天菩薩等解行

人天《にんでん》菩薩《ぼさつ》等《とう》の解行《げぎょう》、雑《ぞう》するが故《ゆえ》に「雑《ぞう》」と曰《い》うなり。元《もと》より来《このかた》、浄土《じょうど》の業因《ごういん》に非《あら》ず。是《こ》れを「発願《ほつがん》の行《ぎょう》」と名《な》づく。亦《また》「回心《えしん》の行《ぎょう》」と名《な》づく。故《かるがゆえ》に「浄土《じょうど》の雑行《ぞうぎょう》」と名《な》づく。是《こ》れを「浄土《じょうど》の方便仮門《ほうべんけもん》」と名《な》づく、亦《また》「浄土《じょうど》の要門《ようもん》」と名《な》づくるなり。凡《おおよ》そ聖道《しょうどう》・浄土《じょうど》、正《しょう》・雑《ぞう》、定《じょう》・散《さん》、皆《みな》是《こ》れ回心《えしん》の行《ぎょう》なりと知《し》るべし。

96「三者回向発願心《さんじゃえこうほつがんしん》」（観経）は、「回向発願心《えこうほつがんしん》」と言《い》うは97二種《にしゅ》有《あ》り。

自利《じり》一《ひとつ》には「過去《かこ》・今生《こんじょう》、98自《じ》の所作《しょさ》の善根《ぜんごん》、皆真実《みなしんじつ》の99深《ふか》き信心《しんじん》の中《なか》に回向《えこう》して彼《か》の国《くに》に生《う》まれんと願《がん》ずるなり。」

二《ふたつ》には「回向発願《えこうほつがん》して生《う》まるる者《もの》は、必《かなら》ず決定《けつじょう》して真実心《しんじつしん》の中《なか》に回向《えこう》せしめたまえる願《がん》を須《もち》いて得生《とくしょう》の想《そう》を作《な》すなり」と。

「回向発願生者《えこうほつがんしょうじゃ》」に就《つ》いて信心《しんじん》有《あ》り。

雑故曰レ雑也　自レ元来非ニ浄土業因一　是名ニ発願行一　亦名ニ回心行一　故名ニ浄土雑行一　是名ニ浄土方便仮門一　亦名ニ浄土要門一也　凡聖道浄土　正雑　定散　皆是回心之行也　応レ知

「三者回向発願心」者　言ニ「回向発願心一」者有ニ二種一

自利一「過去今生自所作善根　皆真実深信心中回向願レ生ニ彼国一」

二「回向発願生者　必須ニ決定真実心中回向願一作ニ得生想一」

就ニ「回向発願生者一」有ニ信心一

信心《しんじん》は、[100]「得生《とくしょう》の想《そう》を作《な》す。此《こ》の心《しん》、深信《じんしん》せること、由《なお》、金《こん》剛《ごう》の若《ごと》し。」

此《こ》の深信《じんしん》に就《つ》いて、[101]一譬喩《いちひゆ》・二異《にい》・二別《にべつ》・一問答《いちもんどう》・二《に》回向《えこう》有《あ》り。

一譬喩《いちひゆ》は、[102]「此《こ》の心《しん》、深信《じんしん》せること、由《なお》、金剛《こんごう》の若《ごと》し。」

[103]二異《にい》は、一《いち》に異見《いけん》、二《に》に異学《いがく》。

二別《にべつ》は、一《いち》に別解《べつげ》、二《に》に別行《べつぎょう》。

一問答《いちもんどう》に就《つ》いて、七悪《しちあく》・六譬《ろくひ》・二門《にもん》・四有縁《しうえん》・二所《にしょ》求《ぐ》・二所愛《にしょあい》・二欲学《によくがく》・二必《にひつ》有《あ》り。

七悪《しちあく》は、

一《いち》に十悪《じゅうあく》、二《に》に五逆《ごぎゃく》、三《さん》に四重《しじゅう》、四《し》に破戒《はかい》、

五《ご》に破見《はけん》、六《ろく》に謗法《ほうぼう》、七《しち》に闡提《せんだい》。

六譬《ろくひ》は、

[104]一《いち》に「明《みょう》の能《よ》く闇《あん》を破《は》す。」

二《に》に「空《くう》の能《よ》く有《う》を含《ふく》む。」

三《さん》に「地《じ》の能《よ》く載養《さいよう》す。」

信心者「作得生想此心深信由若金剛」

就此深信 有一譬喩・二異・二別・一問答・二回向

一譬喩者「此心深信由若金剛」

二異者 一異見 二異学

二別者 一別解 二別行

就一問答 有七悪・六譬・二門・四有縁・二所求・二所愛・二欲学・二必

七悪者

一十悪 二五逆 三四重 四破戒

五破見 六謗法 七闡提

六譬者

一「明能破闇」

二「空能含有」

三「地能載養」

四《し》に「水《みず》の能《よ》く生潤《しょうにん》す。」
五《ご》に「火《ひ》の能《よ》く成壊《じょうえ》す。」
六《ろく》に「二河《にが》 水《みず》の河《かわ》 火《ひ》の河《かわ》」
二門《にもん》は、
105 一《いち》に「随《したが》いて 出愚痴門《しゅつぐちもん》 一門《いちもん》を出《い》ずるは、即《すなわ》ち一煩悩門《いちぼんのうもん》を出《い》ずるなり。」
二《に》に「随《したが》いて 入智願海《にゅうちがんかい》 一門《いちもん》に入《い》るは、即《すなわ》ち一解脱智慧門《いちげだつちえもん》に入《い》るなり。」
四有縁《しうえん》は、
一《いち》には「汝《なんじ》、何《なに》を以《もっ》て乃《いま》し将《まさ》に有縁《うえん》の要行《ようぎょう》に非《あら》ざるをもって我《われ》を障惑《しょうわく》する」と。
二《に》には「然《しか》るに我《わ》が所愛《しょあい》は即《すなわ》ち是《こ》れ我《わ》が有縁《うえん》の行《ぎょう》なり。即《すなわ》ち汝《なんじ》が所求《しょぐ》に非《あら》ず」と。
三《さん》には「汝《なんじ》が所愛《しょあい》は即《すなわ》ち是《こ》れ汝《なんじ》が有縁《うえん》の行《ぎょう》なり。

四「水能生潤」
五「火能成壊」
六「二河 水河 火河」
二門者
一「随 出愚痴門 出一門即出一煩悩門也」
二「随 入智願海 入一門即入一解脱智慧門也」
四有縁者
一「汝何以乃将レ非二有縁之要行一障二惑於レ我」
二「然我之所愛即是我有縁之行 即非二汝所求一」
三「汝之所愛即是汝有縁之行 亦非二我

亦《また》我《わ》が所求《しょぐ》に非《あら》ず。是《こ》の故《ゆえ》に各《おの》おの所楽《しょぎょう》に随《したが》いて
其《そ》の行《ぎょう》を修《しゅ》すれば、必《かなら》ず疾《と》く解脱《げだつ》を得《う》るなり。」
106四《し》には「若《も》し行《ぎょう》を学《まな》ばんと欲《おも》わば、必《かなら》ず有縁《うえん》の法《ほう》に
藉《よ》れ。少《すこ》しき功労《くろう》を用《もち》うるに、多《おお》く益《やく》を得《う》るなり。」文《もん》
二所求《にしょぐ》は、　上《かみ》の文《もん》の如《ごと》し。
二所愛《にしょあい》は、　上《かみ》の文《もん》の如《ごと》し。
二欲学《によくがく》は、
一《いち》には「行者《ぎょうじゃ》、当《まさ》に知《し》るべし。若《も》し解《げ》を学《まな》ばんと
欲《おも》わば、凡《ぼん》より聖《しょう》に至《いた》るまで、乃至仏果《ないしぶっか》まで、一《いっ》
切《さい》、碍《さわり》無《な》く、皆《みな》、学《まな》ぶことを得《え》んとなり。」
二《に》には「若《も》し行《ぎょう》を学《まな》ばんと欲《おも》わば、必《かなら》ず有縁《うえん》の法《ほう》
に藉《よ》れとなり。」乃至《ないし》
二必《にひつ》は、　上《かみ》の文《もん》の如《ごと》し。
此《こ》の深信《じんしん》の中《なか》に就《つ》いて、107二回向《にえこう》というは、
自利《じり》
一《いち》に「常《つね》に此《こ》の想《そう》を作《な》せ。常《つね》に此《こ》の解《げ》を作《な》す故《ゆえ》に

所求一　是故各随二所楽一而修二其行一者必
疾得二解脱一也」
四「若欲学行者必藉有縁之法少用功労
多得益也」文
二所求者　如上文
二所愛者　如上文
二欲学者
一「行者当レ知　若欲レ学レ解　従レ凡至レ
聖乃至仏果　一切無レ碍皆得レ学也」
二「若欲レ学レ行者　必藉二有縁之法一」
乃至
二必者　如上文
就二此深信中一二回向者
自利
一「常作二此想一常作二此解一故名二回向

「回向発願心《えこうほつがんしん》」と名《な》づく。」

利他他力《りたたりき》の回向《えこう》

二に「又《また》「回向《えこう》」と言《い》うは、彼《か》の国《くに》に生《う》まれ已《おわ》りて、還《かえ》りて大悲《だいひ》を起《お》こして、生死《しょうじ》に回入《えにゅう》して衆生《しゅじょう》を教化《きょうけ》する、亦《また》「回向《えこう》」と名《な》づくるなり。」

108 二河《にが》の中《なか》に就《つ》いて、

「一《ひとつ》の譬喩《ひゆ》を説《と》きて、信心《しんじん》を守護《しゅご》して、以《もっ》て外邪異見《げじゃいけん》の難《なん》を防《ふせ》がん」と。

「此《こ》の道《みち》、東《ひがし》の岸《きし》より西《にし》の岸《きし》に至《いた》るまで、亦長《またなが》さ百歩《ひゃくぶ》なり。」文《もん》

「百歩《ひゃくぶ》」は、人寿百歳《にんじゅひゃくさい》に譬《たと》うるなり。

「群賊悪獣《ぐんぞくあくじゅう》」は、

「群賊《ぐんぞく》」は、

別解《べつげ》・別行《べつぎょう》・異見《いけん》・異執《いしゅう》・悪見《あっけん》・邪心《じゃしん》・定散自力《じょうさんじりき》の心《しん》なり。

109「悪《あく》獣《①じゅう》」は、

発願心㆒」

利他他力之回向

二「又言㆓回向㆒者 生㆓彼国㆒已 還起㆓大悲㆒回㆓入生死㆒教㆓化衆生㆒ 亦名㆓回向㆒也」

就㆓二河中㆒

「説㆓一譬喩㆒守㆓護信心㆒ 以防㆓外邪異見之難㆒」

「此道従㆓東岸㆒至㆓西岸㆒ 亦長百歩」文

「百歩」者 譬㆓人寿百歳㆒也

「群賊悪獣」者

「群賊」者

別解別行異見異執悪見邪心定散自力之心也

「悪獣」者

六根《ろっこん》・六識《ろくしき》・六塵《ろくじん》・五陰《ごおん》・四大《しだい》なり。
「常《つね》に悪友《あくう》に随《したが》う」というは、
「[110]②悪友《あくう》」は、
善友《ぜんぬ》に対《たい》す。雑毒虚仮《ぞうどくこけ》の人《ひと》なり。
「無人空迥《むにんくぎょう》の沢《さわ》」と言《い》うは、悪友《あくう》なり。真《しん》の善知識《ぜんじしき》に値《あ》わざるなり。
「真《しん》」の言《ごん》は、　仮《け》に対《たい》し、偽《ぎ》に対《たい》す。
「善知識《ぜんじしき》」は、　悪知識《あくちしき》に対《たい》するなり。
真善知識《しんぜんじしき》　正善知識《しょうぜんじしき》　実善知識《じつぜんじしき》
是善知識《ぜぜんじしき》　善善知識《ぜんぜんじしき》　善性《ぜんしょう》の人《ひと》なり。
「悪《あく》の知識《ちしき》」は、
仮善知識《けぜんじしき》　偽善知識《ぎぜんじしき》　邪善知識《じゃぜんじしき》
虚善知識《こぜんじしき》　非善知識《ひぜんじしき》　悪《あく》[111]知識《ちしき》
悪性人《あくしょうにん》なり。

六根六識六塵五陰四大也
「常随二悪友一」者
「悪友」者
対二善友一雑毒虚仮之人也
言二「無人空迥沢一」者　悪友也　不レ値二真善知識一也
「真」言　対レ仮対レ偽
「善知識」者　対二悪知識一也
真善知識　正善知識　実善知識
是善知識　善善知識　善性人也
「悪知識」者
仮善知識　偽善知識　邪善知識
虚善知識　非善知識　悪知識
悪性人也

①獣…けだもの
②悪友…あしきとも

「白道四五寸《びゃくどうしごすん》」と言《い》うは、

「白道《びゃくどう》」は、

「白《びゃく》」の言《ごん》は黒《こく》に対《たい》す。

「道《どう》」の言《ごん》は路《ろ》に対《たい》す。

「白《びゃく》」は、則《すなわ》ち是《こ》れ六度万行《ろくどまんぎょう》・定散《じょうさん》なり。斯《こ》れ則《すなわ》ち自力小善《じりきしょうぜん》の路《ろ》なり。

「黒《こく》」は、則《すなわ》ち是《こ》れ六趣《ろくしゅ》・四生《ししょう》・二十五有《にじゅうごう》・十《じゅう》二類生《にるいしょう》の黒悪道《こくあくどう》なり。

「四五寸《しごすん》」は、

「四《し》」の言《ごん》は、四大毒蛇《しだいどくじゃ》に喩《たと》うるなり。

「五《ご》」の言《ごん》は、五陰悪獣《ごおんあくじゅう》に喩《たと》うるなり。

「[112]能生清浄願往生《のうしょうしょうじょうがんおうじょう》」と言《い》う心《しん》をば、無上《むじょう》の信心《しんじん》、金剛《こんごう》の真心《しんじん》を発起《ほっき》するなり。斯《こ》れは如来回向《にょらいえこう》の信楽《しんぎょう》なり。

「或《ある》いは行《ゆ》くこと、一分二分《いちぶんにぶん》す」と言《い》うは、年歳時節《ねんさいじせつ》に喩《たと》うるなり。

言二「白道四五寸一」者

「白道」者

「白」言対レ黒

「道」言対レ路

「白」者則是六度万行定散也　斯則自力小善路也

「黒」者則是六趣四生二十五有十二類生黒悪道也

「四五寸」者

「四」言喩二四大毒蛇一也

「五」言喩二五陰悪獣一也

言二「能生清浄願往生一」心者　発二起無上信心金剛真心一也　斯如来回向之信楽也

言二「或行一分二分一」者　喩年歳時節也

「悪見人等《あっけんにんとう》」と言《い》うは、憍慢《きょうまん》・懈怠《けだい》・邪見《じゃけん》・疑心《ぎしん》の人《ひと》なり。

[113]「又《また》、西岸《さいがん》の上《うえ》に人《ひと》有《あ》りて喚《よ》ぼうて言《い》わく、「汝《なんじ》、一《いっ》心《しん》に正念《しょうねん》にして直《ただ》ちに来《き》たれ。我《われ》、能《よ》く護《まも》らん」」と言《い》うは、

「西岸《さいがん》の上《うえ》に人《ひと》有《あ》りて喚《よ》ぼうて言《い》わく」というは、阿弥陀如来《あみだにょらい》の誓願《せいがん》なり。

「汝《なんじ》」の言《ごん》は、行者《ぎょうじゃ》なり。斯《こ》れ則《すなわ》ち[114]「必定《ひつじょう》の菩《ぼ》薩《さつ》」と名《な》づく。

龍樹大士《りゅうじゅだいじ》、『十住毘婆沙論《じゅうじゅうびばしゃろん》』に曰《い》わく、[115]「即時《そくじ》入必定《にゅうひつじょう》」となり。

曇鸞菩薩《どんらんぼさつ》の『論《ろん》』(論註)には、[116]「入正定聚之《にゅうしょうじょうじゅし》数《しゅ》」と曰《い》えり。

善導和尚《ぜんどうかしょう》は、[117]「希有人《けうにん》なり、最勝人《さいしょうにん》なり、妙《みょう》好人《こうにん》なり、好人《こうにん》なり、上上人《じょうじょうにん》なり」・[118]「真仏弟《しんぶつで》子《し》なり」(散善義)と言《のたま》えり。

言二「悪見人等一」者　憍慢懈怠邪見疑心之人也

言二「又西岸上有人喚言汝一心正念直来我能護一」者

「西岸上有レ人喚言」者　阿弥陀如来誓願也

「汝」言行者也　斯則名二「必定菩薩一」

龍樹大士『十住毘婆沙論』曰「即時入必定」

曇鸞菩薩『論』曰二「入正定聚之数一」

善導和尚言二「希有人也　最勝人也　妙好人也　好人也　上上人也」「真仏弟子也一」

「一心《いっしん》」の言《ごん》は、真実《しんじつ》の信心《しんじん》なり。

「正念《しょうねん》」の言《ごん》は、選択摂取本願《せんじゃくせっしゅほんがん》なり。又《また》、第一希有《だいいちけう》の行《ぎょう》なり。金剛不壊《こんごうふえ》の心《しん》なり。

「直《じき》」の言《ごん》は、回《え》に対《たい》し、迂《う》に対《たい》するなり。又《また》「直《じき》」の言《ごん》は、方便仮門《ほうべんけもん》を捨《す》てて如来大願《にょらいだいがん》の他力《たりき》に帰《き》するなり。諸仏出世《しょぶつしゅっせ》の直説《じきせつ》を顕《あらわ》さしめんと欲《おぼ》してなり。

「来《らい》」の言《ごん》は、去《こ》に対《たい》し、往《おう》に対《たい》するなり。又《また》、報土《ほうど》に還来《げんらい》せしめんと欲《おぼ》してなり。

「我《が》」の言《ごん》は、尽十方無碍光如来《じんじっぽうむげこうにょらい》なり。不可思議光仏《ふかしぎこうぶつ》なり。

「能《のう》」の言《ごん》は、不堪《ふかん》に対《たい》するなり。疑心《ぎしん》の人《ひと》なり。

「護《ご》」の言《ごん》は、阿弥陀仏果成《あみだぶつかじょう》の正意《しょうい》を顕《あらわ》すなり。亦《また》、摂取不捨《せっしゅふしゃ》を形《あらわ》すの貌《かおばせ》なり。則《すなわ》ち是《こ》れ現生護念《げんしょうごねん》なり。

「念道《ねんどう》」の言《ごん》は、他力白道《たりきびゃくどう》を念《ねん》ぜよとなり。

「慶楽《きょうらく》」は、

「一心」言真実信心也

「正念」言選択摂取本願也　又第一希有行也　金剛不壊心也

「直」言対レ回対レ迂也　又「直」言捨二方便仮門一帰二如来大願他力一欲レ使レ顕二諸仏出世之直説一也

「来」言対レ去対レ往也　又欲レ令三還二来報土一也

「我」言尽十方無碍光如来也　不可思議光仏也

「能」言対二不堪一也　疑心之人也

「護」言顕二阿弥陀仏果成之正意一也　亦形二摂取不捨一之貌也　則是現生護念也

「念道」言念二他力白道一也

「慶楽」者

「慶《きょう》」の言《ごん》は、印可《いんか》の言《ごん》なり。獲得《ぎゃくとく》の言《ごん》なり。

「楽《らく》」の言《ごん》は、悦喜《えっき》の言《ごん》なり。歓喜踊躍《かんぎゆやく》なり。

「仰《あお》いで、釈迦発遣《しゃかはっけん》して指《おし》えて西方《さいほう》に向《む》かえたまうことを蒙《かぶ》る[119]」というは、順《じゅん》なり。

「又《また》、弥陀《みだ》の悲心招喚《ひしんしょうかん》したまうに藉《よ》る」というは、信《しん》なり。

「今《いま》、二尊《にそん》の意《おんこころ》に信順《しんじゅん》して、水火二河《しいかにが》を顧《かえり》みず、念念《ねんねん》に遺《わす》るること無《な》く、彼《か》の願力《がんりき》の道《どう》に乗《じょう》ず」といえり。

至誠心《しじょうしん》に就《つ》いて、難《なん》・易対《いたい》、彼《ひ》・此対《したい》、去《こ》・来対《らいたい》、毒《どく》・薬対《やくたい》、内《ない》・外対《げたい》あり。

難《なん》・易対《いたい》　難《なん》は三業修善不真実《さんごうしゅぜんふしんじつ》の心《しん》なり。

易《い》は如来願力回向《にょらいがんりきえこう》の心《しん》なり。

彼《ひ》・此対《したい》　彼《ひ》は浄邦《じょうほう》なり。

此《し》は穢国《えこく》なり。
[120]去《こ》・来対《らいたい》　去《こ》は釈迦仏《しゃかぶつ》なり。

「慶」言印可之言也　獲得之言也
「楽」言悦喜之言也　歓喜踊躍也
「仰蒙㆔釈迦発遣指向㆓西方㆒」者順也
「又藉㆓弥陀悲心招喚㆒」者信也
「今信㆓順二尊之意㆒不㆑顧㆓水火二河㆒念念無㆑遺乗㆓彼願力之道㆒」
就至誠心　難易対　彼此対　去来対
毒薬対　内外対
難易対　難者三業修善不真実之心也
易者如来願力回向之心也
彼此対　彼者浄邦也
此者穢国也
去来対　去者釈迦仏也

来《らい》は[121]弥陀仏《みだぶつ》なり。

毒《どく》・薬対《やくたい》　毒《どく》は善悪雑心《ぜんあくざっしん》なり。

薬《やく》は純一専心《じゅんいちせんしん》なり。

内《ない》・外対《げたい》

内外道《ないげどう》・外仏教《げぶっきょう》　内聖道《ないしょうどう》・外浄土《げじょうど》

内疑情《ないぎじょう》・外信心《げしんじん》　内悪性《ないあくしょう》・外善性《げぜんしょう》

内邪《ないじゃ》・外正《げしょう》　内虚《ないこ》・外実《げじつ》　内非《ないひ》・外是《げぜ》

内偽《ないぎ》・外真《げしん》　内雑《ないぞう》・外専《げせん》　内愚《ないぐ》・外賢《げけん》

内仮《ないけ》・外真《げしん》　内退《ないたい》・外進《げしん》　内疎《ないそ》・外親《げしん》

内遠《ないおん》・外近《げごん》　内迂《ないう》・外直《げじき》　内違《ないい》[1]・外随《げずい》

内逆《ないぎゃく》・外順《げじゅん》　内軽《ないきょう》・外重《げじゅう》　内浅《ないせん》・外深《げじん》

内苦《ないく》・外楽《げらく》　内毒《ないどく》・外薬《げやく》

内怯弱《ないこうにゃく》・外強剛《げごうごう》　内懈怠《ないけだい》・外勇猛《げゆみょう》

内間断《ないけんだん》・外無間《げむけん》　内自力《ないじりき》・外他力《げたりき》

凡《おおよ》そ心《しん》に就《つ》いて二種《にしゅ》の三心有《さんしんあ》り。

一《いち》には自利《じり》の三心《さんじん》、二《に》には利他《りた》の三信《さんしん》なり。

来者弥陀仏也

毒薬対　毒者善悪雑心也

薬者純一専心也

内外対

内外道外仏教　内聖道外浄土

内疑情外信心　内悪性外善性

内邪外正　内虚外実　内非外是

内偽外真　内雑外専　内愚外賢

内仮外真　内退外進　内疎外親

内遠外近　内迂外直　内違外随

内逆外順　内軽外重　内浅外深

内苦外楽　内毒外薬

内怯弱外強剛　内懈怠外勇猛

内間断外無間　内自力外他力

凡就レ心有二二種三心一

一者自利三心　二者利他三信

又《また》、二種《にしゅ》の往生《おうじょう》有《あ》り。

一《いち》には即往生《そくおうじょう》、二《に》には便往生《べんおうじょう》なり。

竊《ひそ》かに『観経《かんぎょう》』の三心往生《さんじんおうじょう》を案《あん》ずれば、是《こ》れ則《すなわ》ち諸《しょ》機自力各別《きじりきかくべつ》の三心《さんじん》なり。『大経《だいきょう》』の三信《さんしん》に帰《き》せしめんが為《ため》なり。諸機《しょき》を[122]勧誘《かんゆう》して、三信《さんしん》に通入《つうにゅう》せしめんと欲《おも》うなり。三信《さんしん》は、斯《こ》れ則《すなわ》ち金剛《こんごう》の真心《しんじん》・不可思議《ふかしぎ》の信心《しんじん》海《かい》なり。亦《また》「即往生《そくおうじょう》」は、斯《こ》れ則《すなわ》ち難思議往生《なんしぎおうじょう》・真《しん》の報土《ほうど》なり。「便往生《べんおうじょう》」は、即《すなわ》ち是《こ》れ諸機各別《しょきかくべつ》の業因《ごういん》果成《かじょう》の土《ど》なり。胎宮《たいぐう》・辺地《へんじ》・懈慢界《けまんがい》・双樹林下往生《そうじゅりんげおうじょう》なり、亦難思往生《またなんしおうじょう》なりと知《し》るべしと。[123]

又有㆓二種往生㆒
一者即往生　二者便往生
竊案㆓『観経』三心往生㆒者　是則諸機自力各別之三心也　為㆑帰㆓『大経』三信㆒也　勧㆓誘諸機㆒欲㆑使㆔通㆓入三信㆒也　三信者　斯則金剛真心不可思議信心海也　亦即往生者　斯則難思議往生真報土也　便往生者　即是諸機各別業因果成土也　胎宮　辺地　懈慢界　双樹林下往生　亦難思往生也　応㆑知

①違…たがう

[1]入出二門偈頌文《にゅうしゅつにもんげじゅもん》

[2]『称讃浄土経《しょうさんじょうどきょう》』に言《のたま》わく 玄奘三蔵《げんじょうさんぞう》の訳《やく》なり、「仮使《たと》い百千倶胝那由多劫《ひゃくせんくていなゆたこう》を経《へ》て、其《そ》れ無量百千《むりょうひゃくせん》倶胝那由多《くていなゆた》の舌《した》を以《もっ》て、一一《いちいち》の舌《した》の上《うえ》に無量《むりょう》の声《こえ》を出《い》だして、其《そ》の功徳《くどく》を讃《ほ》めんに、亦尽《またつ》くること能《あた》わじ」と。文《もん》

入出二門偈頌《にゅうしゅつにもんげじゅ》

[3]愚禿釈親鸞作《ぐとくしゃくしんらんさく》

[4]『無量寿経論《むりょうじゅきょうろん》』一巻《いっかん》 [5]元魏天竺三蔵菩提留支《げんぎてんじくさんぞうぼだいるし》の訳《やく》。
婆藪盤豆菩薩《ばそばんずぼさつ》の造《ぞう》なり。「婆藪盤豆《ばそばんず》」は是《こ》れ梵語《ぼんご》なり。
旧訳《くやく》には「天親《てんじん》」、此《こ》れは是《こ》れ①訛《あやま》れるなり。新訳《しんやく》には「世親《せしん》」なり。是《こ》れを正《しょう》とす。

無量寿経論一巻 元魏天竺三蔵菩提留支訳
婆藪盤豆菩薩造　婆藪盤豆是梵語
旧訳天親此是訛　新訳世親是為レ正

①訛…か反

優婆提舎願生《うばだいしゃがんしょう》の偈《げ》、宗師《しゅうし》、是《こ》れを『浄土論《じょうどろん》』と名《な》づく。

此《こ》の論《ろん》を亦《また》『往生論《おうじょうろん》』と曰《い》えり。入出二門《にゅうしゅつにもん》、斯《こ》れより出《い》でたり。

世親菩薩《せしんぼさつ》、大乗修多羅真実功徳《だいじょうしゅたらしんじつくどく》に依《よ》りて、一心《いっしん》に尽《じん》十方不可思議光如来《じっぽうふかしぎこうにょらい》に帰命《きみょう》[6]したまえり。

無碍《むげ》の光明《こうみょう》は大慈悲《だいじひ》なり。①斯《こ》の光明《こうみょう》即《すなわ》ち諸仏《しょぶつ》の智《ち》なり。

彼《か》の世界《せかい》を観《かん》ずるに[7]辺際無《へんざいな》し。[8]究竟《くきょう》せること広大《こうだい》にして虚空《こくう》の如《ごと》し。

五《いつつ》には仏法不思議《ぶっぽうふしぎ》なり。此《こ》の中《なか》の仏土不思議《ぶつどふしぎ》に、二《に》種《しゅ》の不思議力《ふしぎりき》[9]有《ましま》す。斯《こ》れは[10]安養《あんにょう》の至徳《しとく》を示《しめ》すなり。

一《ひとつ》には業力《ごうりき》、謂《い》わく、法蔵《ほうぞう》の大願業力《だいがんごうりき》に成就《じょうじゅ》[11]せられたり。

二《ふたつ》には正覚《しょうがく》の阿弥陀法王《あみだほうおう》の善力《ぜんりき》に摂持《しょうじ》[12]せられたり。

女人《にょにん》・根欠《こんけつ》・[13]二乗《にじょう》の種《しゅ》、安楽浄刹《あんらくじょうせつ》には永《なが》く生《しょう》ぜず。

優婆提舎願生偈　宗師是名二浄土論一

此論亦曰二往生論一　入出二門従レ斯出

世親菩薩依二大乗　修多羅真実功徳一

一心帰二命尽十方　不可思議光如来一

無碍光明大慈悲　斯光明即諸仏智

観二彼世界一無二辺際一　究竟広大如二虚空一

五者仏法不思議　此中仏土不思議

有二二種不思議力一　斯示二安養之至徳一

一者業力謂法蔵　大願業力所二成就一

二者正覚阿弥陀　法王善力所二摂持一

女人根欠二乗種　安楽浄刹永不レ生

如来浄華《にょらいじょうけ》の 諸《もろもろ》の聖衆《しょうじゅ》は、法蔵正覚《ほうぞうしょうがく》の華《はな》より化生《けしょう》す。

諸機《しょき》は[14]本則《もとすなわ》ち三三《さんざん》の品《ほん》なれども、今《いま》は一二《いちに》の[15]殊異《しゅい》無《な》し。

同一《どういつ》に念仏《ねんぶつ》して[16]別《べつ》の道《どう》無《な》ければなり。猶《なお》、[17]淄澠《しじょう》の一味《いちみ》なるが[18]如《ごと》きなり。

彼《か》の如来《にょらい》の本願力《ほんがんりき》を観《かん》ずるに、凡愚《ぼんぐ》、遇《もうお》うて空《むな》しく過《す》ぐる者《もの》無《な》し。

一心《いっしん》に専念《せんねん》すれば速《すみ》やかに真実功徳《しんじつくどく》の大宝海《だいほうかい》を満足《まんぞく》せしむ。

菩薩《ぼさつ》は五種《ごしゅ》の[19]門《もん》を入出《にゅうしゅつ》して、自利利他《じりりた》の行《ぎょう》成就《じょうじゅ》したまえり。

不可思議兆載劫《ふかしぎちょうさいこう》に、[20]漸次《ぜんじ》に五種《ごしゅ》の門《もん》を成就《じょうじゅ》したまえり。

何等《なんら》をか名《な》づけて五念門《ごねんもん》とすると。[21]礼《らい》と讃《さん》と作願《さがん》と

①斬…し反

如来浄華諸聖衆　法蔵正覚華化生
諸機本則三三品　今無㆓一二之殊異㆒
同一念仏無㆓別道㆒　猶如㆓淄澠一味㆒也
観㆓彼如来本願力㆒　凡愚遇無㆓空過者㆒
一心専念速満㆓足　真実功徳大宝海㆒
菩薩入㆓出五種門㆒　自利利他行成就
不可思議兆載劫　漸次成㆓就五種門㆒
何等名為㆓五念門㆒　礼讃作願観察回

観察《かんざつ》と回《え》となり。

云何《いかん》が礼拝《らいはい》する。[22]身業《しんごう》に礼《らい》したまいき。阿弥陀仏正《あみだぶつしょう》遍知《へんち》、諸《もろもろ》の群生《ぐんじょう》を善巧方便《ぜんぎょうほうべん》して、安楽国《あんらくこく》に生《しょう》ぜん意《こころ》を為《な》さしめたまうが故《ゆえ》なり。

即《すなわ》ち是《こ》れを[23]第一門《だいいちもん》に入《い》ると名《な》づく。亦是《またこ》れを名《な》づけて近門《ごんもん》に入《い》るとす。

云何《いかん》が讃嘆《さんだん》する。[24]口業《くごう》をして讃《さん》じたまいき。名義《みょうぎ》に随順《ずいじゅん》して仏名《ぶつみょう》を[25]称《しょう》せしむ。

如来《にょらい》の光明智相《こうみょうちそう》に依《よ》りて、実《じつ》の如《ごと》く修《しゅ》し[26]相応《そうおう》せしめんと欲《おぼ》すが故《ゆえ》に。
[27]則《すなわ》ち斯《こ》れ無碍光如来《むげこうにょらい》の摂取選択《せっしゅせんじゃく》の本願《ほんがん》なるが故《ゆえ》に。
[28]是《こ》れを名《な》づけて第二門《だいにもん》に入《い》るとす。[29]即《すなわ》ち大会衆《だいえしゅ》の数《かず》に入《い》ることを獲《う》るなり。
云何《いかん》が作願《さがん》する。心《しん》に常《つね》に[30]願《がん》じたまいき。[31]一心《いっしん》に専《せん》念《ねん》して彼《かしこ》に生《しょう》ぜんと願《がん》ぜしむ。

蓮華蔵世界《れんげぞうせかい》に入《い》ることを[32]得《う》。実《じつ》の如《ごと》く[33]奢摩他《しゃまた》を[34]修《しゅ》

云何礼拝身業礼　阿弥陀仏正遍知
善㆓巧方㆔便諸群生㆒　為㆘生㆓安楽国㆒意㆖故
即是名㆑入㆓第一門㆒　亦是名為㆑入㆓近門㆒
云何讃嘆口業讃　随㆔順名義㆒称㆓仏名㆒
依㆓如来光明智相㆒　欲㆓如㆑実修相応㆒故
則斯無碍光如来　摂取選択本願故
是名為㆑入㆓第二門㆒　即獲㆑入㆓大会衆数㆒
云何作願心常願　一心専念願㆑生㆑彼
得㆑入㆓蓮華蔵世界㆒　欲㆔如㆑実修㆓奢摩他㆒

せしめんと欲《おぼ》すなり。
是《こ》れを名《な》づけて[35]第三門《だいさんもん》に入《い》るとす。亦是《またこ》れを名《な》づけて[36]宅門《たくもん》に入《い》るとす。
云何《いかん》が観察《かんざつ》する。[37]智慧《ちえ》をして[38]観《かん》じたまいき。正念《しょうねん》に彼《かしこ》を[39]観《かん》ぜしむるは、実《じつ》の如《ごと》く毘婆舎那《びばしゃな》を修行《しゅぎょう》[40]せしめんと欲《おぼ》すが故《ゆえ》なり。彼《か》の所《ところ》に到《いた》ることを得《う》れば、則《すなわ》ち種種無量《しゅじゅむりょう》の法味《ほうみ》の楽《らく》を[41]受用《じゅよう》す。即《すなわ》ち是《こ》れを[42]第四門《だいしもん》に入《い》ると名《な》づく。
亦是《またこ》れを名《な》づけて屋門《おくもん》に入《い》るとす。菩薩《ぼさつ》の修行成就《しゅぎょうじょうじゅ》というは、
四種《ししゅ》は入《にゅう》の功徳《くどく》を成就《じょうじゅ》[43]したまう。自利《じり》の行《ぎょう》成就《じょうじゅ》[44]したまうと知《し》るべし。
第五《だいご》[45]に出《しゅつ》の功徳《くどく》を成就《じょうじゅ》[46]したまう。菩薩《ぼさつ》の出第五《しゅつだいご》門《もん》というは、
云何《いかん》が回向《えこう》[47]したまう。心《しん》に作願《さがん》[48]したまいき。苦悩《くのう》の一切衆《いっさいしゅ》を捨《す》て[49]たまわざれば、回向《えこう》を[50]首《しゅ》として大悲心《だいひしん》

是名為レ入二第三門一　亦是名為レ入二宅門一
云何観察智慧観　正念観レ彼欲三如レ実
修二行毘婆舎那一故　得レ到二彼所一則受三用
種種無量法味楽一　即是名レ入二第四門一
亦是名為レ入二屋門一　菩薩修行成就者
四種成二就入功徳一　自利行成就応レ知
第五成二就出功徳一　菩薩出第五門者
云何回向心作願　不レ捨二苦悩一切衆一
回向為レ首得三成二就　大悲心一故施二功徳一

を成就《じょうじゅ》することを[51]得《え》たまえるが故《ゆえ》に、功徳《くどく》を施《せ》[52]したまう。

彼《か》の土《ど》に生《しょう》じ已《おわ》りて[53]速疾《そくしつ》に奢摩他《しゃまた》・毘婆舎那《びばしゃな》・巧方便力成就《ぎょうほうべんりきじょうじゅ》[54]を得已《えおわ》りて、[55]生死園《しょうじおん》・煩悩林《ぼんのうりん》に入《い》りて、応化身《おうげしん》を示《しめ》し、神通《じんずう》に遊《あそ》びて、教化地《きょうけじ》に至《いた》りて群生《ぐんじょう》を[56]利《り》したまう。

即《すなわ》ち是《こ》れを出第五門《しゅつだいごもん》と名《な》づく。園林遊戯地門《おんりんゆげじもん》に入《い》るなり。

本願力《ほんがんりき》の回向《えこう》を以《もっ》ての故《ゆえ》に、利他《りた》の行《ぎょう》成就《じょうじゅ》したまえり。知《し》るべし。

無碍光仏《むげこうぶつ》、[57]因地《いんじ》の時《とき》、斯《こ》の弘誓《ぐぜい》を発《おこ》し、此《こ》の願《がん》を建《た》て[58]たまいき。

菩薩《ぼさつ》、已《すで》に智慧心《ちえしん》を成《じょう》じ、方便心《ほうべんしん》・[59]無障心《むしょうしん》を成《じょう》じ、妙楽勝真心《みょうらくしょうしんじん》を成就《じょうじゅ》して、速《すみ》やかに無上道《むじょうどう》を成就《じょうじゅ》することを得《え》[60]たまえり。

[61]自利利他《じりりた》の功徳《くどく》を成《じょう》[62]じたまう。則《すなわ》ち是《こ》れを名《な》づけ

生㆓彼土㆒已速疾得㆓　奢摩他毘婆舎那
巧方便力成就㆒已　入㆓生死園煩悩林㆒
示㆓応化身㆒遊㆓神通㆒　至㆓教化地㆒利㆓群生㆒
即是名㆓出第五門㆒　入㆓園林遊戯地門㆒
以㆓本願力回向㆒故　利他行成就応㆑知
無碍光仏因地時　発㆓斯弘誓㆒建㆓此願㆒
菩薩已成㆓智慧心㆒　成㆓方便心無障心㆒
成㆓就妙楽勝真心㆒　速得㆔成㆓就無上道㆒
成㆓自利利他功徳㆒　則是名為㆓入出門㆒

て入出門《にゅうしゅつもん》とす[63]とのたまえり。

[64]曇鸞和尚《どんらんかしょう》　大巌寺《たいがんじ》

婆藪[65]盤豆菩薩《ばそばんずぼさつ》の『論《ろん》』（浄土論）、本師曇鸞和尚《ほんじどんらんかしょう》、[66]註《ちゅう》したまえり。

願力成就《がんりきじょうじゅ》を五念《ごねん》と名《な》づく。仏《ぶつ》[67]をして言《い》わば、①宜《よろ》しく利他《りた》と言《い》うべし。衆生《しゅじょう》[68]をして言《い》わば、他利《たり》と言《い》うべし。当《まさ》に知《し》るべし。今将《いままさ》に[69]仏力《ぶつりき》を談《だん》ぜんとす。

如実修行相応《にょじつしゅぎょうそうおう》は、名義《みょうぎ》と光明《こうみょう》[70]と随順《ずいじゅん》するなり。

斯《こ》の[71]信心《しんじん》を以《もっ》て一心《いっしん》と名《な》づく。煩悩成就《ぼんのうじょうじゅ》[72]せる凡夫《ぼんぶ》人《にん》、煩悩《ぼんのう》を断《だん》ぜずして涅槃《ねはん》を[73]得《え》しむ。則《すなわ》ち斯《こ》れ安楽《あんらく》自然《じねん》の徳《とく》なり。

②淤泥華《おでいけ》というは、『経《きょう》』（維摩経）に説《と》いて言《のたま》わく、[74]「[75]高原《こうげん》の陸地《ろくじ》に蓮《れん》を生《しょう》ぜず。卑湿淤泥《ひしつおでい》に蓮華《れんげ》を生《しょう》ず。」

曇鸞和尚　大巌寺

婆藪盤豆菩薩論　本師曇鸞和尚註

願力成就名二五念一　仏而言宜レ言二利他一

衆生而言言二他利一　当レ知今将レ談二仏力一

如実修行相応者　随三順名義与二光明一

以二斯信心一名二一心一　煩悩成就凡夫人

不レ断二煩悩一得二涅槃一　則斯安楽自然徳

淤泥華者経説言　高原陸地不レ生レ蓮

卑湿淤泥生二蓮華一　此喩下凡夫在二煩悩

①宜…ぎ反

②淤…けがる

[76]此《こ》れは、凡夫《ぼんぶ》、煩悩《ぼんのう》の泥《でい》の中《なか》に在《あ》りて、仏《ぶつ》の正覚《しょうがく》の華《はな》を生《しょう》ずるに喩《たと》うるなり。斯《こ》れは如来《にょらい》の本弘誓《ほんぐぜい》、不可思議力《ふかしぎりき》を示《しめ》す。即《すなわ》ち是《こ》れ入出《にゅうしゅつ》二門《にもん》を他力《たりき》と名《な》づく[77]とのたまえり。

[78]道綽禅師《どうしゃくぜんじ》　玄忠寺《げんちゅうじ》

道綽和尚《どうしゃくかしょう》、解釈《げしゃく》して曰《い》わく、『[79]大集経《だいじっきょう》』に言《のたま》わく、[80]「我《わ》が末法《まっぽう》に、行《ぎょう》を起《お》こし道《どう》を[81]修《しゅ》せん一切衆《いっさいしゅ》、未《いま》だ一人《いちにん》も[82]獲得《ぎゃくとく》の者《もの》有《あ》らじ」と。

此《ここ》に在《あ》りて心《しん》を起《お》こし行《ぎょう》を[83]立《た》てんは、則《すなわ》ち[84]此《こ》れ聖道《しょうどう》なり。自力《じりき》と名《な》づく。

当今《とうこん》は末法《まっぽう》[85]にして是《こ》れ五濁《ごじょく》なり。[86]唯《ただ》、浄土《じょうど》有《あ》りて通入《つうにゅう》すべしと。

今《いま》の時《とき》、悪《あく》を起《お》こし衆罪《しゅざい》を[87]造《つく》ること、恒常《ごうじょう》[88]にして[89]暴風駛雨《ぼうふうしう》の如《ごと》し。

本弘誓願《ほんぐぜいがん》に名《みな》を称《しょう》せ[90]しむるは、是《こ》れ穢濁悪《えじょくあく》の衆生《しゅじょう》の為《ため》なり。

泥中㆒生㆗仏正覚華㆖　斯示㆓如来本弘誓
不可思議力㆒即是　入出二門名㆓他力㆒

道綽禅師　玄忠寺

道綽和尚解釈曰　大集経言我末法
起㆑行修㆑道一切衆　未㆑有㆓一人獲得者㆒
在㆑此起㆑心立㆑行者　則此聖道名㆓自力㆒
当今末法是五濁　唯有㆓浄土㆒可㆓通入㆒
今時起㆑悪造㆓衆罪㆒　恒常如㆓暴風駛雨㆒
本弘誓願令㆑称㆑名　是為㆓穢濁悪衆生㆒

是《ここ》を以《もっ》て諸仏《しょぶつ》、浄土《じょうど》を勧《すす》めたまえり。縦令《たと》い一生《いっしょう》、[91]悪《あく》を造《つく》る者《もの》、三信相応《さんしんそうおう》[92]せんは是《こ》れ一心《いっしん》なり。一心《いっしん》は[93]淳心《じゅんしん》なれば、如実《にょじつ》と名《な》づく。

若《も》し生《う》まれずは、是《こ》の処《ことわり》[94]無《な》けん。必《かなら》ず安楽国《あんらくこく》に往《おう》生《じょう》[95]を得《う》れば、生死《しょうじ》即《すなわ》ち是《こ》れ大涅槃《だいねはん》、則《すなわ》ち易行道《いぎょうどう》なり。他力《たりき》と名《な》づく[96]とのたまえり。

[97]善導禅師《ぜんどうぜんじ》　光明寺《こうみょうじ》

善導和尚《ぜんどうかしょう》、義解《ぎげ》して曰《い》わく、念仏成仏《ねんぶつじょうぶつ》する、是《こ》れ真《しん》宗《しゅう》なり。

即《すなわ》ち是《こ》れを名《な》づけて一乗海《いちじょうかい》とす。即《すなわ》ち是《こ》れを亦《また》菩《ぼ》提蔵《だいぞう》と名《な》づく。

即《すなわ》ち是《こ》れ円教《えんぎょう》の中《なか》の[98]円教《えんぎょう》なり。即《すなわ》ち是《こ》れ頓教《とんぎょう》の中《なか》の頓教《とんぎょう》なり。

真宗《しんしゅう》、遇《もうあ》い[99]叵《がた》し、信《しん》を得《う》ること難《かた》し。難《なん》の中《なか》の難《なん》、[100]斯《こ》れに過《す》ぎたるは[101]無《な》けん。

釈迦《しゃか》・諸仏《しょぶつ》は、是《こ》れ[102]真実《しんじつ》、慈悲《じひ》の父母《ぶも》なり。種種《しゅじゅ》の

是以諸仏勧㆓浄土㆒　縦令一生造㆑悪者
三信相応是一心　一心淳心名㆓如実㆒
若不㆑生者無㆓是処㆒　必得㆔往㆓生安楽国㆒
生死即是大涅槃　則易行道名㆓他力㆒
善導禅師　光明寺
善導和尚義解曰　念仏成仏是真宗
即是名為㆓一乗海㆒　即是亦名㆓菩提蔵㆒
即是円教中円教　即是頓教中頓教
真宗叵㆑遇難㆑得㆑信　難中之難無㆑過㆑斯
釈迦諸仏是真実　慈悲父母以㆓種種

善巧方便《ぜんぎょうほうべん》を以《もっ》て、我等《われら》が無上《むじょう》の真実《しんじつ》の信《しん》を発起《ほっき》せしめたまう。

103煩悩《ぼんのう》を具足《ぐそく》せる凡夫人《ぼんぶにん》、仏願力《ぶつがんりき》に由《よ》りて104摂取《せっしゅ》を獲《う》。

斯《こ》の人《ひと》は即《すなわ》ち凡数《ぼんじゅ》の摂《しょう》に非《あら》ず。是《こ》れ人中《にんちゅう》の105分陀利《ふんだり》華《け》なり。

斯《こ》の信《しん》は最勝希有人《さいしょうけうにん》なり。斯《こ》の信《しん》は妙好上上人《みょうこうじょうじょうにん》なり。

安楽土《あんらくど》に106到《いた》れば、必《かなら》ず自然《じねん》に、即《すなわ》ち法性《ほっしょう》の常楽《じょうらく》を証《しょう》107すとのたまえり。

108入出二門《にゅうしゅつにもん》

建長八歳（一二五六）丙辰《ひのえたつ》三月二十三日書二写之一

善巧方便一令三発二起　我等無上真実信一

具二足煩悩一凡夫人　由二仏願力一獲二摂取一

斯人即非二凡数摂一　是人中分陀利華

斯信最勝希有人　斯信妙好上上人

到二安楽土一必自然　即証二法性之常楽一

入出二門

浄土《じょうど》三経往生文類《さんぎょうおうじょうもんるい》

大経往生《だいきょうおうじょう》というは、如来選択《にょらいせんじゃく》の本願《ほんがん》・不可思議《ふかしぎ》の願海《がんかい》、これを他力《たりき》と[1]もうすなり。これすなわち念仏往生《ねんぶつおうじょう》の[2]願因《がんいん》によりて必至滅度《ひっしめつど》の願果《がんか》をうるなり。[3]現生《げんしょう》に正定聚《しょうじょうじゅ》のくらいに住《じゅう》して、かならず真実報土《しんじつほうど》にいたる。これは阿弥陀如来《あみだにょらい》の往相回向《おうそうえこう》の①真因《しんいん》なるがゆえに、無上涅槃《むじょうねはん》のさとりをひらく。これを『大経《だいきょう》』の[4]②宗致《しゅうち》とす。このゆえに大経往生《だいきょうおうじょう》ともうす。また難思議往生《なんしぎおうじょう》ともうすなり。

[5]この如来《にょらい》の往相回向《おうそうえこう》につきて、真実《しんじつ》の行業《ぎょうごう》あり。すなわち諸仏称名《しょぶつしょうみょう》の悲願《ひがん》にあらわれたり。称名《しょうみょう》の悲願《ひがん》は、『大無量寿経《だいむりょうじゅきょう》』にのたまわく、[6]「設《たと》い我《われ》、仏《ぶつ》を[7]得《え》んに、十方世界《じっぽうせかい》の無量《むりょう》の諸《しょ》仏《ぶつ》、悉《ことごと》く③咨嗟《ししゃ》し我《わ》が名《な》を称《しょう》せずは、正覚《しょうがく》を取《と》らじ」と。文《もん》

称名信楽《しょうみょうしんぎょう》の悲願成就《ひがんじょうじゅ》の文《もん》、『経《きょう》』（大経）に言《のたま》わく、[8]「十方恒沙《じっぽうごうじゃ》の諸仏如来《しょぶつにょらい》、皆共《みなとも》に無量寿仏《むりょうじゅぶつ》の威神功徳不可思議《いじんくどくふかしぎ》なるを讃嘆《さんだん》したまう。諸有衆生《あらゆるしゅじょう》、其《そ》の名号《みょうごう》を聞《き》きて信心歓喜《しんじんかんぎ》して乃至一念《ないしいちねん》せん。[9]至心回向《ししんえこう》したまえり。彼《か》の国《くに》に生《う》まれんと願《がん》ずれば、即《すなわ》ち往生《おうじょう》を得《え》、不退転《ふたいてん》に[10]住《じゅう》せん。唯《ただ》、五《ご》

①真因…まことのいんなり
②宗致…むねとすとなり
③咨嗟…よろずのほとけにほめらるるなり

逆《ぎゃく》と正法《しょうぼう》を①誹謗《ひほう》するを除《のぞ》く」と。文《もん》

また真実信心《しんじつしんじん》あり。すなわち念仏往生《ねんぶつおうじょう》の悲願《ひがん》にあらわれたり。

[11]信楽《しんぎょう》の悲願《ひがん》は、『大経《だいきょう》』に[12]のたまわく、[13]「設《たと》い我《われ》、仏《ぶつ》を得《え》たらんに、十方《じっぽう》の衆生《しゅじょう》、[14]至心信楽《ししんしんぎょう》して我《わ》が国《くに》に生《う》まれんと欲《おも》うて乃至十念《ないしじゅうねん》せん。若《も》し生《う》まれずは、正覚《しょうがく》を[15]取《と》らじと。唯《ただ》、五逆《ごぎゃく》と正法《しょうぼう》を誹謗《ひほう》せんを除《のぞ》かん」と。文《もん》

[16]同本異訳《どうほんいやく》の『無量寿如来会《むりょうじゅにょらいえ》』に言《のたま》わく、[17]「若《も》し我《われ》、無上覚《むじょうかく》を証得《しょうとく》せん時《とき》、余《よ》の仏②刹《ぶっせつ》の中《うち》の諸《もろもろ》の有情類《うじょうるい》、我《わ》が名《な》を聞《き》き[18]已《おわ》りて、所有《しょう》の善根《ぜんごん》、[19]心心回向《しんしんえこう》して、我《わ》が国《くに》に生《う》まれんと願《がん》じて乃至《ないし》十念《じゅうねん》せん。若《も》し生《う》まれずは、菩提《ぼだい》を[20]取《と》らじと。唯《ただ》、無間悪業《むけんあくごう》を造《つく》り正法及《しょうぼうおよ》び諸《もろもろ》の聖人《しょうにん》を誹謗《ひほう》せんを除《のぞ》かん」と。文《もん》

[21]また③真実証果《しんじつしょうか》あり。すなわち必至滅度《ひっしめつど》の悲願《ひがん》にあらわれたり。

[22]④証果《しょうか》の悲願《ひがん》、『大経《だいきょう》』に[23]のたまわく、[24]「設《たと》い我《われ》、仏《ぶつ》を[25]得《え》たらんに、[26]国《くに》の中《うち》の人天《にんでん》、定聚《じょうじゅ》に住《じゅう》し、必《かなら》ず滅度《めつど》に至《いた》らずは、正覚《しょうがく》を[27]取《と》らじ」と。文《もん》

[28]同本異訳《どうほんいやく》の『無量寿如来会《むりょうじゅにょらいえ》』に言《のたま》わく、[29]「若《も》し我成仏《われじょうぶつ》せんに、国《くに》の中《うち》の有情《うじょう》、若《も》し決定《けつじょう》して等正覚《とうしょうがく》を成《な》り、大涅槃《だいねはん》を証《しょう》せずは、菩提《ぼだい》を[30]取《と》らじ」と。文《もん》[31]

[32]『無量寿如来会《むりょうじゅにょらいえ》』に言《のたま》わく、[33]「他方仏国《たほうぶっこく》の所有《しょう》の衆生《しゅじょう》、無量寿如来《むりょうじゅにょらい》の名号《みょうごう》を聞《き》きて、能《よ》く一念《いちねん》の浄信《じょうしん》を発《おこ》して[34]歓喜愛楽《かんぎあいぎょう》せん。[35]有《あ》らゆる善根回向《ぜんごんえこう》して無量寿国《むりょうじゅこく》に生《う》まれんと[36]願《がん》ぜば、願《がん》に随《したが》

いて皆生《みなう》まれて、不退転乃至無上正等菩提《ふたいてんないしむじょうしょうとうぼだい》を[37]得《え》んと。五無間《ごむけん》と正法《しょうぼう》を誹謗《ひほう》し及《およ》び聖者《しょうじゃ》を謗《ぼう》ぜんをば除《のぞ》かん」と。

[38]必至滅度《ひっしめつど》・証大涅槃《しょうだいねはん》の願成就《がんじょうじゅ》の文《もん》、『大経《だいきょう》』に言《のたま》わく、[39]「其《そ》れ衆生《しゅじょう》有《あ》りて、彼《か》の国《くに》に生《う》まれん者《もの》、皆悉《みなことごと》く正定《しょうじょう》の聚《じゅ》に住《じゅう》せん。所以《ゆえ》は[40]何《いか》んとなれば、彼《か》の仏国《ぶっこく》の中《うち》には、諸《もろもろ》の⑤邪聚及《じゃじゅおよ》び⑥不《ふ》定聚《じょうじゅ》は無《な》ければなり。」文《もん》

[41]又《また》、『如来会《にょらいえ》』に言《のたま》わく、[42]「彼《か》の国《くに》の[43]衆生《しゅじょう》と、若《も》し⑦当《とう》に生《う》まれん者《もの》は、皆悉《みなことごと》く無上菩提《むじょうぼだい》を究竟《くきょう》し、涅槃《ねはん》の処《ところ》に到《いた》らん。何《なに》を以《もっ》ての故《ゆえ》に。若《も》し邪定聚及《じゃじょうじゅおよ》び不定聚《ふじょうじゅ》は、彼《か》の因《いん》を建立《こんりゅう》せることを了知《りょうち》すること能《あた》わざるが故《ゆえ》なり」と。已《い》[44]上抄要《じょうしょうよう》

[45]この真実《しんじつ》の称名《しょうみょう》と真実《しんじつ》の信楽《しんぎょう》をえたる人《ひと》は、すなわち正定聚《しょうじょうじゅ》のくらいに住《じゅう》せしめんと、ちかいたまえるなり。この正定聚《しょうじょうじゅ》に住《じゅう》するを、等正覚《とうしょうがく》をなるとも、のたまえるなり。等正覚《とうしょうがく》ともうすは、[46]すなわち補処《ふしょ》の弥勒菩薩《みろくぼさつ》とおなじくらいとなると、ときたまえり。しかれば、『大経《だいきょう》』には[47]「⑧次如弥勒《しにょみろく》」とのたまえり。

『浄土論《じょうどろん》』（論註）に曰《い》わく、[48]「[49]「荘厳妙声功徳成就《しょうごんみょうしょうくどくじょうじゅ》は、偈《げ》に「梵声悟深遠《ぼんしょうごじんのん》　微妙聞十方《みみょうもんじっぽう》」と

①誹謗…そしり そしる
②刹…くにという
③真実証果…まことのさとりをいうなり
④証果…まことのほとけとなるなり
⑤邪聚…じりきのもろもろのぜんにんな□
⑥不定聚…じりきのねんぶつしゃなり
⑦当…まさ
⑧次如弥勒…ついでみろくのごとしとなり

言《のたま》えるが故《ゆえ》に」（論）と。此《こ》れ[50]云何《いかん》が不思議《ふしぎ》なるや。『経《きょう》』に言《のたま》わく、[51]「若《も》し人《ひと》、但《ただ》、彼《か》の国土《こくど》の清浄安楽《しょうじょうあんらく》なるを聞《き》きて、剋念《こくねん》して生《う》まれんと[52]願《がん》ずると、亦往生《またおうじょう》を得《う》ると、即《すなわ》ち正定聚《しょうじょうじゅ》に入《い》る。」此《こ》れは是《こ》れ国土《こくど》の名字《みょうじ》、仏事《ぶつじ》を為《な》す。安《いずく》んぞ思議《しぎ》すべきや。」乃至《ないし》

[53]「[54]「荘厳眷属功徳成就《しょうごんけんぞくくどくじょうじゅ》は、偈《げ》に「如来浄華衆《にょらいじょうけしゅ》　正覚華化生《しょうがくけけしょう》」と言《のたま》えるが故《ゆえ》に」（論）と。此《こ》れ云何《いかん》ぞ不思議《ふしぎ》なるや。凡《おおよ》そ是《こ》れ雑生《ざっしょう》の世界《せかい》は、若《も》しは胎《たい》、若《も》しは卵《らん》、若《も》しは湿《しつ》、若《も》しは化《け》、眷属若《けんぞくそこ》干《ばく》なり。苦楽万品《くらくまんぼん》なり。雑業《ぞうごう》を以《もっ》ての故《ゆえ》に。彼《か》の安楽国土《あんらくこくど》は、是《こ》れ阿弥陀如来《あみだにょらい》の正覚浄華《しょうがくじょうけ》の化生《けしょう》する所《ところ》に非《あら》ざること莫《な》し。同一《どういつ》に念仏《ねんぶつ》して別《べつ》の道《どう》[55]無《な》きが故《ゆえ》に。遠《とお》く通《つう》ずるに、夫《そ》れ四海《しかい》の内《うち》、皆《みな》、①兄弟《きょうだい》とするなり。眷属無量《けんぞくむりょう》なり。焉《いずく》んぞ思議《しぎ》すべき[56]や。」

[57]又言《またのたま》わく（論註）、[58]「往生《おうじょう》を願《がん》ずる者《もの》、本《もと》は則《すなわ》ち三三《さんざん》の品《ほん》なれども、今《いま》は一二《いちに》の殊《こと》なること無《な》し。亦《また》②[59]淄澠《しじょう》　食陵《じきりょう》の反《かえし》　の一味《いちみ》なるが如《ごと》し。焉《いずく》んぞ思議《しぎ》すべき[60]や。」已上《いじょう》

又《また》、『論《ろん》』（論註）に曰《い》わく、[61]「[62]「荘厳清浄功徳成就《しょうごんしょうじょうくどくじょうじゅ》は、偈《げ》に「観彼世界相《かんぴせかいそう》　勝過三界道《しょうがさんがいどう》」と言《のたま》えるが故《ゆえ》に」（論）と。此《こ》れ云何《いかん》ぞ不思議《ふしぎ》なるや。凡夫人《ぼんぶにん》の煩悩成就《ぼんのうじょうじゅ》せる有《あ》りて、亦彼《またか》の浄土《じょうど》に[63]生《しょう》を得《う》るに、三界《さんがい》の繋業《けごう》、畢竟《ひっきょう》じて牽《ひ》かず。則《すなわ》ち是《こ》れ煩悩《ぼんのう》を断《だん》ぜずして涅槃《ねはん》[64]の分《ぶん》を得《う》。焉《いずく》んぞ思議《しぎ》すべき[65]や。」已上抄要《いじょうしょうよう》

[66]この阿弥陀如来《あみだにょらい》の往相回向《おうそうえこう》の選択本願《せんじゃくほんがん》をみたてまつるなり。これを難思議往生《なんしぎおうじょう》ともうす。これをこころえて、「他力《たりき》には義《ぎ》なきを義《ぎ》とす」としるべし。

[67]二《ふたつ》に還相《げんそう》の回向《えこう》というは、『浄土論《じょうどろん》』に曰《い》わく、[68]「本願力《ほんがんりき》の回向《えこう》を以《もっ》ての故《ゆえ》に。是《こ》れを「出第五《しゅつだいご》門《もん》」と名《な》づく」といえり。これは還相《げんそう》の回向《えこう》なり。一生補処《いっしょうふしょ》の悲願《ひがん》にあらわれたり。

大慈大悲《だいじだいひ》の願《がん》、『大経《だいきょう》』にのたまわく、[69]「設《たと》い我《われ》、仏《ぶつ》を[70]得《え》たらんに、他方仏土《たほうぶつど》の諸《もろもろ》の菩薩衆《ぼさつしゅ》、我《わ》が国《くに》に③来生《らいしょう》すれば、究竟《くきょう》して必《かなら》ず一生補処《いっしょうふしょ》に[71]至《いた》る。其《そ》の[72]本願《ほんがん》の自在《じざい》の所化《しょけ》、衆生《しゅじょう》の為《ため》の故《ゆえ》に弘誓《ぐぜい》の④鎧《がい》を被《き》て、徳本《とくほん》を積累《しゃくるい》し一切《いっさい》を度脱《どだつ》し、諸仏《しょぶつ》の国《くに》に遊《あそ》びて菩薩《ぼさつ》の行《ぎょう》を修《しゅ》し、十方《じっぽう》の諸仏如《しょぶつにょ》来《らい》を供養《くよう》し恒沙無量《ごうじゃむりょう》の衆生《しゅじょう》を開化《かいけ》して、無上正真《むじょうしょうしん》の道《どう》を[73]立《りゅう》せしめんをば除《のぞ》かんと。常倫《じょうりん》に超《ちょう》出《しゅっ》し、諸地《しょじ》の行現前《ぎょうげんぜん》し、普賢《ふげん》の徳《とく》を修習《しゅじゅう》せん。若《も》し爾《しか》らずは、正覚《しょうがく》を取《と》らじ」と。文《もん》

この悲願《ひがん》は、如来《にょらい》の還相回向《げんそうえこう》の御《おん》ちかいなり。如来《にょらい》の二種《にしゅ》の回向《えこう》によりて真実《しんじつ》の信楽《しんぎょう》をうる人《ひと》は、かならず正定聚《しょうじょうじゅ》のくらいに住《じゅう》するがゆえに、他力《たりき》ともうすなり。

しかれば、『無量寿経優婆提舎願生偈《むりょうじゅきょううばだいしゃがんしょうげ》』に曰《い》わく、[74]「云何《いかん》が回向《えこう》したまえる。一切苦悩《いっさいくのう》の衆生《しゅじょう》を捨《す》てずして心《しん》に常《つね》に作願《さがん》すらく、回向《えこう》を首《しゅ》として大悲心《だいひしん》を成就《じょうじゅ》することを得《え》たまえるが故《ゆえ》に」とのたまえり。

これは『大無量寿経《だいむりょうじゅきょう》』の⑤宗致《しゅうち》としたまえり。これを難思議往生《なんしぎおうじょう》ともうすなり。

①**兄弟**…あに　おとと
②**淄澠**…みずなり　みずなり
③**来生**…きたりうまる
④**鎧**…□ろい
⑤**宗致**…むねとすとなり

観経往生《かんぎょうおうじょう》というは、修諸功徳《しゅしょくどく》の願《がん》により至心発願《ししんほつがん》のちかいにいりて、万善諸行《まんぜんしょぎょう》の自善《じぜん》を回向《えこう》して、浄土《じょうど》を[75]①欣慕《ごんぼ》せしむるなり。しかれば、『無量寿仏観経《むりょうじゅぶつかんぎょう》』には、定善《じょうぜん》・散善《さんぜん》・三福九品《さんぷくくぼん》の諸善《しょぜん》、あるいは自力《じりき》の称名念仏《しょうみょうねんぶつ》をときて、九品往生《くぼんおうじょう》をすすめたまえり。これは、他力《たりき》の中《なか》に自力《じりき》を②宗致《しゅうち》としたまえり。このゆえに、観経往生《かんぎょうおうじょう》ともうすは、これみな、方便化土《ほうべんけど》の往生《おうじょう》なり。これを双樹《そうじゅ》林下往生《りんげおうじょう》ともうすなり。

[76]至心発願《ししんほつがん》の願《がん》、『大経《だいきょう》』に言《のたま》わく、[77]「設《たと》い我《われ》、仏《ぶつ》を[78]得《え》んに、十方《じっぽう》の衆生《しゅじょう》、菩提心《ぼだいしん》を[79]発《おこ》し諸《もろもろ》の功徳《くどく》を修《しゅ》して、[80]至心発願《ししんほつがん》して我《わ》が国《くに》に生《う》まれんと欲《おも》わん。寿終《いのちおわ》らん時《とき》に[81]臨《のぞ》まんに、仮令《たと》い大衆《だいしゅ》と③囲繞《いにょう》して、其《そ》の人《ひと》の前《まえ》に現《げん》ぜずは、正覚《しょうがく》を[82]取《と》らじ」と。文《もん》

[83]又《また》、『悲華経《ひけきょう》』「大施品《だいせほん》」に言《のたま》わく、[84]「願《ねが》わくは我《われ》、阿耨多羅三藐三菩提《あのくたらさんみゃくさんぼだい》を成《な》り已《おわ》らんに、其《そ》の余《よ》の無量無辺阿僧祇《むりょうむへんあそうぎ》の[85]諸仏世界《しょぶつせかい》の所有《しょう》の衆生《しゅじょう》、若《も》し阿耨多羅三藐三菩提心《あのくたらさんみゃくさんぼだいしん》を発《おこ》し、諸《もろもろ》の善根《ぜんごん》を修《しゅ》して我《わ》が界《かい》に生《う》まれんと欲《おも》わば、臨終《りんじゅう》の時《とき》、我《われ》、当《まさ》に大衆《だいしゅ》と囲繞《いにょう》して、其《そ》の人《ひと》の前《まえ》に[86]現《げん》ずべし。其《そ》の人《ひと》、我《われ》を見《み》て、[87]即《すなわ》ち我《わ》が前《まえ》にして心《しん》に歓喜《かんぎ》を得《え》[88]て、我《われ》を見《み》るを以《もっ》ての故《ゆえ》に、諸《もろもろ》の障閡《しょうげ》を離《はな》れて、即便《すなわ》ち身《み》を捨《す》てて我《わ》が界《かい》に来生《らいしょう》[89]せしめん」と。文《もん》

[90]至心発願《ししんほつがん》の願成就《がんじょうじゅ》の文《もん》、『大経《だいきょう》』に言《のたま》わく、[91]「仏《ぶつ》、阿難《あなん》に[92]告《つ》げたまわく、「十方世界《じっぽうせかい》の諸天《しょてん》・人民《にんみん》、其《そ》れ心《しん》を至《いた》して彼《か》の国《くに》に生《う》まれんと願《がん》ずること有《あ》らん。凡《おおよ》そ三輩《さんぱい》有《あ》り。[93]其《そ》の上《じょう》④輩《はい》は、家《いえ》を捨《す》てて欲《よく》を棄《す》てて沙門《しゃもん》と作《な》り、菩提心《ぼだいしん》を発《おこ》[94]して、一向《いっこう》に専《もっぱ》ら無量寿仏《むりょうじゅぶつ》を念《ねん》じ、諸《もろもろ》の功徳《くどく》を修《しゅ》して、

彼《か》の国《くに》に生《う》まれんと願《がん》ぜん。此《こ》れ等《ら》の衆生《しゅじょう》、寿終《いのちおわ》らん時《とき》に臨《のぞ》みて、[95]無量寿仏《むりょうじゅぶつ》、諸《もろもろ》の大衆《だいしゅ》と、其《そ》の人《ひと》の前《まえ》に現《げん》ぜん。[96]乃至《ないし》　阿難《あなん》。其《そ》れ衆生《しゅじょう》有《あ》りて、今世《こんぜ》に於《お》いて無量寿仏《むりょうじゅぶつ》を見《み》たてまつらんと[97]欲《おも》いて、無上菩提《むじょうぼだい》の心《しん》を発《おこ》[98]し功徳《くどく》を修行《しゅぎょう》して、彼《か》の国《くに》に生《う》まれんと願《がん》ずべし。」　仏《ぶつ》、阿難《あなん》に語《かた》りたまわく、「其《そ》れ中輩《ちゅうはい》は、十方世界《じっぽうせかい》の諸天《しょてん》・人民《にんみん》、其《そ》れ心《しん》を至《いた》して彼《か》の国《くに》に生《う》まれんと願《がん》ずること有《あ》らん。行《ぎょう》じて沙門《しゃもん》と作《な》り大《おお》きに功徳《くどく》を修《しゅ》すること能《あた》わずと雖《いえど》も、当《まさ》に無上菩提《むじょうぼだい》の心《しん》を発《おこ》[99]して、一向《いっこう》に専《もっぱ》ら無量寿仏《むりょうじゅぶつ》を念《ねん》じ、多少《たしょう》、善《ぜん》を修《しゅ》し、斎戒《さいかい》を奉持《ぶじ》し、塔像《とうぞう》を起立《きりゅう》し、沙門《しゃもん》に飯食《ぼんじき》せしめ、[100]繒《ぞう》を懸《か》け燈《とう》を燃《とも》し、華《はな》を散《さん》じ香《こう》を焼《た》くべし。此《こ》れを以《もっ》て回向《えこう》して、彼《か》の国《くに》に生《う》まれんと願《がん》ぜん。其《そ》の人《ひと》、終《おわり》に臨《のぞ》みて[101]乃至《ないし》　具《つぶさ》に真仏《しんぶつ》の[102]如《ごと》く、諸《もろもろ》の大衆《だいしゅ》と其《そ》の人《ひと》の前《まえ》に現《げん》ぜん。」[103]乃至《ないし》　仏《ぶつ》、阿難《あなん》に告《つ》げたまわく、「其《そ》れ下輩《げはい》は、十方世界《じっぽうせかい》の諸天《しょてん》・人民《にんみん》、其《そ》れ心《しん》を至《いた》して彼《か》の国《くに》に生《う》まれんと欲《おも》うこと有《あ》らん。仮使《たと》い諸《もろもろ》の功徳《くどく》を作《な》すこと能《あた》わずとも、当《まさ》に無上菩提《むじょうぼだい》の心《しん》を発《おこ》して、一向《いっこう》に意《こころ》を専《もっぱ》らにして、乃至十念《ないしじゅうねん》、無量寿仏《むりょうじゅぶつ》を念《ねん》じて、其《そ》の国《くに》に生《う》まれんと願《がん》ずべし。若《も》し⑤深法《じんぽう》を聞《き》きて歓喜信楽《かんぎしんぎょう》して⑥疑惑《ぎわく》を生《しょう》ぜず、乃至一念《ないしいちねん》、彼《か》の仏《ほとけ》を念《ねん》じて、至誠心《しじょうしん》を以《もっ》て其《そ》の国《くに》に生《う》まれんと願《がん》ぜん。此《こ》の人《ひと》、終《おわり》に臨《のぞ》みて、[104]夢《ゆめ》に彼《か》の仏《ほとけ》を見《み》たてまつり、亦往生《またおうじょう》を得《え》ん。功徳智慧《くどくちえ》、次《つ》いで中輩《ちゅうはい》の者《もの》の[105]如《ごと》

①欣慕…ねがう　したうここ□
②宗致…むねとす
③囲繞…かこみめぐる
④輩…ともがら
⑤深法…ふかきみのり
⑥疑惑…うたがう　まどうなり

くならんとなり」と。」已上略抄《いじょうりゃくしょう》

[106]『大経《だいきょう》』に言《のたま》わく、[107]「設《たと》い我《われ》、仏《ぶつ》を得《え》たらんに、国《くに》の中《うち》の菩薩《ぼさつ》、乃至少功徳《ないししょうくどく》の者《もの》、其《そ》の道場樹《どうじょうじゅ》の無量《むりょう》の光色《こうしき》あって高《たか》さ四百万里《しひゃくまんり》なるを知見《ちけん》すること能《あた》わずは、正覚《しょうがく》を[108]取《と》らじ」と。文《もん》

道場樹《どうじょうじゅ》の願成就《がんじょうじゅ》の文《もん》、『[109]経《きょう》』（大経）に言《のたま》わく、[110]「又《また》、無量寿仏《むりょうじゅぶつ》、其《そ》の[111]道場樹《どうじょうじゅ》の高《たか》さ四百万《しひゃくまん》里《り》ならん。其《そ》の[112]本《もと》、周囲五十由旬《しゅういごじゅうゆじゅん》ならん。①枝葉《しよう》、四《よも》に布《し》きて二十万里《にじゅうまんり》[113]ならん。一切《いっさい》の衆宝《しゅぼう》、自《じ》然《ねん》に合成《ごうじょう》せり。月光摩尼持海輪宝《がっこうまにじかいりんぼう》の衆宝《しゅぼう》の王《おう》たるを以《もっ》てして、之《これ》を荘厳《しょうごん》せり。條《えだ》の間《あいだ》に周匝《しゅうそう》[114]して、宝《ほう》の瓔珞《ようらく》を垂《た》れたり。[115]百千万色《ひゃくせんまんじき》にして種種《しゅじゅ》に異変《いへん》す。無量《むりょう》の光炎《こうえん》、照耀極《しょうようきわ》まり無《な》し。珍妙《ちんみょう》の宝網《ほうもう》、其《そ》の上《うえ》に②羅覆《らふ》せり。[116]乃至《ないし》　一切皆《いっさいみな》、甚深《じんじん》の法忍《ほうにん》を[117]得《え》て、不退転《ふたいてん》に住《じゅう》せん。仏道《ぶつどう》を成《な》るに至《いた》るまで、六根《ろっこん》③清徹《しょうてつ》にして、諸《もろもろ》の悩患無《のうげんな》けん」と。[118]已上略出《いじょうりゃくしゅつ》

首楞厳院《しゅりょうごんいん》（源信）の『要集《ようしゅう》』（往生要集）に、感禅師《かんぜんじ》（懐感）の『釈《しゃく》』（群疑論）を引《ひ》きて[119]いわく、[120]「[121]「問《と》う。『菩薩処胎経《ぼさつしょたいきょう》』の第二《だいに》に[122]説《と》きたまえり。[123]「西方《さいほう》、此《こ》の閻浮提《えんぶだい》を去《さ》ること、十二億那由他《じゅうにおくなゆた》に、懈慢界有《けまんがいあ》り[124]と。乃至《ないし》　意《こころ》を[125]発《おこ》す衆生《しゅじょう》、阿弥陀仏国《あみだぶっこく》に生《う》まれんと欲《おも》う者《もの》、深《ふか》く懈慢国土《けまんこくど》に著《じゃく》して、前進《すす》みて阿弥陀仏国《あみだぶっこく》に[126]生《う》まるること能《あた》わず。億千万《おくせんまん》の衆《しゅ》、時《とき》に一人有《いちにんあ》りて、能《よ》く阿弥陀仏国《あみだぶっこく》に生《しょう》ず」と[127]④云云《いえり》。此《こ》の『経《きょう》』を以《もっ》て[128]⑤准難《じゅんなん》するに、生《しょう》を得《う》べしや。」答《こた》う。『群疑論《ぐんぎろん》』に善導和《ぜんどうか》尚《しょう》の前《さき》の文《もん》を引《ひ》きて、此《こ》の難《なん》を釈《しゃく》せり。又自《またみずか》ら助成《じょじょう》して云《い》わく、[129]「此《こ》の『経《きょう》』の下《しも》の文《もん》に言《のたま》わく、[130]「何《なに》を以《もっ》ての故《ゆえ》に。皆《みな》、[131]懈慢《けまん》して執心《しゅうしん》⑥牢固《ろうこ》ならざるに由《よ》りてなり。」」是《ここ》に知《し》りぬ。雑修《ざっしゅ》の

[132]者《もの》は執心牢《しゅうしんかた》からざるの人《ひと》とす。故《かるがゆえ》に懈慢国《けまんこく》に生《しょう》ずるなり。若《も》し雑修《ざっしゅ》せずして専《もっぱ》ら此《こ》の業《ごう》を[133]行《ぎょう》ずるは、此《こ》れ即《すなわ》ち執心《しゅうしん》⑦牢固《ろうこ》にして、定《さだ》めて極楽国《ごくらくこく》に[134]生《しょう》ず。乃至《ないし》　又《また》、報《ほう》の[135]浄土《じょうど》の生《しょう》は極《きわ》めて少《すく》なし。化《け》の浄土《じょうど》の[136]中《なか》に生《しょう》ずる者《もの》は少《すく》なからず。故《かるがゆえ》に経《きょう》の別説《べっせつ》、[137]実《まこと》に相違《そうい》せざるなり」と。

[138]已上略出《いじょうりゃくしゅつ》

これらの文《もん》のこころにて、双樹林下往生《そうじゅりんげおうじょう》ともうすことを、よくよくこころえたまうべし。

弥陀経往生《みだきょうおうじょう》というは、[139]植諸徳本《じきしょとくほん》の誓願《せいがん》によりて⑧不果遂者《ふかすいしゃ》の真門《しんもん》にいり、善本《ぜんぽん》・徳本《とくほん》の名号《みょうごう》をえらびて、万善諸行《まんぜんしょぎょう》の少善《しょうぜん》をさしおく。しかりといえども、定散自力《じょうさんじりき》の行人《ぎょうにん》は、不可思議《ふかしぎ》の仏智《ぶっち》を⑨疑惑《ぎわく》して信受《しんじゅ》せず。如来《にょらい》の尊号《そんごう》を、[140]おのれが善根《ぜんごん》として、みずから浄土《じょうど》に回向《えこう》して⑩果遂《かすい》のちかいをたのむ。不可思議《ふかしぎ》の名号《みょうごう》を称念《しょうねん》しながら、不可称《ふかしょう》・不可説《ふかせつ》・不可思議《ふかしぎ》の大悲《だいひ》の誓願《せいがん》をうたがう。そのつみ、ふかく、おもくして、七宝《しちほう》の牢獄《ろうごく》にいましめられて、いのち五百歳《ごひゃくさい》のあいだ、自在《じざい》なることあたわず、三宝《さんぼう》をみたてまつらず、つかえたてまつることなしと、如来《にょらい》はときたまえり。しかれども、如来《にょらい》の尊号《そんごう》を称念《しょうねん》するゆえに、⑪胎宮《たいぐう》にとどまる。徳号《とくごう》によるがゆえに、⑫難思往生《なんしおうじょう》ともうすな

①枝葉…えだは
②羅覆…こめおおえり
③清徹…きよくとおりて
④云云…うんぬん
⑤准難…なずらえ　なんずという
⑥⑦牢固…かたく　かたし

⑧不果遂者…はたしとげずはというなり
⑨疑惑…うたがうなり
⑩果遂…ついに　はたすべしとなり
⑪胎宮…はらまるるなり
⑫難思往生…じりきのねんぶつしゃなり

り。不可思議《ふかしぎ》の誓願《せいがん》、①疑惑《ぎわく》するつみによりて、②難思議往生《なんしぎおうじょう》とはもうさずと、しるべきなり。

植諸徳本《じきしょとくほん》の願文《がんもん》、『大経《だいきょう》』に言《のたま》わく、[141]第二十願《だいにじゅうがん》「設《たと》い我《われ》、仏《ぶつ》を[142]得《え》んに、十方《じっぽう》の衆生《しゅじょう》、我《わ》が名号《みょうごう》を聞《き》きて、[143]念《おもい》を我《わ》が国《くに》に係《か》けて諸《もろもろ》の徳本《とくほん》を植《う》えて、心《しん》を至《いた》し回向《えこう》して我《わ》が国《くに》に生《う》まれんと欲《おも》わん。[144]③果遂《かすい》せずは、正覚《しょうがく》を[145]取《と》らじ」と。文《もん》

[146]同本異訳《どうほんいやく》の『無量寿如[147]来会《むりょうじゅにょらいえ》』に言《のたま》わく、[148]第二十願《だいにじゅうがん》「若《も》し我《われ》成仏《じょうぶつ》せんに、[149]無量国《むりょうこく》の中《うち》の所有《しょう》の衆生《しゅじょう》、我《わ》が名《な》を[150]説《と》かんを聞《き》きて、[151]己《おのれ》が善根《ぜんごん》を以《もっ》て極楽《ごくらく》に回向《えこう》せん。若《も》し生《う》まれずは、菩提《ぼだい》を取《と》らじ」[152]と。文《もん》

[153]願成就《がんじょうじゅ》の文《もん》、『経《きょう》』（大経）に言《のたま》わく、[154]「「其《そ》れ胎生《たいしょう》の[155]者《もの》の④処《しょ》する所《ところ》の宮殿《くでん》、或《ある》いは[156]百由旬《ひゃくゆじゅん》、或《ある》いは五百由旬《ごひゃくゆじゅん》なり。各《おの》おの其《そ》の[157]中《なか》にして、諸《もろもろ》の快楽《けらく》を受《う》くること、忉利天上《とうりてんじょう》の如《ごと》し。亦皆自然《またみなじねん》なり。」爾《そ》の[158]時《とき》に慈氏菩薩《じしぼさつ》、仏《ぶつ》に白《もう》して言《もう》さく、「世尊《せそん》。何《なん》の因《いん》、何《なん》の[159]縁《えん》にか、彼《か》の国《くに》の人民《にんみん》、胎生《たいしょう》・化生《けしょう》なる」と。仏《ぶつ》、慈氏《じし》に告《つ》げたまわく、「若《も》し衆生《しゅじょう》有《あ》りて、[160]疑惑《ぎわく》の心《しん》を以《もっ》て諸《もろもろ》の功徳《くどく》を[161]修《しゅ》し、彼《か》の国《くに》に生《う》まれんと願《がん》じて、仏智《ぶっち》・[162]不思議智《ふしぎち》・[163]不可称智《ふかしょうち》・大乗《だいじょう》[164]広智《こうち》・[165]無等無倫最上《むとうむりんさいじょう》勝智《しょうち》を了《さと》らずして、此《こ》の[166]諸智《しょち》に於《お》いて[167]⑤疑惑《ぎわく》して信《しん》ぜず。然《しか》るに猶《なお》、罪福《ざいふく》を[168]信《しん》じて⑥善本《ぜんぽん》を修習《しゅじゅう》して、其《そ》の国《くに》に生《う》まれんと願《がん》ぜん。此《こ》の諸《もろもろ》の衆生《しゅじょう》、彼《か》の宮殿《くでん》に生《う》まれて寿五百歳《いのちごひゃくさい》[169]ならん。常《つね》に仏《ぶつ》を見《み》たてまつらず、経法《きょうぼう》を聞《き》かず、菩薩《ぼさつ》・声聞《しょうもん》・聖衆《しょうじゅ》を見《み》ず。是《こ》の故《ゆえ》に彼《か》の[170]国土《こくど》、之《これ》を「胎生《たいしょう》」と謂《い》う。乃至《ないし》 弥勒《みろく》、当《まさ》に知《し》るべし。彼《か》の[171]化生《けしょう》の者《もの》は、智慧《ちえ》勝《すぐ》れたるが故《ゆえ》に。其《そ》の[172]胎生《たいしょう》の者《もの》は皆《みな》、

智《ち》慧《え》無《な》し。」乃至《ないし》　仏《ぶつ》、弥勒《みろく》に告《つ》げたまわく、「譬《たと》えば転輪聖王《てんりんじょうおう》に七宝《しちほう》の牢獄《ろうごく》[173]有《あ》り。種種《しゅじゅ》に荘厳《しょうごん》し、牀帳《しょうちょう》を張設《ちょうせつ》し、諸《もろもろ》の繒幡《ぞうばん》を懸《か》けたらん。[174]若《も》し諸《もろもろ》の小王子《しょうおうじ》、罪《つみ》を王《おう》に[175]得《え》たらん。輒《すなわ》ち彼《か》の獄《ごく》の中《うち》に内《い》れて、繋《つな》ぐに[176]金《こがね》の鎖《くさり》を以《もっ》てせんが如《ごと》し。」乃至《ないし》　仏《ぶつ》、弥勒《みろく》に告《つ》げたまわく、「此《こ》の諸《もろもろ》の衆生《しゅじょう》、亦復《また》是《か》くの如《ごと》し。仏智《ぶっち》を疑惑《ぎわく》するを以《もっ》ての故《ゆえ》に彼《か》の胎宮《たいぐう》に生《しょう》[177]ず。乃至《ないし》　若《も》し此《こ》の衆生《しゅじょう》、其《そ》の本《もと》の罪《つみ》を識《し》りて、深《ふか》く自《みずか》ら⑦悔責《けしゃく》[178]して、彼《か》の処《ところ》を離《はな》れんと[179]求《もと》めよ。乃至《ないし》　弥勒《みろく》、当《まさ》に知《し》るべし。其《そ》れ菩薩《ぼさつ》有《あ》りて、疑惑《ぎわく》を生《しょう》ずれば⑧大利《だいり》を失《うしな》うとす」[180]と。」[181]略抄《りゃくしょう》

[182]又《また》、『無量寿如来会《むりょうじゅにょらいえ》』に言《のたま》わく、[183]「仏《ぶつ》、弥勒《みろく》に告《つ》げたまわく、「若《も》し衆生《しゅじょう》有《あ》りて、⑨疑悔《ぎけ》に随《したが》いて善根《ぜんごん》を⑩積集《しゃくじゅう》して、仏智《ぶっち》・普遍智《ふへんち》・不思議智《ふしぎち》・無等智《むとうち》・威徳智《いとくち》・広大智《こうだいち》を希求《けぐ》[184]せんに、自《みずか》らの善根《ぜんごん》に於《お》いて信《しん》を生《しょう》ずること能《あた》わず。此《こ》の因縁《いんねん》を以《もっ》て、五百歳《ごひゃくさい》に於《お》いて宮殿《くでん》の中《うち》に[185]住《じゅう》すと。乃至《ないし》　⑪阿《あ》[186]逸多《いった》。汝《なんじ》、殊勝智《しゅしょうち》の[187]者《もの》を観《み》そなわすに、彼《か》の広慧《こうえ》の[188]力《ちから》に因《よ》るが故《ゆえ》に、彼《か》の化生《けしょう》を[189]受《う》く。蓮華《れんげ》[190]の中《なか》に於《お》いて結跏趺坐《けっかふざ》す。汝《なんじ》、下劣《げれつ》の輩《ともがら》を[191]観《み》そなわすに、乃至《ないし》　諸《もろもろ》の功徳《くどく》を修習《しゅじゅう》すること

①**疑惑**…うたがう　まどう
②**難思議往生**…ほんがんたりきのおうじょうともうす
③**果遂**…はたしとげずはというは　ついにはたさんとなり
④**処**…いる
⑤**疑惑**…うたがう　まどうなり
⑥**善本**…みだのみょうごう

⑦**悔責**…くい　せめて
⑧**大利**…ねはん（涅槃）のさとり
⑨**疑悔**…うたがうこころ
⑩**積集**…つみ　あつむ
⑪**阿逸多**…みろくぼさつなり

[192]能《あた》わざるが故《ゆえ》に、因無《いんな》くして無量寿仏《むりょうじゅぶつ》に奉事《ぶじ》[193]せん。是《こ》の諸《もろもろ》の人等《ひとら》、皆《みな》、昔《むかし》、[194]①疑悔《ぎけ》せしに縁《よ》りて致《いた》す所《ところ》とするなり」と。乃至《ないし》 仏《ぶつ》、弥勒《みろく》に告《つ》げたまわく、「是《か》くの如《ごと》し、是《か》くの如《ごと》し。若《も》し疑悔《ぎけ》に随《したが》いて 諸《もろもろ》の善根《ぜんごん》を種《う》えて、仏智《ぶっち》、乃至広大智《ないしこうだいち》を希求《けぐ》すること有《あ》らん。自《みずか》らの善根《ぜんごん》に於《お》いて信《しん》を生《しょう》ずること能《あた》わず。[195]仏《ぶつ》の名《みな》を聞《き》きて信心《しんじん》を起《お》こすに由《よ》るが故《ゆえ》に彼《か》の国《くに》に生《う》まると雖《いえど》も、蓮華《れんげ》の[196]中《うち》に於《お》いて出現《しゅつげん》することを得《え》ず。彼等《かれら》の衆生《しゅじょう》、華胎《けたい》の中《うち》に[197]処《しょ》すること、②園苑宮殿《おんおんくでん》の想《おもい》の猶如《ごと》し。」

[198]乃至略出《ないしりゃくしゅつ》

光明寺《こうみょうじ》（善導）の『釈《しゃく》』（定善義）に云《い》わく、[199]「華《はな》に[200]含《ふく》んで未《いま》だ出《い》でず。或《ある》いは辺界《へんかい》に[201]生《しょう》じ、或《ある》いは宮胎《くたい》に堕《だ》す」と。已上《いじょう》

③憬興師《きょうごうし》の云《い》わく（述文賛）、[202]「仏智《ぶっち》を疑《うたが》うに由《よ》りて、彼《か》の国《くに》に生《う》まると雖《いえど》も、辺地《へんじ》に在《あ》りて聖化《しょうけ》の事《じ》を被《かぶ》らず。若《も》し胎生《たいしょう》せば、宜《よろ》しく之《これ》を重《おも》く捨《す》つべし」と。已上《いじょう》

これらの真文《しんもん》にて、難思往生《なんしおうじょう》ともうすことを、よくよく[203]こころえさせたまうべし。[204]

[205]康元二年（一二五七）三月二日書二写之一　愚禿親鸞《ぐとくしんらん》　八十五歳

①疑悔…うたがう□□
②園苑…うしろのその まえのその
③憬興師…じょうどのにんし（人師）なり

[1]如来二種回向文《にょらいにしゅえこうもん》（往相回向還相回向文類《おうそうえこうげんそうえこうもんるい》）

『無量寿経優婆提舎願生偈《むりょうじゅきょううばだいしゃがんしょうげ》』に曰《い》わく、[2]「云何《いかん》が回向《えこう》[3]する。一切苦悩《いっさいくのう》の衆生《しゅじょう》を捨《す》てずして心《しん》に常《つね》に[4]作願《さがん》すらく、回向《えこう》を首《しゅ》として大悲心《だいひしん》を成就《じょうじゅ》[5]することを得《え》たまえるが故《ゆえ》に」と。文《もん》

この本願力《ほんがんりき》の回向《えこう》をもって、如来《にょらい》の回向《えこう》に二種《にしゅ》あり。一《ひとつ》には往相《おうそう》[6]の回向《えこう》、二《ふたつ》には還相《げんそう》[7]の回向《えこう》なり。

往相《おうそう》[8]の回向《えこう》につきて、真実《しんじつ》の行業《ぎょうごう》あり、真実《しんじつ》の信心《しんじん》あり、真実《しんじつ》[9]の証果《しょうか》あり。

真実《しんじつ》[10]の行業《ぎょうごう》というは、諸仏称名《しょぶつしょうみょう》の悲願《ひがん》にあらわれたり。称名《しょうみょう》の悲願《ひがん》、『[11]大無量寿経《だいむりょうじゅきょう》』に[12]のたまわく、[13]「設我得仏《せつがとくぶつ》　十方世界《じっぽうせかい》　[14]無量諸仏《むりょうしょぶつ》　不悉咨嗟《ふしつししゃ》　称我名者《しょうがみょうしゃ》　不取正覚《ふしゅしょうがく》」文《もん》

真実信心《しんじつしんじん》というは、念仏往生《ねんぶつおうじょう》の悲願《ひがん》にあらわれたり。信楽《しんぎょう》の悲願《ひがん》、『大経《だいきょう》』にのたまわく、[15]「設《せつ》我得仏《がとくぶつ》　[16]十方衆生《じっぽうしゅじょう》　至心信楽《ししんしんぎょう》　欲生我国《よくしょうがこく》　乃至十念《ないしじゅうねん》　若不生者《にゃくふしょうじゃ》　不取正覚《ふしゅしょうがく》　唯除五逆《ゆいじょごぎゃく》　誹《ひ》謗正法《ほうしょうぼう》」文《もん》

真実証果《しんじつしょうか》というは、必至滅度《ひっしめつど》の悲願《ひがん》にあらわれたり。証果《しょうか》の悲願《ひがん》、『大経《だいきょう》』にのたまわく、[17]「設《せつ》我得仏《がとくぶつ》　[18]国中人天《こくちゅうにんでん》　不住定聚《ふじゅうじょうじゅ》　必至滅度者《ひっしめつどしゃ》　不取正覚《ふしゅしょうがく》」文《もん》

これらの本誓悲願《ほんぜいひがん》を、選択本願《せんじゃくほんがん》ともうすなり。[19]この必至滅度《ひっしめつど》の大願《だいがん》をおこしたまいて、この真実《しんじつ》信楽《しんぎょう》をえたらん人《ひと》は、すなわち正定聚《しょうじょうじゅ》のくらいに住《じゅう》せしめんとちかいたまえり。

同本異訳《どうほんいやく》の『無量寿如来会《むりょうじゅにょらいえ》』にのたまわく、[20]「[21]若我成仏《にゃくがじょうぶつ》　国中有情《こくちゅううじょう》　若不決定《にゃくふけつじょう》　成等正覚《じょうとうしょうがく》　証大涅槃者《しょうだいねはんしゃ》　不取菩提《ふしゅぼだい》」文《もん》

この悲願《ひがん》は、すなわち、[22]真実信楽《しんじつしんぎょう》をえたる人《ひと》は、決定《けつじょう》して等正覚《とうしょうがく》にならしめんと、ちかいたまえりとなり。等正覚《とうしょうがく》[23]は、すなわち正定聚《しょうじょうじゅ》のくらいなり。等正覚《とうしょうがく》ともうすは、補処《ふしょ》の弥勒菩薩《みろくぼさつ》とおなじからしめんと、ちかいたまえるなり。[24]これらの選択本願《せんじゃくほんがん》は、法蔵菩薩《ほうぞうぼさつ》の不思議《ふしぎ》の弘誓《ぐぜい》なり。

しかれば、[25]真実信心《しんじつしんじん》の念仏者《ねんぶつしゃ》は、『大経《だいきょう》』には[26]「[27]①次如弥勒《しにょみろく》」と[28]のたまえり。これらの[29]大誓願《だいせいがん》を往相《おうそう》の回向《えこう》ともうすとみえたり。[30]弥勒菩薩《みろくぼさつ》とおなじといえりと『龍舒浄土文《りゅうじょじょうどもん》』にはあらわせり。

二《ふた》つ[31]に還相回向《げんそうえこう》というは、『浄土論《じょうどろん》』に曰《い》わく、[32]「②本願力《ほんがんりき》の回向《えこう》を以《もっ》ての故《ゆえ》にと。是《こ》れを「出第五門《しゅつだいごもん》」と[33]名《な》づく」と。[34]

これは[35]これ還相《げんそう》の回向《えこう》なり。このこころは一生補処《いっしょうふしょ》の大願《だいがん》にあらわれたり。

[36]大慈大悲誓願《だいじだいひせいがん》は、『大経《だいきょう》』にのたまわく、[37]「設《たと》い我《われ》、仏《ぶつ》を得《え》たらんに、他方仏土《たほうぶつど》の諸《もろもろ》の菩薩衆《ぼさつしゅ》、我《わ》が国《くに》に[38]来生《らいしょう》して、究竟《くきょう》して必《かなら》ず一生補処《いっしょうふしょ》に[39]至《いた》らしめん。其《そ》の本願《ほんがん》の自在《じざい》の所化《しょけ》、衆生《しゅじょう》の為《ため》の故《ゆえ》に弘誓《ぐぜい》の[40]鎧《がい》を被《き》て、徳本《とくほん》を積累《しゃくるい》し一切《いっさい》を度脱《どだつ》して、諸仏《しょぶつ》の国《くに》に遊《あそ》びて菩薩《ぼさつ》の行《ぎょう》を修《しゅ》し、十方《じっぽう》諸仏如来《しょぶつにょらい》を供養《くよう》し恒[41]沙無量《ごうじゃむりょう》の衆生《しゅじょう》を開化《かいけ》し、無上正真《むじょうしょうしん》の道《どう》を立《りゅう》せしめんをば[42]除《のぞ》かんと。③常倫《じょうりん》に超出《ちょうしゅつ》し、④諸地《しょじ》の行現前《ぎょうげんぜん》し、普賢《ふげん》の徳《とく》を修習《しゅじゅう》せん。若《も》し爾《しか》らずは、正覚《しょうがく》を取《と》らじ」と。文《もん》

[43]これは如来《にょらい》の還相回向《げんそうえこう》の御《おん》ちかいなり。[44]これは他力《たりき》の[45]還相《げんそう》の回向《えこう》なれば、自利利他《じりりた》ともに行者《ぎょうじゃ》

の願楽《がんぎょう》にあらず。[46]法蔵菩薩《ほうぞうぼさつ》の誓願《せいがん》なり。「他力《たりき》には義《ぎ》なきをもって義《ぎ》とす」と、大師聖人《だいししょうにん》（源空）はおおせごとありき。[47]よくよく、この選択悲願《せんじゃくひがん》をこころえたまう[48]べし。

正嘉元年（一二五七）丁巳《ひのとみ》閏三月二十一日書写之

①次如弥勒…ついでみろくのごとし
②以本願力回向故　是名出第五門…これはこれ　ごねんもん（五念門）のうちに　えこうもん（回向門）なり　これはみだにょらいのりた（利他）のえこうなり
③常倫…つねのともがら
④諸地…かんぎじ（歓喜地）なり

(三帖和讃《さんじょうわさん》)

浄土和讃《じょうどわさん》1

2弥陀《みだ》の名号《みょうごう》となえつつ
信心《しんじん》まことにうるひとは
憶念《おくねん》の心《しん》つねにして
仏恩報《ぶっとんほう》ずるおもいあり
誓願不思議《せいがんふしぎ》をうたがいて
御名《みな》を称《しょう》する往生《おうじょう》は
宮殿《くでん》のうちに五百歳《ごひゃくさい》
むなしくすぐとぞときたまう

『讃阿弥陀仏偈《さんあみだぶつのげ》』に曰《い》わく、
曇鸞《どんらん》3御造《ごぞう》

4「南無阿弥陀仏《なむあみだぶつ》

釈《しゃく》して無量寿傍経《むりょうじゅほうきょう》と名《な》づく。5讃《ほ》め奉《たてまつ》りて亦安養《またあんにょう》と曰《い》う。

6成仏《じょうぶつ》より已来《このかた》、十劫《じっこう》を歴《へ》たまえり。
寿命《じゅみょう》、方将《まさ》に量有《はかりあ》ること無《な》し。
法身《ほっしん》の光輪《こうりん》、法界《ほっかい》に遍《へん》じて、
世《せ》の盲冥《もうみょう》を照《て》らしたまう。故《かるがゆえ》に頂礼《ちょうらい》したてまつる。

一又《また》7無量光《むりょうこう》と二真実明《しんじつみょう》と号《な》づく。
三又無辺光《またむへんこう》と四平等覚《びょうどうがく》と号《な》づく。
五又無碍光《またむげこう》と六難思議《なんしぎ》と号《な》づく。
七又無対光《またむたいこう》と八畢竟依《ひっきょうえ》と号《な》づく。
九又光炎王《またこうえんのう》と十大応供《だいおうぐ》と号《な》づく。
十一又清浄光《またしょうじょうこう》と号《な》づく。8十二又歓喜光《またかんぎこう》と
十三大安慰《だいあんに》と号《な》づく。十四又智慧光《またちえこう》と号《な》づく。
十五又不断光《またふだんこう》と号《な》づく。十六又難思光《またなんしこう》と号《な》づく。
十七又無称光《またむしょうこう》と号《な》づく。十八超日月光《ちょうにちがっこう》と号《な》づけたてまつる。
[十九]無等等《むとうどう》　[二十]広大会《こうだいえ》　[二十一]大心海《だいしんかい》
[二十二]無上尊《むじょうそん》　[二十三]平等力《びょうどうりき》　[二十四]大心力《だいしんりき》
[二十五]無称仏《むしょうぶつ》　[二十六]婆伽婆《ばかば》　[二十七]講堂《こうどう》
[二十八]清浄大摂受《しょうじょうだいしょうじゅ》　[二十九]不可思議尊《ふかしぎそん》
[三十]道場樹《どうじょうじゅ》　[三十一]真無量《しんむりょう》　[三十二]清浄楽《しょうじょうがく》
[三十三]本願功徳聚《ほんがんくどくじゅ》　[三十四]清浄勲《しょうじょうくん》　[三十五]功徳蔵《くどくぞう》
[三十六]無極尊《むごくそん》　[三十七]南無不可思議光《なむふかしぎこう》」[9]已上略抄《いじょうりゃくしょう》なり。

『十住毘婆《じゅうじゅうびば》[10]娑論《しゃろん》』に曰《い》わく、
[11]「[12]自在人《じざいにん》　我礼《がらい》　清浄人《しょうじょうにん》　帰命《きみょう》
無量徳《むりょうとく》　称讃《しょうさん》」[13]已上《いじょう》

讃阿弥陀仏偈和讃《さんあみだぶつげわさん》

愚禿親鸞作《ぐとくしんらんさく》

南無阿弥陀仏《なむあみだぶつ》

---

(1)
[14]弥陀成仏《みだじょうぶつ》のこのかたは
いまに十劫《じっこう》をへたまえり
法身《ほっしん》の光輪《こうりん》きわもなく
①世《せ》の盲冥《もうみょう》をてらすなり

(2)
智慧《ちえ》の光明《こうみょう》はかりなし
②有量《うりょう》の諸相《しょそう》ことごとく
光暁《こうきょう》かぶらぬものはなし
真実明《しんじつみょう》[15]に帰命《きみょう》せよ

(3)
解脱《げだつ》の光輪《こうりん》きわもなし
光触《こうそく》かぶるものはみな
有無《うむ》をはなるとのべたまう
平等覚《びょうどうがく》[16]に帰命《きみょう》せよ

(4)
③光雲無碍如虚空《こううんむげにょこくう》
④一切《いっさい》の有碍《うげ》にさわりなし
光沢《こうたく》かぶらぬものぞなき
難思議《なんしぎ》[17]を帰命《きみょう》せよ

（5）
清浄光明《しょうじょうこうみょう》ならびなし
⑤遇斯光《ぐしこう》のゆえなれば
一切《いっさい》の⑥業繋《ごうけ》ものぞこりぬ
畢竟依《ひっきょうえ》を帰命《きみょう》せよ

（6）
仏光照《ぶっこうしょう》[18]曜最第一《ようさいだいいち》
光炎王仏《こうえんのうぶつ》となづけたり
⑦三塗《さんづ》の黒闇《こくあん》ひらくなり
⑧大応供《だいおうぐ》を帰命《きみょう》せよ

（7）
⑨道光明朗超絶《どうこうみょうろうちょうぜつ》せり

①世の盲冥…よのめしい　くらきもの
②有量の諸相…よろずのしゅじょう（衆生）なり
③光雲無碍如虚空…ひかり　くも（雲）のごとくして　さわりなきこと　こくう（虚空）のごとし
④一切の有碍…よろずのさわりあること
⑤遇斯光…みだ（弥陀）仏にもうあいぬるゆえに
⑥業繋…つみ（罪）のなわ（縄）にしば（縛）らるるなり
⑦三塗の黒闇…じごく（地獄）がき（餓鬼）ちくしょう（畜生）くらきやみなり
⑧大応供…みだにょらい（弥陀如来）なり

清浄光仏《しょうじょうこうぶつ》と[19]もうすなり
ひとたび⑩光照《こうしょう》かぶるもの
⑪業垢《ごうく》をのぞき⑫解脱《げだつ》をうう

（8）
慈光《じこう》はるかにかぶらしめ
ひかりのいたるところには
⑬法喜《ほうき》をうとぞのべたまう
大安慰《だいあんに》を帰命《きみょう》せよ

（9）
無明《むみょう》の⑭闇《あん》を⑮破《は》するゆえ
智慧光仏《ちえこうぶつ》となづけたり

⑨道光明朗超絶…みだ（弥陀）のひかり　あきらかにすぐれたりとなり
⑩光照…ひかりにてらさるとなり
⑪業垢…あくごうぼんのう（悪業煩悩）なり
⑫解脱をう…さとりをひらくなり
⑬法喜…みのり（法）をよろこぶなり
⑭闇…やみにてくらし
⑮破する…やぶるなり

一切諸仏三乗衆《いっさいしょぶつさんじょうしゅ》
ともに①嘆誉《たんよ》したまえり

(10)
光明《こうみょう》てらしてたえざれば
不断光仏《ふだんこうぶつ》となづけたり
②聞光力《もんこうりき》のゆえなれば
③心不断《しんふだん》にて往生《おうじょう》す

(11)
仏光《ぶっこう》[20]測量《しきりょう》なきゆえに
難思光仏《なんしこうぶつ》となづけたり
諸仏《しょぶつ》は往生《おうじょう》④嘆《たん》じつつ
弥陀《みだ》の功徳《くどく》を称《しょう》せしむ

(12)
⑤神光《じんこう》の離相《りそう》をとかざれば
無称光仏《むしょうこうぶつ》となづけたり
⑥因光成仏《いんこうじょうぶつ》のひかりをば
諸仏《しょぶつ》の⑦嘆《たん》ずるところなり

(13)
光明月日《こうみょうつきひ》に⑧勝過《しょうが》して
超日月光《ちょうにちがっこう》となづけたり

釈迦《しゃか》⑨嘆《たん》じてなおつきず
無等等《むとうどう》を帰命《きみょう》せよ

(14)
⑩弥陀初会《みだしょえ》の聖衆《しょうじゅ》は
算数《さんじゅ》のおよぶことぞなき
浄土《じょうど》をねがわんひとはみな
広大会《こうだいえ》を帰命《きみょう》せよ

(15)
安楽無量《あんらくむりょう》の[21]大菩薩《だいぼさつ》
一生補処《いっしょうふしょ》にいたるなり
⑪普賢《ふげん》の徳《とく》に帰《き》してこそ
穢国《えこく》にかならず化《け》するなれ

(16)
十方衆生《じっぽうしゅじょう》のためにとて
如来《にょらい》の法蔵《ほうぞう》あつめてぞ
本願弘誓《ほんがんぐぜい》に帰《き》せしむる
大心海《だいしんかい》を帰命《きみょう》せよ

(17)
観音勢《かんのんせい》[22]至《し》もろともに
慈光世界《じこうせかい》を照曜《しょうよう》し

有縁《うえん》を度《ど》してしばらくも
⑫休息《くそく》あることなかりけり

(18)
安楽浄土《あんらくじょうど》にいたるひと
五濁悪世《ごじょくあくせ》にかえりては
釈迦牟尼仏《しゃかむにぶつ》のごとくにて
利益衆生《りやくしゅじょう》はきわもなし

(19)
神力自在《じんりきじざい》なることは
23⑬測量《しきりょう》すべきことぞなき

①**嘆誉**…ほめ　ほむるなり
②**聞光力**…みだ（弥陀）のおんちかい（誓）をしん（信）じまいらするなり
③**心不断にて往生す**…みだ（弥陀）のせいがん（誓願）をしん（信）ぜるこころた（断）えずしておうじょう（往生）すとなり
④**嘆じ**…ほむるなり
⑤**神光の離相**…むげこうぶつ（無碍光仏）のおんかたちを　いいひらくことなしとなり
⑥**因光成仏**…ひかり（光）きわなからんとちかいたまいて　むげこうぶつ（無碍光仏）となりておわしますとしるべし
⑦**嘆ずる**…ほめたまうなり
⑧**勝過**…すぐれたるなり

不思議《ふしぎ》の徳《とく》をあつめたり
無上尊《むじょうそん》を帰命《きみょう》せよ

(20)
安楽声聞菩薩衆《あんらくしょうもんぼさつしゅ》
人天智慧《にんでんちえ》ほがらかに
身相荘厳《しんそうしょうごん》24みなおなじ
他方《たほう》に⑭順《じゅん》じて名《な》をつらぬ

(21)
顔容端政《げんようたんじょう》たぐいなし
⑮精微妙軀《しょうみみょうく》非人天《ひにんでん》

⑨**嘆じて**…ほめたまうなり
⑩**弥陀初会の聖衆**…みだ（弥陀）の　ぶつ（仏）になりたまいしとき　あつまりたまいし　しょうじゅ（聖衆）のおお（多）きことなり
⑪**普賢の徳**…だいじだいひ（大慈大悲）をもうすなり
⑫**休息あることなかりけり**…やすむことなしとなり
⑬**測量すべきことぞなき**…はか（測）り　はか（量）ることなしとなり
⑭**順じて名をつらぬ**…したがいて　にん（人）あり　てん（天）ありという
⑮**精微妙軀非人天**…たえなるみ（身）なり　にん（人）にあらず　てん（天）にあらず

①虚無之身無極体《こむししんむごくたい》
平等力《びょうどうりき》を帰命《きみょう》せよ

(22)
安楽国《あんらくこく》をねがうひと
正定聚《しょうじょうじゅ》にこそ[25]住《じゅう》すなれ
邪定不定聚《じゃじょうふじょうじゅ》くにになし
[26]諸仏讃嘆《しょぶつさんだん》したまえり

(23)
十方諸有《じっぽうしょう》の衆生《しゅじょう》は
阿弥陀至徳《あみだしとく》の御名《みな》をきき
真実信心《しんじつしんじん》いたりなば
おおきに②所聞《しょもん》を慶喜《きょうき》せん

(24)
③若不生者《にゃくふしょうじゃ》のちかいゆえ
信楽《しんぎょう》まことにときいたり
一念《いちねん》④慶喜《きょうき》するひとは
往生《おうじょう》かならずさだまりぬ

(25)
安楽仏土《あんらくぶつど》の依正《えしょう》は
法蔵願力《ほうぞうがんりき》のなせるなり

天上天下《てんじょうてんげ》にたぐいなし
大心力《だいしんりき》を帰命《きみょう》せよ

(26)
安楽国土《あんらくこくど》の荘厳《しょうごん》は
釈迦無碍《しゃかむげ》の[27]みことにて
とくともつきじとのべたまう
無称仏《むしょうぶつ》を帰命《きみょう》せよ

(27)
⑤已今当《いこんとう》の往生《おうじょう》は
この土《ど》の衆生《しゅじょう》のみならず
十方仏土《じっぽうぶつど》よりきたる
無量無数《むりょうむしゅ》⑥不可計《ふかけ》なり

(28)
阿弥陀仏《あみだぶつ》の御名《みな》をきき
⑦歓喜《かんぎ》[28]讃仰《さんごう》せしむれば
功徳《くどく》の宝《ほう》を具足《ぐそく》して
一念大利無上《いちねんだいりむじょう》なり

(29)
たとい大千世界《だいせんせかい》に
みてらん火《ひ》をもすぎゆきて

[29]仏《ぶつ》の御名《みな》をきくひとは
ながく不退《ふたい》にかなうなり

(30)
神力無極《じんりきむごく》の阿弥陀《あみだ》は
無量《むりょう》の諸仏《しょぶつ》ほめたまう
東方恒沙《とうぼうごうじゃ》の仏国《ぶっこく》より
無数《むしゅ》の菩薩《ぼさつ》ゆきたまう

(31)
自余《じよ》の⑧九方《くほう》の仏国《ぶっこく》も
菩薩《ぼさつ》の⑨往観《おうごん》[30]みなおなじ
釈迦牟尼如来偈《しゃかむににょらいげ》をときて
無量《むりょう》の功徳《くどく》をほめたまう

①**虚無之身無極体**…ほっしんにょらい（法身如来）なり
②**所聞を慶喜せん**…しん（信）ずることをえて　よろこぶなり
③**若不生者**…もしうまれずはと　ちか（誓）いたまえるなり
④**慶喜**…しん（信）をえてのちによろこぶとなり
⑤**已今当の往生**…かこ（過去）にうまる　こんじょう（今生）に
うまる　みらい（未来）にうまるるなり
⑥**不可計**…かぞうべからずとなり
⑦**歓喜讃仰**…よろこび　ほめ　あおぐという
⑧**九方の仏国**…ここのつのほう（方）のぶつど（仏土）よりごく
らく（極楽）にうまるるなり

(32)
[31]十方《じっぽう》の無量菩薩衆《むりょうぼさつしゅ》
徳本《とくほん》うえんためにとて
恭敬《くぎょう》をいたし⑩歌嘆《かたん》す
みなひと⑪婆伽婆《ばかば》を帰命《きみょう》せよ

(33)
七宝講堂道場樹《しちほうこうどうどうじょうじゅ》
⑫方便化身《ほうべんけしん》の浄土《じょうど》なり
十方来生《じっぽうらいしょう》きわもなし
講堂道場礼《こうどうどうじょうらい》すべし

(34)
妙土広大超数限《みょうどこうだいちょうしゅげん》
本願荘厳《ほんがんしょうごん》よりおこる

⑨**往観**…おうじょう（往生）し　ほとけをみたてまつる
⑩**歌嘆す**…ほめ　ほむるなり
⑪**婆伽婆**…ほとけのみな（御名）なり
⑫**方便化身の浄土**…へんじけまんこく（辺地懈慢国）なり　ぎ
わくたいしょう（疑惑胎生）のじょうど（浄土）なり

清浄大摂受《しょうじょうだいしょうじゅ》[32]に
稽首帰命《けいしゅきみょう》せしむべし

(35)
自利利他円満《じりりたえんまん》して
帰命方便巧荘厳《きみょうほうべんぎょうしょうごん》
こころもことばもたえたれば
不可思議尊《ふかしぎそん》を帰命《きみょう》せよ

(36)
神力本願及満足《じんりきほんがんぎゅうまんぞく》
明了堅固究竟願《みょうりょうけんごくきょうがん》
慈悲方便不思議《じひほうべんふしぎ》なり
真無量《しんむりょう》を帰命《きみょう》せよ

(37)
宝林宝樹微妙音《ほうりんほうじゅみみょうおん》
自然清和《じねんしょうわ》の伎楽《ぎがく》にて
①哀婉雅亮《あいえんがりょう》すぐれたり
清浄楽《しょうじょうがく》を帰命《きみょう》せよ

(38)
七宝樹林《しちほうじゅりん》くににみつ
光耀《こうよう》たがいに[33]かがやけり
華菓枝葉《けかしよう》またおなじ
本願功徳聚《ほんがんくどくじゅ》[34]を帰命《きみょう》せよ

(39)
清風宝樹《しょうふうほうじゅ》をふくときは
いつつの音声《おんじょう》いだしつつ
宮商和《きゅうしょうわ》して自然《じねん》なり
清浄勲《しょうじょうくん》を礼《らい》すべし

(40)
一一《いちいち》のはなのなかよりは
三十六百千億《さんじゅうろっぴゃくせんおく》の
光明《こうみょう》てらしてほがらかに
いたらぬところはさらになし

(41)
一一《いちいち》のはなのなかよりは
三十六百千億《さんじゅうろっぴゃくせんおく》の
仏身《ぶっしん》もひかりもひとしくて
相好金山《そうごうこんぜん》のごとくなり

(42)
相好《そうごう》ごとに百千《ひゃくせん》の
ひかりを十方《じっぽう》にはなちてぞ

つねに妙法《みょうほう》ときひろめ
衆生《しゅじょう》を仏道《ぶつどう》にいらしむる

(43)
七宝《しちほう》の宝池《ほうち》いさぎよく
八功徳水《はっくどくしい》みちみてり
無漏《むろ》の依果不思議《えかふしぎ》なり
功徳蔵《くどくぞう》を帰命《きみょう》せよ

(44)
三塗苦難《さんずくなん》ながくとじ
但有自然快楽音《たんうじねんけらくおん》
このゆえ安楽《あんらく》となづけたり
無極尊《むごくそん》を帰命《きみょう》せよ

(45)
十方三世《じっぽうさんぜ》の無量慧《むりょうえ》
おなじく一如《いちにょ》に乗《じょう》じてぞ
二智円満道平等《にちえんまんどうびょうどう》
摂化随縁不思議《せっけずいえんふしぎ》なり

①**哀婉雅亮**…あわれに す（澄）み ただしく さえたり

---

(46)
弥陀《みだ》の浄土《じょうど》に帰《き》しぬれば
すなわち諸仏《しょぶつ》に帰《き》するなり
一心《いっしん》をもて一仏《いちぶつ》を
ほむるは無碍人《むげにん》をほむるなり

(47)
信心歓喜慶所聞《しんじんかんぎきょうしょもん》
乃曁一念至心者《ないかいいちねんししんしゃ》
南無不可思議光仏《なむふかしぎこうぶつ》
頭面《ずめん》に礼《らい》したてまつれ

(48)
仏慧功徳《ぶってくどく》をほめしめて
十方《じっぽう》の有縁《うえん》にきかしめん
信心《しんじん》すでにえんひとは
つねに仏恩報《ぶっとんほう》ずべし
已上四十八首《いじょうしじゅうはっしゅ》
[35]愚禿親鸞作《ぐとくしんらんさく》

阿弥陀如来《あみだにょらい》
観世音菩薩《かんぜおんぼさつ》
大勢至菩薩《だいせいしぼさつ》

釈迦牟尼《しゃかむに》[36]如来《にょらい》
富楼那尊者《ふるなそんじゃ》
大目犍連《だいもっけんれん》
阿難尊者《あなんそんじゃ》

頻婆《びんば》[37]娑羅王《しゃらおう》
韋提夫人《いだいぶにん》
耆婆大臣《ぎばだいじん》
月光大臣《がっこうだいじん》

提婆尊者《だいばそんじゃ》
阿闍世王《あじゃせおう》
[38]雨行大臣《うぎょうだいじん》
守門者《しゅもんしゃ》

浄土和讃《じょうどわさん》
愚禿親鸞作《ぐとくしんらんさく》

『大経《だいきょう》』の意《こころ》 [39]二十二首《にじゅうにしゅ》

(1) 尊者阿難座《そんじゃあなんざ》よりたち
世尊《せそん》の威光《いこう》を①瞻仰《せんごう》し

(2) 生《しょう》②希有心《けうしん》とおどろかし
③未曾見《みぞうけん》とぞあやしみし
如来《にょらい》の④光瑞希有《こうずいけう》にして
阿難《あなん》はなはだこころよく

如是之義《にょぜしぎ》ととえりしに
(3) ⑤出世《しゅっせ》の本意《ほんい》あらわせり
大寂定《だいじゃくじょう》にいりたまい
如来《にょらい》の光顔《こうげん》たえにして

阿難《あなん》の恵見《えけん》をみそなわし
問斯恵義《もんしえぎ》とほめたまう
(4) 如来《にょらい》⑥興世《こうせ》の本意《ほんい》には
[40]本願真実《ほんがんしんじつ》ひらきてぞ

⑦難値難見《なんちなんけん》とときたまい
⑧猶霊瑞華《ゆれいずいけ》としめしける
(5) 弥陀成仏《みだじょうぶつ》のこのかたは
いまに十劫《じっこう》とときたれど

塵点久遠劫《じんでんくおんごう》よりも
ひさしき[41]仏《ぶつ》とみえたまう

(6)
南無不可思議光仏《なむふかしぎこうぶつ》
饒王仏《にょうおうぶつ》のみもとにて
十方浄土《じっぽうじょうど》のなかよりぞ
本願選択摂取《ほんがんせんじゃくせっしゅ》する

(7)
無碍光仏《むげこうぶつ》のひかりには
清浄歓喜智慧光《しょうじょうかんぎちえこう》
その徳《とく》不可思議《ふかしぎ》にして
十方諸有《じっぽうしょう》を利益《りやく》せり

(8)
⑨至心信楽欲生《ししんしんぎょうよくしょう》と

①瞻仰…みたてまつる
②希有心…あ(有)りがた(難)きこころという
③未曾見…いまだ むかし みたてまつらず
④光瑞希有…ひかり あ(有)りがた(難)しとなり
⑤出世…ほとけの よ(世)にいでたまうとなり
⑥興世の本意…よ(世)にいでたまうこころはという
⑦難値難見…もうあいがたく みたてまつりがたしとなり

---

[42]十方諸有《じっぽうしょう》をすすめてぞ
不思議《ふしぎ》の誓願《せいがん》あらわして
真実報土《しんじつほうど》の因《いん》と[43]する

(9)
真実信心《しんじつしんじん》うるひとは
すなわち定聚《じょうじゅ》のかずにいる
不退《ふたい》のくらいに[44]いりぬれば
かならず[45]⑩滅度《めつど》にいたらしむ

(10)
[46]⑪弥陀《みだ》の大悲《だいひ》ふかければ
仏智《ぶっち》の不思議《ふしぎ》をあらわして
変成男子《へんじょうなんし》の願《がん》をたて
女人成仏《にょにんじょうぶつ》[47]ちかいたり

⑧猶霊瑞華…うどんげ(優曇華)のさ(咲)くことのまれなるがごとくとなり
⑨第八首…本願のこころ 第十八の選択本願なり
⑩滅度にいたらしむ…ねはん(涅槃)のさとりをひらくなり
⑪第十首…三十五の願のこころなり

(11)
①至心発願欲生《ししんほつがんよくしょう》と
十方衆生《じっぽうしゅじょう》を方便《ほうべん》し
衆善《しゅぜん》の仮門《けもん》ひらきてぞ
現其人前《げんごにんぜん》と願《がん》じける

(12)
臨終現前《りんじゅうげんぜん》の願《がん》により
釈迦《しゃか》は諸善《しょぜん》をことごとく
観経一部《かんぎょういちぶ》にあらわして
定散諸機《じょうさんしょき》をすすめけり

(13)
諸善万行《しょぜんまんぎょう》ことごとく
至心発願《ししんほつがん》せるゆえに
往生浄土《おうじょうじょうど》の方便《ほうべん》の
善《ぜん》とならぬはなかりけり

(14)
②至心回向欲生《ししんえこうよくしょう》と
十方衆生《じっぽうしゅじょう》を方便《ほうべん》し
名号《みょうごう》の真門《しんもん》ひらきてぞ
③不果遂者《ふかすいしゃ》と願《がん》じける

---

(15)
果遂《かすい》の願《がん》によりてこそ
釈迦《しゃか》は善本徳本《ぜんぽんとくほん》を
弥陀経《みだきょう》にあらわして
一乗《いちじょう》の機《き》をすすめける

(16)
定散自力《じょうさんじりき》の称名《しょうみょう》は
④果遂《かすい》のちかいに帰《き》してこそ
おしえざれども自然《じねん》に
真如《しんにょ》の門《もん》に48⑤転入《てんにゅう》する

(17)
安楽浄土《あんらくじょうど》をねがいつつ
他力《たりき》の信《しん》をえぬひとは
仏智不思議《ぶっちふしぎ》をうたがいて
辺地懈慢《へんじけまん》にとまるなり49

(18)
如来《にょらい》の50⑥興世《こうせ》にあいがたく
諸仏《しょぶつ》の経道《きょうどう》ききがたし
菩薩《ぼさつ》の勝法《しょうぼう》きくことも
無量劫《むりょうこう》にもまれらなり

(19)
善知識《ぜんじしき》にあうことも
おしうることもまたかたし
よくきくこともかたければ
信《しん》ずることもなおかたし

(20)
一代諸教《いちだいしょきょう》の[51]信《しん》よりも
弘願《ぐがん》の信楽《しんぎょう》なおかたし
⑦難中之難《なんちゅうしなん》とときたまい
⑧無過此難《むかしなん》とのべたまう

(21)
念仏成仏《ねんぶつじょうぶつ》これ真宗《しんしゅう》
万行諸善《まんぎょうしょぜん》これ[52]仮門《けもん》
権実真仮《ごんじつしんけ》をわかずして

(22)
自然《じねん》の浄土《じょうど》をえぞしらぬ
聖道権仮《しょうどうごんけ》の方便《ほうべん》に
衆生《しゅじょう》ひさしくとどまりて
諸有《しょう》に流転《るてん》の身《み》とぞなる
悲願《ひがん》の一乗帰命《いちじょうきみょう》せよ
已上《いじょう》『大経《だいきょう》』意《い》

『観経《かんぎょう》』の意《こころ》　九首《くしゅ》

(1)
恩徳広大釈迦如来《おんどくこうだいしゃかにょらい》
韋提夫人《いだいぶにん》に勅《ちょく》してぞ
光台現国《こうだいげんごく》のそのなかに

①**第十一首**…十九の願のこころ　諸行往生なり
②**第十四首**…二十の願のこころなり　自力の念仏を願じたまえり
③**不果遂者**…ついにはたしとげんとなり
④**果遂**…はたしとぐべし
⑤**転入**…うつりいるという
⑥**興世にあいがたく**…よ(世)にいでたまうこと　かた(難)しとなり
⑦**難中之難**…かた(難)きがなかにかた(難)しとなり
⑧**無過此難**…これにすぎてかた(難)きことなしとなり

安楽世界《あんらくせかい》をえらばしむ

（2）
頻婆《びんば》53娑羅王《しゃらおう》勅《ちょく》せしめ
宿因《しゅういん》その期《ご》をまたずして
仙人殺害《せんにんせつがい》のむくいには
七重《しちじゅう》のむろにとじられき

（3）
阿闍世王《あじゃせおう》は①瞋怒《しんぬ》して
我母是賊《がもぜぞく》としめしてぞ
無道《むどう》に母《はは》を②害《がい》せんと
つるぎをぬきてむかいける

（4）
耆婆月光《ぎばがっこう》ねんごろに
是旃陀羅《ぜせんだら》とはじしめて
③不宜住此《ふぎじゅうし》と奏《そう》してぞ
闍王《しゃおう》の逆心《ぎゃくしん》いさめける

（5）
耆婆大臣《ぎばだいじん》おさえてぞ
④却行而退《きゃくぎょうにたい》せしめつつ
闍王《しゃおう》つるぎをすてしめて

韋提《いだい》をみやに⑤禁《きん》じける

（6）
弥陀釈迦方便《みだしゃかほうべん》して
阿難目連富楼那韋提《あなんもくれんふるないだい》
達多闍王頻婆《だったしゃおうびんば》54娑羅《しゃら》
耆婆月光《ぎばがっこう》55行雨《ぎょうう》等《とう》

（7）
大聖《だいしょう》おのおのもろともに
凡愚底下《ぼんぐていげ》のつみびとを
逆悪《ぎゃくあく》もらさぬ誓願《せいがん》に
方便引入《ほうべんいんにゅう》せしめけり

（8）
釈迦韋提方便《しゃかいだいほうべん》して
浄土《じょうど》の機縁熟《きえんじゅく》すれば
56雨行大臣証《うぎょうだいじんしょう》として
闍王《しゃおう》57逆悪興《ぎゃくあくこう》ぜしむ

（9）
定散諸機各別《じょうさんしょきかくべつ》の
自力《じりき》の三心《さんじん》ひるがえし
如来《にょらい》⑥利他《りた》の信心《しんじん》に

通入《つうにゅう》せんとねがうべし
已上《いじょう》『観経《かんぎょう》』意《い》

『弥陀経《みだきょう》』の意《こころ》　五首《ごしゅ》

(1) 十方微塵世界《じっぽうみじんせかい》の
念仏《ねんぶつ》の衆生《しゅじょう》をみそなわし
⑦摂取《せっしゅ》してすてざれば
阿弥陀《あみだ》となづけたてまつる

(2) 恒沙塵数《ごうじゃじんじゅ》の如来《にょらい》は
[58]万行《まんぎょう》の少善《しょうぜん》きらいつつ
名号不思議《みょうごうふしぎ》の信心《しんじん》を
ひとしくひとえにすすめ[59]しむ

①**瞋怒**…おもてのいかり　こころのいかり
②**害せん**…そこなうとなり
③**不宜住此**…ここにとどまるべからずともうしけるなり
④**却行而退**…しりぞき　ゆかしめき
⑤**禁じける**…いましめしなり

---

(3) 十方恒沙《じっぽうごうじゃ》の諸仏《しょぶつ》は
極難信《ごくなんしん》ののりをとき
五濁悪世《ごじょくあくせ》のためにとて
[60]証誠護念《しょうじょうごねん》せしめたり

(4) 諸仏《しょぶつ》の護念《ごねん》[61]証誠《しょうじょう》は
悲願成就《ひがんじょうじゅ》のゆえなれば
金剛心《こんごうしん》をえんひとは
弥陀《みだ》の大恩報《だいおんほう》ずべし

(5) 五濁悪時悪世界《ごじょくあくじあくせかい》
濁悪邪見《じょくあくじゃけん》の衆生《しゅじょう》には
弥陀《みだ》の名号《みょうごう》あたえてぞ
恒沙《ごうじゃ》の[62]諸仏《しょぶつ》すすめたる

⑥**利他の信心**…ほんがんしんじつ（本願真実）のしんじん（信心）なり
⑦**摂取**…おさめとりたまうとなり

已上《いじょう》『弥陀経《みだきょう》』意《い》

[63]諸経《しょきょう》のこころによりて弥陀和讃《みだわさん》　九首《くしゅ》

（1）
無明《むみょう》の大夜《たいや》をあわれみて
法身《ほっしん》の①光輪《こうりん》きわも[64]なく
無碍光仏《むげこうぶつ》としめしてぞ
安養界《あんにょうかい》に②影現《ようげん》する

（2）
久遠実成阿弥陀仏《くおんじつじょうあみだぶつ》
五濁《ごじょく》の凡愚《ぼんぐ》をあわれみて
釈迦牟尼仏《しゃかむにぶつ》としめしてぞ
迦耶城《がやじょう》には応現《おうげん》する

（3）
百千《ひゃくせん》[65]倶胝《くてい》の劫《こう》をへて
百千倶胝《ひゃくせんくてい》のしたをいだし
したごと無量《むりょう》のこえをして
弥陀《みだ》をほめんになおつきじ

（4）
③大聖《だいしょう》④易往《いおう》とときたまう
浄土《じょうど》をうたがう衆生《しゅじょう》をば
⑤無眼人《むげんにん》とぞなづけたる
⑥無耳人《むにん》とぞのべたまう

（5）
無上上《むじょうじょう》は⑦真解脱《しんげだつ》
真解脱《しんげだつ》は如来《にょらい》なり
真解脱《しんげだつ》に[66]いたりてぞ
⑧無愛無疑《むあいむぎ》とはあらわるる

（6）
平等心《びょうどうしん》をうるときを
一子地《いっしじ》となづけたり
一子地《いっしじ》は仏性《ぶっしょう》なり
安養《あんにょう》にいたりてさとるべし

（7）
如来《にょらい》すなわち涅槃《ねはん》なり
涅槃《ねはん》を仏性《ぶっしょう》となづけたり
凡地《ぼんじ》にしてはさとられず
安養《あんにょう》にいたりて証《しょう》すべし

（8）
[67]信心《しんじん》よろこぶそのひとを

如来《にょらい》とひとしとときたまう
大信心《だいしんじん》は仏性《ぶっしょう》なり
仏性《ぶっしょう》すなわち如来《にょらい》なり

(9)
衆生《しゅじょう》 ⑨有碍《うげ》のさとりにて
無碍《むげ》の仏智《ぶっち》をうたがえば
曾婆羅頻陀《そうばらびんだ》[68]羅地獄《らじごく》にて
多劫衆苦《たこうしゅく》にしずむなり
已上諸経意《いじょうしょきょうい》[69]

[70]現世利益和讃《げんぜりやくわさん》　十五首《じゅうごしゅ》

①光輪…ひかりなり
②影現…あらわれたまう
③大聖…しゃか(釈迦)仏なり
④易往…ゆきやすしとなり
⑤無眼人…まなこなきひとという
⑥無耳人…みみなきひとという
⑦真解脱…まことにさとりひらくなり
⑧無愛無疑…よく(欲)のこころなし うたがうこころなしとなり

---

(1)
[71]阿弥陀如来《あみだにょらい》 ⑩来化《らいけ》して
⑪息災延命《そくさいえんめい》のためにとて
金光明《こんこうみょう》の⑫寿量品《じゅりょうほん》
ときおきたまえるみのりなり

(2)
山家《さんげ》の伝教大師《でんぎょうだいし》は
国土人民《こくどにんみん》をあわれみて
七難消滅《しちなんしょうめつ》の誦文《じゅもん》には
南無阿弥陀仏《なむあみだぶつ》[72]をとなうべし

(3)
一切《いっさい》の功徳《くどく》にすぐれたる
南無阿弥陀仏《なむあみだぶつ》をとなうれば

⑨有碍…よろずのこと さえらるるこころなり
⑩来化…きたりてあわれみたまう
⑪息災延命…しちなん(七難)をとどめ いのちをのべたまうなり
⑫寿量品…このじゅりょうほん(寿量品)は みだ(弥陀)のと(説)きたまえるなり

三世《さんぜ》の①重障《じゅうしょう》みなながら
かならず転《てん》じて②軽微《きょうみ》なり

(4)
南無阿弥陀仏《なむあみだぶつ》をとなうれば
この世《よ》の利益《りやく》きわもなし
流転輪回《るてんりんね》のつみきえて
定業中夭《じょうごうちゅうよう》のぞこりぬ

(5)
南無阿弥陀仏《なむあみだぶつ》をとなうれば
梵王帝釈《ぼんのうたいしゃく》帰敬《ききょう》す
諸天善神《しょてんぜんじん》ことごとく
よるひるつねにまもるなり

(6)
南無阿弥陀仏《なむあみだぶつ》をとなうれば
四天大王《してんだいおう》もろともに
よるひるつねにまもりつつ
よろずの③悪鬼《あっき》をちかづけず

(7)
南無阿弥陀仏《なむあみだぶつ》をとなうれば
堅牢地祇《けんろうじぎ》は尊敬《そんきょう》す

かげと[73]かたちとのごとくにて
よるひるつねにまもるなり

(8)
南無阿弥陀仏《なむあみだぶつ》をとなうれば
難陀跋難大龍等《なんだばつなんだいりゅうとう》
無量《むりょう》の龍神尊敬《りゅうじんそんきょう》し
よるひるつねにまもるなり

(9)
南無阿弥陀仏《なむあみだぶつ》をとなうれば
炎魔法王尊敬《えんまほうおうそんきょう》す
[74]五道《ごどう》の冥官《みょうかん》みなともに
よるひるつねにまもるなり

(10)
南無阿弥陀仏《なむあみだぶつ》をとなうれば
他化天《たけてん》の大魔王《だいまおう》
釈迦牟尼仏《しゃかむにぶつ》のみまえにて
まもらんとこそちかいしか

(11)
[75]天神地祇《てんじんじぎ》はことごとく
善鬼神《ぜんきじん》となづけたり

これらの善神《ぜんじん》みなともに
念仏《ねんぶつ》のひとをまもるなり

(12)
願力不思議《がんりきふしぎ》の信心《しんじん》は
大菩提心《だいぼだいしん》なりければ
天地《てんち》にみてる悪鬼神《あっきじん》
みなことごとくおそるなり

(13)
南無阿弥陀仏《なむあみだぶつ》をとなうれば
観音勢至《かんのんせいし》はもろともに
恒沙塵数《ごうじゃじんじゅ》の菩薩《ぼさつ》と
かげのごとくに身《み》にそえり

(14)
無碍光仏《むげこうぶつ》のひかりには
無数《むしゅ》の阿弥陀《あみだ》ましまして
化仏《けぶつ》おのおの[76]ことごとく
[77]真実信心《しんじつしんじん》をまもるなり

①重障…おもきつみなり
②軽微…かろ(軽)くなし　すくなくなす　うすくなす□

---

(15)
南無阿弥陀仏《なむあみだぶつ》をとなうれば
十方無量《じっぽうむりょう》の諸仏《しょぶつ》は
百重千重囲繞《ひゃくじゅうせんじゅういにょう》して
よろこびまもりたまうなり
已上現世利益《いじょうげんぜりやく》[78]

『首楞厳経《しゅりょうごんぎょう》』によりて大勢至菩薩和讃《だいせいしぼさつわさん》し[79]たてまつる　八首《はっしゅ》

(1)
勢《せい》[80]至念仏円通《しねんぶつえんずう》[81]して
五十二菩薩《ごじゅうにぼさつ》もろともに
すなわち座《ざ》よりたたしめて
[82]仏足頂礼《ぶっそくちょうらい》せしめつつ

(2)
教主世尊《きょうしゅせそん》にもうさしむ
往昔恒河沙劫《おうじゃくごうがしゃこう》に

③悪鬼…あしきおにになり

仏世《ぶつよ》にいでたまえりき
無量光《むりょうこう》と[83]もうしけり

(3) 十二《じゅうに》の如来《にょらい》あいつぎて
十二劫《じゅうにこう》をへたまえり
最後《さいご》の如来《にょらい》をなづけてぞ
超日月光《ちょうにちがっこう》と[84]もうしける

(4) 超日月光《ちょうにちがっこう》この身《み》には
念仏三昧《ねんぶつさんまい》おしえしむ
十方《じっぽう》の[85]如来《にょらい》は衆生《しゅじょう》を
一子《いっし》の[86]ごとく憐念《れんねん》す

(5) 子《こ》の[87]母《はは》をおもうがごとくにて
衆生《しゅじょう》[88]仏《ぶつ》を憶《おく》すれば
現前当来《げんぜんとうらい》とおからず
如来《にょらい》を拝見《はいけん》うたがわず

(6) 染香人《ぜんこうにん》のその身《み》には
香気《こうけ》あるがごとくなり
これをすなわち[89]なづけてぞ
香光荘厳《こうこうしょうごん》ともうす[90]なる

(7) われもと因地《いんじ》にありしとき
念仏《ねんぶつ》の心《しん》をもちてこそ
無生忍《むしょうにん》にはいりしかば
いまこの娑婆界《しゃばかい》にして

(8) 念仏《ねんぶつ》のひとを[91]摂取《せっしゅ》して
浄土《じょうど》に帰《き》せしむるなり
大勢至菩薩《だいせいしぼさつ》の
大恩《だいおん》ふかく報《ほう》ずべし
已上大勢至菩薩《いじょうだいせいしぼさつ》

源空《げんくう》[92]聖人御本地《しょうにんごほんじ》なり[93]

[1]高僧《こうそうの》和讃《わさん》

愚禿親鸞作《ぐとくしんらんさく》

龍樹菩薩《りゅうじゅぼさつ》　[2]釈文《しゃくもん》に付《つ》けて　十首《じっしゅ》

(1)
[3]本師《ほんじ》龍樹菩薩《りゅうじゅぼさつ》は
智度十住毘婆《ちどじゅうじゅうびば》[4]娑等《しゃとう》
つくりておおく西《にし》をほめ
すすめて念仏《ねんぶつ》せしめ[5]たり

(2)
南天竺《なんてんじく》に比丘《びく》あらん
龍樹菩薩《りゅうじゅぼさつ》となづくべし
有無《うむ》の邪見《じゃけん》を破《は》すべしと
世尊《せそん》はかねてときたまう

(3)
本師龍樹菩薩《ほんじりゅうじゅぼさつ》は
大乗無上《だいじょうむじょう》の法《ほう》をとき
歓喜地《かんぎじ》を証《しょう》してぞ
ひとえに念仏《ねんぶつ》すすめける

(4)
龍樹大士《りゅうじゅだいじ》世《よ》にいでて
[6]難行易行《なんぎょういぎょう》のみちおしえ
流転輪回《るてんりんね》のわれらをば
弘誓《ぐぜい》のふねにのせたまう

(5)
本師龍樹菩薩《ほんじりゅうじゅぼさつ》の
おしえをつたえきかんひと
本願《ほんがん》こころにかけしめて
つねに弥陀《みだ》を①称《しょう》すべし

(6)
不退《ふたい》のくらいすみやかに
えんとおもわんひとはみな
恭敬《くぎょう》の心《しん》に②執持《しゅうじ》して
弥陀《みだ》の名号《みょうごう》称《しょう》すべし

(7)
生死《しょうじ》の苦海《くかい》ほとりなし

①称すべし…となうべしとなり

②執持…こころにとりたもつという

ひさしくしずめるわれらをば
[7]弥陀《みだ》弘誓《ぐぜい》のふねのみぞ
のせてかならずわたしける

(8)
智度論《ちどろん》にのたまわく
[8]如来《にょらい》は無上法皇《むじょうほうおう》なり
菩薩《ぼさつ》は法臣《ほっしん》としたまいて
尊重《そんじゅう》すべきは世尊《せそん》なり

(9)
一切菩薩《いっさいぼさつ》ののたまわく
われら因地《いんじ》にありしとき
無量劫《むりょうこう》をへめぐりて
万善諸行《まんぜんしょぎょう》を修《しゅ》せしかど

(10)
恩愛《おんあい》はなはだたちがたく
生死《しょうじ》はなはだつきがたし
念仏三昧《ねんぶつさんまい》行《ぎょう》じてぞ
罪障《ざいしょう》を滅《めっ》し度脱《どだつ》せし
已上 龍樹菩薩《いじょうりゅうじゅぼさつ》

天親菩薩《てんじんぼさつ》 釈文《しゃくもん》に付《つ》けて 十首《じっしゅ》

(1)
釈迦《しゃか》の教法《きょうぼう》おおけれど
天親菩薩《てんじんぼさつ》はねんごろに
煩悩成就《ぼんのうじょうじゅ》のわれらには
弥陀《みだ》の弘誓《ぐぜい》をすすめしむ

(2)
安養浄土《あんにょうじょうど》の荘厳《しょうごん》は
唯仏与仏《ゆいぶつよぶつ》の知見《ちけん》なり
究竟《くきょう》せること虚空《こくう》にして
広大《こうだい》にして[①]辺際《へんざい》なし

(3)
本願力《ほんがんりき》にあいぬれば
むなしくすぐるひとぞなき
功徳《くどく》の宝海《ほうかい》みちみちて
煩悩《ぼんのう》の濁水《じょくしい》へだてなし

(4)
如来浄華《にょらいじょうけ》の聖衆《しょうじゅ》は
正覚《しょうがく》のはなより化生《けしょう》して
衆生《しゅじょう》の願楽《がんぎょう》ことごとく

すみやかにとく満足《まんぞく》す

⑸
天人不動《てんにんふどう》の聖衆《しょうじゅ》は
弘誓《ぐぜい》の智海《ちかい》より生《しょう》ず
心業《しんごう》の功徳清浄《くどくしょうじょう》にて
虚空《こくう》のごとく差別《しゃべつ》なし

⑹
天親論主《てんじんろんじゅ》は一心《いっしん》に
無碍光《むげこう》に[9]帰命《きみょう》す
本願力《ほんがんりき》に乗《じょう》ずれば
報土《ほうど》にいたるとのべたまう

⑺
尽十方《じんじっぽう》の無碍光仏《むげこうぶつ》
一心《いっしん》に帰命《きみょう》するをこそ
天親論主《てんじんろんじゅ》のみことには
②願作仏心《がんさぶっしん》とのべたまえ

⑻
願作仏《がんさぶつ》の心《しん》はこれ
③度衆生《どしゅじょう》のこころなり
度衆生《どしゅじょう》の心《しん》はこれ
利他真実《りたしんじつ》の信心《しんじん》なり

⑼
信心《しんじん》すなわち一心《いっしん》なり
一心《いっしん》すなわち金剛心《こんごうしん》
金剛心《こんごうしん》は菩提心《ぼだいしん》
この心《しん》すなわち他力《たりき》なり

⑽
願土《がんど》にいたればすみやかに
無上涅槃《むじょうねはん》を証《しょう》してぞ
すなわち大悲《だいひ》をおこすなり
これを回向《えこう》となづけたり

已上天親菩薩《いじょうてんじんぼさつ》

曇鸞和尚《どんらんかしょう》　釈文《しゃくもん》に付《つ》けて　三十四首《さんじゅうししゅ》

①辺際なし…ほとり　きわなしとなり
②願作仏心…ほとけにならんとねがうこころなり
③度衆生のこころ…しゅじょうをわた(度)すこころなり

(1)
[10]本師曇鸞和尚《ほんじどんらんかしょう》は
菩提流支《ぼだいるし》のおしえにて
仙経《せんぎょう》ながくやきすてて
浄土《じょうど》にふかく[11]帰《き》せしめき

(2)
四論《しろん》の講説《こうぜつ》さしおきて
本願他力《ほんがんたりき》を[12]ときたまい
具縛《ぐばく》の凡衆《ぼんしゅ》をみちびきて
涅槃《ねはん》のかどにぞいらしめし

(3)
世俗《せぞく》の君子幸臨《くんしこうりん》し
勅《ちょく》して浄土《じょうど》のゆえをとう
十方仏国《じっぽうぶっこく》浄土《じょうど》なり
なにによりてか西《にし》にある

(4)
鸞師《らんし》こたえてのたまわく
わが身《み》は智慧《ちえ》あさくして
いまだ①地位《じい》にいらざれば
念力《ねんりき》ひとしくおよばれず

---

(5)
一切道俗《いっさいどうぞく》もろともに
帰《き》すべきところぞさらになき
安楽《あんらく》[13]勧帰《かんき》のこころざし
鸞師《らんし》ひとりさだめたり

(6)
魏《ぎ》の主勅《しゅちょく》して幷州《へいしゅう》の
大巌寺《たいがんじ》[14]にぞおわしける
ようやくおわりにのぞみては
汾州《ふんしゅう》にうつりたまいにき

(7)
魏《ぎ》の天子《てんし》はとうとみて
神鸞《しんらん》とこそ[15]②号《ごう》せしか
おわせしところのその名《な》をば
鸞公巌《らんこうがん》とぞなづけたる

(8)
浄業《じょうごう》さかりにすすめつつ
玄忠寺《げんちゅうじ》[16]にぞおわしける
魏《ぎ》の興和四年《こうかしねん》に
遙山寺《ようさんじ》にこそうつりしか

(9)
六十有七《ろくじゅうゆうしち》ときいたり
浄土《じょうど》の往生《おうじょう》とげたまう
そのとき霊瑞不思議《れいずいふしぎ》にて
一切道俗帰敬《いっさいどうぞくききょう》しき

(10)
君子《くんし》ひとえに[17]おもくして
勅宣《ちょくせん》くだしてたちまちに
③汾州《ふんしゅう》　④汾西《ふんせい》　⑤秦陵《しんりょう》の
⑥勝地《しょうち》に⑦霊廟《れいびょう》たてたまう

(11)
天親菩薩《てんじんぼさつ》のみことをも
鸞師《らんし》ときのべたまわずは
他力広大威徳《たりきこうだいいとく》の
心行《しんぎょう》いかでかさとらまし

①**地位にいらざれば**…ふたい（不退）のくらい（位）にいたらずとなり
②**号**…なづけたてまつる
③**汾州**…くに（国）のな（名）なり
④**汾西**…こおり（郡）のな（名）なり

---

(12)
本願円頓一乗《ほんがんえんどんいちじょう》は
逆悪摂《ぎゃくあくせつ》すと信知《しんち》して
煩悩菩提体無二《ぼんのうぼだいたいむに》と
すみやかにとくさとらしむ

(13)
いつつの不思議《ふしぎ》をとくなかに
仏法不思議《ぶっぽうふしぎ》にしくぞなき
仏法不思議《ぶっぽうふしぎ》ということは
弥陀《みだ》の[18]弘誓《ぐぜい》になづけたり

(14)
弥陀《みだ》の回向《えこう》成就《じょうじゅ》して
往相還相《おうそうげんそう》ふたつなり
これらの回向《えこう》によりてこそ
心行《しんぎょう》ともにえしむなれ

⑤**秦陵**…さと（郷）のな（名）なり
⑥**勝地**…すぐれたるところ
⑦**霊廟**…どんらん（曇鸞）のみはか（御墓）なり

(15)
往相《おうそう》の回向《えこう》ととくことは
弥陀《みだ》の方便《ほうべん》ときいたり
悲願《ひがん》の信行《しんぎょう》えしむれば
生死《しょうじ》すなわち涅槃《ねはん》なり

(16)
還相《げんそう》の回向《えこう》ととくことは
利他教化《りたきょうけ》の果《か》をえしめ
すなわち諸有《しょう》に回入《えにゅう》して
普賢《ふげん》の徳《とく》を修《しゅ》するなり

(17)
論主《ろんじゅ》の一心《いっしん》ととけるをば
曇鸞大師《どんらんだいし》のみことには
煩悩成就《ぼんのうじょうじゅ》のわれらが
他力《たりき》の信《しん》とのべたまう

(18)
尽十方《じんじっぽう》の無碍光《むげこう》は
無明《むみょう》のやみをてらしつつ
一念歓喜《いちねんかんぎ》するひとを
かならず滅度《めつど》にいたらしむ

---

(19)
無碍光《むげこう》の利益《りやく》より
威徳広大《いとくこうだい》の信《しん》をえて
かならず煩悩《ぼんのう》のこおりとけ
すなわち菩提《ぼだい》のみずとなる

(20)
罪障功徳《ざいしょうくどく》の体《たい》となる
こおりとみずのごとくにて
こおりおおきにみずおおし
①さわりおおきに徳《とく》おおし

(21)
名号不思議《みょうごうふしぎ》の海水《かいしい》は
逆謗《ぎゃくほう》の[19]②屍骸《しがい》もとどまらず
③衆悪《しゅあく》の万川帰《ばんせんき》しぬれば
功徳《くどく》のうしおに④一味《いちみ》なり

(22)
[20]尽十方無碍光《じんじっぽうむげこう》の
大悲大願《だいひだいがん》の海水《かいしい》に
煩悩《ぼんのう》の衆流帰《しゅりゅうき》しぬれば
智慧《ちえ》のうしお[21]に一味《いちみ》なり

(23)
安楽仏国《あんらくぶっこく》に生《しょう》ずるは
畢竟成仏《ひっきょうじょうぶつ》の⑤道路《どうろ》にて
無上《むじょう》の方便《ほうべん》なりければ
諸仏浄土《しょぶつじょうど》をすすめけり

(24)
諸仏三業荘厳《しょぶつさんごうしょうごん》して
畢竟平等《ひっきょうびょうどう》なることは
衆生虚誑《しゅじょうこおう》の身口意《しんくい》を
治《じ》せんがためとのべたまう

(25)
安楽仏国《あんらくぶっこく》にいたるには
無上宝珠《むじょうほうしゅ》の名号《みょうごう》と
真実信心《しんじつしんじん》ひとつにて

①さわりおおきに徳おおし…あくごう（悪業）おおければ　くどく（功徳）のおおきなり
②屍骸…しにかばねにたとえたり
③衆悪の万川…よろずのあく（悪）を　よろずのかわ（川）にたとえたり
④一味…ひとつあじわいとなるなり

(26)
無別道故《むべつどうこ》とときたまう
如来清浄本願《にょらいしょうじょうほんがん》の
無生《むしょう》の生《しょう》なりければ
⑥本則三三《ほんぞくさんざん》の品《ほん》なれど
一二《いちに》もかわることぞなき

(27)
無碍光如来《むげこうにょらい》の名号《みょうごう》と
かの光明智相《こうみょうちそう》とは
無明長夜《むみょうじょうや》の闇《あん》を破《は》し
衆生《しゅじょう》の⑦志願《しがん》をみてたまう

(28)
⑧不如実修行《ふにょじつしゅぎょう》といえること
鸞師釈《らんししゃく》してのたまわく

⑤道路…ひろ（広）きみち　せば（狭）きみち
⑥本則三三の品なれど　一二もかわることぞなき…もとはこのしな（九品）のしゅじょう（衆生）の　ほうど（報土）にうまれぬれば　ひとりもかわることなしとなり
⑦志願を…こころざし　ねがうことを
⑧不如実修行…おし（教）えのごとくならずということなり

一者信心《いっしゃしんじん》あつからず
①若存若亡《にゃくぞんにゃくもう》するゆえに
(29) 二者信心一《にしゃしんじんいち》ならず
決定《けつじょう》なきゆえなれば

三者信心《さんじゃしんじん》②相続《そうぞく》せず
③余念間故《よねんけんこ》とのべたまう
(30) 三信展転《さんしんてんでん》④相成《そうじょう》す
行者《ぎょうじゃ》こころをとどむべし

信心《しんじん》あつからざるゆえに
決定《けつじょう》の信《しん》なかりけり
(31) 決定《けつじょう》の信《しん》なきゆえに
念相続《ねんそうぞく》せざるなり

念相続《ねんそうぞく》せざるゆえ
決定《けつじょう》の信《しん》をえざるなり
(32) 決定《けつじょう》の信《しん》をえざるゆえ
⑤信心不淳《しんじんふじゅん》とのべたまう

⑥如実修行相応《にょじつしゅぎょうそうおう》は
信心《しんじん》ひとつにさだめたり
(33) 万行諸善《まんぎょうしょぜん》の小路《しょうろ》より
本願一実《ほんがんいちじつ》の大道《だいどう》に

帰入《きにゅう》しぬれば涅槃《ねはん》の
さとりはすなわちひらくなり
(34) 本師曇鸞大師《ほんじどんらんだいし》をば
梁《りょう》の天子蕭王《てんしそうおう》は

おわせしかたにつねにむき
鸞菩薩《らんぼさつ》とぞ礼《らい》しける

已上曇鸞《いじょうどんらん》[22]和尚《かしょう》

道綽禅師《どうしゃくぜんじ》　釈文《しゃくもん》に付《つ》けて　七首《しちしゅ》

(1) 本師道綽禅師《ほんじどうしゃくぜんじ》は
聖道万行《しょうどうまんぎょう》さしおきて
唯有浄土一門《ゆいうじょうどいちもん》を

通入《つうにゅう》すべきみちをとく

(2)
本師道綽大師《ほんじどうしゃくだいし》は
涅槃《ねはん》の広業《こうごう》さしおきて
本願他力《ほんがんたりき》をたのみつつ
五濁《ごじょく》の群生《ぐんじょう》すすめしむ

(3)
末法五濁《まっぽうごじょく》の衆生《しゅじょう》は
聖道《しょうどう》の修行《しゅぎょう》せしむとも
ひとりも証《しょう》をえじとこそ
教主世尊《きょうしゅせそん》は[23]ときたまえ

(4)
鸞師《らんし》のおしえをうけつたえ
綽和尚《しゃくかしょう》はもろともに
⑦在此起心立行《ざいしきしんりゅうぎょう》は
⑧此是自力《しぜじりき》とさだめたり

(5)
濁世《じょくせ》の⑨起悪造罪《きあくぞうざい》は
暴風駛雨《ぼうふうしう》にことならず
諸仏《しょぶつ》これらをあわれみて
すすめて浄土《じょうど》に帰《き》せしめり

(6)
一形悪《いちぎょうあく》をつくれども
⑩専精《せんしょう》にこころをかけしめて
つねに念仏《ねんぶつ》せしむれば

①**若存若亡**…あるときは　さもとおもう　あるときは　かなうまじとおもうなり
②**相続せず**…あいつがず
③**余念間故**…まじえるがゆえに　しん(信)なしというなり
④**相成す**…あいじょうずるなり
⑤**信心不淳**…しんじん(信心)あつ(淳)からずというなり
⑥**如実修行相応**…おしえのごとくしん(信)ずるこころなり
⑦**在此起心立行**…しゃばせかい(娑婆世界)にて　ぼだいしん(菩提心)をお(起)こし　ぎょう(行)をた(立)つるは　みなじりき(自力)なりとしるべし
⑧**此是自力**…これはこれ　じりき(自力)なりという
⑨**起悪造罪は　暴風駛雨にことならず**…あく(悪)をお(起)こし　つみ(罪)をつく(造)ることの　おおきことをいう
⑩**専精**…もっぱらこのみてという

諸障自然《しょしょうじねん》にのぞこりぬ

(7)
①縦令一生造悪《じゅりょういっしょうぞうあく》の
衆生引接《しゅじょういんじょう》のためにとて
②称我名字《しょうがみょうじ》と願《がん》じつつ
③若不生者《にゃくふしょうじゃ》とちかい[24]たり
已上道綽《いじょうどうしゃく》[25]大師《だいし》

善導《ぜんどう》[26]大師《だいし》　釈文《しゃくもん》に付《つ》けて　二十六首《にじゅうろくしゅ》

(1)
大心海《だいしんかい》より化《け》してこそ
善導和尚《ぜんどうかしょう》とおわしけれ
末代濁世《まつだいじょくせ》のためにとて
十方諸仏《じっぽうしょぶつ》に証《しょう》をこう

(2)
世世《よよ》に善導《ぜんどう》いでたまい
法照《ほっしょう》少康《しょうこう》としめしつつ
功徳蔵《くどくぞう》をひらきてぞ
諸仏《しょぶつ》の本意《ほんい》とげたまう

(3)
弥陀《みだ》の名願《みょうがん》によらざれば
百千万劫《ひゃくせんまんごう》すぐれども
いつつのさわりはなれねば
女身《にょしん》をいかでか転《てん》ずべき

(4)
釈迦《しゃか》は要門《ようもん》ひらきつつ
定散諸機《じょうさんしょき》を[27]こしらえて
正雑二行方便《しょうぞうにぎょうほうべん》し
ひとえに専修《せんじゅ》をすすめしむ

(5)
助正《じょしょう》ならべて修《しゅ》するをば
すなわち雑修《ざっしゅ》となづけたり
一心《いっしん》をえざるひとなれば
仏恩報《ぶっとんほう》ずるこころなし

(6)
仏号《ぶつごう》むねと修《しゅ》すれども
現世《げんぜ》をいのる行者《ぎょうじゃ》をば
これも雑修《ざっしゅ》となづけてぞ
千中無一《せんちゅうむいち》ときらわるる

(7)
こころはひとつにあらねども
雑行雑修《ぞうぎょうざっしゅ》これにたり
浄土《じょうど》の行《ぎょう》にあらぬをば
ひとえに[28]雑行《ぞうぎょう》となづけたり

(8)
善導大師証《ぜんどうだいししょう》をこい
定散二心《じょうさんにしん》をひるがえし
貪瞋二河《とんじんにが》の④譬喩《ひゆ》をとき
弘願《ぐがん》の信心《しんじん》⑤守護《しゅご》せしむ

(9)
経道滅尽《きょうどうめつじん》ときいたり
如来出世《にょらいしゅっせ》の本意《ほんい》なる
[29]弘願真宗《ぐがんしんしゅう》にあいぬれば
凡夫念《ぼんぶねん》じてさとるなり

①**縦令一生造悪**…たとい一ご（期）あく（悪）をつく（造）るもの（者）なりとも　みだ（弥陀）のちかい（誓）をたのみまいらせて　おうじょう（往生）すべしとなり
②**称我名字**…わがな（名）をとな（称）えよとがん（願）じたまえり

(10)
仏法力《ぶっぽうりき》の不思議《ふしぎ》には
諸邪業繋《しょじゃごうけ》さわらねば
弥陀《みだ》の本弘誓願《ほんぐぜいがん》を
増上縁《ぞうじょうえん》となづけたり

(11)
願力成就《がんりきじょうじゅ》の報土《ほうど》には
自力《じりき》の心行《しんぎょう》いたらねば
大小聖人《だいしょうしょうにん》[30]みなながら
如来《にょらい》の弘誓《ぐぜい》に[31]乗《じょう》ずなり

(12)
煩悩具足《ぼんのうぐそく》と信知《しんち》して
本願力《ほんがんりき》に乗《じょう》ずれば
すなわち穢身《えしん》すてはてて
法性常楽証《ほっしょうじょうらくしょう》せしむ

③**若不生者**…もしうまれずは　ほとけにならじと　ちか（誓）いたまえるなり
④**譬喩**…たとえなり
⑤**守護**…まもり　まもる

⑬ ①釈迦弥陀《しゃかみだ》は慈悲《じひ》の父母《ぶも》
種種《しゅじゅ》に善巧方便《ぜんぎょうほうべん》[32]し
われらが無上《むじょう》の信心《しんじん》を
②発起《ほっき》せしめたまいけり

⑭ 真心徹到《しんじんてっとう》するひとは
[33]金剛心《こんごうしん》なりければ
三品《さんぼん》の懺悔《さんげ》する[34]ひとと
ひとしと宗師《しゅうし》はのたまえり

⑮ 五濁悪世《ごじょくあくせ》のわれらこそ
金剛《こんごう》の信心《しんじん》ばかりにて
ながく生死《しょうじ》をすてはてて
自然《じねん》の浄土《じょうど》にいたるなれ

⑯ 金剛堅固《こんごうけんご》の信心《しんじん》の
さだまるときをまちえてぞ
弥陀《みだ》の心光摂護《しんこうしょうご》して
ながく生死《しょうじ》を[35]へだてける

---

⑰ 真実信心《しんじつしんじん》えざるをば
一心《いっしん》かけぬとおしえたり
一心《いっしん》かけたるひとはみな
[36]③三信具《さんしんぐ》せずとおもうべし

⑱ 利他《りた》の信楽《しんぎょう》うるひとは
願《がん》に相応《そうおう》するゆえに
教《きょう》と仏語《ぶつご》にしたがえば
外《げ》の雑縁《ぞうえん》さらになし

⑲ 真宗念仏《しんしゅうねんぶつ》ききえつつ
一念無疑《いちねんむぎ》なるをこそ
希有最勝人《けうさいしょうにん》とほめ
正念《しょうねん》をうとはさだめたれ

⑳ 本願相応《ほんがんそうおう》せざるゆえ
雑縁《ぞうえん》きたりみだるなり
信心《しんじん》④乱失《らんしつ》するをこそ
正念《しょうねん》うすとはのべたまえ

(21)
信《しん》は願《がん》より生《しょう》ずれば
念仏成仏《ねんぶつじょうぶつ》自然《じねん》なり
自然《じねん》はすなわち報土《ほうど》なり
証大涅槃《しょうだいねはん》うたがわず

(22)
五濁増《ごじょくぞう》のときいたり
⑤疑謗《ぎほう》のともがらおおくして
道俗《どうぞく》ともにあいきらい
修《しゅ》するをみてはあたをなす

(23)
本願《ほんがん》⑥毀滅《きめつ》のともがらは
⑦生盲闡提《しょうもうせんだい》となづけたり
大地微塵劫《だいじみじんごう》をへて

①**釈迦弥陀は慈悲の父母**…しゃか（釈迦）は　ちち（父）なり　みだ（弥陀）は　はは（母）なりとたとえたまえり
②**発起**…ひらきおこしたまうなり
③**三信**…ほんがん（本願）のしんじん（信心）をいうなり
④**乱失**…みだれうしなうこころなり
⑤**疑謗のともがら**…みだ（弥陀）のちかい（誓）をうたが（疑）うもの　そし（謗）るものなり

---

(24)
ながく三塗《さんず》にしずむなり
西路《さいろ》を⑧指授《しじゅ》せしかども
⑨自障障他《じしょうしょうた》せしほどに
曠劫已来《こうごういらい》もいたずらに

(25)
むなしくこそはすぎにけれ
弘誓《ぐぜい》のちからをかぶらずは
いずれのときにか娑婆《しゃば》をいでん
仏恩《ぶっとん》ふかくおもいつつ
つねに弥陀《みだ》を念《ねん》ずべし

(26)
娑婆永劫《しゃばようごう》の苦《く》をすてて
浄土無為《じょうどむい》を期《ご》すること

⑥**毀滅**…そしりほろぼすなり
⑦**生盲闡提**…うまれてよりめしいたるもの　せんだい（闡提）は　ほとけになりがたし
⑧**指授**…おしえ　さずけしに
⑨**自障障他**…わがみ（身）をさ（障）え　ひとをさ（障）えみだ（乱）るなり

本師釈迦《ほんじしゃか》のちからなり
長時《じょうじ》に慈恩《じおん》を報《ほう》ずべし
已上善導《いじょうぜんどう》[37]大師《だいし》

源信大師《げんしんだいし》　釈文《しゃくもん》に付《つ》けて　十首《じっしゅ》

(1)
源信和尚《げんしんかしょう》[38]ののたまわく
われこれ①故仏《こぶつ》と[39]あらわれて
化縁《けえん》すでにつきぬれば
本土《ほんど》にかえるとしめしけり

(2)
本師源信《ほんじげんしん》ねんごろに
一代仏教《いちだいぶっきょう》のそのなかに
念仏一門《ねんぶついちもん》ひらきてぞ
濁世末代《じょくせまつだい》[40]おしえける

(3)
霊山聴衆《りょうぜんちょうじゅ》とおわしける
源信僧都《げんしんそうず》のおしえには
報化二土《ほうけにど》をおしえてぞ
専雑《せんぞう》の得失《とくしつ》さだめたる

(4)
本師源信和尚《ほんじげんしんかしょう》は
懐感《えかん》[41]禅師《ぜんじ》の釈《しゃく》により
処胎経《しょたいきょう》をひらきてぞ
懈慢界《けまんがい》をばあらわせる

(5)
専修《せんじゅ》のひとをほむるには
②千無一失《せんむいっしつ》とおしえたり
雑修《ざっしゅ》のひとをきらうには
③万不一生《まんぷいっしょう》とのべたまう

(6)
報《ほう》の浄土《じょうど》の往生《おうじょう》は
おおからずとぞあらわせる
化土《けど》にうまるる衆生《しゅじょう》をば
すくなからずとおしえたり

(7)
男女貴賤《なんにょきせん》ことごとく
弥陀《みだ》の名号《みょうごう》④称《しょう》するに
⑤行住座臥《ぎょうじゅうざが》[42]もえらばれず

⑥時処諸縁《じしょしょえん》もさわりなし

(8)　煩悩《ぼんのう》にまなこさえられて
摂取《せっしゅ》の光明《こうみょう》　みざれども
大悲《だいひ》ものうきことなくて
つねにわが身《み》をてらすなり

(9)　弥陀《みだ》の報土《ほうど》をねがうひと
外儀《げぎ》のすがたはことなりと
本願名号信受《ほんがんみょうごうしんじゅ》して
⑦寤寐《ごび》にわするることなかれ

(10)　極悪深重《ごくあくじんじゅう》の衆生《しゅじょう》は
他《た》の方便《ほうべん》さらになし
ひとえに弥陀《みだ》を称《しょう》してぞ

①故仏…もとのほとけともうすことなり
②千無一失…せん(千)にひとつのとが(失)なしとなり
③万不一生…まん(万)にひとりも　ほうど(報土)にうまれずとなり
④称する…となうるなり

浄土《じょうど》にうまるとのべたまう
已上源信《いじょうげんしん》[43]大師《だいし》

源空聖人《げんくうしょうにん》　釈文《しゃくもん》に付《つ》けて　二十首《にじっしゅ》

(1)　本師源空《ほんじげんくう》世《よ》にいでて
弘願《ぐがん》の一乗《いちじょう》ひろめつつ
日本一州《にっぽんいっしゅう》ことごとく
浄土《じょうど》の機縁《きえん》あらわれぬ

(2)　智慧光《ちえこう》のちからより
本師源空《ほんじげんくう》あらわれて
浄土真宗《じょうどしんしゅう》をひらきつつ
選択本願《せんじゃくほんがん》のべたまう

⑤行住座臥…あるく　とどまる　いる　ふすなり
⑥時処諸縁…とき　ところ　よろずのことなり
⑦寤寐…ねても　さめてもというなり

(3)
善導源信《ぜんどうげんしん》すすむとも
本師源空《ほんじげんくう》ひろめずは
片州濁世《へんしゅうじょくせ》のともがらは
いかでか真宗《しんしゅう》をさとらまし

(4)
曠劫多生《こうごうたしょう》のあいだにも
出離《しゅつり》の強縁《ごうえん》しらざりき
本師源空《ほんじげんくう》いまさずは
このたびむなしくすぎなまし

(5)
源空三五《げんくうさんご》のよわいにて
無常《むじょう》のことわりさとりつつ
①厭離《えんり》の②素懐《そかい》をあらわして
菩提《ぼだい》のみちにぞいらしめし

(6)
源空《げんくう》③智行《ちぎょう》の至徳《しとく》には
聖道諸宗《しょうどうしょしゅう》の④師主《ししゅ》も
みなもろともに帰《き》せしめて
⑤一心金剛《いっしんこんごう》[44]の戒師《かいし》とす

---

(7)
源空《げんくう》[45]存在《ぞんざい》せしときに
金色《こんじき》の光明《こうみょう》はなたしむ
[46]禅定《ぜんじょう》⑥博陸《はくりく》まのあたり
拝見《はいけん》せしめたまいけり

(8)
本師源空《ほんじげんくう》の本地《ほんじ》をば
世俗《せぞく》のひとびとあいつたえ
綽和尚《しゃくかしょう》と称《しょう》せしめ
あるいは善導《ぜんどう》としめしけり

(9)
源空勢《げんくうせい》[47]至《し》と⑦示現《じげん》し
あるいは弥陀《みだ》と⑧顕現《けんげん》す
⑨上皇《しょうこう》⑩群臣尊敬《ぐんしんそんきょう》し
⑪京夷《きょうい》庶民《しょみん》⑫欽仰《きんごう》す

(10)
承久《しょうきゅう》の[48]太上法皇《だいじょうほうおう》は
本師源空《ほんじげんくう》を帰敬《ききょう》しき
⑬釈門《しゃくもん》⑭儒林《じゅりん》みなともに
ひとしく真宗《しんしゅう》[49]に⑮悟入《ごにゅう》せり

⑾
諸仏方便《しょぶつほうべん》ときいたり
源空《げんくう》ひじりとしめしつつ
無上《むじょう》の信心《しんじん》おしえてぞ
涅槃《ねはん》のかどをばひらきける

⑿
真《しん》の知識《ちしき》にあうことは
かたきがなかになおかたし
流転輪回《るてんりんね》のきわなきは
⑯疑情《ぎじょう》のさわりにしくぞなき

⒀
源空光明《げんくうこうみょう》はなたしめ
門徒《もんと》につねにみせしめき
⑰賢哲愚夫《けんてつぐぶ》もえらばれず
⑱豪貴鄙賤《ごうきひせん》もへだてなし

⒁
命終《みょうじゅう》その期《ご》ちかづきて
本師源空《ほんじげんくう》のたまわく
往生《おうじょう》みたびになりぬるに
このたびことにとげやすし

⒂
源空《げんくう》みずからのたまわく
霊山会上《りょうぜんえじょう》にありしとき

①**厭離**…よ（世）をいと（厭）うなり
②**素懐**…もとのこころという
③**智行の至徳**…ちえ（智慧）もぎょう（行）もいた（至）りたまうひとなりという
④**師主**…しょうにん（聖人）のおんし（御師）なり
⑤**一心金剛の戒師**…しょしゅう（諸宗）のおんし（御師）の　しょうにん（聖人）のおんでし（御弟子）に　みな　なりたまう
⑥**博陸**…かんぱく（関白）なり
⑦**示現**…しめしあらわしたまう
⑧**顕現**…あらわれたまう
⑨**上皇**…こくおう（国王）なり
⑩**群臣**…だいじん（大臣）　くぎょう（公卿）なり
⑪**京夷庶民**…みやこ　いなか　よろずのたみ
⑫**欽仰**…うやまい　あおぎたてまつる
⑬**釈門**…そう（僧）なり
⑭**儒林**…ぞくがくしょう（俗学生）なり
⑮**悟入**…さとりいるなり
⑯**疑情**…うたがうこころなり
⑰**賢哲愚夫**…かしこくすぐれたる　おろかなるもの
⑱**豪貴鄙賤**…よきひと　いやしきもの

声聞僧《しょうもんぞう》にまじわりて
頭陀《ずだ》を行《ぎょう》じて化度《けど》せしむ

(16)
①粟散片州《ぞくさんへんしゅう》に②誕生《たんじょう》して
念仏宗《ねんぶつしゅう》をひろめしむ
衆生化度《しゅじょうけど》のためにとて
この土《ど》にたびたびきたらしむ

(17)
阿弥陀如来《あみだにょらい》化《け》してこそ
本師源空《ほんじげんくう》としめし[50]けれ
化縁《けえん》すでにつきぬれば
浄土《じょうど》にかえりたまいにき

(18)
本師源空《ほんじげんくう》のおわりには
光明《こうみょう》③紫雲《しうん》のごとくなり
音楽《おんがく》④哀婉雅亮《あいえんがりょう》にて
異香《いきょう》みぎりに⑤暎芳《えいほう》す

(19)
道俗男女《どうぞくなんにょ》[51]⑥預参《よさん》し
卿上雲客群集《けいしょううんかくくんじゅう》す

---

(20)
⑦頭北面西右脇《ずほくめんさいうきょう》にて
如来涅槃《にょらいねはん》の儀《ぎ》をまもる
本師源空命終時《ほんじげんくうみょうじゅうじ》
建暦第二壬申歳《けんりゃくだいにじんしんさい》
初春下旬第五日《そしゅんげじゅんだいごにち》
浄土《じょうど》に還帰《げんき》せしめけり
已上源空聖人《いじょうげんくうしょうにん》

[52]已上七高僧和讃《いじょうしちこうそうわさん》　一百十七首《いっぴゃくじゅうしちしゅ》

五濁悪世《ごじょくあくせ》の衆生《しゅじょう》の
選択本願信《せんじゃくほんがんしん》ずれば
不可称不可説不可思議《ふかしょうふかせつふかしぎ》の
功徳《くどく》は行者《ぎょうじゃ》の身《み》にみてり

天竺《てんじく》
龍樹菩薩《りゅうじゅぼさつ》
天親菩薩《てんじんぼさつ》

震旦《しんだん》　曇鸞和尚《どんらんかしょう》
道綽禅師《どうしゃくぜんじ》
善導禅師《ぜんどうぜんじ》

和朝《わちょう》　源信和尚《げんしんかしょう》
源空聖人《げんくうしょうにん》　已上七人《いじょうしちにん》

聖徳太子《しょうとくたいし》　敏達天皇元年《びんだつてんのうがんねん》
正月一日誕生《しょうがつついたちたんじょう》したまう。
仏滅後一千五百二十一年《ぶつめつごいっせんごひゃくにじゅういちねん》に当《あ》たれり。

53 南無阿弥陀仏《なむあみだぶつ》をとけるには
衆善海水《しゅぜんかいすい》のごとくなり
かの清浄《しょうじょう》の善身《ぜんみ》にえたり
ひとしく衆生《しゅじょう》に回向《えこう》せん

---

①**粟散片州**…このにっぽんこく（日本国）なり
②**誕生**…うまれたまうとなり
③**紫雲**…むらさきのくものごとし
④**哀婉雅亮**…あわれみ　す（澄）めるこころなり
⑤**暎芳**…かがやき　こうばし
⑥**預参**…かねて　あつまる
⑦**頭北面西**…こうべ（頭）をきた（北）にし　おもて（面）をにし（西）にす

正像《しょうぞう》末《まつ》和《わ》讃《さん》[1]

康元二歳《こうげんにさい》　丁巳《ひのとのみ》　二月九日《にがつここぬか》の夜《よ》、[2]寅《とら》の時《とき》、夢《ゆめ》に告《つ》げて云《い》わく、

[3]弥陀《みだ》の本願信《ほんがんしん》ずべし
本願信《ほんがんしん》ずるひとはみな
摂取不捨《せっしゅふしゃ》の利益《りやく》にて
無上覚《むじょうかく》をばさとるなり

[4]正像末《しょうぞうまつの》　浄土《じょうど》和讃《わさん》

[5]愚禿善信集《ぐとくぜんしんあつむ》

⑴ [6][7]釈迦如来《しゃかにょらい》かくれましまして
二千余年《にせんよねん》になりたまう
正像《しょうぞう》の二時《にじ》はおわりにき

①悲泣…かなしみなくべし

如来の遺弟悲泣せよ

⑵ [8]末法五濁《まっぽうごじょく》の有情《うじょう》の
行証《ぎょうしょう》かなわぬときなれば
釈迦《しゃか》の遺法《ゆいほう》ことごとく
龍宮《りゅうぐう》に[9]いりたまいにき

⑶ 正像末《しょうぞうまつ》の三時《さんじ》には
弥陀《みだ》の本願《ほんがん》ひろまれり
像季末法《ぞうきまっぽう》のこの世《よ》には
諸善龍宮《しょぜんりゅうぐう》にいりたまう

⑷ 大集経《だいじっきょう》に[10]ときたまう
この世《よ》は第五《だいご》の五百年《ごひゃくねん》
闘諍堅固《とうじょうけんご》なるゆえに
白法隠滞《びゃくほうおんたい》したまえり

⑸ [11]数万歳《しゅまんざい》の有情《うじょう》も
果報《かほう》ようやくおとろえて

二万歳《にまんざい》にいたりては
五濁悪世《ごじょくあくせ》の名《な》をえたり

(6)
劫濁《こうじょく》[12]のときうつるには
有情《うじょう》ようやく身小《しんしょう》なり
[13]五濁悪邪《ごじょくあくじゃ》まさるゆえ
毒蛇悪龍《どくじゃあくりゅう》のごとくなり

(7)
[14]無明煩悩《むみょうぼんのう》しげくして
①塵数《じんじゅ》のごとく遍満《へんまん》す
愛憎違順《あいぞういじゅん》することは
②高峯岳山《こうぶがくさん》にことならず

(8)
有情《うじょう》の邪見熾盛《じゃけんしじょう》にて
③叢林棘刺《そうりんこくし》のごとくなり
念仏《ねんぶつ》の信者《しんじゃ》を疑謗《ぎほう》して
④破《は》[15]壊瞋毒《えしんどく》さかりなり

(9)
命濁《みょうじょく》⑤中夭刹那《ちゅうようせつな》にて
依正二報《えしょうにほう》滅亡《めつもう》し

---

⑥背正帰邪《はいしょうきじゃ》まさるゆえ
⑦横《おう》にあたをぞおこしける

(10)
末法第五《まっぽうだいご》の五百年《ごひゃくねん》
この世《よ》の一切有情《いっさいうじょう》の
如来《にょらい》の悲願《ひがん》を[16]信《しん》ぜずは
出離《しゅつり》その期《ご》[17]はなかるべし

(11)
九十五種《くじゅうごしゅ》世《よ》をけがす
唯仏一道《ゆいぶついちどう》きよくます
菩提《ぼだい》に出到《しゅっとう》してのみぞ
[18]⑧火宅《かたく》の利益《りやく》は自然《じねん》なる

(12)
五濁《ごじょく》の時機《じき》いたりては
道俗《どうぞく》ともにあらそいて
念仏《ねんぶつ》信《しん》ずるひとをみて
⑨疑謗破滅《ぎほうはめつ》さかりなり

(13)
菩提《ぼだい》をうまじきひとはみな
専修念仏《せんじゅねんぶつ》にあたをなす

頓教毀滅《とんぎょうきめつ》のしるしには
生死《しょうじ》の大海《だいかい》きわもなし

⒁
正法《しょうぼう》の時機《じき》とおもえども
⑩底下《ていげ》の凡愚《ぼんぐ》となれる身《み》は
清浄真実《しょうじょうしんじつ》のこころなし
発菩提心《ほつぼだいしん》いかがせん

⒂
自力聖道《じりきしょうどう》の菩提心《ぼだいしん》
こころもことばもおよばれず
常没流転《じょうもつるてん》の凡愚《ぼんぐ》は
いかでか発起《ほっき》せしむべき

①塵数…ちりのごとくしげ（繁）く
②高峯岳山…たかきみね　おかに　あく（悪）のこころをたとえたり
③叢林棘刺…くさむら　はやし　うばら（茨）　からたちのごとく　あく（悪）の心しげ（繁）きなり
④破壊瞋毒…やぶり　いかり　はらだつなり
⑤中夭…ひとのいのち　みじかく　もろしとなり
⑥背正帰邪…ただしきことをそむき　ひがごとをこのむなり
⑦横…よこさま

⒃
三恒河沙の諸仏の
出世《しゅっせ》のみもとにありしとき
大菩提心《だいぼだいしん》おこせども
[19]自力《じりき》かなわで流転《るてん》せり

⒄
[20]像末五濁《ぞうまつごじょく》の世《よ》となりて
釈迦《しゃか》の遺教《ゆいきょう》かくれしむ
弥陀《みだ》の[21]悲願《ひがん》ひろまりて
念仏往生《ねんぶつおうじょう》[22]さかりなり

⒅
超世無上《ちょうせむじょう》に摂取《せっしゅ》し
選択五劫思惟《せんじゃくごこうしゆい》して

⑧火宅…しゃばせかい（娑婆世界）をいうなり
⑨疑謗破滅…うたがう　そしる　やぶる
⑩底下…ぼんのうあく（煩悩悪）の人　ぼんぶ（凡夫）をていげ（底下）というなり

光明寿命《こうみょうじゅみょう》の誓願《せいがん》を
大悲《だいひ》の本《ほん》としたまえり

（19）
浄土《じょうど》の大菩提心《だいぼだいしん》は
願作仏心《がんさぶっしん》をすすめしむ
すなわち願作仏心《がんさぶっしん》を
度衆生心《どしゅじょうしん》となづけたり

（20）
①度衆生心《どしゅじょうしん》ということは
[23]弥陀智願《みだちがん》の回向《えこう》なり
回向《えこう》の信楽《しんぎょう》うるひとは
大般涅槃《だいはつねはん》をさとるなり

（21）
如来《にょらい》の回向《えこう》に帰入《きにゅう》して
願作仏心《がんさぶっしん》をうるひとは
自力《じりき》の回向《えこう》をすてはてて
利益有情《りやくうじょう》はきわもなし

（22）
②弥陀《みだ》の智願海水《ちがんかいしい》に
他力《たりき》の信水《しんしい》いりぬれば
真実報土《しんじつほうど》のならい[24]にて
③煩悩菩提一味《ぼんのうぼだいいちみ》なり

（23）
如来二種《にょらいにしゅ》の回向《えこう》を
ふかく信《しん》ずるひとはみな
④等正覚《とうしょうがく》にいたるゆえ
憶念《おくねん》の心《しん》はたえぬなり

（24）
弥陀智願《みだちがん》の回向《えこう》の
信楽《しんぎょう》まことにうるひとは
摂取不捨《せっしゅふしゃ》の利益《りやく》ゆえ
等正覚《とうしょうがく》[25]にいたるなり

（25）
五十六億七千万《ごじゅうろくおくしちせんまん》
弥勒菩薩《みろくぼさつ》はとしをへん
[26]まことの信心《しんじん》うるひとは
このたびさとり[27]をひらくべし

（26）
念仏往生《ねんぶつおうじょう》の願《がん》により
等正覚《とうしょうがく》にいたるひと

すなわち弥勒《みろく》におなじくて
大般涅槃《だいはつねはん》をさとるべし

㉗
[28]真実信心《しんじつしんじん》うるゆえに
すなわち定聚《じょうじゅ》にいりぬれば
補処《ふしょ》の弥勒《みろく》におなじくて
無上覚《むじょうかく》を[29]さとるなり

㉘
像法《ぞうぼう》のときの智人《ちにん》も
自力《じりき》の諸教《しょきょう》をさしおきて
時機相応《じきそうおう》の法《ほう》なれば
念仏門《ねんぶつもん》にぞいりたまう

㉙
弥陀《みだ》の[30]尊号《そんごう》となえつつ
[31]信楽《しんぎょう》まことにうるひとは

①**度衆生心**…よろずのしゅじょう（衆生）ほとけ（仏）になさんとなり
②**弥陀の智願海水**…みだ（弥陀）のほんがん（本願）をうみ（海）にたとえもうすなり
③**煩悩菩提一味**…ぼんのう（煩悩）とくどく（功徳）とひとつになるなり

憶念《おくねん》の心《しん》つねにして
仏恩報《ぶっとんほう》ずるおもいあり

㉚
五濁悪世《ごじょくあくせ》の[32]有情《うじょう》の
選択本願信《せんじゃくほんがんしん》ずれば
不可称不可説不可思議《ふかしょうふかせつふかしぎ》の
功徳《くどく》は[33]行者《ぎょうじゃ》の身《み》にみてり

㉛
無碍光仏《むげこうぶつ》の[34]みことには
未来《みらい》の有情利《うじょうり》せんとて
大勢至菩薩《だいせいしぼさつ》に
智慧《ちえ》の念仏《ねんぶつ》さずけしむ

㉜
濁世《じょくせ》の有情《うじょう》をあわれみて
勢至念仏《せいしねんぶつ》すすめしむ

④**等正覚**…しょうじょうじゅ（正定聚）のくらい（位）なり

(33)
信心《しんじん》のひとを摂取《せっしゅ》して
浄土《じょうど》に帰入《きにゅう》せしめけり
[35]釈迦弥陀《しゃかみだ》の慈悲《じひ》よりぞ
願作仏心《がんさぶっしん》はえしめたる
信心《しんじん》の智慧《ちえ》にいりてこそ
仏恩報《ぶっとんほう》ずる身《み》とはなれ

(34)
智慧《ちえ》の念仏《ねんぶつ》うることは
法蔵願力《ほうぞうがんりき》のなせるなり
信心《しんじん》の智慧《ちえ》なかりせば
いかでか涅槃《ねはん》をさとらまし

(35)
無明長夜《むみょうじょうや》の①燈炬《とうこ》なり
智眼《ちげん》くらしとかなしむな
生死大海《しょうじだいかい》の②船筏《せんばつ》なり
罪障《ざいしょう》おもしとなげかざれ

(36)
[36]願力無窮《がんりきむぐう》にましませば
[37]罪業深重《ざいごうじんじゅう》もおもからず

---

(37)
仏智無辺《ぶっちむへん》にましませば
③散乱放逸《さんらんほういつ》もすてられず
如来《にょらい》の作願《さがん》をたずぬれば
苦悩《くのう》の[38]有情《うじょう》をすてずして
回向《えこう》を首《しゅ》としたまいて
大悲心《だいひしん》をば成就《じょうじゅ》せり

(38)
真実信心《しんじつしんじん》の称名《しょうみょう》は
[39]弥陀回向《みだえこう》の法《ほう》なれば
不回向《ふえこう》となづけてぞ
自力《じりき》の称念《しょうねん》きらわるる

(39)
弥陀智願《みだちがん》の広海《こうかい》に
④凡夫善悪《ぼんぶぜんあく》の心水《しんしい》も
帰入《きにゅう》しぬればすなわちに
大悲心《だいひしん》とぞ⑤転《てん》ずなる

(40)
造悪《ぞうあく》このむわが弟子《でし》の
邪見放逸《じゃけんほういつ》さかりにて

末世《まっせ》にわが法破《ほうは》すべしと
蓮華面経《れんげめんぎょう》にときたまう

㊶
念仏誹謗《ねんぶつひほう》の有情《うじょう》は
⑥阿鼻地獄《あびじごく》に堕在《だざい》して
八万劫中大苦悩《はちまんごうちゅうだいくのう》
ひまなくうくとぞときたまう

㊷
真実報土《しんじつほうど》の正因《しょういん》を
二尊《にそん》のみことにたまわりて
正定聚《しょうじょうじゅ》に住《じゅう》すれば
かならず滅度《めつど》をさとるなり

㊸
十方無量《じっぽうむりょう》の諸仏《しょぶつ》の

①**燈炬**…つねのともしびをみだ(弥陀)のほんがん(本願)にたとえもうすなり　つねのともしびをとう(燈)という　おおきなるともしびをこ(炬)という
②**船筏**…ふね　いかだ
③**散乱放逸**…ちりみだる　ほしきままのこころという
④**凡夫善悪の心水**…ぼんぶ(凡夫)のぜん(善)のこころ　あく(悪)の心をみず(水)にたとえたるなり

証誠護念《しょうじょうごねん》のみことにて
自力《じりき》の大菩提心《だいぼだいしん》の
かなわぬほどはしりぬべし

㊹
真実信心《しんじつしんじん》うることは
末法濁世《まっぽうじょくせ》にまれなりと
恒沙《ごうじゃ》の諸仏《しょぶつ》の証誠《しょうじょう》に
えがたきほどをあらわせり

㊺
往相還相《おうそうげんそう》の回向《えこう》に
もうあわぬ身《み》となりにせば
流転輪回《るてんりんね》もきわもなし
苦海《くかい》の沈淪《ちんりん》いかがせん

⑤**転ずなる**…あく(悪)の心　ぜん(善)となるを　てん(転)ずるなりというなり
⑥**阿鼻地獄**…むけんじごく(無間地獄)なり

(46)

仏智不思議《ぶっちふしぎ》を信《しん》ずれば
正定聚《しょうじょうじゅ》にこそ住《じゅう》しけれ
化生《けしょう》のひとは智慧《ちえ》すぐれ
無上覚《むじょうかく》をぞさとりける

(47)

不思議《ふしぎ》の仏智《ぶっち》を信《しん》ずるを
報土《ほうど》の因《いん》としたまえり
信心《しんじん》の正因《しょういん》うることは
かたきがなかになおかたし

(48)

無始流転《むしるてん》の苦《く》をすてて
無上涅槃《むじょうねはん》を期《ご》すること
如来二種《にょらいにしゅ》の回向《えこう》の
恩徳《おんどく》まことに謝《しゃ》しがたし

(49)

報土《ほうど》の信者《しんじゃ》はおおからず
化土《けど》の行者《ぎょうじゃ》はかずおおし
自力《じりき》の菩提《ぼだい》かなわねば
久遠劫《くおんごう》より流転《るてん》せり

(50)

南無阿弥陀仏《なむあみだぶつ》の回向《えこう》の
恩徳広大不思議《おんどくこうだいふしぎ》にて
往相回向《おうそうえこう》の利益《りやく》には
還相回向《げんそうえこう》に回入《えにゅう》せり

(51)

往相回向《おうそうえこう》の大慈《だいじ》より
還相回向《げんそうえこう》の大悲《だいひ》をう
如来《にょらい》の回向《えこう》なかりせば
浄土《じょうど》の菩提《ぼだい》はいかがせん

(52)

弥陀観音大勢至《みだかんのんだいせいし》
大願《だいがん》のふねに乗《じょう》じてぞ
生死《しょうじ》のうみに[40]うかみつつ
[41]有情《うじょう》をよぼうてのせたまう

(53)

弥陀大悲《みだだいひ》の誓願《せいがん》を
ふかく信《しん》ぜんひとはみな
ねてもさめてもへだてなく
南無阿弥陀仏《なむあみだぶつ》[42]をとなうべし

(54)
聖道門《しょうどうもん》のひとはみな
自力《じりき》の心《しん》をむねと[43]して
他力不思議《たりきふしぎ》にいりぬれば
義《ぎ》なきを義《ぎ》とすと信知《しんち》せり

(55)
釈迦《しゃか》の[44]教法《きょうぼう》ましませど
修《しゅ》すべき有情《うじょう》のなきゆえに
さとりうるもの末法《まっぽう》に
一人《いちにん》もあらじとときたまう

(56)
三朝《さんちょう》浄土《じょうど》の大師等《だいしとう》
哀愍摂受《あいみんしょうじゅ》したまいて
真実信心《しんじつしんじん》すすめしめ
定聚《じょうじゅ》のくらいに[45]いれしめよ

(57)
他力《たりき》の信心《しんじん》うるひとを
うやまいおおきによろこべば
すなわちわが親友《しんぬ》ぞと
教主世尊《きょうしゅせそん》はほめたまう

(58)
如来大悲《にょらいだいひ》の恩徳《おんどく》は
身《み》を粉《こ》にしても報《ほう》ずべし
師主知識《ししゅちしき》の恩徳《おんどく》も
ほねをくだきても謝《しゃ》すべし

[46]已上正像末法和讃《いじょうしょうぞうまっぽうわさん》
五十八首《ごじゅうはっしゅ》

(1)
[47]不了仏智《ふりょうぶっち》のしるしには
如来《にょらい》の諸智《しょち》を疑惑《ぎわく》して
罪福信《ざいふくしん》じ善本《ぜんぽん》を
たのめば辺地《へんじ》にとまるなり

(2)
[48]仏智《ぶっち》の不思議《ふしぎ》をうたがいて
自力《じりき》の称念《しょうねん》このむゆえ
辺地懈慢《へんじけまん》にとどまりて
仏恩報《ぶっとんほう》ずるこころなし

(3)
罪福信《ざいふくしん》ずる行者《ぎょうじゃ》は

仏智《ぶっち》の不思議《ふしぎ》をうたがいて
疑城胎宮《ぎじょうたいぐう》にとどまれば
三宝《さんぼう》にはなれたてまつる

(4)
仏智疑惑《ぶっちぎわく》のつみにより
懈慢辺地《けまんへんじ》にとまるなり
疑惑《ぎわく》のつみのふかきゆえ
年歳劫数《ねんさいこうしゅ》をふるととく

(5)
転輪皇《てんりんおう》の王子《おうじ》の
皇《おう》につみをうるゆえに
金鎖《こんさ》をもちてつなぎつつ
牢獄《ろうごく》にいるがごとく[49]なり

(6)
自力称名《じりきしょうみょう》のひとはみな
如来《にょらい》の本願信《ほんがんしん》ぜねば
[50]うたがうつみのふかきゆえ
七宝《しちほう》の獄《ごく》にぞいましむる

(7)
信心《しんじん》のひとにおとらじと
疑心自力《ぎしんじりき》の行者《ぎょうじゃ》も
如来大悲《にょらいだいひ》の恩《おん》をしり
称名念仏《しょうみょうねんぶつ》はげむべし

(8)
自力諸善《じりきしょぜん》のひとはみな
仏智《ぶっち》の不思議《ふしぎ》をうたがえば
自業自得《じごうじとく》の道理《どうり》にて
七宝《しちほう》の獄《ごく》にぞいりにける

(9)
[51]仏智不思議《ぶっちふしぎ》をうたがいて
善本徳本《ぜんぽんとくほん》たのむひと
辺地懈慢《へんじけまん》にうまるれば
大慈大悲《だいじだいひ》はえざりけり

(10)
本願疑惑《ほんがんぎわく》の行者《ぎょうじゃ》には
含花未出《がんけみしゅつ》のひともあり
①或生辺地《わくしょうへんじ》ときらいつつ
②或堕宮胎《わくだくたい》とすてらるる

(11)
如来《にょらい》の諸智《しょち》を疑惑《ぎわく》して

信《しん》ぜずながらなおもまた
罪福《ざいふく》ふかく信《しん》ぜしめ
善本修習《ぜんぽんしゅじゅう》すぐれたり

⑫
仏智《ぶっち》を疑惑《ぎわく》するゆえに
胎生《たいしょう》のものは智慧《ちえ》もなし
胎宮《たいぐう》にかならずうまるるを
牢獄《ろうごく》にいるとたとえたり

⑬
七宝《しちほう》の宮殿《くでん》にうまれては
五百歳《ごひゃくさい》のとしをへて
三宝《さんぽう》を見聞《けんもん》せざるゆえ
有情利益《うじょうりやく》はさらになし

⑭
辺地七宝《へんじしちほう》の宮殿《くでん》に
五百歳《ごひゃくさい》までいでずして
みずから過咎《かく》をなさしめて
もろもろの③厄《やく》をうくるなり

①或生辺地…あるいはへんじ（辺地）にうまれ
②或堕宮胎…あるいはくたい（宮胎）におつ

---

⑮
罪福《ざいふく》ふかく信《しん》じつつ
善本修習《ぜんぽんしゅじゅう》するひとは
疑心《ぎしん》の善人《ぜんにん》なるゆえに
方便化土《ほうべんけど》にとまるなり

⑯
弥陀《みだ》の本願信《ほんがんしん》ぜねば
疑惑《ぎわく》を帯《たい》してうまれつつ
はなはすなわちひらけねば
胎《たい》に処《しょ》するにたとえたり

⑰
ときに慈氏菩薩《じしぼさつ》の
世尊《せそん》にもうしたまいけり
何因何縁《がいんがえん》いかなれば
胎生化生《たいしょうけしょう》となづけたる

⑱
如来慈氏《にょらいじし》にのたまわく

③厄…もろく　あやうきなり

疑惑《ぎわく》の心《しん》をもちながら
善本修《ぜんぽんしゅ》するをたのみにて
胎生辺地《たいしょうへんじ》にとどまれり

(19)
仏智疑惑《ぶっちぎわく》のつみゆえに
五百歳《ごひゃくさい》まで牢獄《ろうごく》に
かたくいましめおわします
これを胎生《たいしょう》とときたまう

(20)
52 仏智不思議《ぶっちふしぎ》をうたがいて
罪福信《ざいふくしん》ずる有情《うじょう》は
宮殿《くでん》にかならずうまるれば
胎生《たいしょう》のものとときたまう

(21)
自力《じりき》の心《しん》をむねとして
不思議《ふしぎ》の仏智《ぶっち》をたのまねば
胎宮《たいぐう》にうまれて五百歳《ごひゃくさい》
三宝《さんぼう》の慈悲《じひ》にはなれたり

(22)
仏智《ぶっち》の不思議《ふしぎ》を疑惑《ぎわく》して
罪福信《ざいふくしん》じ善本《ぜんぽん》を
修《しゅ》して浄土《じょうど》をねがうをば
胎生《たいしょう》というとときたまう

(23)
仏智《ぶっち》うたがうつみふかし
この心《しん》おもいしるならば
くゆるこころをむねとして
仏智《ぶっち》の不思議《ふしぎ》をたのむべし

53 已上二十三首《いじょうにじゅうさんしゅ》　仏不思議《ぶつふしぎ》の弥陀《みだ》の御《おん》ちかいをうたがうつみ《(罪)》とが《(咎)》をしらせんとあらわせるなり。

54 愚禿善信作《ぐとくぜんしんのさく》

皇太子聖徳奉讃《こうたいししょうとくほうさん》

(1)
仏智不思議《ぶっちふしぎ》の誓願《せいがん》を
聖徳皇《しょうとくおう》のめぐみにて
正定聚《しょうじょうじゅ》に帰入《きにゅう》して

補処《ふしょ》の弥勒《みろく》のごとくなり

(2)
救世観音大菩薩《くせかんのんだいぼさつ》
聖徳皇《しょうとくおう》と示現《じげん》して
①多多《たた》のごとくすてずして
②阿摩《あま》のごとくにそいたまう

(3)
無始《むし》よりこのかたこの世《よ》まで
聖徳皇《しょうとくおう》のあわれみに
多多《たた》のごとくにそいたまい
阿摩《あま》のごとくにおわします

(4)
聖徳皇《しょうとくおう》のあわれみて
仏智不思議《ぶっちふしぎ》の誓願《せいがん》に
すすめいれしめたまいてぞ
住正定聚《じゅうしょうじょうじゅ》の身《み》となれる

(5)
他力《たりき》の信《しん》をえんひとは
仏恩報《ぶっとんほう》ぜんためにとて

①多多…ちち（父）をいうなり

如来二種《にょらいにしゅ》の回向《えこう》を
十方《じっぽう》にひとしくひろむべし

(6)
大慈救世聖徳皇《だいじくせしょうとくおう》
父《ちち》のごとくにおわします
大悲救世観世音《だいひくせかんぜおん》
母《はは》のごとくにおわします

(7)
久遠劫《くおんごう》よりこの世《よ》まで
あわれみましますしるしには
仏智不思議《ぶっちふしぎ》につけしめて
善悪浄穢《ぜんあくじょうえ》もなかりけり

(8)
和国《わこく》の教主聖徳皇《きょうしゅしょうとくおう》
広大恩徳謝《こうだいおんどくしゃ》しがたし
一心《いっしん》に帰命《きみょう》したてまつり
奉讃不退《ほうさんふたい》ならしめよ

(9)
上宮[55]皇子方便《じょうぐうおうじほうべん》し

②阿摩…はは（母）をいうなり

和国《わこく》の有情《うじょう》をあわれみて
如来《にょらい》の[56]悲願《ひがん》を弘宣《ぐせん》せり
慶喜奉讃《きょうきほうさん》せしむべし

(10)
多生曠劫《たしょうこうごう》この世《よ》まで
あわれみかぶれるこの身《み》なり
一心帰命《いっしんきみょう》たえずして
奉讃《ほうさん》ひまなくこのむべし

(11)
聖徳皇《しょうとくおう》のおあわれみに
護持養育《ごじよういく》たえずして
如来二種《にょらいにしゅ》の回向《えこう》に
すすめいれしめおわします

已上《いじょう》 聖徳奉讃《しょうとくほうさん》 十一首《じゅういっしゅ》

[57]愚禿悲歎述懐《ぐとくひたんじゅっかい》

(1)
浄土真宗《じょうどしんしゅう》に帰《き》すれども
真実《しんじつ》の心《しん》はありがたし
虚仮不実《こけふじつ》の[58]わが身《み》にて
清浄《しょうじょう》の心《しん》もさらになし

(2)
外儀《げぎ》のすがたはひとごとに
賢善精進現《げんぜんしょうじんげん》ぜしむ
貪瞋邪偽《とんじんじゃぎ》おおきゆえ
奸詐《かんさ》ももはし身《み》にみてり

(3)
悪性《あくしょう》さらにやめがたし
こころは蛇蝎《じゃかつ》のごとくなり
修善《しゅぜん》も雑毒《ぞうどく》なるゆえに
虚仮《こけ》の行《ぎょう》とぞなづけたる

(4)
無慚無愧《むざんむき》のこの身《み》にて
まことのこころはなけれども
弥陀《みだ》の回向《えこう》の御名《みな》なれば
功徳《くどく》は十方《じっぽう》にみちたまう

(5)
小慈小悲《しょうじしょうひ》もなき身《み》にて

有情《うじょう》利益《りやく》は[59]おもうまじ
如来《にょらい》の願船《がんせん》いまさずは
苦海《くかい》をいかでかわたるべき

(6)
蛇蝎奸詐《じゃかつかんさ》のこころにて
[60]自力修善《じりきしゅぜん》はかなうまじ
如来《にょらい》の回向《えこう》をたのまでは
無慚無愧《むざんむき》にてはてぞせん

(7)
[61]五濁増《ごじょくぞう》のしるしには
この世《よ》の道俗《どうぞく》ことごとく
外儀《げぎ》は仏教《ぶっきょう》のすがたにて
内心外道《ないしんげどう》を帰敬《ききょう》せり

(8)
かなしきかなや道俗《どうぞく》の
良時吉日《りょうじきちにち》えらばしめ
天神地祇《てんじんじぎ》をあがめつつ
卜占《ぼくせん》[62]①祭祀《さいし》つとめとす

①祭祀…はらえ　まつり

---

(9)
僧《そう》ぞ[63]法師《ほっし》のその御名《みな》は
とうときこととききしかど
提婆五邪《だいばごじゃ》の法《ほう》ににて
いやしきものになづけたり

(10)
外道梵士尼乾《げどうぼんじにけん》[64]志《じ》に
こころはかわらぬものとして
如来《にょらい》の法衣《ほうえ》をつねにきて
一切鬼神《いっさいきじん》をあがむめり

(11)
かなしきかなやこのごろの
和国《わこく》の道俗《どうぞく》みなともに
仏教《ぶっきょう》の威儀《いぎ》を[65]もととして
天地《てんち》の鬼神《きじん》を尊敬《そんきょう》す[66]

(12)
五濁邪悪《ごじょくじゃあく》のしるしには
僧《そう》ぞ法師《ほっし》という御名《みな》を
奴婢僕使《ぬひぼくし》になづけてぞ

(13)
いやしきものとさだめたる
無戒名字《むかいみょうじ》の比丘《びく》なれど
末法濁世《まっぽうじょくせ》の世《よ》となりて
舎利弗目連《しゃりほつもくれん》にひとしくて
供養恭敬《くようくぎょう》をすすめしむ

(14)
罪業《ざいごう》もとより[67]かたちなし
妄想顛倒《もうぞうてんどう》[68]のなせるなり
心性《しんしょう》[69]もとよりきよけれど
[70]この世《よ》はまことのひとぞなき

(15)
末法悪世《まっぽうあくせ》のかなしみは
南都北嶺《なんとほくれい》の仏法者《ぶっぽうしゃ》の
輿《こし》かく僧達力者法師《そうたちりきしゃほっし》
高位《こうい》をもてなす名《な》としたり

(16)
仏法《ぶっぽう》あなずるしるしには
比丘比丘尼《びくびくに》を奴婢《ぬひ》として
法師僧徒《ほっしそうと》のとうとさも
僕従《ぼくじゅう》ものの名《な》としたり

已上十六首《いじょうじゅうろくしゅ》　これは愚禿《ぐとく》がかなしみなげきにして述懐《しゅっかい》としたり。この世《よ》の本寺《ほんじ》・本山《ほんざん》のいみじき僧《そう》ともうすも、法師《ほっし》ともうすも、うきことなり。

釈《しゃく》の親鸞《しんらん》、之《これ》を書《か》く。

(1)
善光寺《ぜんこうじ》の如来《にょらい》の
われらをあわれみましまして
なにわのうらにきたります
御名《みな》をもしらぬ守屋《もりや》にて

(2)
そのときほとおりけともうしける
疫癘《えきれい》あるいはこのゆえと
守屋《もりや》がたぐいはみなともに
ほとおりけとぞもうしける

(3)
やすくすすめんためにとて

ほとけと守屋《もりや》がもうすゆえ
ときの外道《げどう》みなともに
如来《にょらい》をほとけとさだめたり

(4) この世《よ》の仏法《ぶっぽう》のひとはみな
守屋《もりや》がことばをもととして
ほとけともうすをたのみにて
僧《そう》ぞ法師《ほっし》はいやしめり

(5) 弓削《ゆげ》の守屋《もりや》の大連《おおむらじ》
邪見《じゃけん》きわまりなきゆえに
よろずのものをすすめんと
やすくほとけともうしけり

71 親鸞《しんらん》八十八歳《はちじゅうはちさい》御筆《ごひつ》

「獲《ぎゃく》」の字《じ》は、因位《いんに》のときうるを「獲《ぎゃく》」という。「得《とく》」の字《じ》は、果位《かい》のときにいたりてうることを「得《とく》」というなり。「名《みょう》」の字《じ》は、因《いん》位《に》のときのなを「名《みょう》」という。「号《ごう》」の字《じ》は、果位《かい》のときのなを「号《ごう》」という。

「自然《じねん》」というは、「自《じ》」はおのずからという。行者《ぎょうじゃ》のはからいにあらず。しからしむということばなり。「然《ねん》」というは、しからしむということば、行者《ぎょうじゃ》のはからいにあらず。如来《にょらい》のちかいにてあるがゆえに。「法爾《ほうに》」というは、如来《にょらい》の御《おん》ちかいなるがゆえに、しからしむるを「法爾《ほうに》」という。この法爾《ほうに》は、御《おん》ちかいなりけるゆえに、すべて行者《ぎょうじゃ》のはからいなきをもちて、このゆえに、「他力《たりき》には義《ぎ》なきを義《ぎ》とす」とするべきなり。

「自然《じねん》」というは、もとよりしからしむるということばなり。弥陀仏《みだぶつ》の御《おん》ちかいの、もとより行者《ぎょうじゃ》のはからいにあらずして、南無阿弥陀《なむあみだ》仏《ぶつ》とたのませたまいて、むかえんと、はからわせたまいたるによりて、行者《ぎょうじゃ》の、よからんとも、あしからんともおもわぬを、自然《じねん》とはもうすぞと、ききてそうろう。ちかいのよう（様）は、無《む》上仏《じょうぶつ》にならしめんとちかいたまえるなり。無《む》上仏《じょうぶつ》ともうすは、かたちもなくまします。かたちもましまさぬゆえに、「自然《じねん》」とはもうすなり。かたちましますとしめすときは、無上《むじょう》涅槃《ねはん》とはもうさず。かたちもましまさぬよう（様）をしらせんとて、はじめに弥陀仏《みだぶつ》とぞ、ききならいてそうろう。弥陀仏《みだぶつ》は、自然《じねん》のよう（様）をしらせんりょう（料）なり。この道理《どうり》をこころえつるのちには、この自然《じねん》のことは、つねにさた（沙汰）すべきにはあらざるなり。つねに自然《じねん》をさたせば、「義《ぎ》なきを義《ぎ》とす」ということは、なお義《ぎ》のあるべし。これは仏智《ぶっち》の不思議《ふしぎ》にてあるなり。

よしあしの文字《もんじ》をもしらぬひとはみな
　まことのこころなりけるを
善悪《ぜんあく》の字《じ》しりがおは
　おおそらごとのかたちなり

是非《ぜひ》しらず邪正《じゃしょう》もわかぬ
　このみなり
小慈小悲《しょうじしょうひ》もなけれども
　名利《みょうり》に人師《にんし》をこのむなり

　已上《いじょう》

右斯三帖和讃幷正信偈四帖一部者末代為二興
際一板木開レ之者也而已
　文明五年（一四七三）癸巳《みずのとみ》三月　日（蓮如花押）

尊号真像銘文《そんごうしんぞうめいもん》 本

『大無量寿経《だいむりょうじゅきょう》』に言《のたま》わく、[1]「設我得仏《せつがとくぶつ》　十方衆生《じっぽうしゅじょう》　至心信楽《ししんしんぎょう》　欲生我国《よくしょうがこく》　乃至十念《ないしじゅうねん》　若《にゃく》
不生者《ふしょうじゃ》　不取正覚《ふしゅしょうがく》　唯除五逆《ゆいじょごぎゃく》　誹謗正法《ひほうしょうぼう》」文《もん》

「大無量寿経言《だいむりょうじゅきょうごん》」というは、[2]如来《にょらい》の四十八願《しじゅうはちがん》をときたまえる経《きょう》なり。「設我得仏《せつがとくぶつ》」というは、もしわれ[3]仏《ぶつ》をえたらんときという御《み》ことばなり。「十方衆生《じっぽうしゅじょう》」というは、十方《じっぽう》のよろずの衆生《しゅじょう》というなり。「至心信楽《ししんしんぎょう》」というは、「至心《ししん》」は、真実《しんじつ》ともうすなり。真実《しんじつ》ともうすは、如来《にょらい》の御《おん》ちかいの真実《しんじつ》なるを「至心《ししん》」ともうすなり。煩悩具足《ぼんのうぐそく》の衆生《しゅじょう》は、もとより真実《しんじつ》の心《しん》なし、清浄《しょうじょう》の心《しん》なし。濁悪邪見《じょくあくじゃけん》のゆえなり。「信楽《しんぎょう》」というは、如来《にょらい》の本願《ほんがん》、真実《しんじつ》にましますを、ふたごころなくふかく信《しん》じてうたがわざれば、「信楽《しんぎょう》」ともうすなり。この「至心信楽《ししんしんぎょう》」は、すなわち十方《じっぽう》の衆生《しゅじょう》をして、わが真実《しんじつ》なる誓願《せいがん》を信楽《しんぎょう》すべしとすすめたまえる御《おん》ちかいの「至心信楽《ししんしんぎょう》」なり。凡夫自力《ぼんぶじりき》のこころにはあらず。「欲生我国《よくしょうがこく》」というは、他力《たりき》の至心信楽《ししんしんぎょう》[4]のこころをもって、安楽浄土《あんらくじょうど》にうまれんとおもえとなり。「乃至十念《ないしじゅうねん》」ともうすは、如来《にょらい》のちかいの名号《みょうごう》をとなえんことをすすめたまうに、遍数《へんじゅ》のさだまりなきほどをあらわし、時節《じせつ》をさだめざることを、衆生《しゅじょう》にしらせんとおぼしめして、「乃至《ないし》」のみことを十念《じゅうねん》のみなにそえてちかいたまえるなり。如来《にょらい》より御《おん》ちかいをたまわりぬるには、

①尋常《じんじょう》の時節《じせつ》をとりて、臨終《りんじゅう》の称念《しょうねん》をまつべからず。ただ如来《にょらい》の至心信楽《ししんしんぎょう》をふかくたのむべしとなり。この真実信心《しんじつしんじん》をえんとき、摂取不捨《せっしゅふしゃ》の心光《しんこう》にいりぬれば、正定聚《しょうじょうじゅ》のくらいにさだまるとみえたり。「若不生者《にゃくふしょうじゃ》　不取正覚《ふしゅしょうがく》」というは、「若不生者《にゃくふしょうじゃ》」は、もしうまれずは、というみことなり。「不取正覚《ふしゅしょうがく》」は、仏《ぶつ》にならじとちかいたまえるみのりなり。[6]このこころは、すなわち至心信楽《ししんしんぎょう》をえたるひと、わが浄土《じょうど》にもしうまれずは、仏《ぶつ》にならじとちかいたまえる御《み》のりなり。この本願《ほんがん》のよう（様）は、『唯信抄《ゆいしんしょう》』によくよくみえたり。「唯信《ゆいしん》」ともうすは、すなわちこの真実信楽《しんじつしんぎょう》をひとすじにとるこころをもうすなり。「唯除五逆《ゆいじょごぎゃく》　誹謗正法《ひほうしょうぼう》」というは、「唯除《ゆいじょ》」[7]というは、ただのぞくということばなり。五逆《ごぎゃく》のつみびとをきらい、[8]誹謗《ひほう》のおもきとがをしらせんとなり。このふたつのつみのおもきことをしめして、十方一切《じっぽういっさい》の衆生《しゅじょう》、みなもれず往生《おうじょう》すべしと、しらせんとなり。

又言《またのたま》わく（大経）、[9]「其仏本願力《ごぶつほんがんりき》　聞名欲往生《もんみょうよくおうじょう》　皆悉到彼国《かいしつとうひこく》　自致不退転《じちふたいてん》」と。

「其仏本願力《ごぶつほんがんりき》」というは、弥陀《みだ》の本願力《ほんがんりき》ともうすなり。「聞名欲往生《もんみょうよくおうじょう》」というは、「聞《もん》」というは、如来《にょらい》のちかいの御《み》なを信《しん》ずともうすなり。「欲往生《よくおうじょう》」というは、安楽浄刹《あんらくじょうせつ》にうまれんとおもえとなり。「皆悉到彼国《かいしつとうひこく》」というは、御《おん》ちかいのみなを信《しん》じてうまれんとおもう人《ひと》は、みなもれず、かの浄土《じょうど》にいたるともうす御《み》ことなり。「自致不退転《じちふたいてん》」というは、「自《じ》」は、おのずからという。おのずからというは、衆生《しゅじょう》のはからいにあらず、しからしめて不退《ふたい》のくらいにいたらしむとなり。自然《じねん》ということばなり。「致《ち》」というは、いたるという、むねとすという。如来《にょらい》の本願《ほんがん》の[10]みなを信《しん》ずる人《ひと》は、自《じ》然《ねん》に不退《ふたい》のくらいにいたらしむるを[11]むねとすべしとおもえとなり。「不退《ふたい》」というは、仏《ぶつ》にかならずなるべきみとさだまるくらいなり。これすなわち正定聚《しょうじょうじゅ》のくらいにいたるを[12]むねとすべしと、ときたまえる御《み》のりなり。

又言《またのたま》わく（大経）、[13]「必得超絶去《ひっとくちょうぜつこ》　往生安養国《おうじょうあんにょうこく》　横截五悪趣《おうぜつごあくしゅ》　悪趣自然閉《あくしゅじねんぺい》　昇道無窮極《しょうどうむぐうごく》　易《い》往而無人《おうにむにん》　其国不逆違《ごこくふぎゃくい》　自然之所牽《じねんししょけん》」抄出《しょうしゅつ》

「必得超絶去《ひっとくちょうぜつこ》　往生安養国《おうじょうあんにょうこく》」というは、「必《ひつ》」は、かならずという。かならずというは、[14]さだまりぬということなり。また自然《じねん》ということなり。「得《とく》」は、えたりという。「超《ちょう》」は、こえてという。「絶《ぜつ》」は、[15]たちすてはなるという。「去《こ》」は、すつという、ゆくという、さると[16]いうなり。娑《しゃ》婆世界《ばせかい》をたち[17]すてて、流転生死《るてんしょうじ》をこえはなれて[18]ゆきさるというなり。安養浄土《あんにょうじょうど》に往生《おうじょう》をうべしとなり。「安養《あんにょう》」というは、[19]弥陀《みだ》をほめたてまつるみこととみえたり。すなわち安楽浄土《あんらくじょうど》なり。

「横截五悪趣《おうぜつごあくしゅ》　悪趣自然閉《あくしゅじねんぺい》」というは、「横《おう》」は、よこさまという。よこさまというは、如来《にょらい》の願力《がんりき》を信《しん》ずるゆえに行者《ぎょうじゃ》のはからいにあらず。五悪趣《ごあくしゅ》を自然《じねん》にたちすて、四生《ししょう》をはなるるを、「横《おう》」という。他力《たりき》ともうすなり。これを横超《おうちょう》というなり。[20]②横《おう》は、[21]③竪《しゅ》に対《たい》することばなり。[22]超《ちょう》は、[23]④迂《う》に対《たい》することばなり。[24]竪《しゅ》は、たたさま、迂《う》はめぐるとなり。竪《しゅ》と迂《う》とは、自力聖道《じりきしょうどう》のこころなり。[25]横《おう》

①尋常…よ（世）のつねという
②横…よこさまという
③竪…たたさま
④迂…めぐる

超《ちょう》は、すなわち他力真宗《たりきしんしゅう》の本意《ほんい》なり。「截《ぜつ》」というは、きるという。五悪趣《ごあくしゅ》のきずなをよこさまにきるなり。「悪趣自然閉《あくしゅじねんぺい》」というは、願力《がんりき》に帰命《きみょう》すれば、五道生死《ごどうしょうじ》をとずるゆえに、「自然閉《じねんぺい》」と[26]いう。「閉《へい》[①]」は、とずと[27]いうなり。本願《ほんがん》の業因《ごういん》にひかれて、[28]自然《じねん》にうまるるなり。「昇道無窮極《しょうどうむぐうごく》」というは、「昇《しょう》」は、のぼるという。のぼるというは、無上涅槃《むじょうねはん》にいたる。これを「昇《しょう》[②]」というなり。「道《どう》」は、大涅槃道《だいねはんどう》なり。「無窮極《むぐうごく》」というは、きわまりなしとなり。「易往而無人《いおうにむにん》」というは、「易往《いおう》」は、ゆきやすしとなり。本願力《ほんがんりき》に乗《じょう》ずれば、本願《ほんがん》の実報土《じっぽうど》にうまるること、うたがいなければ、ゆきやすきなり。「無人《むにん》」というは、ひとなしという。人《ひと》なしというは、真実信心《しんじつしんじん》の人《ひと》は、ありがたきゆえに、実報土《じっぽうど》にうまるる人《ひと》まれなりとなり。しかれば、源信和尚《げんしんかしょう》は[29]「報土《ほうど》にうまるる人《ひと》はおおからず。化土《けど》にうまるる人《ひと》はすくなからず」（往生要集）とのたまえり。「其国不逆違《ごこくふぎゃくい》　自然之所牽《じねんししょけん》」というは、「其国《ごこく》」は、そのくにという、[30]すなわち安養浄刹《あんにょうじょうせつ》なり。「不逆違《ふぎゃくい》」は、さかさまならずという、たがわずと[31]いうなり。「逆《ぎゃく》」は、さかさまという。「違《い》」は、たがうというなり。真実《しんじつ》信《しん》をえたる人《ひと》は、大願業力《だいがんごうりき》のゆえに、自然《じねん》に浄土《じょうど》の業因《ごういん》たがわずして、かの業力《ごうりき》にひかるるゆえにゆきやすく、無上大涅槃《むじょうだいねはん》にのぼるにきわまりなしと、のたまえるなり。しかれば、「自然之所牽《じねんししょけん》」ともうすなり。他力《たりき》の至心信楽《ししんしんぎょう》の業因《ごういん》の自然《じねん》にひくなり。[32]これを「牽《けん》」というなり。「自然《じねん》」というは、行者《ぎょうじゃ》のはからいにあらずとなり。

大勢至菩薩御銘文《だいせいしぼさつごめいもん》

『首楞厳経《しゅりょうごんぎょう》』に言《のたま》わく、[33]「勢至獲念仏円通《せいしぎゃくねんぶつえんずう》〈勢至《せいし》、念仏円通《ねんぶつえんずう》を獲《え》たり〉」「大勢至法王子《だいせいしほうおうじ》　与其同倫《よごどうりん》　五十二菩薩《ごじゅうにぼさつ》　即従座起《そくじゅうざき》　頂礼仏足《ちょうらいぶっそく》　而白仏言《にびゃくぶつごん》　我憶往昔《がおくおうじゃく》　恒河《ごうが》沙劫《しゃこう》　有仏出世《うぶつしゅっせ》　名無量光《みょうむりょうこう》　十二如来《じゅうににょらい》　相継一劫《そうけいいっこう》　其最後仏《ごさいごぶつ》　名超日月光《みょうちょうにちがっこう》　彼仏教我《ひぶつきょうが》念仏三昧《ねんぶつさんまい》　乃至《ないし》　若衆生心《にゃくしゅじょうしん》　憶仏念仏《おくぶつねんぶつ》　現前当来《げんぜんとうらい》　必定見仏《ひつじょうけんぶつ》　去仏不遠《こぶつふおん》　不仮方便《ふけほうべん》〈仏《ぶつ》を去《さ》ること遠《とお》からず、方便《ほうべん》を仮《か》らず〉自得心開《じとくしんかい》　如染香人《にょぜんこうにん》　身有香気《しんうこうけ》　此則名曰《しそくみょうわつ》　香光荘厳《こうこうしょうごん》　我本因地《がほんいんじ》以念仏心《いねんぶつしん》　入無生忍《にゅうむしょうにん》　今於此界《こんおしかい》　摂念仏人《しょうねんぶつにん》　帰於浄土《きおじょうど》」已上略出《いじょうりゃくしゅつ》

「勢至獲念仏円通《せいしぎゃくねんぶつえんずう》」というは、勢至菩薩《せいしぼさつ》、念仏《ねんぶつ》をえたまうともうすことなり。「③獲《ぎゃく》」というは、うるということばなり。うるというは、すなわち因位《いんに》のとき、さとりをうるという。念仏《ねんぶつ》を勢至菩薩《せいしぼさつ》さとりうるともうすなり。

「大勢至法王子《だいせいしほうおうじ》　与其同倫《よごどうりん》」というは、五十二菩薩《ごじゅうにぼさつ》と勢至《せいし》と、おなじきとも《（倫）》ともうす。法王子《ほうおうじ》と、その菩薩《ぼさつ》と、おなじきともともうすを、「与其同倫《よごどうりん》」というなり。「即従座起《そくじゅうざき》　頂礼仏足《ちょうらいぶっそく》　而白仏《にびゃくぶつ》言《ごん》」ともうすは、すなわち座《ざ》よりたち、仏《ぶつ》の御《み》あしを礼《らい》して仏《ぶつ》にもうしてもうさくとなり。「我憶往《がおくおう》昔《じゃく》」というは、われ、むかし、「恒河沙劫《ごうがしゃこう》」のかずのとしをおもうというこころなり。「有仏出世《うぶつしゅっせ》名無量光《みょうむりょうこう》」ともうすは、仏《ぶつ》、世《よ》にいでさせたまいしともうす御《み》ことばなり。世《よ》にいでさせたまいし

①閉…とずという
②昇…のぼるという
③獲…えたり

仏《ぶつ》は、阿弥陀如来《あみだにょらい》なりともうすなり。十二光仏《じゅうにこうぶつ》、十二度世《じゅうにどよ》にいでさせたまうを、「十二如来《じゅうににょらい》　①相継《そうけい》一劫《いっこう》」ともうすなり。十二如来《じゅうににょらい》ともうすは、すなわち阿弥陀如来《あみだにょらい》の十二光《じゅうにこう》の御名《みな》なり。「相継一劫《そうけいいっこう》」というは、十二光仏《じゅうにこうぶつ》の、十二度世《じゅうにどよ》にいでさせたまうを、あいつぐというなり。「其最後仏《ごさいごぶつ》　名《みょう》超《ちょう》日月光《にちがっこう》」ともうすは、十二光仏《じゅうにこうぶつ》の、世《よ》にいでさせたまいしおわりの仏《ぶつ》を、「超日月光仏《ちょうにちがっこうぶつ》」ともうすとなり。「彼仏教我《ひぶつきょうが》　念仏三昧《ねんぶつさんまい》」ともうすは、かの最後《さいご》の超日月光仏《ちょうにちがっこうぶつ》の、念仏三昧《ねんぶつさんまい》を勢至《せいし》にはおしえたまうとなり。「若衆生心《にゃくしゅじょうしん》　憶仏念仏《おくぶつねんぶつ》」というは、もし衆生《しゅじょう》、心《しん》に仏《ぶつ》を憶《おく》し、仏《ぶつ》を念《ねん》ずれば、「現前当来《げんぜんとうらい》　必定見仏《ひつじょうけんぶつ》　去仏不遠《こぶつふおん》　不仮方便《ふけほうべん》　自得心開《じとくしんかい》」というは、今生《こんじょう》にも仏《ぶつ》をみたてまつり、当来《とうらい》にもかならず仏《ぶつ》をみたてまつるべしとなり。仏《ぶつ》もとお《(遠)》ざからず、方便《ほうべん》をもか《(仮)》らず、自然《じねん》に心《しん》にさとりをうべしとなり。「如染香人《にょぜんこうにん》　身有香気《しんうこうけ》」というは、こうばしき気《け》、みにある人《ひと》のごとく、念仏《ねんぶつ》のこころ、もてる人《ひと》に、勢至《せいし》のこころをこうばしき人《ひと》にたとえもうすなり。このゆえに、「此則名曰《しそくみょうわっ》　②香光荘厳《こうこうしょうごん》」ともうすなり。勢至菩薩《せいしぼさつ》の御《おん》こころのうちに念仏《ねんぶつ》のこころをもてるを、「③染香人《ぜんこうにん》」にたとえもうすなり。かるがゆえに、勢至菩薩《せいしぼさつ》のたまわく、「我本因地《がほんいんじ》　以念仏心《いねんぶつしん》　入無生忍《にゅうむしょうにん》　今於此界《こんおしかい》　摂念仏人《しょうねんぶつにん》　帰於浄土《きおじょうど》」といえり。「我本因地《がほんいんじ》」というは、われもと因地《いんじ》にしてといえり。「以念仏《いねんぶつ》心《しん》」というは、念仏《ねんぶつ》の心《しん》をもってという。「入無生忍《にゅうむしょうにん》」というは、④無生忍《むしょうにん》にいるとなり。「今於此《こんおし》界《かい》」というは、いまこの娑婆界《しゃばかい》にしてというなり。「摂念仏人《しょうねんぶつにん》」というは、念仏《ねんぶつ》の人《ひと》を摂取《せっしゅ》してという。「帰於浄土《きおじょうど》」というは、念仏《ねんぶつ》の人《ひと》、おさめとりて浄土《じょうど》に帰《き》せしむとのたまえるなりと。

龍樹《りゅうじゅ》菩薩《ぼさつ》御銘文《ごめいもん》

『十住毘婆沙論《じゅうじゅうびばしゃろん》』に曰《い》わく（易行品）、34「人能念是仏《にんのうねんぜぶつ》　無量力功徳《むりょうりきくどく》　即時入必定《そくじにゅうひつじょう》　是故我常《ぜこがじょう》念《ねん》　若人願作仏《にゃくにんがんさぶつ》　心念阿弥陀《しんねんあみだ》　応時為現身《おうじいげんしん》　是故我帰命《ぜこがきみょう》」文《もん》

「人能念是仏《にんのうねんぜぶつ》　無量力功徳《むりょうりきくどく》」というは、ひとよくこの仏《ぶつ》の無量《むりょう》の功徳《くどく》を念《ねん》ずべしとなり。「即時《そくじ》入必定《にゅうひつじょう》」というは、信《しん》ずれば、すなわちのとき必定《ひつじょう》にいるとなり。必定《ひつじょう》にいるというは、まことに念《ねん》ずれば、かならず正定聚《しょうじょうじゅ》のくらいにさだまるとなり。「是故我常念《ぜこがじょうねん》」というは、われつねに念《ねん》ずるなり。「若人願作仏《にゃくにんがんさぶつ》」というは、もし人《ひと》、仏《ぶつ》にならんと願《がん》ぜば、「心念阿弥陀《しんねんあみだ》」という。心《しん》に阿《あ》弥陀《みだ》を念《ねん》ずべしとなり。念《ねん》ずれば、「応時為現身《おうじいげんしん》」とのたまえり。「応時《おうじ》」というは、ときにかなうというなり。「為現身《いげんしん》」ともうすは、信者《しんじゃ》のために如来《にょらい》のあらわれたまうなり。「是故我帰命《ぜこがきみょう》」というは、龍樹菩薩《りゅうじゅぼさつ》の、つねに阿弥陀如来《あみだにょらい》を帰命《きみょう》したてまつるとなり。

婆藪般豆菩薩《ばそばんずぼさつ》『論《ろん》』曰《わっ》（浄土論）35「世尊我一心《せそんがいっしん》　帰命尽十方《きみょうじんじっぽう》　無碍光如来《むげこうにょらい》　願生安楽国《がんしょうあんらくこく》

我依修多羅《がえしゅたら》　真実功徳相《しんじつくどくそう》　説願偈総持《せつがんげそうじ》　与仏教相応《よぶっきょうそうおう》

観彼世界相《かんぴせかいそう》　勝過三界道《しょうがさんがいどう》　究竟如虚空《くきょうにょこくう》　広大無辺際《こうだいむへんざい》」と。

①**相継**…あいつぐ
②**香光荘厳**…ねんぶつ（念仏）はちえ（智慧）なり
③**染香人**…こう（香）ばしきか（香）み（身）にそ（染）めるがごとしという
④**無生忍**…ふたい（不退）のくらいなり

又曰《またい》わく（浄土論）、[36]「観仏本願力《かんぶつほんがんりき》　遇無空過者《ぐうむくうかしゃ》　能令速満足《のうりょうそくまんぞく》　功徳大宝海《くどくだいほうかい》」

「婆藪般豆菩薩論曰《ばそばんずぼさつろんわっ》」というは、「婆藪般豆《ばそばんず》」は、天竺《てんじく》のことばなり。[37]晨旦《しんだん》には天親菩薩《てんじんぼさつ》ともうす。またいまは[38]いわく、世親菩薩《せしんぼさつ》ともうす。[39]旧訳《くやく》には天親《てんじん》、新訳《しんやく》には世親菩薩《せしんぼさつ》ともうす。「論曰《ろんわっ》」は、世親菩薩《せしんぼさつ》、弥陀《みだ》の本願《ほんがん》を釈《しゃく》し[40]あらわしたまえる御《み》ことを、「論《ろん》」というなり。「曰《わっ》」は、こころをあらわすことばなり。この論《ろん》をば『浄土論《じょうどろん》』という。また『往生論《おうじょうろん》』というなり。「世尊我一心《せそんがいっしん》」というは、「世尊《せそん》」は、釈迦如来《しゃかにょらい》なり。「我《が》」と[41]もうすは、世親菩薩《せしんぼさつ》の、わがみとのたまえるなり。「一心《いっしん》」というは、教主世尊《きょうしゅせそん》の[42]御《み》ことのりをふたごころなくうたがいなしとなり。すなわちこれまことの信心《しんじん》なり。「帰命尽十方無碍光如来《きみょうじんじっぽうむげこうにょらい》」ともうすは、「帰命《きみょう》」は、南無《なむ》なり。[43]また「帰命《きみょう》」ともうすは、如来《にょらい》の勅命《ちょくめい》に[44]したがうこころなり。「尽十方無碍光如来《じんじっぽうむげこうにょらい》」ともうすは、すなわち阿弥陀如来《あみだにょらい》なり。この如来《にょらい》は光明《こうみょう》なり。「尽十方《じんじっぽう》」というは、「尽《じん》」は、つくすという、ことごとくという。十方世界《じっぽうせかい》をつくして、ことごとくみちたまえるなり。「無碍《むげ》」というは、さわることなしとなり。[45]さわることなしともうすは、衆生《しゅじょう》の煩悩悪業《ぼんのうあくごう》にさえられざるなり。「光如来《こうにょらい》」ともうすは、阿弥陀仏《あみだぶつ》なり。この如来《にょらい》はすなわち不可思議光仏《ふかしぎこうぶつ》ともうす。この如来《にょらい》は智慧《ちえ》の[46]かたちなり。十方微塵刹土《じっぽうみじんせつど》にみち[47]たまえるなりとしるべしとなり。「願生安楽国《がんしょうあんらくこく》」というは、世親菩薩《せしんぼさつ》、かの無碍光《むげこう》[48]仏《ぶつ》を称念《しょうねん》し信《しん》じて安楽国《あんらくこく》にうまれんとねがいたまえるなり。「我依修多羅《がえしゅたら》　真実功徳相《しんじつくどくそう》」というは、「我《が》」は、天親論主《てんじんろんじゅ》の、われとなのりたまえる御《み》ことばなり。「依《え》」は、よるという、修多羅《しゅたら》によるとなり。「修多羅《しゅたら》」は、天竺《てんじく》のことば、仏《ぶつ》の経典《きょうでん》をもうすなり。仏教《ぶっきょう》に大乗《だいじょう》あり、また小乗《しょうじょう》あり。みな「修多羅《しゅたら》」ともうす。いま「修多羅《しゅたら》」ともうすは、大乗《だいじょう》なり。小乗《しょうじょう》にはあらず。いまの三部《さんぶ》の経典《きょうでん》は大乗修多《だいじょうしゅた》羅《ら》なり。この三部大乗《さんぶだいじょう》によるとなり。「真実功徳相《しんじつくどくそう》」という[49]は、「真実功徳《しんじつくどく》」は、誓願《せいがん》の尊号《そんごう》なり。[50]「相《そう》」は、かたちということばなり。「説願偈総持《せつがんげそうじ》」というは、本願《ほんがん》のこころをあらわすことばを、「偈《げ》」というなり。「総持《そうじ》」というは、智慧《ちえ》なり。無碍光《むげこう》の[51]智慧《ちえ》を、「[52]総持《そうじ》」ともうすなり。「与仏《よぶっ》教相応《きょうそうおう》」というは、この『[53]浄土論《じょうどろん》』のこころは、釈尊《しゃくそん》の教勅《きょうちょく》、弥陀《みだ》の誓願《せいがん》にあいかなえりとなり。「観彼世界相《かんぴせかいそう》　勝過三界道《しょうがさんがいどう》」というは、かの安楽世界《あんらくせかい》をみそなわすに、ほとりきわなきこと、虚《こ》空《くう》のごとし、ひろくおおきなること、虚空《こくう》のごとしと[54]たとえたるなり。

「観仏本願力《かんぶつほんがんりき》　遇無空過者《ぐうむくうかしゃ》」というは、如来《にょらい》の本願力《ほんがんりき》をみそなわすに、願力《がんりき》を信《しん》ずるひとは、むなしくここにとどまらずとなり。「能令速満足《のうりょうそくまんぞく》　功徳大宝海《くどくだいほうかい》」というは、「能《のう》」はよしという、「令《りょう》」はせしむという、「速《そく》」はすみやかにとし（疾）という。よく本願力《ほんがんりき》を信楽《しんぎょう》する人《ひと》は、すみやかにとく、功《く》徳《どく》の大宝海《だいほうかい》を、[55]信《しん》ずる人《ひと》の、そのみに満足《まんぞく》せしむるなり。如来《にょらい》の功徳《くどく》のきわなくひろく[56]おおきに、へだてなきことを、大海《だいかい》のみずの[57]へだてなくみちみてるがごとしと、たとえ[58]たてまつるなり。

①斉朝《せいちょう》の曇鸞和尚《どんらんかしょう》の真像《しんぞう》の銘文《めいもん》

①斉朝…よ（世）のな（名）なり

59「釈《しゃく》曇鸞法師《どんらんほっし》者《しゃ》 幷州汶水県人也《へいしゅうぼっしいけんじんや》 魏末高斉之初猶在《ぎまつこうせいししょゆざい》 神智高遠《じんちこうえん》 三国知聞《さんごくちもん》 洞暁衆経《とうきょうしゅきょう》 独《どく》出人外《しゅつじんがい》 梁国天子蕭王《りょうこくてんしそうおう》 恒向北礼鸞菩薩《ごうこうほくらいらんぼさつ》 註解往生論《ちゅうげおうじょうろん》①裁成両巻《さいじょうりょうかん》 事出釈迦才三巻浄土《じしゅつしゃくかさいさんかんじょうど》論也《ろんや》〈釈《しゃく》の曇鸞法師《どんらんほっし》は幷州汶水県《へいしゅうぼっしいけん》の人《ひと》なり。魏《ぎ》の末《すえ》、高斉《こうせい》の初《はじめ》、猶在《なおいま》しき。神智高遠《じんちこうえん》にして三国《さんごく》に知聞《ちもん》す。洞《あき》らかに衆経《しゅきょう》を暁《さと》ること、独《ひと》り人外《じんがい》に出《い》でたり。梁国《りょうこく》の天子蕭王《てんしそうおう》、恒《つね》に北《きた》に向《む》かいて鸞菩薩《らんぼさつ》と礼《らい》す。『往生論《おうじょうろん》』を註解《ちゅうげ》して両巻《りょうかん》に裁《ことわ》り成《な》す。事《こと》、釈《しゃく》の迦才《かさい》の三巻《さんかん》の『浄《じょう》土論《どろん》』に出《い》でたるなり〉」文《もん》

「釈《しゃく》の曇鸞法師《どんらんほっし》は幷州《へいしゅう》の汶水県《ぼっしいけん》の人《ひと》なり。」「幷州《へいしゅう》」は、くにのなり。「汶水県《ぼっしいけん》」は、ところのなり。②「魏《ぎ》の末《すえ》、60③高斉《こうせい》の初《はじめ》、猶在《なおいま》す」というは、「魏末《ぎまつ》」というは、晨旦《しんだん》の世《よ》のななり。「末《まつ》」は、すえというなり。魏《ぎ》の世《よ》のすえとなり。「高斉之初《こうせいししょ》」は、斉《せい》という世《よ》のはじめというなり。「猶在《ゆざい》」は、魏《ぎ》と斉《せい》との世《よ》に、なおいましきというなり。「神智高遠《じんちこうおん》61」というは、和尚《かしょう》の智慧《ちえ》すぐれていましけりとなり。「三国知聞《さんごくちもん》」というは、「三国《さんごく》」は、魏《ぎ》と斉《せい》と梁《りょう》と、このみつの世《よ》におわせしとなり。「知《ち》聞《もん》」というは、みつの世《よ》にしられきこえたまいきとなり。「洞暁衆経《とうきょうしゅきょう》」というは、あきらかによろずの経典《きょうでん》をさとりたまうとなり。「独出人外《どくしゅつじんがい》」というは、よろずの人《ひと》にすぐれたりとなり。「梁国《りょうこく》の天子《てんし》」というは、梁《りょう》の世《よ》の王《おう》というなり。蕭王《そうおう》のななり。「恒向北礼《ごうこうほくらい》〈恒《つね》に北《きた》に向《む》こうて礼《らい》したてまつる〉」というは、梁《りょう》の王《おう》、つねに、曇鸞《どんらん》の北《きた》のかたにましましけるを、菩薩《ぼさつ》と礼《らい》したてまつりたまいけるなり。「註解往生論《ちゅうげおうじょうろん》」というは、この『浄土論《じょうどろん》』をくわしゅう釈《しゃく》したまうを、『註論《ちゅうろん》』

ともうす論《ろん》をつくりたまえるなり。「裁成両巻《さいじょうりょうかん》」というは、『註論《ちゅうろん》』は二巻《にかん》になしたまうなり。「釈《しゃく》の迦才《かさい》の三巻《さんかん》の浄土論《じょうどろん》」というは、「釈《しゃく》の迦才《かさい》」ともうすは、「釈《しゃく》」というは、釈尊《しゃくそん》の御弟子《みでし》とあらわすことばなり。「迦才《かさい》」は、浄土宗《じょうどしゅう》の祖師《そし》なり。智者《ちしゃ》にておわせし人《ひと》なり。かの聖人《しょうにん》の、三巻《さんかん》の『浄土論《じょうどろん》』をつくりたまえるに、この曇鸞《どんらん》の御《み》こと（事）はあらわせりとなり。

[62]唐朝光明寺《とうちょうこうみょうじ》の善導和尚《ぜんどうかしょう》の[63]真像《しんぞう》の銘文《めいもん》

「智栄讃善導別徳云《ちようさんぜんどうべっとくうん》　善導阿弥陀仏化身《ぜんどうあみだぶつけしん》　称仏六字《しょうぶつろくじ》　即嘆仏《そくたんぶつ》　即懴悔《そくさんげ》　即発願回向《そくほつがんえこう》　一切善根《いっさいぜんごん》荘厳浄土《しょうごんじょうど》〈智栄《ちよう》、善導《ぜんどう》の別徳《べっとく》を讃《ほ》めたまうて云《い》わく、「善導《ぜんどう》は阿弥陀仏《あみだぶつ》の化身《けしん》なり。仏《ぶつ》の六字《ろくじ》を称《しょう》せば、即《すなわ》ち仏《ぶつ》を嘆《たん》ずるなり、即《すなわ》ち懴悔《さんげ》するなり、即《すなわ》ち発願回向《ほつがんえこう》なり。一切善根《いっさいぜんごん》、浄土《じょうど》を荘厳《しょうごん》するなり」〉文《もん》

「智栄《ちよう》」ともうすは、震旦《しんだん》の聖人《しょうにん》なり。善導《ぜんどう》の別徳《べっとく》をほめたまうていわく、「善導《ぜんどう》は阿弥陀仏《あみだぶつ》の化《け》身《しん》なり」とのたまえり。「称仏六字《しょうぶつろくじ》」というは、南無阿弥陀仏《なむあみだぶつ》の六字《ろくじ》をとなうるとなり。「即嘆仏《そくたんぶつ》」というは、すなわち南無阿弥陀仏《なむあみだぶつ》をとなうるは、[64]仏《ぶつ》をほめたてまつるになるとなり。また「即懴悔《そくさんげ》」というは、南無阿弥陀仏《なむあみだぶつ》をとなうるは、すなわち無始《むし》よりこのかたの罪業《ざいごう》を懴悔《さんげ》するになるともうすなり。「即発願回向《そくほつがんえこう》」というは、南無阿弥陀仏《なむあみだぶつ》をとなうるは、すなわち安楽浄土《あんらくじょうど》に往生《おうじょう》せんとおも

①裁成…のせ　なせり
②魏の末…よ（世）のな（名）なり
③高斉…よ（世）のな（名）なり

うに[65]なるなり。また一切衆生《いっさいしゅじょう》にこの功徳《くどく》をあたうるになるとなり。「一切善根《いっさいぜんごん》荘厳浄土《しょうごんじょうど》」というは、阿弥陀《あみだ》の三字《さんじ》に一切善根《いっさいぜんごん》をおさめたまえるゆえに、名号《みょうごう》を[66]となうるは、すなわち浄土《じょうど》を荘《しょう》厳《ごん》するになるとしるべしと[67]なりと。智栄禅師《ちようぜんじ》、善導《ぜんどう》をほめたまえるなり。

善導和尚《ぜんどうかしょう》の[68]云《い》わく（玄義分）、[69]「言南無者《ごんなむしゃ》　即是帰命《そくぜきみょう》　亦是発願回向之義《やくぜほつがんえこうしぎ》　言阿弥陀仏者《ごんあみだぶつしゃ》　即《そく》是其行《ぜごぎょう》　以斯義故《いしぎこ》　必得往生《ひっとくおうじょう》」文《もん》

「言南無者《ごんなむしゃ》」というは、[70]すなわち「帰命《きみょう》」ともうす[71]みことばなり。「帰命《きみょう》」は、すなわち釈迦《しゃか》・弥陀《みだ》の二尊《にそん》の勅命《ちょくめい》に[72]したがいて、めしにかなうともうすことばなり。このゆえに「即是帰命《そくぜきみょう》」とのたまえり。「亦是発願回向之義《やくぜほつがんえこうしぎ》」というは、二尊《にそん》のめしにしたごうて、安楽浄土《あんらくじょうど》にうまれんとねがうこころなりとのたまえるなり。「言阿弥陀仏者《ごんあみだぶつしゃ》」と[73]もうすは、「即是其行《そくぜごぎょう》」と[74]なり。「即是其行《そくぜごぎょう》」は、これすなわち法蔵菩薩《ほうぞうぼさつ》の[75]選択本願《せんじゃくほんがん》なり[76]としるべしとなり。安養浄土《あんにょうじょうど》の正定《しょうじょう》の業因《ごういん》なりとのたまえるこころなり。「以斯義故《いしぎこ》」というは、[77]正定《しょうじょう》の因《いん》なる、この義《ぎ》をもってのゆえに、といえる[78]御《おん》こころなり。[79]「必《ひつ》」は、かならずという。「得《とく》」は、えしむという。「往生《おうじょう》」というは、浄土《じょうど》にうまるというなり。かならずというは、[80]自然《じねん》に往生《おうじょう》をえしむとなり。自然《じねん》[81]というは、はじめて[82]はからわざるこころなり。

又曰《またい》わく（観念法門）、[83]「言摂生増上縁者《ごんせっしょうぞうじょうえんしゃ》　如無量寿経《にょむりょうじゅきょう》　四十八願中説《しじゅうはちがんちゅうせつ》　仏言若我成仏《ぶつごんにゃくがじょうぶつ》　十方衆生《じっぽうしゅじょう》　願生我国《がんしょうがこく》　称我名字《しょうがみょうじ》　下至十声《げしじっしょう》　乗我願力《じょうががんりき》　若不生者《にゃくふしょうじゃ》　不取正覚《ふしゅしょうがく》　此即是《しそくぜ》

　願往生行人《がんおうじょうぎょうにん》　命欲終時《みょうよくじゅうじ》　願力摂得往生《がんりきしょうとくおうじょう》　故名摂生増上縁《こみょうせっしょうぞうじょうえん》文《もん》

「言摂生増上縁者《ごんせっしょうぞうじょうえんしゃ》」というは、「摂生《せっしょう》」は、十方衆生《じっぽうしゅじょう》を誓願《せいがん》におさめ[84]とらせたまうともうすこころなり。「如無量寿経《にょむりょうじゅきょう》　四十八願中説《しじゅうはちがんちゅうせつ》」というは、如来《にょらい》の本願《ほんがん》をときたまえる[85]釈迦《しゃか》の御《み》のりなりとしるべしとなり。「若我成仏《にゃくがじょうぶつ》」ともうすは、法蔵菩薩《ほうぞうぼさつ》ちかいたまわく、もしわれ[86]仏《ぶつ》をえたらんにと、ときたまう。「十方衆生《じっぽうしゅじょう》」というは、十方《じっぽう》のよろずの衆生《しゅじょう》なり。すなわちわれらなり。「願生我国《がんしょうがこく》」というは、[87]安楽浄刹《あんらくじょうせつ》にうまれんとねがえとなり。「称我名字《しょうがみょうじ》」というは、われ[88]仏《ぶつ》をえんに、わがなをとなえられんとなり。「下至十声《げしじっしょう》」というは、名字《みょうじ》をとなえられんこと、しも、とこえ（十声）せんものとなり。「下至《げし》」というは、十声《じっしょう》にあまれるもの[89]も、聞名《もんみょう》のものをも、往生《おうじょう》にもらさず、きらわぬことをあらわししめすとなり。「乗我願力《じょうががんりき》」というは、「乗《じょう》」は、のるべしという、また[90]智《ち》なり。智《ち》というは、願力《がんりき》にのせたまうと[91]しるべしとなり。願力《がんりき》に[92]乗《じょう》じて[93]安楽浄刹《あんらくじょうせつ》に[94]うまれんとしるなり。「若不生者《にゃくふしょうじゃ》　不取正覚《ふしゅしょうがく》」というは、ちかいを信《しん》じたる[95]人《ひと》、もし本願《ほんがん》の実報土《じっぽうど》にうまれずは、仏《ぶつ》にならじとちかいたまえるみのりなり。「此即是願往生行人《しそくぜがんおうじょうぎょうにん》」というは、これすなわち往生《おうじょう》をねがう人《ひと》と[96]いう。「命欲終時《みょうよくじゅうじ》」というは、いのちおわらんとせんときという。「願力摂得往生《がんりきしょうとくおうじょう》」というは、大願業力摂取《だいがんごうりきせっしゅ》して往生《おうじょう》をえしむといえるこころなり。すでに[97]尋常《じんじょう》①のとき、

①尋常…つねのときなり

信楽《しんぎょう》をえたる人《ひと》[98]というなり。臨終《りんじゅう》のとき、はじめて[99]信楽決定《しんぎょうけつじょう》して摂取《せっしゅ》にあずかる[100]ものにはあらず。ひごろ、かの心光《しんこう》に[101]摂護《しょうご》せられまいらせたる[102]ゆえに、金剛心《こんごうしん》をえたる人《ひと》[103]は正定聚《しょうじょうじゅ》に住《じゅう》するゆえに、臨終《りんじゅう》のときにあらず。かねて[104]尋常《じんじょう》のときより、つねに[105]摂護《しょうご》してすてたまわざれば、「摂得往生《しょうとくおうじょう》」ともうすなり。このゆえに「摂生増上縁《せっしょうぞうじょうえん》」となづくるなり。また、まことに尋常《じんじょう》のときより信《しん》なからん人《ひと》は、ひごろの称念《しょうねん》の功《こう》によりて、最後臨終《さいごりんじゅう》のとき、はじめて善知識《ぜんじしき》のすすめにおうて、信心《しんじん》をえんとき、願力摂《がんりきせっ》して往生《おうじょう》をうるものもあるべしとなり。臨終《りんじゅう》の来迎《らいこう》をまつものは、[106]いまだ信心《しんじん》をえぬものなれば、臨終《りんじゅう》をこころにかけてなげくなり。

又曰《またい》わく（観念法門）、[107]「言護念増上縁者《ごんごねんぞうじょうえんしゃ》　乃至《ないし》　但有専念《たんうせんねん》　阿弥陀仏衆生《あみだぶつしゅじょう》　彼仏心光《ひぶつしんこう》　常照是人《じょうしょうぜにん》
摂護不捨《しょうごふしゃ》　総不論照摂《そうふろんしょうしょう》　余雑業行者《よぞうごうぎょうじゃ》〈余《よ》の雑業《ぞうごう》の行者《ぎょうじゃ》を照《て》らし摂《おさ》むと論《い》わず〉此亦是現生《しやくぜげんしょう》
護念増上縁《ごねんぞうじょうえん》」文《もん》

「言護念増上縁者《ごんごねんぞうじょうえんしゃ》」というは、まことの[108]心《しん》をえたる人《ひと》を、このよにて、つねにまもりたまうともうす[109]ことばなり。「但有専念《たんうせんねん》　阿弥陀仏衆生《あみだぶつしゅじょう》」というは、ひとすじにふたごころなく弥陀仏《みだぶつ》を念《ねん》じたてまつるともうすなり。「彼仏心光《ひぶつしんこう》　常照是人《じょうしょうぜにん》」というは、「彼《ひ》」は、かのという、「仏心光《ぶつしんこう》」は、無碍光仏《むげこうぶつ》の御《おん》こころともうすなり。「常照《じょうしょう》」は、つねにてらすともうす。つねにというは、ときをきらわず、日《ひ》をへだてず、ところをわかず、まことの信心《しんじん》ある人《ひと》をば、つねにてらしたまうとなり。てらすというは、かの[110]仏心《ぶっしん》の、おさめとりたまうとなり。「仏心光《ぶつしんこう》」は、すなわち阿弥陀仏《あみだぶつ》の御《おん》ここ

ろにおさめたまうとしるべし。「是人《ぜにん》」は、信心《しんじん》をえたる人《ひと》なり。つねにまもりたまうともうすは、天魔波旬《てんまはじゅん》にやぶられず、悪鬼悪神《あっきあくじん》にみだられず。[111]摂護不捨《しょうごふしゃ》したまうゆえなり。「摂護不捨《しょうごふしゃ》」というは、おさめまもりてすてずとなり。「総不論照摂《そうふろんしょうしょう》　余雑業行者《よぞうごうぎょうじゃ》」というは、「総《そう》」は、すべてという、みなという。[112]雑行雑修《ぞうぎょうざっしゅ》の人《ひと》をば、すべてみな[113]てらしおさめまもりたまわずとなり。てらしまもりたまわずともうすは、摂取不捨《せっしゅふしゃ》の利益《りやく》にあずからずとなり。本願《ほんがん》の行者《ぎょうじゃ》にあらざるゆえなりとしるべし。しかれば、「摂護不捨《しょうごふしゃ》」と釈《しゃく》したまわず。「現生護念増上縁《げんしょうごねんぞうじょうえん》」というは、このよにて、[114]まことの信《しん》ある人《ひと》をまもりたまうともうすみことなり。「増上縁《ぞうじょうえん》」は、すぐれたる強縁《ごうえん》[115]となり。

皇太子聖徳《こうたいししょうとく》の御銘文《ごめいもん》

『御縁起《ごえんぎ》』に曰《い》わく、[116]「百済国聖明王太子阿佐《はくさいこくせいめいおうたいしあさ》、礼《らい》して曰《もう》さく、「敬礼救世大慈観音菩薩《きょうらいくせだいじかんのんぼさつ》　妙教流通東方日本国《みょうきょうるずうとうほうにっぽんこく》　四十九歳伝燈演説《しじゅうくさいでんとうえんぜつ》」」文《もん》

[117]「新羅国《しんらこく》の聖人日羅《しょうにんにちら》、礼《らい》して曰《もう》さく、「敬礼救世観音大菩薩《きょうらいくせかんのんだいぼさつ》　伝燈東方粟散王《でんとうとうほうぞくさんおう》」」文《もん》

「御縁起曰《ごえんぎわっ》」というは、聖徳太子《しょうとくたいし》の御縁起《ごえんぎ》なり。「百済国《はくさいこく》」というは、聖徳太子《しょうとくたいし》、さきの世《よ》にうまれさせたまいたりけるくにの名《な》なり。「聖明王《せいめいおう》」というは、百済国《はくさいこく》に、太子《たいし》の、わたらせたまいたりけるときの、そのくにの王《おう》の名《な》なり。「太子阿佐《たいしあさ》[118]礼曰《らいわっ》」というは、聖明王《せいめいおう》の太子《たいし》のななり。聖徳太子《しょうとくたいし》をこいしたいかなしみまいらせて、御《おん》かたちを金銅《こんどう》にて、い(鋳)まいらせたりけるを、この和国《わこく》に聖徳太子《しょうとくたいし》うまれてわたらせたまうとききまいらせて、聖明王《せいめいおう》、わがこの阿佐太子《あさたいし》を勅使《ちょくし》として、金銅《こんどう》

の救世観音《くせかんのん》の像《ぞう》をおくりまいらせしとき、礼《らい》しまいらすとして誦《じゅ》せる文《もん》なり。「敬礼救世大慈観音菩薩《きょうらいくせだいじかんのんぼさつ》」ともうしけり。「妙教流通東方日本国《みょうきょうるずうとうぼうにっぽんこく》」ともうすは、上宮太子《じょうぐうたいし》、仏法《ぶっぽう》をこの和国《わこく》につたえひろめおわしますとなり。「四十九歳《しじゅうくさい》」というは、上宮太子《じょうぐうたいし》は四十九歳《しじゅうくさい》までぞ、この和国《わこく》にわたらせたまわんずると、阿佐太子《あさたいし》もうしけり。おくられたまえる金銅《こんどう》の救世菩薩《くせぼさつ》は天王寺《てんのうじ》の金堂《こんどう》にわたらせたまうなり。「伝燈演説《でんとうえんぜつ》」というは、「伝燈《でんとう》」は、仏法《ぶっぽう》をともしびにたとえたるなり。「演説《えんぜつ》」は、上宮太子《じょうぐうたいし》、仏教《ぶっきょう》をときひろめましますべしと、阿佐太子《あさたいし》もうしけり。

又《また》、新羅国《しんらこく》より上宮太子《じょうぐうたいし》をこいしたいまいらせて、日羅《にちら》ともうす聖人《しょうにん》きたりて、聖徳太子《しょうとくたいし》を礼《らい》したてまつりてもうさく、「敬礼救世観音大菩薩《きょうらいくせかんのんだいぼさつ》」ともうすは、聖徳太子《しょうとくたいし》は救世観音《くせかんのん》にておわしますと礼《らい》しまいらせけり。「伝燈東方《でんとうとうぼう》」ともうすは、仏法《ぶっぽう》をともしびにたとえて、「東方《とうぼう》」ともうすは、この和国《わこく》に仏教《ぶっきょう》のともしびをつたえおわしますと、日羅《にちら》もうしけり。「粟散王《ぞくさんおう》」ともうすは、このくには、きわめて小国《しょうこく》なりという。「粟散《ぞくさん》」というは、あわつぶをちらせるがごとくちいさきくにの王《おう》と、聖徳太子《しょうとくたいし》の、ならせたまいたるともうしけるなりと。

尊号真像銘文《そんごうのしんぞうのめいもん》　末

首楞厳院源信和尚《しゅりょうごんいんげんしんかしょう》[119]の銘文《めいもん》

[120]「我亦在彼摂取之中《がやくざいひせっしゅしちゅう》　煩悩障眼雖不能見《ぼんのうしょうげんすいふのうけん》　大悲無倦常照我身《だいひむけんじょうしょうがしん》」（往生要集）文《もん》

「我亦在彼摂取之中《がやくざいひせっしゅしちゅう》」というは、われまたかの摂取《せっしゅ》のなかにありとのたまえるなり。「煩悩障眼《ぼんのうしょうげん》」というは、われら煩悩《ぼんのう》にまなこさえらるとなり。「雖不能見《すいふのうけん》」というは、煩悩《ぼんのう》のまなこにて仏《ぶつ》をみたてまつることあたわずといえどもというなり。「大悲無倦《だいひむけん》」というは、大慈大悲《だいじだいひ》の御《おん》めぐみ、ものうきことましまさずともうすなり。「常照我身《じょうしょうがしん》」というは、「常《じょう》」は、つねにという。「照《しょう》」は、[121]てらしたまうという。無碍《むげ》の光明《こうみょう》、信心《しんじん》の人《ひと》を、つねにてらしたまうとなり。つねにてらすというは、つねにまもりたまうとなり。「我身《がしん》」は、わがみを、大慈《だいじ》[122]大悲《だいひ》ものうきこと[123]なくして、つねにまもりたまうとおもえとなり。摂取不捨《せっしゅふしゃ》の[124]御《おん》めぐみのこころをあらわし[125]たまうなり。[126]「念仏衆生《ねんぶつしゅじょう》　摂《せっ》取不捨《しゅふしゃ》」（観経）の[127]こころを釈《しゃく》したまえるなり[128]としるべしとなり。

日本源空聖人《にっぽんげんくうしょうにん》の[129]真影《しんえい》

「四明山権律師劉官讃《しめいざんごんりっしりゅうかんさん》　普勧道俗《ふかんどうぞく》　念弥陀仏《ねんみだぶつ》　能念皆見《のうねんかいけん》　化仏菩薩《けぶつぼさつ》　明知称名《みょうちしょうみょう》　往生要《おうじょうよう》術《じゅつ》　宜哉源空《ぎさいげんくう》　慕道化物《ぼどうけもつ》　信珠在心《しんじゅざいしん》　心照迷境《しんしょうめいきょう》　疑雲永晴《ぎうんようじょう》　仏光円頂《ぶっこうえんちょう》　建暦壬申三月一《けんりゃくじんしんさんがつつい》

日《たち》」

「普勧道俗《ふかんどうぞく》　念弥陀仏《ねんみだぶつ》」というは、「普勧《ふかん》」は、あまねくすすむとなり。「道俗《どうぞく》」は、「道《どう》」にふたりあり、「俗《ぞく》」にふたりあり。「道《どう》」のふたりは、一《ひとつ》には僧《そう》、二《ふたつ》には比丘尼《びくに》なり。「俗《ぞく》」に[130]ふたり、一《ひとつ》には[131]仏法《ぶっぽう》を信《しん》じ行《ぎょう》ずる[132]男《おとこ》なり、二《ふたつ》には[133]仏法《ぶっぽう》を信《しん》じ行《ぎょう》ずる[134]女《おんな》なり。「念弥陀仏《ねんみだぶつ》」ともうすは、尊号《そんごう》を称念《しょうねん》する[135]となり。「能念皆見《のうねんかいけん》　化仏菩薩《けぶつぼさつ》」ともうすは、「能念《のうねん》」は、よく[136]名号《みょうごう》を念《ねん》ず[137]となり。よく念《ねん》ずと[138]もうすは、ふかく信《しん》ずるなり。「皆見《かいけん》」というは、化仏菩薩《けぶつぼさつ》をみんとおもう人《ひと》は、みなみたてまつる[139]なり。「化仏菩薩《けぶつぼさつ》」ともうすは、弥陀《みだ》の化仏《けぶつ》、観音勢至《かんのんせいし》等《とう》の聖衆《しょうじゅ》なり。「明知称名《みょうちしょうみょう》」ともうすは、あきらかにしりぬ、仏《ぶつ》のみなをとなうれば、「往生《おうじょう》す」ということを、「要術《ようじゅつ》[140]とす」という。往生《おうじょう》の要《よう》には如来《にょらい》のみなをとなうるにすぎたる[141]ことはなしとなり。「宜哉源空《ぎさいげんくう》」ともうすは、「宜哉《ぎさい》」は、よしというなり。「源空《げんくう》」は、聖人《しょうにん》の[142]御名《ごみょう》なり。「慕道化物《ぼどうけもつ》」というは、「慕道《ぼどう》」は、無上道《むじょうどう》をねがいしたう[143]べしとなり。「化物《けもつ》」というは、[144]「物《もつ》」というは、衆生《しゅじょう》なり。「化《け》」は、よろずのものを利益《りやく》すとなり。「信珠在心《しんじゅざいしん》」というは、金剛《こんごう》の信心《しんじん》をめでたきたまにたとえたまう。信心《しんじん》のたまをこころにえたる人《ひと》は、生死《しょうじ》のやみにまどわざるゆえに、「心照迷境《しんしょうめいきょう》」というなり。[145]信心《しんじん》のたまをもって愚痴《ぐち》のやみをはらい、あきらかにてらすとなり。「疑雲永晴《ぎうんようじょう》」というは、「疑雲《ぎうん》」は、願力《がんりき》をうたがう[146]こころを、くもにたとえたるなり。[147]「永晴《ようじょう》」というは、うたがうこころのくもをながくはらしぬれば、安楽浄土《あんらくじょうど》へかならずうまるるなり。無碍光仏《むげこうぶつ》の、摂取不捨《せっしゅふしゃ》の心光《しんこう》をもって、信心《しんじん》をえたる人《ひと》を、つねにてらし[148]まもりたまうゆえに、「仏光円頂《ぶっこうえんちょう》」といえり。「仏光円頂《ぶっこうえんちょう》」というは、仏心《ぶっしん》[149]をして、あきらかに信心《しんじん》の人《ひと》のいただきを、つねにてらしたまうとほめ[150]たまいたるなり。

[151]これは摂取《せっしゅ》したまうゆえなりとしるべし。

[152]比叡山延暦寺宝幢院黒谷源空聖人《ひえいざんえんりゃくじほうどういんくろだにげんくうしょうにん》の真像《しんぞう》

『選択本願念仏集《せんじゃくほんがんねんぶつしゅう》』に云《い》わく、[153]「南無阿弥陀仏《なむあみだぶつ》　往生之業《おうじょうしごう》　念仏為本《ねんぶついほん》」文《もん》

又曰《またい》わく（選択集）、[154]「夫速欲離生死《ふそくよくりしょうじ》　二種勝法中《にしゅしょうぼうちゅう》　[155]且閣聖道門《しゃかくしょうどうもん》　選入浄土門《せんにゅうじょうどもん》　欲入浄土門《よくにゅうじょうどもん》　正雑二行中《しょうぞうにぎょうちゅう》　且抛諸雑行《しゃほうしょぞうぎょう》　選応帰正行《せんおうきしょうぎょう》　欲修於正行《よくしゅおしょうぎょう》　正助二業中《しょうじょにごうちゅう》　猶傍於助業《ゆほうおじょごう》　選応専正定《せんおうせんしょうじょう》　正定之業者《しょうじょうしごうしゃ》　即是称仏名《そくぜしょうぶつみょう》　称名必得生《しょうみょうひっとくしょう》　依仏本願故《えぶつほんがんこ》」文《もん》

又曰《またい》わく（同）、[156]「当知生死之家《とうちしょうじしけ》　以疑為所止《いぎいしょし》　涅槃之城《ねはんしじょう》　以信為能入《いしんいのうにゅう》」文《もん》

[157]『選択本願念仏集《せんじゃくほんがんねんぶつしゅう》』というは、聖人《しょうにん》の御製作《ごせいさく》なり。「南無阿弥陀仏《なむあみだぶつ》　往生之業《おうじょうしごう》　念仏為本《ねんぶついほん》」というは、安養《あんにょう》[158]浄土《じょうど》の往生《おうじょう》の正因《しょういん》は、念仏《ねんぶつ》を本《ほん》とすともうす御《み》ことなり[159]としるべし。正因《しょういん》というは、[160]浄土《じょうど》にうまれて仏《ぶつ》にかならずなるたねともうすなり。

またいわく、「夫速欲離生死《ふそくよくりしょうじ》」というは、それ、すみやかにとく（疾）生死《しょうじ》をはなれんとおもえと[161]なり。「二種勝法中《にしゅしょうぼうちゅう》　且閣聖道門《しゃかくしょうどうもん》」というは、「二種勝法《にしゅしょうぼう》」は、聖道《しょうどう》・浄土《じょうど》の二門《にもん》なり。「且閣聖道門《しゃかくしょうどうもん》」は、「且閣《しゃかく》」は、しばらくさしおけとなり。しばらく聖道門《しょうどうもん》をさしおくべしとなり。「選入浄土門《せんにゅうじょうどもん》」というは、「選入《せんにゅう》」は、えらびていれとなり。よろずの善法《ぜんぼう》のなかに、えらびて浄土門《じょうどもん》にい

るべしとなり。「欲入浄土門《よくにゅうじょうどもん》」というは、浄土門《じょうどもん》にいらんとおもわばというなり。「正雑二行中《しょうぞうにぎょうちゅう》　且抛諸雑行《しゃほうしょぞうぎょう》」というは、正《しょう》・雑二行《ぞうにぎょう》ふたつのなかに、しばらくもろもろの雑行《ぞうぎょう》をなげすて、さしおくべしとなり。「選応帰正行《せんおうきしょうぎょう》」というは、えらびて正行《しょうぎょう》に帰《き》すべしとなり。「欲修於正行《よくしゅおしょうぎょう》　正助二業中《しょうじょにごうちゅう》　猶傍於助業《ゆほうおじょごう》」というは、正行《しょうぎょう》を修《しゅ》せんとおもわば、正行《しょうぎょう》・助業《じょごう》ふたつのなかに、助業《じょごう》をさしおくべしとなり。「選応専正定《せんおうせんしょうじょう》」というは、えらびて正定《しょうじょう》の業《ごう》をふたごころなく修《しゅ》すべしとなり。「正定之業者《しょうじょうしごうしゃ》　即是称仏名《そくぜしょうぶつみょう》」というは、正定《しょうじょう》の業因《ごういん》は、すなわちこれ仏名《ぶつみょう》を[162]となうるなり。正定《しょうじょう》の因《いん》というは、かならず無上涅槃《むじょうねはん》のさとりをひらくたねともうすなり。「称名《しょうみょう》　必得生《ひっとくしょう》　依仏本願故《えぶつほんがんこ》」というは、[163]御名《みな》を称《しょう》するは、かならず[164]安楽浄土《あんらくじょうど》に往生《おうじょう》をうるなり。仏《ぶつ》の本願《ほんがん》によるがゆえなりとのたまえり。

またいわく、「当知生死之家《とうちしょうじしけ》」というは、[165]「当知《とうち》」は、まさにしるべし[166]となり。「生死之家《しょうじしけ》」は、生死《しょうじ》のいえというなり。「以疑為所止《いぎいしょし》」というは、大願《だいがん》[167]業力《ごうりき》の[168]不思議《ふしぎ》をうたがうこころをもって、六道四生《ろくどうししょう》・二十五有《にじゅうごう》・[169]十二類生《じゅうにるいしょう》にとどまる[170]となり。いまに[171]ひさしく世《よ》にまようとしるべしとなり。「涅槃之城《ねはんしじょう》」と[172]もうすは、安養浄刹《あんにょうじょうせつ》を[173]いうなり。これを涅槃《ねはん》のみやことはもうすなり。「以信為能入《いしんいのうにゅう》」というは、[174]真実信心《しんじつしんじん》をえたる[175]人《ひと》の、如来《にょらい》の本願《ほんがん》の実報土《じっぽうど》に、よくいるとしるべし[176]とのたまえることなり。信心《しんじん》は菩提《ぼだい》のたねなり。無上涅槃《むじょうねはん》をさとるたねなりとしるべしとなり。

法印聖覚和尚《ほういんせいかくかしょう》の[177]銘文《めいもん》

178「夫根有利鈍者《ふこんうりどんしゃ》　教有漸頓《きょううぜんとん》　機有奢促者《きうしゃそくしゃ》　行有難易《ぎょううなんい》　当知《とうち》　聖道諸門《しょうどうしょもん》　漸教也《ぜんぎょうや》　又難行也《うなんぎょうや》
浄土一宗者《じょうどいっしゅうしゃ》　頓教也《とんぎょうや》　又易行也《ういぎょうや》　所謂真言止観之行《しょいしんごんしかんしぎょう》　獼猴情難学《みこうじょうなんがく》　三論法相之教《さんろんほっそうしきょう》　牛羊《ごよう》
眼易迷《げんいめい》　然至我宗者《ねんしがしゅうしゃ》　弥陀本願《みだほんがん》　定行因於十念《じょうぎょういんおじゅうねん》　善導料簡《ぜんどうりょうけん》　決器量於三心《けつきりょうおさんじん》　雖非利智精《すいひりちしょう》
進《じん》　専念実易勤《せんねんじついごん》　雖非多聞広学《すいひたもんこうがく》　信力何不備《しんりきかふび》　乃至《ないし》　然我大師聖人《ねんがだいししょうにん》　為釈尊之使者《いしゃくそんししゃ》　弘念仏一門《ぐねんぶついちもん》
為善導之再誕《いぜんどうしさいたん》　勧称名一行《かんしょうみょういちぎょう》　専修専念之行《せんじゅせんねんしぎょう》　自此漸弘《じしぜんぐ》　無間無余之勤《むけんむよしごん》　在今始知《ざいこんしち》　然則破戒《ねんそくはかい》
罪根之輩《ざいこんしはい》　加肩入往生之道《かけんにゅうおうじょうしどう》　下智浅才之類《げちせんざいしるい》　振臂赴浄土之門《しんぴふじょうどしもん》　誠知《じょうち》　無明長夜之大燈炬也《むみょうじょうやしだいとうこや》
何悲智眼闇《かひちげんあん》　生死大海之大船筏也《しょうじだいかいしだいせんばつや》　豈煩業障重《きぼんごうしょうじゅう》」　略抄《りゃくしょう》

「夫根有利鈍者《ふこんうりどんしゃ》」というは、それ衆生《しゅじょう》の根性《こんじょう》に利鈍《りどん》ありとなり。「利《り》」というは、こころのとき人《ひと》なり。「鈍《どん》」というは、こころのにぶき人《ひと》なり。「教有漸頓《きょううぜんとん》」というは、衆生《しゅじょう》の根性《こんじょう》にしたごうて仏教《ぶっきょう》に漸頓《ぜんとん》ありとなり。「漸《ぜん》」は、ようやく仏道《ぶつどう》を修《しゅ》して、三祇百大劫《さんぎひゃくだいこう》をへて仏《ぶつ》になるなり。「頓《とん》」は、この娑婆世界《しゃばせかい》にして、このみにてたちまちに仏《ぶつ》になるともうすなり。これすなわち仏心《ぶっしん》・真言《しんごん》・法華《ほっけ》・華厳《けごん》等《とう》のさとりをひらくなり。「機有奢促者《きうしゃそくしゃ》」というは、機《き》に奢促《しゃそく》あり。「奢《しゃ》」は、おそきこころなるものあり。「促《そく》」は、とき（疾）こころなるものあり。このゆえに「行有難易《ぎょううなんい》」と179いうは、行《ぎょう》につきて難《なん》あり、易《い》ありとなり。「難《なん》」は、聖道門《しょうどうもん》、自力《じりき》の行《ぎょう》なり。「易《い》」は、浄土門《じょうどもん》、他力《たりき》の行《ぎょう》なり。「当知《とうち》　聖道諸門《しょうどうしょもん》　漸教也《ぜんぎょうや》」というは、すなわち難行《なんぎょう》なり、また漸教《ぜんぎょう》なりとしるべしとなり。「浄土一宗者《じょうどいっしゅうしゃ》」というは、頓教《とんぎょう》なり、また易行《いぎょう》なりとしるべしとなり。「所謂真言止観之行《しょいしんごんしかんしぎょう》」というは、「真言《しんごん》」は、密教《みっきょう》なり、「止観《しかん》」は、法華《ほっけ》なり。「獼猴情難学《みこうじょうなんがく》」というは、[180]この世《よ》の人《ひと》のこころを、さるのこころにたとえたるなり。さるのこころのごとくさだまらずとなり。このゆえに真《しん》言《ごん》・法華《ほっけ》の行《ぎょう》は修《しゅ》しがたく行《ぎょう》じがたしとなり。「三論法相之教《さんろんほっそうしきょう》　牛羊眼易迷《ごようげんいめい》」というは、[181]この世《よ》の仏法者《ぶっぽうしゃ》のまなこを、うし・ひつじのまなこにたとえて、三論《さんろん》・法相宗等《ほっそうしゅうとう》の聖道自力《しょうどうじりき》の教《きょう》にはまどうべしとのたまえるなり。「然至我宗者《ねんしがしゅうしゃ》」というは、聖覚和尚《せいかくかしょう》ののたまわく、「わが浄土宗《じょうどしゅう》は、弥陀《みだ》の本願《ほんがん》の実報土《じっぽうど》の正因《しょういん》として、[182]乃至十声《ないしじっしょう》・一声《いっしょう》、称念《しょうねん》すれば、無上菩提《むじょうぼだい》にいたる」とおしえたまう。「善導和尚《ぜんどうかしょう》の御《おん》おしえには、三心《さんじん》を具《ぐ》すれば、かならず安楽《あんらく》にうまるとのたまえるなり」と、聖覚和尚《せいかくかしょう》ののたまえるなり。「雖非利智精進《すいひりちしょうじん》」というは、智慧《ちえ》もなく、精進《しょうじん》のみ(身)にもあらず、鈍根懈怠《どんこんけだい》のものも、専修専念《せんじゅせんねん》の信心《しんじん》をえつれば往生《おうじょう》すとこころうべしとなり。「然我大師聖人《ねんがだいししょうにん》」というは、聖覚和尚《せいかくかしょう》は、聖人《しょうにん》を、わが大師聖人《だいししょうにん》とあおぎたのみたまう御《み》ことばなり。「為釈尊之使《いしゃくそんしし》者《しゃ》　弘念仏之一門《ぐねんぶつしいちもん》」というは、源空聖人《げんくうしょうにん》は釈迦如来《しゃかにょらい》の御《おん》つかいとして[183]念仏《ねんぶつ》の一門《いちもん》をひろめたまうとしるべしとなり。「為善導之再誕《いぜんどうしさいたん》　勧称名之一行《かんしょうみょうしいちぎょう》」というは、聖人《しょうにん》は善導和尚《ぜんどうかしょう》の御身《ごしん》として称《しょう》名《みょう》の一行《いちぎょう》をすすめたまうなりとしるべしとなり。「専修専念之行《せんじゅせんねんしぎょう》　自此漸弘《じしぜんぐ》　無間無余之勤《むけんむよしごん》」というは、一向専修《いっこうせんじゅ》ともうすことは、これよりひろまるとしるべしとなり。「然則破戒罪根之輩《ねんそくはかいざいこんしはい》　加肩入《かけんにゅう》往生之道《おうじょうしどう》」というは、[184]「然則《ねんそく》」は、しからしめて、この浄土《じょうど》のならいにて、破戒《はかい》・無戒《むかい》の人《ひと》、罪業《ざいごう》ふかきもの、みな往生《おうじょう》すとしるべしとなり。「下智浅才之類《げちせんざいしるい》　振臂赴浄土之門《しんぴふじょうどしもん》」というは、無智無《むちむ》才《ざい》のものは、浄土門《じょうどもん》におもむくべしとなり。「誠知《じょうち》　無明長夜之大燈炬也《むみょうじょうやしだいとうこや》　何悲智眼闇《かひちげんあん》」というは、[185]「誠知《じょうち》」は、まことにしりぬ[186]という。弥陀《みだ》の誓願《せいがん》は、無明長夜《むみょうじょうや》のおおきなるともしびなり。なんぞ智慧《ちえ》のまなこくらしとかなしまんやと、おもえとなり。「生死大海之大船筏也《しょうじだいかいしだいせんばつや》　豈煩業障《きぼんごうしょう》重《じゅう》」というは、弥陀《みだ》の願力《がんりき》は、生死大海《しょうじだいかい》のおおきなるふね、いかだなり。極悪深重《ごくあくじんじゅう》のみ（身）なり[187]となげくべからずとのたまえるなり。

[188]「倩思教授恩徳《じょうしきょうじゅおんどく》　実等弥陀悲願者《じっとうみだひがんしゃ》〈倩《つら》つら教授《きょうじゅ》の恩徳《おんどく》を思《おも》うに、実《まこと》に弥陀悲願《みだひがん》に等《ひと》しき者《もの》〉」というは、師主《ししゅ》のおしえをおもうに、弥陀《みだ》の悲願《ひがん》にひとしとなり。大師聖人《だいししょうにん》の[189]御《おん》おしえの恩《おん》、おもくふかきことをおもいしるべしとなり。[190]「粉骨可報之《ふんこつかほうし》　摧身可謝之《ざいしんかしゃし》」というは、大師聖人《だいししょうにん》の御《おん》おしえの恩徳《おんどく》のおもきことをしりて、ほねをこにしても報《ほう》ずべしとなり、身《み》をくだきても[191]恩徳《おんどく》をむくうべしとなり。よくよくこの和尚《かしょう》のこのおしえを[192]御覧《ごらん》じしるべしと。

[193]和朝愚禿釈《わちょうぐとくしゃく》の親鸞《しんらん》が「正信偈《しょうしんげ》」の文《もん》

[194]「本願名号正定業《ほんがんみょうごうしょうじょうごう》　至心信楽願為因《ししんしんぎょうがんいいん》　成等覚証大涅槃《じょうとうがくしょうだいねはん》　必至滅度願成就《ひっしめつどがんじょうじゅ》
如来所以興出世《にょらいしょいこうしゅつせ》　唯説弥陀本願海《ゆいせつみだほんがんかい》　五濁悪時群生海《ごじょくあくじぐんじょうかい》　応信如来如実言《おうしんにょらいにょじつごん》
能発一念喜愛心《のうほついちねんきあいしん》　不断煩悩得涅槃《ふだんぼんのうとくねはん》　凡聖逆謗斉回入《ぼんしょうぎゃくほうさいえにゅう》　如衆水入海一味《にょしゅしいにゅうかいいちみ》
摂取心光常照護《せっしゅしんこうじょうしょうご》　已能雖破無明闇《いのうすいはむみょうあん》　貪愛瞋憎之雲霧《とんあいしんぞうしうんむ》　常覆真実信心天《じょうふくしんじつしんじんてん》
譬如日光覆雲霧《ひにょにっこうふくうんむ》　雲霧之下明無闇《うんむしげみょうむあん》　獲信見敬得大慶《ぎゃくしんけんきょうとくだいきょう》　即横超截五悪趣《そくおうちょうぜつごあくしゅ》」文《もん》

「本願名号正定業《ほんがんみょうごうしょうじょうごう》」というは、選択本願《せんじゃくほんがん》の[195]行《ぎょう》というなり。「至心信楽願為因《しししんしんぎょうがんいいん》」というは、弥《み》陀如来回向《だにょらいえこう》の真実信心《しんじつしんじん》[196]なり。この信心《しんじん》を阿耨菩提《あのくぼだい》の因《いん》とすべしとなり。「成等覚証大涅槃《じょうとうがくしょうだいねはん》」というは、「成等覚《じょうとうがく》」というは、正定聚《しょうじょうじゅ》のくらいなり。このくらいを、龍樹菩薩《りゅうじゅぼさつ》は[197]「即時入必定《そくじにゅうひつじょう》」（易行品）とのたまえり。曇鸞和尚《どんらんかしょう》は[198]「[199]入正定之数《にゅうしょうじょうししゅ》」（論註）とおしえたまえり。これはすなわち、弥《み》勒《ろく》のくらいとひとしとなり。「証大涅槃《しょうだいねはん》」ともうすは、必至滅度《ひっしめつど》の願成就《がんじょうじゅ》のゆえに、かならず大般《だいはつ》涅槃《ねはん》をさとるとしるべし。[200]「滅度《めつど》」ともうすは、大涅槃《だいねはん》なり。「如来所以興出世《にょらいしょいこうしゅつせ》」というは、諸仏《しょぶつ》の、世《よ》にいでたまう[201]ゆえはともうす[202]みのりなり。「唯説弥陀本願海《ゆいせつみだほんがんかい》」と[203]もうすは、諸仏《しょぶつ》の、世《よ》にいでたまう[204]本懐《ほんがい》は、ひとえに[205]弥陀《みだ》の願海一乗《がんかいいちじょう》の[206]みのりをとかんとなり。しかれば、『大経《だいきょう》』には、[207]「如《にょ》来所以《らいしょい》　興出於世《こうしゅつおせ》　欲拯群萌《よくじょうぐんもう》　恵以真実之利《えいしんじつしり》」とときたまえり。[208]「如来所以《にょらいしょい》　興出於世《こうしゅつおせ》」は、「如《にょ》来《らい》」ともうすは、諸仏《しょぶつ》ともうすなり。「所以《しょい》」というは、ゆえというみことなり。「興出於世《こうしゅつおせ》」というは、世《よ》に仏《ぶつ》いでたまうともうすみことなり。「欲拯群萌《よくじょうぐんもう》」は、「欲《よく》」というは、おぼしめすとなり。「拯《じょう》」は、すくわんとなり。「群萌《ぐんもう》」は、よろずの衆生《しゅじょう》をすくわんとおぼしめすとなり。仏《ぶつ》の、世《よ》にいでたまうゆえは、弥陀《みだ》の御《おん》ちかいをときて、よろずの衆生《しゅじょう》をたすけすくわんとおぼしめすとしるべし。「五濁悪時群生海《ごじょくあくじぐんじょうかい》　応信如来如実言《おうしんにょらいにょじつごん》」というは、[209]五濁悪世《ごじょくあくせ》のよろずの衆生《しゅじょう》、[210]釈迦如来《しゃかにょらい》のみことをふかく信受《しんじゅ》すべしとなり。「能発一念喜愛心《のうほついちねんきあいしん》」というは、[211]「能《のう》」は、よくという。「発《ほつ》」は、おこすという、ひらくという。「一念喜愛心《いちねんきあいしん》」は、一念慶喜《いちねんきょうき》の真実《しんじつ》[212]信心《しんじん》よくひらけ、かならず本願《ほんがん》の実報土《じっぽうど》にうまるとしるべし。[213]「慶喜《きょうき》」というは、信《しん》をえてのち、よろこぶこころをいうなり。「不《ふ》断煩悩得涅槃《だんぼんのうとくねはん》」というは、[214]「不断煩悩《ふだんぼんのう》」は、煩悩《ぼんのう》をたちすてずしてという。「得涅槃《とくねはん》」ともうすは、無上大涅槃《むじょうだいねはん》[215]をさとるをうるとしるべし。「凡聖逆謗斉回入《ぼんしょうぎゃくほうさいえにゅう》」というは、小聖《しょうしょう》・凡夫《ぼんぶ》・五逆《ごぎゃく》・謗法《ほうぼう》・無戒《むかい》・闡提《せんだい》、みな回心《えしん》して真実信心海《しんじつしんじんかい》に帰入《きにゅう》しぬれば、[216]衆水《しゅしい》の、海《かい》にいりて、ひとつあじわいとなるがごとしと[217]たとえたるなり。これを「如衆水入海一味《にょしゅしいにゅうかいいちみ》」というなり。「摂取心光常照護《せっしゅしんこうじょうしょうご》」というは、[218]信心《しんじん》をえたる人《ひと》をば、無碍光仏《むげこうぶつ》の心光《しんこう》、つねにてらしまもりたまうゆえに、無明《むみょう》のやみはれ、生死《しょうじ》のながきよ（夜）、すでにあかつきになりぬとしる[219]べしとなり。「已能雖破無明闇《いのうすいはむみょうあん》」というは、このこころなり。信心《しんじん》をうれば、あかつきに[220]なるがごとしとしるべし。「貪愛瞋憎之雲霧《とんあいしんぞうしうんむ》 常覆真実信心天《じょうふくしんじっしんじんてん》」というは、われらが貪愛《とんあい》・瞋憎《しんぞう》を、くも・きりに[221]たとえて、つねに信心《しんじん》の[222]天《てん》におおえるなりとしるべし。「譬如《ひにょ》[223]日月覆雲霧《にちがつふくうんむ》 雲霧之下明無闇《うんむしげみょうむあん》」というは、日月《にちがつ》の、くも・きりにおおわるれども、やみはれて、くも・きりのした、[224]あきらかなるがごとく、貪愛《とんあい》・瞋憎《しんぞう》のくも・きりに信心《しんじん》はおおわるれども、往生《おうじょう》にさわりあるべからずと[225]しるべしとなり。「獲信見敬得大慶《ぎゃくしんけんきょうとくだいきょう》」というは、この信心《しんじん》をえて、おおきによろこびうやまう人《ひと》というなり。[226]「大慶《だいきょう》」は、おおきに、うべきことをえてのちに、よろこぶというなり。「即横超截五悪趣《そくおうちょうぜつごあくしゅ》」というは、信心《しんじん》を[227]えつれば、すなわち横《おう》に五悪趣《ごあくしゅ》をきるなりとしるべしとなり。[228]「即横超《そくおうちょう》」は、「即《そく》」は、すなわちという。信《しん》をうる人《ひと》は、ときをへず、日《ひ》をへだてずして正定聚《しょうじょうじゅ》のくらいにさだまるを、「即《そく》」というなり。「横《おう》」は、[229]よこさまという、如来《にょらい》の願力《がんりき》[230]なり。他力《たりき》をもうすなり。「超《ちょう》」は、[231]こえてという。生死《しょうじ》の大海《だいかい》を、やすく[232]よこさまにこえて、無上大涅槃《むじょうだいねはん》の[233]さとりをひらくなり。信心《しんじん》を浄土宗《じょうどしゅう》の正意《しょうい》とする[234]べきなり。このこころをえつれば、[235]「他力《たりき》には義《ぎ》のなきをもって義《ぎ》とす」と、本師聖人《ほんじしょうにん》のおおせごとなり。義《ぎ》というは、行者《ぎょうじゃ》の[236]おのおののはからうこころなり。このゆえに、[237]おのおののはからうこころをもったるほどをば自力《じりき》というなり。よくよく[238]この自力《じりき》のよう（様）をこころう[239]べしとなり。

[240]正嘉二歳（一二五八）戊午《つちのえうま》六月二十八日書レ之　愚禿親鸞《ぐとくしんらん》　八十六歳

一《いち》念《ねん》多《た》念《ねん》文《もん》意《い》

一念《いちねん》をひがごととおもうまじき事《こと》

1「①恒願一切臨終時《ごうがんいっさいりんじゅうじ》　勝縁勝境《しょうえんしょうきょう》　②悉現前《しつげんぜん》」（往生礼讃）というは、「③恒《ごう》」は、つねにという。「④願《がん》」は、ねがうというなり。いま、つねにというは、たえぬこころなり。おりにしたごうて、ときどきもねがえというなり。いま、つねにというは、⑤常《じょう》の義《ぎ》にはあらず。常《じょう》というは、つねなること、ひまなかれというこころなり。ときとしてたえず、ところとしてへだてず、きらわぬを常《じょう》というなり。「⑥一切《いっさい》臨終時《りんじゅうじ》」というは、極楽《ごくらく》をねがうよろずの衆生《しゅじょう》、いのちおわらんときまでということばなり。「⑦勝《しょう》縁勝《えんしょう》⑧境《きょう》」というは、仏《ぶつ》をもみたてまつり、ひかりをもみ、⑨異香《いきょう》をもかぎ、善知識《ぜんじしき》のすすめにもあわんとおもえとなり。「⑩悉現前《しつげんぜん》」というは、さまざまのめでたきことども、めのまえにあらわれた

①恒願一切臨終時…つねにねがうべし　よろずのひとというこころ　のぞまん　おわりに　とき
②⑩悉現前…ことごとく　まえにあらわれたまえとなり
③恒…つねに
④願…ねがえ　と
⑤常…つねなりという
⑥一切…よろずのひとというこころなり
⑦勝…すぐれたること
⑧境…かたちなり
⑨異香…めでたきか

まえとねがえとなり。

『無量寿経《むりょうじゅきょう》』の中《なか》に、あるいは[2]「諸有衆生《しょうしゅじょう》　聞其名号《もんごみょうごう》　信心歓喜《しんじんかんぎ》　乃至一念《ないしいちねん》　至心回向《ししんえこう》　願生《がんしょう》彼国《ひこく》　即得往生《そくとくおうじょう》　住不退転《じゅうふたいてん》」とときたまえり。「諸有衆生《しょうしゅじょう》」というは、十方《じっぽう》のよろずの衆生《しゅじょう》ともうすこころなり。「聞其名号《もんごみょうごう》」というは、本願《ほんがん》の名号《みょうごう》をきくとのたまえるなり。きくというは、本《ほん》願《がん》をきてうたがうこころなきを「①聞《もん》」というなり。また、きくというは、信心《しんじん》をあらわす御《み》のりなり。「信心歓喜《しんじんかんぎ》　乃至一念《ないしいちねん》」というは、「信心《しんじん》」は、如来《にょらい》の御《おん》ちかいをききて、うたがうこころのなきなり。「歓喜《かんぎ》」というは、「歓《かん》」は、みをよろこばしむるなり。「喜《き》」は、こころによろこばしむるなり。うべきことをえてんずと、かねてさきよりよろこぶこころなり。「乃至《ないし》」は、おおきをも、すくなきをも、ひさしきをも、ちかきをも、さきをも、のちをも、みな、かねおさむることばなり。「一念《いちねん》」というは、信心《しんじん》をうるときのきわまりをあらわすことばなり。「至心回向《ししんえこう》」というは、「至心《ししん》」は、真実《しんじつ》ということばなり。真実《しんじつ》は阿弥陀如来《あみだにょらい》の御《おん》こころなり。「回向《えこう》」は、本願《ほんがん》の名号《みょうごう》をもって十方《じっぽう》の衆生《しゅじょう》にあたえたまう御《み》のりなり。「願生彼国《がんしょうひこく》」というは、「願生《がんしょう》」は、よろずの衆生《しゅじょう》、本願《ほんがん》の報土《ほうど》へうまれんとねがえとなり。「彼国《ひこく》」は、かのくにという。安楽国《あんらくこく》をおしえたまえるなり。「即得往生《そくとくおうじょう》」というは、「即《そく》」は、すなわちという。ときをへず、日《ひ》をもへだてぬなり。また「即《そく》」は、つくという。そのくらいにさだまりつくということばなり。「得《とく》」は、うべきことをえたりという。真実《しんじつ》信心《しんじん》をうれば、すなわち、無碍光仏《むげこうぶつ》の御《おん》こころのうちに②摂取《せっしゅ》してすてたまわざるなり。摂《せつ》は、おさめたまう、取《しゅ》は、むかえとるともうすなり。おさめとりたまうとき、すなわち、とき・日《ひ》をもへだてず、③正定聚《しょうじょうじゅ》のくらいにつきさだまるを「往生《おうじょう》をう」とはのたまえるなり。

しかれば、必至滅度《ひっしめつど》の誓願《せいがん》を『大経《だいきょう》』にときたまわく、[3]「設我得仏《せつがとくぶつ》　国中人天《こくちゅうにんでん》　不住定聚《ふじゅうじょうじゅ》　必至滅度者《ひっしめつどしゃ》　不取正覚《ふしゅしょうがく》」と願《がん》じたまえり。また『経《きょう》』（如来会）にのたまわく、[4]「若我成仏《にゃくがじょうぶつ》　国中《こくちゅう》有情《うじょう》　若不決定《にゃくふけつじょう》　成等正覚《じょうとうしょうがく》　証大涅槃者《しょうだいねはんしゃ》　不取菩提《ふしゅぼだい》」とちかいたまえり。この願成就《がんじょうじゅ》を、釈《しゃ》迦如来《かにょらい》ときたまわく、[5]「其有衆生《ごうしゅじょう》　生彼国者《しょうひこくしゃ》　皆悉住於《かいしつじゅうお》　正定之聚《しょうじょうしじゅ》　所以者何《しょいしゃが》　彼仏国中《ひぶっこくちゅう》　無《む》諸邪聚《しょじゃじゅ》　及不定聚《ぎゅうふじょうじゅ》」（大経）とのたまえり。これらの文《もん》のこころは、「たといわれ仏《ぶつ》をえたらんに、くにのうちの人天《にんでん》、定聚《じょうじゅ》にも住《じゅう》して、かならず滅度《めつど》にいたらずは、仏《ぶつ》にならじ」とちかいたまえるこころなり。またのたまわく、「もしわれ仏《ぶつ》にならんに、くにのうちの有情《うじょう》、もし決定《けつじょう》して④等正覚《とうしょうがく》をなりて、⑤大涅槃《だいねはん》を⑥証《しょう》せずは、仏《ぶつ》にならじ」とちかいたまえるなり。かくのごとく法蔵菩薩《ほうぞうぼさつ》ちかいたまえるを、釈迦如来《しゃかにょらい》、五濁《ごじょく》のわれらがためにときたまえる文《もん》のこころは、「それ衆生《しゅじょう》あって、かのくににうまれんとするものは、みなことごとく⑦正定《しょうじょう》の聚《じゅ》に住《じゅう》す。ゆえはいかんとなれば、かの

①**聞**…きくという
②**摂取**…おさめとりたまうとなり
③**正定聚**…おうじょうすべきみ(身)とさだまるなり
④**等正覚**…まことのほとけになるべきみ(身)となれるなり
⑤**大涅槃**…まことのほとけなり
⑥**証**…さとるなり
⑦**正定の聚**…かならずほとけになるべきみ(身)となれるとなり

仏国《ぶっこく》のうちには、もろもろの①邪聚《じゃじゅ》および②不定聚《ふじょうじゅ》はなければなり」とのたまえり。この二尊《にそん》の御《み》のりをみたてまつるに、「すなわち往生《おうじょう》す」とのたまえるは、正定聚《しょうじょうじゅ》のくらいにさだまるを「③不退転《ふたいてん》に住《じゅう》す」とはのたまえるなり。このくらいにさだまりぬれば、かならず④無上大涅槃《むじょうだいねはん》にいたるべき身《み》となるがゆえに、⑤「等正覚《とうしょうがく》をなる」ともとき、[6]「⑥阿毘抜致《あびばっち》にいたる」（論註）とも、[7]「阿惟越致《あゆいおっち》にいたる」（易行品）ともときたまう。[8]「即時入必定《そくじにゅうひつじょう》」（同）ともうすなり。

この真実信楽《しんじつしんぎょう》は、他力横超《たりきおうちょう》の金剛心《こんごうしん》なり。しかれば、念仏《ねんぶつ》のひとをば、『大経《だいきょう》』には[9]「⑦次如弥勒《しにょみろく》」とときたまえり。「弥勒《みろく》」は、竪《しゅ》の金剛心《こんごうしん》の菩薩《ぼさつ》なり。竪《しゅ》ともうすは、たたさまともうすことばなり。これは聖道自力《しょうどうじりき》の難行道《なんぎょうどう》の人《ひと》なり。横《おう》は、よこさまにというなり。超《ちょう》は、こえてというなり。これは仏《ぶつ》の大願業力《だいがんごうりき》のふねに乗《じょう》じぬれば、⑧生死《しょうじ》の大海《だいかい》をよこさまにこえて、真実報土《しんじつほうど》のきしにつくなり。「次如弥勒《しにょみろく》」ともうすは、「次《し》」は、ちかしという、つぎにという。ちかしというは、弥勒《みろく》は大涅槃《だいねはん》にいたりたまうべきひとなり。このゆえに、「弥勒《みろく》のごとし」とのたまえり。念仏信心《ねんぶつしんじん》の人《ひと》も大涅槃《だいねはん》にちかづくとなり。つぎにというは、釈迦仏《しゃかぶつ》のつぎに、五十六億七千万歳《ごじゅうろくおくしちせんまんざい》をへて、⑨妙覚《みょうがく》のくらいにいたりたまうべしとなり。「如《にょ》」は、ごとしという。ごとしというは、他力信楽《たりきしんぎょう》のひとは、このよ《（世）》のうちにて、不退《ふたい》のくらいにのぼりて、かならず大般涅槃《だいはつねはん》のさとりをひらかんこと、「弥勒《みろく》のごとし」となり。

『浄土論《じょうどろん》』（論註）に曰《い》わく、[10]「『経《きょう》』に言《のたま》わく「若人但聞彼国土《にゃくにんたんもんひこくど》　清浄安楽《しょうじょうあんらく》　剋念願生《こくねんがんしょう》　亦《やく》

得往生《とくおうじょう》　即入正定聚《そくにゅうしょうじょうじゅ》」此是国土名字《しぜこくどみょうじ》　為仏事《いぶつじ》　安可思議《あんかしぎ》」とのたまえり。この文《もん》のこころは、「もし、ひと、ひとえにかのくにの清浄安楽《しょうじょうあんらく》なるをききて、⑩剋念《こくねん》してうまれんとねがうひとと、またすでに往生《おうじょう》をえたるひとも、すなわち正定聚《しょうじょうじゅ》にいるなり。これはこれ、かのくにの⑪名字《みょうじ》をきくに、さだめて仏事《ぶつじ》をなす。いずくんぞ⑫思議《しぎ》すべきや」とのたまえるなり。安楽浄土《あんらくじょうど》の⑬不可称《ふかしょう》・⑭不可《ふか》説《せつ》・不可思議《ふかしぎ》の徳《とく》を、もとめず、しらざるに、信《しん》ずる人《ひと》にえしむとしるべしとなり。

また⑮王日休《おうじっきゅう》のいわく、[11]「念仏衆生《ねんぶつしゅじょう》　便同弥勒《べんどうみろく》」（龍舒浄土文）といえり。「念仏衆生《ねんぶつしゅじょう》」は、金剛《こんごう》の信心《しんじん》をえたる人《ひと》なり。「便《べん》」は、すなわちという、たよりという。信心《しんじん》の方便《ほうべん》によりて、すなわち正《しょう》定聚《じょうじゅ》のくらいに⑯住《じゅう》せしめたまうがゆえにとなり。「同《どう》」は、おなじきなりという。念仏《ねんぶつ》の人《ひと》は、無《む》上涅槃《じょうねはん》にいたること、弥勒《みろく》におなじきひとともうすなり。

①**邪聚**…じりきぞうぎょうざっしゅ（雑行雑修）のひとなり
②**不定聚**…じりきのねんぶつしゃなり
③**不退転**…ほとけになるまでという
④**無上大涅槃**…まことのほとけなり
⑤**等正覚**…ほとけになるべきみ（身）とさだまれるをいうなり
⑥**阿毘抜致**…ほとけになるべきみ（身）となるとなり
⑦**次如弥勒**…ねんぶつのひとは　みろくのごとく　ほとけになるべしとなり
⑧**生死の大海**…ろくどう（六道）にまどうをだいかいとたとうる　だいかいはうみなり
⑨**妙覚**…まことのほとけなり
⑩**剋念**…えてという
⑪**名字**…なというなり
⑫**思議すべきや**…おもいはかるべからずという　こころもおよばず　ことばもおよばれず　しるべしとなり
⑬**不可称**…ことばもおよばずとなり
⑭**不可説**…ときつくすべからずとなり
⑮**王日休**…しんだんこく（震旦国）のひとなり
⑯**住**…い（居）るというなり

また『経《きょう》』（観経）にのたまわく、12「若念仏者《にゃくねんぶつしゃ》 当知此人《とうちしにん》 是人中分陀利華《ぜにんちゅうふんだりけ》」とのたまえり。

「若念仏者《にゃくねんぶつしゃ》」ともうすは、「もし念仏《ねんぶつ》せんひと」ともうすなり。「当知此人《とうちしにん》 是人中分陀利華《ぜにんちゅうふんだりけ》」というは、「まさにこのひとはこれ、人中《にんちゅう》の分陀利華《ふんだりけ》なりとしるべし」となり。これは、如来《にょらい》のみことに、分陀利華《ふんだりけ》を念仏《ねんぶつ》のひとにたとえたまえるなり。このはなは13「人中《にんちゅう》の①上上華《じょうじょうけ》なり、②好華《こうけ》なり、③妙好《みょうこう》華《け》なり、④希有華《けうけ》なり、⑤最勝華《さいしょうけ》なり」（散善義）とほめたまえり。⑥光明寺《こうみょうじ》の和尚《かしょう》（善導）の御釈《おんしゃく》（散善義）には、念仏《ねんぶつ》の人《ひと》をば14「上上人《じょうじょうにん》・好人《こうにん》・妙好人《みょうこうにん》・希有人《けうにん》・最勝人《さいしょうにん》」とほめたまえり。

また15⑦現生護念《げんしょうごねん》の利益《りやく》をおしえたまうには、16「但有専念阿弥陀仏衆生《たんうせんねんあみだぶつしゅじょう》 彼仏心光常照是人摂護《ひぶつしんこうじょうしょうぜにんしょうご》不捨《ふしゃ》 総不論照摂余雑業行者《そうふろんしょうしょうよぞうごうぎょうじゃ》 此亦是現生護念増上縁《しやくぜげんしょうごねんぞうじょうえん》」（観念法門）とのたまえり。この文《もん》のこころは、「但有専念阿弥陀仏衆生《たんうせんねんあみだぶつしゅじょう》」というは、ひとすじに弥陀仏《みだぶつ》を信《しん》じたてまつるともうす御《み》ことなり。「彼仏心光《ひぶつしんこう》」ともうすは、「彼《ひ》」は、かれともうす。「仏心光《ぶつしんこう》」ともうすは、無碍光仏《むげこうぶつ》の御《おん》こころともうすなり。「常照是人《じょうしょうぜにん》」というは、「常《じょう》」は、つねなること、ひまなく、たえずというなり。「照《しょう》」は、てらすという。ときをきらわず、ところをへだてず、ひまなく、真実信心《しんじつしんじん》のひとをば、つねにてらし、まもりたまうなり。かの仏心《ぶっしん》に、つねにひまなくまもりたまえば、弥陀仏《みだぶつ》をば不断光仏《ふだんこうぶつ》ともうすなり。「是人《ぜにん》」というは、「⑧是《ぜ》」は、⑨非《ひ》に対《たい》することばなり。真実信楽《しんじつしんぎょう》のひとをば「是人《ぜにん》」ともうす。⑩虚仮疑惑《こけぎわく》のものをば非人《ひにん》という。非人《ひにん》というは、ひとにあらずときらい、わるきものというなり。「是人《ぜにん》」は、よきひとともうす。「摂護不捨《しょうごふしゃ》」ともうすは、「摂《しょう》」は、おさめとるという。「護《ご》」は、ところをへだてず、ときをわかず、ひとをきらわず、信心《しんじん》ある人《ひと》をば、ひまなくまもりたまうとなり。まもるというは、⑪異学異見《いがくいけん》のともがらにやぶられず、⑫別解別行《べつげべつぎょう》のものにさえられず、天魔波旬《てんまはじゅん》におかされず、⑬悪鬼悪神《あっきあくじん》なやますことなしとなり。「不捨《ふしゃ》」というは、信心《しんじん》のひとを、⑭智慧光仏《ちえこうぶつ》の御《おん》こころにおさめまもりて、心光《しんこう》のうちに、ときとしてすてたまわずと、しらしめんともうす御《み》のりなり。「総《そう》不《ふ》論《ろん》照《しょう》摂《しょう》余《よ》雑《ぞう》業《ごう》行《ぎょう》者《じゃ》」というは、「総《そう》」は、みなというなり。「不論《ふろん》」は、いわずというこころなり。「照摂《しょうしょう》」は、てらしおさむと。「余《よ》の雑業《ぞうごう》」というは、もろもろの善業《ぜんごう》なり。雑行《ぞうぎょう》を修《しゅ》し、雑修《ざっしゅ》をこのむものをば、すべてみな、てらしおさむといわずと、まもらずとのたまえるなり。これすなわち本願《ほんがん》の行者《ぎょうじゃ》にあらざるゆえに、⑮摂取《せっしゅ》の利益《りやく》にあずからざるなりとしるべしとなり。このよ(世)にてまもらずとなり。「此亦是現生護念《しやくぜげんしょうごねん》」というは、このよにてまもらせたまうとなり。本願業力《ほんがんごうりき》は、信心《しんじん》のひとの強縁《ごうえん》なるがゆえに、「⑯増上縁《ぞうじょうえん》」ともうすなり。信心《しんじん》をうるをよろこぶ人《ひと》をば、『経《きょう》』

①上上華…すぐれたるはな
②好…よき
③妙好華…めでたく よき すぐれたる はななりと
④希有華…まれにありがたきはなとなり
⑤最勝華…よろずのはなにすぐれたりとなり
⑥光明寺…ぜんどうかしょう(善導和尚)のみえどう(御影堂)のななり
⑦現生護念…このよ(世)にてまもりたまうとなり
⑧是…よしという
⑨非…あしきなり
⑩虚仮疑惑…むなしく かりなり うたがい まどうという
⑪異学異見…ことごとをならい まなぶひとなり
⑫別解別行…ねんぶつをしながらじりきのこころなるものなり
⑬悪鬼…あしき おになり
⑭智慧光仏…みだにょらいなり むげこうにょらいなり
⑮摂取…おさめとる
⑯増上縁…すぐれたるごうえんとなり

（華厳経）には[17]「諸仏《しょぶつ》とひとしきひと」とときたまえり。

首楞厳院《しゅりょうごんいん》の源信和尚《げんしんかしょう》のたまわく、[18]「我亦在彼摂取之中《がやくざいひせっしゅしちゅう》　煩悩障眼雖不能見《ぼんのうしょうげんすいふのうけん》　大悲無倦常照我《だいひむけんじょうしょうが》身《しん》」（往生要集）と。この文《もん》のこころは、「われまたかの①摂取《せっしゅ》のなかにあれども、煩悩《ぼんのう》まなこをさえて、みたてまつるにあたわずといえども、大悲《だいひ》ものうきことなくして、つねにわがみをてらしたまう」とのたまえるなり。

[19]「其有得聞《ごうとくもん》　彼仏名号《ひぶつみょうごう》」（大経）というは、本願《ほんがん》の名号《みょうごう》を信《しん》ずべしと、釈尊《しゃくそん》ときたまえる御《み》のりなり。[20]「歓喜踊躍《かんぎゆやく》　乃至一念《ないしいちねん》」（同）というは、「②歓喜《かんぎ》」は、うべきことをえてんずと、さきだちて、かねてよろこぶこころなり。「③踊《ゆ》」は、天《てん》におどるという。「④躍《やく》」は、地《ち》におどるという。よろこぶこころのきわまりなきかたちなり。慶楽《きょうらく》するありさまをあらわすなり。慶《きょう》は、うべきことをえて、のちによろこぶこころなり。楽《らく》は、たのしむこころなり。これは正定聚《しょうじょうじゅ》のくらいをうるかたちをあらわすなり。「乃至《ないし》」は、称名《しょうみょう》の遍数《へんじゅ》のさだまりなきことをあらわす。「一念《いちねん》」は、功徳《くどく》のきわまり、一念《いちねん》に、万徳《まんどく》ことごとくそなわる、よろずの善《ぜん》みなおさまるなり。[21]「当知此人《とうちしにん》」（同）というは、信心《しんじん》のひとをあらわす御《み》のりなり。[22]「⑤為得大利《いとくだいり》」（同）というは、無上涅槃《むじょうねはん》をさとるゆえに、[23]「則是具足《そくぜぐそく》無上功徳《むじょうくどく》」（同）とものたまえるなり。「則《そく》」というは、すなわちという、のりともうすことばなり。如来《にょらい》の本願《ほんがん》を信《しん》じて一念《いちねん》するに、かならず、もとめざるに無上《むじょう》の功徳《くどく》をえしめ、しらざるに広大《こうだい》の利益《りやく》をうるなり。自然《じねん》に、さまざまのさとりを、すなわちひらく法則《ほうそく》なり。法則《ほうそく》というは、はじめて

行者《ぎょうじゃ》のはからいにあらず。もとより不可思議《ふかしぎ》の利益《りやく》にあずかること、自然《じねん》のありさまともうすことをしらしむるを、⑥法則《ほうそく》とはいうなり。一念信心《いちねんしんじん》をうるひとのありさまの自然《じねん》なることをあらわすを、法則《ほうそく》とはもうすなり。

『経《きょう》』（大経）に[24]「無諸邪聚《むしょじゃじゅ》　及不定聚《ぎゅうふじょうじゅ》」というは、「無《む》」は、なしという。「諸《しょ》」は、よろずのことということばなり。「邪聚《じゃじゅ》」というは、雑行雑修《ぞうぎょうざっしゅ》・万善諸行《まんぜんしょぎょう》のひと、報土《ほうど》にはなければなりというなり。「及《ぎゅう》」は、およぶという。「不定聚《ふじょうじゅ》」は、自力《じりき》の念仏《ねんぶつ》、⑦疑惑《ぎわく》の念仏《ねんぶつ》の人《ひと》は、報土《ほうど》になしというなり。正定聚《しょうじょうじゅ》の人《ひと》のみ真実報土《しんじつほうど》にうまるればなり。

この文《もん》どもはこれ、一念《いちねん》の証文《しょうもん》なり。おもうほどはあらわしもうさず。これにておしはからせたまうべきなり。

多念《たねん》をひがごととおもうまじき事《こと》

本願《ほんがん》の文《もん》に[25]「乃至十念《ないしじゅうねん》」（同）とちかいたまえり。すでに「十念《じゅうねん》」とちかいたまえるにてしるべ

①**摂取**…みだにょらい　おさめとられまいらせたりとしるべし
②**歓喜**…みをよろこばしむ　こころをよろこばしむとなり
③**踊**…おどる
④**躍**…おどる
⑤**為得大利**…ほとけになるべきりやくをう（得）るなりとしるべしとなり
⑥**法則**…ことのさだまりたるありさまということろなり
⑦**疑惑**…うたがう　まどう　と

し、一念《いちねん》にかぎらずということを。いわんや「乃至《ないし》」とちかいたまえり、称名《しょうみょう》の遍数《へんじゅ》さだまらずということを。この誓願《せいがん》は、すなわち①易往易行《いおういぎょう》のみちをあらわし、大慈大悲《だいじだいひ》のきわまりなきことをしめしたまうなり。

『阿弥陀経《あみだきょう》』に[26]「一日乃至七日《いちにちないししちにち》、名号《みょうごう》をとなうべし」と、釈迦如来《しゃかにょらい》ときおきたまえる御《み》のりなり。この『経《きょう》』は、無問自説経《むもんじせつきょう》ともうす。この『経《きょう》』をときたまいしに、如来《にょらい》にといたてまつる人《ひと》もなし。これすなわち釈尊出世《しゃくそんしゅっせ》の本懐《ほんがい》をあらわさんとおぼしめすゆえに、無問自説《むもんじせつ》ともうすなり。弥《み》陀選択《だせんじゃく》の本願《ほんがん》、十方諸仏《じっぽうしょぶつ》の証誠《しょうじょう》、諸仏《しょぶつ》②出世《しゅっせ》の③素懐《そかい》、④恒沙如来《ごうじゃにょらい》の護念《ごねん》は、諸仏《しょぶつ》⑤咨嗟《ししゃ》の御《おん》ちかいをあらわさんとなり。諸仏称名《しょぶつしょうみょう》の誓願《せいがん》、『大経《だいきょう》』にのたまわく、[27]「設我得仏《せつがとくぶつ》　十方世界《じっぽうせかい》　無量諸仏《むりょうしょぶつ》　不悉咨嗟《ふしつししゃ》　称我名者《しょうがみょうしゃ》　不取正覚《ふしゅしょうがく》」と願《がん》じたまえり。この悲願《ひがん》のこころは、「たといわれ仏《ぶつ》をえたらんに、十方世界無量《じっぽうせかいむりょう》の諸仏《しょぶつ》、ことごとく咨嗟《ししゃ》してわが名《な》を称《しょう》せずは、仏《ぶつ》にならじ」とちかいたまえるなり。「咨嗟《ししゃ》」ともうすは、よろずの仏《ぶつ》にほめられたてまつるともうす御《み》ことなり。

[28]「一心専念《いっしんせんねん》」（散善義）というは、「一心《いっしん》」は、金剛《こんごう》の信心《しんじん》なり。「専念《せんねん》」は、一向専修《いっこうせんじゅ》なり。一向《いっこう》は、余《よ》の善《ぜん》にうつらず、余《よ》の仏《ぶつ》を念《ねん》ぜず。専修《せんじゅ》は、本願《ほんがん》のみなを、ふたごころなく、もっぱら修《しゅ》するなり。修《しゅ》は、こころのさだまらぬをつくろいなおし、おこなうなり。専《せん》は、もっぱらという、一《いち》というなり。もっぱらというは、余善《よぜん》・他仏《たぶつ》にうつるこころなきをいうなり。[29]「行住座臥不問時節久近《ぎょうじゅうざがふもんじせつくごん》」（同）というは、「行《ぎょう》」は、あるくなり。「住《じゅう》」は、[30]たたるなり。「座《ざ》」は、いるなり。「臥《が》」は、ふすな

り。「不問《ふもん》」は、とわずというなり。「時《じ》」は、ときなり、十二時《じゅうにじ》なり。「節」は、ときなり、十二月《がつ》、四季《しき》なり。「久《く》」は、ひさしき、「近《ごん》」は、ちかしとなり。ときをえらばざれば、不浄《ふじょう》のときをへだてず、よろずのことをきらわざれば、「⑥不問《ふもん》」というなり。31「是《ぜ》名《みょう》正《しょう》定《じょう》之《し》業《ごう》　順《じゅん》彼《ぴ》仏《ぶつ》願《がん》故《こ》」(同)というは、弘誓《ぐぜい》を信《しん》ずるを報土《ほうど》の業因《ごういん》とさだまるを、「正定《しょうじょう》の業《ごう》となづく」という。「仏《ぶつ》の願《がん》にしたがうがゆえに」ともうす文《もん》なり。

一念多念《いちねんたねん》のあらそいをなすひとをば32「⑦異学別解《いがくべつげ》のひと」ともうすなり。「異学《いがく》」というは、聖道外道《しょうどうげどう》におもむきて、余行《よぎょう》を修《しゅ》し、余仏《よぶつ》を念《ねん》ず、吉日良辰《きちにちりょうしん》をえらび、⑧占相祭祀《せんそうさいし》をこのむものなり。これは外道《げどう》なり。これらはひとえに自力《じりき》をたのむものなり。「別解《べつげ》」は、念仏《ねんぶつ》をしながら、他力《たりき》をたのまぬなり。「別《べつ》」というは、ひとつなることをふたつにわかちなすことばなり。「解《げ》」は、さとるという、とくということばなり。念仏《ねんぶつ》をしながら、自力《じりき》にさとりなすなり。かるがゆえに「別解《べつげ》」というなり。また助業《じょごう》をこのむもの、これすなわち自力《じりき》をはげむひとなり。自力《じりき》というは、わがみをたのみ、わがこころをたのむ、わがちからをはげみ、わがさまざまの善根《ぜんごん》をたのむひとなり。

①**易往易行**…ゆきやすし　ぎょうじやすしとなり
②**出世**…よにいでたまうともうす
③**素懐**…もとのおん(御)こころざしなり
④**恒沙如来**…ほとけのおおくましますこと　かずきわまりなきことをごうがしゃ(恒河沙)のいしにたとえもうすなり
⑤**咨嗟**…ほめたてまつるとなり
⑥**不問**…とわず　と
⑦**異学別解**…ことごとをならいまなぶなり　じりきのひとなり
⑧**占相祭祀**…うら　そう　まつり　はらえなり

[33]「上尽一形《じょうじんいちぎょう》」（法事讃）というは、「上《じょう》」は、かみという、すすむという、のぼるという。いのちおわらんまでという。「尽《じん》」は、つくるまでという。「形《ぎょう》」は、かたちという、あらわすという。念仏《ねんぶつ》せんこと、いのちおわらんまでとなり。

[34]「十念《じゅうねん》・三念《さんねん》・五念《ごねん》のものも、むかえたまう」（同）というは、念仏《ねんぶつ》の遍数《へんじゅ》によらざることをあらわすなり。

[35]「直為弥陀弘誓重《じきいみだぐぜいじゅう》」（同）というは、「直《じき》」は、ただしきなり。如来《にょらい》の直説《じきせつ》というなり。諸仏《しょぶつ》のよに《（世）》いでたまう本意《ほんい》ともうすを、直説《じきせつ》というなり。「為《い》」は、なすという、もちいるという、さだまるという、かれという、これという、あうという。あうというは、かたちというこころなり。「重《じゅう》」は、かさなるという、おもしという、あつしという。誓願《せいがん》の名号《みょうごう》、これを、もちい、さだめなしたまうこと、かさなれりと、おもうべきことをしらせんとなり。

しかれば、『大経《だいきょう》』には[36]「如来所以興出於世《にょらいしょいこうしゅつおせ》　欲拯群萌恵以真実之利《よくじょうぐんもうえいしんじつしり》」とのたまえり。この文《もん》のこころは、「如来《にょらい》」ともうすは、諸仏《しょぶつ》をもうすなり。「所以《しょい》」は、ゆえということばなり。「興出於世《こうしゅつおせ》」というは、仏《ぶつ》のよにいでたまうともうすなり。「欲《よく》」は、おぼしめすともうすなり。「拯《じょう》」は、すくうという。「群萌《ぐんもう》」は、よろずの衆生《しゅじょう》という。「恵《え》」は、めぐむともうす。「真実之利《しんじつしり》」ともうすは、弥陀《みだ》の誓願《せいがん》をもうすなり。しかれば、諸仏《しょぶつ》のよに《（世々）》いでたまうゆえは、弥陀《みだ》の願力《がんりき》をときて、よろずの衆生《しゅじょう》をめぐみすくわんとおぼしめすを、①本懐《ほんがい》とせんとしたまうがゆえに、「真実之利《しんじつしり》」とはもうすなり。しかればこれを、諸仏出世《しょぶつしゅっせ》の直説《じきせつ》ともうすなり。おおよそ八万四千の法門は、みなこれ浄土《じょうど》の方便《ほうべん》の善《ぜん》なり。これを要門《ようもん》という。これを②仮門《けもん》となづけたり。この要門《ようもん》・仮門《けもん》というは、すなわち『無量寿仏観経《むりょうじゅぶつかんぎょう》』一部《いちぶ》にときたまえる定善《じょうぜん》・散善《さんぜん》これなり。定善《じょうぜん》は十三観《じゅうさんかん》なり。散善《さんぜん》は三福九品《さんぷくくぼん》の③諸善《しょぜん》なり。これみな浄土方便《じょうどほうべん》の要門《ようもん》なり。これを仮門《けもん》ともいう。この要門《ようもん》・仮門《けもん》より、もろもろの衆生《しゅじょう》をすすめこしらえて、本願一乗円融無碍真実功徳大宝海《ほんがんいちじょうえんゆうむげしんじつくどくだいほうかい》におしえすすめいれたまうがゆえに、よろずの自力《じりき》の善業《ぜんごう》をば方便《ほうべん》の門《もん》ともうすなり。いま、一乗《いちじょう》ともうすは、本願《ほんがん》なり。円融《えんゆう》ともうすは、よろずの功徳善根《くどくぜんごん》みちみちてかくることなし。自在《じざい》なるこころなり。無碍《むげ》ともうすは、煩悩悪業《ぼんのうあくごう》にさえられず、やぶられぬをいうなり。真実功徳《しんじつくどく》ともうすは、名号《みょうごう》なり。一実真如《いちじつしんにょ》の妙理《みょうり》、円満《えんまん》せるがゆえに、大宝海《だいほうかい》にたとえたまうなり。一実真如《いちじつしんにょ》ともうすは、無上大涅槃《むじょうだいねはん》なり。涅槃《ねはん》すなわち法性《ほっしょう》なり。法性《ほっしょう》すなわち如来《にょらい》なり。宝海《ほうかい》ともうすは、よろずの衆生《しゅじょう》をきらわず、さわりなく、へだてず、みちびきたまうを、大海《だいかい》のみずのへだてなきにたとえたまえるなり。この一如宝海《いちにょほうかい》よりかたちをあらわして、法蔵菩薩《ほうぞうぼさつ》となのりたまいて、無碍《むげ》のちかいをおこしたまうをたねとして、阿弥陀《あみだ》仏《ぶつ》となりたまうがゆえに、報身如来《ほうじんにょらい》ともうすなり。これを尽十方無碍光仏《じんじっぽうむげこうぶつ》となづけたてまつれるなり。この如来《にょらい》を南無不可思議光仏《なむふかしぎこうぶつ》ともうすなり。この如来《にょらい》を方便法身《ほうべんほっしん》とはもうすなり。方便《ほうべん》ともうすは、

①本懐…もと　おもいなり
②仮門…かりなり　まことならずとなり
③諸善…よろずのぜんというなり

かたちをあらわし、御《み》なをしめして衆生《しゅじょう》にしらしめたまうをもうすなり。すなわち阿弥陀仏《あみだぶつ》なり。この如来《にょらい》は光明《こうみょう》なり。光明《こうみょう》は智慧《ちえ》なり。智慧《ちえ》はひかりのかたちなり。智慧《ちえ》またかたちなければ、不可思議光仏《ふかしぎこうぶつ》ともうすなり。この如来《にょらい》、十方微塵世界《じっぽうみじんせかい》にみちみちたまえるがゆえに、無辺光仏《むへんこうぶつ》ともうす。しかれば、世親菩薩《せしんぼさつ》は37「尽十方無碍光如来《じんじっぽうむげこうにょらい》」（論）となづけたてまつりたまえり。

『浄土論《じょうどろん》』に曰《い》わく、38「観仏本願力《かんぶつほんがんりき》　遇無空過者《ぐうむくうかしゃ》　能令速満足《のうりょうそくまんぞく》　功徳大宝海《くどくだいほうかい》」とのたまえり。この文《もん》のこころは、「仏《ぶつ》の本願力《ほんがんりき》を①観《かん》ずるに、もうおうてむなしくすぐるひとなし。よくすみやかに功徳《くどく》の大宝海《だいほうかい》を満足《まんぞく》せしむ」とのたまえり。「観《かん》」は、願力《がんりき》をこころにうかべみるともうす。また、しるということころなり。「遇《ぐう》」は、もうあうという。もうあうともうすは、本願力《ほんがんりき》を信《しん》ずるなり。「無《む》」は、なしという。「空《くう》」は、むなしくという。「過《か》」は、すぐるという。「②者《しゃ》」は、ひとという。むなしくすぐるひとなしというは、信心《しんじん》あらんひと、むなしく生死《しょうじ》にとどまることなしとなり。「能《のう》」は、よくという。「令《りょう》」は、せしむという、よしという。「③速《そく》」は、すみやかにという、ときことというなり。「満《まん》」は、みつという。「足《そく》」は、たりぬという。「功徳《くどく》」ともうすは、名号《みょうごう》なり。「大宝海《だいほうかい》」は、よろずの善根功徳《ぜんごんくどく》みちきわまるを、海《かい》にたとえたまう。この功徳《くどく》をよく信《しん》ずるひとのこころのうちに、すみやかに、とくみちたりぬとしらしめんとなり。しかれば、金剛心《こんごうしん》のひとは、しらず、もとめざるに、功徳《くどく》の大宝《だいほう》、そのみにみちみつがゆえに、「大宝海《だいほうかい》」とたとえたるなり。

39「致使凡夫念即生《ちしぼんぶねんそくしょう》」（法事讃）というは、「致《ち》」は、むねとすという。むねとすというは、これを本《ほん》とすということばなり。いたるという。いたるというは、実報土にいたるとなり。「使」は、せしむという。「凡夫《ぼんぶ》」は、すなわちわれらなり。本願力《ほんがんりき》を信楽《しんぎょう》するをむねとすべしとなり。「念《ねん》」は、如《にょ》来《らい》の御《おん》ちかいをふたごころなく信《しん》ずるをいうなり。「即《そく》」は、すなわちという。ときをへず、日《ひ》をへだてず、正定聚《しょうじょうじゅ》のくらいにさだまるを「④即生《そくしょう》」というなり。「生《しょう》」は、うまるという。これを「念即生《ねんそくしょう》」ともうすなり。また「即《そく》」は、つくという。つくというは、くらいにかならずのぼるべきみというなり。世俗《せぞく》のならいにも、くにの王《おう》のくらいにのぼるをば即位《そくい》という。位《い》というは、くらいという。これを東宮《とうぐう》のくらいにいるひとは、かならず王《おう》のくらいにつくがごとく、正定聚《しょうじょうじゅ》のくらいにつくは、東宮《とうぐう》のくらいのごとし。王《おう》にのぼるは、即位《そくい》という。これはすなわち、無上大涅槃《むじょうだいねはん》にいたるをもうすなり。信心《しんじん》のひとは、正定聚《しょうじょうじゅ》にいたりて、かならず滅度《めつど》にいたるとちかいたまえるなり。これを「致《ち》とす」という。むねとすともうすは、涅槃《ねはん》のさとりをひらくをむねとすとなり。「凡夫《ぼんぶ》」というは、無明煩悩《むみょうぼんのう》われらがみにみちみちて、欲《よく》もおおく、いかり、はらだち、そねみ、ねたむこころ、おおく、ひまなくして、臨終《りんじゅう》の一念《いちねん》にいたるまで、とどまらず、きえず、たえずと、水《すい》火二河《かにが》のたとえにあらわれたり。かかるあさましきわれら、願力《がんりき》の白道《びゃくどう》を一分二分《いちぶんにぶん》、ようよう（漸）ずつあゆみゆけば、無碍光仏《むげこうぶつ》のひかりの御《おん》こころにおさめとりたまうがゆえに、かならず安楽浄土《あんらくじょうど》へい

①観…みるなり　しるこころなり
②者…ものという
③速…とく　すみやかに
④即生…すなわち　うまる　と

たれば、弥陀如来《みだにょらい》とおなじく、かの正覚《しょうがく》のはなに化生《けしょう》して、大般涅槃《だいはつねはん》のさとりをひらかしむるをむねとせしむべしとなり。これを「致使凡夫念即生《ちしぼんぶねんそくしょう》」ともうすなり。二河《にが》のたとえに、[40]「一分二分《いちぶんにぶん》ゆく」（散善義）というは、一年二年《いちねんにねん》すぎゆくにたとえたるなり。諸仏出世《しょぶつしゅっせ》の直説《じきせつ》、如来成道《にょらいじょうどう》の素懐《そかい》は、凡夫《ぼんぶ》は、弥陀《みだ》の本願《ほんがん》を念《ねん》ぜしめて、即生《そくしょう》するをむねとすべしとなり。

[41]「今信知弥陀本弘誓願《こんしんちみだほんぐぜいがん》　及称名号《ぎゅうしょうみょうごう》」（往生礼讃）というは、如来《にょらい》のちかいを信知《しんち》すともうすこころなり。「信《しん》」というは、金剛心《こんごうしん》なり。「知《ち》」というは、しるという。煩悩悪業《ぼんのうあくごう》の衆生《しゅじょう》をみちびきたまうとしるなり。また「知《ち》」というは、観《かん》なり。こころにうかべおもうを観《かん》という。こころにうかべしるを「知《ち》」というなり。「及称名号《ぎゅうしょうみょうごう》」というは、「及《ぎゅう》」は、およぶというは、かねたるこころなり。「称《しょう》」は、御《み》なをとなうるとなり。また、「称《しょう》」は、はかりというこころなり。はかりというは、もののほどをさだむることなり。名号《みょうごう》を称《しょう》すること、とこえ、ひとこえ、きくひと、うたがうこころ、一念《いちねん》もなければ、①実報土《じっぽうど》へうまるともうすこころなり。また『阿弥陀経《あみだきょう》』の[42]「七日《しちにち》もしは一日《いちにち》、名号《みょうごう》をとなうべし」となり。

これは多念《たねん》の証文《しょうもん》なり。おもうようにはもうしあらわさねども、これにて、一念多念《いちねんたねん》のあらそい、あるまじきことは、おしはからせたまうべし。浄土真宗《じょうどしんしゅう》のならいには念仏往生《ねんぶつおうじょう》ともうすなり。まったく一念往生《いちねんおうじょう》・多念往生《たねんおうじょう》ともうすことなし。これにてしらせたまうべし。

南無阿弥陀仏《なむあみだぶつ》

いなかのひとびとの、文字《もんじ》のこころもしらず、あさましき愚痴《ぐち》きわまりなきゆえに、やすくこころえさせんとて、おなじことを、とりかえしとりかえしかきつけたり。こころあらんひとは、おかしくおもうべし、あざけりをなすべし。しかれども、ひとのそしりをかえりみず、ひとすじに、おろかなるひとびとを、こころえやすからんとてしるせるなり。

康元二歳(一二五七)丁巳《ひのとみ》二月十七日　愚禿親鸞《ぐとくしんらん》　八十五歳　書レ之

①**実報土**…あんにょうじょうど(安養浄土)なり

唯《ゆい》信《しん》[1]鈔《しょう》文《もん》意《い》

「唯信《ゆいしん》[2]抄《しょう》」というは、「唯《ゆい》」は、ただこのことひとつという。ふたつならぶことをきらうことばなり。また「唯《ゆい》」は、ひとりというこころなり。「信《しん》」は、[3]うたがいなきこころなり。すなわちこれ真《しん》実《じつ》の信心《しんじん》なり。虚仮《こけ》はなれたるこころなり。「虚《こ》」は、むなしという。「仮《け》」は、[4]かりなるということなり。「虚《こ》」は、実《じつ》ならぬをいう。「仮《け》」は、真《しん》ならぬをいうなり。本願他力《ほんがんたりき》をたのみて自力《じりき》を[5]はなれたる、これを「唯信《ゆいしん》」という。[6]「鈔《しょう》」は、すぐれたることをぬきいだし、あつむることばなり。このゆえに「唯信《ゆいしん》[7]鈔《しょう》」というなり。また「唯信《ゆいしん》」はこれ、[8]この他力《たりき》の信心《しんじん》のほかに余《よ》のこと[9]ならばずとなり。すなわち本弘誓願《ほんぐぜいがん》なるがゆえなればなり。

[10]「如来尊号甚分明《にょらいそんごうじんふんみょう》　十方世界普流行《じっぽうせかいふるぎょう》　但有称名皆得往《たんうしょうみょうかいとくおう》　観音勢至自[11]来迎《かんのんせいしじらいこう》」（五会法事讃）

「如来尊号甚分明《にょらいそんごうじんふんみょう》」、このこころは、「如来《にょらい》」ともうすは、無碍光如来《むげこうにょらい》なり。「尊号《そんごう》」と[12]もうすは、南無阿弥陀仏《なむあみだぶつ》なり。「尊《そん》」は、とうとくすぐれたりとなり。「号《ごう》」は、仏《ほとけ》になり[13]たまうてのちの御《み》なを[14]もうす。「名《みょう》」は、いまだ仏《ほとけ》になりたまわぬときの御《み》なをもうすなり。この如来《にょらい》の尊号《そんごう》は、不可《ふか》称《しょう》・不可説《ふかせつ》・不可思議《ふかしぎ》に[15]ましまして、一切衆生《いっさいしゅじょう》をして無上大般涅槃《むじょうだいはつねはん》にいたらしめたまう、[16]大慈《だいじ》大悲《だいひ》のちかいの御《み》なり。この仏《ほとけ》の御《み》なは、よろずの如来《にょらい》の名号《みょうごう》にすぐれたまえり。[17]これすなわち誓願《せいがん》なるがゆえなり。「甚分明《じんふんみょう》」というは、「甚《じん》」は、はなはだという。すぐれたりというこころなり。「分《ふん》」は、わかつという。よろずの[18]衆生《しゅじょう》ごとにと、わかつこころなり。「明《みょう》」は、あきらかなりという。十方一切衆生《じっぽういっさいしゅじょう》を、[19]ことごとくたすけみちびきたまうこと、[20]あきらかにわかち、すぐれたまえりとなり。

「十方世界普流行《じっぽうせかいふるぎょう》」というは、「普《ふ》」は、あまねく、ひろく、きわなしという。「流行《るぎょう》」は、十方《じっぽう》微塵世界《みじんせかい》にあまねくひろまりて、[21]すすめ、①行《ぎょう》ぜしめたまうなり。しかれば、[22]大小《だいしょう》の聖人《しょうにん》、[23]善悪《ぜんあく》の凡夫《ぼんぶ》、みなともに、自力《じりき》の智慧《ちえ》をもっては、大涅槃《だいねはん》にいたることなければ、無碍光《むげこう》[24]仏《ぶつ》の御《おん》かたちは、智慧《ちえ》のひかりにてましますゆえに、この[25]仏《ぶつ》の智願海《ちがんかい》にすすめいれたまうなり。一切諸仏《いっさいしょぶつ》の智慧《ちえ》をあつめたまえる御《おん》かたちなり。光明《こうみょう》は智慧《ちえ》なりとしるべし[26]となり。

「但有称名《たんうしょうみょう》②皆得往《かいとくおう》」というは、「但有《たんう》」は、ひとえに御《み》なをとなうる人《ひと》のみ、みな[27]往生《おうじょう》すとのたまえるなり。かるがゆえに「称名皆得往《しょうみょうかいとくおう》」と[28]いうなり。

「観音勢至自来迎《かんのんせいしじらいこう》」というは、[29]南無阿弥陀仏《なむあみだぶつ》は智慧《ちえ》の名号《みょうごう》なれば、この[30]不可思議光仏《ふかしぎこうぶつ》の御《み》なを信《しん》受《じゅ》して、憶念《おくねん》すれば、観音《かんのん》・勢至《せいし》は、かならずかげのかたちにそえるがごとくなり。この無碍光仏《むげこうぶつ》は、観音《かんのん》とあらわれ、[31]勢志《せいし》としめす。ある[32]『経《きょう》』には、観音《かんのん》を宝応声《ほうおうしょう》菩薩《ぼさつ》となづけて、日天子《にちてんじ》としめす。これは[33]無明《むみょう》の③黒闇《こくあん》をはらわしむ。勢至《せいし》を宝吉祥《ほうきちじょう》菩薩《ぼさつ》となづけて、月天子《がってんじ》と[34]あらわる。生死《しょうじ》の[35]④長夜《じょうや》をてらして、智慧《ちえ》を[36]ひらかしめんとなり。「自来迎《じらいこう》」というは、「自《じ》」は、みずからという

[37]なり。弥陀無数《みだむしゅ》の化仏《けぶつ》・無数《むしゅ》の化観音《けかんのん》・化大勢至《けだいせいし》等《とう》の無量無数《むりょうむしゅ》の聖衆《しょうじゅ》、みずからつねに、ときをきらわず、ところをへだてず、真実信心《しんじつしんじん》をえたるひとにそいたまいて、まもりたまうゆえに、みずからともうすなり。また「自《じ》」は、おのずからという。おのずからというは、自然《じねん》という。自然《じねん》というは、しからしむという。しからしむというは、[38]行者《ぎょうじゃ》の、はじめて、ともかくもはからわざるに、過去《かこ》・今生《こんじょう》・未来《みらい》の一切《いっさい》のつみを[39]転《てん》ず。転《てん》ずというは、[40]善《ぜん》とかえなすをいうなり。[41]もとめざるに、一切《いっさい》の功徳善根《くどくぜんごん》を、仏《ぶつ》のちかいを信《しん》ずる人《ひと》にえしむるがゆえに、しからしむという。はじめて[42]はからわざれば、自然《じねん》というなり。誓願真実《せいがんしんじつ》の信心《しんじん》をえたるひとは、摂取不捨《せっしゅふしゃ》の御《おん》ちかいにおさめとりて、まもらせたまうによりて、行人《ぎょうにん》のはからいにあらず、金剛《こんごう》の[43]信心《しんじん》をうるゆえに、憶念自然《おくねんじねん》なるなり。この信心《しんじん》のおこることも、釈迦《しゃか》の[44]慈父《じぶ》、弥陀《みだ》の[45]悲母《ひも》の方便《ほうべん》によりて、[46]おこるなり。これ自然《じねん》の利《り》益《やく》なりとしるべし[47]となり。「来迎《らいこう》」というは、「来《らい》」は、[48]浄土《じょうど》へきたらしむという。これすなわち若不生者《にゃくふしょうじゃ》のちかいをあらわす御《み》のりなり。穢土《えど》をすてて、[49]真実報土《しんじつほうど》に[50]きたらしむとなり。すなわち他力《たりき》をあらわす御《み》ことなり。また「来《らい》」は、かえるという。かえるというは、[51]願海《がんかい》にいりぬるによりて、かならず大涅槃《だいねはん》にいたるを、法性《ほっしょう》のみやこへかえるともうすなり。法性《ほっしょう》のみやこというは、法身《ほっしん》ともうす如来《にょらい》のさとりを自然《じねん》に[52]ひらくときを、みやこへかえると[53]いうなり。これを、真如実相《しんにょじっそう》

①**行ぜしめ**…おこなうともうすなり
②**皆得往**…みなうまるることをう（得）ともうすなり
③**黒闇**…くらきやみのよ（夜）なり
④**長夜**…ながきよ（夜）という

を証《しょう》すとも[54]もうす。無為法身《むいほっしん》[55]ともいう。滅度《めつど》にいたるともいう。法性《ほっしょう》の常楽《じょうらく》を証《しょう》すとも[56]もうすなり。このさとりをうれば、すなわち大慈大悲《だいじだいひ》きわまりて、生死海《しょうじかい》にかえり[57]いりて、普賢《ふげん》の徳《とく》に帰《き》せしむと[58]もうす。この利益《りやく》におもむくを「来《らい》」という。これを法性《ほっしょう》のみやこへかえると[59]もうすなり。「迎《こう》」というは、[60]むかえたまうという。まつというこころなり。[61]選択不思議《せんじゃくふしぎ》の本願《ほんがん》、無上《むじょう》智慧《ちえ》の[62]尊号《そんごう》をききて、一念《いちねん》もうたがうこころ[63]なきを、真実信心《しんじつしんじん》という[64]なり。金剛心《こんごうしん》ともなづく。この[65]信楽《しんぎょう》をうるとき、かならず摂取《せっしゅ》してすてたまわざれば、すなわち正定聚《しょうじょうじゅ》のくらいにさだまるなり。このゆえに信心《しんじん》やぶれず、かたぶかず、みだれぬこと、金剛《こんごう》のごとく[66]なるがゆえに、金剛《こんごう》の信心《しんじん》[67]とはもうすなり。[68]これを「迎《こう》」というなり。『大経《だいきょう》』には[69]「願生彼国《がんしょうひこく》　即得往生《そくとくおうじょう》　住不退《じゅうふたい》転《てん》」とのたまえり。「願生彼国《がんしょうひこく》」は、かのくにに[70]うまれんとねがえとなり。「即得往生《そくとくおうじょう》」は、信心《しんじん》をうれば、すなわち往生《おうじょう》すという。すなわち往生《おうじょう》すというは、不退転《ふたいてん》に住《じゅう》するをいう。不退転《ふたいてん》に住《じゅう》すというは、すなわち正定聚《しょうじょうじゅ》のくらいにさだまる[71]とのたまう御《み》のりなり。これを「即得往生《そくとくおうじょう》」[72]とはもうすなり。「即《そく》」は、すなわちという。すなわちというは、ときをへず、日《ひ》をへだてぬをいうなり。

おおよそ十方世界《じっぽうせかい》にあまねくひろまることは、法蔵菩薩《ほうぞうぼさつ》の[73]四十八大願《しじゅうはちだいがん》の中《なか》に、第十七《だいじゅうしち》の願《がん》に「十方無量《じっぽうむりょう》の諸仏《しょぶつ》にわがなを[74]ほめられん、となえられん」とちかいたまえる一乗《いちじょう》[75]大智海《だいちかい》の誓願《せいがん》、成就《じょうじゅ》したまえるに[76]よりてなり。『阿弥陀経《あみだきょう》』の証誠護念《しょうじょうごねん》のありさまにて、あきらかなり。証誠《しょうじょう》護念《ごねん》の御《おん》こころは、『大経《だいきょう》』にもあらわれたり。[77]また称名《しょうみょう》の[78]本願《ほんがん》は、選択《せんじゃく》の正因《しょういん》[79]たること、この悲願《ひがん》にあらわれたり。この文《もん》のこころは、おもうほどはもうさず。これにておしはからせたまうべし。

この文《もん》は、[80]後善導法照禅師《ごぜんどうほっしょうぜんじ》ともうす聖人《しょうにん》の御釈《ごしゃく》なり。この和尚《かしょう》をば[81]法道和尚《ほうどうかしょう》と、慈覚大師《じかくだいし》はのたまえり。また[82]『[①]伝《でん》』には、[83]廬山《ろざん》の弥陀和尚《みだかしょう》とももうす。浄業和尚《じょうごうかしょう》とももうす。唐朝《とうちょう》の光明寺《こうみょうじ》の善導和尚《ぜんどうかしょう》の化身《けしん》なり。このゆえに後善導《ごぜんどう》ともうすなり。

[84]「彼仏因中立弘誓《ひぶついんちゅうりゅうぐぜい》　聞名念我総迎来《もんみょうねんがそうこうらい》　不簡貧窮将富貴《ふけんびんぐしょうふき》　不簡下智与高才《ふけんげちよこうざい》
不簡多聞持浄戒《ふけんたもんじじょうかい》　不簡破戒罪根深《ふけんはかいざいこんじん》　但使回心多念仏《たんしえしんたねんぶつ》　能令瓦礫変成金《のうりょうがりゃくへんじょうこん》」（五会法事讃）

「彼仏因中立弘誓《ひぶついんちゅうりゅうぐぜい》」、このこころは、「彼《ひ》」は、かのという。「仏《ぶつ》」は、阿弥陀仏《あみだぶつ》なり。「因中《いんちゅう》」は、法蔵菩薩《ほうぞうぼさつ》ともうししときなり。「立弘誓《りゅうぐぜい》」[85]は、「立《りゅう》」は、たつという、なるという。「弘《ぐ》」は、ひろしという、ひろまるという。「誓《ぜい》」は、ちかいという[86]なり。法蔵比丘《ほうぞうびく》、超世無上《ちょうせむじょう》のちかいをおこして、[87]ひろくひろめたまうと[88]もうすなり。超世《ちょうせ》は、よ《（余）》の仏《ぶつ》の御《おん》ちかいにすぐれたまえりとなり。[89]超《ちょう》は、こえたりと[90]いうは、うえなしと[91]もうすなり。[92]如来《にょらい》の、弘誓《ぐぜい》をおこしたまえるよう《（様）》は、この『唯信《ゆいしん》[93]鈔《しょう》』にくわしく[94]あらわれたり。

①伝…こうそうでん（高僧伝）なり

「聞名念我《もんみょうねんが》」というは、「聞《もん》」は、きくという。信心《しんじん》をあらわす御《み》のりなり。「名《みょう》」は、[95]御《み》なともうすなり。如来《にょらい》のちかいの名号《みょうごう》なり。「念我《ねんが》」ともうすは、[96]ちかいのみなを憶念《おくねん》せよとなり。諸仏《しょぶつ》称名《しょうみょう》の悲願《ひがん》にあらわせり。[97]憶念《おくねん》は、信心《しんじん》をえたるひとは[98]うたがいなきゆえに、本願《ほんがん》をつねにおもいいずるこころの[99]たえぬをいうなり。「総迎来《そうこうらい》」というは、「総《そう》」は、ふさねてという。すべて、みなというこころなり。「迎《こう》」は、むかうるという、まつという。他力《たりき》をあらわすこころなり。「来《らい》」は、かえるという、[100]きたらしむという。法性《ほっしょう》のみやこへ、むかえいて《(率)》、[101]きたらしめ、かえらしむと[102]いう。法性《ほっしょう》のみやこより、衆生利益《しゅじょうりやく》のために、[103]この娑婆界《しゃばかい》に[104]きたるゆえに、「来《らい》」[105]をきたるというなり。[106]法性《ほっしょう》のさとりをひらくゆえに、「来《らい》」をかえるというなり。

「不簡貧窮将富貴《ふけんびんぐしょうふき》」というは、「不簡《ふけん》」は、[107]えらばずという。「貧窮《びんぐ》」は、まずしく、たしなき[108]ものなり。「将《しょう》」は、まさにという、もってという、いて《(率)》ゆくという。「富貴《ふき》」は、とめる[109]ひと、よきひとという。これらを、まさにもってえらばず、[110]きらわず、浄土《じょうど》へいてゆくとなり。

「不簡下智与高才《ふけんげちよこうざい》」というは、「下智《げち》」は、智慧《ちえ》あさく、せばく、すくなき[111]ものとなり。「高才《こうざい》」は、才学《さいかく》ひろきもの。これらをえらばず、[112]きらわずとなり。

「不簡多聞持浄戒《ふけんたもんじじょうかい》」というは、「多聞《たもん》」は、聖教《しょうぎょう》をひろく、おおく、きき、信《しん》ずるなり。「持《じ》」は、たもつという。たもつというは、ならいまなぶことを、うしなわず、ちらさぬなり。「浄戒《じょうかい》」は、[113]大小乗《だいしょうじょう》のもろもろの[114]戒行《かいぎょう》、五戒《ごかい》・八戒《はっかい》、十善戒《じゅうぜんかい》、[115]小乗《しょうじょう》の具足衆戒《ぐそくしゅかい》、三千《さんぜん》の威儀《いぎ》、六万《ろくまん》の斎行《さいぎょう》、

[116]梵網《ぼんもう》の五十八戒《ごじゅうはちかい》、大乗一心金剛法戒《だいじょういっしんこんごうほうかい》、三聚浄戒《さんじゅじょうかい》、大乗《だいじょう》の具足戒等《ぐそくかいとう》、すべて道俗《どうぞく》の戒品《かいほん》、[117]これらをたもつを「持《じ》」と[118]いう。かようのさまざま[119]の戒品《かいほん》をたもてる、いみじきひとびとも、他力真実《たりきしんじつ》の信心《しんじん》をえてのちに、[120]真実報土《しんじつほうど》には往生《おうじょう》をとぐるなり。みずからの、おのおのの戒善《かいぜん》、おのおのの自力《じりき》の信《しん》、[121]自力《じりき》の善《ぜん》にては、[122]実報土《じっぽうど》にはうまれずと[123]なり。

「不簡破戒罪根深《ふけんはかいざいこんじん》」というは、「破戒《はかい》」は、かみにあらわすところの、よろずの道俗《どうぞく》の戒品《かいほん》をうけて、やぶりすてたるもの、これらをきらわずとなり。「罪根深《ざいこんじん》」というは、十悪《じゅうあく》・五逆《ごぎゃく》の悪人《あくにん》、謗法《ほうぼう》・闡提《せんだい》の罪人《ざいにん》、おおよそ善根《ぜんごん》すくなきもの、悪業《あくごう》おおきもの、善心《ぜんしん》あさきもの、悪心《あくしん》ふかきもの、かようのあさましき、さまざまのつみふかきひとを「深《じん》」という。ふかしということばなり。すべて、よきひと・あしきひと、とうときひと・いやしき[124]ひとを、無碍光仏《むげこうぶつ》の御《おん》ちかいには、[125]きらわず、えらばれず、これをみちびきたまうをさきとし、むねとするなり。真実信心《しんじつしんじん》をうれば、実報土《じっぽうど》にうまるとおしえたまえるを、浄土真宗《じょうどしんしゅう》[126]の正意《しょうい》とすとしるべしとなり。「総迎来《そうこうらい》」[127]は、すべて[128]みな浄土《じょうど》へ[129]むかえ、かえらしむと[130]いえるなり。

「但使回心多念仏《たんしえしんたねんぶつ》」というは、「但使回心《たんしえしん》」は、ひとえに回心《えしん》せしめよということばなり。「回心《えしん》」というは、自力《じりき》の心《しん》をひるがえし、すつるをいうなり。実報土《じっぽうど》にうまるるひとは、[131]かならず金剛《こんごう》の信心《しんじん》[132]のおこるを「多念仏《たねんぶつ》」ともうすなり。「多《た》」は、大《だい》の[133]こころなり。[134]勝《しょう》のこころなり。増上《ぞうじょう》のこころなり。大《だい》は、おおきなり。勝《しょう》は、すぐれたり。よろずの善《ぜん》に[135]まされるとなり。増上《ぞうじょう》は、よろずのことにすぐれたるなり。これすなわち他力本願《たりきほんがん》[136]無上《むじょう》のゆえなり。自力《じりき》のこころをすつというは、ようよう（様様）[137]さまざまの、大小聖人《だいしょうしょうにん》、[138]善悪凡夫《ぜんあくぼんぶ》の、みずからがみをよしとおもうこころをすて、[139]みをたのまず、あしきこころを[140]かえりみず、ひとすじに、具縛《ぐばく》の[141]凡愚《ぼんぐ》、屠沽《とこ》の下類《げるい》、無碍光仏《むげこうぶつ》の不可思議《かしぎ》の[142]本願《ほんがん》、広大智慧《こうだいちえ》の名号《みょうごう》を信楽《しんぎょう》すれば、煩悩《ぼんのう》を具足《ぐそく》しながら、無上大涅槃《むじょうだいねはん》にいたるなり。

[143]具縛《ぐばく》は、よろずの煩悩《ぼんのう》にしばられたるわれらなり。煩《ぼん》は、み（身）をわずらわす。悩《のう》は、こころをなやますという。屠《と》は、よろずのいきたるものを、ころし、ほふるもの[144]なり。これはりょうし（猟師）というものなり。沽《こ》は、よろずのものをうりかうものなり。これはあき人《びと》（商）なり。これらを下類《げるい》という[145]なり。

「能令瓦礫変成金《のうりょうがりゃくへんじょうこん》」というは、[146]「能《のう》」は、よくという。「令《りょう》」は、せしむという。「瓦《が》」は、かわらという。「礫《りゃく》」は、つぶてという。「変成金《へんじょうこん》」[147]は、「変成《へんじょう》」は、かえなすという。「金《こん》」は、こがねと[148]いう。かわら・[149]つぶてをこがねに[150]かえなさしめんがごとしと、たとえたまえるなり。[151]りょうし・あき人《びと》、さまざまのものは、みな、いし・かわら・つぶてのごとくなる[152]われらなり。如来《にょらい》の御《おん》ちかいを、ふたごころなく信楽《しんぎょう》すれば、摂取《せっしゅ》のひかりのなかにおさめとられまいらせて、かならず大涅槃《だいねはん》のさとりをひらかしめたまうは、すなわち、りょうし・あき人《びと》などは、いし・かわら・つぶてなんどを、よくこがねとなさしめんがごとしと、たとえたまえるなり。摂取《せっしゅ》のひかりともうすは、阿弥陀仏《あみだぶつ》の御《おん》こころにおさめとりたまうゆえなり。文《もん》のこころは、おもうほどはもうしあらわし候《そうら》わねども、あらあらもうすなり。ふかき[153]ことは、これにておしはからせたまうべし。

この文《もん》は、慈愍三蔵《じみんさんぞう》ともうす[154]聖人《しょうにん》の御釈《ごしゃく》なり。震旦《しんだん》には、恵日三蔵《えにちさんぞう》ともうすなり。

[155]「極楽無為涅槃界《ごくらくむいねはんがい》　随縁雑善恐難生《ずいえんぞうぜんくなんしょう》　故使如来選要法《こしにょらいせんようほう》　教念弥陀《きょうねんみだ》専復《せんぶ》[156]専《せん》」（法事讃）

「極楽無為涅槃界《ごくらくむいねはんがい》」というは、「極楽《ごくらく》」ともうすは、かの安楽浄土《あんらくじょうど》なり。よろずのたのしみつねにして、くるしみ[157]まじわらざるなり。かのくにをば安養《あんにょう》といえり。曇鸞和尚《どんらんかしょう》は、[158]「ほめたてまつりて安養《あんにょう》ともうす」と[159]こそのたまえり。また『論《ろん》』（浄土論）には[160]「蓮華蔵世界《れんげぞうせかい》」[161]ともいえり。「無為《むい》」ともいえり。「涅槃界《ねはんがい》」というは、無明《むみょう》のまどいをひるがえして、[162]無上涅槃《むじょうねはん》のさとりをひらくなり。「界《かい》」は、さかいという。さとりをひらくさかい[163]なり。大涅槃《だいねはん》ともうすに、その名無量《なむりょう》なり。くわしくもうすにあたわず。おろおろ、その名《な》をあらわすべし。「涅槃《ねはん》」をば、滅度《めつど》[164]という、無為《むい》という、安楽《あんらく》という、常楽《じょうらく》という、実相《じっそう》という、法身《ほっしん》という、法性《ほっしょう》という、真如《しんにょ》という、一如《いちにょ》という、仏性《ぶっしょう》という。仏性《ぶっしょう》すなわち如来《にょらい》なり。この如来《にょらい》、微塵世界《みじんせかい》にみちみちたまえり。すなわち、一切群生海《いっさいぐんじょうかい》の心《しん》なり。[165]この心《しん》に誓願《せいがん》を信楽《しんぎょう》するがゆえに、この信心《しんじん》すなわち仏性《ぶっしょう》なり。[166]仏性《ぶっしょう》すなわち法性《ほっしょう》なり。法性《ほっしょう》すなわち法身《ほっしん》なり。[167]法身《ほっしん》は、いろもなし、かたちもましまさず。しかれば、こころも[168]およばれず。ことばもたえたり。この一如《いちにょ》よりかたちをあらわして、方便法身《ほうべんほっしん》ともうす[169]御《おん》すがたをしめして、法蔵比丘《ほうぞうびく》と[170]なのりたまいて、不可思議《ふかしぎ》の[171]大誓願《だいせいがん》をおこして、あらわれたまう御《おん》かたちをば、世親菩薩《せしんぼさつ》は[172]「尽十方無碍光如来《じんじっぽうむげこうにょらい》」（同）となづけたてまつりたまえり。この如来《にょらい》[173]を報身《ほうじん》ともうす。誓願《せいがん》の業因《ごういん》にむくい[174]たまえるゆえに、報身如来《ほうじんにょらい》ともうす[175]なり。報《ほう》と[176]もうすは、たねにむくいたる[177]なり。この報身《ほうじん》より、応《おう》・化《け》等《とう》の無量無数《むりょうむしゅ》の身《しん》をあらわして、微塵世界《みじんせかい》に無碍《むげ》の智慧光《ちえこう》をはなたしめたまうゆえに、尽十方無碍光仏《じんじっぽうむげこうぶつ》ともうすひかり[178]にて、かたちもましまさず、いろも[179]ましまさず。無明《むみょう》のやみをはらい、[180]悪業《あくごう》にさえられず。このゆえに、無碍光《むげこう》ともうすなり。無碍《むげ》は、[181]さわりなしともうす。しかれば、阿弥陀仏《あみだぶつ》は光明《こうみょう》なり。光明《こうみょう》は智慧《ちえ》のかたちなりとしるべし。

「随縁雑善恐難生《ずいえんぞうぜんくなんしょう》」というは、「随縁《ずいえん》」は、衆生《しゅじょう》のおのおのの縁《えん》にしたがいて、[182]おのおののこころにまかせて、もろもろの善《ぜん》を修《しゅ》するを、極楽《ごくらく》に回向《えこう》するなり。すなわち八万四千《はちまんしせん》の法門《ほうもん》なり。これは[183]みな自力《じりき》の善根《ぜんごん》なるゆえに、実報土《じっぽうど》[184]にはうまれずと、きらわるるゆえに、「恐難生《くなんしょう》」といえり。「恐《く》」は、おそるという。[185]真《しん》の報土《ほうど》に、雑善《ぞうぜん》・自力《じりき》の善《ぜん》、うまるということを、おそるるなり。「難生《なんしょう》」は、うまれがたしとなり。

「故使如来選要法《こしにょらいせんようほう》」というは、釈迦如来《しゃかにょらい》、よろずの善《ぜん》のなかより名号《みょうごう》をえらびとりて、五濁悪時《ごじょくあくじ》・悪世界《あくせかい》・悪衆生《あくしゅじょう》・邪見無信《じゃけんむしん》のものに、あたえたまえるなりとしるべし[186]となり。これを「選《せん》」という。ひろくえらぶと[187]いうなり。「要《よう》」は、もっぱらという、[188]もとむという、ちぎるというなり。「法《ほう》」[189]は、名号《みょうごう》なり。

「教念弥陀専復専《きょうねんみだせんぶせん》」というは、「教《きょう》」は、おしうという、のりという。釈尊《しゃくそん》の教勅《きょうちょく》なり。「念《ねん》」は、心《しん》におもいさだめて、ともかくもはたらかぬこころなり。すなわち選択本願《せんじゃくほんがん》の名号《みょうごう》を一向専修《いっこうせんじゅ》なれと、おしえたまう御《み》ことなり。「専復専《せんぶせん》」というは、はじめの「専《せん》」は、一行《いちぎょう》を修《しゅ》すべしとなり。

「復《ぶ》」は、またという、かさぬという。しかれば、また「専《せん》」というは、一心《いっしん》なれとなり。一行一心《いちぎょういっしん》をもっぱらなれとなり。「専《せん》」は、一《いち》ということばなり。[190]もっぱらというは、ふたごころなかれとなり。ともかくもうつるこころなきを「専《せん》」というなり。この一行一心《いちぎょういっしん》なるひと[191]を①摂取《せっしゅ》してすてたまわざれば、阿弥陀《あみだ》となづけたてまつると、光明寺《こうみょうじ》の和尚《かしょう》（善導）はのたまえり。

この一心《いっしん》は横超《おうちょう》の信心《しんじん》なり。横《おう》は、よこさまという。超《ちょう》は、こえてという。よろずの法《ほう》にすぐれて、すみやかに、とく（疾）[192]生死海《しょうじかい》をこえて、[193]仏果《ぶっか》にいたるがゆえに、超《ちょう》ともうすなり。これすなわち[194]大悲誓願力《だいひせいがんりき》なるがゆえなり。この信心《しんじん》は、摂取《せっしゅ》のゆえに[195]金剛心《こんごうしん》となれり。これは[196]『大経《だいきょう》』の本願《ほんがん》の三信心《さんしんじん》[197]なり。この真実信心《しんじつしんじん》を、世親菩薩《せしんぼさつ》[198]は[199]「願作仏心《がんさぶっしん》」（論註）とのたまえり。[200]この信楽《しんぎょう》は、仏《ぶつ》にならんとねがうともうすこころなり。この願作仏心《がんさぶっしん》は、すなわち度衆生心《どしゅじょうしん》なり。[201]この度衆生心《どしゅじょうしん》ともうすは、すなわち衆生《しゅじょう》をして生死《しょうじ》の大海《だいかい》をわたすこころなり。この信楽《しんぎょう》は、衆生《しゅじょう》をして無上《むじょう》[202]涅槃《ねはん》にいたらしむる心《しん》なり。[203]この心《しん》すなわち大菩提心《だいぼだいしん》なり。大慈大悲心《だいじだいひしん》なり。この信心《しんじん》[204]すなわち仏性《ぶっしょう》なり。すなわち如来《にょらい》なり。この信心《しんじん》をうるを[205]慶喜《きょうき》という[206]なり。慶喜《きょうき》するひとは、諸仏《しょぶつ》とひとしきひととなづく。[207]慶《きょう》は、よろこぶという。信心《しんじん》をえてのちに、[208]よろこぶなり。喜《き》は、こころのうちに、[209]よろこぶこころたえずして、[210]つねなるをいう。うべきことをえてのちに、みにも、こころ

①摂取…おさめとりたまうとなり

にも、よろこぶこころなり。信心《しんじん》をえたる211ひとをば212「213分陀利華《ふんだりけ》」(観経)214とのたまえり。この信心《しんじん》をえがたきことを、215『経《きょう》』(称讃浄土経)には「極難信法《ごくなんしんほう》」とのたまえり。しかれば、『大経《だいきょう》』には216「若聞斯経《にゃくもんしきょう》　信楽受持《しんぎょうじゅじ》　難中之難《なんちゅうしなん》　無過此難《むかしなん》」とおしえたまえり。217この文《もん》のこころは、「218もしこの『経《きょう》』をききて、信《しん》ずること、かたきがなかにかたし、これにすぎてかたきことなし」と219のたまえる御《み》のりなり。釈迦牟尼如来《しゃかむににょらい》220は、五濁悪世《ごじょくあくせ》にいでて、この難信《なんしん》の法《ほう》を行《①ぎょう》じて、無上涅槃《むじょうねはん》に221いたると、ときたまう。さて、この智慧《ちえ》の名号《みょうごう》を、濁悪《じょくあく》の衆生《しゅじょう》にあたえ222たまうとのたまえり。十方《じっぽう》諸仏《しょぶつ》の証誠《しょうじょう》、恒沙如来《ごうじゃにょらい》の護念《ごねん》、ひとえに真実信心《しんじつしんじん》のひとのためなり。釈迦《しゃか》は慈父《じぶ》、弥陀《みだ》は悲母《ひも》223なり。われらがちち・はは、224種種《しゅじゅ》の方便《ほうべん》をして無上《むじょう》の信心《しんじん》をひらきおこしたまえるなりと、しるべしとなり。おおよそ過去久遠《かこくおん》に、三恒河沙《さんごうがしゃ》の諸仏《しょぶつ》の、よ《(世)》にいでたまいしみもとにして、自力《じりき》の225菩提心《ぼだいしん》をおこしき。恒沙《ごうじゃ》の善根《ぜんごん》を226修《しゅ》せしによりて、いま227願力《がんりき》にもうあうことをえたり。他力《たりき》の三信心《さんしんじん》をえたらんひとは、ゆめゆめ余《よ》の228善根《ぜんごん》をそしり、余《よ》の229仏聖《ぶっしょう》をいやしゅうすることなかれとなり。

230「具三心者《ぐさんじんしゃ》　必生彼国《ひっしょうひこく》」(観経)というは、231三心《さんじん》を具《ぐ》すれば、かならずかのくににうまるとなり。しかれば、善導《ぜんどう》は232「具此三心《ぐしさんじん》　必得往生也《ひっとくおうじょうや》　若少一心《にゃくしょういっしん》　即不得生《そくふとくしょう》」(往生礼讃)とのたまえり。「具《ぐ》此三心《しさんじん》」というは、みつの心《しん》を具《ぐ》すべしとなり。「必得往生《ひっとくおうじょう》」というは、「必《ひつ》」は、かならずという。「得《とく》」は、うるという。うるというは、往生《おうじょう》をうるとなり。「若少一心《にゃくしょういっしん》」というは、「若《にゃく》」は、もしという、ごとしという。「少《しょう》」は、かくるという、すくなしという。一心《いっしん》かけ《(欠)》ぬれば、233うまれずというなり。一心《いっしん》かくるというは、信心《しんじん》のかくるなり。[234]信心《しんじん》かくというは、本願真実《ほんがんしんじつ》の[235]三信《さんしん》のかくるなり。『観経《かんぎょう》』の三心《さんじん》をえてのちに、『大経《だいきょう》』の三信心《さんしんじん》をうるを、[236]一心《いっしん》をうるとは[237]もうすなり。このゆえに『大経《だいきょう》』の[238]三信心《さんしんじん》をえざる[239]をば、一心《いっしん》かくると[240]もうすなり。この一心《いっしん》[241]かけぬれば、[242]真《しん》の報土《ほうど》にうまれずと[243]いうなり。『観経《かんぎょう》』の三心《さんじん》は、[244]定散二機《じょうさんにき》の心《しん》なり。[245]定散二善《じょうさんにぜん》を回《え》して、『大経《だいきょう》』の三信《さんしん》をえんとねがう方便《ほうべん》の深心《じんしん》[246]と至誠心《しじょうしん》としるべし。真実《しんじつ》の三信心《さんしんじん》をえざれ[247]ば、「即不得生《そくふとくしょう》」というなり。「即《そく》」は、すなわちという。「不得生《ふとくしょう》」[248]というは、うまるることをえずというなり。[249]三信《さんしん》かけぬるゆえに、すなわち報土《ほうど》にうまれずとなり。雑行雑修《ぞうぎょうざっしゅ》して定機《じょうき》・散機《さんき》の人《ひと》、[250]他力《たりき》の信心《しんじん》かけたるゆえに、多生曠劫《たしょうこうごう》をへて、[251]他力《たりき》の一心《いっしん》をえてのちにうまるべきゆえに、すなわちうまれずというなり。もし胎生辺地《たいしょうへんじ》にうまれて[252]も、五百歳《ごひゃくさい》をへ（経）、あるいは億千万衆《おくせんまんしゅ》の中《なか》に、ときにまれに一人《いちにん》、真《しん》の報土《ほうど》にはすすむとみえたり。[253]三信《さんしん》をえんことを、よくよくこころえねがうべきなり。

[254]「不得外現《ふとくげげん》　賢善精進之相《げんぜんしょうじんしそう》」（散善義）という[255]は、あらわに、かしこきすがた、善人《ぜんにん》のかたちを、[256]あらわすことなかれ、精進《しょうじん》なるすがたをしめすことなかれとなり。そのゆえは、[257]「内懐虚仮《ないえこけ》」（同）なれば[258]なり。「内《ない》」は、うちという。こころのうちに煩悩《ぼんのう》を具《ぐ》せるゆえに、「虚《こ》」なり、「仮《け》」なり。

①行じて…おこなう　と

「虚《こ》」は、[259]むなしくして実《じつ》ならぬなり。「仮《け》」は、かりにして真《しん》[260]ならぬなり。このこころは、かみにあらわせり。この信心《しんじん》は、まことの浄土《じょうど》のたね（因）となり、み（実）となるべしと。いつわらず、へつらわず、実報土《じっぽうど》のたねとなる信心《しんじん》なり。しかれば、われらは善人《ぜんにん》にもあらず、賢人《けんじん》にもあらず。[261]賢人《けんじん》というは、かしこくよきひとなり。精進《しょうじん》[262]なるこころもなし。懈怠《けだい》のこころのみにして、うちは、むなしく、いつわり、[263]かざり、へつらうこころのみ、つねにして、まことなるこころなき[264]み（身）なりとしるべしとなり。[266]「斟酌《しんしゃく》すべし」（唯信鈔）というは、ことのありさまにしたがいて、はからう[267]べしということばなり。

[269]「不簡破戒罪根深《ふけんはかいざいこんじん》」（五会法事讃）というは、もろもろの戒《かい》をやぶり、つみふかきひとを、きらわずとなり。このよう（様）は、[270]はじめにあらわせり。よくよくみるべし。

[271]「乃至十念《ないしじゅうねん》　若不生者《にゃくふしょうじゃ》　不取正覚《ふしゅしょうがく》」（大経）というは、選択本願《せんじゃくほんがん》の文《もん》なり。この文《もん》のこころは、「乃至十念《ないしじゅうねん》の[272]みなをとなえん[273]もの、もしわがくににうまれずは、仏《ぶつ》にならじ」とちかいたまえる[274]本願《ほんがん》なり。「乃至《ないし》」は、かみ・[275]しもと、おおき・すくなき、ちかき・とおき・[276]ひさしきをも、みなおさむることばなり。多念《たねん》に[277]とどまるこころをやめ、一念《いちねん》にとどまるこころを[278]とどめんがために、法蔵菩薩《ほうぞうぼさつ》[279]の願《がん》じましまします御《おん》ちかい[280]なり。

[281]「①非権非実《ひごんひじつ》」（唯信鈔）というは、法華宗《ほっけしゅう》のおしえなり。浄土真宗《じょうどしんしゅう》のこころにあらず。聖道家《しょうどうけ》のこころ[282]なり。かの宗《しゅう》のひとにたずぬべし。

[283]「汝若不能念《にょにゃくふのうねん》」（観経）というは、五逆《ごぎゃく》・十悪《じゅうあく》の罪人《ざいにん》、不浄説法《ふじょうせっぽう》のもの、やもう《（病）》のくるしみにとじられて、こころに弥陀《みだ》を[284]念《ねん》じたてまつらずは、ただ、くちに南無阿弥陀仏《なむあみだぶつ》ととなえよとすすめたまえる御《み》のりなり。これは[285]称名《しょうみょう》を本願《ほんがん》とちかいたまえる[286]ことをあらわさんとなり。[287]「応称無量《おうしょうむりょう》寿仏《じゅぶつ》」（同）と[288]のべたまえるは、このこころなり。「応称《おうしょう》」は、となうべしとなり。[289]「具足十念《ぐそくじゅうねん》称南無《しょうなむ》[290]無量寿仏《むりょうじゅぶつ》　称仏名故《しょうぶつみょうこ》　於念念中《おねんねんちゅう》　除八十億劫《じょはちじゅうおっこう》　生死之罪《しょうじしざい》」（同）というは、五逆《ごぎゃく》の罪《ざい》人《にん》は、そのみにつみをもてること、と《（十）》八十億劫《はちじゅうおっこう》のつみをもてるゆえに、十念南無阿弥陀仏《じゅうねんなむあみだぶつ》ととなうべしと、すすめたまえる[291]御《み》のりなり。一念《いちねん》にと《（十）》八十億劫《はちじゅうおっこう》のつみをけすまじきにはあらねども、五逆《ごぎゃく》のつみのおもきほどをしらせんがためなり。「十念《じゅうねん》」というは、ただくちに十返《じっぺん》をとなうべしとなり。

しかれば、選択本願《せんじゃくほんがん》には、[292]「若我成仏《にゃくがじょうぶつ》　十方衆生《じっぽうしゅじょう》　称我名号《しょうがみょうごう》　下至十声《げしじっしょう》　若不生者《にゃくふしょうじゃ》　不《ふ》取正覚《しゅしょうがく》」（往生礼讃）ともうすは、弥陀《みだ》の[293]本願《ほんがん》は、とこえ《（十声）》までの衆生《しゅじょう》、[294]みな往生《おうじょう》すと[295]しらせんとおぼして、「十声《じっしょう》」とのたまえるなり。念《ねん》と声《しょう》とは、ひとつこころなり[296]としるべしとなり。念《ねん》をはなれたる声《しょう》なし。声《しょう》をはなれたる念《ねん》なしと[297]なり。

この文《もん》どものこころは、おもうほどはもうさず。よからんひとにたずぬべし。ふかきことは、これ

①非権非実…中道実相のおしえなり

にてもおし[298]はかりたまうべし。

南無阿弥陀仏《なむあみだぶつ》

いなかのひとびとの、文字《もんじ》のこころも[299]しらず、あさましき愚痴《ぐち》きわまりなきゆえに、やすくこころえさせんとて、おなじことを、たびたび、とりかえしとりかえしかきつけたり。こころあらんひとは、おかしくおもうべし、あざけりをなすべし。しかれども、おおかたのそしりをかえりみず、ひとすじに、おろかなるものを、こころえ[300]やすからんとてしるせるなり。

[301]康元二歳(一二五七)正月二十七日　愚禿親鸞《ぐとくしんらん》　八十五歳　書㆓写之㆒

親鸞聖人御消息集《しんらんしょうにんごしょうそくしゅう》（広本）

（一）[1]かたがたよりの御《おん》こころざしのものども、かずのままに、たしかに[2]たまわりてそうろう。明《みょう》教《きょう》[3]坊《ぼう》ののぼられてそうろうこと、[4]まことにありがたきことにそうろう。かたがたの御《おん》こころざし、もうしつくしがとう（難）そうろう。明法《みょうほう》の御坊《おんぼう》の往生《おうじょう》のこと、おどろきもうすべきにはあらねども、かえすがえすうれしゅうそうろう。鹿島《かしま》・行方《なめかた》・奥郡《おうぐん》、かようの往生《おうじょう》ねがわせたまうひとびとの、みなの御《おん》よろこびにてそうろう。また、ひらつかの入道殿《どの》の御往生《ごおうじょう》[5]とききそうろうこそ、かえすがえす、もうすにかぎりなくおぼえそうらえ。めでたさ、もうしつくすべくもそうらわず。おのおの、[6]いよいよみな、往生《おうじょう》は一定《いちじょう》とおぼしめすべし。

さりながらも、往生《おうじょう》をねがわせたまう[7]ひとびとの御《おん》なかにも、御《おん》こころえぬ[8]ことどももそうらいき。いまも、さ[9]のみこそそうろうらめとおぼえそうろう。京《きょう》にも、こころえずして、ようように（様様）まどい[10]おうて（合）そうろうめり。くにぐににも、おおくきこえそうろう。法然聖人《ほうねんしょうにん》の御弟子《おんでし》のなか[11]にも、われはゆゆしき学生《がくしょう》なんどとおもい[12]たるひとびとも、この世《よ》には、みなようように（様様）[13]法門《ほうもん》もいいかえて、身《み》もまどい、ひとをもまどわして、わずらいおうてそうろう[14]なり。聖教《しょうぎょう》のおしえをもみずしらぬ、おのおののようにおわしますひとびとは、往生《おうじょう》にさわりなしとばかりいうをきいて、あしざまに御《おん》こころえ[15]たること、おおくそうらいき。いまもさこそそうろうらめとおぼえそうろう[16]なり。浄土《じょうど》の[17]おしえもしらぬ、信見房《しんけんぼう》なんどがもうすことによりて、ひがざまに（僻様）、いよいよなりあわせたまいそうろうらん[18]と、ききそうろうこそ、あさましくそうらえ。

まず、おのおの[19]御《おん》こころえは、むかしは弥陀《みだ》のちかいをもしらず、阿弥陀仏《あみだぶつ》をももうさず[20]おわしましそうらいしが、釈迦《しゃか》・弥陀《みだ》の御方便《ごほうべん》にもよおされて、いま弥陀《みだ》のちかいをもききはじめて[21]おわします身《み》にてそうろうなり。もとは、無明《むみょう》のさけに（酔）よいふして、貪欲《とんよく》・瞋恚《しんに》・愚痴《ぐち》の三毒《さんどく》をのみ、このみめしおうてそうらいつるに、仏《ぶつ》の[22]御《おん》ちかいをききはじめしより、無明《むみょう》のよいも、ようよう（漸）すこしずつさめ、三毒《さんどく》をもすこしずつこのまずして、阿弥陀仏《あみだぶつ》のくすりをつねにこのみめす身《み》となりておわしましおうてそうろうぞかし。しかるに、なお[23]無明《むみょう》のよいもさめやらぬに、かさねてよいをすすめ、毒《どく》もきえやらぬに、なお[24]三毒《さんどく》をすすめられそうろうらんこそ、あさましく[25]おぼえそうらえ。煩悩具足《ぼんのうぐそく》の身《み》[26]なれば、こころ[27]にもまかせ、[28]身《み》にもすまじきことをもゆるし、口《くち》にもいうまじきことをもゆるし、こころにもおもうまじきことをもゆるして、いかにもこころのまま[29]にあるべしともうしおうてそうろうらんこそ、かえすがえす不便《ふびん》におぼえそうらえ。よいもさめぬさきに、なおさけをすすめ、毒《どく》もきえやらぬ[30]ものに、いよいよ毒《どく》をすすめんがごとし。くすりあり毒《どく》をこのめ、とそうろうらんことは、あるべくもそうらわずとぞ、おぼえそうろう。

仏《ぶつ》の[31]ちかいをもきき、念仏《ねんぶつ》[32]ももうして、[33]ひさしゅうなりておわしまさんひとびとは、[34]この世《よ》のあしきことをいとうしるし、この身《み》のあしきこと[35]をいといすてんとおぼしめすしるしも[36]そうろうべしとこそ、おぼえそうらえ。はじめて仏《ぶつ》のちかいをききはじむるひとびとの、わが身《み》のわるく、こころのわるきをおもいしりて、この身《み》のようにては[37]いかが往生《おうじょう》せんずる、というひとにこそ、煩悩《ぼんのう》[38]具《ぐ》したる身《み》なれば、わがこころの[39]よしあしをば沙汰《さた》せず、むかえたまうぞ、とはもうしそうらえ。かくきてのち、仏《ぶつ》を信《しん》ぜんとおもうこころふかくなりぬるには、まことにこの身《み》をもいとい、流転《るてん》せんことをもかなしみて、ふかくちかいをも信《しん》じ、阿弥陀仏《あみだぶつ》をもこのみもうしなんどするひとは、[40]もとこそ、こころのままにて、[41]あしきことをもおもい、あしきことをもふるまいなんどせしかども、いまは、さようのこころをすてんとおぼしめしあわせたまわばこそ、世《よ》をいとうしるしにてもそうらわめ。

また、往生《おうじょう》の信心《しんじん》は、釈迦《しゃか》・弥陀《みだ》の御《おん》すすめによりておこるとこそ、[42]みえそうらえば、さりとも、まことのこころおこらせたまいなんには、[43]いかでかむかしの御《おん》こころのままにてはそうろうべき。この御《おん》なかのひとびとも、少々《しょうしょう》はあしきさまなる[44]こともきこえそうろうめり。師《し》をそしり、善知識《ぜんじしき》をかろしめ(軽)、同行《どうぎょう》をもあなずり(侮)なんどしあわせたまうよし、[45]きこえそうろう。あさましく[46]そうろう。すでに、謗法《ほうぼう》のひとなり、五逆《ごぎゃく》のひとなり。なれむつぶべからず。『浄土論《じょうどろん》』(論註)ともうすふみには、[47]「かようのひとは、仏法信《ぶっぽうしん》ずるこころのなきより、このこころはおこるなり」とそうろうめり。また、至誠心《しじょうしん》のなかには、[48]「かように悪《あく》をこのまん[49]ひとには、つつしみてとおざかれ、ちかづく[50]ことなかれ」（散善義）ところ、[51]おしえおかれてそうらえ。善知識《ぜんじしき》・同行《どうぎょう》には、したしみちかづけとこそ、ときおかれてそうらえ。悪《あく》をこのむひとにもちかづき、[52]善《ぜん》をせぬひとにもちかづきなんどすることは、[53]浄土《じょうど》にまいりてのち、衆生利益《しゅじょうりやく》にかえりてこそ、さようの罪人《ざいにん》にも、したしみちかづくことはそうらえ。それも、わがはからいにはあらず。弥陀《みだ》のちかいに[54]より、かの御《おん》たすけに[55]よりてこそ、おもうさまのふるまいもそうらわんずれ。[56]当時《とうじ》は、この身《み》どものようにては、いかがそうろう[57]べからんとおぼえそうろう。よくよく案《あん》ぜさせたまうべくそうろう。往生《おうじょう》の金剛心《こんごうしん》のおこることは、仏《ぶつ》の御《おん》はからい[58]によりおこりてそうらえば、金剛心《こんごうしん》をとりてそうらわんひとは、よも、師《し》をそしり善知識《ぜんじしき》を[59]あなどりなんどすることは、そうらわじ[60]とぞ、おぼえそうらえ。

この文《ふみ》をもちて、鹿島《かしま》・行方《なめかた》・南庄《みなみのしょう》、いずかた[61]にも、これにこころざしおわしまさんひとには、おなじ御《おん》こころによみきかせたまうべくそうろう。あなかしこ、あなかしこ。

建長四年（一二五二）[62]壬子《みずのえね》八月十九日　親鸞《しんらん》

㈢　この明教《みょうきょう》[63]坊《ぼう》、[64]のぼられてそうろうこと、まことにありがたきこととおぼえそうろう。明法《みょうほう》の御坊《おんぼう》の御往生《ごおうじょう》のことを、まのあたり[65]にききそうろうもうれしくそうろう。[66]また、ひとびとの御《おん》こころざしも、ありがたくおぼえ[67]そうろう。かたがた、この[68]ひとののぼり、[69]不可思[70]議《ふかしぎ》のことにそうろう。この文《ふみ》を、たれたれ（誰々）にも、おなじ[71]御《おん》こころによみきかせたまうべくそうろう。この文《ふみ》は奥《おう》郡《ぐん》におわします[72]同朋《どうぼう》の御《おん》なかに、[73]おなじくみな御覧《ごらん》そうろうべし。あなかしこ、あなかしこ。

としごろ念仏《ねんぶつ》して往生《おうじょう》をねがうしるしには、もとあしかりしわがこころをもおもいかえして、[74]ともの同朋《どうぼう》にも[75]ねんごろのこころのおわしましあわばこそ、世《よ》をいとうしるしにてもそうらわめとこそ、おぼえそうらえ。よくよく御《おん》こころえそうろうべし。

(三)[76]御文度々《おんふみたびたび》まいらせそうらいき。御覧《ごらん》ぜずやそうらいけん。なにごとよりも、明法《みょうほう》の御《おん》[77]坊《ぼう》の、往生《おうじょう》の本意《ほんい》とげておわしましそうろうこそ、常陸国中《ひたちのくにうち》のこれにこころざしおわしますひとびとの御《おん》ために、めでたきことにてそうらえ。

往生《おうじょう》は、ともかくも凡夫《ぼんぶ》のはからいにてすべきことにてもそうらわず。めでたき智者《ちしゃ》も、はからうべきことにもそうらわず。大小《だいしょう》の聖人《しょうにん》だにも、[78]とかくはからわで、ただ願力《がんりき》にまかせてこそ、おわしますこと[79]にてはそうろうなれ。まして、おのおののようにおわしますひとびとは、ただ、このちかいありときき、南無阿弥陀仏《なむあみだぶつ》にあい[80]まいらせんことこそ、ありがたく、めでたくそうろう御《ご》果報《かほう》にてはそうろうなれ。[81]おのおの、とかくはからわせたまうこと、ゆめゆめそうろう[82]べからず。さきにくだしまいらせそうらいし、『唯信鈔《ゆいしんしょう》』・[83]『後世物語《ごせものがたり》』・『自力他力《じりきたりき》』なんどの文《ふみ》[84]どもにて、御覧《ごらん》そうろうべし。それこそ、この世《よ》にとりては、よきひとびと[85]にてもおわします。[86]また、すでに往生《おうじょう》をもしておわしますひとびとにてそうらえば、その文《ふみ》どもにかかれて[87]そうろうには、なにごともなにごとも、すぐべくもそうらわず。法然聖人《ほうねんしょうにん》の御《おん》おしえを、よくよく御《おん》こころえたるひとびとにて[88]おわしましそうらいき。さればこそ、往生《おうじょう》も[89]めでたくおわしましそうらえ。

おおかたは、としごろ念仏《ねんぶつ》もうし[90]あわせたまうひとびとのなかにも、ひとえにわがおもうさまなることをのみ、もうしあわれてそうろうひとびともそうらいき。いまも[91]さこそそうろう[92]らめとおぼえそうろう。明法《みょうほう》[93]坊《ぼう》なんどの往生《おうじょう》しておわしますも、もとは不可思議《ふかしぎ》のひがごとをおもいなんどしたるこころをも、[94]おもいかえしなんどしてこそ[95]そうらいしか。われ往生《おうじょう》すべければとて、すまじきことをもし、おもうまじきことをも[96]いいなんどすることは、あるべくもそうらわず。[97]貪欲《とんよく》の煩悩《ぼんのう》にくるわされて、欲《よく》もおこり、瞋恚《しんに》の煩悩《ぼんのう》にくるわされて、ねたむべくもなき[98]因果《いんが》をもやぶるこころもおこり、愚痴《ぐち》の煩悩《ぼんのう》にまどわされて、おもうまじきことなんどもおこるにてこそそうらえ。めでたき仏《ぶつ》の御《おん》ちかいのあればとて、わざとすまじき[99]ことどもをもし、おもうまじきことどもをも、おもいなんど[100]せば、よくよく、この[101]世《よ》のいとわしからず、身《み》のわるきこと[102]をも、おもいもしらぬにてそうらえば、[103]念仏《ねんぶつ》にこころざしもなく、仏《ぶつ》の御《おん》ちかいにも、こころざしのおわしまさぬにてそうらえば、念仏《ねんぶつ》せさせたまう[104]ことも、その御《おん》こころざしにては、順次《じゅんじ》の往生《おうじょう》もかたく《(難)》やそうろうべからん。よくよくこのよしをひとびとに、きかせまいらせ[105]たまうべくそうろう。かようにも、もうすべくもそうらわねども、なにとなく、この辺《へん》のことを、御《おん》こころにかけあわせたまうひとびとにておわしまし[106]いてそうらえば、[107]かくほども、もうしそうろうなり。

この[108]世《よ》の念仏《ねんぶつ》の義《ぎ》は、ようよう《(様様)》にかわりおう《(合)》てそうろうめれば、とかくもうす[109]におよばずそうらえども、故聖人《こしょうにん》(法然)の御《おん》おしえを、よくよくうけたまわりておわしますひとびとは、いまももとの[110]ようにて、かわらせたまうことそうらわず。世《よ》、[111]かくれなきことなれば、きかせたまいおうてそうろうらん。浄土宗《じょうどしゅう》の義《ぎ》、みなかわりておわしましおうてそうろう[112]ひとびとも、ただ聖人《しょうにん》の御弟《おんで》子《し》にてそうらえども、ようよう《（様様）》に、義《ぎ》をもいいかえなんどして、身《み》もまどい、ひとをも[113]まどわしおうてそうろうめり。あさましきことにてそうろうなり。京《きょう》にも、おおくまどいおうてそうろうめり。[114]まして、いなかは、さこそそうろうらめと、[115]こころにくくもそうらわず。[116]なにごとも、もうしつくしがとう《（難）》そうろう。またまた、もうしそうろうべし。

(四) [117]善知識《ぜんじしき》をおろか《（疎）》におもい、師《し》をそしるものをば、謗法《ほうぼう》のものともうすなり。親《おや》をそしるものをば、五逆《ごぎゃく》のもの[118]ともうすなり。[119]同座《どうざ》をせざれとそうろうなり。されば、きた《（北）》のこおり《（郡）》にそうらいし[120]善証坊《ぜんしょうぼう》は、親《おや》をのり《（罵）》、善信《ぜんしん》をようよう《（様様）》にそしりそうらいしかば、ちかづきむつまじくおもいそうらわで、ちかづけずそうらいき。明法《みょうほう》の[121]御坊《おんぼう》の往生《おうじょう》のことをききながら、[122]そのあとを[123]おろか《（疎）》にもせん[124]ひとびとは、その[125]同朋《どうぼう》にあらずそうろうべし。無明《むみょう》のさけによう《（酔）》たるひとに、いよいよ、よいをすすめ、三毒《さんどく》を、ひさしくこのみ[126]くうひとに、いよいよ毒《どく》をゆるして、このめ[127]ともうしおうてそうろうらん。不便《ふびん》のことにそうろう。無明《むみょう》のさけに[128]ようたるかなしみ、三毒《さんどく》をこのみくうて、いまだ毒《どく》もうせはてず、無明《むみょう》のよいも、いまださめやらぬ[129]身《み》にて、おわしましおうてそうろうぞかし。よくよく、御《おん》こころえ[130]られそうろうべし。[131]なにごとも、もうしつくしがたくそうろう。またまたもうすべし。あなかしこ、あなかしこ。

(五) [132]なにごとよりは、聖教《しょうぎょう》のおしえをもしらず、また、浄土宗《じょうどしゅう》のまことのそこをもしらずして、不可思議《ふかしぎ》の放逸無慚《ほういつむざん》のものどものなかに、悪《あく》はおもうさまにふるまうべしと、おおせられそうろうなるこそ、かえすがえす、あるべくもそうらわず。きた(北)のこおり(郡)にありし、[133]善証坊《ぜんしょうぼう》といいしものに、ついに、あいむつ(睦)るることなくて[134]やみにしをば、みざりけるにや。

凡夫《ぼんぶ》なればとて、なにごともおもうさまならば、ぬすみをもし、ひとをもころしなんどすべきかは。もと、ぬすみごころあらん[135]ものも、極楽《ごくらく》をねがい、[136]念仏《ねんぶつ》もうすほどのことになりなば、もとひごう(僻)だる[137]こころも、おもいなおしてこそあるべきに、そのしるしもなからんひとびとに、悪《あく》くるしからずということ、ゆめゆめあるべからずそうろう。煩悩《ぼんのう》にくるわされて、おもわざるほかに、すまじきことをもふるまい、いうまじきことをもいい、おもうまじきことをも、おもうにてこそあれ。さわらぬことなればとて、ひとのためにも、はらぐろく、すまじきことをもし、いうまじきことをもいわば、煩悩《ぼんのう》にくるわされたる[138]義《ぎ》にはあらで、わざと、すまじきことをもせば、かえすがえす、ある[139]まじきことなり。

鹿島《かしま》・行方《なめかた》のひとびとの、あしからんことをば、[140]いいもとどめ、その辺《へん》のひとびとの、ことにひごうだることをば、制《せい》したまわばこそ、この辺《へん》よりいできたるしるしにてはそうらわめ。[141]ただ、したからんことをばせよ、ふるまいなんども、こころにまかせよと[142]いえるとそうろうらん、あさましきことにそうろう。この世《よ》のわるき[143]をすて、あしきことをせざらんこそ、世をいとい、念仏もうすことにては[144]そうろうに、としごろ、[145]念仏《ねんぶつ》をするひとなんどの、ひとのためにあしきことをもし、また、いいも[146]せんは、世《よ》をいとうしるしもなし。

されば、善導《ぜんどう》の御《おん》おしえには、[147]「悪《あく》を[148]このまんひとをば、[149]うやまいて、とおざかれ」(散善義)とこそ、至誠心《しじょうしん》のなかには、おしえおかせおわしましてそうらえ。[150]いつかは、わがこころのわるきにまかせてふるまえとはそうろう。[151]おおかたは、経釈《きょうしゃく》の文《もん》をもしらず、如来《にょらい》の御《おん》[152]ことをしらぬ身《み》[153]にて、ゆめゆめその沙汰《さた》あるべくもそうらわず。[154]また、往生《おうじょう》は、なにごともなにごとも、凡夫《ぼんぶ》のはからいならず、如来《にょらい》の御《おん》ちかいに、まかせまいらせたればこそ、他力《たりき》にてはそうらえ。ようよう(様様)にはからいおうてそうろうらん、おかしくそうろう。あなかしこ、あなかしこ。

十一月二十四日　親鸞《しんらん》

(六)　なにごとよりは、如来《にょらい》の御本願《ごほんがん》のひろまらせたまいてそうろうこと、かえすがえす、めでたく、うれしくそうろう。そのことに、おのおの、ところどころに、われはということをおもうてあらそうこと、ゆめゆめあるべからずそうろう。[155]京《きょう》に、一念多念《いちねんたねん》なんどもうす、あらそうことのおおくそうろうようにあること、さらさらそうろうべからず。ただ、詮《せん》ずるところは、『唯信鈔《ゆいしんしょう》』・『後世物語《ごせものがたり》』・『自力他力《じりきたりき》』、この御文《おんふみ》どもを、よくよくつねにみて、その御《おん》こころにたがえず、おわしますべし。いずかたのひとびとにも、このこころをおおせられそうろうべし。なおおぼつかなきことあらば、

[156]①今日《こんにち》までいきてそうらえば、わざとも、これへたずねたまうべし。また、[157]②便《びん》にも、おおせたまうべし。鹿島《かしま》・行方《なめかた》、そのならびのひとびとにも、このこころを、よくよくおおせらるべし。一念《いちねん》多念《たねん》のあらそいなんどのように、詮《せん》なき[158]こと、論《ろん》じごとをのみ、もうしあわれてそうろうぞかし。よくよくつつしむべきことなり。あなかしこ、あなかしこ。

かようのことを、こころえぬひとびとは、そのこととなきことを、もうしあわれてそうろうぞ。よくよくつつしみたまうべし。かえすがえす。

二月三日　親鸞《しんらん》

（七）六月一日《ろくがつついたち》の御文《おんふみ》、くわしくみそうらいぬ。さては、鎌倉《かまくら》にての、御《おん》うったえ（訴）のようは、おろおろうけたまわりてそうろう。この御文《おんふみ》にたがわず、うけたまわり[159]てそうらいしに、別《べつ》のことは、よもそうらわじとおもいそうらいしに、御《おん》くだりうれしくそうろう。

おおかたは、このうったえのようは、御身《おんみ》ひとりのことにはあらずそうろう。すべて、浄土《じょうど》の念《ねん》仏者《ぶつしゃ》のことなり。このようは、故聖人《こしょうにん》（法然）の御《おん》とき、この身《み》どもの、ようよう（様様）に[160]もうされそうらいしことなり。こともあたらしきうったえにてそうろうなり。性信坊《しょうしんぼう》ひとりの、沙汰《さた》あるべきことにはあらず。念仏《ねんぶつ》もうさんひとは、みなおなじこころに、御沙汰《ごさた》あるべきことなり。御身《おんみ》をわらいもうすべきことにはあらずそうろうべし。念仏者《ねんぶつしゃ》の、ものにこころえぬは、性信坊《しょうしんぼう》のとが（咎）にもうしなされんは、きわまれるひがごとにそうろうべし。念仏《ねんぶつ》もうさんひとは、性信坊《しょうしんぼう》のかたうど（方人）にこそ、なりあわせたまうべけれ。母《はは》・姉《あね》・妹《いもと》なんど、ようようにもうさるることは、ふるごとにてそうろう。さればとて、念仏《ねんぶつ》をとどめられそうらいしが、世《よ》に[161]くせごとのおこり[162]そうらいしかば、それにつけても、念仏《ねんぶつ》をふかくたのみて、世《よ》のいのりに[163]こころいれて、もうしあわせたまうべしとぞおぼえそうろう。

御文《おんふみ》のよう、おおかたの陳状《ちんじょう》、よく御《おん》はからいどもそうらいけり。うれしくそうろう。詮《せん》じそうろうところは、御身《おんみ》にかぎらず、念仏《ねんぶつ》もうさん[164]ひとびと、わが御身《おんみ》の料《りょう》は、[165]おぼしめさずとも、[166]朝家《ちょうか》の御《おん》ため、[167]③国民《こくみん》のために、念仏《ねんぶつ》をもうしあわせたまいそうらわば、めでとうそうろうべし。往生《おうじょう》を[168]不定《ふじょう》におぼしめさんひとは、まずわが身《み》の往生《おうじょう》をおぼしめして、御念仏《おんねんぶつ》そうろうべし。わが[169]身《み》の往生《おうじょう》、一定《いちじょう》とおぼしめさんひとは、仏《ぶつ》の御恩《ごおん》をおぼしめさんに、御報恩《ごほうおん》のために、御念仏《おんねんぶつ》、こころにいれてもうして、世《よ》のなか安穏《あんのん》なれ、仏法《ぶっぽう》ひろまれと、おぼしめすべしとぞおぼえそうろう。よくよく御案《ごあん》そうろうべし。このほかは、別《べつ》の御《おん》はからい、あるべしとはおぼえずそうろう。なおなお、とく（疾）御《おん》くだりのそうろう[170]こそ、うれしくそうらえ。よくよく御《おん》こころにいれて、往生一定《おうじょういちじょう》とおもいさだめられそうらいなば、仏《ぶつ》の御恩《ごおん》をおぼしめさんには、ことごとはそうろうべからず。[171]御《おん》念仏《ねんぶつ》こころにいれてもうさせたまうべしとおぼえそうろう。あなかしこ、あなかしこ。

①今日…きょう
②便…たより
③国民…くにのたみ　ひゃくしょう

七月九日　親鸞《しんらん》

性信《しょうしん》の御坊《おんぼう》

(八)　護念坊《ごねんぼう》のたよりに、[172]教念御坊《きょうねんごぼう》より、銭二百文《ぜににひゃくもん》、御《おん》こころざしのもの、たまわりてそうろう。さきに、念仏《ねんぶつ》のすすめのもの、かたがたの御《おん》なかよりとて、たしかにたまわりて[173]そうらいき。ひとびとに、よろこびもうさせたまうべくそうろう。この御返事《おんへんじ》にて、おなじ御《おん》こころにもうさせたまうべくそうろう。

さては、この御《おん》たずねそうろうことは、まことによき御《おん》うたがいどもにてそうろうべし。まず、「一念《いちねん》にて往生《おうじょう》の業因《ごういん》はたれ《(足)》り」ともうしそうろうは、まことにさるべきことにてそうろうべし。さればとて、一念《いちねん》のほかに念仏《ねんぶつ》をもうすまじきことにはそうらわず。そのようは、『唯信鈔《ゆいしんしょう》』にくわしくそうろう。よくよく、御覧《ごらん》そうろうべし。「一念《いちねん》のほかに、あまるところの念仏《ねんぶつ》は、十方《じっぽう》の衆生《しゅじょう》に回向《えこう》すべし」とそうろうも、さるべきことにてそうろうべし。十方《じっぽう》の衆生《しゅじょう》に回向《えこう》すればとて、二《に》念《ねん》・三念《さんねん》せんは往生《おうじょう》にあしきことと、おぼしめされそうらわば、ひがごとにてそうろうべし。念仏《ねんぶつ》往生《おうじょう》の本願《ほんがん》とこそ、おおせられてそうらえば、おおくもうさんも一念《いちねん》・一称《いっしょう》も往生《おうじょう》すべしとこそ、うけたまわり[174]てそうらえ。かならず一念《いちねん》ばかりにて往生《おうじょう》すといいて、多念《たねん》をせんは往生《おうじょう》すまじきともうすことは、ゆめゆめあるまじきことなり。『[175]唯信鈔《ゆいしんしょう》』を、よくよく御覧《ごらん》そうろうべし。

また、有念無念《うねんむねん》ともうすことは、他力《たりき》の法文《ほうもん》には、あらぬことにてそうろう。聖道門《しょうどうもん》にもうすことにてそうろうなり。みな自力聖道《じりきしょうどう》の法文《ほうもん》なり。阿弥陀如来の選択本願念仏は、有念の義にもあらず、無念《むねん》の義《ぎ》にもあらずともうしそうろうなり。いかなるひと、もうしそうろうとも、ゆめゆめ、もちいさせたまうべからずそうろう。聖道《しょうどう》にもうすことを、あしざまにききなして、浄土宗《じょうどしゅう》にもうすにてぞそうろうらん。さらさら、ゆめゆめ、もちいさせたまうまじくそうろう。また、慶喜《きょうき》ともうしそうろうことは、他力《たりき》の信心《しんじん》をえて、往生《おうじょう》を一定《いちじょう》してんずと、よろこぶこころをもうすなり。

常陸国中《ひたちのくにうち》の念仏者《ねんぶつしゃ》のなかに、有念無念《うねんむねん》の念仏沙汰《ねんぶつざた》のきこえそうろうは、ひがごとにそうろうともうしそうらいにき。ただ、詮《せん》ずるところは、他力《たりき》のよう《（様）》は、行者《ぎょうじゃ》のはからいにてはあらずそうらえば、有念《うねん》にあらず、無念《むねん》にあらずともうすことを、あしゅう《（悪）》ききなして、有念無念《うねんむねん》なんどもうしそうらいけるとおぼえそうろう。弥陀《みだ》の選択本願《せんじゃくほんがん》は、行者《ぎょうじゃ》のはからいのそうらわねばこそ、ひとえに他力《たりき》とはもうすことにてそうらえ。一念《いちねん》こそよけれ、多念《たねん》こそよけれなんどもうすことも、ゆめゆめあるべからずそうろう。なおなお「一念《いちねん》のほかにあまるところの御念仏《おんねんぶつ》を、法界衆生《ほっかいしゅじょう》に回向《えこう》す」とそうろうは、釈迦《しゃか》・弥陀如来《みだにょらい》の御恩《ごおん》を報《ほう》じまいらせんとて、十方衆生《じっぽうしゅじょう》に回向《えこう》せられそうろうらんは、さるべくそうらえども、二念《にねん》・三念《さんねん》もうして往生《おうじょう》せんひとを、ひがごととはそうろうべからず。よくよく、『唯信鈔《ゆいしんしょう》』を御覧《ごらん》そうろうべし。念仏往生《ねんぶつおうじょう》の御《おん》ちかいなれば、一念《いちねん》・十念《じゅうねん》も、往生《おうじょう》はひがごとにあらずとおぼしめすべきなり。あなかしこ、あなかしこ。

十二月二十六日　親鸞《しんらん》

[176]教忍御坊《きょうにんおんぼう》 御返事《おんへんじ》

(九) [177]まず、よろずの仏《ぶつ》・菩薩《ぼさつ》をかろしめ(軽)まいらせ、よろずの神祇《じんぎ》・冥道《みょうどう》をあなずり(侮)すてたてまつるともうすこと、このこと、ゆめゆめなきことなり。世々生々《せせしょうじょう》に、無量無辺《むりょうむへん》の諸仏《しょぶつ》・菩薩《ぼさつ》の利益《りやく》によりて、よろずの善《ぜん》を修行《しゅぎょう》せしかども、自力《じりき》にては生死《しょうじ》をいでずありしゆえに、曠劫多生《こうごうたしょう》のあいだ、諸仏《しょぶつ》・菩薩《ぼさつ》の御《おん》すすめによりて、いま、もうあいがたき弥陀《みだ》の御《おん》ちかいに、あいまいらせてそうろう御恩《ごおん》をしらずして、よろずの仏《ぶつ》・菩薩《ぼさつ》をあだ(徒)にもうさんは、ふかき御恩《ごおん》をしらずそうろうべし。仏法《ぶっぽう》をふかく信《しん》ずるひとをば、天地《てんち》におわしますよろずのかみは、かげのかたちにそえるがごとくして、まもらせたまうことにてそうらえば、念仏《ねんぶつ》を信《しん》じたる身《み》にて、天地《てんち》のかみをすてもうさんとおもうこと、ゆめゆめなきことなり。神祇等《じんぎとう》だにも、すてられたまわず、いかにいわんや、よろずの仏《ぶつ》・菩薩《ぼさつ》をあだにもうし、おろか(疎)におもいまいらせそうろうべしや。よろずの仏《ぶつ》を、おろかにもうさば、念仏《ねんぶつ》を信《しん》ぜず、弥陀《みだ》の御名《みな》をとなえぬ身《み》にてこそ、そうらわんずれ。詮《せん》ずるところは、そらごとをもうし、ひがごとを、ことにふれて、念仏《ねんぶつ》のひとびとにおおせられつけて、念仏《ねんぶつ》を[178]とどめんと、ところの領家《りょうけ》・地頭《じとう》・[179]名主《みょうしゅ》の御《おん》はからいどものそうろうらんこと、よくよくよう(様)あるべきことなり。

そのゆえは、釈迦如来《しゃかにょらい》のみことには、念仏《ねんぶつ》するひとをそしるものをば、[180]「名無眼人《みょうむげんにん》」ととき、[181]「名無耳人《みょうむににん》」とおおせおかれたることにそうろう。善導和尚《ぜんどうかしょう》は、[182]「五濁増時多疑謗《ごじょくぞうじたぎほう》 道俗相嫌不用聞《どうぞくそうけんふようもん》 見有修行起瞋毒《けんうしゅぎょうきしんどく》 方便破壊競生怨《ほうべんはえきょうしょうおん》」(法事讃)と、たしかに釈《しゃく》しおかせたまいたり。この世《よ》のならいにて、念仏《ねんぶつ》をさまたげんひとは、そのところの、領家《りょうけ》・地頭《じとう》・[183]名主《みょうしゅ》のよう（様）あることにてこそうらわめ。とかくもうすべきにあらず。念仏《ねんぶつ》せんひとびとは、「かの[184]さまたげをなさんひとをば、あわれみをなし、不便《ふびん》におもうて、念仏《ねんぶつ》をも[185]ねんごろにもうして、さまたげなさんを、たすけさせたまうべし」とこそ、ふるきひとはもうされそうらいしか。よくよく御《おん》たずねあるべきことなり。

つぎに、念仏《ねんぶつ》せさせたまうひとびとのこと、弥陀《みだ》の御《おん》ちかいは、煩悩具足《ぼんのうぐそく》のひとのためなりと、信《しん》ぜられそうろうは、めでたきようなり。ただし、わろきもののためなりとて、ことさらに、ひがごとをこころにもおもい、身《み》にも口《くち》にも[186]もうすべしとは、浄土宗《じょうどしゅう》にもうすことならねば、ひとびとにもかたることそうらわず。おおかたは、煩悩具足《ぼんのうぐそく》の身《み》にて、こころをもとどめがたくそうらいながら、往生《おうじょう》をうたがわずせんとおぼしめすべしとこそ、師《し》も善知識《ぜんじしき》も、もうすことにてそうろうに、かかるわるき身《み》なれば、ひがごとを、ことさらにこのみて、念仏《ねんぶつ》のひとびとのさわりとなり、師《し》のためにも善知識《ぜんじしき》のためにも、とが（咎）となさせたまうべしともうすことは、ゆめゆめなきことなり。弥陀《みだ》の御《おん》ちかいに、もうあいがたくしてあいまいらせて、仏恩《ぶっとん》を報《ほう》じまいらせんとこそおぼしめすべきに、念仏《ねんぶつ》をとどめらるることに沙汰《さた》しなされてそうろうらんこそ、かえすがえすこころえずそうろう。あさましきことにそうろう。ひとびとの、ひがざま（僻様）に御《おん》こころえどものそうろうゆえに、あるべくもなきことどもきこえそうろう、もうすばかりなくそうろう。ただし、念仏《ねんぶつ》のひと、ひがごとをもうしそうらわば、その身《み》ひとりこそ、地獄《じごく》にもおち、天魔《てんま》ともなりそうらわめ、よろずの念仏者《ねんぶつしゃ》のとがになるべしとは、おぼえずそうろう。よくよく、御《おん》はからいどもそうろうべし。なおなお、念仏《ねんぶつ》せさせたまうひとびと、よくよくこの文《ふみ》を御覧《ごらん》じ、とかせたまうべし。あなかしこ、あなかしこ。

九月二日　　親鸞《しんらん》

[187]念仏《ねんぶつ》の人々《ひとびと》の御中《おんなか》へ

(10)　ふみかきてまいらせそうろう。このふみを、ひとびとにもよみてきかせたまうべし。遠江《とおとうみ》の尼御前《あまごぜん》の御《おん》こころにいれて御沙汰《ごさた》そうろうらん、かえすがえすめでたく、あわれにおぼえそうろう。よくよく、京《きょう》よりよろこびもうすよしをもうしたまうべし。

信願坊《しんがんぼう》がもうすよう、かえすがえす不便《ふびん》のことなり。わるき身《み》なればとて、ことさらにひがごとをこのみて、師《し》のため善知識《ぜんじしき》のために、あしきことを沙汰《さた》し、念仏《ねんぶつ》のひとびとのために、とが（咎）となるべきことをしらずは、仏恩《ぶっとん》をしらず、よくよくはからいたまうべし。また、ものにくるうて[188]死《し》にけんひとのことをもちて、信願坊《しんがんぼう》がことを、よしあしともうすべきにはあらず。念仏《ねんぶつ》するひとの死《し》にようも、身《み》よりやまいをするひとは、往生《おうじょう》のようをもうすべからず。こころよりやまいをするひとは、天魔《てんま》ともなり、地獄《じごく》にもおつることにてそうろうべし。こころよりおこるやまいと、身《み》よりおこるやまいとは、かわるべければ、こころよりおこりて死《し》ぬるひとのことを、よくよく御《おん》はからいそうろうべし。信願坊《しんがんぼう》がもうすようは、凡夫《ぼんぶ》のならいなれば、わるきこそ本《ほん》なればとて、おもうまじきことをこのみ、身《み》にもすまじきことをし、口《くち》にもいうまじきことをもうすべきように、もうされそうろうこそ、信願坊《しんがんぼう》がもうしようとはこころえずそうろう。往生《おうじょう》にさわりなければとて、ひがごとをこのむべしとは、もうしたることとそうらわず。かえすがえす、こころえずおぼえそうろう。詮《せん》ずるところ、ひがごともうさんひとは、その身《み》ひとりこそ、[189]ともかくもなりそうらわめ、すべてよろずの念仏者《ねんぶつしゃ》のさまたげとなるべしとは、おぼえずそうろう。

また、念仏《ねんぶつ》をとどめんひとは、そのひとばかりこそ、いかにもなりそうらわめ、よろずの念仏《ねんぶつ》するひとのとがとなるべしとは、おぼえずそうろう。[190]「五濁増時多疑謗《ごじょくぞうじたぎほう》　道俗相嫌不用聞《どうぞくそうけんふようもん》　見有修行起《けんうしゅぎょうき》瞋毒《しんどく》　方便破壊競生怨《ほうべんはえきょうしょうおん》」（法事讃）と、まのあたり善導《ぜんどう》の御《おん》おしえそうろうぞかし。釈迦如来《しゃかにょらい》は、[191]「名無眼人《みょうむげんにん》　名無耳人《みょうむににん》」と、とかせたまいてそうろうぞかし。かようなるひとにて、念仏《ねんぶつ》をもとどめ、念仏者《ねんぶつしゃ》をもにくみなんどすることにても[192]そうろうらん。それは、かのひとをにくまずして、念仏《ねんぶつ》を、ひとびともうして、たすけんとおもいあわせたまえとこそ、おぼえそうらえ。あなかしこ、あなかしこ。

九月二日　親鸞《しんらん》

[193]慈信坊《じしんぼう》　御返事《おんへんじ》

（10の追伸）[194]入信坊《にゅうしんぼう》・真浄坊《しんじょうぼう》・法信坊《ほうしんぼう》にも、このふみをよみきかせたまうべし。かえすがえす、不便《ふびん》のことにそうろう。性信《しょうしん》[195]坊《ぼう》には、春《はる》のぼりてそうらいしに、よくよくもうしてそうろう。・・・くげどのにも、よくよくよろこびもうしたまうべし。このひとびとの、ひがごとをもうしおうてそうらえばとて、道理《どうり》をばうしなわれそうらわじとこそおぼえそうらえ。世間《せけん》のことにも、さることのそうろうぞかし。領家《りょうけ》・地頭《じとう》・名主《みょうしゅ》の、ひがごとすればとて、百姓《ひゃくしょう》をまどわすことはそうらわぬぞかし。仏法《ぶっぽう》をばやぶるひとなし。[196]仏法者《ぶっぽうしゃ》のやぶるにたとえたるには、[197]「師子《しし》の身《み》の中《うち》の虫《むし》の、[198]師子《しし》をくらうがごとし」とそうらえば、念仏者《ねんぶつしゃ》をば仏法者《ぶっぽうしゃ》のやぶりさまたげそうろうなり。よくよくこころえたまうべし。なおなお御《おん》ふみにはもうしつくすべくも[199]そうらわず。

[200](二)[201]九月二十七日《くがつにじゅうしちにち》の御《おん》ふみ、くわしくみそうらいぬ。さては、御《おん》こころざしの銭五貫文《ぜにごかんもん》、十一月《じゅういちがつ》九日《ここぬか》[202]にたまわりてそうろう。さては、いなかのひとびと、みな[203]としごろ念仏《ねんぶつ》せしは、[204]いたずらにてありけりとて、かたがた、ひとびと、ようよう（様様）にもうすなることこそ、かえすがえす不便《ふびん》のことにてきこえそうらえ。ようよう（様様）の[205]ふみどもをかきてもてるを、いかにみなしてそうろうやらん。かえすがえすおぼつかなくそうろう。

慈信坊《じしんぼう》（善鸞）のくだりて、わがききたる法文《ほうもん》こそ、まことにてはあれ、ひごろの念仏《ねんぶつ》は、みないたずらごと（徒事）なりとそうらえばとて、おおぶの中太郎のかたの[206]ひとびとは、九十《くじゅう》なん人《にん》とかや、みな慈信坊《じしんぼう》のかたへとて、中太郎入道《ちゅうたろうにゅうどう》をすてたるとかやききそうろう。いかなるようにて、さようにはそうろうぞ。詮《せん》ずるところ、信心《しんじん》のさだまらざりけるとききそうろう。いかようなることにて、さほどにおおくのひとびとの、たじろきそうろうらん。不便《ふびん》のようとききそうろう。また、かようのききこえなんどそうらえば、そらごともおおくそうろうべし。また、親鸞《しんらん》も[207]偏頗《へんぱ》あるものとききそうらえば、ちからをつくして、『唯信鈔《ゆいしんしょう》』・『後世物語《ごせものがたり》』・『自力他力《じりきたりき》』の文《ふみ》のこころども、『[208]①二河の譬喩』なんどかきて、かたがたへ、ひとびとにくだしてそうろうも、みなそらごとになりてそうろうときこえそうろうは、いかようにすすめられたるやらん。不可思議《ふかしぎ》のこととききそうろうこそ、不便《ふびん》にそうらえ。よくよくきかせたまうべし。あなかしこ、あなかしこ。

十一月九日　　　　親鸞《しんらん》

[209]慈信御坊《じしんおんぼう》

[210]真仏坊《しんぶつぼう》・性信坊《しょうしんぼう》・入信坊《にゅうしんぼう》、このひとびとのこと、うけたまわりそうろう。かえすがえす、なげきおぼえそうらえども、ちからおよばずそうろう。また、余《よ》のひとびとの、おなじこころならずそうろうらんも、ちからおよばずそうろう。ひとびとの、おなじこころならずそうらえば、とかくもうすにおよばず。いまは、[212]ひとのうえもうすべきにあらずそうろう。よくよくこころえたまうべし。

　　　　親鸞《しんらん》

[213]慈信御坊《じしんおんぼう》

(三)

[214]さては、念仏《ねんぶつ》のあいだのことによりて、[215]ところせき（所狭）ようにうけたまわりそうろう。かえすがえすこころぐるしくそうろう。[216]詮《せん》ずるところ、そのところの縁《えん》ぞ、つきさせ（尽）[217]たまいそうろうらん。

①二河の譬喩…ふたつのかわのたとえなり

念仏《ねんぶつ》をさえ（障）らるなんどもうさんことに、ともかくもなげきおぼしめすべからずそうろう。念仏《ねんぶつ》とどめんひとこそ、いかにもなりそうらわめ。もうしたまうひとは、なにかくるしくそうろうべき。余《よ》のひとびとを縁《えん》として念仏《ねんぶつ》をひろめんと、はからいあわせたまうこと、ゆめゆめあるべからずそうろう。そのところに、念仏《ねんぶつ》のひろまりそうらわんことも、仏天《ぶってん》の御《おん》はからいにてそうろうべし。慈信坊《じしんぼう》（善鸞）がようよう（様様）にもうしそうろうなるによりて、ひとびとも御《おん》こころどもの、ようよう（様様）にならせたまいそうろうよし、うけたまわりそうろう。かえすがえす不便《ふびん》のことにそうろう。ともかくも、仏天《ぶってん》の御《おん》はからいにまかせまいらせ[218]させたまうべし。そのところの縁《えん》つきておわしましそうらわば、いずれのところにても、うつらせたまいそうろうておわしますように御《おん》はからいそうろうべし。

慈信坊《じしんぼう》がもうしそうろうことをたのみおぼしめして、これよりは余《よ》のひとを強縁《ごうえん》として念仏《ねんぶつ》ひろめよともうすこと、ゆめゆめもうしたることそうらわず。[219]きわまれるひがごとにてそうろう。この世《よ》のならいにて、念仏《ねんぶつ》をさまたげんとせんことは、かねて仏《ぶつ》のときおかせたまいてそうらえば、おどろきおぼしめすべからず。ようよう（様様）に慈信坊《じしんぼう》がもうすことを、これよりもうしそうろうと御《おん》こころえそうろう、ゆめゆめあるべからずそうろう。法門《ほうもん》のようも、あらぬさまにもうしなしてそうろうなり。御耳《おんみみ》にききいれらるべからず[220]そうろう。きわまれるひがごとどものきこえそうろう。あさましくそうろう。入信坊《にゅうしんぼう》なんども不便《ふびん》におぼえそうろう。鎌倉《かまくら》にながい（長居）してそうろうらん、不便《ふびん》にそうろう。当時《とうじ》、それもわずらうべくてぞ、さてもそうろうらん。ちからおよばずそうろう。

奥郡《おうぐん》の[221]ひとびと、慈信坊《じしんぼう》にすかされて、信心《しんじん》みなうかれおうて（合）おわしましそうろうなること、かえすがえすあわれにかなしゅうおぼえそうろう。これもひとびとをすかしもうしたるようにきこえそうろうこと、かえすがえすあさましく[222]おぼえそうろう。それも日《ひ》ごろひとびとの信《しん》の、さだまらずそうらいけることの、あらわれてきこえそうろう。かえすがえす、不便《ふびん》にそうらいけり。慈信坊《じしんぼう》がもうすことによりて、ひとびとの日《ひ》ごろの信《しん》の、たじろきおうておわしましそうろうも、詮《せん》ずるところは、ひとびとの[223]信心《しんじん》の、まことならぬことの、あらわれてそうろう。よきことにてそうろう。それを、ひとびとは、これよりもうしたるようにおぼしめしおうてそうろうこそ、あさましくそうらえ。日《ひ》ごろ、ようよう（様様）の御《おん》ふみどもをかきもちておわしましおうてそうろう甲斐《かい》もなくおぼえそうろう。『唯信鈔《ゆいしんしょう》』、ようよう（様様）の御文《おんふみ》どもは、いまは、詮《せん》なくなりてそうろうとおぼえそうろう。よくよくかきもたせたまいてそうろう法門《ほうもん》は、みな詮《せん》なくなりてそうろうなり。慈信坊《じしんぼう》にみなしたがいて、めでたき御《おん》ふみどもはすてさせたまいおうてそうろうときこえ[224]そうろうこそ、詮《せん》なくあわれにおぼえそうらえ。よくよく、『唯信鈔《ゆいしんしょう》』・『後世物語《ごせものがたり》』なんどを御覧《ごらん》あるべくそうろう。年《とし》ごろ、信《しん》ありとおおせられおうてそうらいけるひとびとは、みなそらごとにてそうらいけりときこえそうろう。あさましくそうろう、あさましくそうろう。[225]なにごともなにごとも、またまたもうしそうろうべし。

正月九日　親鸞《しんらん》

真浄《しんじょう》の御坊《おんぼう》

（一三）[226]くだらせたまいてのち、なにごとかそうろうらん。この源藤四郎殿《げんとうしろうどの》におもわざるにあいまいらせてそうろう。[227]①便《びん》のうれしさにもうしそうろう。そののちなにごとかそうろう。念仏《ねんぶつ》のうったえ《(訴)》のこと、しずまりてそうろうよし、かたがたよりうけたまわりそうらえば、うれしゅうこそそうらえ。いまは、よくよく念仏《ねんぶつ》もひろまりそうらわんずらんと、よろこびいりてそうろう。

これにつけても、御身《おんみ》の料《りょう》は、いまさだまらせたまいたり。念仏《ねんぶつ》を御《おん》こころにいれてつねにもうして、念仏《ねんぶつ》そしらんひとびと、この世《よ》、のち《(後)》の世《よ》までのことを、いのりあわせたまうべくそうろう。御身《おんみ》どもの料《りょう》は、御念仏《おんねんぶつ》は、いまはなにかは、せさせたまうべき。ただ、ひ《(僻)》ごうだる世《よ》のひとびとをいのり、弥陀《みだ》の御《おん》ちかいにいれとおぼしめしあわば、仏《ぶつ》の御恩《ごおん》を報《ほう》じまいらせたまうになりそうろうべし。よくよく御《おん》こころにいれてもうしあわせたまうべくそうろう。聖人《しょうにん》（法然）の二十五日《にじゅうごにち》の御念仏《おんねんぶつ》も、詮《せん》ずるところは、かようの邪見《じゃけん》のものをたすけん料《りょう》にこそ、もうしあわせたまえと、もうすことにてそうらえば、よくよく、念仏《ねんぶつ》そしらんひとを、たすかれとおぼしめして、念仏《ねんぶつ》しあわせたまうべくそうろう。また、なにごとも[228]度々《たびたび》、[229]②便《びん》にはもうしそうらいき。源藤四郎殿《げんとうしろうどの》の③便《びん》に、うれしゅうてもうしそうろう。あなかしこ、あなかしこ。

[230]入西御坊《にゅうさいおんぼう》のかたへも、もうしとうそうらえども、おなじことなれば、このようをつたえたまうべくそうろう。あなかしこ、あなかしこ。

性信《しょうしん》の御坊《おんぼう》へ　　親鸞《しんらん》

（一四）[231]四月七日《しがつなぬか》の御《おん》ふみ、五月二十六日《ごがつにじゅうろくにち》[232]たしかにたしかにみ候《そうら》いぬ。さては、おおせられたる事《こと》、信《しん》の一念《いちねん》、行《ぎょう》の一念《いちねん》、ふたつなれども、信《しん》をはなれたる行《ぎょう》もなし、行《ぎょう》の一念《いちねん》をはなれたる信《しん》の一念《いちねん》もなし。そのゆえは、行《ぎょう》と申《もう》すは、本願《ほんがん》の名号《みょうごう》をひとこえとなえておうじょう（往生）すと申《もう》すことをききて、ひとこえをもとなえ、もしは十念《じゅうねん》をもせんは行《ぎょう》なり。この御《おん》ちかいをききてうたがうこころのすこしもなきを信《しん》の一念《いちねん》と[233]申《もう》せば、信《しん》と行《ぎょう》とふたつときけども、行《ぎょう》をひとこえするとききてうたがわねば、行《ぎょう》をはなれたる信《しん》はなしとききて候《そうろ》う。又《また》、[234]信《しん》はなれたる行《ぎょう》なしとおぼしめす[235]べく候《そうろ》う。これみな、みだの御《おん》ちかいと申《もう》すことをこころうべし。行《ぎょう》と信《しん》とは御《おん》ちかいを申《もう》すなり。あなかしこ、あなかしこ。

いのち候《そうら》わば、[236]かならずかならずのぼらせ給《たま》う[237]べく候《そうろ》う。

五月[238]二十八日　[239]（花押）

[240]覚信御房御返事《かくしんおんぼうおんへんじ》

[241]専信坊《せんしんぼう》、京《きょう》ちかくなられて[242]候《そうろ》うこそ、たのもしゅうおぼえ候《そうら》え。[243]又《また》、御《おん》こころざしのぜに三百文《さんびゃくもん》、たしかにたしかにかしこまりて、たまわりて候《そうろ》う。

[244]建長八歳（一二五六）　丙辰《ひのえたつ》　五月二十八日　親鸞聖人御返事《しんらんしょうにんおんへんじ》

①②③便…たより

〔一五〕[245]たずねおおせられて候《そうろ》う事《こと》、返《かえ》す返《がえ》すめでとう候《そうろ》う。まことの信心《しんじん》をえたる人《ひと》は、すでに仏《ぶつ》に[246]ならせ給《たま》うべき御《おん》みとなりておわしますゆえに、[247]「如来《にょらい》とひとしき人《ひと》」と『経《きょう》』(華厳経)に[248]とかれ候《そうろ》うなり。弥勒《みろく》は、いまだ仏《ぶつ》になりたまわねども、このたび[249]かならずかならず仏《ぶつ》になりたまうべきによりて、[250]みろくをば、すでに弥勒仏《みろくぶつ》と申《もう》し候《そうろ》うなり。[251]その定《じょう》に、真実信心《しんじつしんじん》をえたる[252]人《ひと》をば、「如来《にょらい》とひとし」とおおせられて候《そうろ》うなり。

又《また》、[253]承信房《しょうしんぼう》の、弥勒《みろく》とひとしと候《そうろ》うも、ひが事《ごと》[254]には候《そうら》わねども、他力《たりき》によりて信《しん》をえて、よろこぶこころは如来《にょらい》とひとしと候《そうろ》うを、自力《じりき》なりと候《そうろ》うらんは、いますこし、[255]承信房《しょうしんぼう》の御《おん》こころの[256]そこの、ゆきつかぬように[257]きこえ候《そうろ》うこそ、[258]よくよく御《ご》あん(案)[259]候《そうろ》うべくや候《そうろ》うらん。自力《じりき》のこころにて、わがみは如来《にょらい》とひとしと[260]候《そうろ》うらんは、まことにあしゅう(悪)候《そうろ》う[261]べく候《そうろ》う。他力《たりき》の信心《しんじん》のゆえに、浄信《じょうしん》[262]房《ぼう》のよろこばせ給《たま》い[263]候《そうろ》うらんは、なにかは自力《じりき》にて候《そうろ》うべき。よくよく御《おん》はからい候《そうろ》うべし。このようは、この人々《ひとびと》にくわしゅう申《もう》して候《そうろ》う。[264]承信《しょうしん》の御房《おんぼう》、といまいらせ[265]させ給《たま》うべく候《そうろ》う。あなかしこ、あなかしこ。

十月[266]二十一日　[267]親鸞《しんらん》

[268]浄信御房御返事《じょうしんおんぼうおんへんじ》

〔一六〕[269]他力《たりき》のなかには自力《じりき》ともうすことは[270]そうろうとききそうらいき。他力《たりき》のなかにまた他力《たりき》ともうすことはききそうらわず。他力《たりき》のなかに自力《じりき》ともうすことは、雑行雑修《ぞうぎょうざっしゅ》・定心念仏《じょうしんねんぶつ》・[271]散心念仏《さんしんねんぶつ》と、こころにかけられてそうろうひとびとは、他力《たりき》のなかの自力《じりき》のひとびとなり。他力《たりき》のなかにまた他力《たりき》ともうすことはうけたまわりそうらわず。なにごとも、専信《せんしん》[272]坊《ぼう》の[273]しばらくい（居）たらんとそうらえば、そのときもうしそうろうべし。あなかしこ、あなかしこ。[274]

十一月二十五日[275]

[276]真仏《しんぶつ》の御坊《おんぼう》　御返事《おんへんじ》

（一七）[277]ひとびとのおおせられてそうろう十二光仏《じゅうにこうぶつ》の御《おん》ことのよう、かきしるしてくだしまいらせそうろう。くわしくかきまいらせそうろうべきようもそうらわず。おろおろかきしるしてそうろう。詮《せん》ずるところは、無碍光仏《むげこうぶつ》ともうしまいらせそうろうことを本《ほん》とせさせたまうべくそうろう。無碍光仏《むげこうぶつ》は、よろずのものの、あさましきわるきことにさわりなく、たすけさせたまわん料《りょう》に、無碍光仏《むげこうぶつ》ともうすとしらせたまうべくそうろう。あなかしこ、あなかしこ。

十月二十一日[278]

唯信《ゆいしん》の御坊《おんぼう》　御返事《おんへんじ》

（一八）[279]諸仏称名《しょぶつしょうみょう》の願《がん》ともうし、諸仏咨嗟《しょぶつししゃ》の願《がん》ともうしそうろうなるは、十方衆生《じっぽうしゅじょう》をすすめんためときこえたり。また、十方衆生《じっぽうしゅじょう》の疑心《ぎしん》をとどめん料《りょう》ときこえ[280]てそうろう。『弥陀経《みだきょう》』の十方諸仏《じっぽうしょぶつ》の証誠《しょうじょう》のよう（様）にてきこえたり。詮《せん》ずるところは、方便《ほうべん》の御誓願《ごせいがん》と信《しん》じ[281]まいらせそうろう。念仏往生《ねんぶつおうじょう》の願《がん》は、如来《にょらい》の往相回向《おうそうえこう》の正業《しょうごう》・正因《しょういん》なりとみえてそうろう。まことの信心《しんじん》あるひとは、等正《とうしょう》覚《がく》の弥勒《みろく》とひとしければ、[282]「如来《にょらい》とひとし」（華厳経）とも、諸仏《しょぶつ》のほめさせたまいたりとこそ、きこえてそうらえ。

また、弥陀《みだ》の本願《ほんがん》を信《しん》じそうらいぬるうえには、「義《ぎ》なきを義《ぎ》とす」とこそ、大師聖人《だいししょうにん》（法然）のおおせにてそうらえ。[283]かように義《ぎ》のそうろうらんかぎりは、他力《たりき》[284]にはあらず、自力《じりき》なりときこえて[285]そうろう。[286]他力《たりき》ともうすは、仏智不思議《ぶっちふしぎ》にてそうろうなるときに、煩悩具足《ぼんのうぐそく》の凡夫《ぼんぶ》の、無上覚《むじょうかく》のさとりをえ（得）そうろうなること[287]をば、仏《ぶつ》と仏《ぶつ》とのみ御《おん》はからいなり。さらに行者《ぎょうじゃ》のはからいにあらず[288]そうろう。しかれば、「義《ぎ》なきを義《ぎ》とす」とそうろうなり。義《ぎ》ともうすことは、自力《じりき》のひとのはからいをもうすなり。他力《たりき》には、[289]しかれば、「義《ぎ》なきを義《ぎ》とす」とそうろうなり。このひとびとのおおせのよう（様）は、これには、[290]つやつやとしらぬことにてそうらえば、とかくもうすべきにあらずそうろう。

また、「来《らい》」の字《じ》は、衆生利益《しゅじょうりやく》のためには、きたるともうす方便《ほうべん》なり。[291]さとりをひらきては、かえるともうす。ときにしたがいて、きたるとも、かえるとも[292]もうすとみえてそうろう。なにごともなにごとも、またまた[293]もうすべくそうろう。

二月二十五日　親鸞《しんらん》

[294]慶西《きょうさい》の御坊《おんぼう》　御返事《おんへんじ》[295]

御消息集《ごしょうそくしゅう》（善性本《ぜんしょうぼん》）

（一）　（一）の[1]㋑（慶信の宗祖宛消息）

[2]畏《かしこ》まりて[3]申《もう》し候《そうろ》う。

『〔大無量寿《だいむりょうじゅ》〕経《きょう》』に「信心歓喜《しんじんかん》○〔喜《ぎ》〕」と候《そうろ》う。〔[4]『華厳経《けごんぎょう》』を引《ひ》きて『浄土《じょうど》〕和讃《わさん》』にも、[5]「信心《しんじん》よろこぶ其《そ》の人《ひと》を　如来《にょらい》とひとしと説《と》きたまう　大信心《だいしんじん》は仏性《ぶっしょう》なり　仏性即《ぶっしょうすなわ》ち如来《にょらい》なり」と仰《おお》せられて候《そうろ》うに、専修《せんじゅ》の人《ひと》の中《なか》に、ある人《ひと》、心得《こころエ》ちがえて候《そうろ》うやらん、「信心《しんじん》よろこぶ人《ひと》を如来《にょらい》とひとしと同行達《どうぎょうたち》のたまうは自力《じりき》なり。真言《しんごん》にかたよりたり」と申《もう》し候《そうろ》う[6]なる。人《ひと》のうえを知《し》るべきに候《そうら》わねども申《もう》し候《そうろ》う。

また、[7]「真実信心《しんじつしんじん》うる人《ひと》は　即《すなわ》ち定聚《じょうじゅ》のかずの○〔に〕入《い》る　不退《ふたい》の位《くらい》に入《い》りぬれば　必《かなら》ず滅《めつ》度《ど》をさとらしむ」（浄土和讃）と候《そうろ》う。「[8]滅度《めつど》をさとらしむ」と候《そうろ》うは此《こ》の度《たび》、此《こ》の身《み》の終《おわ》り候《そうら》わん時《とき》、真実信心《しんじつしんじん》の行者《ぎょうじゃ》の心《しん》、報土《ほうど》にいたり候《そうら》いなば、寿命無量《じゅみょうむりょう》を体《たい》として、光明無量《こうみょうむりょう》の徳用《とくゆう》はなれたまわざれば、如来《にょらい》の心光《しんこう》に一味《いちみ》なり。此《こ》の[9]故《ゆえ》[10]「大信心《だいしんじん》は仏性《ぶっしょう》なり、[11]仏性《ぶっしょう》は即《すなわ》ち如来《にょらい》なり」（涅槃経）と仰《おお》せられて候《そうろ》うやらん。是《こ》れは、十一《じゅういち》、二《に》、三《さん》の御《おん》[12]誓《ちかい》と心得《こころえ》られ候《そうろ》う。罪《ざい》悪《あく》の我等《われら》がためにおこしたまえる大悲《だいひ》の御誓《おんちかい》の、目出《めで》たく、あわれにましますうれしさ、こころも[13]およばれず、ことばもたえて申《もう》しつくしがたき事《こと》かぎりなく候《そうろ》う。無始《むし》広〔曠《こう》〕劫《ごう》自《ヨ》リ以来《このかた》、過去遠々《かこおんおん》に、恒沙《ごうじゃ》の諸仏《しょぶつ》の出世《しゅっせ》の所《みもと》にて、自力〔大《ダイ》〕菩提心《ボダイシン》おこすといえども、さとり〔自力《ジリキ》〕かなわず、二尊《にそん》の御方便《ごほうべん》にもよおされまいらせて、雑行雑修《ぞうぎょうざっしゅ》・自力疑心《じりきぎしん》のおもいなし。無碍光如来《むげこうにょらい》の摂取不捨《せっしゅふしゃ》の御《おん》あわれみの故《ゆえ》に、疑心《ぎしん》なくよろこびまいらせて、一念《いちねん》するに[14]〔までの〕往生《おうじょう》[15]定《さだ》まりて、誓願不思議《せいがんふしぎ》と心得候《こころえそうら》いなんには、聞《キ》キ見《ミ》候う〔候《そうろ》う〕に、あかぬ《（飽）》浄土《じょうど》の御〔聖《ショウ》〕教《ギョウ》も、知識《ちしき》にあいまいらせんとおもわんことも、摂取不捨《せっしゅふしゃ》も、信《しん》も、念仏《ねんぶつ》も、人《ひと》のためと[16]おぼえられ候《そうろ》う。今《いま》、師主《ししゅ》の〔御《おん》〕教《おし》によりて〔えのゆえ〕、[17]心《しん》をぬきて御《おん》こころむきをうかがい候《そうろ》うによりて、願意《がんい》をさとり、直道《じきどう》をもとめえて、正《まさ》しき[18]真実報土《しんじつほうど》にいたり候《そうら》わんこと、此《こ》の度《たび》、一念《いちねん》にとげ候いぬる〔聞名《もんみょう》にいたるまで〕うれしさ御恩《ごおん》の[19]いたり、其《そ》の上《うえ》『弥陀経義集《みだきょうぎしゅう》』におろおろ明《あき》らかに[20]おぼえられ候《そうろ》う。[21]然《しか》るに、世間《せけん》のそうそう《（忩忩）》にまぎれて、一時《いちじ》、若《も》しは二時《にじ》・三時《さんじ》、おこたるといえども、昼夜《ちゅうや》にわすれず、御《おん》あわれみをよろこぶ業力《ごうりき》ばかりにて、行住座臥《ぎょうじゅうざが》に時《とき》・[22]所《ところ》の不浄《ふじょう》をもきらわず、一向《いっこう》に金剛《こんごう》の信心《しんじん》ばかりにて、仏恩《ぶっとん》のふかさ、師主《ししゅ》の御とく〔恩《オン》徳《ドク》〕のうれしさ、報謝《ほうしゃ》のために、ただ、みなをとなうるばかりにて、日《ひ》の所作《しょさ》と[23]せず。此《こ》の様《よう》、[24]ひがざまにか候《そうろ》うらん。一期《いちご》の大事《だいじ》、ただ是《こ》れにすぎたるはなし。然《しか》るべくは、よくよくこまかに仰《おお》せを[25]蒙《こうむ》り候《そうら》わんとて、わずかにおもうばかりを[26]記《しる》して[27]申《もう》し上《あ》げ候《そうろ》う。

さては、京《きょう》に久《ひさ》しく候《そうら》いしに、そうそうにのみ候《そうら》いて、こころしずかにおぼえず候《そうら》いし事《こと》のなげかれ候《そうら》いて、わざといかにしても、まかりのぼりて、こころしずかに、せめては五日《いつか》、御所《みもと》に候《そうら》わばやとねがい候《そうろ》うなり。あ○〔噫《アア》〕、こうまで申《もう》し候《そうろ》うも御恩《ごおん》のちからなり。

進上《しんじょう》、[28]聖人《しょうにん》の御所《みもと》へ　[29]蓮位御房《れんいおんぼう》申《もう》させ給《たま》え。

[30]十月十日　慶信上《きょうしんじょう》[31]（慶信花押）

㈠の[32]㋺（慶信追伸）

追《お》って申《もう》し上《あ》げ候《そうろ》う。

念仏《ねんぶつ》申《もう》し候《そうろ》う人々《ひとびと》の中《なか》に、南無阿弥陀仏《なむあみだぶつ》ととなえ候《そうろ》うひまには、無碍光如来《むげこうにょらい》ととなえまいらせ候《そうろ》う人《ひと》も候《そうろ》う。これをききて、ある人《ひと》の申《もう》し候《そうろ》うなる、「南無阿弥陀仏《なむあみだぶつ》ととなえてのうえに、きみょう尽十方無碍光如来《じんじっぽうむげこうにょらい》と、となえまいらせ候《そうろ》うことは、おそれある事《こと》にてこそあれ。いまめがわしく」と申《もう》し候《そうろ》うなる、このよういかが候《そうろ》うべき。

㈠の[33]㋩（宗祖返書）

[34]「南無阿弥陀仏《なむあみだぶつ》をとなえて[35]のうえに無碍光《むげこう》[36]仏《ぶつ》と申《もう》さんは、あしき事《こと》なり」と候《そうろ》うなるこそ、きわまれる[37]御《おん》ひがごとときこえ候《そうら》え。帰命《きみょう》は南無《なむ》なり。無碍光仏《むげこうぶつ》は光明《こうみょう》なり、智慧《ちえ》なり。この智慧《ちえ》はすなわち[38]阿弥陀仏《あみだぶつ》。阿弥陀仏《あみだぶつ》の御《おん》かたちをしらせ[39]給《たま》わねば、その御《おん》かたちを、たしかにたしかにしらせまいらせんとて、世親菩薩《せしんぼさつ》、御《おん》ちからをつくしてあらわし給《たま》えるなり。このほかのことは、しょうしょう（少々）もじをなおして、まいらせ[40]候《そうろ》う。[41]

㈠の42㊁（蓮位添状）

一《ひとつ》 この御《おん》ふみのよう《（様）》、くわしくもうしあげて候《そうろ》う。「すべて、この御《おん》ふみのよう、たがわず候《そうろ》う」と、仰《おお》せ候《そうろ》うなり。ただし、「一念《いちねん》するに往生《おうじょう》さだまりて、誓願不思議《せいがんふしぎ》とこころえ候《そうろ》う」と、おおせ候《そうろ》うをぞ、「よきようには候《そうら》えども、一念《いちねん》にとどまるところ、あしく候《そうろ》う」とて、御《おん》ふみのそばに、御自筆《ごじひつ》をもって、あしく候《そうろ》うよしを、いれさせおわしまして候《そうろ》う。蓮位《れんい》に、「かくいれよ」と、おおせをかぶりて候《そうら》えども、御自筆《ごじひつ》は、つよき証拠《しょうこ》におぼしめされ候《そうら》いぬと、おぼえ候《そうろ》うあいだ、おりふし、御《ご》がいびょう《（咳病）》にて御《おん》わずらいにわたらせたまい候《そうら》えども、もうして候《そうろ》うなり。また、のぼりて候《そうら》いし人々《ひとびと》、「くにに論《ろん》じもうす」とて、あるいは、「「弥勒《みろく》とひとし」ともうし候《そうろ》う人々候《ひとびとそうろ》う」よしを、もうし候《そうら》いしかば、しるしおおせられて候《そうろ》うふみの候《そうろ》う。しるしてまいらせ候《そうろ》うなり。御覧《ごらん》あるべく候《そうろ》う。

また、「弥勒《みろく》とひとし」と候《そうろ》うは、弥勒《みろく》は等覚《とうがく》の分《ぶん》なり。これは因位《いんに》の分《ぶん》なり。これは十四《じゅうし》・十五《じゅうご》の月《つき》の円満《えんまん》したまうが、すでに八日《ようか》・九日《ここぬか》の、月《つき》のいまだ円満《えんまん》したまわぬほどをもうし候《そうろ》うなり。これは自力修行《じりきしゅぎょう》のよう《（様）》なり。われらは信心決定《しんじんけつじょう》の凡夫《ぼんぶ》、くらい、正定聚《しょうじょうじゅ》のくらいなり。これは因位《いんに》なり。これ等覚《とうがく》の分《ぶん》なり。かれは自力《じりき》なり、これは他力《たりき》なり。自他《じた》のかわりこそ候《そうら》えども、因位《いんに》のくらいはひとしというなり。また弥勒《みろく》の妙覚《みょうがく》のさとりはおそく、われらが滅度《めつど》にいたることはとく《（疾）》候《そうら》わんずるなり。かれは五十六億七千万歳《ごじゅうろくおくしちせんまんざい》のあかつきを期《ご》し、これはちくまく《（竹膜）》をへだつるほどなり。かれは漸頓《ぜんとん》のなかの頓《とん》、これは頓《とん》のなかの頓《とん》なり。滅度《めつど》というは妙覚《みょうがく》なり。曇鸞《どんらん》の『註《ちゅう》』(論註)にいわく、[43]「樹《じゅ》①あり、好堅樹《こうけんじゅ》という。この木《き》、地《じ》のそこ(底)に百年《ひゃくねん》わだかまりい(居)て、おう(生)るとき、一日《いちにち》に百丈《ひゃくじょう》おい(生)候《そうろ》う」なるぞ。この木《き》、地《じ》のそこに百年候《ひゃくねんそうろ》うは、われらが娑婆世界《しゃばせかい》に候《そうら》いて、正定聚《しょうじょうじゅ》のくらいに住《じゅう》する分《ぶん》なり。一日《いちにち》に百丈《ひゃくじょう》おい候《そうろ》うなるは、滅度《めつど》にいたる分《ぶん》なり。これにたとえて候《そうろ》うなり。これは他力《たりき》のよう(様)なり。松《まつ》の生長《せいちょう》するは、としごとに寸《すん》をすぎ(過)ず。これはおそし。自力修行《じりきしゅぎょう》のよう(様)なり。また、[44]「如来《にょらい》とひとし」(華厳経)というは、煩悩成就《ぼんのうじょうじゅ》の凡夫《ぼんぶ》、仏《ぶつ》の心光《しんこう》にてらされまいらせて、信心歓喜《しんじんかんぎ》す。信心歓喜《しんじんかんぎ》するゆえに、正定聚《しょうじょうじゅ》のかずに住《じゅう》す。信心《しんじん》というは、智《ち》なり。この智《ち》は他力《たりき》の光明《こうみょう》に摂取《せっしゅ》せられまいらせぬるゆえに、うるところの智《ち》なり。仏《ぶつ》の光明《こうみょう》も智《ち》なり。かるがゆえに、おなじというなり。おなじというは、信心《しんじん》をひとしというなり。歓喜地《かんぎじ》というは、信心《しんじん》を歓喜《かんぎ》するなり。わが信心《しんじん》を歓喜《かんぎ》するゆえに、おなじというなり。くわしく御自筆《ごじひつ》にしるされて候《そうろ》うを、かきうつしてまいらせ候《そうろ》う。

また、南無阿弥陀仏《なむあみだぶつ》ともうし、また無碍光如来《むげこうにょらい》ととなえ候《そうろ》う御不審《ごふしん》も、くわしく自筆《じひつ》に、御消息《おんしょうそく》のそばにあそばして候《そうろ》うなり。かるがゆえに[45]それよりの御《おん》ふみをまいらせ候《そうろ》う。あるいは阿弥陀《あみだ》といい、あるいは無碍光《むげこう》ともうし、御名《みな》こと(異)なりといえども、心《こころ》は一《ひとつ》なり。阿弥陀《あみだ》というは、

①樹…うえき

梵語《ぼんご》なり。これには無量寿《むりょうじゅ》ともいう、無碍光《むげこう》とももうし候《そうろ》う。梵漢《ぼんかん》こと(異)なりといえども、心《こころ》おなじく候《そうろ》うなり。

そもそも、覚信坊《かくしんぼう》の事《こと》、ことに(特)あわれにおぼえ、またとうとくもおぼえ候《そうろ》う。そのゆえは、信《しん》心《じん》たがわずしておわられて候《そうろ》う。またたびたび、信心《しんじん》ぞんじ(存知)のよう(様)、いかようにかと、たびたびもうし候《そうら》いしかば、「[46]当時《とうじ》までは、たがうべくも候《そうら》わず。いよいよ信心《しんじん》のようはつよくぞんず(存)る」とよし候《そうら》いき。のぼり候《そうら》いしに、くにをたちて[47]ひといちともうししとき、やみ(病)いだして候《そうら》いしかども、同行《どうぎょう》たちはかえれなんどもうし候《そうら》いしかども、「死《し》するほどのことならば、かえるとも死《し》し、とどまるとも死《し》し候《そうら》わんず。また、やまいはやみ候《そうら》わば、かえるともやみ、とどまるともやみ候《そうら》わんず。おなじくは、みもとにてこそおわり候《そうら》わばおわり候《そうら》わめとぞんじて、まいりて候《そうろ》うなり」と、御《おん》ものがたり候《そうら》いしなり。この御信心《ごしんじん》、まことにめでたくおぼえ候《そうろ》う。善導《ぜんどう》和尚《かしょう》の『釈《しゃく》』(散善義)の[48]「二河《にが》の譬喩《ひゆ》」におもいあわせられて、よにめでたくぞんじ、うらやましく候《そうろ》うなり。おわりのとき、「南無阿弥陀仏《なむあみだぶつ》、南無無碍光如来《なむむげこうにょらい》、南無不可思議光如来《なむふかしぎこうにょらい》」と、となえられて、てをくみてしずかにおわられて候《そうら》いしなり。また、おくれさきだつためしは、あわれになげかしくおぼしめされ候《そうろ》うとも、さきだちて滅度《めつど》にいたり候《そうら》いぬれば、かならず最初引接《さいしょいんじょう》のちかいをおこして、結縁《けちえん》・眷属《けんぞく》・萌友《ほうう》をみちびくことにて候《そうろ》うなれば、しかるべくおなじ法文《ほうもん》の門《もん》にいりて候《そうら》えば、蓮位《れんい》もたのもしくおぼえ候《そうろ》う。また、おやとなり、こ(子)となるも、先世《せんぜ》のちぎりともうし候《そうら》えば、たのもしくおぼしめさるべく候《そうろ》うなり。このあわれさ、とうとさ、もうしつくしがたく候《そうら》えば、とどめ候《そうら》いぬ。いかにしてか、みずからこのことをもうし候《そうろ》うべきや。くわしくは、なおなおもうし候《そうろ》うべく候《そうろ》う。

このふみのよう（様）を、御《おん》まえにて、あしくもや候《そうろ》うとて、よみあげて候《そうら》えば、「これにすぐ（過）べくも候《そうら》わず。めでたく候《そうろ》う」と、おおせをかぶりて候《そうろ》うなり。ことに、覚信坊《かくしんぼう》のところに、御《おん》なみだをながさせたまいて候《そうろ》うなり。よにあわれにおもわせたまいて候《そうろ》うなり。

十月二十九日　　蓮位《れんい》

慶信御坊《きょうしんおんぼう》へ

㈢　㈢の[49]㋑（浄信の宗祖宛消息）

一　無碍光如来《むげこうにょらい》の慈悲光明《じひこうみょう》に摂取《せっしゅ》せられまいらせ候《そうろ》うゆえ、名号《みょうごう》をとなえつつ、不退《ふたい》のくらいにいりさだまり候《そうら》いなんには、このみ（身）のために、摂取不捨《せっしゅふしゃ》をはじめてたずぬべきにはあらずとおぼえられて候《そうろ》う。そのうえ、『華厳経《けごんぎょう》』に、[50]「聞此法歓喜《もんしほうかんぎ》　信心無疑者《しんじんむぎしゃ》　速成無上道《そくじょうむじょうどう》　与諸如来等《よしょにょらいとう》」とおおせられて候《そうろ》う。また、第十七《だいじゅうしち》の願《がん》に[51]「十方無量《じっぽうむりょう》の諸仏《しょぶつ》にほめとなえられん」（大経）とおおせられて候《そうろ》う。また、願成就《がんじょうじゅ》の文《もん》に、[52]「十方恒沙《じっぽうごうじゃ》の諸仏《しょぶつ》」（同）とおおせられて候《そうろ》うは、信心《しんじん》の人《ひと》とこころえて候《そうろ》う。この人《ひと》はすなわち、このよ（世）り如来《にょらい》とひとしとおぼえられ候《そうろ》う。このほかは、凡夫《ぼんぶ》のはからいをば、もちいず候《そうろ》うなり。このようをこまかにおおせかぶり給《たま》うべく候《そうろ》う。恐々謹言《きょうきょうきんげん》。

二月十二日　浄信《じょうしん》

㈢の[53]㋺（宗祖返書）

如来《にょらい》の誓願《せいがん》を信《しん》ずる心《しん》のさだまる[54]時《とき》と申《もう》すは、①摂取不捨《せっしゅふしゃ》の利益《りやく》にあずかるゆえに、不退《ふたい》の位《くらい》にさだまると御《おん》こころえ候《そうろ》うべし。[55]真実信心《しんじつしんじん》さだまると申《もう》すも、[56]金剛信心《こんごうしんじん》のさだまると申《もう》すも、摂取《せっしゅ》不捨《ふしゃ》のゆえに[57]申《もう》すなり。さればこそ、無上覚《むじょうかく》にいたるべき心《しん》のおこると申《もう》すなり。これを、不退《ふたい》のくらい[58]とも、正定聚《しょうじょうじゅ》のくらいにいるとも申《もう》し、等正覚《とうしょうがく》にいたるとも申《もう》すなり。このこころのさだまるを、十方諸仏《じっぽうしょぶつ》のよろこびて、諸仏《しょぶつ》の御《おん》こころにひとしとほめたまうなり。このゆえに、まことの信心《しんじん》の人《ひと》をば、[59]「諸仏《しょぶつ》とひとし」（華厳経）と申《もう》すなり。又《また》、補処《ふしょ》の弥勒《みろく》と[60]おなじとも申《もう》すなり。このよにて、真実信心《しんじつしんじん》の人《ひと》をまぼら（護）せ給《たま》えばこそ、『阿弥陀経《あみだきょう》』には、[61]「十方恒沙《じっぽうごうじゃ》の諸仏護念《しょぶつごねん》す」とは申《もう》す事《こと》にて候《そうら》え。安楽浄土《あんらくじょうど》へ往生《おうじょう》して[62]のちはまもりたまうと申《もう》すことにては候《そうら》わず、娑婆世界《しゃばせかい》[63]にい（居）たるほど護念《ごねん》すと申《もう》す事《こと》なり。信心《しんじん》まことなる人《ひと》のこころを、十方恒沙《じっぽうごうじゃ》の如来《にょらい》の、ほめたまえば、仏《ぶつ》とひとしとは申《もう》す事《こと》なり。

又《また》、他力《たりき》と申《もう》すことは、「義《ぎ》なきを義《ぎ》とす」と申《もう》すなり。義《ぎ》と申《もう》すことは、行者《ぎょうじゃ》のおのおののはからう事《こと》を[64]義《ぎ》とは申《もう》すなり。如来《にょらい》の誓願《せいがん》は不可思議《ふかしぎ》にましますゆえに、仏《ぶつ》と仏《ぶつ》との御《おん》はからいなり。凡夫《ぼんぶ》の[65]はからいにあらず。補処《ふしょ》の弥勒菩薩《みろくぼさつ》をはじめとして、仏智《ぶっち》の不思議《ふしぎ》をはからうべき人《ひと》は候《そうら》わず。しかれば、如来《にょらい》の誓願《せいがん》には「義《ぎ》なきを義《ぎ》とす」とは、大師聖人《だいししょうにん》（法然）の仰《おお》せに候《そうら》いき。このこころの[66]ほかには往生《おうじょう》にいる（要）べきこと候《そうら》わずと、こころえてまかりすぎ候《そうら》えば、人《ひと》の仰《おお》せごとにはいらぬものにて候《そうろ》うなり。[67]諸事恐々謹言《しょじきょうきょうきんげん》。[68]

（二）の[69]㈧（宗祖返書）

安楽浄土《あんらくじょうど》にいりはつれば、すなわち大涅槃《だいねはん》を[70]さとるとも、滅度《めつど》にいたるとももうすは、み名《な》こそかわりたるようなれども、[71]これはみな法身《ほっしん》ともうす仏《ぶつ》となるなり。法身《ほっしん》ともうす[72]仏《ぶつ》をさとりひらくべき正因《しょういん》に、弥陀仏《みだぶつ》の御《おん》ちかいを、法蔵菩薩《ほうぞうぼさつ》、われらに回向《えこう》したまえるを、往相《おうそう》の回向《えこう》ともうすなり。この回向《えこう》せさせたまえる願《がん》を、念仏往生《ねんぶつおうじょう》の願《がん》とはもうすなり。この念仏往生《ねんぶつおうじょう》の願《がん》を一向《いっこう》に信《しん》じてふたごころなきを、[73]一向専修《いっこうせんじゅ》ともうすなり。如来《にょらい》[74]の二種《にしゅ》の回向《えこう》ともうすことは、この二種《にしゅ》の回向《えこう》の願《がん》を信《しん》じ、ふたごころなきを、真実《しんじつ》の信心《しんじん》ともうす。この真実《しんじつ》の信心《しんじん》のおこることは、釈迦《しゃか》・弥陀《みだ》[75]の二尊《にそん》の御《おん》はからいよりおこりたりとしらせたまう[76]べく候《そうろ》う。あなかしこ、あなかしこ。

[77]二月二十五日　親鸞《しんらん》

浄信御坊御返事《じょうしんおんぼうおんへんじ》

（三）　一《ひとつ》　この御《おん》ふみのよう――――この一通は、慶信の消息と宗祖の返信に関して蓮位が記した添状であ

①摂取…おさめむかえとりたまう

るから、『御消息集（善性本）』㈠の㋑㋺㋩の次に掲載した。

㈣ [78]たずねおおせられて候《そうろ》う摂取不捨《せっしゅふしゃ》の事《こと》は、『般舟三昧行道往生讃《はんじゅさんまいぎょうどうおうじょうさん》』と申《もう》すにおおせられて候《そうろ》うを、みまいらせ候《そうら》えば、[79]「釈迦如来《しゃかにょらい》・[80]弥陀仏《みだぶつ》、われらが慈悲《じひ》の父母《ぶも》にて、さまざまの方便《ほうべん》にて、我等《われら》が[81]無上信心《むじょうしんじん》をばひらきおこさせ給《たま》う」と候《そうら》えば、まことの信心《しんじん》のさだまる事《こと》は、釈迦《しゃか》・弥陀《みだ》の御《おん》はからいとみえて候《そうろ》う。往生《おうじょう》の心《しん》うたがいなくなり候《そうろ》うは、摂取《せっしゅ》せられ[82]まいらするゆえとみえて候《そうろ》う。摂取《せっしゅ》のうえには、ともかくも、行者《ぎょうじゃ》のはからいあるべからず候《そうろ》う。浄土《じょうど》へ往生《おうじょう》するまでは、不退《ふたい》の[83]くらいにておわしまし候《そうら》えば、正定聚《しょうじょうじゅ》のくらいとなづけておわします事《こと》にて候《そうろ》うなり。まことの信心《しんじん》をば、釈迦如来《しゃかにょらい》・弥陀如来二尊《みだにょらいにそん》の御《おん》はからいにて、発起《ほっき》せしめ給《たま》い候《そうろ》うとみえて候《そうら》えば、信心《しんじん》のさだまると申《もう》すは、摂取《せっしゅ》にあずかる時《とき》にて候《そうろ》うなり。そののちは、正定聚《しょうじょうじゅ》のくらいにて、まことに浄土《じょうど》へうまるるまでは候《そうろ》うべしと[84]みえ候《そうろ》うなり。ともかくも、行者《ぎょうじゃ》のはからいを、ちりばかりもあるべからず候《そうら》えばこそ、他力《たりき》と申《もう》す事《こと》にて候《そうら》え。あなかしこ、あなかしこ。

十月六日　親鸞《しんらん》[85]（花押）

[86]しのぶの御房の御返事《おんへんじ》

㈤ [87]一《ひとつ》　性信御坊《しょうしんおんぼう》　親鸞《しんらん》

信心《しんじん》をえたる人《ひと》は、かならず正定聚《しょうじょうじゅ》のくらいに住《じゅう》するがゆえに、等正覚《とうしょうがく》のくらいともうすなり。

[88]いまの『大無量寿経《だいむりょうじゅきょう》』[89]に、摂取不捨《せっしゅふしゃ》の利益《りやく》に[90]さだまるを、正定聚《しょうじょうじゅ》となづけ、『無量寿如来会《むりょうじゅにょらいえ》』

には、等正覚《とうしょうがく》とき給《たま》えり。その名《な》こそかわりたれども、正定聚《しょうじょうじゅ》、等正覚《とうしょうがく》は、ひとつこころ、ひとつくらいなり。等正覚《とうしょうがく》ともうすくらいは、補処《ふしょ》の弥勒《みろく》とおなじくらいなり。弥勒《みろく》とおなじく、このたび無上覚《むじょうかく》にいたるべきゆえに、弥勒《みろく》におなじととき給《たま》えり。

さて、『大経《だいきょう》』には、91「次如弥勒《しにょみろく》」とは申《もう》すなり。弥勒《みろく》はすでに仏《ぶつ》にちかくましませば、弥勒仏《みろくぶつ》と、諸宗《しょしゅう》のならいは申《もう》すなり。しかれば、弥勒《みろく》におなじくらいなれば、正定聚《しょうじょうじゅ》の人《ひと》は如来《にょらい》とひとしとも申《もう》すなり。浄土《じょうど》の真実信心《しんじつしんじん》の人《ひと》は、この身《み》こそあさましき不浄造悪《ふじょうぞうあく》の身《み》なれども、心《こころ》はすでに如来《にょらい》と92ひとしければ、93如来《にょらい》と申《もう》すこともあるべしとしらせ給《たま》え。弥勒《みろく》すでに無上覚《むじょうかく》にその心《しん》さだまりて、94あかつきにならせ給《たま》うによりて、95三会《さんね》のあかつきと申《もう》すなり。96浄土真実《じょうどしんじつ》の人《ひと》もこのこころをこころうべきなり。

光明寺《こうみょうじ》の和尚《かしょう》（善導）の『般舟讃《はんじゅさん》』には、97「信心《しんじん》の人《ひと》は、98その心《しん》、99すでに浄土《じょうど》に居《こ》す」と釈《しゃく》し給《たま》えり。居《こ》すというは、浄土《じょうど》に、信心《しんじん》の人《ひと》のこころ、つねに100いたり（居）というこころなり。これは弥勒《みろく》と101おなじくということを申《もう》すなり。これは等正覚《とうしょうがく》を、弥勒《みろく》とおなじと申《もう》す102によりて、103「信心《しんじん》の人《ひと》は如来《にょらい》とひとし」（華厳経）と申《もう》すこころなり。104

正嘉元年（一二五七）丁巳《ひのとみ》十月十日　親鸞《しんらん》

性信御坊《しょうしんおんぼう》105

（六）106真仏御坊《しんぶつおんぼう》　親鸞《しんらん》

これは『経《きょう》』の文《もん》なり。[107]『華厳経《けごんぎょう》』に、[108]「信心歓喜者《しんじんかんぎしゃ》　与諸如来等《よしょにょらいとう》」というは、「[109]信心《しんじん》をよろこぶひとは、もろもろの如来《にょらい》とひとし」というなり。「[110]如来《にょらい》とひとし」というは、信心《しんじん》をえて、ことによろこぶ[111]ひとは、釈尊《しゃくそん》のみことには、[112]「見敬得大慶《けんきょうとくだいきょう》　則我善親友《そくがぜんしんぬ》」（大経）ととき給《たま》えり。また、弥陀《みだ》の第十七《だいじゅうしち》の願《がん》には、[113]「十方世界《じっぽうせかい》[114]の無量《むりょう》[115]の諸仏《しょぶつ》　不悉咨嗟《ふしつししゃ》　称我名者《しょうがみょうしゃ》　不取正覚《ふしゅしょうがく》」（同）とちかい給《たま》えり。願成就《がんじょうじゅ》の文《もん》には、よろずの仏《ぶつ》にほめられ、よろこびたまうとみえたり。すこしもうたがうべきにあらず。これは「如来《にょらい》とひとし」という文《もん》どもをあらわししるすなり。

[116]正嘉元（一二五七）丁巳《ひのとみ》　十月十五日　　親鸞《しんらん》

真仏御《しんぶつおん》[117]坊《ぼう》

（七）（七）の㋑（専信の宗祖宛消息）

一《ひとつ》　或《あ》る人《ひと》の云《い》わく。往生《おうじょう》の業因《ごういん》は、一念発起信心《いちねんほっきしんじん》のとき、無碍《むげ》の心光《しんこう》に摂護《しょうご》せられまいらせ候《そうら》いぬれば同一《どういつ》なり。このゆえに不審《ふしん》なし。このゆえに、はじめてまた信《しん》・不信《ふしん》を論《ろん》じたずね申《もう》すべきにあらずとなり。このゆえに他力《たりき》なり。「義《ぎ》なきがなかの義《ぎ》」となり。ただ、無明《むみょう》なること、おおわるる煩悩《ぼんのう》ばかりとなり。恐々謹言《きょうきょうきんげん》。

十一月一日　　専信上《せんしんじょう》[118]

（七）の㋺（宗祖返書）

おおせ候《そうろ》うところの往生《おうじょう》の業因《ごういん》は、真実信心《しんじつしんじん》をうるとき摂取不捨《せっしゅふしゃ》にあずかるとおもえば、かならずかならず如来《にょらい》の誓願《せいがん》に住《じゅう》すと、悲願《ひがん》にみえたり。[119]「設我得仏《せつがとくぶつ》　国中人天《こくちゅうにんでん》　不住定聚《ふじゅうじょうじゅ》　必至滅度《ひっしめつど》　者《しゃ》　不取正覚《ふしゅしょうがく》」（大経）とちかい給《たま》えり。正定聚《しょうじょうじゅ》に、信心《しんじん》の人《ひと》は住《じゅう》し給《たま》えりとおぼしめし候《そうら》いなば、行者《ぎょうじゃ》のはからいのなきゆえに、「義《ぎ》なきを義《ぎ》とす」と、他力《たりき》をば申《もう》すなり。善《ぜん》とも、悪《あく》とも、浄《じょう》とも、穢《え》とも、行者《ぎょうじゃ》のはからいなきみ（身）とならせ給《たま》いて候《そうら》えばこそ、「義《ぎ》なきを義《ぎ》とす」とは申《もう》すことにて候《そうら》え。

十七《じゅうしち》の願《がん》に、[120]「わがなをとなえられん」（大経）とちかい給《たま》いて、十八《じゅうはち》の願《がん》に、[121]「信心《しんじん》まことならば、もしうまれずは、仏《ぶつ》にならじ」（同）とちかい給《たま》えり。十七《じゅうしち》・十八《じゅうはち》の悲願《ひがん》、みなまことならば、正定聚《しょうじょうじゅ》の願《がん》は、せんなく候《そうろ》うべきか。補処《ふしょ》の弥勒《みろく》におなじくらいに、信心《しんじん》の人《ひと》は、ならせたまうゆえに、摂取不捨《せっしゅふしゃ》とはさだめられて候《そうら》え。このゆえに、他力《たりき》と申《もう》すは、行者《ぎょうじゃ》のはからいのちりばかりもいらぬなり。かるがゆえに、「義《ぎ》なきを義《ぎ》とす」と申《もう》すなり。このほかに、またもうすべきことなし。「ただ、仏《ぶつ》にまかせまいらせ給《たま》え」と、大師聖人《だいししょうにん》（法然）のみことにて候《そうら》え。

十一月十八日　親鸞《しんらん》

専信御坊御報《せんしんおんぼうおんほう》[122]

親鸞聖人《しんらんしょうにん》血脈文集《けちみゃくもんじゅう》

(一) [1]かさまの念仏者《ねんぶつしゃ》のうたがいとわれたる事《こと》

それ、[2]浄土真宗《じょうどしんしゅう》のこころは、往生《おうじょう》の根機《こんき》に他力《たりき》あり、自力《じりき》あり。このことすでに天竺《てんじく》の論家《ろんげ》・浄土《じょうど》の祖師《そし》のおおせられたる[3]ことなり。まず、自力《じりき》と申《もう》す[4]ことは、行者《ぎょうじゃ》の[5]おのおのの縁《えん》にしたがいて、余《よ》の仏号《ぶつごう》を[6]称念《しょうねん》し、余《よ》の善根《ぜんごん》を修行《しゅぎょう》して、わがみをたのみ、わがはからいのこころをもって、身《しん》・口《く》・意《い》のみだれごころをつくろい、めでとうしなして、浄土《じょうど》へ往生《おうじょう》せんとおもうを、自力《じりき》と申《もう》すなり。また、他力《たりき》と申《もう》すことは、弥陀如来《みだにょらい》の御《おん》ちかいの中《なか》に、選択摂取《せんじゃくせっしゅ》したまえる第十八《だいじゅうはち》の念仏往生《ねんぶつおうじょう》の本願《ほんがん》を信楽《しんぎょう》するを、他力《たりき》と申《もう》すなり。如来《にょらい》の御《おん》ちかいなれば、「他力《たりき》には義《ぎ》なきを義《ぎ》とす」と、[7]聖人《しょうにん》(法然)のおおせごとにてありき。義《ぎ》という[8]ことは、はからうことばなり。行者《ぎょうじゃ》のはからいは自力《じりき》なれば、義《ぎ》というなり。他力《たりき》は、本願《ほんがん》を信楽《しんぎょう》して往生《おうじょう》[9]必定《ひつじょう》なるゆえに、さらに義《ぎ》なしと[10]なり。

しかれば、わがみのわるければ、いかでか如来《にょらい》むかえ[11]たまわんとおもうべからず。凡夫《ぼんぶ》はもとより[12]煩悩具足《ぼんのうぐそく》したるゆえに、わるきものとおもうべし。また、わが[13]こころよければ往生《おうじょう》すべしとおもうべからず。自力《じりき》の御《おん》はからいにては真実《しんじつ》の[14]報土《ほうど》へうまるべからざるなり。「行者《ぎょうじゃ》の[15]おのおのの自力《じりき》の[16]信《しん》にては、懈慢《けまん》・辺地《へんじ》の往生《おうじょう》、胎生《たいしょう》・疑城《ぎじょう》の浄土《じょうど》までぞ、往生《おうじょう》せらるることにてあるべき」[17]とぞ、うけたまわりたりし。第十八《だいじゅうはち》の本願成就《ほんがんじょうじゅ》のゆえに、阿弥陀如来《あみだにょらい》とならせたまいて、不《ふ》可思議《かしぎ》の利益《りやく》きわまりましまさぬ御《おん》かたちを、天親菩薩《てんじんぼさつ》は尽十方無碍光如来《じんじっぽうむげこうにょらい》とあらわしたまえり。このゆえに、よき、あしき、人《ひと》をきらわず、煩悩《ぼんのう》のこころをえらばず、へだてずして、往生《おうじょう》はかならずするなりとしるべしとなり。しかれば、恵心院《えしんいん》の和尚《かしょう》（源信）は『往生要集《おうじょうようしゅう》』[18]には、本願《ほんがん》の念《ねん》仏《ぶつ》を信楽《しんぎょう》するありさまをあらわせるには、[19]「行住座臥《ぎょうじゅうざが》をえらばず、時処諸縁《じしょしょえん》をきらわず」とおせられたり。[20]「真実《しんじつ》の信心《しんじん》をえたる人《ひと》は摂取《せっしゅ》のひかりにおさめとられまいらせたり」と、たしかにあらわせり。しかれば、「無明煩悩《むみょうぼんのう》を[21]具《ぐ》して[22]安養浄土《あんにょうじょうど》に往生《おうじょう》すれば、[23]かならずすなわち無上仏《むじょうぶつ》果《か》にいたる」と、釈迦如来《しゃかにょらい》ときたまえり。

しかるに、[24]「五濁悪世《ごじょくあくせ》のわれら、釈迦一仏《しゃかいちぶつ》のみことを信受《しんじゅ》せんこと、ありがたかるべしとて、十《じっ》方恒沙《ぽうごうじゃ》の諸仏《しょぶつ》、証人《しょうにん》とならせたまう」（散善義）と、善導和尚《ぜんどうかしょう》は釈《しゃく》したまえり。「釈迦《しゃか》・弥陀《みだ》・十方《じっぽう》の諸仏《しょぶつ》、みなおなじ御《おん》こころにて、[25]本願念仏《ほんがんねんぶつ》の衆生《しゅじょう》には、[26]かげのかたちにそえるがごとくして、はなれたまわず」とあかせり。[27]しかれば、この信心《しんじん》の人《ひと》を、釈迦如来《しゃかにょらい》は、[28]「[29]わがしたしきともなり」（大経）と、よろこびまします。この信心《しんじん》の人《ひと》を「真《しん》の仏弟子《ぶつでし》」といえり。この人《ひと》を正念《しょうねん》に住《じゅう》する人《ひと》とす。この[30]人《ひと》は、摂取《せっしゅ》してすてたまわざれば、金剛心《こんごうしん》をえたる人《ひと》と申《もう》すなり。この人《ひと》を、[31]「[32]上上人《じょうじょうにん》とも、[33]好人《こうにん》とも、[34]妙好人《みょうこうにん》とも、[35]最勝人《さいしょうにん》とも、[36]希有人《けうにん》とももうす」（散善義）なり。こ

の人《ひと》は正 定聚《しょうじょうじゅ》のくらいに[37]さだまれるなりとしるべし。しかれば、弥勒仏《みろくぶつ》とひとしき人《ひと》とのたまえり。これは[38]真実信心《しんじつしんじん》をえたるゆえに、かならず真実《しんじつ》の報土《ほうど》に往生《おうじょう》するなりとしるべし。この信心《しんじん》をうることは、釈迦《しゃか》・弥陀《みだ》・十方諸仏《じっぽうしょぶつ》の御方便《ごほうべん》[39]よりたまわりたるとしるべし。

しかれば、[40]「諸仏《しょぶつ》の御《おん》おしえをそしること[41]なし。余《よ》の善根《ぜんごん》を行《ぎょう》ずる人《ひと》を[42]そしることなし。この念仏《ねんぶつ》する人《ひと》をにくみそしる人《ひと》をも、にくみそしることあるべからず。あわれみをなし、かなしむこころをもつべし」とこそ、聖人《しょうにん》(法然)はおおせごとありしか。あなかしこ、あなかしこ。

仏恩《ぶっとん》のふかきことは、懈慢《けまん》・辺地《へんじ》に往生《おうじょう》し、疑城胎宮《ぎじょうたいぐう》に往生《おうじょう》するだにも、弥陀《みだ》の御《おん》ちかいのなかに第十九《だいじゅうく》・第二十《だいにじゅう》の願《がん》の御《おん》[43]あわれみにてこそ、[44]不可思議《ふかしぎ》のたのしみにあうことにて候《そうら》え。仏恩《ぶっとん》のふかきこと、そのきわもなし。いかにいわんや、真実《しんじつ》の報土《ほうど》へ往生《おうじょう》して、大涅槃《だいねはん》のさとりをひらかんこと、仏恩《ぶっとん》よくよく御《ご》[45]安(案)ども候《そうろ》うべし。これさらに、性信《しょうしん》[46]坊《ぼう》、親鸞《しんらん》がはからい申《もう》す[47]にはあらず候《そうろ》う。ゆめゆめ。

[48]建長七歳(一二五五)乙卯《きのとう》　十月三日　　愚禿親鸞《ぐとくしんらん》八十三歳書レ之

(三)　一《ひとつ》　この御《おん》ふみどもの様《よう》、くわしくみ[49]そうろう。また、さては慈信《じしん》(善鸞)が[50]法文《ほうもん》の様《よう》ゆえに、常陸《ひたち》・下野《しもつけ》の人々《ひとびと》、念仏《ねんぶつ》もうさせたまいそうろうことの、としごろうけたまわりたる様《よう》には、みなかわりおうておわしますときこえそうろう。かえすがえす、[51]こころうく(心憂)、あさましくおぼえ候《そうろ》う。としごろ往生《おうじょう》を一定《いちじょう》とおおせられそうろう人々《ひとびと》、慈信《じしん》とおなじ様《よう》にそらごとをみな[52]そうらいけるを、としごろふかくたのみまいらせてそうらいけること、かえすがえすあさましゅうそうろう。

そのゆえは、往生《おうじょう》の信心《しんじん》ともうすことは、一念《いちねん》もうたがうことのそうらわぬをこそ、往生一定《おうじょういちじょう》とはおもいてそうらえ。光明寺《こうみょうじ》の和尚《かしょう》（善導）の、信《しん》の様《よう》をおしえさせたまいそうろうには、[53]「まことの信《しん》をさだめられて[54]のちには、弥陀《みだ》のごとくの仏《ぶつ》、釈迦《しゃか》のごとくの仏《ぶつ》、そらにみちみちて、釈迦《しゃか》のおしえ、弥陀《みだ》の本願《ほんがん》はひがごとなりとおおせらるとも、一念《いちねん》もうたがいあるべからず」（散善義）とこそ、うけたまわりてそうらえば、その様《よう》をこそ、としごろもうしてそうろうに、慈信《じしん》ほどのもののもうすことに、常陸《ひたち》・下野《しもつけ》の念仏者《ねんぶつしゃ》の、みな御《おん》こころども[55]うかれて、はては、さしもたしかなる証文《しょうもん》を、ちからをつくしてかずあまたかきてまいらせて[56]そうらえば、それをみなすておうておわしましそうろうときこえそうらえば、ともかくももうすにおよばずそうろう。

まず、慈信《じしん》がもうしそうろう法文《ほうもん》の様《よう》、名目《みょうもく》をもきかず。いわんや、ならいたることもそうらわねば、慈信《じしん》にひそかにおしうべき様《よう》もそうらわず。また、[57]よるもひるも、慈信一人《じしんいちにん》に、[58]人《ひと》にはかく（隠）して法文《ほうもん》おしえたる[59]ことそうらわず。もしこのこと、慈信《じしん》にもうしながら、そらごとをもうしかくして、人《ひと》にも[60]しらせずしておしえたることそうらわば、三宝《さんぽう》を本《ほん》として、三界《さんがい》の諸天善神《しょてんぜんじん》、四海《しかい》の龍神八部《りゅうじんはちぶ》、閻魔王界《えんまおうかい》の神祇冥道《じんぎみょうどう》の罰《ばち》を、親鸞《しんらん》が身《み》にことごとくかぶりそうろうべし。自今已後《じこんいご》は、慈信《じしん》におきては、[61]子《こ》の儀《ぎ》、おもいきりてそうろうなり。世間《せけん》のことにも、不可思議《ふかしぎ》のそらごと、[62]もうすかぎりなきことどもを、もうしひろめてそうらえば、出世《しゅっせ》のみにあらず、世間《せけん》のことにおきても、おそろしきもうしごとども、かずかぎりなくそうろうなり。なかにも、この法文《ほうもん》の様《よう》ききそうろうに、こころもおよばぬもうしごとにてそうろう。つやつや、親鸞《しんらん》が身《み》には、ききもせず、[63]ならわぬことにて[64]そうろう。かえすがえすあさましゅう、[65]こころうくそうろう。弥陀《みだ》の本願《ほんがん》をすてまいらせてそうろうことに、[66]人々《ひとびと》のつきて、親鸞《しんらん》をもそらごともうしたるものになしてそうろう。こころうく、うたてきことにそうろう。

おおかたは、『唯信《ゆいしん》[67]抄《しょう》』・『自力他力《じりきたりき》の文《もん》』・『後世《ごせ》ものがたりのききがき』・『一念多念《いちねんたねん》の証文《しょうもん》』・『唯信鈔《ゆいしんしょう》の文意《もんい》』・『一念多念《いちねんたねん》の[68]文意《もんい》』、これらを御覧《ごらん》じながら、慈信《じしん》が法文《ほうもん》によりて、おおくの念仏《ねんぶつ》者達《しゃたち》の、弥陀《みだ》の本願《ほんがん》をすてまいらせおうてそうろうらんこと、もうすばかりなくそうらえば、かようの御《おん》ふみども、これよりのちにはおおせらるべからずそうろう。また、『真宗《しんしゅう》のききがき』、性信《しょうしん》[69]房《ぼう》のかかせたまいたるは、すこしも、これにもうしてそうろう様《よう》にたがわずそうらえば、うれしゅうそうろう。『真宗《しんしゅう》のききがき』一帖《いちじょう》は、これにとどめおきてそうろう。

また、哀愍房《あいみんぼう》とかやの、いまだみもせずそうろう。また、ふみ一度《いちど》もまいらせたることもなし。くによりもふみたび(給)たることもなし。親鸞《しんらん》が[70]ふみをえたると、もうしそうろう[71]なるは、おそろしきことなり。この『唯信鈔《ゆいしんしょう》』かきたる様《よう》、あさましゅうそうらえば、火《ひ》にやきそうろうべし。かえすがえすこころうくそうろう。このふみを[72]人々《ひとびと》にもみせさせたまうべし。あなかしこ、あなかしこ。

五月二十九日　[73]親鸞《しんらん》

性信《しょうしん》[74]房《ぼう》 御返事《おんへんじ》

なおなお、[75]よくよく念仏者達《ねんぶつしゃたち》の信心《しんじん》は一定《いちじょう》とそうらいしことは、みな御《おん》そらごとどもにて[76]そうらいけり。これほどに第十八《だいじゅうはち》の本願《ほんがん》をすてまいらせおうてそうろう人々《ひとびと》の御《おん》ことばを、たのみまいらせてとしごろそうらいけるこそ、あさましゅう[77]そうろう。このふみを、かく《(隠)》さるべきことならねば、よくよく人々《ひとびと》にみせもうしたまうべし。

㈢ 一《ひとつ》 諸仏称名《しょぶつしょうみょう》の願《がん》ともうし――――『親鸞聖人御消息集（広本）』（一八）と同じ。

㈣ 一《ひとつ》 武蔵《むさし》よりとて、[78]しむの入道どののともうす人《ひと》と、正念房《しょうねんぼう》ともうす人《ひと》の、[79]王番《おうばん》にのぼらせ[80]たまいてそうろうとて、おわしましてそうろう。みまいらせてそうろう。御念仏《おんねんぶつ》の[81]御《おん》こころざしおわしますと[82]そうらえば、ことにうれしゅう、めでとうおぼえそうろう。[83]御《おん》すすめとそうろう。かえすがえすうれしゅうあわれにそうろう。なおなお、よくよくすすめまいらせて、信心《しんじん》かわらぬ様《よう》に人々《ひとびと》にもうさせたまうべし。如来《にょらい》の御《おん》ちかいのうえに、釈尊《しゃくそん》の御《おん》ことなり。また、十方恒沙《じっぽうごうじゃ》の諸仏《しょぶつ》の御証誠《ごしょうじょう》なり。信心《しんじん》はかわらじとおもいそうらえども、[84]様々《ようよう》にかわりあわせたまいてそうろうこと、ことになげきおもいそうろう。よくよくすすめまいらせたまうべくそうろう。あなかしこ、あなかしこ。

九月七日　[85]親鸞《しんらん》

性信御房《しょうしんおんぼう》

念仏《ねんぶつ》のあいだのことゆえに、御沙汰《ごさた》どもの様々《ようよう》にきこえそうろうに、こころやすくならせたまいて[86]そうろうと、この人々《ひとびと》の御《おん》ものがたりそうらえば、ことにめでとう、うれしゅうそうろう。なにごともなにごとも、もうしつくしがたくそうろう。いのちそうらわば、またまた[87]もうしそうろうべくそうろう。

（五）一《ひとつ》　法然聖人《ほうねんしょうにん》は　流罪土佐国《るざいとさのくに》――この一章は御消息と異なるので、ここに掲げず校注に示した[88]。

（六）一《ひとつ》　金剛信心《こんごうしんじん》の事《こと》　信心《しんじん》をえたる人《ひと》は――『御消息集（善性本）』（五）と同じ。

末《まっ》燈《とう》鈔《しょう》

[1]本願寺《ほんがんじ》の親鸞大師《しんらんだいし》の御己証《ごこしょう》并《なら》びに辺州所々《へんしゅうしょしょ》の御消息等《おんしょうそくとう》の類聚鈔《るいじゅしょう》

(一) [2]有念無念《うねんむねん》

愚禿親鸞《ぐとくしんらん》曰《い》わく

来迎《らいこう》は諸行往生《しょぎょうおうじょう》にあり。自力《じりき》の行者《ぎょうじゃ》なるがゆえに。臨終《りんじゅう》ということは、諸行往生《しょぎょうおうじょう》の人《ひと》にいうべし。いまだ、真実《しんじつ》の信心《しんじん》をえざるがゆえなり。また、十悪《じゅうあく》・五逆《ごぎゃく》の罪人《ざいにん》の、はじめて善知識《ぜんじしき》にお(遇)うて、すすめらるるときにいう[3]ことなり。真実信心《しんじつしんじん》の行人《ぎょうにん》は、摂取不捨《せっしゅふしゃ》のゆえに、正定聚《しょうじょうじゅ》の[4]くらいに、信心《しんじん》のさだまるとき住《じゅう》す。このゆえに、臨終《りんじゅう》[5]をまつことなし、来迎《らいこう》[6]をたのむことなし。信心《しんじん》のさだまる[7]ときに、往生《おうじょう》はさだまるなり。来迎《らいこう》の[8]儀則《ぎそく》をまたず。正念《しょうねん》というは、本弘誓願《ほんぐぜいがん》の信楽《しんぎょう》さだまるをいうなり。この信心《しんじん》[9]をうるゆえに、かならず無上涅槃《むじょうねはん》にいたるなり。この信心《しんじん》を一心《いっしん》という。この一心《いっしん》を金剛心《こんごうしん》という。この金剛心《こんごうしん》を大菩提心《だいぼだいしん》というなり。これすなわち、他力《たりき》の中《なか》の他力《たりき》なり。

また、正念《しょうねん》というにつきて二《ふた》つあり。[10]一《ひと》つは、定心《じょうしん》の行人《ぎょうにん》の正念《しょうねん》、二《ふた》つには、散心《さんしん》の行人《ぎょうにん》の正念《しょうねん》あるべし。この二《ふた》つの正念《しょうねん》は、他力《たりき》の中《なか》の自力《じりき》の正念《しょうねん》なり。定散《じょうさん》の善《ぜん》は、諸行往生《しょぎょうおうじょう》のことばにおさまるなり。この善《ぜん》は、他力《たりき》の中《なか》の自力《じりき》の善《ぜん》なり。この自力《じりき》の行人《ぎょうにん》は、来迎《らいこう》をまたずしては、[11]胎生《たいしょう》・辺地《へんじ》・懈慢界《けまんがい》までも、うまるべからず。このゆえに、第十九《だいじゅうく》の誓願《せいがん》に、[12]もろもろの善《ぜん》をして浄土《じょうど》に回向《えこう》して往生《おうじょう》せんとねがう人《ひと》の臨終《りんじゅう》には、われ現《げん》じてむかえんとちかいたまえり。[13]臨《りん》終《じゅう》をまつということと、来迎往生《らいこうおうじょう》をたのむということは、この定心《じょうしん》・散心《さんしん》の行者《ぎょうじゃ》のいうことなり。

選択本願《せんじゃくほんがん》は、有念《うねん》にあらず、無念《むねん》にあらず。[14]有念《うねん》すなわち[15]色形《しきぎょう》をおもうにつきていうことなり。無念《むねん》というは、①形《ぎょう》をこころにかけず、[16]色《いろ》をもこころにおもわずして、念《ねん》もなきをいうなり。これみな聖道《しょうどう》のおしえなり。聖道《しょうどう》というは、すでに仏《ぶつ》になりたまえる[17]人《ひと》、われらがこころをすすめんがために、仏心宗《ぶっしんしゅう》・真言宗《しんごんしゅう》・法華宗《ほっけしゅう》・華厳宗《けごんしゅう》・三論宗等《さんろんしゅうとう》の大乗至極《だいじょうしごく》の教《きょう》なり。仏心宗《ぶっしんしゅう》というは、このよにひろまる禅宗《ぜんしゅう》これなり。また、法相宗《ほっそうしゅう》・成実宗《じょうじつしゅう》・倶舎宗等《くしゃしゅうとう》の権教《ごんきょう》、小乗等《しょうじょうとう》の教《きょう》なり。これみな聖道門《しょうどうもん》なり。権教《ごんきょう》というはすなわち、すでに仏《ぶつ》になりたまえる仏《ぶつ》・菩薩《ぼさつ》の、かりにさまざまのかたちをあらわしてすすめたまうがゆえに、権《ごん》というなり。浄土宗《じょうどしゅう》にまた、有念《うねん》あり、無《む》念《ねん》あり。有念《うねん》は[18]散善《さんぜん》の義《ぎ》、無念《むねん》は[19]定善《じょうぜん》の義《ぎ》なり。浄土《じょうど》の無念《むねん》は、聖道《しょうどう》の無念《むねん》にはにず。[20]この聖道《しょうどう》の無念《むねん》の中《なか》に、また有念《うねん》あり。よくよく、とうべし。

浄土宗《じょうどしゅう》の中《なか》に、真《しん》あり、仮《け》あり。真《しん》というは、選択本願《せんじゃくほんがん》なり。仮《け》というは、定散二善《じょうさんにぜん》なり。選《せん》択本願《じゃくほんがん》は浄土真宗《じょうどしんしゅう》なり。定散二善《じょうさんにぜん》は方便仮門《ほうべんけもん》なり。浄土真宗《じょうどしんしゅう》は大乗《だいじょう》の[21]なかの至極《しごく》なり。方便《ほうべん》仮門《けもん》の中《なか》にまた大小権実《だいしょうごんじつ》の教《きょう》あり。釈迦如来《しゃかにょらい》の、御善知識《おんぜんじしき》[22]者《は》、一百一十人《いっぴゃくいちじゅうにん》なり。[23]『華厳経《けごんぎょう》』にみえたり。[24]

建長三歳（一二五一）辛亥《かのとい》　閏《うるう》九月二十日　[25]釈親鸞《しゃくしんらん》　七十九歳

㈡　かさまの念仏者《ねんぶつしゃ》の――――『血脈文集』㈠と同じ。

㈢　信心《しんじん》をえたるひとは――――『御消息集（善性本）』㈤と同じ。

㈣　これは経《きょう》の文《もん》なり。――――『御消息集（善性本）』㈥と同じ。

[26]㈤　[27]「獲《ぎゃく》」の字《じ》は、因位《いんに》のときうるを「獲《ぎゃく》」という。「得《とく》」の字《じ》は、果位《かい》のときにいたりてうることを「得《とく》」というなり。「名《みょう》」の字《じ》は、因位《いんに》のときのなを「名《みょう》」という。「号《ごう》」の字《じ》は、果位《かい》のときのなを「号《ごう》」という。

「自然《じねん》」というは、「自《じ》」はおのずからという。行者《ぎょうじゃ》のはからいにあらず。[28]しからしむということばなり。「然《ねん》」というは、しからしむという[29]ことば、行者《ぎょうじゃ》のはからいにあらず。如来《にょらい》のちかいにてあるが[30]ゆえに。「法爾《ほうに》」というは、この如来《にょらい》のおんちかいなるがゆえに、しからしむるを「法爾《ほうに》」と[31]いう。法爾《ほうに》は、このおんちかいなりけるゆえに、[32]すべて行者《ぎょうじゃ》のはからいのなきをもって、この法《ほう》のとく（徳）のゆえに、しからしむというなり。すべて、人《ひと》のはじめてはからわざるなり。このゆえに、「[33]他力《たりき》には義《ぎ》なきを義《ぎ》とす」としるべしとなり。「自然《じねん》」というは、もとより[34]しからしむということばなり。弥陀仏《みだぶつ》の御《おん》ちかいの、もとより行者《ぎょうじゃ》のはからいにあらずして、[35]南無阿弥陀仏《なむあみだぶつ》とたのませたまいて、

①形…かたち

むかえんと、はからわせたまいたるによりて、行者《ぎょうじゃ》の、よからんとも、あしからんともおもわぬを、自然《じねん》とはもうすぞと、ききて候《そうろ》う。ちかいのよう《(様)》は、無上仏《むじょうぶつ》にならしめんとちかいたまえるなり。無上仏《むじょうぶつ》ともうすは、かたちもなくまします。[36]かたちのましまさぬゆえに、「自然《じねん》」とはもうすなり。かたちましますとしめすときには、無上涅槃《むじょうねはん》とはもうさず。かたちもましまさぬよう《(様)》をしらせんとて、[37]はじめて弥陀仏《みだぶつ》とぞ、ききならいて候《そうろ》う。みだ仏《ぶつ》は、自然《じねん》のよう《(様)》をしらせんりょう《(料)》なり。この道理《どうり》をこころえつるのちには、この自然《じねん》のことは、つねにさた《(沙汰)》[38]すべきにはあらざるなり。つねに自然《じねん》をさたせば、「義《ぎ》なきを義《ぎ》とす」ということは、なお義《ぎ》のあるに[39]なるべし。これは仏智《ぶっち》の不思《ふし》[40]議《ぎ》にてあるなり。

[41]愚禿親鸞《ぐとくしんらん》八十六歳

[42]正嘉二歳《(一二五八)》戊午《つちのえうま》十二月　日、善法坊僧都御坊《ぜんぽうぼうそうずおんぼう》、三条《さんじょう》とみのこうじ《(富小路)》の御坊《おんぼう》にて、聖人《しょうにん》にあいまいらせてのききがき《(聞書)》。そのとき顕智《けんち》これをかくなり。

(六)なによりも、こぞ《(昨年)》ことし、老少男女《ろうしょうなんにょ》、おおくのひとびとの、しに《(死)》あい《(合)》て候《そうろ》うらんことこそ、あわれにそうらえ。ただし、生死無常《しょうじむじょう》のことわり、くわしく如来《にょらい》のときおかせおわしましてそうろううえは、おどろきおぼしめすべからずそうろう。

まず、善信《ぜんしん》が身《み》には、臨終《りんじゅう》の善悪《ぜんあく》をばもうさず。信心決定《しんじんけつじょう》のひとは、うたがいなければ、正定聚《しょうじょうじゅ》に住《じゅう》することにて候《そうろ》うなり。さればこそ、愚痴無智《ぐちむち》のひともおわりもめでたく候《そうら》え。如来《にょらい》の御《おん》はからいにて往生《おうじょう》するよし、ひとびともうされ候《そうら》いける、すこしもたがわず候うなり。としごろ、おのおのにもうし候《そうら》いしこと、たがわずこそ候《そうら》え。かまえて、学生沙汰《がくしょうざた》せさせたまい候《そうら》わで、往生《おうじょう》をとげさせたまい候《そうろ》うべし。

故法然聖人《こほうねんしょうにん》は、「浄土宗《じょうどしゅう》のひとは愚者《ぐしゃ》になりて往生《おうじょう》す」と候《そうら》いしことを、たしかにうけたまわり候《そうら》いし[43]うえに、ものもおぼえぬあさましき人々《ひとびと》のまいりたるを御覧《ごらん》じては、「往生必定《おうじょうひつじょう》すべし」とて、え《（笑）》ませたまいしを、みまいらせ候《そうら》いき。ふみざた《（文沙汰）》して、さかさかしき《（賢賢）》ひとのまいりたるをば、「往生《おうじょう》はいかがあらんずらん」と、たしかにうけたまわりき。いまにいたるまで、おもいあわせられ候《そうろ》うなり。ひとびとにすかされさせ[44]たまわで、御信心《ごしんじん》たじろかせたまわずして、おのおの御往生《ごおうじょう》候《そうろ》うべきなり。ただし、ひとにすかされたまい候《そうら》わずとも、信心《しんじん》のさだまらぬひとは、正定聚《しょうじょうじゅ》に住《じゅう》したまわずして、うかれたまいたるひとなり。乗信房《じょうしんぼう》にかようにもうしそうろうよう《（様）》を、ひとびとにももうされ候《そうろ》うべし。あなかしこ、あなかしこ。

文応元年（一二六〇）十一月十三日　　善信《ぜんしん》　八十八歳

[45]乗信御房《じょうしんおんぼう》

この御消息《おんしょうそく》の正本《しょうほん》は、[46]坂東下野国《ばんどうしもつけのくに》おおうちの[47]庄高田《しょうたかだ》に、これあるなりと云々《うんぬん》

(七)　往生《おうじょう》はなにごともなにごとも――――『親鸞聖人御消息集（広本）』(五)　末尾と『御消息集（善性本）』(三)の㋺を一通とする。

（八）また、「五説《ごせつ》」というは、よろずの経《きょう》をとかれ候《そうろ》うに、五種《ごしゅ》にはすぎず候《そうろ》うなり。一《ひとつ》には仏説《ぶっせつ》、二《ふたつ》には聖弟子《しょうでし》の説《せつ》、三《みつ》には天仙《てんせん》の説《せつ》、四《よつ》には鬼神《きじん》の説《せつ》、五《いつつ》には変化《へんげ》の説《せつ》といえり。このいつつのなかに、仏説《ぶっせつ》をもちいて、かみの四種《ししゅ》をたのむべからず候《そうろ》う。この三部経《さんぶきょう》は、釈迦如来《しゃかにょらい》の自説《じせつ》にてましますとしるべしとなり。「四土《しど》」というは、一《ひとつ》には法身《ほっしん》の土《ど》、二《ふたつ》には報身《ほうじん》の土《ど》、三《みつ》には応身《おうじん》の土《ど》、四《よつ》には化土《けど》なり。いまこの安楽浄土《あんらくじょうど》は報土《ほうど》なり。「三身《さんしん》」というは、一《ひとつ》には法身《ほっしん》、二《ふたつ》には報身《ほうじん》、三《みつ》には応身《おうじん》なり。いまこの弥陀如来《みだにょらい》は報身如来《ほうじんにょらい》なり。「三宝《さんぼう》」というは、一《ひとつ》には仏宝《ぶっぽう》、二《ふたつ》には法宝《ほうぼう》、三《みつ》には僧宝《そうぼう》なり。いまこの浄土宗《じょうどしゅう》は仏宝《ぶっぽう》なり。「四乗《しじょう》」というは、一《ひとつ》には仏乗《ぶつじょう》、二《ふたつ》には菩薩乗《ぼさつじょう》、三《みつ》には縁覚乗《えんがくじょう》、四《よつ》には声聞乗《しょうもんじょう》なり。いまこの浄土宗《じょうどしゅう》は菩薩乗《ぼさつじょう》なり。「二教《にきょう》」というは、一《ひとつ》には頓教《とんぎょう》、二《ふたつ》には漸教《ぜんぎょう》なり。いまこの教《きょう》は頓教《とんぎょう》なり。「二蔵《にぞう》」というは、一《ひとつ》には菩薩蔵《ぼさつぞう》、二《ふたつ》には声聞蔵《しょうもんぞう》なり。いまこの教《きょう》は菩薩蔵《ぼさつぞう》なり。「二道《にどう》」というは、一《ひとつ》には難行道《なんぎょうどう》、二《ふたつ》には易行道《いぎょうどう》なり。いまこの浄土宗《じょうどしゅう》は易行道《いぎょうどう》なり。「二行《にぎょう》」というは、一《ひとつ》には正行《しょうぎょう》、二《ふたつ》には雑行《ぞうぎょう》なり。いまこの浄土宗《じょうどしゅう》は正行《しょうぎょう》を本《ほん》とするなり。「二超《にちょう》」というは、一《ひとつ》には[48]竪超《しゅちょう》、二《ふたつ》には横超《おうちょう》なり。いまこの浄土宗《じょうどしゅう》は横超《おうちょう》なり。竪超《しゅちょう》は聖道自力《しょうどうじりき》なり。「二縁《にえん》」というは、一《ひとつ》には無縁《むえん》、二《ふたつ》には有縁《うえん》なり。いまこの浄土《じょうど》は有縁《うえん》の教《きょう》なり。「二住《にじゅう》」というは、一《ひとつ》には[49]止住《しじゅう》、二《ふたつ》には不住《ふじゅう》なり。いまこの[50]浄土教《じょうどきょう》は、法滅百歳《ほうめつひゃくさい》まで住《じゅう》したまいて、有情《うじょう》を利益《りやく》したまうとなり。不住《ふじゅう》は聖道諸善《しょうどうしょぜん》なり。諸善《しょぜん》はみな龍宮《りゅうぐう》へかくれいりたまいぬるなり。「思《し》・不思《ふし》」というは、思不思議《しふしぎ》の法《ほう》は、聖道八万四千《しょうどうはちまんしせん》の諸善《しょぜん》なり。「不思《ふし》」というは、浄土《じょうど》の教《きょう》は不可思議《ふかしぎ》の教法《きょうほう》なり。

これらは、かようにしるしもうしたり。よくしれらんひとにたずねもうしたまうべし。また、くわしくはこのふみにてもうすべくも候《そうら》わず。目《め》もみえず候《そうろ》う。なにごともみなわすれて候《そうろ》ううえに、[51]ひとなどにあきらかにもうすべき身《み》にもあらず候《そうろ》う。よくよく浄土《じょうど》の学生《がくしょう》に、といもうしたまうべし。あなかしこ、あなかしこ。

[52]閏《うるう》三月二日　親鸞《しんらん》

(九) 御《おん》ふみくわしくうけ給《たま》わり候《そうら》いぬ。さては、この御《ご》ふしん（不審）しかるべしともおぼえず候《そうろ》う。そのゆえは、誓願《せいがん》・名号《みょうごう》と申《もう》して、かわりたること候《そうら》わず[53]候《そうろ》う。誓願《せいがん》をはなれたる名号《みょうごう》も候《そうら》わず[54]候《そうろ》う。名号《みょうごう》をはなれたる誓願《せいがん》も候《そうら》わず候《そうろ》う。かく申《もう》し候《そうろ》うも、はからいにて候《そうろ》うなり。ただ、誓願《せいがん》を不思議《ふしぎ》と信《しん》じ、又《また》、名号《みょうごう》を不思議《ふしぎ》と一念信《いちねんしん》じとなえつるうえは、[55]なんじょうわがはからいをいたすべき。ききわけ、しりわくるなんど、わずらわしくは、[56]おおせ候《そうろ》うやらん。これみなひがごとにて候《そうろ》うなり。ただ、不思議《ふしぎ》と信《しん》じつるうえは、とかく御《おん》はからいあるべからず候《そうろ》う。おうじょう（往生）のごう（業）には、わたくしのはからいはあるまじく候《そうろ》うなり。あなかしこ、あなかしこ。[57]如来《にょらい》にまかせまいらせおわしますべく候《そうろ》う。あなかしこ、あなかしこ。

五月五日　親鸞《しんらん》[58]

[59]きょうようの御房へ

[60]このふみをもって、人々《ひとびと》にもみせまいらせさせ給《たま》うべく候《そうろ》う。「他力《たりき》には義《ぎ》なきを義《ぎ》」とは申《もう》し候《そうろ》うなり。

(一〇) 御《おん》ふみくわしくうけ給《たま》わり候《そうら》いぬ。さては、ごほうもん（法文）のごふしん（不審）に、一念発起信心《いちねんほっきしんじん》のとき、無碍《むげ》の心光《しんこう》にしょうご（摂護）せられまいらせ候《そうろ》う[61]ゆえ、つねに浄土《じょうど》のごういん（業因）決定《けつじょう》すとおおせられ候《そうろ》う。これめでたく候《そうろ》う。かくめでたくはおおせ候《そうら》えども、これみなわたくしの御《おん》はからいになりぬとおぼえ候《そうろ》う。ただ不思議《ふしぎ》と信《しん》ぜさせ給《たま》い候《そうら》いぬるうえは、わずらわしき[62]はからいはあるべからず候《そうろ》う。

又《また》、ある人《ひと》の[63]候《そうろ》うなること、しゅっせ（出世）のこころおおく、じょうどのごういんすくなしと候《そうろ》うなるは、こころえがたく候《そうろ》う。しゅっせと候《そうろ》うも、浄土《じょうど》のごういんと候《そうろ》うも、みな一《ひとつ》にて候《そうろ》うなり。[64]すべ（総）候《そうら》いて、これ[65]なまじいなる御《おん》はからいとぞんじ候《そうろ》う。仏智不思議《ぶっちふしぎ》と信《しん》ぜさせ給《たま》い候《そうら》いなば、べつにわずらわしく、とかくの御《おん》はからいあるべからず候《そうろ》う。ただ、[66]人々《ひとびと》のとかく申《もう》し候《そうら》わん[67]ことをば、ごふしん（不審）あるべからず候《そうろ》う。ただ如来《にょらい》の誓願《せいがん》にまかせまいらせ給《たま》うべく候《そうろ》う。とかくの御《おん》はからいあるべからず候《そうろ》うなり。あなかしこ、あなかしこ。

五月五日　親鸞《しんらん》[68]

[69]しょうしんの御ぼうへ

[70]他力《たりき》と申《もう》し候《そうろ》うは、とかくのはからいなきを申《もう》し候《そうろ》うなり。

（一一）　四月七日《しがつなぬか》の御《おん》ふみ――『親鸞聖人御消息集（広本）』（一四）と同じ。

（一二）　たずねおおせられ候《そうろ》う念仏《ねんぶつ》の不審《ふしん》のこと。念仏往生《ねんぶつおうじょう》と信《しん》ずるひとは、辺地《へんじ》の往生《おうじょう》とてきらわれ候《そうろ》うらんこと、おおかたこころえがたく候《そうろ》う。そのゆえは、弥陀《みだ》の本願《ほんがん》ともうすは、名号《みょうごう》をとなえんものをば極楽《ごくらく》へむかえんとちかわせたまいたるを、ふかく信《しん》じてとなうるがめでたきことにて候《そうろ》うなり。信心《しんじん》ありとも、名号《みょうごう》をとなえざらんは、詮《せん》なく候《そうろ》う。また、一向《いっこう》、名号《みょうごう》をとなうとも、信心《しんじん》あさくは、往生《おうじょう》しがたく候《そうろ》う。されば、念仏往生《ねんぶつおうじょう》とふかく信《しん》じて、しかも名号《みょうごう》をとなえんずるは、うたがいなき報土《ほうど》の往生《おうじょう》にてあるべく候《そうろ》うなり。詮《せん》ずるところ、名号《みょうごう》をとなうというとも、他力本願《たりきほんがん》を信《しん》ぜざらんは、辺地《へんじ》にうまるべし。本願他力《ほんがんたりき》をふかく信《しん》ぜんともがらは、なにごとにかは辺地《へんじ》の往生《おうじょう》にてそうろうべき。このようを、よくよく御《おん》こころえ候《そうら》いて御念仏《おんねんぶつ》そうろうべし。

この身《み》は、いまはとしきわまりて[71]そうらえば、さだめてさきだちて往生《おうじょう》し[72]そうらわんずれば、浄土《じょうど》にて、かならずかならずまちまいらせそうろうべし。あなかしこ、あなかしこ。

七月十三日　親鸞《しんらん》

有阿弥陀仏《うあみだぶつ》　御返事《おんへんじ》

（一三）　たずねおおせられてそうろう――『御消息集（善性本）』（四）と同じ。[73]

[74]（一四）　畏《かしこ》まりて申《もう》し候《そうろ》う。――『御消息集（善性本）』（一）の㋑㋺を一通とする。

（一五）　たずねおおせられて――『親鸞聖人御消息集（広本）』（一五）と『御消息集（善性本）』（一）の㋩を

一通とする。

（一六） なによりも聖教《しょうぎょう》の――『親鸞聖人御消息集（広本）』（五）と同じ。

（一七） 他力《たりき》のなかには自力《じりき》と――『親鸞聖人御消息集（広本）』（一六）と同じ。

（一八） 御《おん》たずねそうろうことは、弥陀他力《みだたりき》の回向《えこう》の誓願《せいがん》にあいたてまつりて、真実《しんじつ》の信心《しんじん》をたまわりて、よろこぶこころのさだまるとき、摂取《せっしゅ》してすてられまいらせざるゆえに、金剛心《こんごうしん》になるときを、正定聚《しょうじょうじゅ》のくらいに住《じゅう》すともうす。弥勒菩薩《みろくぼさつ》とおなじくらいになるともとかれて候《そうろ》うめり。弥勒《みろく》とひとつくらいになるゆえに、信心《しんじん》まことなるひとをば、「仏《ぶつ》とひとし」ともうす。また諸仏《しょぶつ》の、真実信心《しんじつしんじん》をえてよろこぶをば、まことによろこびて、われとひとしきものなりと、とかせたまいてそうろうなり。『大経《だいきょう》』には、釈尊《しゃくそん》のみことばに[75]「[76]見敬得大慶《けんきょうとくだいきょう》　則我善親友《そくがぜんしんぬ》」と、よろこばせたまいそうらえば、信心《しんじん》をえたるひとは[77]「諸仏《しょぶつ》とひとし」（華厳経）と、とかれてそうろうめり。また、弥勒《みろく》をば、すでに仏《ぶつ》にならせたまわんことあるべきにならせたまいてそうらえばとて、弥勒仏《みろくぶつ》ともうすなり。しかれば、すでに他力《たりき》の信《しん》をえたるひとをも、「仏《ぶつ》とひとし」ともうすべしとみえたり。御《おん》うたがいあるべからずそうろう。

御同行《おんどうぎょう》の、臨終《りんじゅう》を期《ご》してと、おおせられそうろうらんは、ちからおよばぬことなり。信心《しんじん》まことにならせたまいてそうろうひとは、誓願《せいがん》の利益《りやく》にてそうろううえに、摂取《せっしゅ》してすてずとそうらえば、来迎臨終《らいこうりんじゅう》を期《ご》せさせたまうべからずとこそ、おぼえそうらえ。[78]いまだ信心《しんじん》さだまらざらんひとは、臨終《りんじゅう》をも期《ご》し、来迎《らいこう》をもまたせたまうべし。

この御《おん》ふみぬしの御名《ごみょう》は、随信房《ずいしんぼう》とおおせられそうらわば、めでとうそうろうべし。この御《おん》ふみのかきよう、めでたくそうろう。御同行《おんどうぎょう》のおおせられようは、こころえずそうろう。それをば、ちからおよばずそうろう。あなかしこ、あなかしこ。

十一月[79]二十六日　親鸞《しんらん》

[80]随信御房《ずいしんおんぼう》

(一九) 御《おん》ふみたびたび――『親鸞聖人御消息集（広本）』(三)と(二)と(四)を一通とする。

(二〇) 方々《ほうぼう》よりの御《おん》こころざし――『親鸞聖人御消息集（広本）』(一)と同じ。

(二一) 安楽浄土《あんらくじょうど》にいりはつれば――『御消息集（善性本）』(二)の㈧と同じ。

(二二) 『[81]宝号経《ほうごうきょう》』にのたまわく、「弥陀《みだ》の本願《ほんがん》は、行《ぎょう》にあらず、善《ぜん》にあらず、ただ仏名《ぶつみょう》をたもつなり。」名号《みょうごう》はこれ、善《ぜん》なり、行《ぎょう》なり。行《ぎょう》というは、善《ぜん》をするについていうことばなり。本願《ほんがん》は、もとより仏《ぶつ》の御約束《おんやくそく》とこころえぬるには、善《ぜん》にあらず、行《ぎょう》にあらざるなり。かるがゆえに[82]他力《たりき》ともうすなり。本願《ほんがん》の名号《みょうごう》は能生《のうしょう》する因《いん》なり。能生《のうしょう》の因《いん》というは、すなわちこれ父《ちち》なり。大悲《だいひ》の光明《こうみょう》は、これ所生《しょしょう》の縁《えん》なり。所生《しょしょう》の縁《えん》というは、すなわちこれ母《はは》なり。[83]

[84]康永元歳（一三四二）壬午　七月十二日　終二書写筆功一遂二校合労見一訖。凡斯御消息者、念仏成仏之咽喉、愚痴愚迷之眼目也。可レ秘可レ秘而已。

執筆釈乗専

御消息拾遺《ごしょうそくしゅうい》

[1](一)　この[2]えん仏ぼうくだられ候《そうろ》う。こころざしのふかく候《そうろ》うゆえに、ぬし《(主)》などにも[3]しられ申《もう》さずして、のぼられて候《そうろ》うぞ。こころにいれてぬしなどにも[4]おおせられ候《そうろ》うべく候《そうろ》う。この十日《とおか》のよ《(夜)》、じょうもう《(焼亡)》におう《(遭)》て候《そうろ》う。この御《おん》ぼう、よくよくたずね候《そうら》いて候《そうろ》うなり。こころざし、ありがたきよう《(様)》に候《そうろ》うぞ。さだめてこのようは申《もう》され候《そうら》わんずらん。よくよくきかせ給《たま》うべく候《そうろ》う。なにごともなにごとも、いそがしさにくわしゅう申《もう》さず候《そうろ》う。あなかしこ、あなかしこ。

十二月十五日　　(花押)

真仏御房《しんぶつおんぼう》へ

[5](二)　閏十月一日《うるうじゅうがつついたち》の御文《おんふみ》、たしかにみ候《そうろ》う。[6]かくねんぼうの御事《おんこと》、かたがたあわれに存《ぞん》じ候《そうろ》う。親鸞《しんらん》はさきだちまいらせ候《そうら》わんずらんと、まちまいらせてこそ候《そうら》いつるに、さきだたせ給《たま》い候《そうろ》う事《こと》、申《もう》すばかりなく候《そうろ》う。かくしんぼう《(覚信房)》、ふるとしごろは、かならずかならずさきだちてまたせ給《たま》い候《そうろ》うらん。かならずかならずまいりあうべく候《そうら》えば、申《もう》すにおよばず候《そうろ》う。[7]かくねんぼうのおおせられて候《そうろ》うよう、すこしも愚老《ぐろう》にかわらずおわしまし候《そうら》えば、かならずかならず一《ひと》ところへまいりあうべく候《そうろ》う。明年《みょうねん》の十月《じゅうがつ》のころまでも、いきて候《そうら》わば、このよ《(世)》の面謁《めんえつ》、うたがいなく

候《そうろ》うべく候《そうろ》う。入道殿《にゅうどうどの》の御《おん》こころも、すこしもかわらせ給《たま》わず候《そうら》えば、さきだちまいらせても、まちまいらせ候《そうろ》うべし。

人々《ひとびと》の御《おん》こころざし、たしかにたしかにたまわりて候《そうろ》う。なにごともなにごとも、いのちの候《そうら》わんほどは申《もう》すべく候《そうろ》う。又《また》、おおせをかぶるべく候《そうろ》う。この御《おん》ふみまいらせ候《そうろ》うこそ、ことにあわれに候《そうら》え。中々《なかなか》、申《もう》し候《そうろ》うもおろかなるように候《そうろ》う。又々《またまた》、追《お》って申《もう》し候《そうろ》うべく候《そうろ》う。あなかしこ、あなかしこ。

8 閏《うるう》十月二十九日　親鸞《しんらん》（花押）

たかだの入道殿《どの》　御返事《おんへんじ》

9（三）おおせられたる事《こと》、くわしくききてそうろう。なによりは、あいみんぼう（哀愍房）とかやともうすなる人《ひと》の、京《きょう》よりふみをえたるとかやともうされそうろうなる、返《かえ》す返《がえ》すふしぎにそうろう。いまだ、かたちをもみず、ふみ一度《いちど》もたまわりそうらわず、これよりももうすこともなきに、京《きょう》よりふみをえたるともうすなる、あさましきことなり。

又《また》、慈信房《じしんぼう》（善鸞）のほうもん（法文）のよう（様）、みょうもく（名目）をだにもきかず、しらぬことを、慈信一人《じしんいちにん》に、よる親鸞《しんらん》がおしえたるなりと、人《ひと》に慈信房《じしんぼう》もうされてそうろうとて、これにも常陸《ひたち》・下野《しもつけ》の人々《ひとびと》はみな、しんらん（親鸞）がそらごとをもうしたるよしを、もうしあわれてそうらえば、今《いま》は父子《ちちこ》のぎ（義）はあるべからずそうろう。

又《また》、母《はは》のあま《(尼)》にもふしぎのそらごとをいいつけられたること、もうすかぎりなきこと、あさましゅうそうろう。みぶの女房の、これへきたりてもうすこと、じしんぼう《(慈信房)》が[10]とう《(給)》たるふみとて、もちてきたれるふみ、これにおきてそうろうめり。慈信房《じしんぼう》がふみとてこれにあり。そのふみ、つやつやいろわぬことゆえに、ままはは《(継母)》にいいまどわ《(惑)》されたると、かかれたること、ことにあさましきことなり。よにありけるを、ままははのあまのいいまどわせりということ、あさましきそらごとなり。又《また》、この世《よ》にいかにしてありけりともしらぬことを、みぶの[11]にょうぼうのもとへも、ふみのあること、こころもおよばぬほどのそらごと、こころう《(心憂)》きことなりと、なげきそうろう。まことにかかるそらごとどもをいいて、六波羅《ろくはら》のへん《(辺)》・かまくら《(鎌倉)》なんどにひろう《(披露)》せられたること、こころうきことなり。

これらほどのそらごとは、このよ《(世)》のことなれば、いかでもあるべし。それだにも、そらごとをいうこと、うたてきなり。いかにいわんや、往生極楽《おうじょうごくらく》の大事《だいじ》をいいまどわして、ひたち《(常陸)》・しもつけ《(下野)》の念《ねん》仏者《ぶつしゃ》をまどわし、おや《(親)》にそらごとをいいつけたること、こころうきことなり。第十八《だいじゅうはち》の本願《ほんがん》をば、しぼめる《(萎)》はな《(花)》にたとえて、人《ひと》ごとにみなすてまいらせたりときこゆること、まことにほうぼう《(謗法)》のとが《(咎)》、又《また》、五逆《ごぎゃく》のつみをこのみて、人《ひと》をそんじ《(損)》まどわさるること、かなしきことなり。ことに、破僧罪《はそうざい》ともうすつみは、五逆《ごぎゃく》のその一《いち》なり。親鸞《しんらん》にそらごとをもうしつけたるは、ちち《(父)》をころす《(殺)》なり。五逆《ごぎゃく》のその一《いち》なり。このことども、つたえきくこと、あさましさ、もうすかぎりなければ、いまは、おやということあるべからず、こ《(子)》とおもうことおもいきりたり。三宝《さんぼう》・神明《しんめい》に、もうしきりおわりぬ。かなしきことなり。
わがほうもん（法文）ににずとて、ひたちの念仏者《ねんぶつしゃ》みなまどわさんとこのまるるときくこそ、ころうくそうらえ。しんらん（親鸞）がおしえにて、ひたちの念仏《ねんぶつ》もうす人々《ひとびと》をそんぜ（損）よと、慈信房《じしんぼう》におしえたると、かまくら（鎌倉）までききこえんこと、あさましあさまし。

五月二十九日　在判

慈信房御返事《じしんぼうおんへんじ》

[12]同六月二十七日到来

建長八年（一二五六）六月二十七日註ㇾ之

[13]嘉元三年（一三〇五）七月二十七日書写了

[14]㈣ [15]いやおんながこと、ふみかきてまいらせられ候《そうろ》うなり。いまだ、いどころもなくて、わびいて候《そうろ》うなり。あさましくあさましく[16]もてあつかいて、いかにすべしともなくて候《そうろ》うなり。あなかしこ。

三月二十八日　（花押）

[17]わ□ごぜんへ　しんらん

[18]㈤ ひたちの人々《ひとびと》の御中《おんなか》へ、このふみをみせさせ給《たま》え。すこしもかわらず候《そうろ》う。このふみにすぐべからず候《そうら》えば、このふみを、くにの人々《ひとびと》、おなじこころに候《そうら》わんずらん。あなかしこ、あなかしこ。

十一月十一日　（花押）

いまごぜんのははに

[19](六)　このいまごぜんのははの、たのむかたもなく、しょりょう《（所領）》をもちて候《そうら》わばこそ、ゆずりもし候《そうら》わめ。[20]せんしに候《そうら》いなば、くにの人々《ひとびと》、いとおしゅうせさせたまうべく候《そうろ》う。このふみを[21]かくひたちの人々《ひとびと》をたのみまいらせて候《そうら》えば、申《もう》しおきて、あわれみあわせたまうべく候《そうろ》う。このふみをごらんあるべく候《そうろ》う。この[22]そくしょうぼうも、すぐべきよう《（様）》もなきものにて候《そうら》えば、申《もう》しおくべきようも候《そうら》わず。み《（身）》のかなわず、わびしゅう候《そうろ》うことは、ただこのこと、おなじことにて候《そうろ》う。ときにこのそくしょうぼうにも申《もう》しおかず候《そうろ》う。ひたちの人々《ひとびと》ばかりぞ、このものどもをも御《おん》あわれみなられ候《そうろ》うべからん。いとおしゅう、人々《ひとびと》あわれみおぼしめすべし。このふみにて、人々《ひとびと》おなじ御《おん》こころに候《そうろ》うべく候《そうろ》う。あなかしこ、あなかしこ。

十一月十二日　ぜんしん（花押）

ひたち人々《ひとびと》の御中《おんなか》へ

[23]ひた□の人々《ひとびと》の御《おん》□へ　（花押）

恵《え》信《しん》尼《に》消息《しょうそく》

(一)　[1](わかさ殿の御つぼね申させ給え　[2]ちくぜん)

文書《もんじょ》も焼《や》かせ給いてや候うらんとて申し候う。それへ参《まい》るべきものは、けさと申し候う女《め》の童《わらわ》、歳三《としさん》十六、又、その娘《むすめ》、なでしと申し候うは、今年《ことし》十六、又、九になり候う娘《むすめ》と、親《おや》子三人《さんにん》候う也。又、[3]ままつれ、その娘《むすめ》のいぬまさ、今年《ことし》十二、又、ことりと申す女《おんな》、歳三《としさん》十四、又、あんとうじと申す男《おとこ》。さて、けさが今年三《ことしみつ》になり候う男子《おのこご》は、人の下人に具《ぐ》して生《う》みて候えば、父親《ちちおや》にとらせて候う也。おおかたは人の下人に、うちの奴《やつ》ばらの具《ぐ》して候うは、[4]よに所狭《ところせ》き事にて候う也。

已上、合、女《おんな》六人男《おとこ》一人、七人也。

[5]建長《けんちょう》八年《ねん》丙辰《ひのえたつ》の年《とし》七月九日　[6](花押)

(二)　[7](わかさ殿申させ給え　ちくぜん)

[8]王御前《おうごぜん》に譲《ゆず》り参《まい》らせて候いし下人どもの証文《しょうもん》を、焼亡《じょうもう》に焼《や》かれて候うよし、仰《おお》せられそうらえば、はじめ、便《たより》につけて申して候いしかども、確《たし》かにや候わざるらんとて、これは確《たし》かの便《たより》にて候えば、申しそうろう。参《まい》らせて候いし下人、けさ、女《おんな》、同《おな》じき娘《むすめ》なでし、女童《めならわ》、歳《とし》十六、その妹《おとと》いぬおう、女童《めのわらわ》、歳《とし》九。又、まさ、女《おんな》、同《おな》じき娘《むすめ》いぬまさ、歳《とし》十二、その弟《おとと》、歳《とし》七、又、ことり、女《おんな》、

又、あんとうじ、男《おとこ》。
已上、合、大小八人なり。これらは、こと新《あたら》しく誰《たれ》かはじめてとかく申しそうろうべきなれども、下衆《げす》は自然《しぜん》の事も候わんためにて候う也。

建長《けんちょう》八年《ねん》九月十五日

えしん（花押）

王御前《おうごぜん》へ

[9]又、いずもがことは、逃《に》げて候いし後《のち》は、正体《しょうだい》なき事にて候ううえ、子一人も候わぬうえ、所労《しょろう》のものにて候うが、今日《きょう》とも知《し》らぬものにてそうらえども、一昨年《おとどし》その様《よう》は申して、物まいらせて候いしかば、さだめて御心得《え》は候うらん。御忘《わす》れ候うべからず候う。あなかしこ、あなかしこ。　（花押）

今《いま》は、あまり年《とし》より候いて、手《て》もふるえて、判《はん》なども、うるわしくは、し得《え》候わじ。さればて御不審《ふしん》はあるべからず候う。（花押）

㈢[10]昨年《こぞ》の十二月一日の御文《ふみ》、同二十日《はつか》あまりに、たしかに見《み》候いぬ。何《なに》よりも、[11]殿の御往生《おうじょう》、中々、はじめて申すにおよばず候う。山《やま》を出《い》でて、六角堂《かくどう》に百日こもらせ給いて、後世《ごせ》を祈《いの》らせ給いけるに、九十五日のあか月、聖徳太子《しょうとくたいし》の文《もん》をむすびて、示現《じげん》にあずからせ給いて候いければ、やがてそのあか月、出《い》でさせ給いて、後世《ごせ》の助《たす》からんずる縁《えん》にあいまいらせんと、たずねまいらせて、法《ほう》然《ねん》上人にあいまいらせて、又、六角堂《かくどう》に百日こもらせ給いて候いけるように、又、百か日、降《ふ》るにも照《て》るにも、いかなる大事《だい》にも、参《まい》りてありしに、ただ、後世《ごせ》の事は、善《よ》き人にも悪《あ》しきにも、同《おな》じように、生死出《しょうじい》ずべきみちをば、ただ一筋《すじ》に仰《おお》せられ候いしをうけ給わりさだめて候いしかば、「上人《しょうにん》のわたらせ給わんところには、人はいかにも申せ、たとい悪道《あくどう》にわたらせ給うべしと申すとも、世々《せせ》生々《しょうじょう》にも迷《まよ》いければこそありけめ、とまで思いまいらする身《み》なれば」と、様々《ようよう》に人の申し候いし時も仰《おお》せ候いしなり。

さて、常陸《ひたち》の下妻《しもつま》と申し候う所《ところ》に、さかいの郷《ごう》と申す所《ところ》に候いしとき、夢《ゆめ》を見《み》て候いしようは、堂供養《どうくよう》かとおぼえて、東向《ひんがしむき》に御堂《どう》は立《た》ちて候うに、[12]しんがくとおぼえて、御堂《どう》の前《まえ》には[13]立《た》て明《あ》かししろく候うに、立《た》て明《あ》かしの西《にし》に、御堂《どう》の前《まえ》に、鳥居《とりい》のようなるに横《よこ》さまにわたりたるものに、仏《ほとけ》を掛《か》けまいらせて候うが、一体《たい》は、ただ仏《ほとけ》の御顔《かお》にてはわたらせ給わで、ただ光《ひかり》の真中《まなか》、仏《ほとけ》の頭光《ずこう》のようにて、正《まさ》しき御形《かたち》は見《み》えさせ給わず、ただ光《ひかり》ばかりにてわたらせ給う。いま一体《たい》は、正《まさ》しき仏の御顔《かお》にてわたらせ給い候いしかば、「これは何仏《なにほとけ》にてわたらせ給うぞ」と申し候えば、申す人は何《なに》人ともおぼえず、「あの光《ひかり》ばかりにてわたらせ給うは、あれこそ法然《ほうねん》上人にてわたらせ給え。勢至菩薩《せいしぼさつ》にてわたらせ給うぞかし」と申せば、「さて又、いま一体《たい》は」と申せば、「あれは観音《かんのん》にてわたらせ給うぞかし。あれこそ善信《ぜんしん》の御房よ」と申すとおぼえて、うちおどろきて候いしにこそ、夢《ゆめ》にて候いけりとは思いて候いしか。然《さ》は候えども、さようの事をば、人にも申さぬと聞《き》き候いしうえ、尼《あま》（恵信尼）がさようの事申し候うらんは、げにげにしく人も思うまじく候えば、[14]天性《てんせい》、人にも申さで、上人の御事ばかりをば、殿《との》に申して候いしかば、「夢《ゆめ》には品別数多《しなわいあまた》ある中に、これぞ実夢《じつむ》にてある。上人をば、所々《しょしょ》に勢至菩薩《せいしぼさつ》の化身《けしん》と夢《ゆめ》にも見《み》まいらする事数多《あまた》ありと申すうえ、勢至菩薩《せいしぼさつ》は智慧《ちえ》のかぎりにて、しかしながら光《ひかり》にてわたらせ給う」と候いしかど[15]も、観音《かんのん》の御事は申さず候いしかども、心ばかりは、その後《のち》、うちまかせては思いまいらせず候いしなり。かく御心得《え》候うべし。されば、御臨終《りんじゅう》はいかにもわたらせ給え、疑《うたが》い思いまいらせぬうえ、同《おな》じ事ながら、[16]益方《ますかた》も御臨終《りんじゅう》にあいまいらせて候いける、親子《おやこ》の契《ちぎり》と申しながら、深《ふか》くこそおぼえ候えば、うれしく候う、うれしく候う。

又、この国《くに》は、昨年《こぞ》の作物《つくりもの》、殊《こと》に損《そん》じ候いて、あさましき事にて、おおかた命《いのち》生《い》くべしともおぼえず候う中に、所《ところ》ども変《か》わり候いぬ。一所《ところ》ならず、益方《ますかた》と申し、又おおかたは頼《たの》みて候う人の領《りょう》ども、みなかように候ううえ、おおかたの世間《せけん》も損《そん》じて候う間《あいだ》、中々、とかく申しやるかたなく候う也。かように候うほどに、年来《としごろ》候いつる奴《やつ》ばらも、男《おとこ》二人、正月失《う》せ候いぬ。何《なに》として、物《もの》をも作《つく》るべき様《よう》も候わねば、いよいよ世間《せけん》たのみなく候えども、いくほど生《い》くべき身《み》にても候わぬに、世《せ》間《けん》を心ぐるしく思うべきにも候わねども、身《み》一人にて候わねば、これらが、あるいは親《おや》も候わぬ[17]小《お》黒《ぐろ》の女房《ぼう》の女子《おんなご》、男子《おのこご》、これに候ううえ、益方《ますかた》が子どもも、ただこれにこそ候えば、何《なに》となく、母《はは》めきたるようにてこそ候え。いずれも命《いのち》もありがたきようにこそおぼえ候え。

[18]この文《もん》ぞ、殿の比叡《ひえ》の山《やま》に堂僧《どうそう》つとめておわしましけるが、山《やま》を出《い》でて、六角堂《かくどう》に百日こもら

せ給いて、後世《ごせ》の事、いのり申させ給いける九十五日のあか月の御示現《じげん》の文《もん》なり。御覧《ごらん》候えとて、書《か》き記《しる》してまいらせ候う。

（四）[19]この文《もん》を書《か》き記《しる》してまいらせ候うも、生《い》きさせ給いて候いしほどは、申しても要《よう》候わねば、申さず候いしかど、今《いま》は、かかる人にてわたらせ給いけりとも、御心ばかりにもおぼしめせとて、記《しる》してまいらせ候う也。よく書《か》き候わん人に、よく書《か》かせて、持《も》ちまいらせ給うべし。又、あの御影《えい》の一幅《ぷく》、欲《ほ》しく思いまいらせ候う也。幼《おさな》く、御身《み》の八《やっ》にておわしまし候いし年《とし》の四月十四日より、風邪《かぜ》大事におわしまし候いし時《とき》の事どもを、書《か》き記《しる》して候う也。今年《ことし》は八十二《に》になり候う也。一昨年《おとどし》の霜《しも》月より、昨年《こぞ》の五月までは、今《いま》や今《いま》やと、時日を待《ま》ち候いしかども、今日《きょう》までは死《し》なで、今年《ことし》の飢渇《けかち》にや飢《う》え死《じ》にもせんずらんとこそおぼえ候え。かようの便《たより》に、何《なに》もまいらせぬ事こそ、[20]心もとなくおぼえ候えども、ちからなく候う也。益方《ますかた》殿にも、この文《ふみ》を、同《おな》じ心に御伝《つた》え候え。もの書《か》く事、もの憂《う》く候いて、別《べつ》に申し候わず。

[21]二月十日

（五）[22]善信《ぜんしん》の御房、寛喜《かんぎ》三年四月十四日午《うま》の時ばかりより、風邪《かざ》心地《ち》すこしおぼえて、その夕《ゆう》さりより臥《ふ》して、大事におわしますに、腰《こし》・膝《ひざ》をも打《う》たせず、天性《てんせい》、看病《かんびょう》人をも寄《よ》せず、ただ音《おと》もせずして臥《ふ》しておわしませば、御身をさぐれば、あたたかなる事、火のごとし。頭《かしら》のうたせ給う事もなのめならず。さて、臥《ふ》して四日と申すあか月、苦《くる》しきに、「[23]今《ま》はさてあらん」と仰《おお》せらるれば、「何事《なにごと》ぞ、戯言《たわこと》とかや申す事か」と申せば、「戯言《たわこと》にてもなし。臥《ふ》して二日と申す日より、『大経《きょう》』を読《よ》む事、ひまもなし。たまたま目《め》をふさげば、経《きょう》の文字《もんじ》の一[24]字も残《のこ》らず、きららかに、つぶさに見《み》ゆる也。さて、これこそ心得《え》ぬ事なれ。念仏の信心《じん》より外《ほか》には、何事《なにごと》か心にかかるべきと思いて、よくよく案《あん》じてみれば、この十七、八年《ねん》がそのかみ、げにげにしく『三部経《ぶきょう》』を千部《せんぶ》読《よ》みて、衆生利益《しゅじょうりやく》のためにとて、読《よ》みはじめてありしを、これは何事《なにごと》ぞ、[25]「自信教人信《じしんきょうにんしん》、難中転更難《なんちゅうてんきょうなん》」（往生礼讃）とて、みずから信じ、人をおしえて信ぜしむる事、まことの仏恩《おん》を報《むく》いたてまつるものと信じながら、名号《みょうごう》の外《ほか》には、何事《なにごと》の不足《ふそく》にて、必《かなら》ず経《きょう》を読《よ》まんとするやと思いかえして、読《よ》まざりしことの、さればなおも少《すこ》し残《のこ》るところのありけるや。人の執心《しゅうしん》、自力《じりき》の心《しん》は、よくよく思慮《しりょ》あるべしと思《おも》いなして後《のち》は、経読《きょうよ》むことは止《とど》まりぬ。さて、臥《ふ》して四日と申すあか月、今《ま》はさてあらんとは申す也」と仰《おお》せられて、やがて汗垂《あせた》りて、よくならせ給いて候いし也。

『三部経《ぶきょう》』、げにげにしく千部《ぶ》読《よ》まんと候いし事は、[26]信蓮房《しんれんぼう》の四の歳《とし》、武蔵《むさし》の国《くに》やらん、上野《かんずけ》の国《くに》やらん、佐貫《さぬき》と申す所《ところ》にて、読《よ》みはじめて、四、五日ばかりありて、思いかえして読《よ》ませ給わで、常陸《ひたち》へはおわしまして候いしなり。信蓮房《しんれんぼう》は[27]未《ひつじ》の年《とし》三月三日の昼《ひる》、生《う》まれて候いしかば、今年《ことし》は五十三やらんとぞおぼえ候う。

[28]弘長《こうちょう》三年《ねん》二月十日　恵信

（六）[29]（わ・か・さ・殿《どの》申させ給え　え・し・ん・）

御文《ふみ》の中に、先年《せんねん》に、寛喜《かんぎ》三年《ねん》の四月四日より病《や》ませ給いて候いし時の事、書《か》き記《しる》して、文《ふみ》の中に入《い》れて候うに、その時の日記《にき》には、四月の十一日のあか月、「経読《きょうよ》む事は、今《ま》はさてあらん」と仰《おお》せ候いしは、やがて四月の十一日のあか月としるして候いけるに候う。それを数《かぞ》え候うには八日に当《あ》たり候いけるに候う。四月の四日よりは八日に当《あ》たり候う也。

(七) もし便《たより》や候うとて、越中《えっちゅう》へこの文《ふみ》はつかわし候う也。さても、一年《ひととせ》、八十と申し候いし歳《とし》、大事の所労《しょろう》をして候いしにも、八十三の歳《とし》ぞ一定と、ものしりたる人の文《ふみ》どもにも、同《おな》じ心に申し候うとて、今年《ことし》はさる事と思いきりてそうらえば、生《い》きて候う時、卒都婆《そとば》を建《た》ててみ候わばやとて、五重《じゅう》に候う石《いし》の塔《とう》を、丈《たけ》七尺《しゃく》にあつらえて候えば、塔師《とうし》、造《つく》ると申し候えば、いできて候わんに従《したが》いて、建《た》ててみばやと思い候えども、昨年《こぞ》の飢渇《けかち》に、何《なに》も、益方《ますかた》のと、これのと、何《なに》となく幼《おさな》きものども、上下数多《あまた》候うを、殺《ころ》さじとし候いしほどに、ものも着《き》ずなりて候ううえ、白《しろ》きものを一も着《き》ず候えば、(以下欠失)……

30 一人候う。又、おとほうしと申し候いし童《わらわ》をば、とう四郎と申し候うぞ。それへ参《まい》れと申し候う。然《さ》御心得《え》あるべく候う。けさが娘《むすめ》は十七になり候う也。さて、ことりと申す女は、子《こ》も一人も候わぬ時に、七になり候う女童《めならわ》を養《やしな》わせ候う也。それは親《おや》につきて、それへ参《まい》るべく候う也。よろず尽《つ》くし難《がた》くて、難《かた》くて、止《とど》め候いぬ。あなかしこ、あなかしこ。

(八) 便《たより》をよろこびて申し候う。度々《たびたび》、便《びん》には申し候えども、参《まい》りてや候うらん。今年《ことし》は八十三になり候うが、昨年今年《こぞことし》は死《し》に歳《どし》と申し候えば、よろず常《つね》に申しうけたまわりたく候えども、確《たし》かなる便《たより》も候わず。さて、生《い》きて候う時と思い候いて、五重《じゅう》に候う塔《とう》の、七尺《しゃく》に候う石《いし》の塔《とう》をあつらえて候えば、このほどは仕出《しい》だすべきよし申し候えば、今《いま》は所《ところ》ども離《はな》れ候いて、下人ども皆逃《みなに》げ失《う》せ候いぬ。よろずたよりなく候えども[31]、生《い》きて候う時、建《た》ててもみばやと思い候いて、このほど仕出《しい》だして候うなれば、これへ持《も》つほどになりて候うと聞《き》き候えば、いかにしても生《い》きて候う時、建《た》ててみばやと思い候えども、いかようにか候わんずらん。そのうちにもいかにもなり候わば子《こ》どもも建《た》て候えかしと思いて候う。何事《なにごと》も、生《い》きて候いし時は、常《つね》に申しうけたまわりたくこそおぼえ候えども、はるばると雲《くも》の外《よそ》なるようにて候う事、まめやかに親子《おやこ》の契《ちぎり》もなきようにてこそおぼえ候え。殊《こと》には乙子《おとご》にておわしまし候えば、いとおしきことに思いまいらせて候いしかども、見《み》まいらするまでこそ候わざらめ。常《つね》に申しうけたまわる事だにも候わぬ事、よに心ぐるしくおぼえ候う。

[32]五月十三日

[33]これは確《たし》かなる便《たより》にて候う。時に、こまかにこまかに申したく候えども、ただ今《いま》とて、この便《たより》いそぎ候えば、こまかならず候う。又、このえもんにゅうどう殿の御言葉《ことば》かけられまいらせて候うとて、喜《よろこ》び申し候う也。この便《たより》は確《たし》かに候えば、何事《なにごと》もこまかに仰《おお》せられ候うべし。あなかしこ、あなかしこ。

[34]ぜんあく、それへの殿人《との》どもは、もと候いしけさと申すも、娘失《むすめう》せ候いぬ。いま、それの娘《むすめ》

一人候う。母《はは》めも、所労《しょろう》ものにて候う。さて、おとほうしと申し候いしは、男《おとこ》になりて、とう四郎と申すと、又、女《め》の童《わらわ》のふたばと申す女《め》の童《わらわ》、今年《ことし》は十六になり候う女《め》の童《わらわ》は、それへ参《まい》らせよと申して候う也。何事《なにごと》も、御文《ふみ》に尽《つ》くし難《がた》く候いて止《と》め候いぬ。又、もとよりのことり、[35]七子養《ごやしな》わせて候うも候う。

[36]五月十三日　（花押）

ちくぜん

[37]（わかさ殿申させ給え　[38]とびたのまきより）

(九)

便《たより》を喜《よろこ》びて申し候う。さては、昨年《こぞ》の八月のころより、[39]とけ腹《はら》の煩《わずら》わしく候いしが、ことにふれて、よくもなり得《え》ず候うばかりぞ、煩《わずら》わしく候えども、そのほかは、歳《とし》の故《け》にて候えば、今《いま》は耄《ほ》れて、正体《しょうだい》なくこそ候え。今年《ことし》は、八十六になり候うぞかし。寅《とら》の年《とし》のものにて候えば。

又、それへ参《まい》らせて候いし奴《やつ》ばらも、とかくなり候いて、ことりと申し候う年来《としごろ》のやつにて、三郎たと申し候いしが相具《あいぐ》して候うが、入道になり候いて、さいしんと申し候う。入道めには[40]ちあるものの中《なか》の、うまのじょうとかや申して御家《け》人にて候うものの娘《むすめ》の、今年《ことし》は十やらんになり候うを、母《はは》はよに穏《おだ》しく[41]愛《う》く候いし、かがと申して使《つか》い候いしが、一年《ひととせ》の温病《うんびょう》の年《とし》、死《し》にて候う。親《おや》も候わねば、ことりも子《こ》なきものにて候う。時にあずけて候う也。それ、又、けさと申し候いし娘《むすめ》の、なでしと申し候いしが、よによく候いしも、温病《うんびょう》に失《う》せ候いぬ。その母《はは》の候うも、年来《としごろ》、頭《かしら》に腫物《はれもの》の年来《としごろ》候いしが、それも[42]たふし大[43]□にて、頼《たの》みなきと申し候う。その娘《むすめ》一人候うは、今年《ことし》は二十になり候う。それと、ことり、又、い[44]□く、又、それにのぼりて候いし時、おとほうしとて候いしが、このごろ[45]□□四郎と申し候うは参《まい》らせんと申し候えば、父母《ちちはは》うちすてては参《まい》らじと、心《こころ》には申《もう》し候うと申し候えども、それはいかようにもはからい候う。[46]□く[47]田舎《いなか》に人に身《み》を入《い》れて代《か》わりを参《まい》らせんとも、[48]栗沢《くりさわ》が候わんずれば申し候うべし。[49]たうし代《か》わりはいくほどかは候うべきとぞおぼえ候う。これらほどの男《おとこ》は、よに[50]□□なく申し候う也。

又、小袖《こそで》、度々給《たびたびたま》わりて候う。うれしさ、今《いま》は、[51]黄泉小袖《よみじこそで》にて、衣《きぬ》も候わんずれば、申すばかり候わず、うれし[52]□候う也。今《いま》は[53]尼《あま》（恵信尼）が着《き》て候うものは、最後《さいご》の時の事、はなしては、思わず候う。今《いま》は時日を待《ま》つ身《み》にて候えば、又、確《たし》かならん便《びん》に、小袖給《こそでた》ぶべきよし仰《おお》せられて候いし。このえもん入道の便《たより》は確《たし》かに候わんずらん。又、[54]宰相《さいしょう》殿は、ありつきておわしまし候うやらん。よろず、公達《きんだち》の事ども、皆《みな》うけ給わりたく候う也。尽《つ》くし難《がた》くて止《とど》め候いぬ。あなかしこ、あなかしこ。

九月七日

[55]又、わかさ殿も今《いま》は年《とし》すこし寄《よ》りてこそおわしまし候わめ。あわれ、ゆかしくこそ思い候え。年寄《としよ》りては、いかがしくみて候う人も、ゆかしく見《み》たくおぼえ候いけり。かこのまえの事のいとおしさ、上れんぼうの事も思い出《い》でられてゆかしくこそ候え。あなかしこ、あなかしこ。

（一〇）[56]（わかさ殿《どの》）

便《たより》を喜《よろこ》びて申し候う。さては、今年《ことし》まであるべしと思わず候いつれども、今年《ことし》は八十七やらんになり候う。寅《とら》の年《とし》のものにて候えば、八十七やらん、八やらんになり候えば、今《いま》は時日を待《ま》ちてこそ候えども、歳《とし》こそ恐《おそ》ろしくなりて候えども、咳《しわぶ》く事候わねば、唾《つわき》などは[57]□事候わず。腰《こし》・膝《ひざ》打たすると申す[58]□とも[59]たふしまでは候わず。ただ犬《いぬ》のようにてこそ候えども、今年《ことし》になり候えば、あまりにもの忘《わす》れをし候いて、耄《ほ》れたるようにこそ候え。さても、昨年《こぞ》よりは、よに恐《おそ》ろしき事ども多《おお》く候う也。又、[60]すりいのものの便《たより》に、綾《あや》の衣《きぬ》給《た》びて候いし事、申すばかりなくおぼえ候う。今《いま》は時日を待《ま》ちて居《い》て候えば、これをや最後《さいご》にて候わんずらんとのみこそおぼえ候え。[61]たふしまでもそれより給《た》びて候いし綾《あや》の小袖《こそで》をこそ、最後《さいご》の時のと思いて持《も》ちて候え。よにうれしくおぼえ候う。衣《きぬ》の表《おもて》も、いまだ持《も》ちて候う也。又、公達《きんだち》の事、よにゆかしく、うけ給わりたく候う也。上の公達《きんだち》の御事も、よにうけ給わりたくおぼえ候う。あわれ、この世《よ》にて、いま一度《いちど》見《み》まいらせ、又、見《み》えまいらする事候うべき。わが身は極楽《ごくらく》へただ今《いま》に参《まい》り候わんずれ。何《なに》事も暗《くら》からず見《み》そなわしまいらすべく候えば、かまえて御念仏申させ給いて、極楽《ごくらく》へ参《まい》り合《あ》わせ給うべし。なおなお、極楽《ごくらく》へ参《まい》り合《あ》いまいらせ候わんずれば、何事《なにごと》も暗《くら》からずこそ候わんずれ。

又、この便《びん》は、これに近《ちか》く候う[62]みこの甥《おい》とかやと申すものの便《びん》に申し候う也。あまりに暗《くら》く候いて、こまかならず候う。又、かまえて確《たし》か[63]□らん便《たより》には、綿《わた》すこし給《た》び候え。おわりに候うえもん入道の便《たより》ぞ確《たし》かの便《たより》にて候うべき。それもこのところにかかることの候うべきやらんと聞《き》き候えども、いまだ披露《ひろう》せぬ事にて候う也。

又、[64]光寿御前《こうずごぜん》の修行《しゅぎょう》に下《くだ》るべきとかや仰《おお》せられて候いしかども、これへは見《み》えられず候う也。又、わかさ殿《どの》の今《いま》はおとなしく年寄《としよ》りておわし候うらんと、よにゆかしくこそおぼえ候え。かまえて、念《ねん》仏《ぶつ》申して、極楽《ごくらく》へ参《まい》り合《あ》わせ給えと候うべし。何《なに》よりも何《なに》よりも、公達《きんだち》の御事こまかに仰《おお》せ候え。うけたまわりたく候う也。一昨年《おとどし》やらん生《う》まれておわしまし候いけるとうけ給わり候いしは、それもゆかしく思いまいらせ候う。

又、それへ参《まい》らせ候わんと申し候いし女《め》の童《わらわ》も、一年《ひととせ》の大温病《おおうんびょう》に多《おお》く失《う》せ候いぬ。ことりと申し候う女《め》の童《わらわ》も、はや年寄《としよ》りて候う。父《ちち》は[65]御けん人にて、うまのじょうと申すものの娘《むすめ》の候うも、それへ参《まい》らせんとて、ことりと申すにあずけて候えば、よに無道《ぶとう》げに候いて、髪《かみ》などもよにあさましげにて候う也。ただの童《わらわべ》にて、いまいましげにて候うめり。けさが娘《むすめ》のわかばと申す女《め》の童《わらわ》の、今年《ことし》は二十一になり候うが、妊《はら》みて、この三月やらんに、子生《こう》むべく候えども、男子《おのこご》ならば、父《ちち》ぞ取《と》り候わんずらん。先《さき》にも五《いつつ》になる男子生《おのここう》みて候いしかども、父相伝《ちちそうでん》にて、父《ちち》が取《と》りて候う。これもいかが候わんずらん。わかばが母《はは》は、頭《かしら》に何《なに》やらん、ゆゆしげなる腫物《はれもの》のいでき候いて、はや十余年《よねん》になり候うなるが、いたずらものにて、時日を待《ま》つように候うと申し候う。それに上《のぼ》りて候いしおり、おとほうしとて童《わらわ》にて候いしが、それへ参《まい》らすべきと申し候えども、妻子《めこ》の候えば、よも、参《まい》らんとは申し候わじと、おぼえ候う。尼《あま》（恵信尼）が臨終《りんじゅう》し候いなん後《のち》には、栗沢《くりさわ》に申しおき候わんずれば、参《まい》れと仰《おお》せ候うべし。

又、栗沢《くりさわ》は、何《なに》事やらん、[66]のづみと申す山寺《やまでら》に不断《ふだん》念仏はじめ候わんずるに、何事《なにごと》やらん、[67]せんし申すことの候うべきとかや申すげに候う。五じょう殿《どの》の御ためにと申し候うめり。何事《なにごと》も申したき事多《おお》く候えども、あか月、便《たより》の候うよし申し候えば、夜《よる》書《か》き候えば、よに暗《くら》く候いて、よも御覧《ごらん》じ得《え》候わじとて、止《とど》め候いぬ。又、針《はり》すこし給《た》び候え。この便《びん》にても候え。御文《ふみ》の中に入《い》れて給《た》ぶべく候う。なおなお、公達《きんだち》の御事こまかに仰《おお》せ給《た》び候え。うけ給わり候いてだに、なぐさみ候うべく候う。よろず尽《つ》くし難《がた》く候いて、止《とど》め候いぬ。又、宰相《さいしょう》殿いまだ姫君《ひめぎみ》にておわしまし候うやらん。

[68]あまりに暗《くら》く候いて、いかように書《か》き候うやらん、よも御覧《ごらん》じ得《え》候わじ。

三月十二日亥《い》の時

歎《たん》異《に》抄《しょう》

[1]竊《ひそ》かに愚案《ぐあん》を回《めぐ》らして、粗古今《ほぼここん》を勘《かんが》うるに、[2]先師《せんし》の口伝《くでん》の真信《しんしん》に異《こと》なることを歎《なげ》き、後学相続《こうがくそうぞく》の疑惑《ぎわく》[3]有《あ》ることを思《おも》うに、幸《さいわ》いに有縁《うえん》の知識《ちしき》に依《よ》らずは、争《いか》でか易行《いぎょう》の一門《いちもん》に入《い》ることを得《え》んや。全《まった》く自見《じけん》の覚《かく》[4]悟《ご》[5]を以《もっ》て、他力《たりき》の宗旨《しゅうし》を[6]乱《みだ》ること莫《な》かれ。仍《よ》って、故親鸞《こしんらん》[7]聖人御物語《しょうにんおんものがたり》の趣《おもむき》、[8]耳《みみ》の底《そこ》に[9]留《とど》まる所《ところ》、聊《いささ》か之《これ》を[10]註《しる》す。偏《ひとえ》に[11]同心行者《どうしんぎょうじゃ》の不審《ふしん》を散《さん》ぜんが為《ため》なりと云々《うんぬん》

一

[12]一　弥陀《みだ》の誓願不思議《せいがんふしぎ》にたすけられまいらせて、往生《おうじょう》をばとぐるなりと信《しん》じて念仏《ねんぶつ》もうさんとおもいたつこころのおこるとき、すなわち摂取不捨《せっしゅふしゃ》の利益《りやく》にあずけしめたまうなり。弥陀《みだ》の本願《ほんがん》には老少善悪《ろうしょうぜんあく》のひとをえらばれず。ただ信心《しんじん》を要《よう》とすとしるべし。そのゆえは、罪悪深重《ざいあくじんじゅう》・煩悩熾盛《ぼんのうしじょう》の衆生《しゅじょう》をたすけんがための[13]願《がん》にてまします。しかれば本願《ほんがん》を信《しん》ぜんには、他《た》の善《ぜん》も要《よう》にあらず、念仏《ねんぶつ》にまさるべき[14]善《ぜん》なきゆえに。悪《あく》をもおそるべからず、弥陀《みだ》の本願《ほんがん》をさまたぐるほどの[15]悪《あく》なきがゆえにと云々《うんぬん》

二

[16]一　おのおの十余《じゅうよ》か国《こく》のさかいをこえて、身命《しんみょう》をかえりみずして、たずねきたらしめたまう御《おん》こころざし、ひとえに往生極楽《おうじょうごくらく》のみちをといきかんがためなり。しかるに念仏《ねんぶつ》よりほかに往生《おうじょう》のみち

をも存知《ぞんじ》し、また法文等《ほうもんとう》をもしりたるらんと、こころにくくおぼしめしておわしまして[17]はんべらんは、おおきなるあやまりなり。もししからば、南都北嶺《なんとほくれい》にも、ゆゆしき[18]学生《がくしょう》たちおおく[19]座《ざ》せられてそうろうなれば、かのひとにもあいたてまつりて、往生《おうじょう》の要《よう》よくよくきかるべきなり。親鸞《しんらん》におきては、ただ念仏《ねんぶつ》して弥陀《みだ》にたすけられまいらすべしと、よきひとのおおせを[20]かぶ《(蒙)》りて、信《しん》ずるほかに別《べつ》の子細《しさい》なきなり。

念仏《ねんぶつ》は、まことに浄土《じょうど》にうまるるたねにてや[21]はんべるらん、また、地獄《じごく》におつべき業《ごう》にてやはんべるらん。総《そう》じてもって存知《ぞんじ》せざるなり。たとい、法然《ほうねん》[22]聖人《しょうにん》にすかされまいらせて、念仏《ねんぶつ》して地獄《じごく》におちたりとも、さらに後悔《こうかい》すべからずそうろう。そのゆえは、自余《じよ》の行《ぎょう》もはげみて、仏《ぶつ》になるべかりける身《み》が、念仏《ねんぶつ》をもうして、地獄《じごく》にもおちてそうらわばこそ、すかされたてまつりて、という後《こう》悔《かい》もそうらわめ。いずれの行《ぎょう》もおよびがたき身《み》なれば、とても地獄《じごく》は一定《いちじょう》すみかぞかし。

弥陀《みだ》の本願《ほんがん》まことにおわしまさば、釈尊《しゃくそん》の説教《せっきょう》、虚言《きょごん》なるべからず。仏説《ぶっせつ》まことにおわしまさば、善導《ぜんどう》の御釈《おんしゃく》、虚言《きょごん》したまうべからず。善導《ぜんどう》の御釈《おんしゃく》まことならば、法然《ほうねん》のおおせそらごとならんや。法然《ほうねん》のおおせまことならば、親鸞《しんらん》がもうすむね、またもって、むなしかるべからずそうろうか。詮《せん》ずるところ、愚身《ぐしん》の信心《しんじん》におきてはかくのごとし。このうえは、念仏《ねんぶつ》をとりて信《しん》じたてまつらんとも、またすてんとも、面々《めんめん》の御《おん》はからいなりと云々《うんぬん》

三

一　善人《ぜんにん》なお[23]もって往生《おうじょう》をとぐ、いわんや悪人《あくにん》をや。しかるを、世《よ》のひとつねにいわく、悪人《あくにん》な

お往生《おうじょう》す、いかにいわんや善人《ぜんにん》をや。この条《じょう》、一旦《いったん》そのいわれあるににたれども、本願他力の意趣にそむけり。そのゆえは、自力作善《じりきさぜん》のひとは、ひとえに他力《たりき》をたのむこころかけたるあいだ、弥陀《みだ》の本願《ほんがん》にあらず。しかれども、自力《じりき》のこころをひるがえして、他力《たりき》をたのみたてまつれば、真実報土《しんじつほうど》の往生《おうじょう》をとぐるなり。煩悩具足《ぼんのうぐそく》のわれらは、いずれの行《ぎょう》にても、生死《しょうじ》をはなるることあるべから[24]ざるをあわれみたまいて願《がん》をおこしたまう本意《ほんい》、悪人成仏《あくにんじょうぶつ》のためなれば、他力《たりき》をたのみたてまつる悪人《あくにん》、もっとも往生《おうじょう》の正因《しょういん》なり。よって善人《ぜんにん》だにこそ往生《おうじょう》すれ、まして悪人《あくにん》はと、おおせそうらいき。

四

一　慈悲《じひ》に聖道《しょうどう》・浄土《じょうど》のかわりめあり。聖道《しょうどう》の慈悲《じひ》というは、ものをあわれみ、かなしみ、はぐくむなり。しかれども、おもうがごとくたすけとぐること、きわめてありがたし。浄土《じょうど》の慈悲《じひ》というは、念仏《ねんぶつ》して、いそぎ仏《ぶつ》になりて、大慈大悲心《だいじだいひしん》をもって、おもうがごとく衆生《しゅじょう》を利益《りやく》するをいうべきなり。今生《こんじょう》に、いかに、いとおし不便《ふびん》とおもうとも、存知《ぞんじ》のごとくたすけがたければ、この慈悲始終《じひしじゅう》なし。しかれば、念仏《ねんぶつ》もうすのみぞ、すえとおりたる大慈悲心《だいじひしん》にてそうろうべきと云々《うんぬん》

五

一　親鸞《しんらん》は父母《ぶも》の孝養《きょうよう》のためとて、一返《いっぺん》にても念仏《ねんぶつ》もうしたること、いまだそうらわず。そのゆえは、一切《いっさい》の有情《うじょう》は、みなもって世々生々《せせしょうじょう》の父母兄弟《ぶもきょうだい》なり。いずれもいずれも、この順次生《じゅんじしょう》に仏《ぶつ》になりて、たすけそうろうべきなり。わがちからにてはげむ善《ぜん》にてもそうらわばこそ、念仏《ねんぶつ》を回向《えこう》して、父母《ぶも》をもたすけそうらわめ。ただ自力《じりき》をすてて、いそぎ[25]浄土《じょうど》のさとりをひらきなば、六道四生《ろくどうしし》

生《しょう》のあいだ、いずれの業苦《ごうく》にしずめりとも、神通方便《じんずうほうべん》をもって、まず有縁《うえん》を度《ど》すべきなりと云々《うんぬん》

六

一　専修念仏《せんじゅねんぶつ》のともがらの、わが弟子《でし》ひとの弟子《でし》、という[26]相論《そうろん》のそうろうらんこと、もってのほかの子細《しさい》なり。親鸞《しんらん》は弟子《でし》一人《いちにん》ももたずそうろう。そのゆえは、わがはからいにて、ひとに念仏《ねんぶつ》をもうさせそうらわばこそ、弟子《でし》にてもそうらわめ。[27]ひとえに弥陀《みだ》の御《おん》もよおしにあずかって、念仏《ねんぶつ》もうしそうろうひとを、わが弟子《でし》ともうすこと、きわめたる荒涼《こうりょう》のことなり。つくべき縁《えん》あればともない、はなるべき縁《えん》あれば、はなるることのあるをも、師《し》をそむきて、ひとにつれて念仏《ねんぶつ》すれば、往《おう》生《じょう》すべからざるものなり[28]なんどいうこと、不可説《ふかせつ》なり。如来《にょらい》よりたまわりたる信心《しんじん》を、わがものがおに、とりかえさんともうすにや。かえすがえすもあるべからざることなり。自然《じねん》のことわりにあいかなわば、仏恩《ぶっとん》をもしり、また師《し》の恩《おん》をもしるべきなりと云々《うんぬん》

七

一　念仏者《ねんぶつしゃ》は、無碍《むげ》の一道《いちどう》なり。そのいわれいかんとならば、信心《しんじん》の行者《ぎょうじゃ》には、天神地祇《てんじんじぎ》も敬伏《きょうぶく》し、魔界外道《まかいげどう》も障碍《しょうげ》することなし。罪悪《ざいあく》も業報《ごうほう》を感《かん》ずることあたわず、諸善《しょぜん》もおよぶこと[29]なきゆえに、無碍《むげ》の一道《いちどう》なりと云々《うんぬん》

八

一　念仏《ねんぶつ》は行者《ぎょうじゃ》の[30]ために、非行非善《ひぎょうひぜん》なり。わがはからいにて行《ぎょう》ずるにあらざれば、非行《ひぎょう》という。わがはからいにてつくる善《ぜん》にもあらざれば、非善《ひぜん》という。ひとえに他力《たりき》にして、自力《じりき》をはなれたるゆえに、行者《ぎょうじゃ》のためには非行非善《ひぎょうひぜん》なりと云々《うんぬん》

九

一　「念仏《ねんぶつ》もうしそうらえども、踊躍歓喜《ゆやくかんぎ》のこころ、おろそかにそうろうこと、またいそぎ浄土《じょうど》へ

まいりたきこころのそうらわぬは、いかにとそうろうべきことにてそうろうやらん」と、もうしいれてそうらいしかば、「親鸞《しんらん》もこの不審《ふしん》ありつるに、唯円房《ゆいえんぼう》おなじこころにてありけり。よくよく案《あん》じみれば、天《てん》におどり地《ち》におどるほどによろこぶべきことを、よろこばぬにて、いよいよ往生《おうじょう》は[31]一《いち》定《じょう》とおもいたまう[32]べきなり。よろこぶべきこころをおさえて、[33]よろこばせざるは、煩悩《ぼんのう》の所為《しょい》なり。しかるに仏《ぶつ》かねてしろしめして、煩悩具足《ぼんのうぐそく》の凡夫《ぼんぶ》とおおせられたることなれば、他力《たりき》の悲願《ひがん》は、[34]かくのごときのわれらがためなりけりとしられて、いよいよたのもしくおぼゆるなり。

また、浄土《じょうど》へいそぎまいりたきこころのなくて、いささか所労《しょろう》のこともあれば、死《し》なんずるやらんとこころぼそくおぼゆることも、煩悩《ぼんのう》の所為《しょい》なり。久遠劫《くおんごう》よりいままで流転《るてん》せる苦悩《くのう》の旧里《きゅうり》はすてがたく、いまだうまれざる[35]安養《あんにょう》の浄土《じょうど》はこいしからずそうろうこと、まことに、よくよく煩悩《ぼんのう》の興盛《こうじょう》にそうろうにこそ。なごりおしくおもえども、娑婆《しゃば》の縁《えん》つきて、ちからなくしておわるときに、かの土《ど》へはまいるべきなり。いそぎまいりたきこころなきものを、ことにあわれみたまうなり。これにつけてこそ、いよいよ大悲大願《だいひだいがん》はたのもしく、往生《おうじょう》は決定《けつじょう》と存《ぞん》じそうらえ。踊躍歓喜《ゆやくかんぎ》のこころもあり、いそぎ浄土《じょうど》へもまいりたくそうらわんには、煩悩《ぼんのう》のなきやらんと、[36]あやしくそうらいなまし」と云々《うんぬん》

十

一「念仏《ねんぶつ》には無義《むぎ》をもって[37]義《ぎ》とす。不可称《ふかしょう》・不可説《ふかせつ》・不可思議《ふかしぎ》のゆえに」とおおせそうらいき。

そもそもかの[38]御在生《ございしょう》のむかし、[39]おなじこころざしにして、あゆみを遼遠《りょうおん》の洛陽《らくよう》にはげまし、信《しん》を

ひとつにして心《こころ》を当来《とうらい》の報土《ほうど》にかけし[40]ともがらは、同時《どうじ》に御意趣《ごいしゅ》をうけたまわりしかども、そのひとびとにともないて念仏《ねんぶつ》もうさるる老若《ろうにゃく》、そのかずをしらずおわしますなかに、上人《しょうにん》（親鸞）のおおせにあらざる異《い》[41]義《ぎ》どもを、近来《きんらい》はおおくおおせられおう（合）てそうろうよし、つたえうけたまわる。いわれなき条々《じょうじょう》の子細《しさい》のこと。

十一 一　一文不通《いちもんふつう》のともがらの念仏《ねんぶつ》もうすにおう（会）て、「なんじは誓願不思議《せいがんふしぎ》を信《しん》じて念仏《ねんぶつ》もうすか、また名号不思議《みょうごうふしぎ》を信《しん》ずるか」と、いいおどろかして、ふたつの[42]不思議《ふしぎ》の子細《しさい》をも分明《ふんみょう》にいいひらかずして、ひとのこころをまどわすこと。

この条《じょう》、かえすがえすもこころをとどめて、おもいわくべきことなり。誓願《せいがん》の不思議《ふしぎ》によりて、[43]たもちやすく、となえやすき名号《みょうごう》を案《あん》じいだしたまいて、この名字《みょうじ》をとなえんものを、むかえとらんと、御約束《おんやくそく》あることなれば、まず弥陀《みだ》の大悲大願《だいひだいがん》の不思議《ふしぎ》にたすけられまいらせて、生死《しょうじ》をいずべしと信《しん》じて、念仏《ねんぶつ》のもうさるるも、如来《にょらい》の御《おん》はからいなりとおもえば、すこしもみずからのはからいまじわらざるがゆえに、本願《ほんがん》に相応《そうおう》して、実報土《じっぽうど》に往生《おうじょう》するなり。これは誓願《せいがん》の不思議《ふしぎ》を、むねと信《しん》じたてまつれば、名号《みょうごう》の不思議《ふしぎ》も具足《ぐそく》して、誓願《せいがん》・名号《みょうごう》の不思議《ふしぎ》ひとつにして、さらにことなることなきなり。

つぎにみずからのはからいをさしはさみて、善悪《ぜんあく》のふたつにつきて、往生《おうじょう》のたすけ・さわり、二《ふた》様《よう》に[44]おもうは、誓願《せいがん》の不思議《ふしぎ》をばたのまずして、わがこころに往生《おうじょう》の業《ごう》をはげみて、もうすところの念仏《ねんぶつ》をも自行《じぎょう》になすなり。このひとは、名号《みょうごう》の不思議《ふしぎ》をも、また信《しん》ぜざるなり。信《しん》ぜざれども、辺地《へんじ》・懈慢《けまん》・疑城胎宮《ぎじょうたいぐう》にも往生《おうじょう》して、果遂《かすい》の願《がん》のゆえに、[45]ついに報土《ほうど》に生《しょう》ずるは、名号不思議《みょうごうふしぎ》のちからなり。これすなわち誓願不思議《せいがんふしぎ》のゆえなれば、ただひとつなるべし。

十二
一　経釈《きょうしゃく》をよみ学《がく》せざるともがら、往生不定《おうじょうふじょう》のよしのこと。

この条《じょう》、すこぶる不足言《ふそくごん》の義《ぎ》といいつべし。他力真実《たりきしんじつ》のむねをあかせるもろもろの[46]聖教《しょうぎょう》は、本《ほん》願《がん》を信《しん》じ、念仏《ねんぶつ》をもうさば仏《ぶつ》になる。そのほか、なにの学問《がくもん》かは往生《おうじょう》の要《よう》なるべきや。まことに、このことわりにまよえらんひとは、いかにもいかにも学問《がくもん》して、本願《ほんがん》のむねをしるべきなり。経釈《きょうしゃく》をよみ学《がく》すといえども、聖教《しょうぎょう》の本意《ほんい》をこころえざる条《じょう》、[47]もっとも不便《ふびん》のことなり。一文不通《いちもんふつう》にして、経釈《きょうしゃく》の[48]ゆくじもしらざらんひとの、となえやすからんための名号《みょうごう》におわしますゆえに、易《い》行《ぎょう》という。学問《がくもん》をむねとするは、聖道門《しょうどうもん》なり、難行《なんぎょう》となづく。あやまって、学問《がくもん》して、名聞利養《みょうもんりよう》のおもいに住《じゅう》するひと、順次《じゅんじ》の往生《おうじょう》、いかがあらんずらんという証文《しょうもん》もそうろう[49]ぞかし。

当時《とうじ》、専修念仏《せんじゅねんぶつ》のひとと、聖道門《しょうどうもん》のひと、[50]諍論《じょうろん》をくわだてて、わが宗《しゅう》こそすぐれたれ、ひとの宗《しゅう》はおとりなりというほどに、法敵《ほうてき》もいできたり、謗法《ほうぼう》もおこる。これしかしながら、みずから、わが法《ほう》を破謗《はほう》するにあらずや。たとい諸門《しょもん》こぞりて、念仏《ねんぶつ》はかいなきひとのためなり、その宗《しゅう》、あさしいやしというとも、さらにあらそわずして、われらがごとく下根《げこん》の凡夫《ぼんぶ》、一文不通《いちもんふつう》のものの、信《しん》ずればたすかるよし、うけたまわりて信《しん》じそうらえば、さらに上根《じょうこん》のひとのためにはいやしくとも、われらがためには最上《さいじょう》の法《ほう》にてまします。たとい自余《じよ》の[51]教法《きょうぼう》はすぐれたりとも、みずからがためには器量《きりょう》およばざれば、つとめがたし。われもひとも、生死《しょうじ》を[52]はなれんことこそ、諸仏《しょぶつ》の御本意《ごほんい》にておわしませば、御《おん》さまたげあるべからずとて、にくい気《け》せずは、たれの[53]ひとかありて、あたをなすべきや。かつは、[54]「諍論《じょうろん》のところにはもろもろの煩悩《ぼんのう》おこる、智者遠離《ちしゃおんり》すべき」よしの証文《しょうもん》そうろうにこそ。

[55]故聖人《こしょうにん》（親鸞）のおおせには、「この法《ほう》をば信《しん》ずる衆生《しゅじょう》もあり、そしる衆生《しゅじょう》もあるべしと、仏《ぶつ》ときおかせたまいたることなれば、われはすでに信《しん》じたてまつる。またひとありてそしるにて、仏説《ぶっせつ》まことなりけりとしられそうろう。しかれば往生《おうじょう》はいよいよ一定《いちじょう》とおもいたまう[56]べきなり。あやまって、そしるひとのそうらわざらんにこそ、いかに信《しん》ずるひとはあれども、そしるひとのなきやらんとも、おぼえそうらいぬべけれ。かくもうせばとて、かならずひとにそしられんとにはあらず。仏《ぶつ》の、かねて信謗《しんぼう》ともにあるべきむねをしろしめして、ひとのうたがいをあらせじと、ときおかせたまうことをもうすなり」とこそそうらいしか。

いまの世《よ》には学文《がくもん》して、ひとのそしりをやめ、ひとえに論義問答《ろんぎもんどう》むねとせんとかまえられそうろうにや。[57]学問《がくもん》せば、いよいよ如来《にょらい》の御本意《ごほんい》をしり、悲願《ひがん》の広大《こうだい》のむねをも存知《ぞんじ》して、いやしからん身《み》にて[58]往生《おうじょう》はいかが、[59]なんどとあやぶまんひとにも、本願《ほんがん》には善悪浄穢《ぜんあくじょうえ》なきおもむきをも、とききかせられそうらわばこそ、学生《がくしょう》の[60]かいにてもそうらわめ。たまたま、なにごころもなく、本願《ほんがん》に相《そう》応《おう》して念仏《ねんぶつ》するひとをも、学文《がくもん》してこそ[61]なんどといいおどさるること、法《ほう》の魔障《ましょう》なり、仏《ぶつ》の怨敵《おんてき》なり。みずから他力《たりき》の信心《しんじん》かくるのみならず、あやまって、他《た》をまよわさんとす。つつしんでおそるべし、先師《せんし》の御《おん》こころにそむくことを。かねてあわれむべし、弥陀《みだ》の本願《ほんがん》にあらざることを[62]と云々《うんぬん》

十三
一　弥陀《みだ》の本願《ほんがん》不思議《ふしぎ》におわしませばとて、悪《あく》を[63]おそれざるは、また、本願《ほんがん》ぼこりとて、往生《おうじょう》かなうべからずということ。

この条《じょう》、本願《ほんがん》をうたがう、善悪《ぜんあく》の宿業《しゅくごう》をこころえざるなり。よきこころのおこるも、宿善《しゅくぜん》のもよおすゆえなり。悪事《あしきこと》のおもわれせらるるも、悪業《あくごう》のはからうゆえなり。[64]故聖人《こしょうにん》（親鸞）のおおせには、「卯毛羊毛《うもうようもう》のさきにいるちりばかりもつくるつみの、宿業《しゅくごう》にあらずということなしとしるべし」とそうらいき。

また、あるとき「唯円房《ゆいえんぼう》はわがいうことをば信《しん》ずるか」とおおせのそうらいしあいだ、「[65]さんぞうろう」ともうしそうらいしかば、「さらば、いわんことたがうまじきか」と、かさねておおせのそうらいしあいだ、つつしんで領状《りょうじょう》もうしてそうらいしかば、「たとえば、[66]ひとを千人《せんにん》ころしてんや、しからば往生《おうじょう》は一定《いちじょう》すべし」とおおせそうらいしとき、「[67]おおせにてはそうらえども、一人《いちにん》もこの身《み》の器量《きりょう》にては、ころしつべしとも、おぼえずそうろう」ともうしてそうらいしかば、「さてはいかに親鸞《しんらん》がいうことをたがうまじきとはいうぞ」と。「これにてしるべし。なにごともこころにまかせたることならば、往生《おうじょう》のために千人《せんにん》ころせといわんに、すなわちころすべし。しかれども、一人《いちにん》に

てもかないぬべき業縁《ごうえん》なきによりて、害《がい》せざるなり。わがこころのよくて、ころさぬにはあらず。また害《がい》せじとおもうとも、百人千人《ひゃくにんせんにん》をころすこともあるべし」とおおせの[68]そうらいしは、われらが、こころのよきをばよしとおもい、あしきことをばあしとおもいて、願《がん》の不思議《ふしぎ》にてたすけたまうということをしらざることを、おおせのそうらいしなり。

そのかみ邪見《じゃけん》におちたるひとあって、悪《あく》をつくりたるものを、たすけんという願《がん》にてましませばとて、わざとこのみて悪《あく》を[69]つくりて、往生《おうじょう》の業《ごう》とすべきよしをいいて、ようように（様様）、あしざまなることのきこえそうらいしとき、御消息《ごしょうそく》に、[70]「くすりあればとて、毒《どく》をこのむべからず」とあそばされてそうろうは、かの邪執《じゃしゅう》をやめんがためなり。まったく、悪《あく》は往生《おうじょう》のさわりたるべしとにはあらず。「持戒持律《じかいじりつ》にてのみ本願《ほんがん》を信《しん》ずべくは、われらいかでか生死《しょうじ》をはなるべきや」と。かかるあさましき身《み》も、本願《ほんがん》にあいたてまつりてこそ、げにほこられそうらえ。さればとて、身《み》にそなえざらん悪業《あくごう》は、よもつくられそうらわじものを。

また、「うみかわに、あみをひき、つりをして、世《よ》をわたるものも、野《の》やまに、ししをかり、とりをとりて、いのちをつぐともがらも、あきない[71]をもし、田畠《でんばく》をつくりてすぐるひとも、ただおなじことなり」と。「さるべき業縁《ごうえん》の[72]もよおせば、いかなるふるまいもすべし」とこそ、聖人《しょうにん》（親鸞）はおおせそうらいしに、当時《とうじ》は後世者《ごせしゃ》ぶりして、よからんものばかり念仏《ねんぶつ》もうすべきように、あるいは道場《どうじょう》に[73]はりぶみ（張）をして、なんなん（何々）のことしたらんものをば、道場《どうじょう》へいるべからず、なんどということ、ひとえに賢善精進《けんぜんしょうじん》の相《そう》をほかにしめして、うちには虚仮《こけ》をいだけるものか。願《がん》にほこりてつくらんつみも、宿業《しゅくごう》のもよおすゆえなり。されば、よきことも、あしきことも、業報《ごうほう》にさしまかせて、ひとえに本願《ほんがん》をたのみまいらすればこそ、他力《たりき》にてはそうらえ。『唯信抄《ゆいしんしょう》』にも、[74]「弥陀《みだ》いかばかりのちからましますとしりてか、罪業《ざいごう》の身《み》なれば、すくわれがたしとおもうべき」とそうろうぞかし。本願《ほんがん》にほこるこころのあらんにつけてこそ、他力《たりき》をたのむ信心《しんじん》も決定《けつじょう》しぬべきことにてそうらえ。おおよそ、悪業煩悩《あくごうぼんのう》を断《だん》じつくしてのち、本願《ほんがん》を信《しん》ぜんのみぞ、願《がん》にほこるおもいもなくてよかるべきに、煩悩《ぼんのう》を断《だん》じなば、すなわち仏《ぶつ》になり、仏《ぶつ》のためには、五劫思惟《ごこうしゆい》の願《がん》、その詮《せん》なくやましまさん。本願《ほんがん》ぼこりといましめらるるひとびとも、煩悩不浄《ぼんのうふじょう》、具足《ぐそく》せられてこそそうろうげなれ。それは[75]願《がん》にほこらるるにあらずや。いかなる悪《あく》を、本願《ほんがん》ぼこりという、いかなる悪《あく》か、ほこらぬにてそうろうべきぞや。かえりて、こころおさなきことか。

十四
一　一念《いちねん》に八十億劫《はちじゅうおっこう》の重罪《じゅうざい》を滅《めっ》すと信《しん》ずべしということ。

この条《じょう》は、十悪《じゅうあく》・五逆《ごぎゃく》の罪人《ざいにん》、日《ひ》ごろ念仏《ねんぶつ》をもうさずして、命終《みょうじゅう》のとき、はじめて善知識《ぜんじしき》のおしえにて、一念《いちねん》もうせば八十億劫《はちじゅうおっこう》のつみを滅《めっ》し、十念《じゅうねん》もうせば、十八十億劫《とはちじゅうおっこう》の重罪《じゅうざい》を滅《めっ》して往《おう》生《じょう》すといえり。これは、十悪《じゅうあく》・五逆《ごぎゃく》の軽重《きょうじゅう》をしらせんがために、一念十念《いちねんじゅうねん》といえるか、滅罪《めつざい》の利益《りやく》なり。いまだわれらが信《しん》ずるところにおよばず。そのゆえは、弥陀《みだ》の光明《こうみょう》にてらされまいらするゆえに、一念発起《いちねんほっき》するとき、金剛《こんごう》の信心《しんじん》をたまわりぬれば、すでに定聚《じょうじゅ》のくらいにおさめしめ[76]たまいて、命終《みょうじゅう》すれば、もろもろの煩悩悪障《ぼんのうあくしょう》を転《てん》じて、無生忍《むしょうにん》をさとらしめたまうなり。この悲願《ひがん》ましまさずは、かかるあさましき罪人《ざいにん》、いかでか生死《しょうじ》を解脱《げだつ》すべきとおもいて、一生《いっしょう》のあいだもうすところの念仏《ねんぶつ》は、みなことごとく、如来大悲《にょらいだいひ》の恩《おん》を報《ほう》じ徳《とく》を謝《しゃ》すとおもうべきなり。

念仏《ねんぶつ》もうさんごとに、つみをほろぼさんと[77]信《しん》ぜば、すでに、われとつみをけして、往生《おうじょう》せんとはげむにてこそそうろうなれ。もししからば、一生《いっしょう》のあいだ、おもいとおもうこと、みな生死《しょうじ》のきずなにあらざることなければ、いのちつきんまで念仏退転《ねんぶつたいてん》せずして往生《おうじょう》すべし。ただし業報《ごうほう》かぎりあることなれば、いかなる不思議《ふしぎ》のことにもあい、また病悩苦痛《びょうのうくつう》[78]をせめて、正念《しょうねん》に住《じゅう》せずしておわらん。念仏《ねんぶつ》もうすことかたし。そのあいだの[79]つみは、いかがして滅《めつ》すべきや。つみきえざれば、往《おう》生《じょう》はかなうべからざるか。摂取不捨《せっしゅふしゃ》の願《がん》をたのみたてまつらば、いかなる不思議《ふしぎ》ありて、[80]悪業《あくごう》をおかし、念仏《ねんぶつ》[81]もうさずしておわるとも、すみやかに往生《おうじょう》をとぐべし。また、念仏《ねんぶつ》のもうされんも、ただいまさとりをひらかんずる期《ご》のちかづくにしたがいても、いよいよ弥陀《みだ》をたのみ、御恩《ごおん》を報《ほう》じたてまつるにてこそそうらわめ。つみを滅《めつ》せんとおもわんは、自力《じりき》のこころにして、臨終正念《りんじゅうしょうねん》といのるひとの本意《ほんい》なれば、他力《たりき》の信心《しんじん》なきにてそうろうなり。

十五

一　煩悩具足《ぼんのうぐそく》の身《み》をもって、すでにさとりをひらくということ。

この条《じょう》、もってのほかのことにそうろう。即身成仏《そくしんじょうぶつ》は真言秘教《しんごんひきょう》の本意《ほんい》、三密行業《さんみつぎょうごう》の証果《しょうか》なり。六根清浄《ろっこんしょうじょう》はまた法華一乗《ほっけいちじょう》の所説《しょせつ》、四安楽《しあんらく》の行《ぎょう》の感徳《かんとく》なり。これみな難行上根《なんぎょうじょうこん》のつとめ、観念《かんねん》成就《じょうじゅ》のさとりなり。来生《らいしょう》の開覚《かいかく》は他力浄土《たりきじょうど》の宗旨《しゅうし》、信心決定《しんじんけつじょう》の[82]道《どう》なるがゆえなり。これまた易《い》行下根《ぎょうげこん》のつとめ、不簡善悪《ふけんぜんあく》の法《ほう》なり。おおよそ、今生《こんじょう》においては、煩悩悪障《ぼんのうあくしょう》を断《だん》ぜんこと、きわめてありがたきあいだ、真言《しんごん》・法華《ほっけ》を行《ぎょう》ずる浄侶《じょうりょ》、なおもって順次生《じゅんじしょう》のさとりをいのる。いかにいわんや、戒行《かいぎょう》・恵解《えげ》ともになしといえども、弥陀《みだ》の願船《がんせん》に乗《じょう》じて、生死《しょうじ》の苦海《くかい》をわたり、報土《ほうど》のきしにつきぬるものならば、煩悩《ぼんのう》の黒雲《こくうん》はやくはれ、法性《ほっしょう》の覚月《かくげつ》すみやかにあらわれて、尽十方《じんじっぽう》の無碍《むげ》の光明《こうみょう》に一味《いちみ》にして、一切《いっさい》の[83]衆生《しゅじょう》を利益《りやく》せんときにこそ、さとりにてはそうらえ。この身《み》をもってさとりをひらくとそうろうなるひとは、釈尊《しゃくそん》のごとく、種々《しゅじゅ》の応化《おうげ》の身《しん》をも現《げん》じ、三十二《さんじゅうに》相《そう》・八十随形好《はちじゅうずいぎょうこう》をも具足《ぐそく》して、説法利益《せっぽうりやく》そうろうにや。これをこそ、今生《こんじょう》にさとりをひらく本《ほん》とはもうしそうらえ。

『和讃《わさん》』(高僧和讃)にいわく、[84]「金剛堅固《こんごうけんご》の信心《しんじん》の　さだまるときをまちえてぞ　弥陀《みだ》の心光《しんこう》[85]摂護《しょうご》して　ながく生死《しょうじ》をへだてける」とは[86]そうらえば、信心《しんじん》のさだまるときに、[87]ひとたび摂取《せっしゅ》してすてたまわざれば、六道《ろくどう》に輪回《りんね》すべからず。しかればながく生死《しょうじ》をばへだてそうろうぞかし。かくのごとくしるを、さとるとはいいまぎらかすべきや。[88]あわれにそうろうをや。「浄土真宗《じょうどしんしゅう》には、今《こん》生《じょう》に本願《ほんがん》を信《しん》じて、かの土《ど》にしてさとりをばひらくとならいそうろうぞ」とこそ、[89]故聖人《こしょうにん》(親鸞)のおおせにはそうらいしか。

十六　一　信心《しんじん》の行者《ぎょうじゃ》、自然《じねん》に、はらをもたて、あしざまなることをもおかし、同朋同侶《どうぼうどうりょ》にもあいて口《こう》論《ろん》をもしては、かならず回心《えしん》すべしということ。

この条《じょう》、断悪修善《だんあくしゅぜん》のここちか。一向専修《いっこうせんじゅ》のひとにおいては、回心《えしん》ということ、ただひとたびあるべし。その回心《えしん》は、日《ひ》ごろ本願他力真宗《ほんがんたりきしんしゅう》をしらざるひと、弥陀《みだ》の智慧《ちえ》をたまわりて、日《ひ》ごろのこころにては、往生《おうじょう》かなうべからずとおもいて、もとのこころをひきかえて、本願《ほんがん》をたのみまいらするをこそ、回心《えしん》とはもうしそうらえ。一切《いっさい》の事《じ》に、あした（朝）ゆうべ（夕）に回心《えしん》して、往生《おうじょう》を[90]とげそうろうべくは、ひとのいのちは、いずるいき、いる[91]いきをまたずしておわることなれば、回心《えしん》もせず、柔和《にゅうわ》忍辱《にんにく》のおもいにも住《じゅう》せざらんさきに、いのちつきば、摂取不捨《せっしゅふしゃ》の誓願《せいがん》は、むなしくならせおわしますべきにや。くちには願力《がんりき》をたのみたてまつるといいて、こころには、さこそ悪人《あくにん》をたすけんという願《がん》、不思議《ふしぎ》にましますというとも、さすがよからんものをこそ、たすけたまわんずれとおもうほどに、願力《がんりき》をうたがい、他力《たりき》をたのみまいらするこころかけて、辺地《へんじ》の生《しょう》をうけんこと、もっともなげきおもいたまうべきことなり。

信心《しんじん》さだまりなば、往生《おうじょう》は、弥陀《みだ》にはからわれまいらせてすることなれば、わがはからいなるべからず。わろからんにつけても、いよいよ願力《がんりき》をあおぎまいらせば、自然《じねん》のことわりにて、柔和忍辱《にゅうわにんにく》のこころもいでくべし。すべてよろずのことにつけて、往生《おうじょう》には、かしこきおもいを具《ぐ》せずして、ただほれぼれと弥陀《みだ》の御恩《ごおん》の深重《じんじゅう》なること、つねはおもいいだしまいらすべし。しかれば念仏《ねんぶつ》ももうされそうろう。これ自然《じねん》なり。わがはからわざるを、自然《じねん》ともうすなり。これすなわち他力《たりき》にてまします。しかるを、自然《じねん》ということの別《べつ》にあるように、われものしりがおにいうひとのそうろうよし、うけたまわる。あさましく[92]そうろうなり。

十七
一　[93]辺地《へんじ》の往生《おうじょう》をとぐるひと、ついには地獄《じごく》におつべしということ。

この条《じょう》、[94]いずれの証文《しょうもん》にみえそうろうぞや。学生《がくしょう》だつるひとのなかに、いい(言)いだ(出)さるることにてそうろうなるこそ、あさましくそうらえ。経論《きょうろん》[95]聖教《しょうぎょう》をば、いかようにみなされて[96]そうろうやらん。信心《しんじん》かけたる行者《ぎょうじゃ》は、本願《ほんがん》をうたがうによりて、辺地《へんじ》に生《しょう》じて、うたがいのつみをつぐのいてのち、報土《ほうど》のさとりをひらくとこそ、うけたまわりそうらえ。信心《しんじん》の行者《ぎょうじゃ》すくなきゆえに、化土《けど》におおくすすめいれられそうろうを、ついにむなしくなるべしとそうろうなるこそ、如来《にょらい》に虚妄《こもう》をもうしつけまいらせられそうろうなれ。

十八
一　仏法《ぶっぽう》の[97]かたに、施入物《せにゅうもつ》の多少《たしょう》にしたがいて、大小仏《だいしょうぶつ》になるべしということ。

この条《じょう》、不可説《ふかせつ》なり、不可説《ふかせつ》なり。比興《ひきょう》のことなり。まず仏《ぶつ》に大小《だいしょう》の分量《ぶんりょう》を[98]さだめんことあるべからず[99]そうろうや。かの安養《あんにょう》浄土《じょうど》の教主《きょうしゅ》の御身量《ごしんりょう》をとかれてそうろうも、それは方便《ほうべん》[100]報身《ほうじん》のかたちなり。法性《ほっしょう》のさとりをひらいて、長短方円《じょうたんほうえん》のかたちにもあらず、青《しょう》・黄《おう》・赤《しゃく》・白《びゃく》・黒《こく》のいろをもはなれなば、なにをもってか大小《だいしょう》をさだむべきや。念仏《ねんぶつ》もうすに化仏《けぶつ》をみたてまつるということのそうろうなるこそ、[101]「大念《だいねん》には大仏《だいぶつ》をみ、小念《しょうねん》には小仏《しょうぶつ》をみる」（大集経）といえるが、もしこのことわりなんどにばし、ひきかけられそうろうやらん。かつはまた檀波羅蜜《だんはらみつ》の行《ぎょう》ともいいつべし。いかにたからものを仏前《ぶつぜん》にもなげ、師匠《ししょう》にもほどこすとも、信心《しんじん》かけなば、その詮《せん》なし。一紙半銭《いっしはんせん》も、仏法《ぶっぽう》の[102]かたにいれずとも、他力《たりき》にこころをなげて信心《しんじん》ふかくは、それこそ願《がん》の本意《ほんい》にてそうらわめ。すべて仏法《ぶっぽう》に[103]ことをよせて、世間《せけん》の欲心《よくしん》もあるゆえに、同朋《どうぼう》を[104]いいおどさるるにや。

[105]右条々《みぎじょうじょう》はみなもって信心《しんじん》のことなるより[106]おこりそうろうか。[107]故聖人《こしょうにん》(親鸞)の御《おん》ものがたりに、法然《ほうねん》[108]聖人《しょうにん》の御《おん》とき、御弟子《おんでし》そのかず[109]おおかりけるなかに、[110]おなじく御信心《ごしんじん》のひとも、すくなくおわしけるにこそ。親鸞《しんらん》、御同朋《おんどうぼう》の御《おん》なかにして、御相論《ごそうろん》のことそうらいけり。そのゆえは、「善信《ぜんしん》が信心《しんじん》も、[111]聖人《しょうにん》(法然)の御信心《ごしんじん》もひとつなり」とおおせのそうらいければ、[112]勢観房《せいかんぼう》、念仏房《ねんぶつぼう》なんどもうす御同朋達《おんどうぼうたち》、もってのほかにあらそいたまいて、「いかでか[113]聖人《しょうにん》(法然)の御信心《ごしんじん》に、善信房《ぜんしんぼう》の信心《しんじん》、ひとつにはあるべきぞ」とそうらいければ、「[114]聖人《しょうにん》(法然)の御《おん》[115]智慧才覚《ちえさいかく》ひろくおわしますに、一《ひと》つならんともうさばこそ、ひがごとならめ。往生《おうじょう》の信心《しんじん》においては、まったくことなることなし、ただひとつなり」と御返答《ごへんとう》ありけれども、なお、「いかでかその義《ぎ》あらん」という疑難《ぎなん》ありければ、詮《せん》ずるところ、[116]聖人《しょうにん》(法然)の[117]御《おん》まえにて、自他《じた》の是非《ぜひ》をさだむべきにて、この子細《しさい》をもうしあげければ、法然《ほうねん》[118]聖人《しょうにん》のおおせには、「源空《げんくう》が信心《しんじん》も、如来《にょらい》よりたまわりたる信心《しんじん》なり。善信房《ぜんしんぼう》の信心《しんじん》も如来《にょらい》よりたまわらせたまいたる信心《しんじん》なり。されば、ただひとつなり。別《べつ》の信心《しんじん》にておわしまさんひとは、源空《げんくう》がまいらんずる浄土《じょうど》へは、よもまいらせたまい[119]そうらわじ」とおおせそうらいしかば、当時《とうじ》の一向専修《いっこうせんじゅ》のひとびとのなかにも、親鸞《しんらん》の御信心《ごしんじん》にひとつならぬ御《おん》こともそうろうらんと

おぼえそうろう。いずれもいずれもくりごとにてそうらえども、かきつけそうろうなり。

露命《ろめい》わずかに[120]枯草《こそう》の身《み》にかかりてそうろうほどにこそ、あいともなわしめたまうひとびと[121]の御不審《ごふしん》をもうけたまわり、[122]聖人《しょうにん》（親鸞）のおおせのそうらいしおもむきをも、もうしきかせまいらせそうらえども、閉眼《へいがん》ののちは、[123]さこそしどけなきことどもにてそうらわんずらめと、なげき存《ぞん》じそうらいて、かくの[124]ごとくの義《ぎ》ども、おおせられあいそうろうひとびとにも、[125]いいまよわされなんどせらるることのそうらわんときは、[126]故聖人《こしょうにん》（親鸞）の御《おん》こころにあいかないて御《ご》もちいそうろう御聖教《おんしょうぎょう》どもを、よくよく御《ご》らんそうろうべし。おおよそ聖教《しょうぎょう》には、真実権仮《しんじつごんけ》ともにあいまじわりそうろうなり。権《ごん》をすてて実《じつ》をとり、仮《け》をさしおきて真《しん》をもちいるこそ、聖人《しょうにん》（親鸞）の御本意《ごほんい》にてそうらえ。かまえてかまえて聖教《しょうぎょう》を[127]み（見）みだらせたまうまじくそうろう。大切《たいせつ》の証文《しょうもん》ども、少々《しょうしょう》[128]ぬきいでまいらせそうろうて、目《め》やすにして、この書《しょ》にそえ[129]まいらせてそうろうなり。
[130]聖人《しょうにん》（親鸞）のつねのおおせには、「弥陀《みだ》の五劫思惟《ごこうしゆい》の願《がん》をよくよく案《あん》ずれば、ひとえに親鸞一人《しんらんいちにん》がためなりけり。されば、[131]そくばくの業《ごう》をもちける身《み》にてありけるを、たすけんとおぼしめしたちける本願《ほんがん》のかたじけなさよ」と御述懐《ごしゅっかい》そうらいしことを、いままた案《あん》ずるに、善導《ぜんどう》の、[132]「自身《じしん》はこれ現《げん》に罪悪生死《ざいあくしょうじ》の凡夫《ぼんぶ》、曠劫《こうごう》よりこのかた、つねにしずみ、つねに流転《るてん》して、出離《しゅつり》の縁《えん》あることなき身《み》としれ」（散善義）という金言《きんげん》に、すこしもたがわせおわしまさず。されば、かたじけなく、わが御身《おんみ》にひきかけて、われらが、身《み》の罪悪《ざいあく》のふかきほどをもしらず、如来《にょらい》の御恩《ごおん》のたかきことをもしら

ずしてまよえるを、おもいしらせんがためにてそうらいけり。まことに如来《にょらい》の御恩《ごおん》ということをばさたなくして、われもひとも、[133]よしあしという[134]ことをのみもうしあえり。[135]聖人《しょうにん》（親鸞）のおおせには、「善悪《ぜんあく》のふたつ総《そう》じてもって存知《ぞんじ》せざるなり。そのゆえは、如来《にょらい》の御《おん》[136]こころによしとおぼしめすほどにしりとおしたらばこそ、[137]よきをしりたるにてもあらめ、如来《にょらい》のあしとおぼしめすほどにしりとおしたらばこそ、[138]あしさをしりたるにてもあらめど、煩悩具足《ぼんのうぐそく》の凡夫《ぼんぶ》、火宅無常《かたくむじょう》の世界《せかい》は、よろずのこと、みなもって、そらごと[139]たわこと（戯言）、[140]まことあることなきに、ただ念仏《ねんぶつ》のみぞまことにておわします」とこそおおせはそうらいしか。

まことに、われもひともそらごとをのみもうしあいそうろうなかに、ひとついたましきことのそうろうなり。そのゆえは、念仏《ねんぶつ》もうすについて、信心《しんじん》のおもむきをも、たがいに問答《もんどう》し、ひとにもいいきかするとき、ひとのくちをふさぎ、相論《そうろん》[141]をたたかいかたんがために、まったくおおせにてなき[142]ことをも、おおせとのみもうすこと、あさましく、なげき存《ぞん》じそうろうなり。このむねを、よくよくおもいとき、こころえらるべきことに[143]そうろうなり。

これさらにわたくしの[144]ことばにあらずといえども、経釈《きょうしゃく》の[145]ゆくじもしらず、法文《ほうもん》の浅深《せんじん》をこころえわけたることもそうらわねば、さだめておかしきことにてこそ[146]そうらわめども、古親鸞《こしんらん》のおおせごと[147]そうらいしおもむき、百分《ひゃくぶん》が一《ひと》つ、かたはしばかりをも、おもい[148]いでてまいらせて、かきつけそうろうなり。かなしきかなや、さいわいに念仏《ねんぶつ》しながら、直《じき》に報土《ほうど》にうまれずして、辺地《へんじ》にやどをとらんこと。一室《いっしつ》の行者《ぎょうじゃ》のなかに、信心《しんじん》ことなることなからんために、なくなくふでをそめてこれをしるす。なづけて『歎異抄《たんにしょう》』というべし。外見《げけん》ある[149]べからず。[150]

[151]後鳥羽院御宇《ごとばいんぎょう》、法然聖人《ほうねんしょうにん》、他力本願念仏宗《たりきほんがんねんぶつしゅう》を興行《こうぎょう》す。時《とき》に興福寺僧侶敵奏《こうふくじそうりょてきそう》の上《うえ》、御弟子中狼《おんでしちゅうろう》藉子細《ぜきしさい》あるよし、無実風聞《むじつふうぶん》によりて罪科《ざいか》に処《しょ》せらるる人数事《にんずうのこと》。

一《ひとつ》　法然聖人《ほうねんしょうにん》幷御弟子七人流罪《ならびにおんでしちにんるざい》、又御弟子四人死罪《またおんでししにんしざい》におこなわるるなり。聖人《しょうにん》は土佐国《とさのくに》[152]番《は》田《た》という所《ところ》へ流罪《るざい》、罪名藤井元彦男云々《ざいみょうふじいのもとひこなんうんぬん》、生年七十六歳《しょうねんしちじゅうろくさい》なり。

親鸞《しんらん》は越後国《えちごのくに》、罪名藤井善信云々《ざいみょうふじいのよしざねうんぬん》、生年三十五歳《しょうねんさんじゅうごさい》なり。

浄《じょう》[153]円房《えんぼう》　備後国《びんごのくに》、澄西禅光房《ちょうさいぜんこうぼう》　伯耆国《ほうきのくに》、好覚房《こうかくぼう》　伊豆国《いずのくに》、行空法本房《ぎょうくうほうほんぼう》　佐渡国《さどのくに》、幸西成覚房《こうさいじょうかくぼう》・善恵《ぜんえ》房二人《ぼうににん》、同《おな》じく遠流《おんる》にさだまる。しかるに無動寺《むどうじ》の善題大僧正《ぜんだいだいそうじょう》、これを申《もう》しあずかると云々《うんぬん》

遠流《おんる》の人々已上八人《ひとびといじょうはちにん》なりと云々《うんぬん》

死罪《しざい》に行《おこな》わるる人々《ひとびと》。

一番《いちばん》　西意善綽房《さいいぜんしゃくぼう》

二番《にばん》　性願房《しょうがんぼう》

三番《さんばん》　住蓮房《じゅうれんぼう》

四番《しばん》　安楽房《あんらくぼう》

二位法印尊長《にいのほういんそんちょう》の沙汰《さた》なり。
[154]親鸞《しんらん》、僧儀《そうぎ》を改《あらた》めて俗名《ぞくみょう》を賜《たま》う。仍《よ》って僧《そう》に非《あら》ず俗《ぞく》に非《あら》ず。然《しか》る間《あいだ》、「禿《とく》」の字《じ》を以《もっ》て姓《しょう》と為《な》して、[155]奏問《そうもん》を経《へ》られ[156]畢《おわ》りぬ。彼《か》の御申状《おんもうしじょう》、今《いま》に外記《げき》の庁《ちょう》に納《おさ》まると云々《うんぬん》流罪以後《るざいいご》、「愚禿親鸞《ぐとくしんらん》」と書《か》かしめ給《たま》うなり。

右斯聖教者、為㆓当流大事聖教㆒也。於㆓無宿善機㆒、無㆓左右㆒不㆑可㆑許㆑之者也。

釈[157]蓮如 御判

執《しゅう》持《じ》鈔《しょう》

（1）一　[1]本願寺聖人《ほんがんじしょうにん》の仰《おお》せに云《のたま》わく、[2]「来迎《らいこう》は諸行往生《しょぎょうおうじょう》にあり、自力《じりき》の行者《ぎょうじゃ》なるがゆえに。臨終《りんじゅう》まつこと、来迎《らいこう》たのむことは、諸行往生《しょぎょうおうじょう》のひとにいうべし。真実信心《しんじつしんじん》の行人《ぎょうにん》は、摂取不捨《せっしゅふしゃ》のゆえに正定聚《しょうじょうじゅ》に[3]住《じゅう》するがゆえに、かならず滅度《めつど》にいたる。かるがゆえに臨終《りんじゅう》まつことなし、来迎《らいこう》たのむことなし。これすなわち[4]第十八《だいじゅうはち》のこころなり。臨終《りんじゅう》をまち、来迎《らいこう》をたのむことは諸行往生《しょぎょうおうじょう》をちかいまします第十九《だいじゅうく》の願《がん》のこころなり。」

（2）一　又《また》のたまわく、[5]「是非《ぜひ》しらず　邪正《じゃしょう》もわかぬ　この身《み》にて　小慈小悲《しょうじしょうひ》もなけれども　名《みょう》利《り》に人師《にんし》をこのむなり」（正像末和讃）往生浄土《おうじょうじょうど》のためにはただ信心《しんじん》をさきとす。そのほかをば、かえりみざるなり。往生《おうじょう》ほどの一大事《いちだいじ》、凡夫《ぼんぶ》のはからうべきことにあらず。ひとすじに如来《にょらい》にまかせたてまつるべし。すべて凡夫《ぼんぶ》にかぎらず、補処《ふしょ》の弥勒菩薩《みろくぼさつ》をはじめとして、仏智《ぶっち》の不思議《ふしぎ》をはからうべきにあらず。まして凡夫《ぼんぶ》の浅智《せんち》をや。かえすがえす如来《にょらい》の御《おん》ちかいにまかせたてまつるべきなり。これを他力《たりき》に帰《き》したる信心発得《しんじんほっとく》の行者《ぎょうじゃ》というなり。されば、われとして浄土《じょうど》へまいるべしとも、また地獄《じごく》へゆくべしとも、さだむべからず。故聖人《こしょうにん》黒谷源空聖人《くろだにげんくうしょうにん》の御《おん》ことばなりの仰《おお》せに、「源空《げんくう》があらんところへゆかんとおもわるべし」と、たしかにうけたまわりしうえは、たとい地獄《じごく》なりとも、故《こ》聖人《しょうにん》のわたらせたまうところへまいるべしとおもうなり。このたび、もし善知識《ぜんじしき》にあいたてまつらずは、われら凡夫《ぼんぶ》かならず地獄《じごく》におつべし。しかるにいま聖人《しょうにん》の御化導《ごけどう》にあずかりて、弥陀《みだ》の本願《ほんがん》をきき、摂取不捨《せっしゅふしゃ》のことわりをむねにおさめ、生死《しょうじ》のはなれがたき[6]を一定《いちじょう》と期《ご》すること、さらにわたくしのちからにあらず。たとい弥陀《みだ》の仏智《ぶっち》に帰《き》して念仏《ねんぶつ》するが地獄《じごく》の業《ごう》たるを、いつわりて往生浄土《おうじょうじょうど》の業因《ごういん》ぞと、聖人《しょうにん》さずけたまうにすかされまいらせて、われ地獄《じごく》におつというとも、更《さら》にくや《(悔)》しむおもいあるべからず。そのゆえは明師《めいし》にあいたてまつらでやみなましかば、決定《けつじょう》、悪道《あくどう》へゆくべかりつる身《み》なるがゆえにとなり。しかるに、善知識《ぜんじしき》にすかされたてまつりて悪道《あくどう》へゆかば、ひとりゆくべからず、師《し》とともにおつべし。さればただ地獄《じごく》なりというとも故聖人《こしょうにん》のわたらせたまうところへまいらんとおもいかためたれば、善悪《ぜんあく》の生所《しょうじょ》、わたくしのさだむるところ[7]にあらずというなりと。これ自力《じりき》をすてて他力《たりき》に帰《き》するすがたなり。」

(3) 一　又《また》のたまわく、「光明寺《こうみょうじ》の和尚《かしょう》　善導《ぜんどう》の御《おん》こと　の『大無量寿経《だいむりょうじゅきょう》』の第十八《だいじゅうはち》の念仏往生《ねんぶつおうじょう》の願《がん》のこころを釈《しゃく》したまうに、[8]「善悪凡夫得生者《ぜんあくぼんぶとくしょうしゃ》　莫不皆乗阿弥陀仏《まくふかいじょうあみだぶつ》　大願業力為増上縁《だいがんごうりきいぞうじょうえん》」(玄義分)といえり。このこころは、「善人《ぜんにん》なればとて、おのれがなすところの善《ぜん》をもって、かの阿弥陀仏《あみだぶつ》の報土《ほうど》へうまるること、かなうべからず」となり。悪人《あくにん》、またいうにやおよぶ。おのれが悪業《あくごう》のちから、三悪《さんあく》・四趣《ししゅ》の生《しょう》をひくよりほか、豈《あ》に報土《ほうど》の生因《しょういん》たらんや。しかれば、善業《ぜんごう》も[9]要《よう》にたたず、悪業《あくごう》もさまたげとならず。善人《ぜんにん》の往生《おうじょう》するも、弥陀如来《みだにょらい》の別願《べつがん》、超世《ちょうせ》の大慈大悲《だいじだいひ》にあらずは、かないがたし。悪人《あくにん》の往生《おうじょう》、また、かけ（係）てもおもいよるべき報仏《ほうぶつ》・報土《ほうど》にあらざれども、仏智《ぶっち》の不可思議《ふかしぎ》なる奇特《きどく》をあらわさんがためなれば、五劫《ごこう》があいだこれを思惟《しゆい》し、永劫《ようごう》があいだこれを行《ぎょう》じて、かかるあさましきものが、六趣《ろくしゅ》・四生《ししょう》よりほかはすみかも[10]なく、うかぶべき期《ご》なきがために、とりわきむねとおこされたれば、悪業《あくごう》に卑下《ひげ》す[11]べからずと、すすめたまうむね[12]あり。されば、おのれをわすれて、あおぎて仏智《ぶっち》に帰《き》するまことなくは、おのれがもつところの悪業《あくごう》、なんぞ浄土《じょうど》の生因《しょういん》たらん。すみやかにかの十悪《じゅうあく》・五逆《ごぎゃく》・四重《しじゅう》・謗法《ほうぼう》の悪因《あくいん》にひかれて、三途八難《さんずはちなん》にこそしずむべけれ。なにの要《よう》にかたたん。しかれば、善《ぜん》も極楽《ごくらく》にうまるるたねにならざれば、往生《おうじょう》のためにはその要《よう》なし。悪《あく》もまたさきのごとし。しかれば、ただ機生得《きしょうとく》の善悪《ぜんあく》なり。かの[13]土《ど》ののぞみ、他力《たりき》に帰《き》せずは、おもいたえたり。これによりて、善悪凡夫《ぜんあくぼんぶ》のうまるるは大願業力《だいがんごうりき》ぞと釈《しゃく》したまうなり。増上縁《ぞうじょうえん》とせざるはなしというは、弥陀《みだ》の[14]御《おん》ちかいのすぐれたまえるにまされるものなしとなり。」

（4）一　又《また》のたまわく、「光明名号《こうみょうみょうごう》の因縁《いんねん》ということあり。弥陀如来四十八願《みだにょらいしじゅうはちがん》のなかに第十二《だいじゅうに》の願《がん》は、「わがひかりきわなからん」とちかいたまえり。これすなわち念仏《ねんぶつ》の衆生《しゅじょう》を摂取《せっしゅ》のためなり。かの願《がん》、すでに成就《じょうじゅ》して、あまねく無碍《むげ》のひかりをもって十方微塵世界《じっぽうみじんせかい》をてらしたまいて、衆生《しゅじょう》の煩《ぼん》悩悪業《のうあくごう》を長時《じょうじ》にてらしまします。さればこのひかりの縁《えん》にあう衆生《しゅじょう》、ようやく無明《むみょう》の昏闇《こんあん》うすくなりて、宿善《しゅくぜん》のたね萌《きざ》すとき、まさしく報土《ほうど》にうまるべき第十八《だいじゅうはち》の念仏往生《ねんぶつおうじょう》の願因《がんいん》の名号《みょうごう》をきくなり。しかれば、名号執持《みょうごうしゅうじ》すること、さらに自力《じりき》にあらず。ひとえに光明《こうみょう》にもよおさるるによりてなり。これによりて光明《こうみょう》の縁《えん》にきざされて、名号《みょうごう》の因《いん》をう（得）というなり。かるがゆえに、宗師《しゅうし》善《ぜん》導大師《どうだいし》の御《おん》ことなり、[15]「以光明《いこうみょう》 名号《みょうごう》 摂化十方《せっけじっぽう》 但使信心求念《たんししんじんぐねん》」（往生礼讃）と[16]のべたまえり。「但使信《たんししん》心求念《じんぐねん》」というは、光明《こうみょう》と名号《みょうごう》と、父母《ぶも》のごとくにて、子《こ》をそだてはぐくむべしといえども、子《こ》となりていでくべきたねなきには、ちち・ははと、なづくべきものなし。子《こ》のあるとき、それがために、ちちといい、ははという[17]号《な》あり。それがごとくに、光明《こうみょう》をはにたとえ、名号《みょうごう》をちちにたとえて、光明《こうみょう》のはは、名号《みょうごう》のちち、ということも、報土《ほうど》にまさしくうまるべき信心《しんじん》のたねなくは、あるべからず。しかれば、信心《しんじん》をおこして往生《おうじょう》を求願《ぐがん》するとき、名号《みょうごう》もとなえられ、光明《こうみょう》もこれを摂取《せっしゅ》するなり。されば、名号《みょうごう》につきて信心《しんじん》をおこす行者《ぎょうじゃ》なくは、弥陀如来《みだにょらい》、摂取不捨《せっしゅふしゃ》のちかい、成《じょう》ずべからず。弥陀如来《みだにょらい》の摂取不捨《せっしゅふしゃ》の御《おん》ちかいなくは、また、行者《ぎょうじゃ》の往生浄土《おうじょうじょうど》のねがい、なにによりてか成《じょう》ぜん。されば、本願《ほんがん》や名号《みょうごう》、名号《みょうごう》や本願《ほんがん》、本願《ほんがん》や行者《ぎょうじゃ》、行者《ぎょうじゃ》や本願《ほんがん》という、このいわれなり。本願寺《ほんがんじ》の聖人《しょうにん》の御釈《おんしゃく》『[18]教行証《きょうぎょうしょう》』にのたまわく、[19]「徳号《とくごう》の慈父《じぶ》ましまさずは、能生《のうしょう》の因《いん》かけなん。光明《こうみょう》の悲母《ひも》ましまさずは、所生《しょしょう》の縁《えん》そむきなん。光明《こうみょう》・名号《みょうごう》の父母《ぶも》、これすなわち外縁《げえん》とす。真実信《しんじつしん》の業識《ごっしき》、これすなわち内因《ないいん》とす。内外因縁和合《ないげいんねんわごう》して報土《ほうど》の真身《しんしん》を得証《とくしょう》す」（行巻）とみえたり。これをたとうるに、日輪《にちりん》、須弥《しゅみ》の半《なかば》にめぐりて他州《たしゅう》をてらすとき、このさかい闇冥《あんみょう》たり。他州《たしゅう》よりこの南州《なんしゅう》にちかづくとき、夜《よ》すでにあくるがごとし。しかれば、日輪《にちりん》のいずるによりて夜《よ》はあくるものなり。世《よ》のひと、つねにおもえらく、「夜《よ》のあけて[20]日輪《にちりん》はいず」と。いまいうところはしからざるなり。弥陀仏日《みだぶつにち》の照触《しょうそく》によりて、[21]無明《むみょう》の長夜《じょうや》、やみすでにはれて、安養往生《あんにょうおうじょう》の業因《ごういん》たる名号《みょうごう》の宝珠《ほうしゅ》をばうるなりとしるべし。」

(5)
一　わたくしにいわく、「根機《こんき》つたなしとて、卑下《ひげ》すべからず。仏《ぶつ》に下根《げこん》をすくう大悲《だいひ》あり。行業《ぎょうごう》おろそかなりとて、うたがうべからず。『経《きょう》』(大経)に[22]「乃至一念《ないしいちねん》」の文《もん》あり。仏語《ぶつご》に虚妄《こもう》なし。本願《がん》にあやまりあらんや。名号《みょうごう》を正定業《しょうじょうごう》となづくることは、仏《ぶつ》の不思議力《ふしぎりき》をたもてば、往生《おうじょう》の業《ごう》、まさしくさだまるゆえなり。もし弥陀《みだ》の名願力《みょうがんりき》を称念《しょうねん》すとも、往生《おうじょう》なお不定《ふじょう》ならば、正定業《しょうじょうごう》とはなづくべからず。われすでに本願《ほんがん》の名号《みょうごう》を持念《じねん》す。往生《おうじょう》の業《ごう》、すでに成弁《じょうべん》することをよろこぶべし。かるがゆえに、臨終《りんじゅう》にふたたび名号《みょうごう》をとなえずとも、往生《おうじょう》をとぐべきこと、もちろんなり。一切衆生《いっさいしゅじょう》のありさま、過去《かこ》の業因《ごういん》まちまちなり。また、死《し》の縁《えん》、無量《むりょう》なり。病《やまい》におかされて死《し》するものあり。剣《つるぎ》にあたりて死《し》するものあり。水《みず》におぼれて死《し》するものあり。火《ひ》にやけて死《し》するものあり。乃至《ないし》、[23]寝死《しんし》するものあり。酒狂《しゅきょう》して死《し》するたぐいあり。これみな先世《せんぜ》の業因《ごういん》なり。さらにのがるべきにあらず。かくのごときの死期《しご》にいたりて、一旦《いったん》の妄心《もうしん》をおこさんほか、いかでか凡夫《ぼんぶ》のならい、名号称念《みょうごうしょうねん》の正念《しょうねん》もおこり、往生浄土《おうじょうじょうど》の願心《がんしん》もあらんや。平生《へいぜい》のとき期《ご》するところの約束《やくそく》、もしたがわば、往生《おうじょう》ののぞみむなしかるべし。しかれば、平生《へいぜい》の一念《いちねん》によりて往生《おうじょう》の得否《とくふ》は[24]さだまるものなり。平生《へいぜい》のとき不定《ふじょう》のおもいに住《じゅう》せば、かなうべからず。平生《へいぜい》のとき善知識《ぜんじしき》のことばのしたに、帰命《きみょう》の一念《いちねん》を発得《ほっとく》せば、そのときをもって娑婆《しゃば》のおわり、臨終《りんじゅう》とおもうべし。抑《そもそ》も南無《なむ》は帰命《きみょう》、帰命《きみょう》のこころは往生《おうじょう》のためなれば、またこれ発願《ほつがん》なり。この心《こころ》あまねく万行万善《まんぎょうまんぜん》をして、浄土《じょうど》の業因《ごういん》となせば、また回向《えこう》の義《ぎ》あり。この能帰《のうき》の心《しん》、所帰《しょき》の仏智《ぶっち》に相応《そうおう》するとき、かの仏《ぶつ》の因位《いんに》の万行《まんぎょう》・果地《かじ》の万徳《まんどく》、ことごとくに名号《みょうごう》のなかに摂在《しょうざい》して、十方衆生《じっぽうしゅじょう》の往生《おうじょう》の行体《ぎょうたい》となれば、[25]「阿弥陀仏即是其行《あみだぶつそくぜごぎょう》」（玄義分）と釈《しゃく》したまえり。また殺生罪《せっしょうざい》をつくるとき、地獄《じごく》の定業《じょうごう》を[26]むすぶも、臨終《りんじゅう》にかさねてつくらざれども、平生《へいぜい》の業《ごう》にひかれて地獄《じごく》にかならずおつべし。念仏《ねんぶつ》もまたかくのごとし。本願《ほんがん》を信《しん》じ名号《みょうごう》をとなうれば、その時分《じぶん》にあたりて、かならず往生《おうじょう》はさだまるなりとしるべし。」

本云

嘉暦元歳（一三二六）丙寅 九月五日、拭二老眼一染二禿筆一、是偏為三利二益衆生一也。　釈宗昭 五十七

先年如レ此予染レ筆、与二飛騨願智坊一訖。而今年暦応三歳（一三四〇）庚辰 十月十五日、随二身此書一上洛。中一日逗留、十七日下国。仍於二燈下一馳二老筆一、[27]書二留之一。為二利益一也。　宗昭 七十一

[28]永享二年（一四三〇）九月七日、京都自二本所一下給聖教也。他所不レ可レ遺。　奉三周観安二置之一也。

[1]口《く》伝《でん》鈔《しょう》

本願寺《ほんがんじ》の鸞聖人《らんしょうにん》、如信上人《にょしんしょうにん》に対《たい》しましまして、おりおりの御物語《おんものがたり》の条々《じょうじょう》。

（1）

一　あるときのおおせにのたまわく、黒谷《くろだに》の聖人《しょうにん》源空《げんくう》、浄土真宗御興行《じょうどしんしゅうごこうぎょう》さかりなりしとき、上一人《かみいちにん》よりはじめて、偏執《へんしゅう》のやから一天《いってん》にみてり。これによりて、かの立宗《りっしゅう》の義《ぎ》を破《は》せられんがために、[2]禁中《きんちゅう》[3]時代不審《じだいふしん》、もし土御門《つちみかど》の院《いん》の御宇《ぎょう》かにして、七日《しちにち》の御逆修《おんぎゃくしゅ》をはじめおこなわるるついでに、[4]安居院《あんごいん》の法印聖覚《ほういんせいかく》を唱導《しょうどう》として、聖道《しょうどう》の諸宗《しょしゅう》のほかに、別《べつ》して浄土宗《じょうどしゅう》あるべからざるよし、これをもうしみだらるべきよし、勅請《ちょくしょう》あり。しかりといえども、勅喚《ちょっかん》に応《よう》じながら、師範空聖人《しはんくうしょうにん》の本懐《ほんがい》さえぎりて、覚悟《かくご》のあいだ、もうしみだらるるにおよばず、あまっさえ、聖道《しょうどう》のほかに浄土《じょうど》の一宗興《いっしゅうこう》じて、凡夫《ぼんぶ》[5]直入《じきにゅう》の大益《だいやく》あるべきよしを、ついでをもって、ことに申《もう》したてられけり。ここに公廷《くてい》にしてその沙汰《さた》あるよし、聖人《しょうにん》源空《げんくう》きこしめすについて、もしこのときもうしやぶられなば、浄土《じょうど》の宗義《しゅうぎ》なんぞ立《りっ》せんや。よりて安居院《あんごいん》の坊《ぼう》へおおせつかわされんとす。たれびとたるべきぞやのよし、その仁《じん》を内々《ないない》えらばる。ときに、善信《ぜんしん》の御房《おんぼう》その仁《じん》たるべきよし、聖人《しょうにん》(指)さしもうさる。同朋《どうぼう》のなかに、またもっともしかるべきよし、同心《どうしん》に挙《きょ》しもうされけり。そのとき上人《しょうにん》善信《ぜんしん》かたく御辞退《ごじたい》、再三《さいさん》におよぶ。しかれども、貴命《きめい》のがれがたきによりて、使節《しせつ》として、上人《しょうにん》善信《ぜんしん》、安居《あんご》院《いん》の[6]房《ぼう》へむかわしめたまわんとす。ときに、縡《こと》もっとも[7]重事《ちょうじ》[8]なり、すべからく人《ひと》をあいそえらるべきよし、もうさしめたまう。もっともしかるべしとて、西意善綽《さいいぜんしゃく》の御房《おんぼう》をさしそえらる。両人《りょうにん》、安居院《あんごいん》の[9]房《ぼう》にいたりて案内《あんない》せらる。おりふし、[10]沐浴《もくよく》と云々《うんぬん》「御《おん》つかい、たれびとぞや」と、とわる。「善信《ぜんしん》の御房入来《おんぼうじゅらい》あり」と云々《うんぬん》そのときおおきにおどろきて、この人《ひと》の御使《おんつかい》たること、[11]邂逅《かいこう》なり、おぼろけのことにあらじとて、いそぎ温室《うんじつ》よりいでて、対面《たいめん》。かみ、くだんの子細《しさい》をつぶさに、聖人《しょうにん》源空《げんくう》のおおせとて演説《えんぜつ》。法印《ほういん》もうされていわく、「このこと年来《ねんらい》の御宿念《ごしゅくねん》たり。聖覚《せいかく》いかでか疎簡《そかん》を存《ぞん》ぜん。たとい勅定《ちょくじょう》たりというとも、師範《しはん》の命《めい》をやぶるべからず。よりて、おおせをこうぶらざるさきに、聖道《しょうどう》・浄土《じょうど》の二門《にもん》を混乱《こんらん》せず、あまっさえ、浄土《じょうど》の宗義《しゅうぎ》をもうしたてはんべりき。これしかしながら、王命《おうめい》よりも[12]師孝《しきょう》をおもくするがゆえなり。御《おん》こころやすかるべきよし、もうさしめたまうべし」と云々《うんぬん》このあいだの一座《いちざ》の[13]委曲《いきょく》、つぶさにするにいとまあらず。すなわち、上人《しょうにん》善信《ぜんしん》、[14]御帰参《ごきさん》ありて、公廷一座《くていいちざ》の[15]唱導《しょうどう》[16]として、法印重説《ほういんじゅうせつ》のむねを聖人《しょうにん》源空《げんくう》の御前《ごぜん》にて[17]一言《いちげん》もおとしましまさず、[18]分明《ふんみょう》に、又一座宣説《またいちざせんぜつ》しもうさる。そのときさしそえらるる善綽《ぜんしゃく》の御房《おんぼう》に対《たい》して、「もし[19]紕繆《ひびゅう》ありや」と、聖人《しょうにん》源空《げんくう》おおせらるるところに、善綽《ぜんしゃく》の御房《おんぼう》もうされていわく、「西意《さいい》、二座《にざ》の[20]説法聴聞《せっぽうちょうもん》つ(仕)こうまつりおわりぬ。言語《ごんご》のおよぶところにあらず」と云々《うんぬん》三百《さんびゃく》八十余人《はちじゅうよにん》の御門侶《ごもんりょ》のなかに、その上足《じょうそく》といい、その器用《きよう》といい、すでに清撰《せいせん》にあたりて、使節《しせつ》をつとめましますところに、西意《さいい》また証明《しょうみょう》の発言《はつげん》におよぶ。おそらくは、多宝証明《たほうしょうみょう》の[21]往事《おうじ》にあいおなじきものをや。この事《こと》、大師聖人《だいししょうにん》の御《おん》とき、随分《ずいぶん》の面目《めんぼく》たりき。[22]説道《せつどう》も、涯分《がいぶん》いにしえにはず(恥)べからずといえども、人師《にんし》・戒師《かいし》停止《ちょうじ》すべきよし、聖人《しょうにん》の御前《ごぜん》にして誓言発願《せいごんほつがん》おわりき。これによりて、檀越《だんおつ》をへつらわず、その請《しょう》におもむかずと云々《うんぬん》　そのころ七条《しちじょう》の源三中務丞《げんぞうなかつかさのじょう》が遺孫《いそん》、次郎《じろう》入道浄信《にゅうどうじょうしん》、土木《どぼく》の大功《たいこう》をおえて、一宇《いちう》の伽藍《がらん》を造立《ぞうりゅう》して、供養《くよう》のために唱導《しょうどう》におもむきましますべきよしを屈請《くっしょう》しもうすといえども、上人《しょうにん》善信《ぜんしん》ついにもって[23]固辞《こじ》しおおせられて、かみ、くだんのおもむきをかたりおおせらる。そのとき上人《しょうにん》善信《ぜんしん》権者《ごんじゃ》にましますといえども、濁乱《じょくらん》の凡夫《ぼんぶ》に同《どう》じて、不浄説《ふじょうせつ》[24]法《ぽう》のとが、おもきことをしめしましますものなり。

(2)

一　光明名号《こうみょうみょうごう》の因縁《いんねん》という事《こと》。

十方衆生《じっぽうしゅじょう》のなかに、浄土教《じょうどきょう》を信受《しんじゅ》する機《き》あり、信受《しんじゅ》せざる機《き》あり。いかんとならば、『大経《だいきょう》』のなかにとくがごとく、過去《かこ》の宿善《しゅくぜん》あつきものは、今生《こんじょう》にこの教《きょう》におう(遇)て、まさに信楽《しんぎょう》す。宿福《しゅくふく》なきものは、この教《きょう》にあうといえども、念持《ねんじ》せざれば、またあわざるがごとし。[25]「欲知過去因《よくちかこいん》」の文《もん》のごとく、今生《こんじょう》のありさまにて、宿善《しゅくぜん》の有無《うむ》あきらかにしりぬべし。しかるに、宿善開発《しゅくぜんかいほつ》する機《き》のしるしには、善知識《ぜんじしき》におうて開悟《かいご》せらるるとき、一念疑惑《いちねんぎわく》を生《しょう》ぜざるなり。その疑惑《ぎわく》を生《しょう》ぜざることは、光明《こうみょう》の縁《えん》にあうゆえなり。もし光明《こうみょう》の縁《えん》、もよおさずは、報土往生《ほうどおうじょう》の真因《しんいん》たる名号《みょうごう》の因《いん》をうべからず。いうこころは、十方世界《じっぽうせかい》を照曜《しょうよう》する無碍光遍照《むげこうへんじょう》の明朗《みょうろう》なるにてらされて、無《む》明沈没《みょうちんもつ》の煩惑《ぼんわく》、漸々《ぜんぜん》にとらけて（蕩）、涅槃《ねはん》の真因《しんいん》たる信心《しんじん》の[26]根芽《こんげ》、わずかにきざすとき、報土得生《ほうどとくしょう》の定聚《じょうじゅ》のくらいに住《じゅう》す。すなわちこのくらいを、[27]「光明遍照《こうみょうへんじょう》　十方世界《じっぽうせかい》　念仏衆生《ねんぶつしゅじょう》　摂取不捨《せっしゅふしゃ》」（観経）とら（等）とけり。また光明寺《こうみょうじ》（善導）の御釈《おんしゃく》（往生礼讃）には、[28]「以光明《いこうみょう》　名号《みょうごう》　摂化十方《せっけじっぽう》　但使信心求念《たんししんじんぐねん》」とものたまえり。しかれば、往生《おうじょう》の信心《しんじん》のさだまることは、われらが智分《ちぶん》にあらず。光明《こうみょう》の縁《えん》にもよおしそだてられて、名号信知《みょうごうしんち》の報土《ほうど》の因《いん》をうとしるべしとなり。これを他力《たりき》というなり。

(3)　一　無碍《むげ》の光曜《こうよう》によりて、無明《むみょう》の闇夜《あんや》はるる事《こと》。

本願寺《ほんがんじ》の[29]上人《しょうにん》親鸞《しんらん》あるとき門弟《もんてい》にしめしてのたまわく、「つねに人《ひと》のしるところ、夜《よ》あけて日輪《にちりん》はいずや、日輪《にちりん》[30]やいでて夜《よ》あくや。両篇《りょうへん》、なんだち、いかんがしる」と云々《うんぬん》「うちまかせて、人《ひと》みなおもえらく、夜《よ》あけてのち日《ひ》いず」とこたえ申《もう》す。[31]上人《しょうにん》のたまわく、「しからざるなり」と。「日《ひ》いでてまさに夜《よ》あくるものなり。そのゆえは、日輪《にちりん》まさに須弥《しゅみ》の半腹《はんぷく》を行度《ぎょうど》するとき、他州《たしゅう》のひかりちかづくについて、この南州《なんしゅう》、あきらかになれば、日《ひ》いでて、夜《よ》はあくというなり。これはこれ[32]たとえなり。無碍光《むげこう》の日輪《にちりん》、[33]照触《しょうそく》せざるときは、永々昏闇《ようようこんあん》の無明《むみょう》の夜《よ》あけず。しかるにいま、宿善《しゅくぜん》、ときいたりて、不断難思《ふだんなんし》の日輪《にちりん》、貪瞋《とんじん》の半腹《はんぷく》に行度《ぎょうど》するとき、無明《むみょう》ようやく闇《やみ》はれて、信心《しんじん》たちまちにあきらかなり。しかりといえども、貪瞋《とんじん》の[34]雲霧《くもきり》、かりにおおうによりて、炎王清浄《えんのうしょうじょう》等《とう》の日光《にっこう》あらわれず。これによりて、[35]「煩悩障眼雖不能見《ぼんのうしょうげんすいふのうけん》」（往生要集）とも釈《しゃく》し、[36]「已能雖破無明闇《いのうすいはむみょうあん》」（正信偈）とら（等）のたまえり。日輪《にちりん》の他力《たりき》、いたらざるほどは、われと無明《むみょう》を破《は》すということあるべからず。無明《むみょう》を破《は》せずは、また出離《しゅつり》その期《ご》あるべからず。他力《たりき》をもって、無明《むみょう》を破《は》するがゆえに、日《ひ》いでてのち、夜《よ》あくというなり。」これさきの光明《こうみょう》名号《みょうごう》の義《ぎ》に、こころおなじといえども、自力《じりき》・他力《たりき》を分別《ふんべつ》せられんために、[37]法譬《ほっぴ》を合《がっ》して、おおせごとありきと云々《うんぬん》

(4)

一　善悪二業《ぜんあくにごう》の事《こと》。

[38]上人《しょうにん》親鸞《しんらん》おおせに[39]のたまわく、「某《それがし》はまったく善《ぜん》もほしからず、又悪《またあく》もおそれなし。善《ぜん》のほしからざるゆえは、弥陀《みだ》の本願《ほんがん》を信受《しんじゅ》するにまされる善《ぜん》なきがゆえに。悪《あく》のおそれなきというは、弥陀《みだ》の本願《ほんがん》をさまたぐる悪《あく》なきがゆえに。しかるに、世《よ》の人《ひと》みなおもえらく、善根《ぜんごん》を具足《ぐそく》せずんば、たとい念仏《ねんぶつ》すというとも往生《おうじょう》すべからずと。また、たとい念仏《ねんぶつ》すというとも悪業《あくごう》[40]深重《じんじゅう》ならば往生《おうじょう》すべからずと。このおもい、ともにはなはだしかるべからず。もし悪業《あくごう》をこころにまかせてとどめ、善根《ぜんごん》をおもいのままにそなえて、生死《しょうじ》を出離《しゅつり》し浄土《じょうど》に往生《おうじょう》すべくは、あながちに本願《ほんがん》を信知《しんち》せずとも、なにの不足《ふそく》かあらん。そのこといずれも、こころにまかせざるによりて、悪業《あくごう》をばおそれながら、すなわちおこし、善根《ぜんごん》をばあらませども、うることあたわざる凡夫《ぼんぶ》なり。かかるあさましき三毒具足《さんどくぐそく》の悪機《あっき》として、われと出離《しゅつり》にみち《(道)》たえ《(絶)》たる機《き》を[41]摂取《せっしゅ》したまわんための五劫思惟《ごこうしゆい》の本願《ほんがん》なるがゆえに、ただあおぎて仏智《ぶっち》を信受《しんじゅ》するにしかず。しかるに、善機《ぜんき》の念仏《ねんぶつ》するをば、決定往生《けつじょうおうじょう》とおもい、悪人《あくにん》の念仏《ねんぶつ》するをば、往生不定《おうじょうふじょう》とうたがう。本願《ほんがん》の規模《きぼ》、ここに[42]失《しっ》し、自身《じしん》の悪機《あっき》たることをしらざるになる。おおよそ、凡夫引接《ぼんぶいんじょう》の無縁《むえん》の慈悲《じひ》をもって、[43]修因感果《しゅいんかんか》したまえる別願所成《べつがんしょじょう》の報仏報土《ほうぶつほうど》

へ、五乗《ごじょう》ひとしくいることは、諸仏《しょぶつ》いまだおこさざる超世不思議《ちょうせふしぎ》の願《がん》なれば、たとい読誦大乗《どくじゅだいじょう》・解第一義《げだいいちぎ》の善機《ぜんき》たりというとも、おのれが生得《しょうとく》の善《ぜん》ばかりをもって、その土《ど》に往生《おうじょう》すること、かなうべからず。また、悪業《あくごう》はもとより、もろもろの仏法《ぶっぽう》にすてらるるところなれば、悪機《あっき》また悪《あく》をつのりとして、その土《ど》へのぞむべきにあらず。しかれば、機《き》にうまれつきたる善悪《ぜんあく》のふたつ、報土往生《ほうどおうじょう》の得《とく》ともならず、失《しつ》ともならざる条《じょう》、勿論《もちろん》なり。さればこの善悪《ぜんあく》の機《き》のうえにたもつところの、弥《み》陀《だ》の仏智《ぶっち》をつのりとせずよりほかは、凡夫《ぼんぶ》、いかでか往生《おうじょう》の得分《とくぶん》あるべきや。さればこそ、悪《あく》もおそろしからず[44]とはいえ。」ここをもって、光明寺《こうみょうじ》の大師《だいし》（善導）、[45]「言弘願者如大経説《ごんぐがんしゃにょだいきょうせつ》　一切善悪凡夫得生者《いっさいぜんあくぼんぶとくしょうしゃ》　莫不皆乗阿弥陀仏大願業力《まくふかいじょうあみだぶつだいがんごうりき》　為増上縁也《いぞうじょうえんや》」（玄義分）とのたまえり。文《もん》のこころは、「弘《ぐ》願《がん》というは、『大経《だいきょう》』[46]の説《せつ》のごとし。一切《いっさい》[47]善悪凡夫《ぜんあくぼんぶ》のうまるることをうるは、みな阿弥陀仏《あみだぶつ》の大願《だいがん》業力《ごうりき》に[48]のりて、増上縁《ぞうじょうえん》とせざるはなし」となり。されば宿善《しゅくぜん》あつきひとは、今生《こんじょう》に善《ぜん》をこのみ、悪《あく》をおそる。宿悪《しゅくあく》おもきものは、今生《こんじょう》に悪《あく》をこのみ、善《ぜん》にうとし。ただ、善悪《ぜんあく》のふたつをば、過去《かこ》の因《いん》にまかせ、往生《おうじょう》の大益《だいやく》をば、如来《にょらい》の他力《たりき》にまかせて、かつて、機《き》のよきあしきに目《め》をかけて、往生《おうじょう》の[49]得否《とくふ》をさだむべからずとなり。

　これによりて、あるときのおおせに[50]のたまわく、「なんだち、念仏《ねんぶつ》するより、なお往生《おうじょう》にたやすきみちあり。これをさずくべし」と。「人《ひと》を千人殺害《せんにんせつがい》したらば、やすく往生《おうじょう》すべし。おのおの、このおしえにしたがえ。いかん」と。ときにある一人《いちにん》、もうしていわく、「某《それがし》においては、千人《せんにん》まではおもいよらず、一人《いちにん》たりというとも殺害《せつがい》しつべき心《ここ》ちせず」と云々《うんぬん》51上人《しょうにん》かさねてのたまわく、「なんじ、わがおしえを日比《ひごろ》そむかざるうえは、いまおしうるところにおいて、さだめてうたがいをなさざるか。しかるに一人《いちにん》なりとも殺害《せつがい》しつべきここちせずというは、過去《かこ》に、そのたねなきによりてなり。もし過去《かこ》にそのたねあらば、たとい、殺生罪《せっしょうざい》をおかすべからず、おかさば、すなわち往生《おうじょう》をとぐべからずと、いましむというとも、たねにもよおされて、かならず殺罪《せつざい》をつくるべきなり。善《ぜん》悪《あく》のふたつ、宿因《しゅくいん》のはからいとして、現果《げんか》を感《かん》ずるところなり。しかれば、まったく往生《おうじょう》においては、善《ぜん》もたすけとならず、悪《あく》もさわりとならずということ、これをもって52准知《じゅんち》すべし。」

(5) 一　自力《じりき》の修善《しゅぜん》はたくわえがたく、他力《たりき》の仏智《ぶっち》は、護念《ごねん》の益《やく》をもってたくわえらるる事《こと》。

たとい万行諸善《まんぎょうしょぜん》の法財《ほうざい》を53修《しゅ》し、たくわうというとも、54進道《しんどう》の55資糧《しりょう》となるべからず。56ゆえは、57六賊《ろくぞく》58知聞《ちもん》して59侵奪《しんだつ》するがゆえに。念仏《ねんぶつ》においては、すでに行者《ぎょうじゃ》の善《ぜん》にあらず、行者《ぎょうじゃ》の行《ぎょう》にあらずとら（等）、釈《しゃく》せらるれば、凡夫自力《ぼんぶじりき》の善《ぜん》にあらず。まったう（全）弥陀《みだ》の仏智《ぶっち》なるがゆえに、諸仏護念《しょぶつごねん》の益《やく》により、六賊《ろくぞく》これをおかすにあたわざるがゆえに、出離《しゅつり》の60資糧《しりょう》となり、報土《ほうど》の61正因《しょういん》となるなり。しるべし。

(6) 一　弟子同行《でしどうぎょう》をあらそい、本尊《ほんぞん》・聖教《しょうぎょう》をうばいとること、しかるべからざるよしの事《こと》。

常陸国新堤《ひたちのくににいづつみ》の信楽《しんぎょう》62坊《ぼう》、聖人《しょうにん》親鸞《しんらん》の63御前《ごぜん》にて、法文《ほうもん》の義理《ぎり》ゆえに、おおせをもちいもうさざるによりて、64突鼻《とつび》にあずかりて、65本国《ほんごく》に66下向《げこう》のきざみ、御弟子蓮位房《おんでしれんいぼう》もうされていわく、「信楽《しんぎょう》房《ぼう》の、御門弟《ごもんてい》の儀《ぎ》をはなれて、あずけわたさるるところの[68]本尊《ほんぞん》をめしかえさるべくやそうろうらん」[69]と。「なかんずくに、[67]下国《げこく》のうえは、釈《しゃく》の親鸞《しんらん》と外題《げだい》のしたにあそばされたる聖教《しょうぎょう》おおし。御《ご》門下《もんか》をはなれたてまつるうえは、さだめて[70]仰崇《ぎょうそう》の儀《ぎ》なからんか」と云々《うんぬん》　聖人《しょうにん》のおおせにいわく、「本尊《ほんぞん》・聖教《しょうぎょう》をとりかえすこと、はなはだしかるべからざることなり。そのゆえは、親鸞《しんらん》は弟子《でし》一《いち》人《にん》ももたず。なにごとをおしえて弟子《でし》というべきぞや。みな如来《にょらい》の御弟子《おんでし》なれば、[71]みなともに同行《どうぎょう》なり。念仏往生《ねんぶつおうじょう》の信心《しんじん》をうることは、釈迦《しゃか》・弥陀二尊《みだにそん》の御方便《ごほうべん》として発起《ほっき》すとみえたれば、まったく親鸞《しんらん》が、さずけたるにあらず。当世《とうせい》たがいに違逆《いぎゃく》のとき、本尊《ほんぞん》・聖教《しょうぎょう》をとりかえし、つく《（付）》るところの房号《ぼうごう》をとりかえし、信心《しんじん》をとりかえすなんどいうこと、[72]国中《こくちゅう》に[73]繁昌《はんじょう》と云々《うんぬん》　返《かえ》す返《がえ》すしかるべからず。本尊《ほんぞん》・聖教《しょうぎょう》は、衆生利益《しゅじょうりやく》の方便《ほうべん》なれば、親鸞《しんらん》がむつ《（睦）》びをすてて、他《た》の門室《もんしつ》にいるというとも、わたくしに自専《じせん》すべからず。如来《にょらい》の教法《きょうぼう》は、総《そう》じて流通物《るずうもつ》なればなり。しかるに、親鸞《しんらん》が名字《みょうじ》ののりたるを、法師《ほうし》にくければ袈裟《けさ》さえの風情《ふぜい》に、いといおもうによりて、たといかの聖《しょう》教《ぎょう》を[74]山野《さんや》にすつというとも、そのところの有情群類《うじょうぐんるい》、かの聖教《しょうぎょう》にすくわれて、ことごとくその益《やく》をうべし。しからば衆生利益《しゅじょうりやく》の本懐《ほんがい》、そのとき満足《まんぞく》すべし。凡夫《ぼんぶ》の執《しゅう》するところの財宝《ざいほう》のごとくに、とりかえすという義《ぎ》、あるべからざるなり。よくよくこころうべし」とおおせありき。

(7)　一　凡夫往生《ぼんぶおうじょう》の事《こと》。

おおよそ、凡夫《ぼんぶ》の、報土《ほうど》に[75]いることをば、諸宗《しょしゅう》ゆるさざるところなり。しかるに、浄土真宗《じょうどしんしゅう》において、善導家《ぜんどうけ》の御《おん》こころ、安養浄土《あんにょうじょうど》をば報仏報土《ほうぶつほうど》とさだめ、いるところの機《き》をば、さかりに凡夫と談《だん》ず。このこと性相《しょうそう》のみみ(耳)をおどろかすことなり。さればかの性相《しょうそう》に封《ふう》ぜられて、ひとのこころ、おおくまよいて、この義勢《ぎせい》におきて、[76]うたがいをいだく。そのうたがいのきざすところは、かならずしも弥陀超世《みだちょうせ》の悲願《ひがん》を、さることあらじと、うたがいたてまつるまではなけれども、わが身《み》の分《ぶん》を卑下《ひげ》して、そのことわりをわきまえしりて、聖道門《しょうどうもん》よりは、凡夫《ぼんぶ》、報土《ほうど》にいるべからざる道理《どうり》をうかべて、その比量《ひりょう》をもって、いまの真宗《しんしゅう》をうたがうまでの人《ひと》はまれなれども、聖道《しょうどう》の性相《しょうそう》、世《よ》に流布《るふ》するを、なにとなく耳《みみ》にふれ、ならいたるゆえか。おおくこれにふせがれて、真宗別途《しんしゅうべつず》の他《た》力《りき》をうたがうこと、かつは無明《むみょう》に痴惑《ちわく》せられたるゆえなり。かつは明師《めいし》にあわざるがいたすところなり。そのゆえは、浄土宗《じょうどしゅう》のこころ、もと凡夫《ぼんぶ》のためにして聖人《しょうにん》のためにあらずと云々《うんぬん》しかれば貪欲《とんよく》もふかく、瞋恚《しんに》もたけく、愚痴《ぐち》もさかりならんにつけても、今度《こんど》の順次《じゅんじ》の往生《おうじょう》は、仏語《ぶつご》に[77]虚妄《こもう》なければ、いよいよ必定《ひつじょう》とおもうべし。あやまってわがこころの三毒《さんどく》もいたく興盛《こうじょう》ならず、善《ぜん》心《しん》しきりにおこらば、往生不定《おうじょうふじょう》のおもいもあるべし。そのゆえは、凡夫《ぼんぶ》のための願《がん》と、仏説分明《ぶっせつふんみょう》なり。しかるに、わがこころ凡夫《ぼんぶ》げ(気)もなくは、さては、われ凡夫《ぼんぶ》にあらねば、この願《がん》にもれ(漏)やせんと、おもうべきによりてなり。しかるに、われらが心《こころ》、すでに貪《とん》・瞋《じん》・痴《ち》の三毒《さんどく》、みなおなじく具足《ぐそく》す。これがためとて、おこさるる願《がん》なれば、往生《おうじょう》その機《き》として必定《ひつじょう》なるべしとなり。かくこころえつれば、こころのわろきにつけても、機《き》の卑劣《ひれつ》なるにつけても、往生《おうじょう》せずは、あるべからざる道理《どうり》、文《もん》証勿論《しょうもちろん》なり。いずかたよりか凡夫《ぼんぶ》の往生《おうじょう》もれてむなしからんや。しかればすなわち、「五劫《ごこう》の思惟《しゆい》も兆載《ちょうさい》の修行《しゅぎょう》も、ただ親鸞一人《しんらんいちにん》がためなり」とおおせごとありき。

わたくしにいわく、これをもってかれを案《あん》ずるに、この条《じょう》、祖師聖人《そししょうにん》の御《おん》ことにかぎるべからず。末世《まっせ》のわれら、みな凡夫《ぼんぶ》たらんうえは、またもって往生《おうじょう》おなじかるべしとしるべし。

(8)
一　一切経御校合《いっさいきょうごきょうごう》の事《こと》。

西明寺《さいみょうじ》の禅門《ぜんもん》の78父《ちち》、修理亮時氏《しゅりのすけときうじ》、政徳《せいとく》をもっぱらにせしころ、一切経《いっさいきょう》を書写《しょしゃ》せられき。これを校合《きょうごう》のために、智者《ちしゃ》・学生《がくしょう》たらん僧《そう》を屈請《くっしょう》あるべしとて、武藤左衛門入道《むとうさえもんにゅうどう》79実名《じつみょう》を知《し》らず、ならびに、80屋戸《やど》やの入道《にゅうどう》81実名《じつみょう》を知《し》らず、両大名《りょうだいみょう》におおせつけて、たずねあなぐ（探）られけるとき、ことの縁《えん》ありて聖人《しょうにん》をたずねいだしたてまつりき82もし常陸国笠間郡稲田郷《ひたちのくにかさまのこおりいなだのごう》に御経回《ごけいかい》の83比《ころ》か。聖人《しょうにん》その請《しょう》に応《よう》じましまして、一切経御校合《いっさいきょうごきょうごう》ありき。その最中《さいちゅう》、副将軍《ふくしょうぐん》、連々昵近《れんれんじっきん》したてまつるに、あるとき盃酌《はいしゃく》のみぎりにして、84種々《しゅじゅ》の85珍物《ちんぶつ》をととのえて、86諸大名面々《しょだいみょうめんめん》、数献《すうこん》の沙汰《さた》におよぶ。聖人《しょうにん》、別《べっ》して勇猛精進《ゆみょうしょうじん》の僧《そう》の威儀《いぎ》をただしくしましますことなければ、ただ世俗《せぞく》の入道《にゅうどう》、俗人等《ぞくじんとう》におなじき御振舞《おんふるまい》なり。よって、87魚鳥《ぎょちょう》の肉味等《にくみとう》をもきこしめさるること、御《おん》はばかりなし。ときに鱠《なます》を御前《ごぜん》に進《しん》ず。これをきこしめさるること、つねのごとし。袈裟《けさ》を御着用《ごじゃくよう》ありながらまいるとき、西《さい》明寺《みょうじ》の禅門《ぜんもん》、ときに開寿殿《かいじゅどの》とて、九歳《くさい》、さしよりて聖人《しょうにん》の御耳《おんみみ》に密談《びつだん》せられていわく、「あの入道《にゅうどう》ども面々魚食《めんめんぎょしょく》のときは袈裟《けさ》をぬぎてこれを食《じき》す。善信《ぜんしん》の御房《おんぼう》、いかなれば袈裟《けさ》を御着用《ごじゃくよう》ありながら食《しょく》しましますぞや。これ不審《ふしん》」と云々《うんぬん》　聖人《しょうにん》おおせられていわく、「あの入道達《にゅうどうたち》はつねにこれをもちいるについて、これを食《しょく》するときは袈裟《けさ》をぬぐべきことと覚悟《かくご》のあいだ、ぬぎてこれを食《しょく》するか。善信《ぜんしん》はかくのごときの食物《しょくぶつ》[88]邂逅《かいこう》なれば、おおけていそぎたべんとするにつきて、忘却《ぼうきゃく》してこれをぬがず」と云々《うんぬん》　開寿殿《かいじゅどの》、またもうされていわく、「この御答《ごとう》、御[89]偽言《ぎごん》なり。さだめてふかき御所存《ごしょぞん》あるか。開寿《かいじゅ》、[90]幼稚《ようち》なればとて、御蔑如《ごべつじょ》にこそ」とて、のきぬ。またあるとき、さきのごとくに袈裟《けさ》を御着服《ごじゃくぶく》ありながら御魚食《ごぎょしょく》あり。また、開寿殿《かいじゅどの》、さきのごとくにたずねもうさる。聖人《しょうにん》また御《ご》忘却《ぼうきゃく》とこたえましします。そのとき開寿殿《かいじゅどの》、「さのみ御廃忘《ごはいもう》あるべからず。これしかしながら、幼少《ようしょう》の愚意《ぐい》、深義《じんぎ》をわきまえしるべからざるによりて、御所存《ごしょぞん》をのべられざるものなり。まげ《(枉)》てただ実義《じつぎ》を述成《じゅつじょう》あるべし」と再三《さいさん》こざかしくのぞみもうされけり。そのとき聖人《しょうにん》のがれがたくして、幼童《ようどう》に対《たい》して、しめしましましていわく、「まれに人身《にんじん》をうけて[91]生命《しょうみょう》をほろぼし、肉味《にくみ》を[92]貪《とん》ずる事《こと》、はなはだしかるべからざることなり。されば如来《にょらい》の制誡《せいかい》にも、このこと、ことにさかんなり。しかれども、末法濁世《まっぽうじょくせ》の[93]今《いま》の時《とき》の衆生《しゅじょう》、無戒《むかい》のときなれば、たもつものもなく、破《は》するものもなし。これによりて、剃髪染衣《たいほつぜんえ》のそのすがた、ただ世俗《せぞく》の群類《ぐんるい》にこころおなじきがゆえに、これらを食《しょく》す。とても食《しょく》する程《ほど》ならば、かの生類《しょうるい》をして解脱《げだつ》せしむるようにこそ、ありたくそうらえ。しかるに、われ名字《みょうじ》を釈氏《しゃくし》にかるといえども、こころ俗塵《ぞくじん》にそみ《(染)》て、智《ち》もなく、徳《とく》もなし。なにによりてか、かの有情《うじょう》をすくうべきや。これによりて袈裟《けさ》はこれ、三世《さんぜ》の諸仏解脱幢相《しょぶつげだつどうそう》の霊服《れいふく》なり。これを着用《じゃくよう》しながら、かれを食《しょく》せば、袈裟《けさ》の徳用《とくゆう》をもって、済生利物《さいしょうりもつ》の願念《がんねん》をやはたすと存《ぞん》じて、これを着《じゃく》しながら、[94]かれを食《しょく》する物《もの》なり。冥衆《みょうしゅ》の照覧《しょうらん》をあおぎて、人倫《じんりん》の所見《しょけん》をはばからざること、かつは無慙無愧《むざんむき》のはなはだしきににたり。しかれども、所存《しょぞん》、かくのごとし」と云々《うんぬん》　このとき開寿《かいじゅ》どの、幼少《ようしょう》の身《み》として、感気《かんき》おもてにあらわれ、随喜《ずいき》、もっともふかし。一天四海《いってんしかい》をおさむべき棟梁《とうりょう》、その器用《きよう》はおさなくより、よう《（様）》あるものなりと、おおせごとありき。

[95]康永三歳（一三四四）甲申　孟夏上旬　七日　此巻書㆓写之㆒訖　桑門宗昭　七十五

（9）

[96]一　あるとき鸞上人《らんしょうにん》、黒谷《くろだに》の聖人《しょうにん》（法然）の禅《ぜん》[97]房《ぼう》へ[98]御参《ごさん》ありけるに、修行者一人《しゅぎょうじゃいちにん》、御《お》ともの下部《しもべ》に案内《あんない》していわく、「京中《きょうちゅう》に八宗兼学《はっしゅうけんがく》の名誉《めいよ》まします智恵第一《ちえだいいち》の聖人《しょうにん》の貴坊《きぼう》や、しらせたまえる」という。この様《よう》を御《おん》ともの下部《しもべ》、御車《おんくるま》のうちへもうす。鸞上人《らんしょうにん》のたまわく、「智恵第一《ちえだいいち》の聖人《しょうにん》の御《おん》[99]房《ぼう》とたずぬるは、もし源空聖人《げんくうしょうにん》の御事《おんこと》か。しからば、われこそただいま、[100]かの御坊《おんぼう》へ参《さん》ずる身《み》にてはんべれ。いかん。」修行者申《しゅぎょうじゃもう》していわく、「[101]そのことにそうろう。源空聖人《げんくうしょうにん》の御《おん》ことをたずね申《もう》すなり」と。鸞上人《らんしょうにん》のたまわく、「さらば先達《せんだち》すべし。この車《くるま》にのらるべし」と。修行者《しゅぎょうじゃ》おおきに辞《じ》し申《もう》して、「そのおそれあり。かなうべからず」と云々《うんぬん》　鸞上人《らんしょうにん》のたまわく、「[102]求法《ぐほう》のためならば、あながちに[103]隔心《きゃくしん》あるべからず。釈門《しゃくもん》のむつび、なにかくるしかるべき。ただのらるべし」[104]と。

[105]再三辞退《さいさんじたい》もうすといえども、御《おん》とものものに、「修行者《しゅぎょうじゃ》[106]かくるところのかご負《おい》をかくべし」と御下《ごげ》知《じ》ありて御車《おんくるま》にひきのせらる。しこうして、かの御坊《おんぼう》に御参《ごさん》ありて空聖人《くうしょうにん》の御前《ごぜん》にて、鸞上人《らんしょうにん》、「鎮西《ちんぜい》のものと申《もう》して、修行者一人《しゅぎょうじゃいちにん》、[107]求法《ぐほう》のためとて御[108]房《おんぼう》をたずね申《もう》して侍《はんべ》りつるを、路次《ろし》よりあいともないてまいりてそうろう。めさるべきをや」と云々《うんぬん》　空聖人《くうしょうにん》、「こなたへ招請《ちょうしょう》あるべし」とおおせあり。よりて鸞上人《らんしょうにん》、かの修行者《しゅぎょうじゃ》を御引導《ごいんどう》ありて、御前《ごぜん》へめさる。そのとき[109]空聖人《くうしょうにん》、かの修行者《しゅぎょうじゃ》をにらみましますに、修行者《しゅぎょうじゃ》また聖人《しょうにん》をにらみかえしたてまつる。かくてややひさしくたがいに[110]言説《ごんせつ》なし。しばらくありて空聖人《くうしょうにん》おおせられてのたまわく、「御《おん》[111]坊《ぼう》はいずこのひとぞ。またなにの用《よう》ありてきたれるぞや」と。修行者申《しゅぎょうじゃもう》していわく、「われはこれ鎮西《ちんぜい》のものなり。求法《ぐほう》のために花洛《からく》にのぼる。仍《よ》って推参《すいさん》つかまつるものなり」と。そのとき聖人《しょうにん》、「求法《ぐほう》とはいずれの法《ほう》をもとむるぞや」と。修行者申《しゅぎょうじゃもう》していわく、「念仏《ねんぶつ》の法《ほう》をもとむ」と。聖人《しょうにん》のたまわく、「念仏《ねんぶつ》は唐土《とうど》の念仏《ねんぶつ》か、日本《にっぽん》の念仏《ねんぶつ》か」と。修行者《しゅぎょうじゃ》しばらく[112]停滞《ていてい》す。しかれども、きと案《あん》じて、「唐土《とうど》の念仏《ねんぶつ》をもとむるなり」と云々《うんぬん》　聖人《しょうにん》のたまわく、「さては善導和尚《ぜんどうかしょう》の御弟子《おんでし》にこそあるなれ」と。そのとき修行者《しゅぎょうじゃ》ふところより、つま硯《すずり》をとりいだして、二字《にじ》をかきてささぐ。鎮西《ちんぜい》の聖光《しょうこう》[113]坊《ぼう》これなり。この聖光《しょうこう》ひじり、鎮西《ちんぜい》にしておもえらく、「みやこに世《よ》もって智恵第一《ちえだいいち》と称《しょう》する聖人《しょうにん》おわすなり。なにごとかは侍《はんべ》るべき。われすみやかに上洛《しょうらく》して、かの聖人《しょうにん》と問答《もんどう》すべし。そのとき、もし智恵《ちえ》すぐれてわれにかさ《(嵩)》まば、われまさに弟子《でし》となるべし。また問答《もんどう》にかたば、かれを弟子《でし》とすべし」と。

しかるに、この慢心《まんしん》を空聖人《くうしょうにん》、権者《ごんじゃ》として御覧《ごらん》ぜられければ、いまのごとくに[114]御問答《ごもんどう》ありけるにや。かのひじり、わが弟子《でし》とすべき事《こと》、橋《はし》たてても、およびがたかりけりと、慢幢《まんどう》たちまちにくだけければ、師資《しし》の礼《れい》をなして、たちどころに二字《にじ》をささげけり。

両三年《りょうさんねん》ののち、あるとき、かご負《おい》かきおいて、聖光《しょうこう》[115]坊《ぼう》、聖人《しょうにん》の御前《おんまえ》へまいりて、「本国恋慕《ほんごくれんぼ》のこころざしあるによりて、鎮西下向《ちんぜいげこう》つかまつるべし。いとま《（暇）》またまわるべし」と申《もう》す。すなわち御前《ごぜん》をまかりたちて出門《しゅつもん》す。聖人《しょうにん》のたまわく、「あたら修学者《しゅがくしゃ》が、もとどり《（髻）》をきらでゆくはとよ」と。その御《おん》こえ、はるかにみみにいりけるにや、たちかえりて申《もう》していわく、「聖光《しょうこう》は出家得度《しゅっけとくど》して、としひさし。しかるに本鳥《もとどり》をきらぬよし、おおせをこうぶる、もっとも不審《ふしん》。このおおせ、耳《みみ》にとまるによりて、みちをゆくにあたわず。ことの次第《しだい》うけたまわりわきまえんがために、かえりまいれり」と云々《うんぬん》　そのとき聖人《しょうにん》のたまわく、「法師《ほうし》には、みつのもとどりあり。いわゆる勝他《しょうた》・利養《りよう》・名聞《みょうもん》、これなり。この三箇年《さんかねん》のあいだ源空《げんくう》がのぶるところの[116]法文《ほうもん》をしるしあつめて随身《ずいしん》す。本国《ほんごく》にくだりて人《ひと》をしえたげんとす。これ勝他《しょうた》にあらずや。それにつきて、よき学生《がくしょう》といわれんとおもう。これ名聞《みょうもん》をねがうところなり。これによりて檀越《だんおつ》をのぞむこと、詮《せん》ずる所《ところ》、利養《りよう》のためなり。このみつのもとどりをそりすてずは、法師《ほうし》といいがたし。仍《よ》って、さ申《もう》しつるなり」と云々《うんぬん》　そのとき聖光《しょうこう》房《ぼう》、改悔《がいけ》の色《いろ》をあらわして、負《おい》のそこよりおさむるところの抄物《しょうもつ》どもをとりいでて、みな[117]やきすてて、またいとまを申《もう》していでぬ。しかれども、その余残《よざん》ありけるにや。ついにおおせをさしおきて、口伝《くでん》をそむきたる諸行往生《しょぎょうおうじょう》の自義《じぎ》を骨張《こっちょう》して、自障障他《じしょうしょうた》する事《こと》、祖師《そし》の遺訓《ゆいくん》をわすれ、諸天《しょてん》の冥慮《みょうりょ》をはばからざるにやと、おぼゆ。かなしむべし、おそるべし。しかれば、かの聖光《しょうこう》[118]坊《ぼう》は、最初《さいしょ》に鸞《らん》[119]上人《しょうにん》の御引導《ごいんどう》によりて、黒谷《くろだに》の門下《もんか》にのぞめる人《ひと》なり。末学《まつがく》、これをしるべし。

(10)　一　十八《じゅうはち》の願《がん》につきたる御釈《おんしゃく》の事《こと》。

[120]「彼仏今現在成仏《ひぶつこんげんざいじょうぶつ》」（往生礼讃）等《とう》。この御釈《おんしゃく》に世流布《せるふ》の本《ほん》には「在世《ざいせ》」とあり。しかるに黒谷《くろだに》・本願寺両師《ほんがんじりょうし》（法然・親鸞）ともに、この「世《せ》」の字《じ》を略《りゃく》して、ひかれたり。わたくしにそのゆえを案《あん》ずるに、略《りゃく》せらるる条《じょう》、もっともそのゆえあるか。まず『大乗同性経《だいじょうどうしょうきょう》』に[121]いわく、[122]「浄土中成仏悉是報身《じょうどちゅうじょうぶつしつぜほうじん》　穢土中成仏悉是化身《えどちゅうじょうぶつしつぜけしん》」[123]文《もん》　この文《もん》を依憑《えひょう》として、大師《だいし》（善導）、報身報土《ほうじんほうど》の義《ぎ》を成《じょう》ぜらるるに、[124]この「世《せ》」の字《じ》をおきては、すこぶる義理《ぎり》[125]浅近《せんごん》なるべしと、おぼしめさるるか。[126]そのゆえは、浄土中成仏《じょうどちゅうじょうぶつ》の弥陀如来《みだにょらい》につきて、「いま世《よ》にましまして」と、この文《もん》を訓《くん》ぜば、いますこし義理《ぎり》いわれざるか。極楽《ごくらく》[127]世界《せかい》とも釈《しゃく》せらるるうえは、「世《せ》」の字《じ》、いかでか報身報土《ほうじんほうど》の義《ぎ》にのくべきとおぼゆる篇《へん》もあれども、さればそれも、自宗《じしゅう》におきて浅近《せんごん》のかたを釈《しゃく》せらるるときの一往《いちおう》の義《ぎ》なり。

おおよそ諸宗《しょしゅう》におきて、おおくはこの字《じ》を浅《せん》[128]近《ごん》のときもちいつけたり。まず『倶舎論《くしゃろん》』の性相《しょうそう》 世間品《せけんぼん》[129]に[130]「安立器世間《あんりゅうきせけん》　風輪最居下《ふうりんさいこげ》」と（等）判《ばん》ぜり。器世間《きせけん》を建立《こんりゅう》するとき、この字《じ》をもちいる条《じょう》、分明《ふんみょう》なり。世親菩薩《せしんぼさつ》の所造《しょぞう》、もっともゆえあるべきをや、勿論《もちろん》なり。しかるに、わが真宗《しんしゅう》にいたりては、善導和尚《ぜんどうかしょう》の御《おん》こころによるに、すでに報身報土《ほうじんほうど》の廃立《はいりゅう》をもって規模《きぼ》とす。しかれば[131]「観彼世界相《かんぴせかいそう》　勝過三界道《しょうがさんがいどう》」(論)の[132]論文《ろんもん》をもっておもうに、三界《さんがい》の道《どう》に勝過《しょうが》せる報土《ほうど》にして正覚《しょうがく》を成《じょう》ずる弥陀如来《みだにょらい》のことをいうとき、世間浅近《せけんせんごん》の事《じ》にもちいならいたる「世《せ》」の字《じ》をもって、いかでか義《ぎ》を成《じょう》ぜらるべきや。この道理《どうり》によりて、いまの一字《いちじ》を略《りゃく》せらるるかとみえたり。されば「彼《ひ》仏今現在成仏《ぶつこんげんざいじょうぶつ》」とつづけて、これを訓《くん》ずるに、「かの仏《ぶつ》、いま現在《げんざい》して成仏《じょうぶつ》したまえり」と訓《くん》ずれば、はるかにききよきなり。義理《ぎり》といい、文点《もんてん》といい、この一字《いちじ》、もっともあまれるか。この道理《どうり》をもって、両祖《りょうそ》の御相伝《ごそうでん》を推験《すいけん》して、八宗兼学《はっしゅうけんがく》の了然上人《りょうねんしょうにん》　ことに三論宗《さんろんしゅう》　に、いまの料簡《りょうけん》を談話《だんかい》せしに、「浄土真宗《じょうどしんしゅう》におきてこの一義相伝《いちぎそうでん》なしといえども、この料簡《りょうけん》もっとも同《どう》ずべし」と云々《うんぬん》

(11)一　助業《じょごう》をなおかたわらにしましまする事《こと》。

鸞聖人《らんしょうにん》、東国《とうごく》に御経回《ごけいかい》のとき、御風気《ごふうけ》とて三日三夜《さんにちさんや》、ひき(引)かずき(被)て、水漿不通《しいしょうふつう》しましますことありき。つねのときのごとく、御腰膝《おんこしひざ》をうたせらるることもなし。御煎物《おんせんじもの》などいうこともなし。御看《ごかん》病《びょう》の人《ひと》をちかくよせらるる事《こと》もなし。三箇日《さんかにち》と申《もう》すとき、「噫《ああ》、いまはさてあらん」とおおせごとありて、[133]御起居《ごききょ》[134]御平復《ごへいふく》、もとのごとし。そのとき恵信《えしん》の御房《おんぼう》　男女六人《なんにょろくにん》の君達《きんだち》の御母儀《ごぼぎ》　たずねもうされていわく、「御風気《みふうき》とて両三日《りょうさんにち》[135]御寝《ぎょしん》のところに、いまはさてあらんと、おおせごとあること、なにごとぞや」と。聖人《しょうにん》しめしましましてのたまわく、「われこの三箇年《さんかねん》のあいだ、浄土《じょうど》の三部経《さんぶきょう》をよむ事《こと》、おこたらず。おなじくは、千部《せんぶ》よまばやとおもいて、これをはじむるところに、またおもうよう、

[136]「自信教人信《じしんきょうにんしん》　難中転更難《なんちゅうてんきょうなん》」（往生礼讃）とみえたれば、みずからも信《しん》じ、ひとをおしえても信《しん》ぜしむるほかは、なにのつとめかあらんに、この三部経《さんぶきょう》の部数《ぶしゅ》をつむこと、われながらこころえられずと、おもいなりて、このことをよくよく案《あん》じさだめん料《りょう》に、そのあいだはひきかずきてふしぬ。つねのやまいにあらざるほどに、いまはさてあらんと、いいつるなり」とおおせごとありき。わたくしにいわく、つらつらこの事《こと》を案《あん》ずるに、ひとの[137]夢想《むそう》のつげのごとく、観音《かんのん》の垂迹《すいしゃく》として、一向専念《いっこうせんねん》の一義《いちぎ》を御弘通《ごぐずう》あること[138]掲焉《けちえん》[139]なり。

(12)

一　聖人本地観音《しょうにんほんじかんのん》の事《こと》。

下野国《しもつけのくに》、さぬきと[140]いうところにて恵信《えしん》の御房《おんぼう》の御《ご》[141]夢想《むそう》にいわく、「堂供養《どうくよう》するとおぼしきところあり。試楽《しがく》ゆゆしく厳重《げんちょう》にとりおこなえるみぎりなり。ここに虚空《こくう》に神社《じんじゃ》の鳥居《とりい》のようなるすがたにて、木《き》をよこたえたり。それに絵像《えぞう》の本尊二鋪《ほんぞんにふく》かかりたり。一鋪《いっぷく》は[142]形体《ぎょうたい》ましまさず。ただ金色《こんじき》の光明《こうみょう》のみなり。いま一鋪《いっぷく》は、ただしくその尊形《そんぎょう》あらわれまします。その[143]形体《ぎょうたい》ましまさざる本尊《ほんぞん》を、人《ひと》ありて、また人《ひと》に、「あれはなに仏《ぶつ》にてましますぞや」と問《と》う。ひとこたえていわく、「あれこそ大勢至菩薩《だいせいしぼさつ》にてましませ。すなわち源空聖人《げんくうしょうにん》の御《おん》ことなり」と云々《うんぬん》　また問《と》うていわく、「いま一鋪《いっぷく》の[144]尊形《そんぎょう》あらわれたまうを、あれは又《また》なに仏《ぶつ》ぞや」と。人《ひと》こたえていわく、「あれは大悲観世音菩薩《だいひかんぜおんぼさつ》にてましますなり。あれこそ善信《ぜんしん》の御房《おんぼう》にてわたらせたまえ」と申《もう》すとおぼえて、夢《ゆめ》さめおわりぬ」と云々《うんぬん》　この事《こと》を聖人《しょうにん》にかたり申《もう》さるるところに、「「そのことなり。大勢至菩薩《だいせいしぼさつ》は[145]智恵《ちえ》をつかさどりまします菩薩《ぼさつ》なり。すなわち智恵《ちえ》は光明《こうみょう》とあらわるるによりて、ひかりばかりにて、その[146]形体《ぎょうたい》はましまさざるなり。先師源空聖人《せんしげんくうしょうにん》、勢至菩薩《せいしぼさつ》の化身《けしん》にましますということ、世《よ》もって人《ひと》のくちにあり」とおおせごとありき。鸞聖人《らんしょうにん》の御本地《ごほんじ》の様《よう》は、御《おん》ぬしに申《もう》さん事《こと》、わが身《み》としては、はばかりあれば申《もう》しいだすにおよばず。かの夢想《むそう》ののちは、心中《しんじゅう》に渇仰《かつごう》のおもいふかくして、年月《としつき》をおくるばかりなり。すでに[147]御帰京《ごききょう》ありて、御入滅《ごにゅうめつ》のよし、うけ給《たま》わるについて、わがちち《（父）》は、かかる権者《ごんじゃ》にてましましけると、しりたてまつられんがために、しるし申《もう》すなり」とて、越後《えちご》の国府《こう》よりとどめおき申《もう》さるる恵信《えしん》の御房《おんぼう》の御文《おんふみ》、弘長三年春《こうちょうさんねんはる》の比《ころ》、御《おん》むすめ覚信《かくしん》の御房《おんぼう》へ進《しん》ぜらる。

わたくしにいわく、源空聖人《げんくうしょうにん》、勢至菩薩《せいしぼさつ》の化現《けげん》として、本師弥陀《ほんじみだ》の教文《きょうもん》を和国《わこく》に弘興《ぐこう》しまします。親鸞上人《しんらんしょうにん》、観世音菩薩《かんぜおんぼさつ》の垂迹《すいしゃく》として、ともにおなじく無碍光如来《むげこうにょらい》の智炬《ちこ》を本朝《ほんちょう》にかがやかさんために、師弟《してい》となりて口決相承《くけつそうじょう》しましますこと、あきらかなり。あおぐべし、とうとむべし。

(13) 一　蓮位房《れんいぼう》　聖人常随《しょうにんじょうずい》の御門弟《ごもんてい》、真宗稽古《しんしゅうけいこ》の学者《がくしゃ》、俗姓源三位《ぞくしょうげんざんみ》[148]頼政卿《よりまさのきょう》順《じゅん》[149]孫《そん》　夢想《むそう》の記《き》。

「建長八歳《けんちょうはちさい》　丙辰《ひのえたつ》　二月九日《にがつここぬか》の夜《よ》、寅《とら》の時《とき》、釈《しゃく》の蓮位《れんい》、夢《ゆめ》に聖徳太子《しょうとくたいし》の勅命《ちょくめい》をこうぶる。皇太子《こうたいし》の尊容《そんよう》を示現《じげん》して、釈《しゃく》の親鸞法師《しんらんほっし》にむかわしめましまして、文《もん》を誦《じゅ》して、親鸞聖人《しんらんしょうにん》を敬礼《きょうらい》しまします。その[150]告命《ごうみょう》の文《もん》にのたまわく、「敬礼大慈阿弥陀仏《きょうらいだいじあみだぶつ》　為妙教流通来生者《いみょうきょうるずうらいしょうしゃ》　五濁悪時悪世界中《ごじょくあくじあくせかいちゅう》　決定即得無上覚也《けつじょうそくとくむじょうかくや》」[151]文《もん》　この文《もん》のこころは、大慈阿弥陀仏《だいじあみだぶつ》を敬《うやま》い礼《らい》したてまつるなり。[152]妙《たえ》なる教《のり》、流通《るずう》のために[153]来生《らいしょう》せるものなり。五濁悪時悪世界《ごじょくあくじあくせかい》のなかにして、[154]決定《けつじょう》して、すなわち[155]上無《うえな》き覚《さとり》を[156]えしめたるなりといえり。蓮位《れんい》、ことに皇太子《こうたいし》を[157]恭敬《くぎょう》し尊重《そんじゅう》したてまつるとおぼえて、ゆめさめて、すなわちこの文《もん》をかきおわりぬ。」

わたくしにいわく、この夢想《むそう》の記《き》をひらくに、祖師聖人《そししょうにん》、あるいは観音《かんのん》の垂迹《すいしゃく》とあらわれ、あるいは本師弥陀《ほんじみだ》の[158]来現《らいげん》としめしまします事《こと》、あきらかなり。弥陀《みだ》・観音一体異名《かんのんいったいいみょう》、ともに相違《そうい》あるべからず。しかれば、かの御相承《ごそうじょう》、その述義《じゅつぎ》を口決《くけつ》の末流《ばつりゅう》、他《た》にことなるべき条《じょう》、傍若無人《ぼうじゃくぶじん》といいつべし。しるべし。

(14)
一　体失《たいしつ》、不体失《ふたいしつ》の往生《おうじょう》の事《こと》。

上人《しょうにん》 [159]親鸞《しんらん》 のたまわく、「先師聖人《せんししょうにん》 源空《げんくう》 の御《おん》とき、はかりなき[160]法文諍論《ほうもんじょうろん》のことありき。善信《ぜんしん》は、「念仏往生《ねんぶつおうじょう》の機《き》は体失《たいしつ》せずして往生《おうじょう》をとぐ」という。小坂《こさか》の善恵房《ぜんえぼう》 証空《しょうくう》 は、「体失《たいしつ》してこそ往生《おうじょう》はとぐれ」と云々《うんぬん》　この相論《そうろん》なり。ここに同朋《どうぼう》のなかに勝劣《しょうれつ》を分別《ふんべつ》せんがために、あまた大師聖人《だいししょうにん》 源空《げんくう》 の御前《ごぜん》に参《さん》じて申《もう》されていわく、「善信《ぜんしん》の御房《おんぼう》と善恵《ぜんえ》の御房《おんぼう》と[161]法文諍論《ほうもんじょうろん》のことはんべり」とて、かみ、くだんのおもむきを一々《いちいち》にのべ申《もう》さるるところに、大師聖人《だいししょうにん》 源空《げんくう》 [162]のおおせに[163]のたまわく、善信房《ぜんしんぼう》の体失《たいしつ》せずして往生《おうじょう》すとたてらるる条《じょう》は、やがて、「さぞ」と御証判《ごしょうはん》あり。善恵房《ぜんえぼう》の体失《たいしつ》してこそ往生《おうじょう》はとぐれとたてらるるも、またやがて、「さぞ」とおおせあり。これによりて両方《りょうほう》の是非《ぜひ》わきまえがたきあいだ、そのむねを衆中《しゅじゅう》よりかさねてたずね申《もう》すところに、おおせに[164]のたまわく、「善恵房《ぜんえぼう》の体失《たいしつ》して往生《おうじょう》するよしのぶるは、諸行往生《しょぎょうおうじょう》の機《き》なればなり。善信房《ぜんしんぼう》の体失《たいしつ》せずして往生《おうじょう》するよし申《もう》さるるは、念仏往生《ねんぶつおうじょう》の機《き》なればなり。[165]「如来教法元無二《にょらいきょうぼうがんむに》」（法事讃）なれども、[166]「正為衆生機不同《しょういしゅじょうきふどう》」（同）なれば、わが根機《こんき》にまかせて領解《りょうげ》する条《じょう》、宿善《しゅくぜん》の[167]厚薄《こうはく》によるなり。念仏往生《ねんぶつおうじょう》は仏《ぶつ》の本願《ほんがん》なり。諸行往生《しょぎょうおうじょう》は本願《ほんがん》にあらず。念仏往生《ねんぶつおうじょう》には臨終《りんじゅう》の善悪《ぜんあく》を沙汰《さた》せず。[168]至心信楽《ししんしんぎょう》の帰命《きみょう》の一心《いっしん》、他力《たりき》よりさだまるとき、[169]「即得往生《そくとくおうじょう》　住不退転《じゅうふたいてん》」（大経）の道理《どうり》を、善知識《ぜんじしき》におう（遇）て、聞持《もんじ》する平生《へいぜい》のきざみに治定《じじょう》するあいだ、この穢体亡失《えたいもうしつ》せずといえども、業事成《ごうじじょう》弁《べん》すれば、体失《たいしつ》せずして往生《おうじょう》すと、いわるるか。本願《ほんがん》の文《もん》あきらかなり。かれをみるべし。つぎに諸行往生《しょぎょうおうじょう》の機《き》は、臨終《りんじゅう》を期《ご》し、来迎《らいこう》をまちえずしては、胎生辺地《たいしょうへんじ》までもうまるべからず。このゆえに、この穢体亡失《えたいもうしつ》するときならでは、その期《ご》するところなきによりて、そのむねをのぶるか。第《だい》十九《じゅうく》の願《がん》にみえたり。勝劣《しょうれつ》の一段《いちだん》におきては、念仏往生《ねんぶつおうじょう》は本願《ほんがん》なるについて、あまねく十方衆生《じっぽうしゅじょう》にわたる。諸行往生《しょぎょうおうじょう》は非本願《ひほんがん》なるによりて、定散《じょうさん》の機《き》にかぎる。本願念仏《ほんがんねんぶつ》の機《き》の不体失往生《ふたいしつおうじょう》と、非本願諸行往生《ひほんがんしょぎょうおうじょう》の機《き》の体失往生《たいしつおうじょう》と、殿最懸隔《でんさいけんかく》にあらずや。いずれも文釈《もんしゃく》、ことばにさきだちて歴《れき》然《ぜん》なり。」」

（15）
[170]一　真宗所立《しんしゅうしょりゅう》の報身如来《ほうじんにょらい》、諸宗通途《しょしゅうつうず》の三身《さんしん》を開出《かいしゅつ》する事《こと》。

弥陀如来《みだにょらい》を報身如来《ほうじんにょらい》とさだむること、自他宗《じたしゅう》をいわず、[171]古来《こらい》の義勢《ぎせい》、ことふり（事旧）んたり。されば荊《けい》渓《けい》（湛然）は、[172]「諸教所讃多在弥陀《しょきょうしょさんたざいみだ》」（止観輔行）とものべ、檀那院《だんないん》の覚運和尚《かくうんかしょう》は、また[173]「久遠実成《くおんじつじょう》弥陀仏《みだぶつ》　永異諸経之所説《よういしょきょうししょせつ》」（念仏宝号）と釈《しゃく》せらる。しかのみならず、わが朝《ちょう》の先哲《せんてつ》は、しばらくさしおく。[174]宗師《しゅうし》異朝《いちょう》の善導大師《ぜんどうだいし》の御釈《おんしゃく》（法事讃）にのたまわく、[175]「上《かみ》、海徳《かいとく》[176]初際如来《しょさいにょらい》より、乃至今《ないしこん》時《じ》の釈迦諸仏《しゃかしょぶつ》、皆《みな》弘誓《ぐぜい》に乗《の》りて、悲智《ひち》双《なら》べ行《ぎょう》ず」と等《ら》、釈《しゃく》せらる。しかれば、海徳仏《かいとくぶつ》より本師釈《ほんじしゃく》尊《そん》にいたるまで、番々《ばんばん》、出世《しゅっせ》の諸仏《しょぶつ》、弥陀《みだ》の弘誓《ぐぜい》に乗《じょう》じて、自利利他《じりりた》したまえるむね、顕然《けんぜん》なり。覚運和尚《かくうんかしょう》の釈義《しゃくぎ》、釈尊《しゃくそん》も久遠正覚《くおんしょうがく》の弥陀《みだ》ぞとあらわさるるうえは、いまの和尚《かしょう》（善導）の御釈《おんしゃく》にえあわ《（会合）》すれば、最初海徳《さいしょかいとく》より以来《このかた》の仏仏《ぶつぶつ》も、みな久遠正覚《くおんしょうがく》の弥陀《みだ》の化身《けしん》たる条《じょう》、道理文証必然《どうりもんしょうひつぜん》なり。[177]「一字一言《いちじいちごん》加減《かげん》すべからず。ひとつ経法《きょうぼう》のごとくすべし」（散善義）とのべまします、光明寺《こうみょうじ》（善導）のいまの御釈《おんしゃく》は、もっぱら仏経《ぶっきょう》に准《じゅん》ずるうえは、自宗《じしゅう》の正依経《しょうえきょう》たるべし。傍依《ぼうえ》の経《きょう》にまたあまたの証説《しょうせつ》あり。『楞伽経《りょうがきょう》』にのたまわく、[178]「十方諸刹土《じっぽうしょせつど》　衆生菩薩中《しゅじょうぼさっちゅう》　所有法報身《しょうほっぽうしん》　化《け》身及変化《しんぎゅうへんげ》　皆従無量寿《かいじゅうむりょうじゅ》　極楽界中出《ごくらくかいちゅうしゅつ》」[179]文《もん》　ととけり。また『般舟経《はんじゅきょう》』にのたまわく、[180]「三世《さんぜ》諸仏念弥陀三昧成等正覚《しょぶつねんみださんまいじょうとうしょうがく》」ともとけり。

　諸仏自利利他《しょぶつじりりた》の願行《がんぎょう》、弥陀《みだ》をもってあるじとして、分身遣化《ふんじんけんけ》の利生方便《りしょうほうべん》をめぐらすこと、[181]掲焉《いちじる》し。これによりて、久遠実成《くおんじつじょう》の弥陀《みだ》をもって、報身如来《ほうじんにょらい》の本体《ほんたい》とさだめて、これより応迹《おうしゃく》をたるる諸仏通総《しょぶつつうそう》の法《ほっ》・報《ぽう》・応《おう》等《とう》の三身《さんしん》は、みな弥陀《みだ》の化用《けゆう》たりということを、しるべきものなり。しかれば報身《ほうじん》という名言《みょうごん》は、久遠実成《くおんじつじょう》の弥陀《みだ》に属《ぞく》して、常住法身《じょうじゅうほっしん》の体《たい》たるべし。通総《つうそう》の三身《さんしん》は、かれよりひらきいだすところの[182]浅近《せんごん》の機《き》におもむく所《ところ》の作用《さゆう》なり。されば聖道難行《しょうどうなんぎょう》にたえざる機《き》を如来《にょらい》出世《しゅっせ》の本意《ほんい》にあらざれども、易行易修《いぎょういしゅ》なるところをとりどころとして、いまの浄土教《じょうどきょう》の念仏三昧《ねんぶつさんまい》をば衆機《しゅき》にわたしてすすむるぞと、みなひと、おもえるか。いまの黒谷《くろだに》の大勢至菩薩化現《だいせいしぼさつけげん》の聖人《しょうにん》（法然）より代々血脈相承《だいだいけちみゃくそうじょう》の正義《しょうぎ》におきては、しかん（然）はあらず。海徳仏《かいとくぶつ》よりこのかた釈尊《しゃくそん》までの説《せっ》教《きょう》、出世《しゅっせ》の本意《ほんい》、久遠実成弥陀《くおんじつじょうみだ》のたち（立）ど（処）より、法蔵正覚《ほうぞうしょうがく》の浄土教《じょうどきょう》のおこるをはじめとして、衆《しゅ》生済度《じょうさいど》の方軌《ほうき》とさだめて、この浄土《じょうど》の[183]機法《きほう》、とのおらざるほど、しばらく在世《ざいせ》の権機《ごんき》に対《たい》して、方便《ほうべん》の教《きょう》として、五時《ごじ》の教《きょう》をときたまえりとしるべし。たとえば月《つき》まつほどの手《て》すさみの風情《ふぜい》なり。

いわゆる三経《さんぎょう》の説時《せつじ》をいうに、『大無量寿経《だいむりょうじゅきょう》』は、法《ほう》の真実《しんじつ》なるところをときあらわして、対機《たいき》はみな権機《ごんき》なり。『観無量寿経《かんむりょうじゅきょう》』は、機《き》の真実《しんじつ》なるところをあらわせり。これすなわち実機《じっき》なり。いわゆる五障《ごしょう》の女人韋提《にょにんいだい》をもって対機《たいき》として、とおく末世《まっせ》の女人《にょにん》・悪人《あくにん》にひとしむるなり。『小阿《しょうあ》弥陀経《みだきょう》』は、さきの機法《きほう》の真実《しんじつ》をあらわす二経《にきょう》を合説《がっせつ》して、[184]「不可以少善根《ふかいしょうぜんごん》　福徳因縁《ふくとくいんねん》　得生彼《とくしょうひ》国《こく》」と等《ら》、とける。無上大利《むじょうだいり》の名願《みょうがん》を、一日七日《いちにちしちにち》の執持名号《しゅうじみょうごう》にむすびとどめて、ここを証誠《しょうじょう》する諸仏《しょぶつ》の実語《じつご》を顕説《けんせつ》せり。これによりて[185]「世尊説法時将了《せそんせっぽうじしょうりょう》」（法事讃）と等《ら》、釈《しゃく》　光明寺《こうみょうじ》（善導）しまします。一代《いちだい》の説教《せっきょう》、むしろをまきし肝要《かんよう》、いまの弥陀《みだ》の名願《みょうがん》をもって、附属流通《ふぞくるずう》の本意《ほんい》とする条《じょう》、文《もん》にありてみつべし。いまの三経《さんぎょう》をもって、末世造悪《まっせぞうあく》の凡機《ぼんき》に[186]とききかせ、聖道《しょうどう》の諸教《しょきょう》をもっては、その序分《じょぶん》とすること、光明寺《こうみょうじ》（同）の処々《しょしょ》の御釈《おんしゃく》に歴然《れきぜん》たり。ここをもって諸仏出世《しょぶつしゅっせ》の本意《ほんい》とし、衆生得脱《しゅじょうとくだつ》の本源《ほんげん》とする条《じょう》、あきらかなり。いかにいわんや、諸宗出世《しょしゅうしゅっせ》の本懐《ほんがい》とゆるす『法《ほっ》華《け》』において、いまの浄土教《じょうどきょう》は、同味《どうみ》の教《きょう》なり。『法華《ほっけ》』の説時《せつじ》、八箇年中《はっかねんちゅう》に王宮《おうぐう》に五逆《ごぎゃく》[187]発現《ほつげん》のあいだ、このときにあたりて、霊鷲山《りょうじゅせん》の会座《えざ》を[188]没《もっ》して、王宮《おうぐう》に降臨《ごうりん》して、他力《たりき》をとかれしゆえなり。これらみな、海徳以来乃至釈迦一代《かいとくいらいないししゃかいちだい》の出世《しゅっせ》の元意《がんい》、弥陀《みだ》の一教《いっきょう》をもって本《ほん》とせらるる[189]太都《たいと》なり。[190]

⒃

[191]一　信《しん》のうえの称名《しょうみょう》の事《こと》。

聖人《しょうにん》親鸞《しんらん》の御弟子《おんでし》に、高田《たかだ》の覚信房《かくしんぼう》[192]太郎入道《たろうにゅうどう》と号《ごう》す。というひとありき。重病《じゅうびょう》をうけて御坊《おんぼう》中《ちゅう》にして[193]獲麟《かくりん》にのぞむとき、聖人《しょうにん》親鸞《しんらん》入御《じゅぎょ》ありて危急《ききゅう》の体《てい》を御覧《ごらん》ぜらるるところに、[194]呼吸《こきゅう》のいきあらくして、すでにたえなんとするに、称名《しょうみょう》おこたらず、ひまなし。そのとき聖人《しょうにん》たずねおおせられてのたまわく、「そのくるしげさに、念仏強盛《ねんぶつごうじょう》の条《じょう》、まず神妙《しんびょう》たり。ただし所存不審《しょぞんふしん》、いかん」と。覚信房《かくしんぼう》こたえもうされていわく、「よろこび、すでにちかづけり。存《ぞん》ぜん事《こと》、[195]一瞬《いっしゅん》にせまる。刹那《せつな》のあいだたりというとも、いきのかよわんほどは、往生《おうじょう》の大益《だいやく》をえたる仏恩《ぶっとん》を報謝《ほうしゃ》せずんば、あるべからずと存《ぞん》ずるについて、かくのごとく報謝《ほうしゃ》のために称名《しょうみょう》つかまつるものなり」と云々《うんぬん》　このとき[196]上人《しょうにん》、[197]年来常随給仕《ねんらいじょうずいきゅうじ》のあいだの[198]提撕《ていせい》、そのしるしありけりと御感《ぎょかん》のあまり、随喜《ずいき》の御《ご》[199]落涙《らくるい》、千行万行《せんこうばんこう》なり。

しかれば、わたくしにこれをもってこれを案《あん》ずるに、真宗《しんしゅう》の肝要《かんよう》、安心《あんじん》の要須《ようす》、これにあるものか。自力《じりき》の称名《しょうみょう》をはげみて、臨終《りんじゅう》のとき、はじめて蓮台《れんだい》にあなうら（足裏）をむすばんと期《ご》するともがら、前世《ぜんせ》の業因《ごういん》しりがたければ、いかなる死《し》の縁《えん》かあらん。火《ひ》にやけ、みずにおぼれ、[200]刀剣《とうけん》にあたり、乃至《ないし》寝死《ねじに》までもみなこれ、過去《かこ》の宿因《しゅくいん》にあらずということなし。もしかく[201]のごとくの死《し》の縁《えん》、身《み》にそなえたらば、さらにのがるることあるべからず。もし[202]怨敵《おんてき》のために害《がい》せられば、その一刹那《いっせつな》に、凡夫《ぼんぶ》としておもうところ、[203]怨結《おんけつ》のほか、なんぞ他念《たねん》あらん。また寝死《ねじに》においては、本心《ほんしん》いきの(絶)たゆるきわをしらざるうえは、臨終《りんじゅう》を期《ご》する先途《せんど》、すでにむなしくなりぬべし。いかんしてか念仏《ねんぶつ》せん。またさきの殺害《せつがい》の機《き》、怨念《おんねん》のほか、他《た》あるべからざるうえは、念仏《ねんぶつ》するにいとまあるべからず。終《しゅう》焉《えん》を期《ご》する前途《せんど》、またこれもむなし。[204]仮令《けりょう》かくのごときらの死《し》の縁《えん》にあわん機《き》、日《ひ》ごろの所存《しょぞん》に[205]違《い》せば、往生《おうじょう》すべからずと、みなおもえり。たとい本願《ほんがん》の正機《しょうき》たりというとも、これらの失《しつ》、難治《なんじ》不可得《ふかとく》なり。いわんやもとより自力《じりき》の称名《しょうみょう》は、臨終《りんじゅう》の所期《しょご》、おもいのごとくならん定《じょう》、辺地《へんじ》の往《おう》生《じょう》なり。いかにいわんや、過去《かこ》の業縁《ごうえん》のがれがたきによりて、これらの[206]障難《しょうなん》にあわん機《き》、涯分《がいぶん》の所存《しょぞん》も達《たっ》せんこと、かたきがなかにかたし。その[207]うえは、また懈慢辺地《けまんへんじ》の往生《おうじょう》だにもかなうべからず。これみな本願《ほんがん》にそむくがゆえなり。

ここをもって御釈《おんしゃく》[208]浄土文類《じょうどもんるい》にのたまわく、[209]「憶念弥陀仏本願《おくねんみだぶつほんがん》　自然即時入必定《じねんそくじにゅうひつじょう》　唯能常称《ゆいのうじょうしょう》如来号《にょらいごう》　応報大悲弘誓恩《おうほうだいひぐぜいおん》」(正信偈)とみえたり。ただよく如来《にょらい》のみなを[210]称《しょう》して、大悲弘誓《だいひぐぜい》の恩《おん》をむくいたてまつるべしと。平生《へいぜい》に善知識《ぜんじしき》のおしえをうけて、信心開発《しんじんかいほつ》するきざみ、正定聚《しょうじょうじゅ》のくらいに住《じゅう》すとたのみなん機《き》は、ふたたび臨終《りんじゅう》の[211]時分《じぶん》に[212]往益《おうやく》をまつべきにあらず。そののちの称名《しょうみょう》は、仏恩報謝《ぶっとんほうしゃ》の他力催促《たりきさいそく》の大行《だいぎょう》たるべき条《じょう》、文《もん》にありて顕然《けんぜん》なり。これによりて、かの御弟子《おんでし》、最後《さいご》のきざみ、御相承《ごそうじょう》の眼目《げんもく》、相違《そうい》なきについて[213]御感涙《ごかんるい》をながさるるものなり。しるべし。

(17)一　凡夫《ぼんぶ》として[214]毎事《まいじ》勇猛《ゆみょう》のふるまい、みな虚仮《こけ》たる事《こと》。

愛別離苦《あいべつりく》におう《(遇)》て、父母妻子《ぶもさいし》の別離《べつり》をかなしむとき、仏法《ぶっぽう》をたもち、念仏《ねんぶつ》する機《き》、いう甲斐《かい》なくなげきかなしむこと、しかるべからずとて、かれをはじ《(恥)》しめ、いさむ《(諫)》ること、多分先達《たぶんせんだち》めきたるともがら、みなかくのごとし。この条《じょう》、聖道《しょうどう》の諸宗《しょしゅう》を行学《ぎょうがく》する機《き》のおもいならわしにて、浄土真宗《じょうどしんしゅう》の機教《ききょう》をしらざるものなり。まず凡夫《ぼんぶ》は、ことにおいて、つたなく、おろかなり。その奸詐《かんさ》なる性《しょう》の実《じつ》なるをうず《(埋)》みて賢善《けんぜん》なるよしをもてなすは、みな不実虚仮《ふじつこけ》なり。たとい未来《みらい》の生処《しょうじょ》を弥陀《みだ》の報土《ほうど》とおもいさだめ、ともに浄土《じょうど》の再会《さいかい》をうたがいなしと期《ご》すとも、おくれさきだつ一旦《いったん》のかなしみ、まどえる凡夫《ぼんぶ》として、なんぞこれなからん。なかんずくに、曠劫流転《こうごうるてん》の世々生々《せせしょうじょう》の芳契《ほうけい》、今生《こんじょう》をもって輪転《りんでん》の結句《けっく》とし、愛執愛着《あいしゅうあいじゃく》のかりのやど、この人界《にんがい》の火宅《かたく》、出離《しゅつり》の[215]旧里《きゅうり》たるべきあいだ、依正二報《えしょうにほう》ともに、いかでかなごりおしからざらん。これをおもわずんば、凡衆《ぼんしゅ》の摂《しょう》にあらざるべし。けなりげ《(健気)》ならんこそ、あやまって自力聖道《じりきしょうどう》の機《き》たるか。いまの浄土他力《じょうどたりき》の機《き》にあらざるかとも、うたがいつべけれ。おろかにつたなげにして、なげきかなしまんこと、他力往生《たりきおうじょう》の機《き》に相応《そうおう》たるべし。うちまかせて[216]の凡夫《ぼんぶ》のありさまにかわりめあるべからず。往生《おうじょう》の一大事《いちだいじ》をば、如来《にょらい》にまかせたてまつり、今生《こんじょう》の身《み》のふるまい、心《こころ》のむけよう、口《くち》にいうこと、貪《とん》・瞋《じん》・痴《ち》の三毒《さんどく》を根《ね》として、殺生《せっしょう》等《とう》の十悪《じゅうあく》、穢身《えしん》のあらんほどは、たちがたく、伏《ぶく》しがたきによりて、これをはなるること、あるべからざれば、なかなかおろかにつたなげなる煩悩成就《ぼんのうじょうじゅ》の凡夫《ぼんぶ》にて、[217]ただありに、かざるところなきすがたにてはんべらんこそ、浄土真宗《じょうどしんしゅう》の本願《ほんがん》の正機《しょうき》たるべけれと、まさしくおおせありき。

されば、つねのひとは、妻子眷属《さいしけんぞく》の愛執《あいしゅう》ふかきをば、臨終《りんじゅう》のきわにはちかづけじ、みせじと、ひきさくるならいなり。それというは、着[218]想《じゃくそう》にひかれて、悪道《あくどう》に[219]堕《だ》せしめざらんがためなり。この条《じょう》、自力聖道《じりきしょうどう》のつねのこころなり。[220]他力真宗《たりきしんしゅう》には、この義《ぎ》あるべからず。そのゆえは、いかに境界《きょうがい》を[221]絶離《ぜつり》すというとも、たもつところの他力《たりき》の仏法《ぶっぽう》なくは、なにをもってか、生死《しょうじ》を[222]出離《しゅつり》せん。たとい妄愛《もうあい》の迷心深重《めいしんじんじゅう》なりというとも、もとよりかかる機《き》をむねと[223]摂持《しょうじ》せんといでたちて、これがためにもうけられたる本願《ほんがん》なるによりて、至極大罪《しごくだいざい》の五逆謗法《ごぎゃくほうぼう》等の無間《むけん》の業因《ごういん》を、おもしとしましまさざれば、まして[224]愛別離苦《あいべつりく》にたえざる悲嘆《ひたん》にさえらるべからず。浄土往生《じょうどおうじょう》の信心成就《しんじんじょうじゅ》したらんにつけても、このたびが輪回生死《りんねしょうじ》のはてなれば、なげきもかなしみも、もっともふかかるべきについて、[225]あとまくらにならびいて、[226]悲歎嗚咽《ひたんおうえつ》し、ひだりみぎに[227]群集《くんじゅう》して、恋慕涕泣《れんぼていきゅう》すとも、さらにそれによるべからず。さなからんこそ、凡夫《ぼんぶ》げ(気)もなくて、殆《ほとお》ど他力往生《たりきおうじょう》の機《き》には不相応《ふそうおう》なるかやともきらわれつべけれ。されば、みたからん境界《きょうがい》をも、はばかるべからず、なげきかなしまんをも、いさむべからずと云々《うんぬん》

(18)一　別離等《べつりとう》の苦《く》におう(遇)て、悲歎《ひたん》せんやからをば、仏法《ぶっぽう》のくすりをすすめて、そのおもいを[228]教誘《きょうゆう》すべき事《こと》。

人間《にんげん》の八苦《はっく》のなかに、さきにいうところの愛別離苦《あいべつりく》、これもっとも切《せつ》なり。まず生死界《しょうじかい》の、[229]すみ(住)はつ(果)べからざることわりをのべて、つぎに安養界《あんにょうかい》の常住《じょうじゅう》なるありさまをときて、うれえなげくばかりにて、うれえなげかぬ浄土《じょうど》をねがわずんば、未来《みらい》もまた、かかる[230]悲歎《ひたん》にあうべし。しかし[231]「唯《ゆい》聞《もん》[232]愁歎声《しゅうたんしょう》」(定善義)の六道《ろくどう》にわかれて、[233]「入彼涅槃城《にゅうひねはんじょう》」(同)の弥陀《みだ》の浄土《じょうど》にもうでんにはと、こしらえおもむけば、[234]闇冥《あんみょう》の[235]悲歎《ひたん》、ようやくにはれて、[236]摂取《せっしゅ》の光益《こうやく》に、などか帰《き》せざらん。つぎにかかるやからには、かなしみにかなしみをそうるようには、ゆめゆめとぶらうべからず。もししからば、とぶらいたるにはあらで、いよいよわびしめたるにてあるべし。「酒《さけ》はこれ[237]忘憂《ぼうゆう》の名《な》あり。これをすすめて、わらうほどになぐさめて、さるべし。さてこそとぶらいたるにてあれ」と、おおせありき。しるべし。

(19)一　如来《にょらい》の本願《ほんがん》は、もと凡夫《ぼんぶ》のためにして、聖人《しょうにん》のためにあらざる事《こと》。

本願寺《ほんがんじ》の聖人《しょうにん》(親鸞)、黒谷《くろだに》の先徳《せんどく》(法然)より御相承《ごそうじょう》とて、如信上人《にょしんしょうにん》、おおせられていわく、「世《よ》のひと、つねにおもえらく、悪人《あくにん》なおもって往生《おうじょう》す、いわんや善人《ぜんにん》をやと。この事《こと》、とおくは弥《み》陀《だ》の本願《ほんがん》にそむき、ちかくは[238]釈尊出世《しゃくそんしゅっせ》の金言《きんげん》に[239]違《い》せり。そのゆえは、五劫思惟《ごこうしゆい》の劬労《くろう》、六度万《ろくどまん》行《ぎょう》の堪忍《かんにん》、しかしながら、凡夫出要《ぼんぶしゅつよう》のためなり。まったく聖人《しょうにん》のためにあらず。しかれば、凡夫《ぼんぶ》、本願《ほんがん》に[240]乗《じょう》じて報土《ほうど》に往生《おうじょう》すべき正機《しょうき》なり。凡夫《ぼんぶ》もし往生《おうじょう》かたかるべくは、願《がん》、[241]虚設《こせつ》なるべし、力《りき》、徒然《とぜん》なるべし。しかるに、[242]願力《がんりき》あい[243]加《か》して、[244]十方《じっぽう》のために大饒益《だいにょうやく》を成《じょう》ず。これによりて、正覚《しょうがく》をとなえて、いまに十劫《じっこう》なり。これを証《しょう》する恒沙諸仏《ごうじゃしょぶつ》の証誠《しょうじょう》、あに無虚妄《むこもう》の説《せつ》にあらずや。しかれば、御釈《おんしゃく》（玄義分）にも、[245]「一切善悪凡夫得生者《いっさいぜんあくぼんぶとくしょうしゃ》」と等《ら》、のたまえり。これも悪凡夫《あくぼんぶ》を本《ほん》として、善凡夫《ぜんぼんぶ》をかたわらにかねたり。かるがゆえに、傍機《ぼうき》たる善凡夫《ぜんぼんぶ》、なお往生《おうじょう》せば、もっぱら正《しょう》機《き》たる悪凡夫《あくぼんぶ》、いかでか往生《おうじょう》せざらん。しかれば、善人《ぜんにん》なおもって往生《おうじょう》す、いかにいわんや悪人《あくにん》をやというべし」とおおせごとありき。

(20) 一 つみは、五逆謗法《ごぎゃくほうぼう》うまるとしりて、しかも[246]小罪《しょうざい》もつくるべからずという事《こと》。

おなじき聖人《しょうにん》（親鸞）のおおせ[247]とて、先師信上人《せんししんしょうにん》（如信）のおおせにいわく、「世《よ》の人《ひと》つねにおもえらく、小罪《しょうざい》なりとも、つみをおそれおもいて、とどめばやとおもわば、こころにまかせてとどめられ、善根《ぜんごん》は修《しゅ》し行《ぎょう》ぜんとおもわば、たくわえられて、これをもって大益《だいやく》をもえ、出離《しゅつり》の方法《ほうほう》ともなりぬべしと。この条《じょう》、真宗《しんしゅう》の肝要《かんよう》にそむき、先哲《せんてつ》の口授《くじゅ》に違《い》せり。まず逆罪等《ぎゃくざいとう》をつくること、まったく諸宗《しょしゅう》のおきて、仏法《ぶっぽう》の本意《ほんい》にあらず。しかれども、悪業《あくごう》の凡夫《ぼんぶ》、過去《かこ》の業因《ごういん》にひかれて、これらの重罪《じゅうざい》をおかす。これとどめがたく、伏《ぶく》しがたし。また[248]小罪《しょうざい》なりとも、おかすべからずといえば、凡夫《ぼんぶ》、こころにまかせて、つみをばとどめえつべしときこゆ。しかれども、もとより罪体《ざいたい》の凡夫《ぼんぶ》、大小《だいしょう》を論《ろん》ぜず、三業《さんごう》みなつみにあらずということなし。しかるに小罪《しょうざい》もおかすべからずといえば、あやまってもおかさば、往生《おうじょう》すべから[249]ざるなりと、[250]落居《らっきょ》するか。この条《じょう》、もっとも[251]思択《しちゃく》すべし。これもし、抑止門《おくしもん》のこころか。抑止《おくし》は釈尊《しゃくそん》の方便《ほうべん》なり。真宗《しんしゅう》の落居《らっきょ》は弥陀《みだ》の本願《ほんがん》にきわまる。しかれば、小罪《しょうざい》も大罪《だいざい》も、つみの沙汰《さた》をしたた（仕立）ば、とどめてこそ、その詮《せん》はあれ、とどめえつべくもなき凡慮《ぼんりょ》をもちながら、かくのごとくいえば、弥陀《みだ》の本願《ほんがん》に帰託《きたく》する機《き》、いかでかあらん。謗法罪《ほうぼうざい》はまた仏法《ぶっぽう》を信《しん》ずるこころのなきよりおこるものなれば、もとよりそのうつわものにあらず。もし[252]改悔《がいけ》せば、うまるべきものなり。しかれば、[253]「謗法闡提回心皆往《ほうぼうせんだいえしんかいおう》」（法事讃）と釈《しゃく》せらるる、このゆえなり。」

(21)
一　一念《いちねん》にてたりぬとしりて、多念《たねん》をはげむべしという事《こと》。

このこと、多念《たねん》も一念《いちねん》も、ともに本願《ほんがん》の文《もん》なり。いわゆる[254]「上尽一形《じょうじんいちぎょう》・下至一念《げしいちねん》」と等《ら》、釈《しゃく》せらる。これその文《もん》なり。しかれども、「下至一念《げしいちねん》」は、本願《ほんがん》をたもつ往生決定《おうじょうけつじょう》の時剋《じこく》なり。「上尽一形《じょうじんいちぎょう》」は、往生即得《おうじょうそくとく》のうえの仏恩報謝《ぶっとんほうしゃ》のつとめなり。そのこころ、経釈顕然《きょうしゃくけんぜん》なるを、一念《いちねん》も多念《たねん》も、ともに往生《おうじょう》のための正因《しょういん》たるようにこころえみだす条《じょう》、すこぶる経釈《きょうしゃく》に[255]違《い》せるものか。さればいくたびも、先達《せんだち》よりうけたまわり、つたえしがごとくに、他力《たりき》の信《しん》をば、一念《いちねん》に即得往生《そくとくおうじょう》ととりさだめて、そのとき、いのちおわらざらん機《き》は、いのちあらんほどは、念仏《ねんぶつ》すべし。これすなわち、「上尽一形《じょうじんいちぎょう》」の釈《しゃく》にかなえり。しかるに、世《よ》の人《ひと》つねにおもえらく、上尽一形《じょうじんいちぎょう》の多念《たねん》も、宗《しゅう》の本意《ほんい》とおもいて、それにかなわざらん機《き》の、すてがてらの一念《いちねん》とこころうるか。これすでに、弥陀《みだ》の本願《ほんがん》に違《い》し、釈尊《しゃくそん》の言説《ごんせつ》にそむけり。そのゆえは、如来《にょらい》の大悲《だいひ》、短命《たんみょう》の根機《こんき》を本《ほん》としたまえり。もし多念《たねん》をもって本願《ほんがん》とせば、いのち一刹那《いっせつな》につづまる無常《むじょう》[256]迅速《じんそく》の機《き》、いかでか本願《ほんがん》に[257]乗《じょう》ずべきや。されば真宗《しんしゅう》の肝要《かんよう》、一念往生《いちねんおうじょう》をもって淵源《えんげん》とす。

そのゆえは、願成就《がんじょうじゅ》の文《もん》には[258]「聞其名号《もんごみょうごう》　信心歓喜《しんじんかんぎ》　乃至一念《ないしいちねん》　願生彼国《がんしょうひこく》　即得往生《そくとくおうじょう》　住不退転《じゅうふたいてん》」（大経）ととき、おなじき『経《きょう》』の流通《るずう》には、[259]「其有得聞《ごうとくもん》　彼仏名号《ひぶつみょうごう》　歓喜踊躍《かんぎゆやく》　乃至一念《ないしいちねん》　当知此人《とうちしにん》　為得大利《いとくだいり》　即是具足《そくぜぐそく》　無上功徳《むじょうくどく》」とも、弥勒《みろく》に付属《ふぞく》したまえり。しかのみならず、光明寺《こうみょうじ》（善導）の御釈《おんしゃく》（往生礼讃）には、[260]「爾時聞一念《にじもんいちねん》　皆当得生彼《かいとうとくしょうひ》」と（等）、みえたり。これらの文証《もんしょう》、みな無常《むじょう》の根機《こんき》を本《ほん》とするゆえに、一念《いちねん》をもって往生治定《おうじょうじじょう》の時剋《じこく》とさだめて、いのちのぶれば、自然《しぜん》と多念《たねん》におよぶ道理《どうり》をあかせり。されば、平生《へいぜい》のとき、一念往生治定《いちねんおうじょうじじょう》のうえの仏恩報謝《ぶっとんほうしゃ》の多念《たねん》の称名《しょうみょう》とならうところ、文証《もんしょう》・道理顕然《どうりけんぜん》なり。

もし、多念《たねん》をもって本願《ほんがん》としたまわば、多念《たねん》のきわまり、いずれのときとさだむべきぞや。いのちおわるときなるべくんば、凡夫《ぼんぶ》に死《し》の縁《えん》、まちまちなり。火《ひ》にやけても死《し》し、みずにながれても死《し》し、乃至刀剣《ないしとうけん》にあたりても死《し》し、ねぶりのうちにも死《し》せん。これみな先業《せんごう》の所感《しょかん》、さらにのがるべからず。しかるに、もし、かかる業《ごう》ありておわらん機《き》、多念《たねん》のおわりぞと期《ご》するところ、たじろかずして、そのときかさねて十念《じゅうねん》を成《じょう》じ、来迎引接《らいこういんじょう》にあずからんこと、機《き》として、たとい、かねてあらますというとも、願《がん》としてかならず迎接《こうしょう》あらんこと、おおきに不定《ふじょう》なり。されば第十九《だいじゅうく》の願文《がんもん》にも[261]「現其人前者《げんごにんぜんしゃ》」（大経）のうえに、「仮令不与《けりょうふよ》」と（等）、おかれたり。「仮令《けりょう》」の二字《にじ》をば、「たとい」とよむべきなり。「たとい」というは、あらましなり。非本願《ひほんがん》たる諸行《しょぎょう》を修《しゅ》して、往生《おうじょう》を[262]係求《けぐ》する行《ぎょう》人《にん》をも、仏《ぶつ》の大慈大悲《だいじだいひ》、御覧《ごらん》じはなたずして、修諸功徳《しゅしょくどく》のなかの称名《しょうみょう》を、よどころ（拠所）として現《げん》じつべくは、その人《ひと》のまえに現《げん》ぜんとなり。不定《ふじょう》のあいだ、「仮令《けりょう》」の二字《にじ》をおかる。もしさもありぬべくはと、いえるこころなり。まず不定《ふじょう》の失《しつ》のなかに、大段《だいだん》、自力《じりき》のくわだて、本願《ほんがん》にそむき、仏智《ぶっち》に[263]違《い》すべし。自力《じりき》のくわだてというは、われとはからうところをきらうなり。つぎには、またさきにいうところの[264]あまたの業因《ごういん》、身《み》にそなえんこと、かたかるべからず。他力《たりき》の仏智《ぶっち》をこそ、[265]「諸邪業繋無能碍者《しょじゃごうけむのうげしゃ》」（定善義）とみえたれば、さまたぐるものも[266]なけれ。われとはからう往生《おうじょう》をば、凡夫《ぼんぶ》自力《じりき》の[267]迷心《めいしん》なれば、過去《かこ》の業因《ごういん》、身《み》にそなえたらば、豈《あ》に自力《じりき》の往生《おうじょう》を障碍《しょうげ》せざらんや。されば多念《たねん》の功《こう》をもって、臨終《りんじゅう》を期《ご》し来迎《らいこう》をたのむ自力往生《じりきおうじょう》のくわだてには、かようの不可《ふか》の難《なん》どもおおきなり。

されば[268]紀典《きてん》のことばにも、[269]「千里《せんり》は足《あし》の下《した》よりおこり、高山《こうせん》は微塵《みじん》にはじまる」といえり。一念《いちねん》は多念《たねん》のはじめたり。多念《たねん》は一念《いちねん》のつもり（積）たり。ともにもって、あいはなれずといえども、おもてとし、うらとなるところを、人《ひと》みなまぎらかすものか。いまのこころは、一念無上《いちねんむじょう》の仏智《ぶっち》をもって、凡夫往生《ぼんぶおうじょう》の[270]極促《ごくそく》とし、一形憶念《いちぎょうおくねん》の名願《みょうがん》をもって、仏恩報尽《ぶっとんほうじん》の経営《けいえい》とすべしと、つたうるものなり。

[271]元弘第一之暦（一三三一）辛未 仲冬下旬之候、相二当祖師聖人 本願寺親鸞 報恩謝徳之七日七夜勤行中談話一、先師上人 釈如信 面授口決之専心専修、別発願之次、所レ奉二伝持一之[272]祖師聖人之御己証、所レ奉二相承一之他力真宗之肝

要、以二予口筆一令レ記レ之。是往生浄土之券契、濁世末代之目足也。[273]故広為下湿二後昆一遠利中衆類上也。雖レ然於二此書一者守レ機可レ許レ之。無二左右一不レ可レ令二披閲一者也。非二宿善開発之器一者、痴鈍之輩、定翻二誹謗之唇一歟。然者恐可レ令三沈二没生死海一之故也。深納二箱底一輒莫レ出レ閫而已。　釈宗昭

[274]先年如レ斯註二記之一訖。而慮外于レ今存命。仍染二老筆一所レ写レ之也。姓弥朦朧、身又羸劣、雖レ不レ堪二右筆一残二留斯書一。於二遺跡一者、若披見之人、往生浄土之信心開発歟之間、不レ顧二窮屈一於二燈下一馳レ筆畢耳。

康永三歳（一三四四）甲申 九月十二日、相二当亡父尊霊御月忌一故終二写功一畢。　釈宗昭 七十五

同年十月二十六日夜、於二燈下一付二仮名一訖。

改《がい》邪《じゃ》鈔《しょう》

（1）
一　今案《こんあん》の自義《じぎ》をもって名帳《みょうちょう》と称《しょう》して祖師《そし》の一流《いちりゅう》をみだる事《こと》。

曾祖師黒谷《そうそしくろだに》[1]の聖人《しょうにん》の御製作《ごせいさく》『選択集《せんじゃくしゅう》』[2]にのべらるるがごとく、[3]「[4]大小乗顕密《だいしょうじょうけんみつ》の諸宗《しょしゅう》におのおの師資相承《ししそうじょう》の血脈《けちみゃく》あるがごとく、いままた浄土《じょうど》の一宗《いっしゅう》において、おなじく師資相承《ししそうじょう》の血脈《けちみゃく》あるべし」と云々《うんぬん》　しかれば、血脈《けちみゃく》をたつる肝要《かんよう》は、往生浄土《おうじょうじょうど》の他力《たりき》の心行《しんぎょう》を獲得《ぎゃくとく》する時節《じせつ》を治定《じじょう》せしめて、[5]かつは師資《しし》の礼《れい》をしらしめ、かつは仏恩《ぶっとん》を報尽《ほうじん》せんがためなり。かの心行《しんぎょう》を獲得《ぎゃくとく》せんこと、念仏往生《ねんぶつおうじょう》の願成就《がんじょうじゅ》の[6]「信心歓喜《しんじんかんぎ》乃至一念《ないしいちねん》」（大経）等《とう》の文《もん》をもって[7]依憑《えひょう》とす。このほか、いまだきかず、曾祖師《そうそし》源空《げんくう》、祖師《そし》親鸞《しんらん》、両師御相伝《りょうしごそうでん》の当教《とうきょう》において、名帳《みょうちょう》と号《ごう》して、その人数《にんじゅ》を[8]しるして、もって往生浄土《おうじょうじょうど》の指南《しなん》とし、仏法伝持《ぶっぽうでんじ》の支証《ししょう》とすと[9]いうことをば。これおそらくは、祖師一流《そしいちりゅう》の魔障《ましょう》たるをや。ゆめゆめかの邪義《じゃぎ》をもって、法流《ほうりゅう》の正義《しょうぎ》とすべからざるものなり。もし[10]「即得往生《そくとくおうじょう》　住不退転《じゅうふたいてん》」（大経）等《とう》の経文《きょうもん》をもって、平生業成《へいぜいごうじょう》の他力《たりき》の心行獲得《しんぎょうぎゃくとく》の時《じ》剋《こく》をききたがえて、名帳勘録《みょうちょうかんろく》の時分《じぶん》にあたりて、往生浄土《おうじょうじょうど》の正業治定《しょうごうじじょう》する、なんどばし、ききあやまれるにやあらん。ただ別《べつ》の要《よう》[11]ありて人数《にんじゅ》をしるさば、そのかぎりあり。しからずして、念仏《ねんぶつ》修行《しゅぎょう》する行者《ぎょうじゃ》の名字《みょうじ》をしるさんからに、このとき往生浄土《おうじょうじょうど》のくらい、あに治定《じじょう》すべけんや。この条《じょう》、号《ごう》するところ「黒谷《くろだに》・本願寺《ほんがんじ》両師《りょうし》御相承《ごそうじょう》の一流《いちりゅう》なり」と云々《うんぬん》 展転《てんでん》の説《せつ》なれば、もしひとのききあやまれるをや。[12]殆《ほぼ》信用《しんよう》するにたらずといえども、こと、実《じつ》ならば、付仏法《ふぶっぽう》の外道《げどう》か。祖師《そし》の御悪名《ごあくみょう》といいつべし。もっともおどろき[13]おもいたまうところなり。いかに行者《ぎょうじゃ》[14]の名字《みょうじ》をしるしつけたりというとも、願力不思議《がんりきふしぎ》の仏智《ぶっち》をさずくる善知識《ぜんじしき》の実語《じつご》を領解《りょうげ》せずんば、往生不可《おうじょうふか》なり。たとい名字《みょうじ》をしるさずというとも、宿善開発《しゅくぜんかいほつ》の機《き》として、他力往生《たりきおうじょう》の師説《しせつ》、領納《りょうのう》せば、平生《へいぜい》をいわず、臨終《りんじゅう》を論《ろん》ぜず、定聚《じょうじゅ》のくらいに住《じゅう》し、滅度《めつど》にいたるべき条《じょう》、経釈分明《きょうしゃくふんみょう》なり。この[15]うえは、なにによりてか経釈《きょうしゃく》をはなれて、自由《じゆう》の妄説《もうせつ》をさきとして、わたくしの自義《じぎ》を骨張《こっちょう》せんや。おおよそ本願寺《ほんがんじ》の聖人御門弟《しょうにんごもんてい》のうちにおいて二十余輩《にじゅうよはい》の流々《りゅうりゅう》の学者達《がくしゃたち》、祖師《そし》の御口伝《ごくでん》にあらざるところを[16]禁制《きんぜい》し、自由《じゆう》の妄義《もうぎ》を停廃《ちょうはい》あるべきものをや。なかんずくに、かの名帳《みょうちょう》と号《ごう》する書《しょ》において序題《じょだい》をかき、あまっさえ「意解《いげ》をのぶ」と云々《うんぬん》 かの作者《さくしゃ》において誰《たれ》のともがらぞや。おおよそ師伝《しでん》にあらざる[17]謬説《びゅうせつ》をもって、祖師一流《そしいちりゅう》の説《せつ》と称《しょう》する条《じょう》、冥衆《みょうしゅ》の照覧《しょうらん》に違《い》し、智者《ちしゃ》の謗難《ほうなん》をまねくものか。おそるべし、あやぶむべし。

(2) 一 絵系図《えけいず》と号《ごう》して、おなじく自義《じぎ》[18]をたつる条《じょう》、謂《いい》なき事《こと》。

それ聖道《しょうどう》・浄土《じょうど》の二門《にもん》について生死出過《しょうじしゅっか》の要旨《ようし》をたくわうること、経論章疏《きょうろんしょうしょ》の明証《みょうしょう》ありといえども、自見《じけん》すれば、かならずあやまるところあるによりて、師伝口業《しでんくごう》をもって最《さい》とす。これによりて意業《いごう》におさめて出要《しゅつよう》をあきらむること、諸宗《しょしゅう》のならい勿論《もちろん》なり。いまの真宗《しんしゅう》においては、もっぱら自力《じりき》をすてて他力《たりき》に帰《き》するをもって、宗《しゅう》の極致《ごくち》とする[19]うえは、三業《さんごう》のなかには口業《くごう》をもって他力《たりき》のむねをのぶるとき、意業《いごう》の[20]憶念帰命《おくねんきみょう》の一念《いちねん》おこれば、身業礼拝《しんごうらいはい》のために、渇仰《かつごう》のあまり瞻仰《せんごう》のために、絵像《えぞう》・木像《もくぞう》の本尊《ほんぞん》を、あるいは[21]彫刻《ちょうこく》し、あるいは[22]画図《がと》す。しかのみならず、仏法示誨《ぶっぽうじけ》の恩徳《おんどく》を恋慕《れんぼ》し仰崇《ぎょうそう》せんがために、三国伝来《さんごくでんらい》の祖師先徳《そしせんどく》の尊像《そんぞう》を図絵《ずえ》し安置《あんち》すること、これまたつねのことなり。そのほかは祖師聖人《そししょうにん》の御遺訓《ごゆいくん》として、たとい念仏修行《ねんぶつしゅぎょう》の号《ごう》ありというとも、「道俗《どうぞく》男女《なんにょ》の形体《ぎょうたい》を[23]面々各々《めんめんかくかく》に図絵《ずえ》して所持《しょじ》せよ」という御《おん》おきて、いまだきかざるところなり。しかるに、いま祖師先徳《そしせんどく》のおしえにあらざる自義《じぎ》をもって、諸人《しょにん》の形体《ぎょうたい》を安置《あんち》の条《じょう》、これ渇仰《かつごう》のためか、これ恋慕《れんぼ》のためか、不審《ふしん》なきにあらざるものなり。本尊《ほんぞん》なおもって『観経《かんぎょう》』所説《しょせつ》の十三定善《じゅうさんじょうぜん》の第《だい》八《はち》の像観《ぞうかん》よりいでたる丈六八尺随機現《じょうろくはっしゃくずいきげん》の形像《ぎょうぞう》をば、祖師《そし》あながち御庶幾御依用《ごそきごえよう》にあらず。天親論《てんじんろん》主《じゅ》の礼拝門《らいはいもん》の論文《ろんもん》、すなわち[24]「帰命尽十方無碍光如来《きみょうじんじっぽうむげこうにょらい》」（浄土論）をもって、真宗《しんしゅう》の御本尊《ごほんぞん》とあがめましましき。いわんや、その余《よ》の人形《にんぎょう》において、あにかきあがめましますべしや。末学自己《まつがくじこ》の義《ぎ》、すみやかにこれを停止《ちょうじ》すべし。

(3)　一　遁世《とんせい》のかたちをこととし、異形《いぎょう》をこのみ、裳無衣《もなしごろも》を着《じゃく》し、黒袈裟《くろげさ》をもちいる、しかるべからざる事《こと》。

それ出世《しゅっせ》の法《ほう》に[25]おいて五戒《ごかい》と称《しょう》し、世法《せほう》にありては五常《ごじょう》となづくる仁《じん》・義《ぎ》・礼《れい》・智《ち》・信《しん》をまもりて、内心《ないしん》には他力《たりき》の不思議《ふしぎ》をたもつべきよし、師資相承《ししそうじょう》したてまつるところなり。しかるに、いま風聞《ふうぶん》するところの異様《いよう》の儀《ぎ》においては、「世間法《せけんほう》をばわすれて仏法《ぶっぽう》の義《ぎ》ばかりをさきとすべし」と云々《うんぬん》　これによりて世法《せほう》を放呵《ほうか》するすがたとおぼしくて、裳無衣《もなしごろも》を着《じゃく》し黒袈裟《くろげさ》をもちいるか。はなはだ、しかるべからず。『末法燈明記《まっぽうとうみょうき》』伝教大師諱最澄製作《でんぎょうだいしいみなさいちょうせいさく》には、[26]「末法《まっぽう》には袈裟変《けさへん》じてしろくなるべし」とみえたり。しかれば、末世相応《まっせそうおう》の袈裟《けさ》は白色《びゃくしき》なるべし。黒袈裟《くろげさ》においてはおおきにこれにそむけり。当世都鄙《とうせいとひ》に流布《るふ》して遁世者《とんせいしゃ》と号《ごう》するは、多分《たぶん》、一遍房《いっぺんぼう》・他阿弥陀仏《たあみだぶつ》等の門人《もんにん》をいうか。かのともがらは、むねと後世者気色《ごせしゃきそく》をさきとし、仏法者《ぶっぽうしゃ》とみえて威儀《いぎ》をひとすがたあらわさんとさだめ、振舞《ふるま》うか。わが大師聖人《だいししょうにん》の御意《ぎょい》は、かれにうしろあわせなり。つねの御持言《ごじごん》には、「われはこれ賀古《かこ》の教信沙弥《きょうしんしゃみ》　この沙弥《しゃみ》の様《よう》、禅林《ぜんりん》の永観《ようかん》の[27]『十因《じゅういん》』（往生拾因）にみえたり　の定《じょう》なり」と云々《うんぬん》　しかれば、縡《こと》を専修念仏停廃《せんじゅねんぶつちょうはい》のときの左遷《させん》の勅宣《ちょくせん》によせましまして、御位署《ごいしょ》には愚禿《ぐとく》の字《じ》をのせらる。これすなわち、僧《そう》にあらず俗《ぞく》にあらざる儀《ぎ》を表《ひょう》して、教信沙弥《きょうしんしゃみ》のごとくなるべしと云々《うんぬん》　これによりて、「たとい[28]牛盗《うしぬすびと》とはいわるとも、もしは善人《ぜんにん》、もしは後世者《ごせしゃ》、もしは仏法者《ぶっぽうしゃ》とみゆるように振舞《ふるま》うべからず」とおおせあり。この条《じょう》、かの裳無衣《もなしごろも》・黒袈裟《くろげさ》をまなぶともがらの意巧《いぎょう》に、雲泥懸隔《うんでいけんかく》なるものをや。顕密《けんみつ》の諸宗《しょしゅう》・大小乗《だいしょうじょう》の教法《きょうぼう》に、なお超過《ちょうか》せる弥陀他力《みだたりき》の宗旨《しゅうし》を心底《しんてい》にたくわえて、外《げ》相《そう》にはその徳《とく》をかくしましします。大聖権化《だいしょうごんけ》の救世観音《くせかんのん》の再誕《さいたん》、本願寺《ほんがんじ》　親鸞《しんらん》　[29]聖人《しょうにん》の御門弟《ごもんてい》と号《ごう》しながら、うしろあわせに振舞《ふるま》いかえたる後世者気色《ごせしゃきそく》の威儀《いぎ》をまなぶ条《じょう》、いかでか祖師《そし》の冥慮《みょうりょ》にあいかなわんや。かえすがえす停止《ちょうじ》すべきものなり。

(4) 一　弟子《でし》と称《しょう》して同行等侶《どうぎょうとうりょ》を自専《じせん》のあまり、放言悪口《ほうごんあっこう》すること、30いわれなき事《こと》。

光明寺《こうみょうじ》の大師《だいし》（善導）の御釈《おんしゃく》（散善義）には、31「もし念仏《ねんぶつ》するひとは、人中《にんちゅう》の好人《こうにん》なり、妙好人《みょうこうにん》なり、最勝人《さいしょうにん》なり、32上上人《じょうじょうにん》なり」とのたまえり。しかればそのむねにまかせて、祖師《そし》のおおせにも、「それがしは、まったく弟子《でし》一人《いちにん》ももたず。そのゆえは、弥陀《みだ》の本願《ほんがん》をたもたしむるほかは、なにごとをおしえてか弟子《でし》と号《ごう》せん。弥陀《みだ》の本願《ほんがん》は仏智他力《ぶっちたりき》のさずけたまうところなり。しかればみなともの同行《どうぎょう》なり。わたくしの弟子《でし》にあらず」と云々《うんぬん》　これによりて、たがいに仰崇《ぎょうそう》の礼儀《れいぎ》をただしくし昵近《じっきん》の芳好《ほうこう》をなすべしとなり。その義《ぎ》なくして、あまっさえ悪口《あっこう》をはく条《じょう》、ことごとく祖師先《そしせん》徳《どく》の御遺訓《ごゆいくん》をそむくにあらずや。しるべし。

(5) 一　同行《どうぎょう》を勘発《かんぽつ》のとき、あるいは寒天《かんてん》に冷水《れいすい》をくみかけ、あるいは炎旱《えんかん》に艾灸《がいきゅう》をくわうる（等）のいわれなき事《こと》。

むかし役《えん》の優婆塞《うばそく》の修験《しゅげん》のみちをもっぱらにせし山林斗藪《さんりんとそう》の苦行《くぎょう》、樹下《じゅげ》・石上《せきじょう》の坐臥《ざが》、これみな一機《いっき》・一縁《いちえん》の方便《ほうべん》、権者《ごんじゃ》・権門《ごんもん》の難行《なんぎょう》なり。身《み》をこの門《もん》にいるるともがらこそ、かくのごときの苦《く》行《ぎょう》をばもちいげにはんべれ。33さらに出離《しゅつり》の要路《ようろ》にあらず。ひとえに魔界有縁《まかいうえん》の僻見《びゃっけん》なり。浄土《じょうど》の真宗《しんしゅう》においては、超世希有《ちょうせけう》の正法《しょうぼう》、諸仏《しょぶつ》34誠証《じょうしょう》の秘懐《ひかい》、他力即得《たりきそくとく》の直道《じきどう》、凡愚横入《ぼんぐおうにゅう》の易行《いぎょう》なり。しかるに、末世不相応《まっせふそうおう》の難行《なんぎょう》をまじえて、当今相応《とうこんそうおう》の他力執持《たりきしゅうじ》の易行《いぎょう》をけがさんこと、総《そう》じては三世諸仏《さんぜしょぶつ》の冥応《みょうおう》にそむき、別《べっ》しては釈迦《しゃか》・弥陀二尊《みだにそん》の35矜哀《こうあい》をわすれたるににたり。おそるべし、はずべしならくのみ。

(6)一　談議《だんぎ》かくるとなづけて、同行《どうぎょう》、知識《ちしき》に[36]鉾楯《むじゅん》のとき、あがむるところの本尊《ほんぞん》・聖教《しょうぎょう》をうばいとりたてまつる、いわれなき事《こと》。

右《みぎ》、祖師《そし》親鸞《しんらん》聖人《しょうにん》御在世《ございせ》のむかし、ある御直弟《ごじきてい》、御示誨《ごじけ》のむねを領解《りょうげ》したてまつらざるあまり、忿結《ふんけつ》して貴前《きぜん》をしりぞきてすなわち東関《とうかん》に下国《げこく》のとき、ある常随《じょうずい》の一人《いちにん》の御門弟《ごもんてい》、「この仁《じん》にさずけらるるところの聖教《しょうぎょう》の外題《げだい》に、聖人《しょうにん》の御名《ごみょう》をのせられたる[37]なり。すみやかにめしかえさるべきをや」と云々《うんぬん》　ときに祖師《そし》のおおせにいわく、「本尊《ほんぞん》・聖教《しょうぎょう》は、衆生利益《しゅじょうりやく》の方便《ほうべん》なり。わたくしに凡夫自専《ぼんぶじせん》すべきにあらず。いかでかたやすく世間《せけん》の財宝《ざいほう》なんどのようにせめかえしたてまつるべきや。釈親鸞《しゃくしんらん》という自名《じみょう》のりたるを、法師《ほうし》にくければ袈裟《けさ》さえの風情《ふぜい》に、いかなる山野《さんや》にも[38]すぐさぬ聖《しょう》教《ぎょう》をすてたてまつるべきにや。たといしかりというとも、親鸞《しんらん》まったくいたむところにあらず。すべからくよろこぶべきにたれり。そのゆえは、かの聖教《しょうぎょう》すてたてまつるところの有情蠢蠢《うじょうしゅんしゅん》のたぐいにいたるまで、かれにすくわれたてまつりて苦海《くかい》の沈没《ちんもつ》をまぬかるべし。ゆめゆめこの義《ぎ》あるべからざることなり」とおおせごとありけり。そのうえは、末学《まつがく》としていかでか新義《しんぎ》を骨張《こっちょう》せんや。よろしく停止《ちょうじ》すべし。

(7)一　本尊《ほんぞん》ならびに聖教《しょうぎょう》の外題《げだい》のしたに、願主《がんしゅ》の名字《みょうじ》をさしおきて、知識《ちしき》と号《ごう》するやからの名字《みょうじ》をのせおく、しかるべからざる事《こと》。

この条《じょう》、おなじく前段《ぜんだん》の篇目《へんもく》にあいおなじきものか。大師聖人《だいししょうにん》の御自筆《ごじひつ》をもって諸人《しょにん》にかきあたえわたしまします聖教《しょうぎょう》をみたてまつるに、みな願主《がんしゅ》の名《な》をあそばされたり。いまの39新義《しんぎ》のごとくならば、もっとも聖人《しょうにん》の御名《ごみょう》をのせらるべきか。しかるに、その義《ぎ》なきうえは、これまた非義《ひぎ》たるべし。これを案《あん》ずるに、知識《ちしき》の所存《しょぞん》に同行《どうぎょう》あいそむかんとき、「わが名字《みょうじ》をのせたれば」とて、せめかえさん料《りょう》のはかりごとか。世間《せけん》の財宝《ざいほう》を沙汰《さた》するににたり。もっとも停止《ちょうじ》すべし。

(8)
一　わが同行《どうぎょう》、ひとの同行《どうぎょう》と、40嫌別《けんべつ》してこれを相論《そうろん》する、いわれなき事《こと》。

曾祖師《そうそし》　源空《げんくう》　聖人《しょうにん》の『七箇条《しちかじょう》の御起請文《ごきしょうもん》』にいわく、41「諍論《じょうろん》のところには、もろもろの煩悩《ぼんのう》おこる。智者《ちしゃ》これを遠離《おんり》すること百由旬《ひゃくゆじゅん》、いわんや一向念仏《いっこうねんぶつ》の行人《ぎょうにん》においてをや」と云々《うんぬん》　しかれば、ただ是非《ぜひ》を糺明《きゅうめい》し邪正《じゃしょう》を問答《もんどう》する、なおもってかくのごとく厳制《げんせい》におよぶ。いわんや人倫《じんりん》をもって、もし世財《せざい》に類《るい》する所存《しょぞん》ありて相論《そうろん》せしむるか。いまだその心《こころ》をえず。祖師聖人《そししょうにん》御在世《ございせ》に、ある御直弟《ごじきてい》のなかに、つねにこの沙汰《さた》ありけり。そのとき、仰《おお》せに云《い》わく、世間《せけん》の妻子眷属《さいしけんぞく》もあいしたがうべき宿縁《しゅくえん》あるほどは、別離《べつり》せんとすれども捨離《しゃり》するにあたわず。宿縁《しゅくえん》つきぬるときは、した(慕)いむつ(睦)れんとすれどもかなわず。いわんや出世《しゅっせ》の同行等侶《どうぎょうとうりょ》においては、凡夫《ぼんぶ》の力《ちから》をもってしたしむべきにもあらず、はなるべきにもあらず。あい42ともなうというとも、縁《えん》つきぬれば疎遠《そえん》になる。したしまじとすれども縁《えん》つきざるほどは、あいともなうにたれり。これみな過去《かこ》の因縁《いんねん》によることなれば、今生一世《こんじょういっせ》のことにあらず。かつはまた、宿善《しゅくぜん》のある機《き》は、正法《しょうぼう》をのぶる善知識《ぜんじしき》にしたしむべきによりて、まねかざれどもひとをまよわすまじき法燈《ほうとう》には、かならずむつぶべきいわれなり。宿《しゅく》善《ぜん》なき機《き》は、まねかざれどもおのずから悪知識《あくちしき》にちかづきて、善知識《ぜんじしき》にはとおざかるべきいわれなれば、[43]むつばるるも、とおざかるも、かつは知識《ちしき》の瑕瑾《かきん》もあらわれしられぬべし。所化《しょけ》の運否《うんぷ》、宿善《しゅくぜん》の有無《うむ》も、尤《もっと》も能所共《のうしょとも》に恥《は》ずべきものをや。しかるに、このことわりにくらきがいたすゆえか。一《いっ》旦《たん》の我執《がしゅう》をさきとして宿縁《しゅくえん》の有無《うむ》をわすれ、わが同行《どうぎょう》、ひとの同行《どうぎょう》と相論《そうろん》すること愚鈍《ぐどん》のいたり、仏祖《ぶっそ》の照覧《しょうらん》をはばからざる条《じょう》、至極《しごく》つたなきものか、いかん。しるべし。

(9) 一　念仏《ねんぶつ》する同行《どうぎょう》、知識《ちしき》にあいしたがわずんば、その罰《ばつ》をこうぶるべきよしの起請文《きしょうもん》をかかしめて、数箇条《すうかじょう》の篇目《へんもく》をたてて連署《れんしょ》と号《ごう》する、いわれなき事《こと》。

まず数《すう》か条《じょう》のうち、知識《ちしき》をはなるべからざる由《よし》の事《こと》。

祖師聖人御在世《そししょうにんございせ》のむかし、よりよりかくのごときの義《ぎ》を至《いた》す人《ひと》ありけり。御制《ごせい》のかぎりにあらざる条《じょう》、過去《かこ》の宿縁《しゅくえん》に任《まか》せられて、[44]かつて、その御沙汰《ごさた》なきよし、先段《せんだん》にのせおわりぬ。また子細《しさい》、かの段《だん》に違《い》すべからず。

次《つぎ》に、本尊《ほんぞん》・聖教《しょうぎょう》をうばいとりたてまつらん時《とき》、おしみ奉《たてまつ》るべからざるよしの事《こと》。またもって同前《どうぜん》、さきに違《い》すべからず。

つぎに、堂《どう》をつくらんとき、義《ぎ》をいうべからざるよしの事《こと》。

おおよそ造像《ぞうぞう》・起塔等《きとうとう》は、弥陀《みだ》の本願《ほんがん》にあらざる所行《しょぎょう》なり。これによりて一向専修《いっこうせんじゅ》の行人《ぎょうにん》、これをくわだつべきにあらず。されば、祖師《そし》聖人御在世《しょうにんございせ》のむかし、ねんごろに一流《いちりゅう》を面授口決《めんじゅくけつ》し奉《たてまつ》る御門弟達《ごもんていたち》、堂舎《どうしゃ》を営作《えいさく》するひとなかりき。ただ道場《どうじょう》をばすこし[45]人屋《にんおく》に差別《しゃべつ》あらせて、小棟《こむね》をあげてつくるべきよしまで御諷諫《ごふかん》ありけり。中古《ちゅうこ》よりこのかた、御遺訓《ごゆいくん》にとおざかるひとびとの世《よ》となりて、造寺土木《ぞうじどぼく》のくわだてに及《およ》ぶ条《じょう》、仰《おお》せに違《い》する至《いた》り、なげきおもうところなり。しかれば、造寺《ぞうじ》のとき、義《ぎ》をいうべからざるよしの怠状《たいじょう》、もとよりあるべからざる題目《だいもく》たるうえは、これにちなんだる誓文《せいもん》、ともにもってしかるべからず。

すべて、事《こと》、数《すう》か条《じょう》に及《およ》ぶといえども、違変《いへん》すべからざる儀《ぎ》において、[46]厳重《げんちょう》の起請文《きしょうもん》を同行《どうぎょう》にかかしむること、かつは祖師《そし》の遺訓《ゆいくん》にそむき、かつは宿縁《しゅくえん》の有無《うむ》をしらず、無法《むほう》の沙汰《さた》ににたり。詮《せん》ずるところ、聖人御相伝《しょうにんごそうでん》の正義《しょうぎ》を存《ぞん》ぜん輩《ともがら》、これらの今案《こんあん》に混《こん》じて、みだりに邪義《じゃぎ》にまようべからず。つつしむべし、おそるべし。

(10)一　優婆塞《うばそく》・優婆夷《うばい》の形体《ぎょうたい》たりながら、出家《しゅっけ》のごとく、しいて法名《ほうみょう》をもちいる、いわれなき事《こと》。

本願《ほんがん》の文《もん》に、すでに「十方衆生《じっぽうしゅじょう》」のことばあり。宗家《しゅうけ》（善導）の御釈《おんしゃく》（玄義分）に、また[47]「道俗時《どうぞくじ》衆《しゅ》」と（等）あり。

釈尊四部《しゃくそんしぶ》の遺弟《ゆいてい》に、道《どう》の二種《にしゅ》は比丘《びく》・比丘尼《びくに》、俗《ぞく》の二種《にしゅ》は優婆塞《うばそく》・優婆夷《うばい》なれば、俗《ぞく》の二種《にしゅ》も仏《ぶつ》弟子《でし》のがわにいれる条《じょう》、勿論《もちろん》なり。就中《なかんずく》に、不思議《ふしぎ》の仏智《ぶっち》をたもつ道俗《どうぞく》の四種《ししゅ》、通途《つうず》の凡体《ぼんたい》に[48]こえたるをや。その形体《ぎょうたい》においては、しばらくさしおく。仏《ぶつ》、願力《がんりき》の不思議《ふしぎ》をもって無善造悪《むぜんぞうあく》の凡夫《ぼんぶ》を摂取不捨《せっしゅふしゃ》したまう時《とき》は、道《どう》の二種《にしゅ》[49]はいみじく、俗《ぞく》の二種《にしゅ》が往生《おうじょう》の[50]位《くらい》に不足《ふそく》なるべきにあらず。その進道《しんどう》の階次《かいし》をいうとき、ただおなじ座席《ざせき》なり。しかるうえは、かならずしも俗《ぞく》の二種《にしゅ》をしりぞけて、道《どう》の二種《にしゅ》をすすましむべきにあらざるところに、女形《にょぎょう》・俗形《ぞくぎょう》たりながら法名《ほうみょう》をもちいる条《じょう》、[51]本形《ほんぎょう》としては、往生浄土《おうじょうじょうど》のうつわものにきらわれたるににたり。ただ男女善悪《なんにょぜんあく》の凡夫《ぼんぶ》をはたらかさぬ本形《ほんぎょう》にて、本願《ほんがん》の不思議《ふしぎ》をもって、生《う》まるべからざる[52]ものを生《う》まれさせたればこそ、超世《ちょうせ》の願《がん》ともなづけ、横超《おうちょう》の直道《じきどう》ともきこえはんべれ。この一段《いちだん》、ことに曾祖師《そうそし》源空《げんくう》ならびに祖師《そし》親鸞《しんらん》已来《いらい》、伝授相承《でんじゅそうじょう》の眼目《げんもく》たり。あえて聊爾《りょうじ》に処《しょ》すべからざるものなり。

(11) 一　二季《にき》の彼岸《ひがん》をもって念仏修行《ねんぶつしゅぎょう》の時節《じせつ》と定《さだ》むる、いわれなき事《こと》。

それ浄土《じょうど》の一門《いちもん》について、光明寺《こうみょうじ》の和尚《かしょう》（善導）の御釈《おんしゃく》（往生礼讃）をうかがうに、[53]「安心《あんじん》・起行《きぎょう》・作業《さごう》のみつあり」とみえたり。そのうち、起行《きぎょう》・作業《さごう》の篇《へん》をば、なお方便《ほうべん》のかたとさしおいて、往生浄土《おうじょうじょうど》の正因《しょういん》は、安心《あんじん》をもって定得《じょうとく》すべき[54]よし、釈成《しゃくじょう》せらるる条《じょう》、顕然《けんぜん》なり。しかるに、吾《わ》が大師聖人《だいししょうにん》、このゆえをもって他力《たりき》の安心《あんじん》をさきとしまします。それについて、三経《さんぎょう》の安心《あんじん》あり。そのなかに『大経《だいきょう》』をもって真実《しんじつ》とせらる。『大経《だいきょう》』のなかには第十八《だいじゅうはち》の願《がん》をもって本《ほん》とす。十八《じゅうはち》の願《がん》にとりては、また願成就《がんじょうじゅ》をもって至極《しごく》とす。[55]「信心歓喜《しんじんかんぎ》　乃至一念《ないしいちねん》」をもって他力《たりき》の安心《あんじん》とおぼしめさるるゆえなり。この一念《いちねん》を他力《たりき》より発得《ほっとく》しぬるのちは、生死《しょうじ》の苦海《くかい》をうしろになして、涅槃《ねはん》の彼岸《ひがん》に至《いた》りぬる条《じょう》、勿論《もちろん》なり。この機《き》のうえは、他力《たりき》の安心《あんじん》よりもよおされて、仏恩報謝《ぶっとんほうしゃ》の起行《きぎょう》・作業《さごう》は、せらるべきによりて、行住坐臥《ぎょうじゅうざが》を論《ろん》ぜず、長時不退《じょうじふたい》に到彼岸《とうひがん》の[56]いい（謂）あり。このうえは、あながち中陽院《ちゅうよういん》の衆聖《しゅしょう》、衆生《しゅじょう》の善悪《ぜんあく》を決断《けつだん》する到彼岸《とうひがん》の時節《じせつ》をかぎりて、安心《あんじん》・起行等《きぎょうとう》の正業《しょうごう》をはげますべきにあらざるか。かの中陽院《ちゅうよういん》の断悪修善《だんあくしゅぜん》の決断《けつだん》は、仏法疎遠《ぶっぽうそえん》の衆生《しゅじょう》を済度《さいど》せしめんがための集会《しゅうえ》なり。いまの他力《たりき》の行者《ぎょうじゃ》においては、あとを娑婆《しゃば》にとおざかり、心《しん》を浄域《じょういき》にすましむるうえは、なにによりてかこの[57]決判《けっぱん》におよぶべきや。しかるに、二季《にき》の時正《じしょう》をえりすぐりて、その念仏往生《ねんぶつおうじょう》の時分《じぶん》とさだめて起行《きぎょう》をはげますともがら、祖師《そし》の御一流《ごいちりゅう》にそむけり。いかでか当教《とうきょう》の門葉《もんよう》と号《ごう》せんや。しるべし。

(12) 一　道場《どうじょう》と号《ごう》して、簷《のき》をならべ牆《かき》をへだてたるところにて、各別各別《かくべつかくべつ》に会場《えじょう》をしむる事《こと》。

凡《おおよ》そ真宗《しんしゅう》の本尊《ほんぞん》は、尽十方無碍光如来《じんじっぽうむげこうにょらい》なり。かの本尊所居《ほんぞんしょご》の浄土《じょうど》は究竟如虚空《くきょうにょこくう》の土《ど》なり。ここをもって、祖師《そし》の『教行証《きょうぎょうしょう》』には、[58]「仏《ぶつ》はこれ不可思議光仏《ふかしぎこうぶつ》、土《ど》はまた無量光明土《むりょうこうみょうど》なり」とのたまえる、これなり。されば、天親論主《てんじんろんじゅ》は、[59]「勝過三界道《しょうがさんがいどう》」（浄土論）と判《はん》じたまえり。しかれども、聖道門《しょうどうもん》の此土《しど》の得道《とくどう》という教相《きょうそう》にかわらんために、他土《たど》の往生《おうじょう》という廃立《はいりゅう》をしばらくさだむるばかりなり。和会《わえ》するときは、此土《しど》・他土一異《たどいちい》に、凡聖不二《ぼんしょうふに》なるべし。これによりて念仏修行《ねんぶつしゅぎょう》の道《どう》場《じょう》とて、あながち局分《きょくぶん》すべきにあらざるか。しかれども、廃立《はいりゅう》の初門《しょもん》にかえりて、いくたびも為《い》凡《ぼん》をさきとして、道場《どうじょう》となづけてこれをかまえ、本尊《ほんぞん》を安置《あんち》し奉《たてまつ》るにてこそあれ、これは行者《ぎょうじゃ》集会《しゅうえ》のためなり。[60]一道場《いちどうじょう》に来集《らいじゅう》せんたぐい、遠近《えんきん》ことなれば、来臨《らいりん》の便宜不同《びんぎふどう》ならんとき、一所《いっしょ》をしめても、ことのわずらいありぬべからんには、あまたところにも道場《どうじょう》をかまうべし。しからざらんにおいては、町《ちょう》のうち、さかいのあいだに、面々各々《めんめんかくかく》にこれをかまえて、なんの要《よう》かあらん。あやまってことしげくなりなば、その失《しつ》ありぬべきものか。そのゆえは、[61]「同一念仏無別道故《どういつねんぶつむべつどうこ》」（論註）なれば、同行《どうぎょう》はたがいに四海《しかい》のうちみな兄弟《きょうだい》のむつびをなすべきに、かくのごとく[62]嫌別隔《けんべつきゃく》略《りゃく》せば、おのおの確執《かくしゅう》の[63]もとい、我慢《がまん》の[64]前相《ぜんそう》たるべきをや。この段《だん》、祖師《そし》の御門弟《ごもんてい》と号《ごう》するともがらのなかに、当時《とうじ》さかんなりと云々《うんぬん》　祖師聖人御在世《そししょうにんございせ》のむかし、かつてかくのごとくはなはだしき御沙汰《ごさた》なしと、まのあたりうけたまわりしことなり。ただ、ことにより、便宜《びんぎ》にしたがいてわずらいなきを本《ほん》とすべし。いま謳歌《おうか》の説《せつ》においては、もっとも停止《ちょうじ》すべし。[65]

⑬一　祖師聖人《そししょうにん》の御門弟《ごもんてい》と号《ごう》するともがらのなかに、世《せ》・出世《しゅっせ》の二法《にほう》について得分《とくぶん》せよという名《みょう》目《もく》を行住坐臥《ぎょうじゅうざが》につかう、こころえがたき事《こと》。

それ得分《とくぶん》という畳字《じょうじ》は、世俗《せぞく》よりおこれり。出世《しゅっせ》の法《ほう》のなかに経論章疏《きょうろんしょうしょ》をみるに、いまだこれなし。しかれども、おりにより、ときにしたがいて、ものをいわんときは、このことば出来《しゅつらい》せざるべきにあらず。[66]しかるに、謳歌《おうか》のごとくんば、造次顛沛《ぞうじてんぱい》、このことばをもって規模《きぼ》とすと云々《うんぬん》　『七《しち》か条《じょう》の御起請文《ごきしょうもん》』[67]に、[68]「念仏修行《ねんぶつしゅぎょう》の道俗男女《どうぞくなんにょ》、卑劣《ひれつ》の[69]ことわりをもって、なまじいに法門《ほうもん》をのべば、智者《ちしゃ》にわらわれ、愚人《ぐにん》をまよわすべし」と云々《うんぬん》　かの先言《せんげん》をもっていまを案《あん》ずるに、すこぶるこのたぐいか。もっとも智者《ちしゃ》にわらわれぬべし。此《か》くの如《ごと》きのことば、もっとも頑魯《がんろ》なり。荒涼《こうりょう》に義《ぎ》にもあたらぬ畳字《じょうじ》をつかうべからず。すべからくこれを停止《ちょうじ》すべし。

(14)一　なま（訛）らざる音声《おんじょう》をもって、わざと片国《へんごく》のなまれるこえをまなんで念仏《ねんぶつ》する、いわれなき事《こと》。

それ五音七声《ごいんしちせい》は、人々生得《にんにんしょうとく》のひびきなり。弥陀浄国《みだじょうこく》の水鳥《しいちょう》・樹林《じゅりん》のさえずる音《おと》、みな宮《きゅう》・商《しょう》・角《かく》・徴《ち》・羽《う》にかたどれり。これによりて曾祖師聖人《そうそししょうにん》の、わが朝《ちょう》に応《おう》[70]をたれましまして、真《しん》宗《しゅう》を弘興《ぐこう》のはじめ、こえ仏事《ぶつじ》をなすいわれあればとて、かの浄土《じょうど》の依報《えほう》のしらべをまなんで、迦《か》陵頻伽《りょうびんが》のごとくなる能声《のうしょう》をえらんで念仏《ねんぶつ》を修《しゅ》せしめて、万人《ばんじん》のききを悦《よろこ》ばしめ、随喜《ずいき》せしめたまいけり。それよりこのかた、わが朝《ちょう》に、[71]一念多念《いちねんたねん》、声明《しょうみょう》あいわかれて、いまにかたのごとく余塵《よじん》をのこさる。祖師聖人《そししょうにん》の御《おん》ときは、さかりに多念声明《たねんしょうみょう》の法燈《ほうとう》、倶阿弥陀仏《くあみだぶつ》の余流充満《よりゅうじゅうまん》の[72]ころにて、御坊中《ごぼうちゅう》の禅襟達《ぜんきんたち》も少々《しょうしょう》これを、もてあそばれけり。祖師《そし》の御意巧《ごいぎょう》としては、全《まった》く、念仏《ねんぶつ》のこわいき（声息）、いかように節《ふし》はかせ（譜）を、定《さだ》むべしという仰《おお》せなし。ただ弥陀願力《みだがんりき》の不思議《ふしぎ》、凡夫往生《ぼんぶおうじょう》の他力《たりき》の一途《いちず》ばかりを、自行化他《じぎょうけた》の御《おん》つとめとしましましき。音声《おんじょう》の[73]御沙汰《ごさた》さらにこれなし。しかれども、とき世《よ》の風儀《ふうぎ》、[74]多念《たねん》の声明《しょうみょう》をもって、ひとおおくこれをもてあそぶについて、御坊中《ごぼうちゅう》の人々御同宿達《ひとびとおんどうしゅくたち》もかの声明《しょうみょう》にこころをよするについて、いささかこれを稽古《けいこ》せらるる人々《ひとびと》ありけり。そのとき、東国《とうごく》より上洛《しょうらく》の道俗等《どうぞくとう》、御坊中逗留《ごぼうちゅうとうりゅう》のほど、耳《みみ》にふれけるか。まったく聖人《しょうにん》の仰《おお》せとして、音曲《おんぎょく》を定《さだ》めて称名《しょうみょう》せよという[75]御沙汰《おんさた》なし。されば、ふしはかせの[76]御沙汰《ごさた》なきうえは、なまれるをまねび、なまらざるをもまなぶべき[77]御沙汰《おんさた》に及《およ》ばざるものなり。しかるに、いま生得《しょうとく》になまらざるこえをもって、生得《しょうとく》になまれる坂東《ばんどう》ごえをわざとまねびて、字声《じしょう》をゆがむる条《じょう》、音曲《おんぎょく》をもって往生《おうじょう》の得否《とくふ》を定《さだ》められたるににたり。詮《せん》ずるところ、ただおのれがこえの生得《しょうとく》なるに任《まか》せて、[78]田舎《でんしゃ》のこえは力《ちから》なくなまりて念仏《ねんぶつ》し、王城《おうじょう》のこえはなまらざる、おのれなりのこえをもって、念仏《ねんぶつ》すべきなり。こえ仏事《ぶつじ》をなすいわれも、[79]かたのごとくの結縁分《けちえんぶん》なり。音曲更《おんぎょくさら》に報土往生《ほうどおうじょう》の真因《しんいん》にあらず。ただ他力《たりき》の一心《いっしん》をもって往生《おうじょう》の時節《じせつ》を定《さだ》めまします条《じょう》、口伝《くでん》といい御釈《おんしゃく》といい顕然《けんぜん》なり。しるべし。

(15) 一　一向専修《いっこうせんじゅ》の名言《みょうごん》をさきとして、仏智《ぶっち》の不思議《ふしぎ》をもって報土往生《ほうどおうじょう》をとぐるいわれをば、その沙《さ》汰《た》におよばざる、いわれなき事《こと》。

それ本願《ほんがん》の三信心《さんしんじん》と云《い》うは、至心《ししん》・信楽《しんぎょう》・欲生《よくしょう》これなり。まさしく願成就《がんじょうじゅ》したまうには、[80]「聞《もん》其名号《ごみょうごう》　信心歓喜《しんじんかんぎ》　乃至一念《ないしいちねん》」（大経）と《（等）》らとけり。この文《もん》について、凡夫往生《ぼんぶおうじょう》の得否《とくふ》は乃至一念発《ないしいちねんほっ》起《き》の時分《じぶん》なり。このとき願力《がんりき》をもって往生決得《おうじょうけっとく》すと云《い》うは、則《すなわ》ち摂取不捨《せっしゅふしゃ》のときなり。もし『観《かん》経義《ぎょうぎ》』によらば、[81]「安心定得《あんじんじょうとく》」といえる御釈《おんしゃく》、これなり。また『小経《しょうきょう》』によらば、[82]「一心不乱《いっしんふらん》」ととける、これなり。しかれば、祖師聖人御相承弘通《そししょうにんごそうじょうぐずう》の一流《いちりゅう》の肝要《かんよう》、これにあり。ここをしらざるをもって他門《たもん》とし、これをしれるをもって御門弟《ごもんてい》のしるしとす。そのほか、かならずしも外相《げそう》において、一向専修行者《いっこうせんじゅぎょうじゃ》のしるしをあらわすべきゆえなし。しかるをいま[83]風聞《ふうぶん》の説《せつ》のごとくんば、三《さん》経一論《ぎょういちろん》について文証《もんしょう》をたずねあきらむるにおよばず、ただ自由《じゆう》の妄義《もうぎ》をたてて信心《しんじん》の沙汰《さた》をさしおきて、起行《きぎょう》の篇《へん》をもって、まず雑行《ぞうぎょう》をさしおきて正行《しょうぎょう》を修《しゅ》すべしとすすむと云々《うんぬん》　これをもって一流《いちりゅう》の至要《しよう》とするにや。この条《じょう》、総《そう》じては真宗《しんしゅう》の廃立《はいりゅう》にそむき、別《べっ》しては祖師《そし》の御遺訓《ごゆいくん》に違《い》せり。正行五種《しょうぎょうごしゅ》のうちに、第四《だいし》の称名《しょうみょう》をもって正定業《しょうじょうごう》とすぐりとり、余《よ》の四種《ししゅ》をば助業《じょごう》といえり。正定業《しょうじょうごう》たる称名念仏《しょうみょうねんぶつ》をもって往生浄土《おうじょうじょうど》の正因《しょういん》とはからいつのるすら、なおもって凡夫自力《ぼんぶじりき》のくわだてなれば、報土往生《ほうどおうじょう》かなうべからずと云々《うんぬん》　そのゆえは、願力《がんりき》の不思議《ふしぎ》をしらざるによりてなり。当教《とうきょう》の肝要《かんよう》、凡夫《ぼんぶ》のはからいをやめて、ただ摂取不捨《せっしゅふしゃ》の大益《だいやく》をあおぐものなり。起行《きぎょう》をもって一向専修《いっこうせんじゅ》の名言《みょうごん》をたつという[84]とも、他力《たりき》の安心《あんじん》、決得《けっとく》せずんば、祖師《そし》の御己証《ごこしょう》を相続《そうぞく》するにあらざるべし。宿善《しゅくぜん》もし開発《かいほつ》の機《き》ならば、いかなる卑劣《ひれつ》の輩《ともがら》も願力《がんりき》の信心《しんじん》をたくわえつべし。しるべし。

(16)
一　当流《とうりゅう》の門人《もんにん》と号《ごう》する輩《ともがら》、祖師先徳報恩謝徳《そしせんどくほうおんしゃとく》の集会《しゅうえ》のみぎりにありて、往生浄土《おうじょうじょうど》の信心《しんじん》においてはその沙汰《さた》におよばず、没後葬礼《もつごそうれい》をもって本《ほん》とすべきように衆議評定《しゅうぎひょうじょう》する、いわれなき事《こと》。

右《みぎ》、聖道門《しょうどうもん》について密教所談《みっきょうしょだん》の[85]「父母所生身《ぶもしょしょうしん》　速証大覚位《そくしょうだいかくい》」（発菩提心論）(等)といえるほかは、浄刹《じょうせつ》に往詣《おうげい》するも苦域《くいき》に堕在《だざい》するも、心《しん》の一法《いっぽう》なり。全《まった》く五蘊所成《ごうんしょじょう》の肉身《にくしん》をもって、凡夫速疾《ぼんぶそくしつ》に浄刹《じょうせつ》のうてなにのぼるとは談《だん》ぜず。他宗《たしゅう》の性相《しょうそう》に異《い》する自宗《じしゅう》の廃立《はいりゅう》、これをもって規《き》とす。しかるに、往生《おうじょう》の信心《しんじん》の沙汰《さた》をば手《て》がけもせずして、没後喪礼《もつごそうれい》の助成扶持《じょじょうふち》の一段《いちだん》を当流《とうりゅう》の肝要《かんよう》とするように談合《だんこう》するによりて、祖師《そし》の御己証《ごこしょう》もあらわれず、道俗男女《どうぞくなんにょ》、往生浄土《おうじょうじょうど》のみちをもしらず、ただ世間浅近《せけんせんごん》の無常講《むじょうこう》とかやのように諸人思《しょにんおも》いなすこと、心《こころ》うきことなり。かつは、本師聖人《ほんじしょうにん》の仰《おお》せに云《い》わく、「某《それがし》親鸞《しんらん》閉眼《へいがん》せば、賀茂河《かもがわ》にいれて魚《うお》にあたうべし」と云々《うんぬん》これすなわち、この肉身《にくしん》[86]をかろんじて仏法《ぶっぽう》の信心《しんじん》を本《ほん》とすべきよしをあらわしましますゆえなり。これをもっておもうに、いよいよ喪葬《そうそう》を一大事《いちだいじ》とすべきにあらず。もっとも停止《ちょうじ》すべし。

(17) 一　おなじく祖師《そし》の御門流《ごもんりゅう》と号《ごう》するやから、因果撥無《いんがはつむ》と云《い》う事《こと》を持言《じごん》とすること、いわれなき事《こと》。

それ三経《さんぎょう》のなかにこの名言《みょうごん》を求《もと》むるに、『観経《かんぎょう》』に[87]「深信因果《じんしんいんが》」の文《もん》あり。もしこれをおもえるか。おおよそ、祖師聖人御相承《そししょうにんごそうじょう》の一義《いちぎ》は、三経共《さんぎょうとも》に差別《しゃべつ》なしといえども、『観無量寿経《かんむりょうじゅきょう》』は機《き》の真実《しんじつ》をあらわして、所説《しょせつ》の法《ほう》は定散《じょうさん》をおもてとせり。機《き》の真実《しんじつ》と云《い》うは、五障《ごしょう》[88]の女人《にょにん》・悪人《あくにん》を本《ほん》として、韋提《いだい》を対機《たいき》としたまえり。『大無量寿経《だいむりょうじゅきょう》』は深位《じんい》の権機《ごんき》をもって同聞衆《どうもんしゅ》として、所説《しょせつ》の法《ほう》は凡夫出要《ぼんぶしゅつよう》の不思議《ふしぎ》をあらわせり。大師聖人《だいししょうにん》の御相承《ごそうじょう》はもっぱら『大経《だいきょう》』にあり。『観経《かんぎょう》』所説《しょせつ》の「深信因果《じんしんいんが》」のことばをとらんこと、あながち甘心《かんしん》すべからず。たとい、かの『経《きょう》』の名目《みょうもく》をとるというとも、義理参差《ぎりしんし》せばいよいよいわれなかるべし。そのゆえは、かの『経《きょう》』の「深信因果《じんしんいんが》」は、三福業《さんぷくごう》の随一《ずいいち》なり。[89]この三福《さんぷく》の業《ごう》はまた人天有漏《にんでんうろ》の業《ごう》なり。就中《なかんずく》に深信因果《じんしんいんが》の道理《どうり》によらば、あに凡夫往生《ぼんぶおうじょう》ののぞみをとげんや。まず十悪《じゅうあく》において[90]「上品《じょうぼん》に犯《ぼん》するものは地獄道《じごくどう》に堕《だ》し、中品《ちゅうぼん》に犯《ぼん》するものは餓鬼道《がきどう》に堕《だ》し、下品《げぼん》に犯《ぼん》するものは畜生道《ちくしょうどう》におもむく」といえり。これ大乗《だいじょう》の性《しょう》相《そう》の定《さだ》むるところなり。もしいまの凡夫所犯《ぼんぶしょぼん》の現因《げんいん》によりて当来《とうらい》の果《か》を感《かん》ずべくんば、三悪道《さんあくどう》に堕在《ださい》すべし。人中《にんちゅう》・天上《てんじょう》の果報《かほう》、なおもって五戒《ごかい》・十善《じゅうぜん》まったからずは、いかでかのぞみをかけんや。いかにいわんや、出過三界《しゅっかさんがい》の無漏無生《むろむしょう》の報国報土《ほうこくほうど》に生《う》まるる道理《どうり》あるべからず。しかりといえども、弥陀超世《みだちょうせ》の大願《だいがん》、十悪《じゅうあく》・五逆《ごぎゃく》・四重《しじゅう》・謗法《ほうぼう》の機《き》の為《ため》なれば、かの願力《がんりき》の強盛《ごうじょう》なるに、よこさまに超截《ちょうぜつ》せられ奉《たてまつ》りて、三途《さんず》の苦因《くいん》を永《なが》くたちて、猛火洞燃《みょうかとうねん》の業果《ごうか》をとどめられ奉《たてまつ》ること、おおきに因果《いんが》の道理《どうり》にそむけり。もし深信因果《じんしんいんが》の機《き》たるべくんば、殖《う》うる所《ところ》の悪因《あくいん》のひかんところは悪《あっ》果《か》なるべければ、たとい弥陀《みだ》の本願《ほんがん》を信《しん》ずと云《い》うとも、その願力《がんりき》はいたずらごとにて、念仏《ねんぶつ》の衆生《しゅじょう》、三途《さんず》に堕在《だざい》すべきをや。もししかりといわば、弥陀五劫思惟《みだごこうしゆい》の本願《ほんがん》も、釈尊無虚妄《しゃくそんむこもう》の金言《きんげん》も、諸仏《しょぶつ》誠諦《じょうたい》の証誠《しょうじょう》も、いたずらごとなるべきにや。

凡《おおよ》そ[91]他力一門《たりきいちもん》においては、釈尊一代《しゃくそんいちだい》の説教《せっきょう》にいまだその例《れい》なき通途《つうず》の性相《しょうそう》をはなれたる言語《ごんご》道断《どうだん》の不思議《ふしぎ》なりというは、凡夫《ぼんぶ》の報土《ほうど》に生《う》まるるというをもってなり。もし因果相順《いんがそうじゅん》の理《り》にまかせば、釈迦《しゃか》・弥陀《みだ》・諸仏《しょぶつ》の御《おん》ほねおりたる他力《たりき》の別途《べつず》、空《むな》しくなりぬべし。そのゆえは、たすけましまさんとする十方衆生《じっぽうしゅじょう》たる凡夫《ぼんぶ》、因果相順《いんがそうじゅん》の理《り》に封《ふう》ぜられて、別願所成《べつがんしょじょう》の報土《ほうど》に凡夫《ぼんぶ》生《う》まるべからざるゆえなり。いま報土得生《ほうどとくしょう》の機《き》にあたえまします仏智《ぶっち》の一念《いちねん》は、すなわち仏因《ぶついん》なり。かの仏因《ぶついん》にひかれてうるところの定聚《じょうじゅ》のくらい滅度《めつど》に至《いた》ると云《い》うは、則《すなわ》ち仏果《ぶっか》なり。この仏因《ぶついん》・仏果《ぶっか》においては、他力《たりき》より成《じょう》ずれば、さらに凡夫《ぼんぶ》の力《ちから》にてみだすべきにあらず、また撥無《はつむ》すべきにあらず。しかれば、なにによりてか「因果撥無《いんがはつむ》の機《き》あるべし」ということをいわんや。もっともこの名言《みょうごん》、他《た》力《りき》の宗旨《しゅうし》をもっぱらにせらるる当流《とうりゅう》にそむけり。かつてうかがいしらざるゆえか。はやく停止《ちょうじ》すべし。

(18)一　本願寺《ほんがんじ》の聖人《しょうにん》の御門弟《ごもんてい》と号《ごう》する人々《ひとびと》のなかに、知識《ちしき》をあがむるをもって弥陀如来《みだにょらい》に擬《ぎ》し、知《ち》識所居《しきしょご》の当体《とうたい》をもって別願真実《べつがんしんじつ》の報土《ほうど》とすという、いわれなき事《こと》。

それ自宗《じしゅう》の正依経《しょうえきょう》たる三経所説《さんぎょうしょせつ》の廃立《はいりゅう》においては、ことしげきによりてしばらくさしおく。八宗《はっしゅう》の高祖《こうそ》とあがめ奉《たてまつ》る龍樹菩薩《りゅうじゅぼさつ》の所造《しょぞう》『十住毘婆沙論《じゅうじゅうびばしゃろん》』のごときんば、[92]「菩薩《ぼさつ》、阿毘跋致《あびばっち》を求《もと》むるに二種《にしゅ》の道《どう》あり。一《ひと》つには難行道《なんぎょうどう》、ふたつには易行道《いぎょうどう》。その[93]難行道《なんぎょうどう》というは多途《たず》あり。粗《ほぼ》五三《ごさん》をあげて義《ぎ》のこころをしめさん」といえり。「易行道《いぎょうどう》というは、ただ信仏《しんぶつ》の因縁《いんねん》をもって浄土《じょうど》にうまれんと願《がん》ずれば、仏力住持《ぶつりきじゅうじ》してすなわち大乗正定《だいじょうしょうじょう》の聚《じゅ》にいれたまう」といえり。曾祖師黒《そうそしくろ》谷《だに》の先徳《せんどく》、これをうけて、[94]「難行道《なんぎょうどう》というは聖道門《しょうどうもん》なり、易行道《いぎょうどう》というは浄土門《じょうどもん》なり」（選択集）とのたまえり。これすなわち、聖道《しょうどう》・浄土《じょうど》の二門《にもん》を混乱《こんらん》せずして、浄土《じょうど》の一門《いちもん》を立《りゅう》せんがためなり。しかるに、聖道門《しょうどうもん》の中《なか》に大小乗《だいしょうじょう》・権実《ごんじつ》の不同《ふどう》ありといえども、大乗所談《だいじょうしょだん》の極理《ごくり》とおぼしきには、己身《こしん》の弥陀《みだ》・唯心《ゆいしん》の浄土《じょうど》と談《だん》ずるか。この所談《しょだん》においては、聖《しょう》のためにして凡《ぼん》のためにあらず。かるがゆえに、浄土《じょうど》の[95]教門《きょうもん》はもっぱら凡夫引入《ぼんぶいんにゅう》のためなるがゆえに、己身《こしん》の観法《かんぼう》もおよばず、唯心《ゆいしん》[96]の自説《じせつ》もかなわず、ただとなりのたからをかぞうるにたり。これによりて、すでに別《べつ》して浄《じょう》土《ど》の一門《いちもん》をたてて、凡夫引入《ぼんぶいんにゅう》のみちを立《りゅう》せり。龍樹菩薩《りゅうじゅぼさつ》の所判《しょはん》、あにあやまりあるべけんや。真《しん》宗《しゅう》の門《もん》においてはいくたびも廃立《はいりゅう》をさきとせり。「廃《はい》」というは、捨《しゃ》なりと釈《しゃく》す。聖道門《しょうどうもん》の此土《しど》の入聖得果《にっしょうとっか》・己身《こしん》[97]の弥陀《みだ》・唯心《ゆいしん》の浄土《じょうど》等《とう》の凡夫不堪《ぼんぶふかん》の自力《じりき》の修道《しゅどう》をすてよとなり。「立《りゅう》」というは、すなわち、弥陀他力《みだたりき》の信《しん》をもって凡夫《ぼんぶ》の信《しん》とし、弥陀他力《みだたりき》の行《ぎょう》をもって凡夫《ぼんぶ》の行《ぎょう》とし、弥陀他《みだた》力《りき》の作業《さごう》をもって凡夫報土《ぼんぶほうど》に往生《おうじょう》する正業《しょうごう》として、此《こ》の穢界《えかい》をすてて、かの浄刹《じょうせつ》に往生《おうじょう》せよとしつらいたまうをもって、真宗《しんしゅう》とす。

しかるに、風聞《ふうぶん》の邪義《じゃぎ》のごとくんば、廃立《はいりゅう》の一途《いちず》をすてて、此土《しど》・他土《たど》をわけず、浄《じょう》・穢《え》を分別《ふんべつ》せず、此土《しど》をもって浄土《じょうど》と称《しょう》し、凡形《ぼんぎょう》の知識《ちしき》をもってかたじけなく三十二相《さんじゅうにそう》の仏体《ぶったい》とさだむらんこと、浄土《じょうど》の一門《いちもん》において、かかる所談《しょだん》あるべしともおぼえず。下根愚鈍《げこんぐどん》の[98]短慮《たんりょ》おおよそ迷惑《めいわく》するところなり。己身《こしん》の弥陀《みだ》・唯心《ゆいしん》の浄土《じょうど》と談《だん》ずる聖道《しょうどう》の宗義《しゅうぎ》に差別《しゃべつ》せるところいずくぞや。もっとも荒涼《こうりょう》といいつべし。ほのかにきく、かくのごとくの所談《しょだん》の言語《ごんご》をまじうるを「夜中《よなか》の法門《ほうもん》」と号《ごう》すと云々《うんぬん》　またきく、祖師《そし》の御解釈《ごげしゃく》『教行証《きょうぎょうしょう》』にのせらるるところの[99]「顕彰隠密《けんしょうおんみつ》の義《ぎ》」というも、「隠密《おんみつ》」の名言《みょうごん》はすなわちこの一途《いちず》を顕露《けんろ》にすべからざるを「隠密《おんみつ》」と釈《しゃく》したまえりと云々《うんぬん》　これもってのほかの僻韻《へきいん》か。かの「顕彰隠密《けんしょうおんみつ》」の名言《みょうごん》は、わたくしなき御釈《おんしゃく》なり。それはかくのごとくこばみたる邪義《じゃぎ》にあらず。子細多重《しさいたじゅう》あり。ことしげきによりて、いまの要須《ようす》にあらざるあいだ、これを略《りゃく》す。善知識《ぜんじしき》において、本尊《ほんぞん》のおもいをなすべき条《じょう》、渇仰《かつごう》の至《いた》り[100]においてはその理《り》しかるべしといえども、それは仏智《ぶっち》を次第相承《しだいそうじょう》しまします願力《がんりき》の信心《しんじん》、仏智《ぶっち》よりもよおされて、仏智《ぶっち》に帰属《きぞく》するところの一味《いちみ》なるを仰崇《ぎょうそう》の分《ぶん》にてこそあれ。仏身《ぶっしん》・仏智《ぶっち》を本体《ほんたい》とおかずして、ただちに凡形《ぼんぎょう》の知識《ちしき》をおさえて「如来《にょらい》の色相《しきそう》と眼見《げんけん》せよ」とすすむらんこと、聖教《しょうぎょう》の[101]指説《しせつ》をはなれ、祖師《そし》の口伝《くでん》にそむけり。本尊《ほんぞん》[102]をはなれて、いずくのほどより知識《ちしき》は出現《しゅつげん》せるぞや。荒涼《こうりょう》なり、[103]髣髴《ほうひ》なり。ただ実語《じつご》をつたえて口授《くじゅ》し、仏智《ぶっち》を[104]あらわして決得《けっとく》せしむる恩徳《おんどく》は、生身《しょうじん》の如来《にょらい》にもあいかわらず。木像《もくぞう》ものいわず経典《きょうてん》くちなければ、つたえきかしむるところの恩徳《おんどく》をみにたくわえん行者《ぎょうじゃ》は、謝徳《しゃとく》のおもいを専《もっぱ》らにして、如来《にょらい》の代官《だいかん》と仰《あお》いであがむべきにてこそあれ。その知識《ちしき》の[105]ほかに別《べつ》の仏《ぶつ》なしということ、智者《ちしゃ》にわらわれ愚者《ぐしゃ》をまよわすべきいい《（謂）》、これにあり。あさまし、あさまし。

⑲一　凡夫自力《ぼんぶじりき》の心行《しんぎょう》をおさえて、仏智証得《ぶっちしょうとく》の行体《ぎょうたい》という、いわれなき事《こと》。

三経《さんぎょう》のなかに、『観経《かんぎょう》』の至誠《しじょう》・深心等《じんしんとう》の三心《さんじん》をば、凡夫《ぼんぶ》のおこすところの自力《じりき》の三心《さんじん》ぞとさだめ、『大経《だいきょう》』[106]の所説《しょせつ》の至心《ししん》・信楽《しんぎょう》・欲生等《よくしょうとう》の三信《さんしん》をば、他力《たりき》よりさずけらるるところの仏智《ぶっち》とわけられたり。しかるに、「方便《ほうべん》より真実《しんじつ》へつたい、凡夫発起《ぼんぶほっき》の三心《さんじん》より如来利他《にょらいりた》の信心《しんじん》に通入《つうにゅう》するぞ」とおしえおき[107]ましまします祖師《そし》親鸞《しんらん》聖人《しょうにん》の御釈《おんしゃく》を拝見《はいけん》せざるにや。ちかごろこのむねをそむいて自由《じゆう》の妄説《もうせつ》をなして、しかも祖師《そし》の御末弟《ごまってい》と称《しょう》する、この条《じょう》ことにもっておどろきおぼゆるところなり。まず能化《のうけ》・所化《しょけ》をたて、自力《じりき》・他力《たりき》を対判《たいはん》して、自力《じりき》をすてて他力《たりき》に帰《き》し、能化《のうけ》の説《せつ》をうけて所化《しょけ》は信心《しんじん》を定得《じょうとく》するこそ、今師御相承《こんじごそうじょう》の口伝《くでん》にはあいかないはんべれ。

いまきこゆる邪義《じゃぎ》のごとくは、「煩悩成就《ぼんのうじょうじゅ》の凡夫《ぼんぶ》の妄心《もうしん》をおさえて金剛心《こんごうしん》といい、行者《ぎょうじゃ》の三業所《さんごうしょ》修《しゅ》の念仏《ねんぶつ》をもって一向一心《いっこういっしん》の[108]行《ぎょう》とす」と云々《うんぬん》　此《こ》の条《じょう》、つやつや、自力《じりき》・他力《たりき》のさかいをしらずして、人《ひと》をもまよわし、われもまようものか。そのゆえは、まず[109]「金剛心成就《こんごうしんじょうじゅ》」（行巻）という、金《こん》剛《ごう》はこれたとえなり。凡夫《ぼんぶ》の迷心《めいしん》において金剛《こんごう》に類同《るいどう》すべき[110]謂《いい》なし。凡情《ぼんじょう》はきわめて不成《ふじょう》なり。されば大師《だいし》（善導）の御釈《おんしゃく》（序分義）には、[111]「たとい[112]清心《しょうしん》をおこすといえども、みず《（水）》に画《え》せるがごとし」と云々《うんぬん》　不成《ふじょう》の義《ぎ》、これをもってしるべし。しかれば、凡夫不成《ぼんぶふじょう》の迷情《めいじょう》に[113]「令諸衆生《りょうしょしゅじょう》」（大経）の仏智満入《ぶっちまんにゅう》して不成《ふじょう》の迷心《めいしん》を他力《たりき》より成就《じょうじゅ》して、[114]「願入弥陀界《がんにゅうみだかい》」（玄義分）の往生《おうじょう》の正業成《しょうごうじょう》ずるときを、[115]「能発一念喜愛心《のうほついちねんきあいしん》」（正信偈）とも、[116]「不断煩悩得涅槃《ふだんぼんのうとくねはん》」（同）とも、[117]「入正定聚之数《にゅうしょうじょうじゅしじゅ》」（行巻）[118]とも、聖人釈《しょうにんしゃく》しましませり。これすなわち[119]「即得往生《そくとくおうじょう》」（大経）の時分《じぶん》なり。この娑婆生《しゃばしょう》死《じ》の五蘊所成《ごうんしょじょう》の肉身《にくしん》いまだやぶれずといえども、生死流転《しょうじるてん》の本源《ほんげん》をつなぐ自力《じりき》の迷情《めいじょう》、[120]「共発金《ぐほっこん》剛心《ごうしん》」の一念《いちねん》にやぶれて、知識伝持《ちしきでんじ》の仏語《ぶつご》に帰属《きぞく》するをこそ、自力《じりき》をすてて他力《たりき》に帰《き》するともなづけ、また「即得往生《そくとくおうじょう》」とも、ならいはんべれ。まったくわが我執《がしゅう》をもって随分《ずいぶん》に是非《ぜひ》をおもいかたむるを他力《たりき》に帰《き》すとはならわず。これを金剛心《こんごうしん》ともいわざるところなり。三経一論《さんぎょういちろん》、五祖《ごそ》の釈《しゃく》以下《いげ》、当《とう》流《りゅう》[121]の高祖《こうそ》親鸞《しんらん》聖人自証《しょうにんじしょう》をあらわしましまします御製作《ごせいさく》『[122]教行証《きょうぎょうしょう》』等《とう》にみえざるところなり。[123]しからば、なにをもってかほしいままに[124]自由妄説《じゆうもうせつ》をのべて、みだりに祖師一流《そしいちりゅう》の口伝《くでん》と称《しょう》するや。自失誤他《じしつごた》の過《とが》、仏祖《ぶっそ》の知見《ちけん》にそむくものか。おそるべし、あやぶむべし。

(20)一　至極末弟《しごくまってい》の建立《こんりゅう》の草堂《そうどう》を称《しょう》して本所《ほんじょ》とし、諸国《しょこく》こぞりて崇敬《そうきょう》の聖人《しょうにん》の御本廟本願寺《ごほんびょうほんがんじ》をば参詣《さんけい》すべからずと諸人《しょにん》に障碍《しょうげ》せしむる、冥加《みょうが》なきくわだてのこと。

それ慢心《まんしん》は、聖道《しょうどう》の諸教《しょきょう》にきらわれ、「仏道《ぶつどう》をさまたぐる魔《ま》」と、これをのべたり。わが真宗《しんしゅう》の高祖光明寺《こうそこうみょうじ》の大師《だいし》（善導）、釈《しゃく》してのたまわく、125「憍慢弊懈怠《きょうまんへいけだい》　難以信此法《なんいしんしほう》」とて、「憍慢《きょうまん》と弊《へい》と懈怠《けだい》とは、もってこの法《ほう》を信《しん》ずることかたし」とみえたれば、憍慢《きょうまん》の自心《じしん》をもって仏智《ぶっち》をはからんと擬《ぎ》する不覚鈍機《ふかくどんき》の器《き》としては、さらに仏智無上《ぶっちむじょう》の他力《たりき》をききうべからざれば、祖師《そし》の御本所《ごほんじょ》をば126蔑如《べつじょ》し、自建立《じこんりゅう》のわたくしの在所《ざいしょ》をば本所《ほんじょ》と自称《じしょう》するほどの冥加《みょうが》を存《ぞん》ぜず、利益《りやく》をおもわざるやから、大憍慢《だいきょうまん》の妄情《もうじょう》をもっては、まことにいかでか仏智無上《ぶっちむじょう》の他力《たりき》を受持《じゅじ》せんや。「難以信斯法《なんいしんしほう》」の御釈《おんしゃく》、いよいよおもいあわせられて127厳重《げんじゅう》なるものか。しるべし。

128右此抄者、祖師本願寺聖人親鸞面㆓授口㆓決于先師大網如信法師㆒之正旨、報土得生之最要也。余壮年之往日、忝従㆓受三代黒谷・本願寺・大網伝持之血脈㆒以降、129鎮蓄㆓一尊興説之目足㆒也。遠測㆓宿生之値遇㆒、倩憶㆓当来之開130悟㆒、仏恩之高大、宛超㆓于迷盧八131万之巓㆒、師徳之深広、132殆過㆓于蒼瞑三千之底㆒。爰近曽号㆓祖師御門葉㆒之輩中、構㆘非㆓師伝㆒之今案自義㆖、謬黷㆓権化之清流㆒、恣称㆓当教㆒、自失誤㆑他云々　太不㆑可㆑然不㆑可㆑不㆓禁遏㆒。因㆑茲為㆘砕㆓彼邪幢㆒而挑㆗厥正燈㆖録、斯名曰㆓改邪鈔㆒而已。

（一三三七）
建武丁丑第四暦季商下旬二十五日染翰㆑訖、不㆑図相㆓当曾祖聖人遷化之聖日㆒。是知不㆑違㆓師資相承之直

語、応レ尊可レ喜矣。　釈宗昭 六十八

[133]本云

貞和元歳（一三四五）乙酉　十一月　日書二写之一　釈従覚 五十一歳

永享二年（一四三〇）九月十日

浄土真要鈔《じょうどしんようしょう》[1]本

それ、一向専修《いっこうせんじゅ》の念仏《ねんぶつ》は、決定往生《けつじょうおうじょう》の肝心《かんじん》なり。これすなわち『大経《だいきょう》』のなかに弥陀如来《みだにょらい》[2]の四《し》十八願《じゅうはちがん》を[3]とくなかに、第十八《だいじゅうはち》の願《がん》に念仏《ねんぶつ》の信心《しんじん》をすすめて諸行《しょぎょう》をとかず、[4]「乃至十念《ないしじゅうねん》の行者《ぎょうじゃ》かならず往生《おうじょう》をうべし」ととけるゆえなり。しかのみならず、おなじき『経《きょう》』の三輩往生《さんぱいおうじょう》の文《もん》にみな通《つう》じて[5]「一向専念無量寿仏《いっこうせんねんむりょうじゅぶつ》」とときて、「一向《いっこう》にもっぱら無量寿仏《むりょうじゅぶつ》を念《ねん》ぜよ」といえり。「一向《いっこう》」というは「ひとつにむかう」という。ただ、念仏《ねんぶつ》の一行《いちぎょう》にむかえとなり。「専念《せんねん》」というは、「もっぱら念《ねん》ぜよ」という。ひとえに弥陀《みだ》一仏《いちぶつ》を念《ねん》じたてまつるほかに、二《ふた》つをならぶることなかれとなり。これによりて、唐土《とうど》の高祖《こうそ》、善導和尚《ぜんどうかしょう》は、正行《しょうぎょう》と雑行《ぞうぎょう》とをたてて、雑行《ぞうぎょう》をすてて正行《しょうぎょう》に帰《き》すべきことわりをあかし、正業《しょうごう》と助業《じょごう》とをわかちて、助業《じょごう》をさしおきて正業《しょうごう》をもっぱら[6]にすべき義《ぎ》を判《はん》ぜり。ここにわが朝《ちょう》の善知識《ぜんじしき》、黒谷《くろだに》の源空聖人《げんくうしょうにん》、かたじけなく如来《にょらい》のつかいとして、末代片《まつだいへん》州《しゅう》の衆生《しゅじょう》を教化《きょうけ》したまう。そののぶるところ、釈尊《しゃくそん》の誠説《じょうせつ》に[7]まかせ、そのひろむるところ、もっぱら高祖《こうそ》の解釈《げしゃく》をまもる。かの聖人《しょうにん》のつくりたまえる『選択集《せんじゃくしゅう》』にいわく、[8]「速欲離生死《そくよくりしょうじ》　二種勝法中《にしゅしょうぼうちゅう》　且閣聖道門《しゃかくしょうどうもん》　選入浄土門《せんにゅうじょうどもん》　欲入浄土門《よくにゅうじょうどもん》　正雑二行中《しょうぞうにぎょうちゅう》　且抛諸雑行《しゃほうしょぞうぎょう》　選応帰《せんおうき》正行《しょうぎょう》　欲修於正行《よくしゅおしょうぎょう》　正助二業中《しょうじょにごうちゅう》　猶傍於助業《ゆぼうおじょごう》　選応専正定《せんおうせんしょうじょう》　正定之業者《しょうじょうしごうしゃ》　即是称仏名《そくぜしょうぶつみょう》

称名必得生《しょうみょうひっとくしょう》　依仏本願故《えぶつほんがんこ》」といえり。この文《もん》のこころは、「すみやかに生死《しょうじ》をはなれんとおもわば、二種《にしゅ》の勝法《しょうぼう》のなかに、しばらく聖道門《しょうどうもん》をさしおきて、えらんで浄土門《じょうどもん》にいれ。[9]浄土門《じょうどもん》にいらんとおもわば、正雑二行《しょうぞうにぎょう》のなかに、しばらくもろもろの雑行《ぞうぎょう》をなげすてて、えらんで正行《しょうぎょう》に帰《き》すべし。正行《しょうぎょう》を修《しゅ》せんとおもわば、正助二業《しょうじょにごう》のなかに、なお助業《じょごう》をかたわらにして、えらんで正定《しょうじょう》をもっぱらにすべし。正定《しょうじょう》の業《ごう》というは、すなわちこれ仏名《ぶつみょう》を[10]称《しょう》するなり。みなを称《しょう》すればかならずうまるることをう。仏《ぶつ》の本願《ほんがん》によるがゆえに」と[11]なり。すでに南無阿弥陀仏《なむあみだぶつ》をもって、正定《しょうじょう》の業《ごう》となづく。「正定《しょうじょう》の業《ごう》」というは、まさしくさだまるたねというこころなり。これすなわち往生《おうじょう》のまさしくさだまるたねは念仏《ねんぶつ》の一行《いちぎょう》なりとなり。自余《じよ》の一切《いっさい》の行《ぎょう》は、往生《おうじょう》のためにさだまれるたねにあらずと、きこえたり。しかれば、決定往生《けつじょうおうじょう》のこころざしあらんひとは、念仏《ねんぶつ》の一《いち》行《ぎょう》をもっぱらにして、専修専念《せんじゅせんねん》・一向一心《いっこういっしん》なるべきこと、[12]祖師《そし》の解釈《げしゃく》、はなはだあきらかなるものをや。

しかるにこのごろ浄土《じょうど》の一宗《いっしゅう》において、面々《めんめん》に義《ぎ》をたて行《ぎょう》を論《ろん》ずるいえいえ（家々）、みなかの黒谷《くろだに》のながれにあらずということなし。しかれども解行《げぎょう》みなおなじからず。おのおの[13]真仮《しんけ》をあらそい、たがいに[14]邪正《じゃしょう》を論《ろん》ず。まことに是非《ぜひ》をわきまえがたしといえども、つらつらその[15]正意《しょうい》をうかがうに、もろもろの雑行《ぞうぎょう》をゆるし諸行《しょぎょう》[16]の往生《おうじょう》を談《だん》ずる義《ぎ》、とおくは善導和尚《ぜんどうかしょう》の解釈《げしゃく》にそむき、ちかくは源空《げんくう》[17]聖人《しょうにん》の本意《ほんい》にかないがたきものをや。しかるにわが親鸞聖人《しんらんしょうにん》の[18]一義《いちぎ》は、凡夫《ぼんぶ》のまめやかに生死《しょうじ》をはなるべきおしえ、衆生《しゅじょう》のすみやかに往生《おうじょう》をとぐべきすすめなり。そのゆえは、ひとえにもろもろの雑行《ぞうぎょう》をなげすてて、もっぱら一向専修《いっこうせんじゅ》の一行《いちぎょう》を[19]つとむるゆえなり。これすなわち余《よ》の一切《いっさい》の行《ぎょう》[20]は、みなとりどりにめでたけれども、弥陀《みだ》の[21]本願《ほんがん》にあらず、釈尊付属《しゃくそんふぞく》の教《きょう》にあらず、諸仏証誠《しょぶつしょうじょう》の法《ほう》にあらず。念仏《ねんぶつ》の一行《いちぎょう》は、これ弥陀選択《みだせんじゃく》の本願《ほんがん》なり、釈尊付属《しゃくそんふぞく》の行《ぎょう》なり、諸仏《しょぶつ》証誠《しょうじょう》の法《ほう》なればなり。釈迦《しゃか》・弥陀《みだ》および十方《じっぽう》の諸仏《しょぶつ》の御《おん》こころにしたがいて念仏《ねんぶつ》を信《しん》ぜんひと、かならず往生《おうじょう》の大益《だいやく》をうべしということ、うたがいあるべからず。かくのごとく、一向《いっこう》に行《ぎょう》じ、[22]一《いっ》心《しん》に修《しゅ》すること、わが流《りゅう》のごとくなるはなし。さればこの[23]流《りゅう》に帰《き》して修行《しゅぎょう》せんひと、ことごとく決定往生《けつじょうおうじょう》の行者《ぎょうじゃ》なるべし。しかるにわれらさいわいにそのながれをくみて、もっぱらかのおしえをまもる。[24]宿因《しゅくいん》のもよおすところ、よろこぶべし、とうとむべし。まことに恒沙《ごうじゃ》の身命《しんみょう》をすてても、かの恩徳《おんどく》を報《ほう》ずべきものなり。釈尊《しゃくそん》・善導《ぜんどう》、この法《ほう》をときあらわしたまうとも、源空《げんくう》・親鸞《しんらん》、出世《しゅっせ》したまわずは、われらいかでか浄土《じょうど》をねがわん。たといまた源空《げんくう》・親鸞《しんらん》、世《よ》にいでたまうとも、次第相承《しだいそうじょう》の善知識《ぜんじしき》ましまさずは、真実《しんじつ》の信心《しんじん》をつたえがたし。善導和尚《ぜんどうかしょう》の『般舟讃《はんじゅさん》』にいわく、[25]「若非本師知識勧《にゃくひほんじちしきかん》　弥陀浄土云何入《みだじょうどうんがにゅう》」といえり。文《もん》のこころは、もし本師《ほんじ》・知識《ちしき》のすすめにあらずは、弥陀《みだ》の[26]浄土《じょうど》いかん《（云何）》してかいら《（入）》んとなり。知識《ちしき》のすすめなくしては浄土《じょうど》にうまるべからずと、みえたり。また法照禅師《ほっしょうぜんじ》の[27]『五会法事讃《ごえほうじさん》』にいわく、[28]「曠劫已来流浪久《こうごういらいるろうく》　随縁六道受輪回《ずいえんろくどうじゅりんね》　不遇往《ふぐうおう》生善知識《じょうぜんじしき》　誰能相勧得《すいのうそうかんとく》[29]回帰《えき》」といえり。[30]この文《もん》のこころは「曠劫《こうごう》よりこのかた流浪《るろう》せしことひさし。六道生死《ろくどうしょうじ》に[31]めぐりて、さまざまの輪回《りんね》のくるしみを[32]うけき。往生《おうじょう》の善知識《ぜんじしき》にあわずは、たれかよくあいすすめて弥陀《みだ》の浄土《じょうど》にうまるることをえん」となり。しかれば、かつは仏恩《ぶっとん》を報《ほう》ぜんがため、かつは師徳《しとく》を謝《しゃ》せんがために、この法《ほう》を十方《じっぽう》にひろめて、一切衆生《いっさいしゅじょう》をして西方《さいほう》の一土《いちど》にすすめ[33]いれしむべきなり。『往生礼讃《おうじょうらいさん》』にいわく、[34]「自信教人信《じしんきょうにんしん》　難中転更難《なんちゅうてんきょうなん》　大悲伝普化《だいひでんふけ》　真成《しんじょう》報仏恩《ほうぶっとん》」[35]といえり。こころは、「みずからも[36]この法《ほう》を信《しん》じ、ひと[37]をしても信《しん》ぜしむること、かたきがなかにうたた（転）[38]さらにかたし。[39]弥陀《みだ》の大悲《だいひ》をつたえて、あまねく[40]衆生《しゅじょう》を化《け》する、[41]これまことに仏恩《ぶっとん》を報《ほう》ずる[42]つとめなり」というなり。

問《と》うていわく、諸流《しょりゅう》の異義《いぎ》まちまちなるなかに、往生《おうじょう》の一道《いちどう》において、あるいは平生業成《へいぜいごうじょう》の[43]義《ぎ》を談《だん》じ、あるいは臨終往生《りんじゅうおうじょう》ののぞみをかけ、あるいは来迎《らいこう》の義《ぎ》を執《しゅう》し、あるいは不来迎《ふらいこう》のむねを成《じょう》ず。[44]いまわが流《りゅう》に談《だん》ずるところ、これらの義《ぎ》のなかには、いずれの義《ぎ》ぞや。

こたえていわく、親鸞聖人《しんらんしょうにん》の一流《いちりゅう》においては、平生業成《へいぜいごうじょう》の義《ぎ》にして、臨終往生《りんじゅうおうじょう》ののぞみを本《ほん》とせず。不来迎《ふらいこう》の談《だん》にして、来迎《らいこう》の義《ぎ》を執《しゅう》せず。ただし、平生業成《へいぜいごうじょう》というは、平生《へいぜい》に仏法《ぶっぽう》にあう機《き》にとりてのことなり。もし臨終《りんじゅう》に法《ほう》にあわば、その機《き》は臨終《りんじゅう》に往生《おうじょう》すべし。平生《へいぜい》をいわず、臨終《りんじゅう》をいわず。ただ信心《しんじん》をうるとき、往生《おうじょう》すなわちさだまるとなり。これを[45]「即得往生《そくとくおうじょう》」（大経）という。これによりて、わが聖人《しょうにん》[46]のあつめたまえる『教行証《きょうぎょうしょう》の文類《もんるい》』の第二《だいに》（行巻）、「正信偈《しょうしんげ》」の文《もん》にいわく、[47]「能発一念喜愛心《のうほついちねんきあいしん》　不断煩悩得涅槃《ふだんぼんのうとくねはん》　凡聖逆謗斉回入《ぼんしょうぎゃくほうさいえにゅう》　如衆水入海一味《にょしゅしいにゅうかいいちみ》」といえり。この文《もん》のこころは、「よく一念歓喜《いちねんかんぎ》の信心《しんじん》をおこせば、煩悩《ぼんのう》を断《だん》ぜざる具縛《ぐばく》の凡夫《ぼんぶ》ながら、すなわち涅《ね》槃《はん》の分《ぶん》をう。凡夫《ぼんぶ》も聖人《しょうにん》も五逆《ごぎゃく》も謗法《ほうぼう》もひとしくうまる。たとえばもろもろのみずの、うみにいりぬれば、ひとつうしおのあじわいとなるがごとく、善悪《ぜんあく》さらにへだてなし」というこころなり。ただ一念《いちねん》の[48]信心《しんじん》さだまるとき、[49]竪《しゅ》に貪《とん》・瞋《じん》・痴《ち》・慢《まん》の煩悩《ぼんのう》を断《だん》ぜずといえども、[50]横《おう》に三界六道輪回《さんがいろくどうりんね》の果報《かほう》をとずる義《ぎ》あり。しかりといえども、いまだ凡身《ぼんしん》を[51]すてず、なお果縛《かばく》の穢体《えたい》なるほどは、摂取《せっしゅ》の光明《こうみょう》の、わが身《み》をてらしたまうをもしらず、化仏《けぶつ》・菩薩《ぼさつ》の、まなこのまえにましますをもみたてまつらず。しかるに一期《いちご》のいのちすでにつきて、いきたえ、まなことずるとき、かねて証得《しょうとく》しつる往生《おうじょう》のことわり、ここにあらわれて、仏《ぶつ》・菩薩《ぼさつ》の相好《そうごう》をも拝《はい》し、浄土《じょうど》の荘厳《しょうごん》をも[52]みるなり。これさらに臨終《りんじゅう》のときはじめてうる[53]往生《おうじょう》にはあらず。されば、至心信楽《ししんしんぎょう》の信心《しんじん》をえながら、なお往《おう》生《じょう》をほかにおきて、臨終《りんじゅう》のとき、はじめてえんとはおもうべからず。したがいて、信心開発《しんじんかいほつ》のとき、摂取《せっしゅ》の光益《こうやく》のなかにありて往生《おうじょう》を証得《しょうとく》しつるうえには、いのちおわるとき、ただそのさとりのあらわるるばかりなり。ことあたらしくはじめて聖衆《しょうじゅ》の来迎《らいこう》にあずからんことを期《ご》すべからずとなり。

されば おなじきつぎしも（次下）の解釈《げしゃく》にいわく、[54]「摂取心光常照護《せっしゅしんこうじょうしょうご》　已能雖破無明闇《いのうすいはむみょうあん》　貪愛《とんあい》[55]瞋憎之雲霧《しんぞうしうんむ》　常覆真実信心天《じょうふしんじつしんじんてん》　譬如日光覆雲霧《ひにょにっこうふうんむ》　雲霧之下明無闇《うんむしげみょうむあん》」（正信偈）といえり。この文《もん》のこころは、阿弥陀如来《あみだにょらい》の[56]摂取《せっしゅ》の心光《しんこう》はつねに行者《ぎょうじゃ》をてらしまもりて、すでによく無明《むみょう》のやみを破《は》すといえども、貪欲《とんよく》・瞋恚《しんに》等《とう》の悪業《あくごう》、くもきりのごとくして真実信心《しんじつしんじん》の[57]天《てん》をおおえり。たとえば日《ひ》のひかり[58]の、くもきりにおおわれたれども、そのしたはあきらかにして、くらきことなきがごとしとなり。されば信心《しんじん》をうるとき摂取《せっしゅ》の益《やく》にあずかる。摂取《せっしゅ》の益《やく》にあずかるがゆえに正定聚《しょうじょうじゅ》に住《じゅう》す。しかれば、三《さん》毒《どく》の煩悩《ぼんのう》は、しばしばおこれども、まことの信心《しんじん》はかれにもさえられず。顛倒《てんどう》の妄念《もうねん》はつねにたえざれども、さらに未来《みらい》の悪報《あくほう》をばまねかず。かるがゆえに、もしは平生《へいぜい》、もしは臨終《りんじゅう》、ただ信心《しんじん》のおこるとき往生《おうじょう》はさだまる[59]ぞとなり。これを「正定聚《しょうじょうじゅ》に住《じゅう》す」ともいい、「不退《ふたい》のくらいに[60]いる」ともなづくるなり。このゆえに聖人《しょうにん》またのたまわく、[61]「来迎《らいこう》は諸行往生《しょぎょうおうじょう》にあり。自力《じりき》の行者《ぎょうじゃ》なるがゆえに。臨終《りんじゅう》まつことと来迎《らいこう》たのむことは、諸行往生《しょぎょうおうじょう》のひとにいうべし。真実信心《しんじつしんじん》の行人《ぎょうにん》は、摂取不捨《せっしゅふしゃ》のゆえに、正定聚《しょうじょうじゅ》に住《じゅう》す。正定聚《しょうじょうじゅ》に住《じゅう》するがゆえに、かならず滅度《めつど》にいたる。滅度《めつど》にいたるがゆえに、大涅槃《だいねはん》を証《しょう》するなり。かるがゆえに臨終《りんじゅう》まつことなし、来迎《らいこう》たのむことなし」といえり。これらの釈《しゃく》にまかせば、真実信心《しんじつしんじん》のひと、一向専念《いっこうせんねん》のともがら、臨終《りんじゅう》をまつべからず、来《らい》迎《こう》を期《ご》すべからずということ、そのむねあきらかなるものなり。

問《と》うていわく、聖人《しょうにん》の料簡《りょうけん》はまことにたくみなり。あおいで[62]信《しん》ず。ただし経文《きょうもん》にかえりて理《り》をうかがうとき、いずれの文《もん》によりてか、来迎《らいこう》を期《ご》せず臨終《りんじゅう》を[63]まつまじき義《ぎ》をこころうべきや。たしかなる[64]文義《もんぎ》をききて、いよいよ堅固《けんご》の信心《しんじん》を[65]とらんとおもう。

こたえていわく、凡夫《ぼんぶ》、智《ち》あさし。いまだ経釈《きょうしゃく》の[66]おもむきをわきまえず。聖教万差《しょうぎょうまんじゃ》なれば、方便《ほうべん》の説《せつ》あり、真実《しんじつ》の説《せつ》あり。機《き》に対《たい》すればいずれもその益《やく》あり。[67]一遍《いっぺん》に義《ぎ》をとりがたし。[68]ただ祖《そ》師《し》のおしえをきて、わが信心《しんじん》をたくわうるばかりなり。しかるに、世《よ》のなかにひろまれる諸流《しょりゅう》、みな臨終《りんじゅう》をいのり来迎《らいこう》を期《ご》す。これを期《ご》せざるはひとりわが[69]いえなり。しかるあいだ、これをきくものは、ほとほとみみをおどろかし、これを[70]そねむものは、はなはだあざけりをなす。しかれば、たやすくこの義《ぎ》を談《だん》ずべからず。他人謗法《たにんほうぼう》のつみをまねかざらんがためなり。それ、親鸞聖人《しんらんしょうにん》は深《じん》智博覧《ちはくらん》にして内典《ないてん》・外典《げてん》にわたり、恵解高遠《えげこうおん》にして聖道《しょうどう》・浄土《じょうど》をかねたり。ことに浄土門《じょうどもん》にいり[71]たまいしのちは、もっぱら一宗《いっしゅう》のふかきみなもとをきわめ、あくまで明師《めいし》のねんごろなるおしえをうけたまえり。あるいはその[72]ゆるされをこうぶりて製作《せいさく》をあいつたえ、あるいはかのあわれみにあずかりて真影《しんえい》を[73]うつしたまわらしむ。としをわたり日《ひ》をわたりて、[74]そのおしえをうくるひと千万《せんばん》なりといえども、したしきといい、うときといい、製作《せいさく》を[75]たまわり真影《しんえい》をうつすひとは、そのかずおおからず。したがいて、この門流《もんりゅう》の[76]ひろまれること、自宗《じしゅう》・他宗《たしゅう》にならびなく、その利益《りやく》のさかりなること、[77]田舎《でんしゃ》・辺鄙《へんぴ》におよべり。[78]化導《けどう》のとおくあまねきは、智恵《ちえ》のひろきがいたすところなり。しかれば、相承《そうじょう》の義《ぎ》さだめて[79]仏意《ぶっい》にそむくべからず。ながれをくむやから、ただあおいで信《しん》をとるべし。無智《むち》の末学《まつがく》、なまじいに経釈《きょうしゃく》について義《ぎ》を論《ろん》ぜば、[80]そのあやまりをのがれがたきか。よくよくつつしむべし。ただし、一分《いちぶん》なりとも信受《しんじゅ》するところの義《ぎ》、一味同行《いちみどうぎょう》の[81]なかにおいて、これをはばかる[82]べきにあらず。

いまこころみに料簡《りょうけん》するに、まず浄土《じょうど》の一門《いちもん》をたつることは三部妙典《さんぶみょうでん》の説《せつ》にいでたり。そのなかに、弥陀如来因位《みだにょらいいんに》の本願《ほんがん》を[83]ときて凡夫《ぼんぶ》の往生《おうじょう》を決《けっ》すること、『大経《だいきょう》』の説《せつ》、これなり。その説《せつ》というは四十八願《しじゅうはちがん》なり。四十八願《しじゅうはちがん》のなかに、[84]念仏往生《ねんぶつおうじょう》の一益《いちやく》をとくことは第十八《だいじゅうはち》の願《がん》にあり。しかるに第十八《だいじゅうはち》の願《がん》のなかに、臨終平生《りんじゅうへいぜい》の沙汰《さた》なし、聖衆来現《しょうじゅらいげん》の[85]儀《ぎ》をあかさず。かるがゆえに、十八《じゅうはち》の願《がん》に帰《き》して念仏《ねんぶつ》を修《しゅ》し往生《おうじょう》をねがうとき、臨終《りんじゅう》をまたず来迎《らいこう》を期《ご》すべからずとなり。すなわち[86]第十八《だいじゅうはち》の願《がん》にいわく、[87]「設我得仏《せつがとくぶつ》　十方衆生《じっぽうしゅじょう》　至心信楽《ししんしんぎょう》　欲生我国《よくしょうがこく》　乃至十念《ないしじゅうねん》　若不生《にゃくふしょう》者《じゃ》　不取正覚《ふしゅしょうがく》」[88]といえり。この願《がん》のこころは、「たといわれ仏《ぶつ》をえたらんに、十方《じっぽう》の衆生《しゅじょう》、心《しん》をいたし信楽《しんぎょう》して、わがくににうまれんとおもうて、乃至十念《ないしじゅうねん》せん。もし[89]うまれずは正覚《しょうがく》をとらじ」となり。この願文《がんもん》のなかに、まったく臨終《りんじゅう》ととかず、平生《へいぜい》といわず、ただ至心信楽《ししんしんぎょう》の機《き》において十念《じゅうねん》の往生《おうじょう》をあかせり。[90]しかれば臨終《りんじゅう》に信楽《しんぎょう》せば臨終《りんじゅう》に往生治定《おうじょうじじょう》すべし。平生《へいぜい》に至心《ししん》せば平《へい》生《ぜい》に往生決得《おうじょうけっとく》すべし。さらに平生《へいぜい》と臨終《りんじゅう》とによるべからず。ただ仏法《ぶっぽう》にあう時節《じせつ》の分斉《ぶんざい》にあるべし。しかるに、われらは[91]すでに平生《へいぜい》に聞名欲往生《もんみょうよくおうじょう》の[92]義《ぎ》あり。ここにしりぬ、臨終《りんじゅう》の機《き》にあらず、平《へい》生《ぜい》の機《き》なりということを。かるがゆえにふたたび臨終《りんじゅう》にこころをかくべからずとなり。しかのみならず、おなじき第十八《だいじゅうはち》の願成就《がんじょうじゅ》の文《もん》にいわく、[93]「諸有衆生《しょうしゅじょう》　聞其名号《もんごみょうごう》　信心歓喜《しんじんかんぎ》　乃至一念《ないしいちねん》　至《し》心回向《しんえこう》　願生彼国《がんしょうひこく》　即得往生《そくとくおうじょう》　住不退転《じゅうふたいてん》」[94]といえり。この文《もん》のこころは、「あらゆる衆生《しゅじょう》、その名号《みょうごう》をききて、信心《しんじん》[95]歓喜《かんぎ》し、乃至一念《ないしいちねん》せん。至心《ししん》に回向《えこう》し[96]たまえり。かのくににうまれんと願《がん》ずれば、すなわち往生《おうじょう》をえ、不退転《ふたいてん》に住《じゅう》す」となり。こころは「一切《いっさい》[97]の衆生《しゅじょう》、無碍光如来《むげこうにょらい》のみなを

[98]ききえて、生死出離《しょうじしゅつり》の強縁《ごうえん》、ひとえに念仏往生《ねんぶつおうじょう》の一道《いちどう》にあるべしと、よろこびおもうこころの一《いち》念《ねん》おこるとき、往生《おうじょう》はさだまるなり。これすなわち、弥陀如来《みだにょらい》、因位《いんに》のむかし、至心《ししん》[99]に回向《えこう》し[100]たまえりしゆえ[101]なり」となり。この一念《いちねん》について隠顕《おんけん》の義《ぎ》あり。[102]顕《けん》には、十念《じゅうねん》に対《たい》するとき、一念《いちねん》というは称名《しょうみょう》の一念《いちねん》なり。[103]隠《おん》には、真因《しんいん》を決了《けつりょう》[104]する安心《あんじん》の一念《いちねん》なり。これすなわち、相好《そうごう》・光《こう》明等《みょうとう》の功徳《くどく》を観想《かんそう》する[105]念《ねん》にあらず。ただかの如来《にょらい》の名号《みょうごう》をききえて、機教《ききょう》の分限《ぶんげん》をおもいさだむるくらいをさすなり。されば、親鸞《しんらん》[106]聖人《しょうにん》はこの一念《いちねん》を釈《しゃく》すとして、[107]「『一念《いちねん》』というは信心《しんじん》を獲《ぎゃく》得《とく》する時節《じせつ》の極促《ごくそく》をあらわす」（信巻）と判《はん》じたまえり。

しかればすなわち、いまいうところの「往生《おうじょう》」というは、あながちに命終《みょうじゅう》のときにあらず、無《む》始《し》[108]已来《いらい》[109]輪転六道《りんでんろくどう》の妄業《もうごう》、一念南無阿弥陀仏《いちねんなむあみだぶつ》と帰命《きみょう》する仏智無生《ぶっちむしょう》の名願力《みょうがんりき》にほろぼされて、涅槃《ねはん》畢竟《ひっきょう》の真因《しんいん》、はじめてきざすところをさすなり。すなわちこれを、「即得往生《そくとくおうじょう》　住不退転《じゅうふたいてん》」とときあらわさるるなり。「即得《そくとく》」というは、「すなわち、う」と[110]なり。「すなわち、う」というは、ときをへだてず、日《ひ》をへだてず、念《ねん》をへだてざる義《ぎ》なり。されば一念帰命《いちねんきみょう》の解了《げりょう》たつとき、往生《おうじょう》やがてさだまるとなり。「うる」というは、さだまるこころなり。この一念帰命《いちねんきみょう》の信心《しんじん》は凡夫自力《ぼんぶじりき》の迷心《めいしん》にあらず、如来清浄本願《にょらいしょうじょうほんがん》の智心《ちしん》なり。しかれば二河《にが》の譬喩《ひゆ》のなかにも、中間《ちゅうげん》の白道《びゃくどう》をもって、一処《いっしょ》には如来《にょらい》の願力《がんりき》にたとえ、一処《いっしょ》には行者《ぎょうじゃ》の信心《しんじん》にたとえたり。如来《にょらい》の願力《がんりき》にたとうというは、[111]「念《ねん》念無遺《ねんむゆい》　乗彼願力之道《じょうひがんりきしどう》」（散善義）といえる、これなり。こころは「貪瞋《とんじん》の煩悩《ぼんのう》にかかわらず、[112]弥陀《みだ》如来《にょらい》の願力《がんりき》の白道《びゃくどう》に乗《じょう》ぜよ」となり。行者《ぎょうじゃ》の信心《しんじん》にたとうというは、[113]「衆生貪瞋煩悩中《しゅじょうとんじんぼんのうちゅう》　能生《のうしょう》清浄願往生心《しょうじょうがんおうじょうしん》」（散善義）といえる、これなり。こころは「貪瞋煩悩《とんじんぼんのう》のなかに、よく清浄《しょうじょう》願往生《がんおうじょう》の心《しん》を生《しょう》ず」[114]となり。されば、[115]水火《すいか》の二河《にが》は、衆生《しゅじょう》の貪瞋《とんじん》なり。[116]不清浄《ふしょうじょう》の心《しん》なり。中間《ちゅうげん》の白道《びゃくどう》は、[117]あるときは行者《ぎょうじゃ》の信心《しんじん》といわれ、あるときは如来《にょらい》の願力《がんりき》の道《どう》と釈《しゃく》せらる。これすなわち、行者《ぎょうじゃ》のおこすところの信心《しんじん》と、如来《にょらい》の願心《がんしん》とひとつなることをあらわすなり。[118]したがいて、「清浄《しょうじょう》[119]の心《しん》」といえるも、如来《にょらい》の智心《ちしん》なりとあらわすこころなり。もし凡夫我執《ぼんぶがしゅう》の心《しん》ならば、「清浄《しょうじょう》の心《しん》」とは釈《しゃく》すべからず。このゆえに『経《きょう》』（大経）には、[120]「令諸衆生功徳成就《りょうしょしゅじょうくどくじょうじゅ》」といえり。こころは「弥陀《みだ》[121]如来因位《にょらいいんに》の[122]むかし、もろもろの衆生《しゅじょう》をして[123]功徳成就《くどくじょうじゅ》せしめたまう」となり。それ阿弥陀如来《あみだにょらい》は三世《さんぜ》の諸仏《しょぶつ》に念《ねん》ぜられたまう覚体《かくたい》なれば、久遠実成《くおんじつじょう》の古仏《こぶつ》なれども、十劫已来《じっこういらい》の成道《じょうどう》をとなえたまいしは、果後《かご》の方便《ほうべん》なり。これすなわち、「衆生往生《しゅじょうおうじょう》すべくは、[124]われも正覚《しょうがく》を[125]とらん」とちかいて、衆生《しゅじょう》の往生《おうじょう》を決定《けつじょう》せんがためなり。しかるに、衆生《しゅじょう》の往生《おうじょう》さだまりしかば、仏《ぶつ》の正覚《しょうがく》もなりたまいき。その正覚《しょうがく》いまだなりたまわざりしいにしえ、法蔵比丘《ほうぞうびく》として難行《なんぎょう》苦行《くぎょう》・積功累徳《しゃっくるいとく》したまいしとき、未来《みらい》の衆生《しゅじょう》の浄土《じょうど》に[126]往生《おうじょう》すべきたねをば、ことごとく成就《じょうじゅ》したまいき。そのことわりをききて、一念解了《いちねんげりょう》の心《しん》おこれば、仏心《ぶっしん》と凡心《ぼんしん》とまったくひとつになるなり。このくらいに無碍光如来《むげこうにょらい》の光明《こうみょう》、かの帰命《きみょう》の信心《しんじん》を摂取《せっしゅ》してすてたまわざるなり。これを『観無量寿経《かんむりょうじゅきょう》』には、[127]「光明遍照《こうみょうへんじょう》　十方世界《じっぽうせかい》　念仏衆生《ねんぶつしゅじょう》　摂取不捨《せっしゅふしゃ》」ととき、『阿弥陀経《あみだきょう》』には、

[128]「皆得不退転《かいとくふたいてん》　於阿耨多羅三藐三菩提《おあのくたらさんみゃくさんぼだい》」ととけるなり。「摂取不捨《せっしゅふしゃ》」というは、弥陀如来《みだにょらい》の[129]光明《こうみょう》のなかに念仏《ねんぶつ》の衆生《しゅじょう》をおさめとりて、すてたまわずとなり。これすなわち、かならず浄土《じょうど》に生《しょう》ずべきことわりなり。「不退転《ふたいてん》をう」というは、ながく三界六道《さんがいろくどう》にかえらずして、かならず無上菩提《むじょうぼだい》をうべきくらいに[130]さだまるなり。

[131]浄土真要鈔《じょうどしんようしょう》　本

大谷本願寺上人之御流之聖教也　　本願寺住持存如（花押）

[132]浄土真要鈔《じょうどしんようしょう》　末

問《と》うていわく、念仏《ねんぶつ》の行者《ぎょうじゃ》、一念《いちねん》の信心《しんじん》さだまるとき、あるいは「正定聚《しょうじょうじゅ》に住《じゅう》す」といい、あるいは「不退転《ふたいてん》をう」ということ、はなはだおもいがたし。そのゆえは、正定聚《しょうじょうじゅ》というは、かならず無上《むじょう》の仏果《ぶっか》にいたるべきくらいにさだまるなり。不退転《ふたいてん》というは、ながく生死《しょうじ》にかえらざる義《ぎ》をあらわす[133]ことばなり。そのことばことなりといえども、そのこころおなじかるべし。これみな浄土《じょうど》にうまれてうるくらいなり。しかれば、「即得往生《そくとくおうじょう》　住不退転《じゅうふたいてん》」（大経）といえるも、浄土《じょうど》にしてうべき益《やく》なりとみえたり。いかでか穢土《えど》にしてたやすくこのくらいに住《じゅう》すというべきや。

こたえていわく、土《ど》につき機《き》につきて、退《たい》・不退《ふたい》を論《ろん》ぜんときは、まことに、穢土《えど》の凡夫《ぼんぶ》、不退《ふたい》に[134]かなうということあるべからず。浄土《じょうど》は不退《ふたい》なり、穢土《えど》は有退《うたい》なり。菩薩《ぼさつ》のくらいにおいて不退《ふたい》を論《ろん》ず。凡夫《ぼんぶ》はみな退位《たいい》なり。しかるに薄地底下《はくじていげ》の凡夫《ぼんぶ》なれども、弥陀《みだ》の名号《みょうごう》をたもちて金剛《こんごう》の信心《しんじん》をおこせば、よこさまに三界流転《さんがいるてん》の報《ほう》をはなるるゆえに、その義《ぎ》、不退《ふたい》をうるに[135]あたれるなり。これすなわち、菩薩《ぼさつ》のくらいにおいて論《ろん》ずるところの位《い》・行《ぎょう》・念《ねん》の三不退等《さんふたいとう》にはあらず。いまいうところの不退《ふたい》というは、これ心不退《しんふたい》なり。されば、善導和尚《ぜんどうかしょう》の『[136]往生礼讃《おうじょうらいさん》』には、[137]「蒙光触者心不退《むこうそくしゃしんふたい》」と釈《しゃく》せり。こころは、「弥陀如来《みだにょらい》の摂取《せっしゅ》[138]の光益《こうやく》にあずかりぬれば、心不退《しんふたい》をう」となり。[139]まさしくかの『阿弥陀経《あみだきょう》』の文《もん》に[140]は、[141]「欲生阿弥陀仏国者《よくしょうあみだぶっこくしゃ》　是諸人等《ぜしょにんとう》　皆得《かいとく》[142]不退転於阿耨多羅三藐三菩提《ふたいてんおあのくたらさんみゃくさんぼだい》」といえり。「願《がん》をおこして阿弥陀仏《あみだぶつ》のくににうまれんとおもえば、このもろもろのひとら、みな不退転《ふたいてん》をう」といえる、現生《げんしょう》において願生《がんしょう》の信心《しんじん》をおこせば、すなわち不退《ふたい》にかなうということ、その文《もん》、はなはだ[143]あきらかなり。またおなじき『経《きょう》』（次上）のつぎかみの文《もん》に、念仏《ねんぶつ》の行者《ぎょうじゃ》のうるところの益《やく》をとくとして、[144]「是諸善男子善女人《ぜしょぜんなんしぜんにょにん》　皆為一切諸仏《かいいいっさいしょぶつ》　共所護念《ぐしょごねん》　皆得不退転於阿耨多羅三藐三菩提《かいとくふたいてんおあのくたらさんみゃくさんぼだい》」といえり。[145]こころは、「このもろもろの善男子《ぜんなんし》・善女人《ぜんにょにん》、みな一切諸仏《いっさいしょぶつ》のために、ともに護念《ごねん》せられて、みな、不退転《ふたいてん》[146]を、阿耨多羅三藐三菩提《あのくたらさんみゃくさんぼだい》をう」と[147]なり。しかれば、阿弥陀仏《あみだぶつ》のくにうまれんとおもう、まことなる信心《しんじん》のおこるとき、弥陀如来《みだにょらい》は遍照《へんじょう》の光明《こうみょう》をもって、これをおさめとり、諸仏《しょぶつ》はこころ[148]を[149]ひとつにして、この信心《しんじん》を護念《ごねん》したまうがゆえに、一切《いっさい》の悪業煩悩《あくごうぼんのう》にさえられず、この[150]心《しん》すなわち不退《ふたい》にして、かならず往生《おうじょう》をうるなり。これを「即得往生《そくとくおうじょう》　住不退転《じゅうふたいてん》」ととくなり。「すなわち往生《おうじょう》をう」といえるは、[151]やがて往生《おうじょう》をうというなり。ただし、「即得《そくとく》往生《おうじょう》　住不退転《じゅうふたいてん》」といえる、浄土《じょうど》に往生《おうじょう》して、不退《ふたい》をうべき義《ぎ》を[152]遮《しゃ》せんとにはあらず。まさしく往生《おうじょう》ののち、三不退《さんふたい》をもえ、処不退《しょふたい》に[153]もかなわんことは、しかなり。処々《しょしょ》の経釈《きょうしゃく》、そのこころなきにあらず。与奪《よだつ》のこころあるべきなり。しかりといえども、いま「即得往生《そくとくおうじょう》　住不退転《じゅうふたいてん》」といえる本意《ほんい》[154]には、[155]証得往生現生不退《しょうとくおうじょうげんしょうふたい》の密益《みつやく》をときあらわすなり。これをもってわが流《りゅう》の極致《ごくち》とするなり。

かるがゆえに、[156]聖人《しょうにん》、『教行証《きょうぎょうしょう》の文類《もんるい》』のなかに、[157]処々《しょしょ》にこの義《ぎ》をのべたまえり。かの『文《もん》類《るい》』の第二《だいに》（行巻）に[158]いわく、[159]「憶念弥陀仏本願《おくねんみだぶつほんがん》　自然即時入必定《じねんそくじにゅうひつじょう》　唯能常称如来号《ゆいのうじょうしょうにょらいごう》　応報大悲《おうほうだいひ》弘誓恩《ぐぜいおん》」（正信偈）といえり。こころは、「弥陀仏《みだぶつ》の本願《ほんがん》を憶念《おくねん》すれば、自然《じねん》に、すなわちのとき、必《ひつ》定《じょう》にいる、ただよくつねに如来《にょらい》のみなを称《しょう》して、大悲弘誓《だいひぐぜい》の恩《おん》を報《ほう》ずべし」となり。「すなわちのとき」というは、信心《しんじん》をうるときをさすなり。「必定《ひつじょう》にいる」というは、正定聚《しょうじょうじゅ》に住《じゅう》し、不退《ふたい》にかなうというこころなり。この凡夫《ぼんぶ》の[160]身《み》ながら、かかるめでたき益《やく》をうることは、[161]しかしながら弥《み》陀如来《だにょらい》の大悲願力《だいひがんりき》のゆえなれば、つねにその名号《みょうごう》をとなえてかの恩徳《おんどく》を報《ほう》ずべしとすすめたまえり。

またいわく、[162]「[163]十方群生海《じっぽうぐんじょうかい》、この行信《ぎょうしん》に帰命《きみょう》するものを摂取《せっしゅ》してすてず。かるがゆえに「阿弥陀《あみだ》仏《ぶつ》」となづけたてまつる。これを「他力《たりき》」という。ここをもって龍樹大士《りゅうじゅだいじ》は「即時入必定《そくじにゅうひつじょう》」といい、曇鸞大師《どんらんだいし》は「入正定之聚《にゅうしょうじょうしじゅ》」といえり。あおいでこれをたのむべし、もっぱらこれを行《ぎょう》ずべし」といえり。「龍樹大士《りゅうじゅだいじ》は「即時入必定《そくじにゅうひつじょう》」という」というは、『十住毘婆沙論《じゅうじゅうびばしゃろん》』に[164]「人能念是《にんのうねんぜ》仏《ぶつ》無量力功徳《むりょうりきくどく》　即時入必定《そくじにゅうひつじょう》　是故我常念《ぜこがじょうねん》」といえる文《もん》、これなり。この文《もん》のこころは、「ひと、よくこの仏《ぶつ》の無量力功徳《むりょうりきくどく》を念《ねん》ずれば、すなわちのとき必定《ひつじょう》にいる。このゆえにわれつねに念《ねん》ず」となり。「この仏《ぶつ》」といえるは阿弥陀仏《あみだぶつ》なり。「われ」といえるは龍樹菩薩《りゅうじゅぼさつ》なり。さきにいだすところの「憶念弥陀仏本願力《おくねんみだぶつほんがんりき》」の釈《しゃく》も、これ龍樹《りゅうじゅ》の論判《ろんぱん》によりてのべたまえるなり。「曇鸞大師《どんらんだいし》は「入《にゅう》正定之聚《しょうじょうしじゅ》」といえり」というは、『註論《ちゅうろん》』（論註）の上巻《じょうかん》に[165]「但以信仏因縁《たんいしんぶついんねん》　願生浄土《がんしょうじょうど》　乗仏願《じょうぶつがん》力《りき》　便得往生《べんとくおうじょう》　彼清浄土《ひしょうじょうど》　仏力住持《ぶつりきじゅうじ》　即入大乗正定之聚《そくにゅうだいじょうしょうじょうしじゅ》」といえる文《もん》これなり。文《もん》のこころは、「ただ仏《ぶつ》を信《しん》ずる因縁《いんねん》をもって、浄土《じょうど》にうまれんとねがえば、仏《ぶつ》の願力《がんりき》に乗《じょう》じて、すなわち、かの清浄《しょうじょう》の土《ど》に往生《おうじょう》することをう。仏力住持《ぶつりきじゅうじ》して、すなわち大乗正定《だいじょうしょうじょう》の聚《じゅ》にいる」となり。これも文《もん》の顕説《けんせつ》は、浄土《じょうど》にうまれてのち正定聚《しょうじょうじゅ》に住《じゅう》する義《ぎ》をとくににたりといえども、そこには願生《がんしょう》の信《しん》を生《しょう》ずるとき不退《ふたい》にかなうことをあらわすなり。なにをもってかしるとならば、この『註論《ちゅうろん》』（同）の釈《しゃく》は、かの『十住毘婆沙論《じゅうじゅうびばしゃろん》』のこころをもって釈《しゃく》するがゆえに、本論《ほんろん》のこころ、現身《げんしん》の益《やく》なりとみゆるうえは、いまの釈《しゃく》もかれにたがうべからず。聖人《しょうにん》ふかくこのこころをえたまいて、信心《しんじん》をうるとき正定《しょうじょう》のくらいに住《じゅう》する義《ぎ》をひき、釈《しゃく》したまえり。「すなわち」といえるは、ときをうつさず、念《ねん》をへだてざる義《ぎ》なり。

また、おなじき第三《だいさん》（信巻）に、領解《りょうげ》の心中《しんじゅう》をのべたまうとして、[166]「[167]愛欲《あいよく》の広海《こうかい》に沈没《ちんもつ》し、名《みょう》利《り》の[168]太山《たいさん》に迷惑《めいわく》して、定聚《じょうじゅ》のかずにいることをよろこばず、真証《しんしょう》の証《しょう》にちかづくことをたのしまず」といえり。これすなわち、定聚《じょうじゅ》のかずにいることをば、現生《げんしょう》の益《やく》なりとえて、これをよろこばずと、わがこころをはじしめ、真証《しんしょう》のさとりをば、生後《しょうご》の果《か》なりとえて、これにちかづくことをたのしまずと、かなしみたまうなり。「定聚《じょうじゅ》」といえるは、すなわち不退《ふたい》のくらい、また必定《ひつじょう》の義《ぎ》なり。「真証《しんしょう》のさとり」といえるは、これ滅度《めつど》なり。また「常楽《じょうらく》」ともいう、「法性《ほっしょう》」ともいうなり。

また、おなじき第四《だいし》（証巻）に、第十一《だいじゅういち》の願《がん》によりて真実《しんじつ》の証《しょう》をあらわすに、[169]「煩悩成就《ぼんのうじょうじゅ》の凡夫《ぼんぶ》、生死罪濁《しょうじざいじょく》の群萌《ぐんもう》、往相回向《おうそうえこう》の心行《しんぎょう》をうれば、すなわちのときに大乗正定聚《だいじょうしょうじょうじゅ》のかずにいる。正《しょう》定聚《じょうじゅ》に住《じゅう》するがゆえに、かならず滅度《めつど》にいたる。かならず滅度《めつど》にいたるは、すなわちこれ常楽《じょうらく》なり。常楽《じょうらく》はすなわちこれ畢竟寂滅《ひっきょうじゃくめつ》なり。寂滅《じゃくめつ》はすなわちこれ無上涅槃《むじょうねはん》なり。無上涅槃《むじょうねはん》はすなわちこれ無為法身《むいほっしん》なり。無為法身《むいほっしん》はすなわちこれ実相《じっそう》なり。実相《じっそう》はすなわちこれ真如《しんにょ》なり。真如《しんにょ》はすなわちこれ一如《いちにょ》なり」といえる、すなわちこのこころなり。聖人《しょうにん》の解了《げりょう》、常途《じょうず》の所談《しょだん》におなじからず。甚深《じんじん》の教義《きょうぎ》、よくこれをおもうべし。

問《と》うていわく、『観経《かんぎょう》』の下輩《げはい》の機《き》をいうに、みな臨終《りんじゅう》の一念《いちねん》・十念《じゅうねん》によりて往生《おうじょう》をうとみえたり。まったく平生往生《へいぜいおうじょう》の義《ぎ》をとかず、いかん。

　こたえていわく、『観経《かんぎょう》』の下輩《げはい》は、みなこれ一生造悪《いっしょうぞうあく》の機《き》なるがゆえに、うまれてよりこのかた仏法《ぶっぽう》の名字《みょうじ》をきかず、ただ悪業《あくごう》を[170]つくることをのみしれり。しかるに、臨終《りんじゅう》のとき、はじめて善知識《ぜんじしき》にあいて、一念《いちねん》・十念《じゅうねん》の往生《おうじょう》をとぐといえり。これすなわち、つみふかく悪《あく》おもき機《き》、行《ぎょう》業《ごう》いたりてすくなけれども、願力《がんりき》の不思議《ふしぎ》によりて刹那《せつな》に往生《おうじょう》をとぐ。これあながちに臨終《りんじゅう》を賞《しょう》せんとにはあらず、法《ほう》の不思議《ふしぎ》をあらわすなり。もしそれ平生《へいぜい》に仏法《ぶっぽう》にあわば、[171]平生《へいぜい》の念仏《ねんぶつ》、そのちからむなしからずして往生《おうじょう》をとぐべきなり。

　問《と》うていわく、十八《じゅうはち》の願《がん》について、因位《いんに》の願《がん》には「十念《じゅうねん》」と願《がん》じ、願成就《がんじょうじゅ》の文《もん》には「一念《いちねん》」ととけり。二文《にもん》の相違《そうい》[172]いかんがこころうべきや。

　こたえていわく、[173]因願《いんがん》のなかに「十念《じゅうねん》」といえるは、まず三福等《さんぷくとう》の諸善《しょぜん》に対《たい》して十念《じゅうねん》の往生《おうじょう》をとけり。これ易行《いぎょう》をあらわすことばなり。しかるに成就《じょうじゅ》の文《もん》に「一念《いちねん》」といえるは、易行《いぎょう》のなかに、なお易行《いぎょう》をえらびとるこころなり。そのゆえは『観経義《かんぎょうぎ》』の第二《だいに》（序分義）に、[174]「十三定善《じゅうさんじょうぜん》のほかに三福《さんぷく》の諸善《しょぜん》をとくことを釈《しゃく》す」として、「若依定行《にゃくえじょうぎょう》　即摂生不尽《そくせっしょうふじん》　是以如来方便《ぜいにょらいほうべん》　顕開《けんかい》三福《さんぷく》　以応散動《いおうさんどう》[175]根機《こんき》」と[176]いえり。文《もん》のこころは、「もし定行《じょうぎょう》によれば、すなわち生《しょう》を摂《せっ》するにつきず。ここをもって、如来《にょらい》、方便《ほうべん》して三福《さんぷく》を[177]顕開《けんかい》して散動《さんどう》の根機《こんき》に応《おう》ず」となり。いうこころは、「『観経《かんぎょう》』のなかに、定善《じょうぜん》ばかりをとかば、定機《じょうき》ばかりを摂《せっ》すべきゆえに、散機《さんき》の往生《おうじょう》をすすめんがために散善《さんぜん》をとく」[178]となり。これになずらえてこころうるに、散機《さんき》のなかに二種《にしゅ》の[179]しなあり。ひとつには善人《ぜんにん》、ふたつには悪人《あくにん》なり。その善人《ぜんにん》は三福《さんぷく》を行《ぎょう》ずべし。[180]悪人《あくにん》はこれを行《ぎょう》ずべからざるがゆえに、それがために十念《じゅうねん》の往生《おうじょう》をとくとこころえられたり。しかるに、この悪人《あくにん》のなかにまた長命《じょうみょう》・短命《たんみょう》の二類《にるい》あるべし。長命《じょうみょう》のためには十念《じゅうねん》をあたう。至極短命《しごくたんみょう》の機《き》のためには一念《いちねん》の利生《りしょう》を成就《じょうじゅ》すとなり。これ他力《たりき》のなかの他力《たりき》、易行《いぎょう》のなかの易行《いぎょう》をあらわすなり。一念《いちねん》の信心《しんじん》さだまるとき往生《おうじょう》を証得《しょうとく》せんこと、これその証《しょう》なり。

[181]問《と》うていわく、因願《いんがん》には「十念《じゅうねん》」ととき、成就《じょうじゅ》の文《もん》には「一念《いちねん》」ととくといえども、処々《しょしょ》の解《げ》釈《しゃく》、おおく十念《じゅうねん》をもって本《ほん》とす。いわゆる『法事讃《ほうじさん》』には[182]「上尽一形至十念《じょうじんいちぎょうしじゅうねん》」といい、『礼讃《らいさん》』には[183]「称我名号《しょうがみょうごう》　下至十声《げしじっしょう》」といえる釈等《しゃくとう》、これなり。したがいてよのつねの念仏《ねんぶつ》の行者《ぎょうじゃ》をみるに、みな十念《じゅうねん》をもって行要《ぎょうよう》とせり。しかるに一念《いちねん》をもってなお「易行《いぎょう》のなかの易行《いぎょう》なり」ということ、おぼつかなし。いかん。

こたえていわく、処々《しょしょ》の解釈《げしゃく》、十念《じゅうねん》と釈《しゃく》すること、あるいは因願《いんがん》のなかに「十念《じゅうねん》」とときたれば、その文《もん》によるとこころえぬれば相違《そうい》なし。よのつねの行者《ぎょうじゃ》のもちいるところ、またこの義《ぎ》なるべし。「一念《いちねん》」といえるも、また経釈《きょうしゃく》の明文《めいもん》なり。いわゆる経《きょう》には『大経《だいきょう》』の成就《じょうじゅ》の文《もん》、おなじき下輩《げはい》の文《もん》、おなじき流通《るずう》の文等《もんとう》これなり。成就《じょうじゅ》の文《もん》はさきにいだすがごとし。下輩《げはい》の文《もん》というは[184]「乃至一念《ないしいちねん》　念於彼仏《ねんおひぶつ》」といえる文《もん》、これなり。流通《るずう》の文《もん》というは[185]「其有得聞《ごうとくもん》　彼仏名号《ひぶつみょうごう》　歓喜踊躍《かんぎゆやく》

乃至一念《ないしいちねん》 当知此人《とうちしにん》 為得大利《いとくだいり》 即是具足《そくぜぐそく》 無上功徳《むじょうくどく》」といえる文《もん》、これなり。この文《もん》のこころは、「それ、かの仏《ぶつ》の名号《みょうごう》をきくことをえて、歓喜踊躍《かんぎゆやく》して乃至一念《ないしいちねん》することあらん。まさにしるべし、このひとは大利《だいり》をうとす。すなわちこれ無上《むじょう》の功徳《くどく》を具足《ぐそく》するなり」となり。釈《しゃく》には、『礼讃《らいさん》』のなかに、あるいは、[186]「弥陀本弘誓願《みだほんぐぜいがん》 及称名号《ぎゅうしょうみょうごう》 下至十声一声等《げしじっしょういっしょうとう》 定得往生《じょうとくおうじょう》 乃至一念無有《ないしいちねんむう》疑心《ぎしん》」といい、あるいは[187]「歓喜至一念《かんぎしいちねん》 皆当得生彼《かいとうとくしょうひ》」といえる釈等《しゃくとう》、これなり。おおよそ「乃至《ないし》」のことばをおけるゆえに、「十念《じゅうねん》」といえるも十念《じゅうねん》にかぎるべからず。「一念《いちねん》」といえるも一念《いちねん》にとどまるべからず。一念《いちねん》のつもれるは十念《じゅうねん》、十念《じゅうねん》のつもれるは一形《いちぎょう》、一形《いちぎょう》をつづむれば十念《じゅうねん》、十《じゅう》念《ねん》をつづむれば一念《いちねん》なれば、ただこれ修行《しゅぎょう》の長短《じょうたん》なり。かならずしも十念《じゅうねん》にかぎるべからず。

しかれば『選択集《せんじゃくしゅう》』に諸師《しょし》と善導和尚《ぜんどうかしょう》と、第十八《だいじゅうはち》の願《がん》において名《な》をたてたることのかわりたる様《よう》を釈《しゃく》するとき、このこころあきらかなり。そのことばにいわく、[188]「諸師《しょし》の別《べっ》して、「十念往生《じゅうねんおうじょう》の願《がん》」といえるは、そのこころすなわちあまねからず。しかるゆえは、かみ一形《いちぎょう》をすて、しも一念《いちねん》をすつるがゆえなり。善導《ぜんどう》の総《そう》じて「念仏往生《ねんぶつおうじょう》の願《がん》」といえる、そのこころすなわちあまねし。しかるゆえは、かみ一形《いちぎょう》をとり、しも一念《いちねん》をとるがゆえなり」となり。しかのみならず、『教行証文《きょうぎょうしょうもん》類《るい》』の第二《だいに》(行巻)に、『安楽集《あんらくしゅう》』をひきていわく、[189]「十念相続《じゅうねんそうぞく》というは、これ聖者《しょうじゃ》のひとつの[190]かずまくのみ。すなわちよく念《ねん》をつみ、おもいをこらして、他事《たじ》を縁《えん》ぜざれば、業道成弁《ごうどうじょうべん》せしめて、すなわちやみぬ。またいたわしくこれを頭数《ずしゅ》をしるさじ」といえり。「十念《じゅうねん》」といえるは、臨終《りんじゅう》に仏法《ぶっぽう》にあえる機《き》についていえることばなり。されば、経文《きょうもん》のあらわなるについて、ひとおおくこれをもちいる。これすなわち臨終《りんじゅう》をさきとするゆえとみえたり。平生《へいぜい》に法《ほう》をききて畢命《ひつみょう》を期《ご》とせんひと、あながちに十念《じゅうねん》をこととすべからず。さればとて十念《じゅうねん》を非《ひ》するにはあらず。ただ、おおくも、すくなくも、ちからのたえんにしたがいて行《ぎょう》ずべし。かならずしもかずをさだむべきにあらずとなり。いわんや、聖人《しょうにん》の釈義《しゃくぎ》のごとくは、一念《いちねん》といえるについて、行《ぎょう》の一念《いちねん》と信《しん》の一念《いちねん》とをわけられたり。いわゆる「行《ぎょう》の一念《いちねん》」をば真実行《しんじつぎょう》のなかにあらわして、[191]「「行《ぎょう》の一念《いちねん》」というは、いわく、称名《しょうみょう》の遍数《へんじゅ》について選択易行《せんじゃくいぎょう》の至極《しごく》を顕開《けんかい》す」といい、「信《しん》の一念《いちねん》」をば真実信《しんじつしん》のなかにあらわして、[192]「信楽《しんぎょう》に一念《いちねん》あり。「一念《いちねん》」というは、これ信楽開発《しんぎょうかいほつ》の時剋《じこく》の極促《ごくそく》をあらわし、広大難思《こうだいなんし》の慶心《きょうしん》をあらわす」といえり。かみにいうところの十念《じゅうねん》・一念《いちねん》は、みな行《ぎょう》について論《ろん》ずるところなり。信心《しんじん》についていわんときは、ただ一念開発《いちねんかいほつ》の信心《しんじん》をはじめとして、一念《いちねん》の疑心《ぎしん》をまじえず、念念《ねんねん》相続《そうぞく》してかの願力《がんりき》の道《どう》に乗《じょう》ずるがゆえに、名号《みょうごう》をもってまったくわが行体《ぎょうたい》とさだむべからざれば、「十念《じゅうねん》」とも、「一念《いちねん》」ともいうべからず。ただ他力《たりき》の不思議《ふしぎ》をあおぎ、法爾往生《ほうにおうじょう》の道理《どうり》にまかすべきなり。

問《と》うていわく、来迎《らいこう》は念仏《ねんぶつ》の益《やく》なるべきこと、経釈《きょうしゃく》ともに[193]歴然《れきぜん》なり。[194]したがいて、諸流《しょりゅう》みなこの義《ぎ》を存《ぞん》ぜり。しかるに来迎《らいこう》をもって諸行《しょぎょう》の[195]益《やく》とせんこと、すこぶる浄土宗《じょうどしゅう》の本意《ほんい》に[196]あらざるをや。

こたえていわく、あにさきにいわずや、この義《ぎ》はこれ、わが一流《いちりゅう》の所談《しょだん》なりとは。他流《たりゅう》の義《ぎ》をもって当流《とうりゅう》の義《ぎ》を難《なん》ずべからず。[197]それ経釈《きょうしゃく》の文《もん》においては、自他《じた》ともに依用《えよう》す。ただ料簡《りょうけん》のまちまちなるなり。まず、来迎《らいこう》をとくことは、第十九《だいじゅうく》の願《がん》にあり。かの願文《がんもん》を[198]あきらめて、こころうべし。その願《がん》にいわく、[199]「設我得仏《せつがとくぶつ》　十方衆生《じっぽうしゅじょう》　発菩提心《ほつぼだいしん》　修諸功徳《しゅしょくどく》　至心発願《ししんほつがん》　欲生我国《よくしょうがこく》　臨寿終時《りんじゅじゅうじ》　仮令不与《けりょうふよ》　大衆囲繞《だいしゅいにょう》　現其人前者《げんごにんぜんしゃ》　不取正覚《ふしゅしょうがく》」（大経）[200]といえり。この願《がん》のこころは、「たといわれ仏《ぶつ》をえたらんに、十方《じっぽう》の衆生《しゅじょう》、菩提心《ぼだいしん》を[201]おこし、もろもろの功徳《くどく》を修《しゅ》して、心《しん》をいたし、願《がん》をおこして、わがくににうまれんとおもわん。いのちおわるときにのぞみて、たとい大衆《だいしゅ》と[202]囲繞《いにょう》して、そのひとのまえに現《げん》ぜず[203]は、正覚《しょうがく》をとらじ」となり。「[204]修諸功徳《しゅしょくどく》」というは諸行《しょぎょう》なり。「[205]現其人前《げんごにんぜん》」というは来迎《らいこう》なり。諸行《しょぎょう》の修因《しゅいん》にこたえて来迎《らいこう》にあずかるべしということ、その義《ぎ》あきらかなり。されば、得生《とくしょう》は十八《じゅうはち》の[206]願《がん》の益《やく》、来迎《らいこう》は十九《じゅうく》の[207]願《がん》の益《やく》なり。この両願《りょうがん》のこころをえなば、経文《きょうもん》にも解釈《げしゃく》にも来迎《らいこう》をあかせるは、みな十九《じゅうく》の願《がん》の益《やく》なりとこころうべきなり。ただし、念仏《ねんぶつ》の益《やく》に来迎《らいこう》あるべきようにみえたる文証《もんしょう》、ひとすじにこれなきにはあらず。しかれども、聖教《しょうぎょう》において、方便《ほうべん》の説《せつ》あり、真実《しんじつ》の説《せつ》あり、一往《いちおう》の義《ぎ》あり、再往《さいおう》の義《ぎ》あり。念仏《ねんぶつ》において来迎《らいこう》あるべしとみえたるは、みな[208]浅機《せんき》を[209]引《いん》せんがための一往方便《いちおうほうべん》の説《せつ》なり。[210]深理《じんり》をあらわすときの再往真実《さいおうしんじつ》の義《ぎ》にあらずとこころうべし。当流《とうりゅう》の料簡《りょうけん》かくのごとし。善導和尚《ぜんどうかしょう》の解釈《げしゃく》（序分義）にいわく、[211]「道《どう》[212]里雖遙《りすいよう》　去時一念即到《こじいちねんそくとう》」といえり。こころは「浄土《じょうど》と穢土《えど》と、そのさかい、はるかなるににたりといえども、まさしくさる（去）ときは、一念《いちねん》にすなわちいたる」というこころなり。往生《おうじょう》の時分一念《じぶんいちねん》なれば、そのあいだには、さらに来迎《らいこう》の儀式《ぎしき》もあるべからず。[213]まどいをひるがえして、さとりをひらかんこと、ただ、たなごころをかえす[214]へだてなるべし。かくのごときの[215]義《ぎ》、もろもろの有智《うち》のひと、そのこころをえつべし。

問《と》うていわく、経文《きょうもん》について[216]十八《じゅうはち》・十九《じゅうく》の両願《りょうがん》をもって、得生《とくしょう》と来迎《らいこう》とにわかちあつる義《ぎ》、一流《いちりゅう》の所談《しょだん》、ほぼきこえおわりぬ。ただし解釈《げしゃく》についてなお不審《ふしん》あり。諸師《しょし》の釈《しゃく》はしばらく[217]これをさしおく。まず善導一師《ぜんどういっし》の釈《しゃく》において処々《しょしょ》に来迎《らいこう》を釈《しゃく》せられたり。これみな念仏《ねんぶつ》の益《やく》なりとみえたり。[218]いかがこころうべきや。

こたえていわく、和尚《かしょう》（善導）の解釈《げしゃく》に来迎《らいこう》を釈《しゃく》することはしかなり。ただし一往《いちおう》は念仏《ねんぶつ》の益《やく》ににたれども、これみな方便《ほうべん》なり。[219]実《じつ》には諸行《しょぎょう》の益《やく》なるべし。そのゆえは、さきにのぶるが[220]ごとく、念仏往生《ねんぶつおうじょう》の[221]みちをとくことは第十八《だいじゅうはち》の願《がん》なり。しかるに、和尚《かしょう》、処々《しょしょ》に十八《じゅうはち》の願《がん》をひき、釈《しゃく》せ[222]らるるに、まったく来迎《らいこう》の義《ぎ》を釈《しゃく》せられず。十九《じゅうく》の願《がん》にとくところの来迎《らいこう》、もし[223]十八《じゅうはち》の願《がん》の念仏《ねんぶつ》の益《やく》なるべきならば、もっとも十八《じゅうはち》の願《がん》をひくところに来迎《らいこう》を釈《しゃく》せらるべし。しかるにその文《もん》なし。あきらかにしりぬ、来迎《らいこう》は念仏《ねんぶつ》の益《やく》にあらずということを。よくよくこれをおもうべし。

問《と》うていわく、第十八《だいじゅうはち》の願《がん》をひき、釈《しゃく》せらるる処々《しょしょ》の解釈《げしゃく》というは、いずれぞや。

こたえていわく、まず『観経義《かんぎょうぎ》』の「玄義分《げんぎぶん》」に二処《にしょ》あり。いわゆる序題門《じょだいもん》・二乗門《にじょうもん》の釈《しゃく》これなり。まず序題門《じょだいもん》の釈《しゃく》には[224]「言弘願者如大経説《ごんぐがんしゃにょだいきょうせつ》　一切善悪凡夫得生者《いっさいぜんあくぼんぶとくしょうしゃ》　莫不皆乗阿弥陀仏大願業《まくふかいじょうあみだぶつだいがんごう》力《りき》[225]為増上縁《いぞうじょうえん》」といえり。こころは、「弘願《ぐがん》というは『大経《だいきょう》』にとくがごとし。一切善悪《いっさいぜんあく》の凡夫《ぼんぶ》、うまるることをうるものは、みな阿弥陀仏《あみだぶつ》の大願業力《だいがんごうりき》に乗《じょう》じて、増上縁《ぞうじょうえん》と[226]せずということなし」[227]となり。これ十八《じゅうはち》の願《がん》のこころなり。つぎに二乗門《にじょうもん》の釈《しゃく》には[228]「若我得仏《にゃくがとくぶつ》　十方衆生《じっぽうしゅじょう》　称我名《しょうがみょう》号《ごう》[229]願生我国《がんしょうがこく》　下至《げし》[230]十念《じゅうねん》　若不生者《にゃくふしょうじゃ》　不取正覚《ふしゅしょうがく》」[231]といえり。また『往生礼讃《おうじょうらいさん》』には[232]「若我《にゃくが》成仏《じょうぶつ》　十方衆生《じっぽうしゅじょう》　称我名号《しょうがみょうごう》　下至十声《げしじっしょう》　若不生者《にゃくふしょうじゃ》　不取正覚《ふしゅしょうがく》」といい、『観念法門《かんねんぼうもん》』には[233]「若我成仏《にゃくがじょうぶつ》　十方衆生《じっぽうしゅじょう》　願生我国《がんしょうがこく》　称我名字《しょうがみょうじ》　下至十声《げしじっしょう》　乗我願力《じょうががんりき》　若不生者《にゃくふしょうじゃ》　不取正《ふしゅしょう》覚《がく》」[234]といえり。これらの文《もん》、そのことば、すこしき加減《かげん》ありといえども、そのこころ、おおきにおなじ。[235]文《もん》のこころは、「もしわれ成仏《じょうぶつ》せんに、十方《じっぽう》の衆生《しゅじょう》、わがくにに生《しょう》ぜんと願《がん》じて、わが名《みょう》字《じ》を称《しょう》すること、しも十声《じっしょう》にいたらん。わが願力《がんりき》に乗《じょう》じて、もしうまれずは、正覚《しょうがく》をとらじ」となり。あるいは「[236]称我名号《しょうがみょうごう》」といい、あるいは「[237]乗我願力《じょうががんりき》」といえる、これらのことば[238]は[239]本《ほん》経《ぎょう》になけれども、義《ぎ》としてあるべきがゆえに、和尚《かしょう》（同）この句《く》をくわえられたり。しかれば、来《らい》迎《こう》の[240]益《やく》も、もしまことに念仏《ねんぶつ》の益《やく》にして、この願《がん》のなかにあるべきならば、もっともこれらの[241]引文《いんもん》のなかに、これをのせらるべし。しかるにその文《もん》なきがゆえに、来迎《らいこう》は念仏《ねんぶつ》の益《やく》にあらずとしらるるなり。処々《しょしょ》の解釈《げしゃく》においては来迎《らいこう》を釈《しゃく》すと[242]いうとも、[243]十八《じゅうはち》の願《がん》の益《やく》と釈《しゃく》せられずは、その義《ぎ》、相違《そうい》あるべからず。

問《と》うていわく、念仏《ねんぶつ》の行者《ぎょうじゃ》は[244]十八《じゅうはち》の願《がん》に帰《き》して往生《おうじょう》をえ、諸行《しょぎょう》の行人《ぎょうにん》は十九《じゅうく》の願《がん》をたのみて来迎《らいこう》にあずかるといいて、各別《かくべつ》にこころうることしかるべからず。そのゆえは念仏《ねんぶつ》の行者《ぎょうじゃ》の往生《おうじょう》を[245]うというは、往生《おうじょう》よりさきには来迎《らいこう》にあずかるべし。諸行《しょぎょう》の行人《ぎょうにん》の来迎《らいこう》にあずかるというは、来迎《らいこう》ののちには往生《おうじょう》をうべし。なんぞ各別《かくべつ》にこころうべきや。

こたえていわく、親鸞《しんらん》[246]聖人《しょうにん》の御意《ぎょい》をうかがうに、念仏《ねんぶつ》の行者《ぎょうじゃ》の往生《おうじょう》を[247]うるというは、化仏《けぶつ》の来迎《らいこう》にあずからず。もしあずかると[248]いうは、報仏《ほうぶつ》の来迎《らいこう》なり。これ摂取《せっしゅ》[249]不捨《ふしゃ》の益《やく》なり。諸行《しょぎょう》の行人《ぎょうにん》の来迎《らいこう》にあずかるというは、真実《しんじつ》の往生《おうじょう》をとげず。もしとぐるというも、[250]これ胎生《たいしょう》・辺地《へんじ》の往生《おうじょう》なり。念仏《ねんぶつ》と諸行《しょぎょう》と、ひとつにあらざれば、往生《おうじょう》と来迎《らいこう》と、またおなじかるべからず。しかれば、他力真実《たりきしんじつ》の[251]行人《ぎょうにん》は、第十八《だいじゅうはち》の願《がん》の信心《しんじん》をえて、第十一《だいじゅういち》の必至滅度《ひっしめつど》の願《がん》の果《か》をうるなり。これを念仏往生《ねんぶつおうじょう》という。これ真実報土《しんじつほうど》の往生《おうじょう》なり。この往生《おうじょう》は一念帰命《いちねんきみょう》のときさだまりて、かならず滅度《めつど》にいたるべきくらいをうるなり。このゆえに聖人《しょうにん》の『浄土文類聚鈔《じょうどもんるいじゅしょう》』にいわく、[252]「必至無上《ひっしむじょう》浄信暁《じょうしんきょう》　三有生死之雲晴《さんぬしょうじしうんじょう》　清浄無碍光耀朗《しょうじょうむげこうようろう》　一如法界真身顕《いちにょほっかいしんしんけん》」[253]といえり。文《もん》のこころは、「かならず無上浄信《むじょうじょうしん》のあかつきにいたれば、三有生死《さんぬしょうじ》のくも、はる。清浄無碍《しょうじょうむげ》の[254]光耀《こうよう》ほがらかにして、一如法界《いちにょほっかい》の真身《しんしん》あらわる」となり。「三有生死《さんぬしょうじ》のくも、はる」というは、三界流転《さんがいるてん》の[255]業用《ごうゆう》、よこさまにたえぬとなり。「一如法界《いちにょほっかい》の真身《しんしん》あらわる」というは、寂滅無為《じゃくめつむい》の一理《いちり》をひそかに証《しょう》すとなり。しかれども、煩悩《ぼんのう》におおわれ業縛《ごうばく》にさえられて、いまだその理《り》をあらわさず。しかるにこの

[256]一生《いっしょう》をすつるとき、このことわりあらわるるところをさして、和尚《かしょう》（善導）は[257]「この穢身《えしん》をすてて、かの法性《ほっしょう》の常楽《じょうらく》を[258]証《しょう》す」（玄義分）と釈《しゃく》し[259]たまえるなり。されば往生《おうじょう》といえるも、[260]生即無生《しょうそくむしょう》のゆえに、[261]実《じつ》には[262]不生不滅《ふしょうふめつ》の義《ぎ》なり。これすなわち弥陀如来清浄本願《みだにょらいしょうじょうほんがん》の無生《むしょう》の生《しょう》なるがゆえに、法性清浄畢竟無生《ほっしょうしょうじょうひっきょうむしょう》なり。さればとて、この無生《むしょう》の道理《どうり》を、ここにして、あながちにさとらんと[263]はげめとにはあらず。無智《むち》の凡夫《ぼんぶ》は法性無生《ほっしょうむしょう》のことわりをしらずといえども、ただ仏《ぶつ》の名号《みょうごう》をたもち、往生《おうじょう》をねがいて浄土《じょうど》にうまれぬれば、かの土《ど》はこれ無生《むしょう》のさかいなるがゆえに、見生《けんしょう》[264]のまどい、自然《じねん》に滅《めっ》して無生《むしょう》のさとりにかなうなり。この義《ぎ》、くわしくは曇鸞和尚《どんらんかしょう》の『註論《ちゅうろん》』（論註）にみえたり。しかればひとたび安養《あんにょう》にいたりぬれば、ながく[265]生滅《しょうめつ》・去来等《こらいとう》のまどいをはなる。そのまどいをひるがえして、さとりをひらかん一念《いちねん》のきざみには、[266]実《じつ》には来迎《らいこう》もあるべからずとなり。来迎《らいこう》あるべしといえるは、方便《ほうべん》の説《せつ》なり。

このゆえに高祖《こうそ》[267]善導和尚《ぜんどうかしょう》の解釈《げしゃく》にも、弥陀如来《みだにょらい》は娑婆《しゃば》にきたりたまうと、みえたるところもあり。また、浄土《じょうど》をうごきたまわずと、[268]みえたる釈《しゃく》もあり。しかれども当流《とうりゅう》のこころにては、「きたる」といえるは、みな方便《ほうべん》なりとこころうべし。『法事讃《ほうじさん》』にいわく、[269]「一坐無移亦不動《いちざむいやくふどう》　徹窮後際《てつぐごさい》放身光《ほうしんこう》　霊儀相好真金色《れいぎそうごうしんこんじき》　巍巍独坐度衆生《ぎぎどくざどしゅじょう》」[270]といえり。こころは「ひとたび坐《ざ》してうつること[271]なく、またうごきたまわず。後際《ごさい》を徹窮《てつぐ》して身光《しんこう》をはなつ。霊儀《れいぎ》の相好真金色《そうごうしんこんじき》なり。巍巍《ぎぎ》としてひとり坐《ざ》して衆生《しゅじょう》を度《ど》したまう」となり。[272]この文《もん》のごとくならば、ひとたび正覚《しょうがく》をなりたまいしよりこのかた、まことの報身《ほうじん》はうごきたまうことなし。ただ浄土《じょうど》に坐《ざ》してひかりを十方《じっぽう》にはなちて、摂《せっ》取《しゅ》の益《やく》を[273]おこしたまうと、みえたり。おおよそしりぞいて他宗《たしゅう》のこころをうかがうにも、「まことにきたる」と執《しゅう》するならば、大乗甚深《だいじょうじんじん》の義《ぎ》にはかないがたきをや。されば、真言《しんごん》の祖師善無畏三蔵《そしぜんむいさんぞう》の解釈《げしゃく》にも、「弥陀《みだ》の真身《しんしん》の相《そう》を釈《しゃく》す」として、「理智不二《りちふに》　名弥陀身《みょうみだしん》　不従他方《ふじゅうたほう》　来迎引接《らいこういんじょう》」といえり。こころは、「法身《ほっしん》の理性《りしょう》と報身《ほうじん》の智品《ちぼん》と、[274]このふたつきわまりて、ひとつなるところを弥陀仏《みだぶつ》となづく。他方《たほう》より来迎引接《らいこういんじょう》せず」となり。真実報身《しんじつほうじん》の体《たい》は来迎《らいこう》の義《ぎ》なしと、みえたり。自《じ》力不真実《りきふしんじつ》の行人《ぎょうにん》は、第十九《だいじゅうく》の願《がん》にちかいましますところの[275]「修諸功徳《しゅしょくどく》 乃至《ないし》 現其人前《げんごにんぜん》」（大経）の文《もん》をたのみて、のぞみを極楽《ごくらく》にかく。しかれども、もとより諸善《しょぜん》は本願《ほんがん》にあらず、浄土《じょうど》の[276]生因《しょういん》にあらざるがゆえに、報土《ほうど》の往生《おうじょう》をとげず。もし[277]とぐるも、これ胎生《たいしょう》・辺地《へんじ》の往生《おうじょう》なり。この機《き》のためには臨終《りんじゅう》を期《ご》し、来迎《らいこう》をたのむべしとみえたり。これみな方便《ほうべん》なり。されば願文《がんもん》の「仮令《けりょう》」の句《く》は、「現其人前《げんごにんぜん》」も一定《いちじょう》の益《やく》にあらざることをときあらわすことばなり。この機《き》は[278]聖衆《しょうじゅ》の来迎《らいこう》にあずからず。臨終正念《りんじゅうしょうねん》ならずしては、辺地《へんじ》・胎生《たいしょう》の往生《おうじょう》も、[279]なお不定《ふじょう》なるべし。しかれば本願《ほんがん》にあらざる不定《ふじょう》の辺地《へんじ》の往生《おうじょう》を執《しゅう》せんよりは、仏《ぶつ》の本願《ほんがん》に順《じゅん》じて、臨終《りんじゅう》を期《ご》せず、来迎《らいこう》を[280]たのまずとも、一念《いちねん》の信心《しんじん》さだまれば、平生《へいぜい》に決定往生《けつじょうおうじょう》の業《ごう》を成就《じょうじゅ》する念仏往生《ねんぶつおうじょう》の願《がん》に帰《き》して、如来《にょらい》の他力《たりき》をたのみ、かならず真実報土《しんじつほうど》の往生《おうじょう》をとぐべきなり。

問《と》うていわく、諸行《しょぎょう》の往生《おうじょう》をもって辺地《へんじ》の[281]往生《おうじょう》ということ、いずれの文証《もんしょう》によりてこころ[282]うべきぞや。

こたえていわく、『大経《だいきょう》』のなかに胎生《たいしょう》・化生《けしょう》の二種《にしゅ》の往生《おうじょう》をとくとき、[283]「あきらかに仏智《ぶっち》を信《しん》ずるものは化生《けしょう》し、仏智《ぶっち》を疑惑《ぎわく》して善本《ぜんぽん》を修習《しゅじゅう》するものは胎生《たいしょう》する」義《ぎ》をとけり。しかれば「あきらかに仏智《ぶっち》を信《しん》ずる[284]もの」というは第十八《だいじゅうはち》の願《がん》の機《き》、[285]これ至心信楽《ししんしんぎょう》の行者《ぎょうじゃ》なり。[286]その「化生《けしょう》」というは[287]すなわち報土《ほうど》の往生《おうじょう》なり。つぎに「仏智《ぶっち》を疑惑《ぎわく》して善本《ぜんぽん》を修習《しゅじゅう》するもの」というは[288]第十九《だいじゅうく》の願《がん》の機《き》、修諸功徳《しゅしょくどく》の行人《ぎょうにん》なり。その「胎生《たいしょう》」といえるはすなわち辺地《へんじ》なり。この文《もん》によりてこころうるに、諸行《しょぎょう》の往生《おうじょう》は胎生《たいしょう》なるべしとみえたり。されば、十八《じゅうはち》の願《がん》に帰《き》して念仏《ねんぶつ》を行《ぎょう》じ仏智《ぶっち》を信《しん》ずるものは、得生《とくしょう》の益《やく》にあずかりて報土《ほうど》に化生《けしょう》し、十九《じゅうく》の願《がん》をたのみて諸行《しょぎょう》を修《しゅ》するひとは、来迎《らいこう》の益《やく》[289]をえて化土《けど》に胎生《たいしょう》すべし。[290]「化土《けど》」というはすなわち辺地《へんじ》なり。

問《と》うていわく、いかなるをか「胎生《たいしょう》」といい、いかなるをか「化生《けしょう》」となづくるや。

こたえていわく、おなじき『経《きょう》』(大経)に、まず胎生《たいしょう》の相《そう》をとくとしては、[291]「生彼宮殿《しょうひくでん》　寿五《じゅご》百歳《ひゃくさい》　常不見仏《じょうふけんぶつ》　不聞経法《ふもんきょうぼう》　不見菩薩《ふけんぼさつ》　声聞聖衆《しょうもんしょうじゅ》　是故於彼国土《ぜこおひこくど》　謂之胎生《いしたいしょう》」と[292]いえり。こころは「かの[293]極楽《ごくらく》の宮殿《くでん》にうまれて、いのち五百歳《ごひゃくさい》[294]のあいだ、つねに仏《ぶつ》をみたてまつらず、経法《きょうぼう》をきかず、菩薩《ぼさつ》・声聞《しょうもん》・聖衆《しょうじゅ》をみず。このゆえにかの国土《こくど》において、これを「胎生《たいしょう》」という[295]なり。」これ疑惑《ぎわく》のものの生《しょう》ずるところなり。つぎに化生《けしょう》の相《そう》[296]をとくとしては、[297]「於七宝花中《おしっぽうけちゅう》　自《じ》然化生《ねんけしょう》　跏趺而坐《かふにざ》　須臾之頃《しゅゆしきょう》　身相光明《しんそうこうみょう》　智恵功徳《ちえくどく》　如諸菩薩《にょしょぼさつ》　具足成就《ぐそくじょうじゅ》」と[298]いえり。こころは、「七宝《しちほう》のはな[299]のなかにおいて、自然《じねん》に化生《けしょう》し跏趺《かふ》してしかも坐《ざ》す。須臾《しゅゆ》のあいだに[300]は、身相《しんそう》・光明《こうみょう》・智恵《ちえ》・功徳《くどく》、もろもろの菩薩《ぼさつ》の[301]ごとくして[302]具足《ぐそく》し成就《じょうじゅ》す」となり。これ仏智《ぶっち》を信《しん》ずるものの生《しょう》ずるところなり。

問《と》うていわく、なにによりてか[303]いまいうところの胎生《たいしょう》をもって、すなわち辺地《へんじ》とこころうべきや。

こたえていわく、「胎生《たいしょう》」といい、「辺地《へんじ》」といえる、そのことばことなれども[304]別《べつ》にあらず。『略《りゃく》論《ろん》』（略論安楽浄土義）のなかにいまひくところの『大経《だいきょう》』の文《もん》をいだして、これを結《けっ》するに、[305]「謂之《いし》辺地《へんじ》　亦《やく》[306]曰胎生《わったいしょう》」といえり。「かくのごとく宮殿《くでん》のなかに処《しょ》するをもって、これを辺地《へんじ》と[307]もいい、または、胎生《たいしょう》ともなづく」となり。またおなじき釈《しゃく》のなかに、[308]「辺言其難《へんごんごなん》　胎言其闇《たいごんごあん》」[309]といえり。こころは、「「辺《へん》」はその難《なん》をいい、「胎《たい》」はその闇《あん》をいう」となり。これすなわち、報土《ほうど》のうちにあらずして、そのかたわらなる義《ぎ》をもっては、「辺地《へんじ》」という。これその難《なん》をあらわすことばなり。[310]また仏《ぶつ》をみたてまつらず法《ほう》をきかざる義《ぎ》については、「胎生《たいしょう》」という。これそのくらきことを[311]いえる名《な》なりというなり。されば辺地《へんじ》にうまるるものは、五百歳《ごひゃくさい》の[312]あいだ、仏《ぶつ》をもみたて[313]まつらず、法《ほう》をもきかず、諸仏《しょぶつ》にも[314]歴事《りゃくじ》せず。報土《ほうど》にうまるるものは、一念須臾《いちねんしゅゆ》のあいだに、もろもろの功徳《くどく》をそなえて、如来《にょらい》の相好《そうごう》をみたてまつり、甚深《じんじん》の法門《ほうもん》をきき、一切《いっさい》の諸仏《しょぶつ》に歴事供養《りゃくじくよう》して、こころのごとく自在《じざい》をうるなり。諸行《しょぎょう》と念仏《ねんぶつ》と、その因《いん》おなじからざれば、胎生《たいしょう》と化生《けしょう》と勝劣《しょうれつ》はるかにことなるべし。しかればすなわちその行因《ぎょういん》をいえば、諸行《しょぎょう》は難行《なんぎょう》なり、念仏《ねんぶつ》は易行《いぎょう》なり。はやく難《なん》行《ぎょう》をすてて易行《いぎょう》に帰《き》すべし。その益《やく》を論《ろん》ずれば、来迎《らいこう》は方便《ほうべん》なり、得生《とくしょう》は真実《しんじつ》なり。もっとも方便《ほうべん》にとどまらずして真実《しんじつ》をもとむべし。いかにいわんや、来迎《らいこう》は不定《ふじょう》の益《やく》なり。[315]「仮令不与《けりょうふよ》　大衆《だいしゅ》囲繞《いにょう》」（大経）ととくがゆえに。得生《とくしょう》は決定《けつじょう》の益《やく》なり。[316]「若不生者《にゃくふしょうじゃ》　不取正覚《ふしゅしょうがく》」（同）というがゆえに。その果処《かしょ》をいえば、胎生《たいしょう》は化土《けど》の往生《おうじょう》なり、化生《けしょう》は報土《ほうど》の往生《おうじょう》なり。もっぱら化土《けど》の往生《おうじょう》を期《ご》せずして、直《じき》に報土《ほうど》の無生《むしょう》をうべきものなり。されば真実報土《しんじつほうど》の往生《おうじょう》を[317]とげんとおもわば、ひとえに弥陀如来《みだにょらい》の不思議《ふしぎ》の仏智《ぶっち》を信《しん》じて、[318]もろもろの雑行《ぞうぎょう》をさしおきて、専修専念《せんじゅせんねん》・[319]一向一心《いっこういっしん》なるべし。第十八《だいじゅうはち》の願《がん》には諸行《しょぎょう》をまじえず、ひとえに念仏往生《ねんぶつおうじょう》の一道《いちどう》を[320]とけるゆえなり。[321]

問《と》うていわく、一流《いちりゅう》の義《ぎ》きこえおわりぬ。それにつきて信心《しんじん》をおこし往生《おうじょう》をえんことは、善知識《ぜんじしき》のおしえによるべしということ、かみにきこえき。しからば、善知識《ぜんじしき》といえる体《たい》をば、いかがこころうべきや。

こたえていわく、総《そう》じていうときは、真《しん》の善知識《ぜんじしき》というは諸仏《しょぶつ》・菩薩《ぼさつ》なり。別《べつ》していうときは、われに法《ほう》をあたえたまえるひとなり。いわゆる『涅槃経《ねはんぎょう》』にいわく、[322]「諸仏菩薩《しょぶつぼさつ》名知識《みょうちしき》　善男子《ぜんなんし》　譬《ひ》如船師《にょせんし》　善度人故《ぜんどにんこ》　名船師《みょうせんし》　諸仏菩薩《しょぶつぼさつ》　亦復如是《やくぶにょぜ》　度諸衆生《どしょしゅじょう》　生死大海《しょうじだいかい》　以是義故《いぜぎこ》　名善知識《みょうぜんじしき》」といえり。この文《もん》のこころは、「もろもろの仏《ぶつ》・菩薩《ぼさつ》を善知識《ぜんじしき》となづく。善男子《ぜんなんし》。たとえば船師《せんし》の、よくひとをわたすがごとし。かるがゆえに大船師《だいせんし》となづく。もろもろの仏《ぶつ》・菩薩《ぼさつ》もまたかくのごとし。もろもろの衆生《しゅじょう》をして生死《しょうじ》の大海《だいかい》を度《ど》す。この義《ぎ》をもってのゆえに善知識《ぜんじしき》となづく」となり。

されば真実《しんじつ》の善知識《ぜんじしき》は仏《ぶつ》・菩薩《ぼさつ》なるべしとみえたり。しからば仏《ぶつ》・菩薩《ぼさつ》のほかには善知識《ぜんじしき》はあるまじきかとおぼゆるに、それにはかぎるべからず。すなわち、『大経《だいきょう》』の下巻《げかん》に仏法《ぶっぽう》のあいがたきことをとくとして、[323]「如来興世《にょらいこうせ》　難値難見《なんちなんけん》　諸仏経道《しょぶつきょうどう》　難得難聞《なんとくなんもん》　菩薩勝法《ぼさつしょうぼう》　諸波羅蜜《しょはらみつ》　得聞亦難《とくもんやくなん》　遇善《ぐうぜん》知識《じしき》　聞法能行《もんぼうのうぎょう》　此亦為難《しやくいなん》」といえり。文《もん》のこころは、「如来《にょらい》の興世《こうせ》あいがたく、みたてまつりがたし。諸仏《しょぶつ》の経道《きょうどう》えがたく、ききがたし。菩薩《ぼさつ》の勝法《しょうぼう》・諸波羅蜜《しょはらみつ》きくことをうることまたかたし。善《ぜん》知識《じしき》にあいて法《ほう》をきき、よく行《ぎょう》ずること、これまたかたしとす」となり。されば「如来《にょらい》にもあいたてまつりがたし」といい、「菩薩《ぼさつ》の勝法《しょうぼう》もききがたし」といいて、そのほかに「善知識《ぜんじしき》にあい法《ほう》をきくこともかたし」といえるは、仏《ぶつ》・菩薩《ぼさつ》のほかにも衆生《しゅじょう》のために法《ほう》をきかしめんひとをば、善知識《ぜんじしき》というべしときこえたり。またまさしくみずから法《ほう》をときてきかするひとならねども、法《ほう》をきかする縁《えん》となるひとをも善知識《ぜんじしき》となづく。いわゆる[324]「妙荘厳王《みょうしょうごんおう》の、雲雷音王仏《うんらいおんのうぶつ》にあいたてまつり、邪見《じゃけん》をひるがえし仏道《ぶつどう》をなり、二子夫人《にしぶにん》の引導《いんどう》によりしをば、かの三人《さんにん》をさして善知識《ぜんじしき》ととけり。」（法華経）また法花三昧《ほっけさんまい》の行人《ぎょうにん》の五縁具足《ごえんぐそく》のなかに、[325]「得善知識《とくぜんじしき》」（摩訶止観）といえるも、行者《ぎょうじゃ》のために依怙《えこ》となるひとをさすとみえたり。されば善知識《ぜんじしき》は諸仏《しょぶつ》・菩薩《ぼさつ》なり。諸仏《しょぶつ》・菩薩《ぼさつ》の総体《そうたい》は阿弥陀如来《あみだにょらい》なり。その智恵《ちえ》をつたえ、その法《ほう》をうけて、直《じき》にもあたえ、またしれらんひとにみちびきて法《ほう》をきかしめんは、みな善知識《ぜんじしき》なるべし。しかれば仏法《ぶっぽう》をききて生死《しょうじ》をはなるべきみなもとは、ただ善知識《ぜんじしき》なり。このゆえに『教行証文類《きょうぎょうしょうもんるい》』の第六《だいろく》（化身土巻）に、諸経《しょきょう》の文《もん》をひきて善知識《ぜんじしき》の徳《とく》をあげられたり。

いわゆる『涅槃経《ねはんぎょう》』には[326]「一切梵行《いっさいぼんぎょう》の因《いん》は善知識《ぜんじしき》なり。一切梵行《いっさいぼんぎょう》の因無量《いんむりょう》なりといえども、善知識《ぜんじしき》をとけばすなわちすでに摂在《しょうざい》しぬ」といい、『華厳経《けごんぎょう》』には[327]「なんじ善知識《ぜんじしき》を念《ねん》ぜよ。われを生《しょう》ずること父母《ぶも》のごとし。われをやしなうこと乳母《にゅうも》のごとし。菩薩分《ぼさつぶん》を増長《ぞうじょう》す」といえり。このゆえに、ひとたびそのひとにしたがいて仏法《ぶっぽう》を行《ぎょう》ぜんひとは、ながくそのひとをまもりて、かのおしえを信《しん》ずべきなり。

浄土真要鈔《じょうどしんようしょう》　広末

永享十年（一四三八）戊午　八月十五日奉㆔書㆓写之㆒畢　　右筆蓮如

大谷本願寺上人之御流之聖教也　　本願寺住持存如（花押）

本願寺聖人伝絵《ほんがんじしょうにんでんね》 上本 （御伝鈔《ごでんしょう》）[1]

[2]夫《そ》れ、聖人《しょうにん》の俗姓《ぞくしょう》は藤原氏《ふじわらうじ》、[3]天児屋根尊《あまつこやねのみこと》二十一世《にじゅういっせ》の苗裔《びょうえい》、大織冠《たいしょくかん》 鎌子内大臣《かまこのないだいじん》 の玄孫《げんそん》、近《こん》衛大将《ねのだいしょう》右大臣《うだいじん》 贈左大臣《ぞうさだいじん》 従一位《じゅいちい》内麿公《うちまろこう》 後長岡大臣《ごながおかのだいじん》と号《ごう》し、或《ある》いは閑院大臣《かんいんのだいじん》と号《ごう》す。贈正一位《ぞうしょういちい》太政大臣《だいじょうだいじん》房前公《ふさざきこう》の孫《まご》、大納言《だいなごん》式部卿《しきぶきょう》真楯《またて》の息《そく》なり。 六代《ろくだい》の後胤《こういん》、弼宰相《ひつのさいしょう》有国卿《ありくにのきょう》[4]五代《ごだい》の孫《まご》、皇太后宮大進《こうたいごうぐうのだいしん》有範《ありのり》の[5]子《こ》なり。[6]しかあれば、[7]朝廷《ちょうてい》に仕《つか》えて霜雪《そうせつ》をも戴《いただ》き、[8]射山《やさん》に趨《わし》って栄花《えいが》をも発《ひら》くべかりし人《ひと》なれども、興法《こうぼう》の因《いん》、うち（内）に萌《きざ》し、利生《りしょう》の縁《えん》、ほか（外）に[9]催《もよお》いしによりて、九歳《くさい》の春《はる》の比《ころ》、[10]阿伯従三位範綱卿《あはくじゅざんみのりつなのきょう》 時《とき》に[11]従四位上《じゅしいじょう》前若狭守《さきのわかさのかみ》、[12]後白河上皇《ごしらかわのしょうこう》の近臣《きんしん》なり。[13]聖人《しょうにん》の養父《ようぶ》。 前大僧正《さきのだいそうじょう》 慈円《じえん》、[14]慈鎮和尚《じちんかしょう》是《こ》れなり。法性寺殿《ほうしょうじどの》の御息《ごそく》、月輪殿《つきのわどの》の長兄《ちょうきょう》。 の[15]貴房《きぼう》へ相具《あいぐ》したてまつりて、[16]鬢髪《びんぱつ》を[17]剃除《ていじょ》[18]したまいき。 範宴《はんねん》少納言公《しょうなごんのきみ》と号《ごう》す。自爾以来《それよりこのかた》、しばしば南岳天台《なんがくてんだい》の玄風《げんぷう》をとぶらいて、ひろく三観仏乗《さんがんぶつじょう》の理《り》を達《たっ》し、とこしなえに楞厳《りょうごん》[19]横河《よかわ》の余流《よりゅう》をたたえて、ふかく四教円融《しきょうえんゆう》の義《ぎ》に明《あき》らかなり。

（絵）

建仁《けんにん》[20]第三《だいさん》の暦《れき》、春《はる》のころ [21]聖人二十九歳《しょうにんにじゅうくさい》 隠遁《いんとん》のこころざしにひかれて、源空聖人《げんくうしょうにん》の吉水《よしみず》の禅房《ぜんぼう》に尋《たず》ね参《まい》りたまいき。是《こ》れ則《すなわ》ち、世《よ》くだり、人《ひと》つたなくして、難行《なんぎょう》の小路《しょうろ》、まよいやすきによりて、易行《いぎょう》の大道《だいどう》におもむかんとなり。真宗紹隆《しんしゅうじょうりゅう》の[22]大祖聖人《たいそしょうにん》、ことに宗《しゅう》の淵源《えんげん》をつくし、教《きょう》の理致《りち》をきわめて、これをのべ給《たま》うに、たちどころに他力摂生《たりきせっしょう》の旨趣《ししゅ》を受得《じゅとく》し、飽《あ》くまで凡夫直入《ぼんぶじきにゅう》の真心《しんじん》を決定《けつじょう》しましましけり。

（絵）

建仁三年《けんにんさんねん》[23]辛酉《かのとのとり》四月五日《しがついつかのひ》の夜寅《よとら》の時《とき》、聖人夢想《しょうにんむそう》の告《つげ》ましましき。彼《か》の『記《き》』にいわく、[24]「六角堂《ろっかくどう》の救世菩薩《くせぼさつ》、顔容端厳《げんようたんごん》の聖僧《しょうそう》の形《かたち》を示現《じげん》して、白衲《びゃくのう》の袈裟《けさ》を着服《ちゃくぶく》せしめ、広大《こうだい》の白蓮華《びゃくれんげ》に端坐《たんざ》して、善信《ぜんしん》に告命《ごうみょう》してのたまわく、「行者宿報設女犯《ぎょうじゃしゅくほうせつにょぼん》　我成玉女身被犯《がじょうぎょくにょしんぴぼん》　一生之間能荘厳《いっしょうしけんのうしょうごん》　臨終引導生極楽《りんじゅういんどうしょうごくらく》」文《もん》　救世菩薩《くせぼさつ》、善信《ぜんしん》にのたまわく、「此《こ》れは是《こ》れ我《わ》が誓願《せいがん》なり。善信《ぜんしん》、この誓願《せいがん》の旨趣《ししゅ》を宣説《せんぜつ》して、一切群生《いっさいぐんじょう》にきかしむべし」と云々《うんぬん》　[25]爾《そ》の時《とき》、夢《ゆめ》の中《うち》にありながら、御堂《みどう》の正面《しょうめん》にして、東方《とうぼう》をみれば、峨々《がが》たる岳山《がくさん》あり。その高山《こうざん》に、[26]数千万億《すうせんまんおく》の有情《うじょう》、群集《くんじゅう》せりとみゆ。そのとき告命《ごうみょう》のごとく、此《こ》の文《もん》のこころを、かの山《やま》にあつまれる有情《うじょう》に対《たい》して、説《と》ききかしめおわるとおぼえて、夢悟《ゆめさ》め[27]おわりぬ」と云々《うんぬん》　倩《つら》つら此《こ》の記録《きろく》を披《ひら》きて彼《か》の夢想《むそう》を案《あん》ずるに、ひとえに真宗繁昌《しんしゅうはんじょう》の奇瑞《きずい》、念仏弘興《ねんぶつぐこう》の[28]表示《ひょうじ》なり。

然《しか》れば、聖人《しょうにん》、後《のち》の時《とき》、おおせられてのたまわく、「仏教《ぶっきょう》むかし西天《さいてん》より興《おこ》りて、経論《きょうろん》いま東土《とうど》に伝《つた》わる。是《こ》れ偏《ひとえ》に上宮太子《じょうぐうたいし》の広徳《こうとく》、山《やま》よりもたかく海《うみ》よりもふかし。吾《わ》が朝《ちょう》、欽明天皇《きんめいてんのう》の御宇《ぎょう》に、これをわたされしによりて、[29]すなわち浄土《じょうど》の正依経論等《しょうえきょうろんとう》、此《こ》の時《とき》に来至《らいし》す。儲君《ちょくん》もし[30]厚恩《こうおん》をほどこしたまわずは、凡愚《ぼんぐ》いかでか弘誓《ぐぜい》にあうことを得《え》ん。救世菩薩《くせぼさつ》はすなわち儲君《ちょくん》の本地《ほんじ》なれば、垂迹興法《すいしゃくこうぼう》の願《がん》を[31]あらわさんがために、本地《ほんじ》の尊容《そんよう》をしめすところなり。抑《そもそ》も又《また》、大師聖人《だいししょうにん》源《げん》空《くう》もし流刑《るけい》に処《しょ》せられたまわずは、[32]われ又《また》、配所《はいしょ》に赴《おもむ》かんや。もしわれ配所《はいしょ》におもむかずは、何《なに》によりてか辺鄙《へんぴ》の群類《ぐんるい》を化《け》せん。これ猶師教《なおしきょう》の恩致《おんち》なり。大師聖人《だいししょうにん》すなわち勢至《せいし》の化身《けしん》、太子《たいし》また観音《かんのん》の垂迹《すいしゃく》なり。このゆえにわれ、二菩薩《にぼさつ》の引導《いんどう》に順《じゅん》じて如来《にょらい》の本願《ほんがん》をひろむるにあり。真宗《しんしゅう》、茲《こ》れに因《よ》って興《こう》じ、念仏《ねんぶつ》、斯《こ》れに由《よ》りて煽《さかん》なり。是《こ》れ併《しか》しながら聖者《しょうじゃ》の教誨《きょうけ》によりて、更《さら》に愚昧《ぐまい》の今案《こんあん》をかまえず。かの二大士《にだいじ》の重願《じゅうがん》、ただ一仏名《いちぶつみょう》を専念《せんねん》するにたれり。いまの行者《ぎょうじゃ》、あやまりて脇士《きょうじ》に仕《つか》うることなかれ、[33]ただちに本仏《ほんぶつ》をあおぐべし」と云々《うんぬん》　かるがゆえに[34]聖人《しょうにん》　親鸞《しんらん》　かたわらに皇太子《こうたいし》を崇《あが》めたまう。蓋《けだ》し斯《こ》れ、仏法弘通《ぶっぽうぐずう》の浩《おおい》なる恩《おん》を謝《しゃ》せんがためなり。

（絵）

[35]建長八歳《けんちょうはちねん》　丙辰《ひのえたつ》　二月《にがつ》　九日《ここぬかのひ》の夜寅《よとら》の時《とき》、釈《しゃく》の蓮位《れんい》夢想《むそう》の告《つげ》に云《い》わく、「聖徳太子《しょうとくたいし》、親鸞聖人《しんらんしょうにん》を礼《らい》したてまつりましましてのたまわく、「敬礼大慈阿弥陀仏《きょうらいだいじあみだぶつ》　為妙《いみょう》　教流通来生者《きょうるずうらいしょうじゃ》　五濁悪時悪《ごじょくあくじあく》世界中《せかいちゅう》　決定即得無上覚也《けつじょうそくとくむじょうかくや》」」　しかれば祖師聖人《そししょうにん》、弥陀如来《みだにょらい》の化現《けげん》にてましますという事《こと》、明《あき》らかなり。

（絵）

[36]康永第二載（一三四三）　癸未　応鐘中旬比、終二画図篇一訖。

本《ほん》願《がん》寺《じ》聖人《しょうにん》伝《でん》絵《ね》 上末

[37]黒谷《くろだに》の先徳《せんどく》 [38]源空《げんくう》 在世《ざいせ》のむかし、矜哀《こうあい》の余《あま》り、ある時《とき》は恩許《おんきょ》を[39]蒙《こうむ》りて製作《せいさく》を見写《けんしゃ》し、或時《あるとき》は真《しん》筆《ぴつ》を降《くだ》して名字《みょうじ》を書《か》き[40]賜《たま》わす。すなわち『顕浄土《けんじょうど》方便化身土《ほうべんけしんど》文類《もんるい》の六《ろく》』に云《のたま》わく 親鸞《しんらん》[41]聖人選述《しょうにんせんじゅつ》、[42]「然《しか》るに、愚禿釈《ぐとくしゃく》の鸞《らん》、建仁《けんにん》 辛《かのと》の酉《とり》の 暦《れき》、雑行《ぞうぎょう》を棄《す》てて本願《ほんがん》に帰《き》し、元久《げんきゅう》 乙《きのと》の丑《うし》の 歳《とし》、恩恕《おんじょ》を[43]蒙《こうむ》りて『選択《せんじゃく》』を書《か》く。同《おな》じき年初夏《としそか》中旬第四日《ちゅうじゅんだいしにち》、『選択本願念仏集《せんじゃくほんがんねんぶつしゅう》』の内題《ないだい》の字《じ》、并《なら》びに「南《な》無阿弥陀仏《むあみだぶつ》 往生之業《おうじょうしごう》 念仏為本《ねんぶついほん》」と、「釈《しゃく》の綽空《しゃっくう》」と、空《くう》の真筆《しんぴつ》を以《もっ》て之《これ》を書《か》かしめたまい、同《おな》じき日《ひ》、空《くう》の真影《しんねい》、申《もう》し預《あず》かり図画《ずが》し奉《たてまつ》る。同《おな》じき二年閏七月下旬第九日《にねんうるうしちがつげじゅんだいくにち》、真影《しんねい》の銘《めい》は、真筆《しんぴつ》を以《もっ》て、「南無阿弥陀仏《なむあみだぶつ》」と「若我成仏十方衆生《にゃくがじょうぶつじっぽうしゅじょう》 称我名号下至十声《しょうがみょうごうげしじっしょう》 若不生者不取正覚《にゃくふしょうじゃふしゅしょうがく》 彼《ひ》仏今現在成仏《ぶつこんげんざいじょうぶつ》 当知本誓重願不虚《とうちほんぜいじゅうがんふこ》 衆生称念必得往生《しゅじょうしょうねんひっとくおうじょう》」の真文《しんもん》とを書《か》かしめたまいき。又《また》、夢《ゆめ》の告《つげ》に依《よ》って「綽空《しゃっくう》」の字《じ》を改《あらた》めて、同《おな》じき日《ひ》、御筆《ごひつ》を以《もっ》て名《な》の字《じ》を書《か》かしめたまい[44]訖《おわ》んぬ。本《ほん》師聖人《じしょうにん》、今年七旬三《こんねんしちじゅんさん》の御歳《おんとし》なり。『選択本願念仏集《せんじゃくほんがんねんぶつしゅう》』は、禅定《ぜんじょう》[45]博陸《はくりく》 月輪殿《つきのわどの》[46]兼実《かねざね》、法名円照《ほうみょうえんしょう》 の教《こう》命《めい》に依《よ》って[47]選集《せんじゅう》せしめたまう所《ところ》なり。真宗《しんしゅう》の簡要《かんよう》、念仏《ねんぶつ》の奥義《おうぎ》、斯《こ》れに摂在《しょうざい》せり。見《み》る者《もの》、諭《さと》り易《やす》し。誠《まこと》に是《こ》れ希有最勝《けうさいしょう》の華文《かもん》、無上甚深《むじょうじんじん》の宝典《ほうでん》なり。年《とし》を渉《わた》り日《ひ》を渉《わた》り、其《そ》の教誨《きょうけ》を[48]蒙《こうむ》るの人《ひと》、千万《せんまん》なりと雖《いえど》も、親《しん》と云《い》い疎《そ》と云《い》い、此《こ》の見写《けんしゃ》を獲《う》るの 徒《ともがら》、甚《はなは》だ以《もっ》て難《かた》し。爾《しか》るに、既《すで》に

製作《せいさく》を書写《しょしゃ》し、真影《しんねい》を図画《ずが》す。是《こ》れ専念正業《せんねんしょうごう》の徳《とく》なり。是《こ》れ決定往生《けつじょうおうじょう》の[49]徴《ち》なり。仍《よ》って悲喜《ひき》の涙《なみだ》を抑《おさ》えて由来《ゆらい》の縁《えん》を註《しる》す」と云々《うんぬん》

（絵）

おおよそ源空聖人在生《げんくうしょうにんざいしょう》のいにしえ、他力往生《たりきおうじょう》のむねをひろめ給《たま》いしに、世《よ》あまねくこれにこぞ（挙）り、人《ひと》ことごとくこれに[50]帰《き》しき。[51]紫禁《しきん》[52]青宮《せいきゅう》の政《まつりごと》を重《おも》くする砌《みぎり》にも、先《ま》ず黄金樹林《おうごんじゅりん》の[53]蕚《はなぶさ》にこころをかけ、[54]三槐九棘《さんかいきゅうきょく》の道《みち》を正《ただ》しくする家《いえ》にも、直《ただ》ちに四十八願《しじゅうはちがん》の月《つき》をもてあそぶ。[55]しかのみならず、[56]戎狄《じゅてき》の輩《ともがら》、[57]黎民《れいみん》の類《たぐい》、これをあおぎ、これをとうとびずという事《こと》なし。貴賤《きせん》、轅《ながえ》をめぐらし、門前《もんぜん》、市《いち》をなす。常随《じょうずい》[58]昵近《じっきん》の[59]緇徒《しと》そのかずあり。都《すべ》て三百八十余人《さんびゃくはちじゅうよにん》と云々《うんぬん》[60]しかありといえども、親《まのあた》りその化《け》をうけ、懃《ねんごろ》にその誨《おしえ》を守《まも》る族《やから》、はなはだまれなり。[61]わずかに五《ご》、六《ろく》輩《はい》にだにもたらず。善信《ぜんしん》[62]聖人《しょうにん》、或時申《あるときもう》したまわく、「予《よ》、難行道《なんぎょうどう》を閣《さしお》きて、易行道《いぎょうどう》に移《うつ》り、聖《しょう》道門《どうもん》を遁《のが》れて、浄土門《じょうどもん》に入《い》りしより以来《このかた》、芳命《ほうめい》をこうぶるにあらずよりは、豈《あ》に出離解脱《しゅつりげだつ》の良因《ろういん》を蓄《たくわ》えんや。喜《よろこ》びの中《なか》の悦《よろこ》び、何事《なにごと》か之《これ》に如《し》かん。[63]しかあるに、同室《どうしつ》の好《よしみ》を結《むす》びて、ともに一師《いっし》の誨《おしえ》をあおぐともがら、これおおしといえども、真実《しんじつ》に報土得生《ほうどとくしょう》の信心《しんじん》を成《じょう》じ[64]たらんこと、自他《じた》おなじくしりがたし。故《かるがゆえ》に、且《かつ》は当来《とうらい》の親友《しんぬ》たるほどをもしり、且《かつ》は浮生《ふしょう》の思《おも》い出《で》ともし侍《はんべ》らんがために、御弟子参集《おんでしさんじゅう》の砌《みぎり》にして、出言《しゅつごん》つこうまつりて、面々《めんめん》の[65]意趣《いしゅ》をも試《こころ》みんとおもう所《しょ》望《もう》あり」と云々《うんぬん》　大師聖人《だいししょうにん》のたまわく、「此《こ》の条《じょう》、[66]尤《もっと》も然《しか》るべし。即《すなわ》ち明日人々来臨《みょうにちひとびとらいりん》のとき、

おおせられいだすべし」と。

しかるに翌日集会《よくじつしゅえ》のところに、[67]聖人《しょうにん》親鸞《しんらん》のたまわく、「今日《こんにち》は信不退《しんふたい》・行不退《ぎょうふたい》の御座《みざ》を、両方《りょうほう》にわかたるべきなり。いずれの座《ざ》につきたまうべしとも、おのおの示《しめ》し給《たま》え」と。そのとき三百《さんびゃく》余人《よにん》の門侶《もんりょ》、みな其《そ》の意《こころ》を得《え》ざる[68]気《き》あり。時《とき》に法印《ほういん》[69]大和尚位聖覚《だいかしょういせいかく》、并《なら》びに釈《しゃく》の信空《しんくう》法蓮上人《ほうれんしょうにん》「信不退《しんふたい》の御座《みざ》に着《つ》くべし」と云々《うんぬん》つぎに沙弥法力《しゃみほうりき》[70]熊谷直実入道《くまがいなおざねにゅうどう》遅参《ちさん》して申《もう》して云《い》わく、「善信《ぜんしん》の[71]御房《おんぼう》の御執筆何事《ごしゅひつなにごと》ぞや」と。善信《ぜんしん》[72]聖人《しょうにん》のたまわく、「信不退《しんふたい》・行不退《ぎょうふたい》の座《ざ》をわけらるるなり」と。[73]法力坊《ほうりきぼう》申して云《い》わく、「然《しか》らば法力《ほうりき》、もるべからず。信不退《しんふたい》の座《ざ》にまいるべし」と云々《うんぬん》仍《よ》って、これをかきのせたまう。ここに数百人《すうひゃくにん》の門徒群居《もんとぐんこ》すといえども、さらに一言《いちごん》をのぶる人《ひと》なし、是《こ》れ恐《おそ》らくは、自力《じりき》の迷心《めいしん》に拘《かかわ》りて、金剛《こんごう》の真信《しんしん》に昏《くら》きがいたすところか。人《ひと》みな無音《ぶいん》のあいだ、執筆《しゅひつ》[74]聖人《しょうにん》（親鸞）、自名《じみょう》をのせたまう。ややしばらくありて、大師聖人《だいししょうにん》（法然）仰《おお》せられて云《のたま》わく、「源空《げんくう》も信不退《しんふたい》の座《ざ》につらなり侍《はんべ》るべし」と。この時《とき》、門葉《もんよう》、或《ある》いは[75]屈敬《くっけい》の気《き》をあらわし、或《ある》いは[76]鬱悔《うっけ》の色《いろ》をふくめり。

（絵）

聖人《しょうにん》親鸞《しんらん》のたまわく、「いにしえ我《わ》が[77]本師聖人《ほんじしょうにん》の御前《おんまえ》に、聖信房《しょうしんぼう》、勢観房《せいかんぼう》、念仏房《ねんぶつぼう》[78]已下《いげ》の人々《ひとびと》[79]おおかりし時《とき》、はかりなき諍論《じょうろん》をし侍《はんべ》る事《こと》ありき。そのゆえは、「聖人《しょうにん》[80]源空《げんくう》の御信心《ごしんじん》と、善信《ぜんしん》が信心《しんじん》と、いささかもかわるところあるべからず。ただ一《ひと》つなり」と申《もう》したりしに、このひとびと、とがめていわく、「善信房《ぜんしんぼう》の、聖人《しょうにん》の御信心《ごしんじん》とわが信心《しんじん》とひとしと申《もう》さるる事《こと》いわれなし。いかでかひとしかるべき」と。善信《ぜんしん》申《もう》して云《い》わく、「などかひとしと申《もう》さざる[81]べきや。そのゆえは、深智博覧《じんちはくらん》にひとしからんとも申《もう》さばこそ、まことにおおけなくもあらめ。往生《おうじょう》の信心《しんじん》にいたりては、一《ひと》たび他力信心《たりきしんじん》のことわりをうけ給《たま》わりしよりこのかた、まったくわたくしなし。しかれば、聖人《しょうにん》（法然）の御信心《ごしんじん》も、他力《たりき》よりたまわらせたまう。善信《ぜんしん》が信心《しんじん》も他力《たりき》なり。故《かるがゆえ》にひとしくしてかわるところなしと申《もう》すなり」と申《もう》し侍《はんべ》りしところに、[82]大師聖人《だいししょうにん》（同）まさしく仰《おお》せられてのたまわく、「信心《しんじん》のかわると申《もう》すは、自力《じりき》の信《しん》にとりての事《こと》なり。すなわち、智恵各別《ちえかくべつ》[83]なるがゆえに信又各別《しんまたかくべつ》なり。他力《たりき》の信心《しんじん》は、善悪《ぜんあく》の凡夫《ぼんぶ》、ともに仏《ぶつ》のかたよりたまわる信心《しんじん》なれば、源空《げんくう》が信心《しんじん》も、善信房《ぜんしんぼう》の信心《しんじん》も、更《さら》にかわるべからず。ただひとつなり。わがかしこくて信《しん》ずるにあらず。信心《しんじん》のかわりおうておわしまさん人々《ひとびと》は、[84]わがまいらん浄土《じょうど》へは、よもまいらせたまわじ。よくよくこころえらる[85]べき事《こと》なり」と云々《うんぬん》ここに、めんめん（面々）したをまき、くちをとじてやみにけり。」

（絵）

[86]御弟子《おんでし》入西房《にゅうさいぼう》、聖人《しょうにん》[87]親鸞《しんらん》の真影《しんねい》をうつしたてまつらんとおもうこころざしありて、日来《ひごろ》をふるところに、聖人《しょうにん》そのこころざしあることを鑑《かんが》みて、おおせられてのたまわく、「定禅法橋《じょうぜんほっきょう》[88]七《しち》条辺《じょうへん》に居住《きょじゅう》にうつさしむべし」と。入西房《にゅうさいぼう》、鑑察《かんざつ》のむねを随喜《ずいき》して、すなわちかの法橋《ほっきょう》を召請《ちょうしょう》す。定禅左右《じょうぜんそう》なく[89]まいりぬ。すなわち、[90]尊顔《そんげん》にむかいたてまつりて申《もう》していわく、「[91]去夜《さりぬるよ》、奇《き》

特《どく》の霊夢《れいむ》をなん感《かん》ずるところなり。その夢《ゆめ》の中《うち》に[92]拝《はい》したてまつるところの聖僧《しょうそう》の面像《めんぞう》、いまむかいたてまつる[93]容貌《ようぼう》、すこしもたがうところなし」といいて、たちまちに随喜感歎《ずいきかんたん》の色《いろ》ふかくして、[94]みずからその夢《ゆめ》を[95]かたる。「貴僧二人来入《きそうににんらいじゅう》す。一人《いちにん》の[96]僧《そう》のたまわく、「この化僧《けそう》の真影《しんねい》をうつさしめんとおもうこころざしあり。ねがわくは禅下《ぜんか》、筆《ふで》をくだすべし」と。定禅問《じょうぜんと》うていわく、「かの化僧《けそう》たれ人《びと》ぞや。」[97]くだんの僧《そう》いわく、「善光寺《ぜんこうじ》の本願《ほんがん》の御房《おんぼう》これなり」と。ここに定禅《じょうぜん》たなごころをあわせ、[98]ひざまずきて夢《ゆめ》のうちにおもう様《よう》、さては生身《しょうじん》の弥陀如来《みだにょらい》にこそと、身《み》の毛《け》いよだち《（堅）》て、恭《く》敬尊重《ぎょうそんじゅう》をいたす。また「[99]御《み》ぐし《（頭）》ばかりをうつされんにたんぬ《（足）》べし」と云々《うんぬん》かくのごとく問答往復《もんどうおうふく》して、夢《ゆめ》さめおわりぬ。しかるに、いまこの貴坊《きぼう》にまいりて、みたてまつる尊容《そんよう》、夢《ゆめ》の中《うち》の聖僧《しょうそう》にすこしもたがわず」とて、随喜《ずいき》のあまり涙《なみだ》をながす。「しかれば夢《ゆめ》にまかすべし」とて、いまも[100]御《み》ぐしばかりをうつしたてまつりけり。夢想《むそう》は仁治《にんじ》[101]三年九月二十日《さんねんくがつはつか》の夜《よ》なり。

つらつらこの奇瑞《きずい》をおもうに、[102]聖人《しょうにん》、弥陀如来《みだにょらい》の来現《らいげん》ということ炳焉《へいえん》なり。しかれば[103]すなわち、弘通《ぐずう》したまう教行《きょうぎょう》、おそらくは弥陀《みだ》の直説《じきせつ》と[104]いいつべし。あきらかに無漏《むろ》の恵燈《えとう》を[105]かかげて、とおく濁世《じょくせ》の迷闇《めいあん》を[106]はらし、あまねく甘露《かんろ》の法雨《ほうう》を[107]そそきて、[108]はるかに枯渇《こかつ》の凡悪《ぼんあく》をうるおさんと[109]なり。あおぐべし、信《しん》ずべし。

[110]（絵）

111康永二歳（一三四三）癸未　十月中旬比、依二発願一終二画図之功一畢。而間頽齢覃二八旬算一、両眼朦朧、雖レ然愁レ厥レ詞、如レ形染二紫毫一之処、如レ向二闇夜一、不レ弁二筆点一。仍散々無レ極、後見招二恥辱一者也而已。

大和尚位宗昭　七十四

画工康楽寺沙弥円寂

本願寺聖人伝絵《ほんがんじしょうにんでんね》　下本

112浄土宗興行《じょうどしゅうこうぎょう》によりて、聖道門廃退《しょうどうもんはいたい》す。是《こ》れ空師《くうし》の所為《しょい》なりとて、忽《たちま》ちに罪科《ざいか》せらるべきよし、南北《なんぼく》の碩才《せきさい》、113憤《いきどお》り申《もう》しけり。『114顕化身土文類《けんけしんどもんるい》の六《ろく》』に云《のたま》わく、115「竊《ひそ》かに以《おもん》みれば、聖道《しょうどう》の諸《しょ》教《きょう》は行証《ぎょうしょう》久《ひさ》しく廃《すた》れ、浄土《じょうど》の真宗《しんしゅう》は証道《しょうどう》今盛《いまさか》んなり。然《しか》るに、諸寺《しょじ》の釈門《しゃくもん》、教《きょう》に昏《くら》くして真《しん》仮《け》の門戸《もんこ》を知《し》らず、洛都《らくと》の儒林《じゅりん》、行《ぎょう》に迷《まど》うて邪正《じゃしょう》の道路《どうろ》を弁《わきま》うること無《な》し。斯《ここ》を以《もっ》て、興福寺《こうふくじ》の学徒《がくと》、太上天皇《だじょうてんのう》　諱《いみな》116尊成《たかなり》、後鳥羽院《ごとばのいん》と号《ごう》す。今上《きんじょう》　諱《いみな》117為仁《ためひと》、土御門院《つちみかどのいん》と号《ごう》す。聖暦承元丁卯《せいれきじょうげんひのとのう》の歳仲《としちゅう》春上旬《しゅんじょうじゅん》の候《こう》に奏達《そうたつ》す。主上臣下《しゅしょうしんか》、法《ほう》に背《そむ》き義《ぎ》に違《い》し、忿《いかり》を118成《な》し怨《あた》を119結《むす》ぶ。茲《こ》れに因《よ》って、真《しん》宗興隆《しゅうこうりゅう》の太祖源空法師《たいそげんくうほっし》、并《なら》びに門徒数輩《もんとすはい》、罪科《ざいか》を考《かんが》えず、猥《みだ》りがわしく死罪《しざい》に坐《つみ》す。或《ある》いは僧儀《そうぎ》を改《あらた》め姓名《しょうみょう》を賜《たまわ》って遠流《おんる》に処《しょ》す。予《よ》は其《そ》の一《ひとつ》なり。爾《しか》れば已《すで》に僧《そう》に非《あら》ず俗《ぞく》に非《あら》ず。是《こ》の故《ゆえ》に「禿《とく》」の字《じ》を以《もっ》て姓《しょう》とす。空師《くうし》、并《なら》びに弟子《でし》等《ら》、諸方《しょほう》の辺州《へんしゅう》に坐《つみ》して五年《ごねん》の居緒《きょしょ》を経《へ》たり」と云々《うんぬん》空聖人《くうしょうにん》、罪名藤井元彦《ざいみょうふじいのもとひこ》、配所土佐国《はいしょとさのくに》 幡多《はた》、鸞《らん》[120]聖人《しょうにん》、罪名藤井善信《ざいみょうふじいのよしざね》、配所越後国《はいしょえちごのくに》 国府《こくぶ》、此《こ》の外《ほか》の門徒《もんと》、死罪《しざい》・流罪《るざい》みな之《これ》を略《りゃく》す。皇帝《こうてい》 諱《いみな》[121]守成《もりなり》、佐渡院《さどのいん》と号《ごう》す。 聖代建暦《せいたいけんりゃく》 辛《かのと》の未《ひつじ》の歳《とし》[122]子月中《しげつちゅう》旬第七日《じゅんだいしちにち》、岡崎中納言範光卿《おかざきのちゅうなごんのりみつのきょう》をもって勅免《ちょくめん》、此《こ》の時《とき》[123]聖人右《しょうにんみぎ》のごとく、禿《とく》の字《じ》を書《か》きて奏聞《そうもん》し給《たま》うに、陛下叡感《へいかえいかん》をくだし、侍臣《じしん》おおきに[124]褒美《ほうび》す。 勅免《ちょくめん》ありといえども、[125]かしこに化《け》を施《ほどこ》さんために、なおしばらく在国《ざいこく》し給《たま》いけり。

(絵)

[126]聖人《しょうにん》、越後国《えちごのくに》より常陸国《ひたちのくに》に越《こ》えて、笠間郡稲田郷《かさまのこおりいなだのごう》という所《ところ》に隠居《いんきょ》したまう。[127]幽栖《ゆうせい》を占《し》むといえども、道俗《どうぞく》、跡《あと》をたずね、蓬戸《ほうこ》を閉《と》ずといえども、貴賤《きせん》、衢《ちまた》に溢《あふ》る。仏法弘通《ぶっぽうぐずう》の本懐《ほんがい》、ここに成就《じょうじゅ》し、衆生利益《しゅじょうりやく》の宿念《しゅくねん》、たちまちに満足《まんぞく》す。此《こ》の時《とき》、聖人仰《しょうにんおお》せられて云《のたま》わく、「救世菩薩《くせぼさつ》の告命《ごうみょう》を受《う》けし[128]往《いにしえ》の夢《ゆめ》、既《すで》に今《いま》と符合《ふごう》[129]せり。」

[130](絵)

聖人《しょうにん》、常陸国《ひたちのくに》にして、[131]専修念仏《せんじゅねんぶつ》の義《ぎ》をひろめ給《たま》うに、おおよそ、疑謗《ぎほう》の輩《ともがら》はすくなく、信順《しんじゅん》の族《やから》はおおし。しかるに一人《いちにん》の僧《そう》 山臥《やまぶし》と[132]云々《うんぬん》 ありて、[133]動《やや》もすれば、仏法《ぶっぽう》に怨《あた》をなしつつ、結句《けっく》、害心《がいしん》を挿《さしはさ》んで、聖人《しょうにん》を時々《よりより》うかがいたてまつる。聖人《しょうにん》、板敷山《いたじきやま》という深山《しんざん》を恒《つね》に往《おう》[134]反《へん》し給《たま》いけるに、彼《か》の山《やま》にして度々相待《どどあいま》つといえども、さらに其《そ》の節《せつ》をとげず、倩《つら》つら、ことの参差《しんし》を案《あん》ずるに、頗《すこぶ》る奇特《きどく》のおもいあり。仍《よ》って、聖人《しょうにん》に謁《えっ》せんとおもう心《こころ(付)》つきて、禅室《ぜんしつ》に行《ゆ》きて尋《たず》ね申《もう》すに、聖《しょう》人左右《にんそう》なく出《い》で会《あ》いたまいにけり。すなわち[135]尊顔《そんげん》に[136]むかいたてまつるに、害心忽《がいしんたちま》ちに[137]消滅《しょうめつ》して、剰《あまっさ》え後悔《こうかい》の涙《なみだ》[138]禁《きん》じがたし。ややしばらくありて、有《あ》りのままに、[139]日来《ひごろ》の宿鬱《しゅくうつ》を述《じゅっ》すといえども、聖人《しょうにん》、又《また》おどろける色《いろ》なし。たちどころに弓箭《きゅうせん》をきり、刀杖《とうじょう》をすて、頭巾《ときん》をとり、柿衣《かきのころも》をあらためて、仏教《ぶっきょう》に帰《き》しつつ終《つい》に素懐《そかい》をとげき。不思議《ふしぎ》なりし事《こと》なり。すなわち明法房《みょうほうぼう》是《こ》れなり。[140]聖《しょう》人《にん》これをつけ給《たま》いき。

（絵）

[141]康永二歳（一三四三）癸未　十一月一日絵詞染レ筆訖。　沙門宗昭　七十四

本願寺聖人伝絵《ほんがんじしょうにんでんね》　下末

聖人《しょうにん》、東関《とうかん》の堺《さかい》を出《い》でて、花城《かせい》の路《みち》におもむきましましけり。或日《あるひ》[142]晩陰《ばんいん》におよんで箱根《はこね》の険阻《けんそ》にかかりつつ、遙《はる》かに行客《こうかく》の蹤《あと》を送《おく》りて、漸《ようや》く人屋《じんおく》の枢《とぼそ》にちかづくに、夜《よ》もすでに暁更《きょうこう》におよんで、月《つき》も、はや孤嶺《これい》にかたぶきぬ。時《とき》に、[143]聖人《しょうにん》あゆみ[144]よりつつ、案内《あんない》したまうに、まことに[145]齢《よわい》傾《かたぶ》きたる翁《おきな》のうるわしく[146]装束《しょうぞく》きたるが、いと[147]ことと（疾）く出《い》で会《あ》い[148]たてまつりて、いう様《よう》、「社廟《しゃびょう》

ちかき所《ところ》のならい、[149]巫《かんなぎ》どもの、[150]終夜《よもすがら》、あそびし侍《はんべ》るに、おきなもまじわり[151]つるに、いまなんいささかよりい《（寄居）》侍《はんべ》ると思《おも》うほどに、夢《ゆめ》にもあらず、うつつにも[152]あらで、権現仰《ごんげんおお》せられて云《い》わく、「只今《ただいま》、われ尊敬《そんきょう》をいたすべき[153]客人《きゃくじん》、此《こ》の路《みち》を[154]過《す》ぎ給《たま》うべき事《こと》あり。かならず慇懃《いんぎん》の忠節《ちゅうせつ》を抽《ぬき》んでて、殊《こと》に丁寧《ていねい》の饗応《きょうおう》を儲《もう》くべし」と[155]云々《うんぬん》示現《じげん》いまだ覚《さ》めおわらざるに、貴僧《きそう》[156]忽爾《こつじ》として影向《ようごう》し給《たま》えり。何《なん》ぞただ人《びと》にましまさん。神勅《しんちょく》、是《こ》れ[157]炳焉《へいえん》なり。感応《かんのう》、最《もっと》も恭敬《くぎょう》す」といいて、尊重屈請《そんじゅうくっしょう》したてまつりて、さまざまに飯食《ぼんじき》を粧《よそお》い、色々《いろいろ》に珍味《ちんみ》を調《ととの》えけり。

（絵）

聖人《しょうにん》、[158]故郷《こきょう》に帰《かえ》りて[159]往事《おうじ》をおもうに、年々歳々夢《ねんねんせいせいゆめ》のごとし、幻《まぼろし》のごとし。[160]長安《ちょうあん》・[161]洛陽《らくよう》の栖《すみか》も[162]跡《あと》をとどむるに嬾《ものう》しとて、[163]扶風馮翊《ふふうふよく》ところどころに[164]移住《いじゅう》したまいき。五条西洞院《ごじょうにしのとういん》わたり、[165]一《ひとつ》の勝地《しょうち》なりとて、しばらく居《きょ》をしめたまう。[166]今比《このごろ》、いにしえ、口決《くけつ》を[167]伝《つた》え、[168]面受《めんじゅ》を遂《と》げし門《もん》徒等《とら》、おのおの好《よしみ》を慕《した》い、路《みち》を尋《たず》ねて、参集《さんじゅう》したまいけり。

其《そ》の比《ころ》、常陸国那荷西郡大部郷《ひたちのくになかのさいのこおりおおぶのごう》に、平太郎《へいたろう》なにがし[169]という庶民《しょみん》あり。[170]聖人《しょうにん》の御訓《おんおしえ》を信《しん》じて、専《もっぱ》ら弐《ふたごころ》なかりき。而《しか》るに、或時《あるとき》、件《くだん》の平太郎《へいたろう》、所務《しょむ》に駆《か》られて熊野《くまの》に詣《けい》すべしとて、事《こと》のよしをたずね申《もう》さんために、聖人《しょうにん》へまいりたるに、仰《おお》せられて云《のたま》わく、「夫《そ》れ聖教万差《しょうぎょうまんじゃ》なり。いずれも[171]機《き》に相応《そうおう》すれば巨益《こやく》あり。但《ただ》し、末法《まっぽう》の今《いま》の時《とき》、聖道《しょうどう》の修行《しゅぎょう》におきては成《じょう》ずべからず。すなわち[172]「我末法時中《がまっぽうじちゅう》　億々衆生《おくおくしゅじょう》　起行修道《きぎょうしゅどう》　未有一人得者《みういちにんとくしゃ》」（安楽集）と[173]いい、[174]「唯有浄土一門可通《ゆいうじょうどいちもんかつう》入路《にゅうろ》」（同）と[175]云々《うんぬん》　此れ皆《みな》、経釈《きょうしゃく》の明文《めいもん》、如来《にょらい》の金言《きんげん》なり。而《しか》るに今《いま》、唯有浄土《ゆいうじょうど》の真説《しんせつ》に就《つ》いて、忝《かたじけな》く彼《か》の[176]三国《さんごく》の祖師《そし》、各《おの》おの此《こ》の一宗《いっしゅう》を興行《こうぎょう》す。所以《このゆえ》に、愚禿《ぐとく》勧《すす》むるところ、更《さら》にわたくしなし。然《しか》るに一向専念《いっこうせんねん》の義《ぎ》は往生《おうじょう》の[177]肝腑《かんぷ》、自宗《じしゅう》の骨目《こつもく》なり。即《すなわ》ち、三経《さんぎょう》に隠顕《おんけん》ありといえども、文《もん》と云《い》い、義《ぎ》と云《い》い、共《とも》に[178]明《あき》らかなるをや。『大経《だいきょう》』の三輩《さんぱい》にも、[179]「一向《いっこう》」と勧《すす》めて、流通《るずう》にはこれを弥勒《みろく》に[180]附属《ふぞく》し、『観経《かんぎょう》』の九品《くほん》にも、しばらく[181]「三心《さんじん》」と説《と》きて、これまた阿難《あなん》に[182]附属《ふぞく》す。[183]『小経《しょうきょう》』の「一心《いっしん》」、ついに諸仏《しょぶつ》[184]これを証誠《しょうじょう》す。之《これ》に[185]依《よ》って、論主《ろんじゅ》（天親）、[186]「一心《いっしん》」と判《はん》じ、和《か》尚《しょう》（善導）、[187]「一向《いっこう》」と釈《しゃく》す。然《しか》れば則《すなわ》ち、何《いず》れの[188]文《もん》によりて、[189]専修《せんじゅ》の義《ぎ》、立《りっ》すべからざるぞや。証誠殿《しょうじょうでん》の本地《ほんじ》、すなわちいまの教主《きょうしゅ》なり。かるが故《ゆえ》に、[190]とてもかくても、衆生《しゅじょう》に結縁《けちえん》の[191]心《こころ》ざしふかきによりて、和光《わこう》の垂迹《すいしゃく》をとどめたまう。垂迹《すいしゃく》をとどむる本意《ほんい》、ただ結縁《けちえん》の群類《ぐんるい》をして願海《がんかい》に引入《いんにゅう》せんとなり。[192]しかあれば、本地《ほんじ》の誓願《せいがん》を信《しん》じて[193]偏《ひとえ》に念仏《ねんぶつ》をこととせん輩《ともがら》、[194]公務《くむ》にもしたがい、領主《りょうじゅ》にも[195]駆仕《くし》して、其《そ》の霊地《れいち》をふみ、その社廟《しゃびょう》に詣《けい》せんこと、更《さら》に自心《じしん》の発起《ほっき》するところにあらず。然《しか》れば[196]垂迹《すいしゃく》におきて、内懐虚仮《ないえこけ》の身《み》たりながら、あながちに賢善精進《けんぜんしょうじん》の威儀《いぎ》を標《ひょう》すべからず。唯《ただ》、本地《ほんじ》の誓約《せいやく》にまかすべし。穴賢穴賢《あなかしこあなかしこ》。神威《しんい》をかろしむるにあらず。努力努力《ゆめゆめ》冥眦《みょうし》をめぐらし給《たま》うべからず」と云々《うんぬん》

　これによりて、平太郎《へいたろう》、熊野《くまの》に参詣《さんけい》す。道《みち》の作法《さほう》、別《とりわき》整《ととの》うる儀《ぎ》なし。ただ常没《じょうもつ》の凡情《ぼんじょう》にしたがえて、更《さら》に不浄《ふじょう》をも[197]刷《かいつくろ》う事《こと》なし。行住坐臥《ぎょうじゅうざが》に本願《ほんがん》を仰《あお》ぎ、造次顛沛《そうしてんぱい》に師孝《しきょう》を[198]憑《たの》むに、は

たして無為《ぶい》に[199]参着《さんちゃく》の夜《よ》、件《くだん》の男《おとこ》、夢《ゆめ》に告《つ》げて云《い》わく、証誠殿《しょうじょうでん》の扉《とびら》を[200]排《おしひら》きて、衣冠《いかん》ただしき俗人《ぞくじん》仰《おお》せられて云《い》わく、「汝《なんじ》何《なん》ぞ我《われ》を[201]忽緒《こっしょ》して汚穢不浄《わえふじょう》にして[202]参詣《さんけい》するや」と。爾《そ》の時《とき》かの俗人《ぞくじん》に対座《たいざ》して聖人忽爾《しょうにんこつじ》として見《まみ》え給《たま》う。其《そ》の詞《ことば》に云《のたま》わく、「彼《かれ》は善信《ぜんしん》が訓《おしえ》によりて、念仏《ねんぶつ》する者《もの》なり」と云々《うんぬん》　爰《ここ》に俗人《ぞくじん》、[203]笏《しゃく》を直《ただ》しくして、ことに敬屈《けいくつ》の礼《れい》を著《あらわ》しつつ、かさねて述《の》ぶるところなしと見《み》るほどに、夢《ゆめ》さめおわりぬ。おおよそ奇異《きい》のおもいをなすこと、いうべからず。下向《げこう》の後《のち》、貴《き》房《ぼう》にまいりて、くわしく此《こ》の旨《むね》を申《もう》すに、[204]聖人《しょうにん》、「其《そ》の事《こと》なり」とのたまう。此《こ》れ又不可思議《またふかしぎ》のことなりかし。

（絵）[205]

聖人《しょうにん》、弘長《こうちょう》[206]二歳《にさい》　壬戌《みずのえいぬ》　仲冬下旬《ちゅうとうげじゅん》の候《こう》より、いささか不例《ふれい》の気《き》まします。自爾以来《それよりこのかた》、口《くち》に世事《せじ》をまじえず、ただ仏恩《ぶっとん》のふかきことをのぶ。声《こえ》に余言《よごん》をあらわさず、もっぱら称名《しょうみょう》たゆることなし。[207]しこうして同《おな》じき第八日《だいはちにち》[208]午《うま》の時《とき》、頭北面西右脇《ずほくめんさいうきょう》に臥《ふ》し給《たま》いて、ついに念仏《ねんぶつ》の[209]息《いき》たえ[210]ましましおわりぬ。時《とき》に頽《たい》[211]齢九旬《れいきゅうじゅん》に満《み》ちたまう。[212]禅坊《ぜんぼう》は長安馮翊《ちょうあんふよく》の辺《ほとり》押小路南万里小路東《おしこうじのみなみまでのこうじのひんがし》なれば、はるかに河東《かとう》の路《みち》を[213]歴《へ》て、洛陽東山《らくようひがしやま》の西《にし》の麓《ふもと》、鳥部野《とりべの》の南《みなみ》の辺《ほとり》、延仁寺《えんにんじ》に葬《そう》したてまつる。遺骨《いこつ》を拾《ひろ》いて、同《おな》じき山《やま》の麓《ふもと》、鳥部野《とりべの》の[214]北《きた》、大谷《おおたに》にこれをおさめ[215]たてまつりおわりぬ。而《しか》るに、終焉《しゅうえん》にあう門弟《もんてい》、勧化《かんけ》をうけし老若《ろうにゃく》、おのおの在世《ざいせ》のいにしえをおもい、滅後《めつご》のいまを悲《かな》しみて、恋慕涕泣《れんぼていきゅう》せずということなし。

（絵）

文永《ぶんえい》[216]九年冬《くねんふゆ》の比《ころ》、東山西《ひがしやまにし》の麓《ふもと》、鳥部野《とりべの》の北《きた》、大谷《おおたに》の[217]墳墓《ふんぼ》をあらためて、同《おな》じき麓《ふもと》より[218]猶西《なおにし》、吉水《よしみず》の北《きた》の辺《ほとり》に、遺骨《いこつ》を掘《ほ》り渡《わた》して、[219]仏閣《ぶっかく》をたて影像《えいぞう》を安《あん》ず。此《こ》の時《とき》に当《あ》たりて、[220]聖人相伝《しょうにんそうでん》の宗義《しゅうぎ》、いよいよ興《こう》じ、遺訓《ゆいくん》、ますます盛《さかり》なること、頗《すこぶ》る在世《ざいせ》の昔《むかし》に超《こ》えたり。すべて門葉国郡《もんようこくぐん》に充満《じゅうまん》し、末流処々《まつりゅうしょしょ》に遍布《へんぷ》して、幾千万《いくせんまん》ということをしらず。其《そ》の[221]稟教《ほんぎょう》を重《おも》くして、彼《か》の報謝《ほうしゃ》を抽《ぬき》んずる輩《ともがら》、緇素《しそ》・老少《ろうしょう》、面々《めんめん》あゆみを運《はこ》びて、[222]年々廟堂《ねんねんびょうどう》に詣《けい》す。凡《おおよ》そ[223]聖人在生《しょうにんざいしょう》の間《あいだ》、奇《き》特《どく》これおおしといえども、[224]羅縷《らる》に遑《いとま》あらず。[225]しかしながら、これを略《りゃく》するところなり。

（絵）

[226]右縁起画図之志、偏為二知恩報徳一、不レ為二戯論狂言一。剰又染二紫毫一拾二翰林一、其体尤拙、厥詞是苟。付レ冥付レ顕、有レ痛有レ恥。雖レ然、只憑二後見賢者之取捨一、無レ顧二当時愚案之訛謬一而已。

于レ時、永仁第三（一二九五）暦応鐘中旬第二天至二晡時一、終二草書之篇一訖。　執筆法印宗昭　画工法眼浄賀　号二康楽寺一

暦応二歳（一三三九）己卯　四月二十四日以二或本一俄奉三書二写之一、先年愚草之後一本所持之処、世上闘乱之間、炎上之刻焼失不レ知二行方一。而今不レ慮得二荒本一註二留之一者也耳。　桑門宗昭

康永二載（一三四三）癸未　十一月二日染レ筆訖。　釈宗昭　画工大法師宗舜　康楽寺弟子

報恩講私記《ほうおんこうしき》（式文《しきもん》）

[1]先総礼《まずそうらい》　次三礼《つぎにさんらい》　次如来唄《つぎににょらいばい》　次表白《つぎにひょうびゃく》

敬《うやま》いて、大恩教主釈迦如来《だいおんきょうしゅしゃかにょらい》、極楽能化弥陀善逝《ごくらくのうけみだぜんぜい》、称讃浄土三部妙典《しょうさんじょうどさんぶみょうでん》、八万十二顕密聖教《はちまんじゅうにけんみつしょうぎょう》、観音《かんのん》・勢至《せいし》・九品聖衆《くほんしょうじゅ》、念仏伝来《ねんぶつでんらい》の諸大師等《しょだいしとう》、総《そう》じては仏眼所照微塵刹土《ぶつげんしょしょうみじんせつど》の現不現前《げんぷげんぜん》の一切《いっさい》の三宝《さんぼう》に白《もう》して言《もう》さく、弟子《でし》、四禅《しぜん》の線《いとすじ》の端《はし》に、適《たま》たま南浮人身《なんぶにんじん》の針《はり》を貫《つらぬ》き、曠海《こうかい》の浪《なみ》の上《うえ》に、希《まれ》に西《さい》土仏教《どぶっきょう》の[2]査《うきぎ》に遇《あ》えり。爰《ここ》に祖師《そし》[3]聖人《しょうにん》（親鸞）の化導《けどう》に依《よ》りて、法蔵因位《ほうぞういんに》の本誓《ほんぜい》を聴《き》く。歓喜胸《かんぎむね》に満《み》ち渇仰肝《かつごうきも》に銘《めい》ず。然《しか》れば則《すなわ》ち、報《ほう》じても報《ほう》ずべきは大悲《だいひ》の仏恩《ぶっとん》、謝《しゃ》しても謝《しゃ》すべきは師長《しちょう》の遺徳《ゆいとく》なり。故《かるがゆえ》に、観音大士《かんのんだいじ》の頂上《ちょうじょう》には本師弥陀《ほんじみだ》を[4]安《あん》じ、大聖慈尊《だいしょうじそん》の宝冠《ほうかん》には釈迦《しゃか》の舎利《しゃり》を戴《いただ》きたまう。縦《たと》い万劫《まんごう》を経《ふ》とも、一端《いったん》をも報《ほう》じ叵《がた》し。如《し》かじ、名願《みょうがん》を念《ねん》じて彼《か》の本懐《ほんがい》に順《じゅん》ぜんには。今三《いまみ》つの徳《とく》を揚《あ》げて、将《まさ》に四輩《しはい》を勧《すす》めんとおもう。

一《ひと》つには真宗興行《しんしゅうこうぎょう》の徳《とく》を讃《さん》じ、二《ふた》つには本願相応《ほんがんそうおう》の徳《とく》を嘆《たん》じ、三《み》つには滅後利益《めつごりやく》の徳《とく》を述《じゅっ》す。

伏《ふ》して乞《こ》う、三宝《さんぼう》、哀愍納受《あいみんのうじゅ》したまえ。

第一《だいいち》に真宗興行《しんしゅうこうぎょう》の徳《とく》を讃《さん》ずというは、俗姓《ぞくしょう》は後長岡《ごながおか》の[5]丞相《しょうじょう》[6]内麿公《うちまろこう》の末孫《ばっそん》、前皇太后宮大《さきのこうたいこうぐうのだい》進有範《しんありのり》の息男《そくなん》なり。[7]幼稚《ようち》の古《いにしえ》、壮年《そうねん》の昔《むかし》、耶嬢《やじょう》の家《いえ》を出《い》でて台嶺《たいれい》の窓《まど》に入《い》りたまいしより已来《このかた》、慈鎮和尚《じちんかしょう》（慈円）を[8]以《もっ》て師範《しはん》として、顕密両宗《けんみつりょうしゅう》の教法《きょうぼう》を習学《しゅうがく》す。蘿洞《らとう》の霞《かすみ》の中《うち》には三諦一諦《さんたいいったい》の妙理《みょうり》を窺《うかが》い、草庵《そうあん》の月の前《まえ》には瑜伽瑜祇《ゆがゆぎ》の観念《かんねん》を凝《こ》らす。鎮《とこし》なえに明師《めいし》に逢《お》うて大小《だいしょう》の[9]奥蔵《おうぞう》を伝《つた》え、広《ひろ》く諸宗《しょしゅう》を試《こころ》みて甚深《じんじん》の義理《ぎり》を究《きわ》む。而《しか》れども、色塵《しきじん》・声塵《しょうじん》・猿猴《えんこう》の情《こころ》、尚忙《なおいそが》わしく、愛論《あいろん》・見論《けんろん》・痴膠《ちこう》の[10]憶《おも》い、弥《いよ》いよ堅《かた》し。断惑証理《だんわくしょうり》、愚鈍《ぐどん》の身《み》、成《じょう》じ難《がた》く、速成覚位《そくじょうかくい》、末代《まつだい》の機《き》、覃《およ》び叵《がた》し。仍《よ》りて、出離《しゅつり》を仏陀《ぶつだ》に誂《あつら》え、知識《ちしき》を神道《しんとう》に祈《いの》る。而《しか》る[11]際《あいだ》、宿因多幸《しゅくいんたこう》にして、本朝念《ほんちょうねん》仏《ぶつ》の元祖黒谷聖人《がんそくろだにしょうにん》（法然）に謁《えっ》し奉《たてまつ》りて、出離《しゅつり》の要道《ようどう》を問答《もんどう》す。授《さず》くるに浄土《じょうど》の一宗《いっしゅう》を以《もっ》てし、示《しめ》すに念仏《ねんぶつ》の一行《いちぎょう》を以《もっ》てす。[12]自爾以降《しかしよりこのかた》、聖道難行《しょうどうなんぎょう》の門《もん》を閣《さしお》きて浄土易行《じょうどいぎょう》の道《どう》に帰《き》し、忽《たちま》ちに自力《じりき》の心《しん》を改《あらた》めて、偏《ひとえ》に他力《たりき》の願《がん》に乗《じょう》ず。自行化他《じぎょうけた》、道綽《どうしゃく》の遺誡《ゆいかい》を守《まも》り、専修専念《せんじゅせんねん》、善導《ぜんどう》の古風《こふう》に任《まか》す。見聞《けんもん》の道俗《どうぞく》、随喜《ずいき》を致《いた》し、遠近《おんごん》の緇素《しそ》、皆発心《みなほっしん》す。[13]茲《ここ》に祖師《そし》、西土《さいど》の教文《きょうもん》を弘《ひろ》めんが為《ため》に、遙《はる》かに東関《とうかん》の斗藪《とそう》を跂《くわだ》てたまう。暫《しばら》く常州筑波山《じょうしゅうつくばやま》の北《きた》の辺《ほとり》に逗留《とうりゅう》し、貴賤上下《きせんじょうげ》に対《たい》して末世相応《まっせそうおう》の要法《ようほう》を示《しめ》す。初《はじ》めに疑謗《ぎほう》を成《な》す輩《ともがら》、瓦礫荊棘《がりゃくきょうこく》の如《ごと》くなりしかども、遂《つい》に改悔《がいけ》せしむる族《やから》、稲麻竹葦《とうまちくい》に同《おな》じ。皆邪見《みなじゃけん》を翻《ひるがえ》して、悉《ことごと》く正信《しょうしん》を受《う》け、共《とも》に偏執《へんしゅう》を止《や》めて、還《かえ》りて弟子《でし》と為《な》る。凡《おおよ》そ訓《おしえ》を受《う》くる徒衆《としゅ》、当国《とうごく》に余《あま》り、縁《えん》を結《むす》ぶ親疎《しんそ》、諸邦《しょほう》に満《み》てり。謗法闡提《ほうぼうせんだい》の輩《ともがら》なりと雖《いえど》も、彼《か》の教化《きょうけ》を聞《き》く者《もの》、覚悟《かくご》、花鮮《はなあざ》やかに、愚痴放逸《ぐちほういつ》の類《たぐい》なりと雖《いえど》も、其《そ》の諷諫《ふかん》を得《う》る者《もの》、惑《わく》障《しょう》、雲霽《くもは》る。喩《たと》えば、木石《ぼくせき》の、縁《えん》を待《ま》ちて火《ひ》を生《しょう》じ、瓦礫《がりゃく》の、鉆《せん》を磨《す》りて[14]珠《たま》を為《な》すが如《ごと》し。甚深《じんじん》の行願《ぎょうがん》、不可思議《ふかしぎ》なる者《もの》か。方《まさ》に今《いま》、念仏修行《ねんぶつしゅぎょう》の要義《ようぎ》、区《まち》まちなりと雖《いえど》も、他力真宗《たりきしんしゅう》の興行《こうぎょう》は則《すなわ》ち今師《こんじ》の知識《ちしき》より起《お》こり、専修正行《せんじゅしょうぎょう》の繁昌《はんじょう》は亦《また》、遺弟《ゆいてい》の念力《ねんりき》より成《じょう》ず。流《ながれ》を酌《く》んで本源《ほんげん》を尋《たず》ぬるに、偏《ひとえ》に是《こ》れ祖師《そし》の徳《とく》なり。須《すべから》く仏号《ぶつごう》を称《しょう》して師恩《しおん》を報《ほう》ずべし。頌《じゅ》に曰《い》わく、

15「若非釈迦勧念仏《にゃくひしゃかかんねんぶつ》　弥陀浄土何由見《みだじょうどがゆけん》　心念香花《しんねんこうけ》16遍供養《へんくよう》　長時長劫報慈恩《じょうじじょうこうほうじおん》」（般舟讃）

念仏《ねんぶつ》

17「何期今日至宝国《がごこんにちしほうこく》　実是娑婆本師力《じつぜしゃばほんじりき》　若非本師知識勧《にゃくひほんじちしきかん》　弥陀浄土云何入《みだじょうどうんがにゅう》」（同）

南無帰命頂礼尊重讃嘆祖師聖霊《なむきみょうちょうらいそんじゅうさんだんそししょうりょう》

第二《だいに》に本願相応《ほんがんそうおう》の徳《とく》を嘆《たん》ずというは、念仏修行《ねんぶつしゅぎょう》の人《ひと》、之多《これおお》しと雖《いえど》も、専修専念《せんじゅせんねん》の輩《ともがら》、甚《はなは》だ稀《まれ》なり。或《ある》いは自性唯心《じしょうゆいしん》に沈《しず》みて、徒《いたずら》に浄土《じょうど》の真証《しんしょう》を貶《おと》しめ、或《ある》いは定散《じょうさん》の18自心《じしん》に迷《まど》いて、宛《あたか》も19金剛《こんごう》の真信《しんしん》に闇《くら》し。而《しか》るに、祖師聖人《そししょうにん》、至心信楽《ししんしんぎょう》、己《おのれ》を忘《わす》れて速《すみ》やかに無行不成《むぎょうふじょう》の願海《がんかい》に帰《き》し、憶念称名《おくねんしょうみょう》、精《いさみ》有《あ》りて、鎮《とこし》なえに不断無辺《ふだんむへん》の光益《こうやく》に関《あずか》る。身《み》に厥《そ》の20証理《しょうり》を彰《あらわ》し、人《ひと》、彼《か》の奇特《きどく》を看《み》ること21勝計《しょうげ》すべからず。加之《しかのみ》ならず、来問《らいもん》の貴賤《きせん》に対《たい》して、専《もっぱ》ら他力《たりき》22易往《いおう》の要路《ようろ》を示《しめ》し、面謁《めんえつ》の道俗《どうぞく》を誘《こしら》えて、偏《ひとえ》に善悪凡夫《ぜんあくぼんぶ》の生因《しょういん》を明《あ》かす。所以《そえ》に善導大師《ぜんどうだいし》の曰《のたま》わく、23「今時《こんじ》の有縁相《うえんあい》勧《すす》めて、誓《ちか》いて浄土《じょうど》に生《しょう》ぜしむるは、則《すなわ》ち是《こ》れ諸仏本願《しょぶつほんがん》の24意《おんこころ》に称《かな》うなり」（定善義）と。又曰《またい》わく、25「大悲伝普化《だいひでんふけ》　真成報仏恩《しんじょうほうぶっとん》」（往生礼讃）と。然《しか》れば、祖師聖人《そししょうにん》、金剛《こんごう》の信心《しんじん》を発起《ほっき》して自身《じしん》の生因《しょういん》を定得《じょうとく》し、本願《ほんがん》の名号《みょうごう》を流行《るぎょう》して衆機《しゅき》の往益《おうやく》を助成《じょじょう》す。豈《あ》に本願相応《ほんがんそうおう》の徳《とく》に非《あら》ずや、寧《むし》ろ仏恩報尽《ぶっとんほうじん》の勤《つとめ》に非《あら》ずや。又恒《またつね》に門徒《もんと》に語《かた》りて曰《のたま》わく、26「信謗《しんぼう》、共《とも》に因《いん》と為《な》りて、同《おな》じく往生浄《おうじょうじょう》

土《ど》の縁《えん》を成《じょう》ず」と。誠《まこと》なるかな、斯《こ》の言《ごん》、疑《うたが》う者《もの》も必《かなら》ず信《しん》を執《と》り、謗《ほう》ずる者《もの》も遂《つい》に情《じょう》を翻《ひるがえ》す。実《まこと》に是《こ》れ仏意相応《ぶついそうおう》の化導《けどう》、抑《そもそ》も又勝利広大《またしょうりこうだい》の知識《ちしき》なり。悪時悪世界《あくじあくせかい》の今《いま》、常没常流転《じょうもつじょうるてん》の族《やから》、若《も》し聖人《しょうにん》の勧化《かんけ》を受《う》けたてまつらずは、争《いかで》か無上《むじょう》の大利《だいり》を悟《さと》らん。既《すで》に一声称念《いっしょうしょうねん》の利剣《りけん》を[27]揮《ふる》いて、忽《たちま》ちに無明果業《むみょうかごう》の苦因《くいん》を截《き》り、忝《かたじけな》く三仏菩提《さんぶつぼだい》の願船《がんせん》に乗《じょう》じて、将《まさ》に涅槃常楽《ねはんじょうらく》の彼岸《ひがん》に到《いた》りなんとす。弥陀難思《みだなんし》の本誓《ほんぜい》、釈迦慇懃《しゃかおんごん》の附属《ふぞく》、仰《あお》がずんば[28]有《あ》るべからず。諸仏誠実《しょぶつじょうじつ》の証明《しょうみょう》、祖師矜哀《そしこうあい》の引入《いんにゅう》、[29]憑《たの》まずんば[30]有《あ》るべからず。茲《こ》れに因《よ》りて、各《おの》おの本願《ほんがん》を持《たも》ち、名号《みょうごう》を唱《とな》えて、弥《いよ》いよ二尊《にそん》の悲懐《ひかい》に協《かな》い、仏恩《ぶっとん》を戴《いただ》き、師徳《しとく》を荷《にな》いて、特《こと》に一心《いっしん》の懇念《こんねん》を呈《あらわ》すべし。頌《じゅ》に曰《い》わく、

[31]「世尊説法時将了《せそんせっぽうじしょうりょう》　慇懃附属弥陀名《おんごんふぞくみだみょう》　五濁増時多疑謗《ごじょくぞうじたぎほう》　道俗相嫌不用聞《どうぞくそうけんふようもん》」（法事讃）

[32]「万行之中為[33]急要《まんぎょうしちゅういきゅうよう》　迅速無過浄土門《じんそくむかじょうどもん》　不但本師金口説《ふたんほんじこんくせつ》　十方諸仏共伝証《じっぽうしょぶつぐでんしょう》」（五会法事讃）

念仏《ねんぶつ》

南無帰命頂礼尊重讃嘆祖師聖霊《なむきみょうちょうらいそんじゅうさんだんそししょうりょう》

第三《だいさん》に、滅後《めつご》[34]利益《りやく》の徳《とく》を述《じゅっ》すというは、釈尊《しゃくそん》の、教網《きょうもう》を三界《さんがい》に覆《おお》う、猶《なお》、末世苦海《まっせくかい》の群類《ぐんるい》を済《すく》い、今師《こんじ》の、法雨《ほうう》を四輩《しはい》に灑《そそ》ぐ、遠《とお》く常没濁乱《じょうもつじょくらん》の遺弟《ゆいてい》を湿《うるお》す。彼《か》の在世《ざいせ》を謂《い》えば即《すなわ》ち九十歳《くじっさい》、[35]顕宗《けんしゅう》・密教《みっきょう》、[36]讃仰《さんごう》せずということ莫《な》し。其《そ》の行化《ぎょうけ》を訪《とぶら》えば亦六十年《またろくじゅうねん》、自利利他満足《じりりたまんぞく》せずということ莫《な》し。在家《ざいけ》・出家《しゅっけ》の四部《しぶ》、群集《くんじゅう》すること、盛《さかり》なる市《いち》に異《こと》ならず。大乗《だいじょう》・小乗《しょうじょう》の三輩《さんぱい》、帰伏《きぶく》すること、風《かぜ》に靡《なび》く草《くさ》の如《ごと》し。終《つい》に則《すなわ》ち花洛《からく》に還《かえ》りて草庵《そうあん》を占《し》めたまう。然《しか》る間《あいだ》、去《い》んじ弘長第《こうちょうだい》

二《に》壬戌《みずのえいぬ》黄鐘《おうしょう》二十八日《にじゅうはちにち》、前念命終《ぜんねんみょうじゅう》の業成《ごうじょう》を彰《あらわ》して、後念即生《ごねんそくしょう》の素懐《そかい》を遂《と》げたまいき。嗟呼《ああ》、禅容隠《ぜんようかく》れて、何《いず》くにか在《ま》す、給仕《きゅうじ》を数十箇回《すうじっかかい》の月《つき》に隔《へだ》つ。遺訓《ゆいくん》絶《た》えて幾《いくそばく》の程《ほど》ぞ、旧跡《きゅうせき》を一百余《いっぴゃくよ》年《ねん》の霜《しも》に慕《した》う。彼《か》の遺恩《ゆいおん》を重《おも》くする門葉《もんよう》、其《そ》の身命《しんみょう》を軽《かろ》くする後昆《こうこん》、毎年《まいねん》を論《ろん》ぜず、遼絶《りょうぜつ》を遠《とお》しとせず、境関千里《きょうかんせんり》の雲《くも》を凌《しの》ぎて、奥州《おうしゅう》より歩《あゆ》みを運《はこ》び、[37]隴道万程《りょうどうばんてい》の日《ひ》を送《おく》りて諸国《しょこく》より群詣《くんけい》す。廟堂《びょうどう》に跪《ひざまず》きて涙《なみだ》を[38]拭《のご》い、遺骨《ゆいこつ》を拝《はい》して腸《はらわた》を断《た》つ。入滅《にゅうめつ》、年遙《としはる》かなりと雖《いえど》も、往詣挙《おうげいこぞ》りて未《いま》だ絶《た》えず。哀《あわ》れなるかな、恩顔《おんがん》は寂滅《じゃくめつ》の煙《けぶり》に化《け》したまうと雖《いえど》も、真影《しんえい》を眼前《がんぜん》に留《とど》めたまう。悲《かな》しきかなや、徳音《とくいん》は無常《むじょう》の風《かぜ》に隔《へだ》たると雖《いえど》も、実語《じつご》を耳《みみ》の底《そこ》に貽《のこ》す。撰《えら》び置《お》きたまう所《ところ》の書籍《しょじゃく》、万《ばん》人《じん》、之《これ》を披《ひら》きて多《おお》く西方《さいほう》の真門《しんもん》に入《い》り、弘通《ぐずう》したまう所《ところ》の教行《きょうぎょう》、遺弟《ゆいてい》、之《これ》を勧《すす》めて広《ひろ》く片《へん》[39]域《いき》の群《ぐん》萌《もう》を利《り》す。凡《おおよ》そ厥《そ》の一流《いちりゅう》の繁昌《はんじょう》は、[40]殆《ほとん》ど在世《ざいせ》に超過《ちょうか》せり。倩《つら》つら平生《へいぜい》の化導《けどう》を案《あん》じ、閑《しず》に当《とう》時《じ》の得益《とくやく》を憶《おも》うに、祖師聖人《そししょうにん》は直也人《ただびと》に匪《まし》まさず、則《すなわ》ち是《こ》れ権化《ごんけ》の再誕《さいたん》なり。已《すで》に弥陀如来《みだにょらい》の応現《おうげん》と称《しょう》し、亦曇鸞和尚《またどんらんかしょう》の後身《ごしん》とも号《ごう》す。皆是《みなこ》れ夢《ゆめ》の中《うち》に告《つげ》を得《え》、幻《まぼろし》の前《まえ》に瑞《ずい》を視《み》し故《ゆえ》なり。況《いわ》んや自《みずか》ら名《な》のりて親鸞《しんらん》と曰《のたま》う。測《はか》り知《し》りぬ、曇鸞《どんらん》の化現《けげん》なりということを。然《しか》れば則《すなわ》ち聖人《しょうにん》、修習《しゅじゅう》念仏《ねんぶつ》の故《ゆえ》に、往生極楽《おうじょうごくらく》の故《ゆえ》に、宿命通《しゅくみょうつう》を以《も》ちて知恩報徳《ちおんほうとく》の志《こころざし》を鑑《かが》み、方便力《ほうべんりき》を以《も》ち有縁無縁《うえんむえん》の機《き》を導《みちび》きたまわん。願《ねが》わくは師弟芳契《していほうけい》の宿因《しゅくいん》に依《よ》りて、必《かなら》ず最初引接《さいしょいんじょう》の利益《りやく》を垂《た》れたまえ。仍《よ》りて各《おの》おの他力《たりき》に帰《き》して仏号《ぶつごう》を唱《とな》えよ。頌《じゅ》に曰《い》わく、

[41]「身心《しんじん》[42]毛孔皆得悟《もうくかいとくご》　菩薩聖衆皆充満《ぼさつしょうじゅかいじゅうまん》　自化神通入《じけじんずうにゅう》[43]彼会《ひえ》　憶本娑婆知識《おくほんしゃばちしき》[44]恩《おん》」（般舟讃）

念仏《ねんぶつ》

[45]「直入《じきにゅう》弥陀《みだ》大会《だいえ》中《ちゅう》　見仏《けんぶつ》荘厳《しょうごん》無数《むしゅ》億《おく》　三明《さんみょう》六通《ろくつう》皆《かい》具足《ぐそく》　憶《おく》我《が》閻浮《えんぶ》同行《どうぎょう》人《にん》」（法事讃）

南無《なむ》帰命《きみょう》 頂礼《ちょうらい》尊重《そんじゅう》讃嘆《さんだん》祖師《そし》聖霊《しょうりょう》

南無《なむ》帰命《きみょう》 頂礼《ちょうらい》大慈《だいじ》大悲《だいひ》釈迦《しゃか》善逝《ぜんぜい》

南無《なむ》帰命《きみょう》 頂礼《ちょうらい》極楽《ごくらく》[46]化主《けしゅ》弥陀《みだ》如来《にょらい》

南無《なむ》帰命《きみょう》 頂礼《ちょうらい》六方《ろっぽう》証誠《しょうじょう》恒沙《ごうじゃ》世[47]尊《せそん》

南無《なむ》帰命《きみょう》 頂礼《ちょうらい》三国《さんごく》[48]伝燈《でんとう》諸大師《しょだいし》等《とう》

南無《なむ》自他《じた》法界《ほっかい》平等《びょうどう》利益《りやく》[49]

[50]応仁二年（一四六八）十月仲旬　釈蓮如（花押）

[1]嘆《たん》徳《どく》文《もん》

夫《そ》れ、親鸞聖人《しんらんしょうにん》は、浄教西方《じょうきょうさいほう》の先達《せんだつ》、真宗末代《しんしゅうまつだい》の明師《めいし》なり。博覧内外《はくらんないげ》に渉《わた》り、修練顕密《しゅれんけんみつ》を兼《か》ぬ。初《はじ》めには俗典《ぞくてん》を習《なら》いて切瑳《せっさ》す。此《こ》れは是《こ》れ、[2]伯父業吏部《はくふぎょうりほ》の学窓《がくそう》に在《あ》りて、聚蛍映雪《しゅけいえいせつ》の苦節《くせつ》を抽《ぬき》いずる所《ところ》なり。後《のち》には円宗《えんしゅう》に携《たずさ》わりて研精《けんせい》す。此《こ》れは是《こ》れ、貫首鎮和尚《かんしゅちんかしょう》（慈円）の禅房《ぜんぼう》に陪《はんべ》りて、大才諸徳《たいさいしょとく》の講敷《こうふ》を聞《き》く所《ところ》なり。之《これ》に依《よ》りて、十乗三諦《じゅうじょうさんたい》の月《つき》、観念《かんねん》の秋《あき》を送《おく》り、百界千如《ひゃっかいせんにょ》の花《はな》、薫修《くんじゅ》歳《とし》を累《かさ》ぬ。爰《ここ》に倩《つら》つら出要《しゅつよう》を窺《うかが》いて、是《こ》の思惟《しゆい》を作《な》さく、「定水《じょうしい》を凝《こ》らすと雖《いえど》も識浪頻《しきろうしき》りに動《うご》き、心月《しんげつ》を観《かん》ずと雖《いえど》も妄雲猶覆《もううんなおおお》う。而《しか》るに一息追《いっそくつ》がざれば千載《せんざい》に長《なが》く往《ゆ》く、何《なん》ぞ浮生《ふしょう》の交衆《きょうしゅ》を貪《むさぼ》りて、徒《いたずら》に仮名《けみょう》の修学《しゅがく》に疲《つか》れん。須《すべから》く勢利《せいり》を抛《なげす》て直《ただ》ちに出離《しゅつり》を悕《ねが》うべし」と。然《しか》れども、機教相応《ききょうそうおう》、凡慮明《ぼんりょあき》らめ難《がた》く、迺《すなわ》ち近《ちか》くは根本中堂《こんぽんちゅうどう》の本尊《ほんぞん》に対《たい》し、遠《とお》くは枝末諸方《しまつしょほう》の霊崛《れいくつ》に詣《もう》でて、解脱《げだつ》の径路《けいろ》を祈《いの》り、真実《しんじつ》の知識《ちしき》を求《もと》む。特《こと》に歩《あゆみ》を六角《ろっかく》の精舎《しょうじゃ》に運《はこ》びて、百日《ひゃくにち》の懇念《こんねん》を底《いた》す処《ところ》に、親《まのあた》り[3]告《つげ》を五更《ごこう》の孤枕《こしん》に得《え》て、数行《すうこう》の感涙《かんるい》に咽《むせ》ぶ間《あいだ》、幸《さいわ》いに黒谷聖人《くろだにしょうにん》（法然）吉水《よしみず》の禅室《ぜんしつ》に臻《いた》りて、始《はじ》めて弥陀覚王浄土《みだかくおうじょうど》の秘扃《ひけい》に入《い》りたまいしより爾降《このかた》、三経《さんぎょう》の沖微《ちゅうび》、五祖《ごそ》の奥賾《おうさく》、一流《いちりゅう》の宗旨相伝誤《しゅうしそうでんあやま》つこと無《な》く、二門《にもん》の教相稟承《きょうそうほんじょう》、[4]由有《よしあ》り。是《ここ》を以《も》ちて仰《あお》ぐ所《ところ》は[5]「即得往生《そくとくおうじょう》　住不退転《じゅうふたいてん》」（大経）の誠説《じょうせつ》、宛《あたか》も平生業成《へいぜいごうじょう》の安心《あんじん》に住《じゅう》し、憑《たの》む所《ところ》は[6]「歓喜踊躍《かんぎゆやく》　乃至一念《ないしいちねん》」（同）の流通《るずう》、此《こ》れ乃《すなわ》ち無《む》上大利《じょうだいり》の勝徳《しょうとく》なり。仍《よ》って自修《じしゅ》の[7]去行《こぎょう》を以《もっ》て、兼《か》ねて化他《けた》の要術《ようじゅつ》とす。時《とき》に尊卑《そんぴ》多《おお》く礼敬《らいきょう》の頭《こうべ》を傾《かたぶ》け、緇素《しそ》挙《こぞ》りて崇重《そうじゅう》の志《こころざし》を斉《ひと》しくす。

就中《なかんずく》に一代蔵《いちだいぞう》を披《ひら》いて経《きょう》・律《りつ》・論《ろん》・釈《しゃく》の簡要《かんよう》を擢《ぬき》いでて、六巻《ろっかん》の[8]鈔《しょう》を記《き》して『教行信証之《きょうぎょうしんしょうの》文類《もんるい》』と号《ごう》す。彼《か》の書《しょ》に據《の》ぶる所《ところ》、義理甚深《ぎりじんじん》なり。謂《い》わゆる、凡夫有漏《ぼんぶうろ》の諸善《しょぜん》、願力成就《がんりきじょうじゅ》の報土《ほうど》に[9]入《い》らざることを決《けっ》し、如来利他《にょらいりた》の真心《しんじん》、安養勝妙《あんにょうしょうみょう》の楽邦《らくほう》に生《しょう》ぜしむることを呈《あらわ》し、殊《こと》に仏智信《ぶっちしん》疑《ぎ》の得失《とくしつ》を明《あ》かし、浄土報化《じょうどほうけ》の往生《おうじょう》を感《かん》ずることを判《はん》ず。兼《か》ねては復《ま》た択瑛法師《ちゃくえいほっし》の釈義《しゃくぎ》に就《つ》いて、横竪二出《おうじゅにしゅつ》の名《な》を摸《ぼ》すと雖《いえど》も、宗家大師《しゅうけだいし》（善導）の祖意《そい》を探《さぐ》りて、[10]巧《たく》みに横竪二超《おうじゅにちょう》の差《しゃ》を立《た》つ。彼《ひ》此助成《しじょじょう》して権実《ごんじつ》の教旨《きょうし》を標《ひょう》し、漸頓分別《ぜんとんふんべつ》して長短《じょうたん》の修行《しゅぎょう》を弁《べん》ず。他人《たにん》、未《いま》だ之《これ》を談《だん》ぜず、我《わ》が師独《しひと》り之《これ》を存《ぞん》す。又《また》『愚禿鈔《ぐとくしょう》』と題《だい》する選有《せんあ》り、同《おな》じく自解《じげ》の義《ぎ》を述《の》ぶる記《き》たり。彼《か》の文《もん》に云《い》わく、[11]「賢者《げんじゃ》の信《しん》を聞《き》きて、愚禿《ぐとく》が心《しん》を顕《あらわ》す。賢者《げんじゃ》の信《しん》は、内《ない》は賢《げん》にして外《げ》は愚《ぐ》なり。愚禿《ぐとく》が[12]信《しん》は、内《ない》は愚《ぐ》にして外《げ》は賢《げん》なり」と[13]云々《うんぬん》此《こ》の釈《しゃく》、[14]卑謙《ひけん》の言辞《ごんじ》を仮《か》りて、其《そ》の理《り》、翻対《ほんたい》の意趣《いしゅ》を存《ぞん》す。内《うち》に宏智《こうち》の徳《とく》を備《そな》うと雖《いえど》も、名《な》を碩才道人《せきさいどうにん》の聞《き》きに衒《てら》わんことを痛《いた》み、外《ほか》に只至愚《ただしぐ》の相《そう》を現《げん》じて、身《み》を田《でん》[15]父野叟《ぶやそう》の類《るい》に侔《ひと》しくせんと欲《ほっ》す。是《こ》れ則《すなわ》ち竊《ひそ》かに末世凡夫《まっせぼんぶ》の行状《ぎょうじょう》を示《しめ》し、専《もっぱ》ら下根往生《げこんおうじょう》の実《じつ》機《き》を表《ひょう》する者《もの》をや。加之《しかのみ》ならず、或《ある》いは二教相望《にきょうそうもう》して、四十二対《しじゅうにたい》の異《い》を明《あ》かし、或《ある》いは二機比校《にきひきょう》して、一十八対《いちじゅうはちたい》の別《べつ》を顕《あらわ》す。大底《おおむね》、両典《りょうでん》の巨細《こさい》、具《つぶさ》に述《の》ぶべからず。

抑《そもそ》も、空聖人《くうしょうにん》（法然）、当教中興《とうきょうちゅうこう》の篇《へん》に由《よ》りて[16]事《こと》に坐《ざ》せし刻《きざ》み、鸞聖人《らんしょうにん》、法匠上足《ほっしょうじょうそく》の内《うち》として、同科《どうか》の故《ゆえ》に、[17]忽《たちま》ちに上都《しょうと》の幽棲《ゆうせい》を出《い》でて、遙《はる》かに北陸《ほくりく》の遠境《えんけい》に配《はい》す。然《しか》る間《あいだ》、居諸《きょしょ》頻《しき》りに転《てん》じ、涼燠《りょういく》屢《しば》しば悛《あらた》まる。爾《そ》の時《とき》、憍慢《きょうまん》貢高《ぐこう》の儔《ともがら》、邪見《じゃけん》を翻《ひるがえ》して、以《も》ちて正見《しょうけん》に赴《おもむ》き、儜《にょう》弱下劣《にゃくげれつ》の彙《たぐい》、怯退《こうたい》を悔《く》いて、以《もっ》て弘誓《ぐぜい》に[18]託《たく》す。貴賤《きせん》の帰投遐邇合掌《きとうかじがっしょう》、都鄙《とひ》の化導首尾満足《けどうしゅびまんぞく》す。遂《つい》に則《すなわ》ち蓬闕勅免《ほうけつちょくめん》の恩《おん》、新《あら》たに加《くわ》わりし時《とき》、華洛帰歟《からくきよ》の運《うん》、再《ふたた》び開《ひら》けし後《のち》、九十有回《くじゅうゆうかい》[19]生涯《しょうがい》の終《おわり》を迎《むか》えて、十万億西涅槃《じゅうまんおくさいねはん》の果《か》を証《しょう》したまいしより以来《このかた》、星霜《せいそう》積《つ》もりて[20]幾許《いくそばく》の[21]歳《とし》ぞ。年忌月忌《ねんきがっき》、本所報恩《ほんじょほうおん》の勤《つとめ》、懈《おこた》ること無《な》く、山川隔《さんせんへだ》たりて数百里《すうはくり》、遠国近国《えんごくきんごく》、後弟参詣《こうていさんけい》の[22]儀《ぎ》、猶煽《なおさかん》なり。是《こ》れ併《しか》しながら聖人《しょうにん》の弘通《ぐずう》、冥意《みょうい》に叶《かな》うが致《いた》す所《ところ》なり。寧《むし》ろ衆生《しゅじょう》の開悟《かいご》、根熟《こんじゅく》の然《しか》らしむるに依《よ》るに非《あら》ずや。

凡《おおよ》そ三段《さんだん》の式文《しきもん》、称揚《しょうよう》足《た》りぬと雖《いえど》も、二世《にせ》の益物讃嘆《やくもつさんだん》、未《いま》だ倦《う》まず。是《こ》の故《ゆえ》に一千言《いっせんごん》の[23]褒誉《ほうよ》を加《くわ》えて、重《かさ》ねて百万端《はくばんたん》の報謝《ほうしゃ》に擬《ぎ》す。然《しか》れば則《すなわ》ち蓮華蔵《れんげぞう》[24]界《かい》の中《うち》にして、今《いま》の講肆《こうし》を照見《しょうけん》し、檀林《だんりん》宝座《ほうざ》の上《うえ》より、斯《こ》の梵筵《ぼんえん》に影向《ようごう》したまうらん。内証外用《ないしょうげゆう》、定《さだ》めて果地《かじ》の荘厳《しょうごん》を添《そ》え、上求下化《じょうぐげけ》、宜《よろ》しく菩提《ぼだい》の智断《ちだん》を究《きわ》めたまうべし。重《かさ》ねて乞《こ》う、仏閣基固《ぶっかくもといかた》くして、遙《はる》かに[25]梅怛梨耶《ばいたりや》の三会《さんね》に及《およ》び、法水流《ほうしいなが》れ遠《とお》くして、普《あまね》く六趣《ろくしゅ》・四生《ししょう》の群萌《ぐんもう》を潤《うるお》さん。敬《うやま》いて白《もう》す。

[26]寛正二年（一四六一）十二月八日奉㆓書写㆒訖　右筆蓮如　四十七才

[1]正信偈《しょうしんげ》大意《たいい》

抑《そもそ》も、この「正信偈《しょうしんげ》」というは、句《く》のかず百二十《ひゃくにじゅう》、行《こう》のかず六十《ろくじゅう》なり。これは三朝高祖《さんちょうこうそ》の解《げ》釈《しゃく》によりて[2]、ほぼ一宗大綱《いっしゅうたいこう》の要義《ようぎ》をのべましましけり。この「偈《げ》」のはじめ「帰命《きみょう》」というより「無過斯《むかし》」というにいたるまで[3]は、四十四句《しじゅうしく》、二十二行《にじゅうにこう》なり。これは『大経《だいきょう》』のこころなり。「印《いん》度《ど》」已下《いげ》の四句《しく》は、総《そう》じて三朝《さんちょう》の祖師《そし》、浄土《じょうど》の教《きょう》をあらわすこころを標《ひょう》したまえり。また「釈《しゃ》迦《か》」というより「偈《げ》」のおわるまでは、これ七高祖《しちこうそ》の讃《さん》のこころなり。

問《と》うていわく、「正信偈《しょうしんげ》」というは、[4]これいずれの義《ぎ》ぞや。

こたえていわく、「正《しょう》」というは、傍《ぼう》に対《たい》し、邪《じゃ》に対《たい》し、雑《ぞう》に対《たい》することばなり。「信《しん》」というは、疑《ぎ》に対《たい》し、また行《ぎょう》に対《たい》することばなり。

「帰命無量寿如来《きみょうむりょうじゅにょらい》」というは、寿命《じゅみょう》の無量《むりょう》なる体《たい》なり、また唐土《とうど》のことばなり。阿弥陀如来《あみだにょらい》に南無《なむ》したてまつれというこころなり。「南無不可思議光《なむふかしぎこう》」というは、智慧《ちえ》の光明《こうみょう》のその徳《とく》すぐれたまえるすがたなり。「帰命無量寿如来《きみょうむりょうじゅにょらい》」というは、すなわち南無阿弥陀仏《なむあみだぶつ》の体《たい》なりとしらせ、[5]この南《な》無阿弥陀仏《むあみだぶつ》ともうすは、こころをもってもはかるべからず、ことばをもってもときのぶべからず、この二《ふた》つの道理《どうり》きわまりたるところを、「南無不可思議光《なむふかしぎこう》」とはもうしたてまつるなり。これを報身如《ほうじんにょ》来《らい》ともうすなり。これを尽十方無碍光如来《じんじっぽうむげこうにょらい》となづけたてまつるなり。[6]「この如来《にょらい》を方便法身《ほうべんほっしん》とはもうすなり。方便《ほうべん》ともうすは、かたち[7]をあらわし、御名《みな》をしめして衆生《しゅじょう》にしらしめたまうをもうすなり。すなわち阿弥陀仏《あみだぶつ》なり。この如来《にょらい》は光明《こうみょう》なり。光明《こうみょう》は智慧《ちえ》なり。智慧《ちえ》はひかりのかたちなり。智慧《ちえ》またかたちなければ、不可思議光仏《ふかしぎこうぶつ》ともうすなり。この如来《にょらい》、十方微塵世界《じっぽうみじんせかい》にみちみちたまえるがゆえに、無辺光仏《むへんこうぶつ》ともうす。しかれば、世親菩薩《せしんぼさつ》は「尽十方無碍光如来《じんじっぽうむげこうにょらい》」（論）となづけたてまつりたまえり。」（一念多念文意）さればこの如来《にょらい》に南無《なむ》し帰命《きみょう》したてまつれば、摂取不捨《せっしゅふしゃ》のゆえに真実報土《しんじつほうど》の往生《おうじょう》をとぐべきものなり。

[8]「法蔵菩薩因位時《ほうぞうぼさついんにじ》　在世自在王仏所《ざいせじざいおうぶつしょ》　観見諸仏浄土因《とけんしょぶつじょうどいん》　国土人天之善悪《こくどにんでんしぜんあく》」というは、「世自在王仏《せじざいおうぶつ》」ともうすは、弥陀如来《みだにょらい》のむかしの師匠《ししょう》の御《おん》ことなり。しかればこの仏《ぶつ》のみもとにして、二百一十億《にひゃくいちじゅうおく》の諸仏《しょぶつ》の浄土《じょうど》のなかの善悪《ぜんあく》を観見《とけん》しましまして、そのなかにわろきをばえらびすて、よきをばえらびとりたまいて、わが浄土《じょうど》としましますといえるこころなり。

「建立無上殊勝願《こんりゅうむじょうしゅしょうがん》　超発希有大弘誓《ちょうほつけうだいぐぜい》」というは、[9]諸仏浄土《しょぶつじょうど》をえらびとりて、西方極楽《さいほうごくらく》の殊勝《しゅしょう》の浄土《じょうど》を建立《こんりゅう》したまうがゆえに、超世希有《ちょうせけう》の大願《だいがん》ともなづけ、また横超《おうちょう》の大誓願《だいせいがん》とももうすなり。

「五劫思惟之摂受《ごこうしゆいししょうじゅ》」というは、まず一劫《いっこう》というは、たかさ四十里《しじゅうり》、ひろさ四十里《しじゅうり》のいし《（石）》を、天人《てんにん》、羽衣《はごろも》をもって、そのおもさ、[10]ぜにのひとつの四《よ》つを字一《じひと》つのけて、三《み》つの字《じ》のおもさなるをきて、三年《さんねん》に一度《いちど》くだりて、この石《いし》をなでつくせるを一劫《いっこう》というなり。これを五《いつ》つなでつくすほど、阿弥陀《あみだ》仏《ぶつ》の、むかし法蔵比丘《ほうぞうびく》ともうせしとき、思惟《しゆい》してやすき（易）みのりをあらわして、十悪五逆《じゅうあくごぎゃく》の罪人《ざいにん》・五《ご》障三従《しょうさんしょう》の女人《にょにん》をも、[11]もらさずみちびきて、浄土《じょうど》に往生《おうじょう》せしめんとちかいましましけり。

「重誓名声聞十方《じゅうせいみょうしょうもんじっぽう》」というは、弥陀如来《みだにょらい》、仏道《ぶつどう》をなりましまさんに、名声十方《みょうしょうじっぽう》にきこえざるところ[12]なしといわば、われ正覚《しょうがく》をならじとちかいましますといえるこころなり。

「普放無量無辺光《ふほうむりょうむへんこう》」というより「超日月光《ちょうにちがっこう》」というにいたるまでは、これ十二光仏《じゅうにこうぶつ》の一々《いちいち》の[13]御《おん》名《な》なり。「無量光仏《むりょうこうぶつ》」というは、利益《りやく》の長遠《じょうおん》なることをあらわす。過現未来《かげんみらい》にわたりて[14]その限量《げんりょう》なし。かずとしてさらにひとしきかずなきがゆえなり。「無辺光仏《むへんこうぶつ》」というは、照用《しょうゆう》の広大《こうだい》なる徳《とく》をあらわす。十方世界《じっぽうせかい》をつくしてさらに辺際《へんざい》なし。縁《えん》としててらさずということなきがゆえなり。「無《む》碍光仏《げこうぶつ》」というは、神光《じんこう》の障碍《しょうげ》なき相《そう》をあらわす。人法《にんぼう》としてよくさう（障）ることなきがゆえなり。碍《げ》において内外《ないげ》の二障《にしょう》あり。外障《げしょう》というは山河大地《さんがだいち》・雲霧煙霞《うんむえんか》等《とう》なり。内障《ないしょう》というは、貪瞋痴慢《とんじんちまん》等《とう》なり。[15]「光雲無碍如虚空《こううんむげにょこくう》」（讃阿弥陀仏偈）の徳《とく》あれば、よろずの外障《げしょう》にさえられず、[16]「諸邪業繫無能《しょじゃごうけむのう》碍者《げしゃ》」（定善義）のちからあれば、もろもろの内障《ないしょう》にさえられず。かるがゆえに天親菩薩《てんじんぼさつ》は、[17]「尽十《じんじっ》方無碍光如来《ぽうむげこうにょらい》」（論）とほめたまえり。「無対光仏《むたいこうぶつ》」というは、ひかりとしてこれに相対《そうたい》すべきものなし。もろもろの菩薩《ぼさつ》のおよぶところにあらざるがゆえなり。「炎王光仏《えんのうこうぶつ》」というは、または「光炎王《こうえんのう》仏《ぶつ》」と号《ごう》す。光明自在《こうみょうじざい》にして、無上《むじょう》なるがゆえなり。『大経《だいきょう》』に[18]「猶如火王《ゆにょかおう》　焼滅一切煩悩薪故《しょうめついっさいぼんのうしんこ》」ととけるは、このひかりの徳《とく》を嘆《たん》ずるなり。火《ひ》をもってたきぎをやくに、つくさずということなきがごとく、光明《こうみょう》の智慧《ちえ》をもって煩悩《ぼんのう》のたきぎをやくに、さらに滅《めっ》せずということなし。[19]三塗黒闇《さんずこくあん》の衆《しゅ》生《じょう》も光照《こうしょう》をこうぶり[20]て解脱《げだつ》をうるは、このひかりの益《やく》なり。「清浄光仏《しょうじょうこうぶつ》」というは、無貪《むとん》の善根《ぜんごん》より生《しょう》ず。かるがゆえにこのひかりをもって衆生《しゅじょう》の貪欲《とんよく》を治《じ》するなり。「歓喜光仏《かんぎこうぶつ》」というは、無《む》瞋《しん》の善根《ぜんごん》より生《しょう》ず。かるがゆえにこのひかりをもって衆生《しゅじょう》の瞋恚《しんに》を滅《めっ》するなり。「智慧光仏《ちえこうぶつ》」というは、無痴《むち》の善根《ぜんごん》より生《しょう》ず。かるがゆえにこのひかりをもって無明《むみょう》の闇《あん》を破《は》するなり。「不断光仏《ふだんこうぶつ》」というは、一切《いっさい》のときに、ときとして、てらさずということなし。三世常恒《さんぜじょうごう》にして照益《しょうやく》をなすがゆえなり。「難思光仏《なんしこうぶつ》」というは、神光《じんこう》、相《そう》をはなれてなづくべきところなし。はるかに言語《ごんご》の[21]境界《きょうがい》にこえたるがゆえなり。こころをもってはかるべからざれば、「難思光仏《なんしこうぶつ》」といい、ことばをもってとくべからざれば、「無称光仏《むしょうこうぶつ》」と号《ごう》す。『無量寿如来会《むりょうじゅにょらいえ》』には、「難思光仏《なんしこうぶつ》」をば[22]「不可思議光《ふかしぎこう》」となづけ、[23]「無称光仏《むしょうこうぶつ》」をば[24]「不可称量光《ふかしょうりょうこう》」といえり。「超日月光仏《ちょうにちがっこうぶつ》」というは、日月《にちがつ》はただ四《し》天下《てんげ》をてらして、かみ上天《じょうてん》におよばず、しも地獄《じごく》にいたらず。仏光《ぶっこう》はあまねく八方上下《はっぽうじょうげ》をてらして、障碍《しょうげ》するところなし。かるがゆえに日月《にちがつ》にこえたり。されば、[25]この十二光《じゅうにこう》をはなちて十方微塵世《じっぽうみじんせ》界《かい》をてらして衆生《しゅじょう》を利益《りやく》したまうなり。

「一切群生蒙光照《いっさいぐんじょうむこうしょう》」というは、あらゆる衆生《しゅじょう》、宿善《しゅくぜん》あればみな光照《こうしょう》の益《やく》にあずかりたてまつるといえるこころなり。

「本願名号正定業《ほんがんみょうごうしょうじょうごう》」というは、第十七《だいじゅうしち》の願《がん》のこころなり。十方《じっぽう》の諸仏《しょぶつ》に、わが名《な》をほめられんとちかいましまして、すでにその願成就《がんじょうじゅ》したまえるすがたは、すなわちいまの本願《ほんがん》の名号《みょうごう》の体《たい》なり。これすなわち、われらが往生《おうじょう》をとぐべき行体《ぎょうたい》なりとしるべし。

「至心信楽願為因《ししんしんぎょうがんいいん》　成等覚証大涅槃《じょうとうがくしょうだいねはん》　必至滅度願成就《ひっしめつどがんじょうじゅ》」というは、第十八《だいじゅうはち》の真実《しんじつ》の信心《しんじん》をうれば、すなわち正定聚《しょうじょうじゅ》に住《じゅう》す。そのうえに等正覚《とうしょうがく》にいたり大涅槃《だいねはん》を証《しょう》することは、第十一《だいじゅういち》の願《がん》の必至滅度《ひっしめつど》の願成就《がんじょうじゅ》したまうがゆえなり。これを平生業成《へいぜいごうじょう》とはもうすなり。されば正定聚《しょうじょうじゅ》というは、不退《ふたい》のくらいなり。これはこの土《ど》の益《やく》なり。滅度《めつど》というは涅槃《ねはん》のくらいなり。これはかの土《ど》の益《やく》なりとしるべし。『和讃《わさん》』（高僧和讃）にいわく、[26]「願土《がんど》にいたればすみやかに　無上涅槃《むじょうねはん》を証《しょう》してぞ　すなわち大悲《だいひ》をおこすなり　これを回向《えこう》となづけたり」といえり。これをもってこころうべし。

「如来所以興出世《にょらいしょいこうしゅつせ》　唯説弥陀本願海《ゆいせつみだほんがんかい》　五濁悪時群生海《ごじょくあくじぐんじょうかい》　応信如来如実言《おうしんにょらいにょじつごん》」というは、釈尊出世《しゃくそんしゅっせ》の元意《がんい》は、ただ弥陀《みだ》の本願《ほんがん》をときましまさんがために、世《よ》にいでたまえり。五濁悪世界《ごじょくあくせかい》の衆生《しゅじょう》、一向《いっこう》に弥陀《みだ》の本願《ほんがん》を信《しん》じたてまつれといえるこころなり。

「能発一念喜愛心《のうほついちねんきあいしん》」というは、一念歓喜《いちねんかんぎ》の信心《しんじん》をもうすなり。

「不断煩悩得涅槃《ふだんぼんのうとくねはん》」というは、不思議《ふしぎ》の願力《がんりき》なるがゆえに、わが身《み》には煩悩《ぼんのう》を断《だん》ぜざれども、仏《ぶつ》のかたよりは、ついに涅槃《ねはん》にいたるべき分《ぶん》にさだめましますものなり。

「凡聖逆謗斉回入《ぼんしょうぎゃくほうさいえにゅう》　如衆水入海一味《にょしゅしいにゅうかいいちみ》」というは、凡夫《ぼんぶ》も聖人《しょうにん》も五逆《ごぎゃく》も謗法《ほうぼう》も、ひとしく大海《だいかい》に回入《えにゅう》すれば、もろもろのみずの、うみにいりて一味《いちみ》なるがごとしといえるこころなり。

「摂取心光常照護《せっしゅしんこうじょうしょうご》　已能雖破無明闇《いのうすいはむみょうあん》　貪愛瞋憎之雲霧《とんあいしんぞうしうんむ》　常覆真実信心天《じょうふしんじつしんじんてん》　譬如日光覆雲霧《ひにょにっこうふうんむ》　雲《うん》霧之下明無闇《むしげみょうむあん》」というは、弥陀如来《みだにょらい》、[27]念仏衆生《ねんぶつしゅじょう》を摂取《せっしゅ》したまうひかりは、つねにてらしたまいて、すでによく無明《むみょう》の闇《あん》を破《は》すといえども、貪欲《とんよく》と瞋恚《しんに》と、くもきりのごとくして、真実信心《しんじつしんじん》の天《てん》におおえること、日光《にっこう》のあきらかなるを、くもきりのおおうによりてかくすといえども、そのしたはあきらかなるがごとしといえり。

「獲信見敬大慶喜《ぎゃくしんけんきょうだいきょうき》」というは、法《ほう》をききてわすれず、おおきによろこぶ[28]ひとをば、釈尊《しゃくそん》は[29]「わがよき親友《しんぬ》なり」（大経）とのたまえり。

「即横超《そくおうちょう》[30]截五悪趣《ぜつごあくしゅ》」というは、一念慶喜《いちねんきょうき》の心《しん》おこりぬれば、[31]すなわちよこさまに地獄《じごく》・餓鬼《がき》・畜生《ちくしょう》・修羅《しゅら》・人《にん》・天《てん》のきずなをきるということなり。

「一切善悪凡夫人《いっさいぜんあくぼんぶにん》　聞信如来弘誓願《もんしんにょらいぐぜいがん》　仏言広大勝解者《ぶつごんこうだいしょうげしゃ》　是人名分陀利花《ぜにんみょうふんだりけ》」というは、一切《いっさい》の善人《ぜんにん》も悪人《あくにん》も、如来《にょらい》の本願《ほんがん》を聞信《もんしん》すれば、釈尊《しゃくそん》はこのひとを[32]「広大勝解《こうだいしょうげ》のひと」（如来会）なりといい、また[33]「分陀利花《ふんだりけ》」（観経）にたとえ、あるいは[34]「上々人《じょうじょうにん》」（散善義）なりといい、[35]「希有人《けうにん》」（同）なりとほめたまえり。

「弥陀仏本願念仏《みだぶつほんがんねんぶつ》　邪見憍慢悪衆生《じゃけんきょうまんあくしゅじょう》　信楽受持甚以難《しんぎょうじゅじじんいなん》　難中之難無過斯《なんちゅうしなんむかし》」というは、弥陀如来《みだにょらい》の本願《ほんがん》の念仏《ねんぶつ》をば、邪見《じゃけん》のものと憍慢《きょうまん》のものと悪人《あくにん》とは、真実《しんじつ》に信楽《しんぎょう》したてまつること、かたきがなかにかたきこと、これにすぎたるはなしといえるこころなり。

「印度西天之論家《いんどさいてんしろんげ》　中夏日域之高僧《ちゅうかじちいきしこうそう》　顕大聖興世正意《けんだいしょうこうせしょうい》　明如来本誓応機《みょうにょらいほんぜいおうき》」というは、「印度《いんど》・西《さい》天《てん》」というは、天竺《てんじく》のことなり。「中夏《ちゅうか》」というは唐土《とうど》なり。「日域《じちいき》」というは日本《にっぽん》のことなり。かの三国《さんごく》の祖師《そし》等《とう》、念仏《ねんぶつ》の一行《いちぎょう》をすすめ、ことに釈尊出世《しゃくそんしゅっせ》の本懐《ほんがい》は、ただ弥陀《みだ》の本願《ほんがん》をあまねくときあらわして、末世《まっせ》の凡夫《ぼんぶ》の機《き》に応《おう》じたることをあかしまします[36]といえるこころなり。

「[37]釈迦如来楞伽山《しゃかにょらいりょうがせん》　為衆告命南天竺《いしゅごうみょうなんてんじく》　龍樹大士出於世《りゅうじゅだいじしゅっおせ》　悉能摧破有無見《しつのうざいはうむけん》　宣説大乗無上法《せんぜつだいじょうむじょうほう》　証歓喜地生安楽《しょうかんぎじしょうあんらく》」というは、この龍樹菩薩《りゅうじゅぼさつ》は、[38]八宗《はっしゅう》の祖師《そし》、千部《せんぶ》の論師《ろんじ》なり。釈尊《しゃくそん》の滅後《めつご》五百余歳《ひゃくよさい》に出世《しゅっせ》したまう。釈尊《しゃくそん》これをかねてしろしめして、『楞伽経《りょうがきょう》』にときたまわく、[39]「南天竺《なんてんじく》国《こく》に龍樹《りゅうじゅ》という比丘《びく》あるべし。よく有無《うむ》の邪見《じゃけん》を破《は》して、大乗無上《だいじょうむじょう》の法《ほう》をときて、歓喜地《かんぎじ》を証《しょう》して安楽《あんらく》に往生《おうじょう》すべし」と、未来記《みらいき》したまえり。

「顕示難行陸路苦《けんじなんぎょうろくろく》　信楽易行水道楽《しんぎょういぎょうしいどうらく》」というは、かの龍樹《りゅうじゅ》の[40]『十住毘婆娑論《じゅうじゅうびばしゃろん》』（易行品）に念《ねん》仏《ぶつ》をほめたまうに、二種《にしゅ》の道《どう》を[41]たてたまうに、一《ひと》つには難行道《なんぎょうどう》、二《ふた》つ[42]には易行道《いぎょうどう》なり。その難《なん》行道《ぎょうどう》の修《しゅ》しがたきことをたとうるに、陸地《ろくじ》のみちをあゆぶ《（歩）》がごとしといえり。易行道《いぎょうどう》の修《しゅ》しやすきことをたとうるに、みずのうえをふねにのりてゆくがごとしといえり。

「憶念弥陀仏本願《おくねんみだぶつほんがん》　自然即時入必定《じねんそくじにゅうひつじょう》」というは、本願力《ほんがんりき》の不思議《ふしぎ》を憶念《おくねん》するひとは、おのずから必定《ひつじょう》にいるべきものなりといえるこころなり。

「唯能常称如来号《ゆいのうじょうしょうにょらいごう》　応報大悲弘誓恩《おうほうだいひぐぜいおん》」というは、真実《しんじつ》の信心《しんじん》を獲得《ぎゃくとく》せんひとは、行住座臥《ぎょうじゅうざが》に名号《みょうごう》をとなえて、大悲弘誓《だいひぐぜい》の恩徳《おんどく》を報《ほう》じたてまつれといえるこころなり。

「天親菩薩造論説《てんじんぼさつぞうろんせつ》　帰命無碍光如来《きみょうむげこうにょらい》」というは、この天親菩薩《てんじんぼさつ》も、龍樹《りゅうじゅ》とおなじく千部《せんぶ》の論師《ろんじ》なり。仏滅後九百年《ぶつめつごくひゃくねん》にあたりて出世《しゅっせ》したまう。『浄土論《じょうどろん》』一巻《いっかん》をつくりて、あきらかに三経《さんぎょう》の大意《たいい》をのべ、もっぱら無碍光如来《むげこうにょらい》に帰命《きみょう》したてまつりたまえり。

「依修多羅顕真実《えしゅたらけんしんじつ》　光闡横超大誓願《こうせんおうちょうだいせいがん》　広由本願力回向《こうゆほんがんりきえこう》　為度群生彰一心《いどぐんじょうしょういっしん》」というは、この菩薩《ぼさつ》、大乗経《だいじょうきょう》によりて真実《しんじつ》をあらわす。その真実《しんじつ》というは念仏《ねんぶつ》なり。横超《おうちょう》の大誓願《だいせいがん》をひらきて、本願《ほんがん》の回向《えこう》によりて群生《ぐんじょう》を済度《さいど》せんがために、論主《ろんじゅ》も一心《いっしん》に無碍光《むげこう》に帰命《きみょう》し、おなじく衆生《しゅじょう》も一心《いっしん》にかの如来《にょらい》に帰命《きみょう》せよとすすめたまえり。

「帰入功徳大宝海《きにゅうくどくだいほうかい》　必獲入大会衆数《ひつぎゃくにゅうだいえしゅしゅ》」というは、「大宝海《だいほうかい》」というは、よろずの衆生《しゅじょう》をきらわず、さわりなく、へだてず、みちびきたまうを、大海《だいかい》のみずのへだてなきにたとえたり。この功徳《くどく》の宝海《ほうかい》に帰入《きにゅう》すれば、かならず[43]大会数《だいえしゅ》にいるべきにさだまるとなりといえり。

「得至蓮花蔵世界《とくしれんげぞうせかい》　即証真如法性身《そくしょうしんにょほっしょうしん》」というは、「[44]蓮花蔵世界《れんげぞうせかい》」というは、安養世界《あんにょうせかい》のことなり。かの土《ど》にいたりなば、すみやかに真如法性《しんにょほっしょう》の[45]身《み》をうべきものなりといえるこころなり。

「遊煩悩林現神通《ゆぼんのうりんげんじんずう》　入生死園示応化《にゅうしょうじおんじおうげ》」というは、これは還相回向《げんそうえこう》のこころなり。弥陀《みだ》の浄土《じょうど》にいたりなば、娑婆世界《しゃばせかい》にもまたたちかえり、神通自《じんずうじ》[46]在《ざい》をもって、こころにまかせて衆生《しゅじょう》をも利益《りやく》せしむべしといえる[47]ことなり。

「本師曇鸞《ほんじどんらん》梁天子《りょうてんし》　常向鸞処《じょうこうらんしょ》菩薩礼《ぼさつらい》」というは、曇鸞大師《どんらんだいし》はもとは、四論宗《しろんしゅう》のひとなり。四論《しろん》というは、三論《さんろん》に『智論《ちろん》』をくわうるなり。三論《さんろん》というは、一《ひと》つには『中論《ちゅうろん》』、二《ふた》つには『百論《ひゃくろん》』、三《み》つには『十二門論《じゅうにもんろん》』なり。和尚《かしょう》はこの四論《しろん》に通達《つうだつ》しましましけり。これによりて梁国《りょうこく》の天子《てんし》蕭王《そうおう》は、御信仰《ごしんごう》ありて、おわせしかたにつねにむかいて、[48]曇鸞《どんらん》菩薩《ぼさつ》とぞ礼《らい》しましましけり。

「三蔵《さんぞう》流支《るし》授《じゅ》浄教《じょうきょう》　焚焼《ぼんしょう》仙経《せんぎょう》帰楽邦《きらくほう》」というは、かの[49]曇鸞大師《どんらんだいし》、はじめは四論宗《しろんしゅう》にておわせしが、仏法《ぶっぽう》のそこをならいきわめたりというとも、いのちみじかくは、ひとをたすくることいくばくならんとて、陶隠居《とういんきょ》というひとにおうて、まず長生不死《ちょうせいふし》の法《ほう》をならいぬ。すでに三年《さんねん》のあいだ、仙《せん》人《にん》のところにしてならいえてかえりたまうに、そのみちにて、菩提流支《ぼだいるし》ともうす三蔵《さんぞう》にゆきあいてのたまわく、「仏法《ぶっぽう》のなかに長生不死《ちょうせいふし》の法《ほう》は、この[50]土《ど》の仙経《せんぎょう》にすぐれたる法《ほう》やある」といたまえば、三蔵《さんぞう》、地《ち》につばきをはきていわく、「この方《ほう》には、いずくのところにか長生不死《ちょうせいふし》の法《ほう》あらん。たとい長年《ちょうねん》をえて、しばらく死《し》せずとも、ついに三有《さんぬ》に[51]転回《てんね》すべし」といいて、すなわち浄土《じょうど》の『観無《かんむ》量寿経《りょうじゅきょう》』をさずけていわく、「これこそまことの長生不死《ちょうせいふし》の法《ほう》なり。これによりて念仏《ねんぶつ》すれば、はやく生死《しょうじ》をのがれて、はかりなきいのちをうべし」とのたまえば、曇鸞《どんらん》これをうけとりて、仙経十《せんぎょうじっ》巻《かん》をたちまちにやきすて[52]て、一向《いっこう》に浄土《じょうど》に帰《き》したまいけり。

「天親菩薩論註解《てんじんぼさつろんちゅうげ》　報土因果顕誓願《ほうどいんがけんせいがん》」というは、かの鸞師《らんし》、天親菩薩《てんじんぼさつ》の『浄土論《じょうどろん》』に『註解《ちゅうげ》』というふみをつくりて、くわしく極楽《ごくらく》の因果《いんが》、一々《いちいち》の誓願《せいがん》をあらわしたまえり。

「往還《おうげん》回向《えこう》由《ゆ》他力《たりき》　正定《しょうじょう》之《し》因《いん》唯《ゆい》信心《しんじん》」というは、往相《おうそう》・還相《げんそう》の二種《にしゅ》の回向《えこう》は、凡夫《ぼんぶ》としてはさらにおこさざるものなり。ことごとく如来《にょらい》の他力《たりき》より[53]おこさしめられたり。正定《しょうじょう》の因《いん》は信心《しんじん》をおこさしむるによれるものなりと[54]なり。

「惑染《わくぜん》凡夫《ぼんぶ》信心《しんじん》発《ほつ》　証知《しょうち》生死《しょうじ》即《そく》涅槃《ねはん》」というは、一念《いちねん》の信《しん》おこりぬれば、いかなる惑染《わくぜん》の機《き》なりというとも、不可思議《ふかしぎ》の法《ほう》なるがゆえに、生死《しょうじ》はすなわち涅槃《ねはん》なりといえるこころなり。

「必至《ひっし》無量光明土《むりょうこうみょうど》　諸有《しょうう》衆生《しゅじょう》皆《かい》普化《ふけ》」というは、聖人《しょうにん》（親鸞）、弥陀《みだ》の真土《しんど》をさだめたまうとき、[55]「仏《ぶつ》は不可思議光《ふかしぎこう》なり、土《ど》はまた無量光明土《むりょうこうみょうど》なり」（真仏土巻）といえり。かの土《ど》にいたりなば、また穢土《えど》にたちかえり、あらゆる有情《うじょう》を化《け》すべしとなり。

「道綽《どうしゃく》決《けつ》聖道《しょうどう》難証《なんしょう》　唯明《ゆいみょう》浄土《じょうど》可《か》通入《つうにゅう》」というは、この[56]道綽《どうしゃく》は、もとは涅槃宗《ねはんしゅう》の[57]学者《がくしゃ》なり。曇鸞和尚《どんらんかしょう》の面授《めんじゅ》の弟子《でし》にあらず。その時代《じだい》、一百余歳《いっぴゃくよさい》をへだてたり。しかれども[58]并州玄忠寺《へいしゅうげんちゅうじ》にして曇鸞《どんらん》の碑《ひ》の文《もん》をみて、浄土《じょうど》に帰《き》したまいしゆえに、かの弟子《でし》たり。これまたついに涅槃《ねはん》の広業《こうごう》をさしおきて、ひとえに西方《さいほう》の行《ぎょう》をひろめたまいき。されば聖道《しょうどう》は難行《なんぎょう》なり、浄土《じょうど》は易行《いぎょう》なるがゆえに、ただ当今《とうこん》の凡夫《ぼんぶ》は、浄土《じょうど》の一門《いちもん》のみ通入《つうにゅう》すべきみちなりとおしえたまえり。

「万善《まんぜん》自力《じりき》貶勤修《へんごんしゅ》　円満《えんまん》徳号《とくごう》勧専称《かんせんしょう》」というは、万善《まんぜん》は自力《じりき》の行《ぎょう》なるがゆえに、末代《まつだい》の機《き》には修行《しゅぎょう》すること、かないがたしといえり。円満《えんまん》の徳号《とくごう》は他力《たりき》の行《ぎょう》なるがゆえに、末代《まつだい》の機《き》には相応《そうおう》せりといえるこころなり。

「三不三信誨慇懃《さんぷさんしんけおんごん》 像末法滅同悲引《ぞうまつほうめつどうひいん》」というは、道綽《どうしゃく》[59]の『安楽集《あんらくしゅう》』に三不三信《さんぷさんしん》ということを釈《しゃく》したまえり。[60]「一《ひと》つには信心淳《しんじんあつ》からず、若存若亡《にゃくぞんにゃくもう》する故《ゆえ》に。二《ふた》つには信心一《しんじんいち》ならず。謂《い》わく、決定無《けつじょうな》きが故《ゆえ》に。三《み》つには信心相続《しんじんそうぞく》せず。謂《い》わく、余念間《よねんへだ》たるが故《ゆえ》に」といえり。かくのごとくねんごろにおしえたまいて、像法《ぞうぼう》・末法《まっぽう》の衆生《しゅじょう》をおなじくあわれみましましけり。

「一生造悪値弘誓《いっしょうぞうあくちぐぜい》 至安養界証妙果《しあんにょうかいしょうみょうか》」というは、弥陀《みだ》の弘誓《ぐぜい》にもうあいたてまつるによりて、一生悪《いっしょうあく》をつくる機《き》も、本願《ほんがん》の不思議《ふしぎ》によりて安養界《あんにょうかい》にいたりぬれば、すみやかに無上《むじょう》の妙果《みょうか》を証《しょう》すべきものなり。

「善導独明仏正意《ぜんどうどくみょうぶっしょうい》 矜哀定散与逆悪《こうあいじょうさんよぎゃくあく》」というは、浄土門《じょうどもん》の祖師《そし》、そのかずこれおおしといえども、善導《ぜんどう》にかぎり、ひとり仏証《ぶっしょう》をこうて、あやまりなく仏《ぶつ》の正意《しょうい》をあかしたまえり。定善《じょうぜん》の機《き》、散善《さんぜん》の機《き》、五逆《ごぎゃく》の機《き》をも、もらさずあわれみたまいけりというこころなり。

「光明名号顕因縁《こうみょうみょうごうけんいんねん》」というは、弥陀如来《みだにょらい》の四十八願《しじゅうはちがん》のなかに、第十二《だいじゅうに》の願《がん》は、わがひかりきわなからんとちかいたまえり。これすなわち念仏《ねんぶつ》の衆生《しゅじょう》を摂取《せっしゅ》のためなり。かの願《がん》すでに成就《じょうじゅ》して、あまねく無碍《むげ》のひかりをもって十方微塵世界《じっぽうみじんせかい》をてらしたまいて、衆生《しゅじょう》の煩悩悪業《ぼんのうあくごう》を長時《じょうじ》にてらしまします。さればこのひかりの縁《えん》にあう衆生《しゅじょう》、ようやく無明《むみょう》の昏闇《こんあん》うすくなりて、宿善《しゅくぜん》のたねきざすとき、まさしく報土《ほうど》にうまるべき第十八《だいじゅうはち》の念仏往生《ねんぶつおうじょう》の願因《がんいん》の名号《みょうごう》をきくなり。しかれば名号《みょうごう》執持《しゅうじ》すること、さらに自力《じりき》にあらず。ひとえに光明《こうみょう》にもよおさるるによりてなり。このゆえに光《こう》明《みょう》の縁《えん》にきざされて、名号《みょうごう》の因《いん》は[61]あらわるということなり。

「開入本願大智海《かいにゅうほんがんだいちかい》　行者正受金剛心《ぎょうじゃしょうじゅこんごうしん》」というは、本願《ほんがん》の大海《だいかい》にいりぬれば、真実《しんじつ》の金剛心《こんごうしん》をうけしむということなり。

「慶喜一念相応後《きょうきいちねんそうおうご》　与韋提等獲三忍《よいだいとうぎゃくさんにん》　即証法性之常楽《そくしょうほっしょうしじょうらく》」というは、一心念仏《いっしんねんぶつ》の行者《ぎょうじゃ》、一念慶喜《いちねんきょうき》の信心《しんじん》さだまりぬれば、韋提希夫人《いだいけぶにん》とひとしく、喜《き》・悟《ご》・信《しん》の三忍《さんにん》をうべきなり。喜《き》・悟《ご》・信《しん》の三忍《さんにん》というは、一《ひと》つには喜忍《きにん》という[62]は、これ信心歓喜《しんじんかんぎ》の得益《とくやく》をあらわすこころなり。二《ふた》つには悟忍《ごにん》という[63]は、仏智《ぶっち》をさとるこころなり。三《み》つには信忍《しんにん》というは、すなわちこれ信心成就《しんじんじょうじゅ》のすがたなり。

しかれば、韋提《いだい》はこの[64]三忍《さんにん》の益《やく》をえたまえるなり。これによりて、真実信心《しんじつしんじん》を具足《ぐそく》せんひとは、韋提希夫人《いだいけぶにん》にひとしく三忍《さんにん》をえて、すなわち法性《ほっしょう》の常楽《じょうらく》を証《しょう》すべきものなり。

「源信広開一代教《げんしんこうかいいちだいきょう》　[65]偏帰安養勧一切《へんきあんにょうかんいっさい》」というは、楞厳《りょうごん》の和尚《かしょう》（源信）は、ひろく釈迦一代《しゃかいちだい》の教《きょう》をひらきて、もっぱら念仏《ねんぶつ》をえらんで、一切衆生《いっさいしゅじょう》をして西方《さいほう》の往生《おうじょう》をすすめしめたまうなり。

「専雑執心判浅深《せんぞうしゅうしんはんせんじん》　報化二土正弁立《ほうけにどしょうべんりゅう》」というは、雑行雑修《ぞうぎょうざっしゅ》の機《き》をすてやらぬ執心《しゅうしん》[66]のあるひとは、かならず化土懈慢国《けどけまんこく》に生《しょう》ずるなり。また専修正行《せんじゅしょうぎょう》になりきわまるかたの執心《しゅうしん》あるひとは、さだめて報土極楽国《ほうどごくらくこく》に生《しょう》ずべしとなり。これすなわち、専雑二修《せんぞうにしゅ》の浅深《せんじん》を判《はん》じたまえるこころなり。

『讃《さん》』（高僧和讃）にいわく、[67]「報《ほう》の浄土《じょうど》の往生《おうじょう》は　おおからずとぞあらわせる　化土《けど》にうまるる衆生《しゅじょう》をば　すくなからずとおしえたり」と[68]いえるは、このこころなり。

「極重悪人唯称仏《ごくじゅうあくにんゆいしょうぶつ》」というは、[69]「極重《ごくじゅう》の悪人《あくにん》は他《た》の方便《ほうべん》なし、ただ弥陀《みだ》を称《しょう》して極楽《ごくらく》に生《しょう》ずることをえよ」（往生要集）といえる文《もん》のこころなり。

「我亦在彼摂取中《がやくざいひせっしゅちゅう》　煩悩障眼雖不見《ぼんのうしょうげんすいふけん》　大悲無倦常照我《だいひむけんじょうしょうが》」というは、真実信心《しんじつしんじん》をえたるひとは、身《み》は娑婆《しゃば》にあれども、かの摂取《せっしゅ》の光明《こうみょう》のなかにあり。しかれども煩悩《ぼんのう》まなこをさえて、おがみたてまつらずといえども、弥陀如来《みだにょらい》はものうきことなくして、つねにわが身《み》をてらしましますといえるこころなり。

「本師源空明仏教《ほんじげんくうみょうぶっきょう》　憐愍善悪凡夫人《れんみんぜんあくぼんぶにん》」というは、日本《にっぽん》には念仏《ねんぶつ》の祖師《そし》、そのかずこれおおしといえども、法然聖人《ほうねんしょうにん》のごとく、一天《いってん》にあまねくあおがれたまうひとはなきなり。これすなわち仏教《ぶっきょう》にあきらかなりしゆえなり。これによりてあるいは弥陀《みだ》の化身《けしん》といい、また勢至《せいし》の来現《らいげん》といい、また善《ぜん》導《どう》の再誕《さいたん》ともいえり。かかる明師《めいし》にてましますがゆえに、われら善悪《ぜんあく》の凡夫人《ぼんぶにん》をあわれみたまいて、浄土《じょうど》にすすめ[70]いれしめたまいけるものなり。

「真宗教証興片州《しんしゅうきょうしょうこうへんしゅう》　選択本願弘悪世《せんじゃくほんがんぐあくせ》」というは、かの聖人《しょうにん》、我《わ》が朝《ちょう》にはじめて浄土宗《じょうどしゅう》をたてたまいて、また『選択集《せんじゃくしゅう》』というふみをつくりましまして、悪世《あくせ》にあまねくひろめたまえり。

「還来生死輪転家《げんらいしょうじりんでんげ》　決以疑情為所止《けついぎじょういしょし》　速入寂静無為楽《そくにゅうじゃくじょうむいらく》　必以信心為能入《ひついしんじんいのうにゅう》」というは、生死輪《しょうじりん》転《でん》のいえというは、六道輪回《ろくどうりんね》のことなり。このふるさとへかえることは、疑情《ぎじょう》のあるによりてなり。また寂静無為《じゃくじょうむい》の浄土《じょうど》へいたることは、信心《しんじん》のあるによりてなり。されば『選択集《せんじゃくしゅう》』にいわく、

[71]「生死《しょうじ》のいえにはうたがいをもって所止《しょし》とし、涅槃《ねはん》のみやこには信《しん》をもって能入《のうにゅう》とす」といえるは、このこころなり。

「弘経大士宗師等《ぐきょうだいじしゅうしとう》　拯済無辺極濁悪《じょうさいむへんごくじょくあく》　道俗時衆共同心《どうぞくじじゅぐどうしん》　唯可信斯高僧説《ゆいかしんしこうそうせつ》」といえるは、「弘経大士《ぐきょうだいじ》」というは、天竺《てんじく》・震旦《しんだん》・我《わ》が朝《ちょう》の菩薩《ぼさつ》・祖師達《そしたち》のことなり。かの人師等《にんしとう》、未来《みらい》の極濁悪《ごくじょくあく》のわれらをあわれみ、すくいたまわんとて出生《しゅっしょう》したまえり。しかれば念仏《ねんぶつ》の道俗等《どうぞくとう》、あまねくかの三国《さんごく》の高祖《こうそ》の説《せつ》を信《しん》じ[72]たてまつれとなり。さればわれらが真実《しんじつ》の報土《ほうど》の往生《おうじょう》をおしえたまうこと、しかしながらこの祖師等《そしとう》の御恩《ごおん》にあらずということなし。よくよくその恩徳《おんどく》を報謝《ほうしゃ》したてまつるべきものなり。

[73]右《みぎ》、この『正信偈大意《しょうしんげたいい》』は、[74]金森《かねのもり》の道西《どうさい》、自身才学《じしんさいかく》にそなえんがために、[75]連々《れんれん》そののぞみこれありといえども、予《よ》いささかその料簡《りょうけん》なきあいだ、かたく斟酌《しんしゃく》をくわうる[76]ところに、しきりに所望《しょもう》のむねさりがたきによりて、文言《もんごん》のいやしき[77]をかえりみず、また義理《ぎり》の次第《しだい》をもいわず、ただ願主《がんしゅ》の命《めい》にまかせて、ことばをやわらげ、これをしるしあたう[78]べきよし、その所望《しょもう》あるあいだ、かくのごとくこれをしるすところなり。あえて外見《げけん》あるべからざるものなり。あなかしこ、あなかしこ。

于時[79]長禄四歳（一四六〇）六月　[80]日[81]

長禄第四暦林鐘之比、草本記ㇾ之。間々寛正二年（一四六一）四月仲旬第二日、重而令二清書一与ㇾ之者也。

右筆　釈蓮如御判[82]

御《お》文《ふみ》

第一帖

（一）或人《あるひと》いわく、当流《とうりゅう》のこころは、門徒《もんと》をば、かならずわが弟子《でし》とこころえおくべく候《そうろ》うやらん、如来《にょらい》・聖人《しょうにん》の御弟子《おんでし》ともうすべく候《そうろ》うやらん、その分別《ふんべつ》を存知《ぞんじ》せず候《そうろ》う。また、在々所々《ざいざいしょしょ》に小門徒《しょうもんと》をもちて候《そうろ》うをも、このあいだは手次《てつぎ》の坊主《ぼうず》には、あいかくしおき候《そうろ》うように、心中《しんじゅう》をもちて候《そうろ》う。これもしかるべくもなきよし、人《ひと》のもうされ候《そうろ》うあいだ、おなじくこれも不審千万《ふしんせんばん》に候《そうろ》う。御《ご》ねんごろにうけたまわりたく候《そうろ》う。

答《こた》えていわく、この不審《ふしん》もっとも肝要《かんよう》とこそ存《ぞん》じ候《そうら》え。かたのごとく耳《みみ》にとどめおき候《そうろ》う分《ぶん》、もうしのぶべし。きこしめされ候《そうら》え。故聖人《こしょうにん》のおおせには、[1]「親鸞《しんらん》は弟子《でし》一人《いちにん》ももたず」（歎異抄）とこそ、おおせられ候《そうら》いつれ。「そのゆえは、如来《にょらい》の教法《きょうほう》を、十方衆生《じっぽうしゅじょう》にとききかしむるときは、ただ如来《にょらい》の御代官《おんだいかん》をもうしつるばかりなり。さらに親鸞《しんらん》めずらしき法《ほう》をもひろめず、如来《にょらい》の教法《きょうぼう》をわれも信《しん》じ、ひとにもおしえきかしむるばかりなり。そのほかは、なにをおしえて弟子《でし》といわんぞ」とおおせられつるなり。されば、とも同行《どうぎょう》なるべきものなり。これによりて、聖人《しょうにん》は御同朋《おんどうぼう》・御同《おんどう》行《ぎょう》とこそ、かしずきておおせられけり。されば、ちかごろは大坊主分《だいぼうずぶん》のひとも、われは一流《いちりゅう》の安心《あんじん》の次第《しだい》をもしらず、たまたま弟子《でし》のなかに、信心《しんじん》の沙汰《さた》する在所《ざいしょ》へゆきて、聴聞《ちょうもん》し候《そうろ》うひとをば、ことのほか説諫《せっかん》をくわえ候《そうら》いて、或《ある》いはなかをたがいなんどせられ候《そうろ》うあいだ、坊主《ぼうず》もしかと（確々）信心《しんじん》の一理《いちり》をも聴聞《ちょうもん》せず、また弟子《でし》をば、かようにあいささえ候《そうろ》うあいだ、われも信心決定《しんじんけつじょう》せず、弟子《でし》も信心決定《しんじんけつじょう》せずして、一生《いっしょう》はむなしくすぎゆくように候《そうろ》うこと、まことに自損損他《じそんそんた》のとが、のがれがたく候《そうろ》う。あさまし、あさまし。

古歌《こか》にいわく、

[2]うれしさを　むかしはそでに　つつみけり　こよいは身《み》にも　あまりぬるかな

「うれしさをむかしはそでにつつむ」といえるこころは、むかしは、雑行《ぞうぎょう》・正行《しょうぎょう》の分別《ふんべつ》もなく、念仏《ねんぶつ》だにももうせば、往生《おうじょう》するとばかりおもいつるこころなり。「こよいは身《み》にもあまる」といえるは、正《しょう》・雑《ぞう》の分別《ふんべつ》をききわけ、一向一心《いっこういっしん》になりて、信心決定《しんじんけつじょう》のうえに、仏恩報尽《ぶっとんほうじん》のために念仏《ねんぶつ》もうすこころは、おおきに各別《かくべつ》なり。かるがゆえに身《み》のおきどころもなく、おどりあがるほどにおもうあいだ、よろこびは、身《み》にもうれしさが、あまりぬるといえるこころなり。あなかしこ、あなかしこ。

文明三年（一四七一）七月十五日

(三)　当流《とうりゅう》、親鸞聖人《しんらんしょうにん》の一義《いちぎ》は、あながちに出家発心《しゅっけほっしん》のかたちを本《ほん》とせず、捨家棄欲《しゃけきよく》のすがたを標《ひょう》せず、ただ一念帰命《いちねんきみょう》の他力《たりき》の信心《しんじん》を決定《けつじょう》せしむるときは、さらに男女老少《なんにょろうしょう》をえらばざるものなり。されば、この信《しん》をえたるくらいを、『経《きょう》』（大経）には[3]「即得往生《そくとくおうじょう》住不退転《じゅうふたいてん》」ととき、『釈《しゃく》』（論註）には[4]「一念発起《いちねんほっき》入正定之聚《にゅうしょうじょうしじゅ》」ともいえり。これすなわち不来迎《ふらいこう》の談《だん》、平生業成《へいぜいごうじょう》の義《ぎ》なり。『和讃《わさん》』（高僧和讃）にいわく、[5]「弥陀《みだ》の報土《ほうど》をねがうひと　外儀《げぎ》のすがたはことなりと　本願名号信受《ほんがんみょうごうしんじゅ》して　寤寐《ごび》にわするることなかれ」といえり。「外儀《げぎ》のすがた」というは、在家《ざいけ》・出家《しゅっけ》、男子《なんし》・女人《にょにん》をえらばざるこころなり。つぎに、「本願名号信受《ほんがんみょうごうしんじゅ》して　寤寐《ごび》にわするることなかれ」というは、かたちはいかようなりというとも、またつみは十悪五逆《じゅうあくごぎゃく》・謗法闡提《ほうぼうせんだい》のともがらなれども、回心懺悔《えしんさんげ》して、ふかく、かかるあさましき機《き》をすくいまします、弥陀如来《みだにょらい》の本願《ほんがん》なりと信知《しんち》して、ふたごころなく如来《にょらい》をたのむこころの、ねてもさめても憶念《おくねん》の心《しん》つねにして、わすれざるを、本願《ほんがん》たのむ決定《けつじょう》心《しん》をえたる信心《しんじん》の行人《ぎょうにん》とはいうなり。さてこのうえには、たとい行住座臥《ぎょうじゅうざが》に称名《しょうみょう》すとも、弥陀如来《みだにょらい》の御恩《ごおん》を報《ほう》じもうす念仏《ねんぶつ》なりとおもうべきなり。これを真実信心《しんじつしんじん》をえたる決定往生《けつじょうおうじょう》の行者《ぎょうじゃ》とはもうすなり。あなかしこ、あなかしこ。

あつき日《ひ》に　ながるるあせは　なみだかな　かきおくふでの　あとぞおかしき

文明三年（一四七一）七月十八日

（三）まず当流《とうりゅう》の安心《あんじん》のおもむきは、あながちに、わがこころのわろきをも、また妄念《もうねん》・妄執《もうじゅう》のこころのおこるをも、とどめよというにもあらず。ただあきないをもし奉公《ほうこう》をもせよ、猟《りょう》・すなどり（漁）をもせよ。かかるあさましき罪業《ざいごう》にのみ、朝夕《ちょうせき》まどいぬるわれらごときのいたずらものを、たすけんとちかいまします弥陀如来《みだにょらい》の本願《ほんがん》にてましますぞとふかく信《しん》じて、一心《いっしん》にふたごころなく、弥陀一《みだいち》仏《ぶつ》の悲願《ひがん》にすがりて、たすけましませとおもうこころの一念《いちねん》の信《しん》まことなれば、かならず如来《にょらい》の御《おん》たすけにあずかるものなり。このうえには、なにとこころえて念仏《ねんぶつ》もうすべきぞなれば、往生《おうじょう》はいまの信力《しんりき》によりて、御《おん》たすけありつるかたじけなき御恩報謝《ごおんほうしゃ》のために、わがいのちあらんかぎりは、報《ほう》謝《しゃ》のためとおもいて、念仏《ねんぶつ》もうすべきなり。これを当流《とうりゅう》の安心決定《あんじんけつじょう》したる信心《しんじん》の行者《ぎょうじゃ》とはもうすべきなり。あなかしこ、あなかしこ。

文明三年（一四七一）十二月十八日

（四）抑《そもそ》も、親鸞聖人《しんらんしょうにん》の一流《いちりゅう》においては、平生業成《へいぜいごうじょう》の[6]義《ぎ》にして、来迎《らいこう》をも執《しゅう》せられそうらわぬよし、うけたまわりおよびそうろうは、いかがはんべるべきや。その平生業成《へいぜいごうじょう》ともうすことも、不《ふ》来迎《らいこう》なんどの義《ぎ》をも、さらに存知《ぞんじ》せず。くわしく聴聞《ちょうもん》つかまつりたく候《そうろ》う。

答《こた》えていわく、まことに、この不審《ふしん》、もっとももって一流《いちりゅう》の肝要《かんよう》とおぼえそうろう。おおよそ当《とう》家《け》には、一念発起平生業成《いちねんほっきへいぜいごうじょう》と談《だん》じて、平生《へいぜい》に、弥陀如来《みだにょらい》の本願《ほんがん》の、われらをたすけたまうことわりをききひらくことは、宿善《しゅくぜん》の開発《かいほつ》によるがゆえなりとこころえてのちは、わがちからにてはなかりけり、仏智他力《ぶっちたりき》の[7]御《おん》さずけによりて、本願《ほんがん》の由来《ゆらい》を存知《ぞんじ》するものなりとこころうるが、すなわち平《へい》生業成《ぜいごうじょう》の義《ぎ》なり。されば、平生業成《へいぜいごうじょう》というは、いまのことわりをききひらきて、往生治定《おうじょうじじょう》とおもいさだむるくらいを、[8]「一念発起住正定聚《いちねんほっきじゅうしょうじょうじゅ》」（論註）とも、[9]「平生業成《へいぜいごうじょう》」とも、[10]「即得往生住不《そくとくおうじょうじゅうふ》退転《たいてん》」（大経）ともいうなり。

問《と》うていわく、一念往生発起《いちねんおうじょうほっき》の義《ぎ》くわしくこころえられたり。しかれども、不来迎《ふらいこう》の義《ぎ》いまだ分《ふん》別《べつ》せずそうろう。ねんごろにしめし、うけたまわるべく候《そうろう》。

答《こた》えていわく、不来迎《ふらいこう》のことも、「一念発起住正定聚《いちねんほっきじゅうしょうじょうじゅ》」と沙汰《さた》せられそうろうときは、さらに来《らい》迎《こう》を期《ご》しそうろうべきこともなきなり。そのゆえは、来迎《らいこう》を期《ご》するなんどもうすことは、諸行《しょぎょう》の機《き》にとりてのことなり。真実信心《しんじつしんじん》の行者《ぎょうじゃ》は、一念発起《いちねんほっき》するところにて、やがて摂取不捨《せっしゅふしゃ》の光益《こうやく》にあずかるときは、来迎《らいこう》までもなきなりとしらるるなり。されば、聖人《しょうにん》のおおせには、[11]「来迎《らいこう》は諸行往《しょぎょうおう》生《じょう》にあり。真実信心《しんじつしんじん》の行人《ぎょうにん》は、摂取不捨《せっしゅふしゃ》のゆえに、正定聚《しょうじょうじゅ》に住《じゅう》す。正定聚《しょうじょうじゅ》に住《じゅう》するがゆえに、かならず滅度《めつど》にいたる。かるがゆえに臨終《りんじゅう》まつことなし、来迎《らいこう》たのむことなし」（末燈鈔）といえり。

この御《おん》ことばをもってこころうべきものなり。

問《と》うていわく、[12]正定聚《しょうじょうじゅ》と滅度《めつど》とは、一益《いちやく》とこころうべきか、また二益《にやく》とこころうべきや。

答《こた》えていわく、一念発起《いちねんほっき》のかたは正定聚《しょうじょうじゅ》なり。これは穢土《えど》の益《やく》なり。つぎに、滅度《めつど》は浄土《じょうど》にてうべき益《やく》にてあるなりとこころうべきなり。されば、二益《にやく》なりとおもうべきものなり。

問《と》うていわく、かくのごとくこころえそうろうときは、往生《おうじょう》は治定《じじょう》と存《ぞん》じおき候《そうろう》に、なにとて、わずらわしく、信心《しんじん》を具《ぐ》すべきなんど沙汰《さた》そうろうは、いかがこころえはんべるべきや。これもうけたまわりたく候《そうろう》。

答《こた》えていわく、まことにもって、このたずねのむね肝要《かんよう》なり。されば、いまのごとくにこころえそうろうすがたこそ、すなわち信心決定《しんじんけつじょう》のこころにて候《そうろ》うなり。

問《と》うていわく、信心決定《しんじんけつじょう》するすがた、すなわち平生業成《へいぜいごうじょう》と不来迎《ふらいこう》と正定聚《しょうじょうじゅ》との道理《どうり》にて候《そうろ》うよし、分明《ふんみょう》に聴聞《ちょうもん》つかまつり候《そうら》いおわりぬ。しかりといえども、信心治定《しんじんじじょう》してののちには、自身《じしん》の往生極楽《おうじょうごくらく》のためとこころえて念仏《ねんぶつ》もうしそうろうべきか、また仏恩報謝《ぶっとんほうしゃ》のためとこころうべき[13]か、いまだそのこころをえずそうろう。

答《こた》えていわく、この不審《ふしん》また肝要《かんよう》とこそおぼえそうらえ。そのゆえは、一念《いちねん》の信心発得已後《しんじんほっとくいご》の念仏《ねんぶつ》をば、自身往生《じしんおうじょう》の業《ごう》とはおもうべからず。ただひとえに仏恩報謝《ぶっとんほうしゃ》のためとこころえらるべきものなり。されば、善導和尚《ぜんどうかしょう》の[14]「上尽一形下至一念《じょうじんいちぎょうげしいちねん》」（散善義）と釈《しゃく》せり。「下至一念《げしいちねん》」というは、信心《しんじん》決定《けつじょう》のすがたなり。「上尽一形《じょうじんいちぎょう》」は、仏恩報尽《ぶっとんほうじん》の念仏《ねんぶつ》なりときこえたり。これをもって、よくよくこころえらるべきものなり。あなかしこ、あなかしこ。

文明四年（一四七二）十一月二十七日

（五）抑《そもそ》も、当年《とうねん》より、ことのほか、加州《かしゅう》・能登《のと》・越中《えっちゅう》、両三《りょうさん》か国《こく》のあいだより、道俗男女《どうぞくなんにょ》、群集《くんじゅう》をなして、この吉崎《よしざき》の山中《さんちゅう》に参詣《さんけい》せらるる面々《めんめん》の心中《しんじゅう》のとおり、いかがと、こころもとなくそうろう。そのゆえは、まず当流《とうりゅう》のおもむきは、このたび極楽《ごくらく》に往生《おうじょう》すべきことわりは、他力《たりき》の信心《しんじん》をえたるがゆえなり。しかれども、この一流《いちりゅう》のうちにおいて、しかしか（確々）とその信心《しんじん》のすがたをも、えたるひとこれなし。かくのごとくのやからは、いかでか報土《ほうど》の往生《おうじょう》をば、たやすくとぐべきや。一大事《いちだいじ》というはこれなり。さいわいに五里《ごり》・十里《じゅうり》の遠路《えんろ》をしのぎ、この雪《ゆき》のうちに参詣《さんけい》のこころざしは、いかようにこころえられたる心中《しんじゅう》ぞや。千万《せんばん》こころもとなき次第《しだい》なり。所詮已前《しょせんいぜん》はいかようの心中《しんじゅう》にてありというとも、これよりのちは心中《しんじゅう》にこころえおかるべき次第《しだい》を、くわしくもうすべし。よくよく耳《みみ》をそばだてて聴聞《ちょうもん》あるべし。そのゆえは、他力《たりき》の信心《しんじん》ということを、しかと心中《しんじゅう》にたくわえられ候《そうら》いて、そのうえには、仏恩報謝《ぶっとんほうしゃ》のためには、行住座臥《ぎょうじゅうざが》に念仏《ねんぶつ》をもうさるべきばかりなり。このこころえにてあるならば、このたびの往生《おうじょう》は一定《いちじょう》なり。このうれしさのあまりには、師匠坊主《ししょうぼうず》の在所《ざいしょ》へもあゆみをはこび、こころざしをもいたすべきものなり。これすなわち、当流《とうりゅう》の義《ぎ》をよくこころえたる、信心《しんじん》のひととはもうすべきものなり。あなかしこ、あなかしこ。

文明五年(一四七三)二月八日

(六)　抑《そもそ》も、当《とう》[15]年《ねん》の夏《なつ》このごろは、なにとやらん、ことのほか睡眠《すいめん》におかされてねぶたく候《そうろ》うは、いかんと案《あん》じ候《そうら》えば、不審《ふしん》もなく往生《おうじょう》の死期《しご》もちかづくかとおぼえ候《そうろ》う。まことにもってあじきなく、名残《なごり》おしくこそ候《そうら》え。さりながら、今日《こんにち》までも、往生《おうじょう》の期《ご》もいまやきたらんと、由(油)断《だん》なくそのかまえは候《そうろ》う。それにつけても、この在所《ざいしょ》において、已後《いご》までも信心決定《しんじんけつじょう》するひとの退転《たいてん》なきようにもそうらえかしと、念願《ねんがん》のみ昼夜不断《ちゅうやふだん》におもうばかりなり。この分《ぶん》にては、往生《おうじょう》つかまつり候《そうろ》うとも、いまは子細《しさい》なく候《そうろ》うべきに、それにつけても面々《めんめん》の心中《しんじゅう》も、ことのほか由(油)断《だん》どもにてこそはそうらえ。命《いのち》のあらんかぎりは、われらはいまのごとくにてあるべく候《そうろ》う。よろずにつけて、みなみなの心中《しんじゅう》こそ不足《ふそく》に存《ぞん》じそうらえ。明日《みょうにち》もしらぬいのちにてこそ候《そうろ》うに、なにごとをもうすも、いのちおわりそうらわば、いたずらごとにてあるべく候《そうろ》う。いのちのうちに、不審《ふしん》もとく《(疾)》とくはれられそうらわでは、さだめて後悔《こうかい》のみにてそうらわんずるぞ。御《おん》こころえあるべく候《そうろ》う。あなかしこ、あなかしこ。

この障子《しょうじ》のそなたの人々《ひとびと》のかたへまいらせ候《そうろ》う。のちの年《とし》にとりいだして御覧候《ごらんそうら》え。

文明五《(一四七三)》[16]年卯月《うづき》二十五日、之《これ》を書《か》く。

(七) 去《さ》んぬる文明第四《ぶんめいだいし》の暦《れき》、弥生中半《やよいなかば》のころかとおぼえはんべりしに、さもありぬらんとみえつる女姓一《にょしょういち》、二人《ににん》、おとこなんどあい具《ぐ》したるひとびと、この山《やま》のことを沙汰《さた》しもうしけるは、「そもそもこのごろ吉崎《よしざき》の山上《さんじょう》に、一宇《いちう》の坊舎《ぼうしゃ》をたてられて、言語道断《ごんごどうだん》おもしろき在所《ざいしょ》かなともうし候《そうろ》う。なかにもことに加賀《かが》・越中《えっちゅう》・能登《のと》・越後《えちご》・信濃《しなの》・出羽《でわ》・奥州七《おうしゅうしち》か国《こく》より、かの門下中《もんかじゅう》、この当山《とうざん》へ、道俗男女参詣《どうぞくなんにょさんけい》をいたし群集《くんじゅう》せしむるよし、そのきこえかくれなし。これ末代《まつだい》の不思議《ふしぎ》なり。ただごとともおぼえはんべらず。さりながら、かの門徒《もんと》の面々《めんめん》には、さても念仏法門《ねんぶつほうもん》をば、なにとすすめられ候《そうろ》うやらん。とりわけ信心《しんじん》ということをむねとおしえられ候《そうろ》うよし、ひとびともうし候《そうろ》うなるは、いかようなることにて候《そうろ》うやらん。くわしくききまいらせて、われらもこの罪業深重《ざいごうじんじゅう》のあさましき女人《にょにん》の身《み》をもちてそうらえば、その信心《しんじん》とやらんをききわけまいらせて、往生《おうじょう》をねがいた

17 く候《そうろ》う」よしを、かの山中《さんちゅう》のひとにたずねもうして候《そうら》えば、しめしたまえるおもむきは、「なにのようもなく、ただわが身《み》は十悪五逆《じゅうあくごぎゃく》・五障三従《ごしょうさんしょう》のあさましきものぞとおもいて、ふかく、阿弥陀如来《あみだにょらい》は、かかる機《き》をたすけまします御《おん》すがたなりとこころえまいらせて、二心《ふたごころ》なく弥陀《みだ》をたのみたてまつりて、たすけたまえとおもうこころの一念《いちねん》おこるとき、かたじけなくも、如来《にょらい》は八万四千《はちまんしせん》の光明《こうみょう》をはなちて、その身《み》を摂取《せっしゅ》したまうなり。これを弥陀如来《みだにょらい》の念仏《ねんぶつ》の行者《ぎょうじゃ》を摂取《せっしゅ》したまうといえるは、このことなり。摂取不捨《せっしゅふしゃ》というは、おさめとりてすてたまわずということろなり。このこころを、信心《しんじん》をえたるひととはもうすなり。さてこのうえには、ねてもさめても、たっ(立)てもい(居)ても、南無阿弥陀仏《なむあみだぶつ》ともうす念仏《ねんぶつ》は、弥陀《みだ》に、はやたすけられまいらせつるかたじけなさの、弥陀《みだ》の御恩《ごおん》を、南無阿弥陀仏《なむあみだぶつ》ととなえて報《ほう》じもうす念仏《ねんぶつ》なりとこころうべきなり」とねんごろにかたりたまいしかば、この女人《にょにん》たち、そのほかのひと、もうされけるは、「まことにわれらが根機《こんき》にかないたる弥陀如来《みだにょらい》の本願《ほんがん》にてましまし候《そうろ》うをも、いままで信《しん》じまいらせそうらわぬことのあさましさ、もうすばかりもそうらわず。いまよりのちは、一向《いっこう》に弥陀《みだ》をたのみまいらせて、ふたごころなく一念《いちねん》に、わが往生《おうじょう》は如来《にょらい》のかたより御《おん》たすけありけりと信《しん》じたてまつりて、そののちの念仏《ねんぶつ》は仏恩報謝《ぶっとんほうしゃ》の称名《しょうみょう》なりとこころえ候《そうろ》うべきなり。かかる不思議《ふしぎ》の宿縁《しゅくえん》にあいまいらせて、殊勝《しゅしょう》の法《ほう》をききまいらせ候《そうろ》うことの、ありがたさ、とうとさ、なかなかもうすばかりもなくおぼえはんべるなり。いまははや、いとま(暇)もうすなり」とて、なみだをうかめて、みなみなかえりにけり。あなかしこ、あなかしこ。

文明五年（一四七三）八月十二日

(八)　文明第三《ぶんめいだいさん》、初夏上旬《そかじょうじゅん》のころより、江州志賀《ごうしゅうしが》の郡大津三井寺《こおりおおつみいでら》の南別所辺《みなみべっしょへん》より、なにとなく、不図《ふと》しのびいでて、越前《えちぜん》・加賀《かが》、諸所《しょしょ》を経回《けいかい》せしめおわりぬ。よって、当国細呂宜《とうごくほそろぎ》の郷《ごう》の内《うち》、吉崎《よしざき》というこの在所《ざいしょ》、すぐれておもしろきあいだ、年来虎狼《ねんらいころう》のすみなれしこの山中《さんちゅう》をひきたいらげて、七《しち》月二十七日《がつにじゅうしちにち》より、かたのごとく一宇《いちう》を建立《こんりゅう》して、昨日今日《きのうきょう》とすぎゆくほどに、はや三年《さんねん》の春秋《しゅんじゅう》はおくりけり。さるほどに、道俗男女《どうぞくなんにょ》、群集《くんじゅう》せしむといえども、さらになにへんともなき体《てい》なるあいだ、当年《とうねん》より諸人《しょにん》の出入《しゅつにゅう》をとどむるこころは、この在所《ざいしょ》に居住《きょじゅう》せしむる根元《こんげん》はなにごとぞなれば、そもそも人界《にんがい》の生《しょう》をうけて、あいがたき仏法《ぶっぽう》にすでにあえる身《み》が、いたずらにむなしく捺落《ならく》にしずまんは、まことにもってあさましきことにはあらずや。しかるあいだ、念仏《ねんぶつ》の信心《しんじん》を決定《けつじょう》して極楽《ごくらく》の往生《おうじょう》をとげんとおもわざらんひとびとは、なにしにこの在所《ざいしょ》へ来集《らいじゅう》せんこと、かなうべからざるよしの成敗《せいばい》をくわえおわりぬ。これひとえに、名聞利養《みょうもんりよう》を本《ほん》とせず、ただ後生菩提《ごしょうぼだい》をこととするがゆえなり。しかれば、見聞《けんもん》の諸人《しょにん》、偏執《へんしゅう》をなすことなかれ。あなかしこ、あなかしこ。

文明五年（一四七三）九月　日

(九)　抑《そもそ》も、当宗《とうしゅう》を、昔《むかし》よりひとこぞりておかしくきたなき宗《しゅう》ともうすなり。これまことに道理《どうり》のさすところなり。そのゆえは、当流人数《とうりゅうにんじゅ》のなかにおいて、あるいは他門他宗《たもんたしゅう》に対《たい》してはばかりなく、わが家《いえ》の義《ぎ》をもうしあらわせるいわれなり。これおおきなるあやまりなり。それ、当流《とうりゅう》のおきてをまもるというは、わが流《りゅう》につたうるところの義《ぎ》を、しかと内心《ないしん》にたくわえて、外相《げそう》にそのいろをあらわさぬを、よくものにこころえたるひととはいうなり。しかるに、当世《とうせい》は、わが宗《しゅう》のことを、他門他宗《たもんたしゅう》にむかいて、その斟酌《しんしゃく》もなく聊爾《りょうじ》に沙汰《さた》するによりて、当流《とうりゅう》を、ひとの、あさま《（浅）》におもうなり。かようにこころえのわろきひとのあるによりて、当流《とうりゅう》をきたなくいまわしき宗《しゅう》と、ひとおもえり。さらにもってこれは他人《たにん》わろきにはあらず。自流《じりゅう》のひとわろきによるなりとこころうべし。つぎに、物忌《ぶっき》ということは、わが流《りゅう》には仏法《ぶっぽう》について、ものいま《（忌）》わぬといえることなり。他宗《たしゅう》にも公方《くぼう》にも対《たい》しては、などか物《もの》をいま《（忌）》ざらんや。他宗他門《たしゅうたもん》にむかいては、もとよりいむ《（忌）》べきこと勿論《もちろん》なり。また、よそのひとの物《もの》いむといいてそしることあるべからず。しかりといえども、仏法《ぶっぽう》を修《しゅ》行《ぎょう》せんひとは、念仏者《ねんぶつしゃ》にかぎらず、物《もの》、さのみいむべからずと、あきらかに諸経《しょきょう》の文《もん》にもあまたみえたり。まず、『涅槃経《ねはんぎょう》』にのたまわく、[18]「如来法中《にょらいほうじゅう》　無有選択《むうせんじゃく》　吉日良辰《きちにちりょうしん》」といえり。この文《もん》のこころは、如来《にょらい》の法《ほう》のなかに吉日良辰《きちにちりょうしん》をえらぶことなしとなり。又《また》、『般舟経《はんじゅきょう》』にのたまわく、[19]「優婆夷《うばい》、是《こ》の三昧《さんまい》を聞《き》きて学《まな》ばんと欲《ほっ》せん者《もの》は、乃至《ないし》　自《みずか》ら仏《ぶつ》に帰命《きみょう》し、法《ほう》に帰命《きみょう》し、比丘僧《びくそう》に帰命《きみょう》し、余道《よどう》に事《つか》うることを得《え》ざれ、天《てん》を拝《はい》することを得《え》ざれ、鬼神《きじん》を[20]祠《し》することを得《え》ざれ、吉《きち》良日《りょうにち》を視《み》ることを得《え》ざれ」已上《いじょう》　といえり。この文《もん》のこころは、優婆夷《うばい》、この三昧《さんまい》をききてまなばんと欲《ほっ》せんものは、みずから仏《ぶつ》に帰命《きみょう》し、法《ほう》に帰命《きみょう》せよ、比丘僧《びくそう》に帰命《きみょう》せよ、余道《よどう》につかうることをえざれ、天《てん》を拝《はい》することをえざれ、鬼神《きじん》をまつることをえざれ、吉良日《きちりょうにち》をみることをえざれといえり。かくのごとくの経文《きょうもん》どもこれありといえども、この分《ぶん》をいだすなり。ことに念仏行者《ねんぶつぎょうじゃ》はかれらにつかうべからざるようにみえたり。よくよくこころうべし。あなかしこ、あなかしこ。

文明五年（一四七三）九月　日

(10)　抑《そもそ》も、吉崎《よしざき》の当山《とうざん》において、多屋《たや》の坊主達《ぼうずたち》の内方《ないほう》とならんひとは、まことに先世《ぜんぜ》の宿縁《しゅくえん》あさからぬゆえとおもいはんべるべきなり。それも後生《ごしょう》を一大事《いちだいじ》とおもい信心《しんじん》も決定《けつじょう》したらん身《み》にとりてのうえのことなり。しかれば内方《ないほう》とならんひとびとは、あいかまえて信心《しんじん》をよくよくとらるべし。

それまず当流《とうりゅう》の安心《あんじん》ともうすことは、おおよそ浄土一家《じょうどいっけ》のうちにおいて、あいかわりて、ことにすぐれたるいわれあるがゆえに、他力《たりき》の大信心《だいしんじん》ともうすなり。さればこの信心《しんじん》をえたるひとは、十人《じゅうにん》は十人《じゅうにん》ながら百人《ひゃくにん》は百人《ひゃくにん》ながら、今度《こんど》の往生《おうじょう》は一定《いちじょう》なりとこころうべきものなり。

その安心《あんじん》ともうすは、いかようにこころうべきことやらん、くわしくもしりはんべらざるなり。

こたえていわく、まことにこの不審肝要《ふしんかんよう》のことなり。おおよそ当流《とうりゅう》の信心《しんじん》をとるべきおもむきは、まずわが身《み》は女人《にょにん》なれば、つみふかき五障三従《ごしょうさんしょう》とてあさましき身《み》にて、すでに十方《じっぽう》の如来《にょらい》も、三世《さんぜ》の諸仏《しょぶつ》にも、すてられたる女人《にょにん》なりけるを、かたじけなくも弥陀如来《みだにょらい》ひとり、かかる機《き》をすくわんとちかいたまいて、すでに四十八願《しじゅうはちがん》をおこしたまえり。そのうち第十八《だいじゅうはち》の願《がん》において、一切《いっさい》の悪人《あくにん》・女人《にょにん》をたすけたまえるうえに、なお女人《にょにん》はつみふかくうたがいのこころふかきによりて、またかさねて第三十五《だいさんじゅうご》の願《がん》になお女人《にょにん》をたすけんといえる願《がん》をおこしたまえるなり。かかる弥陀如来《みだにょらい》の御苦労《ごくろう》ありつる御恩《ごおん》のかたじけなさよと、ふかくおもうべきなり。

問《と》うていわく、さて、かように弥陀如来《みだにょらい》の、われらごときのものをすくわんと、たびたび願《がん》をおこしたまえることのありがたさを、こころえわけまいらせそうらいぬるについて、なにとように機《き》をもちて、弥陀《みだ》をたのみまいらせそうらわんずるやらん。くわしくしめしたまうべきなり。

こたえていわく、信心《しんじん》をとり弥陀《みだ》をたのまんとおもいたまわば、まず人間《にんげん》はただゆめまぼろしのあいだのことなり、後生《ごしょう》こそまことに永生《ようしょう》の楽果《らっか》なりとおもいとりて、人間《にんげん》は五十年百年《ごじゅうねんひゃくねん》のうちのたのしみなり、後生《ごしょう》こそ一大事《いちだいじ》なりとおもいて、もろもろの雑行《ぞうぎょう》をこのむこころをすて、あるいはまた、もののいまわしくおもうこころをもすて、一心一向《いっしんいっこう》に弥陀《みだ》をたのみたてまつりて、そのほか余《よ》の仏《ぶつ》・菩薩《ぼさつ》・諸神等《しょじんとう》にもこころをかけずして、ただひとすじに弥陀《みだ》に帰《き》して、このたびの往生《おうじょう》は治定《じじょう》なるべしとおもわば、そのありがたさのあまり、念仏《ねんぶつ》をもうして、弥陀如来《みだにょらい》の、われらをたすけたまう御恩《ごおん》を報《ほう》じたてまつるべきなり。これを信心《しんじん》をえたる多屋《たや》の坊主達《ぼうずたち》の内方《ないほう》のすがたとはもうすべきものなり。あなかしこ、あなかしこ。

文明五年（一四七三）九月十一日

(一一)　それおもんみれば、人間《にんげん》はただ電光朝露《でんこうちょうろ》のゆめまぼろしのあいだのたのしみぞかし。たといまた栄花栄耀《えいがえいよう》にふけりて、おもうさまのことなりというとも、それはただ五十年乃至百年《ごじゅうねんないしひゃくねん》のうちのことなり。もしただいまも、無常《むじょう》のかぜきたりてさそいなば、いかなる病苦《びょうく》にあいてか、むなしくなりなんや。まことに、死《し》せんときは、かねてたのみおきつる妻子《さいし》も、財宝《ざいほう》も、わが身《み》にはひとつもあいそう（添）ことあるべからず。されば、死出《しで》の山路《やまじ》のすえ、[21]三途《さんず》の大河《だいが》をば、ただひとりこそゆきなんずれ。これによりて、ただふかくねがうべきは後生《ごしょう》なり、またたのむべきは弥陀如来《みだにょらい》なり、信心《しんじん》決定《けつじょう》してまいるべきは安養《あんにょう》の浄土《じょうど》なりとおもうべきなり。これについてちかごろは、この方《ほう》の念《ねん》仏者《ぶっしゃ》の坊主達《ぼうずたち》、仏法《ぶっぽう》の次第《しだい》、もってのほか相違《そうい》す。そのゆえは、門徒《もんと》のかたよりものをとるを、よき弟子《でし》といい、これを信心《しんじん》のひとといえり。これおおきなるあやまりなり。また弟子《でし》は、坊主《ぼうず》にものをだにもおおくまいらせば、わがちからかなわずとも、坊主《ぼうず》のちからにてたすかるべきようにおもえり。これもあやまりなり。かくのごとく坊主《ぼうず》と門徒《もんと》のあいだにおいて、さらに当流《とうりゅう》の信心《しんじん》のこころえの分《ぶん》はひとつもなし。まことにあさましや。師《し》・弟子《でし》ともに、極楽《ごくらく》には往生《おうじょう》せずして、むなしく地獄《じごく》におちんことはうたがいなし。なげきてもなおあまりあり、かなしみてもなおふかくかなしむべし。

しかれば今日《きょう》よりのちは、他力《たりき》の大信心《だいしんじん》の次第《しだい》を、よく存知《ぞんじ》したらんひとにあいたずねて、信心決《しんじんけつ》定《じょう》して、その信心《しんじん》のおもむきを弟子《でし》にもおしえて、もろともに今度《こんど》の一大事《いちだいじ》の往生《おうじょう》を、よくよくとぐべきものなり。あなかしこ、あなかしこ。

文明五年（一四七三）九月中旬

（三）[22]抑《そもそ》も、年来超勝寺《ねんらいちょうしょうじ》の門徒《もんと》において、仏法《ぶっぽう》の次第《しだい》、もってのほか相違《そうい》せり。そのいわれは、まず座衆《ざしゅ》とてこれあり。いかにもその座上《ざしょう》に[23]ありて、さかずきなんどまでもひとよりさきにのみ、座中《ざちゅう》のひとにも、またそのほかたれたれ（誰々）にも、いみじくおもわれんずるが、まことに仏法《ぶっぽう》の肝要《かんよう》たるように、心中《しんじゅう》にこころえおきたり。これさらに往生極楽《おうじょうごくらく》のためにあらず。ただ世間《せけん》の名聞《みょうもん》ににたり。しかるに当流《とうりゅう》において、毎月《まいがつ》の会合《かいごう》の由来《ゆらい》はなにの用《よう》ぞなれば、在家無智《ざいけむち》の身《み》をもって、いたずらにくらし、いたずらにあかして、一期《いちご》はむなしくすぎて、ついに[24]三途《さんず》にしずまん身《み》が、一月《いちがつ》に一度《いちど》なりとも、せめて念仏修行《ねんぶつしゅぎょう》の人数《にんじゅ》ばかり道場《どうじょう》にあつまりて、わが信心《しんじん》は、ひとの信心《しんじん》は、いかがあるらんという、信心沙汰《しんじんざた》をすべき用《よう》の会合《かいごう》なるを、ちかごろは、その信心《しんじん》ということは、かつて是非《ぜひ》の沙汰《さた》におよばざるあいだ、言語道断《ごんごどうだん》あさましき次第《しだい》なり。所詮自今已後《しょせんじこんいご》は、かたく会合《かいごう》の座《ざ》中《ちゅう》において信心《しんじん》の沙汰《さた》をすべきものなり。これ真実《しんじつ》の往生極楽《おうじょうごくらく》をとぐべきいわれなるがゆえなり。

あなかしこ、あなかしこ。

文明五年（一四七三）九月下旬

（三）[25]抑《そもそ》も、ちかごろは、この方《ほう》、念仏者《ねんぶつしゃ》のなかにおいて、不思議《ふしぎ》の名言《みょうごん》をつかいて、「これこそ信心《しんじん》をえたるすがたよ」といいて、しかもわれは当流《とうりゅう》の信心《しんじん》をよくしりがおの体《てい》に、心中《しんじゅう》にこころえおきたり。そのことばにいわく、「十劫正覚《じっこうしょうがく》のはじめよりわれらが往生《おうじょう》をさだめたまえる、弥陀《みだ》の御恩《ごおん》をわすれぬが信心《しんじん》ぞ」といえり。これおおきなるあやまりなり。そも弥陀如来《みだにょらい》の正覚《しょうがく》をなりたまえるいわれをしりたりというとも、われらが往生《おうじょう》すべき他力《たりき》の信心《しんじん》といういわれをしらずは、いたずらごとなり。しかれば向後《きょうこう》においては、まず当流《とうりゅう》の真実信心《しんじつしんじん》ということを、よくよく存知《ぞんじ》すべきなり。その信心《しんじん》というは、『大経《だいきょう》』には三信《さんしん》ととき、『観経《かんぎょう》』には三心《さんじん》といい、『阿弥陀経《あみだきょう》』には一心《いっしん》とあらわせり。三経《さんぎょう》ともにその名《な》かわりたりといえども、そのこころはただ他力《たりき》の一心《いっしん》をあらわせるこころなり。されば信心《しんじん》といえるそのすがたは、いかようなることぞといえば、まずもろもろの雑行《ぞうぎょう》をさしおきて、一向《いっこう》に弥陀如来《みだにょらい》をたのみたてまつりて、自余《じよ》の一切《いっさい》の諸神《しょじん》・諸仏等《しょぶつとう》にもこころをかけず、一心《いっしん》にもっぱら弥陀《みだ》に帰命《きみょう》せば、如来《にょらい》は光明《こうみょう》をもってその身《み》を摂取《せっしゅ》してすてたまうべからず。これすなわちわれらが一念《いちねん》の信心決定《しんじんけつじょう》したるすがたなり。かくのごとくこころえてののちは、弥陀如来《みだにょらい》の、他力《たりき》の信心《しんじん》をわれらにあたえたまえる御恩《ごおん》を報《ほう》じたてまつる念仏《ねんぶつ》なりとこころうべし。これをもって信心決定《しんじんけつじょう》したる念仏《ねんぶつ》の行者《ぎょうじゃ》とはもうすべきものなり。あなかしこ、あなかしこ。

文明第五（一四七三）、九月下旬の比《ころ》、之《これ》を書《か》く云々《うんぬん》

（一四）[26]抑《そもそ》も、当流念仏者《とうりゅうねんぶつしゃ》のなかにおいて、諸法《しょほう》を誹謗《ひほう》すべからず。まず越中《えっちゅう》・加賀《かが》ならば、立山《たてやま》・白山《しらやま》、そのほか諸山寺《しょやまでら》なり。越前《えちぜん》ならば、平泉寺《へいせんじ》・豊原寺《とよわらじ》等《とう》なり。されば『経《きょう》』（大経）にもすでに、[27]「唯除五逆誹謗正法《ゆいじょごぎゃくひほうしょうぼう》」とこそ、これをいましめられたり。これによりて、念仏者《ねんぶつしゃ》はことに諸宗《しょしゅう》を謗《ほう》ずべからざるものなり。また聖道諸宗《しょうどうしょしゅう》の学者達《がくしゃたち》も、あながちに念仏者《ねんぶつしゃ》をば謗《ほう》ずべからずとみえたり。そのいわれは、経《きょう》・釈《しゃく》ともにその文《もん》これおおしといえども、まず八宗《はっしゅう》の祖師《そし》龍樹菩薩《りゅうじゅぼさつ》の『智論《ちろん》』（大智度論）に、ふかくこれをいましめられたり。その文《もん》にいわく、[28]「自法愛染故《じほうあいぜんこ》　毀呰他《きした》人法《にんぽう》　雖持戒行人《すいじかいぎょうにん》　不免地獄苦《ふめんじごく》」といえり。かくのごとくの論判分明《ろんぱんふんみょう》なるときは、いずれも仏説《ぶっせつ》な

り。あやまりて謗《ほう》ずることなかれ。それみな一宗一宗《いっしゅういっしゅう》のことなれば、わがたのまぬばかりにてこそあるべけれ。ことさら当流《とうりゅう》のなかにおいて、なにの分別《ふんべつ》もなきもの、他宗《たしゅう》をそしること勿体《もったい》なき次《し》第《だい》なり。あいかまえて、あいかまえて、一所《いっしょ》の坊主分《ぼうずぶん》たるひとは、この成敗《せいばい》をかたくいたすべきものなり。あなかしこ、あなかしこ。

文明五年（一四七三）九月下旬

（一五）問《と》うていわく、当流《とうりゅう》を、みな世間《せけん》に流布《るふ》して、一向宗《いっこうしゅう》となづけ候《そうろ》うは、いかようなる子細《しさい》にて候《そうろ》うやらん。不審《ふしん》におぼえ候《そうろ》う。

答《こた》えていわく、あながちに、わが流《りゅう》を一向宗《いっこうしゅう》となのることは、別《べつ》して祖師《そし》もさだめられず。おおよそ阿弥陀仏《あみだぶつ》を一向《いっこう》にたのむによりて、みな人《ひと》のもうしなすゆえなり。しかりといえども、経文《きょうもん》に
29「一向専念無量寿仏《いっこうせんねんむりょうじゅぶつ》」（大経）とときたまうゆえに、一向《いっこう》に無量寿仏《むりょうじゅぶつ》を念《ねん》ぜよといえるこころなるときは、一向宗《いっこうしゅう》ともうしたるも子細《しさい》なし。さりながら開山《かいさん》は、この宗《しゅう》をば浄土真宗《じょうどしんしゅう》とこそさだめたまえり。されば、一向宗《いっこうしゅう》という名言《みょうごん》は、さらに本宗《ほんしゅう》よりもうさぬなりとしるべし。されば、自余《じょ》の浄土宗《じょうどしゅう》は、もろもろの雑行《ぞうぎょう》をゆるす。わが聖人《しょうにん》は雑行《ぞうぎょう》をえらびたまう。このゆえに真実報土《しんじつほうど》の往生《おうじょう》をとぐるなり。このいわれあるがゆえに、別《べつ》して「真《しん》」の字《じ》をいれたまうなり。

またのたまわく、当宗《とうしゅう》をすでに浄土真宗《じょうどしんしゅう》となづけられ候《そうろ》うことは、分明《ふんみょう》にきこえぬ。しかるにこの宗体《しゅうてい》にて、在家《ざいけ》のつみふかき悪逆《あくぎゃく》の機《き》なりというとも、弥陀《みだ》の願力《がんりき》にすがりて、たやすく極《ごく》

楽《らく》に往生《おうじょう》すべきよう、くわしくうけたまわりはんべらんとおもうなり。

答《こた》えていわく、当流《とうりゅう》のおもむきは、信心決定《しんじんけつじょう》しぬればかならず真実報土《しんじつほうど》の往生《おうじょう》をとぐべきなり。されば その信心《しんじん》というはいかようなることぞといえば、なにのわずらいもなく、弥陀如来《みだにょらい》を一心《いっしん》にたのみたてまつりて、その余《よ》の仏《ぶつ》・菩薩等《ぼさつとう》にもこころをかけずして、一向《いっこう》にふたごころなく弥陀《みだ》を信《しん》ずるばかりなり。これをもって信心決定《しんじんけつじょう》とはもうすものなり。信心《しんじん》といえる二字《にじ》をば、まことのこころとよめるなり。まことのこころというは、行者《ぎょうじゃ》のわろき自力《じりき》のこころにてはたすからず、如来《にょらい》の他力《たりき》のよきこころにてたすかるがゆえに、まことのこころとはもうすなり。また名号《みょうごう》をもってなにのこころえもなくして、ただとなえてはたすからざるなり。されば、『経《きょう》』(大経)には、30「聞其名《もんごみょう》号信心歓喜《ごうしんじんかんぎ》」ととけり。「その名号《みょうごう》をきく」といえるは、南無阿弥陀仏《なむあみだぶつ》の六字《ろくじ》の名号《みょうごう》を、無名無実《むみょうむじつ》にきくにあらず。善知識《ぜんじしき》にあいて、そのおしえをうけて、この南無阿弥陀仏《なむあみだぶつ》の名号《みょうごう》を南無《なむ》とたのめば、かならず阿弥陀仏《あみだぶつ》のたすけたまうという道理《どうり》なり。これを『経《きょう》』に「信心歓喜《しんじんかんぎ》」ととかれたり。これによりて、南無阿弥陀仏《なむあみだぶつ》の体《たい》はわれらをたすけたまえるすがたぞとこころうべきなり。かようにこころえてのちは、行住座臥《ぎょうじゅうざが》に口《くち》にとなうる称名《しょうみょう》をば、ただ弥陀如来《みだにょらい》のたすけまします御恩《ごおん》を報《ほう》じたてまつる念仏《ねんぶつ》ぞとこころうべし。これをもって、信心決定《しんじんけつじょう》して極楽《ごくらく》に往生《おうじょう》する、他力《たりき》の念仏《ねんぶつ》の行者《ぎょうじゃ》とはもうすべきものなり。あなかしこ、あなかしこ。

文明第五(一四七三)、九月下旬第二日、巳《み》の剋《こく》に至《いた》りて、加州山中湯治《かしゅうやまなかとうじ》の内《うち》に之《これ》を書《か》き集《あつ》め訖《おわ》りぬ。31

第二帖

（一）　抑《そもそ》も、今度《こんど》一七《いっしち》か日報恩講《にちほうおんこう》のあいだにおいて、多屋内方《たやないほう》もそのほかの人《ひと》も、大略《たいりゃく》信心《しんじん》を決定《けつじょう》し給《たま》えるよしきこえたり。めでたく、本望《ほんもう》これにすぐべからず。さりながら、そのままうちすて候《そうら》えば、信心《しんじん》もうせ《（失）》候《そうろ》うべし。細々《さいさい》に信心《しんじん》のみぞ《（溝）》をさらえ《（浚）》て、弥陀《みだ》の法水《ほうしい》をながせといえる事《こと》、ありげに候《そうろ》う。それについて、女人《にょにん》の身《み》は、十方三世《じっぽうさんぜ》の諸仏《しょぶつ》にもすてられたる身《み》にて候《そうろ》うを、阿弥陀如《あみだにょ》来《らい》なればこそ、かたじけなくもたすけましまし候《そうら》え。そのゆえは、女人《にょにん》の身《み》は、いかに真実心《しんじつしん》になりたりというとも、うたがいの心《こころ》はふかくして、又物《またもの》なんどのいまわしくおもう心《こころ》は、さらにうせがたくおぼえ候《そうろ》う。ことに在家《ざいけ》の身《み》は、世路《せいろ》につけ、又子孫《またしそん》なんどの事《こと》によそえても、ただ今生《こんじょう》にのみふけりて、これほどに、はや、めにみえてあだ《（徒）》なる人間界《にんげんがい》の老少不定《ろうしょうふじょう》のさかいとしりながら、ただいま[32]三途八難《さんずはちなん》にしずまん事《こと》をば、つゆちりほども心《こころ》にかけずして、いたずらにあかしくらすは、これつねの人《ひと》のならいなり。あさましと[33]いうもおろかなり。これによりて、一心一向《いっしんいっこう》に弥陀一仏《みだいちぶつ》の悲願《ひがん》に帰《き》して、ふかくたのみたてまつりて、もろもろの雑行《ぞうぎょう》を修《しゅ》する心《こころ》をすて、又諸神《またしょじん》・諸仏《しょぶつ》に追《つい》従《しょう》もうす心《こころ》をもみなうちすてて、さて弥陀如来《みだにょらい》と申《もう》すは、かかる我《われ》らごときのあさましき女人《にょにん》のためにおこし給《たま》える本願《ほんがん》なれば、まことに仏智《ぶっち》の不思議《ふしぎ》と信《しん》じて、我《わ》が身《み》はわろきいたずらものなりとおもいつめて、ふかく如来《にょらい》に帰入《きにゅう》する心《こころ》をもつべし。さてこの信《しん》ずる心《こころ》も念《ねん》ずる心《こころ》も、弥陀如来《みだにょらい》の御方便《ごほうべん》よりおこさしむるものなりとおもうべし。かようにこころうるを、すなわち他力《たりき》の信心《しんじん》をえたる人《ひと》とはいうなり。又《また》このくらいを、あるいは[34]「正定聚《しょうじょうじゅ》に住《じゅう》す」とも、[35]「滅度《めつど》にいたる」とも、[36]「等正覚《とうしょうがく》にいたる」とも、[37]「弥勒《みろく》にひとし」とも申《もう》すなり。又《また》これを、一念発起《いちねんほっき》の往生《おうじょう》さだまりたる人《ひと》とも申《もう》すなり。かくのごとく心《こころ》えてのうえの称名念仏《しょうみょうねんぶつ》は、弥陀如来《みだにょらい》の、我《われ》らが往生《おうじょう》をやすくさだめ給《たま》える、その御《おん》うれしさの御恩《ごおん》を報《ほう》じたてまつる念仏《ねんぶつ》なりとこころうべきものなり。あなかしこ、あなかしこ。

　これについて、まず当流《とうりゅう》のおきてをよくよくまもらせ給《たま》うべし。そのいわれは、あいかまえて、いまのごとく信心《しんじん》のとおりを心《こころ》え給《たま》わば、身中《しんじゅう》にふかくおさめおきて、他宗他人《たしゅうたにん》に対《たい》してそのふるまいをみせずして、又信心《またしんじん》のようをもかたるべからず。一切《いっさい》の諸神《しょじん》なんどをも、わが信《しん》ぜぬまでなり、おろか(疎)にすべからず。かくのごとく、信心《しんじん》のかたもそのふるまいもよき人《ひと》をば、聖人《しょうにん》も、よく心《こころ》えたる信心《しんじん》の行者《ぎょうじゃ》なりとおおせられたり。ただふかくこころをば仏法《ぶっぽう》にとどむべきなり。あなかしこ、あなかしこ。

文明第五(一四七三)、十二月八日《ようかのひ》、これをかきて当山《とうざん》の多屋内方《たやないほう》へまいらせ候《そうろ》う。このほかなおなお不審《ふしん》の事候《ことそうら》わば、かさねてとわせたまうべく候《そうろ》う。

[38]寒暑《かんしょ》を送《おく》る所《ところ》、五十八歳御判

のちの代《よ》の　しるしのために　かきおきし　のり（法）のこと（言）の葉《は》　かたみともなれ

(三)　抑《そもそ》も、開山聖人《かいさんしょうにん》の御一流《ごいちりゅう》には、それ信心《しんじん》ということをもってさきとせられたり。その信心《しんじん》というはなにの用《よう》ぞというに、無善造悪《むぜんぞうあく》のわれらがようなるあさましき凡夫《ぼんぶ》が、たやすく弥陀《みだ》の浄土《じょうど》へまいりなんずるための出立《でたち》なり。この信心《しんじん》を獲得《ぎゃくとく》せずは、極楽《ごくらく》には往生《おうじょう》せずして、無間地獄《むけんじごく》に堕在《だざい》すべきものなり。これによりて、その信心《しんじん》をとらんずるようはいかんというに、それ弥陀如来一仏《みだにょらいいちぶつ》をふかくたのみたてまつりて、自余《じょ》の諸善万行《しょぜんまんぎょう》にこころをかけず、また諸神《しょじん》・諸菩薩《しょぼさつ》において今生《こんじょう》のいのりをのみなせるこころをうしない、またわろき自力《じりき》なんどいうひが（僻）おもいをもなげすてて、弥陀《みだ》を一心一向《いっしんいっこう》に信楽《しんぎょう》して、ふたごころのなきひとを、弥陀《みだ》はかならず遍照《へんじょう》の光明《こうみょう》をもって、そのひとを摂取《せっしゅ》してすてたまわざるものなり。かように信《しん》をとるうえには、ねてもおきても、つねにもうす念仏《ねんぶつ》は、かの弥陀《みだ》のわれらをたすけたまう御恩《ごおん》を報《ほう》じたてまつる念仏《ねんぶつ》なりとこころうべし。かようにこころえたるひとをこそ、まことに当流《とうりゅう》の信心《しんじん》をよくとりたる正義《しょうぎ》とはいうべきものなり。このほかになお信心《しんじん》ということのありというひと、これあらば、おおきなるあやまりなり。すべて承引《しょういん》すべからざるものなり。あなかしこ、あなかしこ。

　いまこの文《ふみ》にしるすところのおもむきは、当流《とうりゅう》の親鸞聖人《しんらんしょうにん》すすめたまえる信心《しんじん》の正義《しょうぎ》なり。この分《ぶん》をよくよくこころえたらんひとびとは、あいかまえて、他宗他人《たしゅうたにん》に対《たい》してこの信心《しんじん》のようを沙汰《さた》すべからず。また、自余《じょ》の一切《いっさい》の仏《ぶつ》・菩薩《ぼさつ》ならびに諸神等《しょじんとう》をも、わが信《しん》ぜぬばかりなり。

あながちにこれをかろしむべからず。これまことに弥陀《み だ》一仏《いちぶつ》の功徳《く どく》のうちに、みな一切《いっさい》の諸神《しょじん》はこもれりとおもうべきものなり。総《そう》じて一切《いっさい》の諸法《しょほう》においてそしりをなすべからず。これをもって当流《とうりゅう》のおきてをよくまもれるひととなづくべし。されば聖人《しょうにん》のいわく、[39]「たとい牛《うし》ぬすびととはいわるとも、もしは後世者《ご せ しゃ》、もしは善人《ぜんにん》、もしは仏法者《ぶっぽうしゃ》とみゆるようにふるまうべからず」（改邪鈔）とこそ、おおせられたり。このむねをよくよくこころえて、念仏《ねんぶつ》をば修行《しゅぎょう》すべきものなり。

文明第五《（一四七三）》、十二月十二日夜《よ》、之《これ》を書《か》く。

（三）夫《そ》れ、当流開山聖人《とうりゅうかいさんしょうにん》のひろめたまうところの一流《いちりゅう》のなかにおいて、みな勧化《かんけ》をいたすに、その不同《ふ どう》これあるあいだ、所詮向後《しょせんきょうこう》は、当山多屋坊主已下《とうざんた や ぼう ず い げ》そのほか一巻《いちかん》の聖教《しょうぎょう》をよまんひとも、また来集《らいじゅう》の面々《めんめん》も、各々《かっかく》に当門下《とうもんか》にその名《な》をかけんともがらまでも、この三《さん》か条《じょう》の篇目《へんもく》をもってこれを存知《ぞん じ》せしめて、自今已後《じ こん い ご》、その成敗《せいばい》をいたすべきものなり。

一《ひとつ》　諸法《しょほう》・諸宗《しょしゅう》ともにこれを誹謗《ひ ほう》すべからず。
一《ひとつ》　諸神《しょじん》・諸仏《しょぶつ》・菩薩《ぼ さつ》をかろしむべからず。
一《ひとつ》　信心《しんじん》をとらしめて報土往生《ほう ど おうじょう》をとぐべき事《こと》。

右《みぎ》、斯《こ》の三《さん》か条《じょう》のむねをまもりて、ふかく心底《しんてい》にたくわえて、これをもって本《ほん》とせざらんひとびとにおいては、この当山《とうざん》へ出入《しゅつにゅう》を停止《ちょう じ》すべきものなり。そもそも、さんぬる文明第三《ぶんめいだいさん》の暦《れき》、仲夏《ちゅう か》

のころより花洛《からく》をいでて、同《おな》じき年《とし》、七月《しちがつ》下旬《げじゅん》の候《こう》、すでにこの当山《とうざん》の風波《ふうは》あらき在所《ざいしょ》に草庵《そうあん》をし（上）めて、この四《し》か年《ねん》のあいだ居住《きょじゅう》せしむる根元《こんげん》は、別《べつ》の子細《しさい》にあらず。この三《さん》か条《じょう》のすがたをもって、かの北国中《ほっこくじゅう》において、当流《とうりゅう》の信心未決定《しんじんみけつじょう》のひとを、おなじく一味《いちみ》の安心《あんじん》になさんがためのゆえに、今日今時《こんにちこんじ》まで堪忍《かんにん》せしむるところなり。よって、このおもむきをもってこれを信用《しんよう》せば、まことにこの年月《としつき》の在国《ざいこく》の本意《ほんい》たるべきものなり。

一《ひとつ》　神明《しんめい》ともうすは、それ、仏法《ぶっぽう》において信《しん》もなき衆生《しゅじょう》の、むなしく地獄《じごく》におちんことをかなしみおぼしめして、これをなにとしてもすくわんがために、かりに神《かみ》とあらわれて、いささかなる縁《えん》をもって、それをたよりとして、ついに仏法《ぶっぽう》にすすめいれしめんための方便《ほうべん》に、神《かみ》とはあらわれたまうなり。しかれば、いまのときの衆生《しゅじょう》において、弥陀《みだ》をたのみ信心決定《しんじんけつじょう》して、念仏《ねんぶつ》をもうし極楽《ごくらく》に往生《おうじょう》すべき身《み》となりなば、一切《いっさい》の神明《しんめい》は、かえりてわが本懐《ほんがい》とおぼしめして、よろこびたまいて、念仏《ねんぶつ》の行者《ぎょうじゃ》を守護《しゅご》したまうべきあいだ、とりわき神《かみ》をあがめねども、ただ弥陀一仏《みだいちぶつ》をたのむうちに、みなこもれるがゆえに、別《べつ》してたのまざれども信《しん》ずるいわれのあるがゆえなり。

一《ひとつ》　当流《とうりゅう》のなかにおいて、諸法《しょほう》・諸宗《しょしゅう》を誹謗《ひほう》することしかるべからず。いずれも釈迦一代《しゃかいちだい》の説教《せつきょう》なれば、如説《にょせつ》に修行《しゅぎょう》せば、その益《やく》あるべし。さりながら、末代《まつだい》われらごときの在家止住《ざいけしじゅう》の身《み》は、聖道諸宗《しょうどうしょしゅう》の教《きょう》におよばねば、それをわがたのまず、信《しん》ぜぬばかりなり。

一《ひとつ》　諸仏《しょぶつ》・菩薩《ぼさつ》ともうすことは、それ、弥陀如来《みだにょらい》の分身《ふんじん》なれば、十方諸仏《じっぽうしょぶつ》のためには、本師本仏《ほんじほんぶつ》なるがゆえに、阿弥陀《あみだ》一仏《いちぶつ》に帰《き》したてまつれば、すなわち諸仏《しょぶつ》・菩薩《ぼさつ》に帰《き》するいわれあるがゆえに、阿《あ》弥陀《みだ》一体《いったい》のうちに諸仏《しょぶつ》・菩薩《ぼさつ》はみなことごとくこもれるなり。

一《ひとつ》　開山親鸞聖人《かいさんしんらんしょうにん》のすすめましますところの、弥陀如来《みだにょらい》の他力真実信心《たりきしんじつしんじん》というは、もろもろの雑《ぞう》行《ぎょう》をすてて、専修専念《せんじゅせんねん》・一向一心《いっこういっしん》に弥陀《みだ》に帰命《きみょう》するをもって、本願《ほんがん》を信楽《しんぎょう》する体《たい》とす。されば先《せん》達《だつ》よりうけたまわりつたえしがごとく、弥陀如来《みだにょらい》の真実信心《しんじつしんじん》をば、いくたびも他力《たりき》よりさずけらるるところの仏智《ぶっち》の不思議《ふしぎ》なりとこころえて、一念《いちねん》をもっては往生治定《おうじょうじじょう》の時刻《じこく》とさだめて、そのときのいのちのぶ《（延）》れば、自然《じねん》と多念《たねん》におよぶ道理《どうり》なり。これによりて、平生《へいぜい》のとき一念往生治定《いちねんおうじょうじじょう》のうえの、仏恩報尽《ぶっとんほうじん》の多念《たねん》の称名《しょうみょう》とならうところなり。しかれば祖師聖人御相伝一流《そししょうにんごそうでんいちりゅう》の肝要《かんよう》は、ただこの信《しん》心《じん》ひとつにかぎれり。これをしらざるをもって他門《たもん》とし、これをしれるをもって真宗《しんしゅう》のしるしとす。そのほかかならずしも外相《げそう》において、当流念仏者《とうりゅうねんぶつしゃ》のすがたを、他人《たにん》に対《たい》してあらわすべからず。これをもって、真宗《しんしゅう》の信心《しんじん》をえたる行者《ぎょうじゃ》のふるまいの正本《しょうほん》となづくべきところ、件《くだん》の如《ごと》し。

文明六年《（一四七四）》　甲午《きのえうま》　正月十一日、之《これ》を書《か》く。

㈣　夫《そ》れ、弥陀如来《みだにょらい》の超世《ちょうせ》の本願《ほんがん》ともうすは、末代濁世《まつだいじょくせ》の造悪不善《ぞうあくふぜん》の、われらごときの凡夫《ぼんぶ》のためにおこしたまえる無上《むじょう》の誓願《せいがん》なるがゆえなり。しかれば、これをなにとようにこころをもち、なにとように弥陀《みだ》を信《しん》じて、かの浄土《じょうど》へは往生《おうじょう》すべきやらん、さらにその分別《ふんべつ》なし。くわしくこれをおしえたまうべし。

答《こた》えていわく、末代今時《まつだいこんじ》の衆生《しゅじょう》は、ただ一《ひと》すじに弥陀如来《みだにょらい》をたのみたてまつりて、余《よ》の仏《ぶつ》・菩薩《ぼさつ》等《とう》をもならべて信《しん》ぜねども、一心一向《いっしんいっこう》に弥陀一仏《みだいちぶつ》に帰命《きみょう》する衆生《しゅじょう》をば、いかにつみふかくとも、仏《ぶつ》の大慈大悲《だいじだいひ》をもって、すくわんとちかいたまいて、大光明《だいこうみょう》をはなちて、その光明《こうみょう》のうちにおさめとりましますゆえに、このこころを『経《きょう》』（観経）には、[40]「光明遍照十方世界《こうみょうへんじょうじっぽうせかい》　念仏衆生摂取不捨《ねんぶつしゅじょうせっしゅふしゃ》」とときたまえり。されば、五道《ごどう》・六道《ろくどう》といえる悪趣《あくしゅ》に、すでにおもむくべきみちを、弥陀如来《みだにょらい》の願力《がんりき》の不思議《ふしぎ》として、これをふさぎたまうなり。このいわれをまた『経《きょう》』（大経）には[41]「横截五悪趣《おうぜつごあくしゅ》　悪《あく》趣自然閉《しゅじねんぺい》」ととかれたり。かるがゆえに、如来《にょらい》の誓願《せいがん》を信《しん》じて一念《いちねん》の疑心《ぎしん》なきときは、いかに地獄《じごく》へおちんとおもうとも、弥陀如来《みだにょらい》の摂取《せっしゅ》の光明《こうみょう》におさめとられまいらせたらん身《み》は、わがはからいにて地獄《じごく》へもおちずして、極楽《ごくらく》にまいるべき身《み》なるがゆえなり。かようの道理《どうり》なるときは、昼夜朝暮《ちゅうやちょうぼ》は、如来大悲《にょらいだいひ》の御恩《ごおん》を雨山《あめやま》にこうぶりたるわれらなれば、ただ口《くち》につねに称名《しょうみょう》をとなえて、かの仏《ぶっ》恩《とん》を報謝《ほうしゃ》のために念仏《ねんぶつ》をもうすべきばかりなり。これすなわち真実信心《しんじつしんじん》をえたるすがたといえるはこれなり。あなかしこ、あなかしこ。

文明六（一四七四）、二月十五日の夜《よ》、大聖世尊入滅《だいしょうせそんにゅうめつ》の昔《むかし》をおもいいでて、燈《ともしび》の下《もと》に於《お》いて老眼《ろうがん》を拭《のご》い筆《ふで》を染《そ》め畢《おわ》りぬ。

満六十御判

(五)　抑《そもそ》も、此《こ》の三《さん》、四年《しねん》のあいだにおいて、当山《とうざん》の念仏者《ねんぶつしゃ》の風情《ふぜい》をみおよぶに、まことにもって他《た》力《りき》の安心決定《あんじんけつじょう》せしめたる分《ぶん》なし。そのゆえは、珠数《じゅず》の一連《いちれん》をも、もつひとなし。さるほどに仏《ほとけ》をば手《て》づかみにこそせられたり。聖人《しょうにん》、まったく、珠数《じゅず》をすてて仏《ぶつ》をおがめとおおせられたることなし。さりながら、珠数《じゅず》をもたずとも、往生浄土《おうじょうじょうど》のためには、ただ他力《たりき》の信心《しんじん》ひとつばかりなり。それにはさわりあるべからず。まず大坊主分《だいぼうずぶん》たるひとは、袈裟《けさ》をもかけ、珠数《じゅず》をもちても子細《しさい》なし。これによりて真実信心《しんじつしんじん》を獲得《ぎゃくとく》したるひとは、かならず口《くち》にもいだし、またいろにもそのすがたはみゆるなり。しかれば、当時《とうじ》は、さらに真実信心《しんじつしんじん》をうつくしくえたるひと、いたりてまれなりとおぼゆるなり。それはいかんぞなれば、弥陀如来《みだにょらい》の本願《ほんがん》の、われらがために相応《そうおう》したるとうとさのほども、身《み》にはおぼえざるがゆえに、いつも信心《しんじん》のひとのとおりをば、われこころえがおのよしにて、なにごとを聴聞《ちょうもん》するにも、そのことばかりおもいて、耳《みみ》へもしかしか（確々）ともいらず、ただひとまねばかりの体《てい》たらくなりとみえたり。この分《ぶん》にては、自身《じしん》の往生極楽《おうじょうごくらく》も、いまはいかがとあやうくおぼゆるなり。いわんや門徒《もんと》・同朋《どうぼう》を勧化《かんけ》の儀《ぎ》も、なかなかこれあるべからず。かくのごときの心中《しんじゅう》にては、今度《こんど》の報《ほう》土往生《どおうじょう》も不可《ふか》なり。あらあら勝事《しょうし》や。ただふかくこころをしずめて思案《しあん》あるべし。まことにもって人間《にんげん》は、いずるいきは、いるをまたぬならいなり。あいかまえて由（油）断《だん》なく仏法《ぶっぽう》をこころにいれて、信《しん》心決定《じんけつじょう》すべきものなり。あなかしこ、あなかしこ。

文明六（一四七四）、二月十六日、早朝《そうちょう》に俄《にわか》に筆《ふで》を染《そ》め畢《おわ》りぬのみ。

（六）抑《そもそ》も、当流《とうりゅう》の他力信心《たりきしんじん》のおもむきをよく聴聞《ちょうもん》して、決定《けつじょう》せしむるひとこれあらば、その信《しん》心《じん》のとおりをもって心底《しんてい》におさめおきて、他宗他人《たしゅうたにん》に対《たい》して沙汰《さた》すべからず。また、路次《ろし》・大道《だいどう》、われわれの在所《ざいしょ》なんどにても、あらわにひとをもはばからず、これを讃嘆《さんだん》すべからず。つぎには、守護《しゅご》・地頭方《じとうほう》にむきても、われは信心《しんじん》をえたりといいて、疎略《そりゃく》の義《ぎ》なく、いよいよ公事《くじ》をまったくすべし。また諸神《しょじん》・諸仏《しょぶつ》・菩薩《ぼさつ》をもおろそかにすべからず。これみな南無阿弥陀仏《なむあみだぶつ》の六字《ろくじ》のうちにこもれるがゆえなり。ことに、ほかには王法《おうぼう》をもっておもてとし、内心《ないしん》には他力《たりき》の信心《しんじん》をふかくたくわえて、世間《せけん》の仁義《じんぎ》をもって本《ほん》とすべし。これすなわち当流《とうりゅう》にさだむるところのおきてのおもむきなりとこころうべきものなり。あなかしこ、あなかしこ。

文明六年（一四七四）二月十七日、之《これ》を書《か》く。

(七)　静《しず》かにおもんみれば、それ人間界《にんげんかい》の生《しょう》をうくることは、まことに五戒《ごかい》をたもてる功力《くりき》によりてなり。これおおきにまれなることぞかし。ただし、人界《にんがい》の生《しょう》はわずかに一旦《いったん》の浮生《ふしょう》なり。後生《ごしょう》は永生《ようしょう》の楽果《らっか》なり。たといまた栄花《えいが》にほこり栄耀《えいよう》にあまるというとも、盛者必衰会者定離《じょうしゃひっすいえしゃじょうり》のならいなれば、ひさしくたもつべきにあらず。ただ五十年百年《ごじゅうねんひゃくねん》のあいだのことなり。それも老少不定《ろうしょうふじょう》ときくときは、まことにもってたのみすくなし。これによりて、今《いま》の時《とき》の衆生《しゅじょう》は、他力《たりき》の信心《しんじん》をえて浄土《じょうど》の往生《おうじょう》をとげんとおもうべきなり。

そもそも、その信心《しんじん》をとらんずるには、さらに智慧《ちえ》もいらず42才学《さいかく》もいらず、富貴《ふき》も貧窮《びんぐ》もいらず、善人《ぜんにん》も悪人《あくにん》もいらず、男子《なんし》も女人《にょにん》もいらず、ただもろもろの雑行《ぞうぎょう》をすてて正行《しょうぎょう》に帰《き》するをもって本意《ほんい》とす。その正行《しょうぎょう》に帰《き》するというは、なにのようもなく、弥陀如来《みだにょらい》を一心一向《いっしんいっこう》にたのみたてまつることわりばかりなり。かように信《しん》ずる衆生《しゅじょう》を、あまねく光明《こうみょう》のなかに摂取《せっしゅ》してすてたまわずして、一期《いちご》のいのちつきぬれば、かならず浄土《じょうど》におくりたまうなり。この一念《いちねん》の安心《あんじん》ひとつにて浄土《じょうど》に往《おう》生《じょう》することの、あら、ようもいらぬとりやすの安心《あんじん》や。されば安心《あんじん》という二字《にじ》をばやすきこころとよめるは、このこころなり。さらになにの造作《ぞうさ》もなく、一心一向《いっしんいっこう》に如来《にょらい》をたのみまいらする信心《しんじん》ひとつにて極楽《ごくらく》に往生《おうじょう》すべし。あら、こころえやすの安心《あんじん》や。また、あら、ゆきやすの浄土《じょうど》や。これによりて『大経《だいきょう》』には、[43]「易往而無人《いおうにむにん》」とこれをとかれたり。この文《もん》のこころは、安心《あんじん》をとりて弥陀《みだ》を一向《いっこう》にたのめば、浄土《じょうど》へはまいりやすけれども、信心《しんじん》をとるひとまれなれば、浄土《じょうど》へはゆきやすくしてひとなしといえるは、この経文《きょうもん》のこころなり。かくのごとくこころうるうえには、昼夜朝《ちゅうやちょう》暮《ぼ》にとなうるところの名号《みょうごう》は、大悲弘誓《だいひぐぜい》の御恩《ごおん》を報《ほう》じたてまつるべきばかりなり。かえすがえす仏《ぶっ》法《ぽう》にこころをとどめて、とりやすき信心《しんじん》のおもむきを存知《ぞんじ》して、かならず今度《こんど》の一大事《いちだいじ》の報土《ほうど》の往《おう》生《じょう》をとぐべきものなり。あなかしこ、あなかしこ。

文明六年（一四七四）三月三日、之《これ》を清書《せいしょ》す。

(八) 夫《そ》れ、十悪五逆《じゅうあくごぎゃく》の罪人《ざいにん》も、五障三従《ごしょうさんしょう》の女人《にょにん》も、むなしくみな十方三世《じっぽうさんぜ》の諸仏《しょぶつ》の悲願《ひがん》にもれて、すてはてられたるわれらごときの凡夫《ぼんぶ》なり。しかればここに弥陀如来《みだにょらい》ともうすは、三世十方《さんぜじっぽう》の諸《しょ》仏《ぶつ》の本師本仏《ほんじほんぶつ》なれば、久遠実成《くおんじつじょう》の古仏《こぶつ》として、いまのごときの、諸仏《しょぶつ》にすてられたる末代不善《まつだいふぜん》の凡《ぼん》夫《ぶ》、五障三従《ごしょうさんしょう》の女人《にょにん》をば、弥陀《みだ》にかぎりて、われひとりたすけんという超世《ちょうせ》の大願《だいがん》をおこして、われら一切衆生《いっさいしゅじょう》を平等《びょうどう》にすくわんとちかいたまいて、無上《むじょう》の誓願《せいがん》をおこして、すでに阿弥陀仏《あみだぶつ》となりましましけり。この如来《にょらい》をひとすじにたのみたてまつらずは、末代《まつだい》の凡夫《ぼんぶ》、極楽《ごくらく》に往生《おうじょう》するみち、二《ふた》つも三《み》つもあるべからざるものなり。これによりて、親鸞聖人《しんらんしょうにん》のすすめましますところの他《た》力《りき》の信心《しんじん》ということを、よく存知《ぞんじ》せしめんひとは、かならず十人《じゅうにん》は十人《じゅうにん》ながら、みなかの浄土《じょうど》に往生《おうじょう》すべし。

さればこの信心《しんじん》をとりて、かの弥陀《みだ》の報土《ほうど》にまいらんとおもうについて、なにとようにこころをもちて、なにとようにその信心《しんじん》とやらんをこころうべきや。ねんごろにこれをきかんとおもうなり。こたえていわく、それ当流親鸞聖人《とうりゅうしんらんしょうにん》のおしえたまえるところの他力信心《たりきしんじん》のおもむきというは、なにのようもなく、わが身《み》はあさましきつみふかき身《み》ぞとおもいて、弥陀如来《みだにょらい》を一心一向《いっしんいっこう》にたのみたてまつりて、もろもろの雑行《ぞうぎょう》をすてて専修専念《せんじゅせんねん》なれば、かならず遍照《へんじょう》の光明《こうみょう》のなかにおさめとられまいらするなり。これまことにわれらが往生《おうじょう》の決定《けつじょう》するすがたなり。このうえになおこころうべきようは、一心一向《いっしんいっこう》に弥陀《みだ》に帰命《きみょう》する一念《いちねん》の信心《しんじん》によりて、はや往生治定《おうじょうじじょう》のうえには、行住座臥《ぎょうじゅうざが》にくちにもうさんところの称名《しょうみょう》は、弥陀如来《みだにょらい》のわれらが往生《おうじょう》をやすくさだめたまえる大悲《だいひ》の御恩《ごおん》を報尽《ほうじん》の念仏《ねんぶつ》なりとこころうべきなり。これすなわち当流《とうりゅう》の信心《しんじん》を決定《けつじょう》したるひとというべきなり。

あなかしこ、あなかしこ。

文明六年（一四七四）三月中旬

（九）抑《そもそ》も、阿弥陀如来《あみだにょらい》をたのみたてまつるについて、自余《じよ》の万善万行《まんぜんまんぎょう》をば、すでに雑行《ぞうぎょう》となづけてきらえるそのこころはいかんぞなれば、それ、弥陀仏《みだぶつ》のちかいましますようは、一心一向《いっしんいっこう》にわれをたのまん衆生《しゅじょう》をば、いかなるつみふかき機《き》なりとも、すくいたまわんといえる大願《だいがん》なり。しかれば、一心一向《いっしんいっこう》というは、阿弥陀仏《あみだぶつ》において二仏《にぶつ》をならべざるこころなり。このゆえに人間《にんげん》においても、まず主《しゅう》をばひとりならではたのまぬ道理《どうり》なり。されば外典《げでん》のことばにいわく、[44]「忠臣《ちゅうしん》は二君《じくん》につかえず、貞女《ていじょ》は二夫《じふ》をならべず」といえり。阿弥陀如来《あみだにょらい》は、三世諸仏《さんぜしょぶつ》のためには本師師匠《ほんじししょう》なれば、その師匠《ししょう》の仏《ぶつ》をたのまんには、いかでか弟子《でし》の諸仏《しょぶつ》の、これをよろこびたまわざるべきや。このいわれをもってよくよくこころうべし。さて、南無阿弥陀仏《なむあみだぶつ》といえる行体《ぎょうたい》には、一切《いっさい》の諸神《しょじん》・諸仏《しょぶつ》・菩薩《ぼさつ》も、そのほか万善万行《まんぜんまんぎょう》も、ことごとくみなこもれるがゆえに、なにの不足《ふそく》ありてか諸行諸善《しょぎょうしょぜん》にこころをとどむべきや。すでに南無阿弥陀仏《なむあみだぶつ》といえる名号《みょうごう》は、万善万行《まんぜんまんぎょう》の総体《そうたい》なれば、いよいよたのもしきなり。これによりて、その阿弥陀如来《あみだにょらい》をば、なにとたのみ、なにと信《しん》じて、かの極楽往生《ごくらくおうじょう》をとぐべきぞなれば、なにのようもなく、ただわが身《み》は極悪深重《ごくあくじんじゅう》のあさましきものなれば、地獄《じごく》ならではおもむくべきかたもなき身《み》なるを、かたじけなくも弥陀如来《みだにょらい》ひとり、たすけんという誓願《せいがん》をおこしたまえりと、ふかく信《しん》じて、一念帰命《いちねんきみょう》の信心《しんじん》をおこせば、まことに宿善《しゅくぜん》の開発《かいほつ》にもよおされて、仏《ぶつ》智《ち》より他力《たりき》の信心《しんじん》をあたえたまうがゆえに、仏心《ぶっしん》と凡心《ぼんしん》とひとつになるところをさして、信心獲得《しんじんぎゃくとく》の行者《ぎょうじゃ》とはいうなり。このうえには、ただねてもおきても、へだてなく念仏《ねんぶつ》をとなえて、大悲弘誓《だいひぐぜい》の御恩《ごおん》をふかく報謝《ほうしゃ》すべきばかりなりとこころうべきものなり。あなかしこ、あなかしこ。

文明六歳（一四七四）三月十七日、之《これ》を書《か》く。

(一〇)　夫《そ》れ、当流親鸞聖人《とうりゅうしんらんしょうにん》のすすめましますところの一義《いちぎ》のこころというは、まず他力《たりき》の信心《しんじん》をもって肝要《かんよう》とせられたり。この他力《たりき》の信心《しんじん》ということをくわしくしらずは、今度《こんど》の一大事《いちだいじ》の往生極楽《おうじょうごくらく》はまことにもってかなうべからずと、経釈《きょうしゃく》ともにあきらかにみえたり。されば、その他力《たりき》の信心《しんじん》のすがたを存知《ぞんじ》して、真実報土《しんじつほうど》の往生《おうじょう》をとげんとおもうについても、いかようにこころをもち、またいかように機《き》をもちて、かの極楽《ごくらく》の往生《おうじょう》をばとぐべきやらん。そのむねをくわしくしりはんべらず。ねんごろにおしえたまうべし。それを聴聞《ちょうもん》して、いよいよ堅固《けんご》の信心《しんじん》をとらんとおもうなり。

こたえていわく、そもそも当流《とうりゅう》の他力信心《たりきしんじん》のおもむきともうすは、あながちにわが身《み》のつみのふかきにもこころをかけず、ただ阿弥陀如来《あみだにょらい》を一心一向《いっしんいっこう》にたのみたてまつりて、かかる十悪五逆《じゅうあくごぎゃく》の罪《ざい》人《にん》も、五障三従《ごしょうさんしょう》の女人《にょにん》までも、みなたすけたまえる不思議《ふしぎ》の誓願力《せいがんりき》ぞとふかく信《しん》じて、さらに一念《いちねん》も本願《ほんがん》をうたがうこころなければ、かたじけなくもその心《こころ》を、如来《にょらい》のよくしろしめして、すでに行《ぎょう》者《じゃ》のわろきこころを、如来《にょらい》のよき御《おん》こころとおなじものになしたまうなり。このいわれをもって、仏《ぶっ》心《しん》と凡心《ぼんしん》と一体《いったい》になるといえるは、このこころなり。これによりて、弥陀如来《みだにょらい》の遍照《へんじょう》の光明《こうみょう》のなかにおさめとられまいらせて、一期《いちご》のあいだはこの光明《こうみょう》のうちにすむ身《み》なりとおもうべし。さて、いのちもつきぬれば、すみやかに真実《しんじつ》の報土《ほうど》へおくりたまうなり。しかれば、このありがたさ、とうとさの弥陀大悲《みだだいひ》の御恩《ごおん》をば、いかがして報《ほう》ずべきぞなれば、昼夜朝暮《ちゅうやちょうぼ》には、ただ称名念仏《しょうみょうねんぶつ》ばかりをとなえて、かの弥陀如来《みだにょらい》の御恩《ごおん》を報《ほう》じたてまつるべきものなり。このこころ、すなわち当流《とうりゅう》にたつるところの一念発起平生業成《いちねんほっきへいぜいごうじょう》といえる義《ぎ》、これなりとこころうべし。さればかように弥陀《みだ》を一心《いっしん》にたのみたてまつるも、なにの[45]劬労《くろう》もいらず。また信心《しんじん》をとるというもやすければ、仏《ぶつ》になり極楽《ごくらく》に往生《おうじょう》することも、なおやすし。あら、とうとの弥陀《みだ》の本願《ほんがん》や。あら、とうとの他力《たりき》の信心《しんじん》や。さらに往生《おうじょう》においてそのうたがいなし。しかるにこのうえにおいて、なお身《み》のふるまいについて、このむねをよくこころうべきみちあり。それ、一切《いっさい》の神《かみ》も仏《ほとけ》ともうすも、いまこのうるところの他力《たりき》の信心《しんじん》ひとつをとらしめんがための方便《ほうべん》に、もろもろの神《かみ》、もろもろのほとけとあらわれたまういわれなればなり。しかれば、一切《いっさい》の仏《ぶつ》・菩薩《ぼさつ》も、もとより弥陀如来《みだにょらい》の分身《ふんじん》なれば、みなことごとく、一念《いちねん》南無阿弥陀仏《なむあみだぶつ》と帰命《きみょう》したてまつるうちに、みなこもれるがゆえに、おろか（疎）におもうべからざるものなり。またこのほかになおこころうべきむねあり。それ、国《くに》にあらば守護方《しゅごほう》、ところにあらば地頭方《じとうほう》において、われは仏法《ぶっぽう》をあがめ信心《しんじん》をえたる身《み》なりといいて、疎略《そりゃく》の義《ぎ》、ゆめゆめあるべからず。いよいよ公事《くじ》をもっぱらにすべきものなり。かくのごとくこころえたるひとをさして、信心発得《しんじんほっとく》して後生《ごしょう》をねがう念仏行者《ねんぶつぎょうじゃ》のふるまいの本《ほん》とぞいうべし。これすなわち仏法《ぶっぽう》・王法《おうぼう》をむねとまもれるひととなづくべきものなり。あなかしこ、あなかしこ。

文明六年（一四七四）五月十三日、之《これ》を書《か》く。

（二）　夫《そ》れ、当流親鸞聖人《とうりゅうしんらんしょうにん》の勧化《かんけ》のおもむき、近年諸国《きんねんしょこく》において種々不同《しゅじゅふどう》なり。これおおきにあさましき次第《しだい》なり。そのゆえは、まず当流《とうりゅう》には他力《たりき》の信心《しんじん》をもって凡夫《ぼんぶ》の往生《おうじょう》をさきとせられたるところに、その信心《しんじん》のかたをばおしのけて沙汰《さた》せずして、そのすすむることばにいわく、「十劫正覚《じっこうしょうがく》のはじめより、われらが往生《おうじょう》を弥陀如来《みだにょらい》のさだめましましたまえることを、わすれぬがすなわち信心《しんじん》のすがたなり」といえり。これさらに、弥陀《みだ》に帰命《きみょう》して他力《たりき》の信心《しんじん》をえたる分《ぶん》はなし。されば、いかに十劫正覚《じっこうしょうがく》のはじめよりわれらが往生《おうじょう》をさだめたまえることをしりたりというとも、われらが往《おう》生《じょう》すべき他力《たりき》の信心《しんじん》のいわれをよくしらずは、極楽《ごくらく》には往生《おうじょう》すべからざるなり。またあるひとのことばにいわく、「たとい弥陀《みだ》に帰命《きみょう》すというとも、善知識《ぜんじしき》なくば、いたずらごとなり。このゆえに、われらにおいては善知識《ぜんじしき》ばかりをたのむべし」と云々《うんぬん》　これも、うつくしく当流《とうりゅう》の信心《しんじん》をえざるひとなりときこえたり。そもそも善知識《ぜんじしき》の能《のう》というは、一心一向《いっしんいっこう》に弥陀《みだ》に帰命《きみょう》したてまつるべしと、ひとをすすむべきばかりなり。これによりて五重《ごじゅう》の義《ぎ》をたてたり。一《ひと》つには宿善《しゅくぜん》、二《ふた》つには善知識《ぜんじしき》、三《み》つには光明《こうみょう》、四《よ》つには信心《しんじん》、五《いつ》つには名号《みょうごう》。この五重《ごじゅう》の義成就《ぎじょうじゅ》せずは、往生《おうじょう》はかなうべからずとみえたり。されば善知識《ぜんじしき》というは、阿弥陀仏《あみだぶつ》に帰命《きみょう》せよといえるつかいなり。宿善開発《しゅくぜんかいほつ》して、善知識《ぜんじしき》にあわずは、往生《おうじょう》はかなうべからざるなり。しかれども、帰《き》するところの弥陀《みだ》をすてて、ただ善知識《ぜんじしき》ばかりを本《ほん》とすべきこと、おおきなるあやまりなりとこころうべきものなり。あなかしこ、あなかしこ。

文明六年（一四七四）五月二十日

（一二）夫《そ》れ、人間《にんげん》の五十年《ごじゅうねん》をかんがえみるに、四王天《しおうでん》といえる天《てん》の一日一夜《いちにちいちや》にあいあたれり。またこの四王天《しおうでん》の五十年《ごじゅうねん》をもって等活地獄《とうかつじごく》の一日一夜《いちにちいちや》とするなり。これによりて、みなひとの、地獄《じごく》におちて苦《く》をうけんことをば、なにともおもわず、また浄土《じょうど》へまいりて無上《むじょう》の楽《らく》をうけんことをも分《ふん》別《べつ》せずして、いたずらにあかし、むなしく月日《つきひ》をおくりて、さらにわが身《み》の一心《いっしん》をも決定《けつじょう》する分《ぶん》もしかしか（確々）ともなく、また一巻《いちかん》の聖教《しょうぎょう》をまなこにあててみることもなく、一句《いっく》の法門《ほうもん》をいいて門徒《もんと》を勧化《かんけ》する[46]儀《ぎ》もなし。ただ朝夕《ちょうせき》は、ひまをねらいて、まくらをともとしてねぶりふせらんこと、まことにもってあさましき次第《しだい》にあらずや。しずかに思案《しあん》をめぐらすべきものなり。このゆえに、今日今《こんにちこん》時《じ》よりして、不法懈怠《ふほうけだい》にあらんひとびとは、いよいよ[47]信心決定《しんじんけつじょう》して、真実報土《しんじつほうど》の往生《おうじょう》をとげんとおもわんひとこそ、まことにその身《み》の徳《とく》ともなるべし。これまた自行化他《じぎょうけた》の道理《どうり》にかなえりとおもうべきものなり。あなかしこ、あなかしこ。

時《とき》に文明第六（一四七四）、六月中《なか》の二日《ふつかのひ》、あまりの炎天《えんてん》のあつさに、これを筆《ふで》にまかせてかきしるしおわりぬ。

（一三）夫《そ》れ、当流《とうりゅう》にさだむるところのおきてをよくまもるというは、他宗《たしゅう》にも世間《せけん》にも対《たい》しては、わが一宗《いっしゅう》のすがたを、あらわにひとの目《め》にみえぬようにふるまえるをもって本意《ほんい》とするなり。しかるに、ちかごろは、当流念仏者《とうりゅうねんぶつしゃ》のなかにおいて、わざとひと目《め》にみえて一流《いちりゅう》のすがたをあらわして、これをもってわが宗《しゅう》の名望《めいぼう》のようにおもいて、ことに他宗《たしゅう》をこなしおとしめんとおもえり。これ言《ごん》語道断《ごどうだん》の次第《しだい》なり。さらに聖人《しょうにん》のさだめましましたる御意《ぎょい》に、ふかくあいそむけり。そのゆえは、[48]「すでに牛《うし》をぬすみたるひととはいわるとも、当流《とうりゅう》のすがたをみゆべからず」（改邪鈔）とこそ、おおせられたり。この御《おん》ことばをもってよくよくこころうべし。つぎに当流《とうりゅう》の安心《あんじん》のおもむきを、くわしくしらんとおもわんひとは、あながちに智慧才学《ちえさいかく》もいらず、男女《なんにょ》・貴賤《きせん》もいらず、ただわが身《み》はつみふかきあさましきものなりとおもいとりて、かかる機《き》までもたすけたまえるほとけは、阿弥陀如来《あみだにょらい》ばかりなりとしりて、なにのようもなく、ひとすじに、この阿弥陀《あみだ》ほとけの御袖《おんそで》にひしとすがりまいらするおもいをなして、後生《ごしょう》をたすけたまえとたのみもうせば、この阿弥陀如来《あみだにょらい》は、ふかくよろこびましまして、その御身《おんみ》より八万四千《はちまんしせん》のおおきなる光明《こうみょう》をはなちて、その光明《こうみょう》のなかにそのひとをおさめいれておきたまうべし。さればこのこころを『経《きょう》』（観経）には、まさに[49]「光明遍照十方世《こうみょうへんじょうじっぽうせ》界《かい》　念仏衆生摂取不捨《ねんぶつしゅじょうせっしゅふしゃ》」とはとかれたりとこころうべし。さては、わが身《み》のほとけにならんずることは、なにのわずらいもなし。あら、殊勝《しゅしょう》の超世《ちょうせ》の本願《ほんがん》や。ありがたの弥陀如来《みだにょらい》の光明《こうみょう》や。この光明《こうみょう》の縁《えん》にあいたてまつらずは、無始《むし》よりこのかたの無明業障《むみょうごっしょう》のおそろしき病《やまい》のなおるということは、さらにもってあるべからざるものなり。しかるに、この光明《こうみょう》の縁《えん》にもよおされて、宿善《しゅくぜん》の機《き》ありて、他力《たりき》の信心《しんじん》ということをば、いますでにえたり。これしかしながら、弥陀如来《みだにょらい》の御《おん》かたよりさずけましましたる信心《しんじん》とは、やがてあらわにしられたり。かるがゆえに、行者《ぎょうじゃ》のおこすところの信心《しんじん》にあらず、弥陀如来他力《みだにょらいたりき》の大信心《だいしんじん》ということは、いまこそあきらかにしられたり。これによりて、かたじけなくも、ひとたび他力《たりき》の信心《しんじん》をえたらんひとは、みな弥陀如来《みだにょらい》の御恩《ごおん》のありがたきほどを、よくよくおもいはかりて、仏恩報謝《ぶっとんほうしゃ》のためには、つねに称名念仏《しょうみょうねんぶつ》をもうしたてまつるべきものなり。

あなかしこ、あなかしこ。

文明六年（一四七四）七月三日、之《これ》を書《か》く。

（一四） 夫《そ》れ、越前《えちぜん》の国《くに》にひろまるところの秘事法門《ひじぼうもん》といえることは、さらに仏法《ぶっぽう》にてはなし。あさましき外道《げどう》の法《ほう》なり。これを信《しん》ずるものは、ながく無間地獄《むけんじごく》にしずむべき業《ごう》にて、いたずらごとなり。この秘事《ひじ》をなおも執心《しゅうしん》して、簡要《かんよう》とおもいて、ひとをへつらいたらさんものには、あいかまえて、あいかまえて、随逐《ずいちく》すべからず。いそぎその秘事《ひじ》をいわんひとの手《て》をはなれて、はやくさずくるところの秘事《ひじ》をありのままに懺悔《さんげ》して、ひとにかたりあらわすべきものなり。そもそも、当流勧化《とうりゅうかんけ》のおもむきをくわしくしりて、極楽《ごくらく》に往生《おうじょう》せんとおもわんひとは、まず他力《たりき》の信心《しんじん》ということを存知《ぞんじ》すべきなり。それ、他力《たりき》の信心《しんじん》というはなにの要《よう》ぞといえば、かかるあさましきわれらごときの凡夫《ぼんぶ》の身《み》が、たやすく浄土《じょうど》へまいるべき用意《ようい》なり。その他力《たりき》の信心《しんじん》のすがたというは、いかなることぞといえば、なにのようもなく、ただひとすじに阿弥陀如来《あみだにょらい》を一心一向《いっしんいっこう》にたのみたてまつりて、たすけたまえとおもうこころの一念《いちねん》おこるとき、かならず弥陀如来《みだにょらい》の、摂取《せっしゅ》の光明《こうみょう》をはなちて、その身《み》の娑《しゃ》婆《ば》にあらんほどは、この光明《こうみょう》のなかにおさめおきましますなり。これすなわち、われらが往生《おうじょう》のさだまりたるすがたなり。されば、南無阿弥陀仏《なむあみだぶつ》ともうす体《たい》は、われらが他力《たりき》の信心《しんじん》をえたるすがたなり。この信心《しんじん》というは、この南無阿弥陀仏《なむあみだぶつ》のいわれをあらわせるすがたなりとこころうべきなり。されば、われらがいまの他力《たりき》の信心《しんじん》ひとつをとるによりて、極楽《ごくらく》にやすく往生《おうじょう》すべきことの、さらになにのうたがいもなし。あら、殊勝《しゅしょう》の弥陀如来《みだにょらい》の他力《たりき》の本願《ほんがん》や。このありがたさの弥陀《みだ》の御恩《ごおん》をば、いかがして報《ほう》じたてまつるべきぞなれば、ただねてもおきても、南無阿弥陀仏《なむあみだぶつ》、南無阿弥陀仏《なむあみだぶつ》ととなえて、かの弥陀如来《みだにょらい》の仏恩《ぶっとん》を報《ほう》ずべきなり。されば、南無阿弥陀仏《なむあみだぶつ》ととなうるこころはいかんぞなれば、阿弥陀如来《あみだにょらい》の御《おん》たすけありつることの、ありがたさ、とうとさよとおもいて、それをよろこびもうすこころなりとおもうべきものなり。あなかしこ、あなかしこ。

文明六年（一四七四）七月五日

（一五）抑《そもそ》も、日本《にほん》において、浄土宗《じょうどしゅう》の家々《いえいえ》をたてて、西山《せいざん》・鎮西《ちんぜい》・九品《くほん》・長楽寺《ちょうらくじ》とて、そのほかあまたにわかれたり。これすなわち法然聖人《ほうねんしょうにん》のすすめたまうところの義《ぎ》は一途《いちず》なりといえども、あるいは聖道門《しょうどうもん》にてありしひとびとの、聖人《しょうにん》（法然）へまいりて浄土《じょうど》の50法門聴聞《ほうもんちょうもん》したまうに、うつくしくその理《ことわり》、耳《みみ》にとどまらざるによりて、わが本宗《ほんしゅう》のこころをいまだすてやらずして、かえりてそれを浄土宗《じょうどしゅう》にひきいれんとせしによりて、その不同《ふどう》これあり。しかりといえども、あながちにこれを誹謗《ひほう》することあるべからず。肝要《かんよう》は、ただわが一宗《いっしゅう》の安心《あんじん》をよくたくわえて、自身《じしん》も決定《けつじょう》し、ひとをも勧化《かんけ》すべきばかりなり。

それ、当流《とうりゅう》の安心《あんじん》のすがたはいかんぞなれば、まずわが身《み》は十悪五逆《じゅうあくごぎゃく》・五障三従《ごしょうさんしょう》のいたずらものなりとふかくおもいつめて、そのうえにおもうべきようは、かかるあさましき機《き》を、本《ほん》とたすけたまえる、弥陀如来《みだにょらい》の不思議《ふしぎ》の本願力《ほんがんりき》なりとふかく信《しん》じたてまつりて、すこしも疑心《ぎしん》なければ、かならず弥陀《みだ》は摂取《せっしゅ》したまうべし。このこころこそ、すなわち他力真実《たりきしんじつ》の信心《しんじん》をえたるすがたとはいうべきなり。かくのごときの信心《しんじん》を一念《いちねん》とらんずることは、さらになにのようもいらず。あら、こころえやすの他力《たりき》の信心《しんじん》や。あら、行《ぎょう》じやすの名号《みょうごう》や。しかれば、この信心《しんじん》をとるというも、別《べつ》のことにはあらず。南無阿弥陀仏《なむあみだぶつ》の六《む》つの字《じ》をこころえわけたるが、すなわち他力信心《たりきしんじん》の体《たい》なり。また南無阿《なむあ》弥陀仏《みだぶつ》というはいかなるこころぞといえば、南無《なむ》という二字《にじ》は、すなわち極楽《ごくらく》へ往生《おうじょう》せんとねがいて、弥陀《みだ》をふかくたのみたてまつるこころなり。さて阿弥陀仏《あみだぶつ》というは、かくのごとくたのみたてまつる衆生《しゅじょう》をあわれみましまして、無始曠劫《むしこうごう》よりこのかたの、おそろしきつみ（罪）とが（咎）の身《み》なれども、弥《み》陀如来《だにょらい》の光明《こうみょう》の縁《えん》にあうによりて、ことごとく無明業障《むみょうごっしょう》のふかきつみとが、たちまちに消滅《しょうめつ》するによりて、すでに正定聚《しょうじょうじゅ》のかずに住《じゅう》す。かるがゆえに、凡身《ぼんしん》をすてて仏身《ぶっしん》を証《しょう》するといえるこころを、すなわち阿弥陀如来《あみだにょらい》とは申《もう》すなり。されば、阿弥陀《あみだ》という三字《さんじ》をば、おさめ、たすけ、すくうとよめるいわれあるがゆえなり。かように信心決定《しんじんけつじょう》してのうえには、ただ弥陀如来《みだにょらい》の仏恩《ぶっとん》[51]を、かたじけなき事《こと》を、つねにおもいて、称名念仏《しょうみょうねんぶつ》を申《もう》さば、それこそまことに弥陀如来《みだにょらい》の仏恩《ぶっとん》を報《ほう》じたてまつることわりにかなうべきものなり。あなかしこ、あなかしこ。

第三帖

(一四七四)
文明六、七月九日、之《これ》を書《か》く。

(一)　抑《そもそ》も、当流《とうりゅう》において、その名《な》ばかりをかけんともがらも、またもとより門徒《もんと》たらんひとも、安心《あんじん》のとおりをよくこころえずは、あいかまえて、今日《こんにち》よりして他力《たりき》の大信心《だいしんじん》のおもむきを、ねんごろにひとにあいたずねて、報土往生《ほうどおうじょう》を決定《けつじょう》せしむべきなり。夫《そ》れ、一流《いちりゅう》の安心《あんじん》をとるというも、なにのようもなく、ただひとすじに阿弥陀如来《あみだにょらい》をふかくたのみたてまつるばかりなり。しかれども、この阿弥陀仏《あみだぶつ》ともうすは、いかようなるほとけぞ、また、いかようなる機《き》の衆生《しゅじょう》をすくいたまうぞというに、三世《さんぜ》の諸仏《しょぶつ》にすてられたる、あさましきわれら凡夫《ぼんぶ》・女人《にょにん》を、われひとりすくわんという大願《だいがん》をおこしたまいて、五劫《ごこう》があいだこれを思惟《しゆい》し、永劫《ようごう》があいだこれを修行《しゅぎょう》して、それ、衆生《しゅじょう》のつみにおいては、いかなる十悪五逆《じゅうあくごぎゃく》・謗法闡提《ほうぼうせんだい》のともがらなりというとも、すくわんとちかいましまして、すでに諸仏《しょぶつ》の悲願《ひがん》にこえすぐれたまいて、その願成就《がんじょうじゅ》して阿弥陀如来《あみだにょらい》とはならせたまえるを、すなわち阿弥陀仏《あみだぶつ》とはもうすなり。これによりて、このほとけをばなにとたのみ、なにとこころをもちてか、たすけたまうべきぞというに、それ、わが身《み》のつみのふかきことをばうちおきて、ただかの阿弥陀仏《あみだぶつ》を、ふたごころなく一向《いっこう》にたのみまいらせて、一念《いちねん》もうたがうこころなくば、かならずたすけたまうべし。しかるに、弥陀如来《みだにょらい》には、すでに摂取《せっしゅ》と光明《こうみょう》というふたつのことわりをもって、衆生《しゅじょう》をば済度《さいど》したまうなり。まずこの光明《こうみょう》に、宿善《しゅくぜん》の機《き》のありててらされぬれば、つもるところの業障《ごっしょう》のつみ、みなきえぬるなり。さて摂取《せっしゅ》というはいかなるこころぞといえば、この光明《こうみょう》の縁《えん》にあいたてまつれば、罪障《ざいしょう》ことごとく消滅《しょうめつ》するによりて、やがて衆生《しゅじょう》を、この光明《こうみょう》のうちにおさめおかるるによりて、摂取《せっしゅ》とはもうすなり。このゆえに、阿弥陀仏《あみだほとけ》には、摂取《せっしゅ》と光明《こうみょう》とのふたつをもって肝要《かんよう》とせらるるなりときこえたり。されば、一念帰命《いちねんきみょう》の信心《しんじん》のさだまるというも、この摂《せっ》取《しゅ》の光明《こうみょう》にあいたてまつる時剋《じこく》をさして、信心《しんじん》のさだまるとはもうすなり。しかれば南無阿弥陀仏《なむあみだぶつ》といえる行体《ぎょうたい》は、すなわちわれらが浄土《じょうど》に往生《おうじょう》すべきことわりを、この六字《ろくじ》にあらわしたまえる御《おん》すがたなりと、いまこそ、よくはしられて、いよいよありがたく、とうとくおぼえはんべれ。さてこの信心決定《しんじんけつじょう》のうえには、ただ阿弥陀如来《あみだにょらい》の御恩《ごおん》を雨山《あめやま》にこうぶりたることをのみ、よろこびおもい奉《たてまつ》りて、その報謝《ほうしゃ》のためには、ねてもさめても、念仏《ねんぶつ》を申《もう》すべきばかりなり。それこそ誠《まこと》に仏《ぶっ》恩報尽《とんほうじん》のつとめなるべきものなり。あなかしこ、あなかしこ。

文明六《（一四七四）》、七月十四日、之《これ》を書《か》く。

㈢　夫《そ》れ、諸宗《しょしゅう》のこころまちまちにして、いずれも釈迦一代《しゃかいちだい》の説教《せっきょう》なれば、まことにこれ殊勝《しゅしょう》の法《ほう》なり。もっとも如説《にょせつ》にこれを修行《しゅぎょう》せんひとは、成仏得道《じょうぶつとくどう》すべきこと、さらにうたがいなし。しかるに、末代《まつだい》このごろの衆生《しゅじょう》は、機根最劣《きこんさいれつ》にして、如説《にょせつ》に修行《しゅぎょう》せんひとまれなる時節《じせつ》なり。ここに弥《み》陀如来《だにょらい》の他力本願《たりきほんがん》というは、いまの世《よ》において、かかるときの衆生《しゅじょう》をむねとたすけすくわんがために、五劫《ごこう》があいだこれを思惟《しゆい》し、永劫《ようごう》があいだこれを修行《しゅぎょう》して、「造悪不善《ぞうあくふぜん》の衆生《しゅじょう》をほとけになさずは、われも正覚《しょうがく》ならじ」とちかごと（誓言）をたてましまして、その願《がん》すでに成就《じょうじゅ》して、阿弥陀《あみだ》とならせたまえるほとけなり。末代《まつだい》いまのときの衆生《しゅじょう》においては、このほとけの本願《ほんがん》にすがりて、弥陀《みだ》をふかくたのみたてまつらずんば、成仏《じょうぶつ》するということあるべからざるなり。

抑《そもそ》も、阿弥陀如来《あみだにょらい》の他力本願《たりきほんがん》をば、なにとように信《しん》じ、またなにとように機《き》をもちてか、たすかるべきぞなれば、それ、弥陀《みだ》を信《しん》じたてまつるというは、なにのようもなく、他力《たりき》の信心《しんじん》ということをよくしりたらんひとは、たとえば十人《じゅうにん》は十人《じゅうにん》ながら、みなもって極楽《ごくらく》に往生《おうじょう》すべし。さてその他力《たりき》の信心《しんじん》というは、いかようなることぞといえば、ただ南無阿弥陀仏《なむあみだぶつ》なり。この南無阿弥陀仏《なむあみだぶつ》の六《む》つの字《じ》のこころをくわしくしりたるが、すなわち他力信心《たりきしんじん》のすがたなり。されば、南無阿弥陀仏《なむあみだぶつ》という六字《ろくじ》の体《たい》をよくよくこころうべし。まず南無《なむ》という二字《にじ》はいかなるこころぞといえば、ようもなく、弥陀《みだ》を一心一向《いっしんいっこう》にたのみたてまつりて、後生《ごしょう》たすけたまえとふたごころなく信《しん》じまいらするこころを、すなわち南無《なむ》とはもうすなり。つぎに阿弥陀仏《あみだぶつ》という四字《しじ》はいかなるこころぞといえば、いまのごとくに弥陀《みだ》を一心《いっしん》にたのみまいらせて、うたがいのこころのなき衆生《しゅじょう》をば、かならず弥陀《みだ》の御身《おんみ》より光明《こうみょう》をはなちててらしましまして、そのひかりのうちにおさめおきたまいて、さて、一期《いちご》のいのちつきぬれば、かの極楽浄土《ごくらくじょうど》へおくりたまえるこころを、すなわち阿弥陀仏《あみだぶつ》とはもうしたてまつるなり。されば、世間《せけん》に沙汰《さた》するところの念仏《ねんぶつ》というは、ただくちにだにも南無阿弥陀仏《なむあみだぶつ》ととなうれば、たすかるようにみなひとのおもえり。それはおぼつかなきことなり。さりながら、浄土一家《じょうどいっけ》においてさように沙汰《さた》するかたもあり。是非《ぜひ》すべからず。これはわが一宗《いっしゅう》の開山《かいさん》のすすめたまえるところの、一流《いちりゅう》の安心《あんじん》のとおりをもうすばかりなり。宿縁《しゅくえん》のあらんひとは、これをききて、すみやかに今度《こんど》の極楽往生《ごくらくおうじょう》をとぐべし。かくのごとくこころえたらんひと、名号《みょうごう》をとなえて、弥陀如来《みだにょらい》の、われらをやすくたすけたまえる御恩《ごおん》を、雨山《あめやま》にこうぶりたる、その仏恩報尽《ぶっとんほうじん》のためには、称名《しょうみょう》念仏《ねんぶつ》すべきものなり。あなかしこ、あなかしこ。

文明六年（一四七四）八月五日、之《これ》を書《か》く。

(三) 此《こ》の方《ほう》、河尻性光門徒《かわしりしょうこうもんと》の面々《めんめん》において、仏法《ぶっぽう》の信心《しんじん》のこころえはいかようなるらん。まことにもってこころもとなし。しかりといえども、いま当流一義《とうりゅういちぎ》のこころをくわしく沙汰《さた》すべし。おのおのの耳《みみ》をそばだててこれをききて、このおもむきをもって本《ほん》とおもいて、今度《こんど》の極楽《ごくらく》の往生《おうじょう》を治定《じじょう》すべきものなり。

夫《そ》れ、弥陀如来《みだにょらい》の念仏往生《ねんぶつおうじょう》の本願《ほんがん》ともうすは、いかようなることぞというに、在家無智《ざいけむち》のものも、また十悪五逆《じゅうあくごぎゃく》のやからにいたるまでも、なにのようもなく、他力《たりき》の信心《しんじん》ということをひとつ決定《けつじょう》すれば、みなことごとく極楽《ごくらく》に往生《おうじょう》するなり。さればその信心《しんじん》をとるというは、いかようなるむつかしきことぞというに、なにのわずらいもなく、ただひとすじに、阿弥陀如来《あみだにょらい》をふたごころなくたのみたてまつりて、余《よ》へこころをちらさざらんひとは、たとえば十人《じゅうにん》あらば十人《じゅうにん》ながら、みなほとけになるべし。このこころひとつをたもたんは、やすきことなり。ただこえにいだして念仏《ねんぶつ》ばかりをとなうるひとは、おおようなり。それは極楽《ごくらく》には往生《おうじょう》せず。この念仏《ねんぶつ》のいわれをよくしりたるひとこそ、ほとけにはなるべけれ。なにのようもなく、弥陀《みだ》をよく信《しん》ずるこころだにも、ひとつにさだまれば、やすく浄土《じょうど》へはまいるべきなり。このほかには、わずらわしき秘事《ひじ》といいて、ほとけをもおがまぬものはいたずらものなりとおもうべし。これによりて、阿弥陀如来《あみだにょらい》の他力本願《たりきほんがん》ともうすは、すでに末代《まつだい》いまのときの、つみふかき機《き》を本《ほん》としてすくいたまうがゆえに、在家止住《ざいけしじゅう》のわれらごときのためには相応《そうおう》したる他力《たりき》の本願《ほんがん》なり。あら、ありがたの弥陀如来《みだにょらい》の誓願《せいがん》や。あら、ありがたの釈迦如《しゃかにょ》来《らい》の金言《きんげん》や。あおぐべし、信《しん》ずべし。しかれば、いうところのごとくこころえたらんひとびとは、これまことに当流《とうりゅう》の信心《しんじん》を決定《けつじょう》したる念仏行者《ねんぶつぎょうじゃ》のすがたなるべし。さて、このうえには、一期《いちご》のあいだもうす念仏《ねんぶつ》のこころは、弥陀如来《みだにょらい》のわれらをやすくたすけたまえるところの、雨山《あめやま》の御恩《ごおん》を報《ほう》じたてまつらんがための念仏《ねんぶつ》なりとおもうべきものなり。あなかしこ、あなかしこ。

文明六年（一四七四）八月六日、之《これ》を書《か》く。

㈣　夫《そ》れ、倩《つら》つら人間《にんげん》のあだ（徒）なる体《てい》を案《あん》ずるに、生《しょう》あるものはかならず死《し》に帰《き》し、さかんなるものはついにおとろうるならいなり。さればただいたずらにあかし、いたずらにくらして、年月《ねんげつ》をおくるばかりなり。これまことになげきても、なおかなしむべし。このゆえに、上《かみ》は大聖世尊《だいしょうせそん》よりはじめて、下《しも》は悪逆《あくぎゃく》の提婆《だいば》にいたるまで、のがれがたきは無常《むじょう》なり。しかれば、まれにも、うけがたきは人身《にんじん》、あいがたきは仏法《ぶっぽう》なり。たまたま仏法《ぶっぽう》にあうことをえたりというとも、自力修行《じりきしゅぎょう》の門《もん》は、末代《まつだい》なれば、いまのときは出離生死《しゅつりしょうじ》のみちはかないがたきあいだ、弥陀如来《みだにょらい》の本願《ほんがん》にあいたてまつらずは、いたずらごとなり。しかるにいますでに、われら弘願《ぐがん》の一法《いっぽう》にあうことをえたり。このゆえに、ただねがうべきは極楽浄土《ごくらくじょうど》、ただたのむべきは弥陀如来《みだにょらい》、これによりて信心決定《しんじんけつじょう》して念仏《ねんぶつ》もうすべきなり。しかれば、世《よ》のなかに、ひとのあまねくこころえおきたるとおりは、ただこえにいだして南《な》無阿弥陀仏《むあみだぶつ》とばかりとなうれば、極楽《ごくらく》に往生《おうじょう》すべきようにおもいはんべり。それはおおきにおぼつかなきことなり。されば、南無阿弥陀仏《なむあみだぶつ》ともうす六字《ろくじ》の体《たい》は、いかなるこころぞというに、阿弥陀如《あみだにょ》来《らい》を一向《いっこう》にたのめば、ほとけ、その衆生《しゅじょう》をよくしろしめして、すくいたまえる御《おん》すがたを、この南《な》無阿弥陀仏《むあみだぶつ》の六字《ろくじ》にあらわしたまうなりとおもうべきなり。しかれば、この阿弥陀如来《あみだにょらい》をば、いかがして信《しん》じまいらせて、後生《ごしょう》の一大事《いちだいじ》をばたすかるべきぞなれば、なにのわずらいもなく、もろもろの雑行雑善《ぞうぎょうぞうぜん》をなげすてて、一心一向《いっしんいっこう》に弥陀如来《みだにょらい》をたのみまいらせて、ふたごころなく信《しん》じたてまつれば、そのたのむ衆生《しゅじょう》を、光明《こうみょう》をはなちて、そのひかりのなかにおさめいれおきたまうなり。これをすなわち、弥陀如来《みだにょらい》の摂取《せっしゅ》の光益《こうやく》にあずかるとはもうすなり。または、不捨《ふしゃ》の誓益《せいやく》ともこれをなづくるなり。かくのごとく、阿弥陀如来《あみだにょらい》の光明《こうみょう》のうちにおさめおかれまいらせてのうえには、一期《いちご》のいのちつきなば、ただちに真実《しんじつ》の報土《ほうど》に往生《おうじょう》すべきこと、そのうたがいあるべからず。このほかには、別《べつ》の仏《ぶつ》をもたのみ、また余《よ》の功徳善根《くどくぜんごん》を修《しゅ》しても、なににかはせん。あら、とうとや、あら、ありがたの阿弥陀如来《あみだにょらい》や。かようの雨山《あめやま》の御恩《ごおん》をば、いかがして報《ほう》じたてまつるべきぞや。ただ南無阿《なむあ》弥陀仏《みだぶつ》、南無阿弥陀仏《なむあみだぶつ》と、こえにとなえて、その恩徳《おんどく》をふかく報尽《ほうじん》もうすばかりなりとこころうべきものなり。あなかしこ、あなかしこ。

文明六年（一四七四）八月十八日

㈤　抑《そもそ》も、諸仏《しょぶつ》の悲願《ひがん》に弥陀《みだ》の本願《ほんがん》のすぐれましましたる、そのいわれをくわしくたずぬるに、すでに十方《じっぽう》の諸仏《しょぶつ》ともうすは、いたりてつみふかき衆生《しゅじょう》と、五障三従《ごしょうさんしょう》の女人《にょにん》をば、たすけたまわざるなり。このゆえに、諸仏《しょぶつ》の願《がん》に阿弥陀仏《あみだぶつ》の本願《ほんがん》はすぐれたりともうすなり。さて弥陀如来《みだにょらい》の超世《ちょうせ》の大願《だいがん》は、いかなる機《き》の衆生《しゅじょう》をすくいましますぞともうせば、十悪五逆《じゅうあくごぎゃく》の罪人《ざいにん》も、五障三従《ごしょうさんしょう》の女人《にょにん》にいたるまでも、みなことごとく、もらさずたすけたまえる大願《だいがん》なり。されば一心一向《いっしんいっこう》にわれをたのまん衆生《しゅじょう》をば、かならず十人《じゅうにん》あらば十人《じゅうにん》ながら極楽《ごくらく》へ引接《いんじょう》せんとのたまえる、他力《たりき》の大誓願《だいせいがん》力《りき》なり。これによりて、かの阿弥陀仏《あみだぶつ》の本願《ほんがん》をば、われらごときのあさましき凡夫《ぼんぶ》は、なにとようにたのみ、なにとように機《き》をもちて、かの弥陀《みだ》をばたのみまいらすべきぞや。そのいわれをくわしくしめしたまうべし。そのおしえのごとく信心《しんじん》をとりて、弥陀《みだ》をも信《しん》じ、極楽《ごくらく》をもねがい、念仏《ねんぶつ》をももうすべきなり。

こたえていわく、まず世間《せけん》にいま流布《るふ》してむねとすすむるところの念仏《ねんぶつ》ともうすは、ただなにの分《ぶん》別《べつ》もなく、南無阿弥陀仏《なむあみだぶつ》とばかりとなうれば、みなたすかるべきようにおもえり。それはおおきにおぼつかなきことなり。京《きょう》・田舎《いなか》のあいだにおいて、浄土宗《じょうどしゅう》の流義《りゅうぎ》まちまちにわかれたり。しかれども、それを是非《ぜひ》するにはあらず。ただわが開山《かいさん》の一流相伝《いちりゅうそうでん》のおもむきをもうしひらくべし。それ、解脱《げだつ》の耳《みみ》をすまして、渇仰《かつごう》のこうべをうなだれて、これをねんごろにきききて、信心歓喜《しんじんかんぎ》のおもいをなすべし。

それ、在家止住《ざいけしじゅう》のやから、一生造悪《いっしょうぞうあく》のものも、ただわが身《み》のつみのふかきには目《め》をかけずして、それ、弥陀如来《みだにょらい》の本願《ほんがん》ともうすは、かかるあさましき機《き》を本《ほん》とすくいまします、不思議《ふしぎ》の願力《がんりき》ぞとふかく信《しん》じて、弥陀《みだ》を一心一向《いっしんいっこう》にたのみたてまつりて、他力《たりき》の信心《しんじん》ということをひとつこころうべし。さて他力《たりき》の信心《しんじん》という体《たい》は、いかなるこころぞというに、この南無阿弥陀仏《なむあみだぶつ》の六字《ろくじ》の名号《みょうごう》の体《たい》は、阿弥陀仏《あみだぶつ》の、われらをたすけたまえるいわれを、この南無阿弥陀仏《なむあみだぶつ》の名号《みょうごう》にあらわしましましたる御《おん》すがたぞと、くわしくこころえわけたるをもって、他力《たりき》の信心《しんじん》をえたる人《ひと》とはいうなり。この南無《なむ》という二字《にじ》は、衆生《しゅじょう》の、阿弥陀仏《あみだぶつ》を一心一向《いっしんいっこう》にたのみたてまつりて、たすけたまえとおもいて、余《よ》念《ねん》なきこころを帰命《きみょう》とはいうなり。つぎに阿弥陀仏《あみだぶつ》という四《よ》つの字《じ》は、南無《なむ》とたのむ衆生《しゅじょう》を、阿弥《あみ》陀仏《だぶつ》の、もらさずすくいたまうこころなり。このこころをすなわち摂取不捨《せっしゅふしゃ》とはもうすなり。摂取不《せっしゅふ》捨《しゃ》というは、念仏《ねんぶつ》の行者《ぎょうじゃ》を弥陀如来《みだにょらい》の光明《こうみょう》のなかにおさめとりてすてたまわずといえるこころなり。されば、この南無阿弥陀仏《なむあみだぶつ》の体《たい》は、われらを阿弥陀仏《あみだぶつ》のたすけたまえる支証《ししょう》のために、御名《みな》を、この南無阿弥陀仏《なむあみだぶつ》の六字《ろくじ》にあらわしたまえるなりときこえたり。かくのごとくこころえわけぬれば、われらが極楽《ごくらく》の往生《おうじょう》は治定《じじょう》なり。あら、ありがたや、とうとやとおもいて、このうえには、はや、ひとたび弥陀如来《みだにょらい》にたすけられまいらせつるのちなれば、御《おん》たすけありつる御《おん》うれしさの念仏《ねんぶつ》なれば、この念仏《ねんぶつ》をば、仏恩報謝《ぶっとんほうしゃ》の称名《しょうみょう》ともいい、また信《しん》のうえの称名《しょうみょう》ともうしはんべるべきものなり。

あなかしこ、あなかしこ。

文明六年（一四七四）九月六日、之《これ》を書《か》く。

(六)　夫《そ》れ、南無阿弥陀仏《なむあみだぶつ》ともうすは、いかなるこころぞなれば、まず、南無《なむ》という二字《にじ》は、帰命《きみょう》と発願回向《ほつがんえこう》とのふたつのこころなり。また、南無《なむ》というは願《がん》なり。阿弥陀仏《あみだぶつ》というは行《ぎょう》なり。されば雑行雑善《ぞうぎょうぞうぜん》をなげすてて、専修専念《せんじゅせんねん》に弥陀如来《みだにょらい》をたのみたてまつりて、たすけたまえとおもう帰命《きみょう》の一念《いちねん》おこるとき、かたじけなくも遍照《へんじょう》の光明《こうみょう》をはなちて、行者《ぎょうじゃ》を摂取《せっしゅ》したまうなり。このこころすなわち阿弥陀仏《あみだぶつ》の四《よ》つの字《じ》のこころなり。また発願回向《ほつがんえこう》のこころなり。これによりて、南無阿弥陀《なむあみだ》仏《ぶつ》という六字《ろくじ》は、ひとえに、われらが往生《おうじょう》すべき他力信心《たりきしんじん》のいわれをあらわしたまえる御名《みな》なりとみえたり。このゆえに、願成就《がんじょうじゅ》の文《もん》には、[52]「聞其名号信心歓喜《もんごみょうごうしんじんかんぎ》」（大経）ととかれたり。この文《もん》のこころは、その名号《みょうごう》をききて信心歓喜《しんじんかんぎ》すといえり。その名号《みょうごう》をきくというは、ただおおようにきくにあらず。善知識《ぜんじしき》にあいて、南無阿弥陀仏《なむあみだぶつ》の六《む》つの字《じ》のいわれを、よくききひらきぬれば、報土《ほうど》に往《おう》生《じょう》すべき他力信心《たりきしんじん》の道理《どうり》なりとこころえられたり。かるがゆえに、信心歓喜《しんじんかんぎ》というは、すなわち信《しん》心《じん》さだまりぬれば、浄土《じょうど》の往生《おうじょう》はうたがいなくおもうて、よろこぶこころなり。このゆえに弥陀如《みだにょ》来《らい》の五劫《ごこう》・兆載永劫《ちょうさいようごう》の御[53]苦労《くろう》を案《あん》ずるにも、われらをやすくたすけたまうことの、ありがたさ、とうとさをおもえば、なかなかもうすもおろかなり。されば『和讃《わさん》』（正像末和讃）にいわく、[54]「南無阿《なむあ》弥陀仏《みだぶつ》の回向《えこう》の　恩徳広大不思議《おんどくこうだいふしぎ》にて　往相回向《おうそうえこう》の利益《りやく》には　還相回向《げんそうえこう》に回入《えにゅう》せり」といえるは、このこころなり。また「正信偈《しょうしんげ》」にはすでに[55]「唯能常称如来号《ゆいのうじょうしょうにょらいごう》　応報大悲弘誓恩《おうほうだいひぐぜいおん》」とあれば、いよいよ行住座臥《ぎょうじゅうざが》・時処諸縁《じしょしょえん》をきらわず、仏恩報尽《ぶっとんほうじん》のために、ただ称名念仏《しょうみょうねんぶつ》すべきものなり。あなかしこ、あなかしこ。

文明六年（一四七四）十月二十日、之《これ》を書《か》く。

（七）抑《そもそ》も、親鸞聖人《しんらんしょうにん》のすすめたまうところの一義《いちぎ》のこころは、ひとえにこれ末代濁世《まつだいじょくせ》の在家無智《ざいけむち》のともがらにおいて、なにのわずらいもなく、すみやかにとく（疾）浄土《じょうど》に往生《おうじょう》すべき、他力信心《たりきしんじん》の一途《いちず》ばかりをもって本《ほん》とおしえたまえり。しかればそれ、阿弥陀如来《あみだにょらい》は、すでに十悪五逆《じゅうあくごぎゃく》の愚人《ぐにん》、五《ご》障三従《しょうさんしょう》の女人《にょにん》にいたるまで、ことごとくすくいましますといえることをば、いかなるひともよくしりはんべりぬ。しかるに、いまわれら凡夫《ぼんぶ》は、阿弥陀仏《あみだぶつ》をば、いかように信《しん》じ、なにとようにたのみまいらせて、かの極楽世界《ごくらくせかい》へは往生《おうじょう》すべきぞというに、ただひとすじに弥陀如来《みだにょらい》を信《しん》じたてまつりて、その余《よ》はなにごともうちすてて、一向《いっこう》に弥陀《みだ》に帰《き》し、一心《いっしん》に本願《ほんがん》を信《しん》じて、阿弥陀如来《あみだにょらい》においてふたごころなくば、かならず極楽《ごくらく》に往生《おうじょう》すべし。この道理《どうり》をもって、すなわち他力信心《たりきしんじん》をえたるすがたとはいうなり。

そもそも、信心《しんじん》というは、阿弥陀仏《あみだぶつ》の本願《ほんがん》のいわれをよく分別《ふんべつ》して、一心《いっしん》に弥陀《みだ》に帰命《きみょう》するかたをもって、他力《たりき》の安心《あんじん》を決定《けつじょう》すとはもうすなり。されば、南無阿弥陀仏《なむあみだぶつ》の六字《ろくじ》のいわれをよくこころえわけたるをもって、信心決定《しんじんけつじょう》の体《たい》とす。しかれば、南無《なむ》の二字《にじ》は、衆生《しゅじょう》の、阿弥陀仏《あみだぶつ》を信《しん》ずる機《き》なり。つぎに阿弥陀仏《あみだぶつ》という四《よ》つの字《じ》のいわれは、弥陀如来《みだにょらい》の、衆生《しゅじょう》をたすけたまえる法《ほう》なり。このゆえに、機法一体《きほういったい》の南無阿弥陀仏《なむあみだぶつ》といえるは、このこころなり。これによりて、衆生《しゅじょう》の三業《さんごう》と弥陀《みだ》の三業《さんごう》と一体《いったい》になるところをさして、善導和尚《ぜんどうかしょう》は、[56]「彼此三業不相捨離《ひしさんごうふそうしゃり》」（定善義）と釈《しゃく》したまえるも、このこころなり。されば一念帰命《いちねんきみょう》の信心決定《しんじんけつじょう》せしめたらんひとは、かならずみな報土《ほうど》に往生《おうじょう》すべきこと、さらにもってそのうたがいあるべからず。あいかまえて自力執心《じりきしゅうしん》のわろき機《き》のかたをばふりすてて、ただ不思議《ふしぎ》の願力《がんりき》ぞとふかく信《しん》じて、弥陀《みだ》を一心《いっしん》にたのまんひとは、たとえば十人《じゅうにん》は十人《じゅうにん》ながら、みな真実報土《しんじつほうど》の往生《おうじょう》をとぐべし。このうえには、ひたすら弥陀如来《みだにょらい》の御恩《ごおん》のふかきことをのみおもいたてまつりて、つねに報謝《ほうしゃ》の念仏《ねんぶつ》をもうすべきものなり。あなかしこ、あなかしこ。

文明七年（一四七五）二月二十三日

（八）抑《そもそ》も、此《こ》の比《ごろ》、当国《とうごく》・他国《たこく》のあいだにおいて、当流安心《とうりゅうあんじん》のおもむき、事《こと》の外《ほか》、相違《そうい》して、みな人《ひと》ごとに、われはよくこころえたりとおもいて、さらに法義《ほうぎ》にそむくとおりをも、あながちにひとにあいたずねて、真実《しんじつ》の信心《しんじん》をとらんとおもうひとすくなし。これまことにあさましき執心《しゅうしん》なり。すみやかに、この心《こころ》を改悔懺悔《がいけさんげ》して、当流真実《とうりゅうしんじつ》の信心《しんじん》に住《じゅう》して、今度《こんど》の報土往生《ほうどおうじょう》を決定《けつじょう》せずは、まことに宝《たから》のやまにいりて、手《て》をむなしくしてかえらんにことならんものか。このゆえに、その信心《しんじん》の相違《そうい》したることばにいわく、「それ、弥陀如来《みだにょらい》は、すでに十劫正覚《じっこうしょうがく》のはじめより、われらが往生《おうじょう》をさだめたまえることを、いまにわすれず、うたがわざるが、すなわち信心《しんじん》なり」とばかりこころえて、弥陀《みだ》に帰《き》して信心決定《しんじんけつじょう》せしめたる分《ぶん》なくば、報土往生《ほうどおうじょう》すべからず。さればそばさまなるわろきこころえなり。これによりて、当流安心《とうりゅうあんじん》のそのすがたをあらわさば、すなわち南無阿弥陀仏《なむあみだぶつ》の体《たい》をよくこころうるをもって、他力信心《たりきしんじん》をえたるとはいうなり。されば南無阿弥陀仏《なむあみだぶつ》の六字《ろくじ》を、善導《ぜんどう》釈《しゃく》していわく、[57]「「南無《なむ》」というは帰命《きみょう》、またこれ発願回向《ほつがんえこう》の義《ぎ》なり」（玄義分）といえり。そのこころいかんぞなれば、阿弥陀如来《あみだにょらい》の因中《いんちゅう》において、われら凡夫《ぼんぶ》の往生《おうじょう》の行《ぎょう》をさだめたまうとき、凡夫《ぼんぶ》のなすところの回向《えこう》は自力《じりき》なるがゆえに成就《じょうじゅ》しがたきによりて、阿弥陀如来《あみだにょらい》の、凡夫《ぼんぶ》のために御《ご》身労《しんろう》ありて、この回向《えこう》をわれらにあたえんがために回向成就《えこうじょうじゅ》したまいて、一念南無《いちねんなむ》と帰命《きみょう》するところにて、この回向《えこう》をわれら凡夫《ぼんぶ》にあたえましますなり。かるがゆえに、凡夫《ぼんぶ》のかたよりなさぬ回向《えこう》なるがゆえに、これをもって如来《にょらい》の回向《えこう》をば、行者《ぎょうじゃ》のかたよりは不回向《ふえこう》とはもうすなり。このいわれあるがゆえに、南無《なむ》の二字《にじ》は帰命《きみょう》のこころなり。また発願回向《ほつがんえこう》のこころなり。このいわれなるがゆえに、南無《なむ》と帰命《きみょう》する衆生《しゅじょう》を、かならず摂取《せっしゅ》してすてたまわざるがゆえに、南無阿弥陀仏《なむあみだぶつ》とはもうすなり。これすなわち一念帰命《いちねんきみょう》の他力信心《たりきしんじん》を獲得《ぎゃくとく》する平生業成《へいぜいごうじょう》の念仏行者《ねんぶつぎょうじゃ》といえるは、このことなりとしるべし。かくのごとくこころえたらんひとびとは、いよいよ弥陀如来《みだにょらい》の御恩徳《ごおんどく》の深遠《じんのん》なることを信知《しんち》して、行住座臥《ぎょうじゅうざが》に称名念仏《しょうみょうねんぶつ》すべし。これすなわち[58]「憶念弥陀仏本願《おくねんみだぶつほんがん》　自然即時入必定《じねんそくじにゅうひつじょう》　唯能常称如来号《ゆいのうじょうしょうにょらいごう》　応報大悲弘誓恩《おうほうだいひぐぜいおん》」（正信偈）といえる文《もん》のこころなり。あなかしこ、あなかしこ。

文明七（一四七五）、二月二十五日

（九）抑《そもそ》も、今日《こんにち》は鸞聖人《らんしょうにん》の御明日《ご(命)にち》として、かならず報恩謝徳《ほうおんしゃとく》のこころざしをはこばざる人《ひと》、これすくなし。しかれども、かの諸人《しょにん》のうえにおいて、あいこころうべきおもむきは、もし本願他力《ほんがんたりき》の真実信心《しんじつしんじん》を獲得《ぎゃくとく》せざらん未安心《みあんじん》のともがらは、今日《こんにち》にかぎりてあながちに出仕《しゅっし》をいたし、この講中《こうじゅう》の座敷《ざしき》をふさぐをもって真宗《しんしゅう》の肝要《かんよう》とばかりおもわんひとは、いかでかわが聖人《しょうにん》の御意《ぎょい》にはあいかないがたし。しかりといえども、わが在所《ざいしょ》にありて、報謝《ほうしゃ》のいとなみをもはこばざらんひとは、不請《ふしょう》にも出仕《しゅっし》をいたしてもよろしかるべきか。されば、毎月二十八日《まいがつにじゅうはちにち》ごとにかならず出仕《しゅっし》をいたさんとおもわんともがらにおいては、あいかまえて、日《ひ》ごろの信心《しんじん》のとおり決定《けつじょう》せざらん未安心《みあんじん》のひとも、すみやかに本願真実《ほんがんしんじつ》の他力信心《たりきしんじん》をとりて、わが身《み》の今度《こんど》の報土往生《ほうどおうじょう》を決定《けつじょう》せしめんこそ、まことに聖人報恩謝徳《しょうにんほうおんしゃとく》の懇志《こんし》に、あいかなうべけれ。また自身《じしん》の極楽往生《ごくらくおうじょう》の一途《いちず》も、治定《じじょう》しおわりぬべき道理《どうり》なり。これすなわちまことに[59]「自信教人信《じしんきょうにんしん》　難中転更難《なんちゅうてんきょうなん》　大悲伝普化《だいひでんふけ》　真成報仏恩《しんじょうほうぶっとん》」（往生礼讃）という釈文《しゃくもん》のこころにも[60]符合《ふごう》せるものなり。それ、聖人御入滅《しょうにんごにゅうめつ》は、すでに一百余歳《いちひゃくよさい》を経《ふ》といえども、かたじけなくも目前《もくぜん》において真影《しんねい》を拝《はい》したてまつる。また徳音《とくいん》は、はるかに無常《むじょう》のかぜにへだつといえども、まのあたり実語《じつご》を相承血脈《そうじょうけちみゃく》して、あきらかに耳《みみ》のそこにのこして、一流《いちりゅう》の他力真実《たりきしんじつ》の信心《しんじん》いまにたえせざるものなり。これによりて、いまこの時節《じせつ》にいたりて、本願真実《ほんがんしんじつ》の信心《しんじん》を獲得《ぎゃくとく》せしむるひとなくば、まことに宿善《しゅくぜん》のもよおしにあずからぬ身《み》とおもうべし。もし宿善開発《しゅくぜんかいほつ》の機《き》にてもわれらなくば、むなしく今度《こんど》の往生《おうじょう》は不定《ふじょう》なるべきこと、なげきてもなおかなしむべきは、ただこの一事《いちじ》なり。しかるにいま、本願《ほんがん》の一道《いちどう》にあいがたくして、まれに無上《むじょう》の本願《ほんがん》にあうことをえたり。まことによろこびのなかのよろこび、なにごとかこれにしかん。とうとむべし、信《しん》ずべし。これによりて、年月日《としつきひ》ごろ、わがこころのわろき迷心《めいしん》をひるがえして、たちまちに本願一実《ほんがんいちじつ》の他力信心《たりきしんじん》にもとづかんひとは、真実《しんじつ》に聖人《しょうにん》の御意《ぎょい》にあいかなうべし。これしかしながら、今日聖人《こんにちしょうにん》の報恩謝徳《ほうおんしゃとく》の御《おん》こころざしにもあいそなわりつべきものなり。あなかしこ、あなかしこ。

文明七年（一四七五）五月二十八日、之《これ》を書《か》く。

(10) 抑《そもそ》も、当流門徒中《とうりゅうもんとじゅう》において、この六《ろっ》か条《じょう》の篇目《へんもく》のむねをよく存知《ぞんじ》して、仏法《ぶっぽう》を内心《ないしん》にふかく信《しん》じて、外相《げそう》にそのいろをみせぬようにふるまうべし。しかれば、このごろ当流念仏者《とうりゅうねんぶつしゃ》において、わざと一流《いちりゅう》のすがたを他宗《たしゅう》に対《たい》してこれをあらわすこと、もってのほかのあやまりなり。所詮向後《しょせんきょうこう》、この題目《だいもく》の次第《しだい》をまもりて、仏法《ぶっぽう》をば修行《しゅぎょう》すべし。もしこのむねをそむかんともがらは、ながく門徒中《もんとじゅう》の一[61]列《いちれつ》たるべからざるものなり。

一《ひとつ》　神社《じんじゃ》をかろしむることあるべからず。
一《ひとつ》　諸仏《しょぶつ》・菩薩《ぼさつ》ならびに諸堂《しょどう》をかろしむべからず。
一《ひとつ》　諸宗《しょしゅう》・諸法《しょほう》を誹謗《ひほう》すべからず。
一《ひとつ》　守護《しゅご》・地頭《じとう》を疎略《そりゃく》にすべからず。
一《ひとつ》　国《くに》の仏法《ぶっぽう》の次第《しだい》、非義《ひぎ》たるあいだ、正義《しょうぎ》におもむくべき事《こと》。
一《ひとつ》　当流《とうりゅう》にたつるところの他力信心《たりきしんじん》をば、内心《ないしん》にふかく決定《けつじょう》すべし。

一《ひと》つには、一切《いっさい》の神明《しんめい》ともうすは、本地《ほんじ》は仏《ぶつ》・菩薩《ぼさつ》の変化《へんげ》にてましませども、この界《かい》の衆生《しゅじょう》をみるに、仏《ぶつ》・菩薩《ぼさつ》にはすこしちかづきにくくおもうあいだ、神明《しんめい》の方便《ほうべん》にかりに神《かみ》とあらわれて、衆《しゅ》生《じょう》に縁《えん》をむすびて、そのちからをもってたよりとして、ついに仏法《ぶっぽう》にすすめいれんがためなり。これすなわち、62「和光同塵《わこうどうじん》は結縁《けちえん》のはじめ、八相成道《はっそうじょうどう》は利物《りもつ》のおわり」（摩訶止観）といえるは、このこころなり。さればいまの世《よ》の衆生《しゅじょう》、仏法《ぶっぽう》を信《しん》じ、念仏《ねんぶつ》をもうさんひとをば、神明《しんめい》はあながちにわが本意《ほんい》とおぼしめすべし。このゆえに、弥陀一仏《みだいちぶつ》の悲願《ひがん》に帰《き》すれば、とりわけ神明《しんめい》をあがめず信《しん》ぜねども、そのうちにおなじく信《しん》ずるこころはこもれるゆえなり。

二《ふた》つには、諸仏《しょぶつ》・菩薩《ぼさつ》ともうすは、神明《しんめい》の本地《ほんじ》なれば、いまのときの衆生《しゅじょう》は、阿弥陀如来《あみだにょらい》を信《しん》じ念仏《ねんぶつ》もうせば、一切《いっさい》の諸仏《しょぶつ》・菩薩《ぼさつ》は、わが本師阿弥陀如来《ほんじあみだにょらい》を信《しん》ずるに、そのいわれあるによりて、わが本懐《ほんがい》とおぼしめすがゆえに、別《べっ》して諸仏《しょぶつ》をとりわき信《しん》ぜねども、阿弥陀仏一仏《あみだぶついちぶつ》を信《しん》じたてまつるうちに、一切《いっさい》の諸仏《しょぶつ》も菩薩《ぼさつ》も、みなことごとくこもれるがゆえに、ただ阿弥陀如来《あみだにょらい》を一心一向《いっしんいっこう》に帰命《きみょう》すれば、一切《いっさい》の諸仏《しょぶつ》の智慧《ちえ》も功徳《くどく》も、弥陀一体《みだいったい》に帰《き》せずということなきいわれなればなりとしるべし。

三《み》つには、諸宗《しょしゅう》・諸法《しょほう》を誹謗《ひほう》することおおきなるあやまりなり。そのいわれすでに浄土《じょうど》の三部経《さんぶきょう》にみえたり。また諸宗《しょしゅう》の学者《がくしゃ》も、念仏者《ねんぶつしゃ》をば、あながちに誹謗《ひほう》すべからず。自宗《じしゅう》・他宗《たしゅう》ともにそのとが、のがれがたきこと、道理必然《どうりひつぜん》せり。

四《よ》つには、守護《しゅご》・地頭《じとう》においては、かぎりある年貢所当《ねんぐしょとう》をねんごろに沙汰《さた》し、そのほか仁義《じんぎ》をもって本《ほん》とすべし。

五《いつ》つには、国《くに》の仏法《ぶっぽう》の次第《しだい》、当流《とうりゅう》の正義《しょうぎ》にあらざるあいだ、かつは邪見《じゃけん》にみえたり。所詮自今已後《しょせんじこんいご》においては、当流真実《とうりゅうしんじつ》の正義《しょうぎ》をききて、日《ひ》ごろの悪心《あくしん》をひるがえして、善心《ぜんしん》におもむくべきものなり。

六《む》つには、当流真実《とうりゅうしんじつ》の念仏者《ねんぶつしゃ》というは、開山《かいさん》のさだめおきたまえる正義《しょうぎ》をよく存知《ぞんじ》して、造悪不善《ぞうあくふぜん》の身《み》ながら極楽《ごくらく》の往生《おうじょう》をとぐるをもって、宗《しゅう》の本意《ほんい》とすべし。それ、一流《いちりゅう》の安心《あんじん》の正義《しょうぎ》のおもむきというは、なにのようもなく、阿弥陀如来《あみだにょらい》を一心一向《いっしんいっこう》にたのみたてまつりて、われはあさましき悪業煩悩《あくごうぼんのう》の身《み》なれども、かかるいたずらものを本《ほん》とたすけたまえる弥陀願力《みだがんりき》の強縁《ごうえん》なりと、不可思議《ふかしぎ》におもいたてまつりて、一念《いちねん》も疑心《ぎしん》なく、おもうこころだにも堅固《けんご》なれば、かならず弥陀《みだ》は無碍《むげ》の光明《こう みょう》をはなちて、その身《み》を摂取《せっしゅ》したまうなり。かように信心決定《しんじんけつじょう》したらんひとは、十人《じゅうにん》は十人《じゅうにん》ながら、みなことごとく報土《ほうど》に往生《おうじょう》すべし。このこころすなわち他力《たりき》の信心《しんじん》を決定《けつじょう》したるひとなりというべし。このうえになおこころうべきようは、まことにありがたき阿弥陀如来《あみだにょらい》の広大《こうだい》の御恩《ごおん》なりとおもいて、その仏恩報謝《ぶっとんほうしゃ》のためには、ねてもおきても、ただ南無阿弥陀仏《なむあみだぶつ》とばかりとなうべきなり。さればこのほかには、また後生《ごしょう》のためとては、なにの不足《ふそく》ありてか、相伝《そうでん》もなき、しらぬえせ法門《ほうもん》をいいて、ひとをもまどわし、あまっさえ法流《ほうりゅう》をもけがさんこと、まことにあさましき次第《しだい》にあらずや。よくよくおもいはからうべきものなり。あなかしこ、あなかしこ。

文明七年（一四七五）七月十五日

（二）抑《そもそ》も、今月《こんがつ》二十八日《にじゅうはちにち》は、開山聖人御正忌《かいさんしょうにんごしょうき》として、毎年不闕《まいねんふけつ》に、かの知恩報徳《ちおんほうとく》の御仏事《おんぶつじ》においては、あらゆる国郡《こくぐん》、そのほかいかなる卑劣《ひれつ》のともがらまでも、その御恩《ごおん》をしらざるものは、まことに木石《ぼくせき》にことならんものか。これについて、愚老《ぐろう》、この四《し》、五《ご》か年《ねん》のあいだは、なにとなく北陸《ほくりく》の山海《さんかい》のかたほとりに居住《きょじゅう》すといえども、はからざるに、いまに存命《ぞんめい》せしめ、この当国《とうごく》にこえ、はじめて今年《こんねん》、聖人御正忌《しょうにんごしょうき》の報恩講《ほうおんこう》にあいたてまつる条《じょう》、まことにもって不可思議《ふかしぎ》の宿縁《しゅくえん》、よろこびてもなおよろこぶべきものか。しかれば自国《じこく》・他国《たこく》より来集《らいじゅう》の諸人《しょにん》において、まず開山聖人《かいさんしょうにん》のさだめおかれし御掟《おんおきて》のむねを、よく存知《ぞんじ》すべし。その御《おん》ことばにいわく、[63]「たとい牛盗人《うしぬすびと》とはよばるとも、仏法者《ぶっぽうしゃ》・後世者《ごせしゃ》とみゆるようにふるまうべからず。またほかには仁《じん》・義《ぎ》・礼《れい》・智《ち》・信《しん》をまもりて王法《おうぼう》をもってさきとし、内心《ないしん》にはふかく本願他力《ほんがんたりき》の信心《しんじん》を本《ほん》とすべき」（改邪鈔）よしを、ねんごろにおおせさだめおかれしところに、近代《きんだい》このごろのひとの仏法《ぶっぽう》しりがおの体《てい》たらくをみおよぶに、外相《げそう》には仏法《ぶっぽう》を信《しん》ずるよしをひとにみえて、内心《ないしん》にはさらにもって当流安心《とうりゅうあんじん》の一途《いちず》を決定《けつじょう》せしめたる分《ぶん》なくして、あまっさえ相伝《そうでん》もせざる聖教《しょうぎょう》を、わが身《み》の字《じ》ぢからをもって、これをよみて、しらぬえせ法門《ほうもん》をいいて、自他《じた》の門徒中《もんとじゅう》を経回《けいがい》して、虚言《きょごん》をかまえ、結句《けっく》、本寺《ほんじ》よりの成敗《せいばい》と号《ごう》して、人《ひと》をたぶろかし物《もの》をとりて、当流《とうりゅう》の一義《いちぎ》をけがす条《じょう》、真実真実《しんじつしんじつ》、あさましき次第《しだい》にあらずや。これによりて、今月二十八日《こんがつにじゅうはちにち》の御正忌《ごしょうき》、七日《しちにち》の報恩講中《ほうおんこうじゅう》において、わろき心中《しんじゅう》のとおりを改悔懺悔《がいけさんげ》して、おのおの正義《しょうぎ》におもむかずは、たといこの七日《しちにち》の報恩講中《ほうおんこうじゅう》において、足手《あして》をはこび、ひとまねばかりに報恩謝徳《ほうおんしゃとく》のためと号《ごう》すとも、さらにもってなにの所詮《しょせん》もあるべからざるものなり。されば、弥陀《みだ》願力《がんりき》の信心《しんじん》を獲得《ぎゃくとく》せしめたらん人《ひと》のうえにおいてこそ、仏恩報尽《ぶっとんほうじん》とも、また師徳報謝《しとくほうしゃ》なんどとももうすことはあるべけれ。この道理《どうり》をよくよくこころえて、足手《あして》をもはこび、聖人《しょうにん》をもおもんじたてまつらん人《ひと》こそ、真実《しんじつ》に冥慮《みょうりょ》にもあいかない、また別《べつ》しては、当月御正忌《とうがつごしょうき》の報恩謝徳《ほうおんしゃとく》の懇志《こんし》にもふかくあいそなわりつべきものなり。あなかしこ、あなかしこ。

文明七年（一四七五）十一月二十一日、之《これ》を書《か》く。

（三）抑《そもそ》も、いにしえ近年《きんねん》このごろのあいだに、諸国在々所々《しょこくざいざいしょしょ》において、随分仏法者《ずいぶんぶっぽうしゃ》と号《ごう》して、法門《ほうもん》を讃嘆《さんだん》し、勧化《かんけ》をいたすともがらのなかにおいて、さらに真実《しんじつ》にわがこころ当流《とうりゅう》の正義《しょうぎ》にもとづかずとおぼゆるなり。そのゆえをいかんというに、まずかの心中《しんじゅう》におもうようは、われは仏法《ぶっぽう》の根《こん》源《げん》をよくしりがおの体《てい》にて、しかもたれ《(誰)》に相伝《そうでん》したる分《ぶん》もなくして、あるいは縁《えん》のはし、障子《しょうじ》のそとにて、ただ自然《じねん》と、ききとり法門《ほうもん》の分斉《ぶんざい》をもって、真実《しんじつ》に仏法《ぶっぽう》にそのこころざしはあさくして、われよりほかは仏法《ぶっぽう》の次第《しだい》を存知《ぞんじ》したるもののなきようにおもいはんべり。これによりて、たまたまも当《とう》流《りゅう》の正義《しょうぎ》をかたのごとく讃嘆《さんだん》せしむるひとをみては、あながちにこれを偏執《へんしゅう》す。すなわちわれひとりよくしりがおの風情《ふぜい》は、第一《だいいち》に憍慢《きょうまん》のこころにあらずや。かくのごときの心中《しんじゅう》をもって、諸方《しょほう》の門徒中《もんとじゅう》を経回《けいがい》して、聖教《しょうぎょう》をよみ、あまっさえ、わたくしの義《ぎ》をもって、本寺《ほんじ》よりのつかいと号《ごう》して、ひとをへつらい、虚言《きょごん》をかまえ、ものをとるばかりなり。これらのひとをば、なにとして、よき仏法者《ぶっぽうしゃ》、また聖教《しょうぎょう》よみとはいうべきをや。あさまし、あさまし。なげきてもなおなげくべきは、ただこの一事《いちじ》なり。これによりて、まず当流《とうりゅう》の義《ぎ》をたて、ひとを勧化《かんけ》せんとおもわんともがらにおいては、その勧化《かんけ》の次第《しだい》をよく存知《ぞんじ》すべきものなり。

夫《そ》れ、当流《とうりゅう》の他力信心《たりきしんじん》のひととおりをすすめんとおもわんには、まず宿善《しゅくぜん》・無宿善《むしゅくぜん》の機《き》を沙汰《さた》すべし。されば、いかにむかしより当門徒《とうもんと》にその名《な》をかけたるひとなりとも、無宿善《むしゅくぜん》の機《き》は信心《しんじん》をとりがたし。まことに宿善開発《しゅくぜんかいほつ》の機《き》は、おのずから信《しん》を決定《けつじょう》すべし。されば無宿善《むしゅくぜん》の機《き》のまえにおいては、正雑二行《しょうぞうにぎょう》の沙汰《さた》をするときは、かえりて誹謗《ひほう》のもとい《(基)》となるべきなり。この宿善《しゅくぜん》・無《む》宿善《しゅくぜん》の道理《どうり》を分別《ふんべつ》せずして、手《て》びろに世間《せけん》のひとをもはばからず勧化《かんけ》をいたすこと、もってのほかの当流《とうりゅう》のおきてにあいそむけり。されば『大経《だいきょう》』に云《のたま》わく、64「若人無善本《にゃくにんむぜんぽん》 不得聞此経《ふとくもんしきょう》」ともいい、65「若聞此経《にゃくもんしきょう》　信楽受持《しんぎょうじゅじ》　難中之難《なんちゅうしなん》　無過斯難《むかしなん》」ともいえり。また善導《ぜんどう》は、66「過去已曾修《かこいそうしゅ》習此法《しゅうしほう》　今得重聞則生歓喜《こんとくじゅうもんそくしょうかんぎ》」（定善義）とも釈《しゃく》せり。いずれの経釈《きょうしゃく》によるとも、すでに宿善《しゅくぜん》にかぎれりとみえたり。しかれば、宿善《しゅくぜん》の機《き》をまもりて、当流《とうりゅう》の法《ほう》をばあたうべしときこえたり。このおもむきをくわしく存知《ぞんじ》して、ひとをば勧化《かんけ》すべし。ことに、まず王法《おうぼう》をもって本《ほん》とし、仁義《じんぎ》をさきとして、世間通途《せけんつうず》の義《ぎ》に順《じゅん》じて、当流安心《とうりゅうあんじん》をば内心《ないしん》にふかくたくわえて、外相《げそう》に法流《ほうりゅう》のすがたを他宗他家《たしゅうたけ》にみえぬようにふるまうべし。このこころをもって、当流真実《とうりゅうしんじつ》の正義《しょうぎ》を、よく存知《ぞんじ》せしめたるひととはなづくべきものなり。あなかしこ、あなかしこ。

文明八年（一四七六）正月二十七日

（一三）67夫《そ》れ、当流門徒中《とうりゅうもんとじゅう》において、すでに安心決定《あんじんけつじょう》せしめたらん人《ひと》の身《み》のうえにも、また未決定《みけつじょう》の人《ひと》の安心《あんじん》をとらんとおもわん人《ひと》も、こころうべき次第《しだい》は、まずほかには王法《おうぼう》を本《ほん》とし、諸神《しょじん》・諸《しょ》仏《ぶつ》・菩薩《ぼさつ》をかろしめず、また諸宗《しょしゅう》・諸法《しょほう》を謗《ほう》ぜず、国《くに》ところにあらば、守護《しゅご》・地頭《じとう》にむきては疎略《そりゃく》なく、かぎりある年貢所当《ねんぐしょとう》をつぶさに沙汰《さた》をいたし、そのほか仁義《じんぎ》をもって本《ほん》とし、また後生《ごしょう》のためには、内心《ないしん》に阿弥陀如来《あみだにょらい》を一心一向《いっしんいっこう》にたのみたてまつりて、自余《じよ》の雑行雑善《ぞうぎょうぞうぜん》にこころをばとどめずして、一念《いちねん》も疑心《ぎしん》なく信《しん》じまいらせば、かならず真実《しんじつ》の極楽浄土《ごくらくじょうど》に往生《おうじょう》すべし。このこころえのとおりをもって、すなわち弥陀如来《みだにょらい》の他力《たりき》の信心《しんじん》をえたる念仏行者《ねんぶつぎょうじゃ》のすがたとはいうべし。かくのごとく念仏《ねんぶつ》の信心《しんじん》をとりてのうえに、なおおもうべきようは、さてもかかるわれらごときの、あさましき一生造悪《いっしょうぞうあく》のつみふかき身《み》ながら、ひとたび一念帰命《いちねんきみょう》の信心《しんじん》をおこせば、仏《ぶつ》の願力《がんりき》によりて、たやすくたすけたまえる弥陀如来《みだにょらい》の、不思議《ふしぎ》にまします超世《ちょうせ》の本願《ほんがん》の強縁《ごうえん》のありがたさよと、ふかくおもいたてまつりて、その御恩報謝《ごおんほうしゃ》のためには、ねてもさめても、ただ念仏《ねんぶつ》ばかりをとなえて、かの弥陀如来《みだにょらい》の仏恩《ぶっとん》を報《ほう》じたてまつるべきばかりなり。このうえには、後生《ごしょう》のために、なにをしりても所用《しょよう》なきところに、ちかごろもってのほか、みな人《ひと》のなにの不足《ふそく》ありてか、相伝《そうでん》もなき、しらぬくせ法門《ほうもん》をいいて、人《ひと》をもまどわし、また無上《むじょう》の法流《ほうりゅう》をもけがさんこと、まことにもってあさましき次《し》第《だい》なり。よくよくおもいはからうべきものなり。あなかしこ、あなかしこ。

文明八年（一四七六）七月十八日

第四帖

（一）夫《そ》れ、真宗念仏行者《しんしゅうねんぶつぎょうじゃ》のなかにおいて、法義《ほうぎ》についてそのこころえなき次第《しだい》これおおし。しかるあいだ、大概《たいがい》そのおもむきをあらわしおわりぬ。所詮自今已後《しょせんじこんいご》は、同心《どうしん》の行者《ぎょうじゃ》は、このことばをもって本《ほん》とすべし。これについてふたつのこころあり。一《ひと》つには、自身《じしん》の往生《おうじょう》すべき安心《あんじん》をまず治《じ》定《じょう》すべし。二《ふた》つには、ひとを勧化《かんけ》せんに、宿善《しゅくぜん》・無宿善《むしゅくぜん》のふたつを分別《ふんべつ》して勧化《かんけ》をいたすべし。この道理《どうり》を心中《しんじゅう》に決定《けつじょう》してたもつべし。しかればわが往生《おうじょう》の一段《いちだん》においては、内心《ないしん》にふかく一念《いちねん》発起《ほっき》の信心《しんじん》をたくわえて、しかも他力仏恩《たりきぶっとん》の称名《しょうみょう》をたしなみ、そのうえにはなお王法《おうぼう》をさきとし、仁義《じんぎ》を本《ほん》とすべし。また諸仏《しょぶつ》・菩薩等《ぼさつとう》を疎略《そりゃく》にせず、諸法《しょほう》・諸宗《しょしゅう》を軽賤《きょうせん》せず、ただ世間通途《せけんつうず》の義《ぎ》に順《じゅん》じて、外相《げそう》に当流法義《とうりゅうほうぎ》のすがたを他宗他門《たしゅうたもん》のひとにみせざるをもって、当流聖人《とうりゅうしょうにん》のおきてをまもる真宗念仏《しんしゅうねんぶつ》の行者《ぎょうじゃ》といいつべし。ことに当時《とうじ》このごろは、あながちに偏執《へんしゅう》すべき耳《みみ》をそばだて、謗難《ほうなん》のくちびるをめぐらすをもって、本《ほん》とする時分《じぶん》たるあいだ、かたくその用捨《ようしゃ》あるべきものなり。そもそも、当流《とうりゅう》にたつるところの他力《たりき》の三信《さんしん》というは、第十八《だいじゅうはち》の願《がん》に[68]「至心信楽欲生我《ししんしんぎょうよくしょうが》国《こく》」（大経）といえり。これすなわち三信《さんしん》とはいえども、ただ弥陀《みだ》をたのむところの、行者帰命《ぎょうじゃきみょう》の一《いっ》心《しん》なり。そのゆえはいかんというに、宿善開発《しゅくぜんかいほつ》の行者《ぎょうじゃ》、一念弥陀《いちねんみだ》に帰命《きみょう》せんとおもうこころの一《いち》念《ねん》おこるきざみ、仏《ぶつ》の心光《しんこう》、かの一念帰命《いちねんきみょう》の行者《ぎょうじゃ》を摂取《せっしゅ》したまう、その時節《じせつ》をさして、至心《ししん》・信《しん》楽《ぎょう》・欲生《よくしょう》の三信《さんしん》ともいい、またこのこころを願成就《がんじょうじゅ》の文《もん》には[69]「即得往生住不退転《そくとくおうじょうじゅうふたいてん》」（同）ととけり。あるいは、このくらいをすなわち真実信心《しんじつしんじん》の行人《ぎょうにん》とも、宿因深厚《しゅくいんじんこう》の行者《ぎょうじゃ》とも、平生業成《へいぜいごうじょう》の人《ひと》ともいうべし。されば弥陀《みだ》に帰命《きみょう》すというも、信心獲得《しんじんぎゃくとく》すというも、宿善《しゅくぜん》にあらずということなし。しかれば念仏往生《ねんぶつおうじょう》の根機《こんき》は、宿因《しゅくいん》のもよおしにあらずは、われら今度《こんど》の報土往生《ほうどおうじょう》は不可《ふか》なりとみえたり。このこころを、聖人《しょうにん》の御《おん》ことばには、[70]「遇獲信心遠慶宿縁《ぐぎゃくしんじんおんきょうしゅくえん》」（浄土文類聚鈔）とおおせられたり。これによりて当流《とうりゅう》のこころは、人《ひと》を勧化《かんけ》せんとおもうとも、宿善《しゅくぜん》・無宿善《むしゅくぜん》のふたつを分別《ふんべつ》せずはいたずらごとなるべし。このゆえに、宿善《しゅくぜん》の有無《うむ》の根機《こんき》をあいはかりて、人《ひと》をば勧化《かんけ》すべし。しかれば近代当流《きんだいとうりゅう》の仏法者《ぶっぽうしゃ》の風情《ふぜい》は、是非《ぜひ》の分別《ふんべつ》なく、当流《とうりゅう》の義《ぎ》を荒涼《こうりょう》に讃嘆《さんだん》せしむるあいだ、真宗《しんしゅう》の正意《しょうい》、このいわれによりてあいすたれたりときこえたり。かくのごときらの次第《しだい》を委細《いさい》に存知《ぞんじ》して、当流《とうりゅう》の一義《いちぎ》をば讃嘆《さんだん》すべきものなり。あなかしこ、あなかしこ。

文明九年（一四七七）丁酉《ひのととり》　正月八日

（三）　夫《そ》れ、人間《にんげん》の寿命《じゅみょう》をかぞうれば、いまのときの定命《じょうみょう》は五十六歳《ごじゅうろくさい》なり。しかるに当時《とうじ》において、年五十六《としごじゅうろく》までいきのびたらんひとは、まことにもっていかめしきことなるべし。これによりて、予《よ》すでに頽齢六十三歳《たいれいろくじゅうさんさい》にせまれり。[71]勘篇《かんぺん》すれば、年《とし》は、はや七年《しちねん》までいきのびぬ。これにつけても前業《ぜんごう》の所感《しょかん》なれば、いかなる病患《びょうげん》をうけてか死《し》の縁《えん》にのぞまんとおぼつかなし。これさらに、はからざる次第《しだい》なり。ことにもって当時《とうじ》の体《てい》たらくをみおよぶに、定相《じょうそう》なき時分《じぶん》なれば、人間《にんげん》のかなしさは、おもうようにもなし。あわれ、死《し》なばやとおもわば、やがて死《し》なれなん世《よ》にてもあらば、などかいままでこの世《よ》にすみはんべりなん。ただいそぎてもうまれたきは極楽浄土《ごくらくじょうど》、ねごうてもねがいえんものは無漏《むろ》の仏体《ぶったい》なり。しかれば、一念帰命《いちねんきみょう》の他力安心《たりきあんじん》を、仏智《ぶっち》より獲得《ぎゃくとく》せしめん身《み》のうえにおいては、畢命《ひつみょう》[72]為期《いご》まで、仏恩報尽《ぶっとんほうじん》のために称名《しょうみょう》をつとめんにいたりては、あながちになにの不《ふ》足《そく》ありてか、先生《ぜんしょう》よりさだまれるところの死期《しご》をいそがんも、かえりておろかにまどいぬるかともおもいはんべるなり。このゆえに、愚老《ぐろう》が身上《しんしょう》にあててかくのごとくおもえり。たれのひとびとも、この心中《しんじゅう》に住《じゅう》すべし。ことにもって、この世界《せかい》のならいは、老少不定《ろうしょうふじょう》にして、電光朝露《でんこうちょうろ》のあだ（徒）

なる身《み》なれば、いまも無常《むじょう》のかぜきたらんことをば、しらぬ体《てい》にてすぎゆきて、後生《ごしょう》をば、かつてねがわず、ただ今生《こんじょう》をば、いつまでもいきのびんずるようにこそ、おもいはんべれ。あさましというも、なおおろかなり。いそぎ今日《こんにち》より弥陀如来《みだにょらい》の他力本願《たりきほんがん》をたのみ、一向《いっこう》に無量寿仏《むりょうじゅぶつ》に帰命《きみょう》して、真実報土《しんじつほうど》の往生《おうじょう》をねがい、称名念仏《しょうみょうねんぶつ》せしむべきものなり。あなかしこ、あなかしこ。

時《とき》に文明九年（一四七七）九月十七日、俄《にわか》に思《おも》い出《い》ずるの間《あいだ》、辰《たつ》の剋巳前《こくいぜん》に早々之《そうそうこれ》を書《か》き記《しる》し訖《おわ》りぬ。

信証院《しんしょういん》　六十三歳

かきおくも　ふでにまかする　ふみなれば　ことばのすえぞ　おかしかりける

㈢　夫《そ》れ、当時世上《とうじせじょう》の体《てい》たらく、いつのころにか落居《らっきょ》すべきともおぼえはんべらざる風情《ふぜい》なり。しかるあいだ、諸国往来《しょこくおうらい》の通路《つうろ》にいたるまでも、たやすからざる時分《じぶん》なれば、仏法《ぶっぽう》・世法《せほう》につけても、千万迷惑《せんばんめいわく》のおりふしなり。これによりて、あるいは霊仏《れいぶつ》・霊社参詣《れいしゃさんけい》の諸人《しょにん》もなし。これにつけても、人間《にんげん》は老少不定《ろうしょうふじょう》ときくときは、いそぎいかなる功徳善根《くどくぜんごん》をも修《しゅ》し、いかなる菩提涅槃《ぼだいねはん》をもねがうべきことなり。しかるにいまの世《よ》も末法濁乱《まっぽうじょくらん》とはいいながら、ここに阿弥陀如来《あみだにょらい》の他力本願《たりきほんがん》は、いまの時節《じせつ》はいよいよ不可思議《ふかしぎ》にさかりなり。さればこの広大《こうだい》の悲願《ひがん》にすがりて、在家止住《ざいけしじゅう》のともがらにおいては、一念《いちねん》の信心《しんじん》をとりて、法性常楽《ほっしょうじょうらく》の浄刹《じょうせつ》に往生《おうじょう》せずは、まことにもって、たからの山《やま》にいりて、手《て》をむなしくしてかえらんににたるものか。よくよくこころをしずめてこれを案《あん》ずべし。しかれば、諸仏《しょぶつ》の本願《ほんがん》をくわしくたずぬるに、五障《ごしょう》の女人《にょにん》、五逆《ごぎゃく》の悪人《あくにん》をば、すくいたまうことかなわずときこえたり。これにつけても、阿弥陀如来《あみだにょらい》こそ、ひとり無上殊勝《むじょうしゅしょう》の願《がん》をおこして、悪逆《あくぎゃく》の凡夫《ぼんぶ》、五障《ごしょう》の女質《にょしつ》をば、われたすくべきという大願《だいがん》をばおこしたまいけり。ありがたしというも、なおおろかなり。これによりて、むかし、釈尊《しゃくそん》、霊鷲山《りょうじゅせん》にましまして、一乗法華《いちじょうほっけ》の妙典《みょうでん》をとかれしとき、提婆《だいば》・阿闍世《あじゃせ》の、逆害《ぎゃくがい》をおこし、釈迦《しゃか》、韋提《いだい》をして安養《あんにょう》をねがわしめたまいしによりて、かたじけなくも霊山法華《りょうぜんほっけ》の会座《えざ》を没《もっ》して、王宮《おうぐう》に降臨《ごうりん》して、韋提希夫人《いだいけぶにん》のために浄土《じょうど》の教《きょう》をひろめましましによりて、弥陀《みだ》の本願《ほんがん》このときにあたりてさかんなり。このゆえに法華《ほっけ》と念仏《ねんぶつ》と同時《どうじ》の教《きょう》といえることは、このいわれなり。これすなわち末代《まつだい》の五逆《ごぎゃく》・女人《にょにん》に、安養《あんにょう》の往生《おうじょう》をねがわしめんがための方便《ほうべん》に、釈迦《しゃか》、韋提《いだい》・調達《じょうだつ》・闍世《じゃせ》の、五逆《ごぎゃく》をつくりて、かかる機《き》なれども、不思議《ふしぎ》の本願《ほんがん》に帰《き》すれば、かならず安養《あんにょう》の往生《おうじょう》をとぐるものなりとしらせたまえりとしるべし。あなかしこ、あなかしこ。

文明九歳（一四七七）九月二十七日、之《これ》を記《しる》す。

(四)　夫《そ》れ、秋《あき》もさり春《はる》もさりて、年月《としつき》をおくること、昨日《きのう》もすぎ今日《きょう》もすぐ。いつのまにかは年老《ねんろう》のつもるらんともおぼえず、しらざりき。しかるにそのうちには、さりとも、あるいは花鳥風月《かちょうふうげつ》のあそびにもまじわりつらん、また、歓楽苦痛《かんらくくつう》の悲喜《ひき》にもあいはんべりつらんなれども、いまにそれともおもいいだすこととては、ひとつもなし。ただいたずらにあかし、いたずらにくらして、老《おい》のしらがとなりはてぬる身《み》のありさまこそかなしけれ。されども今日《きょう》までは無常《むじょう》のはげしきかぜにもさそわれずして、わが身《み》ありがおの体《てい》を、つらつら案《あん》ずるに、ただゆめのごとし、まぼろしのごとし。いまにおいては、生死出離《しょうじしゅつり》の一道《いちどう》ならでは、ねがうべきかたとてはひとつもなく、またふたつもなし。これによりて、ここに未来悪世《みらいあくせ》のわれらごときの衆生《しゅじょう》を、たやすくたすけたまう阿弥陀如来《あみだにょらい》の本願《ほんがん》のましますときけば、まことにたのもしく、ありがたくもおもいはんべるなり。この本願《ほんがん》を、ただ一《いち》念無疑《ねんむぎ》に、至心帰命《ししんきみょう》したてまつれば、わずらいもなく、そのとき臨終《りんじゅう》せば往生治定《おうじょうじじょう》すべし。もしそのいのちのびなば、一期《いちご》のあいだは仏恩報謝《ぶっとんほうしゃ》のために念仏《ねんぶつ》して、畢命《ひつみょう》を期《ご》とすべし。これすなわち平生業成《へいぜいごうじょう》のこころなるべしと、たしかに聴聞《ちょうもん》せしむるあいだ、その決定《けつじょう》の信心《しんじん》のとおり、いまに耳《みみ》のそこに退転《たいてん》せしむることなし。ありがたしというも、なおおろかなるものなり。されば、弥陀《みだ》如来他力本願《にょらいたりきほんがん》のとうとさ、ありがたさのあまり、かくのごとくくちにうかむにまかせて、このこころを詠歌《えいか》にいわく、

ひとたびも　ほとけをたのむ　こころこそ　まことののり《（法）》に　かなうみちなれ
つみふかく　如来《にょらい》をたのむ　身《み》になれば　のりのちからに　西《にし》へこそゆけ
法《のり》をきく　みちにこころの　さだまれば　南無阿弥陀仏《なむあみだぶつ》と　となえこそすれ

と、わが身《み》ながらも本願《ほんがん》の一法《いっぽう》の殊勝《しゅしょう》なるあまり、かくもうしはんべりぬ。この三首《さんしゅ》の歌《うた》のこころは、はじめは、一念帰命《いちねんきみょう》の信心決定《しんじんけつじょう》のすがたをよみはんべり[73]ぬ。のちの歌《うた》は、入正定聚《にゅうしょうじょうじゅ》の益《やく》、必至滅度《ひっしめつど》のこころをよみはんべりぬ。つぎのこころは、慶喜金剛《きょうきこんごう》の信心《しんじん》のうえには、知恩報徳《ちおんほうとく》のこ

ころをよみはんべりしなり。されば、他力《たりき》の信心発得《しんじんほっとく》せしむるうえなれば、せめては、かようにくちずさみても、仏恩報尽《ぶっとんほうじん》のつとめにもやなりぬべきともおもい、またきくひとも宿縁《しゅくえん》あらば、などやおなじこころにならざらんとおもいはんべりしなり。しかるに、予《よ》すでに七旬《しちしゅん》のよわいにおよび、ことに愚闇無才《ぐあんむさい》の身《み》として、片腹《かたはら》いたくもかくのごとく、しらぬえせ法門《ほうもん》をもうすこと、かつは斟酌《しんしゃく》をもかえりみず、ただ本願《ほんがん》の一《ひと》すじの、とうとさばかりのあまり、卑劣《ひれつ》のこのこと（言）のは（葉）を筆《ふで》にまかせてかきしるしおわりぬ。のちにみん人《ひと》、そしりをなさざれ。これまことに[74]讃仏乗《さんぶつじょう》の縁《えん》、転法輪《てんぽうりん》の因《いん》ともなりはんべりぬべし。あいかまえて、偏執《へんしゅう》をなすこと、ゆめゆめなかれ。あなかしこ、あなかしこ。

時《とき》に文明年中（一四七七）丁酉《ひのとどり》暮冬《ぼとう》[75]中旬《ちゅうじゅん》の比《ころ》、炉辺《ろへん》に於《お》いて暫時《ざんじ》に之《これ》を書《か》き記《しる》す者《もの》[76]なり云々《うんぬん》

右《みぎ》、この書《しょ》は、当所《とうしょ》[77]はりの木原辺《きばらへん》より[78]九間在家《くけんざいけ》へ、仏照寺《ぶっしょうじ》、所用《しょよう》ありて出行《しゅつぎょう》のとき、路次《ろし》にてこの書《しょ》をひろいて、当坊《とうぼう》へもちきたれり。

文明九年（一四七七）十二月二日

（五）夫《そ》れ、中古已来《ちゅうこいらい》、当時《とうじ》にいたるまでも、当流《とうりゅう》の勧化《かんけ》をいたすその人数《にんじゅ》のなかにおいて、さらに宿善《しゅくぜん》の有無《うむ》ということをしらずして勧化《かんけ》をなすなり。所詮自今已後《しょせんじこんいご》においては、このいわれを存知《ぞんじ》せしめて、たとい聖教《しょうぎょう》をもよみ、また暫時《ざんじ》に法門《ほうもん》をいわんときも、このこころを覚悟《かくご》して一流《いちりゅう》の法義《ほうぎ》をば讃嘆《さんだん》し、あるいはまた仏法聴聞《ぶっぽうちょうもん》のためにとて、人数《にんじゅ》おおくあつまりたらんときも、この

人数《にんじゅ》のなかにおいて、もし無宿善《むしゅくぜん》の機《き》やあるらんとおもいて、一流真実《いちりゅうしんじつ》の法義《ほうぎ》を沙汰《さた》すべからざるところに、近代人々《きんだいひとびと》の勧化《かんけ》する体《てい》たらくをみおよぶに、この覚悟《かくご》はなく、ただいずれの機《き》なりとも、よく勧化《かんけ》せば、などか当流《とうりゅう》の安心《あんじん》にもとづかざらんようにおもいはんべりき。これあやまりとしるべし。かくのごときの次第《しだい》をねんごろに存知《ぞんじ》して、当流《とうりゅう》の勧化《かんけ》をばいたすべきものなり。中古《ちゅうこ》このごろにいたるまで、さらにそのこころをえて、うつくしく勧化《かんけ》する人《ひと》なし。これらのおもむきをよくよく覚悟《かくご》して、かたのごとくの勧化《かんけ》をばいたすべきものなり。

そもそも、今月二十八日《こんがつにじゅうはちにち》は、毎年《まいねん》の儀《ぎ》として、懈怠《けだい》なく、開山聖人《かいさんしょうにん》の報恩謝徳《ほうおんしゃとく》のために、念仏勤行《ねんぶつごんぎょう》をいたさんと擬《ぎ》する人数《にんじゅ》これおおし。まことにもって、[79]「ながれをくんで本源《ほんげん》をたずぬる」（式文）道理《どうり》を存知《ぞんじ》せるがゆえなり。ひとえにこれ、聖人《しょうにん》の勧化《かんけ》のあまねきがいたすところなり。しかるあいだ、近年《きんねん》ことのほか当流《とうりゅう》に讃嘆《さんだん》せざるひが（僻）法門《ぼうもん》をたてて、諸人《しょにん》をまどわしめて、あるいはそのところの地頭《じとう》・領主《りょうじゅ》にもとがめられ、わが身《み》も悪見《あっけん》に住《じゅう》して、当流《とうりゅう》の真実《しんじつ》なる安心《あんじん》のかたも、ただ（正）しからざるようにみおよべり。あさましき次第《しだい》にあらずや。かなしむべし、おそるべし。所詮《しょせん》、今月《こんがつ》報恩講七昼夜《ほうおんこうしちちゅうや》のうちにおいて、各々《かっかく》に改悔《がいけ》の心《こころ》をおこして、わが身《み》のあやまれるところの心中《しんじゅう》を心底《しんてい》にのこさずして、当寺《とうじ》の御影前《ごえいぜん》において、回心懺悔《えしんさんげ》して、諸人《しょにん》の耳《みみ》にこれをきかしむるように、毎日毎夜《まいにちまいや》にかたるべし。これすなわち[80]「謗法闡提回心皆往《ほうぼうせんだいえしんかいおう》」（法事讃）の御釈《おんしゃく》にもあいかない、また、[81]「自信教人信《じしんきょうにんしん》」（往生礼讃）の義《ぎ》にも相応《そうおう》すべきものなり。しからば、まことにこころあらん人々《ひとびと》は、この回心懺悔《えしんさんげ》をききても、げにもとおもいて、おなじく日《ひ》ごろの悪心《あくしん》をひるがえして、善心《ぜんしん》になりかえる人《ひと》もあるべし。これぞまことに今月聖人《こんがつしょうにん》の御忌《ぎょき》の本懐《ほんがい》にあいかなうべし。これすなわち報恩謝《ほうおんしゃ》徳《とく》の懇志《こんし》たるべきものなり。あなかしこ、あなかしこ。

文明十四年（一四八二）十一月二十一日

（六）抑《そもそ》も、当月《とうがつ》の報恩講《ほうおんこう》は、開山聖人《かいさんしょうにん》の御遷化《ごせんげ》の正忌《しょうき》として、例年《れいねん》の旧儀《きゅうぎ》とす。これによりて、遠国《えんごく》・近国《きんごく》の門徒《もんと》のたぐい、この時節《じせつ》にあいあたりて、参詣《さんけい》のこころざしをはこび、報謝《ほうしゃ》のまことをいたさんと欲《ほっ》す。しかるあいだ、毎年七昼夜《まいねんしちちゅうや》のあいだにおいて、念仏勤行《ねんぶつごんぎょう》をこらしはげます。これすなわち、真実信心《しんじつしんじん》の行者《ぎょうじゃ》、繁昌《はんじょう》せしむるゆえなり。まことにもって念仏得堅固《ねんぶつとくけんご》の時節到来《じせつとうらい》といいつべきものか。このゆえに一七《いっしち》か日《にち》のあいだにおいて、参詣《さんけい》をいたすともがらのなかにおいて、まことに人《ひと》まねばかりに御影前《ごえいぜん》へ出仕《しゅっし》をいたすやから、これあるべし。かの仁体《じんたい》において、はやく御影《ごえい》前《ぜん》にひざまずいて、回心懺悔《えしんさんげ》のこころをおこして、本願《ほんがん》の正意《しょうい》に帰入《きにゅう》して、一念発起《いちねんほっき》の真実信心《しんじつしんじん》をもう（設）くべきものなり。それ、南無阿弥陀仏《なむあみだぶつ》というは、すなわちこれ念仏行者《ねんぶつぎょうじゃ》の安心《あんじん》の体《たい》なりとおもうべし。そのゆえは、南無《なむ》というは帰命《きみょう》なり。[82]「即是帰命《そくぜきみょう》」というは、われらごときの無善造悪《むぜんぞうあく》の凡夫《ぼんぶ》のうえにおいて、阿弥陀仏《あみだぶつ》をたのみたてまつるこころなりとしるべし。そのたのむこころというは、すなわちこれ、阿弥陀仏《あみだぶつ》の、衆生《しゅじょう》を八万四千《はちまんしせん》の大光明《だいこうみょう》のなかに摂取《せっしゅ》して、往還二種《おうげんにしゅ》の回向《えこう》を衆《しゅ》生《じょう》にあたえましますこころなり。されば信心《しんじん》というも別《べつ》のこころにあらず。みな南無阿弥陀仏《なむあみだぶつ》のうちにこもりたるものなり。ちかごろは、人《ひと》の、別《べつ》のことのようにおもえり。これについて、諸国《しょこく》において、当流門人《とうりゅうもんにん》のなかに、おおく祖師《そし》のさだめおかるるところの聖教《しょうぎょう》の所判《しょはん》になき、くせ法門《ほうもん》を沙汰《さた》して法義《ほうぎ》をみだす条《じょう》、もってのほかの次第《しだい》なり。所詮《しょせん》かくのごときのやからにおいては、あいかまえて、この一七か日報恩講《いっしちにちほうおんこう》のうちにありて、そのあやまりをひるがえして、正義《しょうぎ》にもとづくべきものなり。

一《ひとつ》 仏法《ぶっぽう》を棟梁《とうりょう》し、かたのごとく坊主分《ぼうずぶん》をもちたらん人《ひと》の身上《しんしょう》において、いささかも相承《そうじょう》もせざる、しらぬえせ法門《ぼうもん》をもって人《ひと》にかたり、われ物《もの》しりとおもわれんためにとて、近代在々所々《きんだいざいざいしょしょ》に繁《はん》昌《じょう》すと云々《うんぬん》 これ言語道断《ごんごどうだん》の次第《しだい》なり。

一《ひとつ》 京都本願寺御影《きょうとほんがんじごえい》へ参詣《さんけい》もうす身《み》なりといいて、いかなる人《ひと》の中《なか》ともいわず、大道《だいどう》・大路《おおじ》にても、また、関《せき》・渡《わたり》の船中《せんちゅう》にてもはばからず、仏法《ぶっぽう》がたのことを人《ひと》に顕露《けんろ》にかたること、おおきなるあやまりなり。

一《ひとつ》 人《ひと》ありていわく、「我《わ》が身《み》はいかなる仏法《ぶっぽう》を信《しん》ずる人《ひと》ぞ」とあいたずぬることありとも、しかと、「当流《とうりゅう》の念仏者《ねんぶつしゃ》なり」とこたうべからず。ただ、「なに宗《しゅう》ともなき、念仏《ねんぶつ》ばかりはとうときことと存《ぞん》じたるばかりなるものなり」とこたうべし。これすなわち当流聖人《とうりゅうしょうにん》のおしえましますところの、仏法者《ぶっぽうしゃ》とみえざる人《ひと》のすがたなるべし。されば、これらのおもむきを、よくよく存知《ぞんじ》して、外相《げそう》にそのいろをみせざるをもって、当流《とうりゅう》の正義《しょうぎ》とおもうべきものなり。これについて、この両三年《りょうさんねん》のあいだ、報恩講中《ほうおんこうじゅう》において、衆中《しゅじゅう》としてさだめおくところの義《ぎ》、ひとつとして違変《いへん》あるべからず。この衆中《しゅじゅう》において、万一相違《ばんいちそうい》せしむる子細《しさい》これあらば、ながき世《よ》、開山聖人《かいさんしょうにん》の御門徒《ごもんと》たるべからざるものなり。あなかしこ、あなかしこ。

文明十五年（一四八三）十一月　日

(七)　抑《そもそ》も、今月報恩講《こんがつほうおんこう》の事《こと》、例年《れいねん》の旧義《きゅうぎ》として、七日《しちにち》の勤行《ごんぎょう》をいたすところ、いまにその退転《たいてん》なし。しかるあいだ、この時節《じせつ》にあいあたりて、諸国門葉《しょこくもんよう》のたぐい、報恩謝徳《ほうおんしゃとく》の懇志《こんし》をはこび、称名《しょうみょう》念仏《ねんぶつ》の本行《ほんぎょう》をつくす。まことにこれ専修専念決定往生《せんじゅせんねんけつじょうおうじょう》の徳《とく》なり。このゆえに諸国参詣《しょこくさんけい》のともがらにおいて、一味《いちみ》の安心《あんじん》に住《じゅう》する人《ひと》まれなるべしとみえたり。そのゆえは、真実《しんじつ》に仏法《ぶっぽう》にこころざしはなくして、ただ、人《ひと》まねばかり、あるいは仁義《じんぎ》までの風情《ふぜい》ならば、まことにもってなげかしき次第《しだい》なり。そのいわれいかんというに、未安心《みあんじん》のともがらは、不審《ふしん》の次第《しだい》をも沙汰《さた》せざるときは、不信《ふしん》のいたりともおぼえはんべれ。されば、はるばると万里《ばんり》の遠路《えんろ》をしのぎ、又《また》、莫太《ばくたい》の苦労《くろう》をいたして上洛《しょうらく》せしむるところ、さらにもってその所詮《しょせん》なし。かなしむべし、かなしむべし。ただし、不宿善《ふしゅくぜん》の機《き》ならば無用《むよう》といいつべきものか。

一《ひとつ》　近年《きんねん》は仏法繁昌《ぶっぽうはんじょう》ともみえたれども、まことにもって坊主分《ぼうずぶん》の人《ひと》にかぎりて、信心《しんじん》のすがた一《いっ》向無沙汰《こうぶさた》なりときこえたり。もってのほか、なげかしき次第《しだい》なり。

一《ひとつ》　すえずえの門下《もんか》のたぐいは、他力《たりき》の信心《しんじん》のとおり聴聞《ちょうもん》のともがらこれおおきところに、坊主《ぼうず》よりこれを腹立《ふくりゅう》せしむるよし、きこえはんべり。言語道断《ごんごどうだん》の次第《しだい》なり。

一《ひとつ》　田舎《いなか》より参詣《さんけい》の面々《めんめん》の身上《しんしょう》において、こころうべき旨《むね》あり。そのゆえは、他人《たにん》の中《なか》ともいわず、また大道《だいどう》・路次《ろし》なんどにても、関屋《せきや》・船中《せんちゅう》をもはばからず、仏法方《ぶっぽうがた》の讃嘆《さんだん》をすること、勿体《もったい》なき次第《しだい》なり。かたく停止《ちょうじ》すべきなり。

一《ひとつ》　当流《とうりゅう》の念仏者《ねんぶつしゃ》を、あるいは人《ひと》ありて、「なに宗《しゅう》ぞ」とあいたずぬること、たといありとも、しかと「当宗念仏者《とうしゅうねんぶつしゃ》」とこたうべからず。ただ、「なに宗《しゅう》ともなき念仏者《ねんぶつしゃ》なり」とこたうべし。これすなわち我《わ》が聖人《しょうにん》のおおせおかるるところの、仏法者気色《ぶっぽうしゃきそく》みえぬふるまいなるべし。このおもむきをよくよく存知《ぞんじ》して、外相《げそう》にそのいろをはたらくべからず。まことにこれ当流《とうりゅう》の念仏者《ねんぶつしゃ》のふるまいの正義《しょうぎ》たるべきものなり。

一《ひとつ》　仏法《ぶっぽう》の由来《ゆらい》を、障子《しょうじ》・かきごしに聴聞《ちょうもん》して、内心《ないしん》に、さぞと、たとい領解《りょうげ》すというとも、かさねて人《ひと》にそのおもむきをよくよくあいたずねて、信心《しんじん》のかたをば治定《じじょう》すべし。そのまま我《わ》が心《こころ》にまかせば、かならずかならず、あやまりなるべし。ちかごろこれらの子細《しさい》、当時《とうじ》さかんなりと云々《うんぬん》

一《ひとつ》　信心《しんじん》をえたるとおりをば、いくたびもいくたびも人《ひと》にたずねて、他力《たりき》の安心《あんじん》をば治定《じじょう》すべし。一往聴聞《いちおうちょうもん》しては、かならずあやまりあるべきなり。

右《みぎ》、此《こ》の六《ろっ》か条《じょう》のおもむき、よくよく存知《ぞんじ》すべきものなり。近年仏法《きんねんぶっぽう》は、人《ひと》みな聴聞《ちょうもん》すとはいえども、一往《いちおう》の義《ぎ》をききて、真実《しんじつ》に信心決定《しんじんけつじょう》の人《ひと》これなきあいだ、安心《あんじん》も、うとうとしき（疎々）がゆえなり。

あなかしこ、あなかしこ。

文明十六年(一四八四)十一月二十一日

(八)　抑《そもそ》も、今月《こんがつ》二十八日《にじゅうはちにち》の報恩講《ほうおんこう》は、昔年《しゃくねん》よりの流例《るれい》たり。これによりて近国《きんごく》・遠国《えんごく》の門葉《もんよう》、報《ほう》恩謝徳《おんしゃとく》の懇志《こんし》をはこぶところなり。二六時中《にろくじちゅう》の称名念仏《しょうみょうねんぶつ》、今古退転《こんこたいてん》なし。これすなわち開山聖人《かいさんしょうにん》の法流《ほうりゅう》、一天四海《いってんしかい》の勧化《かんけ》、比類《ひるい》なきがいたすところなり。このゆえに、七昼夜《しちちゅうや》の時節《じせつ》にあいあたり、不法不信《ふほうふしん》の根機《こんき》においては、往生浄土《おうじょうじょうど》の信心《しんじん》、獲得《ぎゃくとく》せしむべきものなり。これしかしながら今月《こんがつ》聖人《しょうにん》の御正忌《ごしょうき》の報恩《ほうおん》たるべし。しからざらんともがらにおいては、報恩謝徳《ほうおんしゃとく》のこころざしなきににたるものか。これによりて、このごろ真宗《しんしゅう》の念仏者《ねんぶつしゃ》と号《ごう》するなかに、まことに心底《しんてい》より当流《とうりゅう》の安心《あんじん》決定《けつじょう》なきあいだ、あるいは名聞《みょうもん》、あるいはひとなみに報謝《ほうしゃ》をいたすよしの風情《ふぜい》これあり。もってのほか、しかるべからざる次第《しだい》なり。そのゆえは、すでに万里《ばんり》の遠路《えんろ》をしのぎ、莫太《ばくたい》の辛労《しんろう》をいたして、上洛《しょうらく》のともがら、いたずらに名聞《みょうもん》ひとなみの心中《しんじゅう》に住《じゅう》すること、口惜《くちお》しき次第《しだい》にあらずや。すこぶる不足《ふそく》の所存《しょぞん》といいつべし。ただし無宿善《むしゅくぜん》の機《き》にいたりてはちからおよばず。しかりといえども、無二《むに》の懺悔《さんげ》をいたし、一心《いっしん》の正念《しょうねん》におもむかば、いかでか聖人《しょうにん》の御本意《ごほんい》に達《たっ》せざらんものをや。

一《ひとつ》　諸国参詣《しょこくさんけい》のともがらのなかにおいて、在所《ざいしょ》をきらわず、いかなる大道《だいどう》・大路《おおじ》、又《また》、関屋《せきや》・渡《わたり》の船中《せんちゅう》にても、さらにそのはばかりなく、仏法方《ぶっぽうがた》の次第《しだい》を顕露《けんろ》に人《ひと》にかたること、しかるべからざる事《こと》。

一《ひとつ》 在々所々《ざいざいしょしょ》において、当流《とうりゅう》にさらに沙汰《さた》せざる、めずらしき法門《ほうもん》を讃嘆《さんだん》し、おなじく宗義《しゅうぎ》になきおもしろき名目《みょうもく》なんどをつかう人《ひと》、これおおし。もってのほかの僻案《へきあん》なり。自今已後《じこんいご》、かたく停止《ちょうじ》すべきものなり。

一《ひとつ》 この七《しち》か日報恩講《にちほうおんこう》中《じゅう》においては、一人《いちにん》ものこらず信心《しんじん》未定《みじょう》のともがらは、心中《しんじゅう》をはばからず改悔《がいけ》懺悔《さんげ》の心《こころ》をおこして、真実信心《しんじつしんじん》を獲得《ぎゃくとく》すべきものなり。

一《ひとつ》 もとより我《わ》が安心《あんじん》のおもむき、いまだ決定《けつじょう》せしむる分《ぶん》もなきあいだ、その不審《ふしん》をいたすべきところに、心中《しんじゅう》[83]につつみて、ありのままにかたらざるたぐいあるべし。これをせめあいたずぬるところに、ありのままに心中《しんじゅう》をかたらずして、当場《とうば》をいいぬけんとする人《ひと》のみなり。勿体《もったい》なき次第《しだい》なり。心中《しんじゅう》をのこさずかたりて、真実信心《しんじつしんじん》にもとづくべきものなり。

一《ひとつ》 近年仏法《きんねんぶっぽう》の棟梁《とうりょう》たる坊主達《ぼうずたち》、我《わ》が信心《しんじん》はきわめて不足《ふそく》にて、結句《けっく》、門徒《もんと》・同朋《どうぼう》は信心《しんじん》は決定《けつじょう》するあいだ、坊主《ぼうず》の信心不足《しんじんふそく》のよしをもうせば、もってのほか腹立《ふくりゅう》せしむる条《じょう》、言語道断《ごんごどうだん》の次第《しだい》なり。已後《いご》においては、師弟《してい》ともに一味《いちみ》の安心《あんじん》に住《じゅう》すべき事《こと》。

一《ひとつ》 坊主分《ぼうずぶん》の人《ひと》、ちかごろはことのほか[84]重坏《じゅうはい》のよし、そのきこえあり。言語道断《ごんごどうだん》しかるべからざる次第《しだい》なり。あながちに、酒《さけ》をのむ人《ひと》を停止《ちょうじ》せよというにはあらず。仏法《ぶっぽう》につけ、門徒《もんと》につけ、重坏《じゅうはい》なれば、かならず、ややもすれば酔狂《すいきょう》のみ出来《しゅつらい》せしむるあいだ、しかるべからず。さあらんときは、坊主分《ぼうずぶん》は停止《ちょうじ》せられても、まことに興隆仏法《こうりゅうぶっぽう》ともいいつべきか。しからずは、[85]一盞《いっさん》にてもしかるべきか。これも仏法《ぶっぽう》にこころざしのうすきによりてのことなれば、これをとどまらざるも道理《どうり》か。ふかく思案《しあん》あるべきものなり。

一《ひとつ》　信心決定《しんじんけつじょう》のひとも、細々《さいさい》に同行《どうぎょう》に会合《かいごう》のときは、あいたがいに信心《しんじん》の沙汰《さた》あらば、これすなわち真宗繁昌《しんしゅうはんじょう》の[86]根源《こんげん》なり。

一《ひとつ》　当流《とうりゅう》の信心決定《しんじんけつじょう》すという体《たい》は、すなわち南無阿弥陀仏《なむあみだぶつ》の六字《ろくじ》のすがたとこころうべきなり。すでに善導釈《ぜんどうしゃく》していわく、[87]「言南無者《ごんなむしゃ》　即是帰命《そくぜきみょう》　亦是発願回向之義《やくぜほつがんえこうしぎ》　言阿弥陀仏者《ごんあみだぶつしゃ》　即是其行《そくぜごぎょう》」（玄義分）といえり。南無《なむ》と、衆生《しゅじょう》が弥陀《みだ》に帰命《きみょう》すれば、阿弥陀仏《あみだぶつ》の、その衆生《しゅじょう》をよくしろしめして、万善万行《まんぜんまんぎょう》、恒沙《ごうじゃ》の功徳《くどく》をさずけたまうなり。このこころすなわち「阿弥陀仏即是其行《あみだぶつそくぜごぎょう》」というこころなり。このゆえに、南無《なむ》と帰命《きみょう》する機《き》と、阿弥陀仏《あみだぶつ》のたすけましますと法《ほう》とが一体《いったい》なるところをさして、機法一体《きほういったい》の南無阿弥陀仏《なむあみだぶつ》とはもうすなり。かるがゆえに、阿弥陀仏《あみだぶつ》の、むかし法蔵比丘《ほうぞうびく》たりしとき、衆生《しゅじょう》、仏《ぶつ》にならずは、われも正覚《しょうがく》ならじとちかいましますとき、その正覚《しょうがく》すでに成《じょう》じたまいしすがたこそ、いまの南無阿弥陀仏《なむあみだぶつ》なりとこころうべし。これすなわちわれらが往生《おうじょう》のさだまりたる証拠《しょうこ》なり。されば他力《たりき》の信心獲得《しんじんぎゃくとく》すというも、ただこの六字《ろくじ》のこころなりと落居《らっきょ》すべきものなり。

そもそも、この八《はっ》か条《じょう》のおもむき、かくのごとし。しかるあいだ当寺建立《とうじこんりゅう》は、すでに九《く》か年《ねん》におよべり。毎年《まいねん》の報恩講中《ほうおんこうじゅう》において、面々各々《めんめんかっかく》に、随分信心決定《ずいぶんしんじんけつじょう》のよし、領納《りょうのう》ありといえども、昨日今日《きのうきょう》までも、その信心《しんじん》のおもむき不同《ふどう》なるあいだ、所詮《しょせん》なきものか。しかりといえども、当年《とうねん》の報恩講中《ほうおんこうじゅう》にかぎりて、不信心《ふしんじん》のともがら、今月報恩講《こんがつほうおんこう》のうちに、早速《そうそく》に真実信心《しんじつしんじん》を獲得《ぎゃくとく》なくば、年々《ねんねん》を経《ふ》というとも、同篇《どうへん》たるべきようにみえたり。しかるあいだ愚老《ぐろう》が年齢《ねんれい》、すでに七旬《しちしゅん》にあまりて、来年《らいねん》の報恩講《ほうおんこう》をも期《ご》しがたき身《み》なるあいだ、各々《かっかく》に真実《しんじつ》に決定信《けつじょうしん》をえしめん人《ひと》あらば、一《ひと》つは聖人今月《しょうにんこんがつ》の報謝《ほうしゃ》のため、一《ひと》つは愚老《ぐろう》がこの七《しち》、八《はっ》か年《ねん》のあいだの本懐《ほんがい》とも、おもいはんべるべきものなり。あなかしこ、あなかしこ。

文明十七年（一四八五）十一月二十三日

（九）当時《とうじ》このごろ、ことのほかに疫癘《えきれい》とて、ひと死去《しきょ》す。これさらに疫癘《えきれい》によりてはじめて死《し》するにはあらず。生《う》まれはじめしよりしてさだまれる定業《じょうごう》なり。さのみふかくおどろくまじきことなり。しかれども、いまの時分《じぶん》にあたりて死去《しきょ》するときは、さもありぬべきように、みなひとおもえり。これまことに道理《どうり》ぞかし。このゆえに、阿弥陀如来《あみだにょらい》のおおせられけるようは、「末代《まつだい》の凡夫《ぼんぶ》、罪業《ざいごう》のわれらたらんもの、つみはいかほどふかくとも、われを一心《いっしん》にたのまん衆生《しゅじょう》をば、かならずすくうべし」とおおせられたり。かかる時《とき》は、いよいよ阿弥陀仏《あみだぶつ》をふかくたのみまいらせて、極楽《ごくらく》に往生《おうじょう》すべしとおもいとりて、一向一心《いっこういっしん》に弥陀《みだ》をとうとき（尊）ことと、うたがうこころ、つゆちりほどももつまじきことなり。かくのごとくこころえのうえには、ねてもさめても、南無阿弥陀仏《なむあみだぶつ》、南無阿弥陀仏《なむあみだぶつ》ともうすは、かようにやすくたすけまします、御《おん》ありがたさ、御《おん》うれしさを、もうす御礼《おんれい》のこころなり。

これをすなわち仏恩報謝《ぶっとんほうしゃ》の念仏《ねんぶつ》とはもうすなり。あなかしこ、あなかしこ。

（一四九二）
延徳四年六月　日

(10)　いまの世《よ》にあらん女人《にょにん》は、みなみなこころを一《ひと》つにして、阿弥陀如来《あみだにょらい》をふかくたのみたてまつるべし。そのほかには、いずれの法《ほう》を信《しん》ずということ、後生《ごしょう》のたすかるということ、ゆめゆめあるべからずとおもうべし。されば、弥陀《みだ》をば、なにとようにたのみ、また後生《ごしょう》をば、なにとねがうべきぞというに、なにのわずらいもなく、ただ一心《いっしん》に弥陀《みだ》をたのみ、後生《ごしょう》たすけたまえとふかくたのみ申《もう》さん人《ひと》をば、かならず御《おん》たすけあらんことは、さらさらつゆほども、うたがいあるべからざるものなり。このうえには、はや、しかと御《おん》たすけあるべきことのありがたさよとおもいて、仏恩報謝《ぶっとんほうしゃ》のために念仏申《ねんぶつもう》すべきばかりなり。あなかしこ、あなかしこ。

八十三歳　御判

(11)　南無阿弥陀仏《なむあみだぶつ》と申《もう》すは、いかなる心《こころ》にて候《そうろ》うや。然《しか》れば、何《なに》と弥陀《みだ》をたのみて報土往生《ほうどおうじょう》をばとぐべく候《そうろ》うやらん。これを心得《こころう》べきようは、まず南無阿弥陀仏《なむあみだぶつ》の六字《ろくじ》のすがたをよくよく心《こころ》得《え》わけて、弥陀《みだ》をばたのむべし。そもそも、南無阿弥陀仏《なむあみだぶつ》の体《たい》は、すなわちわれら衆生《しゅじょう》の、後生《ごしょう》たすけたまえとたのみもうすこころなり。すなわちたのむ衆生《しゅじょう》を、阿弥陀如来《あみだにょらい》の、よくしろしめして、すでに無上大利《むじょうだいり》の功徳《くどく》をあたえましますなり。これを衆生《しゅじょう》に回向《えこう》したまえるといえるは、このこころなり。されば弥陀《みだ》をたのむ機《き》を、阿弥陀仏《あみだぶつ》のたすけたまう法《ほう》なるがゆえに、これを機法一体《きほういったい》の南無《なむ》阿弥陀仏《あみだぶつ》といえるは、このこころなり。これすなわちわれらが往生《おうじょう》のさだまりたる他力《たりき》の信心《しんじん》なりとは、こころうべきものなり。あなかしこ、あなかしこ。

明応六年（一四九七）五月二十五日、之《これ》を書《か》き訖《おわ》りぬ。八十三歳

（一三）抑《そもそ》も、毎月両度《まいがつりょうど》の寄合《よりあい》の由来《ゆらい》は、なにのためぞというに、さらに他《た》のことにあらず。自身《じしん》の往生極楽《おうじょうごくらく》の信心獲得《しんじんぎゃくとく》のためなるがゆえなり。しかれば、往古《おうこ》よりいまにいたるまでも、毎月《まいがつ》の寄合《よりあい》ということは、いずくにもこれありといえども、さらに信心《しんじん》の沙汰《さた》とては、かつてもってこれなし。ことに近年《きんねん》は、いずくにも寄合《よりあい》のときは、ただ酒《しゅ》・飯《はん》・茶《ちゃ》なんどばかりにて、みなみな退散《たいさん》せり。これは仏法《ぶっぽう》の本意《ほんい》には、しかるべからざる次第《しだい》なり。いかにも不信《ふしん》の面々《めんめん》は、一段《いちだん》の不審《ふしん》をもたてて、信心《しんじん》の有無《うむ》を沙汰《さた》すべきところに、なにの所詮《しょせん》もなく退散《たいさん》せしむる条《じょう》、しかるべからずおぼえはんべり。よくよく思案《しあん》をめぐらすべきことなり。所詮自今已後《しょせんじこんいご》においては、不信《ふしん》の面々《めんめん》は、あいたがいに信心《しんじん》の讃嘆《さんだん》あるべきこと肝要《かんよう》なり。

それ、当流《とうりゅう》の安心《あんじん》のおもむきというは、あながちにわが身《み》の罪障《ざいしょう》のふかきによらず、ただもろもろの雑行《ぞうぎょう》のこころをやめて、一心《いっしん》に阿弥陀如来《あみだにょらい》に帰命《きみょう》して、今度《こんど》の一大事《いちだいじ》の後生《ごしょう》たすけたまえと、ふかくたのまん衆生《しゅじょう》をば、ことごとくたすけたまうべきこと、さらにうたがいあるべからず。かくのごとくよくこころえたる人《ひと》は、まことに百即百生《ひゃくそくひゃくしょう》なるべきなり。このうえには、毎月《まいがつ》の寄合《よりあい》をいたしても、報恩謝徳《ほうおんしゃとく》のためとこころえなば、これこそ真実《しんじつ》の信心《しんじん》を具足《ぐそく》せしめたる行者《ぎょうじゃ》ともなづ

くべきものなり。あなかしこ、あなかしこ。

明応七年（一四九八）二月二十五日、之《これ》を書《か》く。

毎月《まいがつ》両度《りょうど》講衆中《こうしゅじゅう》へ

八十四歳

（一三）　夫《そ》れ、秋《あき》さり春《はる》さり、すでに当年《とうねん》は明応第七《めいおうだいしち》、孟夏仲旬《もうかちゅうじゅん》ごろになりぬれば、予《よ》が年齢《ねんれい》つもりて八十四歳《はちじゅうしさい》ぞかし。しかるに当年《とうねん》にかぎりて、ことのほか病気《びょうき》におかさるるあいだ、耳目《にもく》・手足《しゅそく》・身体《しんたい》、こころやすからざるあいだ、これしかしながら業病《ごうびょう》のいたりなり。または往生極楽《おうじょうごくらく》の先相《ぜんそう》なりと覚悟《かくご》せしむるところなり。これによりて法然聖人《ほうねんしょうにん》の御詞《おんことば》にいわく、[88]「浄土《じょうど》をねがう行人《ぎょうにん》は、病患《びょうげん》をえて、ひとえにこれをたのしむ」（伝通記糅鈔）とこそ、おおせられたり。しかれども、あながちに病患《びょうげん》をよろこぶこころ、さらにもっておこらず。あさましき身《み》なり。はずべし、かなしむべきものか。さりながら予《よ》が安心《あんじん》の一途《いちず》、一念発起平生業成《いちねんほっきへいぜいごうじょう》の宗旨《しゅうし》においては、いま一定《いちじょう》のあいだ、仏恩報尽《ぶっとんほうじん》の称名《しょうみょう》は、行住座臥《ぎょうじゅうざが》にわすれざること間断《けんだん》なし。これについて、ここに愚老一身《ぐろういっしん》の述《しゅっ》懐《かい》これあり。そのいわれは、われら居住《きょじゅう》の在所在所《ざいしょざいしょ》の門下《もんか》のともがらにおいては、おおよそ心中《しんじゅう》をみおよぶに、とりつめて信心決定《しんじんけつじょう》のすがたこれなしとおもいはんべり。おおきになげきおもうところなり。そのゆえは、愚老《ぐろう》すでに八旬《はちじゅん》のよわいすぐるまで存命《ぞんめい》せしむるしるしには、信心決定《しんじんけつじょう》の行者繁昌《ぎょうじゃはんじょう》ありてこそ、いのちながきしるしともおもいはんべるべきに、さらにしかしか（確々）とも決定《けつじょう》せしむるすがたこれなしと、みおよべり。そのいわれをいかんというに、そもそも、人間界《にんげんがい》の老少《ろうしょう》不定《ふじょう》のことをおもうにつけても、いかなるやまいをうけてか死《し》せんや。かかる世《よ》のなかの風情《ふぜい》なれば、いかにも一日《いちにち》も片時《へんし》も、いそぎて信心決定《しんじんけつじょう》して、今度《こんど》の往生極楽《おうじょうごくらく》を一定《いちじょう》して、そののち人間《にんげん》のありさまにまかせて世《よ》をすごすべきこと肝要《かんよう》なりと、みなみなこころうべし。このおもむきを心中《しんじゅう》におもいいれて、一念《いちねん》に弥陀《みだ》をたのむこころを、ふかくおこすべきものなり。あなかしこ、あなかしこ。

明応七年（一四九八）初夏仲旬第一日、八十四歳老[89]衲《ろうのう》、之《これ》を書《か》く。

弥陀《みだ》の名《な》を　ききうることの　あるならば　南無阿弥陀仏《なむあみだぶつ》と　たのめみなひと

（一四）一流安心《いちりゅうあんじん》の体《たい》という事《こと》。

南無阿弥陀仏《なむあみだぶつ》の六字《ろくじ》のすがたなりとしるべし。この六字《ろくじ》を善導大師《ぜんどうだいし》釈《しゃく》していわく、[90]「言南無者《ごんなむしゃ》　即是帰命《そくぜきみょう》　亦是発願回向之義《やくぜほつがんえこうしぎ》　言阿弥陀仏者《ごんあみだぶつしゃ》　即是其行《そくぜごぎょう》　以斯義故《いしぎこ》　必得往生《ひっとくおうじょう》」（玄義分）といえり。まず南無《なむ》という二字《にじ》は、すなわち帰命《きみょう》というこころなり。帰命《きみょう》というは、衆生《しゅじょう》の、阿弥陀仏《あみだぶつ》、後生《ごしょう》たすけたまえとたのみたてまつるこころなり。また発願回向《ほつがんえこう》というは、たのむところの衆生《しゅじょう》を摂取《せっしゅ》してすくいたまうこころなり。これすなわちやがて阿弥陀仏《あみだぶつ》の四字《しじ》のこころなり。さればわれらごときの愚痴闇鈍《ぐちあんどん》の衆生《しゅじょう》は、なにとこころをもち、また弥陀《みだ》をば、なにとたのむべきぞというに、もろもろの雑行《ぞうぎょう》をすてて、一向一心《いっこういっしん》に後生《ごしょう》たすけたまえと弥陀《みだ》をたのめば、決定《けつじょう》、極楽《ごくらく》に往生《おうじょう》すべきこと、さらにそのうたがいあるべからず。このゆえに、南無《なむ》の二字《にじ》は、衆生《しゅじょう》の、弥陀《みだ》をたのむ機《き》のかたなり。また阿弥陀仏《あみだぶつ》の四字《しじ》は、たのむ衆生《しゅじょう》をたすけたまうかたの法《ほう》なるがゆえに、これすなわち機法一体《きほういったい》の南無阿弥陀仏《なむあみだぶつ》ともうすこころなり。この道理《どうり》あるがゆえに、われら一切衆生《いっさいしゅじょう》の往生《おうじょう》の体《たい》は、南無阿弥陀仏《なむあみだぶつ》ときこえたり。あなかしこ、あなかしこ。

明応七年（一四九八）四月　日

（一五）抑《そもそ》も、当国摂州東成《とうごくせっしゅうひがしなり》の郡《こおり》、生玉《いくたま》の庄内《しょうない》、大坂《おおざか》という在所《ざいしょ》は、往古《おうこ》よりいかなる約束《やくそく》のありけるにや、さんぬる明応第五《めいおうだいご》の秋《あき》、下旬《げじゅん》のころより、かりそめながらこの在所《ざいしょ》をみそめしより、すでにかたのごとく一宇《いちう》の坊舎《ぼうしゃ》を建立《こんりゅう》せしめ、当年《とうねん》は、はやすでに三年《さんねん》の歳霜《せいそう》をへたりき。これすなわち往昔《おうじゃく》の宿縁《しゅくえん》あさからざる因縁《いんねん》なりとおぼえはんべりぬ。それについて、この在所《ざいしょ》に居住《きょじゅう》せしむる根元《こんげん》は、あながちに一生涯《いっしょうがい》をこころやすくすごし、栄花栄耀《えいがえいよう》をこのみ、また、花鳥風月《かちょうふうげつ》にもこころをよせず、あわれ、無上菩提《むじょうぼだい》のためには、信心決定《しんじんけつじょう》の行者《ぎょうじゃ》も繁昌《はんじょう》せしめ、念仏《ねんぶつ》をもうさんともがらも、出来《しゅつらい》せしむるようにもあれかしとおもう、一念《いちねん》のこころざしをはこぶばかりなり。また、いささかも世間《せけん》の人《ひと》なんども、偏執《へんしゅう》のやからもあり、むつかしき題目《だいもく》なんども出来《しゅつらい》あらんときは、すみやかにこの在所《ざいしょ》において、執心《しゅうしん》のこころをやめて退出《たいしゅつ》すべきものなり。これによりて、いよいよ貴賤道俗《きせんどうぞく》をえらばず、金剛堅固《こんごうけんご》の信心《しんじん》を決定《けつじょう》せしめんこと、まことに弥陀如来《みだにょらい》の本願《ほんがん》にあいかない、別《べっ》しては聖人《しょうにん》の御本意《ごほんい》にたりぬべきものか。それについて、愚老《ぐろう》すでに当年《とうねん》は八十四歳《はちじゅうしさい》まで存命《ぞんめい》せしむる条《じょう》、不思議《ふしぎ》なり。まことに当流法義《とうりゅうほうぎ》にもあいかなうかのあいだ、本望《ほんもう》のいたり、これにすぐべからざるものか。しかれば愚老《ぐろう》、当年《とうねん》の夏《なつ》ごろより違例《いれい》せしめて、いまにおいて本腹《ほんぶく》[91]のすがたこれなし。ついには当年寒中《とうねんかんじゅう》には、かならず往生《おうじょう》の本懐《ほんがい》をとぐべき条《じょう》、一定《いちじょう》とおもいはんべり。あわれあわれ、存命《ぞんめい》のうちに、みなみな信心決定《しんじんけつじょう》あれかしと、朝夕《ちょうせき》おもいはんべり。まことに宿善《しゅくぜん》まかせとはいいながら、述懐《しゅっかい》のこころ、しばらくもやむことなし。またはこの在所《ざいしょ》に三年《さんねん》の居住《きょじゅう》をふる、その甲斐《かい》ともおもうべし。あいかまえて、あいかまえて、この一七《いっしち》か日報恩講《にちほうおんこう》のうちにおいて、信心決定《しんじんけつじょう》ありて、我人一同《われひといちどう》に往生極楽《おうじょうごくらく》の本意《ほんい》をとげたまうべきものなり。あなかしこ、あなかしこ。

明応七年（一四九八）十一月二十一日よりはじめて、これをよみて人々《ひとびと》に信《しん》をとらすべきものなり。

第五帖

(一)　末代無智《まつだいむち》の、在家止住《ざいけしじゅう》の男女《なんにょ》たらんともがらは、こころをひとつにして、阿弥陀仏《あみだぶつ》をふかくたのみまいらせて、さらに余《よ》のかたへこころをふらず、一心一向《いっしんいっこう》に仏《ぶつ》たすけたまえともうさん衆生《しゅじょう》をば、たとい罪業《ざいごう》は深重《じんじゅう》なりとも、かならず弥陀如来《みだにょらい》はすくいましますべし。これすなわち第十八《だいじゅうはち》の念仏往生《ねんぶつおうじょう》の誓願《せいがん》のこころなり。かくのごとく決定《けつじょう》してのうえには、ねてもさめても、いのちのあらんかぎりは、称名念仏《しょうみょうねんぶつ》すべきものなり。あなかしこ、あなかしこ。

㈡ それ、八万《はちまん》の法蔵《ほうぞう》をしるというとも、後世《ごせ》をしらざる人《ひと》を愚者《ぐしゃ》とす。たとい一文不知《いちもんふち》の尼入道《あまにゅうどう》なりというとも、後世《ごせ》をしるを智者《ちしゃ》とすといえり。しかれば、当流《とうりゅう》のこころは、あながちに、もろもろの聖教《しょうぎょう》をよみ、ものをしりたりというとも、一念《いちねん》の信心《しんじん》のいわれをしらざる人《ひと》は、いたずら事《ごと》なりとしるべし。されば聖人《しょうにん》の御《おん》ことばにも、「一切《いっさい》の男女《なんにょ》たらん身《み》は、弥陀《みだ》の本願《ほんがん》を信《しん》ぜずしては、
92 ふつとたすかるという事《こと》あるべからず」とおおせられたり。このゆえに、いかなる女人《にょにん》なりというとも、もろもろの雑行《ぞうぎょう》をすてて、一念《いちねん》に弥陀如来今度《みだにょらいこんど》の後生《ごしょう》たすけたまえと、ふかくたのみ申《もう》さん人《ひと》は、十人《じゅうにん》も百人《ひゃくにん》も、みなともに弥陀《みだ》の報土《ほうど》に往生《おうじょう》すべき事《こと》、さらさらうたがいあるべからざるものなり。あなかしこ、あなかしこ。

㈢ それ、在家《ざいけ》の尼女房《あまにょうぼう》たらん身《み》は、なにのようもなく、一心一向《いっしんいっこう》に阿弥陀仏《あみだぶつ》をふかくたのみまいらせて、後生《ごしょう》たすけたまえともうさんひとをば、みなみな御《おん》たすけあるべしとおもいとりて、さらにうたがいのこころ、ゆめゆめあるべからず。これすなわち弥陀如来《みだにょらい》の御《おん》ちかいの他力本願《たりきほんがん》とはもうすなり。このうえには、なお後生《ごしょう》のたすからんことの、うれしさありがたさをおもわば、ただ南無《なむ》阿弥陀仏《あみだぶつ》、南無阿弥陀仏《なむあみだぶつ》と、となうべきものなり。あなかしこ、あなかしこ。

㈣ 抑《そもそ》も、男子《なんし》も女人《にょにん》も、罪《つみ》のふかからん輩《ともがら》は、諸仏《しょぶつ》の悲願《ひがん》をたのみても、いまの時分《じぶん》は末代悪《まつだいあく》世《せ》なれば、諸仏《しょぶつ》の御《おん》ちからにては中々《なかなか》かなわざる時《とき》なり。これによりて、阿弥陀如来《あみだにょらい》と申《もう》し奉《たてまつ》るは、

諸仏《しょぶつ》にすぐれて、十悪五逆《じゅうあくごぎゃく》の罪人《ざいにん》を、我《われ》たすけんという大願《だいがん》をおこしましまして、阿弥陀仏《あみだぶつ》となり給《たま》えり。この仏《ぶつ》をふかくたのみて、一念《いちねん》、御《おん》たすけ候《そうら》えと申《もう》さん衆生《しゅじょう》を、我《われ》たすけずは正覚《しょうがく》ならじとちかいまします弥陀《みだ》なれば、我等《われら》が極楽《ごくらく》に往生《おうじょう》せん事《こと》は、更《さら》にうたがいなし。このゆえに一心《いっしん》一向《いっこう》に、阿弥陀如来《あみだにょらい》たすけ給《たま》えと、ふかく心《こころ》にうたがいなく信《しん》じて、我《わ》が身《み》の罪《つみ》のふかき事《こと》をば、うちすて、仏《ほとけ》にまかせまいらせて、一念《いちねん》の信心《しんじん》さだまらん輩《ともがら》は、十人《じゅうにん》は十人《じゅうにん》ながら、百人《ひゃくにん》は百人《ひゃくにん》ながら、みな浄土《じょうど》に往生《おうじょう》すべき事《こと》、更《さら》にうたがいなし。このうえには、なおなおとうとくおもい奉《たてまつ》らんこころのおこらん時《とき》は、南無阿弥陀仏《なむあみだぶつ》、南無阿弥陀仏《なむあみだぶつ》と、時《とき》をもいわず、所《ところ》をもきらわず、念仏申《ねんぶつもう》すべし。これをすなわち仏恩報謝《ぶっとんほうしゃ》の念仏《ねんぶつ》と申《もう》すなり。あなかしこ、あなかしこ。

(五) 信心獲得《しんじんぎゃくとく》すというは、第十八《だいじゅうはち》の願《がん》をこころうるなり。この願《がん》をこころうるというは、南無阿弥陀仏《なむあみだぶつ》のすがたをこころうるなり。このゆえに、南無《なむ》と帰命《きみょう》する一念《いちねん》の処《ところ》に、発願回向《ほつがんえこう》のこころあるべし。これすなわち弥陀如来《みだにょらい》の、凡夫《ぼんぶ》に回向《えこう》しましますこころなり。これを『大経《だいきょう》』には[93]「令諸衆生功徳成就《りょうしょしゅじょうくどくじょうじゅ》」ととけり。されば無始已来《むしいらい》つくりとつくる悪業煩悩《あくごうぼんのう》を、のこるところもなく、願力《がんりき》不思議《ふしぎ》をもって消滅《しょうめつ》するいわれあるがゆえに、正定聚不退《しょうじょうじゅふたい》のくらいに住《じゅう》すとなり。これによりて、煩悩《ぼんのう》を断《だん》ぜずして涅槃《ねはん》をうといえるは、このこころなり。此《こ》の義《ぎ》は当流一途《とうりゅういちず》の所談《しょだん》なるものなり。他流《たりゅう》の人《ひと》に対《たい》して、かくのごとく沙汰《さた》あるべからざる所《ところ》なり。能《よ》く能《よ》くこころうべきものなり。あなかしこ、あなかしこ。

(六)　一念《いちねん》に弥陀《みだ》をたのみたてまつる行者《ぎょうじゃ》には、無上大利《むじょうだいり》の功徳《くどく》をあたえたまうこころを、『和讃《わさん》』(正像末和讃)に聖人《しょうにん》のいわく、[94]「五濁悪世《ごじょくあくせ》の有情《うじょう》の　選択本願信《せんじゃくほんがんしん》ずれば　不可称不可説不可思議《ふかしょうふかせつふかしぎ》の功徳《くどく》は行者《ぎょうじゃ》の身《み》にみてり」この和讃《わさん》の心《こころ》は、「五濁悪世《ごじょくあくせ》の衆生《しゅじょう》」というは、一切我等《いっさいわれら》、女《にょ》人《にん》・悪人《あくにん》の事《こと》なり。されば、かかるあさましき一生造悪《いっしょうぞうあく》の凡夫《ぼんぶ》なれども、弥陀如来《みだにょらい》を一心一向《いっしんいっこう》にたのみまいらせて、後生《ごしょう》たすけ給《たま》えともうさんものをば、かならずすくいましますべきこと、さらに疑《うたが》うべからず。かように弥陀《みだ》をたのみもうすものには、不可称《ふかしょう》・不可説《ふかせつ》・不可思議《ふかしぎ》の大功徳《だいくどく》をあたえましますなり。「不可称《ふかしょう》・不可説《ふかせつ》・不可思議《ふかしぎ》の功徳《くどく》」ということは、かずかぎりもなき大功徳《だいくどく》のことなり。この大功徳《だいくどく》を、一念《いちねん》に弥陀《みだ》をたのみもうす我等衆生《われらしゅじょう》に回向《えこう》しましますゆえに、過去《かこ》・未《み》来《らい》・現在《げんざい》の三世《さんぜ》の業障《ごっしょう》、一時《いちじ》につみきえて、正定聚《しょうじょうじゅ》のくらい、また等正覚《とうしょうがく》のくらいなんどにさだまるものなり。このこころを、また『和讃《わさん》』(正像末和讃)にいわく、[95]「弥陀《みだ》の本願信《ほんがんしん》ずべし　本願信《ほんがんしん》ずるひとはみな　摂取不捨《せっしゅふしゃ》の利益《りやく》ゆえ　等正覚《とうしょうがく》にいたるなり」といえり。「摂取不捨《せっしゅふしゃ》」というは、これも、一念《いちねん》に弥陀《みだ》をたのみたてまつる衆生《しゅじょう》を、光明《こうみょう》のなかにおさめとりて、信《しん》ずるこころだにもかわらねば、すてたまわずというこころなり。このほかにいろいろの法門《ほうもん》どもありといえども、ただ一《いち》念《ねん》に弥陀《みだ》をたのむ衆生《しゅじょう》は、みなことごとく報土《ほうど》に往生《おうじょう》すべきこと、ゆめゆめうたがうこころあるべからざるものなり。あなかしこ、あなかしこ。

(七)　夫《そ》れ、女人《にょにん》の身《み》は、五障三従《ごしょうさんしょう》とて、おとこにまさりてかかるふかきつみのあるなり。このゆえに、一切《いっさい》の女人《にょにん》をば、十方《じっぽう》にまします諸仏《しょぶつ》も、わがちからにては女人《にょにん》をば、ほとけになしたまうこと、さらになし。しかるに阿弥陀如来《あみだにょらい》こそ、女人《にょにん》をば、われひとりたすけんという大願《だいがん》をおこして、すくいたまうなり。このほとけをたのまずは、女人《にょにん》の身《み》の、ほとけになるということあるべからざるなり。これによりて、なにとこころをもち、またなにと阿弥陀《あみだ》ほとけをたのみまいらせて、ほとけになるべきぞなれば、なにのようもいらず、ただふたごころなく一向《いっこう》に阿弥陀仏《あみだぶつ》ばかりをたのみまいらせて、後生《ごしょう》たすけたまえとおもうこころひとつにて、やすくほとけになるべきなり。このこころの、つゆちりほどもうたがいなければ、かならずかならず、極楽《ごくらく》へまいりて、うつくしきほとけとはなるべきなり。さてこのうえにこころうべきようは、ときどき念仏《ねんぶつ》をもうして、かかるあさましきわれらを、やすくたすけまします阿弥陀如来《あみだにょらい》の御恩《ごおん》を、御《おん》うれしさ、ありがたさを報《ほう》ぜんために、念仏《ねんぶつ》もうすべきばかりなりとこころうべきものなり。あなかしこ、あなかしこ。

(八) それ、五劫思惟《ごこうしゆい》の本願《ほんがん》というも、兆載永劫《ちょうさいようごう》の修行《しゅぎょう》というも、ただ我等《われら》一切衆生《いっさいしゅじょう》をあながちにたすけ給《たま》わんがための方便《ほうべん》に、阿弥陀如来《あみだにょらい》、御身労《ごしんろう》ありて、南無阿弥陀仏《なむあみだぶつ》という本願《ほんがん》をたてましまして、まよいの衆生《しゅじょう》の、一念《いちねん》に阿弥陀仏《あみだぶつ》をたのみまいらせて、もろもろの雑行《ぞうぎょう》をすてて、一向一心《いっこういっしん》に弥陀《みだ》をたのまん衆生《しゅじょう》をたすけずんば、われ正覚《しょうがく》とらじとちかい給《たま》いて、南無阿弥陀仏《なむあみだぶつ》となりましますす。これすなわち我等《われら》がやすく極楽《ごくらく》に往生《おうじょう》すべきいわれなりとしるべし。されば南無阿弥陀仏《なむあみだぶつ》の六《ろく》字《じ》のこころは、一切衆生《いっさいしゅじょう》の報土《ほうど》に往生《おうじょう》すべきすがたなり。このゆえに南無《なむ》と帰命《きみょう》すれば、やがて阿弥陀仏《あみだぶつ》の、我等《われら》をたすけたまえるこころなり。このゆえに南無《なむ》の二字《にじ》は、衆生《しゅじょう》の、弥陀如来《みだにょらい》にむかいたてまつりて、後生《ごしょう》たすけたまえともうすこころなるべし。かように弥陀《みだ》をたのむ人《ひと》を、もらさずすくいたまうこころこそ、阿弥陀仏《あみだぶつ》の四字《しじ》のこころにてありけりとおもうべきものなり。これによりて、いかなる十悪五逆《じゅうあくごぎゃく》・五障三従《ごしょうさんしょう》の女人《にょにん》なりとも、もろもろの雑行《ぞうぎょう》をすてて、ひたすら後《ご》生《しょう》たすけたまえとたのまん人《ひと》をば、たとえば十人《じゅうにん》もあれ百人《ひゃくにん》もあれ、みなことごとくもらさずたすけたまうべし。このおもむきを、うたがいなく信《しん》ぜん輩《ともがら》は、真実《しんじつ》の弥陀《みだ》の浄土《じょうど》に往生《おうじょう》すべきものなり。あなかしこ、あなかしこ。

(九)　当流《とうりゅう》の安心《あんじん》の一義《いちぎ》というは、ただ南無阿弥陀仏《なむあみだぶつ》の六字《ろくじ》のこころなり。たとえば南無《なむ》と帰命《きみょう》すれば、やがて阿弥陀仏《あみだぶつ》のたすけたまえるこころなるがゆえに、南無《なむ》の二字《にじ》は帰命《きみょう》のこころなり。帰《き》命《みょう》というは、衆生《しゅじょう》の、もろもろの雑行《ぞうぎょう》をすてて、阿弥陀仏《あみだぶつ》、後生《ごしょう》たすけたまえと一向《いっこう》にたのみたてまつるこころなるべし。このゆえに、衆生《しゅじょう》をもらさず弥陀如来《みだにょらい》の、よくしろしめして、たすけましますこころなり。これによりて、南無《なむ》とたのむ衆生《しゅじょう》を、阿弥陀仏《あみだぶつ》のたすけまします道理《どうり》なるがゆえに、南無阿弥陀仏《なむあみだぶつ》の六字《ろくじ》のすがたは、すなわちわれら一切衆生《いっさいしゅじょう》の、平等《びょうどう》にたすかりつるすがたなりとしらるるなり。されば他力《たりき》の信心《しんじん》をうるというも、これしかしながら、南無阿弥陀仏《なむあみだぶつ》の六字《ろくじ》のこころなり。このゆえに一切《いっさい》の聖教《しょうぎょう》というも、ただ南無阿弥陀仏《なむあみだぶつ》の六字《ろくじ》を信《しん》ぜしめんがためなりというこころなりとおもうべきものなり。あなかしこ、あなかしこ。

（一〇）聖人一流《しょうにんいちりゅう》の御勧化《ごかんけ》のおもむきは、信心《しんじん》をもって本《ほん》とせられ候《そうろ》う。そのゆえは、もろもろの雑行《ぞうぎょう》をなげすてて、一心《いっしん》に弥陀《みだ》に帰命《きみょう》すれば、不可思議《ふかしぎ》の願力《がんりき》として、仏《ぶつ》のかたより往生《おうじょう》は治定《じじょう》せしめたまう。そのくらいを[96]「一念発起入正定之聚《いちねんほっきにゅうしょうじょうしじゅ》」（論註）とも釈《しゃく》し、そのうえの称名念仏《しょうみょうねんぶつ》は、如来《にょらい》わが往生《おうじょう》をさだめたまいし御恩報尽《ごおんほうじん》の念仏《ねんぶつ》とこころうべきなり。あなかしこ、あなかしこ。

（一一）抑《そもそ》も、この御正忌《ごしょうき》のうちに参詣《さんけい》をいたし、こころざしをはこび、報恩謝徳《ほうおんしゃとく》をなさんとおもいて、聖人《しょうにん》の御《おん》まえにまいらんひとのなかにおいて、信心《しんじん》を獲得《ぎゃくとく》せしめたるひともあるべし、また不《ふ》信心《しんじん》のともがらもあるべし。もってのほかの大事《だいじ》なり。そのゆえは、信心《しんじん》を決定《けつじょう》せずは、今度《こんど》の報《ほう》土《ど》の往生《おうじょう》は不定《ふじょう》なり。されば不信《ふしん》のひとも、すみやかに決定《けつじょう》のこころをとるべし。人間《にんげん》は不定《ふじょう》のさかいなり。極楽《ごくらく》は常住《じょうじゅう》の国《くに》なり。されば不定《ふじょう》の人間《にんげん》にあらんよりも、常住《じょうじゅう》の極楽《ごくらく》をねがうべきものなり。されば当流《とうりゅう》には、信心《しんじん》のかたをもって、さきとせられたる、そのゆえをよくしらずは、いたずらごとなり。いそぎて安心決定《あんじんけつじょう》して、浄土《じょうど》の往生《おうじょう》をねがうべきなり。それ人間《にんげん》に流布《るふ》してみなひとのこころえたるとおりは、なにの分別《ふんべつ》もなく、くちにただ称名《しょうみょう》ばかりをとなえたらば、極《ごく》楽《らく》に往生《おうじょう》すべきようにおもえり。それはおおきにおぼつかなき次第《しだい》なり。他力《たりき》の信心《しんじん》をとるというも、別《べつ》のことにはあらず。南無阿弥陀仏《なむあみだぶつ》の六《む》つの字《じ》のこころをよくしりたるをもって、信心決定《しんじんけつじょう》すとはいうなり。そもそも信心《しんじん》の体《たい》というは、『経《きょう》』（大経）にいわく、[97]「聞其名号信心歓喜《もんごみょうごうしんじんかんぎ》」といえり。善導《ぜんどう》のいわく、[98]「「南無《なむ》」というは帰命《きみょう》、またこれ発願回向《ほつがんえこう》の義《ぎ》なり。「阿弥陀仏《あみだぶつ》」というはすなわちその行《ぎょう》」（玄義分）といえり。南無《なむ》という二字《にじ》のこころは、もろもろの雑行《ぞうぎょう》をすてて、うたがいなく一心一向《いっしんいっこう》に阿弥陀仏《あみだぶつ》をたのみたてまつるこころなり。さて阿弥陀仏《あみだぶつ》という四《よ》つの字《じ》のこころは、一心《いっしん》に弥陀《みだ》を帰命《きみょう》する衆生《しゅじょう》を、ようもなくたすけたまえるいわれが、すなわち阿弥陀仏《あみだぶつ》の四《よ》つの字《じ》のこころなり。されば南無阿弥陀仏《なむあみだぶつ》の体《たい》をかくのごとくこころえわけたるを、信心《しんじん》をとるとはいうなり。これすなわち他力《たりき》の信心《しんじん》をよくこころえたる念仏《ねんぶつ》の行者《ぎょうじゃ》とはもうすなり。あなかしこ、あなかしこ。

（三）　当流《とうりゅう》の安心《あんじん》のおもむきをくわしくしらんとおもわんひとは、あながちに智慧才学《ちえさいかく》もいらず、ただわが身《み》はつみふかきあさましきものなりとおもいとりて、かかる機《き》までもたすけたまえるほとけは阿弥陀如来《あみだにょらい》ばかりなりとしりて、なにのようもなく、ひとすじにこの阿弥陀《あみだ》ほとけの御袖《おんそで》にひしとすがりまいらするおもいをなして、後生《ごしょう》をたすけたまえとたのみもうせば、この阿弥陀如来《あみだにょらい》はふかくよろこびましまして、その御身《おんみ》より八万四千《はちまんしせん》のおおきなる光明《こうみょう》をはなちて、その光明《こうみょう》のなかにそのひとをおさめいれておきたまうべし。さればこのこころを、『経《きょう》』（観経）には[99]「光明遍照十方世《こうみょうへんじょうじっぽうせ》界《かい》　念仏衆生摂取不捨《ねんぶつしゅじょうせっしゅふしゃ》」とはとかれたりとこころうべし。さては、わが身《み》の、ほとけにならんずることは、なにのわずらいもなし。あら、殊勝《しゅしょう》の超世《ちょうせ》の本願《ほんがん》や。ありがたの弥陀如来《みだにょらい》の光明《こうみょう》や。この光明《こうみょう》の縁《えん》にあいたてまつらずは、無始《むし》よりこのかたの無明業障《むみょうごっしょう》のおそろしきやまいの、なおるということは、さらにもってあるべからざるものなり。しかるにこの光明《こうみょう》の縁《えん》にもよおされて、宿《しゅく》善《ぜん》の機《き》ありて他力信心《たりきしんじん》ということをばいますでにえたり。これしかしながら、弥陀如来《みだにょらい》の御《おん》かたよりさずけましましたる信心《しんじん》とは、やがてあらわにしられたり。かるがゆえに行者《ぎょうじゃ》のおこすところの信《しん》心《じん》にあらず、弥陀如来他力《みだにょらいたりき》の大信心《だいしんじん》ということは、いまこそあきらかにしられたり。これによりて、かたじけなくも、ひとたび他力《たりき》の信心《しんじん》をえたらんひとは、みな弥陀如来《みだにょらい》の御恩《ごおん》をおもいはかりて、仏《ぶっ》恩報謝《とんほうしゃ》のために、つねに称 名念仏《しょうみょうねんぶつ》をもうしたてまつるべきものなり。あなかしこ、あなかしこ。

（一三）　夫《そ》れ、南無阿弥陀仏《なむあみだぶつ》ともうす文字《もんじ》は、そのかずわずかに六字《ろくじ》なれば、さのみ功能《くのう》のあるべきともおぼえざるに、この六字《ろくじ》の名号《みょうごう》のうちには無上甚深《むじょうじんじん》の功徳利益《くどくりやく》の広大《こうだい》なること、さらにそのきわまりなきものなり。されば信心《しんじん》をとるというも、この六字《ろくじ》のうちにこもれりとしるべし。さらに別《べつ》に信心《しんじん》とて六字《ろくじ》のほかにはあるべからざるものなり。

そもそも、この南無阿弥陀仏《なむあみだぶつ》の六字《ろくじ》を、善導釈《ぜんどうしゃく》していわく、[100]「「南無《なむ》」というは帰命《きみょう》なり。またこれ発願回向《ほつがんえこう》の義《ぎ》なり。「阿弥陀仏《あみだぶつ》」というはその行《ぎょう》なり。この義《ぎ》をもってのゆえにかならず往生《おうじょう》することをう」（玄義分）といえり。しかれば、この釈《しゃく》のこころをなにとこころうべきぞというに、たとえば、われらごときの悪業煩悩《あくごうぼんのう》の身《み》なりというとも、一念阿弥陀仏《いちねんあみだぶつ》に帰命《きみょう》せば、かならずその機《き》をしろしめしてたすけたまうべし。それ、「帰命《きみょう》」というは、すなわちたすけたまえともうすこころなり。されば一念《いちねん》に弥陀《みだ》をたのむ衆生《しゅじょう》に無上大利《むじょうだいり》の功徳《くどく》をあたえたまうを、「発願回向《ほつがんえこう》」とはもうすなり。この発願回向《ほつがんえこう》の大善《だいぜん》・大功徳《だいくどく》を、われら衆生《しゅじょう》にあたえましますゆえに、無始曠劫《むしこうごう》よりこのかた、つくりおきたる悪業煩悩《あくごうぼんのう》をば、一時《いちじ》に消滅《しょうめつ》したまうゆえに、われらが煩悩悪業《ぼんのうあくごう》はことごとくみなきえて、すでに正定聚不退転《しょうじょうじゅふたいてん》なんどいうくらいに住《じゅう》すとはいうなり。このゆえに南無阿弥陀仏《なむあみだぶつ》の六字《ろくじ》のすがたは、われらが極楽《ごくらく》に往生《おうじょう》すべきすがたをあらわせるなりと、いよいよしられたるものなり。されば、安心《あんじん》というも信心《しんじん》というも、この名号《みょうごう》の六字《ろくじ》のこころをよくよくこころうるものを、他力《たりき》の大信心《だいしんじん》をえたるひととはなづけたり。かかる殊勝《しゅしょう》の道理《どうり》あるがゆえに、ふかく信《しん》じたてまつるべきものなり。あなかしこ、あなかしこ。

（一四）それ、一切《いっさい》の女人《にょにん》の身《み》は、ひとしれずつみのふかきこと、上臈《じょうろう》にも下主《げす》にもよらぬ、あさましき身《み》なりとおもうべし。それにつきては、なにとように弥陀《みだ》を信《しん》ずべきぞというに、なにのわずらいもなく、阿弥陀如来《あみだにょらい》をひしとたのみまいらせて、今度《こんど》の一大事《いちだいじ》の後生《ごしょう》たすけたまえともうさん女人《にょにん》をば、あやま《（誤）》たずたすけたまうべし。さてわが身《み》のつみのふかきことをばうちすてて、弥陀《みだ》にまかせまいらせて、ただ一心《いっしん》に、弥陀如来《みだにょらい》、後生《ごしょう》たすけたまえとたのみもうさば、その身《み》をよくしろしめしてたすけたまうべきこと、うたがいあるべからず。たとえば十人《じゅうにん》ありとも百人《ひゃくにん》ありとも、みなことごとく極楽《ごくらく》に往生《おうじょう》すべきこと、さらにそのうたがうこころ、つゆほどももつべからず。かように信《しん》ぜん女人《にょにん》は、浄土《じょうど》にうまるべし。かくのごとくやすきことを、いままで信《しん》じたてまつらざることのあさましさよとおもいて、なおなお、ふかく弥陀如来《みだにょらい》をたのみたてまつるべきものなり。あなかしこ、あなかしこ。

（一五） 夫《そ》れ、弥陀如来《みだにょらい》の本願《ほんがん》ともうすは、なにたる機《き》の衆生《しゅじょう》をたすけ給《たま》うぞ。又《また》いかように弥陀《みだ》をたのみ、いかように心《こころ》をもちてたすかるべきやらん。まず機《き》をいえば、十悪五逆《じゅうあくごぎゃく》の罪人《ざいにん》なりとも、五障三従《ごしょうさんしょう》の女人《にょにん》なりとも、さらにその罪業《ざいごう》の深重《じんじゅう》に、こころをばかく《（繋）》べからず。ただ他力《たりき》の大信《だいしん》心一《じんひと》つにて、真実《しんじつ》の極楽往生《ごくらくおうじょう》をとぐべきものなり。されば、その信心《しんじん》というは、いかようにこころをもちて、弥陀《みだ》をばなにとようにたのむべきやらん。それ、信心《しんじん》をとるというは、ようもなく、ただもろもろの雑行雑修《ぞうぎょうざっしゅ》・自力《じりき》なんどいうわろき心《こころ》をふりすてて、一心《いっしん》にふかく弥陀《みだ》に帰《き》するこころのうたがいなきを、真実信心《しんじつしんじん》とはもうすなり。かくのごとく一心《いっしん》にたのみ、一向《いっこう》にたのむ衆生《しゅじょう》を、かたじけなくも弥陀如来《みだにょらい》はよくしろしめして、この機《き》を、光明《こうみょう》をはなちて、ひかりの中《なか》におさめおきましまして、極楽《ごくらく》へ往生《おうじょう》せしむべきなり。これを念仏衆生《ねんぶつしゅじょう》を摂取《せっしゅ》したまうということなり。このうえには、たとい一期《いちご》のあいだもうす念仏《ねんぶつ》なりとも、仏恩報謝《ぶっとんほうしゃ》の念仏《ねんぶつ》とこころうべきなり。これを当《とう》流《りゅう》の信心《しんじん》をよくこころえたる念仏行者《ねんぶつぎょうじゃ》というべきものなり。あなかしこ、あなかしこ。

（一六） 夫《そ》れ、人間《にんげん》の浮生《ふしょう》なる相《そう》をつらつら観《かん》ずるに、[101]おおよそはかなきものは、この世《よ》の始中終《しちゅうじゅう》、まぼろしのごとくなる一期《いちご》なり。されば、いまだ万歳《まんざい》の人身《にんじん》をうけたりという事《こと》をきかず。一生《いっしょう》すぎやすし。いまにいたりて、たれか百年《ひゃくねん》の形体《ぎょうたい》をたもつべきや。我《われ》やさき、人《ひと》やさき、きょうともしらず、あすともしらず、おくれさきだつ人《ひと》は、もとのしずく、すえの露《つゆ》よりもしげしといえり。されば[102]朝《あした》には紅顔《こうがん》ありて夕《ゆうべ》には白骨《はっこつ》となれる身《み》なり。すでに無常《むじょう》の風《かぜ》きたりぬれば、すなわちふたつのまなこたちまちにとじ、ひとつのいきながくたえぬれば、紅顔《こうがん》むなしく変《へん》じて、桃李《とうり》のよそおいをうしないぬるときは、六親眷属《ろくしんけんぞく》あつまりてなげきかなしめども、更《さら》にその甲斐《かい》あるべからず。さてしもあるべき事《こと》ならねばとて、野外《やがい》におくりて夜半《よわ》のけぶりとなしはてぬれば、ただ白骨《はっこつ》のみぞのこれり。あわれというも中々《なかなか》おろかなり。されば、人間《にんげん》のはかなき事《こと》は、老少不定《ろうしょうふじょう》のさかいなれば、たれの人《ひと》もはやく後生《ごしょう》の一大事《いちだいじ》を心《こころ》にかけて、阿弥陀仏《あみだぶつ》をふかくたのみまいらせて、念仏《ねんぶつ》もうすべきものなり。あなかしこ、あなかしこ。

（一七）それ、一切《いっさい》の女人《にょにん》の身《み》は、後生《ごしょう》を大事《だいじ》におもい、仏法《ぶっぽう》をとうとくおもう心《こころ》あらば、なにのようもなく、阿弥陀如来《あみだにょらい》をふかくたのみまいらせて、もろもろの雑行《ぞうぎょう》をふりすてて、一心《いっしん》に後生《ごしょう》を御《おん》たすけ候《そうら》えと、ひしとたのまん女人《にょにん》は、かならず極楽《ごくらく》に往生《おうじょう》すべき事《こと》、さらにうたがいあるべからず。かようにおもいとりてののちは、ひたすら、弥陀如来《みだにょらい》の、やすく御《おん》たすけにあずかるべき事《こと》のありがたさ、又《また》、とうとさよとふかく信《しん》じて、ねてもさめても、南無阿弥陀仏《なむあみだぶつ》、南無阿弥陀仏《なむあみだぶつ》と申《もう》すべきばかりなり。これを信心《しんじん》とりたる念仏者《ねんぶつしゃ》とは申《もう》すものなり。あなかしこ、あなかしこ。

（一八）当流聖人《とうりゅうしょうにん》のすすめまします安心《あんじん》というは、なにのようもなく、まず我《わ》が身《み》のあさましきつみのふかきことをばうちすてて、もろもろの雑行雑修《ぞうぎょうざっしゅ》のこころをさしおきて、一心《いっしん》に、阿弥陀如来《あみだにょらい》、後生《ごしょう》たすけたまえと、一念《いちねん》にふかくたのみたてまつらんものをば、たとえば十人《じゅうにん》は十人《じゅうにん》、百人《ひゃくにん》は百人《ひゃくにん》ながら、みなもらさずたすけたまうべし。これさらにうたがうべからざるものなり。かようによくこころえたる人《ひと》を、信心《しんじん》の行者《ぎょうじゃ》というなり。さてこのうえには、なお我《わ》が身《み》の後生《ごしょう》のたすからんことのうれしさをおもいいださんときは、ねてもさめても、南無阿弥陀仏《なむあみだぶつ》、南無阿弥陀仏《なむあみだぶつ》ととなうべきものなり。あなかしこ、あなかしこ。

（一九）それ、末代《まつだい》の悪人《あくにん》・女人《にょにん》たらん輩《ともがら》は、みなみな心《こころ》を一《ひと》つにして阿弥陀仏《あみだぶつ》をふかくたのみたてまつるべし。そのほかには、いずれの法《ほう》を信《しん》ずというとも、後生《ごしょう》のたすかるという事《こと》、ゆめゆめあるべからず。しかれば阿弥陀如来《あみだにょらい》をば、なにとようにたのみ、後生《ごしょう》をば、ねがうべきぞというに、なにのわずらいもなく、ただ一心《いっしん》に阿弥陀如来《あみだにょらい》をひしとたのみ、後生《ごしょう》たすけたまえとふかくたのみ申《もう》さん人《ひと》をば、かならず御《おん》たすけあるべき事《こと》、さらさらうたがいあるべからざるものなり。あなかしこ、あなかしこ。

（二〇）それ、一切《いっさい》の女人《にょにん》たらん身《み》は、弥陀如来《みだにょらい》をひしとたのみ、後生《ごしょう》たすけたまえと申《もう》さん女人《にょにん》をば、かならず御《おん》たすけあるべし。さるほどに、諸仏《しょぶつ》のすてたまえる女人《にょにん》を、阿弥陀如来《あみだにょらい》ひとり、我《われ》たすけずんば、またいずれの仏《ぶつ》のたすけたまわんぞとおぼしめして、無上《むじょう》の大願《だいがん》をおこして、我《われ》、諸《しょ》仏《ぶつ》にすぐれて女人《にょにん》をたすけんとて、五劫《ごこう》があいだ思惟《しゆい》し、永劫《ようごう》があいだ修行《しゅぎょう》して、世《よ》にこえたる大《だい》願《がん》をおこして、女人成仏《にょにんじょうぶつ》といえる殊勝《しゅしょう》の願《がん》をおこしまします弥陀《みだ》なり。このゆえにふかく弥陀《みだ》をたのみ、後生《ごしょう》たすけたまえと申《もう》さん女人《にょにん》は、みなみな極楽《ごくらく》に往生《おうじょう》すべきものなり。あなかしこ、あなかしこ。

（二）当流《とうりゅう》の安心《あんじん》というは、なにのようもなく、もろもろの雑行雑修《ぞうぎょうざっしゅ》のこころをすてて、わが身《み》はいかなる罪業《ざいごう》ふかくとも、それをば仏《ぶつ》にまかせまいらせて、ただ一心《いっしん》に阿弥陀如来《あみだにょらい》を一念《いちねん》にふかくたのみまいらせて、御《おん》たすけそうらえともうさん衆生《しゅじょう》をば、十人《じゅうにん》は十人《じゅうにん》、百人《ひゃくにん》は百人《ひゃくにん》ながら、ことごとくたすけたまうべし。これさらにうたがうこころつゆほどもあるべからず。かように信《しん》ずる機《き》を、安心《あんじん》をよく決定《けつじょう》せしめたる人《ひと》とはいうなり。このこころをこそ、経釈《きょうしゃく》の明文《めいもん》には、[103]「一念発《いちねんほっ》起住正定聚《きじゅうしょうじょうじゅ》」（論註）とも、平生業成《へいぜいごうじょう》の行人《ぎょうにん》ともいうなり。さればただ弥陀仏《みだぶつ》を一念《いちねん》にふかくたのみたてまつること肝要《かんよう》なりとこころうべし。このほかには、弥陀如来《みだにょらい》の、われらをやすくたすけましします御恩《ごおん》のふかきことをおもいて、行住座臥《ぎょうじゅうざが》に、つねに念仏《ねんぶつ》をもうすべきものなり。あなかしこ、あなかしこ。

（三）抑《そもそも》、当流勧化《とうりゅうかんけ》のおもむきをくわしくしりて、極楽《ごくらく》に往生《おうじょう》せんとおもわんひとは、まず他《た》力《りき》の信心《しんじん》ということを存知《ぞんじ》すべきなり。それ、他力《たりき》の信心《しんじん》というはなにの要《よう》ぞといえば、かかるあさましきわれらごときの凡夫《ぼんぶ》の身《み》が、たやすく浄土《じょうど》へまいるべき用意《ようい》なり。その他力《たりき》の信心《しんじん》のすがたというは、いかなることぞといえば、なにのようもなく、ただひとすじに阿弥陀如来《あみだにょらい》を一心一向《いっしんいっこう》にたのみたてまつりて、たすけたまえとおもうこころの一念《いちねん》おこるとき、かならず弥陀如来《みだにょらい》の、摂取《せっしゅ》の光《こう》明《みょう》をはなちて、その身《み》の娑婆《しゃば》にあらんほどは、この光明《こうみょう》のなかにおさめおきましますなり。これすなわちわれらが往生《おうじょう》のさだまりたるすがたなり。されば南無阿弥陀仏《なむあみだぶつ》ともうす体《たい》は、われらが他力《たりき》の信心《しんじん》をえたるすがたなり。この信心《しんじん》というは、この南無阿弥陀仏《なむあみだぶつ》のいわれをあらわせるすがたなりとこころうべきなり。されば、われらがいまの他力《たりき》の信心《しんじん》ひとつをとるによりて、極楽《ごくらく》にやすく往生《おうじょう》すべきことの、さらになにのうたがいもなし。あら、殊勝《しゅしょう》の弥陀如来《みだにょらい》の本願《ほんがん》や。このありがたさの弥陀《みだ》の御恩《ごおん》をば、いかがして報《ほう》じたてまつるべきぞなれば、ただねてもおきても、南無阿弥陀仏《なむあみだぶつ》ととなえて、かの弥陀如来《みだにょらい》の仏恩《ぶっとん》を報《ほう》ずべきなり。されば南無阿弥陀仏《なむあみだぶつ》ととなうるこころはいかんぞなれば、阿弥陀如来《あみだにょらい》の御《おん》たすけありつるありがたさ、とうとさよとおもいて、それをよろこびもうすこころなりとおもうべきものなり。あなかしこ、あなかしこ。

夏《げの》御《お》文《ふみ》

[1](一)　抑《そもそ》も、今日《こんにち》の聖教《しょうぎょう》を聴聞《ちょうもん》のためにとて、皆々《みなみな》これ（山科本願寺）へ御《おん》より候《そうろ》うことは、信心《しんじん》の謂《い》われをよくよくこころえられ候《そうら》いて、今日《こんにち》よりは、御《おん》こころをうかうかと御《おん》もち候《そうら》わで、ききわけられ候《そうら》わでは、なにの所用《しょよう》もなきことに[2]てあるべく候《そうろ》う。そのいわれをただいまもうすべく候《そうろ》う。御耳《おんみみ》をすましてよくよくきこしめし候《そうろ》うべし。

　夫《そ》れ安心《あんじん》と申《もう》すは、もろもろの雑行《ぞうぎょう》をすてて、一心《いっしん》に弥陀如来《みだにょらい》をたのみ、今度《こんど》の我等《われら》が後生《ごしょう》たすけたまえと申《もう》すをこそ、安心《あんじん》を決定《けつじょう》したる行者《ぎょうじゃ》とは申《もう》し候《そうろ》うなれ。此《こ》の謂《い》われをしりてのうえの仏恩報謝《ぶっとんほうしゃ》の念仏《ねんぶつ》とは申《もう》すことにて候《そうろ》うなり。されば、聖人《しょうにん》の『和讃《わさん》』（正像末和讃）にも、[3]「智慧《ちえ》の念仏《ねんぶつ》うることは　法蔵願力《ほうぞうがんりき》のなせるなり　信心《しんじん》の智慧《ちえ》にいりてこそ　仏恩報《ぶっとんほう》ずる身《み》とはなれ」とおおせられたり。このこころをもってこころえられ候《そうら》わんこと、肝要《かんよう》にて候《そうろ》う。それについては、まず、[4]「念仏《ねんぶつ》の行者《ぎょうじゃ》、南無阿弥陀仏《なむあみだぶつ》の名号《みょうごう》をきかば、「あは《（ああ）》、はや、わが[5]往生《おうじょう》は成就《じょうじゅ》しにけり。十方衆生《じっぽうしゅじょう》、往生《おうじょう》成就《じょうじゅ》せずは、正覚《しょうがく》とらじとちかいたまいし法蔵菩薩《ほうぞうぼさつ》の正覚《しょうがく》の[6]果名《かみょう》なるがゆえに」とおもうべし」（安心決定鈔）といえり。又《また》、[7]「極楽《ごくらく》という名《な》をきかば、「あは、我《わ》が往生《おうじょう》すべきところを成就《じょうじゅ》したまい[8]にけり。衆生往生《しゅじょうおうじょう》せずは、正覚《しょうがく》とらじとちかいたまいし法蔵比丘《ほうぞうびく》の成就《じょうじゅ》したまえる極楽《ごくらく》よ」とおもうべし」（同）。又《また》、9「本願《ほんがん》を信《しん》じ名号《みょうごう》をとなうとも、余所《よそ》なる仏《ぶつ》の功徳《くどく》とおもいて、名号《みょうごう》に功《こう》をいれなば、などか往生《おうじょう》をとげざらんなんどおもわんは、かなしかるべきことなり。ひしと、われらが往生《おうじょう》成就《じょうじゅ》せしすがたを、南無阿弥陀仏《なむあみだぶつ》とはいいけるという信心《しんじん》おこりぬれば、仏《ぶつ》体《たい》すなわちわれらが往生《おうじょう》の行《ぎょう》なるがゆえに、一声《いっしょう》のところに往生《おうじょう》を決定《けつじょう》するなり」（同）。このこころは、安心《あんじん》をとりてのうえのことどもにて侍《はんべ》るなりと、こころえらるべきことなりとおもうべきものなり。あなかしこ、あなかしこ。

明応七年（一四九八）五月下旬

（三）抑《そもそ》も、今日《こんにち》、御影前《ごえいぜん》へ御《おん》まいり候《そうろ》う面々《めんめん》は、聖教《しょうぎょう》をよみ候《そうろ》うを御聴聞《ごちょうもん》のためにてぞ、御《おん》入《い》り候《そうろ》うらん。されば、いずれの所《ところ》にても聖教《しょうぎょう》を聴聞《ちょうもん》せられ候《そうろ》うときも、その義理《ぎり》をききわけらるる分《ぶん》も、更《さら》に候《そうら》わで、ただ人目計《ひとめばかり》のように、みなみなあつまられ候《そうろ》うことは、なにの10篇目《へんもく》もなきようにおぼえ候《そうろ》う。夫《そ》れ聖教《しょうぎょう》をよみ候《そうろ》うことも、他力《たりき》の信心《しんじん》をとらしめんがためにこそ、よみ候《そうろ》うことにて候《そうろ》うに、更《さら》にその謂《い》われをききわけ候《そうら》いて、わが信《しん》のあさきをもなおされ候《そうら》わんことこそ、仏法《ぶっぽう》の本意《ほんい》にてはあるべきに、毎日《まいにち》に聖教《しょうぎょう》があるとては、しるもしらぬも、よられ（寄）候《そうろ》うことは、所詮《しょせん》もなきことにて候《そうろ》う。今日《こんにち》よりしては、あいかまえて、その謂《い》われをききわけられ候《そうら》いて、もとの信心《しんじん》のわろきことをも、人《ひと》にたずねられ候《そうら》いて、なおされ候《そうら》わでは、かなうべからず候《そうろ》う。その分《ぶん》をよくよくこころえられ候《そうら》いて、聴聞候《ちょうもんそうら》わば、自行化他《じぎょうけた》のため、然《しか》るべきことにて候《そうろ》う。そのとおりを、あらまし、只今申《ただいまもう》し侍《はんべ》るべく候《そうろ》う。御耳《おんみみ》をすまして御《おん》きき候《そうら》え。夫《そ》れ安心《あんじん》と申《もう》すは、いかなるつみのふかき人《ひと》も、もろもろの雑行《ぞうぎょう》をすてて、一心《いっしん》に弥陀如来《みだにょらい》をたのみ、今度《こんど》の我等《われら》が後生《ごしょう》たすけたまえともうすをこそ、安心《あんじん》を決定《けつじょう》したる念仏《ねんぶつ》の行者《ぎょうじゃ》とは申《もう》すなり。この謂《い》われをよく決定《けつじょう》してのうえの、仏恩報謝《ぶっとんほうしゃ》のためといえることにては候《そうろ》うなれ。されば、聖人《しょうにん》の『和讃《わさん》』（正像末和讃）にも、このこころを、[11]「智慧《ちえ》の念仏《ねんぶつ》うることは　法蔵願力《ほうぞうがんりき》のなせるなり　信心《しんじん》の智慧《ちえ》なかりせば　いかでか涅槃《ねはん》をさとらまし」とおおせられたり。此《こ》の信心《しんじん》をよくよく決定《けつじょう》候《そうら》わでは、仏恩報尽《ぶっとんほうじん》ともうすことはあるまじきことにて候《そうろ》う。なにと御《おん》こころえ候《そうろ》うやらん。この分《ぶん》をよくよく御《おん》こころえ候《そうら》いて、みなみな御《おん》かえり候《そうら》わば、やがて、やどやど（宿々）にても、信心《しんじん》のとおりを、あいたがいに沙汰《さた》せられ候《そうら》いて、信心決定《しんじんけつじょう》候《そうら》わば、今度《こんど》の往生極楽《おうじょうごくらく》は一定《いちじょう》にてあるべきことにて候《そうろ》う。あなかしこ、あなかしこ。

明応七年（一四九八）五月下旬

㈢　抑《そもそ》も、今月《こんがつ》は既《すで》に前住上人《ぜんじゅうしょうにん》（存如）の御正忌《ごしょうき》にてわたらせおわしますあいだ、未安心《みあんじん》の人々《ひとびと》は、信心《しんじん》をよくよくとらせたまい候《そうら》わば、すなわち今月《こんがつ》、前住《ぜんじゅう》の報謝《ほうしゃ》ともなるべく候《そうろ》う。されば、この去《さ》んぬる夏比《なつごろ》よりこの間《あいだ》にいたるまで毎日《まいにち》に、形《かた》の如《ごと》く、耳《みみ》ぢかなる聖教《しょうぎょう》のぬきがきなんどをえらびいだして、あらあら（粗々）よみ申《もう》すように候《そうろ》うといえども、来臨《らいりん》の道俗男女《どうぞくなんにょ》を、凡《おおよ》そみ（見）および申《もう》し候《そうろ》うに、いつも体《てい》にて、更《さら》にそのいろもみえましまさずとおぼえ候《そうろ》う。所詮《しょせん》、それをいかんと申《もう》し候《そうろ》うに、毎日《まいにち》の聖教《しょうぎょう》になにたることを、とうときとも、又殊勝《またしゅしょう》なるとも申《もう》され候《そうろ》う人々《ひとびと》の、一人《いちにん》も御入《おんい》り候《そうら》わ[12]ぬ時《とき》は、なにの諸篇《しょへん》もなきことにて候《そうろ》う。信心《しんじん》のとおりをも、又《また》（一）ひとすじめを御《おん》ききわけ候《そうら》いてこそ、連々《れんれん》の聴聞《ちょうもん》の一《ひと》かどにても候《そうら》わんずるに、うかうかと御入《おんい》り候《そうろ》う体《てい》たらく、言語道断《ごんごどうだん》、然《しか》るべからず覚《おぼ》え候《そうろ》う。たとえば、聖教《しょうぎょう》をよみ候《そうろ》うと申《もう》すも、[13]他力信心《たりきしんじん》をとらしめんがためばかりのことにて候《そうろ》う間《あいだ》、初心《しょしん》のかたがたは、あいかまえて、今日《こんにち》のこの御影前《ごえいぜん》を御《おん》たちいで候《そうら》わば、やがて不審《ふしん》なることをも申《もう》されて、人々《ひとびと》にたずね申《もう》され候《そうら》いて、信心決定《しんじんけつじょう》せられ候《そうら》わんずることこそ、肝要《かんよう》たるべく候《そうろ》う。その分《ぶん》よくよく御《おん》こころえあるべく候《そうろ》う。それにつき候《そうら》いては、なにまでも入《い》り候《そうろ》うまじく候《そうろ》う。弥陀《みだ》をたのみ、信心《しんじん》を御《おん》とりあるべく候《そうろ》う。その安心《あんじん》のすがたを、ただいま、めずらしからず候《そうら》えども、申《もう》すべく候《そうろ》う。御《おん》こころをしずめ、ねぶりをさまして、ねんごろに聴聞候《ちょうもんそうら》え。

夫《そ》れ親鸞聖人《しんらんしょうにん》のすすめましまし候《そうろ》う他力《たりき》の安心《あんじん》と申《もう》すは、なにのようもなく、一心《いっしん》に弥陀如来《みだにょらい》をひしとたのみ、後生《ごしょう》たすけたまえと申《もう》さん人々《ひとびと》は、十人《じゅうにん》も百人《ひゃくにん》も、のこらず極楽《ごくらく》に往生《おうじょう》すべきこと、さらにそのうたがいあるべからず候《そうろ》う。この分《ぶん》を面々各々《めんめんかっかく》に御《おん》こころえ候《そうら》いて、みなみな本々《ほんぼん》へ御《おん》かえりあるべく候《そうろ》う。あなかしこ、あなかしこ。

明応七年（一四九八）六月中旬

（四）抑《そもそ》も、今月十八日《こんがつじゅうはちにち》の前《まえ》に、安心《あんじん》の次第《しだい》、あらあら（粗々）御《おん》ものがたり申《もう》し候《そうろ》う処《ところ》に、面々聴聞《めんめんちょうもん》の御人数《ごにんじゅ》のかたがた、いかが御《おん》こころえ候《そうろ》うや、御《おん》こころもとなくおぼえ候《そうろ》う。いくたび申《もう》しても、ただおなじ体《てい》に御《おん》ききなし候《そうら》いて[14]は、毎日《まいにち》において、随分《ずいぶん》、勘文《かんもん》をよみ申《もう》し候《そうろ》うその甲斐《かい》もあるべからず、ただ一《ひと》すじめの信心《しんじん》のとおり御《おん》こころえの分《ぶん》も候《そうら》わでは、更々《さらさら》、所詮無《しょせんな》きことにて候《そうろ》う。されば、未安心《みあんじん》の御《おん》すがたがた、ただ人目《ひとめ》ばかりの御心中《ごしんじゅう》を御《おん》もち候《そうろ》うかたがたは、毎日《まいにち》の聖教《しょうぎょう》には、中々《なかなか》、聴聞《ちょうもん》のこと無益《むやく》かとおぼえ候《そうろ》う。その謂《い》われはいかんと申《もう》し候《そうろ》うに、はや此《こ》の夏中《げちゅう》もなかばはすぎて、二十四《にじゅうし》、五日《ごにち》の間《あいだ》のことにて候《そうろ》う。又上来《またじょうらい》も、毎日聖教《まいにちしょうぎょう》の勘文《かんもん》をえらびよみ申《もう》し候《そうら》えども、たれにても一人《いちにん》として、今日《こんにち》の聖教《しょうぎょう》になにと申《もう》したることの、とうときとも、又不審《またふしん》なるとも、おおせられ候《そうろ》う人数《にんじゅ》、一人《いちにん》も御入《おんい》り候《そうら》わず[15]候《そうろ》う。此《こ》の夏中《げちゅう》と申《もう》さんも、いまのことにて候《そうろ》う間《あいだ》、みなみな人目《ひとめ》ばかり、名聞《みょうもん》の体《てい》たらく、言語道断《ごんごどうだん》、あさましくおぼえ候《そうろ》う。これほどに毎日耳《まいにちみみ》ぢかに聖教《しょうぎょう》の中《なか》をえらびいだし申《もう》し候《そうら》えども、[16]つれなく御《おん》わたり候《そうろ》うこと、誠《まこと》に、ことのたとえに、鹿《しし》の角《つの》をはち(蜂)のさしたるように、みなみなおぼしめし候《そうろ》う間《あいだ》、千万千万勿体無《せんばんせんまんもったいな》く候《そうろ》う。一《ひとつ》は無道心《むどうしん》、一《ひとつ》は無《ぶ》[17]興隆《こうりゅう》ともおぼえ候《そうろ》う。此《こ》の聖教《しょうぎょう》をよみ申《もう》し候《そうら》わんも、今三十日《いまさんじゅうにち》の内《うち》のことにて候《そうろ》う。いつまでのようにつれなく御心中《ごしんじゅう》も御《おん》なおり候《そうら》わでは、真実真実《しんじつしんじつ》、無道心《むどうしん》に候《そうろ》う。誠《まこと》に、たからの山《やま》にいりて手《て》をむなしくしてかえらんにひとしかるべく候《そうろ》う。さればとて、当流《とうりゅう》の安心《あんじん》をとられ候《そうら》わんにつけても、なにのわずらいか御《おん》わたり候《そうら》わんや。今日《こんにち》よりして、ひしと、みなみなおぼしめしたち候《そうら》いて、信心《しんじん》を決定《けつじょう》候《そうら》いて、このたびの往生極楽《おうじょうごくらく》をおぼしめしさだめられ候《そうら》わば、誠《まこと》に、上人《しょうにん》の御素意《ごそい》にも本意《ほんい》とおぼしめし候《そうろ》うべきものなり。

この夏《なつ》の初《はじ》めより、すでに百日《ひゃくにち》のあいだ、かたのごとく安心《あんじん》のおもむき申《もう》し候《そうろ》うといえども、誠《まこと》に、御心《おんこころ》におもいいれられ候《そうろ》うすがたも、さのみ、みえたまい候《そうら》わずおぼえ候《そうろ》う。すでに夏《げ》中《ちゅう》と申《もう》すも、今日《こんにち》・明日《みょうにち》ばかりのことにて候《そうろ》う。こののちも、此《こ》の間《あいだ》の体《てい》たらくにて御入《おんい》りあるべく候《そうろ》うや、あさましくおぼえ候《そうろ》う。よくよく、安心《あんじん》の次第《しだい》、人《ひと》にあいたずねられ候《そうら》いて、決定《けつじょう》
18 せられべく候《そうろ》う。はや明日《みょうにち》までのことにて候《そうろ》う間《あいだ》、此《か》くの如《ごと》く、かたく申《もう》し候《そうろ》うなり。よくよく御《おん》こころえあるべく候《そうろ》うなり。あなかしこ、あなかしこ。

明応七年（一四九八）七月中旬

御《ご》俗《ぞく》姓《しょう》

それ、祖師聖人《そししょうにん》の俗姓《ぞくしょう》をいえば、藤氏《ふじうじ》として、後長岡《ごながおかの》[1]承相《しょうじょう》内《うち》[2]麿公《まろこう》の末孫《ばっそん》、皇《こう》[3]太后宮大進《たいごうぐうのだいしん》有範《ありのり》の子《こ》なり。又本地《またほんじ》をたずぬれば、弥陀如来《みだにょらい》[4]の化身《けしん》と号《ごう》し、或《ある》いは曇鸞大師《どんらんだいし》の再誕《さいたん》ともいえり。然《しか》れば則《すなわ》ち、生年九歳《しょうねんくさい》の春《はる》の比《ころ》、慈鎮和尚《じちんかしょう》（慈円）の門人《もんにん》につらなり、出家得度《しゅっけとくど》して、其《そ》の名《な》を範宴少納言《はんねんしょうなごん》の公《きみ》と号《ごう》す。それよりこのかた、楞厳横川《りょうごんよかわ》の末流《まつりゅう》をつたえ、天台宗《てんだいしゅう》の[6]碩学《せきがく》となりたまいぬ。其《そ》の後《のち》二十九歳《にじゅうくさい》にして、はじめて源空聖人《げんくうしょうにん》の禅室《ぜんしつ》にまいり、上足《じょうそく》の弟子《でし》となり、真宗一流《しんしゅういちりゅう》をくみ、専修専念《せんじゅせんねん》の義《ぎ》をたて、すみやかに凡夫直入《ぼんぶじきにゅう》の真心《しんじん》をあらわし、在家止住《ざいけしじゅう》の愚人《ぐにん》をおしえて、報土往生《ほうどおうじょう》をすすめましましけり。

抑《そもそ》も、今月二十八日《こんがつにじゅうはちにち》は、祖師聖人遷化《そししょうにんせんげ》の御正忌《ごしょうき》として、毎年《まいねん》をいわず、親疎《しんそ》をきらわず、古今《ここん》の行者《ぎょうじゃ》、この[7]御正忌《ごしょうき》を存知《ぞんじ》せざる輩《ともがら》あるべからず。[8]茲《こ》れに因《よ》りて、当流《とうりゅう》にその名《な》をかけ、その信心《しんじん》を獲得《ぎゃくとく》したらん行者《ぎょうじゃ》、この御正忌《ごしょうき》をもって、報謝《ほうしゃ》の志《こころざし》をはこばざらん行者《ぎょうじゃ》においては、誠《まこと》に以《もっ》て、木石《ぼくせき》にひとしからんものなり。しかるあいだ、かの御恩徳《ごおんどく》のふかきことは、[9]迷盧八万《めいろはちまん》の頂《いただき》、[10]蒼溟三千《そうめいさんぜん》の底《そこ》にこえすぎたり。[11]報《ほう》ぜずはあるべからず、謝《しゃ》せずはあるべからざる者《もの》か。[12]此《こ》の故《ゆえ》に、毎年《まいねん》の例時《れいじ》として、一七《いっしち》か日《にち》のあいだ、形《かた》の如《ごと》く報恩《ほうおん》[13]謝徳《しゃとく》のために、無二《むに》の勤行《ごんぎょう》をいたすところなり。此《こ》の[14]一七《いっしち》か日報恩講《にちほうおんこう》の砌《みぎり》にあたり[15]て、門葉《もんよう》のたぐい国郡《こくぐん》より来集《らいじゅう》、いまにおいて其《そ》の退転《たいてん》なし。しかりといえども、未安心《みあんじん》の行者《ぎょうじゃ》にいたりては、争《いか》でか報恩謝徳《ほうおんしゃとく》の[16]義《ぎ》これあらんや。しか(然)のごとき[17]のともがらは、この砌《みぎり》において仏法《ぶっぽう》の信《しん》・不信《ふしん》をあい[18]たずね、これを聴聞《ちょうもん》して、まことの信心《しんじん》[19]を決定《けつじょう》すべくんば、真実真実《しんじつしんじつ》、聖人報謝《しょうにんほうしゃ》の懇志《こんし》に相叶《あいかな》うべき者《もの》なり。

哀《あわ》れなる[20]かな、夫《そ》れ聖人《しょうにん》の御往生《ごおうじょう》は、年[21]忌《ねんき》とおくへだたりて、すでに一百余歳《いちひゃくよさい》の星霜《せいそう》を送《おく》るといえども、御遺訓《ごゆいくん》ますますさかんにして、教《きょう》・行《ぎょう》・信《しん》・証《しょう》の名義《みょうぎ》、いまに眼前《がんぜん》にさえぎり、人《じん》口《こう》にのこれり。貴《とうと》むべし、信《しん》ずべし。これについて、当時真宗《とうじしんしゅう》の行者《ぎょうじゃ》のなかにおいて、真実信心《しんじつしんじん》を獲得《ぎゃくとく》せしむる人《ひと》、これすくなし。ただ、人目《ひとめ》・[22]仁義《じんぎ》ばかりに、名聞《みょうもん》のこころをもって報謝《ほうしゃ》と号《ごう》せば、いかなる志《こころざし》をいたす[23]というとも、一念帰命《いちねんきみょう》の真実《しんじつ》[24]の信心《しんじん》を決定《けつじょう》せざらん人々《ひとびと》は、その所詮《しょせん》あるべからず。誠《まこと》に、[25]水《みず》に入《い》りて垢《あか》おちずといえるたぐいなるべきか。これによりて、[26]此《こ》の一七《いっしち》か日報恩講《にちほうおんこう》[27]中《じゅう》において、他力本願《たりきほんがん》のことわりをねんごろにききひらき[28]て、専修一向《せんじゅいっこう》の[29]念仏《ねんぶつ》行者《ぎょうじゃ》にならんにいたりては、まことに、今月聖人《こんがつしょうにん》[30]の御正日《ごしょうにち》の素意《そい》に相叶《あいかな》うべし。これしかしながら、真実真実《しんじつしんじつ》、報恩謝徳《ほうおんしゃとく》の御仏事《おんぶつじ》[31]となりぬべきものなり。あなかしこ、あなかしこ。

[32]于也、文明[33]九(一四七七)十一月初比、俄為㆓報恩謝徳㆒染㆑翰記㆑之者也。[34]

改《がい》悔《け》文《もん》

もろもろの雑行雑修《ぞうぎょうざっしゅ》、自力《じりき》のこころをふりすてて、一心《いっしん》に阿弥陀如来《あみだにょらい》、我等《われら》が今度《こんど》の一大事《いちだいじ》の後《ご》生御《しょうおん》たすけそうらえとたのみもうしてそうろう。たのむ一念《いちねん》のとき、往生一定《おうじょういちじょう》、御《おん》たすけ治定《じじょう》とぞんじ、このうえの称名《しょうみょう》は、御恩報謝《ごおんほうしゃ》とよろこびもうし候《そうろ》う。この御《おん》ことわり聴聞《ちょうもん》もうしわけそうろうこと、御開山聖人御出世《ごかいさんしょうにんごしゅっせ》の御恩《ごおん》、次第相承《しだいそうじょう》の善知識《ぜんじしき》のあさからざる御勧化《ごかんけ》の御恩《ごおん》と、ありがたくぞんじ候《そうろ》う。このうえはさだめおかせらるる御《おん》おきて、一期《いちご》をかぎりまもりもうすべく候《そうろ》う。

蓮《れん》如《にょ》上《しょう》人《にん》御《ご》一《いち》代《だい》記《き》聞《きき》書《がき》[1]

（1）

一　[2]勧修寺《かじゅうじ》の道徳《どうとく》、明応《めいおう》二年《にねん》正月《しょうがつ》一日《ついたち》に御前《ごぜん》へまいりたるに、蓮如上人《れんにょしょうにん》、おおせられそうろう。「道徳《どうとく》はいくつになるぞ。道徳《どうとく》、念仏《ねんぶつ》もうさるべし。自力《じりき》の念仏《ねんぶつ》というは、念仏《ねんぶつ》おおくもうして仏《ぶつ》にまいらせ、このもうしたる功徳《くどく》にて、仏《ぶつ》のたすけたまわんずるようにおもうて、となうるなり。他力《たりき》というは、弥陀《みだ》をたのむ一念《いちねん》のおこるとき、やがて御《おん》たすけにあずかるなり。そののち念仏《ねんぶつ》もうすは、御《おん》たすけありたるありがたさありがたさと、おもうこころをよろこびて、[3]南無阿弥陀仏《なむあみだぶつ》に自力《じりき》をくわえざるこころなり。されば、他力《たりき》とは、他《た》の力《ちから》というこころなり。この一念《いちねん》、臨終《りんじゅう》までとおりて往生《おうじょう》するなり」と、おおせそうろうなり。

（2）

一　仰《おお》せに、「南無《なむ》というは帰命《きみょう》なり。帰命《きみょう》というは、弥陀《みだ》を一念《いちねん》たのみまいらするこころなり。また、発願回向《ほつがんえこう》というは、たのむ機《き》に、やがて大善《だいぜん》・大功徳《だいくどく》をあたえたまうなり。その体《たい》すなわち南《な》無阿弥陀仏《むあみだぶつ》なり」と、仰《おお》せ候《そうら》いき。

（3）

一　加賀《かが》の[4]願正《がんしょう》と[5]覚善《かくぜん》と又四郎《またしろう》とに対《たい》して、信心《しんじん》というは、弥陀《みだ》を一念《いちねん》、御《おん》たすけそうらえとたのむとき、やがて御《おん》たすけあるすがたを、南無阿弥陀仏《なむあみだぶつ》ともうすなり。総《そう》じて、つみはいかほどあるとも、一念《いちねん》の信力《しんりき》にて、けしうしないたまうなり。されば、[6]「無始已来輪転六道《むしいらいりんでんろくどう》の妄業《もうごう》、一念南無《いちねんなむ》阿弥陀仏《あみだぶつ》と帰命《きみょう》する仏智無生《ぶっちむしょう》の[7]名願力《みょうがんりき》にほろぼされて、涅槃畢竟《ねはんひっきょう》の真因《しんいん》、はじめてきざすところをさすなり」（浄土真要鈔）という御《おん》ことばをひきたまいて、仰《おお》せそうらいき。されば、このこころを御《おん》かけ《(掛)》字《じ》にあそばされて、[8]願正《がんしょう》にくだされけり。

(4)

一　御《お》つとめのとき、順讃御《じゅんさんおん》わすれあり。南殿《みなみどの》へ御《おん》かえりありて、仰《おお》せに、「聖人御《しょうにんおん》すすめの和《わ》讃《さん》、あまりにあまりに殊勝《しゅしょう》にて、あげばをわすれたり」と仰《おお》せそうらいき。「ありがたき御《おん》すすめを信《しん》じて往生《おうじょう》するひとすくなし」と御述懐《ごしゅっかい》なり。

(5)

一　[9]「念称是一《ねんしょうぜいち》」ということしらず」と、もうしそうろうとき、仰《おお》せに、「「おもい、うちにあれば、いろ、ほかにあらわるる」とあり。されば、信《しん》をえたる体《たい》はすなわち南無阿弥陀仏《なむあみだぶつ》なりとこころうれば、口《くち》もこころもひとつなり。」

(6)

一　あさの御《お》つとめに、[10]「いつつの不思議《ふしぎ》をとくなか[11]に」（高僧和讃）より[12]「尽十方《じんじっぽう》の無碍光《むげこう》は　無《む》明《みょう》のやみをてらしつつ　一念歓喜《いちねんかんぎ》する[13]ひとは　かならず滅度《めつど》にいたらしむ」（同）と候《そうろ》う段《だん》のこころを[14]御法嘆《ごほうだん》のとき、[15]「光明遍照十方世界《こうみょうへんじょうじっぽうせかい》」（観経）の文《もん》のこころと、また、[16]「月《つき》かげの　いたらぬさとは　なけれども　ながむるひとの　こころにぞすむ」とあるうたをひきよせ、御法嘆候《ごほうだんそうろ》う。なかなか、ありがたさ、もうすばかりなくそうろう。上様《うえさま》（蓮如）御立《おた》ちの御《おん》あとにて、北殿様《きたどのさま》（実如）の仰《おお》せに、「夜前《やぜん》の御法嘆《ごほうだん》、今夜《こんや》の御法嘆《ごほうだん》とを、ひきあわせて仰《おお》せ候《そうろ》う、ありがたさありがたさ、是《ぜ》非《ひ》におよばず」と、御掟候《ごじょうそうら》いて、御落涙《ごらくるい》の御《おん》こと、かぎりなき御《おん》ことにそうろう。

(7)

一　三河《みかわ》の教賢《きょうけん》、伊勢《いせ》の空賢《くうけん》とに対《たい》して、仰《おお》せに、「南無《なむ》というは帰命《きみょう》、このこころは、御《おん》たすけそうらえとたのむなり。この帰命《きみょう》のこころ、やがて発願回向《ほつがんえこう》のこころを感《かん》ずるなり」と[17]おおせそうろうなり。

(8)

一　[18]「他力《たりき》の願行《がんぎょう》を、ひさしく身《み》にたもちながら、よしなき自力《じりき》の執心《しゅうしん》にほだされて、むなしく流転《るてん》しけるなり」（安心決定鈔）とそうろうを、え存《ぞん》ぜずそうろうよし、もうしあげ候《そうろ》うところに、仰《おお》せに、「ききわけて、え信《しん》ぜぬもののことなり」と[19]仰《おお》せそうらいき。

(9)

一　「[20]弥陀大悲《みだだいひ》のむねのうちに、かの常没《じょうもつ》の衆生《しゅじょう》みちみちたる」（安心決定鈔）といえること、不審《ふしん》にそうろう」と、福田寺《ふくでんじ》もうしあげられそうろう。仰《おお》せに、「仏心《ぶっしん》の蓮花《れんげ》は、むねにこそひらくべけれ、はらにあるべきや。[21]「弥陀《みだ》の身心《しんじん》の功徳《くどく》、法界衆生《ほっかいしゅじょう》の身《しん》のうち、こころのそこに、いりみつ」（同）ともあり。しかれば、ただ領解《りょうげ》の心中《しんじゅう》をさしてのことなり」と仰《おお》せそうらいき。ありがたきよし、そうろうなり。

(10)

一　十月《じゅうがつ》二《に》十八日《じゅうはちにち》の[22]太夜《たいや》に、のたまわく、「『正信偈《しょうしんげ》』・『和讃《わさん》』をよみて、仏《ぶつ》にも聖人《しょうにん》にもまいらせんとおもうか、あさましや。他宗《たしゅう》には、[23]つとめ《（勤行）》をして回向《えこう》するなり。[24]御流《ごりゅう》には、他力信心《たりきしんじん》をよくしれとおぼしめして、聖人《しょうにん》の『和讃《わさん》』にそのこころをあそばされたり。ことに、[25]七高僧《しちこうそう》の御《おん》ねんごろなる御釈《おんしゃく》のこころを、『和讃《わさん》』にききつくるようにあそばされて、その恩《おん》をよくよく[26]存知《ぞんじ》して、あらとうとやと、念仏《ねんぶつ》するは、仏恩《ぶっとん》の御《おん》ことを聖人《しょうにん》の御前《ごぜん》にてよろこびもうすこころなり」と、くれぐれ[27]仰《おお》せそうらいき。

(11) 一 聖教《しょうぎょう》をよくおぼえたりとも、他力《たりき》の安心《あんじん》を、しかと決定《けつじょう》なくは、いたずらごとなり。弥陀《みだ》をたのむところにて往生決定《おうじょうけつじょう》と信《しん》じて、ふたごころなく臨終《りんじゅう》までとおりそうらわば、往生《おうじょう》すべきなり。

(12) 一 明応三年十一月《めいおうさんねんじゅういちがつ》、報恩講《ほうおんこう》の二十四日《にじゅうよっか》、あかつき八時《やつどき》におきて、聖人《しょうにん》の御前参拝《ごぜんさんぱい》もうしてそうろうに、すこしねぶりそうろううちに、ゆめともうつつともわかず、空善《くうぜん》、おがみもうし候《そうろ》うようは、[28]御厨子《みずし》のうしろより、わたを[29]つつみひろげたるようなるうちより、上様《うえさま》(蓮如)あらわれ御《おん》出《い》であるとおがみもうすところに、御相好《ごそうごう》、開山聖人《かいさんしょうにん》[30]にておわします。あら不思議《ふしぎ》やとおもい、やがて御厨子《みずし》のうちをおがみもうせば、聖人《しょうにん》、御坐《ござ》なし。さては開山聖人《かいさんしょうにん》、上様《うえさま》に現《げん》じましまして、御一流《ごいちりゅう》を御再興《ごさいこう》にて御坐候《ござそうろ》うと、もうしいだすべきと存《ぞん》ずるところに、慶聞坊《きょうもんぼう》の讃嘆《さんだん》に、聖人《しょうにん》の御流義《ごりゅうぎ》、「たとえば、木石《ぼくせき》の、縁《えん》をまちて火《ひ》を生《しょう》じ、瓦礫《がりゃく》の、鉶《せん》をすりて玉《たま》をなすがごとし」と、『[31]御私記《おんしき》』(式文)のうえを讃嘆《さんだん》あるとおぼえて、ゆめさめてそうろう。さては開山聖人《かいさんしょうにん》の御再誕《ごさいたん》と、それより信仰《しんごう》もうすことにそうらいき。

(13) 一 教化《きょうけ》するひと、まず信心《しんじん》をよく決定《けつじょう》して、そのうえにて聖教《しょうぎょう》をよみ、かたらば、きくひとも信《しん》をとるべし。

(14)
一　仰《おお》せに、「弥陀《みだ》をたのみて御《おん》たすけを決定《けつじょう》して、御《おん》たすけのありがたさよとよろこぶこころあれば、そのうれしさに念仏《ねんぶつ》もうすばかりなり。すなわち仏恩報謝《ぶっとんほうしゃ》なり。」

(15)
一　大津近松殿《おおつちかまつどの》に対《たい》しましまして、仰《おお》せられ候《そうろ》う。「信心《しんじん》をよく決定《けつじょう》して、ひとにもとらせよ」と[32]仰《おお》せそうらいき。

(16)
一　十二月六日《じゅうにがつむいか》に富田殿《とんだどの》へ御下向《ごげこう》にて候《そうろ》うあいだ、五日《いつか》の夜《よ》は大勢御前《おおぜいごぜん》へまいりそうろうに、仰《おお》せに、「今夜《こんや》はなにごとにひとおおくきたりたるぞ」と。順誓《じゅんせい》もうされ候《そうろ》うは、「まことに、このあいだの御聴聞《ごちょうもん》もうし、ありがたさの御礼《おんれい》のため。また、明日御下向《みょうにちごげこう》にて御座《ござ》そうろう。御目《おんめ》にかかりもうすべしかのあいだ、歳末《さいまつ》の御礼《おんれい》のためならん」と、もうしあげられけり。そのとき、仰《おお》せに、「無益《むやく》の歳末《さいまつ》の礼《れい》かな。歳末《さいまつ》の礼《れい》には、信心《しんじん》をとりて礼《れい》にせよ」とおおせそうらいき。

(17)
一　仰《おお》せに、「ときどき懈怠《けだい》することある[33]とも、往生《おうじょう》すまじきかと、うたがいなげく[34]ことあるものあるべし。しかれども、[35]はや弥陀如来《みだにょらい》をひとたびたのみまいらせて、往生決定《おうじょうけつじょう》ののちなれば、懈怠《けだい》おおう《(多)》なることのあさましや。かかる懈怠《けだい》おおうなるものなれども、御《おん》たすけは治定《じじょう》なり。ありがたやありがたやと、よろこぶこころを、他力大行《たりきだいぎょう》の催促《さいそく》なりともうす」とおおせられそうろうなり。

(18)
一　「御《おん》たすけありたることのありがたさよと、念仏《ねんぶつ》もうすべく候《そうろ》うや。又《また》、御《おん》たすけあろうずる事《こと》のありがたさよと、念仏《ねんぶつ》もうすべく候《そうろ》うや」ともうしあげそうろうとき、仰《おお》せに、「いずれもよし。

ただし、正定聚《しょうじょうじゅ》のかたは、御《おん》たすけありたるとよろこぶこころ、滅度《めつど》のさとりのかたは、御《おん》たすけあろうずることのありがたさよともうすこころなり。いずれも仏《ぶつ》になることをよろこぶこころ、よし」と仰《おお》せそうろうなり。

(19) 一　明応五年正月二十三日《めいおうごねんしょうがつにじゅうさんにち》に、富田殿《とんだどの》より御上洛《ごしょうらく》ありて、仰《おお》せに、「当年《とうねん》より、いよいよ、信心《しんじん》なきひとには御《おん》あいあるまじき」と、かたく仰《おお》せ候《そうろう》うなり。安心《あんじん》のとおり、いよいよ仰《おお》せきかせられて、また、誓願寺《せいがんじ》に能《のう》をさせられけり。二月十七日《にがつじゅうしちにち》に、やがて[36]富田《とんだ》へ御下向《ごげこう》ありて、三月二十《さんがつにじゅう》七日《しちにち》に、さかい《（堺）》殿《どの》より御上洛《ごしょうらく》[37]にて、二十八日《にじゅうはちにち》に仰《おお》せられそうろう。[38]「自信教人信《じしんきょうにんしん》」（往生礼讃）のこころを仰《おお》せきかせられんがために、上《のぼ》り下《くだ》り、[39]苦労《くろう》なれども、御出《おんい》であるところは、信《しん》をとり、よろこぶよし、もうすほどに、うれしくて、またのぼりたり」と[40]おおせそうらいき。

(20) 一　四月九日《しがつここぬか》に仰《おお》せられ候《そうろ》う。「安心《あんじん》をとりて、ものをいわば、よし。用《よう》ない[41]ところをば、いうまじきなり。一心《いっしん》の[42]ところをば、よく、ひとにもいえ」と、空善《くうぜん》に御掟《ごじょう》なり。

(21) 一　同《おな》じき十二日《じゅうににち》に、堺殿《さかいどの》へ御下向《ごげこう》あり。

(22) 一　七月二十日《しちがつはつか》、御上洛《ごしょうらく》にて、その日《ひ》、仰《おお》せられ候《そうろ》う。[43]「五濁悪世《ごじょくあくせ》のわれらこそ　金剛《こんごう》の信心《しんじん》ばかりにて　ながく生死《しょうじ》をすてはてて　自然《じねん》の浄土《じょうど》にいたるなれ」（高僧和讃）　この次《つぎ》をも御法嘆《ごほうだん》ありて、「この二首《にしゅ》の讃《さん》のこころをいいてきかせんとて、のぼりたり」と仰《おお》せ候《そうろ》うなり。「さて「自《じ》然《ねん》の浄土《じょうど》にいたるなり」、「ながく生死《しょうじ》をへだて[44]けり」、さてさて、[45]あらあらおもしろやおもしろや」と、くれぐれ御掟《ごじょう》ありけり。

㉓ 一 のたまわく、「[46]南无《なむ》」の字《じ》は、聖人《しょうにん》の御流義《ごりゅうぎ》にかぎりて、あそばしけり。」南無阿弥陀仏《なむあみだぶつ》を泥《でい》にてうつさせられて、御座敷《おんざしき》にかけさせられて、仰《おお》せられけるは、「不可思議光仏《ふかしぎこうぶつ》・無碍光仏《むげこうぶつ》も、この南無阿弥陀仏《なむあみだぶつ》をほめたまう徳号《とくごう》なり。しかれば、南無阿弥陀仏《なむあみだぶつ》を本《もと》とすべし」と[47]おおせそうろうなり。

㉔ 一 「[48]「十方無量《じっぽうむりょう》の諸仏《しょぶつ》の　証誠護念《しょうじょうごねん》のみことにて　自力《じりき》の大菩提心《だいぼだいしん》の　かなわぬほどはしりぬべし」(正像末和讃) 御讃《ごさん》のこころを聴聞《ちょうもん》もうしたき」と、順誓《じゅんせい》もうしあげられけり。仰《おお》せに、「諸仏《しょぶつ》の、弥陀《みだ》に帰《き》せらるるを、能《のう》としたまえり。「世《よ》のなかに　あまのこころを　すてよかし　妻《め》うしのつのは　さもあらばあれ」と。これは、御開山《ごかいさん》の御《おん》うたなり。されば、かたちはいらぬこと、一心《いっしん》を本《ほん》とすべしとなり。世《よ》にも、「こうべをそるといえども、こころをそらず」ということがある」と[49]おおせそうろうなり。

㉕ 一 「鳥部野《とりべの》を　おもいやるこそ　あわれなれ　ゆかりのひとの　あととおもえば」これも聖人《しょうにん》の御《おん》うたなり。

㉖ 一 明応五年九月二十日《めいおうごねんくがつはつか》、御開山《ごかいさん》の御影様《ごえいさま》、空善《くうぜん》に御免《ごめん》あり。なかなか、ありがたさ、もうすにかぎりなきことなり。

㉗ 一 同《おな》じき十一月《じゅういちがつ》、報恩講《ほうおんこう》の二十五日《にじゅうごにち》に、御開山《ごかいさん》の御伝《ごでん》を、聖人《しょうにん》[50]の御前《ごぜん》にて、上様《うえさま》(蓮如)、あ

そばされて、いろいろ御法嘆《ごほうだん》そうろう。なかなか、ありがたさ、もうすばかりなく候《そうろ》う。

(28) 一　明応六年四月十六日《めいおうろくねんしがつじゅうろくにち》、御上洛《ごしょうらく》にて、その日《ひ》、御開山聖人《ごかいさんしょうにん》の御影《ごえい》の正本《しょうほん》、あつがみ[51]一枚《いちまい》に、御《おん》みずからの御筆《おふで》にて御座候《ござそうろ》うとて、上様《うえさま》（蓮如）、御手《おんて》に御《おん》ひろげそうらいて、みなにおがませたまえり。「この正本《しょうほん》、まことに、宿善《しゅくぜん》なくては、拝見《はいけん》もうさぬことなり」と[52]おおせそうろう。

(29) 一　のたまわく、[53]「諸仏三業荘厳《しょぶつさんごうしょうごん》して　畢竟平等《ひっきょうびょうどう》なることは　衆生虚誑《しゅじょうこおう》の身口意《しんくい》を　治《じ》せんがためとのべたまう」（高僧和讃）というは、諸仏《しょぶつ》の、弥陀《みだ》に帰《き》して、衆生《しゅじょう》をたすけらるることよ」と[54]おおせそうろう。

(30) 一　「一念《いちねん》の信心《しんじん》をえてのちの相続《そうぞく》というは、さらに[55]別《べつ》にあらず、はじめ発起《ほっき》するところの[56]安心《あんじん》に相続《そうぞく》せられて、とうとくなる一念《いちねん》のこころのとおるを、「憶念《おくねん》の心《しん》つねに」とも、「仏恩報謝《ぶっとんほうしゃ》」ともいうなり。いよいよ、帰命《きみょう》の一念《いちねん》、発起《ほっき》すること肝要《かんよう》なり」とおおせそうろうなり。

(31) 一　のたまわく、「朝夕《ちょうせき》、『正信偈《しょうしんげ》』・『和讃《わさん》』にて念仏《ねんぶつ》もうすは、往生《おうじょう》のたねになるべきか、[57]たねにはなるまじきか」と、おのおの坊主《ぼうず》に御《おん》たずねあり。みなもうされけるは、「往生《おうじょう》のたねになるべし」ともうしたるひともあり、「往生《おうじょう》のたねにはなるまじき」というひともありけるとき、仰《おお》せに、「いずれもわろし。『正信偈《しょうしんげ》』・『和讃《わさん》』は、衆生《しゅじょう》の、弥陀如来《みだにょらい》を一念《いちねん》にたのみまいらせて、後生《ごしょう》たすかりもうせ、とのことわりを、あそばされたり。よくききわけて[58]信心《しんじん》をとりて、ありがたやありがたやと、聖人《しょうにん》の御前《ごぜん》にて、よろこぶことなり」と、くれぐれ仰《おお》せそうろうなり。

(32)　一　「南無阿弥陀仏《なむあみだぶつ》の六字《ろくじ》を、他宗《たしゅう》には、大善《だいぜん》・大功徳《だいくどく》にてあるあいだ、となえて、この功徳《くどく》を諸《しょ》仏《ぶつ》・菩薩《ぼさつ》・諸天《しょてん》にまいらせて、その功徳《くどく》をわがものがおにするなり。一流《いちりゅう》には、さなし。この六字《ろくじ》の名号《みょうごう》、わがものにてありてこそ、となえて仏《ぶつ》・菩薩《ぼさつ》にまいらすべけれ。一念一心《いちねんいっしん》に、後生《ごしょう》たすけたまえとたのめば、やがて御《おん》たすけにあずかることの、[59]ありがたやありがたやと、もうすばかりなり」と仰《おお》せ候《そうろ》うなり。

(33)　一　三河《みかわ》の国《くに》[60]より、浅井《あさい》の後室《こうしつ》、御《おん》いとまごいにとて、まいり候《そうろ》うに、富田殿《とんだどの》へ御下向《ごげこう》のあした（朝）のことなれば、ことの[61]ほかに御《おん》とりみだしにて御座《ござ》候《そうろ》うに、仰《おお》せに、「名号《みょうごう》をただとなえて仏《ぶつ》にまいらするこころにては、ゆめゆめなし。[62]弥陀仏《みだぶつ》を、しかと御《おん》たすけそうらえと、たのみまいらすれば、やがて仏《ぶつ》の御《おん》たすけにあずかるを、南無阿弥陀仏《なむあみだぶつ》ともうすなり。しかれば、御《おん》たすけにあずかりたる[63]ことを、ありがたさよありがたさよと、こころにおもいまいらするを、くちに[64]おおく南無阿弥《なむあみ》陀仏《だぶつ》、南無阿弥陀仏《なむあみだぶつ》ともうすを、仏恩《ぶっとん》を[65]報《ほう》ずるともうすことなり」と仰《おお》せ候《そうら》いき。

(34)　一　順誓《じゅんせい》もうしあげられ候《そうろ》う。[66]「「一念発起《いちねんほっき》のところにて、つみ、みな消滅《しょうめつ》して、正定聚不退《しょうじょうじゅふたい》のくらいにさだまる」と『御文《おふみ》』にあそばされたり。しかるに、「つみは、いのちのあるあいだ、つみもあるべし」とおおせそうろう。『御文《おふみ》』と別《べつ》にきこえもうしそうろうや」ともうしあげそうろうとき、仰《おお》せに、「「一念《いちねん》のところにて、つみ、みなきえて」とあるは、一念《いちねん》の信力《しんりき》にて往生《おうじょう》さだまるときは、つみは、さわりともならず。されば、なき分《ぶん》なり。いのちの、娑婆《しゃば》にあらんかぎりは、つみは[67]つくるなり。順誓《じゅんせい》は、はやさとりて、つみはなきかや。聖教《しょうぎょう》には、「一念《いちねん》のところにて、つみきえて」と[68]かくなり」と[69]仰《おお》せ候《そうろ》う。「罪《つみ》の[70]ありなしの沙汰《さた》をせんよりは、信心《しんじん》をとりたるか、とらざるかの[71]沙汰《さた》、いくたびもいくたびも、よし。つみきえて御《おん》たすけあらんとも、つみ消《き》えずして御《おん》たすけあるべしとも、弥陀《みだ》の御《おん》はからいなり、我《われ》としてはからうべからず。ただ信心肝要《しんじんかんよう》なり」と、くれぐれ[72]おおせそうろうなり。

(35) 一 [73]「真実信心《しんじつしんじん》の称名《しょうみょう》は　弥陀回向《みだえこう》の法《ほう》なれば　不回向《ふえこう》となづけてぞ　自力《じりき》の称念《しょうねん》きらわる」(正像末和讃)というは、弥陀《みだ》のかたより、たのむこころも、とうとやありがたやと念仏《ねんぶつ》もうすこころも、みなあたえたまうゆえに、とやせんかくやせんと、はかろうて念仏《ねんぶつ》もうすは、自力《じりき》なれば、きらうなり」とおおせそうろうなり。

(36) 一 無生《むしょう》の生《しょう》とは、極楽《ごくらく》の生《しょう》は三界《さんがい》をへめぐるこころにてあらざれば、極楽《ごくらく》の生《しょう》は無生《むしょう》の生《しょう》というなり。

(37) 一 「回向《えこう》というは、弥陀如来《みだにょらい》の、衆生《しゅじょう》を御《おん》たすけをいうなり」とおおせられそうろうなり。

(38) 一 仰《おお》せに、「一念発起《いちねんほっき》の[74]時《とき》、往生《おうじょう》は決定《けつじょう》なり。つみけしてたすけたまわんとも、つみけさずしてたすけたまわんとも、弥陀如来《みだにょらい》の御《おん》はからいなり。つみの沙汰《さた》、無益《むやく》なり。たのむ衆生《しゅじょう》を本《ほん》[75]にたすけたまうことなり」と[76]仰《おお》せ候《そうろ》うなり。

(39) 一 仰《おお》せに、「身《み》をすてて、[77]平坐《ひらざ》にて、みなと同坐《どうざ》するは、聖人《しょうにん》の[78]おおせに、[79]「四海《しかい》の信心《しんじん》のひとは、みな兄弟《きょうだい》」と、仰《おお》せられたれば、われもその御《おん》ことばのごとくなり。また、同座《どうざ》をもしてあらば、不審《ふしん》なることをもとえ（問）かし、信《しん》をよくとれかしと、ねがうばかりなり」とおおせられそうろうなり。

(40) 一 [80]「愛欲《あいよく》の広海《こうかい》に沈没《ちんもつ》し、名利《みょうり》の大山《たいせん》に迷惑《めいわく》して、定聚《じょうじゅ》のかずにいることをよろこばず、真証《しんしょう》の証《しょう》にちかづくことをたのしまず」（信巻）と、もうす沙汰《さた》に、不審《ふしん》のあつかいどもにて、「往生《おうじょう》せんずるか」、「すまじき」なんどと、たがいにもうしあいけるを、ものごしにきこしめされて、「愛欲《あいよく》も名利《みょうり》も、みな煩悩《ぼんのう》なり。されば、機《き》のあつかいをするは雑修《ざっしゅ》なり」とおおせそうろうなり。「ただ信《しん》ずるほかは別《べつ》のことなし」と[81]仰《おお》せ候《そうろ》うなり。

(41) 一 ゆうさり、案内《あんない》をもうさず、ひとびとおおくまいりたるを、美濃《みの》どの（殿）、「まかりいでそうらえ」と、あらあらと御《おん》もうしのところに、仰《おお》せに、「さようにいわんことばにて、一念《いちねん》のことをいいてきかせてかえせかし」と。「東西《とうざい》をはしりまわりていいたきことなり」と[82]おおせ候《そうろ》うとき、慶聞《きょうもん》[83]坊《ぼう》、なみだをながし、「あやまりて候《そうろ》う」とて、讃嘆《さんだん》ありけり。みなみな落涙《らくるい》もうすこと、かぎりなかりけり。

(42) 一 明応六年十一月《めいおうろくねんじゅういちがつ》、報恩講《ほうおんこう》に御上洛《ごしょうらく》なく候《そうろ》うあいだ、[84]法慶坊《ほうきょうぼう》、御使《おんつかい》として、「当年《とうねん》は御在《ござい》国《こく》にて御座《ござ》そうろうあいだ、御講《おこう》を、なにと御沙汰《ごさた》あるべきや」とたずね御《おん》もうし候《そうろ》うに、[85]「当年《とうねん》[86]より、ゆうべの六《むっ》どき・あさの六《むっ》どきを[87]かぎり、みな退散《たいさん》あるべし」との『御文《おふみ》』を[88]つくりて、かくのごとくめさるべきよし、御掟《ごじょう》あり。御堂《みどう》の夜《よる》の[89]とまり衆《しゅう》も、その日《ひ》の頭人《とうにん》ばかりと御掟《ごじょう》なり。

また、上様《うえさま》（蓮如）は、七日《なぬか》の御講《おこう》のうちを、富田《とんだ》どの（殿）にて三日《みっか》御《お》つとめありて、二十四日《にじゅうよっか》には、大《おお》坂《ざか》どの（殿）へ御下向《ごげこう》にて御勤行《おつとめ》なり。

(43) 一　同《おな》じき七年《しちねん》の夏《なつ》より、また御違例《ごいれい》にて御座候《ござそうろ》うあいだ、五月七日《ごがつなぬか》に、「御《おん》いとまごいに、聖《しょう》人《にん》へ御《おん》まいりありたき」とおおせられて、御上洛《ごしょうらく》にて、やがておおせに[90]は、「信心《しんじん》なきひとには、あう（会）まじきぞ。信《しん》をうるものには、めして（召）もみたくそうろう。[91]あうべし」と云々《うんぬん》

(44) 一　いまのひとは、いにしえをたずぬべし。また、ふるきひとは、いにしえをよくつたうべし。物《もの》語《がたり》は、うする（失）ものなり。[92]しるしたるものは、うせず候《そうろ》う。

(45) 一　あかお（赤尾）の道宗《どうしゅう》、もうされそうろう。「一日《いちにち》のたしなみには、あさつとめ（勤）に、かかさじと、[93]たしなめ。一月《ひとつき》のたしなみには、ちかきところ、御開山様《ごかいさんさま》の御座候《ござそうろ》うところへまいるべしと、[94]たしなむべし。一年《いちねん》のたしなみには、御本寺《ごほんじ》へまいるべしと、たしなむべし」と云々《うんぬん》　これを円如様《えんにょさま》きこしめしおよばれ、「よくもうしたる」とおおせられそうろう。

(46) 一「わがこころにまかせずして、こころをせめ（責）よ。仏法《ぶっぽう》はこころのつまるものかとおもえば、信《しん》心《じん》に御《おん》なぐさみ候《そうろ》う」とおおせられそうろう。

(47) 一　法敬坊《ほうきょうぼう》、九十《くじゅう》まで存命《ぞんめい》そうろう。「このとしまで聴聞《ちょうもん》もうしそうらえども、これまでと存知《ぞんじ》たることなし。あきたりもなきことなり」ともうされそうろう。

(48)一　山科《やましな》にて御法嘆《ごほうだん》の御座《ござ》候《そうろ》うとき、あまりにありがたき御掟《ごじょう》どもなりとて、これをわすれもうしてはと存《ぞん》じ、御座敷《おんざしき》をたち、御堂《みどう》へ六人《ろくにん》よりて談合《だんこう》そうらえば、面々《めんめん》にききかえられそうろう。そのうちに四人《しにん》はちがいそうろう。大事《だいじ》のことにて候《そうろ》うともうすことなり。ききまどいあるものなり。

(49)一　蓮如上人《れんにょしょうにん》の御《おん》とき、こころざしの衆《しゅう》も御前《ごぜん》におおく候《そうろ》うとき、「このうちに、信《しん》をえたるもの、いくたりあるべきぞ。ひとりかふたりかあるべきか」など御掟《ごじょう》候《そうろ》うとき、おのおの、「きもをつぶし[95]もうしそうろう」ともうされそうろうよしに候《そうろ》う。

(50)一　法慶《ほうきょう》、もうされそうろう。「讃嘆《さんだん》のとき、なにもおなじようにきかで、[96]聴《き》かば、かどをきけ」と、もうされそうろう。詮《せん》あるところをきけとなり。

(51)一　[97]「憶念称名《おくねんしょうみょう》、いさみ《（精）》ありて」（式文）とは、称名《しょうみょう》はいさみの念仏《ねんぶつ》なり。信《しん》のうえはうれしくいさみてもうす念仏《ねんぶつ》なり。

(52)一　『御文《おふみ》』のこと。「聖教《しょうぎょう》は、よみちがえもあり、こころえもゆかぬところもあり。『御文《おふみ》』は、よみちがえもあるまじき」とおおせられそうろう。御慈悲《ごじひ》のきわまりなり。これをききながら、[98]こころえゆかぬは、無宿善《むしゅくぜん》の機《き》なり。

(53)一　「[99]御流《ごりゅう》の御《おん》こと、このとしまで聴聞《ちょうもん》もうしそうらいて、御《おん》ことばをうけたまわりそうらえども、ただこころが御《おん》ことばのごとく[100]ならぬ」と、法慶《ほうきょう》もうされ候《そうろ》う。

(54)一　実如上人《じつにょしょうにん》、さいさい仰《おお》せられ候《そうろ》う。「仏法《ぶっぽう》のこと、わがこころにまかせず、たしなめ」と御《ご》掟《じょう》なり。こころにまかせてはさてなり。すなわち、こころにまかせずたしなむ心《こころ》は、他力《たりき》なり。

(55)一「御一流《ごいちりゅう》の義《ぎ》をうけたまわり、わけたるひとはあれども、ききうる[101]ひと、まれなり」といえり。信《しん》をうる機《き》、まれなりといえるこころなり。

(56)一　蓮如上人《れんにょしょうにん》の[102]御掟《ごじょう》に、「仏法《ぶっぽう》のことをいうに、世間《せけん》のことにとりなすひとのみなり。それをたいくつ（退屈）せずして、また、仏法《ぶっぽう》のことにとりなせ」とおおせられ候《そうろ》うなり。

(57)一　聖教《しょうぎょう》をすき、こしらえもちたるひとの子孫《しそん》には、仏法者《ぶっぽうしゃ》、[103]いでくるなり。ひとたび仏法《ぶっぽう》をたしなみそうろうひとは、大様《おおよう》[104]になれども、おどろきやすきなり。

(58)一　たれのともがらも、われはわろきとおもうもの、ひとりとしてもあるべからず。これしかしながら、聖人《しょうにん》の御罰《おんばつ》をこうぶりたるすがたなり。これによりて、一人《いちにん》ずつも心中《しんじゅう》をひるがえさずは、ながき世《よ》、泥梨《ないり》にふかくしずむべきものなり。これというもなにごとぞなれば、真実《しんじつ》に仏法《ぶっぽう》のそこをしらざるゆえなり。

(59)一「みなひとの　まことの信《しん》は　さらになし　ものしりがおの　ふぜいにてこそ」　近松殿《ちかまつどの》の、堺《さかい》へ御下向《ごげこう》のとき、なげし（長押）におしておかせられ候《そうろ》う。「あとにて、このこころをおもいいだしそうらえ」と御掟《ごじょう》なり。光応寺殿《こうおうじどの》の御不審《ごふしん》なり。「ものしりがお」とは、われはこころえたりとおもうが、このこころなり。

(60)一　[105]法敬坊《ほうきょうぼう》、安心《あんじん》のとおりばかり讃嘆《さんだん》するひとなり。[106]「言南無者《ごんなむしゃ》」の釈《しゃく》（玄義分）をば、いつもはずさずひくひとなり。それさえ、「さしよせてもうせ」と、蓮如上人《れんにょしょうにん》、御掟《ごじょう》候《そうろ》うなり。ことばすくなに安心《あんじん》のとおりもうせと御掟《ごじょう》なり。

(61)　一　善宗《ぜんしゅう》、もうされ候《そうろ》う。「こころざし、もうし候《そうろ》うとき、わがものがおにもちてまいるは、はずかしき」よし、もうされ候《そうろ》う。「なにとしたることにて候《そうろ》うや」ともうしそうらえば、「これはみな、御用《ごよう》のものにてあるを、わがもののようにもちてまいる」ともうされそうろう。「ただ、上様《うえさま》(蓮如)のもの、とりつぎ候《そうろ》うことにてそうろうを、わがものがおに存《ぞん》ずるか」ともうされそうろう。

(62)　一　[107]津国《つのくに》ぐんけの主計《かずえ》ともうすひと[108]なり。ひまなく念仏《ねんぶつ》もうすあいだ、ひげをそるとき、きらぬことなし。わすれて念仏《ねんぶつ》もうすなり。ひと[109]のくちはたらかねば、念仏《ねんぶつ》もすこしのあいだももうされぬかと、こころもとなきよしにそうろう。

(63)　一　仏法者《ぶっぽうしゃ》、もうされ候《そうろ》う。「わかきとき、仏法《ぶっぽう》はたしなめ」と候《そうろ》う。「としよれば、行歩《ぎょうぶ》もかなわず、ねむたくもあるなり。ただ、わかきとき、たしなめ」と候《そうろ》う。

(64)　一　衆生《しゅじょう》をしつらいたまう。しつらうというは、衆生《しゅじょう》のこころを、そのままおきて、よきこころを御《おん》くわえそうらいて、よく[110]めされなし候《そうろ》う。衆生《しゅじょう》のこころを、みなとりかえて、仏智《ぶっち》ばかりにて、別《べつ》に御《おん》[111]したて候《そうろ》うことにては、なくそうろう。

(65)　一　わが妻子《さいし》ほど不便《ふびん》なることとなし。それを勧化《かんけ》せぬは、あさましきことなり。宿善《しゅくぜん》なくは、ちからなし。わが身《み》をひとつ、勧化《かんけ》せぬものが、あるべきか。

(66) 一　慶聞坊《きょうもんぼう》のいわれ候《そうろ》う。「信《しん》はなくてまぎれまわると、日《ひ》に日《ひ》に地獄《じごく》がちかくなる。まぎれまわる[112]あらわれは、地獄《じごく》がちかくなるなり。うちみは、信《しん》・不信《ふしん》みえずそうろう。とおく、いのちをもたずして、今日《きょう》ばかりとおもえ」と、ふるきこころざしのひと、もうされそうろう。

(67) 一　一度《いちど》の[113]ちがいが一期《いちご》のちがいなり。一度《いちど》のたしなみが一期《いちご》のたしなみなり。そのゆえは、そのままいのちおわれば、一期《いちご》のちがいになるによりてなり。

(68) 一　「今日《きょう》ばかり　おもうこころを　わするなよ　さなきはいとど　のぞみおおきに」覚如様御歌《かくにょさまおんうた》

(69) 一　蓮如上人《れんにょしょうにん》、仰《おお》せられ候《そうろ》う。「本尊《ほんぞん》は掛《か》けやぶれ、聖教《しょうぎょう》はよみやぶれ」と、対句《ついく》に仰《おお》せられ候《そうろ》う。

(70) 一　他流《たりゅう》には、「名号《みょうごう》よりは絵像《えぞう》、絵像《えぞう》よりは木像《もくぞう》」と云《い》うなり。当流《とうりゅう》には、「木像《もくぞう》よりはえぞう、絵像《えぞう》よりは名号《みょうごう》」というなり。

(71) 一　[114]御本寺北殿《ごほんじきたどの》（野村御坊）にて、法敬坊《ほうきょうぼう》に対《たい》して、蓮如上人《れんにょしょうにん》、仰《おお》せられ候《そうろ》う。「[115]われ、何事《なにごと》をも、当機《とうき》をかがみ（鑑）おぼしめし、十《とお》あるものを一《ひと》つにするように、かろがろと理《り》のやがて叶《かな》う様《よう》に、御《ご》沙汰候《さたそうろ》う。是《こ》れを人《ひと》が[116]勘《かんが》えぬ」と仰《おお》せられ候《そうろ》う。『御文《おふみ》』等《とう》をも、近年《きんねん》は御《おん》ことばすくなにあそばされ候《そうろ》う。今《いま》は、ものを聞《き》くうちにも退屈《たいくつ》し、物《もの》を聞《き》きおとす[117]間《あいだ》、肝要《かんよう》のことを、やがてしり候《そうろ》うようにあそばされ候《そうろ》うの由《よし》、仰《おお》せられ候《そうろ》う。

(72) 一　[118]法印兼縁《ほういんけんえん》（本泉寺蓮悟）、幼少《ようしょう》の時《とき》、[119]二俣《ふたまた》にて、あまた小名号《こみょうごう》を申《もう》し入《い》れ候《そうろ》う時《とき》、「信心《しんじん》やある、おのおの」と仰《おお》せられ候《そうろ》う。信心《しんじん》[120]の体《たい》、名号《みょうごう》にて候《そうろ》う[121]仰《おお》せ、今思《いまおも》い合《あ》わせ候《そうろ》うとの義《ぎ》に候《そうろ》う。

(73) 一 蓮如上人《れんにょしょうにん》、仰《おお》せられ候《そうろ》う。「堺《さかい》の日向屋《ひゅうがや》は、[122]三十万貫《さんじゅうまんがん》持《も》ちたれども、死《し》にたるが仏《ぶつ》にはなり候《そうろ》うまじ。大和《やまと》の了妙《りょうみょう》は、帷一《かたびらひと》つをもき（着）かね候《そうら》えども、此《こ》の度《たび》、仏《ぶつ》になるべきよ」と仰《おお》せられそうろう由《よし》に候《そうろ》う。

(74) 一 蓮如上人《れんにょしょうにん》へ、久宝寺《きゅうほうじ》の法性《ほっしょう》、申《もう》され[123]候《そうろ》う。「一念《いちねん》に、後生御《ごしょうおん》たすけ候《そうら》えと、[124]弥陀《みだ》たのみ奉《たてまつ》り候《そうろ》うばかりにて、往生一定《おうじょういちじょう》と存《ぞん》じ候《そうろ》う。かようにて御入《おんい》り候《そうろ》うか」と申《もう》され候《そうら》えば、或人《あるひと》、わきより、「それはいつもの事《こと》にて候《そうろ》う。[125]前《まえ》のこと、不審《ふしん》なることなど、申《もう》され候《そうら》わで」と申《もう》され候《そうら》えば、蓮如上人《れんにょしょうにん》、仰《おお》せられ候《そうろ》う。「それぞとよ。わろきとは、めずらしき事《こと》を聞《き》きたくおもい、しりたく思《おも》うなり。信《しん》のうえにては、いくたびも、心中《しんじゅう》のおもむき、かように申《もう》さるべきことなる」よし、仰《おお》せられ候《そうろ》う。

(75) 一 蓮如上人《れんにょしょうにん》、仰《おお》せられ候《そうろ》う。「一向《いっこう》に不信《ふしん》の由《よし》、申《もう》さるる人《ひと》は、よく候《そうろ》う。ことばにて[126]は安心《あんじん》のとおり申《もう》し候《そうら》いて、口《くち》には同《おな》じごとくにて、まぎれて、空《むな》しくなるべき[127]ことを悲《かな》しみ覚《おぼ》え候《そうろ》う」由《よし》、仰《おお》せられ候《そうろ》うなり。

(76) 一 聖人《しょうにん》の御一流《ごいちりゅう》は、阿弥陀如来《あみだにょらい》の御掟《ごじょう》なり。されば、『御文《おふみ》』には、[128]「阿弥陀如来《あみだにょらい》の仰《おお》せられけるよう（様）は」とあそばされ候《そうろ》う。

(77) 一 蓮如上人《れんにょしょうにん》、法敬《ほうきょう》に対《たい》せられ、仰《おお》せられ候《そうろ》う。「今《いま》、此《こ》の弥陀《みだ》をたのめということを、御教《おんおし》え候《そうろ》う人《ひと》をしりたるか」と仰《おお》せられ候《そうろ》う。順誓《じゅんせい》（法敬坊）、「存《ぞん》ぜず」と申《もう》され候《そうろ》う。「今《いま》、御《おん》おしえ候《そうろ》う人《ひと》を云《い》うべし。[129]鍛冶《かじ》・番匠《ばんじょう》[130]などに物《もの》をおしうるに、物《もの》を出《い》だすものなり。一大事《いちだいじ》のことなり。何《なに》ぞものをまいらせよ。いうべき」と、仰《おお》せられ候《そうろ》う時《とき》、順誓《じゅんせい》、「なかなか、何《なに》たるものなりとも進上《しんじょう》いたすべき」と申《もう》され候《そうろ》う。蓮如上人《れんにょしょうにん》、仰《おお》せられ候《そうろ》う。「此《こ》の事《こと》をおしうる人《ひと》は、阿弥陀如来《あみだにょらい》にて候《そうろ》う。阿弥陀如来《あみだにょらい》の、我《われ》をたのめとの御《おん》おしえにて候《そうろ》う」由《よし》、仰《おお》せられ候《そうろ》う。

(78) 一 法敬坊《ほうきょうぼう》、蓮如上人《れんにょしょうにん》へ申《もう》され候《そうろ》う。「あそばされ候《そうろ》う御名号《ごみょうごう》、焼《や》け申《もう》し候《そうろ》うが、六体《ろくたい》の仏《ぶつ》になり申《もう》し候《そうろ》う。不思議《ふしぎ》なる事《こと》」と申《もう》され候《そうら》えば、前々住上人《ぜんぜんじゅうしょうにん》（蓮如）、その時《とき》、仰《おお》せられ候《そうろ》う。「それは不思議《ふしぎ》にてもなきなり。仏《ぶつ》の、仏《ぶつ》に御《おん》なり候《そうろ》うは、不思議《ふしぎ》にてもなく候《そうろ》う。悪凡夫《あくぼんぶ》の、弥陀《みだ》をたのむ一念《いちねん》にて仏《ぶつ》になることそ不思議《ふしぎ》よ」と仰《おお》せられ候《そうろ》うなり。

(79) 一 「[131]朝夕《ちょうせき》、如来《にょらい》・聖人《しょうにん》の御用《ごよう》にて候《そうろ》う間《あいだ》、冥加《みょうが》の方《かた》をふかく存《ぞん》ずべき」よし、折々《おりおり》、前々住上人《ぜんぜんじゅうしょうにん》、仰《おお》せられ候《そうろ》う由《よし》に候《そうろ》う。

(80) 一 前々住上人《ぜんぜんじゅうしょうにん》、仰《おお》せられ候《そうろ》う。「「かむとはしるとも、呑《の》むとしらすな」と云《い》うことがあるぞ。妻子《さいし》を[132]帯《たい》し、魚鳥《ぎょちょう》を服《ぶく》し、罪障《ざいしょう》の身《み》なりといいて、さのみ思《おも》いのままにはあるまじき」由《よし》、仰《おお》せられ候《そうろ》う。

(81) 一 「仏法《ぶっぽう》には無我《むが》」と仰《おお》せられ候《そうろ》う。「われ、と思《おも》うことは、いささかあるまじきことなり。われはわろしとおもう人《ひと》なし。これ聖人《しょうにん》の御罰《おんばつ》なり」と御詞《おんことば》候《そうろ》う。他力《たりき》の御《おん》すすめにて候《そうろ》う。ゆめゆめ、「われ」ということはあるまじく候《そうろ》う。「無我《むが》」と云《い》うこと、前住上人《ぜんじゅうしょうにん》（実如）も、度々《たびたび》仰《おお》せられ候《そうろ》う。

(82) 一「日比《ひごろ》しれるところを、善知識《ぜんじしき》にあいてとえば、徳分《とくぶん》あるなり。しれるところをとえば徳分《とくぶん》あるといえるが、殊勝《しゅしょう》のことばなり」と、蓮如上人《れんにょしょうにん》、仰《おお》せられ候《そうろ》う。「知《し》らざる処《ところ》をとわば、いかほど殊勝《しゅしょう》なることあるべき」と仰《おお》せられ候《そうろ》う。

(83) 一「聴聞《ちょうもん》を申《もう》すも、大略《たいりゃく》、我《わ》が[133]ためとおもわず、ややもすれば、法文《ほうもん》の一《ひとつ》をもききおぼえて、人《ひと》にうりごころある」との仰《おお》せごとにて候《そうろ》う。

(84) 一一心《いっしん》にたのみ奉《たてまつ》る機《き》は、如来《にょらい》の、よくしろしめすなり。弥陀《みだ》の、ただしろしめすように、心《しん》中《じゅう》をもつべし。冥加《みょうが》をおそろしく存《ぞん》ずべきことにて候《そうろ》うとの義《ぎ》に候《そうろ》う。

(85) 一[134]前々住上人《ぜんぜんじゅうしょうにん》、仰《おお》せられ候《そうろ》う。「[135]前々《ぜんぜん》より御相続《ごそうぞく》の義《ぎ》は、別義《べつぎ》なきなり。ただ弥陀《みだ》たのむ一《いち》念《ねん》の義《ぎ》より[136]ほか、別義《べつぎ》なく候《そうろ》う。これよりほか、御存知《ごぞんじ》なく候《そうろ》う。いかようの御誓言《ごせいごん》もあるべき」由《よし》、仰《おお》せられ候《そうろ》う。

(86) 一同《おな》じく仰《おお》せられ候《そうろ》う。「凡夫往生《ぼんぶおうじょう》、ただたのむ一念《いちねん》にて仏《ぶつ》にならぬことあらば、いかなる御《ご》誓言《せいごん》をも仰《おお》せらるべき。証拠《しょうこ》は南無阿弥陀仏《なむあみだぶつ》なり。十方《じっぽう》の[137]諸仏《しょぶつ》の証人《しょうにん》候《そうろ》う。」

(87) 一蓮如上人《れんにょしょうにん》、仰《おお》せられ候《そうろ》う。「物《もの》をいえいえ」と仰《おお》せられ候《そうろ》う。「物《もの》を[138]いわぬ者《もの》は、おそろしき」と仰《おお》せられ候《そうろ》う。「信《しん》・不信《ふしん》ともに、ただ、物《もの》をいえ」と仰《おお》せられ候《そうろ》う。「物《もの》を申《もう》せば、心底《しんてい》もきこえ、又《また》、人《ひと》にもなおさるるなり。ただ、物《もの》を申《もう》せ」と仰《おお》せられ候《そうろ》う[139]由候《よしそうろ》う。

(88)
一　蓮如上人《れんにょしょうにん》、仰《おお》せられ候《そうろ》う。「[140]仏法《ぶっぽう》は、つとめ《（勤行）》のふしはかせ《（節譜）》もしらで、よくすると思《おも》うなり。それつとめのふし、わろき」よしを仰《おお》せられ、慶聞坊《きょうもんぼう》をいつもとりつめ、仰《おお》せられつる由《よし》に候《そうろ》う。それに付《つ》きて、蓮如上人《れんにょしょうにん》、仰《おお》せられ候《そうろ》う。「一向《いっこう》にわろき人《ひと》は、ちがいなどという事《こと》もなし。ただわろきまでなり。わろしとも[141]仰《おお》せごとなきなり。法義《ほうぎ》をも心《こころ》にかけ、ちとこころえもある上《うえ》のちがいが、ことのほかの違《ちが》いなり」と仰《おお》せられ候《そうろ》う由《よし》に候《そうろ》う。

(89)
一　人《ひと》の、こころえのとおり、申《もう》されけるに、「わがこころは、ただ、かごに水《みず》を入《い》れ候《そうろ》うように、仏法《ぶっぽう》の御座敷《おんざしき》にては、ありがたくもとうとくも存《ぞん》じ候《そうろ》うが、やがて、もとの心中《しんじゅう》になされ候《そうろ》う」と申《もう》され候《そうろ》う所《ところ》に、前々住上人《ぜんぜんじゅうしょうにん》（蓮如）、仰《おお》せられ候《そうろ》う。「そのかごを水《みず》につけよ」[142]と。我《わ》が身《み》をば法《ほう》にひて《（漬）》ておくべきよし、仰《おお》せられ[143]候《そうろ》う。万事《ばんじ》、信《しん》なきによりてわろきなり。善知識《ぜんじしき》の、わろきと仰《おお》せらるるは、信《しん》のなきことをくせごとと仰《おお》せられ候《そうろ》う事《こと》に候《そうろ》う。

(90)
一　聖教《しょうぎょう》を[144]拝《おが》み申《もう》すも、うかうかとおがみ申《もう》すは、その詮《せん》なし。蓮如上人《れんにょしょうにん》は、「ただ聖教《しょうぎょう》をば、くれ《（繰）》、くれ」と仰《おお》せられ候《そうろ》う。又《また》、[145]「百反《ひゃっぺん》これをみれば、義理《ぎり》おのずからうる」と申《もう》す事《こと》もあれば、こころをとどむべきことなり。聖教《しょうぎょう》は句面《くめん》のごとくこころうべし。その上《うえ》にて、師伝《しでん》・口業《くごう》はあるべきなり。私《わたくし》にして[146]会釈《えしゃく》する、しかるべからざる事《こと》なり。

(91) 一　前々住上人《ぜんぜんじゅうしょうにん》、仰《おお》せられ候《そうろ》う。「他力信心《たりきしんじん》、他力信心《たりきしんじん》とみれば、あやまりなき」よし、仰《おお》せられ候《そうろ》う。

(92) 一　わればかりと思《おも》い、独覚心《どっかくしん》なること、あさましきことなり。信《しん》あらば、仏《ぶつ》の[147]御慈悲《ごじひ》をうけとり申《もう》す上《うえ》は、わればかりと思《おも》うことは、あるまじく候《そうろ》う。触光柔軟《そっこうにゅうなん》の願《がん》候《そうろ》う時《とき》は、心《こころ》もやわらぐべきことなり。されば、縁覚《えんがく》は、独覚《どっかく》のさとりなるが故《ゆえ》に、仏《ぶつ》にならざるなり。

(93) 一　一句一言《いっくいちごん》も申《もう》す者《もの》は、われと思《おも》いて物《もの》を申《もう》すなり。信《しん》のうえは、われはわろしと思《おも》い、又《また》、報《ほう》謝《しゃ》と思《おも》い、ありがたさのあまりを、人《ひと》にも申《もう》すことなるべし。

(94) 一　「信《しん》もなくて、人《ひと》に、「信《しん》をとられよ、とられよ」と申《もう》すは、[148]わが物《もの》もたずして、人《ひと》に物《もの》をとらすべきと[149]いう心《こころ》なり。人《ひと》、承引《しょういん》あるべからず」と、前住上人《ぜんじゅうしょうにん》（実如）、[150]順誓《じゅんせい》申《もう》されしとて仰《おお》せられ候《そうら》いき。[151]「自信教人信《じしんきょうにんしん》」（往生礼讃）と候《そうろ》う時《とき》は、まずわが信心決定《しんじんけつじょう》して、人《ひと》にも教《おし》えて、仏恩《ぶっとん》になるとのことに候《そうろ》う。[152]自心《じしん》の安心決定《あんじんけつじょう》して教《おし》うるは、則《すなわ》ち[153]「大悲伝普化《だいひでんふけ》」（同）の道理《どうり》なる由《よし》、同《おな》じく仰《おお》せられ候《そうろ》う。

(95) 一　蓮如上人《れんにょしょうにん》、仰《おお》せられ候《そうろ》う。「聖教《しょうぎょう》よみの聖教《しょうぎょう》よまずあり。聖教《しょうぎょう》よみあり。[154]一文字《いちもんじ》もしらぬとも、人《ひと》に聖教《しょうぎょう》をよませ、聴聞《ちょうもん》させて、信《しん》をとらするは、聖教《しょうぎょう》よまずの聖教《しょうぎょう》よみなり。聖教《しょうぎょう》をばよめども、真実《しんじつ》によみもせず、[155]法義《ほうぎ》もなきは、聖教《しょうぎょう》よみの聖教《しょうぎょう》よまずなり」と仰《おお》せられ候《そうろ》う。

(96) [156]「自信教人信《じしんきょうにんしん》」の道理《どうり》なりと仰《おお》せられ候《そうろ》う事《こと》。

一「聖教《しょうぎょう》よみの、仏法《ぶっぽう》を[157]申《もう》したてらるることは、なく候《そうろ》う。尼入道《あまにゅうどう》のたぐいの、「とうとや、ありがたや」と申《もう》され候《そうろ》うをきては、人《ひと》が信《しん》をとる」と、前々住上人《ぜんぜんじゅうしょうにん》（蓮如）、仰《おお》せられ候《そうろ》う由《よし》に候《そうろ》う。何《なに》もしらねども、仏《ぶつ》の加備力《かびりき》の故《ゆえ》に、尼入道《あまにゅうどう》などのよろこばるるをきては、[158]人《ひと》、信《しん》をとるなり。聖教《しょうぎょう》をよめども、名聞《みょうもん》がさきにたちて、心《こころ》には法《ほう》なき故《ゆえ》に、人《ひと》の信用《しんよう》なきなり。

(97) 一 蓮如上人《れんにょしょうにん》、仰《おお》せられ候《そうろ》う。「当流《とうりゅう》には、[159]総別《そうべつ》、世間機《せけんき》わろし。仏法《ぶっぽう》のうえより何事《なにごと》もあいはたらくべきことなる」よし[160]と仰《おお》せられ候《そうろ》うと云々《うんぬん》

(98) 一 同《おな》じく仰《おお》せられ候《そうろ》う。「世間《せけん》にて、時宜《じぎ》しかる[161]べき、よき人《ひと》なりと[162]いうとも、信《しん》なくは、[163]心《こころ》おくべきなり。便《たより》にも[164]ならず。たとい、片目《かため》つぶれ、腰《こし》を引《ひ》き候《そうろ》うようなる者《もの》なりとも、信心《しんじん》あらん人《ひと》をば、たのもしく思《おも》うべきなり」と、仰《おお》せられ候《そうろ》う[165]由《よし》に候《そうろ》う。

(99) 一 君《きみ》を思《おも》うは、われを思《おも》うなり。善知識《ぜんじしき》の仰《おお》せに随《したが》い、信《しん》をとれば、極楽《ごくらく》へ参《まい》る者《もの》なり。

(100) 一 久遠劫《くおんごう》より久《ひさ》しき仏《ぶつ》は阿弥陀仏《あみだぶつ》なり。かりに果後《かご》の方便《ほうべん》によりて、誓願《せいがん》を儲《もう》けたまうことなり。

(101) 一 前々住上人《ぜんぜんじゅうしょうにん》、仰《おお》せられ候《そうろ》う。「弥陀《みだ》をたのめる人《ひと》は、南無阿弥陀仏《なむあみだぶつ》に身《み》をばまるめたる事《こと》なり」と仰《おお》せられ候《そうろ》うと云々《うんぬん》　いよいよ冥加《みょうが》を存《ぞん》ずべきの由《よし》に候《そうろ》う。

(102) 一 丹後法眼《たんごほうげん》[166]蓮応《れんおう》、[167]衣装《いしょう》ととのえられ、前々住上人《ぜんぜんじゅうしょうにん》の御前《ごぜん》に伺候《しこう》そうらいし時《とき》、仰《おお》せられ候《そうろ》う。衣《ころも》のえりを御《おん》たたきありて、「南無阿弥陀仏《なむあみだぶつ》よ」と仰《おお》せられ候《そうろ》う。又《また》、前住上人《ぜんじゅうしょうにん》（実如）は、

御《おん》たたみをたたかれ、「南無阿弥陀仏《なむあみだぶつ》に、もたれたる」よし、仰《おお》せられ候《そうら》いき。「南無阿弥陀仏《なむあみだぶつ》に身《み》をばまるめたる」と仰《おお》せられ候《そうろ》うと、符合《ふごう》申《もう》し候《そうろ》う。

(103) 一　前々住上人《ぜんぜんじゅうしょうにん》、仰《おお》せられ候《そうろ》う。「仏法《ぶっぽう》のうえには、[168]毎事《まいじ》に付《つ》きて、空《そら》おそろしき事《こと》と存《ぞん》じ候《そうろ》うべく候《そうろ》う。ただ、よろずに付《つ》きて油断《ゆだん》あるまじきことと存《ぞん》じ候《そうら》え」の由《よし》、折々《おりおり》に[169]仰《おお》せられしと云々《うんぬん》

(104) 一　同《おな》じく仰《おお》せに、「仏法《ぶっぽう》には明日《あす》と申《もう》す事《こと》、あるまじく候《そうろ》う。仏法《ぶっぽう》の事《こと》は、いそげいそげ」と[170]仰《おお》せられたり。
一　同《おな》じく仰《おお》せに、「今日《きょう》の日《ひ》はあるまじきと思《おも》え」と仰《おお》せられ候《そうろ》う。何事《なにごと》も、かきいそぎて、物《もの》を御沙汰《ごさた》候《そうろ》う由《よし》に[171]て候《そうろ》う。ながながしたる事《こと》を御嫌《おんきら》いの由《よし》に候《そうろ》う。仏法《ぶっぽう》のうえに[172]ては、明日《あす》のことを今日《きょう》するように、いそぎたること、賞翫《しょうかん》[173]候《そうろ》う。

(105) 一　同《おな》じく仰《おお》せに云《い》わく、「聖人《しょうにん》の御影《ごえい》を申《もう》すは、大事《だいじ》のことなり。昔《むかし》は、御本尊《ごほんぞん》よりほかは、御座《ござ》なきことなり。信《しん》なくは、必《かなら》ず御罰《おんばつ》を蒙《こうむ》るべき」由《よし》、仰《おお》せられ候《そうろ》う。

(106) 一　「時節到来《じせつとうらい》と云《い》うこと。[174]用心《ようじん》をもし、そのうえに事《こと》の出《い》で来《き》候《そうろ》うを、時節到来《じせつとうらい》とは云《い》うべし。無用心《ぶようじん》にて[175]事《こと》の出《い》で来《き》候《そうろ》うを、時節到来《じせつとうらい》とはいわぬ事《こと》なり。聴聞《ちょうもん》を[176]心《こころ》がけてのうえの、宿善《しゅくぜん》・無宿善《むしゅくぜん》とも云《い》う事《こと》なり。ただ、信心《しんじん》は、きくにきわまることなる」由《よし》、仰《おお》せの由《よし》[177]に候《そうろ》う。

(107) 一　前々住上人《ぜんぜんじゅうしょうにん》、法敬《ほうきょう》に対《たい》して仰《おお》せられ候《そうろ》う。「まきたて(蒔)という物《もの》、知《し》りたるか」と。法敬《ほうきょう》、御返事《ごへんじ》に、「まきたてと[178]あって、一度《いちど》[179]まきて、手《て》をささぬ物《もの》に候《そうろ》う」と申《もう》され候《そうろ》う。仰《おお》せに云《い》わく、「それぞ、[180]まきたてが、わろきなり。人《ひと》になおされまじきと思《おも》う心《こころ》なり。心中《しんじゅう》をば申《もう》し出《い》だし

て、人《ひと》になおされ候《そうら》わでは、心得《こころえ》のなおること、あるべからず。[181]まきたては、信《しん》をとることあるべからず」と仰《おお》せられ候《そうろ》う[182]と云々《うんぬん》

(108) 一 何《なに》ともして、人《ひと》になおされ候《そうろ》うように、心中《しんじゅう》を持《も》つべし。わが心中《しんじゅう》をば、同行《どうぎょう》の中《なか》へ[183]うちいでおくべし。下《しも》としたる人《ひと》のいうことをば、[184]必《かなら》ず用《もち》いざれば、腹立《ふくりゅう》するなり。あさましきことなり。ただ、人《ひと》になおさるるように、心中《しんじゅう》を持《も》つべき[185]義《ぎ》に候《そうろ》う。

(109) 一 人《ひと》の、前々住上人《ぜんぜんじゅうしょうにん》（蓮如）へ申《もう》され候《そうろ》う。「一念《いちねん》の処《ところ》、決定《けつじょう》にて候《そうろ》う。ややもすれば、善《ぜん》知識《じしき》の[186]御《おん》ことを、おろそかに存《ぞん》じ候《そうろ》う」由《よし》、申《もう》され候《そうら》えば、仰《おお》せられ[187]候《そうろ》う。「最《もっと》も、信《しん》のうえは、崇仰《そうぎょう》の心《こころ》あるべきなり。さりながら、[188]凡夫心《ぼんぶごころ》にては[189]なきか。かようの心中《しんじゅう》のおこらん時《とき》は、勿体《もったい》なき事《こと》とおもいすつべし」と仰《おお》せられしと云々《うんぬん》

(110) 一 蓮如上人《れんにょしょうにん》、兼縁《けんえん》に対《たい》せられ、仰《おお》せられ候《そうろ》う。「たとい木《き》の皮《かわ》をきる（着）いろめなりとも、なわび（侘）そ。[190]弥陀《みだ》をたのむ一念《いちねん》をよろこぶべき」由《よし》、仰《おお》せられ候《そうろ》う。

(111) 一 前々住上人《ぜんぜんじゅうしょうにん》、仰《おお》せられ候《そうろ》う。「上下老若《じょうげろうにゃく》によらず、後生《ごしょう》は[191]油断《ゆだん》にてしそんずべき」の由《よし》、仰《おお》せられ候《そうろ》う。

(112) 一 前々住上人《ぜんぜんじゅうしょうにん》、御口《おんくち》のうち[192]を御煩《おんわずら》い候《そうろ》うに、おりふし、[193]「ああ」と、御目《おんめ》をふさがれ、仰《おお》せられ候《そうろ》う。[194]さだめて御口中御煩《おんこうちゅうおんわずら》いと、皆々存《みなみなぞん》じ候《そうろ》う処《ところ》に、ややありて仰《おお》せられ候《そうろ》う。「人《ひと》の信《しん》[195]のなきことを[196]思《おぼ》し召《め》せば、身《み》をきりさくようにかなしきよ」と仰《おお》せられ候《そうろ》う由《よし》に候《そうろ》う。

(113) 一　同《おな》じく仰《おお》せに、「われは、人《ひと》の機《き》をかがみ（鑑）、人《ひと》にしたがいて、仏法《ぶっぽう》を御聞《おんき》かせ候《そうろ》う」由《よし》、仰《おお》せられ候《そうろ》う。いかにも、人《ひと》のすきたることなど申《もう》させられ、「うれしや」と存《ぞん》じ候《そうろ》う処《ところ》に、又《また》、仏法《ぶっぽう》の事《こと》を仰《おお》せられ候《そうろ》う。[197]いろいろ御方便《ごほうべん》にて、人《ひと》に法《ほう》を御《おん》きかせ候《そうら》いつる由《よし》に候《そうろ》う。

(114) 一　前々住上人《ぜんぜんじゅうしょうにん》、仰《おお》せられ候《そうろ》う。「[198]人《ひと》の、仏法《ぶっぽう》を信《しん》じて、われによろこばせんと思《おも》えり。それはわろし。信《しん》をとれば、[199]自心《じしん》の勝徳《しょうとく》なり。さりながら、信《しん》をとらば、恩《おん》にも御《おん》うけあるべき」と仰《おお》せられ候《そうろ》う。又《また》、「ききたくもなき事《こと》なりとも、まことに信《しん》をとるべきならば、きこしめすべき」由《よし》、仰《おお》せられ候《そうろ》う。

(115) 一　同《おな》じく仰《おお》せに、「まことに、一人《いちにん》なりとも信《しん》をとるべきならば、身《み》を捨《す》てよ。それはすたらぬ」と仰《おお》せられ候《そうろ》う。

(116) 一　あるとき、仰《おお》せられ候《そうろ》う。「御門徒《ごもんと》の、心得《こころえ》をなおすときこしめして、老《おい》の皺《しわ》をのべ候《そうろ》う」と仰《おお》せられ候《そうろ》う。

(117) 一　ある御門徒衆《ごもんとしゅう》に御尋《おんたず》ね候《そうろ》う。「そなたの坊主《ぼうず》、心得《こころえ》のなおりたるを、うれしく存《ぞん》ずるか」と御尋《おんたず》ね候《そうら》えば、申《もう》され候《そうろ》う。「寔《まこと》に、心得《こころえ》をなおされ、[200]法義《ほうぎ》を心《こころ》にかけられ候《そうろ》う。一段《いちだん》、ありがたく、うれしく存《ぞん》じ候《そうろ》う」由《よし》、申《もう》され候《そうろ》う。そのとき、仰《おお》せられ候《そうろ》う。「われはなお、うれしく思《おも》うよ」と仰《おお》せられ候《そうろ》う。

(118) 一　おかしき[201]事《こと》、能《のう》をもさせられ、仏法《ぶっぽう》に退屈《たいくつ》仕《つかまつ》り候《そうろ》う者《もの》の心《こころ》をもくつろげ、その気《き》をも[202]うしなわれて、又《また》、あたらしく法《ほう》を仰《おお》せられ候《そうろ》う。誠《まこと》に、善巧方便《ぜんぎょうほうべん》、ありがたき事《こと》なり。

(119)一　天王寺土塔会《てんのうじどとうえ》、前々住上人《ぜんぜんじゅうしょうにん》（蓮如）、御覧候《ごらんそうら》いて、仰《おお》せられ候《そうろ》う。「[203]あれほど多《おお》き人《ひと》ども、地獄《じごく》へおつべしと、不便《ふびん》に思《おぼ》し召《め》し[204]候《そうら》いつる」由《よし》、仰《おお》せられ候《そうろ》う。又《また》、「その中《なか》に、御門徒《ごもんと》の人《ひと》は、仏《ぶつ》になるべし」と仰《おお》せられ候《そうろ》う。これ又《また》、ありがたき仰《おお》せにて候《そうろ》う。[205]

(120)一　[206]前々住上人《ぜんぜんじゅうしょうにん》、御法談已後《ごほうだんいご》、[207]仰《おお》せられ候《そうろ》う。四《し》、五人《ごにん》の御兄弟《ごきょうだい》へ仰《おお》せられ候《そうろ》う。「四《し》、五《ご》人《にん》の衆《しゅう》、寄《よ》り合《あ》い談合《だんこう》せよ。必《かなら》ず五人《ごにん》は五人《ごにん》ながら意巧《いぎょう》にきく物《もの》[208]なり。能《よ》く能《よ》く談合《だんこう》すべき」の由《よし》、仰《おお》せられ候《そうろ》う。

(121)一　たといなき事《こと》なりとも、人申《ひともう》し候《そうら》わば、当座《とうざ》[209]に領掌《りょうじょう》すべし。当座《とうざ》に詞《ことば》を返《かえ》せば、ふたたびいわざるなり。人《ひと》のいう事《こと》をば、ただふかく用心《ようじん》すべきなり。是《こ》れに付《つ》きて、ある人《ひと》、「相《あい》たがいに、あしき事《こと》を申《もう》すべし」と契約候《けいやくそうら》いし処《ところ》に、則《すなわ》ち、一人《いちにん》の、あしきさまなること申《もう》しければ、[210]「左様《さよう》に存《ぞん》じつれども、人《ひと》の申《もう》す間《あいだ》、左様《さよう》に候《そうろ》う」と申《もう》す。されば、此《こ》の返答《へんとう》あしきとの事《こと》に候《そうろ》う。さなきことなりとも、当座《とうざ》は、「さぞ」と申《もう》すべき事《こと》なり。

(122)一　一宗《いっしゅう》の繁昌《はんじょう》と申《もう》すは、人《ひと》の多《おお》くあつまり、威《い》の大《おお》きなる事《こと》にてはなく候《そうろ》う。一人《いちにん》なりとも、人《ひと》の、信《しん》を取《と》るが、一宗《いっしゅう》の繁昌《はんじょう》に候《そうろ》う。然《しか》れば、[211]「専修正行《せんじゅしょうぎょう》の繁昌《はんじょう》は、遺弟《ゆいてい》の念力《ねんりき》より成《じょう》ず」（式文）とあそばされおかれ候《そうろ》う。

(123)一　前々住上人《ぜんぜんじゅうしょうにん》、仰《おお》せられ候《そうろ》う。「「聴聞《ちょうもん》、心《こころ》に入《い》れ[212]て申《もう》さん」と思《おも》う人《ひと》はあり、「信《しん》をとらんずる」と思《おも》う人《ひと》なし。されば、「極楽《ごくらく》はたのしむ」と聞《き》きて、「参《まい》らん」と願《ねが》いのぞむ人《ひと》は、仏《ぶつ》にならず。弥陀《みだ》をたのむ人《ひと》は、仏《ぶつ》になる」と仰《おお》せられ候《そうろ》う。

(124) 一 「『御文《おふみ》』は如来《にょらい》の直説《じきせつ》なり」と存《ぞん》ずべきの由《よし》に候《そうろ》う。「形《かたち》をみれば法然《ほうねん》、詞《ことば》を聞《き》けば弥陀《みだ》の直説《じきせつ》」といえり。

(125) 一 蓮如上人《れんにょしょうにん》、御病中《ごびょうちゅう》に、慶聞《きょうもん》に、「何《なん》ぞ物《もの》をよめ」と仰《おお》せられ候《そうろ》う時《とき》、「『御文《おふみ》』をよみ申《もう》すべきか」と申《もう》され候《そうろ》う。「さらば、よみ申《もう》せ」と仰《おお》せられ候《そうろ》う。三通二度《さんつうにど》ずつ[213]六返《ろっぺん》、よませられて、仰《おお》せられ候《そうろ》う。「わがつくりたる物《もの》なれども、殊勝《しゅしょう》なるよ」と仰《おお》せられ、[214]談《だん》ぜられ候《そうろ》う。

(126) 一 順誓《じゅんせい》、申《もう》されしと云々《うんぬん》「常《つね》には、わが前《まえ》にてはいわずして、[215]かげに後言《うしろごと》いうとて、腹立《ふくりゅう》することなり。われは、さようには存《ぞん》ぜず候《そうろ》う。わが前《まえ》にて申《もう》しにくくは、かげにてなりとも、わが[216]うしろ事《ごと》を申《もう》されよ。聞《き》きて心中《しんじゅう》をなおすべき」よし、申《もう》され候《そうろ》う。

(127) 一 前々住上人《ぜんぜんじゅうしょうにん》、仰《おお》せられ候《そうろ》う。「仏法《ぶっぽう》のためと思《おぼ》し召《め》し候《そうら》えば、なにたる御辛労《ごしんろう》をも御辛労《ごしんろう》とは思《おぼ》し召《め》されぬ」由《よし》、仰《おお》せられ候《そうろ》う。御心《おんこころ》まめにて、何事《なにごと》も御沙汰《ごさた》候《そうろ》う由《よし》なり。

(128) 一 「法《ほう》には、あらめなるがわろし。世間《せけん》には微細《みさい》なるといえども、仏法《ぶっぽう》には微細《みさい》に心《こころ》をもち、こまかに心《こころ》をはこぶべき」よし、仰《おお》せられ候《そうろ》う。

(129) 一 とおきはちかき道理《どうり》、ちかきは遠《とお》き道理《どうり》[217]なり。「燈台本《とうだいもと》くらし」とて、仏法《ぶっぽう》を、不断《ふだん》、聴聞《ちょうもん》申《もう》す身《み》は、御用《ごよう》を[218]あいみて、いつものことと思《おも》い、[219]法義《ほうぎ》におろそかなり。遠《とお》く候《そうろ》う人《ひと》は、仏法《ぶっぽう》をききたく、大切《たいせつ》にもとむる心《こころ》[220]あるなり。仏法《ぶっぽう》は、大切《たいせつ》にもとむるより、きく者《もの》なり。

(130) 一 ひとつことを聞《き》きて、いつも、めずらしく、初《はじ》めたる様《よう》に、信《しん》のうえには有《あ》るべきなり。ただ珍《めずら》しき事《こと》を聴《き》き度《た》く思《おも》うなり。一《ひと》つ事《こと》を幾度《いくたび》聴聞《ちょうもん》申《もう》すとも、めずらしく、はじめたるようにあるべきなり。

(131) 一 道宗《どうしゅう》は、「ただ、一《ひと》つ御詞《おんことば》を、いつも聴聞申《ちょうもんもう》すが、初《はじ》めたるように、有《あ》り難《がた》き」由《よし》、申《もう》され候《そうろ》う。

(132) 一 「念仏申《ねんぶつもう》すも、人《ひと》の、名聞《みょうもん》げに[221]おもわんと思《おも》いてたしなむが、大儀《たいぎ》なる」由《よし》、或人《あるひと》、申《もう》され候《そうろ》う。[222]つね式《しき》の心中《しんじゅう》にかわり候《そうろ》う事《こと》。

(133) 一 同行《どうぎょう》・同侶《どうりょ》の目《め》をはじて、冥慮《みょうりょ》をおそれず、ただ冥見《みょうけん》をおそろしく存《ぞん》ずべきことなり。

(134) 一 たとい正義《しょうぎ》たりとも、しげからんことをば、停止《ちょうじ》すべき由候《よしそうろ》う。まして、世間《せけん》の儀《ぎ》、停止《ちょうじ》候《そうら》わぬこと、しかるべからず。弥《いよ》いよ増長《ぞうじょう》すべきは、信心《しんじん》にて候《そうろ》う[223]由《よし》に候《そうろ》う。

(135) 一 蓮如上人《れんにょしょうにん》、仰《おお》せられ候《そうろ》う。「仏法《ぶっぽう》には、まいらせ心《ごころ》わろし。是《こ》れをして御心《おんこころ》に叶《かな》わんと思《おも》う心《こころ》なり。仏法《ぶっぽう》のうえは、何事《なにごと》も報謝《ほうしゃ》と存《ぞん》ずべきなり」と云々《うんぬん》

(136) 一 人《ひと》の身《み》には、眼《げん》・耳《に》・鼻《び》・舌《ぜつ》・身《しん》・意《い》の六賊《ろくぞく》ありて、善心《ぜんしん》を奪《うば》う。これは諸行《しょぎょう》のことなり。念仏《ねんぶつ》はしからず。仏智《ぶっち》の心《こころ》をうるゆえに、貪《とん》・瞋《じん》・痴《ち》の煩悩《ぼんのう》をば、仏《ぶつ》の方《かた》より、刹那《せつな》にけしたまうなり。故《かるがゆえ》に、[224]「貪瞋煩悩中《とんじんぼんのうちゅう》　能生清浄願往生心《のうしょうしょうじょうがんおうじょうしん》」（散善義）といえり。『正信偈《しょうしんげ》』には、[225]「譬《ひ》

如日光覆雲霧《にょにっこうふうんむ》　雲霧之下明無闇《うんむしげみょうむあん》」といえり。

(137) 一「一句一言《いっくいちごん》を聴聞《ちょうもん》するとも、ただ得手《えて》に法《ほう》をきくなり。ただ、よく聞《き》き、心中《しんじゅう》の[226]とおり、同行《どうぎょう》にあい談合《だんこう》すべきことなり」と云々《うんぬん》

(138) 一 前々住上人《ぜんぜんじゅうしょうにん》（蓮如）、仰《おお》せられ候《そうろ》う。「[227]神《かみ》にも、馴《な》れては、手《て》ですべきことを[228]足《あし》でするぞ」と仰《おお》せられける。「如来《にょらい》・聖人《しょうにん》・善知識《ぜんじしき》にも、なれ申《もう》すほど、御《おん》こころやすく思《おも》うなり。馴《な》れ申《もう》すほど、弥《いよ》いよ渇仰《かつごう》の心《こころ》をふかくはこぶべき[229]事《こと》なる」由《よし》、仰《おお》せられ候《そうろ》う。

(139) 一「[230]くちとはたらきとは、似《に》するものなり。心《こころ》ね（根）が、よくなりがたきものなり。涯分《がいぶん》、心《こころ》の方《かた》を嗜《たしな》み申《もう》すべきことなり」と云々《うんぬん》

(140) 一 衣装等《いしょうとう》にいたるまで、わが物《もの》と思《おも》い、踏《ふ》みたくること、あさましき事《こと》なり。悉《ことごと》く聖人《しょうにん》の御用物《ごようもつ》にて候《そうろ》う間《あいだ》、前々住上人《ぜんぜんじゅうしょうにん》は、めし物《もの》など御足《おんあし》にあたり候《そうら》えば、御《おん》いただき候《そうろ》う由《よし》、うけたまわりおよび候《そうろ》う。

(141) 一「王法《おうぼう》は額《ひたい》にあてよ。仏法《ぶっぽう》は内心《ないしん》に深《ふか》く蓄《たくわ》えよ」との仰《おお》せに候《そうろ》う。仁義《じんぎ》と云《い》う事《こと》も、[231]端々《はしばし》あるべきことなるよしに候《そうろ》う。

(142) 一 蓮如上人《れんにょしょうにん》、御若年《ごじゃくねん》の比《ころ》、御迷惑《ごめいわく》のことにて候《そうら》いし。ただ、御代《ごだい》にて仏法《ぶっぽう》を仰《おお》せたてられんと、思《おぼ》し召《め》し候《そうろ》う御念力一《ごねんりきひと》つにて、御繁昌《ごはんじょう》候《そうろ》う。御辛労故《ごしんろうゆえ》に候《そうろ》う。

(143) 一 御病中《ごびょうちゅう》に、蓮如上人《れんにょしょうにん》、仰《おお》せられ候《そうろ》う。「御代《ごだい》に仏法《ぶっぽう》を是非《ぜひ》とも御再興《ごさいこう》あらんと思《おぼ》し召《め》し候《そうろ》

う御念力《ごねんりき》一《ひと》つにて、かように、今《いま》まで、皆々《みなみな》、心《こころ》やすくあることは、此《こ》の法師《ほうし》が冥加《みょうが》に叶《かな》うによりてのことなり」と[232]御自証《ごじしょう》ありと云々《うんぬん》

(144) 一 前々住上人《ぜんぜんじゅうしょうにん》(蓮如)は、昔《むかし》はこぶくめ(小服綿)をめされ候《そうろ》う。白小袖《しろこそで》とて、御心《おんこころ》やすく[233]召《め》し候《そうろ》う御事《おんこと》も、御座《ござ》なく候《そうろ》う由《よし》に候《そうろ》う。[234]いろいろ御《おん》かなしかりける事《こと》ども、折々《おりおり》、御物語候《おんものがたりそうろ》う。「今々《いまいま》の者《もの》は、左様《さよう》の事《こと》を承《うけたまわ》り候《そうら》いて、冥加《みょうが》を存《ぞん》ずべき」の由《よし》、くれぐれ仰《おお》せられ候《そうろ》う。

(145) 一 よろず御迷惑《ごめいわく》にて、油《あぶら》をめされ候《そうら》わんにも、御用脚《ごようきゃく》なく[235]候《そうろ》う間《あいだ》、ようよう(漸)、京《きょう》の黒木《くろき》をすこしずつ御《おん》とり候《そうら》いて、聖教《しょうぎょう》など御覧《ごらん》そうろう由《よし》に候《そうろ》う。又《また》、少々《しょうしょう》は、月《つき》の光《ひかり》にても聖《しょう》教《ぎょう》をあそばされ候《そうろ》う。御足《おんあし》をも、大概《たいがい》、水《みず》にて御洗《おんあら》い候《そうろ》う。[236]又《また》、二《に》、三日《さんにち》も御膳《ごぜん》まいり候《そうら》わぬ[237]御事候《おんことそうろ》う由《よし》、承《うけたまわ》りおよび候《そうろ》う。

(146) 一 「人《ひと》をも、甲斐甲斐《かいがい》しくめしつかわれ候《そうら》わである上《うえ》は、幼童《ようどう》の襁褓《むつき》をも、[238]御《おん》ひとり、御洗《おんあら》い候《そうろ》う」などと仰《おお》せられ候《そうろ》う。

(147) 一 存如上人《ぞんにょしょうにん》[239]召《め》し仕《つか》い候《そうろ》う小者《こもの》を、御雇《おんやと》い候《そうら》いて、めしつかわれ候《そうろ》う由《よし》に候《そうろ》う。存如上人《ぞんにょしょうにん》は、人《ひと》を五人《ごにん》めしつかわれ候《そうろ》う。蓮如上人《れんにょしょうにん》、御隠居《ごいんきょ》の時《とき》も、五人《ごにん》めしつかわれ候《そうろ》う。[240]当時《とうじ》は、御用《ごよう》[241]にて、心《こころ》のままなること、そらおそろしく、身《み》もいたくかなしく存《ぞん》ずべき事《こと》にて候《そうろ》う。

(148) 一 前々住上人《ぜんぜんじゅうしょうにん》、仰《おお》せられ候《そうろ》う。「昔《むかし》は仏前《ぶつぜん》に伺候《しこう》の人《ひと》は、本《もと》は紙絹《かみぎぬ》に輻《ふく》をさし、着候《きそうろ》う。今《いま》は白小袖《しろこそで》にて、結句《けっく》、きがえを所持候《しょじそうろ》う。これ、その比《ころ》は禁裏《きんり》に[242]は、御迷惑《ごめいわく》にて、質《しち》をおかれて御《ご》

用《よう》にさせられ候《そうろ》う」と、ひきごとに御沙汰《ごさた》候《そうろ》う。

(149) 一　又《また》、仰《おお》せられ候《そうろ》う。「御《おん》[243]貧《まず》しきに候《そうら》いて、京《きょう》にて古《ふる》き綿《わた》を御《おん》とり候《そうら》いて、御一人《おんひとり》、ひろげ候《そうろ》う事《こと》あり。又《また》、御衣《おんころも》は、[244]かた破《やぶ》れたるをめされ候《そうろ》う。白《しろ》き御小袖《おんこそで》は、美濃絹《みのぎぬ》のわろきをもとめ、ようよう（漸）、一《ひと》つめされ候《そうろ》う」よし、仰《おお》せられ候《そうろ》う。当時《とうじ》は、かようの事《こと》をもしり候《そうら》わであるべきように、みなみな存《ぞん》じ候《そうろ》うほどに、冥加《みょうが》につき申《もう》すべし。一大事《いちだいじ》なり。

(150) 一　[245]「同行《どうぎょう》・善知識《ぜんじしき》には、能《よ》く能《よ》くちかづくべし。親近《しんごん》せざるは、雑修《ざっしゅ》の失《しつ》なり」と、『礼讃《らいさん》』にあらわせり。悪《あ》しき者《もの》にちかづけば、それには[246]ならじと思《おも》えども、悪事《あくじ》、よりよりにあり。只《ただ》、仏法者《ぶっぽうしゃ》には、馴《な》れちかづくべき」よし、仰《おお》せられ候《そうろ》う。俗典《ぞくてん》に云《い》わく、「人《ひと》の善悪《ぜんあく》は、[247]近習《きんじゅう》による」と。又《また》、「その人《ひと》を知《し》らんとおもわば、その友《とも》をみよ」といえり。「善人《ぜんにん》の敵《てき》とはなるとも、悪人《あくにん》を友《とも》とすることなかれ」という事《こと》あり。

(151) 一　[248]「[249]聞《き》けばいよいよかたく、仰《あお》げばいよいよたかし」ということあり。物《もの》を[250]ききてみて、かたきと知《し》るなり。本願《ほんがん》を信《しん》じて、殊勝《しゅしょう》なるほどもしるなり。信心《しんじん》おこりぬれば、とうとく、ありがたく、よろこびも[251]増長《ぞうじょう》するなり。

(152) 一　凡夫《ぼんぶ》の身《み》にて後生《ごしょう》たすかることは、ただ易《やす》きとばかり思《おも》えり。「難中之難《なんちゅうしなん》」とあれば、[252]輒《たやす》くおこしがたき信《しん》なれども、仏智《ぶっち》より、得易《えやす》く成就《じょうじゅ》したまう事《こと》なり。「往生《おうじょう》ほどの一大事《いちだいじ》、凡夫《ぼんぶ》のはからうべきにあらず」といえり。前住上人《ぜんじゅうしょうにん》（実如）、仰《おお》せに、「後生一大事《ごしょういちだいじ》と存《ぞん》ずる人《ひと》には、御同《ごどう》

心《しん》あるべき」よし、仰《おお》せられ候《そうろ》うと云々《うんぬん》

(153)一「仏説《ぶっせつ》に、信謗《しんぼう》あるべきよし、ときおきたまえり。信《しん》ずる者《もの》ばかりにて、謗《ほう》ずる人《ひと》なくは、ときおきたまうこと、[253]いかがと思《おも》うべきに、はや謗《ほう》ずるものあるうえは、信《しん》ぜんにおいては、必《かなら》ず往《おう》生決定《じょうけつじょう》」との仰《おお》せに候《そうろ》う。

(154)一 同行《どうぎょう》のまえにては、よろこぶ[254]なり。これ名聞《みょうもん》なり。信《しん》のうえは、一人居《ひとりい》てよろこぶ法《ほう》なり。

(155)一「仏法《ぶっぽう》には、世間《せけん》のひまを闕《か》きてきくべし。世間《せけん》のひまをあけて、法《ほう》を聞《き》くべきように思《おも》う事《こと》、あさましきことなり。仏法《ぶっぽう》には明日《あす》と云《い》う事《こと》はあるまじき」由《よし》の仰《おお》せに候《そうろ》う。[255]「たとい大千世界《だいせんせかい》にみてらん火《ひ》をもすぎゆきて　仏《ぶつ》の御名《みな》をきくひとは　ながく不退《ふたい》にかなうなり」と、『和讃《わさん》』（讃阿弥陀仏偈和讃）にあそばされ候《そうろ》う。

(156)一 法敬《ほうきょう》、申《もう》され候《そうろ》うと云々《うんぬん》「人《ひと》、より合《あ》い、雑談《ぞうたん》ありしなかばに、ある人《ひと》、不図《ふと》、座敷《ざしき》を立《た》たれ候《そうろ》う。上人《しょうにん》、「いかに」と仰《おお》せければ、「一大事《いちだいじ》の急用《きゅうよう》あり」とて、たたれけり。その後《のち》、「先《せん》日《じつ》は、いかに不図《ふと》[256]御立《おんた》ち候《そうろ》うや」と問《と》いければ、申《もう》され候《そうろ》う。「仏法《ぶっぽう》の物語《ものがたり》、約束申《やくそくもう》したる間《あいだ》、あるもあられずして、まかりたち候《そうろ》う」由《よし》、申《もう》され候《そうろ》う。法義《ほうぎ》には、かようにぞ心《こころ》をかけ候《そうろ》うべき事《こと》なる」由《よし》、申《もう》され候《そうろ》う。

(157)一「仏法《ぶっぽう》をあるじとし、世間《せけん》を客人《きゃくじん》とせよ」といえり。「仏法《ぶっぽう》の[257]うえより、世間《せけん》のことは時《とき》にしたがい、相《あい》はたらくべき事《こと》なり」と云々《うんぬん》

(158) 一　前々住上人《ぜんぜんじゅうしょうにん》（蓮如）[258]へ、南殿《みなみどの》にて、存覚御作分《ぞんかくごさくぶん》の聖教《しょうぎょう》、ちと不審《ふしん》なる所《ところ》の候《そうろ》うを、「いかが」とて、兼縁《けんえん》、前々住上人《ぜんぜんじゅうしょうにん》へ御目《おんめ》にかけられ候《そうら》えば、仰《おお》せられ候《そうろ》う。「名人《めいじん》のせられ候《そうろ》う物《もの》をば、そのままにて置《お》くことなり。これが[259]明（名）誉《よ》なり」と仰《おお》せられ候《そうろ》うなり。

(159) 一　前々住上人《ぜんぜんじゅうしょうにん》へ、ある人《ひと》、申《もう》され候《そうろ》う。開山《かいさん》の御時《おんとき》のこと申《もう》され候《そうろ》う。「これは、如何《いか》ようの子細《しさい》にて候《そうろ》う」と申《もう》されければ、仰《おお》せられ候《そうろ》う。「われもしらぬことなり。何事《なにごと》も何事《なにごと》も、しらぬことをも、開山《かいさん》のめされ候《そうろ》うように、御沙汰候《ごさたそうろ》う」と仰《おお》せられ候《そうろ》う。

(160) 一　「総別《そうべつ》、人《ひと》にはおとるまじきと思《おも》う心《こころ》あり。此《こ》の心《こころ》にて、世間《せけん》には、[260]物《もの》もしならう（仕習）なり。仏法《ぶっぽう》には、無我《むが》にて候《そうろ》う上《うえ》は、人《ひと》にまけて信《しん》をとるべきなり。理《り》を[261]まげて情《じょう》をおるこそ、仏《ぶつ》の[262]御慈悲《ごじひ》なり」と仰《おお》せられ候《そうろ》う。

(161) 一　一心《いっしん》とは、弥陀《みだ》をたのめば、如来《にょらい》の仏心《ぶっしん》と一《ひと》つになしたまうが故《ゆえ》に、一心《いっしん》と[263]いうなり。

(162) 一　或人《あるひと》、申《もう》され候《そうろ》うと云々《うんぬん》「われは、井《い》の水《みず》をのむも、仏法《ぶっぽう》の御用《ごよう》なれば、水《みず》の一口《ひとくち》も、如来《にょらい》・[264]上人《しょうにん》の御用《ごよう》と存《ぞん》じ候《そうろ》う」由《よし》、申《もう》され候《そうろ》う[265]云々《うんぬん》

(163) 一　蓮如上人《れんにょしょうにん》、御病中《ごびょうちゅう》に仰《おお》せられ候《そうろ》う。「御自身《ごじしん》、何事《なにごと》も思《おぼ》し召《め》し立《た》ち候《そうろ》うことの、成《な》り行《ゆ》くほどのことはあれども、ならずということなし。人《ひと》の信《しん》なきことばかり、かなしく御《おん》なげきは思《おぼ》し召《め》す」の由《よし》、仰《おお》せられ候《そうろ》う[266]由《よし》に候《そうろ》う。

(164) 一　同《おな》じく仰《おお》せに、「何事《なにごと》をも思《おぼ》し召《め》すままに御沙汰《ごさた》あり。聖人《しょうにん》の御一流《ごいちりゅう》をも御再興《ごさいこう》候《そうら》いて、本《ほん》

堂《どう》・御影堂《ごえいどう》をもたてられ、御住持《ごじゅうじ》をも御相続《ごそうぞく》ありて、大坂殿《おおざかどの》を御建立《ごこんりゅう》ありて、御隠居候《ごいんきょそうろ》う。然《しか》れば、われは、[267]「功成《こうな》り、名遂《なと》げて、身退《みしりぞ》くは、天《てん》の道《みち》なり」ということ、[268]その御身《おんみ》の上《うえ》なるべき」よし、仰《おお》せられ候《そうろ》うと。

(165)一 [269]同《おな》じく御病中《ごびょうちゅう》に、度々仰《たびたびおお》せられ候《そうろ》うと云々《うんぬん》 慶聞《きょうもん》に仰《おお》せられ候《そうろ》う。[270]「賊縛《ぞくばく》の比丘《びく》は、王《おう》遊《ゆう》に草繋《そうけ》を脱《だっ》し、乞食《こつじき》の沙門《しゃもん》は、鵝珠《がしゅ》を死後《しご》にあらわす」と云《い》う戒文《かいもん》を、たびたび仰《おお》せられ候《そうろ》う由《よし》に候《そうろ》う。御滅後《おんめつご》に不思議《ふしぎ》をあらわさるべきの仰《おお》せに候《そうろ》う。

(166)一 敵《てき》の陣《じん》に火《ひ》をとぼすを、火《ひ》にてなきとは思《おも》わず。いかなる人《ひと》なりとも、御《おん》ことばのとおりを申《もう》し、御詞《おんことば》をよみ申《もう》さば、信仰《しんごう》し、うけたまわるべきことなりと。

(167)一 蓮如上人《れんにょしょうにん》、おりおり仰《おお》せられ候《そうろ》う。「仏法《ぶっぽう》の義《ぎ》をば、能《よ》く能《よ》く人《ひと》にとえ(問)。物《もの》をば人《ひと》によくとい申《もう》せ」のよし、仰《おお》せられ候《そうろ》う。誰《たれ》にとい申《もう》すべき由《よし》、うかがい申《もう》しければ、「仏法《ぶっぽう》だにもあらば、上下《じょうげ》をいわずとうべし。仏法《ぶっぽう》は、しりそうもなきものがしるぞ」と仰《おお》せられ候《そうろ》うと云々《うんぬん》

(168)一 蓮如上人《れんにょしょうにん》、無《む》[271]文《もん》の物《もの》をきることを御《おん》きらい候《そうろ》う。「殊勝《しゅしょう》そうにみゆる」との仰《おお》せに候《そうろ》う。又《また》、すみの黒《くろ》き衣《ころも》をき候《そうろ》うを、御《おん》きらい候《そうろ》う。墨《すみ》のくろき衣《ころも》をきて、[272]御前《ごぜん》へ参《まい》れば、仰《おお》せられ候《そうろ》う。「衣《え》[273]文《もん》ただしき、殊勝《しゅしょう》の御僧《おんそう》の御出《おんい》で候《そうろ》う」と仰《おお》せられ候《そうら》いて、「いや、われは殊勝《しゅしょう》にもなし。ただ、弥陀《みだ》の本願《ほんがん》、殊勝《しゅしょう》なる」由《よし》、仰《おお》せられ候《そうろ》う。

(169)一 大坂殿《おおざかどの》にて、[274]文《もん》のある御小袖《おんこそで》をさせられ、御座《ござ》の上《うえ》に掛《か》けられておかれ候《そうろ》う由《よし》に候《そうろ》う。

(170) 一　御膳《ごぜん》、まいり候《そうろ》うときには、御合掌《おんがっしょう》ありて、「如来《にょらい》・聖人《しょうにん》の御用《ごよう》にて、[275]き（着）、くう（食）よ」と仰《おお》せられ候《そうろ》う。

(171) 一　人《ひと》は、あがりあがりて、おちば（落場）をしらぬなり。ただつつしみて、不断《ふだん》、そらおそろしきことと、毎事《まいじ》に付《つ》きて、心《こころ》をもつべきの由《よし》、仰《おお》せられ候《そうろ》う。

(172) 一　「往生《おうじょう》は[276]一人一人《いちにんいちにん》のしのぎなり。一人一人《いちにんいちにん》[277]に仏法《ぶっぽう》を信《しん》じて後生《ごしょう》をたすかることなり。余所《よそ》ごとのように思《おも》う[278]こと、且《か》つはわが身《み》をしらぬ事《こと》なり」と、円如《えんにょ》、仰《おお》せ候《そうら》いき。

(173) 一　大坂殿《おおざかどの》にて、或人《あるひと》、前々住上人《ぜんぜんじゅうしょうにん》（蓮如）に申《もう》され候《そうろ》う。「今朝暁《けさあかつき》より、老《お》いたる者《もの》にて候《そうろ》うが参《まい》られ候《そうろ》う。神変《じんべん》なることなる」由《よし》、申《もう》され候《そうら》えば、やがて仰《おお》せられ候《そうろ》う。「信《しん》だにあれば、辛労《しんろう》とはおもわぬなり。信《しん》のうえは、仏恩報謝《ぶっとんほうしゃ》と存《ぞん》じ候《そうら》えば、苦労《くろう》とは思《おも》わぬなり」と仰《おお》せられしと云々《うんぬん》　老《お》いたる[279]者《もの》は、田上《たがみ》の了宗《りょうしゅう》[280]と云々《うんぬん》

(174) 一　南殿《みなみどの》にて、人々《ひとびと》より合《あ》い、心中《しんじゅう》を、何《なに》かとあつかい申《もう》す所《ところ》へ、前々住上人《ぜんぜんじゅうしょうにん》、御出《おんい》で候《そうら》いて、仰《おお》せられ候《そうろ》う。「何事《なにごと》をいうぞ。ただ、何事《なにごと》のあつかいも思《おも》いすてて、一心《いっしん》に弥陀《みだ》をうたがいなくたのむばかりにて、往生《おうじょう》は、仏《ぶつ》のかたより定《さだ》めましますぞ。その[281]支証《ししょう》は、南無阿弥陀仏《なむあみだぶつ》よ。此《こ》のうえは、[282]何事《なにごと》をあつかうべきぞ」と仰《おお》せられ候《そうろ》う。若《も》し不審《ふしん》などを申《もう》すにも、多事《たじ》を、ただ御一《ごいち》言《ごん》にて、はらりと、不審《ふしん》はれ（晴）候《そうら》いしと云々《うんぬん》

(175) 一　前々住上人《ぜんぜんじゅうしょうにん》、「おどろかす　かいこそなけれ　村雀《むらすずめ》　耳《みみ》なれぬれば　なるこ（鳴子）にぞのる」此《こ》

(176) 一「心中《しんじゅう》をあらためんとまでは[283]思《おも》う人《ひと》あれども、信《しん》をとらんと[284]思《おも》う人《ひと》なきなり」と仰《おお》せられ候《そうろ》う。

(177) 一 蓮如上人《れんにょしょうにん》、仰《おお》せられ候《そうろ》う。「方便《ほうべん》をわろしという事《こと》は、あるまじきなり。方便《ほうべん》を以《もっ》て真実《しんじつ》をあらわす廃立《はいりゅう》の義《ぎ》、能《よ》く能《よ》くしるべし。弥陀《みだ》・釈迦《しゃか》・善知識《ぜんじしき》の善巧方便《ぜんぎょうほうべん》によりて、真実《しんじつ》の信《しん》をばうることなる」由《よし》、仰《おお》せられ候《そうろ》うと云々《うんぬん》

(178) 一『御文《おふみ》』は、これ凡夫往生《ぼんぶおうじょう》の鏡《かがみ》なり。『御文《おふみ》』のうえに法門《ほうもん》あるべきように思《おも》う人《ひと》あり。大《おお》きなるあやまりなりと云々《うんぬん》

(179) 一「信《しん》のうえは、仏恩《ぶっとん》の称名《しょうみょう》、退転《たいてん》あるまじきことなり。或《ある》いは、心《こころ》より、とうとくあり難《がた》く存《ぞん》ずるをば、仏恩《ぶっとん》と思《おも》い、ただ念仏《ねんぶつ》の申《もう》され候《そうろ》うをば、それほどに思《おも》わざること、大《おお》きなる誤《あやま》りなり。自《おの》ずから念仏《ねんぶつ》の申《もう》され候《そうろ》うこそ、仏智《ぶっち》の御《おん》もよおし、仏恩《ぶっとん》の称名《しょうみょう》なれ」と仰《おお》せ事《ごと》に候《そうろ》う。

(180) 一 蓮如上人《れんにょしょうにん》、仰《おお》せられ候《そうろ》う。「信《しん》のうえは、とうとく思《おも》いて申《もう》す念仏《ねんぶつ》も、又《また》、ふと申《もう》す念仏《ねんぶつ》も、仏恩《ぶっとん》に備《そな》わるなり。他宗《たしゅう》には、親《おや》のため、又《また》、何《なに》のため、なんどとて、念仏《ねんぶつ》をつかうなり。聖人《しょうにん》の[285]御流《ごりゅう》には、弥陀《みだ》をたのむが念仏《ねんぶつ》なり。そのうえの称名《しょうみょう》は、なにともあれ、仏恩《ぶっとん》になるものなり」と仰《おお》せられ候《そうろ》う云々《うんぬん》

(181) 一 或人《あるひと》、云《い》わく、「前々住上人《ぜんぜんじゅうしょうにん》(蓮如)の御時《おんとき》、南殿《みなみどの》とやらんにて、人《ひと》、蜂《はち》を殺《ころ》し候《そうろ》うに、思《おも》

いよらず、念仏《ねんぶつ》申《もう》され候《そうろ》う。その時《とき》、「何《なに》と思《おも》うて念仏《ねんぶつ》をば申《もう》したる」と仰《おお》せられ候《そうら》えば、「ただ、かわいやと[286]存《ぞん》じ、ふと申《もう》し候《そうろ》う」と申《もう》されければ、仰《おお》せられ候《そうろ》うは、「信《しん》のうえは、何《なに》ともあれ、念仏申《ねんぶつもう》すは、報謝《ほうしゃ》の義《ぎ》と存《ぞん》ずべし。みな仏恩《ぶっとん》になる」と仰《おお》せられ候《そうろ》う。」

(182)
一　南殿《みなみどの》にて、前々住上人《ぜんぜんじゅうしょうにん》、（暖簾）のうれんを打《う》ちあげられて御出《おんい》で候《そうろ》うとて、「南無阿弥陀仏《なむあみだぶつ》、南無阿弥陀仏《むあみだぶつ》」と仰《おお》せられ候《そうら》いて、「法敬《ほうきょう》、この心《こころ》しりたるか」と仰《おお》せられ候《そうろ》う。「なにとも存《ぞん》ぜず」と申《もう》され候《そうら》えば、仰《おお》せられ候《そうろ》う。「これは、われは御《おん》たすけ候《そうろ》う、御《おん》うれしや、とうとやと申《もう》す心《こころ》よ」と仰《おお》せられ候《そうろ》う云々《うんぬん》

(183)
一　蓮如上人《れんにょしょうにん》へ、或人《あるひと》、安心《あんじん》のとおり申《もう》され候《そうろ》う。西国《さいごく》の人《ひと》と云々《うんぬん》 安心《あんじん》の一通《ひととお》りを申《もう》され候《そうら》えば、仰《おお》せられ候《そうろ》う。「申《もう》し候《そうろ》う[287]ごとく心中《しんじゅう》に候《そうら》わば、それが肝要《かんよう》」と仰《おお》せられ候《そうろ》う。

(184)
一　同《おな》じく仰《おお》せられ候《そうろ》う。「当時《とうじ》、ことばにては、安心《あんじん》のとおり、同《おな》じように申《もう》され候《そうら》いし。然《しか》れば、信治定《しんじじょう》の人《ひと》に紛《まぎ》れて、往生《おうじょう》をしそんずべきことを、かなしく思《おぼ》し召《め》し候《そうろ》う」由《よし》、仰《おお》せられ候《そうろ》う。

(185)
一　[288]同《おな》じく仰《おお》せに云《い》わく、「仏法《ぶっぽう》をば、さしよせていえいえ」と仰《おお》せられ候《そうろ》う。法敬《ほうきょう》に対《たい》し、仰《おお》せられ候《そうろ》う。「信心《しんじん》・安心《あんじん》といえば、愚痴《ぐち》のものは、[289]まだもしらぬなり。信心《しんじん》・安心《あんじん》などいえば、別《べつ》の様《よう》にも思《おも》うなり。ただ、凡夫《ぼんぶ》の、仏《ぶつ》になることをおしうべし。後生《ごしょう》たすけたまえと、弥陀《みだ》をたのめと云《い》うべし。何《なに》たる愚痴《ぐち》の衆生《しゅじょう》なりとも、聞《き》きて信《しん》をとるべし。当流《とうりゅう》には、これよりほかの法《ほう》

門《もん》はなきなり」と仰《おお》せられ候《そうろ》う。『安心決定《あんじんけつじょう》[290]抄《しょう》』に云《い》わく、[291]「浄土《じょうど》の法門《ほうもん》は、第十八《だいじゅうはち》の願《がん》を、能《よ》く能《よ》くこころうるのほかには、なきなり」といえり。然《しか》れば、『御文《おふみ》』には、[292]「一心一向《いっしんいっこう》に仏《ぶつ》たすけたまえと申《もう》さん衆生《しゅじょう》をば、たとい罪業《ざいごう》は深重《じんじゅう》なりとも、かならず弥陀如来《みだにょらい》はすくいましますべし。これすなわち第十八《だいじゅうはち》の念仏往生《ねんぶつおうじょう》の誓願《せいがん》の意《こころ》なり」と云《い》えり。

(186)一 「信《しん》をとらぬによりて、わろきぞ。ただ信《しん》をとれ」と仰《おお》せられ候《そうろ》う。善知識《ぜんじしき》の、[293]「わろし」と仰《おお》せられけるは、信《しん》のなきことを、「わろき」と仰《おお》せらるるなり。然《しか》れば、前々住上人《ぜんぜんじゅうしょうにん》(蓮如)、或《ある》人《ひと》を、「言語道断《ごんごどうだん》、わろき」と仰《おお》せられ候《そうろ》うところに、その人《ひと》、申《もう》され候《そうろ》う。「何事《なにごと》も、御意《ぎょい》のごとくと存《ぞん》じ候《そうろ》う」と申《もう》され候《そうら》えば、仰《おお》せられ候《そうろ》う。「ふっとわろきなり。信《しん》のなきはわろくはなきか」と仰《おお》せられ候《そうろ》うと云々《うんぬん》

(187)一 蓮如上人《れんにょしょうにん》、仰《おお》せられ候《そうろ》う。「何《なに》たる事《こと》をきこしめしても、御心《おんこころ》には、ゆめゆめ叶《かな》わざる[294]なり。一人《いちにん》なりとも、人《ひと》の、信《しん》をとりたることを、きこしめしたき」と御《おん》ひとりごとに仰《おお》せられ候《そうろ》う。御一生《ごいっしょう》は、人《ひと》に信《しん》をとらせたく思《おぼ》し召《め》され候《そうろ》う由《よし》、仰《おお》せられ候《そうろ》う[295]と云々《うんぬん》

(188)一 聖人《しょうにん》の御流《ごりゅう》は、たのむ一念《いちねん》の所《ところ》、肝要《かんよう》なり。故《かるがゆえ》に、たのむと云《い》うことをば、代々《だいだい》、あそばしおかれそうらえども、委《くわ》しく何《なに》とたのめと云《い》うことをしらざりき。然《しか》れば、前々住上人《ぜんぜんじゅうしょうにん》の御代《ごだい》に、『御文《おふみ》』を御作《おんつく》り候《そうら》いて、[296]「雑行《ぞうぎょう》をすてて、後生《ごしょう》たすけたまえと、一心《いっしん》に弥陀《みだ》をたのめ」と、あきらかにしらせられ候《そうろ》う。然《しか》れば御再興《ごさいこう》の上人《しょうにん》にてましますものなり。

(189) 一「よきことをしたるが、わろきことあり。わろき事《こと》をしたるが、よき事《こと》あり。よき事《こと》をしても、われは[297]法義《ほうぎ》に付《つ》きてよき事《こと》をしたると思《おも》い、われ、と云《い》う事《こと》あれば、わろきなり。あしき事《こと》をしても、心中《しんじゅう》をひるがえし、本願《ほんがん》に[298]帰《き》するは、わろき事《こと》をしたるが、よき道理《どうり》になる」由《よし》、仰《おお》せられ候《そうろ》う。しかれば、蓮如上人《れんにょしょうにん》は、「まいらせ心《ごころ》がわろき」と仰《おお》せらるると云々《うんぬん》

(190) 一 前々住上人《ぜんぜんじゅうしょうにん》、仰《おお》せられ候《そうろ》う。「思《おも》いよらぬ者《もの》が、分《ぶん》に過《す》ぎて物《もの》を出《い》だし候《そうら》わば、一子細《ひとしさい》あるべきと思《おも》うべし。わがこころならい《(慣)》に、[299]人《ひと》にものをいだせばうれしく思《おも》うほどに、何《なに》ぞ用《よう》を云《い》うべき時《とき》は、人《ひと》がさようにするなり」と仰《おお》せられ候《そうろ》う。

(191) 一「行《ゆ》くさきむかいばかりみて、足《あし》もとをみねば、踏《ふ》みかぶるべきなり。人《ひと》の上《うえ》ばかり[300]にて、わがみのうえのことをたしなまずは、一大事《いちだいじ》たるべき」と仰《おお》せられ候《そうろ》う。

(192) 一 善知識《ぜんじしき》の仰《おお》せなりとも[301]成《な》るまじきなんど思《おも》うは、大《おお》きなるあさましきことなり。[302]なにたる事《こと》なりとも、仰《おお》せならばなるべきと存《ぞん》ずべし。此《こ》の凡夫《ぼんぶ》の身《み》が仏《ぶつ》になるうえは、さて[303]なるまじきと存《ぞん》ずること、あるべきか。然《しか》れば、「道宗《どうしゅう》、近江《おうみ》の湖《うみ》を一人《ひとり》してうめよ」と仰《おお》せ候《そうろ》うとも、「畏《かしこ》まりたる」と申《もう》すべく候《そうろ》う。仰《おお》せにて候《そうら》わば、ならぬこと、あるべきか」と申《もう》され候《そうろ》う。

(193) 一 いたりてかたきは石《いし》なり。至《いた》りてやわらかなるは水《みず》なり。水《みず》、よく石《いし》をうがつ。「心源《しんげん》、もし徹《てっ》しなば、菩提《ぼだい》の覚道《かくどう》、何事《なにごと》か成《じょう》ぜざらん」といえる古《ふる》き詞《ことば》あり。いかに不信《ふしん》なりとも、聴聞《ちょうもん》を心《こころ》に入《い》れ[304]て申《もう》さば、御慈悲《ごじひ》にて候《そうろ》う間《あいだ》、信《しん》をうべきなり。只《ただ》、仏法《ぶっぽう》は聴聞《ちょうもん》にきわまることなり

と云々《うんぬん》

(194) 一　前々住上人《ぜんぜんじゅうしょうにん》(蓮如)、仰《おお》せられ候《そうろ》う。「信決定《しんけつじょう》の人《ひと》をみて、あのごとくならではと思《おも》えば、なるぞ」と仰《おお》せられ候《そうろ》う。「あのごとくになりてこそと、思《おも》いすつること、あさましき事《こと》なり。仏法《ぶっぽう》には、身《み》をすてのぞみ求《もと》むる心《こころ》より、信《しん》をばうることなり」と云々《うんぬん》

(195) 一「人《ひと》のわろき事《こと》は、能《よ》く能《よ》くみゆるなり。わがみのわろき事《こと》は、おぼえざるものなり。わがみにしられてわろきことあらば、能《よ》く能《よ》くわろければこそ、身《み》にしられ候《そうろ》うと思《おも》いて、心中《しんじゅう》を改《あらた》むべし。ただ、人《ひと》の云《い》う事《こと》をば、よく信用《しんよう》すべし。わがわろき事《こと》は、おぼえざるものなる」由《よし》、仰《おお》せられ候《そうろ》う。

(196) 一　世間《せけん》の物語《ものがたり》ある座敷《ざしき》にては、結句《けっく》、法義《ほうぎ》のことを云《い》う事《こと》もあり。さようの段《だん》は、人《ひと》なみたるべし。心《こころ》には、油断《ゆだん》あるべからず。あるいは[305]講演《こうえん》か、又《また》は仏法《ぶっぽう》の讃嘆《さんだん》など云《い》う時《とき》、一向《いっこう》に物《もの》をいわざること、大《おお》きなる違《ちが》いなり。仏法讃嘆《ぶっぽうさんだん》とあらん時《とき》は、いかにも心中《しんじゅう》をのこさず、あいたがいに、信《しん》・不信《ふしん》の[306]義《ぎ》、談合申《だんこうもう》すべきことなりと云々《うんぬん》

(197) 一　金森《かねがもり》の善従《ぜんじゅう》に、或人《あるひと》、申《もう》され候《そうろ》う。「此《こ》の間《あいだ》、さこそ徒然《とぜん》に御入《おんい》り候《そうら》い[307]つらん」と申《もう》しければ、[308]善《ぜん》、申《もう》され候《そうろ》う。「我《わ》が身《み》は、八十《はちじゅう》にあまるまで、徒然《とぜん》と云《い》うことをしらず。その故《ゆえ》は、弥陀《みだ》の御恩《ごおん》の有《あ》り難《がた》きほどを存《ぞん》じ、和讃《わさん》・聖教《しょうぎょう》等《とう》を拝見申《はいけんもう》し候《そうら》えば、心面白《こころおもしろ》くも、又《また》、とうときこと充満《じゅうまん》するゆえに、徒然《とぜん》なることも、更《さら》になく候《そうろ》う」と申《もう》され候《そうろ》う由《よし》に候《そうろ》う。

(198)
一　善従《ぜんじゅう》、申《もう》され候《そうろ》うとて、前住上人《ぜんじゅうしょうにん》（実如）、仰《おお》せられ[309]候《そうら》いし。「ある人《ひと》、善《ぜん》の宿所《しゅくしょ》へ行《ゆ》き候《そうろ》う処《ところ》に、履《くつ》をも脱《ぬ》ぎ候《そうら》わぬに、仏法《ぶっぽう》のこと、申《もう》しかけられ候《そうろ》う。又《また》、或人《あるひと》、申《もう》され候《そうろ》うは、「履《くつ》をさえぬがれ候《そうら》わぬに、いそぎ、かようには、何《なに》とて仰《おお》せ候《そうろ》うぞ」と、人申《ひともう》しければ、善《ぜん》、申《もう》され候《そうろ》うは、「いずるいきは入《い》るをまたぬ浮世《うきよ》なり。若《も》し履《くつ》をぬがれぬまに死去候《しきょそうら》わば、いかが候《そうろ》うべき」と申《もう》され候《そうろ》う。ただ、仏法《ぶっぽう》の事《こと》をば、さしいそぎ申《もう》すべき」の由《よし》、仰《おお》せられ候《そうろ》う。

(199)
一　前々住上人《ぜんぜんじゅうしょうにん》、善《ぜん》の事《こと》を仰《おお》せられ[310]候《そうら》いし。「未《いま》だ野村殿御坊《のむらどののごぼう》、その沙汰《さた》もなきとき、神無森《かんなもり》をとおり、国《くに》へ下向《げこう》の時《とき》、輿《こし》よりおりられ候《そうら》いて、野村殿《のむらどの》の方《かた》をさして、「此《こ》のとおりにて、仏法《ぶっぽう》がひらけ申《もう》すべし」と申《もう》され候《そうら》いし。人々《ひとびと》、「是《こ》れは、年《とし》よりて、かようのことを申《もう》され候《そうろ》う」など申《もう》しければ、終《つい》に御坊御建立《ごぼうごこんりゅう》にて、御繁昌候《ごはんじょうそうろ》う。不思議《ふしぎ》のこと」と仰《おお》せられ候《そうら》いき。又《また》、「善《ぜん》は法然《ほうねん》の化身《けしん》なりと、世上《せじょう》に、人申《ひともう》しつる」と、同《おな》じく仰《おお》せられ候《そうら》いき。かの往生《おうじょう》は、八月二十五《はちがつにじゅうご》日《にち》にて候《そうろ》う。

(200)
一　前々住上人《ぜんぜんじゅうしょうにん》、東山《ひがしやま》を御出《おんい》で候《そうら》いて、何方《いずかた》に御座候《ござそうろ》うとも、人《ひと》、存《ぞん》ぜず候《そうら》いしに、此《こ》の善《ぜん》、あなたこなた尋《たず》ね申《もう》されければ、有《あ》る所《ところ》にて御目《おんめ》にかかられ候《そうろ》う。一段御迷惑《いちだんごめいわく》の体《てい》にて候《そうら》いつる間《あいだ》、前々住上人《ぜんぜんじゅうしょうにん》にも、さだめて、善《ぜん》、かなしまれ申《もう》すべきと思《おぼ》し召《め》され候《そうら》えば、善《ぜん》、[311]ほかと御《おん》目《め》にかかられ、「あらありがたや。早《はや》、仏法《ぶっぽう》はひらけ申《もう》すべきよ」と申《もう》され候《そうろ》う。終《つい》に此《こ》の詞《ことば》、符合《ふごう》候《そうろ》う。「善《ぜん》は不思議《ふしぎ》の人《ひと》なり」と、蓮如上人《れんにょしょうにん》、仰《おお》せられ候《そうら》いし由《よし》、上人《しょうにん》（実如）、仰《おお》せられ候《そうら》いき。

(201) 一 [312]前住上人《ぜんじゅうしょうにん》（実如）、先年《せんねん》、大永三《たいえいさん》、蓮如上人《れんにょしょうにん》二十五年《にじゅうごねん》の三月始《さんがつはじ》め比《ごろ》、御夢御覧候《おんゆめごらんそうろ》う。御堂《みどう》上壇南《じょうだんみなみ》の方《かた》に、前々住上人《ぜんぜんじゅうしょうにん》（蓮如）、御座候《ござそうら》いて、紫《むらさき》の御小袖《おんこそで》をめされ候《そうろ》う。前住上人《ぜんじゅうしょうにん》へ対《たい》しまいらせられ、仰《おお》せられ候《そうろ》う。「仏法《ぶっぽう》は讃嘆《さんだん》・談合《だんこう》にきわまる。能《よ》く能《よ》く讃嘆《さんだん》すべき」由《よし》、仰《おお》せられ候《そうろ》う。「誠《まこと》に、夢想《むそう》とも云《い》うべきことなり」と仰《おお》せられ候《そうら》いき。然《しか》れば、その年《とし》、「ことに讃嘆《さんだん》を肝要《かんよう》」と仰《おお》せられ候《そうろ》う。それに付《つ》きて仰《おお》せられ[313]候《そうろ》う。「仏法《ぶっぽう》は、一人居《ひとりい》て悦《よろこ》ぶ法《ほう》なり。一人居《ひとりい》てさえ、とうときに、[314]二人《ふたり》よりあわば、いかほどありがたかるべき。仏法《ぶっぽう》をば、ただ、より合《あ》い、より合《あ》い、談合申《だんこうもう》せ」の由《よし》、仰《おお》せられ候《そうろ》うなり。

(202) 一 「心中《しんじゅう》を改《あらた》め候《そうら》わん」と申《もう》す人《ひと》、[315]何《いず》れをも「違《ちが》い候《そうろ》う」と申《もう》され候《そうろ》う。万《よろず》わろきことを[316]うめ（埋）て、かように[317]申《もう》され候《そうろ》う。「いろをたて、きわ（際）を立《た》てて、申《もう》し出《い》でて、改《あらた》むべき事《こと》なり」と云々《うんぬん》「[318]なににせんずる、人《ひと》のなおらるるをききて、われもなおるべきと思《おも》うて、わがとが（咎）を申《もう》しださぬは、なおらぬぞ」と仰《おお》せられ候《そうろ》うと云々《うんぬん》

(203) 一 仏法談合《ぶっぽうだんこう》のとき物《もの》を申《もう》さぬは、信《しん》のなきゆえなり。わが心《こころ》にたくみ案《あん》じて申《もう》すべきように思《おも》えり。よそなる物《もの》をたずねいだすようなり。心《こころ》にうれしきことは、その儘《まま》なるものなり。寒《かん》なれば寒《かん》、熱《ねつ》なれば熱《ねつ》と、そのまま心《こころ》の通《とお》りをいうなり。仏法《ぶっぽう》の座敷《ざしき》にて物《もの》を申《もう》さぬことは、不信《ふしん》の[319]色《いろ》なり。又《また》、油断《ゆだん》ということも、信《しん》のうえのことなるべし。細々同行《さいさいどうぎょう》により合《あ》い、讃嘆申《さんだんもう》さば、油断《ゆだん》はあるまじきの由《よし》に候《そうろ》う。

(204)一　前々住上人《ぜんぜんじゅうしょうにん》、仰《おお》せられ候《そうろ》う。「一心決定《いっしんけつじょう》のうえ、弥陀《みだ》のおんたすけありたりというは、さとりのかた[320]にて、わろし。たのむ所《ところ》にてたすけたまい候《そうろ》う事《こと》は、歴然《れきぜん》に候《そうら》えども、御《おん》たすけあろうずと云《い》いて、然《しか》るべき」の由《よし》、仰《おお》せられ候《そうろ》う云々《うんぬん》。「一念帰命《いちねんきみょう》の時《とき》、不退《ふたい》の位《くらい》に住《じゅう》す。これ不退《ふたい》の密益《みつやく》なり。これ涅槃分《ねはんぶん》なる」由《よし》、仰《おお》せられ候《そうろ》うと云々《うんぬん》。

(205)一　[321]有《あ》る人《ひと》 瞻西上人《せんぜいしょうにん》のことなり、「摂取不捨《せっしゅふしゃ》のことわりをしりたき」と、雲居寺《うんごじ》の阿弥陀《あみだ》に祈誓《きせい》ありければ、夢想《むそう》に、「阿弥陀《あみだ》の、今《いま》の人《ひと》の袖《そで》をとらえたまうに、にげけれども、しかととらえて、はなしたまわず。」摂取《せっしゅ》と云《い》うは、にぐる者《もの》をとらえておきたまうようなることと、ここにて思《おも》い[322]付《つ》きけり。是《こ》れを、引《ひ》き言《ごと》に仰《おお》せられ候《そうろ》う。

(206)一　前々住上人《ぜんぜんじゅうしょうにん》、御病中《ごびょうちゅう》に、兼誉《けんよ》・兼縁《けんえん》、御前《ごぜん》に伺候《しこう》して、ある時《とき》、尋《たず》ね申《もう》され候《そうろ》う。「冥加《みょうが》と云《い》う事《こと》は、何《なに》としたることにて候《そうろ》う」と申《もう》せば、仰《おお》せられ候《そうろ》う。「冥加《みょうが》に叶《かな》うと云《い》うは、弥陀《みだ》をたのむ事《こと》なる」よし、仰《おお》せられ候《そうろ》うと云々《うんぬん》。

(207)一　人《ひと》に仏法《ぶっぽう》の事《こと》を申《もう》してよろこばれば、われは、その悦《よろこ》ぶ人《ひと》よりもなおとうとく思《おも》うべきなり。仏智《ぶっち》をつたえ申《もう》すによりて、かように存《ぞん》ぜられ候《そうろ》う事《こと》と思《おも》いて、仏智《ぶっち》の御方《おんかた》を有《あ》り難《がた》く存《ぞん》ぜらるべしとの[323]義《ぎ》に候《そうろ》う。

(208)一　『御文《おふみ》』をよみて人《ひと》に聴聞《ちょうもん》させんとも、報謝《ほうしゃ》と存《ぞん》ずべし。一句一言《いっくいちごん》も、信《しん》の上《うえ》より申《もう》せば、人《ひと》の信用《しんよう》もあり、又《また》、報謝《ほうしゃ》ともなるなり。

(209)一　蓮如上人《れんにょしょうにん》、仰《おお》せられ候《そうろ》う。「弥陀《みだ》の光明《こうみょう》は、たとえば、ぬれたる物《もの》をほすに、うえよりひて（乾）、下《した》までひるごとくなる事《こと》なり。是《こ》れは、日《ひ》の力《ちから》なり。決定《けつじょう》の心《こころ》おこるは、これ則《すなわ》ち他力《たりき》の御所作《ごしょさ》なり。罪障《ざいしょう》は、悉《ことごと》く弥陀《みだ》の御《おん》けし（消）あることとなる」よし、仰《おお》せられ候《そうろ》うと云々《うんぬん》

(210)一　[324]信治定《しんじじょう》の人《ひと》は、誰《たれ》によらず、まずみれば、すなわち、とうとくなり候《そうろ》う。是《こ》れ、その人《ひと》のとうときにあらず。仏智《ぶっち》をえらるるがゆえなれば、[325]いよいよ仏智《ぶっち》のありがたきほどを存《ぞん》ずべきことなりと云々《うんぬん》

(211)一　蓮如上人《れんにょしょうにん》、御病中《ごびょうちゅう》の時《とき》、仰《おお》せられ候《そうろ》う。「御自身《ごじしん》、何事《なにごと》も思《おぼ》しめしのこさるる（遺）[326]こと、なし。[327]思《おぼ》し召《め》すことの、ならぬことは、なきなり。それにつきて、御往生《ごおうじょう》あるとも、御身《おんみ》は思《おぼ》し召《め》しのこさるる事《こと》なし。但《ただ》、御兄弟《ごきょうだい》[328]中《ちゅう》、そのほか、誰《たれ》にも、信《しん》のなきを、かなしく思《おぼ》し召《め》し候《そうろ》う。世間《せけん》には、よみじ（黄泉路）のさわりということあり。我《われ》においては、往生《おうじょう》すとも、それなし。ただ、信《しん》のなき事《こと》、これを[329]歎《なげ》き思《おぼ》し召《め》し[330]候《そうろ》う」由《よし》、仰《おお》せられ候《そうら》いき。

(212)一　蓮如上人《れんにょしょうにん》、あるいは、人《ひと》に御酒《ごしゅ》をも下《くだ》され、物《もの》をも下《くだ》されて、かようの[331]事《こと》、ありがたく存《ぞん》じ[332]候《そうら》いて、近《ちか》づけさせられ候《そうら》いて、仏法《ぶっぽう》を御《おん》きかせ候《そうろ》う。されば、かように物《もの》を下《くだ》され候《そうろ》う事《こと》も、信《しん》をとらせらるべきためと思《おぼ》し召《め》せば、報謝《ほうしゃ》と思《おぼ》し召《め》し候《そうろ》う由《よし》、仰《おお》せられ候《そうろ》うと云々《うんぬん》

(213)一　同《おな》じく仰《おお》せに云《い》わく、「心得《こころえ》たと思《おも》うは、心得《こころえ》ぬなり。心得《こころえ》ぬと思《おも》うは、こころえたるなり。弥陀《みだ》の御《おん》たすけあるべきことのとうとさよと思《おも》うが、心得《こころえ》たるなり。少《すこ》しも、心得《こころえ》たると思《おも》うこと

は、あるまじきことなり」と、仰《おお》せられ候《そうろ》う[333]と云々《うんぬん》　されば、『口伝鈔《くでんしょう》』に云《い》わく、[334]「されば、この機《き》のうえにたもつところの、弥陀《みだ》の仏智《ぶっち》を[335]つのりとせんよりほかは、凡夫《ぼんぶ》、いかでか往生《おうじょう》の得分《とくぶん》あるべきや」といえり。

(214)一　加州《かしゅう》菅生《すごう》の[336]願将《がんしょう》、坊主《ぼうず》の、聖教《しょうぎょう》をよまれ候《そうろ》うをきて、「聖教《しょうぎょう》は殊勝《しゅしょう》に候《そうら》えども、信《しん》が御入《おんい》りなく候《そうろ》うあいだ、とうとくも御入《おんい》りなき」と申《もう》され候《そうろ》う。此《こ》のことを、前々住上人《ぜんぜんじゅうしょうにん》(蓮如)、きこしめし、[337]菅生蓮智《すごうれんち》をめしのぼせられ、御前《ごぜん》にて、不断《ふだん》、聖教《しょうぎょう》をもよませられ、法義《ほうぎ》のことをも仰《おお》せ[338]きかせられ、願将《がんしょう》に仰《おお》せられ候《そうろ》う。「蓮智《れんち》に聖教《しょうぎょう》をもよみならわせ、仏法《ぶっぽう》の[339]事《こと》を仰《おお》せきかせられ候《そうろ》う」よし、[340]仰《おお》せ候《そうら》いて、国《くに》へ御下《おんくだ》し候《そうろ》う。その後《のち》は、聖教《しょうぎょう》をよまれ候《そうら》えば、「今《いま》こそ殊勝《しゅしょう》に候《そうら》え」とて、ありがたがられ候《そうろ》う由《よし》に候《そうろ》う。

(215)一　蓮如上人《れんにょしょうにん》、幼少《ようしょう》なる者《もの》には、まず、「物《もの》をよめ」と仰《おお》せられ候《そうろ》う。又《また》、その後《のち》は、「いかによむとも、復《ふく》せずは、詮《せん》あるべからざる」由《よし》、仰《おお》せられ候《そうろ》う。[341]ちとこころもつき候《そうら》えば、「いかに物《もの》をよみ、声《こえ》をよくよみしりたるとも、義理《ぎり》をわきまえてこそ」と仰《おお》せられ候《そうろ》う。その後《のち》は、「いかに文釈《もんしゃく》をおぼえたりとも、信《しん》がなくはいたずらごとよ」と仰《おお》せられ候《そうろ》う。

(216)一　心中《しんじゅう》のとおり[342]を、或人《あるひと》、法敬坊《ほうきょうぼう》に申《もう》され候《そうろ》う。「御詞《おんことば》の如《ごと》くは覚悟《かくご》仕《つかまつ》り候《そうら》えども、ただ、油断《ゆだん》・不沙汰《ぶさた》にて、あさましきことのみに候《そうろ》う」と申《もう》され候《そうろ》う。その時《とき》、法敬坊《ほうきょうぼう》、申《もう》され候《そうろ》う。「それは御詞《おんことば》のごとくにてはなく候《そうろ》う。勿体《もったい》なき申《もう》され事《ごと》に候《そうろ》う。御詞《おんことば》には、「油断《ゆだん》・不沙汰《ぶさた》、

[343]な仕《つかまつ》りそ」とこそ、あそばされ候《そうら》え」と申《もう》され候《そうろ》うと云々《うんぬん》

(217)一　法敬坊《ほうきょうぼう》に、或人《あるひと》、不審申《ふしんもう》され候《そうろ》う。「これほど仏法《ぶっぽう》に御心《おんこころ》をもいれられ候《そうろ》う法敬坊《ほうきょうぼう》の尼公《にこう》の不信《ふしん》なる、いかがの義《ぎ》に候《そうろ》う」由《よし》、[344]人申《ひともう》し候《そうら》えば、法敬坊《ほうきょうぼう》、申《もう》され候《そうろ》う。「不審《ふしん》、さることなれども、これほど、朝夕《ちょうせき》、『御文《おふみ》』をよみ候《そうろ》うに、驚《おどろ》き申《もう》さぬ心中《しんじゅう》が、なにか法敬《ほうきょう》が申《もう》し分《ぶん》にて聞《き》き入《い》れ候《そうろ》うべき」と申《もう》され候《そうろ》うと云々《うんぬん》

(218)一　順誓《じゅんせい》、申《もう》され候《そうろ》う。「仏法《ぶっぽう》の物語申《ものがたりもう》すに、かげにて申《もう》し候《そうろ》う段《だん》は、なにたるわろき事《こと》をか申《もう》すべきと存《ぞん》じ、脇《わき》より汗《あせ》たり申《もう》し候《そうろ》う。前々住上人《ぜんぜんじゅうしょうにん》（蓮如）、聞《き》こし召《め》す所《ところ》にて、申《もう》す時《とき》は、わろき事《こと》をば、やがて御《おん》なおしあるべきと存《ぞん》じ候《そうろ》うあいだ、心安《こころやす》く存《ぞん》じ候《そうら》いて、物《もの》をも[345]申《もう》さるる」由《よし》に候《そうろ》う。

(219)一　「信《しん》のうえ[346]には、さのみわろき事《こと》は有《あ》るまじく候《そうろ》う。或《ある》いは、人《ひと》の云《い》い候《そうろ》うなどとて、あしき事《こと》などは、あるまじく候《そうろ》う。今度《こんど》、生死《しょうじ》の結句《けっく》をきりて、安楽《あんらく》に生《しょう》ぜんと思《おも》わん人《ひと》、いかんとして、あしきさまなる事《こと》をすべきや」と仰《おお》せられ候《そうろ》う。

(220)一　[347]信《しん》をば得《え》ずして、よろこび候《そうら》わんと思《おも》うこと、たとえば、糸《いと》にて物《もの》をぬうに、あとをそのままにてぬえば、ぬけ（抜）候《そうろ》うように、悦《よろこ》び候《そうら》わんとも、信《しん》をえぬは、いたずらごとなり。「よろこべ。たすけたまわん」と仰《おお》せられ候《そうろ》うことにてもなく候《そうろ》う。たのむ衆生《しゅじょう》をたすけたまわんとの本願《ほんがん》にて候《そうろ》う。

(221)一　前々住《ぜんぜんじゅう》上人《しょうにん》、仰《おお》せられ候《そうろ》う。「不審《ふしん》と、一向《いっこう》しらぬとは、各別《かくべつ》なり。知《し》らぬことをも不審《ふしん》と申《もう》す事《こと》、いわれなく候《そうろ》う。物《もの》を分別《ふんべつ》して、あれはなにと、これはいかがなど云《い》うようなることが、不審《ふしん》にて候《そうろ》う。子細《しさい》もしらずして申《もう》す事《こと》を、不審《ふしん》と申《もう》しまぎらかし候《そうろ》う」由《よし》、仰《おお》せられ候《そうろ》う。

(222)一　前々住上人《ぜんぜんじゅうしょうにん》、仰《おお》せられ[348]候《そうら》いき。「御本寺《ごほんじ》・御坊《ごぼう》をば、聖人御存生《しょうにんごぞんしょう》の時《とき》のように思《おぼ》し召《め》されし候《そうろ》う。[349]自身《じしん》は、御留《ごる》主(守)を、当座《とうざ》、御沙汰《ごさた》候《そうろ》う。然《しか》れども、[350]仏恩《ぶっとん》を御忘《おんわす》れ候《そうろ》う事《こと》はなく候《そうろ》う」と、御斎《おとき》の御法談《ごほうだん》に仰《おお》せられ候《そうら》いき。「御斎《おとき》を御受用候《ごじゅようそうろ》う間《あいだ》にも、少《すこ》しも御《おん》わすれ[351]候《そうろ》うこと、御《おん》入《い》りなき」と仰《おお》せられ[352]候《そうら》いき。

(223)一　善如上人《ぜんにょしょうにん》・綽如上人《しゃくにょしょうにん》、両御代《りょうごだい》の事《こと》、前住上人《ぜんじゅうしょうにん》(実如)、仰《おお》せられ候《そうろ》うこと。「両御代《りょうごだい》は、威儀《いぎ》を本《ほん》に御沙汰候《ごさたそうら》いし」由《よし》、仰《おお》せられし。「然《しか》れば、今《いま》に御影《ごえい》に御入《おんい》り候《そうろ》う」由《よし》、仰《おお》せられ候《そうろ》う。「黄袈裟《きげさ》・黄衣《きごろも》にて候《そうろ》う。然《しか》れば、前々住上人《ぜんぜんじゅうしょうにん》の御時《おんとき》、あまた御流《ごりゅう》にそむき候《そうろ》う本尊以下《ほんぞんいげ》、御《おん》風《ふ》呂(炉)のたびごとに、やかせられ候《そうろ》う。此《こ》の二幅《にふく》の御影《ごえい》をも、やかせらるべきにて御取《おんと》り出《い》だし候《そうら》いつるが、いかが[353]と思《おぼ》し召《め》し候《そうら》いつるやらん、表紙《ひょうし》に、かきつけを、「よし、わろし」とあそばされて、とりておかせられ候《そうろ》う。此《こ》の事《こと》を、今《いま》、御思案候《ごしあんそうら》えば、「御代《ごだい》のうちさえ、かように御《おん》ちがい候《そうろ》う。[354]ましてやいわん、われら式《しき》の者《もの》は、違《ちが》い[355]ばかりたるべき間《あいだ》、一大事《いちだいじ》と存《ぞん》じ、[356]つつしめ」との御事《おんこと》に候《そうろ》う。今《いま》、[357]思《おも》いあわせられ候《そうろ》う」[358]由《よし》、候《そうろ》うなり。又《また》、「「よし、わろし」と、あそばされ候《そうろ》うこと、「わろしとばかりあそばし候《そうら》えば、先代《せんだい》の御事《おんこと》にて候《そうら》えば」と思《おぼ》し召《め》し、かようにあそばされ候《そうろ》う事《こと》に[359]候《そうら》いし」と仰《おお》せられ候《そうろ》う。又《また》、「前々住上人《ぜんぜんじゅうしょうにん》（蓮如）の御時《おんとき》、あまた、昵近《じっきん》のかたがた、ちがい申《もう》す事候《ことそうろ》う。弥《いよ》いよ一大事《いちだいじ》の仏法《ぶっぽう》のことをば、心《こころ》をとどめて、細々《さいさい》、人《ひと》に問《と》い、心得申《こころえもう》すべき」の由《よし》、仰《おお》せられ[360]候《そうら》いき。

(224)一　仏法者《ぶっぽうしゃ》の少《すこ》しのちがいを見《み》ては、「あのうえさえ、かように候《そうろ》う」と思《おも》い、我《わ》が身《み》をふかく嗜《たしな》むべきことなり。然《しか》るを、「あのうえさえ、御《おん》ちがい候《そうろ》う、まして我等《われら》は、ちがい候《そうら》わでは」と思《おも》う心《こころ》、大《おお》きなるあさましきことなり[361]と云々《うんぬん》

(225)一　「仏恩《ぶっとん》を嗜《たしな》む」と仰《おお》せ候《そうろ》う事《こと》、世間《せけん》の物《もの》を嗜《たしな》むなどというようなることにてはなし。信《しん》のうえに、とうとく、有《あ》り難《がた》く存《ぞん》じ、よろこび申《もう》す透間《すきま》に、懈怠申《けだいもう》す時《とき》、「かかる広大《こうだい》の御恩《ごおん》を、わすれ申《もう》すことのあさましさよ」と、仏智《ぶっち》にたちかえりて、「有《あ》り難《がた》や、とうとや」と思《おも》えば、御《おん》もよおしにより、念仏《ねんぶつ》を申《もう》すなり。嗜《たしな》むとは、これなる由《よし》の[362]儀《ぎ》に候《そうろ》う。

(226)一　「仏法《ぶっぽう》に厭足《えんそく》なければ、法《ほう》の不思議《ふしぎ》をきく」といえり。前住上人《ぜんじゅうしょうにん》（実如）、仰《おお》せられ候《そうろ》う。「たとえば、世上《せじょう》に、わがすきこのむことをば、しりてもしりても、猶《なお》、能《よ》くしりとう思《おも》うに、人《ひと》にとい、いくたびも、数奇《すき》たる事《こと》をば、聞《き》きても聞《き》きても、能《よ》く[363]しりたく思《おも》う。仏法《ぶっぽう》の事《こと》[364]は、いくたび聞《き》きても、あか（飽）ぬ事《こと》なり。しりてもしりても、存《ぞん》じたき事《こと》なり。[365]仏法《ぶっぽう》の事《こと》は、いくたびもいくたびも、人《ひと》にとい、きわめ申《もう》すべき事《こと》なる」由《よし》、仰《おお》せられ候《そうろ》う。

(227)一　世間《せけん》へつかう事《こと》は、[366]仏物《ぶつもつ》を徒《いたずら》にすることよと、おそろしく思《おも》うべし。さりながら、仏法《ぶっぽう》の

方《かた》へは、いかほど物《もの》を入《い》れても、あかぬ道理《どうり》なり。又《また》、報謝《ほうしゃ》にもなるべしと云々《うんぬん》

(228) 一「人《ひと》の、辛労《しんろう》もせで[367]徳《とく》とる上品《じょうぼん》は、弥陀《みだ》をたのみて仏《ぶつ》になるにすぎたることなし」と仰《おお》せられ候《そうろ》うと云々《うんぬん》

(229) 一 皆人毎《みなひとごと》に、よきことを云《い》いもし、働《はたら》きもすることあれば、真俗《しんぞく》ともに、それをわがよき者《もの》に、はやなりて、その心《こころ》にて御恩《ごおん》ということは、うちわすれて、わが心《こころ》、本《もと》になるによりて、冥加《みょうが》につきて、世間《せけん》・仏法《ぶっぽう》ともに、悪《わろ》き心《こころ》が必《かなら》ず必《かなら》ず出来《しゅったい》するなり。一大事《いちだいじ》なりと云々《うんぬん》

(230) 一 堺《さかい》にて、兼縁《けんえん》、前々住上人《ぜんぜんじゅうしょうにん》へ、御文《おふみ》を御申《おんもう》し候《そうろ》う。その時《とき》、仰《おお》せられ候《そうろ》う。「年《とし》もより候《そうろ》うに、むつかしきことを申《もう》し候《そうろ》う。まず[368]は、わろきことをいうよ」と仰《おお》せられ候《そうろ》う。後《のち》に仰《おお》せられ[369]候《そうろ》う。「仏法《ぶっぽう》だに信《しん》ぜば、いかほどなりとも、あそばして然《しか》るべき」由《よし》、仰《おお》せられしと云々《うんぬん》

(231) 一 同《おな》じく堺《さかい》の御坊《ごぼう》にて、前々住上人《ぜんぜんじゅうしょうにん》、夜更《よふ》けて、蠟燭《ろうそく》をともさせ、名号《みょうごう》をあそばされ候《そうろ》う。その時《とき》、仰《おお》せられ候《そうろ》う。「御老体《ごろうたい》にて、御手《おんて》も振《ふ》るい、御目《おんめ》もかすみ候《そうら》えども、「明日《みょうにち》、越中《えっちゅう》へくだり候《そうろ》う」と申《もう》し候《そうろ》うほどに、かようにあそばされ候《そうろ》う。[370]一日夜《いちにちや》の事《こと》にて候《そうろ》う間《あいだ》、御辛労《ごしんろう》をかえりみられず、あそばされ候《そうろ》う」と仰《おお》せられ候《そうろ》う。「しかれば、御門徒《ごもんと》のために、御身《おんみ》をばすてられ候《そうろ》う。人《ひと》に辛労《しんろう》をもさせ候《そうら》わで、ただ信《しん》をとらせたく思《おぼ》し召《め》し候《そうろ》う」由《よし》、仰《おお》せられ候《そうろ》う。

(232) 一 重宝《ちょうほう》の珍物《ちんぶつ》を調《ととの》え、経営《けいえい》をしてもてなせども、食《しょく》せざれば、その詮《せん》なし。同行《どうぎょう》、寄《よ》り合《あ》い、讃嘆《さんだん》すれども、信《しん》をとる人《ひと》なければ、珍物《ちんぶつ》を食《しょく》せざると同《おな》じ事《こと》なりと云々《うんぬん》

(233) 一 物《もの》にあく(飽)ことはあれども、仏《ぶつ》に成《な》ることと、弥陀《みだ》の御恩《ごおん》を[371]喜《よろこ》び、あきたる事《こと》はなし。焼《や》くとも失《う》せもせぬ重宝《ちょうほう》は、南無阿弥陀仏《なむあみだぶつ》なり。然《しか》れば、弥陀《みだ》の広大《こうだい》の御慈悲《ごじひ》、殊勝《しゅしょう》なり。信《しん》ある人《ひと》をみるさえ、とうとし。能《よ》く能《よ》くの御慈悲《ごじひ》なりと云々《うんぬん》

(234) 一 信決定《しんけつじょう》の人《ひと》は、仏法《ぶっぽう》の方《かた》へは、身《み》をかろくもつべし。仏法《ぶっぽう》の御恩《ごおん》をば、おもくうやまうべしと云々《うんぬん》

(235) 一 蓮如上人《れんにょしょうにん》、仰《おお》せられ候《そうろ》う。「「宿善《しゅくぜん》めでたし」と云《い》うは、わろし。御一流《ごいちりゅう》には、「宿善有《しゅくぜんあ》り難《がた》し」と申《もう》すが、よく候《そうろ》う」由《よし》、仰《おお》せられ候《そうろ》う。

(236) 一 他宗《たしゅう》には、法《ほう》にあいたるを宿縁《しゅくえん》という。当流《とうりゅう》には、信《しん》をとることを宿善《しゅくぜん》と云《い》う。信心《しんじん》をうること、肝要《かんよう》なり。されば、この御《おん》おしえには、群機《ぐんき》をもらさぬゆえに、弥陀《みだ》の教《おし》えをば、弘教《ぐきょう》とも云《い》うなり。

(237) 一 [372]法門《ほうもん》を申《もう》すには、当流《とうりゅう》の心《こころ》は、信心《しんじん》の一儀《いちぎ》を申《もう》し[373]立《た》てられたる、肝要《かんよう》なりと云々《うんぬん》

(238) 一 前々住上人《ぜんぜんじゅうしょうにん》(蓮如)、仰《おお》せられ候《そうろ》う。「[374]仏法者《ぶっぽうしゃ》は、法《ほう》の威力《いりき》にてなるなり。威力《いりき》でなくは、なるべからず」と仰《おお》せられ候《そうろ》う。「されば、仏法《ぶっぽう》をば、学匠《がくしょう》・物《もの》しりは云《い》いたてず。ただ一文不知《いちもんふち》の身《み》も、信《しん》ある人《ひと》は、仏智《ぶっち》を加《くわ》えらるる故《ゆえ》に、仏力《ぶつりき》にて候《そうろ》う間《あいだ》、人《ひと》が信《しん》をとるなり。此《こ》の故《ゆえ》に、聖教《しょうぎょう》よみとて、しかも、我《われ》はと思《おも》わん人《ひと》の、仏法《ぶっぽう》を云《い》いたてたることなし」と仰《おお》せられ候《そうろ》う事《こと》に候《そうろ》う。ただ、なにしらねども、信心定得《しんじんじょうとく》の人《ひと》は、仏《ぶつ》よりいわせらるる間《あいだ》、人《ひと》が信《しん》をとるとの仰《おお》せに候《そうろ》う[375]云々《うんぬん》

(239)一　弥陀《みだ》をたのめば、南無阿弥陀仏《なむあみだぶつ》の主《ぬし》になるなり。南無阿弥陀仏《なむあみだぶつ》の主《ぬし》に成《な》るというは、信心《しんじん》をうることなりと云々《うんぬん》　又《また》、当流《とうりゅう》の真実《しんじつ》の宝《たから》と云《い》うは、南無阿弥陀仏《なむあみだぶつ》、これ一念《いちねん》の信心《しんじん》なりと云々《うんぬん》

(240)一　一流真宗《いちりゅうしんしゅう》の内《うち》にて法《ほう》をそしり、わろさまにいう人《ひと》あり。是《こ》れを思《おも》うに、他門他宗《たもんたしゅう》のことは、是非《ぜひ》なし。一宗《いっしゅう》の中《なか》にかようの人《ひと》もあるに、われら、宿善《しゅくぜん》ありてこの法《ほう》を信《しん》ずる身《み》のとうとさよと思《おも》うべしと云々《うんぬん》

(241)一　前々住上人《ぜんぜんじゅうしょうにん》には、何《なに》たるものをもあわれみ、かわゆく思《おぼ》し召《め》し候《そうろ》う。大罪人《だいざいにん》とて、[376]なお人《ひと》を殺《ころ》し候《そうろ》うこと、一段《いちだん》、御悲《おんかな》しみ候《そうろ》う。「存命《ぞんめい》もあらば、心中《しんじゅう》をなおすべし」と仰《おお》せられ候《そうら》いて、御勘気《ごかんき》候《そうら》いても、[377]心中《しんじゅう》だになおり候《そうら》えば、やがて御宥免《ごゆうめん》候《そうろ》うと云々《うんぬん》

(242)一　[378]安芸蓮宗《あきれんそう》、国《くに》をくつがえし、くせごとに付《つ》きて、御門徒《ごもんと》をはなされ候《そうろ》う。前々住上人《ぜんぜんじゅうしょうにん》御病《ごびょう》中《ちゅう》に、御寺内《ごじない》へ参《まい》り、御《おん》[379]侘《わ》び言《ごと》申《もう》し候《そうら》えども、とりつぎ候《そうろ》う人《ひと》なく候《そうら》いし。その折節《おりふし》、前々住《ぜんぜんじゅう》上人《しょうにん》、ふと仰《おお》せられ候《そうろ》う。「安芸《あき》をなおそうと思《おも》うよ」と仰《おお》せられ候《そうろ》う。御兄弟以下《ごきょうだいいげ》、御申《おんもう》すには、「一度《いちど》、仏法《ぶっぽう》にあた《(怨)》をなし申《もう》す人《ひと》にて候《そうら》えば、いかが」と御申《おんもう》し候《そうら》えば、仰《おお》せられ候《そうろ》う。「それぞとよ。あさましき事《こと》をいうぞとよ。心中《しんじゅう》だになおらば、なにたるものなりとも、御《おん》もらしなきことに候《そうろ》う」と仰《おお》せられ候《そうら》いて、御赦免候《ごしゃめんそうら》いき。その時《とき》、御前《ごぜん》へ参《まい》り、御目《おんめ》にかかられ候《そうろ》うとき、感涙畳《かんるいたたみ》にうかみ候《そうろ》うと云々《うんぬん》　而《しこ》うして、御中陰《ごちゅういん》の中《うち》に、蓮宗《れんそう》も寺内《じない》にてすぎられ候《そうろ》う。

(243)一　奥州《おうしゅう》に、[380]御流《ごりゅう》のことを申《もう》しまぎらかし候《そうろ》う人《ひと》を、きこしめして、前々住上人《ぜんぜんじゅうしょうにん》、奥州《おうしゅう》の

浄祐《じょうゆう》を御覧《ごらん》候《そうら》いて、以《もっ》てのほか御腹立《ごふくりゅう》候《そうら》いて、「さてさて、開山聖人《かいさんしょうにん》の御流《ごりゅう》を申《もう》しみだすことの、あさましさよ、にくさよ」と仰《おお》せられ候《そうら》いて、御歯《おんは》をくいしめられて、「さて、切《き》りきざみても、あく(飽)かよ、あくかよ」と仰《おお》せられ候《そうろ》うと云々《うんぬん》　仏法《ぶっぽう》を申《もう》しみだす者《もの》をば、「一段《いちだん》あさましきぞ」と仰《おお》せられ候《そうろ》うと云々《うんぬん》

(244)一　思案《しあん》の頂上《ちょうじょう》と申《もう》すべきは、弥陀如来《みだにょらい》の五劫思惟《ごこうしゆい》の本願《ほんがん》にすぎたることはなし。此《こ》の御思案《ごしあん》の道理《どうり》に同心《どうしん》せば、仏《ぶつ》になるべし。同心《どうしん》[381]申《もう》すとて、別《べつ》になし。機法一体《きほういったい》の道理《どうり》なりと云々《うんぬん》

(245)一　蓮如上人《れんにょしょうにん》、仰《おお》せられ候《そうろ》う。「御身《おんみ》、一生涯《いっしょうがい》、御沙汰《ごさた》候《そうろ》う事《こと》、みな仏法《ぶっぽう》にて、御方便《ごほうべん》・御調《ごちょう》法《ほう》候《そうら》いて、人《ひと》に信《しん》を御《おん》とらせあるべき御《おん》ことわりにて候《そうろ》う」由《よし》、仰《おお》せられ候《そうろ》う云々《うんぬん》

(246)一　同《おな》じく御病中《ごびょうちゅう》に仰《おお》せられ候《そうろ》う。「今《いま》、わが云《い》うことは金言《きんげん》なり。かまえてかまえて、よく意得《こころえ》よ」と仰《おお》せられ候《そうろ》う。又《また》、御詠歌《ごえいか》の事《こと》、「三十一字《さんじゅういちじ》につづくることにてこそあれ、是《こ》れは法門《ほうもん》にてあるぞ」と仰《おお》せられ候《そうろ》うと云々《うんぬん》

(247)一　「「愚者三人《ぐしゃさんにん》に智者一人《ちしゃいちにん》」とて、何事《なにごと》も談合《だんこう》すれば、面白《おもしろ》きことあるぞ」と、前々住上人《ぜんぜんじゅうしょうにん》(蓮如)、前住上人《ぜんじゅうしょうにん》(実如)へ御申《おんもう》し候《そうろ》う。是《こ》れ又《また》、[382]仏法《ぶっぽう》の方《かた》には、いよいよ肝要《かんよう》の御金言《ごきんげん》なりと云々《うんぬん》

(248)一　蓮如上人《れんにょしょうにん》、順誓《じゅんせい》に対《たい》し仰《おお》せられ候《そうろ》う。「法敬《ほうきょう》と我《われ》とは兄弟《きょうだい》よ」と仰《おお》せられ候《そうろ》う。法敬《ほうきょう》、申《もう》され候《そうろ》う。「是《こ》れは、冥加《みょうが》もなき御事《おんこと》」と申《もう》され候《そうろ》う。蓮如上人《れんにょしょうにん》、仰《おお》せられ候《そうろ》う。「信《しん》をえつれば、さきに生《う》まるる者《もの》は兄《あに》、後《のち》に生《う》まるる者《もの》は弟《おとうと》よ。法敬《ほうきょう》とは兄弟《きょうだい》よ」と仰《おお》せられ候《そうろ》う。「仏《ぶっ》

恩《とん》を一同《いちどう》にうれば、信心一致《しんじんいっち》のうえは、四海《しかい》みな兄弟《きょうだい》」といえり。

(249) 一　南殿《みなみどの》、山水《さんすい》の御縁《ごえん》の床《ゆか》の上《うえ》にて、蓮如上人《れんにょしょうにん》、仰《おお》せられ候《そうろ》う。「物《もの》[383]の、思《おも》いたるより大《おお》きにちがうと云《い》うは、極楽《ごくらく》へまいりてのことなるべし。ここにて、ありがたや、とうとやと思《おも》うは、物《もの》の数《かず》にてもなきなり。かの土《ど》へ[384]生《う》まれての歓喜《かんぎ》は、こと（言）のは（葉）も有《あ》るべからず」と仰《おお》せられしと。

(250) 一　人《ひと》は、そらごと申《もう》さじと嗜《たしな》むを、随分《ずいぶん》とこそ思《おも》え、心《こころ》に偽《いつわ》りあらじと嗜《たしな》む人《ひと》は、さのみ多《おお》くはなき者《もの》なり。又《また》、よき事《こと》はならぬまでも、世間《せけん》・仏法《ぶっぽう》、ともに心《こころ》にかけ嗜《たしな》みたき事《こと》なりと云々《うんぬん》

(251) 一　前々住上人《ぜんぜんじゅうしょうにん》、仰《おお》せられ候《そうろ》う。「『安心決定鈔《あんじんけつじょうしょう》』のこと、四十余年《しじゅうよねん》が間《あいだ》、御覧候《ごらんそうら》えども、御覧《ごらん》じあかぬ」と仰《おお》せられ候《そうろ》う。又《また》、「金《こがね》をほり出《い》だすような聖教《しょうぎょう》なり」と仰《おお》せられ候《そうろ》う。

(252) 一　大坂殿《おおさかどの》にて、各《おの》おのへ対《たい》せられ、仰《おお》せられ候《そうろ》う。「此《こ》の間《あいだ》申《もう》ししことは、『安心決定鈔《あんじんけつじょうしょう》』のかたはしを仰《おお》せられ候《そうろ》う」由《よし》に候《そうろ》う。「然《しか》れば、当流《とうりゅう》の義《ぎ》は、『安心決定鈔《あんじんけつじょうしょう》』の儀《ぎ》、[385]くれぐれ肝《かん》要《よう》」と仰《おお》せられ候《そうろ》うと云々《うんぬん》

(253) 一　法敬《ほうきょう》、申《もう》され候《そうろ》う、「とうとむ人《ひと》より、とうとがる人《ひと》ぞとうとかりける」と。前々住上人《ぜんぜんじゅうしょうにん》、仰《おお》せられ候《そうろ》う、「面白《おもしろ》きことをいうよ。とうとむ体《てい》、殊勝《しゅしょう》ぶりする人《ひと》は、とうとくもなし。ただ有《あ》り難《がた》やと、とうとがる人《ひと》こそ、とうとけれ。面白《おもしろ》きことを云《い》うよ。もっとものことを申《もう》され候《そうろ》う」との仰《おお》せ事《ごと》に候《そうろ》うと云々《うんぬん》

(254) 一　文亀三《ぶんきさん》、正月十五日《しょうがつじゅうごにち》の夜《よ》、兼縁《けんえん》、夢《ゆめ》に云《い》わく、「前々住上人《ぜんぜんじゅうしょうにん》、兼縁《けんえん》へ御問《おんと》いありて、仰《おお》せ

られ候《そうろ》うよう、「いたずらにある事《こと》、あさましく思し召《おぼめ》し候《そうら》えば、稽古《けいこ》かたがた、せめて一巻《いっかん》の経《きょう》をも、日《ひ》に一度《いちど》、皆々寄《みなみなよ》り合《あ》いて、よみ申《もう》せ」と仰《おお》せられけり」と云々《うんぬん》　余《あま》りに、人《ひと》の、むなしく月《つき》日《ひ》を送《おく》り候《そうろ》うことを、悲《かな》しく思《おぼ》し召《め》し候《そうろ》う故《ゆえ》の義《ぎ》に候《そうろ》う。

(255)

一　同《おな》じく夢《ゆめ》に云《い》わく、「同《おな》じき年《とし》の極月二十八日《ごくげつにじゅうはちにち》の夜《よ》、前々住上人《ぜんぜんじゅうしょうにん》（蓮如）、御袈裟《おんけさ》・衣《ころも》にて、襖障子《ふすましょうじ》をあけられ、御出《おんい》で候《そうろ》う間《あいだ》、御法談聴聞申《ごほうだんちょうもんもう》すべき心《こころ》にて候《そうろ》う処《ところ》に、ついたち（衝立）障子《しょうじ》のような物《もの》に、『御文《おふみ》』の御詞《おんことば》、御入《おんい》れ候《そうろ》うをよみ申《もう》すを御覧《ごらん》じて、「それは何《なに》ぞ」と御尋《おんたず》ね候《そうろ》う間《あいだ》、「『御文《おふみ》』にて候《そうろ》う」由《よし》、申《もう》し上《あ》げ候《そうら》えば、「それこそ肝要《かんよう》。信仰《しんごう》してきけ」と仰《おお》せられけり」と云々《うんぬん》

(256)

一　同《おな》じく夢《ゆめ》に云《い》わく、「翌年極月二十九日《よくねんごくげつにじゅうくにち》、夜《よ》、前々住上人《ぜんぜんじゅうしょうにん》、仰《おお》せられ候《そうろ》うようは、「家《いえ》をば、能《よ》く作《つく》られて、[386]おかしくとも、信心《しんじん》をよくとり念仏申《ねんぶつもう》すべき」由《よし》、かたく仰《おお》せられ候《そうら》いけり」と云々《うんぬん》

(257)

一　同《おな》じく夢《ゆめ》に云《い》わく、近年《きんねん》、大永三《たいえいさん》、正月一日《しょうがつついたち》の夜《よ》の夢《ゆめ》に云《い》わく、「野村殿南殿《のむらどのみなみどの》にて、前々住《ぜんぜんじゅう》上人《しょうにん》、仰《おお》せに云《い》わく、仏法《ぶっぽう》のこと、色々仰《いろいろおお》せられ候《そうら》いて後《のち》、「田舎《いなか》には雑行雑修《ぞうぎょうざっしゅ》あるを、かたく申《もう》しつくべし」と仰《おお》せられ[387]候《そうら》いし」と云々《うんぬん》

(258)

一　同《おな》じく夢《ゆめ》に云《い》わく、大永六《たいえいろく》、正月五日《しょうがつついか》、夜《よ》、夢《ゆめ》に、「前々住上人《ぜんぜんじゅうしょうにん》、仰《おお》せられ候《そうろ》う。「一大事《いちだいじ》にて候《そうろ》う。今《いま》の時分《じぶん》が、よき時《とき》にて候《そうろ》う。ここをとりはずしては、一大事《いちだいじ》」と仰《おお》せられ候《そうろ》う。

「畏《かしこ》まりたり」と御《おん》うけ御申《おんもう》し候《そうら》えば、「ただ、その、388畏《かしこ》まりたりと云《い》うにては、389なり候《そうろ》うまじく候《そうろ》う。ただ一大事《いちだいじ》にて候《そうろ》う」由《よし》、仰《おお》せられ候《そうら》いし」と云々《うんぬん》　次《つぎ》の夜《よ》、夢《ゆめ》に云《い》わく、「蓮誓《れんせい》、仰《おお》せ候《そうろ》う。「吉崎前々住上人《よしざきぜんぜんじゅうしょうにん》に、当流《とうりゅう》の肝要《かんよう》のことを習《なら》い申《もう》し候《そうろ》う。一流《いちりゅう》の依用《えよう》なき聖教《しょうぎょう》やなんどを広《ひろ》くみて、御流《ごりゅう》をひがざま（僻様）にとりなし候《そうろ》うこと候《そうろ》う。幸《さいわ》いに、肝要《かんよう》を抜《ぬ》き候《そうろ》う聖教《しょうぎょう》候《そうろ》う。是《こ》れが、一流《いちりゅう》の秘極《ひごく》なりと、吉崎《よしざき》にて前々住上人《ぜんぜんじゅうしょうにん》に習《なら》い申《もう》し候《そうろ》う」と、蓮誓《れんせい》、仰《おお》せられ候《そうら》いし」と云々《うんぬん》　私《わたくし》に云《い》わく、夢等《ゆめとう》をしるすこと、前々住上人《ぜんぜんじゅうしょうにん》、世《よ》を去《さ》りたまえば、今《いま》はその一言《いちごん》をも大《たい》切《せつ》に存《ぞん》じ候《そうら》えば、かように夢《ゆめ》に入《い》りて仰《おお》せ候《そうろ》うことの、金言《きんげん》なること、まことの仰《おお》せとも存《ぞん》ずるまま、これをしるす者《もの》なり。誠《まこと》にこれは夢想《むそう》とも申《もう》すべき事《こと》どもにて候《そうろ》う。総別《そうべつ》、夢《ゆめ》は妄想《もうぞう》なり。さりながら、権者《ごんじゃ》のうえには、瑞夢《ずいむ》とてある事《こと》なり。猶以《なおもっ》て、かようの金言《きんげん》の390ことをばしるすべしと云々《うんぬん》

(259)
一「「391仏恩《ぶっとん》が」と申《もう》すは、聞《き》きにくく候《そうろ》う。聊爾《りょうじ》なり。「仏恩《ぶっとん》を有《あ》り難《がた》く存《ぞん》ず」と申《もう》せば、莫大《ばくだい》聞《き》きよく候《そうろ》う」由《よし》、仰《おお》せられ候《そうろ》うと云々《うんぬん》　「「『御文《おふみ》』が」と申《もう》すも、聊爾《りょうじ》なり。『御文《おふみ》』を聴聞申《ちょうもんもう》して、『御文《おふみ》』有《あ》り難《がた》し」と申《もう》してよき」由《よし》に候《そうろ》う。仏法《ぶっぽう》の方《かた》をば、いかほども尊敬申《そんきょうもう》すべき事《こと》と云々《うんぬん》

(260)
一「仏法《ぶっぽう》の讃嘆《さんだん》のとき、同行《どうぎょう》を「かたがた」と申《もう》すは、平外《へいがい》なり。「御方々《おんかたがた》」と申《もう》してよき」由《よし》、仰《おお》せごとと云々《うんぬん》

(261) 一　前々住上人《ぜんぜんじゅうしょうにん》(蓮如)、仰《おお》せられ候《そうろ》う。「家《いえ》をつくり候《そうろ》うとも、つぶり(頭)だにぬれずは、何《なに》ともかとも、つくるべし。万事《ばんじ》、過分《かぶん》なることを御《おん》きらい候《そうろ》う。衣装等《いしょうとう》にいたるまでも、よきものきん(着)と思《おも》うは、あさましき事《こと》なり。冥加《みょうが》を存《ぞん》じ、ただ仏法《ぶっぽう》を心《こころ》にかけよ」と仰《おお》せられ候《そうろ》う云々《うんぬん》

(262) 一　同《おな》じく仰《おお》せられ候《そうろ》う。「いかようの人《ひと》にて候《そうろ》うとも、仏法《ぶっぽう》の家《いえ》に奉公申《ほうこうもう》し候《そうら》わば、昨日《きのう》までは他宗《たしゅう》にて候《そうろ》うとも、今日《きょう》は、はや仏法《ぶっぽう》の御用《ごよう》とこころえべく候《そうろ》う。縦《たと》い、あきないをするとも、仏法《ぶっぽう》の御用《ごよう》と[392]こころえべき」と仰《おお》せられ候《そうろ》う。

(263) 一　同《おな》じく仰《おお》せに云《い》わく、「雨《あめ》もふり、又《また》、炎天《えんてん》の時分《じぶん》は、つとめ(勤)、ながながしく仕《つかまつ》り候《そうら》わで、はやく仕《つかまつ》りて、人《ひと》をたたせ候《そうろ》うが、よく候《そうろ》う」由《よし》、仰《おお》せられ候《そうろ》う。これも御慈悲《ごじひ》にて、人々《ひとびと》を御《おん》いたわり候《そうろ》う大慈大悲《だいじだいひ》の御《おん》あわれみに候《そうろ》う。常々《つねづね》の仰《おお》せには、「御身《おんみ》は、人《ひと》に御《おん》したがい候《そうら》いて、仏法《ぶっぽう》を御《おん》すすめ候《そうろ》う」と仰《おお》せられ候《そうろ》う。御門徒《ごもんと》の身《み》にて、御意《ぎょい》のごとくならざること、中々《なかなか》あさましき事《こと》ども、中々《なかなか》、申《もう》すも、ことおろかに候《そうろ》うとの儀《ぎ》に候《そうろ》う。

(264) 一　将軍家《しょうぐんけ》義尚《よしひさ》よりの義《ぎ》にて、加州一国《かしゅういっこく》の一揆《いっき》、御門徒《ごもんと》を、[393]はらいか(払刈)るべきとの義《ぎ》にて、加《か》州居住《しゅうきょじゅう》候《そうろ》う御兄弟衆《ごきょうだいしゅう》をも、[394]めしあげられ候《そうろ》う。そのとき、前々住上人《ぜんぜんじゅうしょうにん》、仰《おお》せられ候《そうろ》う。「加州《かしゅう》の衆《しゅう》を、門徒放《もんとはな》すべきと仰《おお》せ出《い》だされ候《そうろ》うこと、御身《おんみ》をきらるるよりもかなしく思《おぼ》し召《め》し候《そうろ》う。何事《なにごと》をもしらざる尼入道《あまにゅうどう》の類《たぐい》のことまで思《おぼ》し召《め》すは、何《なに》とも御迷惑《ごめいわく》、此《こ》の事《こと》に極《きわ》まる」由《よし》、仰《おお》せられ候《そうろ》う。御門徒《ごもんと》をやぶらるると申《もう》すことは、一段《いちだん》、善知識《ぜんじしき》の御《おん》うえにても、かなしく思《おぼ》し召《め》

し候《そうろ》う事《こと》に候《そうろ》う。

(265) 一　蓮如上人《れんにょしょうにん》、仰《おお》せられ候《そうろ》う。「御門徒衆《ごもんとしゅう》の、はじめて物《もの》をまいらせ候《そうろ》うを、他宗《たしゅう》に出《い》だし候《そうろ》う義《ぎ》、あしく候《そうろ》う。一度《いちど》も二度《にど》も受用《じゅよう》せしめ候《そうら》いて、出《い》だし候《そうら》いて、然《しか》るべき」[395]由《よし》、仰《おお》せられ候《そうろ》う。かくのごとくの子細《しさい》は、存《ぞん》じもよらぬ事《こと》にて候《そうろ》う。弥《いよ》いよ仏法《ぶっぽう》の御用《ごよう》・御恩《ごおん》を、おろそかに存《ぞん》ずべきことにてはなく候《そうろ》う。驚《おどろ》き入《い》り候《そうろ》うとの事《こと》に候《そうろ》う。

(266) 一　法敬坊《ほうきょうぼう》、大坂殿《おおざかどの》へ下《くだ》られ候《そうろ》うところに、前々住上人《ぜんぜんじゅうしょうにん》、仰《おお》せられ候《そうろ》う。「御往生候《ごおうじょうそうろ》うとも、十年《じゅうねん》はいく《(生)》べし」と仰《おお》せられ候《そうろ》う処《ところ》に、「なにか」と申《もう》され[396]けれども、おしかえし、「いくべし」と仰《おお》せられ候《そうろ》う処《ところ》[397]に、御往生《ごおうじょう》ありて、一年存命候《いちねんぞんめいそうろ》う処《ところ》に、法敬《ほうきょう》に、或人《あるひと》、仰《おお》せられ[398]候《そうろ》う。「前々住上人《ぜんぜんじゅうしょうにん》、仰《おお》せられ[399]候《そうろ》うは、あい申《もう》したるよ。その故《ゆえ》は、一年《いちねん》も存命候《ぞんめいそうろ》うは、命《いのち》を、前々《ぜんぜん》住上人《じゅうしょうにん》より御《おん》あたえ候《そうろ》う事《こと》にて候《そうろ》う」と仰《おお》せ候《そうら》えば、「誠《まこと》に、さにて御入《おんい》り候《そうろ》う」とて、手《て》をあわせ、ありがたき由《よし》を申《もう》され候《そうろ》う。それより後《のち》、前々住上人《ぜんぜんじゅうしょうにん》、仰《おお》せられ候《そうろ》うごとく、十年存命候《じゅうねんぞんめいそうろ》う。誠《まこと》に冥加《みょうが》に叶《かな》われ候《そうろ》う。不思議《ふしぎ》なる人《ひと》にて候《そうろ》う。

(267) 一　「[400]毎年《まいねん》、無用《むよう》なることを仕《つかまつ》り候《そうろ》う義《ぎ》、冥加《みょうが》なき」由《よし》、条々《じょうじょう》、いつも仰《おお》せられ候《そうろ》う由《よし》に候《そうろ》う。

(268) 一　蓮如上人《れんにょしょうにん》、「物《もの》をきこしめし候《そうろ》うにも、如来《にょらい》・聖人《しょうにん》の[401]御恩《ごおん》を御忘《おんわす》れなし」と仰《おお》せられ候《そうろ》う。「一口《ひとくち》きこしめしても、思《おぼ》し召《め》し出《い》だされ候《そうろ》う」由《よし》、仰《おお》せられ候《そうろ》うと云々《うんぬん》

(269) 一　御膳《ごぜん》を御覧《ごらん》じても、「人《ひと》のくわぬ飯《めし》を[402]くうべきことよと思《おぼ》し召《め》し候《そうろ》う」[403]由《よし》、仰《おお》せられ候《そうろ》う。「物《もの》をすぐにきこしめすことなし。ただ御恩《ごおん》のとうときことをのみ思《おぼ》し召《め》し候《そうろ》う」と[404]仰《おお》せ候《そうろ》うと云々《うんぬん》

(270) 一　[405]享禄二年十二月十八日《きょうろくにねんじゅうにがつじゅうはちにち》の夜《よ》、兼縁《けんえん》、夢《ゆめ》に、蓮如上人《れんにょしょうにん》、『御文《おふみ》』をあそばし下《くだ》され候《そうろ》う。その御詞《おんことば》に梅干《うめぼし》のたとえ候《そうろ》う。「梅干《うめぼし》のことをいえば、みな人《ひと》の口《くち》、一同《いちどう》にすし(酸)。一味《いちみ》の安心《あんじん》は、かように[406]かわるまじきなり。」[407]「同一念仏無別道故《どういつねんぶつむべつどうこ》」（論註）の心《こころ》にて候《そうら》いつるようにおぼえ候《そうろ》うと云々《うんぬん》

(271) 一「仏法《ぶっぽう》をすかざるがゆえに、嗜《たしな》み候《そうら》わず」と、空善《くうぜん》、申《もう》され候《そうら》えば、蓮如上人《れんにょしょうにん》、仰《おお》せられ候《そうろ》う。「それは、このまぬは、きらうにてはなきか」と仰《おお》せられ候《そうろ》うと云々《うんぬん》

(272) 一「不法《ふほう》の人《ひと》は、仏法《ぶっぽう》を違例《いれい》にする」と仰《おお》せられ候《そうろ》う。「仏法《ぶっぽう》の御讃嘆《ごさんだん》あれば、あらきづまり(気詰)や、とく(疾)はて(果)よかしと思《おも》うは、違例《いれい》にするにてはなきか」と仰《おお》せられ候《そうろ》うと云々《うんぬん》

(273) 一　[408]前住上人《ぜんじゅうしょうにん》（実如）、御病中《ごびょうちゅう》、正月二十四日《しょうがつにじゅうよっか》に仰《おお》せられ候《そうろ》う。「前々住《ぜんぜんじゅう》（蓮如）の、早々《そうそう》、われに、こい(来)と、左《ひだり》の[409]手《て》にて御《おん》まねき候《そうろ》う。あらありがたや」と、くりかえしくりかえし仰《おお》せられ候《そうら》いて、御念仏御申《おねんぶつおんもう》し候《そうろ》うほどに、各《おの》おの御心《おんこころ》たがい候《そうら》いて、かようにも仰《おお》せ候《そうろ》うと存《ぞん》じ候《そうら》えば、その義《ぎ》にてはなくして、御《おん》まどろみ候《そうろ》う御夢《おんゆめ》に御覧《ごらん》ぜられ候《そうろ》う由《よし》、仰《おお》せられ候《そうろ》う処《ところ》にて、みなみな安堵《あんど》候《そうら》いき。これ亦《また》あらたなる御事《おんこと》なりと云々《うんぬん》

(274) 一　同《おな》じき二十五日《にじゅうごにち》、兼誉《けんよ》・兼縁《けんえん》に対《たい》せられ、仰《おお》せられ候《そうろ》う。前々住上人《ぜんぜんじゅうしょうにん》（蓮如）、御世《おんせ》を譲《ゆず》りあそばされて以来《いらい》のことども、種々《しゅじゅ》仰《おお》せられ候《そうろ》う。御一身《ごいっしん》（実如）の御安心《ごあんじん》のとおり仰《おお》せられ[410]候《そうろ》う。

「一念《いちねん》に弥陀《みだ》をたのみ[411]御申《おんもう》して、往生《おうじょう》は一定《いちじょう》と思し召《おぼめ》され候《そうろ》う。それに付《つ》きて、[412]前住《ぜんじゅう》（蓮如）の御恩《ごおん》にて、今日《きょう》まで、われと思《おも》う心《こころ》をもち候《そうら》わぬが、うれしく候《そうろ》う」と仰《おお》せられ候《そうろ》う。誠《まこと》にありがたくも、又《また》は驚《おどろ》き入《い》り申《もう》し候《そうろ》う。我《われ》、人《ひと》、かように心得《こころえ》[413]申《もう》してこそ、他力《たりき》の信心決定《しんじんけつじょう》申《もう》したるにてはあるべく候《そうろ》う。弥《いよ》いよ[414]一大事《いちだいじ》まで、との義《ぎ》に候《そうろ》う。

(275) 一　『嘆徳《たんどく》の文《もん》』に「親鸞聖人《しんらんしょうにん》」と申《もう》せば、その恐《おそ》れある故《ゆえ》に、「祖師聖人《そししょうにん》」とよみ候《そうろ》う。又《また》、「開山聖人《かいさんしょうにん》」とよみ申《もう》すも、おそれ[415]を存《ぞん》ずる子細《しさい》にて御入《おんい》り候《そうろ》うと云々《うんぬん》

(276) 一　但《ただ》「聖人《しょうにん》」と、直《じき》に申《もう》せば聊爾《りょうじ》なり。「此《こ》の聖人《しょうにん》」と申《もう》すも聊爾《りょうじ》か。「開山《かいさん》」とは略《りゃく》しては申《もう》すべきかとの事《こと》に候《そうろ》う。ただ「開山聖人《かいさんしょうにん》」と申《もう》してよく[416]候《そうろ》う。

(277) 一　『嘆徳《たんどく》の文《もん》』に、[417]「以《もっ》て弘誓《ぐぜい》に託《たく》す」と申《もう》すことを、「以《もっ》て」を抜《ぬ》きてはよまず[418]候《そうろ》うと。

(278) 一　蓮如上人《れんにょしょうにん》、堺《さかい》の御坊《ごぼう》に御座《ござ》の時《とき》、兼誉御参《けんよおんまい》り候《そうろ》う。御堂《みどう》において、卓《しょく》の上《うえ》に『御文《おふみ》』をおかせられて、一人《いちにん》、二人《ににん》乃至《ないし》五人《ごにん》、十人《じゅうにん》、参《まい》られ候《そうろ》う人々《ひとびと》に[419]対《たい》してよませられ候《そうろ》う。その夜《よ》、蓮如上人《れんにょしょうにん》、御物語《おんものがたり》の時《とき》、仰《おお》せられ候《そうろ》う。「此《こ》の間《あいだ》、面白《おもしろ》き事《こと》を思《おも》い出《い》だして候《そうろ》う。常《つね》に『御文《おふみ》』を、一人《いちにん》なりとも来《き》たらん人《ひと》にも、よませてきかせば、有縁《うえん》の人《ひと》は信《しん》をとるべし。此《こ》の間《あいだ》、面白《おもしろ》き事《こと》を思案《しあん》し出《い》だしたる」と、くれぐれ仰《おお》せられ候《そうろ》う。さて、『御文《おふみ》』肝要《かんよう》の御事《おんこと》と、弥《いよ》いよしられ候《そうろ》うとの[420]事《こと》に候《そうろ》う。

(279) 一　「今生《こんじょう》の事《こと》を心《こころ》に入《い》るるほど、仏法《ぶっぽう》を[421]心《こころ》に入《い》れたき事《こと》にて候《そうろ》う」と、人《ひと》、申《もう》し候《そうら》えば、

「世間《せけん》に対様《たいよう》して申《もう》す事《こと》は、大様《おおよう》なり。ただ仏法《ぶっぽう》をふかくよろこぶべし」と云々《うんぬん》　又云《またい》わく、「一日一日《いちにちいちにち》に仏法《ぶっぽう》は[422]たしなみて候《そうろ》う。一期《いちご》とおもえば大儀《たいぎ》なり」と、人《ひと》、[423]申《もう》さる。又云《またい》わく、「大儀《たいぎ》なると思《おも》うは不足《ふそく》なり。[424]命《いのち》は、いかほどもながく候《そうら》いても、あ《（飽）》かずよろこぶべき事《こと》なり」と云々《うんぬん》

(280) 一　坊主《ぼうず》は、人《ひと》を[425]さえも勧化《かんけ》せられ候《そうろ》うに、[426]われを勧化《かんけ》せられぬは、あさましきことなりと云々《うんぬん》

(281) 一　道宗《どうしゅう》、前々住上人《ぜんぜんじゅうしょうにん》（蓮如）へ御文申《おふみもう》され候《そうら》えば、仰《おお》せられ候《そうろ》う。「文《ふみ》は、とりおとし候《そうろ》う事《こと》も候《そうろ》うほどに、ただ、心《こころ》に信《しん》をだにもとり候《そうら》えば、おとし候《そうら》わぬ」よし仰《おお》せられ候《そうら》いし。又《また》あくる年《とし》、あそばされて、下《くだ》され候《そうろ》う。

(282) 一　法敬坊《ほうきょうぼう》、申《もう》され候《そうろ》う。「仏法《ぶっぽう》をかたるに、志《こころざし》の人《ひと》を前《まえ》におきて語《かた》り候《そうら》えば、力《ちから》がありて申《もう》しよき」由《よし》、申《もう》され候《そうろ》う。

(283) 一　信《しん》もなくて、大事《だいじ》の聖教《しょうぎょう》を所持《しょじ》の人《ひと》は、おさなき者《もの》につるぎをもたせ候《そうろ》う様《よう》に思《おぼ》し召《め》し候《そうろ》う。その故《ゆえ》は、剣《つるぎ》は重宝《ちょうほう》なれども、おさなき者《もの》、もち候《そうら》えば、手《て》を切《き》り怪我《けが》をするなり。持《も》ちて能《よ》く候《そうろ》う人《ひと》は重宝《ちょうほう》になるなりと云々《うんぬん》

(284) 一　前々住上人《ぜんぜんじゅうしょうにん》、仰《おお》せられ候《そうろ》う。「ただいまなりとも、我《われ》、しねといわば、しぬる者《もの》は有《あ》るべく[427]候《そうろ》う、信《しん》をとる者《もの》はあるまじき」と仰《おお》せられ候《そうろ》うと云々《うんぬん》

(285) 一　前々住上人《ぜんぜんじゅうしょうにん》、大坂殿《おおざかどの》にて、各々《おのおの》に対《たい》せられて仰《おお》せられ候《そうろ》う。「一念《いちねん》に、凡夫《ぼんぶ》の、往生《おうじょう》をとぐることは、秘事《ひじ》・秘伝《ひでん》にてはなきか」と仰《おお》せられ[428]候《そうろ》う。

(286)一　御普請御造作《ごふしんごぞうさく》の時《とき》、法敬《ほうきょう》、申《もう》され候《そうろ》う。「なにも不思議《ふしぎ》に、[429]御眺望《ごちょうぼう》も御上手《ごじょうず》に御座候《ござそうろ》う」由《よし》、申《もう》され候《そうら》えば、前々住上人《ぜんぜんじゅうしょうにん》、仰《おお》せられ候《そうろ》う。「われは、猶《なお》、不思議《ふしぎ》なる事《こと》を知《し》る。凡夫《ぼんぶ》の、仏《ぶつ》に成《な》り候《そうろ》うことをしりたる」と仰《おお》せられ候《そうろ》うと。

(287)一　蓮如上人《れんにょしょうにん》、善従《ぜんじゅう》に御《おん》かけ(掛)[430]字《じ》あそばされて、下《くだ》され候《そうろ》う。その後《のち》、善《ぜん》に御尋《おんたず》ね候《そうろ》う。「已前《いぜん》書《か》きつかわし候《そうろ》う物《もの》をば、なにとしたる」と仰《おお》せられ候《そうろ》う。善《ぜん》、申《もう》され候《そうろ》う。「[431]表補衣《ひょうほえ》仕《つかまつ》り候《そうら》いて、箱《はこ》に入《い》れ、置《お》き申《もう》し候《そうろ》う」由《よし》、申《もう》され候《そうろ》う。その時《とき》、仰《おお》せられ候《そうろ》う。「それは、わけもなきことをしたるよ。不断《ふだん》[432]かけて、そのごとく心《こころ》ね[433]をなせよと[434]云《い》うことにてこそあれ」と[435]仰《おお》せられしと。

(288)一　同《おな》じく仰《おお》せに云《い》わく、「これの[436]内《うち》に居《い》て聴聞申《ちょうもんもう》す身《み》は、[437]とりはずしたらば、仏《ぶつ》に[438]なろうよ」と仰《おお》せられ候《そうろ》うと云々《うんぬん》　有《あ》り難《がた》き仰《おお》せに候《そうろ》う。

(289)一　[439]同《おな》じく仰《おお》せに云《い》わく、坊主衆等《ぼうずしゅうら》に対《たい》せられ、仰《おお》せられ候《そうろ》う。「坊主《ぼうず》と云《い》う者《もの》は大罪人《だいざいにん》なり」と仰《おお》せられ候《そうろ》う。その時《とき》、みなみな迷惑《めいわく》申《もう》され候《そうろ》う。さて、仰《おお》せられ候《そうろ》う。「罪《つみ》がふかければこそ、阿弥陀如来《あみだにょらい》は御《おん》たすけあれ」と仰《おお》せられ候《そうろ》うと云々《うんぬん》

(290)一　毎日毎日《まいにちまいにち》に、『御文《おふみ》』の御金言《ごきんげん》を聴聞《ちょうもん》させられ候《そうろ》うことは、宝《たから》を御《おん》[440]領《あずか》り候《そうろ》うことに候《そうろ》うと云々《うんぬん》

(291)一　開山聖人《かいさんしょうにん》の御代《ごだい》、高田《たかだ》の二代《にだい》顕智《けんち》、上洛《じょうらく》の時《とき》、申《もう》され候《そうろ》う。「今度《こんど》は、既《すで》に御目《おんめ》にかかる

まじきと存《ぞん》じ候《そうろ》う処《ところ》に、不思議《ふしぎ》に御目《おんめ》にかかり候《そうろ》う」と申《もう》され候《そうら》えば、「それは、いかに」と仰《おお》せられ候《そうろ》う。「舟路《ふなじ》に難風《なんぷう》にあい、迷惑仕《めいわくつかまつ》り候《そうろ》う」由《よし》、申《もう》され候《そうろ》う。聖人《しょうにん》、仰《おお》せられ候《そうろ》う。「それならば、船《ふね》にはのらるまじきものを」と仰《おお》せられ候《そうろ》う。その後《のち》、「御詞《おんことば》の末《すえ》にて候《そうろ》う」とて、一期《いちご》、舟《ふね》にのられず候《そうろ》う。又《また》、茸《くさびら》に酔《よ》い申《もう》され、御目《おんめ》に遅《おそ》くかかられ候《そうら》いし時《とき》も、「かくのごとく仰《おお》せられし」とて、一期《いちご》、受用《じゅよう》なく候《そうら》いしと云々《うんぬん》かように、仰《おお》せを信《しん》じちがえ申《もう》すまじきと存《ぞん》ぜられ候《そうろ》う事《こと》、誠《まこと》にありがたき殊勝《しゅしょう》の覚悟《かくご》との義《ぎ》に候《そうろ》う。

(292) 一　身《み》あたたかなれば、[441]ねぶりきざし候《そうろ》う。あさましきことなり。その覚悟《かくご》にて、身《み》をもすずしくもち、眠《ねぶ》りをさますべきなり。身《み》、随意《ずいい》なれば、仏法《ぶっぽう》・世法《せほう》ともにおこたり、無沙汰《ぶさた》・油断《ゆだん》あり。此《こ》の義《ぎ》、一大事《いちだいじ》なりと云々《うんぬん》

(293) 一　信《しん》をえたらば、同行《どうぎょう》に、あらく物《もの》も申《もう》すまじきなり。心《こころ》、和《やわ》らぐべきなり。触光柔軟《そっこうにゅうなん》の願《がん》あり。又《また》、信《しん》なければ、我《が》になりて、詞《ことば》もあらく、諍《あらそ》いも必《かなら》ず[442]出来《しゅったい》するなり。あさまし、あさまし。能《よ》く能《よ》くこころうべしと云々《うんぬん》

(294) 一　前々住上人《ぜんぜんじゅうしょうにん》（蓮如）、[443]北国《ほっこく》に、さる御門徒《ごもんと》の事《こと》を仰《おお》せられ候《そうろ》う。「何《なに》として、久《ひさ》しく上洛《しょうらく》なきぞ」と仰《おお》せられ候《そうろ》う。御前《ごぜん》の人《ひと》、申《もう》され候《そうろ》う。「さる御方《おんかた》の、御折檻候《ごせっかんそうろ》う」と申《もう》され候《そうろ》う。その時《とき》、御機嫌《ごきげん》、以《もっ》ての外《ほか》悪《あ》しく候《そうら》いて、仰《おお》せられ候《そうろ》う。「開山聖人《かいさんしょうにん》の御門徒《ごもんと》を、さようにいう者《もの》は、あるべからず。御身一人《おんみひとり》、聊爾《りょうじ》には思《おぼ》し召《め》さぬものを、なにたるものが[444]いうべきぞ」と。「とく（疾）と

くのぼれ」と、いえ」と仰《おお》せられ候《そうろ》うと云々《うんぬん》

(295) 一　[445]前々住上人《ぜんぜんじゅうしょうにん》、仰《おお》せられ候《そうろ》う。「御門徒衆《ごもんとしゅう》を、あしく申《もう》す事《こと》、ゆめゆめあるまじきなり。開山《かいさん》は、御同行《おんどうぎょう》・御同朋《おんどうぼう》と、御《おん》かしずき候《そうろ》うに、聊爾《りょうじ》に存《ぞん》ずるは、くせごと」の由《よし》、仰《おお》せられ候《そうろ》う。

(296) 一「開山聖人《かいさんしょうにん》の、一大事《いちだいじ》の御客人《おんきゃくじん》と申《もう》すは、御門徒衆《ごもんとしゅう》のことなり」と仰《おお》せられしと云々《うんぬん》

(297) 一　御門徒衆《ごもんとしゅう》、上洛候《しょうらくそうら》えば、前々住上人《ぜんぜんじゅうしょうにん》、仰《おお》せられ候《そうろ》う。寒天《かんてん》には、御酒《ごしゅ》等《とう》のかん(燗)をよく[446]させて、「路次《ろし》のさむさをも忘《わす》られ候《そうろ》う様《よう》に」と仰《おお》せられ候《そうろ》う。又《また》、炎天《えんてん》の時《とき》は、「酒《さけ》などひやせ」と仰《おお》せられ候《そうろ》う。御詞《おんことば》を[447]和《やわ》らげられ候《そうろ》う。又《また》、「御門徒《ごもんと》の上洛候《しょうらくそうろ》うを、遅《おそ》く申《もう》し入《い》れ候《そうろ》う事《こと》、くせごと」と仰《おお》せられ候《そうろ》う。「[448]御門徒衆《ごもんとしゅう》をまたせ、おそく対面《たいめん》すること、くせごと」の由《よし》、仰《おお》せられ候《そうろ》うと云々《うんぬん》

(298) 一　万事《ばんじ》に付《つ》けて、よき事《こと》を思《おも》い付《つ》けるは、御恩《ごおん》なり。[449]悪事《あくじ》だに思《おも》い[450]付《つ》きたるは、御恩《ごおん》なり。捨《す》つるも取《と》るも、何《いず》れも何《いず》れも御恩《ごおん》なりと云々《うんぬん》

(299) 一　前々住上人《ぜんぜんじゅうしょうにん》は、御門徒《ごもんと》の[451]進上《しんじょう》の物《もの》をば、御衣《おんころも》の下《した》にて御《おん》おがみ候《そうろ》う。又《また》、[452]仏物《ぶつもつ》と思《おぼ》し召《め》し候《そうら》えば、御自身《ごじしん》のめし物《もの》までも、御足《おんあし》にあたり候《そうら》えば、御《おん》いただき候《そうろ》う。「御門徒《ごもんと》の進上《しんじょう》の物《もの》、則《すなわ》ち聖人《しょうにん》よりの御《おん》あたえと思《おぼ》し召《め》し候《そうろ》う」と仰《おお》せられ[453]候《そうら》いしと云々《うんぬん》

(300) 一　仏法《ぶっぽう》には、[454]万事《ばんじ》、かなしきにも、かなわぬにつけても、何事《なにごと》に付《つ》けても、後生《ごしょう》のたすかるべきことを思《おも》え[455]よ。よろこびたきは仏恩《ぶっとん》なりと云々《うんぬん》

(301) 一　仏法者《ぶっぽうしゃ》になれ近付《ちかづ》きて、損《そん》は一《ひと》つもなし。何《なに》たるおかしきこと・狂言《きょうげん》[456]にも、是非《ぜひ》とも、心底《しんてい》には仏法《ぶっぽう》あるべしと思《おも》うほどに、わがかたに徳多《とくおお》きなりと云々《うんぬん》

(302) 一　蓮如上人《れんにょしょうにん》、[457]大権化《だいごんけ》の再誕《さいたん》ということ、その証多《しょうおお》し。前《まえ》にこれをしるせり。御詠歌《ごえいか》に、「かたみには　六字《ろくじ》の御名《みな》をのこしおく　なからんあとの　かたみともなれ」と候《そうろ》う。弥陀《みだ》の化身《けしん》とし
れ候《そうろ》う事《こと》、[458]歴然《れきぜん》と云々《うんぬん》

(303) 一　蓮如上人《れんにょしょうにん》、細々《さいさい》、御兄弟衆《ごきょうだいしゅう》等《ら》に御足《おんあし》を御《お》みせ候《そうろ》う。御《おん》わらじの緒《お》、くい入《い》り、きらりと御《おん》入《い》り候《そうろ》う。「かように、京《きょう》・田舎《いなか》、御自身《ごじしん》は、御辛労候《ごしんろうそうら》いて、仏法《ぶっぽう》を仰《おお》せひらかれ候《そうろ》う」由《よし》、仰《おお》せられ候《そうら》いしと云々《うんぬん》

(304) 一　同《おな》じく仰《おお》せに云《い》わく、「悪人《あくにん》のまねをすべきより、信心決定《しんじんけつじょう》の人《ひと》のまねをせよ」と仰《おお》せられ候《そうろ》う云々《うんぬん》

(305) 一　蓮如上人《れんにょしょうにん》、御病中《ごびょうちゅう》、大坂殿《おおざかどの》より御上洛《ごしょうらく》の時《とき》、明応八《めいおうはち》、二月十八日《にがつじゅうはちにち》、[459]さんばの浄賢《じょうけん》[460]の処《ところ》にて、前住上人《ぜんじゅうしょうにん》（実如）へ対《たい》し御申《おんもう》しなされ候《そうろ》う。「御一流《ごいちりゅう》の肝要《かんよう》をば、『御文《おふみ》』に委《くわ》しくあそばしとどめられ候《そうろ》う間《あいだ》、今《いま》は申《もう》しまぎらかす者《もの》もあるまじく候《そうろ》う。此《こ》の分《ぶん》を、よくよく御心得《おんこころえ》あり[461]て、御門徒中《ごもんとちゅう》へも仰《おお》せつけられ候《そうら》え」と御遺言《ごゆいごん》の由《よし》に候《そうろ》う。然《しか》れば、前住上人《ぜんじゅうしょうにん》の御安心《ごあんじん》も『御文《おふみ》』のごとく、又《また》、諸国《しょこく》の御門徒《ごもんと》も『御文《おふみ》』のごとく、信《しん》をえられよとの支証《ししょう》のために御判《ごはん》をなされ候《そうろ》う事《こと》と云々《うんぬん》

(306)　一　存覚《ぞんかく》は大勢至《だいせいし》の化身《けしん》なりと云々《うんぬん》　然《しか》るに、『六要《ろくよう》[462]抄《しょう》』には、[463]あるいは三心《さんしん》の字訓《じくん》そのほか、[464]「勘得《かんとく》せず」とあそばし、[465]「聖人《しょうにん》の宏才《こうざい》、仰《あお》ぐべし」と候《そうろ》う。権化《ごんけ》にて候《そうら》えども、聖人《しょうにん》の御作分《ごさくぶん》を、かくのごとくあそばし候《そうろ》う。誠《まこと》に聖意《しょうい》はかりがたきむねをあらわし、自力《じりき》をすてて他力《たりき》を仰《あお》ぐ[466]御本意《ごほんい》にも叶《かな》い申《もう》し候《そうろ》う物《もの》をや。かようのことが明《(名)》誉《よ》にて御入《おんい》り候《そうろ》うと云々《うんぬん》

(307)　一　註《ちゅう》を御《おん》あらわし候《そうろ》う事《こと》、御自身《ごじしん》の智解《ちげ》を御《おん》あらわし候《そうら》わんがためにてはなく候《そうろ》う。御《おん》ことばを褒美《ほうび》のため、仰崇《ぎょうそう》のためにて候《そうろ》うと云々《うんぬん》

(308)　一　存覚御辞世《ぞんかくごじせい》の御詠《ごえい》に云《い》わく、「今《いま》ははや　一夜《いちや》の夢《ゆめ》と　なりにけり　ゆききあまたの　かりのやどやど」　此《こ》の言《ごん》を、蓮如上人《れんにょしょうにん》、仰《おお》せられ候《そうろ》うと云々《うんぬん》　「さては釈迦《しゃか》の化身《けしん》なり。往来娑婆《おうらいしゃば》の心《こころ》なり」と云々《うんぬん》　「我《わ》が身《み》にかけてこころえば、六道輪回《ろくどうりんね》、めぐりめぐりて、今《いま》、臨終《りんじゅう》の夕《ゆう》べ、さとりをひらくべしという心《こころ》なり」と云々《うんぬん》

(309)　一　陽気《ようき》・陰気《いんき》とてあり。されば、陽気《ようき》を[467]うくる花《はな》は、はやくひらくなり。陰気《いんき》とて、日陰《ひかげ》の花《はな》は、おそくさくなり。かように、宿善《しゅくぜん》も遅速《ちそく》あり。されば、已今当《いこんとう》の往生《おうじょう》あり。弥陀《みだ》の光明《こうみょう》にあいて、はやくひらくる人《ひと》もあり。遅《おそ》くひらくる人《ひと》もあり。とにかくに、信《しん》・不信《ふしん》、ともに仏法《ぶっぽう》を心《こころ》に入《い》れて、聴聞申《ちょうもんもう》すべきなりと云々《うんぬん》　已今当《いこんとう》の事《こと》、前々住上人《ぜんぜんじゅうしょうにん》（蓮如）、仰《おお》せられ候《そうろ》うと云々《うんぬん》　「きのうあらわす人《ひと》もあり。きょうあらわす人《ひと》もあり。[468]あすあらわす人《ひと》もあり」と仰《おお》せられしと云々《うんぬん》

(310)　一　蓮如上人《れんにょしょうにん》、御[469]廊下《ごろうか》を御《おん》とおり候《そうら》いて、紙切《かみきれ》のおちて候《そうら》いつるを御覧《ごらん》ぜられ、「仏法領《ぶっぽうりょう》の物《もの》

を、あだ《（徒）》にするかや」と仰《おお》せられ、両《りょう》の御手《おんて》にて御《おん》いただき候《そうろ》うと云々《うんぬん》　総《そう》じて、かみのきれなんどのようなる物《もの》をも、[470]御用《ごよう》と、仏物《ぶつもつ》と思《おぼ》し召《め》し候《そうら》えば、あだに御沙汰《ごさた》なく[471]候《そうら》いしの由《よし》、[472]前住《ぜんじゅう》上人《しょうにん》（実如）、御物語《おんものがたり》候《そうら》いき。

(311) 一　蓮如上人《れんにょしょうにん》、近年《きんねん》、仰《おお》せられ候《そうろ》う[473]ことに候《そうろ》う、「御病中《ごびょうちゅう》に仰《おお》せられ候《そうろ》う事《こと》、何《なに》ごとも金言《きんげん》なり。心《こころ》をとめてきくべし」と仰《おお》せられ候《そうろ》うと云々《うんぬん》

(312) 一　御病中《ごびょうちゅう》に、慶聞《きょうもん》をめして仰《おお》せられ候《そうろ》う。「御身《おんみ》には不思議《ふしぎ》なることあるを、気《き》をとりなおして仰《おお》せらるべき」と仰《おお》せられ候《そうろ》うと云々《うんぬん》

(313) 一　蓮如上人《れんにょしょうにん》、仰《おお》せられ候《そうろ》う。「世間《せけん》・仏法《ぶっぽう》ともに、人《ひと》はかろがろとしたるが、よき」と仰《おお》せられ候《そうろ》う。黙《もく》したるものを御《おん》きらい候《そうろ》う。「物《もの》を申《もう》さぬが、わろき」と仰《おお》せられ候《そうろ》う。又《また》、[474]微言《びげん》に物《もの》を申《もう》すを、「わろし」と仰《おお》せられ候《そうろ》うと云々《うんぬん》

(314) 一　同《おな》じく仰《おお》せに云《い》わく、「仏法《ぶっぽう》と世体《せたい》とは、たしなみによる」と対句《ついく》に仰《おお》せられ候《そうろ》う。又《また》、「法《ほう》門《もん》と庭《にわ》の松《まつ》とは、いうにあがる」と、これも対句《ついく》に仰《おお》せられ候《そうろ》うと云々《うんぬん》

(315) 一　兼縁《けんえん》、堺《さかい》にて、蓮如上人御存生《れんにょしょうにんごぞんしょう》の時《とき》、背摺布《せずりぬの》を買得《ばいとく》ありければ、蓮如上人《れんにょしょうにん》、仰《おお》せられ候《そうろ》う。「かようの物《もの》は、我《わ》が方《かた》にもあるものを。無用《むよう》のかいごとよ」と仰《おお》せられ候《そうろ》う。兼縁《けんえん》、「自物《じもつ》にてとり申《もう》したる」と答《こた》え[475]御申《おんもう》し候《そうろ》う処《ところ》に、仰《おお》せられ候《そうろ》う。「それは、我《わ》が物《もの》か」と仰《おお》せられ候《そうろ》う。ことごとく仏物《ぶつもつ》、如来《にょらい》・聖人《しょうにん》の御用《ごよう》にもるることはあるまじく候《そうろ》う。

(316)一　蓮如上人《れんにょしょうにん》、[476]兼縁《けんえん》へ物《もの》を下《くだ》され候《そうろ》うを、「冥加《みょうが》なき」と[477]固辞《こじ》そうらいければ、仰《おお》せられ候《そうろ》う。「つかわされ候《そうろ》う物《もの》をば、ただ取《と》りて、信《しん》をよくとれ。信《しん》なくは冥加《みょうが》なきとて、[478]仏物《ぶつもつ》を受《う》けぬよう[479]なれども、それは曲《きょく》もなきことなり。我《わ》がするとおもうかとよ。みな御用《ごよう》なり。何事《なにごと》か御用《ごよう》にもるることや候《そうろ》うべき」と仰《おお》せられ候《そうろ》うと云々《うんぬん》

[480]右《みぎ》、合《あ》わせて三百 十六箇条《さんびゃくじゅうろっかじょう》なり。

蓮《れん》如《にょ》上《しょう》人《にん》御《ご》一《いち》代《だい》記《き》聞《きき》書《がき》[481]終

[482]本云
天正十三年（一五八五）四月十九日書㆑写之㆒者也

唯《ゆい》信《しん》鈔[1]《しょう》

安居院法印聖覚《あぐいほういんせいかく》作[2]《さく》

夫《そ》れ生死《しょうじ》をはなれ、仏道《ぶつどう》をならんとおもわんに、ふたつのみちあるべし。ひとつには聖道門《しょうどうもん》、ふたつには浄土門《じょうどもん》なり。

聖道門《しょうどうもん》というは、この娑婆世界《しゃばせかい》にありて、行《ぎょう》をたて功《こう》をつみて今生《こんじょう》に[3]①証《しょう》をとらんとはげむなり。いわゆる、真言《しんごん》をおこなうともがらは、即身《そくしん》に[4]②大覚《だいかく》のくらいにのぼらんとおもい、法華《ほっけ》をつとむるたぐいは、今生《こんじょう》に六根《ろっこん》の証《しょう》をえんとねがうなり。まことに教《きょう》の本意《ほんい》、しるべけれども、末法《まっぽう》にいたり濁世《じょくせ》におよびぬれば、現身《げんしん》にさとりをうること、億億《おくおく》の人《ひと》の中《なか》に一人《いちにん》もありがたし。これによりて、いまのよにこの門《もん》をつとむる人《ひと》は、[5]③即身《そくしん》の証《しょう》においては、みずから[6]④退屈《たいくつ》のこころをおこして、あるいは、はるかに[7]⑤慈尊《じそん》の[8]⑥下生《げしょう》を期《ご》して、五十六億七千万歳《ごじゅうろくおくしちせんまんざい》のあかつきのそらをのぞみ、

①**証をとらん**…さとりをひらくなり
②**大覚のくらい**…だいにちにょらい（大日如来）となるなり
③**即身の証**…このみ（身）にてさとりをひらくなり
④**退屈**…しりぞき　かがまる
⑤**慈尊**…みろく（弥勒）仏なり
⑥**下生**…とそつ（兜率）よりちゅうてんじく（中天竺）にくだりたまうなり　とうど（唐土）のにし（西）にあるくになり

あるいは、とおく[9]①後仏《ごぶつ》の出世《しゅっせ》をまちて、[10]②多生曠劫《たしょうこうごう》、③流転《るてん》[11][12]生死《しょうじ》のよるのくもにまどえり。あるいは、わずかに[13]④霊山《りょうぜん》・[14]⑤補陀落《ふだらく》の[15]⑥霊地《れいち》をねがい、あるいは、ふたたび⑦天上《てんじょう》・[16]⑧人間《にんげん》の[17]⑨小報《しょうほう》をのぞむ。結縁《けちえん》まことにとうとむべけれども、[18]⑩速証《そくしょう》すでにむなしきにたり。ねがうところ、なおこれ三界《さんがい》のうち、のぞむところ、また[19]⑪輪回《りんね》の報《ほう》なり。なにのゆえか、そこばくの行業《ぎょうごう》[20]⑫慧解《えげ》をめぐらして、この小報《しょうほう》をのぞまんや。まことにこれ[21]⑬大聖《だいしょう》をさること、とおきにより、[22]⑭理《り》ふかく、さとりすくなきがいたすところか。

ふたつに浄土門《じょうどもん》というは、今生《こんじょう》の行業《ぎょうごう》を回向《えこう》して、[23]⑮順次生《じゅんじしょう》に浄土《じょうど》にうまれて、浄土《じょうど》にして菩薩《ぼさつ》の行《ぎょう》を具足《ぐそく》して、仏《ぶつ》にならんと願《がん》ずるなり。この門《もん》は末代《まつだい》の[24]⑯機《き》にかなえり。まことにたくみなりとす。ただし、この門《もん》に、またふたつのすじ、わかれたり。ひとつには諸行往生《しょぎょうおうじょう》、ふたつには念《ねん》仏往生《ぶつおうじょう》なり。

諸行往生《しょぎょうおうじょう》というは、あるいは父母《ぶも》に孝養《きょうよう》し、あるいは⑰師長《しちょう》に[25]奉事《ぶじ》し、あるいは五戒《ごかい》・八戒《はっかい》をたもち、あるいは[26]⑱布施《ふせ》・忍辱《にんにく》を行《ぎょう》じ、[27]⑲乃至《ないし》[28]⑳三密《さんみつ》・[29]㉑一乗《いちじょう》の行《ぎょう》をめぐらして、浄土《じょうど》に往生《おうじょう》せんとねがうなり。これみな往生《おうじょう》をとげざるにあらず。一切《いっさい》の行《ぎょう》は、みなこれ浄土《じょうど》の行《ぎょう》なるがゆえに。ただこれは、[30]みずからの行《ぎょう》をはげみて往生《おうじょう》をねがうがゆえに、自力《じりき》の往生《おうじょう》となづく。行業《ぎょうごう》、もしおろそかならば、往生《おうじょう》とげがたし。かの阿弥陀仏《あみだぶつ》の本願《ほんがん》にあらず。摂取《せっしゅ》の㉒光明《こうみょう》のてらさざるところなり。

ふたつに念仏往生《ねんぶつおうじょう》というは、阿弥陀《あみだ》の名号《みょうごう》をとなえて往生《おうじょう》をねがうなり。これは、かの仏《ぶつ》の本《ほん》願《がん》に31㉓順《じゅん》ずるがゆえに、正定《しょうじょう》の業《ごう》となづく。ひとえに弥陀《みだ》の願力《がんりき》にひかるるがゆえに、他力《たりき》の往《おう》生《じょう》となづく。

そもそも名号《みょうごう》をとなうるは、なにのゆえに、かの仏《ぶつ》の本願《ほんがん》にかなうとはいうぞというに、そのことのおこりは、阿弥陀如来《あみだにょらい》、いまだ仏《ぶつ》になりたまわざりしむかし、法蔵比丘《ほうぞうびく》ともうしき。そのときに、仏《ぶつ》ましましき。世自在王仏《せじざいおうぶつ》ともうしき。法蔵比丘《ほうぞうびく》、すでに菩提心《ぼだいしん》をおこして、清浄《しょうじょう》の国土《こくど》をしめて、衆生《しゅじょう》を利益《りやく》せんとおぼして、仏《ぶつ》のみもとへまいりてもうしたまわく、「われすでに菩提心《ぼだいしん》をおこして、

①**後仏の出世**…のちのちのほとけの　よ（世）にいでたまうをいう
②**多生曠劫**…おおくたびたびうまる　はるかなるよ（世）をきわまりなし
③**流転生死**…ながれ　うつり　うまれ　しぬるなり
④**霊山**…りょうじゅせん（霊鷲山）はしゃか（釈迦）のましますところなり
⑤**補陀落**…かんのん（観音）のじょうど（浄土）なり
⑥**霊地**…すぐれてよきところという
⑦**天上**…かみさんがいてん（上三界天）なり
⑧**人間**…ひととうまるるをいう
⑨**小報**…ちいさきかほう（果報）ということなり
⑩**速証**…と（疾）く　さとりをひらくという
⑪**輪回**…めぐり　めぐる
⑫**慧解**…さとり　さとる
⑬**大聖**…しゃかにょらい（釈迦如来）なり
⑭**理ふかく**…ほうもん（法門）はふかしということなり
⑮**順次生**…このつぎにうまれんとなり
⑯**機**…しゅじょうなり
⑰**師長に奉事し**…しにつかえたてまつるなり
⑱**布施忍辱**…ひとにものをとらするをいう　しのびはずるをいう
⑲**乃至**…またものをいわんとおもうときいうことばなり
⑳**三密**…しんごん（真言）なり
㉑**一乗**…ほっけきょう（法華経）なり
㉒**光明**…あみだにょらい
㉓**順ずる**…したがうとなり

清浄《しょうじょう》の仏国《ぶっこく》をもうけんとおもう。ねがわくは、仏《ぶつ》、わがために、ひろく仏国《ぶっこく》を荘厳《しょうごん》する無量《むりょう》の妙行《みょうぎょう》をおしえたまえ」と。そのときに、世自在王仏《せじざいおうぶつ》、二百一十億《にひゃくいちじゅうおく》の諸仏《しょぶつ》の浄土《じょうど》の人天《にんでん》の善悪《ぜんあく》、国土《こくど》の①麁妙《そみょう》を、ことごとくこれをとき、ことごとくこれを現《げん》じたまいき。法蔵比丘《ほうぞうびく》、これをきき、これをみて、悪《あく》をえらびて善《ぜん》をとり、②麁《そ》をすてて③妙《みょう》をねがう。たとえば、三悪道《さんあくどう》ある国土《こくど》をば、これをえらびてとらず。三悪道《さんあくどう》なき世界《せかい》をば、これをねがいてすなわちとる。[32]④自余《じよ》の願《がん》も、これになずらえてこころをうべし。このゆえに、二百一十億《にひゃくいちじゅうおく》の諸仏《しょぶつ》の浄土《じょうど》の中《なか》より、すぐれたることをえらびとりて、極楽世界《ごくらくせかい》を[33]⑤建立《こんりゅう》したまえり。たとえば、やなぎのえだに、さくらのはなをさかせ、[34]ふたみのうらに、[35]きよみがせきをならべたらんがごとし。これをえらぶこと、一期《いちご》の案《あん》にあらず。五劫《ごこう》のあいだ思惟《しゆい》したまえり。かくのごとく、[36]⑥微妙厳浄《みみょうごんじょう》の国土《こくど》をもうけんと願《がん》じて、かさねて思《し》惟《ゆい》したまわく、国土《こくど》をもうくることは、衆生《しゅじょう》をみちびかんがためなり。国土《こくど》たえなりというとも、衆生《しゅじょう》うまれがたくは、大悲大願《だいひだいがん》の[37]⑦意趣《いしゅ》にたがいなんとす。これによりて、往生極楽《おうじょうごくらく》の⑧別《べつ》[38]因《いん》をさだめんとするに、一切《いっさい》の行《ぎょう》みなたやすからず。孝養父母《きょうようぶも》をとらんとすれば、不孝《ふきょう》のものはうまるべからず。[39]⑨読誦大乗《どくじゅだいじょう》をもちいんとすれば、文句《もんく》をしらざるものはのぞみがたし。[40]⑩布施《ふせ》・持戒《じかい》を因《いん》とさだめんとすれば、[41]⑪慳貪《けんどん》・破戒《はかい》のともがらはもれなんとす。[42]⑫忍辱《にんにく》・精進《しょうじん》を⑬業《ごう》とせんとすれば、[43]⑭瞋《しん》恚《に》・懈怠《けだい》のたぐいはすてられぬべし。余《よ》の一切《いっさい》の行《ぎょう》、みなまた、かくのごとし。これによりて、一《いっ》切《さい》の善悪《ぜんあく》の凡夫《ぼんぶ》、ひとしくうまれ、ともにねがわしめんがために、ただ阿弥陀《あみだ》の三字《さんじ》の名号《みょうごう》をとなえんを、往生極楽《おうじょうごくらく》の⑮別因《べついん》とせんと、五劫《ごこう》のあいだ、ふかくこのことを思惟《しゆい》しおわりて、まず第十七《だいじゅうしち》に諸仏《しょぶつ》にわが名字《みょうじ》を[44]⑯称揚《しょうよう》せられんという願《がん》をおこしたまえり。この願《がん》、ふかくこれをこころうべし。名号《みょうごう》をもって、あまねく衆生《しゅじょう》をみちびかんとおぼしめすゆえに、かつがつ名号《みょうごう》をほめられんとちかいたまえるなり。しからずは、仏《ぶつ》の御《おん》こころに[45]⑰名誉《めいよ》をねがうべからず。諸仏《しょぶつ》にほめられて、なにの要《よう》かあらん。

[46]「如来尊号甚分明《にょらいそんごうじんぶんみょう》　十方世界普流行《じっぽうせかいふるぎょう》　但有称名皆得往《たんうしょうみょうかいとくおう》　観音勢至自来迎《かんのんせいしじらいこう》」（五会法事讃）

といえる、このこころか。

さて、つぎに第十八《だいじゅうはち》に念仏往生《ねんぶつおうじょう》の願《がん》をおこして、十念《じゅうねん》のものをもみちびかんとのたまえり。まことにつらつらこれをおもうに、この願《がん》、はなはだ[47]⑱弘深《ぐじん》なり。名号《みょうごう》は、わずかに三字《さんじ》なれば、[48]⑲盤《はん》

①**麁**…あらし
②**麁**…あらく　わるきなり
③**妙**…たえに　よきこと
④**自余の願**…のこりのがん（願）をえらびとること　かくのごとしということばなり
⑤**建立**…つくり　たつるという
⑥**微妙厳浄**…よく　よき　かざり　きよしとなり
⑦**意趣**…こころのおもむき
⑧⑮**別因**…べつのたね
⑨**読誦大乗**…きょう（経）をよむをいうなり
⑩**布施**…ひとにものをとらせ
⑪**慳貪**…おしむ　むさぼる
⑫**忍辱精進**…しのぶるこころなり　もっぱらすすむ
⑬**業**…なりわい
⑭**瞋恚懈怠**…おも（面）のいかりこころのいかり　おこたるこころなり
⑯**称揚**…となえられ　ほめられんという
⑰**名誉**…ほめらるるなり
⑱**弘深**…ひろく　ふかしとなり
⑲**盤特**…ほとけのみでし（御弟子）なり　ぐちのひとなりき

特《どく》がともがらなりともたもちやすく、これをとなうるに、49①行住座臥《ぎょうじゅうざが》をえらばず、50②時処諸縁《じしょしょえん》をきらわず、51③在家《ざいけ》・出家《しゅっけ》、52④若男《にゃくなん》・若女《にゃくにょ》、53⑤老《ろう》・少《しょう》、善《ぜん》・悪《あく》の人《ひと》をもわかず、なに人《びと》か、これにもれん。

54「彼仏因中立弘誓《ひぶついんちゅうりゅうぐぜい》　55聞名念我総迎来《もんみょうねんがそうこうらい》　不簡貧窮将富貴《ふけんびんぐしょうふき》　不簡下智与高才《ふけんげちよこうざい》
不簡多聞持浄戒《ふけんたもんじじょうかい》　不簡破戒罪根深《ふけんはかいざいこんじん》　但使回心多念仏《たんしえしんたねんぶつ》　能令瓦礫変成金《のうりょうがりゃくへんじょうこん》」（五会法事讃）

このこころか。これを念仏往生《ねんぶつおうじょう》とす。

龍樹菩薩《りゅうじゅぼさつ》の『十住毘婆沙論《じゅうじゅうびばしゃろん》』の中《なか》に、56「仏道《ぶつどう》を行《ぎょう》ずるに難行道《なんぎょうどう》・易行道《いぎょうどう》あり。難行道《なんぎょうどう》というは、57⑥陸路《ろくろ》をかち《（徒）》よりゆかんがごとし。易行道《いぎょうどう》というは、海路《かいろ》に順風《じゅんぷう》をえたるがごとし。難行道《なんぎょうどう》というは、五濁世《ごじょくせ》にありて、不退《ふたい》のくらいにかなわんとおもうなり。易行道《いぎょうどう》というは、ただ仏《ぶつ》を信《しん》ずる因縁《いんねん》のゆえに、浄土《じょうど》に往生《おうじょう》するなり」といえり。難行道《なんぎょうどう》というは、聖道門《しょうどうもん》なり。易行道《いぎょうどう》というは、浄土門《じょうどもん》なり。わたくしにいわく、浄土門《じょうどもん》にいりて諸行往生《しょぎょうおうじょう》を58つとむる人《ひと》は、⑦海路《かいろ》にふねにのりながら順風《じゅんぷう》をえず、ろ《（櫓）》をおし、ちからをいれて、しおじ《（潮路）》をさかのぼり、なみまをわくるにたとうべきか。

59つぎに念仏往生《ねんぶつおうじょう》の門《もん》につきて、専修《せんじゅ》・雑修《ざっしゅ》の二行《にぎょう》わかれたり。専修《せんじゅ》というは、極楽《ごくらく》をねがうこころをおこし、本願《ほんがん》をたのむ信《しん》をおこすより、ただ念仏《ねんぶつ》の一行《いちぎょう》をつとめて、まったく余行《よぎょう》をまじえざるなり。他《た》の経《きょう》・⑧呪《しゅ》をも、たもたず、余《よ》の仏《ぶつ》・菩薩《ぼさつ》をも念《ねん》ぜず、ただ弥陀《みだ》の名号《みょうごう》をとなえ、ひとえに弥陀一仏《みだいちぶつ》を念《ねん》ずる、これを専修《せんじゅ》となづく。雑修《ざっしゅ》というは、念仏《ねんぶつ》をむねとすといえども、また余《よ》の行《ぎょう》をもならべ、他《た》の善《ぜん》をもかねたるなり。このふたつの中《なか》には、専修《せんじゅ》をすぐれたりとす。

そのゆえは、すでにひとえに極楽《ごくらく》をねがう。かの土《ど》の教主《きょうしゅ》を念《ねん》ぜんほか、なにのゆえか他事《たじ》をまじえん。60⑨電光朝露《でんこうちょうろ》のいのち、61⑩芭蕉泡沫《ばしょうほうまつ》の身《み》、わずかに一世《いっせ》の勤修《ごんしゅ》をもちて、たちまちに五趣《ごしゅ》の62⑪古郷《こきょう》をはなれんとす。あに、ゆるく諸行《しょぎょう》をかねんや。諸仏《しょぶつ》・菩薩《ぼさつ》の結縁《けちえん》は、⑫随心供仏《ずいしんくぶつ》のあしたを期《ご》すべし。大小経《だいしょうきょう》⑬典《でん》の63⑭義理《ぎり》は、64⑮百法明門《ひゃっぽうみょうもん》のゆうべをまつべし。65⑯一土《いちど》をねがい66⑰一仏《いちぶつ》を念《ねん》ずるほかは、その用《よう》あるべからずというなり。念仏《ねんぶつ》の門《もん》にいりながら、なお余行《よぎょう》をかねたる人《ひと》は、そのこころをたずぬるに、おのおの67⑱本業《ほんごう》を執《しゅう》してすてがたくおもうなり。あるいは、68⑲一乗《いちじょう》をたもち69⑳三密《みつ》を行《ぎょう》ずる人《ひと》、おのおのその行《ぎょう》を回向《えこう》して浄土《じょうど》をねがわんとおもうこころをあらためず、念仏《ねんぶつ》にならべて、これをつとむるに、なにのとがかあらんとおもうなり。ただちに本願《ほんがん》に70㉑順《じゅん》ずる易行《いぎょう》の

①**行住座臥**…あるく　た(立)たる　い(居)る　ふす
②**時処諸縁**…とき　ところ　よろずのことなり
③**在家出家**…おとこ　おんな　そう(僧)　あま(尼)
④**若男若女**…わかきおとこ　わかきおんな
⑤**老少**…おいたる　おさなき
⑥**陸路**…くがみち
⑦**海路**…うみのみち
⑧**呪**…だらに(陀羅尼)なり
⑨**電光朝露**…いなびかり　あしたのつゆ
⑩**芭蕉泡沫**…くさのな(名)なり　みずのあわ
⑪**古郷**…ふるさと
⑫**随心供仏**…こころにしたがいて　ほとけはくよう(供養)すという
⑬**典**…ふみ
⑭**義理**…ほうもん(法門)のさた(沙汰)をするをいう
⑮**百法明門**…よろずのほうという
⑯**一土**…ごくらくなり
⑰**一仏**…あみだほとけなり
⑱**本業**…もとせしことをいうなり
⑲**一乗**…ほっけきょう(法華経)なり
⑳**三密**…しんごんしゅう(真言宗)なり
㉑**順ぜる**…したがう

念仏《ねんぶつ》をつとめずして、なお、本願《ほんがん》にえらばれし諸行《しょぎょう》をならべんことのよしなきなり。これによりて、善導和尚《ぜんどうかしょう》ののたまわく、[71]「専《せん》をすて雑《ぞう》におもむくものは、千《せん》の中《なか》に一人《いちにん》もうまれず。もし専修《せんじゅ》のものは、百《ひゃく》に百《ひゃく》ながらうまれ、千《せん》に千《せん》ながらうまる」（往生礼讃）といえり。

[72]「極楽無為涅槃界《ごくらくむいねはんがい》　随縁雑善恐難生《ずいえんぞうぜんくなんしょう》　故使如来選要法《こしにょらいせんようほう》　教念弥陀専復専《きょうねんみだせんぶせん》」（法事讃）

といえり。随縁《ずいえん》の雑善《ぞうぜん》ときらえるは、[73]本業《ほんごう》を執《しゅう》するこころなり。たとえば、みやづかえをせんに、主君《しゅくん》にちかづき、これをたのみてひとすじに忠節《ちゅうせつ》をつくすべきに、まさしき主君《しゅくん》にしたしみながら、かねてまた、うとくとおき人《ひと》にこころざしをつくして、この人《ひと》、主君《しゅくん》にあいて、よきさまにいわんことを、もとめんがごとし。ただちにつかえたらんと、[74]①勝劣《しょうれつ》あらわにしりぬべし。[75]②二心《にしん》あると一心《いっしん》なると、天地《てんち》はるかにことなるべし。

これにつきて、人《ひと》うたがいを[76]なさで、「たとえば人《ひと》ありて念仏《ねんぶつ》の行《ぎょう》をたてて、[77]毎日《まいにち》に一万遍《いちまんべん》をとなえて、そのほかは、ひめもす（終日）にあそびくらし、よもすがらねぶり（眠）おらんと、またおなじく一万《いちまん》をもうして、そののち経《きょう》をもよみ余仏《よぶつ》をも念《ねん》ぜんと、いずれかすぐれたるべき。『法華《ほっけ》』に、[78]「[79]③即往安《そくおうあん》楽《らく》」の文《もん》あり。これをよまんに、あそびたわぶれにおなじからんや。[80]『薬師《やくし》』には、八菩薩《はちぼさつ》の引導《いんどう》あり。これを念《ねん》ぜんは、むなしくねぶらんにになるべからず。かれを専修《せんじゅ》とほめ、これを雑修《ざっしゅ》ときらわんこと、いまだそのこころをえず」と。いままたこれを案《あん》ずるに、なお専修《せんじゅ》をすぐれたりとす。そのゆえは、もとより濁世《じょくせ》の凡夫《ぼんぶ》なり。ことにふれてさわりおおし。弥陀《みだ》、これをかがみ（鑑）て易行《いぎょう》の道《どう》をおしえたまえり。ひめもすにあそびたわぶるるは、[81]④散乱増《さんらんぞう》のものなり。よもすがらねぶるるは、[82]⑤睡眠増《すいめんぞう》のものなり。これみな煩悩《ぼんのう》の所為《しょい》なり。たちがたく[83]⑥伏《ぶく》しがたし。あそびやまば念仏《ねんぶつ》をとなえ、ねぶりさめば本願《ほんがん》をおもいいずべし。専修《せんじゅ》の行《ぎょう》にそむかず。一万遍《いちまんべん》をとなえて、そののちに⑦他経《たきょう》・他仏《たぶつ》を[84]⑧持念《じねん》せんは、うちきくところたくみなれども、念仏《ねんぶつ》、たれか一万遍《いちまんべん》にかぎれとさだめし。[85]⑨精進《しょうじん》の機《き》ならば、ひめもすにとなうべし。[86]⑩念珠《ねんじゅ》をとらば、弥陀《みだ》の名号《みょうごう》をとなうべし。本尊《ほんぞん》にむかわば、弥陀《みだ》の形像《ぎょうぞう》にむかうべし。ただちに弥陀《みだ》の来迎《らいこう》をまつべし。なにのゆえか、八菩薩《はちぼさつ》の[87]⑪示路《じろ》をまたん。もっぱら本願《ほんがん》の引導《いんどう》をたのむべし。わずらわしく、一乗《いちじょう》の功能《くのう》をかるべからず。行者《ぎょうじゃ》の根性《こんじょう》に上《じょう》・中《ちゅう》・下《げ》あり。上根《じょうこん》のものは、よもすがら、ひぐらし、念仏《ねんぶつ》をもうすべし。なにのいとまにか、余仏《よぶつ》を念《ねん》ぜん。ふかくこれをおもうべし。みだりがわしくうたがうべからず。

つぎに、念仏《ねんぶつ》をもうさんには、三心《さんじん》を具《ぐ》すべし。ただ名号《みょうごう》をとなうることは、たれの人《ひと》か一念《いちねん》・十念《じゅうねん》の功《こう》をそなえざる。しかはあれども、往生《おうじょう》するものは、きわめてまれなり。これすなわち三心《さんじん》

①**勝劣**…まさる おとる
②**二心**…ふたごころ
③**即往安楽**…すなわちあんらくにゆくと
④**散乱増**…こころのちりみだるという
⑤**睡眠増**…ねぶ(眠)るという
⑥**伏**…したがうるなり
⑦**他経他仏**…ことよ(異余)のきょう(経) ことほとけ(異仏)を
⑧**持念**…たもち おもう
⑨**精進**…このみ すすむ
⑩**念珠**…ずず(数珠)なり
⑪**示路**…みちしるべなり

を具《ぐ》せざるによりてなり。『観無量寿経《かんむりょうじゅきょう》』にいわく、[88]「①具三心者《ぐさんじんしゃ》　必生彼国《ひっしょうひこく》」といえり。善導《ぜんどう》の『釈《しゃく》』（往生礼讃）にいわく、[89]「②具此三心《ぐしさんじん》　必得往生也《ひっとくおうじょうや》　③若少一心《にゃくしょういっしん》　即不得生《そくふとくしょう》」といえり。三心《さんじん》の中《なか》に一心《いっしん》かけぬれば、うまるることをえずという。よの中《なか》に弥陀《みだ》の名号《みょうごう》をとなうる人《ひと》おおけれども、往生《おうじょう》する人《ひと》のかたき《（難）》は、この三心《さんじん》を具《ぐ》せざるゆえなりとこころうべし。

その三心《さんじん》というは、ひとつには至誠心《しじょうしん》、これすなわち真実《しんじつ》のこころなり。おおよそ、仏道《ぶつどう》にいるには、まずまことのこころをおこすべし。そのこころ、まことならずは、そのみちすすみがたし。阿《あ》弥陀仏《みだぶつ》の、むかし菩薩《ぼさつ》の行《ぎょう》をたて、浄土《じょうど》をもうけたまいしも、ひとえにまことのこころをおこしたまいき。これによりて、かのくににうまれんとおもわんも、またまことのこころをおこすべし。その真実心《しんじつしん》というは、不真実《ふしんじつ》のこころをすて、真実《しんじつ》のこころをあらわすべし。まことにふかく浄土《じょうど》をねがうこころなきを、人《ひと》におう《（遇）》ては、ふかくねがうよしをいい、内心《ないしん》にはふかく今生《こんじょう》の名利《みょうり》に[90]④著《じゃく》しながら、[91]⑤外相《げそう》にはよ《（世）》をいとうよしをもてなし、ほかには善心《ぜんしん》あり、とうときよしをあらわして、うちには不善《ふぜん》のこころもあり、[92]⑥放逸《ほういつ》のこころもあるなり。これを虚仮《こけ》のこころとなづけて、真実心《しんじつしん》にたがえる相《そう》とす。これをひるがえして、真実心《しんじつしん》をば、こころえつべし。このこころをあしくこころえたる人《ひと》は、よろずのこと、ありのままならずは、虚仮《こけ》になりなんずとて、みにとりて、はばかるべく、はじがましきことをも、人《ひと》にあらわしして、かえりて放逸《ほういつ》[93]⑦無慚《むざん》のとがをまねかんとす。いま真《しん》実心《じっしん》というは、浄土《じょうど》をもとめ穢土《えど》をいとい、仏《ぶつ》の願《がん》を信《しん》ずること、真実《しんじつ》のこころにてあるべしとなり。かならずしも、はじをあらわにし、とがをしめせとにはあらず。ことにより、おりにしたがいてふかく[94]⑧斟酌《しんしゃく》すべし。善導《ぜんどう》の『釈《しゃく》』（散善義）にいわく、[95]「外《ほか》に賢善《げんぜん》精進《しょうじん》の相《そう》を現《げん》ずることを得《え》ざれと。内《うち》に虚仮《こけ》を懐《いだ》ければなり」といえり。

ふたつに深心《じんしん》というは、信心《しんじん》なり。まず信心《しんじん》の相《そう》をしるべし。信心《しんじん》というは、ふかく人《ひと》のことばをたのみて、うたがわざるなり。たとえば、わがために、いかにも、はらぐろかるまじく、ふかくたのみたる人《ひと》の、まのあたり、よくよくみたらんところをおしえんに、「そのところには、やまあり。かしこには、かわあり」といいたらんを、ふかくたのみて、そのことばを信《しん》じてんのち、また人《ひと》ありて、「それはひがごとなり。やまなし、かわなし」というとも、いかにも、そらごとすまじき人《ひと》のいいてしことなれば、のちに百千人《ひゃくせんにん》のいわんことをばもちいず、もとききしことをふかくたのむ。これを信心《しんじん》というなり。いま、釈迦《しゃか》の所説《しょせつ》を信《しん》じ、弥陀《みだ》の誓願《せいがん》を信《しん》じて、ふたごころなきこと、またかくのごとくなるべし。いまこの信心《しんじん》につきてふたつあり。ひとつにはわがみは罪悪生死《ざいあくしょうじ》の凡夫《ぼんぶ》、曠劫《こうごう》よ

①具三心者　必生彼国…みつのこころをぐ（具）するもの　かならずかのごくらくにうまるというなり
②具此三心　必得往生也…このみつのこころをぐ（具）すれば　かならずうまるるなり
③若少一心　即不得生…もししんじん（信心）か（欠）けぬれば　すなわちうまれずというなり

④著し…くるわさる
⑤外相…うえのふるまい
⑥放逸…ほしきままにふるまうというなり　おもうさまなり
⑦無慚…はじなし
⑧斟酌…はからうこころなり

りこのかた、つねにしずみ、つねに96①流転《るてん》して、97②出離《しゅつり》の縁《えん》あることなしと信《しん》ず。ふたつには決定《けつじょう》してふかく阿弥陀仏《あみだぶつ》の四十八願《しじゅうはちがん》、衆生《しゅじょう》を摂取《せっしゅ》したまうことを、うたがわざれば、かの願力《がんりき》にのりて、さだめて往生《おうじょう》することをう(得)と信《しん》ずるなり。

よ(世)の人《ひと》つねにいわく、「仏《ぶつ》の願《がん》を信《しん》ぜざるにはあらざれども、わがみのほどをはからうに、罪障《ざいしょう》のつもれることはおおく、善心《ぜんしん》のおこることはすくなし。こころ、つねに98散乱《さんらん》して一心《いっしん》をうることかたし(難)。身《み》、とこしなえに懈怠《けだい》にして精進《しょうじん》なることなし。仏《ぶつ》の願《がん》ふかしというとも、いかでかこのみをむかえたまわん」と。このおもい、まことにかしこきににたり。99憍慢《きょうまん》をおこさず100③高貢《こうこ》のこころなし。しかはあれども、仏《ぶつ》の不思議力《ふしぎりき》をうたがうとが(咎)あり。仏《ぶつ》いかばかりのちからましますとしりてか、罪悪《ざいあく》のみ(身)なれば、すくわれがたしとおもうべき。五逆《ごぎゃく》の罪人《ざいにん》すら、なお十念《じゅうねん》のゆえに、ふかく刹那《せつな》のあいだに往生《おうじょう》をとぐ。いわんやつみ五逆《ごぎゃく》にいたらず、功十念《こうじゅうねん》にすぎたらんをや。つみふかくは、いよいよ極楽《ごくらく》をねがうべし。101④「不簡破戒罪根深《ふけんはかいざいこんじん》」(五会法事讃)といえり。善《ぜん》すくなくは、ますます弥陀《みだ》を念《ねん》ずべし。102「三念五念仏来迎《さんねんごねんぶつらいこう》」(法事讃)とのべたり。むなしくみを103⑤卑下《ひげ》し、こころを104⑥怯弱《こうにゃく》にして、仏智不思議《ぶっちふしぎ》をうたがうことなかれ。たとえば人《ひと》ありて、たかききしのしもにありて、のぼることあたわざらんに、ちからつよき人《ひと》、きしのうえにありて、つなをおろして、このつなにとりつかせて、「われ、きしのうえにひきのぼせん」といわんに、ひく人《ひと》のちからをうたがい、つなのよわからんことをあやぶみて、てをおさめて、これをとらずは、さらにきしのうえにのぼること、うべからず。ひとえにそのことばにしたごうて、たなごころをのべて、これをとらんには、すなわちのぼることをうべし。仏力《ぶつりき》をうたがい、願力《がんりき》をたのまざる人《ひと》は、菩提《ぼだい》のきしにのぼることかた(難)し。ただ信心《しんじん》のてをのべて、誓願《せいがん》のつなをとるべし。仏力無窮《ぶつりきむぐう》なり、105罪障深重《ざいしょうじんじゅう》のみ(身)をおもしとせず。仏智《ぶっち》無辺《むへん》なり、106散乱《さんらん》⑦放逸《ほういつ》のものをもすつることなし。信心《しんじん》を要《よう》とす。そのほかをばかえりみざるなり。信心決定《しんじんけつじょう》しぬれば、三心《さんじん》おのずからそなわる。本願《ほんがん》を信《しん》ずることまことなれば、⑧虚仮《こけ》のこころなし。浄土《じょうど》まつことうたがいなければ、回向《えこう》のおもいあり。このゆえに、三心《さんじん》ことなるににたれども、みな信心《しんじん》にそなわれるなり。

みつには回向発願心《えこうほつがんしん》というは、な(名)のなかに、その義《ぎ》きこえたり。くわしくこれをのぶべからず。⑨過《か》現三業《げんさんごう》の善根《ぜんごん》をめぐらして、極楽《ごくらく》にうまれんと願《がん》ずるなり。

つぎに、本願《ほんがん》の文《もん》にいわく、107「乃至十念《ないしじゅうねん》　若不生者《にゃくふしょうじゃ》　不取正覚《ふしゅしょうがく》」(大経)といえり。いま、この十念《じゅうねん》というにつきて、人《ひと》うたがいをなしていわく、「『法華《ほっけ》』の108「一念随喜《いちねんずいき》」というは、ふかく非権《ひごん》

①**流転**…ろくどう(六道)にまどうをいう
②**出離**…えど(穢土)をい(出)ではな(離)るるという
③**高貢**…おごるこころなり
④**不簡破戒罪根深**…かい(戒)をやぶりたるひと　つみふかきひと　みなうまるという
⑤**卑下**…わがみ(身)をいやしゅうおもう
⑥**怯弱**…よわくおもう
⑦**放逸**…ほしきまま
⑧**虚仮**…むなしく　かざるなり
⑨**過現三業の善根**…すぎたるかたにしたるぜん(善)と　いまつとむるぜん(善)というなり

非実《ひじつ》の理《り》に達《たつ》するなり。いま十念《じゅうねん》といえるも、なにのゆえか、十返《じっぺん》の名号《みょうごう》とこころえん」と。

このうたがいを釈《しゃく》せば、『観無量寿経《かんむりょうじゅきょう》』の下品下生《げぼんげしょう》の人《ひと》の相《そう》をとくにいわく、[109]「五逆《ごぎゃく》・十悪《じゅうあく》をつくり、もろもろの不善《ふぜん》を具《ぐ》せるもの、臨終《りんじゅう》のときにいたりて、はじめて善知識《ぜんじしき》のすすめによりて、わずかに十返《じっぺん》の名号《みょうごう》をとなえて、すなわち浄土《じょうど》にうまる」といえり。これさらにしずかに観《かん》じ、ふかく念《ねん》ずるにあらず。ただくちに名号《みょうごう》を[110]称《しょう》するなり。[111]「汝若不能念《にょにゃくふのうねん》」といえり。これふかくおもわざるむねをあらわすなり。[112]「応称無量寿仏《おうしょうむりょうじゅぶつ》」ととけり。ただあさく仏号《ぶつごう》をとなうべしと、すすむるなり。[113]「具足十念《ぐそくじゅうねん》　称南無無量寿仏《しょうなむむりょうじゅぶつ》　称仏名故《しょうぶつみょうこ》　①於念念中《おねんねんちゅう》　除八十億劫《じょはちじゅうおっこう》　生死之罪《しょうじしざい》」といえり。十念《じゅうねん》といえるは、ただ称名《しょうみょう》の十返《じっぺん》なり。本願《ほんがん》の文《もん》、これになずらえてしりぬべし。善導《ぜんどう》和尚《かしょう》は、ふかくこのむねをさとりて、本願《ほんがん》の文《もん》をのべたまうに、[114]「若我成仏《にゃくがじょうぶつ》　十方衆生《じっぽうしゅじょう》　称我《しょうが》名号《みょうごう》　下至十声《げしじっしょう》　若不生者《にゃくふしょうじゃ》　不取正覚《ふしゅしょうがく》」（往生礼讃）といえり。十声《じっしょう》といえるは[115]②口称《くしょう》の義《ぎ》をあらわさんとなり。

[116]一《ひとつ》　つぎにまた、人《ひと》のいわく、「臨終《りんじゅう》の念仏《ねんぶつ》は功徳《くどく》はなはだふかし。十念《じゅうねん》に五逆《ごぎゃく》を滅《めつ》するは、臨《りん》終《じゅう》の念仏《ねんぶつ》のちからなり。[117]③尋常《じんじょう》の念仏《ねんぶつ》は、このちから、ありがたし」といえり。

これを案《あん》ずるに、臨終《りんじゅう》の念仏《ねんぶつ》は、功徳《くどく》ことにすぐれたり。ただし、そのこころをうべし。もし、人《ひと》、いのちおわらんとするときは、[118]④百苦《ひゃっく》(身)にあつまり、正念《しょうねん》みだれやすし。かのとき仏《ぶつ》を念《ねん》ぜんこと、なにのゆえか、すぐれたる功徳《くどく》あるべきや。これをおもうに、やまいおもく、いのちせまりて、みにあやぶみあるときには、信心《しんじん》おのずからおこりやすきなり。まのあたり、よ(世)の人《ひと》のならいをみるに、そのみおだ(穏)しきときは、医師《くすし》をも陰陽師《おんようじ》をも信《しん》ずることなけれども、やまいおもくなりぬれば、これを信《しん》じて、「この治方《じほう》をせば、やまいいえ(癒)なん」といえば、まことにいえなんずるようにおもいて、くちににがきあじわいをもなめ、みにいたわしき療治《りょうじ》をもくわう。「もしこのまつ(祀)りしたらば、いのちはのびなん」といえば、たからをもおしまず、ちからをつくして、これをまつり、これをいのる。これすなわち、いのちをおしむこころふかきによりて、「これをのべ(延)ん」といえば、ふかく信《しん》ずるこころあり。臨終《りんじゅう》の念仏《ねんぶつ》、これになずらえてこころえつべし。いのち一刹那《いっせつな》にせまりて存《ぞん》ぜんことあるべからずとおもうには、後生《ごしょう》のくるしみ、たちまちにあらわれ、あるいは
119 ⑤火車相現《かしゃそうげん》じ、あるいは
120 ⑥鬼率《きそつ》まなこにさいぎ(遮)る。いかにしてか、このくるしみをまぬかれ、おそれをはなれんとおもうに、善知識《ぜんじしき》のおしえによりて十念《じゅうねん》の往生《おうじょう》をきくに、
121 ⑦深重《じんじゅう》の信心《しんじん》たちまちにおこり、これをうたがうこころなきなり。これすなわち、くるしみをいとうこころふかく、たのしみをねがうこころ切《せつ》なるがゆえに、極楽《ごくらく》に往生《おうじょう》すべしときくに、信心《しんじん》たちまちに⑧発《ほっ》するなり。いのちのぶべしというをきき

①**於念念中　除八十億劫**…ねんねん(念念)のなかに　とはちじゅうおくこう(十八十億劫)のつみをけすというなり
②**口称**…くちにとなうる
③**尋常**…つねのときなり
④**百苦**…よろずのくるしみ
⑤**火車相現じ**…ひのくるまのかたちあらわる
⑥**鬼率**…おに　ごくそつ(獄率)なり
⑦**深重**…ふかく　おもき
⑧**発する**…おこる

て、医師《くすし》・陰陽師《おんようじ》を信《しん》ずるがごとし。もしこのこころならば、最後《さいご》の刹那《せつな》にいたらずとも、信心決《しんじんけつ》定《じょう》しなば、一称一念《いっしょういちねん》の功徳《くどく》、みな臨終《りんじゅう》の念仏《ねんぶつ》にひとしかるべし。

二《ふたつ》　またつぎに、よの中《なか》の人《ひと》のいわく、「たとい弥陀《みだ》の願力《がんりき》をたのみて極楽《ごくらく》に往生《おうじょう》せんとおもえども、先世《せんぜ》の罪業《ざいごう》しりがたし。いかでかたやすくうまるべきや。業障《ごっしょう》にしなじなあり。順後業《じゅんごごう》というは、かならずその業《ごう》をつくりたる生《しょう》ならねども、122①後後生《ごごしょう》にも果報《かほう》をひくなり。されば、今生《こんじょう》に人界《にんがい》の生《しょう》をうけたりというとも、悪道《あくどう》の業《ごう》をみ(身)にそなえたらんことをしらず。かの業《ごう》がつよくして悪趣《あくしゅ》の生《しょう》をひかば、浄土《じょうど》にうまるること、123かた(難)からんか」と。

この義《ぎ》、まことにしかるべしというとも、124②疑網《ぎもう》たちがたくして、みずから125③妄見《もうけん》をおこすなり。おおよそ、126業《ごう》ははかりのごとし、おもきものまずひく。もしわがみにそなえたらん悪趣《あくしゅ》の業《ごう》、ちからつよくは、人界《にんがい》の生《しょう》をうけずして、まず悪道《あくどう》におつべきなり。すでに人界《にんがい》の生《しょう》をうけたるにてしりぬ、たとい悪趣《あくしゅ》の業《ごう》をみにそなえたりとも、その業《ごう》は人界《にんがい》の生《しょう》をうけし五戒《ごかい》よりは、ちからよわしということを。もししからば、五戒《ごかい》をだにも、なおさえ(障)ず、いわんや十念《じゅうねん》の功徳《くどく》をや。五戒《ごかい》は有漏《うろ》の業《ごう》なり、念仏《ねんぶつ》は無漏《むろ》の功徳《くどく》なり。五戒《ごかい》は仏《ほとけ》の願《がん》のたすけなし、念仏《ねんぶつ》は弥陀《みだ》の本願《ほんがん》のみちびくところなり。念仏《ねんぶつ》の功徳《くどく》はなおし十善《じゅうぜん》にもすぐれ、すべて三界《さんがい》の一切《いっさい》の善根《ぜんごん》にもまされり。いわんや五《ご》戒《かい》の127少善《しょうぜん》をや。五戒《ごかい》をだにも、さえざる悪業《あくごう》なり。往生《おうじょう》のさわりとなることあるべからず。

三《みつ》　つぎにまた、人《ひと》のいわく、「五逆《ごぎゃく》の罪人《ざいにん》、十念《じゅうねん》によりて往生《おうじょう》すというは、④宿善《しゅくぜん》によるなり。

われら[128]宿善《しゅくぜん》をそなえたらんことかた（難）し。いかでか往生《おうじょう》することをえんや」と。

これまた、[129]⑤痴闇《ちあん》にまどえるゆえに、いたずらにこのうたがいをなす。そのゆえは、宿善《しゅくぜん》のあつきものは、今生《こんじょう》にも善根《ぜんごん》を修《しゅ》し悪業《あくごう》をおそる。宿善《しゅくぜん》すくなきものは、今生《こんじょう》に悪業《あくごう》をこのみ善根《ぜんごん》をつくらず。宿業《しゅくごう》の善悪《ぜんあく》は、今生《こんじょう》のありさまにて、あきらかにしりぬべし。しかるに善心《ぜんしん》なし。はかりしりぬ、宿善《しゅくぜん》すくなしということを。われら、罪業《ざいごう》おもしというとも、五逆《ごぎゃく》をばつくらず。善根《ぜんごん》すくなしといえども、ふかく本願《ほんがん》を信《しん》ぜり。逆者《ぎゃくしゃ》の十念《じゅうねん》すら宿善《しゅくぜん》によるなり。いわんや[130]尽形《じんぎょう》の称《しょう》念《ねん》、むしろ宿善《しゅくぜん》によらざらんや。なにのゆえにか、逆者《ぎゃくしゃ》の十念《じゅうねん》をば宿善《しゅくぜん》とおもい、われらが一《いっ》生《しょう》の称念《しょうねん》をば宿善《しゅくぜん》あさしとおもうべきや。[131]小智《しょうち》は菩提《ぼだい》のさまたげといえる、まことにこのたぐいか。

四《よっ》　つぎに、念仏《ねんぶつ》を信《しん》ずる人《ひと》のいわく、「往生浄土《おうじょうじょうど》のみちは、信心《しんじん》をさきとす。信心決定《しんじんけつじょう》しぬるには、あながちに称念《しょうねん》を要《よう》とせず。『経《きょう》』（大経）にすでに[132]「乃至一念《ないしいちねん》」ととけり。このゆえに、一《いち》念《ねん》にてた（足）れりとす。遍数《へんじゅ》をかさねんとするは、かえりて仏《ほとけ》の願《がん》を信《しん》ぜざるなり。念仏《ねんぶつ》を信《しん》ぜざる人《ひと》とて、おおきにあざけり、ふかくそしる」と。

①**後後生**…のちのちのしょう（生）という
②**疑網**…うたがうこころを　あみにたとうるなり
③**妄見**…みだりのおもいなり
④**宿善**…むかしのぜん（善）という
⑤**痴闇**…ぐちのやみ（闇）にまどえるなり

まず、専修念仏《せんじゅねんぶつ》というて、もろもろの大乗《だいじょう》の修行《しゅぎょう》をすてて、つぎに、一念《いちねん》の義《ぎ》をたてて、みずから念仏《ねんぶつ》の行《ぎょう》をやめつ。まことにこれ、魔界《まかい》たよりをえて、末世《まっせ》の衆生《しゅじょう》をたぶろかすなり。この説《せつ》ともに得失《とくしつ》あり。「往生《おうじょう》の業《ごう》、一念《いちねん》にたれり」というは、その理《り》、まことにしかるべしというとも、「遍数《へんじゅ》をかさぬるは不信《ふしん》なり」という、すこぶるそのことばすぎたりとす。一念《いちねん》をすくなしとおもいて、遍数《へんじゅ》をかさねずは往生《おうじょう》しがたしとおもわば、まことに不信《ふしん》なりというべし。往生《おうじょう》の業《ごう》は一念《いちねん》にたれりといえども、いたずらにあかし、いたずらにくらすに、いよいよ功《こう》をかさねんこと、要《よう》にあらずやとおもうて、これをとなえば、ひめもす（終日）にとなえ、よもすがらとなうとも、いよいよ功徳《くどく》をそえ、ますます業因決定《ごういんけつじょう》すべし。133「善導和尚《ぜんどうかしょう》は、ちからのつきざるほどはつねに称念《しょうねん》す」といえり。これを不信《ふしん》の人《ひと》とやはせん。ひとえにこれをあざけるも、またしかるべからず。一念《いちねん》といえるは、すでに経《きょう》の文《もん》なり。これを信《しん》ぜずは、仏語《ぶつご》を信《しん》ぜざるなり。このゆえに、一念決定《いちねんけつじょう》しぬと信《しん》じて、しかも一生《いっしょう》おこたりなくもうすべきなり。134これ正義《しょうぎ》とすべし。

念仏《ねんぶつ》の要義《ようぎ》おおしといえども、略《りゃく》してのぶることかくのごとし。これをみん人《ひと》、さだめてあざけりをなさんか。しかれども、信《しん》135謗《ぼう》①ともに因《いん》として、みな、まさに浄土《じょうど》にうまるべし。今生《こんじょう》ゆめのうちのちぎりをしるべ（導）として、来世《らいせ》さとりのまえの縁《えん》をむすばんとなり。われおくれば人《ひと》にみちびかれ、われさきだたば人《ひと》をみちびかん。生々《しょうじょう》に136善友《ぜんぬ》②となりて、たがいに仏道《ぶつどう》を修《しゅ》せしめ、世々《せせ》に知識《しき》として、ともに137迷執《めいしゅう》③をたたん。

本師釈迦尊《ほんじしゃかそん》　悲母弥陀仏《ひもみだぶつ》　左辺観世音《さへんかんぜおん》　右辺大勢至《うへんだいせいし》
清浄大海衆《しょうじょうだいかいしゅ》　法界三宝海《ほっかいさんぼうかい》　証明一心念《しょうみょういっしんねん》　哀愍共聴許《あいみんぐちょうこ》

138 草本云《にいわく》、承久三歳（一二二一）仲秋中旬第四日、安居院《の》法印聖覚《の》作④。
寛喜二歳（一二三〇）仲夏⑤下旬第五日、以《もって》二彼草本真筆《かのそうほんしんぴつを》一、愚禿釈《の》親鸞、書⑥二写《す》之《を》一。

①謗…そしる
②善友…よきともという
③迷執…まどうこころなり
④作…つくると
⑤夏…なつ
⑥書写…かきうつせり

後世《ごせ》[1]物語聞書《ものがたりのききがき》

ちかごろ浄土宗《じょうどしゅう》の明師《めいし》をたずねて、洛陽《らくよう》ひんがしやま《（東山）》の辺《へん》にまします禅坊《ぜんぼう》にまいりてみれば、[2]一京九重《いっきょうくじゅう》の念仏者《ねんぶつしゃ》、五畿七道《ごきしちどう》の後世者達《ごせしゃたち》、おのおのまめやかに、ころもはこころとともにそめ、身《み》はよ《（世）》とともにすてたるよとみゆるひとびとのかぎり、十四《じゅうし》、五人《ごにん》ばかりならびい《（居）》て、いかにしてかこのたび往生《おうじょう》ののぞみをとぐべきと、これをわれもわれもと、おもいおもいにたずねもうししときしも、まいりあいて、さいわいにひごろの不審《ふしん》ことごとくあきら《（明）》めたり。その[3]おもむきを、たちどころにしてつぶさにしるして、いなかの在家無智《ざいけむち》の人々《ひとびと》のためにくだすなり。よくよくこころをしずめて御覧《ごらん》ずべし。

[4]一《ひとつ》　ある人《ひと》とうていわく、「かかるあさましき無智《むち》のものも、念仏《ねんぶつ》[5]だにもうせば、極楽《ごくらく》に[6]うまるるとうけたまわりて、そののちひとすじに念仏《ねんぶつ》[7]をもうせども、まことしく、さもありぬべしとも、おもいさだめたることも候《そうら》わぬをば、いかが[8]しつかまつるべき」[9]と。

一《ひとつ》　師《し》こたえて[10]のたまわく、「念仏往生《ねんぶつおうじょう》は、もとより破戒無智《はかいむち》のもののためなり。もし智慧《ちえ》もひろく、戒《かい》[11]をまった《（全）》くたもつみ《（身）》ならば、いずれの教法《きょうぼう》なりとも修行《しゅぎょう》して、生死《しょうじ》をはなれ菩提《ぼだい》をうべきなり。それがわがみにあたわねばこそ、いま念仏《ねんぶつ》して往生《おうじょう》をばねがえ」[12]と。

二《ふたつ》　またある人《ひと》とうていわく、「いみじき人《ひと》のためには余教《よきょう》をとき、いやしき人《ひと》のためには念仏《ねんぶつ》をすすめたらば、聖道門《しょうどうもん》の諸教《しょきょう》はめでたく、浄土門《じょうどもん》の一教《いっきょう》はおとれるか」ともうせば、

二《ふたつ》　師《し》こたえて[13]のたまわく、「たといかれはふかくこれはあさく、かれはいみじくこれはいやしくとも、わがみの分《ぶん》にしたがいて流転《るてん》の苦《く》をまぬかれて、不退《ふたい》のくらいをえては、さてこそ[14]はあらめ、ふかきあさきを論《ろん》じてなににかはせん。いわんや、かのいみじきひとびとの、めでたき教法《きょうぼう》をさとりて仏《ぶつ》になるというも、このあさましきみの、念仏《ねんぶつ》[15]をもうして往生《おうじょう》すというも、しばらくいりかど（入門）はまちまちなれども、おちつくところはひとつなり。善導《ぜんどう》ののたまわく、[16]「八万四千《はちまんしせん》の[17]門《もん》、門門不《もんもんふ》同《どう》にして、また別《べつ》なるにあらず、別別《べつべつ》の門《もん》はかえりておなじ」（法事讃）といえり。しかればすなわち、みなこれおなじく釈迦一仏《しゃかいちぶつ》の説《せつ》なれば、いずれをまされり、いずれをおとれりと[18]もいうべからず。あやまって、『法華《ほっけ》』の、諸教《しょきょう》にすぐれたりというは、五逆《ごぎゃく》の達多《だった》、八歳《はっさい》の龍女《りゅうにょ》が仏《ぶつ》になるととくゆえなり。この念仏《ねんぶつ》もまたしかなり。諸教《しょきょう》にきらわれ、諸仏《しょぶつ》にすてらるる悪人《あくにん》・女人《にょにん》、すみやかに浄土《じょうど》に往生《おうじょう》して、まよいをひるがえし、さとりをひらくは、いわば、まことにこれこそ諸教《しょきょう》にすぐれたりともいいつべけれ。まさにしるべし、[19]晨旦《しんだん》の曇鸞《どんらん》・道綽《どうしゃく》すらなお利智精進《りちしょうじん》にたえざるみなればとて、顕密《けんみつ》の法《ほう》をなげすてて浄土《じょうど》をねがい、日本《にっぽん》の恵心《えしん》（源信）・永観《ようかん》[20]もなお愚鈍懈怠《ぐどんけだい》（身）のみなればとて、事理《じり》の業因《ごういん》をすてて[21]願力念仏《がんりきねんぶつ》をしたまいき。このごろ[22]も、かのひとびとにまさりて、智《ち》慧《え》もふかく、戒行《かいぎょう》もいみじからん人《ひと》は、いずれの法門《ほうもん》にいりても生死《しょうじ》を解脱《げだつ》せよかし。みな縁《えん》にし

たがいてこころのひくかた[23]になれば、よしあしと人《ひと》のことをば[24]さだむべからず。ただわがみの行《ぎょう》をはからうべきなり」[25]と。

三《みつ》　またある人《ひと》とうていわく、「「念仏《ねんぶつ》[26]もうすとも、三心《さんじん》をしらでは、往生《おうじょう》すべからず」と候《そうろ》うなるは、いかがし候《そうろ》うべき」[27]と。

三《みつ》　師《し》のいわく、「まことにしかなり。ただし、故法然聖人《こほうねんしょうにん》のおおせごとありしは、「三心《さんじん》をしれりとも念仏《ねんぶつ》[28]もうさずは、その詮《せん》なし。たとい三心《さんじん》をしらずとも、念仏《ねんぶつ》だにもうさば、そらに三心《さんじん》は具足《ぐそく》して極楽《ごくらく》には[29]うまるべし」とおおせられしを、まさしくうけたまわりしこと、このごろこころえあわすれば、まことにさもとおぼえたるなり。ただし、おのおの存《ぞん》ぜられんところのここちをあらわしたまえ。それをききて三心《さんじん》にあたりあたらぬよしを分別《ふんべつ》せん」[30]と。

四《よつ》　[31]ここにある人《ひと》いわく、「「念仏《ねんぶつ》[32]をもうせども、こころに妄念《もうねん》をおこせば、外相《げそう》はとうとくみえ、内心《ないしん》はわるきゆえに、[33]かかるゆえに虚仮《こけ》の念仏《ねんぶつ》となりて、真実《しんじつ》の念仏《ねんぶつ》にあらず」と[34]もうす。まことにとおぼえて、おもいしずめて、こころをすましてもうさんとすれども、おおかた、わがこころの、つやつやと、ととのえがたく候《そうろ》うをば、いかがつかまつるべき」[35]と。

四《よつ》　師《し》のいわく、「そのここち、すなわち自力《じりき》にかかえられて他力《たりき》をしらず。すでに至誠心《しじょうしん》のかけたりけるなり。くだんの、「くちに念仏《ねんぶつ》をとなうれども、こころに妄念《もうねん》のとどまらねば、虚仮《こけ》の念仏《ねんぶつ》といいて、こころをすましてもうすべし」とすすめけるも、[36]やがて至誠心《しじょうしん》かけたる虚仮《こけ》の念仏者《ねんぶつしゃ》にてありけりときこえたり。その「こころに妄念《もうねん》をとどめて、くちに名号《みょうごう》をとなえて内外相応《ないげそうおう》するを、虚仮《こけ》はなれたる至誠心《しじょうしん》の念仏《ねんぶつ》なり」ともうすらんは、この至誠心《しじょうしん》をしらぬものなり。凡夫《ぼんぶ》の[37]心地《しんじ》にして行《ぎょう》ずる念仏《ねんぶつ》は、ひとえに自力《じりき》にして、弥陀《みだ》の本願《ほんがん》にたがえるこころなり。すでにみずからそのこころをきよむというならば、聖道門《しょうどうもん》のこころなり、浄土門《じょうどもん》のこころにあらず。難行道《なんぎょうどう》のこころにして、易行道《いぎょうどう》の[38]こころにあらず。[39]自力修行《じりきしゅぎょう》のこころにして、他力修行《たりきしゅぎょう》のこころにあらず。

これをこころうべきよう《（様）》は、いまの凡夫《ぼんぶ》[40]は、みずから煩悩《ぼんのう》を断《だん》ずること[41]のかたければ、妄念《もうねん》またとどめがたし。しかるを、弥陀仏《みだぶつ》[42]はこれをかがみ《（鑑）》て、かねてかかる衆生《しゅじょう》のために、他力本願《たりきほんがん》をたて[43]て、名号《みょうごう》の[44]ちからにて衆生《しゅじょう》のつみをのぞかんとちかいたまえり。さればこそ他力《たりき》ともなづけたれ。このことわりをこころえつれば、わがこころにて、ものうるさく妄念《もうねん》・妄想《もうぞう》をとどめんともたしなまず、しずめがたきあしきこころ、みだれちるこころを[45]もしずめんともたしなまず、こらしがたき観《かん》念《ねん》・観法《かんぽう》を[46]もこらさんともはげまず、ただ仏《ぶつ》の[47]名号《みょうごう》をくちにとなうれば、本願《ほんがん》[48]かぎりあるゆえに、貪《とん》・瞋《じん》・痴《ち》の煩悩《ぼんのう》をたたえたるみなれども、かならず往生《おうじょう》すと信《しん》じたればこそ、こころやすけれ。[49]こころやすければこそ易行道《いぎょうどう》とはなづけたれ。もしみをいましめ、こころをととのえて修《しゅ》すべきならば、なんぞ[50]「行住座臥《ぎょうじゅうざが》を論《ろん》ぜず、時処諸縁《じしょしょえん》をきらわざれ」（往生要集）とすすめんや。またもし、みずから[51]みをととのえ、こころをすましおおせてつとめば、かならずしも[52]仏《ぶつ》の御《おん》ちからをたのまずとも生死《しょうじ》を[53]はなれなん」と。

五《いつつ》　またある[54]人《ひと》いわく、「「念仏《ねんぶつ》すれば、こえごえ（声々）に無量《むりょう》生死《しょうじ》のつみ[55]きえ、ひかりにてらされ[56]て、こころ柔軟《にゅうなん》になる」ととかれたるとかや。しかるに念仏《ねんぶつ》して、としひさしくなりゆけども、三《さん》毒煩悩《どくぼんのう》もすこしもきえず、こころもいよいよわるくなる。善心《ぜんしん》、日日《にちにち》にすすむこともなし。さるとき[57]に、仏《ほとけ》の本願《ほんがん》をうたがうにはあらねども、わがみのわるきこころねにては、たやすく往生《おうじょう》ほどの大事《だいじ》[58]をば、とげがたくこそ候《そうら》え」[59]と。

[60]五《いつつ》　師《し》のいわく、「このこと人《ひと》ごとになげくこころねなり。まことにまよえるこころなり。[61]わがみのつみによりて、往生《おうじょう》をうたがうは、仏《ほとけ》の本願《ほんがん》をかるしむるにあらずや。これすなわち、信心《しんじん》のかけたるこころなり。これをいえば、さきの至誠心《しじょうしん》を、いまだこころえざるゆえなり。なんじ、こころをしずめてよくよくきくべし。このみ（身）において、つみきえて、こころよくなるべしということは、ゆめゆめあるまじきことなり。さあらんにとりては、即身成仏《そくしんじょうぶつ》にこそあんなれ。[62]なん条《じょう》の穢土《えど》をいといて浄土《じょうど》にうまれんというみちならんや。すべてつみ滅《めっ》すというは、最後《さいご》の一念《いちねん》にこそ、みをすてて、かの土《ど》に往生《おうじょう》するをいうなり。さればこそ浄土宗《じょうどしゅう》とはなづけたれ。もしこのみ（身）においてつみ[63]きえはてなば、さとりひらけなん。さとり[64]ひらけなば、すなわち仏《ぶつ》ならん。仏《ぶつ》ならば、いわゆる聖道門《しょうどうもん》の真言《しんごん》・仏心《ぶっしん》・天台《てんだい》・華厳《けごん》等《とう》の断惑証理門《だんわくしょうりもん》のこころなるべし。

善導《ぜんどう》の御釈《おんしゃく》によりてこれをこころうるに、[65]信心《しんじん》ふたつの釈《しゃく》あり。ひとつには[66]「ふかく、[67]みずからがみ（身）は現《げん》にこれ罪悪生死《ざいあくしょうじ》の凡夫《ぼんぶ》、煩悩具足《ぼんのうぐそく》し[68]て善根薄少《ぜんごんはくしょう》にして、つねに三界《さんがい》に流転《るてん》して、曠劫《こうごう》よりこのかた出離《しゅつり》の縁《えん》[69]なきみと信知《しんち》すべし」（往生礼讃）とすすめて、つぎに[70]「[71]弥陀誓願《みだせいがん》の深重《じんじゅう》なるをもって、かかる衆生《しゅじょう》をみちびきたまうと信知《しんち》して、一念《いちねん》もうたがうこころなかれ」（同）とすすめたまえり。このこころをえつれば、わがこころのわるきにつけても、弥陀《みだ》の大悲《だいひ》のちかいこそ、あわれにめでたく、たのもしけれとあおぐべきなり。もとよりわがちからにてまいらばこそ、わがこころのわるからんによりて、うたがうおもい[72]もおこさめ。ひとえに[73]仏《ぶつ》の御《おん》ちからにてすくいたまえば、なにのうたがいかあらんとこころうるを、[74]深信《じんしん》というなり。よくよく[75]これをこころうべし。」

六《むつ》　またある[76]人《ひと》いわく、「曠劫《こうごう》よりこのかた、乃至今日《ないしこんにち》まで、十悪《じゅうあく》・五逆《ごぎゃく》・四重《しじゅう》・謗法等《ほうぼうとう》のもろもろのつみをつくるゆえに、三界《さんがい》に流転《るてん》して、いまに生死《しょうじ》のすもり（巣守）たり。かかるみ（身）の、わずかに念仏《ねんぶつ》[77]をもうせども、愛欲《あいよく》のなみ、とこしなえにおこりて善心《ぜんしん》をけがし、瞋恚《しんに》のほむら、しきりにもえて功徳《くどく》をやく。よきこころにてもうす念仏《ねんぶつ》は万《まん》が一《いち》なり。そのよ（余）はみなけがれたる念仏《ねんぶつ》なり。されば切《せつ》にねがうと[78]いえども、この念仏《ねんぶつ》、ものになるべしともおぼえず[79]と。ひとびともまた、さるこころをなおさずは、かなうまじ[80]くもうすときに、[81]まことに、とおぼえて、まよい候《そうろ》うをば、いかがし候《そうろ》うべき」[82]と。

六《むつ》　師《し》のいわく、「これはさきの信心《しんじん》をいまだこころえず。かるがゆえに、おもいわずらいてねがうこころもゆる（緩）になるというは、回向発願心《えこうほつがんしん》のかけたるなり。善導《ぜんどう》の御《おん》こころによるに、[83]「釈迦《しゃか》のおしえにしたがい[84]て、弥陀《みだ》の願力《がんりき》をたのみなば、愛欲《あいよく》・瞋恚《しんに》のおこりまじわるというとも、さらにかえりみることなかれ」（散善義）といえり。まことに本願《ほんがん》の白道《びゃくどう》、あに愛欲《あいよく》のなみにけがされんや。他力《たりき》の功徳《くどく》、むしろ瞋恚《しんに》のほむらにやくべけんや。たとい欲《よく》もおこり、はらもたつとも、しずめがたく、しのびがたくは、ただ仏《ぶつ》たすけたまえとおもえば、かならず弥陀《みだ》の[85]大悲《だいひ》にてたすけたまうこと、[86]本願《ほんがん》かぎりあるゆえに摂取決定《せっしゅけつじょう》なり、摂取決定《せっしゅけつじょう》[87]なれば、また来迎決定《らいこうけつじょう》なりとおもい[88]かためて、いかなる人《ひと》きたりていいさまたぐとも、すこしも[89]やぶられざるこころを、金剛心《こんごうしん》と[90]いうなり。これを回向発願心《えこうほつがんしん》というなり。これをよくよくこころうべし。

七《なな》　またある人《ひと》いわく、「簡要《かんよう》を[91]略《りゃく》して三心《さんじん》の[92]大意《たいい》をうけたまわり候《そうら》わん」[93]と。

七《なな》　師《し》のいわく、「まことにしかるべし。まず一心一向《いっしんいっこう》なる、これ至誠心《しじょうしん》の大意《たいい》なり。わがみの分《ぶん》を[94]はかりて、自力《じりき》をすてて他力《たりき》につくこころの、ただひとすじなるを、真実心《しんじつしん》というなり。他力《たりき》をたのまぬこころを、虚仮《こけ》のこころというなり。つぎに他力《たりき》をたのみたる[95]こころのふかくなりて、[96]すこしもうたがいなきを、信心《しんじん》の[97]大意《たいい》とす。いわゆる弥陀《みだ》の本願《ほんがん》は、すべてもとより罪悪《ざいあく》の凡夫《ぼんぶ》のためにして、[98]聖人《しょうにん》のためにあらずとこころえつれば、わがみのわるきにつけても、さらにうたがうおもいのなきを、信心《しんじん》というなり。つぎに本願他力《ほんがんたりき》の真実《しんじつ》なるにいりぬるみ《（身）》なれば、往生決定《おうじょうけつじょう》なりとおもい[99]かためて、ねがいい《（居）》たるこころを回向発願心《えこうほつがんしん》というなり。」

八《やつ》　またある人《ひと》[100]たずねてもうさく、[101]「念仏《ねんぶつ》[102]をもうせば、しらざれども三心《さんじん》はそらに具足《ぐそく》せらるる」と候《そうろ》うは、そのようはいかに[103]候《そうろ》うぞ」と。

八《やっ》　師《し》こたえて[104]のたまわく、「余行《よぎょう》をすてて念仏《ねんぶつ》を[105]もうすは、阿弥陀仏《あみだぶつ》をたのむこころのひとすじなるゆえなり。これ至誠心《しじょうしん》なり。[106]名号《みょうごう》をとなうるは、うたがいなきゆえなり。これ信心《しんじん》なり。名号《みょうごう》を[107]となうるは、往生《おうじょう》をねがうこころのおこるゆえなり。これ回向発願心《えこうほつがんしん》なり。これらほどの[108]こころばえは、いかなるものも念仏《ねんぶつ》[109]もうして極楽《ごくらく》に往生《おうじょう》せんとおもうほどの人《ひと》は、具《ぐ》したるゆえに、無智《むち》のものも念仏《ねんぶつ》だに[110]もうせば、三心具足《さんじんぐそく》して往生《おうじょう》するなり。ただ詮《せん》ずるところは、[111]わがみはもとより煩悩具足《ぼんのうぐそく》の凡夫《ぼんぶ》なれば、はじめて、こころのあしとも、よしともさた（沙汰）すべからず。ひとすじに弥陀《みだ》をたのみ[112]まいらせて、すこしもうたがわず、往生《おうじょう》を決定《けつじょう》とねごうてもうす念仏《ねんぶつ》は、すなわち三心具足《さんじんぐそく》の行者《ぎょうじゃ》とするなり。「しらねども、となうれば自然《じねん》に具《ぐ》せらるる」と聖人《しょうにん》（法然）のおおせごとありしは、このいわれのありけるゆえなり。」

九《ここのつ》　またある人《ひと》のいわく、「名号《みょうごう》をとなうるときに、念念《ねんねん》ごとにこの[113]三心《さんじん》の義《ぎ》を存《ぞん》してもうす[114]べきにや候《そうろ》うらん」と。

九《ここのつ》　師《し》のいわく、「その義《ぎ》[115]まったくあるまじ。ひとたびこころ[116]をえつるのちには、ただ[117]くちに南《な》無阿弥陀仏《むあみだぶつ》ととなうるばかりなり。三心《さんじん》すなわち称名《しょうみょう》のこえにあらわれぬるのちには、[118]その三心《さんじん》の義《ぎ》を、こころのそこにもとむべからず」[119]と。[120]

[121]貞和五歳（一三四九）[122]ひのとのうし　七月二十二日　　釈定専　二十歳[123]

一念《いちねん》多念《たねん》分別事《ふんべつのこと》

隆寛《りゅうかん》律《りっ》[1]師《し》作《さく》

念仏《ねんぶつ》の行《ぎょう》につきて、一念多念《いちねんたねん》のあらそい、このごろさかりにきこゆ。[2]これはきわめたる大事《だいじ》なり。よくよくつつしむべし。一念《いちねん》をたてて多念《たねん》をきらい、多念《たねん》をたてて一念《いちねん》を[3]そしる、ともに本願《ほんがん》の[4]むねにそむき、善導《ぜんどう》の[5]おしえをわすれたり。

多念《たねん》はすなわち一念《いちねん》のつもり《（積）》なり。そのゆえは、人《ひと》のいのちは、日日《にちにち》にきょうやかぎりとおもい、時時《じじ》にただいまやおわりとおもうべし。無常《むじょう》のさかいは、うまれてあだ《（徒）》なるかりの[6]すみかなれば、かぜのまえのともしびをみても、くさのうえのつゆによそえても、いきのとどまり、いのちのたえんことは、かしこきもおろかなるも、一人《ひとり》としてのがるべきかたなし。このゆえに、ただいまにても、まなことじは《（果）》つるものならば、弥陀《みだ》の本願《ほんがん》に[7]すくわれて、極楽浄土《ごくらくじょうど》へむかえられたてまつらんとおもいて、南無阿弥陀仏《なむあみだぶつ》ととなうることは、一念無上《いちねんむじょう》の功徳《くどく》をたのみ、一念広大《いちねんこうだい》の利益《りやく》をあおぐゆえなり。しかるに、[8]いのちのびゆくままには、この一念《いちねん》が二念《にねん》・三念《さんねん》[9]となりゆく。この一念《いちねん》、かようにかさなりつもれば、一時《いちじ》にもなり二時《にじ》にもなり、一日《いちにち》[10]にも二日《ににち》にも一月《いちがつ》にもなり、一年《いちねん》にも二年《にねん》[11]にもなり、十年《じゅうねん》[12]二十年《にじゅうねん》にも八十年《はちじゅうねん》にもなりゆくことにてあれば、[13]いかにしてきょうまでいきたるやらん、ただいまやこのよ《(世)》のおわり[14]にてもあらんとおもうべきことわりが、一定《いちじょう》したるみ《(身)》のありさまなるによりて、善導《ぜんどう》は[15]「恒願一切臨終時《ごうがんいっさいりんじゅうじ》　勝縁勝境悉現前《しょうえんしょうきょうしつげんぜん》」（往生礼讃）とねがわしめて、[16]念々《ねんねん》にわすれず、念々《ねんねん》におこたらず、まさしく往生《おうじょう》せんずる[17]ときまで念仏《ねんぶつ》すべきよしを、ねんごろに[18]すすめさせたまいたるなり。

すでに、一念《いちねん》をはなれたる多念《たねん》もなく、多念《たねん》をはなれたる一念《いちねん》もなきものを、ひとえに多念《たねん》にてあるべしとさだむるものならば、『無量寿経《むりょうじゅきょう》』の中《なか》に、あるいは[19]「諸有衆生《しょうしゅじょう》　聞其名号《もんごみょうごう》　信心歓喜《しんじんかんぎ》　乃至一念《ないしいちねん》　至心回向《ししんえこう》　願生彼国《がんしょうひこく》　即得往生《そくとくおうじょう》　住不退転《じゅうふたいてん》」ととき、あるいは[20]「乃至一念《ないしいちねん》　念於彼仏《ねんおひぶつ》　亦得往生《やくとくおうじょう》」（大経）とあかし、あるいは[21]「其有得聞《ごうとくもん》　彼仏名号《ひぶつみょうごう》　歓喜踊躍《かんぎゆやく》　乃至一念《ないしいちねん》　当知此人《とうちしにん》　為得《いとく》大利《だいり》　[22]則是具足《そくぜぐそく》　無上功徳《むじょうくどく》」（同）と、たしかにおしえさせたまいたり。善導和尚《ぜんどうかしょう》も『経《きょう》』（同）のこころによりて、[23]「歓喜至一念《かんぎしいちねん》　皆当得生彼《かいとうとくしょうひ》」（往生礼讃）[24]とも、[25]「十声一声一念等《じっしょういっしょういちねんとう》　定得往生《じょうとくおうじょう》」（同）とも、さだめさせたまいたるを、もちいざらんにすぎたる浄土《じょうど》の教《きょう》のあた《(怨)》やはそうろうべき。

かくいえばとて、ひとえに[26]一念往生《いちねんおうじょう》をたてて、[27]多念《たねん》はひがごとというものならば、本願《ほんがん》の文《もん》の[28]「乃至十念《ないしじゅうねん》」（大経）をもちいず、『阿弥陀経《あみだきょう》』の[29]「一日乃至七日《いちにちないししちにち》」の称名《しょうみょう》は、[30]そぞろごとになしはてんずるか。これらの『経《きょう》』によりて、[31]善導和尚《ぜんどうかしょう》も、あるいは[32]「一心専念弥陀名号《いっしんせんねんみだみょうごう》　行住座臥《ぎょうじゅうざが》　不問時節久近《ふもんじせつくごん》　念念不捨者《ねんねんふしゃしゃ》　是名正定之業《ぜみょうしょうじょうしごう》　順彼仏願故《じゅんぴぶつがんこ》」（散善義）とさだめおき、あるいは[33]「誓《せい》畢此生《ひっししょう》　無有退転《むうたいてん》　唯《ゆい》[34]以浄土為期《いじょうどいご》」（同）とおしえて、無間長時《むけんじょうじ》に修《しゅ》すべしと、[35]すすめたまいたる

[36]をば、しかしながら、ひがごとになしはてんずるか。浄土門《じょうどもん》にいりて、善導《ぜんどう》の[37]ねんごろのおしえを、やぶりもそむきもせんずるは、異学別解《いがくべつげ》の人《ひと》にはまさりたるあた（怨）にて、ながく[38]三途《さんず》のすもり（巣守）として、うかぶ[39]よ（世）もあるべからず。こころう（心憂）きことなり。これによりて、あるいは[40]「上尽一形《じょうじんいちぎょう》　下至十念《げしじゅうねん》　三念五念仏来迎《さんねんごねんぶつらいこう》　直為弥陀弘誓重《じきいみだぐぜいじゅう》　致使凡夫念即生《ちしぼんぶねんそくしょう》」（法事讃）と、あるいは[41]「今信知弥陀本弘誓願《こんしんちみだほんぐぜいがん》　及称名号《ぎゅうしょうみょうごう》　下至十声《げしじっしょう》[42]一声《いっしょう》　定得往生《じょうとくおうじょう》　乃至一念《ないしいちねん》　無有疑心《むうぎしん》」（往生礼讃）と、[43]あるいは[44]「若《にゃく》七日及一日《しちにちぎゅういちにち》　下至十声《げしじっしょう》　乃至一声一念等《ないしいっしょういちねんとう》　必得往生《ひっとくおうじょう》」（同）[45]といえり。かようにこそは[46]おおせられてそうらえ。これらの文《もん》は、たしかに一念多念《いちねんたねん》[47]なかあしかるべからず、ただ、弥陀《みだ》の願《がん》をたのみはじめてん人《ひと》は、いのちをかぎりとし、往生《おうじょう》を期《ご》として念仏《ねんぶつ》すべしと、おしえさせたまいたるなり。ゆめゆめ偏執《へんしゅう》すべからざることなり。こころのそこをば、おもう[48]ようにもうしあらわしそうらわねども、これにてこころえさせたまうべきなり。

おおよそ、一念《いちねん》の執《しゅう》かたく、多念《たねん》のおもいこわき人々《ひとびと》は、かならずおわりのわるきにて、いずれもいずれも、本願《ほんがん》にそむきたるゆえなりという[49]ことは、おしはからわせたまうべし。されば、かえすがえすも、多念《たねん》すなわち一念《いちねん》なり、一念《いちねん》すなわち多念《たねん》なりということわりを、みだるまじきなり。[50]

南無阿弥陀仏《なむあみだぶつ》

[51]本云

建長[52]七歳（一二五五）乙卯　四月二十三日　　愚禿釈善信　八十三歳　書二写之一

自力他力事《じりきたりきのこと》

長楽寺《ちょうらくじ》隆寛律師《りゅうかんりっし》作《さく》

念仏《ねんぶつ》の行《ぎょう》につきて自力《じりき》・他力《たりき》ということあり。これは極楽《ごくらく》をねがいて弥陀《みだ》の名号《みょうごう》をとなうる人《ひと》の中《なか》に、自力《じりき》のこころにて念仏《ねんぶつ》する人《ひと》あり。

まず自力《じりき》のこころというは、身《み》にもわろきことをばせじ、口《くち》にもわろきことをばいわじ、心《こころ》にもひがごとをばおもわじと、かようにつつしみて念仏《ねんぶつ》するものは、この念仏《ねんぶつ》のちからにて、よろずのつみをのぞきうしないて、極楽《ごくらく》へかならずまいるぞと、おもいたる人《ひと》をば、自力《じりき》の行《ぎょう》というなり。かようにわが身《み》をつつしみととのえて、よからんとおもうはめでたけれども、まず世《よ》の人《ひと》をみるに、いかにもいかにも、おもうさまにつつしみえんことは、きわめてありがたきことなり。そのうえに、弥陀《みだ》の本願《ほんがん》をつやつやとしらざるとが《(咎)》のあるなり。[1]されば、いみじくしえて往生《おうじょう》する人《ひと》も、まさしき本願《ほんがん》の極楽《ごくらく》には[2]まいらず、わずかにそのほとりへまいりて、そのところにて本願《ほんがん》にそむきたる[3]つみをつぐのいてのちに、まさしき極楽《ごくらく》には生《しょう》ずるなり。これを自力《じりき》の念仏《ねんぶつ》とはもうすなり。

他力《たりき》の[4]念仏《ねんぶつ》とは、わが身《み》のおろかにわろきにつけても、かかる身《み》[5]にてたやすくこの娑婆世界《しゃばせかい》をいかがはなるべき、つみは日々《ひび》にそえてかさなり、妄念《もうねん》はつねにおこりてとどまらず、かかるに[6]つけては、ひとえに弥陀《みだ》のちかい（誓）をたのみ、[7]あおぎて念仏《ねんぶつ》おこたらざれば、阿弥陀仏《あみだぶつ》、かたじけなく遍《へん》照《じょう》の光明《こうみょう》をはなちて、この身《み》をてらしまもらせたまえば、観音《かんのん》・勢至《せいし》等《とう》の無量《むりょう》の聖衆《しょうじゅ》ひき具《ぐ》して、行住坐臥《ぎょうじゅうざが》、もしはひる、もしはよる、一切《いっさい》の[8]とき、ところをきらわず、行者《ぎょうじゃ》を護念《ごねん》して、目《め》しばらくもすてたまわず、まさしくいのちつき、いきたえんときには、よろずのつみをばみなうちけして、めでたきものにつくりなして、極楽《ごくらく》へいて（率）かえらせおわしますなり。

されば、つみのきゆることも南無阿弥陀仏《なむあみだぶつ》の願力《がんりき》なり。めでたきくらいをうることも南無阿弥陀仏《なむあみだぶつ》の弘誓《ぐぜい》のちからなり。ながくとおく三界《さんがい》をいでんことも阿弥陀仏《あみだぶつ》の本願《ほんがん》のちからなり。極楽《ごくらく》へまいりて、のり（法）をきき、さとりをひらき、やがて仏《ぶつ》にならんずることも、阿弥陀仏《あみだぶつ》の御《おん》ちからなりければ、ひとあゆみ（一歩）もわがちからにて極楽《ごくらく》へまいることなしとおもいて、余行《よぎょう》をまじえずして、一向《いっこう》に念仏《ねんぶつ》するを他力《たりき》の行《ぎょう》とはもうすなり。たとえば、腰《こし》おれ足《あし》なえて、わがちからにてたちあがるべき方《かた》もなし、ましてはるかならんところへゆく事《こと》は、かけてもおもいよらぬことなれども、たのみたる人《ひと》のいとおしとおもいて、さりぬべき人《ひと》あまた具《ぐ》して、力者《りきしゃ》に輿《こし》をかかせて、むかえにきたりて、やわらかにかきのせて、かえらんずる十里《じゅうり》・二十里《にじゅうり》の道《みち》もやすく、野《の》をも山《やま》をもほどなくすぐる様《よう》に、われらが極楽《ごくらく》へまいらんとおもいたちたるは、つみふかく[9]煩悩《ぼんのう》もあつければ、腰《こし》おれ足《あし》なえたる人々《ひとびと》にもすぐれたり。

ただいまにても死《し》するものならば、あした（朝）ゆうべ（夕）につくりたるつみのおもければ、こうべをさかさまして、三悪道《さんあくどう》にこそは、おちいらんずるものにてあれども、ひとすじに阿弥陀仏《あみだぶつ》のちかいをあおぎて、念仏《ねんぶつ》してうたがうこころだにもなければ、[10]かならずかならず、ただいまひきいらんずる時《とき》、阿弥陀仏目《あみだぶつめ》の前《まえ》にあらわれて、つみというつみをば、すこしものこる事《こと》なく功徳《くどく》と転《てん》じかえなして、無漏無生《むろむしょう》の報仏報土《ほうぶつほうど》へい（率）てかえらせおわしますということを、釈迦如来《しゃかにょらい》、ねんごろにすすめおわしましたる事《こと》をふかくたのみて、二心《ふたごころ》なく念仏《ねんぶつ》するをば、他力《たりき》の行者《ぎょうじゃ》ともうすなり。かかるひとは、十人《じゅうにん》は十人《じゅうにん》ながら、百人《ひゃくにん》は百人《ひゃくにん》ながら、往生《おうじょう》することにてそうろうなり。かかる人《ひと》を、やがて一向専修《いっこうせんじゅ》の念仏者《ねんぶつしゃ》とはもうすなり。

おなじく念仏《ねんぶつ》をしながら、ひとえに自力《じりき》をたのみたるは、ゆゆしきひがごとにてそうろうなり。あなかしこ、あなかしこ。

寛元四歳（一二四六） 丙午 三月十五日書ㇾ之　愚禿釈親鸞 七十四歳

[11]本云

文保二歳（一三一八） 戊午 十一月二十六日奉㆔書㆓写之㆒本者御自筆也　[12]宗昭 四十九歳

[13]貞享四年（一六八七） 丁卯 五月三日以㆓河州古橋願得寺之本㆒書㆓写之㆒　西福寺恵空

安心決定鈔《あんじんけつじょうしょう》　本

浄土真宗《じょうどしんしゅう》の行者《ぎょうじゃ》は、まず本願《ほんがん》のおこりを存知《ぞんじ》すべきなり。弘誓《ぐぜい》は四十八《しじゅうはち》なれども、第十八《だいじゅうはち》の願《がん》を本意《ほんい》とす。余《よ》の四十七《しじゅうしち》は、この願《がん》を信《しん》ぜしめんがためなり。この願《がん》を『礼讃《らいさん》』に釈《しゃく》したまうに[1]「若我成仏《にゃくがじょうぶつ》　十方衆生《じっぽうしゅじょう》　称我名号《しょうがみょうごう》　下至十声《げしじっしょう》　若不生者《にゃくふしょうじゃ》　不取正覚《ふしゅしょうがく》」といえり。この文《もん》のこころは、十方衆生《じっぽうしゅじょう》、願行《がんぎょう》成就《じょうじゅ》して往生《おうじょう》せば、われも仏《ぶつ》にならん、衆生往生《しゅじょうおうじょう》せずは、われ正覚《しょうがく》をとらじとなり。かるがゆえに、仏《ぶつ》の正覚《しょうがく》は、われらが往生《おうじょう》するとせざるとによるべきなり。しかるに、十方衆生《じっぽうしゅじょう》いまだ往生《おうじょう》せざるさきに、正覚《しょうがく》を成《じょう》ずることは、こころえがたきことなり。しかれども、仏《ぶつ》は衆生《しゅじょう》にかわりて、願《がん》と行《ぎょう》とを円満《えんまん》して、われらが往生《おうじょう》を、すでにしたためたまうなり。十方衆生《じっぽうしゅじょう》の、願行円満《がんぎょうえんまん》して往生成就《おうじょうじょうじゅ》せしとき、機法一体《きほういったい》の南無阿弥陀仏《なむあみだぶつ》の正覚《しょうがく》を成《じょう》じたまいしなり。かるがゆえに、仏《ぶつ》の正覚《しょうがく》のほかは、凡夫《ぼんぶ》の往生《おうじょう》はなきなり。十方衆生《じっぽうしゅじょう》の往生《おうじょう》の成就《じょうじゅ》せしとき、仏《ぶつ》も正覚《しょうがく》をなるゆえに、仏《ぶつ》の正覚《しょうがく》なりしと、われらが往生《おうじょう》の成就《じょうじゅ》せしとは同時《どうじ》なり。仏《ぶつ》のかたよりは、往生《おうじょう》を成《じょう》ぜしかども、衆生《しゅじょう》がこのことわりをしること[2]不同《ふどう》なれば、すでに往生《おうじょう》するひともあり、いま往生《おうじょう》するひともあり、当《とう》に往生《おうじょう》すべきひともあり。機《き》によりて三世《さんぜ》は不同《ふどう》なれども、弥陀《みだ》の、かわりて成就《じょうじゅ》せし正覚《しょうがく》の一念《いちねん》のほかは、さらに機《き》よりいささかもそう《(添)》ることはなきなり。たとえば、日《ひ》いずれば、刹那《せつな》に、十方《じっぽう》のやみ、ことごとくはれ、月《つき》いずれば、法界《ほっかい》の水《みず》、同時《どうじ》にかげをうつすがごとし。月《つき》はいでて、かげを水《みず》にやどす。日《ひ》はいでて、やみのはれぬことあるべからず。かるがゆえに、日《ひ》はいでたるか、いでざるかをおもうべし。やみは、はれざるか、はれたるかをうたがうべからず。仏《ぶつ》は正覚《しょうがく》なりたまえるか、いまだなりたまわざるかを分別《ふんべつ》すべし。凡夫《ぼんぶ》の、往生《おうじょう》をうべきか、うべからざるかを、うたがうべからず。「衆生往生《しゅじょうおうじょう》せずは、仏《ぶつ》にならじ」とちかいたまいし法蔵比丘《ほうぞうびく》の、十劫《じっこう》にすでに成仏《じょうぶつ》したまえり。仏体《ぶったい》よりは、すでに成《じょう》じたまいたりける往生《おうじょう》を、つたなく今日《こんにち》までしらずして、むなしく流転《るてん》しけるなり。

かるがゆえに、『般舟讃《はんじゅさん》』[3]には、[4]「おおきにすべからく慚愧《ざんぎ》すべし。釈迦如来《しゃかにょらい》はまことにこれ慈悲《じひ》の父母《ぶも》なり」といえり。「慚愧《ざんぎ》」の二字《にじ》をば、天《てん》にはじ（羞）、人《ひと》にはず（羞）、とも釈《しゃく》し、自《じ》にはじ（羞）、他《た》にはず（羞）、とも釈《しゃく》せり。なにごとをおおきにはずべしというぞというに、弥陀《みだ》は、兆載永劫《ちょうさいようごう》のあいだ、無善《むぜん》の凡夫《ぼんぶ》にかわりて願行《がんぎょう》をはげまし、釈尊《しゃくそん》は五百塵点劫《ごひゃくじんでんごう》のむかしより八千遍《はっせんべん》まで世《よ》にいでて、かかる不思議《ふしぎ》の誓願《せいがん》をわれらにしらせんとしたまうを、いままできかざることをはずべし。機《き》より成《じょう》ずる大小乗《だいしょうじょう》の行《ぎょう》ならば、法《ほう》はたえなれども、機《き》がおよばねばちからなし、ということもありぬべし。いまの他力《たりき》の願行《がんぎょう》は、行《ぎょう》は仏体《ぶったい》にはげみて、功《こう》を無善《むぜん》のわれらにゆずりて、謗法闡提《ほうぼうせんだい》の機《き》、法滅《ほうめつ》百歳《ひゃくさい》の機《き》まで成《じょう》ぜずということなき功徳《くどく》なり。このことわりを[5]慇懃《おんごん》につげたまうことを信《しん》ぜず、しらざることを、おおきにはずべしというなり。[6]「三千大千世界《さんぜんだいせんせかい》に、[7]芥子《けし》ばかりも、釈尊《しゃくそん》の身命《しんみょう》をすてたまわぬところはなし。」（法華経）みなこれ他力《たりき》を信《しん》ぜざるわれらに信心《しんじん》をおこさしめんと、かわりて難行苦行《なんぎょうくぎょう》して縁《えん》をむすび、[8]功《こう》をかさねたまいしなり。この広大《こうだい》の御《おん》こころざしをしらざることを、おおきに[9]はじはずべしというなり。このこころをあらわさんとて、[10]「種々《しゅじゅ》の方便《ほうべん》をもって、われらが無上《むじょう》の信心《しんじん》を発起《ほっき》す」（般舟讃）と釈《しゃく》せり。「無上《むじょう》の信心《しんじん》」というは、他力《たりき》の三信《さんしん》なり。つぎに[11]「種々《しゅじゅ》の方便《ほうべん》をとく教文《きょうもん》、ひとつにあらず」（同）というは、諸経随機《しょきょうずいき》の得益《とくやく》なり。凡夫《ぼんぶ》は左右《そう》なく他力《たりき》の信心《しんじん》を獲得《ぎゃくとく》することかたし。しかるに自力《じりき》の成《じょう》じがたきことをきくとき、他力《たりき》の易《い》行《ぎょう》も信《しん》ぜられ、聖道《しょうどう》の難行《なんぎょう》をきくに、浄土《じょうど》の修《しゅ》しやすきことも信《しん》ぜらるるなり。

おおよそ仏《ぶつ》のかたよりなにのわずらいもなく成就《じょうじゅ》したまえる往生《おうじょう》を、われら、煩悩《ぼんのう》にくるわされて、ひさしく流転《るてん》して、不思議《ふしぎ》の仏智《ぶっち》を信受《しんじゅ》せず。かるがゆえに三世《さんぜ》の衆生《しゅじょう》の帰命《きみょう》の念《ねん》も、正覚《しょうがく》の一念《いちねん》にかえり、十方《じっぽう》の有情《うじょう》の称念《しょうねん》の心《しん》も、正覚《しょうがく》の一念《いちねん》にかえる。さらに、[12]機《き》において一称一《いっしょういち》念《ねん》もとどまることなし。名体不二《みょうたいふに》の弘願《ぐがん》の行《ぎょう》なるがゆえに、名号《みょうごう》すなわち正覚《しょうがく》の全体《ぜんたい》なり。正《しょう》覚《がく》の体《たい》なるがゆえに、十方衆生《じっぽうしゅじょう》の往生《おうじょう》の体《たい》なり。往生《おうじょう》の体《たい》なるがゆえに、われらが願行《がんぎょう》ことごとく具足《ぐそく》せずということなし。かるがゆえに『玄義《げんぎ》』にいわく、[13]「いまこの『観経《かんぎょう》』の[14]下品下生《げぼんげしょう》の十声《じっしょう》の称仏《しょうぶつ》には、[15]すなわち十願《じゅうがん》ありて十行具足《じゅうぎょうぐそく》せり。[16]いかんが具足《ぐそく》せる。「南無《なむ》」というは、すなわちこれ帰命《きみょう》、またこれ発願回向《ほつがんえこう》の義《ぎ》なり。[17]「阿弥陀仏《あみだぶつ》」というは、すなわちこれその行《ぎょう》なり。この義《ぎ》をもってのゆえに、かならず往生《おうじょう》をう」といえり。下品下生《げぼんげしょう》の失念《しつねん》の称念《しょうねん》に、願行具足《がんぎょうぐそく》することは、さらに機《き》の願行《がんぎょう》にあらずとしるべし。法蔵菩薩《ほうぞうぼさつ》の五劫《ごこう》・兆載《ちょうさい》の願行《がんぎょう》の、凡夫《ぼんぶ》の願行《がんぎょう》を成《じょう》ずるゆえなり。阿弥陀仏《あみだぶつ》の、凡夫《ぼんぶ》の願行《がんぎょう》を成《じょう》ぜしいわれを領解《りょうげ》するを、三心《さんじん》ともいい、三信《さんしん》ともとき、信心《しんじん》ともいうなり。阿弥陀仏《あみだぶつ》は凡夫《ぼんぶ》の願行《がんぎょう》を名《な》に成《じょう》ぜしゆえを口業《くごう》にあらわすを、南無阿《なむあ》弥陀仏《みだぶつ》という。かるがゆえに、領解《りょうげ》も機《き》にはとどまらず、領解《りょうげ》すれば仏願《ぶつがん》の体《たい》にかえる。名号《みょうごう》も機《き》にはとどまらず、となうれば、やがて弘願《ぐがん》にかえる。かるがゆえに、浄土《じょうど》の法門《ほうもん》は、第十八《だいじゅうはち》の願《がん》を、よくよくこころうるほかには、なきなり。[18]「如無量寿経四十八願中《にょむりょうじゅきょうしじゅうはちがんちゅう》　唯明専念弥陀名号得生《ゆいみょうせんねんみだみょうごうとくしょう》」（定善義）とも釈《しゃく》し、[19]「又此経《うしきょう》　定散文中《じょうさんもんちゅう》　唯《ゆい》[20]標専念弥陀名号得生《ひょうせんねんみだみょうごうとくしょう》」（同）とも釈《しゃく》して、三《さん》経《ぎょう》ともに、ただこの本願《ほんがん》をあらわすなり。第十八《だいじゅうはち》の願《がん》をこころうるというは、名号《みょうごう》をこころうるなり。名号《みょうごう》をこころうるというは、阿弥陀仏《あみだぶつ》の、衆生《しゅじょう》にかわりて願行《がんぎょう》を成就《じょうじゅ》して、凡夫《ぼんぶ》の往生《おうじょう》、機《き》にさきだちて成就《じょうじゅ》せしきざみ、十方衆生《じっぽうしゅじょう》の往生《おうじょう》を正覚《しょうがく》の体《たい》とせしことを領解《りょうげ》するなり。

かるがゆえに、念仏《ねんぶつ》の行者《ぎょうじゃ》、名号《みょうごう》をきかば、「あは《（ああ）》、はや、わが往生《おうじょう》は成就《じょうじゅ》しにけり。[21]十方衆生《じっぽうしゅじょう》、往生成就《おうじょうじょうじゅ》せずは、正覚《しょうがく》とらじとちかい[22]たまいし法蔵菩薩《ほうぞうぼさつ》の正覚《しょうがく》の果名《かみょう》なるがゆえに」とおもうべし。また、弥陀仏《みだぶつ》の形像《ぎょうぞう》をおがみたてまつらば、「あは《（ああ）》、はや、わが往生《おうじょう》は成就《じょうじゅ》しにけり。十方衆生《じっぽうしゅじょう》、往生成就《おうじょうじょうじゅ》せずは、正覚《しょうがく》とらじとちかいたまいし[23]法蔵薩埵《ほうぞうさった》の成正覚《じょうしょうがく》の御《おん》すがたなるゆえに」とおもうべし。また極楽《ごくらく》という名《な》をきかば、「あは《（ああ）》、わが往生《おうじょう》すべきところを成就《じょうじゅ》したまいにけり。衆生往生《しゅじょうおうじょう》せずは、正覚《しょうがく》とらじとちかい[24]たまいし法蔵比丘《ほうぞうびく》の成就《じょうじゅ》したまえる極楽《ごくらく》よ」

とおもうべし。機《き》をいえば、仏法《ぶっぽう》と世俗《せぞく》との二種《にしゅ》の善根《ぜんごん》なき[25]唯知作悪《ゆいちさあく》の機《き》に、仏体《ぶったい》より恒沙塵数《ごうじゃじんじゅ》の功徳《くどく》を成就《じょうじゅ》するゆえに、われらがごとくなる愚痴悪見《ぐちあっけん》の衆生《しゅじょう》のための、楽《らく》のきわまりなるゆえに、極楽《ごくらく》というなり。本願《ほんがん》を信《しん》じ名号《みょうごう》をとなうとも、よそなる仏《ぶつ》の功徳《くどく》とおもうて、名号《みょうごう》に功《こう》をいれなば、などか往生《おうじょう》をとげざらんなんどおもわんは、かなしかるべき[26]ことなり。ひしと、われらが往生《おうじょう》[27]成就《じょうじゅ》せしすがたを、南無阿弥陀仏《なむあみだぶつ》とはいいけるという信心《しんじん》おこりぬれば、仏体《ぶったい》すなわちわれらが往生《おうじょう》の行《ぎょう》[28]なるがゆえに、一声《いっしょう》のところに往生《おうじょう》を決定《けつじょう》するなり。阿弥陀仏《あみだぶつ》という名号《みょうごう》をきかば、やがてわが往生《おうじょう》とこころえ、[29]わが往生《おうじょう》はすなわち仏《ぶつ》の正覚《しょうがく》なりとこころうべし。弥陀仏《みだぶつ》は正覚成《しょうがくじょう》じたまえるか、[30]いまだ成《じょう》じたまわざるかをば、うたがうとも、わが往生《おうじょう》の成《じょう》ずるか、成《じょう》ぜざるかをば、うたがうべからず。一衆生《いちしゅじょう》のうえにも往生《おうじょう》せぬことあらば、ゆめゆめ仏《ぶつ》は正覚《しょうがく》なりたまうべからず。ここをこころうるを、第十八《だいじゅうはち》の願《がん》をおもい（思）わく（分）とはいうなり。まことに往生《おうじょう》せんとおもわば、衆生《しゅじょう》こそ願《がん》をもおこし、行《ぎょう》をもはげむべきに、願行《がんぎょう》は菩薩《ぼさつ》のところにはげみて、[31]感果《かんか》はわれらがところに成《じょう》ず。世間《せけん》・出世《しゅっせ》の因果《いんが》のことわりに[32]超異《ちょうい》せり。和尚《かしょう》（善導）はこれを、[33]「[34]別異《べつい》の弘願《ぐがん》」（玄義分）とほめたまえり。衆生《しゅじょう》にかわりて願行《がんぎょう》を成《じょう》ずること、常没《じょうもつ》の衆生《しゅじょう》をさきとして、善人《ぜんにん》におよぶまで、一衆生《いちしゅじょう》のうえにもおよばざるところあらば、大悲《だいひ》の願《がん》、満足《まんぞく》すべからず。面々衆生《めんめんしゅじょう》の機《き》ごとに、願行成就《がんぎょうじょうじゅ》せしとき、仏《ぶつ》は正覚《しょうがく》を成《じょう》じ、凡夫《ぼんぶ》は往生《おうじょう》せしなり。かかる不思議《ふしぎ》の名号《みょうごう》、もしきこえざるところあらば、正覚《しょうがく》とらじとちかいたまえり。われらすでに阿弥《あみ》陀《だ》という名号《みょうごう》をきく。しるべし、われらが往生《おうじょう》すでに成《じょう》ぜりということを。きくというは、ただおおように名号《みょうごう》をきくにあらず、本願他力《ほんがんたりき》の不思議《ふしぎ》をききて、うたがわざるを、きくとはいうなり。御名《みな》をきくも本願《ほんがん》より成《じょう》じてきく。一向《いっこう》に他力《たりき》なり。たとい、凡夫《ぼんぶ》の往生成《おうじょうじょう》じたまいたりとも、その願成就《がんじょうじゅ》したまえる[35]御名《みな》をきかずは、いかでかその願成《がんじょう》ぜりとしるべき。かるがゆえに、名号《みょうごう》をききても、形像《ぎょうぞう》を拝《はい》しても、わが往生《おうじょう》を成《じょう》じたまえる御名《みな》とききて、われらをわた《（度）》さずは、仏《ぶつ》にならじと、ちかいたまいし[36]法蔵《ほうぞう》の誓願《せいがん》むなしからずして、正覚成《しょうがくじょう》じたまえる御《おん》すがたよとおもわざらんは、きくともきかざるがごとし、みるともみざるがごとし。『平等覚経《びょうどうがくきょう》』に[37]のたまわく、[38]「浄土《じょうど》の法門《ほうもん》をとくをききて、歓喜踊躍《かんぎゆやく》し、身《み》の毛《け》いよだつ」というは、そぞろによろこぶにあらず。わが出離《しゅつり》の行《ぎょう》をはげまんとすれば、道心《どうしん》もなく、智恵《ちえ》もなし。[39]智目行足《ちもくぎょうそく》かけたる身《み》なれば、ただ三悪《さんあく》の[40]火坑《かきょう》にしずむべき身《み》なるを、願《がん》も行《ぎょう》も仏体《ぶったい》より成《じょう》じて、機法一体《きほういったい》の正覚成《しょうがくじょう》じたまいけることの、うれしさよとおもうとき、歓喜《かんぎ》のあまり、おどりあがるほどにうれしきなり。『大経《だいきょう》』（往生礼讃）に[41]「爾時聞一念《にじもんいちねん》」とも、[42]「聞名歓喜讃《もんみょうかんぎさん》」ともいうは、このこころなり。よそにさしのけてはなくして、やがてわが往生《おうじょう》、すでに成《じょう》じたる名号《みょうごう》、わが往生《おうじょう》したる御《おん》すがたとみるを、名号《みょうごう》をきくとも形像《ぎょうぞう》をみるともいうなり。このことわりをこころうるを本願《ほんがん》を信知《しんち》すとはいうなり。

念仏三昧《ねんぶつさんまい》において、信心決定《しんじんけつじょう》せんひとは、身《み》も南無阿弥陀仏《なむあみだぶつ》、こころも南無阿弥陀仏《なむあみだぶつ》なりとおもうべきなり。ひとの身《み》をば、地《じ》・水《しい》・火《か》・風《ふう》の四大《しだい》、よりあいて成《じょう》ず。小乗《しょうじょう》には極微《ごくみ》の所成《しょじょう》といえり。身《み》を極微《ごくみ》にくだきてみるとも、報仏《ほうぶつ》の功徳《くどく》のそま《（染）》ぬところはあるべからず。されば機法一体《きほういったい》の身《み》も、南無阿弥陀仏《なむあみだぶつ》なり。こころは、煩悩《ぼんのう》・随煩悩等具足《ずいぼんのうとうぐそく》せり。刹那刹那《せつなせつな》に生滅《しょうめつ》す。[43]こころを刹那《せつな》に[44]ちわりてみるとも、弥陀《みだ》の願行《がんぎょう》の遍《へん》ぜぬところなければ、機法一体《きほういったい》にして、こころも南無阿弥陀《なむあみだ》仏《ぶつ》なり。弥陀大悲《みだだいひ》のむねのうちに、かの常没《じょうもつ》の衆生《しゅじょう》みちみちたるゆえに、機法一体《きほういったい》にして南無阿弥《なむあみ》陀仏《だぶつ》なり。われらが[45]迷倒《めいとう》のこころのそこには、法界身《ほっかいしん》の仏《ぶつ》の功徳《くどく》みちみちたまえるゆえに、また機《き》法一体《ほういったい》にして南無阿弥陀仏《なむあみだぶつ》なり。浄土《じょうど》の依正二報《えしょうにほう》も、しかなり。依報《えほう》は、宝樹《ほうじゅ》の葉《は》ひとつも、極悪《ごくあく》のわれらがためならぬことなければ、機法一体《きほういったい》にして南無阿弥陀仏《なむあみだぶつ》なり。正報《しょうほう》は、眉間《みけん》の白毫相《びゃくごうそう》より千輻輪《せんぷくりん》のあなうら《（足裏）》にいたるまで、常没《じょうもつ》の[46]衆生《しゅじょう》の願行《がんぎょう》[47]成就《じょうじゅ》せる御《おん》かたちなるゆえに、また機法《きほう》一体《いったい》にして南無阿弥陀仏《なむあみだぶつ》なり。われらが道心《どうしん》・二法《にほう》・三業《さんごう》・四威儀《しいぎ》すべて報仏《ほうぶつ》の功徳《くどく》のいたらぬところなければ、南無《なむ》の機《き》と阿弥陀仏《あみだぶつ》の、[48]片時《へんし》もはなるることなければ、念々《ねんねん》みな南無阿弥陀仏《なむあみだぶつ》なり。されば、いずるいき、いるいきも、仏《ぶつ》の功徳《くどく》をはなるる時分《じぶん》なければ、みな南無阿弥陀仏《なむあみだぶつ》の体《たい》なり。[49]縛日羅冒地《ばざらぼじ》といいしひとは、常水観《じょうしいかん》をなししかば、こころにひかれて身《み》もひとつのいけと[50]なりき。その法《ほう》にそ《（染）》みぬれば色心正法《しきしんしょうぼう》それになりかえることなり。念仏三昧《ねんぶつさんまい》の領解《りょうげ》ひらけなば、身《み》もこころも南無阿弥陀仏《なむあみだぶつ》なり。かえりてその領解《りょうげ》、ことばにあらわるるとき、南無阿弥陀仏《なむあみだぶつ》ともうすが、うるわしき弘願《ぐがん》の念仏《ねんぶつ》にてあるなり。念仏《ねんぶつ》というは、かならずしも、くちに南無阿弥陀仏《なむあみだぶつ》ととなうるのみにあらず。阿弥陀仏《あみだぶつ》の功徳《くどく》、われらが南無《なむ》の機《き》[51]において、十劫正覚《じっこうしょうがく》の刹那《せつな》より成《じょう》じいりたまいけるものを、という信心《しんじん》のおこるを、念仏《ねんぶつ》というなり。

さてこの領解《りょうげ》をことわりあらわせば、南無阿弥陀仏《なむあみだぶつ》というにてあるなり。この仏《ぶつ》の心《しん》は大慈悲《だいじひ》を本《ほん》とするゆえに、愚鈍《ぐどん》の衆生《しゅじょう》を[52]わたしたまうをさきとするゆえに、名体不二《みょうたいふに》の正覚《しょうがく》を[53]となえましますゆえに、仏体《ぶったい》も名《な》におもむき、名《な》に体《たい》の功徳《くどく》を具足《ぐそく》するゆえに、なにと、はかばかしくしらねども、平信《へいしん》のひとも、となうれば往生《おうじょう》するなり。されども下根《げこん》の凡夫《ぼんぶ》なるゆえに、そぞろに、ひら信《しん》じも[54]かなうべからず。そのことわりをききひらくとき、信心《しんじん》はおこるなり。念仏《ねんぶつ》をもうすとも往《おう》生《じょう》せぬをば「[55]名義《みょうぎ》に相応《そうおう》せざるゆえ」（論註）とこそ、曇鸞《どんらん》も釈《しゃく》したまえ。「名義《みょうぎ》に相応《そうおう》す」というは、阿弥陀仏《あみだぶつ》の功徳力《くどくりき》にて、われらは往生《おうじょう》すべしとおもうて、となうるなり。[56]領解《りょうげ》の信心《しんじん》を、ことばに[57]あらわすゆえに、南無阿弥陀仏《なむあみだぶつ》の六字《ろくじ》をよくこころうるを、三心《さんじん》というなり。かるがゆえに、仏《ぶつ》の功徳《くどく》、ひしとわが身《み》に成《じょう》じたりとおもいて、くちに南無阿弥陀仏《なむあみだぶつ》ととなうるが、三心具足《さんじんぐそく》の念仏《ねんぶつ》にてあるなり。自力《じりき》のひとの念仏《ねんぶつ》は、仏《ぶつ》をばさしのけて西方《さいほう》におき、わが身《み》をばしらじらとある凡夫《ぼんぶ》にて、ときどきこころに仏《ぶつ》の他力《たりき》をおもい、名号《みょうごう》をとなうるゆえに、仏《ぶつ》と衆生《しゅじょう》と、うとうと（疎々）しくして、いささか道心《どうしん》おこりたるときは、往生《おうじょう》もちかくおぼえ、念仏《ねんぶつ》ももの（物憂）うく、道心《どうしん》もさめたるときは、往生《おうじょう》もきわめて不定《ふじょう》なり。凡夫《ぼんぶ》のこころとしては、道心《どうしん》をおこすこともまれなれば、[58]つねには往生不定《おうじょうふじょう》の身《み》なり。もしやもしやと、まてども、往生《おうじょう》は臨終《りんじゅう》までおもいさだむることなきゆえに、くちにときどき名号《みょうごう》をとなうれども、たのみがたき往生《おうじょう》なり。たとえば、ときどきひとに見参《げんざん》、みやづかいするにたり。そのゆえは、いかにして仏《ぶつ》の御《おん》こころにかなわんずると[59]おもい、仏《ぶつ》に追従《ついしょう》して往生《おうじょう》の御恩《ごおん》をも、かぶらんずるようにおもうほどに、機《き》の安心《あんじん》と仏《ぶつ》の大悲《だいひ》とが、はなればなれにて、つねに仏《ぶつ》にうとき身《み》なり。このくらいにては、まことにきわめて往生不定《おうじょうふじょう》なり。

念仏三昧《ねんぶつさんまい》というは、報仏弥陀《ほうぶつみだ》の大悲《だいひ》の願行《がんぎょう》はもとより、まよいの衆生《しゅじょう》の心想《しんそう》のうちにいりたまえり、しらずして仏体《ぶったい》より機法一体《きほういったい》の南無阿弥陀仏《なむあみだぶつ》の正覚《しょうがく》に成《じょう》じたまうことなりと信知《しんち》するなり。願《がん》行《ぎょう》みな仏体《ぶったい》より成《じょう》ずることとなるがゆえに、おがむ手《て》、となうるくち、信《しん》ずるこころ、みな他力《たりき》なりというなり。かるがゆえに、機法一体《きほういったい》の念仏三昧《ねんぶつさんまい》をあらわして、第八《だいはち》の観《かん》には、[60]「諸仏如来《しょぶつにょらい》　是法界《ぜほっかい》身《しん》　入一切衆生心想中《にゅういっさいしゅじょうしんそうちゅう》」（観経）ととく。これを釈《しゃく》するに、[61]「「法界《ほっかい》」というは、所化《しょけ》の境《きょう》、すなわち衆生界《しゅじょうかい》なり」（定善義）といえり。定善《じょうぜん》の衆生《しゅじょう》ともいわず、道心《どうしん》の衆生《しゅじょう》ともとかず、法界《ほっかい》の衆《しゅ》生《じょう》を所化《しょけ》とす。「「法界《ほっかい》」というは、所化《しょけ》の境《きょう》、衆生界《しゅじょうかい》なり」と釈《しゃく》する、[62]これなり。まさしくは、こころいたるがゆえに身《み》もいたるといえり。弥陀《みだ》の身心《しんじん》の功徳《くどく》、法界衆生《ほっかいしゅじょう》の身《しん》のうち、こころのそこに、いりみつゆえに、「入一切衆生心想中《にゅういっさいしゅじょうしんそうちゅう》」と[63]とくなり。ここを信《しん》ずるを、念仏衆生《ねんぶつしゅじょう》というなり。また真身観《しんしんかん》には、[64]「念仏衆生《ねんぶつしゅじょう》の三業《さんごう》と、弥陀如来《みだにょらい》の三業《さんごう》と、あいはなれず」（定善義）と釈《しゃく》せり。仏《ぶつ》の正覚《しょうがく》は衆生《しゅじょう》の往生《おうじょう》より成《じょう》じ、衆生《しゅじょう》の往生《おうじょう》は仏《ぶつ》の正覚《しょうがく》より成《じょう》ずるゆえに、衆生《しゅじょう》の三業《さんごう》と仏《ぶつ》の三業《さんごう》とまったく一体《いったい》なり。仏《ぶつ》の正覚《しょうがく》のほかに衆生《しゅじょう》の往生《おうじょう》もなく、願《がん》も行《ぎょう》もみな仏体《ぶったい》より成《じょう》じたまえりと、しりきくを、念仏《ねんぶつ》の衆生《しゅじょう》といい、この信心《しんじん》の、ことばにあらわるるを南無阿弥陀仏《なむあみだぶつ》という。かるがゆえに、念仏《ねんぶつ》の行者《ぎょうじゃ》になりぬれば、いかに仏《ぶつ》をはなれんとおもうとも、微塵《みじん》のへだてもなきことなり。仏《ぶつ》のかたより機法一体《きほういったい》の南無阿弥陀仏《なむあみだぶつ》の正覚《しょうがく》を成《じょう》じたまいたりけるゆえに、なにとはかばかしからぬ下下品《げげぼん》の失念《しつねん》のくらいの称名《しょうみょう》も往生《おうじょう》するは、となうるときはじめて往生《おうじょう》するにはあらず。極悪《ごくあく》の機《き》のために、もとより成《じょう》じたまえる往生《おうじょう》をとなえあらわすなり。また『大《だい》経《きょう》』の三宝滅尽《さんぼうめつじん》の衆生《しゅじょう》の、三宝《さんぼう》の名字《みょうじ》をだにも、はかばかしくきかぬほどの機《き》が、一念《いちねん》となえて往生《おうじょう》するも、となうる[65]ときはじめて往生《おうじょう》の成《じょう》ずるにあらず。仏体《ぶったい》より成《じょう》ぜし願行《がんぎょう》の薫修《くんじゅ》が、一《いっ》声称仏《しょうしょうぶつ》のところにあらわれて、往生《おうじょう》の一大事《いちだいじ》を成《じょう》ずるなり。かくこころうれば、われらは今日今《こんにちこん》時往生《じおうじょう》すとも、わがこころのかしこくて、念仏《ねんぶつ》をもうし、他力《たりき》をも信《しん》ずるこころの功《こう》にあらず。勇猛専精《ゆみょうせんしょう》にはげみたまいし仏《ぶつ》の功徳《くどく》、十劫正覚《じっこうしょうがく》の刹那《せつな》に、われら[66]において成《じょう》じたまいたりけるが、[67]あらわれもてゆくなり。覚体《かくたい》の功徳《くどく》は、同時《どうじ》に十方衆生《じっぽうしゅじょう》のうえに成《じょう》ぜしかども、昨日《きのう》あらわすひともあり、今日《こんにち》あらわすひともあり。已今当《いこんとう》の三世《さんぜ》の往生《おうじょう》は不同《ふどう》なれども、弘願正因《ぐがんしょういん》のあらわれもてゆくゆえに、仏《ぶつ》の願行《がんぎょう》のほかには別《べつ》に、機《き》に信心《しんじん》ひとつも行《ぎょう》ひとつも、くわうることはなきなり。念仏《ねんぶつ》というは、このことわりを念《ねん》じ、行《ぎょう》というは、このうれしさを礼拝恭敬《らいはいくぎょう》するゆえに、仏《ぶつ》の正覚《しょうがく》と衆生《しゅじょう》の行《ぎょう》とが一体《いったい》にしてはなれ《（離）》ぬなり。したしというも、なおおろか《（疎）》なり、ちかしというも、なおとおし。一体《いったい》のうちにおいて、能念《のうねん》・所念《しょねん》を体《たい》のうちに論《ろん》ずるなりとしるべし。

[68]安《あん》心《じん》決《けつ》定《じょう》鈔《しょう》　本

安《あん》心《じん》決《けつ》定《じょう》[69]鈔《しょう》　末

『往生論《おうじょうろん》』に[70]「如来浄花衆《にょらいじょうけしゅ》　正覚花化生《しょうがくけけしょう》」といえり。他力《たりき》の大信心《だいしんじん》をえたるひとを浄華《じょうけ》の衆《しゅ》とはいうなり。これはおなじく正覚《しょうがく》のはなより生《しょう》ずるなり。正覚花《しょうがくけ》というは衆生《しゅじょう》の往生《おうじょう》をかけもの（懸物）にして、もし生《しょう》ぜずは、[71]正覚《しょうがく》とらじとちかいたまいし法蔵菩薩《ほうぞうぼさつ》の、十方衆生《じっぽうしゅじょう》の願行成就《がんぎょうじょうじゅ》せしとき、機法一体《きほういったい》の正覚成《しょうがくじょう》じたまえる慈悲《じひ》の御《おん》こころのあらわれたまえる心蓮華《しんれんげ》を、正覚華《しょうがくけ》とはいうなり。これを第七《だいしち》の観《かん》には[72]「除苦悩法《じょくのうぼう》」（観経）ととき、下々品《げげぼん》には[73]「五逆《ごぎゃく》の衆生《しゅじょう》を来迎《らいこう》する蓮花《れんげ》」（同）ととくなり。仏心《ぶっしん》を蓮華《れんげ》とたとうることは、凡夫《ぼんぶ》の煩悩《ぼんのう》の泥濁《でいじょく》にそ（染）まざるさとりなるゆえなり。なにとして仏心《ぶっしん》の蓮華《れんげ》よりは生《しょう》ずるぞというに、曇鸞《どんらん》、この文《もん》を、[74]「同一《どういつ》に念仏《ねんぶつ》して、別《べつ》の[75]道《どう》なきがゆえに」（論註）と釈《しゃく》したまえり。[76]「とおく通《つう》ずるに、四海《しかい》みな兄弟《きょうだい》なり」（同）。善悪《ぜんあく》、機《き》ごとに、九品《くぼん》、くらいかわれども、[77]ともに他力《たりき》の願行《がんぎょう》をたのみ、おなじく正覚《しょうがく》の体《たい》に帰《き》することはかわらざるゆえに、「同一念仏《どういつねんぶつ》して別《べつ》の道《どう》なきがゆえに」といえり。またさきに往生《おうじょう》するひとも、他力《たりき》の願行《がんぎょう》に帰《き》して往生《おうじょう》し、のちに往生《おうじょう》するひとも正覚《しょうがく》の一念《いちねん》に帰《き》して往生《おうじょう》す。心蓮華《しんれんげ》のうちにいたるゆえに、「四海《しかい》みな兄弟《きょうだい》なり」というなり。[78]「[79]仏身《ぶっしん》をみるものは、仏心《ぶっしん》をみたてまつる。仏心《ぶっしん》というは、大慈悲《だいじひ》これなり。」（観経）仏心《ぶっしん》はわれらを[80]愍念《みんねん》したまうこと骨髄《こつずい》にとおりて、そみ（染）つき（着）たまえり。たとえば、火《ひ》の、すみ（炭）におこりつきたるがごとし。はな（離）たんとするとも、はなるべからず。摂取《せっしゅ》の心光《しんこう》、われらをてらして、身《み》より髄《ずい》にとおる。心《しん》は三毒煩悩《さんどくぼんのう》の心《しん》までも、仏《ぶつ》の功徳《くどく》のそみつかぬところはなし。機法《きほう》もとより一体《いったい》なるところを、南無阿弥陀仏《なむあみだぶつ》というなり。この信心《しんじん》おこりぬるうえは、口業《くごう》には、たといときどき念仏《ねんぶつ》すとも、常念仏《じょうねんぶつ》の衆生《しゅじょう》にてあるべきなり。三縁《さんえん》のなかに、[81]「くちにつねに、身《み》につねに」（定善義）と釈《しゃく》する、このこころなり。仏《ぶつ》の三業《さんごう》の功徳《くどく》を信《しん》ずるゆえに、衆生《しゅじょう》の三業《さんごう》、如来《にょらい》の仏智《ぶっち》と一体《いったい》にして、仏《ぶつ》の長時修《じょうじしゅ》の功徳《くどく》、衆生《しゅじょう》の身口意《しんくい》にあらわるるところなり。

また、唐朝《とうちょう》に傅大士《ふだいじ》とて、ゆゆしく大乗《だいじょう》をもさとり、外典《げてん》にも達《たっ》して、とうときひとおわしき。そのことばにいわく、[82]「あさなあさな、仏《ぶつ》とともにおき、ゆうなゆうな、仏《ぶつ》をいだきてふす」といえり。これは聖道《しょうどう》の通法門《つうほうもん》の真如《しんにょ》の理仏《りぶつ》をさして、仏《ぶつ》というといえども、修得《しゅとく》のかたよりおもえば、すこしもたがうまじきなり。摂取《せっしゅ》の心光《しんこう》に照護《しょうご》せられたてまつらば、行者《ぎょうじゃ》もまたかくのごとし。あさなあさな、報仏《ほうぶつ》の功徳《くどく》をもちながらおき、ゆうなゆうな、弥陀《みだ》の仏智《ぶっち》とともにふす。うとからん仏《ぶつ》の功徳《くどく》は、機《き》にとおければ、いかがはせん。真如法性《しんにょほっしょう》の理《り》はちかけれども、さとりなき機《き》には、ちからおよばず。わがちからも、さとりもいらぬ他力《たりき》の願行《がんぎょう》を、ひさしく身《み》にたもちながら、よしなき自力《じりき》の執心《しゅうしん》にほだされて、むなしく流転《るてん》の故郷《こきょう》にかえらんこと、かえすがえすも、かなしかるべきことなり。釈尊《しゃくそん》も、[83]いかばかりか往来娑婆八千遍《おうらいしゃばはっせんべん》の甲斐《かい》なきことをあわれみ、弥陀《みだ》も、いかばかりか難化能化《なんけのうけ》のしるしなきことをかなしみたまうらん。もし一人《いちにん》なりとも、かかる不思議《ふしぎ》の願行《がんぎょう》を信《しん》ずることあらば、まことに仏恩《ぶっとん》を報《ほう》ずるなるべし。

かるがゆえに『安楽集《あんらくしゅう》』には、[84]「すでに他力《たりき》の乗《じょう》ずべきみちあり。つたなく自力《じりき》にかかわりて、いたずらに[85]火宅《かたく》にあらんことをおもわざれ」といえり。このことまことなるかな。自力《じりき》のひがおもいをあらためて、他力《たりき》を信《しん》ずるところを、[86]「ゆめゆめまよいをひるがえして[87]本家《ほんけ》にかえれ」（往生礼讃）ともいい、[88]「帰去来《いざいなん》、魔郷《まきょう》にはとどまるべからず」（定善義）とも釈《しゃく》するなり。また『法事讃《ほうじさん》』に、[89]「極楽無為涅槃界《ごくらくむいねはんがい》　随縁雑善恐難生《ずいえんぞうぜんくなんしょう》　故使如来選要法《こしにょらいせんようほう》　教念弥陀専復専《きょうねんみだせんぶせん》」といえり。この文《もん》のこころは、「極楽《ごくらく》は無為無漏《むいむろ》のさかいなれば、有為有漏《ういうろ》の雑善《ぞうぜん》にては、おそらくはうまれがたし。無為無漏《むいむろ》の念仏三昧《ねんぶつさんまい》に帰《き》してぞ、無為常住《むいじょうじゅう》の報土《ほうど》には生《しょう》ずべき」というなり。まず、「随縁《ずいえん》の雑善《ぞうぜん》」というは、自力《じりき》の行《ぎょう》をさすなり。真実《しんじつ》に仏法《ぶっぽう》につきて領解《りょうげ》もあり、信心《しんじん》もおこることはなくして、わがしたしきものの、律僧《りっそう》にてあれば、戒《かい》は世《よ》にとうときことなりといい、あるいは、今生《こんじょう》のいのりのためにも、真言《しんごん》をせさすれば結縁《けちえん》もむなしからず、真言《しんごん》とうとしなどいう体《てい》に、便宜《びんぎ》にひかれて縁《えん》にしたがいて修《しゅ》する善《ぜん》なるがゆえに、随縁《ずいえん》の雑善《ぞうぜん》ときらわるるなり。このくらいならば、たとい念《ねん》仏《ぶつ》の行《ぎょう》なりとも、自力《じりき》の念仏《ねんぶつ》は随縁《ずいえん》の雑善《ぞうぜん》にひとしかるべきか。うちまかせて、ひとのおもえる念《ねん》仏《ぶつ》は、こころには浄土《じょうど》の依正《えしょう》をも観念《かんねん》し、くちには名号《みょうごう》をもとなうるときばかり念仏《ねんぶつ》はあり、念《ねん》ぜず、となえざるときは、念仏《ねんぶつ》もなしとおもえり。このくらいの念仏《ねんぶつ》ならば、無為常住《むいじょうじゅう》の念仏《ねんぶつ》とはいいがたし。となうるときは、い《(出)》でき《(来)》、となえざるときは、う《(失)》せば、またことに無常転変《むじょうてんぺん》の念仏《ねんぶつ》なり。無為《むい》とは、なすことなしとかけり。小乗《しょうじょう》には三無為《さんむい》といえり。そのなかに虚空無為《こくうむい》というは、虚空《こくう》はうすることもなく、はじめていでくることもなし。天然《てんねん》なることわりなり。大乗《だいじょう》には真如法性等《しんにょほっしょうとう》の常住《じょうじゅう》不変《ふへん》の理《り》を、無為《むい》と談《だん》ずるなり。序題門《じょだいもん》に、[90]「法身常住《ほっしんじょうじゅう》　比若虚空《ひにゃくこくう》」（玄義分）と釈《しゃく》せらるるも、かのくにの常住《じょうじゅう》の益《やく》をあらわすなり。かるがゆえに、極楽《ごくらく》を[91]無為住《むいじゅう》のくにというは、凡夫《ぼんぶ》のなすによりて、うせもし、いできもすることのなきなり。念仏三昧《ねんぶつさんまい》もまたかくのごとし。衆生《しゅじょう》の念《ねん》ずればとて、はじめていでき、わするればとて、うする法《ほう》にあらず。よくよくこのことわりをこころうべきなり。

およそ念仏《ねんぶつ》というは、仏《ぶつ》を念《ねん》ずとなり。仏《ぶつ》を念《ねん》ずというは、仏《ぶつ》の、大願業力《だいがんごうりき》をもって衆生《しゅじょう》の生死《しょうじ》のきずなをきりて、不退《ふたい》の報土《ほうど》に生《しょう》ずべきいわれを成就《じょうじゅ》したまえる功徳《くどく》を、念仏《ねんぶつ》して帰命《きみょう》の本願《ほんがん》に乗《じょう》じぬれば、衆生《しゅじょう》の三業《さんごう》、仏体《ぶったい》にもたれて仏果《ぶっか》の正覚《しょうがく》にのぼる。かるがゆえに、いまいうところの念仏三昧《ねんぶつさんまい》というは、われらが称礼念《しょうらいねん》すれども、自《じ》の行《ぎょう》にはあらず。ただこれ阿弥陀仏《あみだぶつ》の行《ぎょう》を行《ぎょう》ずるなりとこころうべし。[92]本願《ほんがん》というは五劫思惟《ごこうしゆい》の本願《ほんがん》、業力《ごうりき》というは兆載永劫《ちょうさいようごう》の行業乃至《ぎょうごうないし》十劫正覚《じっこうしょうがく》ののちの仏果《ぶっか》の万徳《まんどく》なり。この願行《がんぎょう》の功徳《くどく》は、ひとえに未来悪世《みらいあくせ》の無智《むち》のわれらがために、かわりてはげみおこないたまいて、十方衆生《じっぽうしゅじょう》のうえごとに生死《しょうじ》のきずなきれはてて、不退《ふたい》の報土《ほうど》に願行円満《がんぎょうえんまん》せしとき、機法一体《きほういったい》の正覚《しょうがく》を成《じょう》じたまいき。この正覚《しょうがく》の体《たい》を念《ねん》ずるを、念仏三昧《ねんぶつさんまい》というゆえに、さらに機《き》の三業《さんごう》にはとどむべからず。うちまかせては、機《き》よりしてこそ生死《しょうじ》のきずなをきるべき行《ぎょう》をもはげみ、報土《ほうど》にいるべき願行《がんぎょう》をもいとなむべきに、修因感果《しゅいんかんか》の道理《どうり》にこえたる別異《べつい》の弘願《ぐがん》なるゆえに、仏《ぶつ》の大願業力《だいがんごうりき》をもって凡夫《ぼんぶ》の往生《おうじょう》はしたため成《じょう》じたまいけることのかたじけなさよ、と帰命《きみょう》すれば、衆生《しゅじょう》の三業《さんごう》は能業《のうごう》となりて、うえにのせられ、弥陀《みだ》の願力《がんりき》は所業《しょごう》となりて、われらが報仏報土《ほうぶつほうど》へ生《しょう》ずべきのりものとなりたまうなり。かるがゆえに、帰命《きみょう》の心《しん》、本願《ほんがん》に乗《じょう》じぬれば、三業《さんごう》みな仏体《ぶったい》にもたるというなり。仏《ぶつ》の願行《がんぎょう》はさらに他《た》のことにあらず。一向《いっこう》にわれらが往《おう》生《じょう》の願行《がんぎょう》の体《たい》なるがゆえに、仏果《ぶっか》の正覚《しょうがく》のほかに往生《おうじょう》の行《ぎょう》を論《ろん》ぜざるなり。このいわれをききながら、仏《ぶつ》の正覚《しょうがく》をば、おおやけものなるようにてさておいて、いかがして道心《どうしん》をもおこし、行《ぎょう》をもいさぎよくして往生《おうじょう》せんずるとおもわんは、かなしかるべき執心《しゅうしん》なり。仏《ぶつ》の正覚《しょうがく》、すなわち衆《しゅ》生《じょう》の往生《おうじょう》を成《じょう》ぜる体《たい》なれば、仏体《ぶったい》、すなわち往生《おうじょう》の願《がん》なり、行《ぎょう》なり。この行《ぎょう》は、衆生《しゅじょう》の念《ねん》・不念《ふねん》によるべき行《ぎょう》にあらず。かるがゆえに、仏果《ぶっか》の正覚《しょうがく》のほかに往生《おうじょう》の行《ぎょう》を論《ろん》ぜずというなり。

この正覚《しょうがく》を心《しん》に領解《りょうげ》するを三心《さんじん》とも信心《しんじん》ともいう。この機法一体《きほういったい》の正覚《しょうがく》は名体不二《みょうたいふに》なるゆえに、これをくちにとなうるを南無阿弥陀仏《なむあみだぶつ》という。かるがゆえに、心《しん》に信《しん》ずるも正覚《しょうがく》の一念《いちねん》にかえり、くちにとなうるも正覚《しょうがく》の一念《いちねん》にかえる。たとい千声《せんしょう》となうとも、正覚《しょうがく》の一念《いちねん》をばいずべからず。またものぐさく懈怠《けだい》ならんときは、となえず念《ねん》ぜずして、夜《よ》をあかし日《ひ》をくらすとも、他力《たりき》の信心《しんじん》、本願《ほんがん》にのりいなば、仏体《ぶったい》すなわち長時《じょうじ》の行《ぎょう》なれば、さらにたゆむことなく間断《けんだん》なき行体《ぎょうたい》なるゆえに、名号《みょうごう》すなわち無為常住《むいじょうじゅう》なりとこころうるなり。[93]「阿弥陀仏《あみだぶつ》すなわちこれその行《ぎょう》」（玄義分）といえる、このこころなり。

またいまいうところの念仏三昧《ねんぶつさんまい》は、[94]われらが称礼念《しょうらいねん》すれども、自《じ》の行《ぎょう》にはあらず。ただこれ阿弥陀仏《あみだぶつ》の行《ぎょう》を行《ぎょう》ずるなりというは、帰命《きみょう》の心《しん》、本願《ほんがん》にのりて、三業《さんごう》みな仏体《ぶったい》のうえに乗《じょう》じぬれば、身《み》も仏《ぶつ》をはなれたる身《み》にあらず、こころも仏《ぶつ》をはなれたるこころにあらず。くちに念《ねん》ずるも機法一体《きほういったい》の正覚《しょうがく》のかたじけなさを称《しょう》し、礼《らい》するも他力《たりき》の恩徳《おんどく》の身《み》にあまるうれしさを礼《らい》するゆえに、われらは称《しょう》すれども念《ねん》ずれども、機《き》の功《こう》をつのるにあらず。ただこれ阿弥陀仏《あみだぶつ》の、凡夫《ぼんぶ》の行《ぎょう》を成《じょう》ぜしところを行《ぎょう》ずるなりというなり。仏体《ぶったい》、無為無漏《むいむろ》なり。依正《えしょう》、無為無漏《むいむろ》なり。されば、名体不二《みょうたいふに》のゆえに、名号《みょうごう》もまた無為無漏《むいむろ》なり。かるがゆえに、念仏三昧《ねんぶつさんまい》になりかえりて、もっぱらにしてまたもっぱらなれというなり。専《せん》の字《じ》、二重《にじゅう》なり。まず、雑行《ぞうぎょう》をすてて正行《しょうぎょう》をとる、これ一重《いちじゅう》の専《せん》なり。そのうえに、助業《じょごう》をさしおきて正定業《しょうじょうごう》になりかえる、また一重《いちじゅう》の専《せん》なり。また、はじめの専《せん》は一行《いちぎょう》なり、のちの専《せん》は一心《いっしん》なり。一行一心《いちぎょういっしん》なるを[95]「専復専《せんぶせん》」（法事讃）というなり。この正定《しょうじょう》業《ごう》の体《たい》は、機《き》の三業《さんごう》のくらいの念仏《ねんぶつ》にあらず、時節《じせつ》の久近《くごん》をとわず、行住坐臥《ぎょうじゅうざが》をえらばず、摂取不《せっしゅふ》捨《しゃ》の仏体《ぶったい》すなわち凡夫往生《ぼんぶおうじょう》の正定業《しょうじょうごう》なるゆえに、名号《みょうごう》も名体不二《みょうたいふに》のゆえに正定業《しょうじょうごう》なり。この機法一体《きほういったい》の南無阿弥陀仏《なむあみだぶつ》になりかえるを、念仏三昧《ねんぶつさんまい》という。かるがゆえに、機《き》の念《ねん》・不念《ふねん》によらず、仏《ぶつ》の無碍智《むげち》より機法一体《きほういったい》に成《じょう》ずるゆえに、名号《みょうごう》すなわち無為無漏《むいむろ》なり。このこころをあらわして、「極楽無為《ごくらくむい》」（同）というなり。念仏三昧《ねんぶつさんまい》というは、機《き》の念《ねん》を本《ほん》とするにあらず、仏《ぶつ》の大悲《だいひ》の、衆生《しゅじょう》を摂取《せっしゅ》したまえることを念《ねん》ずるなり。仏《ぶつ》の功徳《くどく》も、もとより衆生《しゅじょう》のところに機法一体《きほういったい》に成《じょう》ずるゆえに、帰命《きみょう》の心《しん》のおこるというも、はじめて帰《き》するにあらず。機法一体《きほういったい》に成《じょう》ぜし功徳《くどく》が、衆生《しゅじょう》の意《い》業《ごう》に、うかびいずるなり。南無阿弥陀仏《なむあみだぶつ》と称《しょう》するも、称《しょう》して仏体《ぶったい》にちかづくにあらず。機法一体《きほういったい》の正覚《しょうがく》の功徳《くどく》、衆生《しゅじょう》の口業《くごう》にあらわるるなり。信《しん》ずれば仏体《ぶったい》にかえり、称《しょう》すれば仏体《ぶったい》にかえるなり。

一《ひとつ》　自力《じりき》・他力《たりき》、日輪《にちりん》の事《こと》。

自力《じりき》にて往生《おうじょう》せんとおもうは、[96]闇夜《あんや》にわがまなこのちからにて、ものをみんとおもわんがごとし。さらにかなうべからず。日輪《にちりん》のひかりをまなこにうけとりて所縁《しょえん》の境《きょう》をてらしみる、これしかしながら日輪《にちりん》のちからなり。ただし、日《ひ》のてらす因《いん》ありとも[97]生盲《しょうもう》のものはみるべからず、また、まなこひらきたる縁《えん》ありとも、闇夜《あんや》にはみるべからず。日《ひ》とまなこと因縁和合《いんねんわごう》してものをみるがごとし。帰《き》命《みょう》の念《ねん》に本願《ほんがん》の功徳《くどく》をうけとりて、往生《おうじょう》の大事《だいじ》をとぐべきものなり。帰命《きみょう》の心《しん》は、まなこのごとし、摂取《せっしゅ》のひかりは、日《ひ》のごとし。南無《なむ》は、すなわち帰命《きみょう》、これまなこなり。阿弥陀仏《あみだぶつ》は、すなわち他力弘願《たりきぐがん》の法体《ほうたい》、これ日輪《にちりん》なり。よって本願《ほんがん》の功徳《くどく》をうけとることは、宿善《しゅくぜん》の機《き》、南無《なむ》と帰命《きみょう》して阿弥陀仏《あみだぶつ》ととなうる六字《ろくじ》のうちに、万行万善《まんぎょうまんぜん》、恒沙《ごうじゃ》の功徳《くどく》、ただ一声《いっしょう》に成就《じょうじゅ》するなり。かるがゆえに、ほかに功徳善根《くどくぜんごん》をもとむべからず。

一《ひとつ》　四種往生《ししゅおうじょう》の事《こと》。

四種《ししゅ》の往生《おうじょう》というは、一《ひと》つには正念往生《しょうねんおうじょう》。『阿弥陀経《あみだきょう》』に98「心不顚倒《しんぷてんどう》　即得往生《そくとくおうじょう》」ととく、これなり。二《ふた》つには狂乱往生《きょうらんおうじょう》。『観経《かんぎょう》』の下品《げぼん》にときていわく、99「十悪《じゅうあく》・破戒《はかい》・五逆《ごぎゃく》、はじめは臨終《りんじゅう》狂乱《きょうらん》して手《て》に虚空《こくう》をにぎり、身《み》よりしろきあせをながし、地獄《じごく》の猛火現《みょうかげん》ぜしかども、善知識《ぜんじしき》におう(遇)て、もしは一声《いっしょう》、もしは一念《いちねん》、もしは十声《じっしょう》にて往生《おうじょう》す。」三《み》つには無記往生《むきおうじょう》。これは『群疑論《ぐんぎろん》』にみえたり。このひと、いまだ無記《むき》ならざりしとき、摂取《せっしゅ》の光明《こうみょう》にてらされ、帰命《きみょう》の信心《しんじん》おこりたりしかども、生死《しょうじ》の身《み》をうけしより、しかるべき業因《ごういん》にて無記《むき》になりたれども、往生《おうじょう》は他力《たりき》の仏智《ぶっち》にひかれて、うたがいなし。たとえば100睡眠《ずいめん》したれども、月《つき》のひかりはてらすがごとし。無記心《むきしん》のなかにも摂取《せっしゅ》のひかりたえざれば、ひかりのちからにて無記《むき》の心《しん》ながら往生《おうじょう》するなり。因果《いんが》の理《り》をしらざるものは、なじに仏《ぶつ》の御《おん》ちからにて、すこしきほどの無記《むき》にもなしたまうぞと難《なん》じ、また無記《むき》ならんほどにては、よも往生《おうじょう》せじなんどおもうは、それはくわしく聖教《しょうぎょう》をしらず、因果《いんが》の道理《どうり》にまどい、仏智《ぶっち》の不思議《ふしぎ》をうたがうゆえなり。四《よ》つには意念往生《いねんおうじょう》。これは101『法鼓経《ほっくきょう》』にみえたり。こえにいだしてとなえずとも、こころに念《ねん》じて往生《おうじょう》するなり。この四種《ししゅ》の往生《おうじょう》は、黒谷《くろだに》の聖人《しょうにん》(法然)の御料簡《ごりょうけん》なり。よのつねには、くわしくこのことをしらずして、臨終《りんじゅう》に念仏《ねんぶつ》もうさず、また無記《むき》ならんは往生《おうじょう》せずといい、名号《みょうごう》をとなえたらば往生《おうじょう》とおもうは、さることもあらんずれども、それはなお、おおようなり。五百《ごひゃく》の長者《ちょうじゃ》の子《こ》は、臨終《りんじゅう》に仏名《ぶつみょう》をとなえたりしかども、往生《おうじょう》せざりしように、臨終《りんじゅう》にこえにいだすとも、帰命《きみょう》の信心《しんじん》おこらざらんものは、人天《にんでん》に生《しょう》ずべしと、102『守護国界経《しゅごこっかいきょう》』にみえたり。されば、たださきの四人《しにん》ながら、帰命《きみょう》の心《しん》おこりたらば、みな往生《おうじょう》しけるにてあるべし。

天親菩薩《てんじんぼさつ》の『往生論《おうじょうろん》』に103「帰命尽十方無碍光如来《きみょうじんじっぽうむげこうにょらい》」といえり。ふかき法《ほう》も、あさきたとえにてこころえらるべし。たとえば日《ひ》は観音《かんのん》なり。その観音《かんのん》のひかりをば、みどり子《ご》よりまなこにえたれども、いとけなきときはしらず。すこしこざかしくなりて、自力《じりき》にて、「わが目《め》のひかりにてこそあれ」とおもいたらんに、よく日輪《にちりん》のこころをしりたらんひと、「おのが目《め》のひかりならば、よる《(夜)》こそものをみるべけれ。すみやかにもとの日光《にっこう》に帰《き》すべし」といわんを信《しん》じて、日天《にってん》のひかりに帰《き》しつるものならば、104わがまなこのひかり、やがて観音《かんのん》のひかりなるがごとし。帰命《きみょう》の義《ぎ》もまたかくのごとし。しらざるときのいのちも、阿弥陀《あみだ》の御《おん》いのちなりけれども、いとけなきときはしらず、すこしこざかしく自力《じりき》になりて、わがいのちとおもいたらんおり、善知識《ぜんじしき》、もとの阿弥陀《あみだ》のいのちへ帰《き》せよとおしうるをきて、105帰命無量寿覚《きみょうむりょうじゅかく》しつれば、わがいのちすなわち無量寿《むりょうじゅ》なりと信《しん》ずるなり。かくのごとく帰命《きみょう》するを、正念《しょうねん》をうとは釈《しゃく》するなり。すでに帰命《きみょう》して正念《しょうねん》をえたらんものは、たといかせ《(枷)》おもくして、この帰命《きみょう》ののち無記《むき》になるとも往生《おうじょう》すべし。すでに『群疑論《ぐんぎろん》』に、106「無記《むき》の心《しん》ながら往生《おうじょう》す」というは、摂取《せっしゅ》の光明《こうみょう》にてらされぬれば、その無記《むき》の心《しん》はやみて、慶喜心《きょうきしん》にて往生《おうじょう》すといえり。また『観経《かんぎょう》』の下三品《げさんぼん》は、いまだ帰命《きみょう》せざりしときは、地獄《じごく》の相《そう》、現《げん》じて、狂乱《きょうらん》せしかども、知識《ちしき》にすすめられて、帰命《きみょう》せしかば往生《おうじょう》しき。また平生《へいぜい》に帰命《きみょう》しつるひとは、いきながら摂取《せっしゅ》の益《やく》にあずかるゆえに、臨終《りんじゅう》にも、心顚倒《しんてんどう》せずして往生《おうじょう》す。これを正念往生《しょうねんおうじょう》と[107]なづくるなり。また、帰命《きみょう》の信心《しんじん》おこりぬるうえは、たといこえにいださずしておわるとも、なお往生《おうじょう》[108]すべし。[109]『法鼓経《ほっくきょう》』にみえたり。これを意念往生《いねんおうじょう》というなり。されば、とにもかくにも、他力不思議《たりきふしぎ》の信心決定《しんじんけつじょう》しぬれば、往生《おうじょう》はうたがうべからざるものなり。

一《ひとつ》『観仏三昧経《かんぶつさんまいきょう》』にのたまわく、[110]「長者《ちょうじゃ》あり。一人《いちにん》のむすめあり。最後《さいご》の処分《しょぶん》に閻浮檀金《えんぶだんごん》をあたう。[111]穢物《えもつ》につつみて、泥中《でいちゅう》にうずみておく。国王《こくおう》、群臣《ぐんしん》をつかわしてうばいとらんとす。この泥《でい》をばふみゆけども、しらずしてかえる。そののち、この女人《にょにん》とりいだしてあきなうに、さきよりもなお、富貴《ふき》になる。」これはこれ、たとえなり。「国王《こくおう》」というは、わが身《み》の心王《しんのう》にたとう。「たから」というは諸善《しょぜん》にたとう。「群臣《ぐんしん》」というは、[112]六賊《ろくぞく》にたとう。「かの六賊《ろくぞく》に諸善《しょぜん》をうばいとられて、たつ方《ほう》もなき」をば、出離《しゅつり》の縁《えん》なきにたとう。「泥中《でいちゅう》よりこがねをとりいだして富貴自在《ふきじざい》になる」というは、念仏三昧《ねんぶつさんまい》によりて信心決定《しんじんけつじょう》しぬれば、須臾《しゅゆ》に安楽《あんらく》の往生《おうじょう》をうるにたとう。[113]「穢物《えもつ》につつみて泥中《でいちゅう》におく」というは、五濁《ごじょく》の凡夫《ぼんぶ》、穢悪《えあく》の女人《にょにん》を正機《しょうき》とするにたとうるなり。

一《ひとつ》[114]たきぎは火《ひ》をつけつれば、はなるることなし。「たきぎ」は行者《ぎょうじゃ》の心《しん》にたとう。「火《ひ》」は弥陀《みだ》の摂取不捨《せっしゅふしゃ》の光明《こうみょう》にたとうるなり。心光《しんこう》に照護《しょうご》せられたてまつりぬれば、わが心《しん》をはなれて、仏心《ぶっしん》もなく、仏心《ぶっしん》をはなれて、[115]わが心《しん》もなきものなり。これを南無阿弥陀仏《なむあみだぶつ》とはなづけたり。

安《あん》心《じん》決《けつ》定《じょう》鈔《しょう》　末

116

[1]横《よ》川《かわ》法《ほう》語《ご》（念《ねん》仏《ぶつ》法《ほう》語《ご》）

[2]夫《そ》れ、一切衆生《いっさいしゅじょう》、三悪道《さんあくどう》を[3]のがれて、人間《にんげん》にうまるる事《こと》、大《おお》きなるよろこびなり。身《み》はいやしくとも畜生《ちくしょう》におとらんや、[4]家《いえ》まずしくとも、餓鬼《がき》に[5]はまさるべし。心《こころ》におもう事《こと》かなわずとも、地《じ》獄《ごく》の苦《くる》しみに[6]はくらぶべからず。世《よ》のすみ（栖）うき（憂）は、いとう（厭）[7]たよりなり。[8]人《ひと》かずならぬ身《み》のいやしきは、菩提《ぼだい》をねがうしるべなり。このゆえに、人間《にんげん》に[9]うまるる事《こと》をよろこぶべし。信心《しんじん》[10]あさくとも、本願《ほんがん》[11]ふかきがゆえに、たのめば必《かなら》ず往生《おうじょう》す。念仏《ねんぶつ》ものう（憂）けれども、唱《とな》うればさだめて来迎《らいこう》にあずかる。功徳莫大《くどくばくだい》[12]なり。このゆえに、本願《ほんがん》にあう事《こと》をよろこぶべし。[13]又《また》、妄念《もうねん》はもとより凡夫《ぼんぶ》の地体《じたい》なり。妄念《もうねん》の外《ほか》に[14]別《べつ》の心《こころ》もなきなり。臨終《りんじゅう》の時《とき》までは、[15]一向《いっこう》に妄念《もうねん》の凡夫《ぼんぶ》にてあるべきぞとこころえて念仏《ねんぶつ》すれば、来迎《らいこう》にあずかりて蓮台《れんだい》に[16]のるときこそ、妄念《もうねん》をひるがえしてさとりの心《こころ》とはなれ。妄念《もうねん》のうちより申《もう》しいだしたる念仏《ねんぶつ》は、濁《にご》りにしま（染）ぬ蓮《はちす》のごとく[17]にして、決定往生《けつじょうおうじょう》うたがい有《あ》るべからず。[18]妄念《もうねん》をいとわずして、信心《しんじん》のあさきをなげき、こころを深《ふか》くして、常《つね》に名号《みょうごう》をとなうべし。[19]

[1]一枚起請文《いちまいきしょうもん》

[2]源空《げんくう》述《じゅつ》

もろこし《（唐）》、我《わ》がちょう《（朝）》に、もろもろの智者達《ちしゃたち》の、さた《（沙汰）》し申《もう》さるる観念《かんねん》の念《ねん》にも非《あら》ず。又《また》、[3]学文《がくもん》をして念《ねん》の心《こころ》を悟《さと》りて申《もう》す念仏《ねんぶつ》にも非《あら》ず。ただ、往生極楽《おうじょうごくらく》のためには、南無阿弥陀仏《なむあみだぶつ》と申《もう》して疑《うたがい》なく往生《おうじょう》するぞと思《おも》いとりて申《もう》す外《ほか》には、別《べつ》の子《し》さい《（細）》候《そうら》わず。但《ただ》し、三心《さんじん》・四修《ししゅ》[4]と申《もう》す事《こと》の候《そうろ》うは、皆《みな》、決定《けつじょう》して南無阿弥陀仏《なむあみだぶつ》にて往生《おうじょう》するぞと思《おも》う内《うち》に籠《こも》り候《そうろ》うなり。此《こ》の外《ほか》におくふかき事《こと》を存《ぞん》ぜば、二尊《にそん》の[5]あわれみにはずれ、本願《ほんがん》にもれ候《そうろ》うべし。

念仏《ねんぶつ》を信《しん》ぜん人《ひと》は、たとい一代《いちだい》の[6]法《ほう》を能《よ》く能《よ》く学《がく》すとも、一文不知《いちもんふち》の愚《ぐ》どん《（鈍）》の身《み》になして、尼入道《あまにゅうどう》の無《む》ち《（智）》のともがらに同《おな》じくして、ちしゃ《（智者）》のふるまいをせずして、只一《ただいっ》こう《（向）》に念仏《ねんぶつ》すべし。

[7]証《しょう》の為《ため》に両手《りょうて》を以《もっ》て印《いん》す。

浄土宗《じょうどしゅう》の安心《あんじん》・起行《きぎょう》、此《こ》の一紙《いっし》に至極《しごく》せり。源空《げんくう》が所存《しょぞん》、此《こ》の外《ほか》に全《まった》く別義《べつぎ》を存《ぞん》ぜず。滅後《めつご》の邪義《じゃぎ》をふせがんが為《ため》に、所存《しょぞん》を記《しる》し畢《おわ》りぬ。

建暦二年《（一二一二）》正月二十三日　源空（花押）

十《じゅう》七《しち》条《じょうの》憲《けん》法《ぽう》

夏《なつ》四月《うづき》の丙寅《ひのえとら》の朔《ついたち》戊辰《つちのえたつ》のひ（推古十二・六〇四年四月三日）、皇太子《ひつぎのみこ》（聖徳太子）、親《みずか》ら肇《はじ》めて憲《いつく》しき法《のり》、十七条《とおちあまりななおち》作《つく》りたまう。

一《ひとつ》に曰《い》わく、和《やわ》らぐを以《もっ》て貴《とうと》しとし、忤《さか》うること無《な》きを宗《むね》とす。人皆《ひとみな》、党《たむら》有《あ》り。亦《また》達《さと》る者《もの》少《すく》なし。是《ここ》を以《もっ》て、或《ある》いは君父《きみかぞ》に順《したが》わず、乍《また》、隣里《さととなり》に違《たが》えり。然《しか》れども、上和《かみやわ》らぎ下睦《しもむつ》びて、事《こと》を論《あげつら》うに諧《かな》うときは、則《すなわ》ち事理《こと》自《おの》ずからに通《かよ》う。何事《なにごと》か成《な》らざらん。

二《ふたつ》に曰《い》わく、篤《あつ》く三宝《さんぼう》を[1]敬《いやま》え。三宝《さんぼう》は仏《ほとけ》・法《のり》・僧《ほうし》なり。則《すなわ》ち[2]四《よつ》の生《うまれ》の終《おわり》の帰《よりどころ》、万《よろず》の国《くに》の極《きわめ》の宗《むね》なり。何《いず》れの[3]世《つき》、何《いず》れの人《ひと》か、是《こ》の法《みのり》を貴《とうと》びずあらん。人《ひと》、尤《はなは》だ悪《あ》しきもの鮮《すく》なし。能《よ》く教《おし》うるをもって、之《これ》に従《したが》う。其《そ》れ三宝《さんぼう》に帰《よ》りまつらずは、何《なに》を以《もっ》てか枉《まが》れるを直《ただ》さん。

三《みつ》に曰《い》わく、詔《みことのり》を承《うけたまわ》りては、必《かなら》ず謹《つつし》め。君《きみ》をば則《すなわ》ち天《あめ》とす。臣《やつこらま》をば則《すなわ》ち地《つち》とす。天《あめ》は覆《おお》い地《つち》は載《の》せて、[4]四《よつ》の時《とき》、順《したが》い行《おこな》いて、万《よろず》の気《しるし》、通《かよ》うことを得《う》。地《つち》、天《あめ》を覆《おお》わんと欲《す》るときは、則《すなわ》ち壊《やぶ》るることを致《いた》さんならくのみ。是《ここ》を以《もっ》て、君言《きみのたま》うをば、臣《やつこらま》承《うけたまわ》る。上行《かみおこな》うときは、下靡《しもなび》く。故《かれ》、詔《みことのり》を承《うけたまわ》りては、必《かなら》ず慎《つつし》め。謹《つつし》まずは、自《おの》ずからに敗《やぶ》れなん。

四《よつ》に曰《い》わく、群卿《まちきみたち》・百寮《もものつかさ》、[5]礼《いやび》を以《もっ》て本《もと》とす。其《そ》れ民《おおみたから》を治《おさ》むるの本《もと》、要《かなら》ず礼《いやび》に在《あ》り。上《かみ》、礼不《いやびな》きときは、下《しも》、斉《ととのお》らず。下《しも》、礼無《いやびな》きときは、以《もっ》て必《かなら》ず罪有《つみあ》り。是《ここ》を以《もっ》て、群臣《まちきみたち》、礼有《いやびあ》るときは、位《くらい》の次乱《ついでみだ》れず。百姓《おおみたから》、礼有《いやびあ》るときは、国家《あめのした》、自《おの》ずからに治《おさ》まる。

五《いつつ》に曰《い》わく、饗《あじわいのむさぼり》を絶《た》ち、欲《たからほしみ》を棄《す》て、明《あき》らかに訴訟《うたえ》を弁《さだ》めよ。其《そ》れ百姓《おおみたから》の訟《うたえ》、一日《ひとひ》に千事《ちわざ》あり。一日《ひとひ》すらも尚爾《なおしか》り。況《いわ》んや歳《とし》を累《かさ》ねてをや。6頃《このころ》、訟《うたえ》を治《さだ》むる者《ひとども》、利《くぼさ》を得《え》て常《つね》とし、賄《まいない》を見《み》ては讞《ことわりもう》すを聴《き》く。便《すなわ》ち財有《たからあ》るものが訟《うたえ》は、石《いし》をもって水《みず》に投《な》ぐるが如《ごと》し。乏《とも》しき者《ひと》の訴《うたえ》は、水《みず》をもって石《いし》に投《な》ぐるに似《に》たり。是《ここ》を以《もっ》て、貧《まず》しき民《おおみたから》は則《すなわ》ち由《よ》る所《ところ》を知《し》らず。臣《やつこ》の道《みち》、亦《また》、於焉《ここ》に闕《か》けぬ。

六《むつ》に曰《い》わく、悪《あしき》を懲《こ》らし善《ほまれ》を勧《すす》むるは、古《いにしえ》の良《よ》き典《のり》なり。是《ここ》を以《もっ》て、人《ひと》の善《ほまれ》を匿《かく》すこと無《な》かれ、悪《あしき》を見《み》ては必《かなら》ず匡《ただ》せ。其《そ》れ諂《へつら》い詐《あざむ》く者《もの》は、則《すなわ》ち国家《あめがした》を覆《くつがえ》す利《と》き器《うつわもの》たり、人民《おおみたから》を絶《た》つ鋒《と》き剣《つるぎ》たり。亦《また》、7佞《かだ》み媚《こ》ぶる者《もの》、上《かみ》に対《む》かいては則《すなわ》ち好《この》みて下《しも》の過《あやまり》を説《と》き、下《しも》に逢《お》うては則《すなわ》ち上《かみ》の失《あやまち》を誹謗《そし》る。其《そ》れ如此《これら》の人《ひと》、皆《みな》、君《きみ》に忠《いさおしさ》無《な》く、民《おおみたから》に仁無《めぐみな》し。是《こ》れ大《おお》きなる乱《みだれ》の本《もと》なり。

七《ななつ》に曰《い》わく、人各《ひとおの》おの8任有《よさしあ》り。掌《つかさど》ること、宜《よろ》しく濫《みだ》れざるべし。其《そ》れ、賢哲《さかしひと》、官《つかさ》に任《よさ》すときは、頌《ほ》むる音則《こえすなわ》ち起《お》こる。奸《かだまし》き者《ひと》、官《つかさ》を有《たも》つときは、禍《わざわい》・乱則《みだれすなわ》ち繁《しげ》し。世《よ》に生《う》まれながら知《し》ること少《すく》なし。剋《よ》く念《おも》いて聖《ひじり》と作《な》る。事《こと》、大《おお》いなり・少《いささけ》き無《な》く、人《ひと》を得《え》て必《かなら》ず治《おさ》まらん。時《とき》、急《と》き・緩《おそ》きこと無《な》く、賢《さかしひと》に遇《お》うて自《おの》ずからに寛《ゆるる》かなり。此《こ》れに因《よ》りて、国家《あめのした》、永久《とこめずら》にして、社《く》稷危《にあやう》からず。故《かれ》、古《いにしえ》の聖《ひじり》の王《きみ》、官《つかさ》の為《ため》に、以《もっ》て人《ひと》を求《もと》めて、人《ひと》の為《ため》に官《つかさ》を求《もと》めたまわず。

八《やつ》に曰《い》わく、群卿《まちきみたち》・百寮《もものつかさ》、早《はや》く朝《まい》りて晏《おそ》く退《まか》でよ。公《おおやけ》の事《わざ》、[9]盬靡《いとな》し。終日《ひねもす》に尽《つ》くし難《がた》し。是《ここ》を以《もっ》て、遅《おそ》く朝《まい》るときは急《すみやけ》きに逮《およ》ばず、早《はや》く退《まか》でるときは必《かなら》ず事尽《ことつ》きず。

九《ここのつ》に曰《い》わく、信《まこと》は是《こ》れ義《ことわり》の本《もと》なり。事毎《ことごと》に信有《まことあ》るべし。其《そ》れ、善《よ》さ・悪《あ》しさ、成《な》り・敗《な》らぬこと、要《かなら》ず信《まこと》に在《あ》り。群臣《まちきみたち》、共《とも》に信《まこと》あらば、何事《なにごと》か成《な》らざらん。群臣《まちきみたち》、信無《まことな》くは、万《よろず》の事《わざ》、悉《ことごと》くに敗《やぶ》れなん。

十《とお》に曰《い》わく、忿《こころのいかり》を絶《た》ち、瞋《おもえりのいかり》を棄《す》て、人《ひと》の違《たが》うを怒《いか》らざれ。人皆《ひとみな》、心有《こころあ》り。心各《こころおの》おの執《と》れること有《あ》り。彼是《かれよみ》すれば則《すなわ》ち我《われ》は非《あしみ》す。我是《われよみ》すれば則《すなわ》ち彼《かれ》は非《あしみ》す。我《われ》、必《かなら》ず聖《ひじり》に非《あら》ず。彼《かれ》、必《かなら》ず愚《おろ》かなるに非《あら》ず。共《とも》に是《こ》れ凡夫《ただひと》ならくのみ。是《よく》・非《あしき》の理《ことわり》、詎《たれ》か能《よ》く定《さだ》むべけん。相共《あいとも》に賢《かしこ》く愚《おろ》かなること、鐶《みみかね》の端無《はしな》きが如《ごと》し。是《ここ》を以《もっ》て、彼人《かれひと》、瞋《いか》ると雖《いうと》も、還《かえ》りて我《わ》が失《あやまち》を恐《おそ》れよ。我独《われひと》り得《え》たりと雖《いうと》も、衆《もろもろ》に従《したが》いて同《おな》じく挙《おこな》え。

十一《とおあまりひとつ》に曰《い》わく、明《あき》らかに功《いさみ》・過《あやまり》を察《み》て、賞《たまもの》・罰《つみなえこと》、必《かなら》ず当《あ》てよ。日者《ひごろ》、賞《たまもの》は功《いさみ》に在《お》いてせず、罰《つみなえ》は罪《つみ》に在《お》いてせず。事《こと》を執《と》れる群卿《まちきみたち》、宜《よろ》しく賞《たまもの》・罰《つみなえこと》を明《あき》らむべし。

十二《とおあまりふたつ》に曰《い》わく、国司《くにのみこともち》・国造《くにのみやつこ》、百姓《おおみたから》に斂《おさめ》とらざれ。国《くに》に二《ふたり》の君非《きみあら》ず。民《おおみたから》に両《ふたり》の主無《あるじな》し。率土《くにのうち》の兆民《おおみたから》は、王《きみ》を以《もっ》て主《あるじ》とす。所任《よさ》せる官司《みこともち》は、皆是《みなこ》れ王《きみ》の臣《やつこらま》なり。何《なに》をもって敢《あ》えて公《おおやけ》と百姓《おおみたから》に賦斂《おさめ》とらん。

十三《とおあまりみつ》に曰《い》わく、諸《もろもろ》の官《つかさ》に任《よさ》せる者《ひと》、同《おな》じく職掌《つかさごと》を知《し》れ。或《ある》いは病《やまい》し、或《ある》いは使《つかい》とて、事《こと》を闕《か》くること有《あ》り。然《しか》れども知《し》ること得《え》ん日《ひ》には、和《あまな》うこと、曾《むかし》より識《し》る如《ごと》くにせよ。其《そ》れ与《あずか》り聞《き》くこと非《な》しというを以《もっ》て、公《おおやけ》の務《まつりごと》を、[10]な防《ふせ》きそ。

十四《とおあまりよつ》に曰《い》わく、群臣《まちきみたち》・百寮《もものつかさ》、嫉《うらや》み妬《ねた》むこと有《あ》ること無《な》かれ。我《われ》、既《すで》に人《ひと》を嫉《うらや》むときは、人《ひと》亦《また》我《われ》を嫉《うらや》む。嫉《うらや》み妬《ねた》むの患《うれえ》、其《そ》の極《きわまり》を知《し》らず。所以《このゆえ》に、智《さとり》、己《おのれ》に勝《まさ》るときは則《すなわ》ち悦《よろこ》びず、才《かど》、己《おのれ》に優《まさ》るときは則《すなわ》ち嫉妬《ねた》む。是《ここ》を以《もっ》て、五百《いおとせ》にて、乃《いま》しもって今《いま》、賢《さかしひと》に遇《あ》う。千載《ちとせ》にて、以《もっ》て一《ひとり》の聖《ひじり》を待《ま》つこと難《かた》し。其《そ》れ賢《さかしひと》・聖《ひじり》を得《え》ずは、何《なに》を以《もっ》てか国《くに》を治《おさ》めん。

十五《とおあまりいつつ》に曰《い》わく、私《わたくし》を背《そむ》きて公《おおやけ》に向《ゆ》くは、是《こ》れ臣《やつこら》の道《みち》なり。凡《すべ》て人《ひと》、私《わたくし》有《あ》るときは、必《かなら》ず恨《うらみ》有《あ》り。憾《うらみ》有《あ》るときは、必《かなら》ず同《ととのお》らず。同《ととのお》らざるときは、則《すなわ》ち私《わたくし》を以《もっ》て公《おおやけ》を妨《さまた》ぐ。憾《うらみ》起《お》こるときは、則《すなわ》ち制《ことわり》に違《たが》い法《のり》を害《やぶ》る。故《かれ》、[11]初《はじめ》の章《くだり》に云《い》えらく、「上《かみ》・下《しも》、和《あまな》い諧《ととのお》れ」とは。其《そ》れ亦是《またこ》の情《こころ》なるかな。

十六《とおあまりむつ》に曰《い》わく、民《おおみたから》を使《つか》うに時《とき》を以《もっ》てするは、古《いにしえ》の良《よ》き典《のり》なり。故《かれ》、冬《ふゆ》の月《つき》に間《いとま》有《あ》り、以《もっ》て民《おおみたから》を使《つか》うべし。春《はる》より秋《あき》に至《いた》るまでに、農《なりわい》・桑《こかい》の節《とき》なり。民《おおみたから》を使《つか》うべからず。其《そ》れ農《なりわい》せずは、何《なに》をか食《くら》わん。桑《くわ》とらずは、何《なに》をか服《き》ん。

十七《とおあまりなつ》に曰《い》わく、夫《そ》れ、事《こと》、独《ひと》り断《さだ》むべからず。必《かなら》ず衆《もろもろ》と宜《よろ》しく論《あげつら》うべし。少《いささけ》き事《こと》は是《こ》れ軽《かろ》し。必《かなら》ずしも衆《もろもろ》とすべからず。唯大《ただおお》きなる事《こと》を論《あげつら》うに逮《およ》んでは、若《も》し失《あやまり》有《あ》ることを疑《うたが》う。故《かれ》、衆《もろもろ》と相弁《あいわきま》うるときは、辞則《ことすなわ》ち理《ことわり》を得《う》。

付録

「浄土三部経」科文

三経の科文は、易行院法海説（『真宗大系』所収）・『訓点真宗三部経科本』（占部観順編）・『綜合無量寿経』（青森徳英編）を参照した。科文行末の数字について、上の数字「1」、「27」等は科文番号を、下の数字「1」、「47」等は本聖典の頁数をそれぞれ示す。

『無量寿経』科文

序分　二
　一、証信序　六
　　一、聞成就……1　1
　　二、信成就……2
　　三、時成就……3
　　四、主成就……4
　　五、処成就……5
　　六、衆成就　二
　　　一、列㆓声聞衆㆒……6
　　　二、列㆓菩薩衆㆒　四
　　　　一、総標……7　2
　　　　二、列名……8
　　　　三、嘆徳……9
　　　　四、総結……10　7
　二、発起序　六
　　一、如来現瑞……11
　　二、阿難発問……12
　　三、如来審問……13　8
　　四、阿難実答……14
　　五、如来答問……15
　　六、阿難楽聞……16　9
正宗分　二
　一、広説㆓如来浄土因果㆒　五
　　一、明㆑発㆓勝因㆒（勝因段）　二
　　　一、明㆓発願縁㆒　二
　　　　一、明㆓已過仏㆒……17
　　　　二、挙㆓所値仏㆒……18　11
　　　二、正明㆓発願㆒　二
　　　　一、明㆓発心総願㆒　二
　　　　　一、正明㆓発心相㆒……19
　　　　　二、明㆓嘆仏発願㆒　二

『観無量寿経』科文

七、華座観……15
八、像観……16　112
九、真身観……17　114
一〇、観音観……18　116
一一、勢至観……19　118
一二、普観……20　120
一三、雑想観（雑観想・雑観）……21
二、散善　三
一、上輩観　三
一、上品上生……22　121
二、上品中生……23　123
三、上品下生……24　124
二、中輩観　三
一、中品上生……25　125
二、中品中生……26　126
三、中品下生……27　127
三、下輩観　三
一、下品上生……28　128
二、下品中生……29　129
三、下品下生……30　130

得益分……31　132
流通分……32
耆闍分……33　133

『阿弥陀経』科文

序分……1　135
正宗分　二
一、讃㆓極楽依正㆒（依正段）　二
一、略讃㆓依正㆒……2　136
二、広讃㆓依正㆒　二
一、讃㆓依報荘厳㆒　二
一、総釈㆓土名㆒……3
二、別讃㆓勝相㆒　四
一、讃㆓宝樹荘厳㆒……4
二、讃㆓宝池荘厳㆒……5
三、讃㆓天楽地華㆒……6　137
四、讃㆓化鳥風樹㆒……7
二、讃㆓正報荘厳㆒　二
一、総釈㆓仏名㆒……8　138
二、別讃㆓聖衆㆒……9

『教行信証』科文

科文は『広文類会読記』（香月院深励）、『広文類聞書』（皆往院鳳嶺）、『教行信証講義』（山辺習学・赤沼智善）を参照し、出典は次の通り略記した。科文行末の数字について、上の数字「1」、「18」等は科文番号を、下の数字「1」、「20」等は本聖典の頁数をそれぞれ示す。

本聖典収録聖教…（◎頁数）
真宗聖教全書巻一収録聖教…（◇頁数）
大正大蔵経収録聖教…（巻次・頁数 段）『大般涅槃経』は南本の品名を掲げ北本・南本の次第で示し巻次は略した。
卍続蔵経（卍続 巻次・頁数）
浄土宗全書…（浄 巻次・頁数）
伝教大師全集巻一…（伝 頁数）

総序

教巻

㈡ 初歓喜地の相を示す文（26・25c）……19　175
二目 巻二「地相品」
㈠ 歓喜の縁由を示す文（26・26b）……20　176
㈡ 歓喜の相違を説く文（26・26c）……21　177
三目 巻二「浄地品」
㈠ 信力増上を説く文（26・29a）……22　178
㈡ 深行大悲を説く文（26・29a）……23
四目 巻五「易行品」
㈠ 難易二道判釈の文（◇254）……24
㈡ 十方十仏章に就いて弥陀易行を顕す（◇254）……25
㈢ 余仏余菩薩章に就いて弥陀易行を顕す（◇258）……26　179
㈣ 弥陀章に就いて正しく弥陀易行を顕す（◇258）……27
㈤ 弥陀章の偈讃（◇260）……28
二科 天親『浄土論』三文
一目 願生偈
㈠ 成上起下の文（◎145）……29　181
㈡ 不虚作住持功徳の文（◎147）……30

二目 長行の文（◎156）……31
三項 釈文一 中国師釈
一科 曇鸞『浄土論註』四文
一目 発端の文（教判文）（◇279）……32
二目 三念門釈の文（◇282）……33　182
三目 成上起下の文（◇284）……34　184
四目 回向文釈の文（◇316）……35　185
二科 道綽『安楽集』四文
一目 第一大門 念仏功能の文（◇381）……36
二目 第四大門 諸障皆除の文（◇419）……37　187
三目 第五大門 具足功徳の文（◇422）……38　188
四目 第三大門 証成勧信の文（◇411）……39
三科 善導四釈十文
一目『往生礼讃』五文（智昇『集諸経礼懺儀』巻下 47・466～による）
㈠ 前序・一行三昧の文（◇651）……40
㈡ 日没讃・名義の文（◇653）……41　190
㈢ 初夜讃・三偈文（◇658）……42
㈣ 後序・現世利益の文（◇682）……43　191
㈤ 後序・護念と往生を示す文（◇682）……44

二目『玄義分』二文
㈠序題門・弘願釈（◇443）……45　193
㈡経論和会門・六字釈（◇457）……46
三目『観念法門』二文
㈠摂生増上縁の文（◇635）……47
㈡証生増上縁の文（◇638）……48
四目『般舟讃』正讃総讃の文（◇688）……49　194
四科　自釈
一目　帰命字訓釈……50
二目　発願回向釈……51
三目　即是其行釈……52
四目　必得往生釈……53
五科　法照『五会法事讃』八文
一目　巻本・序の文（47·474c）……54　195
二目　巻本・五会念仏の釈文（47·476b）……55
三目　巻本・荘厳の文（47·475c）……56
四目　偈讃の一
㈠巻本・浄土楽讃の文（47·477b）……57　196
㈡巻本・正法楽讃の文（47·478c）……58
㈢巻本・西方楽讃の文（47·480a）……59　197

五目　偈讃の二
㈠巻本・般舟三昧楽讃の文（47·481a）…60　199
㈡巻末・観経楽讃の文（47·486b）……61
六科　憬興『述文賛』十文
一目　巻中・『大経』の文（37·147c）……62
二目　巻中・浄土の因果を証す文（37·148b）……63
㈠『如来会』菩薩修行の文（◇195）……64　200
三目　巻中・回施功徳の文（37·154b）……65
四目　巻下・宿因聞法の文（37·165c）……66
五目　巻下・正勧往生の文（37·163b）……67
六目　巻下・傷嘆重勧の文（37·163c）……68
七目　巻中・願力釈の文（37·156c）……69
八目　巻下・勝聖共生釈の文（37·159c）……70　201
九目　巻下・此土修行釈の文（37·161a）……71
十目　巻下・聞名不退の文（37·170c）……72
七科　宗暁『楽邦文類』巻二・張掄「結蓮社普勧文」（47·179a）……73
八科　山陰慶文の文（今に不伝）……74　202
九科　元照の釈八文

一目『観経義疏』巻上・浄土に帰すべきを示す文（37·285b）……75
二目『同』同・念仏に魔事なきを示す文（37·283c）……76
三目『阿弥陀経義疏』果号の徳を示す文（37·356b）……77
204
四目『同』持名の益を示す文（37·362a）……78
五目『同』往生利益を勧むる文（37·362b）……79
六目『観経義疏』巻上所引・慈雲遵式古釈勧信の文（37·285b）……80
205
七目 慈雲遵式の讃（『楽邦文類』巻四所引・遵式『往生浄土決疑門』47·204a 及び『観経義疏』巻上 37·280a による）……81
206
八目『観経義疏』巻上（37·280a）……82
十科 戒度『観経義疏正観記』巻下・仏名万徳の文（浄5·507）……83
十一科 用欽律師の釈二文
一目『超玄記』の文（今に不伝）……84
二目 同前……85

十二科 吉蔵『観経義疏』の文（37·242c）（『往生拾因』84·94b によるか）……86
十三科 法位『大経義疏』の文（今に不伝）……87
207
十四科 飛錫『念仏三昧宝王論』巻上の文（47·136c）……88
四項 釈文二 日本師釈
一科 源信『往生要集』五文
一目 巻下本・念仏証拠門の文（◇882）……89
二目 巻上末・正修念仏 礼拝門六種功徳の文（◇780）……90
三目 巻上末・正修念仏 礼拝門六応念の文（◇781）……91
208
四目 巻上末・正修念仏 作願門利益の文（◇792）……92
五目 巻下末・問答料簡 臨終念相の文（◇906）……93
二科 源空『選択本願念仏集』二文
一目 文前要義の文（◇929）……94
二目 流通総結三選の文（◇990）……95
五項 論文・釈文結釈

信　巻

別　序

（◇628）……126
㈤『序分義』定善示観縁の文（◇494）……127　282
㈥『散善義』流通分の文（◇558）……128
四科　傍依釈文証
一目　王日休『龍舒浄土文』跋文・
便同弥勒の文（47·283a）……129　283
二目　経文証
㈠『大経』次如弥勒の文（◎90）……130
㈡『如来会』当生不退の菩薩の文
（◇211）……131
三目　用欽『超玄記』の文（今に不伝）……132
五科　結釈
一目　正結……133　284
二目　文証
㈠　宗暁『楽邦文類』巻五・智覚禅師延寿
「神棲安養賦」の文（47·215a）……134
㈡　宗暁『楽邦文類』巻三・元照「無量院
造弥陀像記」の文（47·187a）……135
六科　仮・偽
一目　仮釈……136　285

二目　文証　善導の釈三文
㈠『般舟讃』正讃総讃の文（◇689）……137
㈡『法事讃』転経分第一段の文
（◇586）……138
㈢『般舟讃』正讃総讃の文（◇689）……139
三目　偽釈……140
四目　文証
㈠『涅槃経』「大衆所問品」の文
（12·426c　668a）……141
㈡　善導『法事讃』転経分第十七段の文
（◇604）……142
七科　愚禿悲歎述懐……143
二節　抑止文釈
一項　難治の機
一科『涅槃経』「現病品」の文　難治の機の
三病（12·431b　673a）……144　286
二科『同』「梵行品」の文
一目　阿闍世の悔熱（12·474a　717a）……145
二目　邪見六臣の慰撫
㈠　大臣日月称（12·474b　717a）……146　287

(二)大臣蔵徳（12·474b　717b）……147　288
(三)大臣実徳（12·475a　717c）……148　289
(四)大臣悉知義（12·475b　718b）……149　290
(五)大臣吉徳（12·476a　718c）……150　291
(六)大臣無所畏（12·476c　719b）……151　292
三目　善友耆婆の勧め（12·477a　720a）……152
四目　父王頻婆娑羅の勧め
（12·480b　723b）……153　293
五目　邪見六臣・外道六師標列……154　294
三科『同』「梵行品」の文　釈尊矜哀の善巧
一目　阿闍世の為に涅槃に入らず
（12·480c　723c）……155　295
二目　月愛三昧（12·480c　724a）……156　296
三目　釈尊の教導（12·482c　725c）……157　297
四目　阿闍世の獲信・無根の信
（12·484c　727c）……158　301
四科『同』「迦葉菩薩品」の文　悪逆と
獲信の因縁（12·565b　811c）……159　304
二項　難化・難治の三機結成勧信……160　309
三項　逆謗摂不の問答
一科　問……161
二科　曇鸞『浄土論註』八番問答により釈答
一目　同第二問答（◇308）……162　310
二目　同第三問答（◇308）……163
三目　同第四問答（◇309）……164　311
四目　同第五問答（◇309）……165
五目　同第六問答（◇309）……166
(一)在心釈（◇310）……167　312
(二)在縁釈（◇310）……168
(三)在決定釈（◇310）……169　313
六目　同第七問答（◇310）……170
七目　同第八問答（◇310）……171　314
三科　善導釈二文
一目『散善義』下下品抑止文釈（◇555）……172
二目『法事讃』前行分　回心皆往の文
（◇567）……173　315
四項　五逆追釈　永観『往生拾因』（84·94a）に
より『最勝王経疏』等を引釈……174　316

証　巻

〇証巻標挙……I
319
一章　真実証
一節　総標……1
二節　大証釈義
一項　真実証の出拠……2
二項　証果の徳相……3
三項　主伴同証……4
320
三節　経文証
一項　本願文
一科『大経』第十一願文（◎18）……5
二科『如来会』第十一願文（◇190）……6
二項　成就文
一科『大経』
一目　正引　第十一願成就文（◎47）……7
二目　助顕　智慧高明神通洞達の文（◎41）…8
二科『如来会』第十一願成就文（◇203）……9
321
四節　釈文証
一項　曇鸞『浄土論註』五文
一科　妙声功徳の文（◇324）……10
二科　主功徳の文（◇324）……11
三科　眷属功徳の文（◇324）……12
322
四科　大義門功徳の文（◇325）……13
五科　清浄功徳の文（◇319）……14
二項　道綽『安楽集』第八大門　二尊比校の文（◇431）……15
323
三項　善導『観経疏』二文
一科「玄義分」序題門の文（◇443）……16
二科「定善義」水観の文（◇504）……17
324
五節　総結……18
二章　還相回向
一節　総標
一項　還相釈……19
二項　還相回向の出拠……20
325
三項　第二十二願名……21
四項　曇鸞『浄土論註』により願文を掲げることを指示……22
二節　引証
一項　論文

一科　天親『浄土論』出第五門の文（◎156）…23
二項　釈文　曇鸞『浄土論註』九文
一科　起観生信の文（◇316）…24
二科　観行体相の文（◇331）…25
三科　浄入願心の文（◇336）…26　331
四科　善巧摂化の文（◇338）…27　334
五科　離菩提障の文（◇340）…28　336
六科　順菩提門の文（◇341）…29　337
七科　名義摂対の文（◇342）…30　338
八科　願事成就の文（◇343）…31　339
九科　利行満足の文（◇343）…32　340
三節　総結…33　342

真仏土巻

○真仏土巻標挙…Ⅰ　345
一章　**真仏土釈**
一節　直釈
一項　総標…1
二項　真報の意義…2
三項　第十二・十三願名…3
二節　経文証
一項　本願文
一科『大経』
一目　第十二・光明無量の願（◎18）…4　346
二目　第十三・寿命無量の願（◎18）…5
二項　成就文
一科『大経』
一目　第十二願成就文（◎31）…6
二目　第十三願成就文（◎33）…7　347
二科『如来会』第十二願成就文（◇196）…8
三科『平等覚経』往観偈の文（◇100）…9
四科『過度人道経』光明無量の文（◇140）…10　348
五科『不空羂索神変真言経』巻二十一「無垢光神通解脱壇三昧耶像品」の文（20・343c）…11　350
六科『涅槃経』の文
一目「四相品」の文（12・392a　632b）…12
二目「四依品」の文（12・402a　642c）…13　351
三目「聖行品」の文（12・445c　687b）…14

化身土巻

一目　善知識・邪見・信心を説く
（12·573c　821a）……93
二目　信不具足を説き信心を解説
（12·575b　822c）……94　413
二科「徳王菩薩品」の文（12·511b　755b）……95　415
三項　唐訳『華厳経』二文
一科　巻七十七「入法界品」の文　善知識讃嘆
（10·425c）……96　416
二科　巻六十「入法界品」の文　如来大師の大
恩（10·326b）……97
五節　勧信釈文証（別引）
一項　善導『般舟讃』正讃の文（◇695, 700）……98
二項　善導『往生礼讃』初夜讃の文（◇661）……99
三項　善導『法事讃』二文
一科　後行分懺悔文（◇611）……100　417
二科　後行分の文（◇615）……101
六節　真門結釈
一項　真門四失……102
二項　悲歎述懐……103　418
三項　自力念仏の失……104

七節　三願転入
一項　宗祖入信の述懐……105
二項　仰信の自督……106　419
四章　聖浄二道判と真偽決判
一節　聖浄二門を挙げて時機を判ず……107
二節　五説・四依を挙げて真偽を決す
一項　五説……108
二項　四依　龍樹『大智度論』巻九により
修道の規範を示す（25·125a）……109　420
三節　二門の真仮顕開・時代勘決
一項　総標……110
二項　道綽『安楽集』の時代判
一科　第五大門の文（◇421）……111　421
二科　第一大門の文（◇378）……112
三科　第六大門の文（◇427）……113　422
四科　第三大門の文（◇410）……114
三項　道俗を勧誡……115
四項　時代勘決……116　423
五項　引証　最澄『末法燈明記』の文
一科　総説（伝415）……117

二科　正像末を決す（伝415）…………　118　424

三科　破持僧の事を彰す

一目　第一重問答（伝418）…………　119　426

二目　第二重問答（伝418）…………　120　427

三目　第三重問答（伝419）…………　121　428

四目　第四重問答（伝419）…………　122

四科　教を挙げて比例す（伝425）…………　123　433

五章　内外両道の真偽決判（以下、後世末巻とする）

一節　総標…………　124　435

二節　経文証

一項『涅槃経』「如来性品」（12・409c　650b）…………　125

二項『般舟三昧経』「四輩品」二文

一科　広明　帰三宝を明かす（13・901b）…………　126

二科　略明　外部を誡む（13・901b）…………　127

三項『大集経』「日蔵分」（『日蔵経』）の文

一科　巻四十二「星宿品」の文

一目　天地星宿の運行を信仰的に証説（13・282a）…………　128

二目　仏法守護の四天王配置を説く（13・282b）…………　129　437

三目　未来の星宿等の配置を説く（13・282b）…………　130

二科　巻四十三「念仏三昧品」の文

一目　念仏三昧の人には諸魔の帰服するを示す（13・284c）…………　131　438

二目　聞法の得益を明かす（13・285a）…………　132　439

三目　思惟修行の方軌を明かす（13・285c）…………　133

三科　巻四十五「護塔品」の文（13・295c）…………　134

四項『大集経』「月蔵分」（『月蔵経』）の文

一科　巻五十「諸悪鬼神得敬信品」の文（13・328b）…………　135　440

二科　巻五十一「諸悪鬼神得敬信品」の文（13・340b）…………　136　441

三科　巻五十一「諸天王護持品」の文

一目　空居四天王、仏法のために須弥四州を守護することを明かす（13・341c）…………　137

二目　地居四天王、仏法のために須弥四州を護持することを明かす（13・341c）…………　138　442

三目　三曜・七宿・三天童女を四方に配置し護持養育せしむ（13・341c）……139
四目　四天王が南閻浮提を仏法流通の地として特別に護持することを明かす（13・342b）……140　444
五目　結答（13・342b）……141
六目　釈尊、梵王の請を印可し重ねて偈により義を明かす（13・342b）……142　445
四科　巻五十一「諸天王護持品」の文
一目　過去四仏の娑婆世界護持付嘱を顕す（13・342c）……143　446
二目　梵王、釈尊に仏法のため国土守護を誓う（13・343b）……144　448
三目　世尊の印可（13・343b）……145　449
四目　梵王、仏勅を領受し仏徳を讃じ奉る（13・343c）……146　451
五目　釈尊、偈頌により義を明かす（13・344a）……147
五科　巻五十二「諸魔得敬信品」の文
一目　諸魔の誓言（13・345a）……148　453

二目　釈尊、偈頌により義を明かす（13・345c）……149
六科　巻五十二「提頭頼吒天王護持品」の文
一目　釈尊の教勅と提頭頼吒天王等諸天の誓言（13・346c）……150　454
二目「毘沙門天王品」拘毘羅毘沙門天王一切眷属の誓言（13・351a）……151
七科　巻五十三「忍辱品」の文
一目　末世無戒比丘の功徳と諸天の修道者護持の誓を説く（13・354a）……152
二目　龍・鬼衆の誓言を説く（13・355b）……153　455
八科　晋訳『華厳経』巻二十四「十地品」の文（9・549a）……154　456
五項『首楞厳経』巻六の文（19・131c）……155
六項『灌頂七万二千神王護比丘呪経』巻三「灌頂三帰五戒帯佩護身呪経」の文（21・502b）……156
七項『大乗大集地蔵十輪経』二文
一科　巻六「有依行品」の文（13・753c）……157
二科　巻三「無依行品」の文（13・737b）……158

八項『集一切福徳三昧経』巻中の文（12·994a）……159　457
九項『薬師琉璃光如来本願功徳経』二文
一科　第一文（14·407a）……160
二科　第二文（14·408a）……161
十項『梵網経』巻下の文（24·1008c）……162
十一項『仏本行集経』の文（3·851a）……163　458
三節　論文証
一項　馬鳴『起信論』の文（32·582b）……164
四節　釈文証
一項　法琳『弁正論』（『広弘明集』所収本典拠を並記）
一科　総標（52·524c　175c）……165　459
二科　巻六「十喩篇第五」
一目　一、一異一喩の文　老子と釈尊の出生上の優劣論（52·525a　175c）……166　460
二目　四、四異四喩の文　時代の前後・地位の優劣・化縁の広狭（52·525b　176b）……167　461
三目　六、六異六喩の文　化跡の前後を明かす（52·525c　177a）……168
四目　七、七異七喩の文　終焉に関する優劣論（52·526a　177a）……169　462
三科　巻六「十喩篇第五」の残文重明
一目　標章　第一異喩の文　左（道教）右（仏教）の優劣（52·526c　178a）……170
二目　第三喩の文　釈尊の独尊を明かす（52·527c　178c）……171　463
三目　第十異喩の文　怨親平等の仏教の真義を述ぶ（52·529b　180b）……172
四科　巻六「九箴篇第六」
一目　一、周世無機指（52·530a　181a）……173　465
二目　二、内建造像塔指（52·530b　181b）……174　466
三目　同前　内箴の文（52·530c　181b）……175
四目　五、内教為治本指（52·532b　183a）……176　467
五科　巻六「気為道本篇第七」（52·536b　186b）……177　468
六科　巻八「出道偽謬篇第十」（52·546c）（以下『弁正論』本文、『広弘明集』に載せず）……178
七科　巻八「帰心有地篇第十二」の文

一目　梁武帝、捨道帰仏の勅文（52・549c）…179　469
二目　邵陵王、捨道帰菩薩戒の啓文
（52・550a）……180　470
二項　善導『法事讃』転経分第十五段の文
（◇602）……181
三項　智顗『法界次第』巻上之下「三帰戒初門」
の文（46・670b）……182
四項　宗暁『楽邦文類』巻二・慈雲遵式
「往生西方略伝序」の文（47・168a）……183　471
五項　諦観『天台四教儀』の文（46・776a）……184
六項　従義『四教儀集解』巻中の文
（卍続102・24左）……185
七項　元照『盂蘭盆経疏新記』巻上の文
（卍続35・101右）……186　472
八項　戒度『観経扶新論』の文（浄5・525）……187
九項　智顗『摩訶止観』巻八下・観魔事境の文
（46・115a）……188
十項　源信『往生要集』巻中末意・助念方法
対治魔事の文（◇845）……189
五節　外典
一項　『論語』巻六「先進篇」の文……190
六章　後序（流通分）
一節　真宗興隆の縁由
一項　聖浄二門の興廃……191
二項　広く浄土の教興を明かす
一科　逆縁に約して弘化を示す……192
二科　師弟障難……193　473
三科　空師の帰洛と入滅……194
三項　聖人の入宗と稟教……195　474
二節　本典撰述の本意……196　475
三節　道綽『安楽集』第一大門の文（◇379）……197　476
四節　唐訳『華厳経』巻七十五「入法界品」の文
（10・412c）……198

四十八願名

宗祖・法然上人の著作及び一般的な通称として示される本願の名を主として収録した（複数の願を示す願名は、それぞれに提示した）。

出典1『教行信証』「行巻」、2「信巻」、3「証巻」、4「真仏土巻」、5「化身土巻」、6『浄土文類聚鈔』、7『三経往生文類』、8『如来二種回向文』、9『浄土和讃』、10『正像末和讃』、11『四十八誓願』、12法然上人『選択集』、13「法然聖人御説法事」（『西方指南抄』所収）、14『無量寿経釈』、15『三部経釈』、16『三部経大意』、17『逆修説法』（14～17『黒谷上人語燈録』所収）、18毫摂寺本『無量寿経延書』、19占部観順編『三部経科本』、20青森徳英編『綜合無量寿経』

(1) 無三悪趣の願（11・12・13・14・15・16・17・18・19・20）

(2) 不更悪道の願（11・16）、不更悪趣の願（12・13・14・15・17・18・19・20）

(3) 悉皆金色の願（11・12・13・14・15・16・18・19・20）

(4) 無有好醜の願（11・12・13・14・15・16・18・19・20）

(5) 宿命通の願（11・12・14・19・20）、令識宿命の願（18）、五神通の願（12・14）、宿命智通の願

(6) 天眼通の願（11・19・20）、令得天眼の願（18）、五神通の願（12・14）、天眼智通の願

(7) 天耳通の願（11・19・20）、天耳遙聞の願（18）、五神通の願（12・14）、天耳智通の願

(8) 他心通の願（11・19・20）、他心悉知の願（18）、五神通の願（12・14）、他心智通の願

(9) 神足通の願（11・19・20）、神足如意の願（18）、五神通の願（12・14）、神足智通の願

(10) 不貪計心の願（18）、漏尽通の願（19・20）、漏尽智通の願

(11) 必至滅度の願（3・6・7・11・18・19・20）、証大涅槃の願（3・6）、往相証果の願（6）、必至滅度の悲願（7・8）、必至滅度の大願（8）、証果の悲願（7・8）、住正定聚の願

(12) 光明無量の願（4・11・15・16・18・19・20）、光明寿命の誓願（10）

(13) 寿命無量の願（4・11・13・15・16・17・18・19・20）、光明寿命の誓願（10）

⑭声聞無量の願（18）、声聞無数の願（19・20）

⑮眷属長寿の願（18・19・20）

⑯離諸不善の願（18）、離譏嫌名の願（19）、無諸不善の願（20）

⑰諸仏称揚の願（1・〈6〉・16・18・19・20）、諸仏称名の願（1・6）、諸仏咨嗟の願（1・6・11）、往相回向の願（1）、選択称名の願（1）、大悲の願（1）、往相正業の願（6）、諸仏称名の悲願（7・8）、称名の悲願（7・8）

⑱念仏往生の願（2・6・10・11・12・13・14・16・17・18・19・20）、選択本願（2・17）、本願三心の願（2）、至心信楽の願（1・2・6）、往相信心の願（2・6）、至心信楽の本願（2・7）、念仏往生の悲願（7・8）、信楽の悲願（7・8）、本願中の王（12・17）、念仏往生の本願（13・17）、念仏の誓願（14）

⑲修諸功徳の願（5・7・11・19・20）、臨終現前の願（5・9・11・15・16・18）、現前導生の願（5・11・13・17）、来迎引接の願（5・11・13・14）、至心発願の願（5・7・11）、来迎引接の誓願（13・17）、来迎の願（13・14・17）

⑳植諸徳本の願（5・7・11・19・20）、植諸徳本の誓願（7）、係念定生の願（5・13）、不果遂者の願（5・11）、至心回向の願（5）、果遂の願（9）、係念我国の願（11）、繋念定生の願（14）、欲生果遂の願（18）

㉑具三十二相の願（12・14・19）、具足諸相の願（18）、三十二相の願（20）

㉒必至補処の願（3・6・18・19・20）、一生補処の願（3・6）、還相回向の願（3・6）、一生補処の悲願（7）、大慈大悲の願（7）、一生補処の大願（8）、大慈大悲誓願（8）

㉓供養諸仏の願（18・19・20）

㉔供養如意の願（18）、供具如意の願（19・20）

㉕説一切智の願（18・19・20）

㉖得金剛身の願（18）、那羅延身の願（19・20）

㉗万物厳浄の願（18）、所須厳浄の願（19・20）

㉘道場樹の願（7・19・20）、見道場樹の願（18）

㉙得弁才智の願（18・19・20）

㉚弁才無尽の願（18）、智弁無窮の願（19）、智弁無量の願（20）

(31)国土清浄の願（19・20）
(32)妙香合成の願（18）、宝香合成の願（19・20）
(33)摂取不捨の願（11）、触光柔軟の願（18・19・20）
(34)聞名得忍の願（18・19・20）
(35)変成男子の願（9）、女人成仏の願（11・19・20）、女人往生の願（14・18）、転女成男の願・聞名転女の願（以上二名、存覚『女人往生聞書』）
(36)聞名梵行の願（18）、常修梵行の願（19・20）
(37)作礼致敬の願（18）、人天致敬の願（19・20）
(38)衣服随念の願（18・19・20）
(39)常受快楽の願（18）、受楽無染の願（19）、快楽無染の願（20）
(40)見諸仏土の願（18・19・20）
(41)聞名具根の願（18）、諸根具足の願（19・20）
(42)聞名得定の願（18）、住定供仏の願（19・20）
(43)聞名生貴の願（18）、生尊貴家の願（19・20）
(44)聞名具徳の願（18）、具足徳本の願（19・20）
(45)聞名見仏の願（18）、住定見仏の願（19・20）
(46)随意聞法の願（18・19・20）
(47)聞名不退の願（18）、得不退転の願（19・20）
(48)得三法忍の願（12・13・14・17・18・19・20）

御文各通呼称

第一帖

第二帖

第三帖

第四帖

第五帖

解題・校注

凡　例

一　本聖典に収録した聖教・著作の解題、および底本と対校本の校異、本文の校訂箇所、引文の典拠などを示した。

二　校異の対象となる本文を見出しに掲げ、「――」のあとにそれに関わる状況を示した。底本・対校本は略号で示し、それぞれの著作の解題に示した。また高麗・宋・元・明版の一切経は、麗・宋・元・明と略記した。

三　聖教中の引用の出典は次のように略記した。

(1)　本聖典所収の聖教。例　『大経』(◎47)

(2)　真宗聖教全書所収の聖教。

例　一巻所収『如来会』→『如来会』(◇213)

四巻所収『七箇条起請文』→『七箇条起請文』(◇4・153)

(3)　大正大蔵経所収の聖教。

例　三巻所収『悲華経』→『悲華経』(大正3・184c)

(4)　定本親鸞聖人全集は定親全と略記し巻次・頁を示した(例　定親全5・367)。これ以外のものは出典をその都度示した。

浄土三部経

上段に示した経文は、東本願寺蔵版を底本とした。東本願寺の三部経蔵版は嘉永元(一八四八)年に開版された。この三部経蔵版は、雲華院大含を中心に、法然上人御点本と伝えられる栂尾高山寺蔵の建仁四(一二〇四)年版本をはじめとする諸本によって本文を校合し、蔵版の字体については三部経諸本や「伝教大師の経本」と伝える『法華経』の写本等を参照して決定し、坊刊三部経の古板木を利用し修整を加えたものであり、嘉永元年三月より流布された。

この蔵版は字体に古字・異体字が多く用いられていたため、字書に見られる通途の字を用いるべきとの建議や、板木の消耗という事情もあり、本法院義譲を中心に安政三(一八五六)年に改訂が行われた。この改訂蔵版は、安政四(一八五七)年冬に上梓された。安政四年改版の校訂の経緯については、『三部経字音正訛』(大谷大学蔵)に詳しく記録され、後にその概要が『三部経校訂録』(安政四年刊)として刊行されている。

『校訂録』によると、諸本間の異同箇所について、高麗・宋・明版の大蔵経、『教行信証』の引用、「伝宗祖真蹟本（関東或古刹所蔵）及び同延書」、覚如上人延書、存覚上人延書、蓮如上人延書、十本校異本、浄影寺慧遠、嘉祥寺吉蔵、憬興、天台智顗、善導大師などの注釈書、義山校合本（華頂蔵版・浄土宗蔵版）、玄智校合本（本願寺派蔵版）、大谷派の「御堂読誦本」、「御堂在来古本」、寛政年間刊町版等を参照し本文を決定している。例えば『大経』の「住仏所住」の句を「住諸仏所住」とする諸本があるが、『教行信証』の引用・「宗祖真蹟本」・三師延書本に拠り「住仏所住」を採用している。また、「無蓋大悲」と「無尽大悲」については、『教行信証』の引用・「宗祖真蹟本」・覚如上人延書・存覚上人延書に加え、浄影寺慧遠、吉蔵、憬興が依用した経文が「無蓋」であることに拠り「無蓋大悲」を採用している。このように、本文の決定は「宗祖真蹟本」に拠って行われている場合が多いが、「宗祖真蹟本」については、その所在が「関東或古刹所蔵」と示されるのみで不明である。なお、宗祖真蹟の『浄土三部経』、その加点本は現在まで確認されていない。

安政四年版の蔵版は、大型と中型が作成されたようであり、嘉永元年版には無かった句切を示す点が新たに付されている。その後、三部経蔵版は、大正七（一九一八）年、昭和三（一九二八）年に上梓され現在に至っている。

下段に示した本文は、大谷大学蔵浄土三部経延書、大谷大学蔵慧空書写延書本、「十本校異本」を底本とした。大谷大学蔵浄土三部経延書（浅野長量氏旧蔵）は、室町初期の書写とされ、これを収める箱には「常楽台存覚上人御筆」「常州鹿島郡水戸磐船山大網願入寺 如願」とあり、古くは茨城県願入寺に所蔵し、存覚上人延書として伝えられたものである。この大谷大学蔵浄土三部経延書は『大経』上巻の前半と下巻の前半が伝わらない。大谷大学蔵慧空書写本（佐々木求巳氏旧蔵）は、茨城県阿弥陀寺蔵伝存覚延書（現所在不明）を光遠院慧空が書写したものであり、『大経』下巻の前半のみの写本である。その後記に「私云　願入寺所持之本　此巻闕欠之故　以二阿弥陀寺所持之本一写以足之耳　再ヒ校スヘシ」とあり、願入寺蔵の三部経延書は、慧空の当時既に『大経』下巻の前半を欠いていたことが記されている。この大谷大学蔵浄土三部経延書と慧空書写本のよみは、後述する「十本校異本」の訓点と一致する。このことから本聖典では、『大経』上巻前半の底本を「十本校異本」とし、『大経』下巻前半の底本を慧空書写本とした。これらの延書は大部分が仮名書きで記されるが、読解の便を考慮し、蔵版本文に基づいて適宜漢字を用いて表記した。

（例「アヲキイロニハアヲキヒカリ　シロキイロニハシロキヒカリアリ」→「青き色には青き光、白き色には白き光あり」）

「十本校異本」は、「越之後州古志郡大荒戸村」の了正が宋版・明版・高麗版・「号祖師真筆三部経」・「号祖師真筆三部経展書本」・「常楽台主展書本」・「現行流布本」など十本の浄土三部経の異本を校合し訓点に示したものを、天明元（一七八一）年に江州覚勝寺玄霊が刊行した浄土三部経（漢文）であり、これが「十本校異本」と称されている。先述のように、宗祖真蹟の『浄土三部経』及びその加点本は現在確認されていないが、大谷派三部経蔵版の本文決定に用いられた「関東或古刹所蔵」の「宗祖真蹟本」は、この「十本校異本」に示される「号祖師真筆三部経」と考えられる。また、「十本校異本」の漢文本文に付される訓点は「常楽台主展書経本に一順」したものとされている。大谷派において、明治十九（一八八六）年に刊行された『訓点真宗三部経科本』（占部観順編）の訓点、昭和九（一九三四）年に刊行された『綜合無量寿経』（青森徳英編）の書き下しは「十本校異本」に拠っている。当派におけるこれらの経緯をふまえ、本聖典は『大経』上巻の前半の本文を「十本校異本」の訓点に拠って示した。

三部経の本文は前述の三本に加え、『大経』・『阿弥陀経』は兵庫県宝塚市毫摂寺蔵乗専書写延書本（現在龍谷大学図書館に寄託）を、『観経』は龍谷大学蔵勝福寺延書本（兵庫県川西市勝福寺旧蔵）をそれぞれ対校本とした。乗専書写本は、『大経』の奥書に「貞和三歳」とあり一三四七年の書写と見られる。勝福寺本は奥書から室町初期の書写と見られるものであり、綽如上人筆とも伝えられている。毫摂寺本・勝福寺本は、いずれも底本とは別系統の延べ書きと考えられ、底本との校異は特に必要なもののみ注に示した。

仏説無量寿経

〔漢文〕

底　本　東本願寺蔵版

〔本文〕

底　本　大谷大学蔵浄土三部経延書

（上巻前半は[十]、下巻前半は[慧]を底本とした）

対校本　十本校異本[十]

大谷大学蔵慧空書写延書本[慧]

毫摂寺蔵乗専書写延書本[毫]

1　**我聞き……取らじ**（第四十八願まで）――[底]になし。[十]による。

2　**十方……照らしたまう**――[毫]十方をてらし無量の仏土

3・4　**試みる**――[十]「試《こころ》むる」。[毫]による。

5　**明らかなる浄鏡の、表裏に影暢するが如し**――本文は[十]による。[毫]「あきらかなるかがみ、きよきかげ、表裏にとおるがごとし」。『教行信証』「教巻」（専修寺本・西本願寺本）「如《シ》下明《ナルカ、ミ》鏡浄影暢《キカケトオルカ》中表裏《ヘウリニ》上」、『二尊大悲本懐』（『増補親鸞聖人真蹟集成』第九巻）「如明浄鏡影暢表裏」、蔵版「如明浄鏡。影暢表裏」、[麗]・[宋]・[元]・[明]「如明鏡浄影暢表裏」。

6　**仏**――[麗]「仏」、[宋]・[元]・[明]「諸仏」。当派は「諸」字を用いないが、「諸仏」とする本があることを示すため、蔵版では「諸仏」としている（『三部経校訂録』安政四年刊）。『教行信証』「教巻」（専修寺本・西本願寺本）、『二尊大悲本懐』ともに「諸」の字はない。本文では「諸」を省略した。

7　**無蓋**――蔵版及び[毫]による。[十]・[麗]・[宋]・[元]・[明]「無尽」。『教行信証』「教巻」（専修寺本・西本願寺本）、『二尊大悲本懐』ともに「無蓋」。『三部経校訂録』は「無蓋」と判断する。

8　**修行せん所の如く**――本文は[十]による。[毫]「修行せんところのごときの」。蔵版「汝所修行」、[麗]・[宋]・[元]・[明]及び『三部経校訂録』「如所修行」。

9　**高明の志願の**――[十]「高明志願の」。[毫]による。

10　**仏の所説の厳浄の国土を聞きて**――[毫]仏の所説をききて厳浄の国土

11　**は**――[底]「んば」。以下、四十八願の同様の箇所は[毫]による。

12　**立てしめんをば除かん……修習せん**――[毫]立《りゅう》せしめ、常倫に超出し諸地の行現前し、普賢の徳を修習せんをばのぞく

13　以下、上巻の終わりまで[底]による。

14　繒蓋――底・十「諸蓋」。蔵版による。毫・明「繒蓋」、麗・宋・元「諸蓋」。

15　如く――底「ごとき」。十による。

16　こと莫し。但――底「ことなし。ここにただ」。本文は「莫不聞焉」の「焉」を助字として扱う。毫「ことなし。ただ」による。十「莫《ナシ》レ不《サルコト》レ聞《キコヘ》焉《ココニ》不《アラス》三但《タダ》我今《ワカイマ》称《スルノミニ》二其《ソノ》光明《ヲ》二」。

17　無量寿仏――麗「無量寿仏」、宋・元・明「又無量寿仏」。当派は「又」字を用いないが、「又無量寿仏」とする本があることを示すため、蔵版では「又無量寿仏」としている（『三部経校訂録』）。『教行信証』「真仏土巻」には「又」の字はない。本文では「又」を省略した。

18　称計――底「勝計」。蔵版による。『教行信証』「真仏土巻」「勝計」、十・麗・宋・元・明「称計」。

19　千億――底「千倍」。蔵版による。十・麗・宋・元・明「千億」。

20　飲食――底「飯食」。蔵版による。十・麗・宋・元・明「飲食」。

21　植えず――毫うえざるによりてなり

22　肯えて善を修せず――毫善を修することを信ぜず

23　ごとく積もるに坐してなり――毫ごとくにつもる

24　茲――蔵版中型には「慈」とあるが、蔵版大型の「茲」による。十・麗・宋・元・明「茲」。

25　計――蔵版中型には「仮」とあるが、蔵版大型の「計」による。十・麗・宋・元・明「計」。

26　仏、阿難に……疑有らじ」と――底になし。慧による。

27　生ずれば――毫生ずるものは

28　上輩というは――慧「上輩は」。十による。

29　其の国に――慧「かのくにに」。蔵版及び十による。麗・宋・元・明「其国」。

30　中輩の者の――慧「中輩の」。蔵版及び十による。麗・宋・元・明「如中輩者也」。

31　必ず――慧になし。本文は十による。蔵版「必成如是刹」、麗・宋・元・明「必成如是刹」。

32　常に――慧になし。本文は十による。蔵版「常宣正法」、麗・宋・元・明「常宣正法」。

33　悪趣――慧「悪道」。蔵版及び十による。麗・宋・元・明「悪趣」。

34　非常の水火――慧「非常水火」。十による。

35・39　坐して——[毫]よって

36　行を——[慧]「行に」。[十]による。

37　此れを坐する——[毫]これによるが

38　父、教令を余す——[慧]「教令をのこす」。[毫]による。[十]「父二余《ノコス》教令《ヲ》一」。

40　大道を顕示したまうに、耳目開明にして——[慧]「大道を顕示したまうまくのみ。みずから開明して」。[毫]による。[十]「顕二示《シタマフマク》大道《ヲ》一耳《ノミ》目《ミツカラ》開明《シテ》」。

41　蠕——読経依用音は「なん」であるが、[慧]及び『教行信証』「行巻」所引の「蠕」には「ねん」のふりがながある。本文のふりがなはこれによる。以下同。

42　以下、下巻の終わりまで[底]による。

43　を——[底]欠損、[十]により補う。

44　仏の言わく、「其の一つの——[底]「そのひとつの」。[十]「仏言其一《ソノヒトツノ》」。[十]による。

45　見の事——[底]「現の事」。本文は[十]による。[毫]「現事」。蔵版「見事」、[麗]・[宋]・[元]・[明]「現事」。

46　坐して——[毫]よりて

47　身自ら之を当く——[底]・[毫]「みずからこれをうく」。[十]による。

48　興し——[底]「あたえ」。蔵版及び[毫]による。[十]「興《あた》え」、[麗]・[宋]・[元]・[明]「興」。

49　改め——[底]・[毫]「せめ」。蔵版による。[十]「改《せ》め」、[麗]・[宋]・[元]・[明]「攻」。

50　見たてまつる。彼にして此の土を見ること——[底]「かれをみる。この土《ど》をみること」。[十]による。

51　善本を——[底]「善本に」。[十]による。[毫]「善本を」。

仏説観無量寿経

〔漢文〕

底　本　東本願寺蔵版

〔本文〕

底　本　大谷大学蔵浄土三部経延書

対校本　十本校異本[十]

　　　　龍谷大学蔵勝福寺延書本[勝]

1　世尊釈迦牟尼仏を見たてまつる。身は紫金色にして——[勝]世尊をみたてまつる。釈迦牟尼仏、身《しん》紫金色にして

2　曰う——[底]「す」。[勝]による。[十]「曰」に「す」と

よむ訓を示す。

3 色――底「ひかり」、右傍に「イロノ」と注記。十による。

4 五百億――底・勝「また五百億」、本文は十による。蔵版「有五百億」、麗・宋・元・明「復有五百億」。

5 見たてまつるは――十見《み》たてまつれば　勝みたてまつれば

6 一つの――十一《ヒトリノ》　勝ひとりの

7 次に復た、応に大勢至菩薩を観ずべし――観音観の「次に復た、当に観世音菩薩を観ずべし」に準じて書き下した。底「つぎに大勢至菩薩を観ぜよ」、十「次《ツギニ》復《マタ》応《セヨ》レ観二大勢至菩薩《ヲ》一」。

8 無数劫――底・十「無量劫」。蔵版・勝による。蔵版「無数劫」、麗・宋・元・明「無数劫」。

9 開くる――底「ひらける」。勝による。十「開《ひら》け る」。

10 雑観想――底「雑想観」。蔵版による。本文のよみは宗祖真蹟『観経集註』による。十・『観経集註』（『増補親鸞聖人真蹟集成』第七巻）「雑観想」、勝・麗・宋・元・明・『定善義』（◇528）「雑想観」。

11 阿弥陀仏……大衆と眷属に囲繞せられて、紫金台を持して――勝阿弥陀仏……大衆眷属のために囲遶せられて、紫金台をもたしめて

12・13 持って――勝もたしめて

14 首題の名字――底・勝「首題名字」。十による。

仏説阿弥陀経

〔漢文〕

底　本　東本願寺蔵版

〔本文〕

底　本　大谷大学蔵浄土三部経延書

対校本　十本校異本十

　　　　毫摂寺蔵乗専書写延書本毫

1 名づけて極楽と曰う――底「名づけて極楽とす」。毫による。十「名《ナツケテ》曰《ス》二極楽《ト》一」

2 天の……を雨る――蔵版及び十「而雨曼陀羅華」、麗「天雨曼陀羅華」、宋・元・明及び宗祖真蹟『阿弥陀経集註』「雨天曼陀羅華」。宗祖真蹟等による。

3 名無し……有らんや――毫名すらなし。いかにいわ

んや実あらんや。このもろもろの衆鳥は

4　**極楽国土の衆生と生まるる者は**——毫極楽国土には衆生生ずるもの

5　**阿弥陀仏を……執持すること**——毫阿弥陀仏は名号を執持すべしと説くをききて

6　**不可思議の……信ずべし**——毫「称讃する不可思議の功徳を信ずべし。一切諸仏に護念せらるる経なり」、以下六方段同。

7　**事を為して**——毫事のために

無量寿経優婆提舎願生偈

本書は天親菩薩が『無量寿経』を領解し自らの信心を表白された書であり、『浄土論』・『往生論』・『無量寿経論』・『論』と称される。後に曇鸞大師は『無量寿経優婆提舎願生偈註』（『浄土論註』・『往生論註』・『論註』）を著して本書の本義を明らかにされ、また法然上人は『選択本願念仏集』に、「正しく往生浄土を明かすの教と言うは、三経一論、是れなり。……一論というは天親の『往生論』是れなり。」と浄土三部経と天親菩薩の『浄土論』を示されている。

西本願寺に宗祖が加点された『浄土論註』が伝えられており、これを底本とした。この書は鎌倉時代に刊行された曇鸞大師の『浄土論註』に宗祖が詳細に返り点・送り仮名を記し、版本の文字を訂記されたものであり、奥書に「建長八歳（一二五六）丙辰七月二十五日　愚禿親鸞八十四歳　加点了」とある。本聖典は、この宗祖加点『浄土論註』に引用される『浄土論』本文を収録し、宗祖の加点によって書き下した。また、京都市常楽寺に所蔵される存覚上人による『浄土論』書写本を対校本とした。

底本　西本願寺蔵宗祖加点本『浄土論註』

対校本　常楽寺蔵存覚書写本『浄土論』常

1　**婆藪槃頭菩薩造**——常婆藪般豆菩薩造　後魏菩提留支訳

2　**ず**——底「ずと」。底に引用される『浄土論』本文の句末に宗祖は引用を示す「と」を加筆するがこれを省く。以下同。

3・9　**薫**——底「勲」。底巻上の註解の文に引用される偈文、及び常による。

4 **故に我**――底「是の故に」。常による。左傍に「是故」と注記。

5 **論じて曰わく**――底「「論曰」は」。常による。

6 以下、括弧内は底に宗祖が『浄土論註』によって記す分科。

7 **したまいき**――以下、本文の敬語は、宗祖の天親菩薩に対する敬意を表すのみならず、『入出二門偈頌文』に照らすとき、五念門の行の主体である法蔵菩薩への敬意と考えられるので、底の加点をそのまま示した。

8 **作願して**――常「作願す」、左傍に「シテ」と記し「作願して」のよみを注記。

10 **譏嫌**――底版本の「譏過」の「過」を上欄に朱で「嫌ヲ」と訂記する。常「譏嫌過を」。

11 **仏の……を観ずとは**――底「観仏荘厳功徳成就は」。常による。

12 **衆**――常「大衆」。底この後の『浄土論』本文及び註解に引用される『浄土論』本文には「大衆」とある。

13 **見たてまつれば**――底「見せば」。常による。

---

14 **向に……説きつ**――底「向」の字に朱で丸を付し上欄に朱で「有如字」と注記。常「向に説きつるが如きの十七種の荘厳、仏土功徳成就」。

15 **清浄を**――常清浄の義を

16 **説きつる礼拝等の**――底「説礼拝等の」。常による。

17 **説きつる**――底「説」。常による。

18 **大会衆の数に入ることを得**――底原表記「得入大会衆数」、常「大会衆数」以下欠失。

19 **優**――底「憂」。巻上・巻下の首題による。

20 **願生偈**――底「願偈」。巻上・巻下の首題による。

21 底所引『浄土論』本文による。

帰三宝偈（勧衆偈・十四行偈）

この偈は、善導大師の『観経疏』「玄義分」の冒頭に置かれる帰敬の偈であり、「勧衆偈」「十四行偈」とも呼ばれる。西本願寺に宗祖真蹟の『観経集註』が伝えられるが、この『観経集註』は、『観経疏』をはじめとする善導大師の著作を中心に『観経』の要義を明らかにする諸文を宗祖が抜き出し『観経』本文に注記したものである。本聖典には『観経集註』に記される「帰三宝偈」の本文を底本とし、宗祖が記した返り点・送り仮名による書き下しを収録した。また、書き下しにあたり三重県津市専修寺蔵宗祖加点「五部九巻」収録の「帰三宝偈」を参照した。

底　本　西本願寺蔵宗祖真蹟『観経集註』
対校本　専修寺蔵宗祖加点本『観経疏』「玄義分」[専]
　　　　南条神興校訂『七祖聖教』[南]

1 **先ず……帰し**——[底]「玄義分云先勧大衆発願帰三宝」、訓点なし。[専]による。
2 **発せども**——[底]「発せ」。[専]による。
3 **願入して**——[底]「願入」。[専]による、上欄に「或イ本観」と注記。
4 **礼したてまつれ**——[底]「礼」。[専]による。
5 **一心に**——[専]心を一にして
6 **諸仏**——[専]諸仏と
7 **なる**——[専]なると
8 **変化**——[専]変化と
9 **満ち……ざると**——[専]満と未満と
10 **円なる……ざると**——[専]円と未円と
11 **尽……ざると**——[専]尽と未尽と
12 **亡ぜ……ざると**——[専]亡と未亡と
13 **等覚**——[専]等覚と
14 **正しく金剛心を受け**——[底]・[専]訓点なし。[南]による。
15 **の**——[底]になし。[専]による。
16 **三仏菩提尊**——[底]「三仏菩薩等」。[専]による。
17 **神通力**——[専]神通力をもって
18 **退無き者**——[専]退すること無き者
19 **したまえ**——[専]して
20 **見たてまつらん**——[専]見せしめたまえ
21 **身**——[底]「身」の右傍に「心」と朱書。
22 **せり**——[専]して
23 **しく**——[専]により補う。
24 **帰したてまつる**——[専]帰す
25 **す**——[専]せり
26 **わくは**——[専]により補う。
27 **施して**——[専]施《せ》せん
28 **じく**——[専]により補う。

顕浄土真実教行証文類（教行信証）

宗祖畢生の書であり、浄土真宗の根本聖教である。冒頭の総序に続いて記される総標・標列に明示されるように、『大無量寿経』に説示される「真実の教」が、群萌に「浄土真宗」という仏道の事実を成就することを、真実教・真実行・真実信・真実証・真仏土・化身土という主題に即して明らかにする。

宗祖真蹟の『教行信証』が東本願寺に伝持されている。この真蹟は宗祖五十八～六十二歳の頃に本文の大部分が清書され、その後最晩年に至るまで本文や訓点の推敲・加筆がなされた宗祖所持本である。『教行信証』起筆の時期は不明といわざるをえないが、後世の書写本奥書等によれば、寛元五（一二四七）年二月五日、宗祖七十五歳の時に尊蓮が書写していることから、この時をその完成の時と見ることができる。七十六歳の『浄土和讃』・『高僧和讃』の製作は、『教行信証』の完成と一連するものと考えられる。また、建長七（一二五五）年、宗祖八十三歳の時に専信房専海が書写している。

真蹟本は全六冊から成るが、第一冊総序・教巻・行巻、第二冊信巻、第三冊証巻、第四冊真仏土巻、化身土巻は第五冊・第六冊に分冊されている。化身土巻の分冊は『大集経』の要文が後に加えられたことに起因するものである。

宗祖真蹟本は、行巻・化身土巻の巻末の伝持記から、宗祖入滅後、性信房に譲られたことが知られ、その後、性信房開基の坂東報恩寺（東京都台東区）に伝持されたことから「坂東本」と称される。一九二三（大正十二）年の関東大震災の後、東本願寺に移管され、一九五二（昭和二十七）年に国宝指定をうけ現在に至っている。大谷派は一九二二（大正十一）年に立教開宗七百年を機に影印本を刊行し坂東本の全容を公開し、一九五二（昭和二十七）年の国宝指定をうけて一九五四（昭和二十九）年に行われた修復後、宗祖七百回御遠忌を記念して一九五六（昭和三十一）年に影印本を刊行した。この影印本は一九七三（昭和四十八）年の宗祖御誕生八百年・立教開宗七百五十年法要を機に再刊された。宗祖七百五十回御遠忌にあたり二〇〇三（平成十五）年に坂東本の再修復が行われ、二〇〇五（平成十七）年にカラー影印本、二〇一二（平成二十四）年に翻刻テキストを刊行し、坂東本『教行信証』の公開を行っている。坂東本の詳細については、二〇〇五年刊行影印本解説、二〇一二年刊行『顕浄土真実教行証文類　翻刻篇　付録篇一・二』を参照されたい。

本書は、専修寺に真仏上人書写本が所蔵される。この書写本は専信房専海書写本を書写したものであり、宗祖八十三歳時の『教行信証』の状況を伝えるとともに、宗祖存命中の書写本として貴重なものである。また西本願寺に宗祖入滅後、文永十二（一二七五）年の書写本が所蔵される。同本は宗祖入滅時の『教行信証』の本文、『教行信証』の流布の状況を伝える点で貴重なものである。宗祖入滅後、漢文で著された『教行信証』を延べ書きとしたものが広く流布するが、その最古の写本である源覚による貞和二（一三四六）年書写延書本が東本願寺に所蔵されている。

本文の書き下しにあたり坂東本の欠損箇所は西本願寺本によって補い、欄外の注記は当該の本文の箇所に〔　〕で挿入することを原則としたが、その位置の判断を保留しなければならないもの、挿入して示すことが本文を読みにくくすると考えられるものは校注に示した。

また、対校本との校異は、書き下しにおいて特に注意すべき箇所のみ校注に示した。

底本　東本願寺蔵宗祖真蹟本（坂東本）
対校本　専修寺蔵真仏書写本[専]
　　　　西本願寺蔵書写本[西]
　　　　東本願寺蔵源覚書写延書本[源]

総序

1 [底]欠損箇所の状況は『顕浄土真実教行証文類　翻刻篇』を参照されたい。

2 **証**――[西]「徳」を見せ消ちにして上欄に「証ヲ」と記す。[専]証　[源]徳《とく》

3 文末の助字「矣」に[専]「イヒオハルコ、ロナリ」と右訓、「いいおわるこころなり」、[西]「イヒオハルコトハナリ」と右訓、「いいおわることばなり」。

教巻

1 **欲すなり**――[専]「欲《オモテナリ》」、左傍に「オホシテ也」と注記。[西]左傍に「オモテナリ イ本」と注記。

源「おぼしてなり」。

2 心——西左訓はママ。

3 侍えたまうなり——専原表記「侍《ツカヘタテマツラムト》二仏ニ一也」、「仏に侍えたてまつらんと（也）」。西原表記「侍《ツカヘタマフ》二仏ニ一也」、「仏に侍えたまうなり」、「侍」の左傍に「ヘタテマツラムト」と注記。源「侍えたまう」。

4・5・6・7・8 『大経』（◎7）

9・10・11 『大経』（◎8）

行巻

1 底総序・教巻・行巻を一冊とし、教巻尾題の次頁に余白を置いて、その次頁に標挙を記す。専外題「顕浄土真実行文類第二」、撰号なし。西外題「顕浄土真実行文類二」、撰号「愚禿釈親鸞集」。

2 せんこと——専せんと 西せんこと 源せんと

3 威神、十方世界に極まり無し——専・西威神、極まり無し。十方世界

4 耶——底・専・西・源「那」。大正蔵等、一切経諸版による。

---

5 『菩提資糧論』巻三意（大正32・529a）

6 『易行品』意（◇254）

7・8・14・15 『浄土論』（◎145）

9 『易行品』（◇257）

10・11 『易行品』（◇260）

12 『浄土論』（◎148, 156）

13 『浄土論』（◎148）

16 起こして——底「起《テ》」、専・西「起《オコシテ》」、源「おこりて」。専・西による。

17 『浄土論』（◎149）

18 『観仏三昧海経』巻一「六譬品」意（大正15・646a）・巻九「本行品」意（大正15・687b）

19 ぜしめ——底「遣《セシメ》」に左訓「ケン」

20 『華厳経』「入法界品」意（大正9・778c 10・432c）

21 『華厳経』「入法界品」意（大正9・777b, 779a 10・431b, 433b）

22 『大智度論』巻七意（大正25・109a）

23 『讃阿弥陀仏偈』（◇358）

24 『文殊師利所説摩訶般若波羅蜜経』（大正8・731b）

25 しむる——底「遣《シムル》」に左訓「ケン」

26 『観経』参照（◎104）

27 [底]左傍の訓に「願は仏の慈悲、不捨の本弘誓願なれば、弟子を摂受したまうべし」のよみを示す。[専]・[西]「願は仏の慈悲、本弘誓願を捨てたまわざれば、弟子を摂受したまえり」、[西]は「願」の左傍に「ナレハ」の訓を記す。[源]「ねがわくは仏の慈悲、本弘誓願をすてたまわざれば、弟子を摂受したまえ」。

28 『十往生経』（卍続87・292左）

29 『観経』真身観・観音観・勢至観意（◎114～）

30・34 『大経』意（◎19）

31 『阿弥陀経』意（◎139）

32・33 『阿弥陀経』意（◎140～）

35・36・37・38 『玄義分』（◎193）（◇457）

39 『大経』（◎47）

40 『易行品』（◎180）（◇259, 260）

41 果――[専]・[西]・[源]「果」。大正蔵所収『述文賛』巻中「因果」（大正37・147c）

42 『悲華経』巻三「諸菩薩本授記品」（大正3・184c）

43 人聖、国妙なり――[底]人・聖国・妙《ヘナリ》　[専]人-聖国《クニ》・妙《タヘナリ》　[西]人・聖国・妙《ヘナリ》　[源]人《にん》、聖国《しょうこく》たえなり

44・45・46 『大経』（◎61）

47・48・49・50・51 『大経』（◎38）

52 『大経』意（◎55）

53 『首楞厳経』巻九意（大正19・147a）

54 『大乗起信論』「修行信心分」意（大正32・582b, 590c）

55 『摩訶止観』「魔事境」意（大正46・115a）

56 『観経』意（◎114）

57 慈雲遵式の釈文。この書は今に不伝。

58 『開元釈教録』巻一・巻五参照（大正55・484c, 523c, 524b）

59 『梁高僧伝』巻三意（大正50・343c）

60・61 [底]上欄に「忟」と記す。

62 『大経』意（◎47, 48, 49）

63・79 『大経』（◎19）

64 『観経』意（◎130）

65 『大乗本生心地観経』巻二「報恩品」意（大正3・299b）

66 『法華経』巻一「方便品」（大正9・9a）

67 『易行品』（◎180）（◇260）

68 『浄土論註』意（◎181）（◇279）

69 『往生礼讃』（◎190）（◇651）

70 『五会法事讃』（◎196）（大正47・479c）

71 『散善義』（◇559）

72 『観経』（◎122）

73・74・75・76 『浄土論』（◎156）

77 晋訳『華厳経』巻五「菩薩明難品」（大正9・429b）

78 **他利と之を利他と**——専他利之《ト》与《ト》二利他一 西他利《ノト》二之《ヲト》一与二利他一 源これを他利と利他と

80 『大経』（◎18）

81 『大経』（◎20）

82 **大乗は……第一義乗なり**——源信『一乗要決』（大正74・371b）所引『勝鬘経』（大正12・220c）参照。

83 **異なること……法身無さず**——底無《マシマサス》二異《コト》如来一 無《マシマサス》二異《コト》法身一 専無《マサス》三異《コト》二如来一無《マサス》三異《コト》二法身《ニ》一 西無《マシマサス》二異《コト》如来一無《マシマサス》二異《コト》法身一 源こと《（異）》如来ましまさず、こと《（異）》法身ましまさず

84 『往生要集』巻中末参照（◇840）

85 『浄土論』（◎152）

86・88 『浄土論』（◎147）

87 **喩う**——底「喩《ルカ》」、専「喩《タトフ》」、西「喩《タトヘルカ》」、源「たとう」。専による。

---

89 **信を獲て見て敬い大きに慶ぶ人**——底「獲信見敬大慶人」、訓を付さず。本文のよみは編者による。底は「見《テ》敬《ヒ》得《テ》大《キニ》慶喜《スル》人《ハ》」を「獲信見敬大慶人」と改める。その状況は『顕浄土真実教行証文類 翻刻篇』補註（六九七頁）を参照されたい。専「獲《ウレハ》二信《ヲ》一見《テ》敬《ヒ》大《ニ》慶喜《セム》（信を獲れば見て敬い大きに慶喜せん）」、西「獲《ウレハ》二信《ヲ》一見《テ》敬《ヒ》大《ニ》慶喜《スレハ》（信を獲れば見て敬い大きに慶喜すれば）」、「獲」に「エテ反」と左訓、「喜」に「セム反」と左訓、「せん反」。源「みてうやまいえておおきに慶喜するひとは」。『尊号真像銘文』参照（◎649～）、文明五年蓮如上人開板『正信念仏偈』「獲信見敬大慶喜」。

90 **明らかなり**——専明らかにせり 西明らかなり 源あかせり

91 底頁奥に「弘安陸《（六）》癸未二月二日釈明性譲二預之一」の伝持記あり。また一行分を切り取る。化身土巻末奥書参照。弘安六年は一二八三年。

信 巻

1・17・26 『浄土論』（◎148）

2・14・18・25 『浄土論』（◎145）
3 『観経』（◎121）
4・5・6・7・11・12 『観経』（◎122）
8 『阿弥陀経』意（◎136～）
9 『阿弥陀経』意（◎143）
10 『阿弥陀経』意（◎140～）
13 晋訳『華厳経』巻五十九「入法界品」（大正9・777a, 777b, 780a）
15 『散善義』（◎257）（◇534）
16 **説く**――専・西説くに　源とくに
19 『浄土論』（◎149）
20・30 『浄土論』（◎153）
21 『浄土論』（◎156）
22・23 『散善義』（◎249）（◇540）
24 『観経』（◎108）
27 **小**――底・西・源「少」、専による。
28 『浄土論註』（◇339）
29 **生ぜしむる**――底生ル　専・西生セシムル　源うまるる
31・32 『阿弥陀経』（◎143）
33 『大経』（◎61）

34・35・36・37・38・40・41 『阿弥陀経義疏』（大正37・363c）
39 『観経』（◎130）
42・43 『観経』（◎112）
44 **支**――底・専・西・源「友」。大正蔵等、一切経諸版による。
45 『散善義』（◎243）（◇534）
46 『大集経』巻十一意（大正13・73c）
47 『涅槃経』「梵行品」参照（大正12・469c　712b）
48 『涅槃経』「徳王菩薩品」意（大正12・496c　740b）
49 『大智度論』巻七・巻六十二等意（大正25・108c, 502a）
50 『大経』意（◎47, 48, 49）
51 『大悲経』巻二・三・四参照（大正12・951～）
52 『観経』意（◎103）
53・54 『観経』（◎133）
55 『大経』意（◎47）
56 『龍舒浄土文』巻十（◎283）（大正47・283a）
57 **彼の寿命の長を殺するを以ての故に**――底以ノ二殺彼ノ寿命ノ長ヲ一故ニ　専以ノ三殺スヲ二彼ノ寿命ヲ一故ニ　西以ノ三殺《コロスヲ》二寿命ヲ一彼ノ故ニ　源殺をもってのゆえに寿命ながきゆえに
58 **王白して言わまく**――底白シテ王ニ一言《イワマク》二　専白王言《イハマク》

59　西白《シテ》王《ニ》一言《イワマク》二　源王にもうしてもうさく
殺不定は――専・西殺不定ならば　源殺不定
60　耆婆、大王に白して言さく――底・西耆婆白《シテ》言《ク》大王《ニ》一　専耆婆白《シテ》言《ク》大王　源耆婆もうしてもうさく、大王
61　獲しむ――底「獲しめたまえと」、西「獲しめたまえり」、源「えしめたまえと」。専による。
62　『大経』（◎19, 238）
63　『如来会』（◎238）（◇190）
64　『大経』意（◎47）
65・67　『観経』意（◎130）
66　『摩訶般若波羅蜜経（大品般若経）』意（大正8・304c）
68　『首楞厳三昧経』（大正15・633b）
69　『観経』（◎131）
70　『荘子』「逍遙遊篇」に「朝菌不知晦朔、蟪蛄不知春秋（朝菌、晦朔を知らず。蟪蛄、春秋を知らず。）」とある。
71　『悲華経』巻二「大施品」（大正3・175c）
72　淄州に依るに――慧沼『最勝王経疏』巻三（大正39・243c）、三乗の五逆は『大乗大集地蔵十輪経』巻三「無依行品」（大正13・737a）によるか。
73　『倶舎論』巻十八（大正29・94b）
74　『薩遮尼乾子経』巻四「王論品」（大正9・336b）
75　『大乗大集地蔵十輪経』巻三「無依行品」（大正13・737a）

証　巻

1　底外題左下に宗祖の真蹟で「釈蓮位」と記す。
2・4・5　『浄土論』（◎150）
3　『平等覚経』（◇79）『過度人道経』（◇137）『大経』（◎47）参照
6・8　『浄土論』（◎149）
7　『讃阿弥陀仏偈』（◇356）
9・12・13・14・16・17　『浄土論』（◎152）
10　『大経』（◎20）
11　譬えば……如し――『大智度論』参照（大正25・131c）
15　『維摩経』「仏道品」（大正14・549b）
18　『注維摩詰経』序（大正38・327a）
19・20・21・22・23・24・25・26・27・28　『浄土論』（◎153）
29・30・31・32・33・34・35　『浄土論』（◎154）
36・37・38・39・40・41・42・43・44　『浄土論』（◎155）

45 『浄土論』(◎156)

真仏土巻

1 底外題左下に宗祖の真蹟で「釈蓮位」と記す。

2 底内題右傍に「光明無量之願、寿命無量之願」と記す。坂東本の現在の表紙に改められる以前の状況を示すもの。聖典本文には略した。

3 底文末の助字「焉」に「エン」と右訓。「コ、ニ」と左訓、「ここに」。

4 **耶**――底・専・西・源「那」。大正蔵等、一切経諸版による。

5 **支**――底・専・西「友」、源「支《シ》」。源、大正蔵等、一切経諸版による。

6 **虚空……是くの如し**――底上欄に「上」と注記。

7 **是の故に……上と作す**――底上欄に「中」と注記。

8 **能く是の人を……下と作す**――底上欄に「下」と注記。

9・10 『浄土論』(◎149)

11 『浄土論』(◎145)

12 『大智度論』巻三十参照(大正25・283c)

13 『浄土論』(◎151)

14 『浄土論』(◎152)

15 **『讃阿弥陀仏偈』……と名づく**――底一部欠損。「鸞和尚造なり」「賛め奉りて亦安養と曰う」は底により、他は西により補う。

16 『大乗同性経』意(大正16・651a〜)

17 『大経』意(◎11〜)

18 『観経』意(◎122, 123, 125)

19 『観音授記経』意(大正12・357a)

20 『摩訶般若波羅蜜経(大品般若経)』巻二十六「如化品」(大正8・415c)

21 『観経』意(◎101)

22・23・24・25・26・27・28・29・30・31・32・33・36 『大経』(◎32, 346)

34 『涅槃経』「迦葉菩薩品」(◎361)(大正12・573c 820c)

35 『涅槃経』「迦葉菩薩品」(◎355)(大正12・562c 809a)

37 『過度人道経』(◎348)(◇142)

38・41 『浄土論』(◎145, 363)

39 『平等覚経』(◎348)(◇100)

40 『如来会』(◎239)(◇213)

42 『大経』(◎42)

43『浄土論』(◎146, 209, 322)
44『浄土論註』(◎209, 322)(◇325)
45『法事讃』(◇565)

化身土巻 本

1 言わく……宮胎に堕せん」と――底欠損、西により補う。
2・4『群疑論』巻四(大正47·50c)
3・5『菩薩処胎経』巻三「八種身品」(大正12·1028a)
6『往生要集』巻下本参照(◎207)(◇882)
7『往生要集』巻下本(◎207)(◇882)
8『観経』(◎101)
9・10・11・12・22『観経』(◎102)
13・14・23『観経』(◎103)
15・16『観経』(◎104)
17『観経』(◎113)
18『観経』(◎114)
19『観経』(◎121)
20・24・25・27『観経』(◎122)
21『観経』(◎97)

26『大経』(◎19)
28・37・38・47『阿弥陀経』(◎139)
29『玄義分』(◇443)
30『定善義』(◇516)
31『定善義』(◇519)
32 元照『阿弥陀経義疏』所引『襄陽石碑経』(◎412)(大正37·361c)
33『法事讃』(◇596)
34・36『法事讃』(◎411)(◇604)
35『阿弥陀経』(◎144)
39 名号を執持せよ」と――底「執持名号」、専「執二持《セヨト》名号《ヲ》一」、西「執持《チセヨト》名号《ヲ》一」、源「名号を執持すと」。専・西による。
40・43『阿弥陀経』意(◎139)
41 一日……竟りぬ」と――底欠損、西により補う。
42 凡夫を……時に於いて――底欠損、西により補う。
44『阿弥陀経』意(◎143)
45『阿弥陀経』意(◎140, 141, 142)
46『観経』(◎133)
48『往生礼讃』意(◇652)

49 『玄義分』（◇446）『大智度論』（大正25・66b）『安楽集』（◇377）参照
50 『坐禅三昧経』意（大正15・285c）
51・62・69 『大集経』巻五十五「月蔵分分布閻浮提品」意（大正13・363a）
52 『大集経』巻五十五「月蔵分」参照（大正13・363a）
53 『観弥勒上生兜率天経賛（弥勒上生経疏）』意（大正38・276b）
54 『涅槃経』「梵行品」意（大正12・474a　716c）
55 『摩訶摩耶経』意（大正12・1013b）
56 **『涅槃』の十八**――注54の文か。
57 『仁王般若波羅蜜経』「嘱累品」参照（大正8・833b）
58 『大集経』巻五十五「月蔵分分布閻浮提品」（大正13・363a）
59 『金剛般若論会釈』意（大正40・736a）
60 **我が**――専上欄に「戒」と注記。西「我《カ》」を見せ消ちにして右傍に「戒」と記す。源「戒」
61 この文、『大集経』に見えず。南山道宣『四分律行事鈔』上之三「大集経云我滅度後無戒満州」（大正40・24b）によるか。

63 『大集経』巻二十四「虚空目分護法品」意（大正13・173a）
64 『涅槃経』「長寿品」（大正12・381a　621a）
65 『涅槃経』「邪正品」（大正12・402c　643b）
66 『大方広十輪経』巻三「相輪品」意（大正13・694a）
67 『涅槃経』「四依品」（大正12・401a　641c）
68 『大方広十輪経』巻三「相輪品」（大正13・694a）
70 『賢愚経』巻十二「波婆離品」意（大正4・434a）
71 『大集経』巻五十四「月蔵分忍辱品」意（大正13・359b）
72 『大悲経』巻三「礼拝品」意（大正12・958a）
73 『四分律』巻五十七意（大正22・990c）

化身土巻　末（大正大蔵経大）

1 **又言わく……抄出**――底欠損、西により補う。
2 底上欄に「甥《セイ反》字」と注記。
3 底上欄に「舅《キウ反》字」と注記。また「舅」に「オチ」と左訓、「おじ」。
4 **老義類**――専・西・源老義類　大考義類
5 **朱韜王礼**――専・西・源「朱韜王礼」、大「朱韜玉机」、宋「朱韜玉扎」、明「朱韜玉劄」。

6 緯――専・西・源緯　大韓

7 蓋に……ならずや――国訳一切経所収『弁正論』は「蓋し便ならざるを云えるなり、と」とよむ。

8 温水――底「温水」、専・西「温水《うんしい》」、源「温水《おんしい》」、大「渦水」。よみは専・西による。

9 撥するに……等しきが――専「撥するに太史に云い、衆画《(書)》に等しくするが」とよむ訓と、「撥するに太史に云わく、衆画を等しくするが」とよむ訓を示す。西「撥するに太史に云い、衆画《(書)》に等しきが」、源「太史公等《ら》が衆画《(書)》を撥《はつ》するに」、大「検太史公等の衆書」。国訳一切経所収『弁正論』は「太史公等の衆書を検するに」とよむ。

10 生死変易す。三界――専・西・源生死、三界に変易す

11 生死の……所作す――専・西未だ生死の中に往かず。往来して所作す　源いまだ生死のなかにゆかず。ゆききたりてなすところ

12 文史明事――専・西文史明事　源文史《ぶんし》、事《こと》をあかす

13 伏義――底・専・西「伏義」、源「伏羲」。源による。

14 『維摩経』「仏国品」（大正14・538c）

15 経――底・専・西・源「俓」。大による。

16 『涅槃経』「大衆所問品」意（大正12・426c　668a）

17 『成実論』巻七「三業品」（大正32・291c～）・巻十「邪見品」（大正32・317b～）参照

18・20 『涅槃経』「如来性品」意（大正12・409c　650b）

19 『長阿含経』巻十二「第二分大会経」（大正1・79b）源信『阿弥陀経略記』参照（大正57・682a）底「諸帰依仏者」の「諸」を墨・朱で塗抹し上欄に「謂無歟」と記す。『長阿含経』・『阿弥陀経略記』には「諸帰依仏者」とある。源信『要法文』参照（『恵心僧都全集』5・367）

21 して――底助字「兮」に「ケイ」と左訓。

22 底次頁に「弘安陸《(六)》癸未二月二日　釈明性譲」預之」沙門性信（花押）」の伝持記あり。弘安六年は一二八三年。

浄土文類聚鈔

本書は、宗祖が教・行・信・証の四法をまず示し、「念仏正信偈（文類偈）」、『大経』三心と『浄土論』一心

について の問答（三一問答）、『大経』三心と『観経』三心についての問答、二経の三心と『阿弥陀経』一心についての問答によって構成され、無上信心の獲得が願力の回向によることを明らかにする。その内容が『教行信証』に照応しつつその精要を示すものであることから、『教行信証』とともに浄土真宗の根本聖教として位置づけられてきた。『教行信証』は「広文類」「広本」、『浄土文類聚鈔』は「略文類」「略本」とそれぞれ呼称される。

　本書は伝宗祖真蹟本として滋賀県日野町光延寺に一本が伝えられている。光延寺本はその最後に延慶二（一三〇九）年の年時が記されることから同年の書写と見られる現存最古の書写本であるが、火災による焼損のために本文の一部が欠損している。また、東本願寺に宗祖八十三歳の奥書を記す書写本が所蔵されており（新潟県上越市浄興寺旧蔵）、室町時代初期の書写と見られている。この他、大谷大学禿庵文庫に暦応三（一三四〇）年の奥書がある延書本が所蔵されている。なお、校注には光延寺本の欠損箇所を次のように略記したものがある。文字が完全に欠損している箇所を「…」、文字の一部が残るが判読できない箇所を「□」、文字が判読できるものは囲み文字で示した（例「[絶]」）。

底　本　東本願寺蔵本
対校本　光延寺蔵本[光]
　　　　大谷大学蔵暦応三年延書本[大]

1　**嘉号**――[光]「ミヤウカウナリ」と左訓、「みょうごうなり」。
2　**教行**――[光]「ホトケノミノリナリ」と左訓。
3　**恵むに**――[底]「恵んで」。[光]による。
4　**称名**――[底]「称揚」。[光]・[大]による。
5　**べきなり**――[光]べし
6　**即**――[光]則
7　**文**――[底]「文の」。[光]による。
8・25・99・103　『大経』（◎47）
9　『大経』（◎92）
10　**名号**――[底]「号号《ミヤウカウ》」。[光]による。
11　**せん**――[底]「せんに」。[光]による。
12　『易行品』（◇254, 260）
13　『浄土論』（◎145, 147）

14 **したてまつりて**——底「して」。光による。

15 **説いて**——光説く

16 『**経**』**に言わく、**「**乃至**」**は**——大経に乃至というは

17 **観想**——光「スイテウシユム　エホフ　シヤウコム　ヲ　クワンスルヲイフ」と左訓、「すいちょうじゅむ　えほう　しょうごんを　かんずるをいう」。「じゅむ」は「じゅりん」か。

18 **獲せしむ**——光獲しむ

19 **実**——光訓「まこと」

20 『大経』（◎67）

21 **明らかに達し**——底「明達《みょうだつ》し」「明《あき》らかに達《さと》る」の二訓あり。「達《さと》る」の訓は左傍に示す。光による。

22 **取意**——光取要

23 『如来会』（◇212）

24 **是れ**——底になし、光により補う。

26 **彼の国に生ずる者は**——底原表記「生《シヤウス》二 彼国《カノクニ、》一 者《ハ》」。光による。

27 **諸の**——底になし、光により補う。

28 『大経』（◎42）

29 **余方に……有り**——光「ヨノシヤウトニハ人天アリトイフニ　ミタノシヤウトニ人天ナシトイナラハコクラクニムマレムトスルモノアリカタキユヘニハウヘンシテニンテンアリトイフナリ」と左訓、「よのじょうどには人天ありというに　みだのじょうどに人天なしといならば　ごくらくにうまれんとするものありがたきゆえに　ほうべんしてにんでんありというなり」。「いならば」は「いうならば」か。

30 **虚無の身**——光「□ンノリハキワナキ（以下欠損）」と左訓。『文類聚鈔科文』（『真宗相伝叢書』第二巻）収載の本文には「ホフシンノ　ノリハ　キハナキユヘニ　コムトハ　マフスナリ」と左訓、「ほっしんの　のり（法）は　きわなきゆえに　こむ（虚無）とは　もうすなり」。

31 『大経』（◎61）

32 **超絶して去つることを**——底原表記「超絶去《テウテウコ》スルコトヲ」「超絶《テウセチ》シテ去《ス》ツルコトヲ」の二訓あり。後者のよみによる。「去《す》つることを」の訓は左傍に示す。光原表記「…（超）絶去《サルコトヲ》」。大「超絶《ちょうぜつ》してすつることを」。

33 **生死罪濁の群萌**——底「生死罪濁群萌」。光による。

34・68・72　**せん**――[光]せしむ

35　**一事として……無し**――[底]原表記「無《ナシ》五有《アルコト》四一《ヰチ》事《シトシテ》非《アラサルコトワ》三阿弥陀《ミタ》如来《ニヨライノ》清《シヤウ》浄《シヤウ》願《クワン》心《シム》之《ノ》所《トコロニ》一回《ヱ》向《カウ》成就《シヤウシユシタマヘリ》」。[光]による。

36　**相**――[底]「相と」。[光]による。

37　**言えり**――[光]言わく

38　『大経』（◎54）

39　**以てして**――[光]以て而《しこう》して

40　**聖言**――[光]「仏ノ　ミコトナリ」と左訓。

41　**稠林**――[光]「シケキハヤシ」と左訓、「しげきはやし」。

42　**て**――[光]ぬ

43　**調達・闍王**――[大]調達闍王をして

44　**ず**――[大]ぜしめ

45　**をして**――[底]・[光]になし、[大]により補う。

46　**うなり**――[光]えり

47　**普遍**――[底]「普偏」。[光]による。

48　**慇懃**――[底]訓「インコンニ」。[光]「イムキンニ」と「オンコムニ」の訓。よみは後者による。[光]「ネン□□□」と左訓、「ねんごろに」か。

49　**して**――[光]になし。

50　**噫**――[光]「ナケクコ、ロナリ」と左訓、「なげくこころなり」。

51　**疑網**――[光]「ウタカフ」と左訓、「うたがう」。

52　**超捷**――[底]左訓「こえて　とおきなり」。左訓一覧「ときなり」は字義による。

53　**慶びて**――[底]「慶んで」。[光]による。

54　**真言**――[光]「マコトノ　ミコトナリ」と左訓。

55・122　**特に**――[光]特《こと》に

56　『浄土論註』（◇282）

57　**宜**――[底]「宣」。[光]による。

58　**曰わく**――[底]「曰《のたま》わく」。[大]による。

59　**諸仏の国に**――[底]「諸仏国《しょぶっこく》に」。[光]による。

60　**仏法蔵を**――[光]仏法の蔵を

61　**曜して**――[光]明らかにして

62　**三有生死**――[光]「ムマレシヌ　ロクタウニマトフヲイフ」と左訓、「うまれしぬ　ろくどうにまどうをいう」。

63　**雲**――[底]訓「うん」。よみは[光]による。

64　**称名すれば**――[光]名《な》を称すれば

65 真に——[底]原表記「真《シン》」。[光]による。
66 明かす——[光]明《あき》らむ
67 山——[底]・[光]訓「さん」。よみは[大]による。
69 せん——[光]す
70 横超の……光闡し——[底]原表記「光《ヒカリ》闡《ヒラキ》二横《ワウ》超《テウノ》本《ホン》弘《ク》誓《セイヲ》一」。[光]による。
71 大会衆の数——[光]「シヤウチヤウシユノクラヰナリ」と左訓、「しょうじょうじゅのくらいなり」。
73 方——[底]訓「ほう」。よみは[光]による。
74 顕る——[光]顕す
75 至——[光]到
76 貶——[光]「オトシム」と左訓。
77 を——[光]に
78 慇懃——[底]訓「いんぎん」。よみは[光]による。
79 逆悪とを——[底]原表記「与《トヲ》二逆《クヰヤク》悪《アクヲ》一」。[光]による。
80 開く——[光]開きて
81 入れる——[光]入る
82 句——[光]「サカユ」と左訓。
83 偈——[光]「タシナム」と左訓。
84 畢——[光]「クハル　チラス　アツカル　ワカツ」と左訓、「くばる　ちらす　あずかる　わかつ」。
85・88 用——[底]・[光]訓「よう」。よみは[大]による。
86・89 楽——[底]訓「ぎょう」。よみは[光]による。
87 れば——[光]らば
90 願楽の心なり、覚知成興の心なり——[底]原表記「願《クワン》楽《ケウ》之《ノ》覚《カクナリ》　知《チ》成《シヤウ》　興《コウ》之《ノ》心《シムナリ》」。[大]による。[光]原表記「願楽《ケウ》…□[覚]知成興之《ノ》心《ナ□》」。
91 是を——[光]是れを
92 『大経』（◎28）
93 欲覚・瞋覚・害覚——[光]「トムヨクナリ　イカリナリ　モノヲコロス　コレヲサントクトイウナリ」と左訓、「とんよくなり　いかりなり　ものをころすこれをさんどくというなり」。
94 忍力成就——[光]「イカリ　ハラタチ　ソネミ　ネタムヲ　シノフヲイフ」と左訓、「いかり　はらだちそねみ　ねたむを　しのぶをいう」。
95 問——[底]「門」。[光]による。
96 真実の信心無し。是の故に、真実功徳——[底]本文「真実功徳」、さらに上欄に「無信心コノユエニ」と記し、「実」の後に挿入の指示。[光]による。

97　**得**――底「徳」。光による。
98　**して**――光りて
100　**真実の**――底「真実」。光による。
101　**に**――光を
102　**行じたまいし**――底原表記「行《キヤウタマフ》」。光による。
104　**す**――光せん
105　**の**――底原表記「之《コレ》」。光による。
106　『散善義』（◇540）
107　『散善義』（◇540, 541）
108　**」と**――光べし」となり
109　**淳**――光「アツキナリ」と左訓。
110　**大菩提心は**――底原表記「大菩《ホ》薩提心《タイシムハ》」。光による。
111　**宗師の**――底「宗《しゅう》の師《し》の」。光による。
112　『散善義』（◇533）
113・115　『散善義』（◇538）
114　『往生礼讃』（◇649）
116　**せること**――底「せざること」。光による。
117　**せり**――光なり
118・119・120・121　『阿弥陀経』（◎139）
123　**たるに**――光になし。

124　『定善義』（◇528）
125　**照**――底原表記「昭《テラシ》」。光による。
126　**益し**――底訓「こたえ」。よみは光による。底の訓は「益」と「荅」の字体の近似によるか。
127　『般舟讃』（◇685）
128　**須く**――底原表記「須《スヘカラス》」。光による。
129　『大経』（◎94）
130　**せる**――光せん
131　**難中の難**――光「カタキカナカニカタシ」と左訓、「かたきがなかにかたし」。
132　**此れに過ぎたる難無し**――底原表記「無《ナシト》三過《スキタル》二此《コレニ》一難《ナン》」。光・大による。
133　『称讃浄土経』（◇250）

愚禿鈔

　宗祖が八十三歳の時に著されたものであり、『二巻鈔』とも呼ばれる。上巻には大乗の教について二双四重の判釈を施し、浄土真宗が本願一乗海による立場であることを示し、下巻には善導大師が『観経疏』「散善義」に示された三心釈にもとづき、『観経』三心は自利の三心であり、『大経』に説示される利他の三信に通入し帰せしめるために説かれることが明らかにされている。

本書は宗祖の真蹟が伝わっていないが、専修寺に顕智上人が永仁元（一二九三）年に書写した一本が伝えられている。この書写本は三巻の巻子本であり、下巻が本末に分巻されている。また京都市常楽寺には存覚上人の書写本が伝えられる。上巻は康永元（一三四二）年、下巻は暦応三（一三四〇）年の書写であるが、後の流布本の原型となるものである。

底　本　専修寺蔵顕智書写本

対校本　常楽寺蔵存覚書写本存

1 **釈迦勧信**――存「釈迦勧信　釈迦二」。「本約功□証成下五乗其義相連今儀宜也」と注記。

2 **諸仏勧信**――存「諸仏勧信　諸仏二」。「本約往生証成下五乗其義相連此定宜也」と注記。

3 **釈迦に……諸仏に二あり**――存になし。

4 **一に……諸仏護念**――存一執持護念　釈迦護念

5 **二に発願護念**――存二発願護念　諸仏護念

6・7 **二**――存二あり

8 **疑情**――存疑情なり

9 **信心**――存信心なり

10・11 **三**――存三あり

12 **三往生有り**――『法事讃』参照（◇565）

13 『大経』意（◎28）

14 『玄義分』「勧衆偈」（◎158）

15 **菩薩蔵**――存菩薩

16 『般舟讃』（◇687）

17 **薩**――底「提」と記し見せ消ちして「薩」とする。存「提」。

18 **超渉**――底「渉」に「しき」の訓。

19 **捷遅**――底・存訓「えんち」

20・116 『浄土論註』意（◇279）

21 『十住毘婆沙論』「易行品」（◇260）存「即得往生は、後念即生なり」の割注とする。

22 『十住毘婆沙論』「地相品」意（大正26・26c）存「即得往生は、後念即生なり」の割注とする。

23 『大経』（◎90）

24 **漸頓回向**――存「漸教回心」、「教」の右傍に「頓」

と注記。

25　『序分義』（◇489）

26　云わく――存曰《のたま》わく

27　『玄義分』「勧衆偈」（◎157, 158）

28　観――存「観字　東大寺覚寿僧都観経義有之　世流布願字也」と注記。

29　正しく……受けて――存になし。

30　『浄土論』（◎145）

31　『大経』（◎93）

32　此の……無けん――存「此の……無けん」、また「此れに過ぎたる難無し」のよみを左傍に注記。

33　『如来会』（◇213）

34　『平等覚経』巻二（◇100）

35　を――存に

36　耶――底・存「那」。大正蔵等、一切経諸版による。

37　支――底「友」。存「支」、左傍に「友御点」と注記。存による。

38　『過度人道経』（◇182）

39　照――底「昭」。存による。

40　『阿弥陀経義疏』（大正37・363a）

41　『首楞厳経』巻五（大正19・128a）

42　『大智度論』巻七十九（大正25・614c）

43　建長七歳……――存本云　建長七年（一二五五）乙卯八月二十七日書㆑之　愚禿親鸞　八十三歳　先年随㆑得㆑本、且書㆓下帖㆒、今日為㆑満㆑部、追写㆓当巻㆒。只為㆑備㆓自見㆒。乍振㆓折臂㆒、初三丁余雖㆑励㆑之、猶不㆑堪之間、仮㆓両筆㆒終㆓一帖㆒畢、坐㆑筆。麁註等任㆓自由之愚案㆒之子細、如㆑載㆓下帖之奥㆒而已。于時康永元年（一三四二）壬午九月十一日記㆑之　存覚　五十三歳

44　信を――底欠損、存により補う。

45　顕――底欠損、存により補う。

46　『散善義』（◇532）

47・49　『観経』（◎121）

48　二――存「三」、右傍に「二御点也」と注記。

50・52・53・54・73・96　『観経』（◎122）

51　三――存「四」、右傍に「三 イ」と注記。

55　懐いて――存「懐ければなり」、左傍に「テ イ」と記し異本の「懐いて」のよみを注記。

56　名づけざるなり――存「名づけず」、右傍に「ル」と記し「名づけざるなり」のよみを注記。

57 **作すは**――存「作さば」、右傍に「ナス」と記し「作すは」のよみを注記。
58 **作すこと**――存「作して」、右傍に「スコト」と記し「作すこと」のよみを注記。
59 **如くするは**――存「如くする者」、右傍に「ハ」と記し「如くするは」のよみを注記。
60 **欲うは**――存「欲すれば」、右傍に「オモフ」と記し「欲うは」のよみを注記。
61 **趣求を**――存「趣求する」、右傍に「ヲ」と記し「趣求を」のよみを注記。
62 **二種有り**――『散善義』参照（◇533, 534）
63 **趣求を**――存左傍に「スル」と記し「趣求する」のよみを注記。
64・72・118 『散善義』（◇534）
65 『散善義』（◇533）
66 **想えと**――存「想う」、右傍に「ヘト」と記し「想えと」のよみを注記。
67 **勤修すべしと**――存「勤修す」、右傍に「スヘシト」と記し「勤修すべしと」のよみを注記。
68・70 **讃嘆すべし**――存「讃嘆す」、右傍に「スヘシ」と記し「讃嘆すべし」のよみを注記。
69 **毀厭し**――存「毀厭す」、右傍に「シ」と記し「毀厭し」のよみを注記。
71 **をして**――存をもって
74 **深信すべし**――存深信す
75 **彼の阿弥陀仏の四十八願**――存彼の阿弥陀仏、四十八願をもって
76 **深信せよとなり**――存「深信すと」、右傍に「セヨトナリ」と記し「深信せよとなり」のよみを注記。
77 存「御自筆本凡無如此之合点者也」と注記。
78 **七深信……決定有り**――『散善義』参照（◇534）
79 **彼の願力に乗じて**――存乗彼願力を
80 **自心**――底「自力」。存による。
81 **三遣……有り**――『散善義』参照（◇534）
82 **六即……有り**――『散善義』参照（◇534）
83 **二別……有り**――『散善義』参照（◇535）
84 **支**――底「友」。存による。
85 **五実……有り**――『散善義』参照（◇536）
86 **二専……有り**――『散善義』参照（◇537）
87 **二所化**――存「二所」、右傍に「化歟」と脱字を考

慮する注記。

88 『散善義』(◇537)

89 **五正行……有り**――『散善義』参照(◇537)

90 **専称名**――[存]専称仏名

91 **如しと**――[存]如く

92 **愚禿鈔下末**――[存]になし。

93 [底]行頭に「正散行有四種」の付箋あり。

94 **三福有り**――『観経』(◎102)

95 [底]行頭に「□種正六種雑」の付箋あり。

97 **二種有り**――『散善義』参照(◇538)

98 **自の**――[存]「自」、右傍に「他歟」と脱字を考慮する注記。

99 **深き信心**――[存]深信心

100 **得生の……若し**――[底]・[存]返り点・送り仮名なし。よみは「信巻」を参照し編者による。

101 **一譬喩……一問答**――『散善義』参照(◇538, 539)

102 **此の……若し**――[底]・[存]返り点・送り仮名なし。よみは「信巻」を参照し編者による。

103 **二異は**――[存]「二異」、右傍に「者歟」と脱字を考慮する注記。

104 **一に……火の河**――[底]・[存]返り点・送り仮名なし。よみは「信巻」を参照し編者による。

105 **一に……入るなり**――[底]・[存]返り点・送り仮名なし。よみは「信巻」を参照し編者による。

106 **四には……得るなり**――[底]返り点・送り仮名なし。よみは[存]による。

107 **二回向というは**――『散善義』参照(◇541)

108 **二河の中に就いて**――『散善義』参照(◇539)

109 **獣**――[存]「ケタモノ」と左訓、「けだもの」。

110 **悪友**――[存]「アシキトモ」と左訓。

111 **知識**――[存]右傍に「善歟」と脱字を考慮する注記。

112 **能生……心をば**――[存]「能生……心をば」。寛永十三(一六三六)年刊本には「能生清浄願往生心と言うは」とある。

113 **又、西岸……護らん**――[底]・[存]返り点・送り仮名なし。よみは「信巻」を参照し編者による。

114 『十住毘婆沙論』「地相品」意(大正26・26c)

115 『十住毘婆沙論』「易行品」(◇260)

117 『散善義』意(◇558)

119 **る」という**――[存]「ルトヘル」、右傍に「フイ」と記し異本の「いう」のよみを注記。

120 底行頭に「去来対」の付箋あり。存「御筆為押紙」と注記。

121 弥陀仏——存弥陀

122 勧誘——存「ス、メヒテタリ」と左訓、「すすめひ（秀）でたり」。

123 存改行し次の奥書あり。「本云　建長七歳（一二五五）乙卯八月二十七日書レ之　愚禿親鸞　八十三歳　暦応三歳（一三四〇）庚辰十二月二十五日書二写之一。件写本者、以二右御真筆一所二書写一之本也。註麁以下坐レ筆、不レ思様之間、於二一名目一各有二朱点一。其多少、又不レ叶レ理事等有レ之。人私所レ為歟。同略レ之。止二料簡一可レ加レ之也。回二愚案一任二自由一書レ之。点又同レ前、不レ及レ写之者也。展転書写之間、非レ無二其誤一歟、但本失錯歟、自僻案歟。只就二愚推一之所、覃令二自専一許也。不レ須レ及二他見一而已。存覚　五十一歳」

入出二門偈頌文

宗祖が天親菩薩の『無量寿経論（浄土論）』、曇鸞大師の『浄土論註』、さらに道綽禅師、善導大師の釈文によって、五念門の行が法蔵菩薩の行であり、それが衆生に施されるという他力回向の深義を示し讃嘆するために著された偈頌である。

本書は宗祖の真蹟が伝わっていないが、書写本に「建長八歳（一二五六）丙辰三月二十三日書写之」の奥書がある建長八年本、西本願寺蔵蓮如上人書写本があり、茨城県つくばみらい市聖徳寺に「愚禿八十歳　三月四日書之」という奥書を持つ書写本が所蔵されている。

底本　建長八年書写本

対校本　西本願寺蔵蓮如書写本西

聖徳寺蔵書写本聖

1 **入出二門偈頌文**——底元表紙題号。西・聖元表紙題号「入出二門偈頌」。

2 **『称讃浄土経』……能わじ」と。文**——『称讃浄土経』（◇245）

この文西・聖になし。

3 **愚禿釈親鸞作**——西・聖愚禿親鸞作

4 **『無量寿経論』……出でたり**——西・聖になし。

5　**元魏**――底訓原表記「クワンクヰ」、「がんぎ」。よみは通号による。

6　**したまえり**――西せしめたまえり　聖したまえり

7　**辺際**――西「ホトリキハノアルコト」と左訓、「ほとりきわのあること」。

8　**究竟……にして**――西究竟……にして　聖究竟広大

9　**有す**――西「有りて」、左傍に「リ」と記し「有り」のよみを注記。聖「有り」。

10　**安養**――西・聖安楽

11・12　**せられたり**――西せられたり　聖せる所なり

13　**二乗の種**――西二乗の種に　聖二乗種は

14　**本則ち**――西本則ち　聖則ち是れ

15　**殊異無し**――西「コトニコトナルコトナシ」と左訓。

16　**別の道無ければなり**――西別道無ければなり　聖別道無し

17　**淄澠**――西「シホ水ノ名ナリ」と左訓、「しお水の名なり」。

18　**如きなり**――西「如きなるをや」、「如」の右傍に「ク」と記し「如く」のよみを注記。聖「如し也」、「也」は不読の字とするか。

19　**門を**――西・聖門に

20　**漸次**――西「ヤウヤク」と左訓、「ようやく」。

21　**礼と……回となり**――西「礼と……回となり」、「礼と讃と作願」に「身口意トナリ」と左訓。聖「礼・讃・作願・観察・回なり」。

22　**身業に……故なり**――西「身業に礼したまいき。阿弥陀仏正遍知の善巧、諸の群生の《ママ》方便して、安楽国に生ぜん意を為さしめたまう故なり」、「善巧」に「ヨクタクミタマフコト」と左訓、「よくたくみたまうこと」。聖「身業に阿弥陀仏正遍知の善巧、諸の群生を方便したまうことを礼し、安楽国に生ぜん意を為すが故に」。

23　**第一門に入る**――西入第一門　聖入の第一門

24　**口業をして讃じたまいき**――西「口業□讃じたまいき」。聖「口業に讃じたまいき」、「讃」の左傍に「スルナリ」と記し「讃ずるなり」のよみを注記。

25　**称せしむ**――西称せしめ　聖称せしむ

26　**相応……故に**――西相応せんと欲う故なり　聖相応せんと欲するが故に

27　**則ち……故に**――西「則ち……故なり」、聖になし。

28 **是れを……第二門に入るとす**——西この句に返り点・送り仮名なし。聖「是れを……入の第二門とす」。

29 **即ち……獲るなり**——西この句に返り点・送り仮名なし。聖「即ち……獲」。

30 **願じたまいき**——西願じたまいき　聖願ぜしむ

31 **一心に専念して**——西一心専念して　聖一心専らに念じて

32 **得**——西・聖得て

33 **奢摩他**——西「奢応他」、「応」の右傍に「定名」と注記。聖「奢摩他」。

34 **修せしめんと欲すなり**——西修せんと欲わしむ　聖修せんと欲す

35 **第三門に入る**——西・聖入第三門

36 **宅**——西「イヱ」と左訓、「いえ」。

37 **智慧をして**——西「智慧をして」、左傍に「モテ」と記し「智慧もって」のよみを注記。聖「智慧をもって」。

38 **観じたまいき**——西・聖観ぜしめたまいき

39 **観ぜしむるは**——西・聖観じて

40 **せしめんと欲すが故なり**——西せしめんと欲うが故に　聖せんと欲うが故に

41 **受用す**——西受用せしむ　聖受用す

42 **第四門に入る**——西入第四門　聖入の第四門

43 **したまう**——西したまえり　聖し

44 **したまうと知るべし**——西したまえり。知るべしと聖せり。知るべし

45 **に**——西・聖は

46 **したまう**——西したまえり　聖す

47 **したまう**——西・聖する

48 **したまいき**——西したまいき　聖したまいて

49 **たまわざれば**——西ずして　聖ず

50 **首として**——西首《はじめ》として　聖首としたまいて

51 **得たまえるが故に**——西得たまえる故に　聖得る故

52 **したまう**——西したまうなり　聖したまえり

53 **速疾に**——西速やかに疾く　聖速に疾に

54 **を**——西・聖することを

55 **生死園・煩悩林**——西「生死の園煩悩の林」、「園」に「ヲン反」と左訓、「おん」。聖「生死の園煩悩林」。

56 **利したまう**——西利せしむ　聖利す

57 **因地**――西因地　聖因位
58 **たまいき**――西・聖たまう
59 **無障**――西「サハリナキコト」と左訓、「さわりなきこと」。
60 **たまえり**――西たまえるなり　聖たまえり
61 **自利利他の**――西自利と利他との　聖自利利他の
62 **じたまう**――西ずる　聖ず
63・77 **とのたまえり**――西「とのたまえり」、聖になし。
64 **曇鸞……寺**――西・聖になし。
65 **盤豆**――西槃頭　聖盤頭
66 **註し**――西註し　聖釈し
67・68 **をして**――西をして　聖よりして
69 **仏力**――西仏力　聖他力
70 **と**――西と　聖原表記「与㆓光明㆒」
71 **信心**――西「マコトノコ　ロ」と左訓、「まことのこころ」か。
72 **せる**――西せる　聖の
73 **得しむ**――西得しむ　聖得
74 『維摩経』「仏道品」(大正14・549b)
75 **高原**――西「タカキハラ」と左訓。

---

76 **此れは……示す**――西・聖「泥中生仏正覚華　斯示如来本弘誓」の二句なし。西「此れは、凡夫、煩悩に在りて、不可思議力を喩うるなり」。聖「此れ、凡夫、煩悩に在りて、不可思議力を喩う」。
78 **道綽……寺**――西・聖になし。
79 **大集経**――西・聖月蔵経
80 『安楽集』(◇410)所引『大集経』巻五十五「月蔵分」参照(大正13・363a)
81 **修せん一切衆**――西修せんに、一切の衆　聖修せんに、一切衆
82 **獲得の**――西・聖「獲得する」。西「獲得」に「ウル」と左訓。
83 **立てんは**――西立つるは　聖立つる者《もの》
84 **此れ**――西此れ　聖是れ
85 **にして**――西・聖になし。
86 **唯、浄土……べしと**――西「唯、浄土のみ……べしと」。聖この句に返り点・送り仮名なし。
87 **造ること**――西・聖造る
88 **にして**――西・聖なること
89 **暴風駛雨**――西「アラキカセ　トキアメ」と左訓、

「あらきかぜ　ときあめ」。

90 **しむるは**――西しむるは　聖しむ

91 **悪を造る者**――西・聖悪業を造れども

92 **せんは**――西・聖すれば

93 **淳**――西「アツキ」と左訓。

94 **無けん**――西無けん　聖無し

95 **を**――西を　聖することを

96 **とのたまえり**――西「と」、聖になし。

97 **善導……寺**――西・聖になし。

98 **円教なり**――西円教なり　聖円地

99 **回し**――西回し　聖回く

100 **斯れ**――西・聖此れ

101 **無けん**――西・聖無し

102 **真実**――西真実　聖真実に

103 **煩悩を具足せる**――西煩悩を具足せる　聖具足煩悩の

104 **摂取を獲**――西・聖信を獲得す

105 **分**――西分　聖芬

106 **到れば**――西到れば　聖到りて

107 **すとのたまえり**――西せしむとのたまえり　聖すといえり

---

108 **入出二門……書写之**――西入出二門偈頌　七十三行　愚禿釈親鸞作　聖愚禿八十歳　三月四日書レ之　南無阿弥陀仏

浄土三経往生文類

本書は、宗祖が難思議往生・双樹林下往生・難思往生について、浄土三部経の経説の意趣によって、改めて大経往生・観経往生・弥陀経往生として説示されたものである。この書が最初に著されたのは宗祖八十三歳の時である。八十五歳の時に『如来二種回向文（往相回向還相回向文類）』（八十四歳の撰述）の内容を含めて整理増広され、大経往生すなわち難思議往生が如来の二種回向によることを闡明にされている。八十三歳の撰述を「略本」、八十五歳の撰述を「広本」と呼称している。

略本には、宗祖真蹟（報恩寺旧蔵）、蓮如上人書写本が西本願寺に所蔵されており、広本には、伝宗祖真蹟本が興正寺に所蔵される。その表紙には「浄土三経往生文類三経往生」という題号と「平俊直」の名が記されている。また大谷大学に慧空書写本が所蔵されている。

底　本　興正寺蔵本（広本）
対校本　大谷大学蔵慧空書写本（広本）慧
　　　　西本願寺蔵宗祖真蹟本（略本）略

1　もうすなり――慧もうすなり　略もうす
2　願因――略「タネトイフ」と左訓、「たねという」。
3　現生――略「コノヨヲイフ」と左訓、「このよをいう」。
4　宗致――慧宗致　略宗
5　この……念仏往生の悲願にあらわれたり――慧「この……念仏往生の悲願にあらわれたり」、略になし。
6　『大経』（◎19）底・慧原漢文
7　得ん――慧得たらん
8・39　『大経』（◎47）底・慧原漢文
9　至心――慧至心に
10　住せん。唯……するを除く」と――慧住す。唯し……せんとをば除く」
11　信楽の悲願は――慧信楽の悲願は　略至心信楽の本願の文
12・23　のたまわく――慧のたまわく　略言《のたま》わく

13・77　『大経』（◎19）底・慧・略原漢文
14　至心――慧至心　略心を至し
15　取らじと。唯、五逆……を除かん」と。文――慧取らじ。」文　略取らじ。唯、五逆……をば除かん」と。
16　同本異訳の――慧同本異訳の　略至心信楽本願文
17・29　『如来会』（◇190）底・慧・略原漢文
18　已りて――慧已りて　略已らんに
19　心心回向して――慧心々に回向して　略心心に回向せしむ
20　取らじと。唯……せんを除かん」と。文――慧取らじと。唯し……せんとをば除く。」文　略取らじ。唯……せんをば除かん」と。
21　また真実……あらわれたり――慧「また真実の……あらわれたり」、略になし。
22　証果の悲願――慧証果の悲願　略必至滅度の願文
24　『大経』（◎18）底・慧・略原漢文
25　得たらん――慧・略得ん
26　国の中の――慧「国中の」。略「国の中《うち》の」。（以下同）
27・30・82・108・145　取らじ」と。文――慧取らじ。」文　略取らじ」と。

28 同本異訳の――慧同本異訳の　略必至滅度願文

31 略以下に次の文を置く。「本願成就の文、『経』に言《のたま》わく、「諸有《あらゆる》衆生、其の名号を聞きて、信心歓喜して乃至一念せん。至心に回向したまえり。彼の国に生まれんと願ずれば、即ち往生を得《え》、不退転に住せん。唯、五逆と正法を誹謗するをば除く」と。」（原漢文　大経◎47）

32 『無量寿如来会』――慧『無量寿如来会』　略本願成就文、『無量寿如来会』

33・42 『如来会』（◇203）　底・慧・略原漢文

34 歓喜――慧歓喜　略歓喜し

35 有らゆる善根回向して――慧所有善根を回向して　略所有の善根回向せしめたまえ□

36 願ぜば……生まれて――慧願ぜん者……生まれて　略願ぜば……生まれ

37 得んと。……誹謗し……をば除かん」と。――慧得ん。……誹謗し……とをば除く。」　略得しむ。……誹謗せんと……を除く」と。

38 必至滅度……無ければなり。」文――慧「必至滅度……無ければなり。」文」、略になし。

---

40 何んとなれば――慧何ん

41 又――慧又　略必至滅度の願成就の文

43 衆生と、若し当に生まれん者は――慧衆生、若し当に生ぜん者は　略衆生、若し当《とう》に生まれん者

44 上――底欠損、慧・略により補う。

45 この……のたまえり――慧「この……のたまえり」、略になし。

46 すなわち――慧になし。

47 『大経』（◎90）

48・53 『浄土論註』（◇324）　底・慧・略原漢文

49・54 『浄土論』（◎150）

50 云何が――慧云何が　略云何ぞ

51 『平等覚経』（◇79）　『過度人道経』（◇137）　『大経』（◎47）参照

52 願ずると……得ると――慧願ずれば……得《え》　略願ずると……得るは

55 無きが故に。――慧無きが故に。　略無ければなり。故《かるがゆえ》に

56 や。」――慧や。」　略や。」已上取要

57 又言わく……已上――略別紙に二行に記して貼付。

58 『浄土論註』（◇325）　底・慧・略原漢文

59 **淄澠**——慧「ミツナリ　ミツナリ」と左訓、「みずなり　みずなり」。

60・65 **や。」**——慧や。」　略や」と。

61 『浄土論註』（◇319）　底・慧・略原漢文

62 『浄土論』（◎149）

63 **生を得るに**——慧生ずることを得るに　略生を得れば

64 **の**——慧・略になし。

66 **この阿弥陀……義とす」としるべし**——慧この阿弥陀……義とす」としるべし　略いまこの真文を、よくよくこころえて、難思議往生の義をしるべしとなり

67 **二に還相の回向と……難思議往生ともうすなり**——慧「二には還相回向と……難思議往生ともうすなり」、略になし。

68 『浄土論』（◎156）　底・慧原漢文

69 『大経』（◎20）　底・慧原漢文

70 **得たらん**——慧得ん

71 **至る**——慧至らん

72 **本願の**——慧「本本願」、「本」の一字は衍字。

73 **立せしめんをば除かんと。……修習せん**——慧立せしめ、……修習せんをば除く

74 『浄土論』（◎149）　底・慧原漢文

75 **欣慕せしむるなり。……このゆえに、観経往生ともうすは**——慧欣慕せしむるなり。……このゆえに、観経往生ともうすは　略欣慕せしむ。また『無量寿仏観経』に、定善・散善を分別し、三福九品の諸善をときて九品往生をすすめしむ。これ他力の中の自力なり。これを『観経』の宗とす。このゆえに、観経往生という

76 **至心発願の願**——慧至心発願の願　略修諸功徳の願文

78 **得ん**——慧・略得たらん

79 **発し……修して**——慧発し……修して　略発して……修し

80 **至心発願して……欲わん**——慧心を至し願を発して……欲せん　略心を至して願を発して……欲わば

81 **臨まんに**——慧臨んで　略臨みて

83 **又、『悲華経』**——慧又、『悲花経』の　略修諸功徳の願文、『悲華経』の

84 『悲華経』巻三「諸菩薩本授記品」（大正3・184b）　底・慧・略原漢文

85 **諸仏世界の所有の衆生**――[慧]諸仏世界の所有の衆生　[略]諸仏の世界に、有らゆる衆生

86 **現ずべし**――[慧]現ずべし　[略]現ぜんに

87・88 **て**――[慧]て　[略]ん

89 **せしめん」と。文**――[慧]せん。」文　[略]せん」と。

90 **至心発願……『大経』**――[慧]至心発願……『経』　[略]修諸功徳……『大経』

91 『大経』（◎47）　[底]・[慧]・[略]原漢文

92 **告げ**――[慧]語り　[略]告げ

93 **其の**――[慧]其の　[略]其れ

94・114・178 **して**――[慧]して　[略]し

95 **無量寿仏**――[慧]無量寿仏　[略]無量寿仏と

96 **乃至**――[慧]乃至　[略]即ち彼の仏に随いて其の国に往生せん。便ち七宝華の中《うち》にして自然に化生し、不退転に住せん。智慧勇猛にして神通自在ならん。是の故に

97 **欲いて**――[慧]欲いて　[略]欲わん

98 **し**――[慧]し　[略]して

99 **して**――[慧]して　[略]すべし

100 **繒を懸け……香を焼くべし**――[慧]懸繒・燃燈・散花・焼香すべし　[略]繒を懸け……香を焼かん

101 **乃至**――[慧]乃至　[略]無量寿仏、其の身《み》を化現して、光明相好

102 **如く**――[慧]如く　[略]如くならん

103 **乃至**――[慧]乃至　[略]即ち化仏に随いて其の国に往生し不退転に住せん。功徳・智慧、次いで上輩の者の如くならんとなり

104 **夢に彼の仏を見たてまつり**――[慧]夢に彼の仏を見たてまつり　[略]夢のごとくに彼の仏を見たてまつらん

105 **如く……となり」と。」已上略抄**――[慧]如し。」已上略抄　[略]如く……となり」と。

106 **『大経』**――[慧]『大経』　[略]道場樹の願文、『大経』

107 『大経』（◎21）　[底]・[慧]・[略]原漢文

109 **経**――[慧]経　[略]大経

110 『大経』（◎37）　[底]・[慧]・[略]原漢文

111 **道場樹の高さ四百万里ならん**――[底]原漢文「道場樹高四百万里」。[慧]「道場樹、高さ四百万里ならん」、原漢文「道場樹高四百万里者」。[略]「道場樹、高さ四百万里なり」、原漢文「道場樹高四百万里」。

112 **本、……ならん**――[慧]本、……ならん　[略]本の……

なり
113 ならん。一切の——[慧]ならん。一切の　[略]なり。一切
115 百千万色にして……異変す——[慧]百千万色にして
……異変す　[略]百千万の色なり。……異変して
116 乃至——[慧]乃至　[略]一切の荘厳、応《おう》に随いて現ず。
微風徐《ようや》く動いて諸の枝葉を吹くに、無量の妙法の音声を演出す。其の声流布して諸仏の国に遍ず。其れ音《こえ》を聞けば、深法忍を得《え》、不退転に住せん。仏道を成るに至るまで、耳根清徹にして苦患に遭わず。目に其の色を覩《み》、耳に其の音《こえ》を聞き、鼻に其の香《か》を知り、舌に其の味《あじわい》を嘗め、身《み》に其の光を触れ、心《しん》に法を以て縁じ
117 得て——[慧]得て　[略]得《え》
118 已上略出——[慧]已上略抄　[略]略抄
119 いわく——[慧]いわく　[略]云《い》わく
120 『往生要集』巻下末（◇898）[底]・[慧]・[略]原漢文
121・129 『群疑論』巻四（大正47・50c）
122 説きたまえり——[慧]説きたまえり　[略]説かく
123・130 『菩薩処胎経』巻三「八種身品」（大正12・1028a）
124 と——[慧]・[略]になし。

125 発す——[慧]発す　[略]発する
126 生まるる——[慧]・[略]生ずる
127 云云——[慧]云々　[略]云云《いえり》
128 准難するに、生を——[慧]准難するに、生ずることを
[略]准え難ずるに、生を
131 懈慢して執心牢固ならざるに由りてなり——[慧]「懈慢して執心牢固ならざるに由りてなり」。[略]「懈慢に由りて執心牢固ならず」、「牢固」に「カタク　カタシ」と左訓。
132 者は執心牢からざるの人——[慧]者は執心不牢の人
[略]者《ひと》は執心牢からざるの人
133 行ずるは——[慧]行ずるは　[略]行ぜん
134 生ず——[慧]生ず　[略]生ぜん
135 浄土の生は——[慧]浄土に生ずる者《もの》は　[略]浄土に生ずる者《ひと》は
136・157 中に——[慧]中に　[略]中《うち》に
137 実に相違——[慧]「実に相違」。[略]「実《じつ》に相違」、「相違」に「アヒタカフ」と左訓、「あいたがう」。
138 已上略出——[慧]・[略]已上略抄
139 植諸徳本……しるべきなり——[慧]「植諸徳本……し

るべきなり」。略「不果遂者の誓願によりて植諸徳本の真門にいる。諸善万行を貶して少善根となづけたり。善本・徳本の名号をえらびて、「多善根・多功徳」とのたまえり。しかるに係念我国の人、不可思議の仏力を疑惑して信受せず。善本・徳本の尊号をおのれが善根とす。みずから浄土に回向せしむ。これを『弥陀経』の宗とす。このゆえに弥陀経往生という。他力の中の自力なり。尊号を称するゆえに、疑城胎宮にうまるといえども、不可称・不可説・不可思議の他力をうたがう。そのつみ、おもくして、牢獄にいましめられて、いのち五百歳なり。尊号の徳によるがゆえに、難思往生ともうすなり」、「疑惑」に「ウタカフ　マトフナリ」と左訓、「うたがう　まどうなり」。

140 **おのれが**――慧おのが

141 『大経』（◎19）底・慧・略原漢文。「第二十願」、慧・略になし。

142 **得ん**――慧得ん　略得たらん

143 **念を我が国に係けて**――慧我が国に係念して　略念を我が国に係けて

144 **果遂せずは**――慧果遂せずは　略果たし遂げずは

146 **同本異訳の**――慧同本異訳の　略植諸徳本の願文

147 **来**――略脱字。

148 『如来会』（◇190）底・慧・略原漢文。「第二十願」、慧・略になし。

149 **無量国……所有の**――慧無量国……所有の　略無量の国……有らゆる

150 **説かん**――慧・略説く

151 **己が善根を以て……回向せん**――慧己が善根を以て……回向して　略以て己が善根として……回向せん

152 **と。文**――慧と。文　略と。

153 **願成就の文、『経』に**――慧願成就の文、『経』に　略又

154 『大経』（◎87）底・慧・略原漢文

155 **者の**――慧者の　略者は

156 **百由旬**――慧百由旬　略百由旬なり

158 **時に**――慧時に　略時

159 **縁にか……なる**――慧縁にか……なる　略縁あってか……なるや

160 **疑惑の心**――慧「疑惑の心」。略「疑惑心」、「疑惑」

に「ウタカフ　マトフ」と左訓、「うたがう　まどう」。

161 **修し……願じて**——慧修し……願じて　略修して……願ぜん

162 **不思議智**——略「コ、ロモコトハモオヨハス」と左訓、「こころもことばもおよばず」。

163 **不可称智**——略「イヒアラハシカタシ」と左訓、「いいあらわしがたし」。

164 **広**——略「ヒ□ク」と左訓、「ひろく」か。

165 **無等無倫最上勝智**——略「無等」に「ヒトシキモノナシ」と左訓。「無倫」に「ヒトシキトモカナシ」と左訓、「ひとしきともがらなし」か。「最上勝智」に「スクレタルチヱナリ」と左訓、「すぐれたるちえなり」。

166 **諸**——略「モロ〱ノ」と左訓、「もろもろの」。

167 **疑惑**——略「ウタカフ　マトフ」と左訓、「うたがう　まどう」。

168 **信じて**——慧信じて　略信じ

169 **ならん**——慧「ならん」、略になし。

170 **国土**——慧国土　略国土に

---

171 **化生の者**——慧化生の者　略化生は

172 **胎生の者**——慧胎生の者　略胎生は

173 **有り**——慧有り　略有らん

174 **若し諸の小王子**——底・略原漢文「若諸小王子」。慧「若し諸の小王子有りて」、原漢文「若有諸小王子」。

175 **得たらん**——慧得たらん　略得たらんに

176 **金の鎖を以てせんが如し**——慧「金鎖を以てせん如し」。略「金鎖を以てせん」、「金鎖」に「コカネノクサリ」と左訓、「こがねのくさり」。

177 **ず**——慧ず　略ずと

179 **求めよ**——慧求めよ　略求めんが如し

180 **と**——慧「と」、略になし。

181 **略抄**——慧略抄　略已上略抄

182 **又**——慧又　略又言《のたま》わく

183 『如来会』（◇209）底・慧・略原漢文

184 **せんに**——慧・略せん

185 **住すと**——慧住す　略住せん

186 **多**——底欠損、慧・略により補う。

187 **者を観そなわす**——慧者《もの》を観そなわす　略者《ひと》を観る

188 力――底欠損、慧・略により補う。
189 受く――慧受く　略受けて
190 中に於いて……す――慧中に於いて……す　略中《うち》にして……せん
191 観そなわす――慧観そなわす　略観る
192 能わざるが故に――慧能わざるが故に　略能わず。故《かるがゆえ》に
193 せん――慧せん　略する
194 疑悔せしに……とするなり」と。――慧疑悔に……とするなり。」略疑悔に……とす。」
195 仏の名を聞きて信心を起こすに由るが故に……生まる――慧仏の名を聞きて信心を起こすに由るが故に……生まる　略仏名を聞くに由りて信心を起こすが故に……生ず
196 中に於いて――慧中に於いて　略中《うち》にして
197 処すること、園苑宮殿の想の猶如し――慧処して、猶、園苑宮殿の想の如し　略処すること、園苑宮殿の想の猶如し
198 乃至略出――慧乃至略出　略已上略抄
199 『定善義』（◇508）底・慧・略原漢文

200 含んで――慧含んで　略含まれて
201 生じ――慧生じ　略生まれ
202 『述文賛』（大正37・169c）底・慧・略原漢文
203 こころえさせたまうべし――慧こころえさせたまうべし　略こころうべしと
204 底丁を改め、「これらの真文にて難思往生ともうすことをよくよくこころえさせたまうべし　南無阿弥陀仏　南無阿弥陀仏　南無阿弥陀仏」と記す。
205 康元二年……歳――慧「康元二年（一二五七）三月二日書写之　愚禿親鸞　八十五歳」、「康元二年」の左傍に「丁巳改元正嘉元年也」と注記。略「浄土三経往生文類　建長七歳（一二五五）乙卯八月六日　愚禿親鸞　八十三歳　書之」

如来二種回向文

本書は宗祖が往相・還相の二種回向に関する要文を集め編述された著作である。宗祖の真蹟は伝わっていないが、専修寺に正嘉元（一二五七）年真仏上人による書写本、愛知県岡崎市上宮寺に室町初期の書写本が伝えられる。真仏上人書写本は、元表紙に「二種回向文」の題号

とその左下に「釈覚信」と記され、真仏上人が覚信に与えたものであることが知られる。また包紙が現在表紙として用いられており、それには「如来二種回向文」の題号とその左下に「釈顕智」と記される。上宮寺所蔵の書写本は宗祖八十四歳にあたる康元元（一二五六）年の奥書を持ち、題号は「往相回向還相回向文類」となっている。

宗祖は八十三歳の時に『三経往生文類』略本を撰述され、八十四歳の時に『如来二種回向文』を撰述される。八十五歳の時に撰述された『三経往生文類』広本は、略本と『如来二種回向文』の内容を併せて増広されたものである。

底　本　専修寺蔵正嘉元年真仏書写本
対校本　上宮寺蔵室町初期書写本[上]

1　**如来二種回向文**――[上]「往相回向還相回向文類」、内題の次行に「往相回向之文」とある。
2　『浄土論』（◎149）[底]・[上]原漢文
3　**する**――[上]したまう
4　**作願すらく**――[上]願を作さく
5　**すること**――[上]せること
6・7・8・9・10　**の**――[上]になし。
11　**大無量寿経**――[上]大経
12　**のたまわく**――[上]言《のたま》わく（以下同）
13　『大経』（◎19）[上]上欄に「このがん（願）はしょうみょう（称名）のがんなり」と注記。
14　**無量……正覚**――[上]「無量の諸仏、悉く咨嗟して我が名を称せずは、正覚を取らじ」（原漢文）、また「咨嗟」に「ホムルコ、ロナリ」と左訓、「ほむるこころなり」。
15　『大経』（◎19）[上]上欄に「このがん（願）はまことのしんじんのがんなり」と注記。
16　**十方……正法**――[上]「十方の衆生、心を至し信楽して、我が国に生まれんと欲うて乃至十念せん。若し生まれずは、正覚を取らじと。唯、五逆と誹謗正法とを除くと」（原漢文）
17　『大経』（◎18）[上]上欄に「このがん（願）はしょうじょうじゅ（正定聚）にじゅう（住）しかならずむじょうねはん（無上涅槃）にいたるべきがんなり」

と注記。
18 **国中……正覚**――[上]「国の中《うち》の人天、定聚に住し、
必ず滅度に至らずは、正覚を取らじと」（原漢文）
19 **この**――[上]これを往相回向ともうすなり。この
20 『如来会』（◇190）[上]上欄に「このがん（願）は しょ
うじょうじゅ（正定聚）にいたり だいねはん（大涅
槃）をさとるべきがんなり」と注記。
21 **若我……菩提**――[上]「若し我成仏せんに、国の中《うち》の
有情、若し決定して等正覚を成り、大涅槃を証せず
は、正覚を取らじと」（原漢文）
22 **真実信楽……人は**――[上]になし。
23 **は**――[上]というは
24 **これら……弘誓なり**――[上]になし。
25 **真実信心の念仏者は**――[上]真実信楽の念仏者は、弥
勒菩薩とおなじと『龍舒浄土文』にはあらわせり。
しかれば
26 『大経』（◎90）
27 **次如弥勒**――[上]「次いで弥勒の如し」（原漢文）
28 **のたまえり**――[上]のべたまえり
29 **大誓願を往相の回向**――[上]大願を往相回向

---

30 **弥勒菩薩……あらわせり**――[上]になし。
31 **に**――[上]には
32 『浄土論』（◎156）[底]・[上]原漢文
33 **名づく」と**――[上]名づけ《（ママ）》」といえり
34 [上]ここに『散善義』（◇541）の次の文がある。「又
曰わく、「彼の国に生まれ已りて、還りて大悲を起
こして、生死に回《かえ》り入りて衆生を教化するを、亦回
向と名づくるなり」といえり。」（原漢文）
35 **これ還相の回向なり**――[上]還相の回向ときこえたり
36 **大慈大悲**――[上]大慈大悲の
37 『大経』（◎20）[底]・[上]原漢文、[上]上欄に「一しょ
うふしょ（一生補処）のがん（願）なり」と注記。
38 **来生して**――[上]来生せば
39 **至らしめん**――[上]至らん
40 **鎧**――[上]訓「がい」「よろい」
41 **沙**――[上]砂
42 **除かんと**――[上]除くと
43 **これは**――[上]この悲願は
44 **これは**――[上]これらを如来の二種の回向ともうすなり
45 **還相の**――[上]往相還相の

46　法蔵菩薩の誓願なり――底大願より自然にうるなり。
しかれば
47　よくよく――上原表記「コク、、」
48　べし――上「べしと」。また、次の頁に「南無阿弥陀仏　康元元（一二五六）丙辰十一月二十九日　愚禿親鸞 八十四歳 書レ之」の奥書あり。

（三帖和讃）
浄土和讃・高僧和讃・正像末和讃

宗祖が製作された『浄土和讃』・『高僧和讃』・『正像末和讃』は、仏徳とそれを明らかにする浄土三部経・七高僧の教えを和語によって讃嘆されたものである。この他、『皇太子聖徳奉讃』七十五首（『正像末和讃』所収のものとは別）、『大日本国粟散王聖徳太子奉讃』百十四首など、宗祖が製作された和讃は優に五百五十首を超える。『浄土和讃』・『高僧和讃』・『正像末和讃』は、後に一具のものとして「三帖和讃」と称されるが、その呼称の最も古い例は従覚上人の『慕帰絵詞』（観応二・一三五一年成立）に確認できる。

「三帖和讃」は、宗祖の真蹟を含む真仏上人書写本が専修寺に伝えられ、国宝に指定されていることから国宝本と呼ばれる。国宝本『高僧和讃』の奥書には「已上高僧和讃　一百十七首　弥陀和讃高僧和讃都合二百二十五首　宝治第二（一二四八）戊申歳初月下旬第一日　釈親鸞　七十六歳　書之畢」とあることから、『浄土和讃』・『高僧和讃』は宗祖七十六歳の時に一具の和讃として製作されたことがわかる。この前年、寛元五（一二四七）年に尊蓮が『教行信証』を書写していることから、『教行信証』の完成はこの年と考えられるが、『浄土和讃』・『高僧和讃』は『教行信証』の完成を承けて製作されたものである。国宝本『高僧和讃』奥書に「弥陀和讃高僧和讃都合二百二十五首」と記される両和讃の首数には、「勢至和讃」八首が含まれないことから、「勢至和讃」が『浄土和讃』に加えられたのは宝治二年以降間もない時と見なければならない。国宝本『正像末和讃』は全四十一首から成るが、第三十六首「夢告讃」製作の縁由を記す文に「康元二（一二五七）歳丁巳二月九日」「正嘉元（一二五七）年丁巳閏三月一日」の日付があり、宗祖八十五歳の時の製作と考えられる。国宝本『正像末和讃』は、専修寺蔵顕智上人書写本、蓮如上人開板「文明版」と首数・配列などに異なりがあり、草稿本に相当するものと考えられている。顕智上人書写本は正応三（一二九〇）年の書写であり、元は三帖が揃っていたようであるが、現在は『浄土和讃』・『正像末和讃』が伝えられる。顕智上人書写本は国宝本との異同が多いが、『浄土和讃』奥書に「草本云　建長七年（一二五五）乙卯　四月二十六日　写二書之一」、『正像末和讃』奥書に「草本云　正嘉二歳（一二五八）九月二十四日　親鸞　八十六歳」とあることから、国宝本の書写の後になされた和讃の補訂・再治の状況を伝えるものと考えられ、「再治本」とも称されてきた。

「三帖和讃」が広く流布したのは、蓮如上人が文明五（一四七三）年三月に吉崎で「三帖和讃」と「正信偈」を「四帖一部」として開板されたことによる。この開板本は「文明版」と呼ばれるが、国宝本、顕智上人書写本と対照すると、収録される和讃の首数が最も多く、字句や全体の構成に相違がある。

浄土和讃

底　本　大谷大学蔵文明五年蓮如開板初摺本
対校本　専修寺蔵国宝本『浄土和讃』国
　　　　専修寺蔵顕智書写本『浄土和讃』顕

---

1 国表紙に「浄土和讃」、表紙裏に「『称讃浄土経《シヨウサンシヤウトキヤウニ》』言《ノタマハク》　玄奘三蔵訳《クヱンシヤウサムサウノヤクナリ》、仮使《タトヒ》経《ヘテ》レ於《ヲ》二百千倶胝那由多《ヒヤクセンクテイナユタ》劫《コフ》一以《モテ》二其《ソレ》無量《ムリヤウ》百千《ヒヤクセン》倶胝《クテイ》那《ナ》由多《ユタ》舌《ノシタヲ》一一一《ヰチ〳〵》舌上《ノシタノウヘニ》出《イタシテ》二無量声《ムリヤウノコヱヲ》一讃《ホメムニ》二其功徳《ソノクトクヲ》一亦《マタ》不レ能レ尽《シトアタハツクルコト》。文」とある。いずれも宗祖真蹟。顕表紙に「浄土和讃」の題号、その左下に「釈顕智」と記される。

2 弥陀の……ときたまう――国になし。顕次の三首を置く。「弥陀の名号となえつつ　信心まことにうるひとは　憶念の心つねにして　仏恩報ずるおもいあり」・「末法五濁のよとなりて　釈迦の遺教かくれしむ　弥陀の悲願はひろまりて　念仏往生とげやすし」・「像季末法の衆生の　行証かなわぬときなれば　釈迦の遺法ことごとく　龍宮にすでにいりたまう」なお、「誓願不思議をうたがいて……むなしくすぐとぞときたまう」の一首は国宝本『正像末和讃』第十二首に相当。

3 御造――国・顕和尚造

4 『讃阿弥陀仏偈』（◇350）

5　**讃め**——国賛め　顕讃め

6　**成仏より……頂礼したてまつる**——国・顕音読のよみのみを付し、返り点・送り仮名を付さず。

7　**無量光と真実明と号づく**——国「無量光と号づけたてまつる。真実明」、以下「又号無称光」まで返り点・送り仮名を付さず。顕「無量光と号す。真実明」、以下「号」を「号《ごう》す」と読む。

8　**又歓喜光と大安慰と号づく**——国又号歓喜光　大安慰　顕又歓喜光と号す。又大安慰

9　**已上略抄なり**——国已上　阿弥陀如来尊号　已上略抄之　顕已上抄出

10・53・54　**娑**——国・顕沙

11　『易行品』（◇261）

12　国・顕「自在人」「清浄人」「無量徳」の右肩に「一」「二」「三」と記す。

13　**已上**——国になし、顕「無量寿如来　阿弥陀仏　已上四十二名」。

14　底首数なし。本聖典には便宜上首数を付す。
国・顕各首の冒頭に首数を記す。

15・16　**に帰命せよ**——国に帰命せよ　顕を帰命せよ

17　**を帰命せよ**——国「に帰命せよ」、顕「を帰命せよ」。以下「を帰命せよ」、特に注記のないものは全てこれに同例。

18　**曜**——国・顕耀

19　**もうすなり**——国・顕なづけたり

20・23　**測**——国・顕惻

21　**大菩薩**——国大菩薩は　顕大菩薩

22・80　**至**——国志　顕至

24　**みなおなじ**——国殊異なし　顕みなおなじ

25　**住すなれ**——国住すなれ　顕住しけれ

26　**諸仏讃嘆したまえり**——国諸仏讃嘆したまえり
顕本誓悲願のゆえなれば

27　**みことにて**——国大弁才　顕みことにて

28　**讃仰**——国賛仰　顕讃仰

29　**仏の御名**——国仏のみな　顕如来のちかい

30　**みな**——国・顕また

31　**十方**——国諸来　顕十方

32　**に**——国に　顕を

33　**かがやけり**——国暎発す　顕かがやけり

34　**を帰命せよ**——国・顕に帰命せよ

35 **愚禿親鸞作**――[国]愚禿釈親鸞作　[顕]愚禿親鸞作
36 **如来**――[国]・[顕]仏
37 **娑**――[国]沙　[顕]娑
38 **雨行大臣**――[国]行雨大臣　[顕]行雨大臣　或る本には雨行
39 **二十二首**――[国]二十二首　[顕]二十三首
40 **本願真実**――[国]本願真実　[顕]弥陀の本願
41 **仏**――[国]仏　[顕]如来
42 **十方**――[国]・[顕]十方の
43 **する**――[国]する　[顕]せる
44 **いりぬれば**――[国]住すれば　[顕]いりぬれば
45 **滅度にいたらしむ**――[国]滅度にいたらしむ　[顕]滅度をさとらしむ
46 **弥陀**――[国]諸仏　[顕]弥陀
47 **ちかいたり**――[国]ちかいたり　[顕]とちかいたり
48 **転入**――[国]転入　[顕]回入
49 [顕]この次に第十八首として「誓願不思議をうたがいて　御名を称する往生は　宮殿のうちに五百歳　むなしくすぐとぞときたまう」を置き、[底](18)～(22)を第十九～二十三首とする。
50 **興世に**――[国]・[顕]興世

---

51 **信ずる**――[国]・[顕]行ずる
52 **仮門**――[国]「要門」、上欄に「仮」と注記。[顕]「仮門」。
55 **行雨**――[国]下欄に「或本雨行」と注記。
56 **雨行**――[国]・[顕]行雨
57 **逆悪**――[国]・[顕]逆害
58 **万行の**――[国]万行の　[顕]万行
59 **しむ**――[国]・[顕]たり
60 **証誠**――[国]証成　[顕]証誠
61 **証誠**――[国]「証成」、下欄に「誠歟」と注記。[顕]「証誠」。
62 **諸仏**――[国]信心　[顕]諸仏
63 **諸経のこころによりて弥陀和讃**――[国]諸経の意《こころ》弥陀仏和讃　[顕]諸経の意《こころ》によりて弥陀和讃
64 **なく**――[国]なく　[顕]なし
65 **倶胝の**――[国]・[顕]倶胝
66 **いたりてぞ**――[国]いたるにぞ　[顕]いたりてぞ
67 **信心よろこぶ……ときたまう**――[国]歓喜信心無疑者をば　与諸如来等ととく　[顕]信心よろこぶ……ときたまう
68 **羅**――[国]・[顕]落

69 顕以下に大勢至菩薩和讃八首を置き、その後に現世利益和讃十五首を置く。

70 **現世利益和讃**——国現世の利益の和讃　顕現世利益

71 国上欄に「東方やくし南方けかい西方にむりょうじゆぶつ北方にしゃかのときたまう」と注記。顕上欄に「東方やくし南方けかい西方にむりょうじゅぶつ北方にしゃかのときたまえり」と注記。

72 **をとなうべし**——国ととなえしむ　顕をとなえしむ

73 **かたちとの**——国・顕かたちの

74 **五道の**——国・顕五道

75 底(11)～(15)各首を国は第十四・十五・十一・十二・十三首とする。

76 **ことごとく**——国無数の　顕ことごとく

77 **真実信心をまもるなり**——国光明無量無辺なり　顕真実信心をまもるなり

78 国改行して「已上弥陀一百八首　釈親鸞作」とある。

79 **たてまつる　八首**——国たてまつる　顕奉る　八首

81 **して**——国・顕えて

82 **仏足**——国・顕仏足を

83 **もうしけり**——国・顕なづけたり

---

84 **もうしける**——国もうしける　顕号しける

85 **如来は**——国・顕如来

86 **ごとく**——国・顕ごとくに

87 **母をおもうが**——国母《はは》をおもう　顕母《も》をおもうが

88 **仏**——国訓「ほとけ」

89 **なづけてぞ**——国・顕なづけては

90 **なる**——国・顕なり

91 **摂取して**——国・顕摂してこそ

92 **聖人**——国・顕聖人の

93 以下に次のようにある。国「『経』言、我本《ワレモト》因地《ニシテ》以《テ》二念仏《ノ》心《ヲ》一入《イレリ》二無生忍《ニ》一今《イマ》於《シテ》二此《ノ》界《ニ》一摂《シテ》二念仏《ノ》人《ヲ》一帰《セシムルナリト》レ於《ニ》二浄土一。」(『首楞厳経』巻五、大正19・128b)の文を置く。「今於此界」の左傍に「コムオシカイ」と記す。顕「別和讃　弥陀のちかいのゆえなれば　不可称不可説不可思議の　功徳はわきてしらねども　信ずるわがみにみちみてり」・「南無阿弥陀仏をとなうるに　衆善海水のごとくなり　かの清浄の善みにえたり　ひとしく衆生に回向せん」・「五濁悪世の衆生の　選択本願信ずれば　不可称不可説不可思議の　功徳は信者の身にみてり」・「無明法性ことなれど　心《しん》はすなわち一つなり　この心《しん》すなわち涅槃なり　この心《しん》すなわち如来なり」・「罪業もとより所有《しょう》なし　妄想顛倒よりおこる　心性みなもときよければ　衆生すなわち仏なり」の五首の和讃を記し、「草本云　建長七年（一二五五）乙卯　四月二十六日　写二書之一　正応三年（一二九〇）庚寅　九月十六日令二書二写之一畢」の奥書を記す。なお、「無明法性ことなれど……この心すなわち如来なり」・「罪業もとより所有なし……衆生すなわち仏なり」の二首は国宝本『正像末和讃』の第四十一首、第四十首に相当。

高僧和讃

底本　大谷大学蔵文明五年蓮如開板初摺本

対校本　専修寺蔵国宝本『高僧和讃』［国］

1 **高僧和讃**――［国］表紙と内題に「浄土高僧和讃」とある。

2 **釈文に付けて**――［国］付釈文（以下同）

3 ［底］首数なし。本聖典には便宜上首数を付す。［国］七高僧の各和讃ごとに冒頭に首数を記す。

---

4 **娑**――［国］沙

5・24 **たり**――［国］けり

6 **難行易行のみちおしえ**――［国］難易ふたつのみちをとき

7 **弥陀弘誓**――［国］弥陀の悲願

8 **如来は無上法皇**――［国］仏は無上法王

9 **帰命す**――［国］帰命して

10 **本師**――［国］斉朝の

11 **帰せしめき**――［国］帰せしめり

12 **ときたまい**――［国］ときたまう

13 **勧帰**――［国］歓帰

14・16 **にぞおわしける**――［国］にこそおわしけれ

15 **号せしか**――［国］もうしけれ

17 **おもくして**――［国］とうとみて

18 **弘誓**――［国］弘願

19 **屍骸**――［国］死骸

20 **尽十方無碍光の　大悲大願の海水**――［国］尽十方無碍光仏の　大慈大悲の願海

21 **に一味**――［国］と転ず

22 **和尚**――［国］菩薩

23 **ときたまえ**――［国］原表記「トキタマフ」、「フ」の右傍に「へ」と注記。

25・37・43　**大師**――国和尚

26　**大師**――国禅師

27　**こしらえて**――国あわれみて

28　**雑行となづけたり**――国雑修となづけしむ

29　**弘願真宗**――国本願真宗

30　**みながら**――国原表記「ミナ、ナカラ」

31　**乗ずなり**――国乗ずべし

32　**し**――国して

33　**金剛心**――国金剛の心

34　**ひとと**――国ものと

35　**へだてける**――国へだてけれ

36　**三信**――底「ホンクワンノシンシムソイフナリ」と左訓、「ほんがんのしんじんをいうなり」とみる。

38・44　**の**――国になし。

39　**あらわれて**――国あらわして

40　**おしえける**――国すすめける

41　**禅師**――国法師

42　**も**――国を

45　**存在せし**――国在世のその

46　**禅定**――国「兼実《けんじつ》」、上欄に「月輪殿《つきのわどの》御《ご》法名円照《ほうみょうえんしょう》」と注記。

47　**至**――国志

48　**太上法皇**――国「太上法王」、上欄に「後高倉院《のちのたかくらのいん》」と注記。

49　**に悟入せり**――国をさとりけり

50　**けれ**――国けり

51　**預**――国予

52　**已上七高僧和讃……当たれり**――国已上高僧和讃一百十七首　弥陀和讃高僧和讃都合二百二十五首　宝治(一二四八)第二戊申歳初月下旬第一日　釈親鸞　七十六歳　書レ之畢　見写人者必可レ唱ニ南無阿弥陀仏一

53　**南無……回向せん**――国宝本『正像末和讃』第四首「南無阿弥陀仏をとなうれば　衆善海水のごとくなり　かの清浄の善みにえたり　ひとしく衆生に回向せん」に相当。

正像末和讃

底　本　大谷大学蔵文明五年蓮如開板初摺本

対校本　専修寺蔵国宝本『正像末和讃』国

1 国表紙に「正像末法和讃」の題号、その左下に「釈覚然」と記される。顕表紙に「正像末法和讃」の題号、その左下に「釈顕智」と記される。一丁表に「『般舟《ハンシュ》三昧行道往生讃』ニ曰《ク》、敬《ウヤマフテ》白《マフサク》二一切往生知《ノ》識等《ニ》一、大《オホキニ》須《スヘカラク》二慚愧《サムクヰス》一。釈迦如来実《ハ》是《レ》慈悲《ノ》父母《ナリ》。種種《ノ》方便《ヲシテ》発《セシメ》二起《タマフ》我等《ワレラカ》無上《ノ》信心《ヲ》一。文」とある。

2 **寅の時、夢に告げて云わく**――国寅の時に夢の告《つげ》にいわく　顕寅の時、夢の告《つげ》に云わく

3 国第三十六首。和讃の後に「この和讃を、ゆめにおおせをかぶりて、うれしさにかきつけまいらせたるなり。　正嘉《しょうか》元年《がんねん》丁巳《ひのとのみ》閏三月一日　愚禿親鸞　八十五歳　書ㇾ之」とある。なお、康元二（一二五七）年は三月十四日に改元して正嘉元年となる。

4 **正像末浄土和讃**――国になし、顕「正像末法和讃」。国は四十一首のみからなり、底「正像末浄土和讃」各首に次のように相当する（底首数―国首数）。(1)-一十三、(2)-八、(3)-三十三、(4)-十四、(6)-二十九、(7)(8)-三十、(9)-三十・三十一、(11)-三十二、(14)-十五、(15)-十六、(16)-十七、(17)-七、(19)-十八、(20)-十九、(21)-二十、(22)-二十一、(23)-二十二、(24)-二十三、(25)-一、(26)-二、(27)-三、(28)-二十四、(29)-五、(30)-六、(31)-二十五、(32)-二十六、(33)-十、(34)-十一、(35)-二十七、(36)-二十八、(37)-三十四、(38)-三十七、(56)-九、(58)-三十五。顕は首数、順序とも底に同じ。

5 **愚禿善信集**――国・顕になし。

6 底首数なし。本聖典には便宜上首数を付す。国首数なし。顕和讃の冒頭に首数を記す。

7 **釈迦如来**――国・顕釈尊

8 **末法五濁の有情**――国像季末法の衆生　顕末法五濁の有情

9 **いりたまいにき**――国すでにいりたまう　顕いりたまいにき

10 **ときたまう**――国のたまわく　顕ときたまう

11 顕上欄に「悲花経云」と注記。

12 **のときうつる**――国うつるしるし　顕のときうつる

13 **五濁悪邪まさるゆえ　毒蛇悪龍**――国衆生濁悪蛇龍にて　悩濁塵数　顕五濁悪邪まさるゆえ　悪龍毒蛇

14 **無明煩悩……おこしける**――〔国〕「愛憎違順することは　高峯岳山にことならず　見濁叢林棘刺のごとし　背正帰邪はさかりなり」（三十首）・「命濁中夭刹那にて　流転生死は須臾なり　如来の悲願を信ぜずは　出離その期もなかるべし」（三十一首）　〔顕〕「七無明煩悩しげくして　塵数のごとく遍満す　愛憎違順することは　高峯岳山にことならず」・「八有情の邪見熾盛にて　叢林棘刺のごとくなり　念仏の信者を疑謗して　破壊瞋毒さかりなり」・「九命濁中夭刹那にて　依正二報滅亡す　背正帰邪をこのむゆえ　横にあたをぞおこしける」

15 **壊**――〔底〕「懐」。〔顕〕による。

16 **信ぜずは**――〔顕〕信ぜねば

17 **は**――〔顕〕も

18 **火宅の利益は**――〔国〕火宅に還来　〔顕〕火宅の利益は

19 **自力**――〔国〕さとり　〔顕〕自力

20 **像末**――〔国〕「末法」の「法」を見せ消ちにして「像末」とする。〔顕〕「像末」。

21 **悲願**――〔国〕・〔顕〕悲願は

22 **さかりなり**――〔国〕とげやすし　〔顕〕さかりなり

23・39 **弥陀**――〔国〕如来　〔顕〕弥陀

24 **にて**――〔国〕にて　〔顕〕には

25 **に**――〔国〕・〔顕〕には

26 **まことの信心うるひとは**――〔国〕念仏往生信ずれば　〔顕〕まことの信心うる人は

27 **を**――〔国〕は　〔顕〕を

28 **真実信心**――〔国〕・〔顕〕真実信心を

29 **さとるなり**――〔国〕証すべし　〔顕〕さとるなり

30 **尊号**――〔国〕名号　〔顕〕尊号

31 **信楽**――〔国〕信心　〔顕〕信楽

32 **有情**――〔国〕衆生　〔顕〕有情

33 **行者の身にみてり**――〔国〕信者のみにみてり　〔顕〕信者ぞたまわれる

34 **みことには**――〔国〕のたまわく　〔顕〕みことには

35 **釈迦弥陀**――〔国〕釈迦弥陀　〔顕〕弥陀釈迦

36 **願力**――〔国〕仏力　〔顕〕願力

37 **罪業**――〔国〕罪障　〔顕〕罪業

38 **有情**――〔国〕・〔顕〕衆生

40 **うかみ**――〔顕〕うかび

41 **有情**――〔顕〕衆生

42 **を**——[顕]と

43 **して**——[顕]せり

44 **教法**——[顕]遺法

45 **いれしめよ**——[国]帰せしめよ　[顕]いれしめよ

46 **已上正像末法和讃　五十八首**——[国]になし、[顕]「已上正像末の三時　弥陀如来和讃　五十八首」。

47 [国]以下二十三首なし。[顕]この前行に「愚禿述懐」とあり。また第一句左傍に「仏智疑惑罪過」と注記。

48 [顕]この一首なし。以下[底]との対応・配列は次の通り（[底]首数—[顕]首数）。(3)—二、(4)—三、(5)—四、(6)—五、(7)—二十一、(8)—二十二、(9)—六、(10)—七、(11)—八、(12)—九、(13)—十、(14)—十一、(15)—十二、(16)—十三、(17)—十四、(18)—十五、(19)—十六、(20)—十七、(21)—十八、(22)—十九、(23)—二十。

49 **なり**——[顕]にて

50 **うたがう**——[顕]うたがいの

51・52 **仏智**——[顕]仏智の

53 **已上二十三首……あらわせるなり**——[顕]已上疑惑罪過二十二首　仏智うたがうつみとがのふかきことをあらわせり。これをへんじけまんたいしょうなんどというなり。

54 **愚禿善信作……**——[国]第三十九首が[底](9)に相当。[顕]に以下十一首なし。

55 **皇子**——[国]太子

56 **悲願を**——[国]悲願

57 **愚禿悲歎述懐**——[国]第四十首が[底](14)に相当。[顕]「愚禿親鸞作　愚禿悲歎述懐」、また全十一首からなり、[底](1)～(11)の配列に同じ。

58 **わが身**——[顕]このみ

59 **おもうまじ**——[顕]おもうべき

60 **自力**——[顕]自力の

61 **五濁増のしるしには**——[顕]右傍に「愚禿悲歎の述懐」と注記。

62 **祭祀**——[顕]祭祀を

63 **法師のその**——[顕]法師という

64 **志**——[顕]子

65 **もと**——[顕]こと

66 [顕]以下、改行して「已上三十三首　愚禿悲歎述懐」と記す。「已上三十三首」は仏智疑惑讃二十二首と愚禿悲歎述懐十一首を指す。さらに改行を加えて

「草本云　正嘉二歳（一二五八）九月二十四日　親鸞　八十六歳
正応三年（一二九〇）　庚寅　九月二十五日令書写之畢」の奥書を記し、次の二文を記す。「『涅槃経』言、面《テハ》如《シ》二浄《シヤウ》満《マン》月《ノ》一、眼《コハ》若《コトシ》二青蓮花《ノ》一。仏法大海水《ノミツ》、流《ル》二入《ニフス》阿難《ノ》心《シムニ》一。」（『大智度論』巻三、大正25・84a）、「『観念法門』云、又敬白《テマフサク》二一切往生人等《ニントウニ》一、若《モシ》聞《キカハ》二此《ノ》語《コトハヲ》一即《チ》応《シテ》レ声《ニ》悲《シミ》雨《フルヘシ》レ涙《ミタヲ》。連劫累劫《レンコフルイコフニモ》粉《コニシ》レ身《ヲ》砕《クタキテ》レ骨《ホネヲ》報二謝《セヨ》仏恩《ヲ》一。」文」（◇640）

67　**かたち**——国所有

68　**のなせるなり**——国よりおこる

69　**もとよりきよけれど**——国みなもときよければ

70　**この世はまことのひとぞなき**——国衆生すなわち仏なり

71　以下の文、専修寺蔵正嘉二年（一二五八）十二月（宗祖八十六歳）の顕智上人「獲得名号自然法爾御書」に同じ（同御書と『末燈鈔』第五通の校異は本聖典『末燈鈔』校注参照）。なお、『大谷遺法纂彙』に「獲得信心集」の表題で収録される同文の末尾には「愚禿親鸞八十八歳」とある。

尊号真像銘文

真宗の本尊である名号（尊号）や菩薩・高僧の影像（真像）に漢文で記される銘文に、宗祖が解釈を示された書である。本書には「建長七歳（一二五五）乙卯　六月二日　愚禿親鸞　八十三歳　書写之」の奥書を持つ宗祖真蹟があり「略本」「建長本」と呼ばれる。また、専修寺に伝えられる真蹟は「正嘉二歳（一二五八）戊午六月二十八日書之　愚禿親鸞八十六歳」の奥書があり「広本」「正嘉本」と呼ばれる。

略本は一巻から成り、銘文が示されず十六の銘文についての釈文のみを収録する。それに対し広本は二巻から成り、勢至菩薩の銘文・龍樹菩薩の銘文・曇鸞大師の銘文・聖徳太子の二つの銘文の計五文が加えられて二十一の銘文とその釈文が収録されている。また、隆寛律師の讃による法然上人の銘文は、略本では善導大師の第一の銘文の次に置かれるが、広本では法然上人の第一の銘文にあたる箇所に移動されている。

なお、銘文に返り点・送り仮名が付される箇所は、まず漢文を示し、その直後に書き下し文を〈　〉に括って示した。

底　本　専修寺蔵正嘉二年宗祖真蹟本（広本）
対校本　建長七年宗祖真蹟本（略本）[建]

1 『大経』（◎19）
2 如来の——[建]になし。
3 仏をえたらん——[建]仏になりたらん
4 のこころ——[建]になし。
5・219 べしとなり——[建]べし
6 このこころは……ちかいたまえる御のりなり——[建]になし。
7・81 というは——[建]は
8 誹謗——[建]謗法
9 『大経』（◎52）
10 みな——[建]御名《みな》
11・12 むねとすべし——[建]むねとす
13 『大経』（◎61）
14 さだまりぬというこころなり。また——[建]になし。
15 たちすてはなる——[建]たちはなる
16・27 いうなり——[建]いう
17 すてて——[建]すて

18 ゆきさるというなり——[建]になし。
19 弥陀をほめたてまつるみこととみえたり。すなわち——[建]になし。
20 横——[建]「ヨコサマ」と左訓。
21 竪——[建]「タ、サマ」と左訓、「たたさま」。
22 超——[建]「コウルナリ」と左訓、「こゆるなり」。
23 迂——[建]「メクルナリ」と左訓、「めぐるなり」。
24 竪は、たたさま、迂はめぐるとなり——[建]になし。
25 横超——[建]横と超
26・96 いう——[建]いうなり
28 自然に——[建]自然に安楽に
29 『往生要集』巻下末参照（◇898）
30 すなわち安養浄刹なり——[建]になし。
31 いうなり——[建]なり
32 これを「牽」というなり。「自然」というは、行者のはからいにあらず——[建]になし。
33 『楽邦文類』巻一所引『首楞厳経』（大正47・152c）、『首楞厳経』巻五（大正19・128a）。
34 『易行品』（◇260）
35 『浄土論』（◎145）

36 『浄土論』（◎147）
37 晨旦——建震旦
38 いわく——建になし。
39 旧訳には天親、新訳には世親菩薩ともうす——建になし。
40 あらわし——建になし。
41・73・138・172・203 もうす——建いう
42 御ことのり——建みこと
43 また——建になし。
44 したがうこころ——建したがいたてまつる
45 さわることなしともうすは——建になし。
46 かたち——建相《そう》
47 たまえるなり——建たまえり
48 仏を称念し——建仏の願行を
49 は、「真実功徳」は——建になし。
50 「相」は、かたちということばなり——建になし。
51 智慧を——建智を
52 総持——建「フサネテトイフ　スヘテトイフ」と左訓、「ふさねてという　すべてという」。
53 浄土論——建論

---

54 たとえたる——建になし。
55 信ずる人——建信者
56 おおきに、へだてなき——建おおきなる
57 へだてなく——建になし。
58 たてまつる——建たてまつれる
59 迦才『浄土論』（大正47・97c）
60 高斉——底「ヨノ、ナリ」と左訓、「よのなり」とみる。
61 遠——底訓「オン」を示すが、冒頭の銘文には訓「エン」を示す。
62 唐朝光明寺の——建光明寺
63 真像の銘文——建銘にいわく
64 仏をほめたてまつるに——建ほめたてまつることばに
65 なるなり……になるとなり——建なるとなり
66 となうるは、すなわち——建となうれば
67 なりと——建なり
68 云わく——建のたまわく
69 『玄義分』（◇457）
70 すなわち——建南無はすなわち
71 みことば——建こと

72 したがいて――建したがい
74 なり――建のたまえり
75 選択本願――建選択の本願
76・128 としるべしとなり――建になし。
77 正定の因なる――建になし。
78 御こころ――建こころ
79 「必」は……うまるというなり――建「必得往生」というは、かならず往生をえしむというなり。「必」はかならずという
80 自然に往生をえしむとなり――建自然のこころをあらわす
82 はからわざるこころなり――建はからわずとなり
83 『観念法門』(◇635)
84 とらせ――建とり
85 釈迦の御のり――建みこと
86 仏をえたらんにと、ときたまう――建仏になりたらんときとなり
87・93・164 安楽――建安養
88 仏をえんに――建仏になれらんに
89 も、聞名のものをも――建一念・二念、聞名のものを

---

90 智――建「シルトナリ」と左訓。
91 しるべしと――建しる
92 乗じて――建のせて
94 うまれんとしる――建うまれしむると
95 人――建もの
97 尋常――建「ツネノトキナリ」と左訓。
98 というなり――建なり
99 信楽――建信心
100 ものには――建ものに
101・105 摂護――建「オサメマモリタマフ」と左訓、「おさめまもりたまう」。
102 ゆえに――建になし。
103 は――建なれば
104 尋常――建「ツネノトキ」と左訓。
106 いまだ……なげくなり――建かくのごとくなるべしと
107 『観念法門』(◇628)
108 心――建信心
109 ことば――建こと
110 仏心の――建仏心光に
111 摂護不捨――建「オサメマモリテステタマハス」と

左訓、「おさめまもりてすてたまわず」。

112 **雑行雑修の人をば、すべて**——建すべて雑行雑修の人をば

113 **てらし**——建てらさず

114 **まことの信ある人を**——建になし。

115 **となり**——建なりとなり

116 『聖徳太子伝暦』上巻、推古天皇五（五九七）年夏四月条に「百済王使。王子阿佐等来……合掌恭敬曰。合掌敬礼。救世大慈。観音菩薩。妙教流通。東方日国。四十九歳。伝燈演説。大慈大悲。敬礼菩薩」とある。宗祖が著した『上宮太子御記』もほぼ同文（定親全5・383）。

117 『聖徳太子伝暦』上巻、敏達天皇十二（五八三）年秋七月条に「百済賢者葦北達率日羅……跪地而合掌白曰。敬礼救世観世音大菩薩。伝燈東方粟散王」とある。『上宮太子御記』もほぼ同文（定親全5・378）。

118 **礼**——底訓「レイ」とあるが、聖徳太子の銘文の釈義に示される訓「ライ」による。

119 **の銘文**——建のたまわく

120 『往生要集』巻中本（◇809）

---

121 **てらしたまうという**——建になし。

122 **大悲**——建大悲心

123 **なくして**——建なく

124 **御めぐみの**——建になし。

125 **たまうなり**——建たまう

126 『観経』（◎115）

127 **こころ**——建文

129 **真影**——建銘にいわく

130 **ふたり**——建ふたりは

131・133 **仏法**——建仏のみのり

132 **男**——建「オトコ」と左訓。

134 **女**——建「オムナ」と左訓、「おんな」。

135・170 **となり**——建なり

136 **名号**——建尊号

137 **となり**——建という

139 **なり**——建となり

140 **とす」という**——建という

141 **ことは**——建こと

142 **御名**——建御《み》な

143 **べしと**——建という

144 「物」と……利益すとなり――建衆生を利益すとも うすなり

145 信心のたまを――建「心照迷境」というは、信心の たまを

146 こころを――建こころ

147 永晴――建「ナカクハル、ナリ」と左訓、「ながく はるるなり」。

148 まもり――建になし。

149 をして――建のひかり

150 たまいたるなり――建たまえるなり

151 これは摂取したまうゆえなりとしるべし――建にな し。

152 比叡山延暦寺……の真像――建日本源空聖人ののた まわく

153 『選択集』（◇929）

154 『選択集』（◇990）

155 且――底訓「たん」。通例のよみを示した（以下同）。

156 『選択集』（◇967）

157 『選択……御製作なり――建『選択本願念仏集』に いわく

---

158 浄土――建浄刹

159 としるべし――建になし。

160 浄土にうまれて仏にかならずなる――建浄土へうま るる

161 なり――建いうなり

162 となうる――建称する

163 御名――建仏のみな

165 「当知」は――建になし。

166 となり。「生死之家」は――建になし。

167 業力――建になし。

168 不思議――建不思議力

169 十二類生――建になし。底上欄に別筆で「類生者 一卵生　二胎生　三湿生　四化生　五有色生　六無色生 七有相生　八無相生　九非有色生　十非無色生　十一非有 相生　十二非無相生」と記した付箋あり。

171 ひさしく世に――建になし。

173 いう――建もうす

174 真実信心――建真実の信心

175 人の、如来の――建人のみ

176 とのたまえる……しるべしとなり――建となり

177 銘文――建のたまわく
178 宗祖書写『聖覚法印表白文』（定親全6・写伝篇二217）
179 いうは――建いえり
180 この世の人の――建われらが
181 この世の仏法者の――建われらが
182 乃至十声・一声――建十声
183 念仏の一門――建念仏一門
184 「然則」は、しからしめて、この浄土のならいにて――建になし。
185 「誠知」は――建になし。
186 という――建になし。
187 と――建とも
188・190 宗祖書写『聖覚法印表白文』（定親全6・写伝篇二218）
189 御おしえ――建おしえ
191 恩徳――建恩
192 御覧じしる――建御覧ず
193 和朝……偈」の文――建愚禿親鸞、「正信偈」にいわく
194 「正信偈」（◎227）

---

195 行というなり――建行なり
196 なり。この信心――建になし。
197 『易行品』（◇261）
198 『浄土論註』意（◇279）
199 入正定之数――建入正定聚之数
200 「滅度」ともうすは、大涅槃なり――建になし。
201 ゆえは――建ゆえ
202 みのり――建みこと
204 本懐――建御本懐
205 弥陀の――建になし。
206 みのり――建法《ほう》
207 『大経』意（◎8）
208 「如来所以……おぼしめすとしるべし――建になし。
209 五濁悪世の――建になし。
210 釈迦如来の――建如来のこの
211 「能」は……喜愛心」は――建になし。
212 信心よくひらけ――建信よく発すれば
213 「慶喜」と……いうなり――建になし。
214 「不断煩悩」は……「得涅槃」ともうすは――建煩悩具足せるわれら

215 をさとるをうる――[建]にいたるなり
216 衆水の、海――[建]衆水海
217 たとえたる――[建]になし。
218 信心をえたる人をば――[建]になし。
220 なるがごとし――[建]なりぬ
221 たとえて――[建]たとえたり。貪愛のくも、瞋憎のきり
222 天に――[建]天を
223 日月――[建]日光
224 あきらかなる――[建]あかき
225 しるべしとなり――[建]なり
226 「大慶」は……いうなり――[建]になし。
227 えつれば――[建]うれば
228 「即横超」は……いうなり――[建]横超というは
229 よこさまという――[建]になし。
230 なり――[建]になし。
231 こえてという――[建]になし。
232 よこさまに――[建]になし。
233 さとりをひらくなり――[建]みやこにいるなりと
234 べきなり――[建]なり
235 「他力には……おおせごとなり――[建]「他力は義なきを義とす」となり
236 おのおのの――[建]になし。
237 おのおののはからうこころをもったるほどをば――[建]になし。
238 この自力のようを――[建]になし。
239 べしとなり――[建]べしと
240 正嘉……八十六歳――[建]建長七歳（一二五五）乙卯　六月二日愚禿親鸞　八十三歳　書ㇾ写之

一念多念文意

隆寛律師が著した『一念多念分別事』に引かれた経釈の文に、宗祖が注釈を加え文の意を明らかにされた著作。本書には「康元二歳（一二五七）丁巳二月十七日　愚禿親鸞　八十五歳　書之」の奥書をもつ康元二年二月成立の宗祖真蹟本があり、東本願寺に蔵される。また、大谷大学蔵慧空書写本の「正嘉元歳（一二五七）丁巳八月六日書写之　愚禿親鸞　八十五歳」の奥書から、宗祖真蹟本より後、正嘉元年八月に書写された一本が存することが知られる。この二本のほかに、建長八（一二五六）年と推定される五月二十九日付の性信宛ての消息から、少なくともそのときまでに成

立していた一本の存在が推測されている。
　また、本書の題号について、宗祖真蹟本や顕智上人書写本等、古写本の多くには『一念多念文意』とあるが、『真宗法要』や『真宗仮名聖教』の所収本など、『一念多念証文』の題号とするものもある。

底　本　東本願寺蔵宗祖真蹟本

1　『往生礼讃』（◇656）・『分別事』（◎1122）
2　『大経』（◎47）・『分別事』（◎1122）
3　『大経』（◎18）
4　『如来会』（◇190）
5・24　『大経』（◎47）
6　『浄土論註』意（◇279）
7　『易行品』（◇254）
8　『易行品』（◇260）
9　『大経』（◎90）
10　『浄土論註』（◇324）
11　『龍舒浄土文』巻十意（大正47・283a）
12　『観経』（◎133）

13・14　『散善義』意（◇558）
15　**現生護念**――底「コノヨノニテマモリタマフトナリ」と左訓、「このよにてまもりたまうとなり」とみる。
16　『観念法門』（◇628）
17　晋訳『華厳経』巻六十「入法界品」意（大正9・788b）
18　『往生要集』巻中本（◇809）
19・20・21・22　『大経』（◎92）・『分別事』（◎1122）
23　『大経』（◎93）・『分別事』（◎1122）
25・27　『大経』（◎19）
26　『阿弥陀経』意（◎139）・『分別事』参照（◎1122）
28・29・31　『散善義』（◇538）・『分別事』（◎1122）
30　**たたる**――立っている、とどまっているの意。
32　『散善義』参照（◇538）・『分別事』（◎1123）
33・35・39　『法事讃』（◇604）・『分別事』（◎1123）
34　『法事讃』意（◇604）・『分別事』参照（◎1123）
36　『大経』意（◎8）
37　『浄土論』（◎145）
38　『浄土論』（◎147）
40　『散善義』（◇540）

41 『往生礼讃』（◇649）・『分別事』（◎123）
42 『阿弥陀経』意（◎139）・『分別事』参照（◎123）

唯信鈔文意

本書は聖覚法印の『唯信鈔』に引用された経釈の文言に宗祖が注釈を加え文の意を示された著作。高田専修寺に書写の日付が十六日ちがう真蹟が二本伝えられている。いわゆる「康元二歳《（一二五七）》丁巳正月十一日」の奥書をもつ、「正月十一日本」と「康元二歳正月二十七日　愚禿親鸞　八十五歳　書写之」の奥書をもつ「正月二十七日本」である。両者の字句には若干の相違があるが、これらと同系統のものに岩手県盛岡市本誓寺蔵本（「建長二歳《（一二五〇）》　庚戌　十月十六日　愚禿親鸞　七十八歳　書之」の原奥書があり、宗祖真蹟として伝えられる）や、大阪府柏原市光徳寺蔵室町末期書写本（「建長八歳《（一二五六）》丙辰三月二十四日　愚禿親鸞八十四歳書写之」の原奥書を記す）がある。

この他、「正嘉元歳《（一二五七）》丁巳八月十九日　愚禿親鸞八十五歳書之」の原奥書をもつ書写本の系統があり、「流布本」と呼ばれている。群馬県前橋市妙安寺蔵本（宗祖の門弟成然書写本）、静岡市教覚寺蔵本（宗祖真蹟として伝えられる）、兵庫県宝塚市毫摂寺蔵乗専書写本、大谷大学蔵（浅野長量氏旧蔵）建武二（一三三五）年書写本など、この系統の書写本は多い。康元二年本の系統の本文と正嘉元年の原奥書を記す流布本系の本文には若干の相違がある。

底　本　専修寺蔵宗祖真蹟「正月二十七日本」
対校本　専修寺蔵宗祖真蹟「正月十一日本」[十]
　　　　妙安寺蔵成然書写本[妙]

---

1 **鈔**——題号は、[底]外表紙「抄」、内表紙と内題「鈔」。[十]外題・内題とも「抄」。[妙]元表紙・内題とも「鈔」。また「文意」に「ノモンノコ、ロ」と左訓、「のもんのこころ」。
2 **抄**——[十]鈔　[妙]抄
3 **うたがいなきこころ**——[十]うたが□…□こころ　[妙]うたがうこころなき
4 **かりなるということなり**——[十]かりなるというなり　[妙]かりなりという
5 **はなれたる**——[十]はなれたる　[妙]すつるをいうなり
6 **鈔**——[十]抄　[妙]鈔

7　鈔――十鈔　妙抄

8　この他力の信心――十この信心　妙他力の信心

9　ならばず――底・妙原表記「ナラハス」、十「□ラハス」。ならわずともよまれる。

10　『五会法事讃』（大正47・477c）・『唯信鈔』（◎1097）

11　来迎」――十来迎」と　妙来迎」

12・54・59・176・237・240　もうす――十もうす　妙いう

13　たまうて――十たまいての　妙たまうて

14　もうす――十もうすなり　妙もうす

15　ましまして――十ましまして　妙ましますゆえに

16　大慈大悲――十大悲　妙大慈大悲

17　これすなわち――十これ　妙これすなわち

18　衆生ごとにと――十衆生ごとにと　妙衆生と

19　ことごとく――十ことごとく　妙ことごとくわかち

20　あきらかにわかち――十「あきらかにわかち」、妙になし。

21　すすめ――十すすめ　妙仏教をすすめ

22　大小――十大小　妙大乗

23　善悪の――十善悪の　妙小乗の聖人、善人・悪人、一切の

24・25　仏――十仏　妙如来

26・186・265　となり――十「となり」、妙になし。

27　往生すとのたまえる――十往生すとのたまえる　妙極楽浄土に往生すと

28　いう――十いう　妙のたまえる

29　南無……なれば――十「南無……なれば」、妙になし。

30　不可思議光仏――十不可思議光仏　妙不可思議の智恵光仏

31　勢志――十・妙勢至

32　『経』――『安楽集』所引『須弥四域経』意（◇427）

33　無明の黒闇――十「無明の黒闇」、「黒闇」に「クラキヤミノヨニタトウル」と左訓、「くらきやみのよにたとうる」。妙「よろずの衆生の無明黒闇」。

34　あらわる――十あらわる　妙あらわれ

35　長夜――十「ナカキヨニタトヘタルナリ」と左訓、「ながきよにたとえたるなり」。

36　ひらかしめんと――十ひらかしめんと　妙ひらかしむる

37・86・144・206・223　なり――十「なり」、妙になし。

38　行者の――十行者の　妙行者

39 転ず――[十]転ず　[妙]善に転じ、かえなすというなり

40 善とかえなすをいうなり――[十]善とかえなすをいうなり　[妙]つみを、けしうしなわずして善になすなり。よろずのみず大海にいりぬれば、すなわちうしおとなるがごとし

41 もとめざるに……人に――[十]もとめざるに……ひとに　[妙]弥陀の願力を信ずるゆえに如来の功徳を

42 はからわざれば――[十]はからわざれば　[妙]功徳をえんとはからざれば

43 信心をうるゆえに、憶念自然なる――[十]信心をうるゆえに、憶念自然なる　[妙]信心となるゆえに、正定聚のくらいに住すという。このこころなれば、憶念の心自然におこる

44 慈父――[十]「チ、ナリ」と左訓、「ちちなり」。

45 悲母――[十]「ハ、ナリ」と左訓、「ははなり」。

46 おこるなり――[十]おこるなり　[妙]無上の信心を発起せしめたまうとみえたり

47 となり――[十]・[妙]になし。

48 浄土へ――[十]浄土へ　[妙]浄土に

49・120 真実報土――[十]真実報土　[妙]真実の報土

---

50 きたらしむ――[十]きたらしめん　[妙]きたらしむ

51 願海――[十]「ミタノチカヒヲウミニタトヘタリ」と左訓、「みだのちかいをうみにたとえたり」。

52 ひらくときを――[十]ひらくときを　[妙]ひらくなり。さとりひらくときを法性の

53 いう――[十]いう　[妙]もうす

55 ともいう――[十]ともいう　[妙]とも

56 もうすなり――[十]もうすなり　[妙]いう。無上覚にいたるともうすなり

57 いりて――[十]いりて　[妙]いりて、よろずの有情をたすくるを

58 もうす――[十]もうす　[妙]いうなり

60 むかえたまう――[十]むかえたまう　[妙]むかえ

61 選択不思議の本願――[十]選択不思議の本願　[妙]選択本願の尊号

62 尊号――[十]尊号　[妙]信心

63 なきを――[十]なきを　[妙]なければ

64 なり。金剛心ともなづく――[十]「なり。金剛心ともなづく」、[妙]になし。

65 信楽を……たまわざれば――[十]信楽を……たまわざ

れば　[妙]信心をうれば、等正覚にいたりて、補処の
弥勒におなじくて、無上覚をなるべしといえり

66 **なるがゆえに**――[十]なるがゆえに　[妙]なり。しかれば

67·72 **とはもうす**――[十]とはもうす　[妙]という

68 **これを「迎」というなり**――[十]「これを「迎」とい
うなり」、[妙]になし。

69 『大経』（◎47）

70 **うまれんとねがえとなり**――[十]うまれんとねがえと
なり　[妙]生ぜんとねがうべきなり

71 **とのたまう御のりなり**――[十]とのたまう御のりなり
[妙]なり。成等正覚ともいえり

73 **四十八大願**――[十]四十八大願　[妙]四十八の大願

74 **ほめられん**――[十]ほめられん　[妙]ほめられ

75 **大智海の誓願**――[十]大智海の誓願　[妙]大海の誓願を

76 **よりて**――[十]より　[妙]よりて

77 **また**――[十]また　[妙]すでに

78 **本願は**――[十]本願　[妙]本願は

79 **たること、この**――[十]この　[妙]たること

80 **後善導**――『龍舒浄土文』巻五（大正47·267a）・『楽
邦文類』巻三（大正47·193a）の善導伝に「後有法照
大師。即善導後身也」とある。

81 **法道和尚……のたまえり**――未詳。安然『金剛界大
法対受記』第六（大正75·179b）に法照を「法道和
尚」と記し五会念仏とそれを慈覚大師円仁が比叡山
に伝えたことに言及する。

82 **『伝』には**――[十]『伝』には　[妙]つたえて

83 **廬山の……浄業和尚ともうす**――『伝』について
は未詳。『楽邦文類』巻三法照伝（大正47·193b）に
「南岳弥陀和尚」とあるが、これは『仏祖統紀』巻
二十六（大正49·260c）・『仏祖歴代通載』巻十五（大
正49·617c）によれば法照の師承遠法師のことである。
また『楽邦文類』巻四に収録する『臨終正念訣』に
「浄業和尚」とあるが（大正47·213a）、諸伝からは法
照の名であることを確認できない。

84 『五会法事讃』（大正47·481c）・『唯信鈔』（◎1098）

85 **は**――[十]ともうすは　[妙]は

87 **ひろく**――[十]「ひろく」、[妙]になし。

88·91 **もうす**――[十]「もうす」、[妙]になし。

89 **超は**――[十]になし、[妙]「超は」。

90 **いうは**――[十]いうは　[妙]いう

92 **如来の**――[十]如来の　[妙]如来

93 **鈔**――[十]・[妙]抄

94 **あらわれたり**――[十]あらわれたり　[妙]あらわせり

95 **御なともうすなり**――[十]「御なともうすなり」、[妙]になし。

96 **ちかいの**――[十]ちかいの　[妙]この

97 **憶念は、信心をえたる**――[十]憶念は、信心をえたる　[妙]憶念というは、信心まことなる

98 **うたがいなきゆえに**――[十]「うたがいなきゆえに」、[妙]になし。

99 **たえぬをいう**――[十]たえぬをいう　[妙]たえず、つねなる

100 **きたらしむ**――[十]きたらしむ　[妙]きたる

101 **きたらしめ**――[十]「きたらしめ、法性のみやこへ」、[妙]になし。

102 **いう**――[十]いう　[妙]なり

103 **この娑婆界**――[十]娑婆世界　[妙]娑婆界

104 **きたる**――[十]きたる　[妙]きたりたまう

105 **を**――[十]という。これを　[妙]を

106 **法性のさとり……かえるというなり**――[十]になし、[妙]「『経』（大経◎58）には「従如来生」とのたまえり。「従如」というは、真如よりともうす。「来生」というは、きたり生ずというなり」。

---

107 **えらばず、きらわずという**――[十]えらばず、きらわずという　[妙]えらばずという、きらわぬこころなり

108 **もの**――[十]「もの」、[妙]になし。

109 **ひと**――[十]ひと　[妙]という

110・112 **きらわず**――[十]「きらわず」、[妙]になし。

111 **ものと**――[十]ものと　[妙]もの

113 **大小乗**――[十]大小乗　[妙]大乗小乗

114 **戒行**――[十]戒行　[妙]戒品

115 **小乗の具足衆戒**――[十]具足衆戒　[妙]小乗の具足戒

116 **梵網の……具足戒等**――[十]梵網の五十八戒、大乗一心金剛法戒、三聚浄戒等　[妙]大乗の一心金剛法戒、三聚浄戒、梵網の五十八戒等

117 **これら**――[十]になし、[妙]「これら」。

118 **いう**――[十]いう　[妙]いう。これらの戒品をやぶるを破というなり

119 **の**――[十]の　[妙]の大小の

121 **自力の善**――[十]になし、[妙]「自力の善」。

122 **実報土**——[十]実報土　[妙]実の報の浄土

123・297 **なり**——[十]なり　[妙]しるべし

124 **ひとを**——[十]ひとを　[妙]ひと

125 **きらわず、えらばれず**——[十]きらわず、えらばれず　[妙]えらばず

126 **の正意とすとしるべしとなり**——[十]の正意とすべしとなり　[妙]とすとしるべし

127・189 **は**——[十]は　[妙]というは

128 **みな**——[十]みな　[妙]みな真実信楽あるものを

129 **むかえ**——[十]むかえて　[妙]むかえいて

130 **いえる**——[十]「いえる」、[妙]になし。

131 **かならず**——[十]かならず　[妙]かならず無碍光仏の心中におさめとりたまうゆえに

132 **のおこるを**——[十]のおこるを　[妙]となるなり。このゆえに

133 **こころ**——[十]「コ、」の右傍に別筆で「ロ歟」と記す。[妙]「こころ」。

134 **勝**——[妙]「スクレタル」と左訓、「すぐれたる」。

135 **まされるとなり。増上は、よろずのことに**——[十]「まされるとなり。増上は、よろずごとに」、[妙]になし。

136 **無上**——[十]「無上」、[妙]になし。

137 **さまざまの、大小**——[十]さまざまの、大小　[妙]さまざま大小の

138 **善悪**——[十]善悪　[妙]善悪の

139 **みを**——[十]になし、[妙]「みを」。

140 **かえりみず**——[十]かえりみず　[妙]さかしくかえりみず、またひとをよしあしとおもうこころをすてて

141 **凡愚**——[十]・[妙]凡夫

142 **本願**——[十]本願　[妙]誓願

143 **具縛は**——[十]具縛は　[妙]具縛というは

145 **なり**——[十]なり　[妙]なり。かようのあきびと、猟師さまざまのものは、みないし・かわら・つぶてのごとくなるわれらなり

146 **「能」は、よくという。「令」は、せしむという**——[十]「能」は、よくという。「令」は、せしむという」、[妙]になし。

147・198・220 **は**——[十]「は」、[妙]になし。

148 **いう**——[十]いう　[妙]いう。如来の本願を信ずれば

149 **つぶてを**——[十]つぶてを　[妙]つぶてのごとくなるわ

れらを

150 **かえなさしめんがごとし**——[十]かえなさしめんがごとし　[妙]かえなさしむ

151 **りょうし・あき人、さまざまのものは、みな**——[十]かようのさまざまのものは、みな　[妙]あきびと・猟師などは

152 **われらなり……おさめとりたまうゆえなり**——[十]われらなり……おさめとりたまうゆえなり　[妙]を、如来、摂取のひかりにおさめとりたまうて、すてたまわず。これひとえにまことの信心のゆえなればなりとしるべし

153 **ことは、これにておしはからせ**——[十]ことをば、これにておしはからせ　[妙]ことは、よからんひとにもとわせ

154 **聖人の御釈**——[十]聖人の御釈　[妙]天竺の聖人の釈

155 『法事讃』（◇597）・『唯信鈔』（◎1100）

156 **専」**——[十]専」と　[妙]専」

157 **まじわらざるなり**——[十]まじわることなし　[妙]まじわらざるなり

158 『讃阿弥陀仏偈』（◇350）

---

159 **こそ**——[十]「こそ」、[妙]になし。

160 『浄土論』（◎155）

161 **とも**——[十]とも　[妙]と

162 **無上涅槃のさとりをひらく**——[十]無上涅槃のさとりをひらく　[妙]無上覚をさとる

163 **なり。大涅槃**——[十]なり。大涅槃　[妙]なりとしるべし。涅槃

164・246 **と**——[十]になし、[妙]「と」。

165 **この心に**——[十]この心に　[妙]草木国土、ことごとく成仏すととけり。この一切有情の心に方便法身の

166 **仏性**——[十]仏性　[妙]この仏性

167 **法身は**——[十]法身は　[妙]しかれば仏について二種の法身まします。ひとつには法性法身ともうす。ふたつには方便法身ともうす。法性法身ともうすは

168 **およばれず**——[十]およばれず　[妙]およばず

169 **御すがたをしめして**——[十]御すがたをしめして　[妙]その御すがたに

170 **なのり**——[十]なのり　[妙]なり

171 **大誓願を……御かたちをば**——[十]大誓願を……御かたちをば　[妙]四十八の大誓願をおこしあらわしたま

うなり。この誓願のなかに、光明無量の本願、寿命無量の弘誓をあらわしたまえる御かたちを

172 『浄土論』（◎145）

173 **を報身ともうす**――[十]を報身ともうす　[妙]すなわち

174 **たまえるゆえに**――[十]たまえるゆえに　[妙]たまいて

175 **なり**――[十]なり　[妙]すなわち阿弥陀如来ともうす

177 **なり**――[十]なり　[妙]ゆえなり

178 **にて、かたちもましまさず**――[十]にて、かたちもましまさず　[妙]の御かたちにて

179 **ましまさず**――[十]ましまさず　[妙]ましまさず、かたちもましまさず、すなわち法性法身におなじくして

180 **悪業に**――[十]悪業　[妙]悪業に

181 **さわりなしともうす**――[十]さわりなしともうす　[妙]有情の悪業煩悩にさえられずとなり

182 **おのおののこころにまかせて**――[十]「おのおののこころにまかせて」、[妙]になし。

183 **みな**――[十]「みな」、[妙]になし。

184 **には**――[十]には　[妙]に

185・242 **真の報土**――[十]真の報土　[妙]実報土

187 **いう**――[十]いう　[妙]いうこころ

---

188 **もとむという**――[十]「もとむという」、[妙]になし。

190 **もっぱら……となり**――[十]「もっぱら……となり」、[妙]になし。

191 **を**――[十]を　[妙]を弥陀

192 **生死海**――[十]生死海　[妙]生死の大海

193 **仏果にいたるが**――[十]仏果にいたるが　[妙]無上覚にいたる

194 **大悲**――[十]大悲　[妙]如来大悲の

195 **金剛心となれり**――[十]金剛心となれり　[妙]金剛となる

196 **『大経』**――[十]『大経』　[妙]念仏往生

197 **なり**――[十]なり　[妙]なり。『観経』の三心にはあらず

199 『浄土論註』（◇339）

200 **この信楽は……もうすこころなり**――[十]この信楽は……もうすこころなり　[妙]これ浄土の大菩提心なり。しかれば

201 **この**――[十]になし、[妙]「この」。

202 **涅槃**――[十]涅槃　[妙]大涅槃

203 **この心すなわち大菩提心なり**――[十]この心すなわち大菩提心なり　[妙]すなわち

204 **すなわち**――[十]「すなわち」、[妙]になし。

205 **慶喜**――[十]「ウヘキコトヲエテヨロコフコ、ロナリ」と左訓、「うべきことをえてよろこぶこころなり」。

207 **慶は、よろこぶという**――[十]慶は、よろこぶという [妙]慶は、うべきことをえてのちによろこぶこころなり

208 **よろこぶ**――[十]よろこぶ [妙]よろこぶこころ

209 **よろこぶ**――[十]よろこぶ [妙]つねによろこぶ

210 **つねなるを……こころなり**――[十]つねなるを……こころなり [妙]憶念つねなり。踊躍するなり。踊は天におどるという。躍は地におどるという。よろこぶこころのきわまりなきかたちをあらわすなり

211 **ひとをば**――[十]ひとをば [妙]ひとは

212 『観経』（◎133）

213 **分**――[十]分 [妙]芬

214 **とのたまえり**――[十]とのたまえり [妙]にたとえたまえり

215 **『経』には……しかれば**――[十]「『経』には……しかれば」、[妙]になし。

『称讃浄土経』（◇250）

216 『大経』（◎94）

217 **この**――[十]この [妙]『小経』（称讃浄土経◇250）には「極難信法」とみえたり。この

218 **もし**――[十]「もし」、[妙]になし。

219 **のたまえる御のり**――[十]「のたまえる御のり」、[妙]になし。

221 **いたる**――[十]いたる [妙]いたれり

222 **たまうとのたまえり**――[十]たまうとのたまえり [妙]たまえり

224 **種種の方便をして……おおよそ**――[十]種種の方便をもって……おおよそ [妙]として、信心をおしえたまえりとしるべきなり

225 **菩提心**――[十]菩提心 [妙]大菩提心

226 **修せしに**――[十]修せしに [妙]修せしめしに

227 **願力**――[十]願力 [妙]大願業力

228 **善根**――[十]善根 [妙]善

229 **仏聖**――[十]仏聖 [妙]仏性

230 『観経』（◎122）・『唯信鈔』（◎1102）

231 **三心を**――[十]三心 [妙]三心を

232 『往生礼讃』（◇649）・『唯信鈔』（◎1102）

233 **うまれずという**——[十]うまれずという　[妙]うまるるものなしと

234 **信心かく**——[十]信心のかくる　[妙]信心かくる

235 **三信**——[十]三信　[妙]三信心

236 **一心を**——[十]一心を　[妙]一心

238 **三信心**——[十]三信心　[妙]三信

239 **をば**——[十]をば　[妙]を

241 **かけぬれば**——[十]かけたれば　[妙]かけぬれば

243 **いう**——[十]「いう」、[妙]になし。

244 **定散二機**——[十]定散二機　[妙]定機・散機の自力

245 **定散**——[十]定散　[妙]定散の

247 **ば**——[十]ば　[妙]ば、実の報土にうまれず。真の報土にうまれざれば

248 **というは**——[十]・[妙]は

249 **三信かけぬる……雑行雑修して**——[十]「三信かけぬる……雑行雑修して」、[妙]になし。

250 **他力の信心**——[十]他力の信心　[妙]雑修して三信心

251 **他力の一心**——[十]他力の一心　[妙]三信心

252 **も**——[十]になし、[妙]「も」。

253 **三信を**——[十]三信を　[妙]三信心

254・257 『散善義』（◇533）・『唯信鈔』（◎1103）

255 **は**——[十]は　[妙]は、浄土をねがうひとは

256 **あらわすことなかれ**——[十]あらわすことなかれと　[妙]ふるまわざれ

258 **なり**——[十]なりと　[妙]なり

259 **むなしくして実ならぬなり**——[十]むなしくして実ならぬなり　[妙]むなしく実ならず

260 **ならぬなり。このこころ……へつらわず、実報土のたねとなる信心なり。しかれば、われらは**——[十]ならぬなり。このこころ……へつらわず、本願成就の実報土の、みとなり、たねとなる信心なり。しかれば、われらは　[妙]ならず。しかれば、いまこのよを如来のみのりに末法悪世とさだめたまえるゆえは、一切有情、まことのこころなくして、師長を軽慢し、父母に孝せず、朋友に信なくして、悪をのみこのむゆえに、世間・出世、みな、「心口各異　言念無実」（大経◎73）なりとおしえたまえり。「心口各異」というは、こころとくちにいうこと、みなおのおのことなり、「言念無実」というは、ことばとこころのうちと実なしということなり。実は、まことということ

ばなり。このよのひとは、無実のこころのみにして、浄土をねがうひとは、いつわり、へつらいのこころのみなりと、きこえたり。よをすつる、名のこころ、利のこころをさきとするゆえなり。しかれば

261 **賢人というは、かしこくよきひとなり**——[十]「賢人というは、かしこくよきひとなり」、[妙]になし。

262 **なる**——[十]なる　[妙]の

263 **かざり**——[十]「かざり」、[妙]になし。

264 **みなり**——[十]みなり　[妙]み

266 『唯信鈔』（◎1103）

267 **べしと**——[十]べし　[妙]べしと

268 **ことば**——[十]ことば　[妙]こころ

269 『五会法事讃』（大正47·481c）・『唯信鈔』（◎1104）

270 **はじめにあらわせり。よくよく**——[十]はじめにあらわせり。よくよく　[妙]かみにくわしくあかせり。よく

271 『大経』（◎19）・『唯信鈔』（◎1105）

272 **みな**——[十]みな　[妙]ちかいの名号

273 **もの**——[十]もの　[妙]ひと

274 **本願**——[十]「本願」、[妙]になし。

275 **しもと**——[十]・[妙]しも

---

276 **ひさしきをも**——[十]ひさしきをも　[妙]ひさしき

277 **とどまるこころをやめ**——[十]とどまるこころをやめ　[妙]こころをとどめ

278 **とどめんがために**——[十]とどめんがために　[妙]やめんがために、未来の衆生をあわれみて

279 **の**——[十]の　[妙]かねて

280 **なり**——[十]なり　[妙]なり。よくよくこころうべし。慶楽すべきなり

281 『唯信鈔』（◎1105）

282 **なり**——[十]なり　[妙]なり。易行道のこころにあらず

283·287 『観経』（◎131）・『唯信鈔』（◎1106）

284 **念じ**——[十]念じ　[妙]称念し

285 **称名**——[十]称名　[妙]口称

286 **こと**——[十]「こと」、[妙]になし。

288 **のべたまえる**——[十]・[妙]のたまえる

289 『観経』意（◎131）・『唯信鈔』（◎1106）

290 **無量寿仏**——[十]無量寿仏　[妙]阿弥陀仏

291 **御のり**——[十]「御のり」、[妙]になし。

292 『往生礼讃』（◇683）・『唯信鈔』（◎1106）

293 **本願は**——[十]本願は　[妙]願には、下至といえるは、

下は上に対して

294　みな――[十]みな　[妙]かならず

295　しらせんと……のたまえる――[十]しらせんと……のたまえる　[妙]しらせたまえる

296　としるべしとなり――[十]「としるべしとなり」、[妙]になし。

298　はかり――[十]はかり　[妙]はからわせ

299　しらず――[十]しらず　[妙]しらぬ

300　やすからん――[十]やすからん　[妙]させん

301　康元二歳（一二五七）……書写之――[十]康元二歳（一二五七）丁巳正月十一日　[妙]正嘉元歳（一二五七）八月十九日　愚禿親鸞八十五歳書㆑之　同二歳（一二五八）季夏十五日以㆓師真筆ノ本㆒釈成然書㆓写之㆒

親鸞聖人御消息

宗祖が門弟に宛てて書かれた御消息は、消息集として編集されて伝えられたもの、宗祖真蹟、あるいは古写本により単独で伝えられているものがある。消息集には、『親鸞聖人御消息集（広本）』・『御消息集（善性本）』・『親鸞聖人血脈文集』・『末燈鈔』・『親鸞聖人御消息集（略本）』がある（その他に『五巻書』・『親鸞聖人御消息（浄光寺本）』等があるが、前記消息集に収録される消息と重複）。単独に伝わるものには、宗祖真蹟十一通（専修寺蔵七通、西本願寺蔵三通、東本願寺蔵一通）、専修寺蔵古写本八通がある（この中には、宗義に関しないものも含まれる）。

古来、消息集といえば、『末燈鈔』が第一にあげられてきたが、消息集の編集年次は『親鸞聖人御消息集（広本）』・『御消息集（善性本）』・『親鸞聖人血脈文集』・『末燈鈔』の次第となる。また『親鸞聖人御消息集（略本）』は、『親鸞聖人御消息集（広本）』に収録される御消息のうち、『末燈鈔』と重複するものが収録されない。

これらをふまえ、本聖典には、宗祖の全ての御消息について、各消息集の編集の年次にしたがい『親鸞聖人御消息集（広本）』・『御消息集（善性本）』・『親鸞聖人血脈文集』・『末燈鈔』の次第で、それぞれに収録される順に配列した。その後に宗祖真蹟、あるいは古写本によって単独に伝えられている御消息を「御消息拾遺」として収録した。なお、宗祖真蹟・古写本・各消息集において重複して伝えられる御消息は、次のように扱った。

一、宗祖真蹟・古写本・各消息集において重複するものは、宗祖真蹟が現存するもの、あるいは宗祖真蹟は伝わらないが古写本が現存するものは、それを底本とし、各消息集収録の御消息の本文は対校本として校異を注に示した。真蹟を底本としたのは以下の通り。『広本（一四）（一五）』『善性本（一）（三）（四）』「御消息拾遺（一）（三）」（以上専修寺蔵）、『血脈文集（一）』（東本願寺蔵）、「御消息拾遺（四）（五）（六）」（以上西本願寺蔵）

二、各消息集に重複する御消息は、編集年次の先行する消息集に収録のものを底本として本文を当該箇所に示し、他の消息集収録の本文は略し、対校本として校異を注に示した。なお、宗祖真蹟・古写本・各消息集収録の御消息の重複の状況と聖典掲載の各御消息の対応は、次表に示した（各消息集の収録順を算用数字で示し、底本を網掛けで示した。重複の状況は本文及び校注に示した。真蹟・古写本は便宜上、掲載順に通し番号を付し、同じ消息は同番号で示した）。また、仮名で記された人名（一部漢字で記したものも含む）には傍点・傍注を付した。

親鸞聖人御消息集（広本）

掲載通数	御消息集（広本）	真蹟	古写本	御消息集（善性本）	血脈文集	末燈鈔
（一）	**1**	—	—	—	—	20
（二）	**2**	—	—	—	—	19
（三）	**3**	—	—	—	—	19
（四）	**4**	—	—	—	—	19
（五）	**5**	—	—	—	—	16・7
（六）	**6**	—	—	—	—	—
（七）	**7**	—	—	—	—	—
（八）	**8**	—	—	—	—	—
（九）	**9**	—	—	—	—	—
（一〇）	**10**	—	—	—	—	—
（一一）	**11**	—	—	—	—	—
（一二）	**12**	—	—	—	—	—
（一三）	**13**	—	—	—	—	—
（一四）	14	**①**	①（顕智写）	—	—	11
（一五）	15	**②**	②（顕智写）	—	—	15
（一六）	**16**	—	—	—	—	17
（一七）	**17**	—	—	—	—	—
（一八）	**18**	—	—	—	3	—

御消息集（善性本）

掲載通数	御消息集（善性本）	真蹟	古写本	御消息集（広本）	血脈文集	末燈鈔
（一）の㋑㋺㋩	1	③	｜	｜	｜	14・15
（一）の㊁	**3**	｜	｜	｜	｜	｜
（二）の㋑	**2**	｜	｜	｜	｜	｜
（二）の㋺	2	④	｜	｜	｜	7
（二）の㋩	**2**	｜	｜	｜	｜	21
（三）	3→1の㊁	｜	｜	｜	｜	｜
（四）	4	⑤	｜	｜	｜	13
（五）	**5**	｜	｜	｜	6	3
（六）	**6**	｜	｜	｜	｜	4
（七）の㋑㋺	**7**	｜	｜	｜	｜	｜

親鸞聖人血脈文集

掲載通数	血脈文集	真蹟	古写本	御消息集（広本）	御消息集（善性本）	末燈鈔
（一）	1	⑥	③（真仏写）	｜	｜	2
（二）	**2**	｜	｜	｜	｜	｜
（三）	3	｜	｜	**18**	｜	｜
（四）	**4**	｜	｜	｜	｜	｜

（五）	**5**	｜	｜	｜	｜	｜
（六）	6	｜	｜	｜	**5**	3

末燈鈔

掲載通数	末燈鈔	真蹟	古写本	御消息集（広本）	御消息集（善性本）	血脈文集
（一）	1	｜	④	｜	｜	｜
（二）	2	⑥	③（真仏写）	｜	｜	1
（三）	3	｜	｜	｜	**5**	6
（四）	4	｜	｜	｜	**6**	｜
（五）	5	｜	⑤（顕智写）	｜	｜	｜
（六）	**6**	｜	｜	｜	｜	｜
（七）	7	④	｜	**5**	2の㋺	｜
（八）	**8**	｜	｜	｜	｜	｜
（九）	9	｜	⑥	｜	｜	｜
（一〇）	10	｜	⑦	｜	｜	｜
（一一）	11	①	①（顕智写）	14	｜	｜
（一二）	**12**	｜	｜	｜	｜	｜
（一三）	13	⑤	｜	｜	4	｜
（一四）	14	③	｜	｜	1の㋑㋺	｜
（一五）	15	②③	②（顕智写）	15	1の㋩	｜
（一六）	16	｜	｜	**5**	｜	｜

(一七)	17	—	—	16	—	—
(一八)	**18**	—	—	—	—	—
(一九)	19	—	—	**3・2・4**	—	—
(二〇)	20	—	—	**1**	—	—
(二一)	21	—	—	—	**2の㊇**	—
(二二)	**22**	—	—	—	—	—

御消息拾遺

掲載通数	拾遺	真蹟	古写本
(一)	1	⑦	—
(二)	2	⑧	—
(三)	3	—	⑧（顕智写）
(四)	4	⑨	—
(五)	5	⑩	—
(六)	6	⑪	—

親鸞聖人御消息集（広本）

本書には愛知県岡崎市妙源寺に鎌倉末期の書写本があるが、現存するのは断簡四十八葉で全体の約三分の一ほどである（現存する箇所のみ校異を示した）。完本としては京都府久御山町永福寺に室町中期の書写本が伝えられ、西本願寺に室町末期の書写本がある。また大谷大学に江戸中期の空閑書写本の山田文昭転写本が所蔵される。

底　本　宗祖真蹟消息
　　永福寺蔵『親鸞聖人御消息集』[永]

対校本　宗祖消息古写本[古]
　　妙源寺蔵『親鸞聖人御消息集』[妙]
　　西本願寺蔵『親鸞聖人御消息集』[西]
　　大谷大学蔵空閑書写本『親鸞聖人御消息集』[空]
　　龍谷大学蔵本『親鸞聖人血脈文集』[血]
　　慈敬寺蔵『末燈鈔本』　願得寺蔵『末燈鈔末』[末]

1　**かたがた**——[西]・[空]かたがた　[末]方々《ほうぼう》
2　**たまわりて**——[西]・[空]たまわりて　[末]たまわり
3　**坊**——[西]・[空]坊　[末]房（第一通以下同）
4　**まことに**——[西]・[空]「まことに」、[末]になし。
5　**と**——[西]・[空]と　[末]のこと
6　**いよいよ**——[西]・[空]「いよいよ」、[末]になし。
7　**ひとびとの……もしらぬ**——この部分[妙]に残存。

8 **ことどもも**——妙事どもも　西ことどもも　空ことども　末ことども

9 **のみ**——妙・西・空「のみ」、末になし。

10 **おうて**——「…（し）おうて（合うて）」は、互いに…（し）ての意。以下各通同。

11 **にも**——妙に　西・空・末にも

12 **たる**——妙・西・空たる　末あいたる

13 **法門も**——妙・西・空法門も　末法文を

14 **なり**——妙・西・空なり　末めり

15 **たる**——妙・西・空たる　末ある

16 **なり**——妙・西・空「なり」、末になし。

17 **おしえ**——妙・西・空おしえ　末教《きょう》

18 **と**——西・空と　末を

19 **御こころえは**——西・空御こころえは　末の

20 **おわしましそうらいしが**——この部分妙に残存。

21 **おわします身にてそうろうなり**——この部分妙に残存。

22 **御ちかい**——西・空御ちかい　末ちかい

23 **無明の**——西・空「無明の」、末になし。

24 **三毒**——西・空三毒　末毒

25 **おぼえ**——西・空「おぼえ」、末になし。

26 **なれば**——西・空なれば　末なればとて

27 **にもまかせ**——西・空にもまかせ　末にまかせて

28 **身にも……とそうろうらん**——この部分妙に残存。

29 **にある**——妙・西・空にある　末にてある

30 **もの**——妙・西・空「もの」、末になし。

31 **ちかい**——西・空ちかい　末御名《みな》

32 **も**——西・空も　末を

33 **ひさしゅう……のち、仏**——この部分妙に残存。

34 **この世**——妙このよ　西・空この世　末後世

35 **を**——妙・西・空を　末をば

36 **そうろう**——永原表記「サフラ」。妙「候う」。西・空・末による。

37 **いかが**——妙・西・空いかが　末なんぞ

38 **具したる**——妙・西・空具したる　末具足したる

39 **よしあし**——妙・西・空よしあし　末善悪《ぜんあく》

40 **もとこそ**——西・空もとこそ　末もっとも

41 **あしきことをも……こころをすてん**——西・空あしきことをも……こころをすてん　末悪事をもふるまいなんどせじ

42 **みえ**——西・空みえ　末みえて

43 **いかでか**――[西]・[空]いかでか　[末]いかが
44 **ことも**――[西]・[空]ことも　[末]ことの
45 **きこえそうろう**――[西]・[空]きこえそうろう　[末]きき候うこそ
46 **そうろう**――[西]・[空]そうろう　[末]候え
47 『浄土論註』意（◇309）
48・147 『散善義』意（◇533）
49 **ひと**――[西]「ひと」、[空]「人」、[末]になし。
50 **ことなかれ**――[西]・[空]ことなかれ　[末]べからず
51 **おしえおかれ**――[西]・[空]おしえおかれ　[末]とかれ
52 **善をせぬひとにもちかづき**――[西]「善をせぬひとにもちかづき」、[空]「善をせぬ人にもちかづき」、[末]になし。
53 **浄土に**――[西]・[末]浄土に　[空]浄土へ
54 **より、かの**――[西]・[空]より、かの　[末]よりて
55 **より**――[西]・[空]「より」、[末]になし。
56 **当時**――現在、当今の意。
57 **べからん**――[西]・[空]べからん　[末]べかるらん
58 **により**――[西]・[空]により　[末]より
59 **あなどり**――[西]・[空]・[末]あなずり

---

60 **とぞ**――[西]・[空]とぞ　[末]とこそ
61 **にも**――[西]・[空]にも　[末]も
62 **壬子　八月十九日　親鸞**――[西]・[空]壬子　八月十九日　親鸞　[末]二月二十四日
63 **坊**――[西]・[空]坊　[末]房（第二通以下同）
64 **のぼられ**――[西]・[空]のぼられ　[末]の、のぼられ
65 **に**――[西]「に」、[空]・[末]になし。
66 **また**――[西]・[空]「また」、[末]になし。
67 **そうろう**――[永]原表記「サフラ」。[西]・[空]・[末]による。
68 **ひと**――[西]ひと　[空]人　[末]ひとびと
69 **不可思議**――[西]・[空]不可思議　[末]不思議
70 **議の……御こころえそうろうべし**――この部分[妙]に残存。
71 **御こころ**――[妙]御意《おんこころ》　[西]・[空]御こころ　[末]こころ
72 **同朋**――[妙]「同法」、「法」の右傍に「朋歟」と注記。[西]・[末]「同朋」。[空]「同法」。
73 **おなじくみな**――[妙]同じくみな　[西]・[空]おなじくみな　[末]みなおなじく
74 **ともの同朋**――[妙]伴《とも》の同法　[西]・[空]ともの同朋

末とも同朋

75 **ねんごろの**——妙・西・空ねんごろの　末ねんごろに

76 **御文……そうらいけん**——この部分妙に残存。なお妙はこの文を『広本』第二通の末尾に連続して記す。

77・93・272 **坊**——西・空坊　末房

78 **とかく**——西・空とかく　末ともかくも

79 **にてはそうろうなれ**——西・空にてはそうろうなれ　末にてそうらえ

80 **まいらせんこと**——西・空まいらせんこと　末まいらせたまう

81 **おのおの**——西・空「おのおの」、末になし。

82 **べからず**——永原表記「ヘカフス」。西・空・末による。

83 **後世物語**——西・空「後世物語」、末になし。

84 **ども**——西・空「ども」、末になし。

85 **にても**——西・空にても　末にて

86 **また**——西・空「また」、末になし。

87 **そうろうには**——西・末そうろうには　空そうろうに

88 **おわしまし**——西・空おわしまし　末おわしますに

89 **めでたく**——西・空・末めでたくして

---

90 **あわせ**——西・空あわせ　末あい

91 **さこそ**——西・空さこそ　末さぞ

92 **らめ**——西・空らめ　末らん

94 **おもいかえし**——西・空おもいかえし　末ひるがえし

95 **そうらい**——西・空「そうらい」。末原表記「サフラフ」、語末の「フ」の右傍に「ヒ」と注記。

96 **いい**——西いい　空・末おもい、いうまじきことをもいい

97 **貪欲の**——西・空貪欲の　末貪欲

98 **因果をも**——西・空因果をも　末因果を

99 **ことども**——西・末ことども　空こと

100 **せば**——西・空せば　末せんは

101 **世の……こころにくくもそうらわず**——この部分妙に残存。

102 **をも、おもいも**——妙・西をも、おもいも　空をも、おもい　末を、おもい

103 **念仏に……にてそうらえば**——妙になし、西・空・末「念仏に……にてそうらえば」。

104 **ことも**——妙事も　西ことも　空・末とも

105 **たまう**——妙給う　西・空たまう　末させたまう

106 **いて**——永・妙・西いて（ヰテ） 空あいて（アヰテ） 末あいて（アヒテ）

107 **かくほど**——妙・西・空かくほど 末かく

108 **世**——妙よ 西・空世 末余

109 **に**——妙・西・空には 末に

110 **ようにて**——妙・西・空ようにて 末ように

111 **かくれなき**——はっきりしている意。

112 **ひとびとも、ただ**——妙人々、ただ 西ひとびとも、ただ 空人々も 末ひとびとも

113 **まどわし**——妙・西・空まどわし 末まどわかし

114 **まして**——妙・西・空「まして」、末になし。

115 **こころにくくもそうらわず**——妙こころうく候う 西・空・末こころにくくもそうらわず

116 **なにごとも……もうしそうろうべし**——妙になし、西・空・末「なにごとも……もうしそうろうべし」。

117 **善知識を……親鸞**——この部分妙に残存。なお妙はこの文を『広本』第三通の末尾に連続して記す。

118 **ともうす**——妙になし、西・空・末「ともうす」。

119 **同座を**——妙・西・空同座を 末同座

120 **善証坊**——妙ぜんしょうぼう 西・空善証坊 末善乗房

---

121 **御坊の**——妙御坊に 西・空御坊の 末御房の

122 **その**——妙・西・空「その」、末になし。

123 **おろかにも**——妙・西・空おろかにも 末おろかに

124 **ひとびと**——妙人 西・末ひとびと 空人々

125 **同朋**——妙・空同法 西・末同朋

126 **くう**——妙・西・空くう 末くらう

127 永「と」の後に「まひとにいよいよ毒をゆるしてこのめと」とあり、衍文か。

128 **ようたる**——妙・西・空ようたる 末よいたることを

129 **身にて**——妙・西・空身にて 末に

130 **られ**——妙・西・空「られ」、末になし。

131 **なにごとも……親鸞**——妙「何事も、申しつくしがたく候う。又々申すべし。あなかしこ、あなかしこ。親鸞」、西・空「なにごとも、もうしつくしがたくそうろう。またまたもうすべし。あなかしこ、あなかしこ。親鸞」、末になし。

132 **なにごとよりは**——西・空なにごとよりは 末なにごとよりも

133 **善証坊**——西・空善証坊 末善乗房

134 **やみにし**――西・末やみにし　空やみし
135 **もの**――西・空もの　末ひと
136 **念仏**――西・空念仏　末念仏を
137 **こころも**――西・空こころも　末こころをも
138 **義**――西・空義　末儀
139 **まじき**――永「まき」。西・空・末による。
140 **いいもとどめ**――西・空いいもとどめ　末いいとどめ
141 **ただ、したからんことをばせよ、ふるまいなんども**――西ただ、したからんことをばせよ、ふるまいなんども　空ただ、しからんことをばせよ、ふるまいなんども　末ふるまいは、なにとも
142 **いえる**――西・空いえる　末いいつる
143 **をすて、あしきことを**――西・空をすて、あしきことを　末をもすて、あさましきことをも
144 **そうろうに**――西・空そうろうに　末そうらえ
145 **念仏を**――西・空念仏を　末念仏
146 **せんは**――西・空せんは　末せば
148 **このまん**――西このまん　空・末このむ
149 **うやまいて**――西・空うやまいて　末つつしんで
150 **いつかは**――西・空いつかは　末いつか

---

151 **おおかたは、経釈の文**――西・空おおかたは、経釈の文　末おおかた、経釈
152 **ことを**――西・空ことを　末ことをも
153 **にて**――西・空にて　末に
154 **また……おかしくそうろう**――末になし。「往生は……おかしく候う」を第七通の冒頭とする。
155 **京に**――西京に　空京にも
156 **今日**――西「ケフ」と左訓、「きょう」。
157・227 **便**――西・空「タヨリ」と左訓。
158 **こと**――西こと　空ことを
159 **て**――西「て」、空になし。
160 **もうされ**――西もうされ　空もうし
161 **くせごと**――承久三（一二二一）年の乱をさすと見られる。
162 **そうらい**――永原表記「サフラ」。西・空による。
163 **こころ**――西・空こころに
164 **ひとびと**――西ひとびとは　空人々は
165 **おぼしめさず**――西おぼしめさず　空おぼしめす
166 **朝家の御ため**――西・空「オホヤケノオンタメトマフスナリ」と左訓、「おおやけのおんためともうす

なり」。

167 国民――西・空「クニノタミヒヤクシヤウ」と左訓、「くにのたみひゃくしょう」。

168 不定――西不定　空不足

169 身の往生――西身の往生　空御身の往生を

170 こ――永欠損、西・空により補う。

171 御念仏――西・空御念仏を

172 教念――西教忍　空教忍の

173 そうらいき……教忍御坊 御返事――この部分妙に残存。

174 て――妙・西「て」、空になし。

175 唯信鈔――妙唯信抄　西・空唯信鈔（第八通以下同）

176 教忍御坊――妙教忍の御坊の　西・空教忍の御坊

177 まず……ただし――この部分妙に残存。

178 とどめんと、ところの――妙とどめんと、所の　西とどめんと、ところの　空とどめんところは

179 名主――妙・空「ナヌシ」と左訓。

180・181・191 『安楽集』所引『目連所問経』（◇412）

182・190 『法事讃』（◇605）

183 名主――西「ナヌシ」と左訓。

---

184 さまたげ――永「さまたたげ」。妙・西・空による。

185 ねんごろに――妙ねんごろ□　西・空ねんごろに

186 もうす――永「ます」。妙・西・空による。

187 念仏の人々の――永「念仏人々」、西「念仏の人々」。空による。

188 死にけんひと――西死にけんひと　空死せん人々

189 か――永欠損、西・空により補う。

192 そうろうらん――西そうろうらん　空そうらわん

193 慈信坊――西慈信坊　空慈心坊の

194 入信坊……そうらわず――永・西はこれを次の第十一通と合して一通の消息として収録するが、内容上、第十通の追伸とした。

195 坊――西坊　空房

196 仏法者の……そうらわず――この部分妙に残存。

197 『蓮華面経』参照（大正12・1072c）『梵網経』参照（大正24・1009b）

198 師子――妙しし　西師子　空ししむら

199 そうらわず――永原表記「サフハス」。妙・西・空による。

200 永・西はこの一通を第十通の追伸「入信坊……そう

らわず」と合して一通の消息とするが、妙は消息の末尾が欠損するものの、その書き出しは「九月二十七日……」となっており、独立した一通として収録する。妙により、また内容上、第十一通とした。

201 **九月……不可思議**――この部分妙に残存。

202 **に**――妙になし、西・空「に」。

203 **としごろ**――妙年来《ねんらい》　西としごろ　空年来

204 **いたずら**――妙いたずら事　西・空いたずらごと

205 **ふみ**――妙・西ふみ　空つみ

206 **ひとびと**――妙・空人　西ひとびと

207 **偏頗**――一方に偏ること、不公平なことの意。

208 **二河の譬喩**――西「フタツノカハノタトヘナリ」と左訓、「ふたつのかわのたとえなり」。空「フタツノカワ　タトヘナリ」と左訓、「ふたつのかわ　たとえなり」。

209・213 **慈信**――西・空慈信の

210 これ以下第十一通の追伸。空この部分を第十二通とする。

211 **な**――永欠損、西・空により補う。

212 **ひとのうえ**――その人や物事についてのこと。

214 この一通空第十三通に当たる。

215 **ところせき**――西ところせき　空ところせばき

216 **詮ずるところ……そうろうておわし**――この部分妙に残存。

217 **たまい**――妙給いて　西・空たまい

218 **させたまう**――妙させ給う　西させたまう　空たまう

219 **きわまれる**――永「きわまる」。西・空による。

220・224 **そうろう**――永原表記「サフラ」。西・空による。

221 **ひとびと**――西ひとびとの　空人々の

222 **おぼえ**――永「おぼ」。西・空による。

223 **信心**――西信心　空信

225 **なにごともなにごとも**――西なにごともなにごとも　空なにごとも

226 この一通空第十四通に当たる。

228 **度々**――西度々　空度々の

229 **便**――西「タヨリ」と左訓。

230 **入西**――西入西　空入西の

231 この一通空第十五通に当たる。

232 **たしかにたしかに**――古・永・西・空たしかにたしかにたしかに　末たしかにたしかに

233 **申せば**――古申せば　永・西・空・末もうすなり
234 **信**――古信　永・西・空・末信を
235・237 **べく候う**――古べく候う　永・西・空・末べし
236・249 **かならずかならず**――古・永・西・空かならずかならず　末かならず
238 **二十八日**――古・永・西・空二十八日　末二十六日
239 **(花押)**――古在御判　永・西・空・末親鸞
240 **覚信御房御返事**――古「覚信御房御返事」、永・西・空「覚信の御坊　御返事」、末になし。
241 底・古追伸を本文前の右端の余白に記すが、便宜上ここに移す。永・西・空は本文の結びとする。末この文なし。
242 **候う**――古候う　永原表記「サフラ」　西・空そうろう
243 **又、御こころざし……候う**――古「又、御こころざし……候う」、永・西・空・末になし。
244 底別筆。古冒頭に「建長八歳(一二五六)……御返事」、巻尾に「以二親鸞聖人御筆一写レ之畢　乾元二年(一三〇三)癸卯閏四月十五日書二写之一」と記す。永・西・空・末になし。
245 この一通空第十六通に当たる。

---

246 **ならせ**――古・永・西・空ならせ　末なり
247・282 晋訳『華厳経』巻六十「入法界品」意(大正9・788b)
248 **とかれ**――古・永・西・空とかれ　末とかれて
250 **みろくをば**――古・永・西・空「弥勒をば」、末になし。
251 **その定**――そのように、その通りの意。
252 **人をば**――古・空人は　永・西ひとは　末ひとをば
253 **承信房**――古承信坊　永・西・空浄信坊　末乗信房
254 **には**――古・永・西・空には　末にては
255 **承信房**――古・永・西承信坊　空浄信坊　末乗信房
256 **そこの**――古・永・西・末そこの　空そこに
257 **きこえ**――古・永・西・空きこえ　末きき
258 **よくよく**――古・永・西・空よくよく　末よく
259 **候う**――古候う　永そう□う　西・空そうろう　末ある
260 **候うらん**――古候わん　永・西・空・末そうらわん
261 **べく候う**――古・永・西・空・末べし
262 **房**――古・永・西・空坊　末房
263 **候うらん**――古候わん　永・西・空そうらわん

264 [末]そうろうらん
承信の御房――[古]承信の御坊　[永]・[西]承信御坊に　[空]浄信の御坊に　[末]乗信の御房に

265 **させ給うべく候う**――[古]たまうべし　[永]・[西]・[空]させたまうべし　[末]させたまうべくそうろう

266 **二十一日**――[古]二十一日　[永]・[西]・[空]・[末]二十七日

267 **親鸞**――[古]親鸞 在御判　[永]・[西]・[空]・[末]親鸞

268 **浄信御房御返事**――[古]「浄信御坊御報」、[永]「慶信御坊 御報」、[西]・[空]「慶信の御坊 御報」、[末]になし。

269 この一通[空]第十七通に当たる。

270 **そうろう**――[永]原表記「サフラ」。[末]「候う」。[西]・[空]による。

271 **散心念仏**――[西]・[空]「散心念仏」、[末]になし。

273 **しばらく**――[西]・[空]しばらくは　[末]しばらく

274 [末]この後に「銭弐拾貫文、慥かに慥かに給わりて候う。穴賢々々」とある。

275 [空]・[末]日付の下に「親鸞」とある。[西]になし。

276 **真仏の御坊 御返事**――[西]・[空]「真仏の御坊 御返事」、[末]になし。

277 この一通[空]第十八通に当たる。

---

278 [空]日付の下に「親鸞」とある。[西]になし。

279 この一通[空]第十九通に当たる。

280 **て**――[永]欠損、[西]・[空]・[血]により補う。

281 **まいらせ**――[西]・[空]まいらせ　[血]まいらせて

283 **かように**――[西]・[血]かように　[空]かようの

284 **には**――[西]・[血]には　[空]に

285 [永]「そうろう」の後に「らんかぎりは他力にはあらず自力なりときこえてそうろう」が重複する。衍文。

286 **他力**――[西]・[空]・[血]また他力

287 **をば**――[西]・[空]をば　[血]は

288 **そうろう**――[西]・[空]「そうろう」、[血]になし。

289 **しかれば**――[西]・[血]「しかれば」、[空]になし。

290 **つやつやと**――まったく、少しもの意。

291 **さとりを**――[西]・[空]さとりを　[血]さとり

292 **もうすと**――[永]になし。[西]・[空]・[血]による。

293 **もうす**――[西]・[空]もうす　[血]もうしそうろう

294 **慶西の御坊 御返事**――[西]慶西の御坊 御返事　[空]慶西御坊 御返事　[血]慶西御房 返事

295 [空]この後改行して「大正九年（一九二〇）十一月十六日夜参南夢白廬に於て住田師所蔵の本より謄写し畢る。該本は我派学界の先駆者西方寺空慧の養父空閑の筆写する所也。孤雲識　同二十一日朝一校了　昭記」と記す。

御消息集（善性本）

本書は専修寺に所蔵される消息集であり、他に書写本は伝わらない。表紙に「御消息集」の題号と「釈善性」の名が記されることから「善性本」と呼ばれ、宗祖の門弟で下総に住した飯沼善性が編者と考えられている。収録される消息から、成立は正嘉元（一二五七）年から、大きく年代を隔てないものと推定される。宗祖の消息七通と門弟の宗祖宛消息四通を含むが、宗祖の消息㈦の㋺、蓮位添状㈠の㈡、門弟の宗祖宛消息㈢の㋑・㈦の㋑は、この消息集にのみ収録されるものである。

底　本　宗祖真蹟消息
　　　　専修寺蔵『御消息集』（善性本）[善]

対校本　大谷大学蔵慧空書写本『親鸞聖人血脈文集』[慧]
　　　　慈敬寺蔵『末燈鈔本』　願得寺蔵『末燈鈔末』[末]
　　　　大谷大学蔵禿庵文庫本『末燈鈔』[大]

---

1 [底]㈠の㋑は、慶信の宗祖宛て消息に、宗祖が加筆し、そのまま慶信への返書にされたものである。その形を示すため、慶信の文章をそのまま記し、宗祖の加筆を〔　〕で括って示した。慶信が記した字を宗祖が訂正した箇所は、慶信が記した字をそのまま残して、その右に圏点（例　嘉）を付した。また宗祖が記したふりがなは現代仮名遣いによるカタカナで示した。㈠の㋑は[末]第十四通前半に当たるが、慈敬寺本・願得寺本にないため、禿庵文庫本[大]を対校した。

2 [善]行頭に「一」とある。[底]・[大]になし。

3 **申し候う**——[善]申し上げ候う　[大]申し候う

4 **『華厳経』を引きて**——[善]になし、[大]「『華厳経』をひきて」。

5 『浄土和讃』（◎584）

6 **なる**——[善]なる　[大]なるは

7 『浄土和讃』意（◎579）

8 **滅度……と候う**——[善]になし、[大]「滅度……と候う」。

9 **故**——[善]・[大]ゆえに

10 『涅槃経』「師子吼菩薩品」（大正12・556c　803a）

11 **仏性は**――[善]仏性は　[大]仏性
12 **誓**――[善]ちかいの　[大]ちかい
13 **およばれず**――[善]およばず　[大]およばれず
14 **〔までの〕**――[善]までの　[大]にて
15 **定まりて**――[善]さだめて　[大]さだまりて
16 **おぼえられ**――[善]おぼえられ　[大]おぼえられず
17 **心を**――[善]心　[大]心を
18 **真実報土に**――[善]真実報土　[大]真実報土に
19 **いたり**――[善]いたり　[大]いたりにそうろう
20 **おぼえ**――[善]おぼえ　[大]おおせ
21 **然るに**――[善]しかれば　[大]しかるに
22 **所**――[善]所　[大]処
23 **せず**――[善]「せず」。[大]「す」、「セス」と記し「セ」を抹消する。
24 **ひがざまにか**――[善]ひがざまにか　[大]ひがざまにや
25 **蒙り**――[善]かぶり　[大]こうぶり
26 **記**――[大]「シルシ」と左訓。
27 **申し上げ**――[善]もうし　[大]もうしあげ
28 **聖人の**――[善]聖人　[大]聖人の
29 **蓮位御房**――[善]蓮位御坊　[大]蓮位の御房

---

30 **十月十日**――[善]になし、[大]「十月十日」。
31 **〔慶信花押〕**――[善]になし、[大]「在判」。
32 [底]㈠の㋑の本文の右端の余白に記すが、便宜上ここに移した。
33 ㈠の㋩は、㈡の㋺への宗祖の返信。[底]㈠の㋺の左右及び上部の余白に記す。便宜上ここに移した。
34 [善]㈠の㋑㋺の直後に「御返事」と記し、㈠の㋩までを一通として収録。[底]・[末]になし。
35 **の**――[善]「の」、[末]になし。
36 **仏と申さん**――[善]仏と申さん　[末]如来をもうす
37 **御**――[善]「御」、[末]になし。
38 **阿弥陀仏**――[善]阿弥陀仏　[末]阿弥陀仏なり
39 **給わねば**――[善]たまい候わねば　[末]たまわねば
40 **候う**――[善]候う　[末]候うなり
41 この後改行して、[善]「親鸞」、[末]「慶信御房　御返事　親鸞」とある。
42 この一通は『善性本』第三通にのみ収録されるが、第一通に関わるものであり、便宜上ここに移した。
43 『浄土論註』意（◇333）
44 晋訳『華厳経』巻六十「入法界品」（大正9・788b）

45 **それよりの御ふみ**——㈠の㋑㋺をさす。

46 **当時**——現在、当今の意。

47 **ひといち**——地名。諸説あり。

48 『散善義』（◇539）

49 この一通は『善性本』にのみ収録されるもので、浄信の宗祖への消息である。次の㈢の㋺が宗祖の返信である。

50 晋訳『華厳経』巻六十「入法界品」（大正9・788a）

51・120・121 『大経』意（◎19）

52 『大経』（◎47）

53 [底]本文の前に別筆で「浄信御坊御返事　親鸞」と記される。[善]・[末]になし。[善]㈢の㋑の直後に「聖人御返事」と記し、㈢の㋺㋩までを一通として収録。[末]この前に「往生はなにごともなにごとも凡夫のはからいならず。如来の御ちかいにまかせまいらせたればこそ、他力にては候え。ようようにはからいおうて候うらん、おかしく候う」の文がある。

54 **時**——[善]「とき」、[末]になし。

55 **真実信心**——[善]真実信心　[末]真実信心の

56 **金剛信心**——[善]・[末]金剛の信心

---

57 **申すなり。さればこそ**——[善]になし、[末]「もうすなり。さればこそ」。

58 **とも**——[善]とも　[末]とももうし

59 晋訳『華厳経』巻六十「入法界品」意（大正9・788b）

60 **おなじ**——[善]おなじと　[末]おなじ

61 『阿弥陀経』（◎140～）及び『称讃浄土経』（◇247～）両経による意。

62 **のちは**——[善]のちは　[末]のちに

63 **に**——[底]になし。[善]・[末]による。

64 **義とは**——[善]義と　[末]義とは

65 **はからい**——[善]はから　[末]はからい

66 **ほかには**——[善]・[末]ほかに

67 **諸事恐々謹言**——[善]「諸事恐々謹言」、[末]になし。

68 [底]この後に別筆で「親鸞（花押）」と記す。[末]「二月二十五日　親鸞　浄信御房 御返事」とある。

69 [善]㈢の㋩を前掲㈢の㋺と一連して一通とする。真蹟は㈢の㋺のみが伝わる。

70 **さとるとも**——[末]さとるとも、また無上覚をさとるとも

71 **これは……なるなり**——[末]これみな

72　仏をさとりひらく――末仏のさとりをひらく
73　一向専修と――末一向専修とは
74・75・114・115　の――末になし。
76　べく候う――末べし
77　二月……御返事――末になし。
78　善行頭に「一」とある。底・末になし。
79　『般舟讃』意（◇685）
80　弥陀仏――善弥陀仏　末弥陀如来
81　無上信心――善・末無上の信心
82　まいらするゆえ――善まいらするゆえに　末まいらせたるゆえ
83　くらいにて――善くらいに　末くらいにて
84　みえ――善みえて　末みえ
85　（花押）――善・末になし。
86　しのぶの御房の――善しのぶの御ぼうの　末真仏御房
87　この一通『血脈文集』龍谷大学蔵本にないため、慧を対校本とした。
一　性信御坊　親鸞――慧「一　金剛信心の事」、末になし。
88　いまの――慧「いまの」、末になし。

89　に――慧・末には
90　さだまる――慧・末さだまるもの
91　『大経』（◎90）
92　ひとしければ――善「ひとしけれ」。慧・末による。
93　申す――慧もうす　末ひとしともうす
94　あかつき――慧あかつき　末あるべき
95　三会――過去の諸仏も未来仏である弥勒も、衆生を救うために三回にわたり会座を開き法を説くという。弥勒の三会を龍華三会という。
96　浄土真実――慧「実」の右傍に「宗歟」と注記。
97　『般舟讃』意（◇726）
98　その――慧その　末この
99　すでに――慧・末すでにつねに
100　いたり――慧「いたる」、「る」の右傍に「り歟」と注記。末「いたり」。
101　おなじくと――慧・末おなじと
102　によりて……と申す――慧になし、末「によりて……ともうす」。
103・108　晋訳『華厳経』巻六十「入法界品」意（大正9・788a）
104　慧この後に「ゆめゆめ外見あるべからざるものな

り」とあり、「正嘉元年……」以下なし。

105・117 坊——末房

106 真仏御坊　親鸞——末になし。

107 『華厳経』に——末『華厳経』にのたまわく

109 信心を——末信心

110 如来——末もろもろの如来

111 ひとは——末ひとを

112 『大経』(◎54)

113 『大経』(◎19)

116 正嘉元　丁巳　十月十五日——末正嘉元年　丁巳　十月十日

118 善上欄に「以上」とある。

119 『大経』(◎18)

122 善このあとに「弥陀の本願信ずべし」(正像末和讃)と「願力成就の報土には」(高僧和讃)の二首の和讃を記す。

親鸞聖人血脈文集

本書は富山市専琳寺に伝えられていた賢心(蓮如上人の孫、天文二十一(一五五二)年、六十四歳歿。)による室町時代書写本が最古のものであるが、最後の第六通目を欠いている。その他の書写本に、愛知県岡崎市上宮寺所蔵の室町末期書写本『大祖聖人御文』(第一通「かさまの念仏者」を収録せず)、大谷大学蔵慧空書写本がある。

なお専琳寺本、その影写本である大谷大学蔵山田文昭書写本は、現在所在不明のため、山田文昭書写本を再影写した龍谷大学蔵本を用いた。

底　本　宗祖真蹟消息
　　龍谷大学蔵本『親鸞聖人血脈文集』血

対校本　宗祖消息古写本古
　　大谷大学蔵慧空書写本慧
　　慈敬寺蔵『末燈鈔本』末

1 かさまの念仏者のうたがいとわれたる事——古「念仏する人々のなかよりうたがいとわるる事」、また外題に「念仏者疑問」とある。血「一　かさまの念仏者のうたがいとわるること」。慧「一　かさまの念仏者のうたがいとわるる事」。末「かさまの念仏者のうたがいとわれたる事」。

2 **浄土真宗**――古浄土真宗　血・慧・末浄土真宗
3 **こと**――古ところ　血・慧・末こと
4・8 **こと**――古・血・末「こと」、慧になし。
5 **おのおの**――古・血おのおの　慧・末おのおの
6 **称**――古「トナウ」と左訓。
7 **聖人の**――古・血・末聖人の　慧聖人は
9 **必定**――古・慧・末必定　血決定
10 **なり**――古・末なり　血・慧いうなり
11 **たまわん**――古たまう　血・慧・末たまわん
12 **煩悩**――古「ミヲワツラハス　ココヲワツラハス」と左訓、「みをわずらわす　こころをわずらわす」か。
13 **こころ**――古・慧・末こころ　血こころの
14 **報土へうまる**――古・血報土へうまる　慧報土へはうまる　末報土へ生ず
15 **おのおの**――古・血・末おのおの　慧おのおの
16 **信**――古・血・慧信　末身《み》
17 **とぞ**――古とこそ　血・慧・末とぞ
18 **には、本願の**――古には、本願　血・慧には、本願の　末に、本願の
19 『往生要集』巻下本（◇881）

---

20 『往生要集』巻中本参照（◇809）
21 **具して**――古・末具して　血・慧具足して
22 **安養**――古「安《アン反》養《ヤウ反》」に「ヤスシ　ヤシナウ」と左訓。
23 **かならずすなわち**――古・血かならずすなわち　慧かならず　末すなわち
24 『散善義』意（◇537）
25 **本願**――古・慧・末本願　血本願の
26 **かげの**――古かげ　血・慧・末かげの
27 **しかれば**――古・血・末しかれば　慧しかるに
28 『大経』（◎54）
29 **わがしたしきともなり**――古したしきともなり　血わがしたしちともなり　慧わがしたしきとも　末わがしたしきともなり
30 **人は**――古人を　血人は　慧・末ひとは
31 『散善義』意（◇558）
32 **上上人**――古「ウエカウヱノヒトナリ」と左訓、「うえがうえのひとなり」。
33 **好人**――古「ヨキヒトナリ」と左訓。
34 **妙好人**――古「タヱニヨキヒトナリ」と左訓、「たえによきひとなり」。

35 **最勝人**――[古]「コトニスクレタルヒトナリ」と左訓、「ことにすぐれたるひとなり」。
36 **希有人**――[古]「マレニアリカタキヒトナリ」と左訓、「まれにありがたきひとなり」。
37 **さだまれる**――[古]・[慧]・[末]さだまれる　[血]さだまる
38 **真実信心**――[古]・[血]・[末]真実信心　[慧]真実心
39 **より**――[古]により　[血]・[慧]・[末]より
40 『七箇条起請文』（『西方指南抄』所収、定親全5・165　◇4・153）、『登山状』（『拾遺語燈録』所収、◇4・718）等の取意。
41 **なし**――[古]・[慧]・[末]なし　[血]なく
42 **そしる**――[古]・[血]・[末]そしる　[慧]にくみそしる
43 **あわれみ**――[古]・[慧]・[末]「あわれみ」、[血]原表記「テハレミ」。
44 **不可思議……にて**――[古]・[血]・[末]「不可思議……にて」、[慧]になし。
45 **安**――[古]・[血]・[慧]・[末]案
46 **坊**――[古]・[血]・[末]房　[慧]坊
47 **には**――[古]・[血]・[末]には　[慧]に
48 **建長七歳……**――[底]「禿親鸞八」磨滅のため判読できず。[慧]・[末]により補う。[古]「建長八歳(一二五六)丙辰四月十三日　愚禿親鸞　八十四歳剋作」。[血]「建長七歳(一二五五)乙卯　十月三日　釈親鸞八十三歳書レ之　なおなおよくよく念仏もうさせたまわん人々は本願の念仏を信ぜさせたまうべし」。[慧]「建長七年(一二五五)乙卯　十月三日　愚禿親鸞　八十三歳書レ之　なおなおよく念仏もうさせたまわん人々は本願の念仏を信ぜさせたまうべし」。[末]「建長七歳(一二五五)乙卯　十月三日　愚禿親鸞八十三歳書レ之　此御書者自二性信聖之遺跡一以二聖人御自筆之本一写 与二彼門弟中一云々」。

---

49 **そうろう。また**――[慧]候いぬ
50 **法文**――[慧]法門（第二通以下同）
51 **こころうく……としごろ**――[血]になし。[慧]による。
52 **そうらいける**――[慧]もうされ候いける
53 『散善義』意（◇536）
54 **のちには**――[慧]のちは
55 **うかれて、はては**――[慧]うかれはてて
56 **そうらえば**――[慧]候うには
57 **よるも**――[慧]よる
58 **人には**――[慧]ひとに

59　こと――[慧]ことも

60　しらせずして――[慧]になし。

61　子の儀――[慧]親鸞が子の義

62　もうす――[慧]もうし

63　ならわぬ――[血]「ならわず」。[慧]による。

64　そうろう――[慧]になし。

65　こころうく――[慧]原表記「ロ、ロウク」

66　人々の――[慧]人々に

67　抄――[慧]鈔

68　文意――[慧]文の意

69　房――[慧]坊

70　ふみを――[慧]文

71　なるは――[慧]なれば

72　人々にも――[慧]人々に

73・85　親鸞――[慧]親鸞　在判

74　房――[慧]御房

75　よくよく――[慧]になし。

76　そうらいけり。これほどに――[慧]候うなり。これほどの

77　そうろう――[慧]候え

78　しむ――[慧]しむし

79　王番――[慧]「大番」。京都大番役のこと。天皇・院御所の諸門等を警固する番役。御家人が国単位で守護に率いられ、六ヵ月または三ヵ月、費用自弁で勤仕した。

80　たまいてそうろうとて――[慧]たまい

81　御こころざし――[慧]こころざし

82　そうらえば――[慧]おぼえ候えば

83　御すすめとそうろう――[慧]になし。

84　[慧]「様々に」と「かわりあわせ……」の間に「きこえたり。詮ずるところは方便の御誓願と信じまいらせて候う。……この人々のおおせのようはこれにはつやつやとしらぬことにて候えば、とかくに」という文があるが、これは『広本』第十八通の中間部分とほぼ同文である。別の消息の一部分がまぎれ込んだものと考えられる。

86　そうろうと――[慧]になし。

87　もうしそうろうべく――[慧]もうすべく

88　一《ひとつ》　法然聖人《ほうねんしょうにん》は　流罪土佐国《るざいとさのくに》　89幡多《はた》　俗姓藤井元彦《ぞくしょうふじいのもとひこ》　90御名《ごみょう》
善信《ぜんしん》は　流罪越後国《るざいえちごのくに》　91国府《こくふ》　俗姓藤井善信《ぞくしょうふじいのよしざね》

罪科《ざいか》に坐《つみ》するの時《とき》の勅宣《ちょくせん》に偁《い》わく
善信《ぜんしん》は [92]俗姓《ぞくしょう》藤井《ふじい》　俗名《ぞくみょう》善信《よしざね》
善恵《ぜんえ》は　無動寺《むどうじ》大僧正《だいそうじょう》御《ご》[93]坊《ぼう》　[94]慈鎮和尚《じちんかしょう》の御《おん》ことなり　[95]に
あずけしめおわしましき
幸西《こうさい》は　俗姓物部《ぞくしょうもののべ》　常覚坊《じょうかくぼう》

愚禿《ぐとく》は流罪《るざい》に坐《つみ》する[96]の時《とき》、勅免《ちょくめん》に望《のぞ》むの時《とき》、藤《ふじ》井《い》の姓《しょう》を改《あらた》めて、愚禿《ぐとく》の字《じ》を以《もっ》て、中納言範光《ちゅうなごんのりみつ》卿《きょう》をもって勅免《ちょくめん》を[97]かぶらんと、奏聞《そうもん》を経《ふ》るに、範光《のりみつ》の卿《きょう》をはじめとして、諸卿《しょきょう》みな、愚禿《ぐとく》の字《じ》にあらためかきて奏聞《そうもん》をふること、めでたくもうしたりとてありき。そのとき、ほどなく聖人《しょうにん》も[98]ゆるしましまししに、御弟子八人《おんでしはちにん》あい具《ぐ》してゆるされたりしなり。京中《きょうちゅう》には、みなこの様《よう》はしられたるなり。

『教行証《きょうぎょうしょう》』六《ろく》の末《まつ》に云《い》わく、「愚禿釈《ぐとくしゃく》の鸞《らん》、建《けん》仁《にん》[99]辛酉《しんゆう》の[100]暦《れき》、雑行《ぞうぎょう》を棄《す》てて本願《ほんがん》に帰《き》す。元久《げんきゅう》乙《きのと》の丑《うし》の歳《とし》、恩恕《おんじょ》を蒙《かぶ》りて『選択《せんじゃく》』を[101]書《しょ》しき。[102]「本願念仏集《ほんがんねんぶつしゅう》」の内題《ないだい》の字《じ》、并《なら》びに「南無阿弥陀仏《なむあみだぶつ》往生之業《おうじょうしごう》　念仏為本《ねんぶついほん》」と「釈《しゃく》の綽空《しゃっくう》」の字《じ》と、空《くう》の真筆《しんぴつ》を以《もっ》て之《これ》を書《しょ》せ[103]しむ。同《おな》じき日《ひ》、[104]空《くう》の真《しん》影《えい》、申《もう》し預《あずか》って図画《ずえ》し奉《たてまつ》る。同《おな》じき二年《にねん》[105]閏七《うるうしち》月下旬第九日《がつげじゅんだいくにち》、真影《しんえい》の銘《めい》は真筆《しんぴつ》を以《もっ》て「南無阿弥《なむあみ》陀仏《だぶつ》」と「若我成仏十方衆生《にゃくがじょうぶつじっぽうしゅじょう》　称我名号下至《しょうがみょうごうげし》十声《じっしょう》　若不生者不取正覚《にゃくふしょうじゃふしゅしょうがく》　彼仏今現在成仏《ひぶつこんげんざいじょうぶつ》　当知本誓重願不虚《とうちほんぜいじゅうがんふこ》　衆生称念必得往生《しゅじょうしょうねんひっとくおうじょう》」の真文《しんもん》とを[106]書《しょ》せしむ。又夢《またゆめ》の告《つげ》に依《よ》りて綽空《しゃっくう》の字《じ》を改《あらた》めて、同《おな》じき日《ひ》、御筆《ごひつ》を以《もっ》て名《な》の字《じ》を書《しょ》せしめ畢《おわ》りぬ。本師聖人今年七旬三《ほんじしょうにんこんねんしちしゅんさん》の御《ご》[107]歳《さい》なり。」

右《みぎ》、此《こ》の真文《しんもん》を以《もっ》て、性信《しょうしん》、尋《たず》ね[108]申《もう》さるる所《ところ》に早《はや》く彼《か》の本尊《ほんぞん》を預《あず》かる[109]所《ところ》なり。[110]彼《か》の本尊《ほんぞん》、并《なら》びに『選択集《せんじゃくしゅう》』・真影《しんえい》の銘文等《めいもんとう》、源空聖人《げんくうしょうにん》より親《しん》鸞聖人《らんしょうにん》へ譲《ゆず》り奉《たてまつ》る。親鸞聖人《しんらんしょうにん》より性信《しょうしん》に譲《ゆず》り給《たま》う所《ところ》なり。彼《か》の本尊銘文《ほんぞんめいもん》。

[111]南無阿弥陀仏《なむあみだぶつ》
建暦第二（一二一二）壬《みずのえ》申歳正月二十五日
黒谷法然聖人御入滅《くろだにほうねんしょうにんごにゅうめつ》　春秋満八十《しゅんじゅうまんはちじゅう》[112]

89　**幡多**――慧になし。
90　**御名**――慧になし。
91　**国府**――慧になし。
92　**俗姓藤井**――慧藤井元彦　俗姓藤井
93　**坊**――慧房（以下同）

94　慈鎮和尚の御ことなり――慧になし。

95　にあずけしめおわしましき――慧あずからしめおわしき

96　の――慧になし。

97　かぶらん――慧こうむらん

98　ゆるしましましに――慧ゆりましましけり

99　辛酉――血「カノトノトリ」と左訓。

100　暦――血「歴」。慧による。

101　書しき――慧書く

102　「本願念仏集」――慧同年初夏中旬第四日「選択本願念仏集」

103　しむ――慧しめたまう

104　空の――慧になし。

105　閏――血「潤」。慧による。

106　書せしむ――慧原表記「令《タマフ》レ言」、「言」の右傍に「書歟」と注記。

107　歳――慧年

108　申さるる――慧申す

109　所――慧になし。

110　彼の本尊……本尊――慧源空聖人、親鸞聖人に譲り奉る本尊の

111　南無阿弥陀仏……満八十――慧若我成仏十方衆生称我名号下至十声若不生者不取正覚彼仏今現在成仏当知本誓重願不虚衆生称念必得往生　南無阿弥陀仏　釈善信聖人以御真筆令《ト》レ書レ之也　建保四（一二一六）丙子歳七月下元日奉レ令レ書レ之

112　慧この次に第六通として「一　金剛信心の事」と題して『善性本』第五通と同文の一通がある。血になし。血この後に「瑞泉寺賢心御筆」の付箋を写し、さらに次の注が記される。「原本ハ富山市辰巳町専琳寺所蔵大正十一年（一九二二）十一月山田文昭氏ノ影写本ニヨリテ写ス」。

末燈鈔

本書は覚如上人の次男従覚上人が編集したものである。現存最古の書写本は、覚如上人の門弟乗専の書写本であり、滋賀県高島市慈敬寺に本巻、大阪府門真市願得寺に末巻がそれぞれ所蔵されている。

底　本　宗祖消息古写本古

慈敬寺蔵『末燈鈔本』　願得寺蔵『末燈鈔末』[末]
対校本　大谷大学蔵禿庵文庫本[大]

1 本願寺の親鸞大師の……等の類聚鈔――[大]本願寺の親鸞大師……等類聚鈔
2 有念無念　愚禿親鸞曰わく――[末]になし、[大]「有念無念事」。
3 こと――[末]ことば　[大]こと
4 くらいに、信心のさだまるとき住す――[末]・[大]くらいに住す
5・6・9 を――[末]・[大]になし。
7 ときに、往生は――[末]・[大]とき、往生また
8 儀則――[末]儀式　[大]義則
10 一つは――[末]ひとつには　[大]一つには
11 胎生・辺地――[末]・[大]辺地・胎生
12 もろもろの――[末]諸《しょ》　[大]もろもろの
13 臨終を……来迎往生をたのむ――[末]・[大]臨終まつこと、来迎往生
14 有念――[末]・[大]有念は
15 色形――[大]「イロカタチ」と左訓。

---

16 色をもこころに――[末]いろをこころに　[大]いろにこころを
17 人――[末]・[大]ひとの
18 散善の義――[末]散善の義　[大]散善義
19 定善の義――[末]定善の義　[大]定善義
20 この――[末]またこの　[大]またこれ
21 なかの――[古]「中《なか》」。[末]・[大]による。
22 者――[末]・[大]者《しゃ》
23 『華厳経』「入法界品」意（大正9・772b, 10・428c）
24 [末]・[大]この後改行して「南無阿弥陀仏」とある。
25 釈親鸞――[末]愚禿親鸞　[大]愚禿親鸞の
26 この一通、専修寺蔵顕智自筆の聞書を[古]とする。この文は文明版『正像末和讃』（◎625）にも収められる。
27 「獲」の字は……「号」という――[末]・[大]になし。
28 しからしむということばなり――[末]・[大]になし。
29 ことば――[末]・[大]ことばなり。しからしむというは
30 ゆえに。――[末]ゆえに法□という。[大]ゆえに法爾という。
31 いう――[末]・[大]いうなり
32 すべて――[末]・[大]おおよそ

33　**他力には**――末・大になし。
34　**しからしむ**――末・大しからしむる
35　**南無阿弥陀仏**――古「南無阿弥陀」。末・大による。
36　**かたちの**――末かたちの　大かたちも
37　**はじめて弥陀仏と**――末はじめに弥陀仏ともうすと　大はじめて弥陀仏ともうすと
38　**すべきには**――末すべきに　大すべきにには
39　**なるべし**――末「なるべし」、大「にたり」の左傍に「なるべし」と注記。
40　**議**――末議　大義
41　末・大記名の上に「正嘉二年(一二五八)十二月十四日」とある。
42　**正嘉二歳……かくなり**――末・大になし。
43　**うえに**――大うえは
44　**たまわで**――大たまいて
45　**乗信**――大乗信の
46　**坂東**――大「坂本《ばんどう》」、「本」の右傍に「東」と注記。
47　**庄**――大御庄
48　**竪**――大「リチ」と左訓、「りつ」。
49　**止**――末「正」。大による。
50　**浄土教**――大浄土の教

51　**など**――大になし。
52　**閏三月二日**――大「閏三月三日」。正嘉元（一二五七）年と考えられる。
53　**候う**――末「候う」、大になし。
54　**候う**――末・大になし。
55　**なんじょう**――古原表記「なんてう」。「なんでふ」、どうしての意。
56　**おおせ**――末おおせ　大おおせられ
57　**如来に**――末・大ただ如来に
58　古別筆で花押を記す。末・大になし。
59　**きょうようの御房へ**――末教名御房　大教名の御房
60・70　これ以下古本文直前の右端の余白に記すが、便宜上ここに移す。末・大はこの位置に置く。
61　**ゆえ**――末ゆえ　大ゆえに
62　**はからいは**――末・大はからい
63　**候う**――「申し候う」の略か。
64　**すべ候いて**――末・大すべて
65　**なまじいなる**――無理をしている、理のとおらないの意。
66　**人々**――末ひと　大ひとびと

67　ことをば――[末]ことを　[大]ことをば

68　[古]別筆で花押を記す。[末]になし。[大]「御半」。

69　しょうしんの御ぼうへ――[古]原表記「しやうしんの御はうへ」　[末]浄信御房　[大]浄信の御房へ

71　そうらえば――[末]原表記「サフラフヘハ」。[大]による。

72　そうらわん――[大]原表記「サフラフハン」。

73　以上本巻。[末]奥書「康永三歳（一三四四）甲申　仲春上旬第一日至二輔時一終、漸写微功訖。隠倫乗専　半白」。「輔時」は晡時（申の刻、午後四時頃、またその前後の二時間）。

74　以下末巻。

75　『大経』（◎54）

76　見敬得大慶　則我善親友――[大]「ミテウヤマヒ　エテオホキニヨロコフハ　スナハチワカヨキシタシキトモナリ」と左訓、「みてうやまい　えておおきによろこぶは　すなわちわがよきしたしきともなり」。

77　晋訳『華厳経』巻六十「入法界品」意（大正9・788b）

78　[大]「いまだ信心さだまらざらんひとは、臨終を期せさせたまうべからずとこそ、おぼえそうらえ」を見せ消ちする。

79　二十六日――[大]二十六

80　随信御房――[大]随信の御房

81　宝号経――この経名は現存諸大蔵経に見えない。『弥陀経義集』（真宗全書58・507）に「宝号王経　非レ行非レ善　但持二仏名一故生二不退位一」とあるのが、この文に近似している。『宝号王経』も見えない。

82　他力と――[大]他力とは

83　専修寺蔵『浄土真宗聞書』（弘安三・一二八〇年写）に第二十二通と同文のものが収められており、この後に「然れば則ち、徳号の慈父、光明の悲母、これを能所の因縁となづく」とある。

84　[末]末尾に「願主釈」とあり、その下二字を抹消。[大]「本云　凡斯御消息者、念仏成仏之咽喉、愚痴愚迷之眼目也。可レ秘可レ秘而已。　于時文安四年（一四四七）丁卯二月晦日奉二書写一訖。右筆蓮如」。

御消息拾遺

各消息集に収録されず、単独に伝えられる御消息を「御消息拾遺」として収録した。底本は校注に示した。

1　[底]専修寺蔵宗祖真蹟

2 **えん仏**――『親鸞聖人門弟交名牒』によれば「真仏――信願――円仏」とある。

3 **しられ申さずして**――無断で、こっそりとの意。

4 **おおせられ候うべく候う**――えん仏ぼうの主人へのとりなしを真仏にたのんでいる。

5 底専修寺蔵宗祖真蹟

6 **かくねんぼう**――底原表記「かくねむはう」。覚念房か。

7 **かくねんぼう**――底原表記「かくねんはう」。専修寺蔵国宝本『正像末和讃』の表紙題号左下に「釈覚然」とある人物か。

8 正元元（一二五九）年と考えられる。

9 底専修寺蔵顕智書写本

10 **とうたる**――底原表記「タウタル」。「たび（給び）たる」の音便形。

11 **にょうぼう**――底原表記「ニヨハウ」、右傍に「女房」と注記。

12 **同六月……註之**――慈信房の注記か。

13 **嘉元……書写了**――顕智の奥書。

14 底西本願寺蔵宗祖真蹟

---

15 **いやおんな**――下人の名か。「いやおんな」に関わる宗祖真蹟の譲状が西本願寺に現存する。「（端書）いや女をあま御前よりゆずりたまうふみなり。

ゆずりわたすいや女事《がこと》。みのかわりをとらせて、しょうあみだ仏がめしつかう女なり。しかるを、しょうあみだ仏、ひんがしの女房にゆずりわたすものなり。さまたげをなすべき人なし。ゆめゆめわずらいあるべからず。のちのためにゆずりぶみをたてまつるなり。あなかしこ、あなかしこ。

寛元元（一二四三）年　癸卯《みずのとう》十二月二十一日（花押）」

16 **もてあつかいて**――もてあましての意。

17 **わ□ごぜん……しんらん**――本文の左端に記すが、便宜上ここに移した。「王（わう）御前」か。王御前は覚信尼の俗名。

18 底西本願寺蔵宗祖真蹟。本文を記す紙の右端に貼り継ぎがあり、文字が記されるが不明。切封を貼り継いだものか。

19 底西本願寺蔵宗祖真蹟

20 **せんしに**――「善、死に」（「善信」の「信」が脱落あるいは省略されたもの）、「詮、死に」（「詮」は、結局のところの意）など諸説がある。

21 かく――このようにと解釈する説あり。

22 そくしょうぼう――即生房か。

23 ひた□の……（花押）――本文の左端に記すが、便宜上ここに移した。

恵信尼消息

恵信尼がその晩年、建長八（一二五六）年から文永五（一二六八）年の間に娘覚信尼に宛てた消息であり、恵信尼の真筆が西本願寺に蔵され、一括して「恵信尼消息」と通称されている。あわせて『仏説無量寿経』巻上（極楽段）の経文を抜粋し、その音読を仮名で記したものも伝えられるが、これについては略した。

底本は仮名の多い文章であるが、読み易さを考慮し、原文の仮名を一部漢字に改め、原文の仮名はその漢字のふりがなとして示した。但し表記は現代仮名遣いとした。ふりがなのない漢字は原文に漢字で記されたものであり、編者のつけたふりがなはない。なお、送り仮名は統一し、濁点・句読点は編者が付した。また、仮名で記された人名（一部漢字で記したものも含む）には傍点を付した。

底本　西本願寺蔵恵信尼真蹟本

1 括弧内、端裏書。侍女に書面をとりついでもらう形式。「わかさ」は覚信尼の侍女の名か。

2 ちくぜん――恵信尼。

3 ままつれ――「継連」で、第二通の「まさ」に当たるか。一説に「はつね」と読む。

4 よに――とりわけ、本当にの意。

5 建長八年――一二五六年。宗祖八十四歳、恵信尼七十五歳、覚信尼三十三歳。

6 恵信尼の花押。（以下同）

7 括弧内、端裏書。

8 王御前――原表記「わうこせん」。覚信尼の俗名。

9・18・30・33 以下本文直前の右端の余白及び行間に記すが、便宜上ここに移す。

10 端裏書に別筆で「恵信御房御筆」とある。覚如筆と考えられている。

11 殿――妻が夫を呼ぶ語。宗祖をさす。

12　**しんがく**――「試楽」のことか。一説に「神楽」・「新楽」ともいう。『口伝鈔』第十二条（◎809）には「試楽」に「しがく」のふりがながある。中世の辞書『運歩色葉集』（元亀二・一五七一年本）には「試楽」に「シンカク」のふりがながある。

13　**立て明かし**――立て置いて火を灯し照明とする「松《たい》明《まつ》」の類。

14　**天性**――全くの意。

15　**も**――「ん」と読み、直前の「と」とあわせて「とん」を「殿」と解釈する説あり。

16　**益方**――益方入道有房。宗祖と恵信尼の子。

17　**小黒の女房**――宗祖と恵信尼の子。

19　端裏書に別筆で「ゑちこの御文にて候」とあり、その下に「此御表書は覚信御房御筆也」とある。また消息の右端に「此一枚は端の御文のうへにまき具せられたり」とある。後の二者は覚如筆と考えられている。

20・55・68　以下本文直前の右端の余白に記すが、便宜上ここに移す。

21　右傍に別筆で「弘長三年（一二六三）癸亥」と注記。覚如筆と考えられている。

22　消息の右端に別筆で「此一紙ははしの御文にそへられたり」とある。覚如筆と考えられている。

23　**今は**――原表記「ま」は「いま」の語頭「い」が脱落した形。『口伝鈔』第十一条（◎808）に、「噫、いまはさてあらん」とある。

24　**字**――原表記「時」。「字」の当て字とする。

25　『往生礼讃』（◇661）

26　**信蓮房**――明信。宗祖と恵信尼の子。第九・十通には「栗沢」とも呼ばれる。

27　**未の年**――承元五（一二一一）年。

28　弘長三年は一二六三年。この一行の後に余白を置いて、別筆で「上人の御事　ゑちこのあまこせんの御しるし文」とあり、その右傍に「この御うはかきはこ上の御て也　徳治二年（一三〇七）丁未　四月十六日　覚如しるす」とある。「こ上」とは覚如の父覚恵のこと。

29・37　括弧内、本文の後、余白を置いて左端に記すが、便宜上ここに移す。

31　**も**――「ん」と読む説あり。

32　右傍に別筆で「文永元年（一二六四）甲子」と注記。

34 以下追伸のつづき。左端の余白に記すが、便宜上ここに移す。「ぜんあく（善悪）」は、いずれにせよ、ともかく、ともあれの意。

35 **七子**――第七通に「七になり候う女童」とあり、七歳の子のこと。

36 日付と花押は「止め候いぬ」の右傍に記される。

38 **とびたのまき**――新潟県上越市など諸説あり。

39 **とけ腹**――胃腸に関わる病気。下痢あるいは吐き気などを伴うものと考えられている。

40 **ち**――血（血縁）か。

41 **愛く**――「かく」あるいは「うへ」と読む説あり。

42・61 **たふし**――本文は原表記のまま。「たうじ（当時）」か。

43 欠損。「事」か。

44 「と」あるいは「さ」と読む説がある。人名か。

45 欠損。第八通の「とう四郎」に当たるか。

46 欠損。「か」か。

47 **田舎**――原表記「ゐ中」。

48 **栗沢**――信蓮房明信。（以下同）

49 **たうし**――本文は原表記のまま。「たうじ（当時）」か。「たゝし（但し）」と読む説あり。

50 欠損。「すく」か。

51 **黄泉小袖**――死者に着せる衣のことか。

52・57 欠損。「く」か。

53 **尼が**――「あまか」を「あまり」と読む説あり。

54 **宰相殿**――原表記「さいしやう殿」。覚信尼と日野広綱の娘と考えられている。第十通には原表記「さいさう殿」とある。

56 括弧内、端裏書。「わかさ殿」に続く端裏書欠失するか。

58 欠損。「こ」か。

59 **たふし**――本文は原表記のまま。「たうじ（当時）」か。「冬至」と解釈する説あり。

60 **すりい**――「すかい」と読む説あり。

62 **みこ**――「巫女」とする説あり。

63 欠損。「な」か。

64 **光寿御前**――原表記「くわうす御せん」。覚信尼と日野広綱の子、覚恵の幼名。

65 **御けん人**――「ごけにん（御家人）」か。第九通に「御家人」とある。

66 のづみ――新潟県上越市板倉区とする説、また同県長岡市寺泊野積とする説あり。

67 せんし――「撰じ」と解釈する説あり。

歎異抄

本書の著者は古くは如信上人・覚如上人などの説があったが、江戸後期の真宗大谷派の学僧である妙音院了祥は河和田の唯円と推定し、今日ではそれが定説となっている。本書には、巻末に流罪記録のある書写本の系統と、それのない書写本の系統とがある。西本願寺蔵の蓮如上人書写本、大谷大学蔵端坊旧蔵永正本、大谷大学蔵慧空書写本などは前者の系統であり、大谷大学蔵端坊旧蔵別本、龍谷大学蔵本などは後者の系統である。

蓮如上人書写本は、表紙に「歎異抄一通　蓮如之」とあり、上人が所持されたものと考えられる。底本とした永正本は、折り目に「永正十六ウノトシ十二月十二日」と記されており、永正十六（一五一九）年の書写と考えられている。

なお、本文について必要な箇所は、以下の諸本により校異を示した。龍谷大学蔵室町末期書写本（龍大本）、円智『歎異抄私記』（寛文二・一六六二年刊『私記』）、元禄四（一六九一）年刊『歎異抄』（「元禄本」）、大谷大学蔵慧空書写本（元禄四・一六九一年以降書写「慧空本」）、『首書歎異抄』（元禄十四・一七〇一年刊『首書』）、真宗法要本（明和二・一七六五年刊）、真宗仮名聖教本（文化八・一八一一年刊）。

底　本　大谷大学蔵端坊旧蔵永正本
対校本　西本願寺蔵蓮如書写本[西]
　　　　大谷大学蔵端坊旧蔵別本[別]

1 **竊かに……為なりと云々**――[底]・[西]・[別]原漢文
2 **先師の**――[西]先師の　[別]先師
3 **有ることを**――[西]有ることを　[別]有らんことを
4 **悟**――[底]・[西]「語」。[別]による。
5 **を**――[西]「を」、[別]になし。
6 **乱ること**――[底]「乱《みだ》ること」。[西]・[別]による。
7 **聖人**――[西]聖人の　[別]聖人
8 **耳の底**――[西]耳の底　[別]耳底
9 **留まる**――[底]・[西]「留《とど》むる」。[別]による。

10 註す―西・別注す
11 同心―西同心　別同心の
12 「二」の右傍の条数、別になし。（以下同）
13 願にて―西願に　別願にて
14 善なき―西善なき　別善なきが
15 悪なきが―西悪なき　別悪なきが
16 おのおの―西おのおのの　別各おのの
17 はんべらんは―西はんべらんは　別はんべらば
18 学生―西学生　別学匠
19 座―別訓「ざ」、真宗法要本「オハ（おわ）」と訓。
20 かぶりて―西かぶりて　別こうむりて
21 はんべるらん―西はんべらん　別はんべるらん
22 聖人―西聖人　別上人
23 もって―西もって　別もちて
24 ざるを―底「ず」。西・別による。
25 浄土の―西になし、別「浄土の」。
26 相論の―西相論の　別相論
27 ひとえに―西になし、別「ひとえに」。
28 なんど―西なんど　別なんどと
29 なきゆえに、無碍の一道―西なきゆえ　別なきゆえに、無碍の一道

---

30 ために―西ために　別ため
31 一定と―西一定　別一定と
32・56 べきなり―西なり　別べきなり
33 よろこばせざる―西よろこばざる　別よろこばせざる
34 かくのごときの―底・西・別・龍大本「かくのごとし」。私記・元禄本・慧空本・首書・真宗法要本・真宗仮名聖教本による。
35 安養の―西安養　別安養の
36 あやしく―西あしく　別あやしく
37・41 義―西義　別儀
38 御在生―底「在生」。西・別による。
39 おなじこころざしにして―西おなじくこころざしをして　別おなじこころざしにして
40 ともがらは―西ともがらは　別ともがら
42 不思議の―西不思議を　別不思議の
43 たもちやすく―底・西・別・龍大本・元禄本・慧空本・真宗法要本・真宗仮名聖教本「やすくたもち」。私記・首書による。

44　**おもうは**――[西]おもうは　[別]おもえば

45　**ついに**――[西]ついに　[別]ついで

46　**聖教**――[西]正教　[別]聖教

47　**もっとも**――[底]・[西]もっとも　[別]もちとも

48　**ゆくじ**――[底]・[西]・[別]「ゆくち」。行く路、筋道の意。

49　**ぞかし**――[底]・[西]・[別]・元禄本・慧空本・真宗仮名聖教本「べきや」、龍大本「べきか」。私記・首書・真宗法要本による。

50　**諍論をくわだてて**――[西]法論をくわだてて　[別]諍論を企《くわだ》て

51　**教法は**――[西]・[別]教法

52　**はなれん**――[西]はなれん　[別]はなれし

53　**ひとか**――[西]ひとか　[別]人

54　『七箇条起請文』（『西方指南抄』所収、定親全5・166、◇4・153）に「諍論之処、諸煩悩起、智者遠離之百由旬也」とある。また、『往生要集』巻中本（◇815）に『大宝積経』巻九十二（大正11・528a）の「戯論諍論処　多起諸煩悩　智者応遠離　当去百由旬」の文が引用される。

55・64・89　**故聖人**――[西]故聖人　[別]故上人

57　**学問**――[西]学問　[別]学文

58　**往生は**――[底]「往生せば」。[西]・[別]による。

59・61　**なんどと**――[西]なんど　[別]なんどと

60　**かいにても**――[西]かいにても　[別]かいにて

62　**と云々**――[西]になし、[別]「と云々」。

63　**おそれざるは**――[西]おそれざるは　[別]おそれざるを

65　**さんぞうろう**――「さ（然）にそうろう」の転。そうです、そのとおりですの意。

66　**ひとを**――[西]ひと　[別]ひとを

67　**おおせにては**――[西]おおせにては　[別]おおせにて

68　**そうらいしは**――[西]そうらいしかば　[別]そうらいしは

69　**つくりて**――[西]つくりて　[別]つくり

70　『御消息集（広本）』第一通意（◎688）

71　**をもし**――[西]をし　[別]をもし

72　**もよおせば**――[西]もよおさば　[別]もよおせば

73　**はりぶみ**――[西]原表記「ワリフミ」、[別]「はりぶみ」。

74　『唯信鈔』意（◎1104）

75　**願に**――[西]願　[別]願に

76　**たまいて**――[西]「たまいき」、「き」の右傍に「て」と注記。[別]「たまいて」。

77　信ぜば――西・別信ぜんは
78　をせめて――西・別「をせめて」、龍大本・真宗法要本「せめて」、私記・慧空本「にせめて」、首書「にせめられて」、元禄本・真宗仮名聖教本「をせしめて」。
79　つみは――西つみをば　別罪をば
80　悪業――西・別罪業
81　もうさず――西もうさず　別せず
82　道なるがゆえ――西通故　別道なるがゆえ
83　衆生――西衆　別衆生
84　『高僧和讃』善導讃（◎600）
85　摂護――西摂護　別照護
86　そうらえば――西そうろうは　別そうらえば
87　ひとたび――西「ひとたび」、別になし。
88　あわれに――底「あわれみ」。西・別による。
90　とげ――西とげ　別とぐべく
91　いき――西ほど　別いき
92・143　そうろうなり――西そうろう　別そうろうなり
93　辺地の――西辺地　別辺地の
94　いずれ――西なに　別いずれ

95　聖教――底・西「正教」。別による。
96　そうろうやらん――西・別そうろうらん
97・102　かた――西かた　別方《ほう》
98　さだめん――西さだめん　別さだむる
99　そうろうや――西そうろうか　別そうろうや
100　報身――西・別・龍大本・私記・首書・真宗法要本「報身」、元禄本・慧空本・真宗仮名聖教本「法身」。
101　『大集経』巻四十三「日蔵分念仏三昧品」意（大正13・285c）
103　ことを――西原表記「コトフ」、別「ことを」。
104・125　いい――西いい　別ゆい
105　右――西右　別右の
106　おこり――西・別ことおこり
107・126　故聖人――西故聖人　別古上人
108・111・113・114・116・118・122・130・135　聖人――西聖人　別上人
109　おおかりける――西おわしける　別おおかりける
110　おなじく――西・別・元禄本・真宗仮名聖教本「おなじく」、龍大本・私記・慧空本・首書・真宗法要本「おなじ」。
112　勢――底・西・別・龍大本・慧空本「誓」。私記・

元禄本・首書・真宗法要本・真宗仮名聖教本による。

115 **智慧**――西智慧　別智恵

117 **御まえ**――西御まえ　別御前《ごぜん》

119 **そうら**――西そうろう　別そうら

120 **枯草**――底・西「カレタルクサ」と左訓。

121 **の**――底・西・別・龍大本・私記・元禄本・首書・真宗法要本・真宗仮名聖教本になし。慧空本による。

123 **さこそ**――西「さこそ」、別になし。

124 **ごとくの**――西ごとくの　別ごときの

127 **みみだらせ**――西みみだらせ　別見みだし

128 **ぬきいで**――西ぬきいで　別ぬきいだし

129 **まいらせて**――西まいらせて　別まいらせ

131 **そくばく**――西それほど　別そくばく

132 『散善義』意（◇534）

133 **よしあし**――西よしあし　別吉悪《よしあし》

134 **ことを**――西ことを　別こと

136 **こころ**――西こころ　別意《こころ》

137 **よき**――西よき　別善《よき》

138 **あしさ**――西「あしき」、「き」の右傍に「さ」と注記。別「悪《あしさ》」。

---

139 **たわこと**――西たわこと　別たわぶれごと

140 **まこと**――西まこと　別実《まこと》

141 **をたたかいかたん**――底「のたたかいかたん」、西「をたたん」。別による。

142 **ことをも**――西ことをも　別ことを

144 **ことば**――西ことば　別言《ことば》

145 **ゆくじも**――西ゆくじも　別ゆくじをも

146 **そうら**――西そうら　別そうろう

147 **そうらいし**――西「そうさいし」、「さ」の右傍に「ら」と注記。別「そうらいし」。

148 **いで**――西いで　別いだし

149 **べからず**――西べからず　別べからずと云々已上

150 底は本文がここで終り、この後一頁が白紙で、頁を改めて「後鳥羽院……」の流罪記録が記される。また、その後に七行分の余白を置き蓮如の奥書が記される。西も「べからず」から三行分の余白の後に一紙（十二行分）を置いて「後鳥羽院……」の流罪記録が記される。また、その後に四行分の余白を置いて蓮如の奥書と花押が記される。慧空本・真宗仮名聖教本にはそれぞれ流罪記録と蓮如の奥書があり、慧空本には「已下一本になし」、真宗仮名聖教本には「一本によりて加う」と注されている。真宗法要本は流罪記録のあとに蓮如の奥書がある。[別]は「べからずと云々已上」、龍大本は「べからず已上」でそれぞれ全巻が終り、「後鳥羽院」以下の流罪記録と蓮如の奥書はない。元禄本・首書は蓮如の奥書のみあり。私記は流罪記録については記されないが、蓮如の奥書について言及する。

151 **後鳥羽院**――[西]後鳥羽院之

152 **番田**――[西]番多

153 **円**――[西]聞

154 **親鸞……給うなり**――[底]・[西]原漢文

155 **奏問**――[西]奏聞

156 **畢**――[西]了

157 **蓮如 御判**――[西]蓮如（花押）

執持鈔

覚如上人が飛驒国願智坊永承の請によって述作されたもの。本書の古写本としては、新潟県上越市浄興寺に伝わる永享二（一四三〇）年の奥書をもつ本と西本願寺蔵蓮如上人書写本が知られている。浄興寺本の奥書は本文とは別筆で同寺周観師が記したものであり、本文はそれ以前の書写である。最古の書写本と見られている。

底本　浄興寺蔵永享二年本

対校本　西本願寺蔵蓮如書写本[西]

1 **本願寺聖人の仰せに云わく**――よみは[西]による。

2 『末燈鈔』第一通参照（◎735）

3 **住する**――[西]住す。正定聚に住する

4 **第十八**――[西]第十八の願

5 『正像末和讃』参照（◎626）

6 **を**――[西]をはなれ浄土のうまれがたきを

7 **に**――[底]になし、[西]により補う。

8 『玄義分』（◇443）

9 **要にたたず**――[底]「悪にたらず」。[西]による。

10 **なく**――[底]「なお」。[西]による。

11 **べからずと**――[底]「べからと」。[西]による。

12 **あり**――[西]なり

13 **土**――[底]「上」。[西]による。

14 御ちかい——[西]ちかい
15 『往生礼讃』（◇651）
16 のべたまえり——[西]のたまえり
17 号——訓は[西]による。
18 教行証——[西]教行信証
19 「行巻」（◎210）
20 日輪は——[西]日輪
21 無明の長夜——[西]無明長夜の
22 『大経』（◎47）
23 寝死——[西]「ネシニ」と左訓、「ねじに」。
24 さだまる——[西]さだまれる
25 『玄義分』（◇457）
26 むすぶ——[西]むくう
27 書——[西]になし。
28 以下[西]になし。

口伝鈔

如信上人の口伝により伝えられた宗祖の法語・言行を、覚如上人が二十一条にまとめたものである。

元弘元（一三三一）年十一月の報恩講の際に覚如上人の口授を弟子乗専が筆記・再写したものが、兵庫県宝塚市毫摂寺（中巻欠）と龍谷大学（勝福寺旧蔵）に所蔵される。また康永三（一三四四）年十月に乗専が筆記したものを覚如上人が推敲加筆した自筆本が龍谷大学に所蔵される。

底　本　龍谷大学蔵覚如自筆本
対校本　毫摂寺蔵乗専書写本[毫]
　　　　龍谷大学蔵（勝福寺旧蔵）乗専書写本[龍]

1 [底]外題・内題なし。題号は[龍]外題・内題による。[底]以下、第一冊、[龍]以下、巻上。
2 禁中——[底]「たいりなり」と左訓、「だいりなり」。
3 時代不審……御宇か——[毫]・[龍]になし。
4 安居院——訓は[底]による（以下同）。
5 直入——[底]「すくにいる」と左訓、「すぐにいる」。
6・9 房——[毫]・[龍]坊
7 重事——[底]「をもきこと」と左訓、「おもきこと」。
8 なり——[毫]・[龍]たり
10 沐浴——[底]「ゆあむること」と左訓。

11・88　**邂逅**――底・毫・龍「たまさか」と左訓。

12　**師孝**――底「しのをしへ」と左訓、「しのおしえ」。

13　**委曲**――底「くわしき也」と左訓。

14　**御帰参**――底「かへりまいりたまふ」と左訓、「かえりまいりたまう」。

15　**唱導**――底「となへみちひく」と左訓、「となえみちびく」。

16　**として**――毫・龍とて

17　**一言**――底「ひとことは」と左訓、「ひとことば」。

18　**分明**――底「わかちあきらかなり」と左訓。

19　**紕繆**――底「あやまり」と左訓。

20　**説法**――毫・龍説法の

21　**往事**――底「むかしのこと」と左訓。

22　**説道**――毫・龍説導

23　**固辞**――龍「カタクイナフ」と左訓、「かたくいなぶ」。

24　**法**――毫になし、龍「法」。

25　**「欲知過去因」の文**――『法苑珠林』巻五十六（大正53・713a）に「貧富貴賤並因往業　得失有無皆由昔行　故経言　欲知過去因　当観現在果　欲知未来果　当観現在因」とあるが、経名は不明。

26　**根芽**――龍「ネ　クキ」と左訓。

27　『観経』（◎115）

28　『往生礼讃』（◇651）

29　**上人**――毫上人　龍聖人

30　**や**――毫・龍になし。

31・38・51　**上人**――毫・龍聖人

32　**たとえ**――『維摩経』「見阿閦仏品」（大正14・555b）、『倶舎論』（大正29・59b, 216b）、『序分義』（◇486）等の喩。

33　**照触**――底「てらしふる、なり」と左訓、「てらしふるるなり」。

34　**雲霧**――龍訓「うんむ」、「クモキリ」と左訓。

35　『往生要集』巻中本（◇809）

36　「正信偈」（◎228）

37　**法譬**――底「みのりとたとへとなり」と左訓、「みのりとたとえとなり」。

39・50　**のたまわく**――毫・龍いわく

40　**深重**――底「ふかいをもし」と左訓、「ふかいおもし」。

41　**摂取**――底「おさめとる」と左訓。

42　**失し**――底「うするなり」と左訓、龍「ウセ」と左訓。

43 底「修」の上欄に「酬」と注記。

44 とはいえ――毫・龍ともいい、善もほしからずとはいえ

45・245 『玄義分』（◇443）

46 の説のごとし――毫・龍にとくがごとし

47 善悪凡夫……うるは――毫・龍善悪の凡夫生ずることをうるものは

48 のりて、増上縁とせざるはなし」となり――毫・龍乗ぜずということなし。増上縁とすといえり

49 得否――底「うるやいなや」と左訓。

52 准知――底「なすらへしる」と左訓、「なずらえしる」。

53 修し――毫・龍になし。

54 進道――底「ふちたうにす丶むこ□也」と左訓、「ぶつどうにすすむこ□也」。

55・60 資糧――底「たすくるかて」と左訓。

56 ゆえ――毫・龍そのゆえ

57 六賊――底「六こんをぬすひとにたとふ」と左訓、「六こんをぬすびとにたとう」。

58 知聞――底「しりし　きく」と左訓。

59 侵奪――底「をかしうはふ」、龍「ヲカシウハフ」と左訓、「おかしうばう」。

61 正因――底「まさしきたね」と左訓。

62 坊――毫・龍房

63 御前――底「おむまへ」と左訓、「おんまえ」。

64 突鼻――底「はなつく」と左訓。「突鼻」、「はなつく（鼻突）」は、いずれもおとがめをうけること。

65 本国――底「もとのくに」と左訓。

66 下向――底「くたりむかふ」と左訓、「くだりむかう」。

67 下国――底「くにへくたる」と左訓、「くにへくだる」。

68 本尊――毫・龍本尊聖教

69 と――毫「と」、龍になし。

70 仰崇――底「あふきあかむ」と左訓、「あおぎあがむ」。

71 みなともに――毫みなともに　龍ともにもって

72 国中――底「くにのうち」と左訓。

73 繁昌――底「しけくさかむなり」と左訓、「しげくさかんなり」。

74 山野――底「やま　の」と左訓。

75 いる――毫いたる　龍いる

76 うたがいをいだく。その――毫・龍になし。

77 虚妄――毫虚妄　龍虚忘

78 父、修理亮時氏――毫父、修理亮時氏世をとりて

龍祖父、武蔵守泰時世をとりて

79・81 実名を知らず――毫・龍になし。

80 屋戸や――毫・龍宿屋《やどや》

82 もし――毫・龍になし。

83 比か――毫・龍ころなり

84 種々――底「さま〳〵」と左訓、「さまざま」。

85 珍物――底「めつらしきもの」と左訓、「めずらしきもの」。

86 諸――底「もろ〳〵の」と左訓、「もろもろの」。

87 魚鳥――底「いを　とり」と左訓、「いお　とり」。

89 偽言――底「いつはりいふ」と左訓、「いつわりいう」。

90 幼――底「幼」の字を用いる語に「幼稚《いふち》（ゆうち）」「幼少《いうせう》（ゆうしょう）」「幼童《いうとう》（ゆうどう）」とそれぞれ訓を付すが、本文には毫・龍の訓「えう（よう）」のよみを示した。

91 生命――底「いけるものゝいのち」と左訓、「いけるもののいのち」。

92 貪――底「むさほる」と左訓、「むさぼる」。

93 今の時――毫・龍今時《こんじ》

94 かれ――毫・龍これ

95 康永……――毫になし、龍「毫（花押）願主釈円性」。

96 底以下、第二冊。毫この第九条から第十五条末までを欠く。龍以下、巻中。

97・99・108 房――龍坊

98 御参――底「おむまいり」と左訓、「おんまいり」。

100 かの御坊――龍「「かの御坊」より乃至「そのとき」まで覚如上人御筆」と記した貼紙あり。（◎805・5行）

101 そのことに――龍そのことにて

102 求法――龍「ホウヲモトメン」と左訓。

103 隔心――龍「ヘタツルコヽロ」と左訓、「へだつるこころ」。

104 と――龍とて

105 再三――底「ふたゝひみたひ」と左訓、「ふたたびみたび」。

106 かくる――龍かく

107 求法――底「ふちほふをもとむるなり」と左訓、「ぶっぽうをもとむるなり」。

109 空聖人――龍空聖人、はたと

110 言説なし――底「ものおほせられぬ」と左訓、「も

のおおせられぬ」。

111・113・115・118　坊——[龍]房

112　停滞——[底]「と、こほり　と、こほる」と左訓、「とどこおり　とどこおる」。

114　御問答——[龍]御問

116・160・161　法文——[龍]法門

117　やき——[龍]やり

119　上人——[龍]聖人

120　『往生礼讃』（◇683）

121　いわく——[龍]のたまわく

122　『大乗同性経』意（大正16・651c）

123　文——[龍]訓「といえり」

124　この——[龍]になし。

125　浅近——[底]「あさくちかし」と左訓。

126　そのゆえは——[龍]になし。

127　世界——[龍]「「世界」より乃至「略せら」まで覚如上人御筆」と記した貼紙あり。（◎808・4行）

128　近——[龍]「チカキ」と左訓。

129　に——[龍]になし。

130　『倶舎論』巻十一「分別世品」（大正29・57a）『倶舎論本頌』「分別世界品」（大正29・314c）

131　『浄土論』（◎145）

132　論文——[龍]文

133　御起居——[底]「おきゐまします」と左訓、「おきいまします」。

134　御平復——[底]「よき御こと」と左訓。

135　御寝——[底]「おむとのこもる」と左訓、「おんとのごもる」。「とのごもる」は、お休みになるの意。

136・260　『往生礼讃』（◇661）

137・141　夢——[底]「ゆめ」と左訓。

138　掲焉——[底]「いちしるし」と左訓、「いちじるし」。

139　なり——[龍]になし。

140　いう——[龍]もうす

142・143・146　形体——[底]「かたちすかた」と左訓、「かたちすがた」。

144　尊形——[底]「たうときかたち」と左訓、「とうときかたち」。

145　智恵を……観世音菩薩——[龍]になし。

147　御帰京——[底]「みやこへかへらせたまふ也」と左訓、「みやこへかえらせたまう也」。

148 **頼政卿**――龍頼政卿の

149 **孫**――底「まこ」と左訓、「まご」。

150 **告命**――底「つくるみこと」と左訓、「つぐるみこと」。

151・179 **文**――龍になし。

152 **妙なる教、流通**――龍「妙教《みょうきょう》流通《るずう》」。底「流通」に「ひろむる也」と左訓。

153 **来生**――底「きたりむまる」と左訓、「きたりうまる」。

154 **決定**――底「さためてといふ」と左訓、「さだめてという」。

155 **上無き覚**――龍無上覚

156 **えしめ**――底「えししめ」。龍による。

157 **恭敬**――底「つゝしみうやまふ」と左訓、「つつしみうやまう」。

158 **来現**――底「きたりあらわる」と左訓。

159 **親鸞**――龍親鸞御仮名善信

162 **の**――龍になし。

163・164 **のたまわく**――龍いわく

165・166 『法事讃』（◇587）

167 **厚薄**――底「あつくうすし」と左訓。

168 **至心信楽**――龍至心信楽欲生

169・258 『大経』（◎47）

170 底以下、第三冊。

171 **古来**――底「ふるくよりこのかた」と左訓。

172 『止観輔行』巻二之一（大正46・182c）

173 覚運『念仏宝号』意（大日本仏教全書24・342）

174 **宗師 異朝の**――龍異朝の宗師

175 『法事讃』（◇561）底・龍原漢文

176 **初際**――龍初最

177 『散善義』意（◇560）

178 唐訳『大乗入楞伽経』巻六「偈頌品」（大正16・627b）

180 『般舟三昧経』「行品」・「勧助品」意（大正13・899a, 901c)

181 **掲焉し**――龍「掲焉《けちえん》なり」。「掲焉」に「イチシルシ」と左訓、「いちじるし」。

182 **浅近**――底「あさくちかし」と左訓。

183 **機法**――龍機

184 『阿弥陀経』（◎139）

185 『法事讃』（◇605）

186 **ときかせ**――底・龍「ときかせ」。真宗仮名聖教本による。

187 **発現**――底「おこりあらはる」と左訓、「おこりあらわる」。
188 **没**――底「かくる」と左訓。
189 **太都**――龍大都
190 龍「毫（花押）」の奥書あり。
191 龍以下、巻下。
192 **太郎入道と号す**――毫・龍になし。
193 **獲麟**――臨終のこと。
194 **呼吸**――底・龍「つくいき　ひくいき」と左訓。
195 **一瞬**――底「ひとましろき」と左訓、「ひとまじろき」。
196 **上人**――毫・龍聖人　親鸞
197 **年来**――底「としころ」と左訓、「としごろ」。
198 **提撕**――教え導くこと。
199 **落涙**――底「なみたをおとす」と左訓、「なみだをおとす」。
200 **刀剣**――底「かたな　つるき」と左訓、「かたな　つるぎ」。
201 **のごとく**――龍「「のごとく」より乃至「そのうえまで覚如上人御筆」と記した貼紙あり。（◎816・10行）
202 **怨敵**――龍「アタ　カタキ」と左訓。

203 **怨結**――底「あたをむすふ」と左訓、「あたをむすぶ」。龍「アタヲムスフコ、ロ」と左訓、「あたをむすぶこころ」。
204 **仮令**――龍「タトヒ」と左訓、「たとい」。
205・239 **違**――底「たかふ」と左訓、「たがう」。
206 **障**――龍「サハリ」と左訓、「さわり」。
207 **うえは**――毫・龍うえ
208 **浄土文類**――毫・龍浄土文類聚鈔
209 「正信偈」（◎229）
210 **称**――底「となふ」と左訓、「となう」。
211 **時分**――底「ときなり」と左訓。
212 **往益**――底「わうしやうなり」と左訓、「おうじょうなり」。
213 **御感涙**――底「うれしさになみたをなかします」と左訓、「うれしさになみだをながします」。
214 **毎事**――底「ことこと」と左訓、「ことごと」。
215 **旧里**――底「ふるさと」と左訓。
216 **の**――毫・龍になし。
217 **ただあり**――「ただあり（徒有、只有、唯有、直あり）」は、そのまま、繕わず飾らずありのままの意。

218 想――毫・龍相

219 堕――底「おつといふ」と左訓、「おつという」。

220 他力――毫・龍他力の

221 絶離――底「たちはなる」と左訓。

222 出離――底「いてはなる」と左訓、「いではなる」。

223 摂持――底「おさめたもつ」と左訓。

224 愛別離苦――底「わかれはなる、くるしみ」と左訓、「わかれはなるるくるしみ」。

225 あとまくら――足もとや枕もとの意。

226 悲歎嗚咽――底「かなしみなけき　なきむせふ」と左訓、「かなしみなげき　なきむせぶ」。

227 群集――底「むらかりあつまる」と左訓、「むらがりあつまる」。

228 教誘――底「をしへこしらふ」と左訓、「おしえこしらう」。

229 すみはつ――住み続けるの意。

230・235 悲歎――底「かなしみなけく」と左訓、「かなしみなげく」。

231・233 『定善義』（◇504）

232 愁歎――龍愁嘆

234 闇冥――底「やみにまとひたる也」と左訓、「やみにまどいたる也」。

236 摂取――底「おさめとりたまふ」と左訓、「おさめとりたまう」。

237 忘憂――底「うれへをわする」と左訓、「うれえをわする」。龍「ウレヘヲワスルトイフ」と左訓、「うれえをわするという」。

238 釈尊出世――毫釈尊出世　龍釈尊

240・257 乗――底「のる」と左訓。

241 虚設――底「むなしくまうく」と左訓、「むなしくもうく」。

242 願力――毫・龍力願

243 加――底「くわわる」と左訓。

244 十方――毫・龍十方衆生

246 小罪――底「ちいさきつみ」と左訓。

247 とて……おおせ――毫「とて……おおせ」、龍になし。

248 小罪――底「ちゐさきつみ」と左訓、「ちいさきつみ」。

249 ざるなり――毫ず　龍ざるなり

250 落居――底「おち　ゐる」と左訓、「おち　いる」。

251 思択――底「おもひえらへ」と左訓、「おもいえらべ」。

252 **改悔**――底「あらためくゆ」と左訓。

253 『法事讃』（◇567）底「謗法闡提回心皆往」に「ほふをそしるふちのたねをやくものも　そのこゝろをひるかへしてほんくわむをたのめは　みなわうしやうするなり」と左訓、「ほうをそしるぶつのたねをやくものも　そのこころをひるがえしてほんがんをたのめば　みなおうじょうするなり」。

254 『法事讃』意（◇604）『往生礼讃』意（◇651, 683）

255 **違**――底「たかふなり」と左訓、「たがうなり」。

256 **迅速**――底「とくすみやかなり」と左訓。

259 『大経』（◎92）

261 『大経』（◎19）

262 **係求**――底「こゝろにかけもとむ」と左訓、「こころにかけもとむ」。

263 **違**――底「たかふ也」と左訓、「たがう也」。

264 **あまたの**――毫「あまたの」、龍になし。

265 『定善義』（◇522）

266 **なけれ**――毫なかれ　龍なけれ

267 **迷心**――底「まとへるこゝろ」と左訓、「まどえるこころ」。

268 **紀典**――範となる書物をいう。

269 『白氏文集』巻三十八（四庫全書本）に「千里始足下高山起微塵」とある。

270 **極促**――底「きわまりつゝむるなり」と左訓、「きわまりつづむるなり」。

271 **元弘**――毫・龍本云、元弘

272 **祖師聖人**――龍「祖師聖人」已下覚如上人御筆」と記した貼紙あり。

273 **故**――毫是併　龍故

274 **先年……**――毫・龍以下なし。毫次の奥書あり。「康永二歳（一三四三）癸未 四月比、願主釈性覚、可㆔写㆓与此書㆒之由懇望之間、致㆓漸写㆒之処、同六月八日、性覚入滅之由依㆓告来㆒、隔生別離之悲涙雖㆓迫押㆒、為㆑達㆓彼素意㆒、終㆓書写微功㆒訖而已　執筆釈乗専七々載」。龍「毫（花押）」の奥書あり。

改　邪　鈔

覚如上人が当時教団内外にあった異義を批判した書。

本書には現存最古の書写本として新潟県上越市浄興寺に永享二（一四三〇）年の書写本が伝わっている。その奥

書によれば、貞和元（一三四五）年十一月従覚上人が書写した本を永享二年九月に転写したものである。

底　本　浄興寺蔵書写本
対校本　西本願寺蔵伝蓮如書写本[西]

1・88・97　の――[底]になし。[西]による。
2　に――[底]欠損、[西]により補う。
3　『選択集』参照（◇933）
4　大小乗――[西]大小乗の
5　かつは師資の礼をしらしめ――[西]になし。
6・10・55・80・119　『大経』（◎47）
7　依憑――[西]「ヨリタノム」と左訓。
8　しるして、もって――[西]しるすをもって
9　いうことをば――[西]いうことは
11　ありて――[底]「ありき」。[西]による。
12　殆――訓は[西]による。
13　おもい――[底]「おもう」。[西]による。
14・96・106　の――[西]になし。
15・19　うえは――[西]うえに
16　禁制――[西]禁製
17　謬説――[西]「アヤマリヲトク」と左訓。
18・70・102　を――[西]になし。
20　憶念――[西]億念
21　彫刻――[西]「ホリキサミ」と左訓、「ほりきざみ」。
22　画図――[西]「カキウツス」と左訓。
23　面々各々に――[西]面々各々
24・59　『浄土論』（◎145）
25　おいて――[西]おいては
26　『末法燈明記』参照（「化身土巻」所引◎424）
27　『往生拾因』参照（大正84・93a）
28　牛盗――[西]「牛盗人」。訓は[西]による。
29　聖人――[西]になし。
30　いわれなき――[西]いわなき
31　『散善義』参照（◇558）
32　上上人なり――[西]上人なり上上人なり
33　さらに――[西]さらば
34　誡証――真宗仮名聖教本「証誡」
35　矜哀――[底]「オホイナルアハレミ」と左訓、「おおいなるあわれみ」。[西]「オホキナルアハレミ」と左

訓、「おおきなるあわれみ」。

36 **鉾楯**――西「ホコタテ」と左訓。

37 **なり**――西あり

38 **すぐさぬ**――真宗法要本「すぐさめ」

39 **新義**――西新儀

40 **嫌別**――底左傍に「簡《カン》歎」と注記。西「簡別」。

41 『七箇条起請文』（『西方指南抄』所収、定親全5・166 ◇4・153）

42 **ともなう**――西ともなえ

43 **むつばるる**――西むつびらるる

44 **かつて**――西になし。

45 **人屋に**――西人屋

46・127 **厳重**――訓は西による。

47・114 『玄義分』「勧衆偈」（◎157）

48 **こえたるをや。その形体に**――西になし。

49 **はいみじく、俗の二種**――西になし。

50 **位に**――西くらい

51 **本形**――底「本経」、「経」の右傍の「形」の注記による。西「本経」。

52 **ものを**――底「ものをや」。西による。

---

53 『往生礼讃』参照（◇648）

54 **よし**――西よしを

56 **いい**――底「いい」の右傍に「謂イハレ」と注記。

57 **決判**――西「サタムル」と左訓、「さだむる」。

58 「真仏土巻」参照（◎345）

60 **一道場……停止すべし**――底別の一段とする。西による。

61 『浄土論註』（◇325）

62 **嫌別**――西簡別

63 **もとい**――西もちい

64 **前相**――西先相

65 真宗仮名聖教本は、これ以前を「改邪鈔 本」とし、次段以下を「改邪鈔 末」とする。

66 **しかるに**――西になし。

67 **に**――西には

68 『七箇条起請文』参照（『西方指南抄』所収、定親全5・167 ◇4・154）

69 **ことわり**――西ことば

71 **一念多念**――西一念多念の

72 **ころ**――底「こころ」。西による。

73・75・76・77 **御沙汰**――訓は[西]による。
74 **多念**――[底]「他念」。[西]による。
78 **田舎**――訓は[西]による。
79 **かたの**――[西]かくの
81 『散善義』意（◇534）
82 『阿弥陀経』（◎139）
83 **風聞の……ついて**――[底]になし。[西]による。
84 **とも**――[底]になし。[西]による。
85 『発菩提心論』（大正32・574c）
86 **を**――[底]「に」。[西]による。
87 『観経』（◎102）
89 **この**――[西]かの
90 『華厳経』「十地品」参照（大正9・549a　10・185c）
91 **他力**――[西]他力の
92 『浄土論註』所引の『易行品』取意（◇279）
93 **難行道**――[西]難行
94 『選択集』（◇932）
95 **教門**――[底]「教文門」の「文」を見せ消ちして「門」とし、「教門門」とする。[西]による。
98 **短慮**――[底]「短虚」。[西]による。

---

99 「化身土巻」（◎386, 403）
100 **に**――[底]になし。[西]による。
101 **指説**――[西]施設
103 **髣髴**――訓は[底]・[西]による。「ほうふつ」に同じ。
104 **あらわし**――[底]「あわし」。[西]による。
105 **ほかに**――[西]ほかは
107 **まします**――[西]ましなす
108 **行**――[西]行者
109 「行巻」（◎195）
110 **謂**――[底]「言」の左傍に「謂」と注記。[底]の注記と[西]による。
111 『序分義』（◇466）
112 **清心**――[西]「□ヨキコ、ロ」と左訓、「きよきこころ」か。
113 『大経』（◎29）
115・116 「正信偈」（◎228）
117 「行巻」（◎210）に「曇鸞大師は「入正定聚之数」と云えり」とある。『浄土論註』には「入大乗正定之聚」（◇279, 309, 338）とある。
118 **とも**――[西]とも、住不退転とも

120 『玄義分』「勧衆偈」意（◎157）
121 の高祖――[西]になし。
122 教行証――[西]教行信証
123 しからば――[西]しかれば
124 自由妄説――[西]自由の妄説
125 『往生礼讃』（◇660）。もとは『大経』（◎53）の語である。
126 蔑如――[西]原表記「夢如《ヘチシヨ》」
128 右此――[西]本云、右此
129 鎮――[西]鎮所
130 悟――[底]「語」。[西]による。
131 万――[西]になし。
132 殆――[西]になし。
133 本云――[西]以下なし。

浄土真要鈔

存覚上人が門侶の請によって書き与えられた書。本書には、経典の漢文の引用文をもつ系統の本とそれを欠く系統の本とがある。西本願寺蔵の永享十（一四三八）年蓮如上人書写本は前者である。真宗仮名聖教本なども前者である。大谷大学蔵建武五（一三三八）年書写本（浅野長量氏旧蔵）は後者である。

底　本　西本願寺蔵永享十年蓮如書写本
対校本　大谷大学蔵建武五年書写本[大]

1 本――[大]になし。
2・46・58・97・119・264・299 の――[大]になし。
3 とくなかに――[大]とくに
4 『大経』意（◎19）
5 『大経』意（◎47, 48, 49）
6・99・154 に――[大]になし。
7 まかせ――[大]まかせて
8 「速欲……この文のこころは――[大]になし。
『選択集』（◇990）
9 浄土門にいらんとおもわば――[大]になし。
10 称するなり。みなを称すれば――[大]称す。名《な》を称するに
11 なり――[大]云えり
12 祖師――[大]高祖

13 真仮――[底]「マコトナル　カリナル」と左訓。

14 邪正――[底]「ヒカメル　タ、シキ」と左訓、「ひがめる　ただしき」。

15 正意――[大]「マサシキコ、ロ」と左訓、「まさしきこころ」。

16 の往生――[大]になし。

17・106・156・246 聖人――[大]上人

18 一義――[大]一流

19 つとむる――[大]すすむる

20・140・238・300 は――[大]になし。

21 本願――[大]本願の行

22 一心――[大]一向

23 流――[大]法

24 宿因――[底]「ムカシノタネ」と左訓。

25 『般舟讃』（◇701）

26 浄土――[大]浄土に

27 五会法事讃――[大]五会讃

28 『五会法事讃』（大正47・481a）

29 回――[大]円

30 この文のこころ――[大]心

---

31 めぐりて――[大]めぐりてより

32 うけき――[大]うけて

33 いれしむ――[大]いる

34・187 『往生礼讃』（◇661）

35 といえり。こころは――[大]文のこころは

36 この法を――[大]になし。

37 をして――[大]をおしえて

38 さらに――[大]「さらに」の左傍に「また」と注記。

39 弥陀の――[大]になし。

40 衆生を――[大]になし。

41・250・285 これ――[大]になし。

42 つとめなり」というなり――[大]になるなり

43 義――[大]議

44 いまわが流に――[大]いまは当流に

45・93 『大経』（◎47）

47・54 「正信偈」（◎228）

48 信心――[大]信心の

49 竪に……断ぜずといえども――[大]「横に貪・瞋・慢・痴の煩悩を断じ」。「横」に「ヨコサマ」と左訓。

50 横に――[大]「頓に」。「頓」に「タ、チ」と左訓、

51　すてず、なお果縛の――[大]すてずして、なお具縛の「ただち」。
52　みるなり――[大]み奉るなり
53　往生――[大]になし。
55　瞋憎――[底]「嗔増」。[大]による。
56　摂取の――[大]になし。
57　天を――[大]天に
59　ぞとなり――[大]なりと
60　いる――[大]いたる
61　『末燈鈔』第一通参照（◎735）
62　信ず――[大]信ずべし
63　まつまじき――[大]またぬ
64　文義――[大]義
65　とらん――[大]決定せん
66　おもむき――[大]文
67　一遍――[大]一偏
68　ただ――[大]ただし
69　いえ――[大]聖人の御流
70　そねむ――[大]嫉《ねた》む
71　たまいし――[大]給いて

72　ゆるされ――[大]御ゆるされ
73　うつしたまわらしむ――[大]写し奉り給う
74・286　その――[大]になし。
75　たまわり――[大]給わりて
76　ひろまれる――[大]ひろまる
77　田舎・辺鄙――[底]「井ナカ　カタホトリノイヤシキヒト」と左訓、「いなか　かたほとりのいやしきひと」。
78　化導――[大]化道
79　仏意にそむくべからず。ながれをくむやから――[大]仏智の本懐これなり。しかればすなわちこの流《ながれ》を汲むやから
80　そのあやまりをのがれがたきか――[大]さだめてあやまるところあらんか
81　なかにおいて――[大]中にて
82　べきにあらず――[大]べからず
83　ときて――[大]たてて
84　念仏往生――[大]往生
85　儀――[大]義
86・288　第――[大]になし。
87・199・315・316　『大経』（◎19）

88 といえり。この願――[大]文
89 うまれずは――[大]うまれずといわば
90 しかれば――[大]而《しか》るに
91 すでに――[大]すでにこれ
92 義あり――[大]「義なり」。「義」の左傍に「機歟」と
注記。
94 といえり。この――[大]になし。
95 歓喜し――[大]歓喜して
96 たまえり――[大]たてまつり
98 ききえて――[大]ききて
100 たまえりし――[大]給える
101 なり」となり――[大]なり」
102 顕――[底]「ウヘニアラハシテハ」と左訓、「うえに
あらわしては」。
103 隠――[底]「シタニカクシテハ」と左訓。
104 する――[大]する時
105 念――[大]になし。
107・192 「信巻」参照（◎271）
108 已来――[大]よりこのかた
109 輪転――[大]輪回

---

110 なり。……日をへだてず――[大]云うなり。時をへだ
て日をへだて
111 『散善義』（◇541）
112 弥陀如来――[大]かの弥陀如来
113 「衆生……これなり。こころは――[大]「衆生の
『散善義』（◇540）
114 となり――[大]といえる、これなり
115 水火――[底]「ミツ　ヒ」と左訓、「みず　ひ」。
116 不清浄――[底]「不清清」。[大]による。
117 あるときは行者の信心といわれ――[大]になし。
118 したがいて――[大]しかれば
120 『大経』（◎29）
121 如来――[大]如来の
122 むかし――[大]ちかい
123 功徳――[大]功徳を
124 われも――[大]われらも
125 とらん――[大]ならん
126 往生す――[大]生ず
127 『観経』（◎115）
128・141・144 『阿弥陀経』（◎143）

129 **光明のなかに念仏の**――[大]になし。
130 **さだまる**――[大]さだまる位
131 [大]以下尾題・奥書なし。
132 **浄土真要鈔末**――[大]末
133 **ことば**――[大]こころ
134 **かなうということ**――[大]叶う事
135 **あたれる**――[大]あたる
136 **往生礼讃**――[底]・[大]「法事讃」。真宗仮名聖教本の校注による。
137 『往生礼讃』（◇676）
138 **の光益**――[大]になし。
139 **まさしく**――[大]正《まさ》しくは
142 **不退転於**――[大]になし。
143 **あきらか**――[大]分明
145 **こころ**――[大]文のこころ
146・148 **を**――[大]になし。
147 **なり**――[大]云えり
149 **ひとつ**――[大]「一」に「モハラ」と左訓、「もっぱら」。
150 **心**――[大]信心
151 **やがて往生をうというなり**――[大]この心なり

---

152 **遮せんとにはあらず**――[底]「サヘキラントニハアラストイフ」と左訓、「さえぎらんとにはあらずという」。[大]「遮せんにはあらず」。
153・307 **も**――[大]になし。
155 **証得**――[大]即得
157 **処々**――[大]所々
158 **いわく**――[大]になし。
159 「正信偈」（◎229）
160 **身**――[底]「み」、右傍の「身」の注記による。
161 **しかしながら**――ことごとくの意。
162 「行巻」（◎209）
163 **十方群生海**――[大]以下、「おもうべし」（◎863・15行）までなし。
164 『易行品』（◇260）
165 『浄土論註』（◇279）
166 「信巻」（◎285）
167 **愛**――[底]「受《あい》」。「信巻」による。
168 **太山**――訓は[底]による。
169 「証巻」（◎319）
170 **つくることを**――[大]になし。

171 **平生の念仏、そのちからむなしからずして**――大その一念歓喜の

172 **いかんが**――底「いかん」。大による。

173 **因願のなか**――大因位の願

174 『序分義』参照（◇489）

175 **根機**――大機根

176 **いえり……根機に応ず」となり**――大になし。

177 **顕開**――底「アラハシヒラキテ」と左訓、「あらわしひらきて」。

178 **となり**――大なり

179 **しな**――大「品」に「ホム」と左訓、「ほん」。

180 **悪人はこれを……易行をあらわすなり**――大その悪人は十悪・五逆・謗法・邪見等のともがらなり。その機のために十念の往生を仏自ら開き給えり。これ仏力所成の他力なり

181 **問うていわく**――大以下、「まかすべきなり」（◎867・12行）までなし。

182 『法事讃』（◇604）

183・232 『往生礼讃』（◇683）

184 『大経』（◎49）

---

185 『大経』（◎92）

186 『往生礼讃』（◇649）

188 『選択集』（◇947）

189 『安楽集』（◇401）「行巻」（◎213）

190 **かずまくのみ**――「行巻」（◎213）には「数の名ならくのみ」とある。

191 「行巻」（◎211）

193 **歴然**――底「アキラカナリ」と左訓。

194 **したがいて**――大これによって

195 **益**――大役

196 **あらざるをや**――大非ざるなり

197 **それ**――大その

198 **あきらめて**――大明らめ

200 **といえり。この願の**――大文の

201 **おこし**――大おこして

202 **囲繞**――底「カクミメクリテ」と左訓、「かくみめぐりて」。

203 **は**――大といわば

204 **修諸功徳**――底「モロ〱ノクトクヲシユシテトイフ」と左訓、「もろもろのくどくをしゅしてという」。

205 現其人前——底「ソノヒトノマヘニ　ケンセントイフ」と左訓、「そのひとのまえに　げんぜんという」。
206 願の益——大願なり
207 願の益——大願
208 浅機——底「アサキ　キ」と左訓。
209 引せんがための——大引する
210 深理——底「フカキコトハリ」と左訓、「ふかきことわり」。
211 『序分義』（◇489）
212 里——底「理」。大による。
213 まどい——大迷《まよい》
214 へだてなるべし——大が如し
215 義——大義も
216 十八・十九の両願をもって、得生と来迎とに——大になし。
217 これを——大になし。
218 いかが——大いかんが
219・266 実には——大まことには
220 ごとく——大如し
221 みち——大益

---

222 らるるに、まったく——大られたり。これらの釈に
223・244 十八——大第十八
224 『玄義分』（◇443）
225 為増上縁」といえり——大為増上縁也《や》」と
226 せずということ——大せざるは
227 となり——大になし。
228 『玄義分』（◇457）
229 願生我国——大になし。
230 十念——大十声
231 といえり……不取正覚——大こころは、もしわれ仏をえたらんに、十方の衆生わが名号を称して、しも十声にいたるまで、もしうまれずは、正覚を取らじ
233 『観念法門』（◇635）
234 といえり——大もしわれ成仏せんに、十方の衆生、わが国に生ぜんと願じて、わが名字を称すること、しも十声にいたらん、わが願力に乗じて、もしうまれずは、正覚をとらじとなり
235 文のこころは……正覚をとらじ——大になし。
236 称我名号——底「ワカミヤウカウヲトナヘン」と左訓、「わがみょうごうをとなえん」。

237 **乗我願力**――[底]「ワカクワンリキニシヨウシテ」と左訓、「わががんりきにじょうじて」。
239 **本経**――[大]大経
240 **益も、もし**――[大]益もなし
241 **引文**――[大]別文
242 **いうとも**――[大]いえども
243 **十八の願の益**――[大]第十八の願益
245 **うと**――[大]うると
247 **うると**――[大]うと
248 **いうは**――[大]いわば
249 **不捨**――[大]になし。
251 **行人**――[大]行
252 「文類偈」（◎488）
253・309 **といえり**――[大]になし。
254 **光耀**――[大]ひかり
255 **業用**――[大]業因
256 **一生**――[大]一身
257 『玄義分』意（◇443）
258 **証す」と**――[大]証」と
259 **たまえるなり**――[大]給えり

---

260 **生即無生**――[底]「シヤウ　スナハチムシヤウナリ」と左訓、「しょう　すなわちむしょうなり」。
261 **実には**――[大]これ真実の
262 **不生不滅**――[底]「シヤウセス　メチセス」と左訓、「しょうぜず　めっせず」。
263 **はげめと**――[大]はげむ
265 **生滅・去来**――[底]「シヤウスル　メチスル　サルトキタルト」と左訓、「しょうずる　めっする　さると　きたると」。
267 **善導和尚**――[大]和尚
268 **みえたる釈**――[大]云う御《ご》釈
269 『法事讃』（◇594）
270 **といえり**――[大]文の
271 **なく**――[大]なし
272・274 **この**――[大]になし。
273 **おこし**――[大]ほどこし
275 『大経』参照（◎19）
276 **生因**――[大]正因
277 **とぐるも**――[大]遂ぐるは
278 **聖衆**――[大]「正受」の左傍に「聖衆歟」と注記。

279 なお——大になし。
280 たのまずとも——大たのまざれども
281 往生——大業
282 うべきぞや——大うべきや
283 『大経』参照（◎87, 88）
284 もの——大になし。
287 すなわち——大になし。
289 をえて——大にあずかりて
290 「化土」——大しかるに「化土」
291 『大経』（◎87）
292・298 いえり——大文の
293 極楽の——大になし。
294 のあいだ——大になし。
295 なり——大となり
296 とく——大云う
297 『大経』（◎88）
301 ごとく——大如くに
302 具足し——大具足
303 いま——大になし。
304 別に——大別々に

305・308 『略論安楽浄土義』（◇370）
306 曰——大白
310 また——大になし。
311 いえる——大云う
312 あいだ——大あいだに
313 まつらず——底「まつらず」。大による。
314 歴事——大歴事供養
317 とげん——大えん
318 もろもろの——大になし。
319 一向——大一行《ぎょう》
320 とける——大つとむるが
321 大はここで全巻終り、次の奥書がある。
「元亨《げんこう》四歳《さい》甲子　正月六日これを書《か》き記《しる》して、釈《しゃく》の仏弟等《ぶっていら》に授与《じゅよ》せしむるところなり。抑《そもそ》も此《こ》の文《もん》をしるすおこりは、ひごろ『浄土文類集《じょうどもんるいしゅう》』と云《い》う書《しょ》まします。これ当流《とうりゅう》の先達《せんだち》の御製作《ごせいさく》なり。平生業《へいぜいごう》成《じょう》の義《ぎ》・不来迎《ふらいこう》の義《ぎ》、粗《ほぼ》かの書《しょ》にみえたり。しかるに、その理《り》、深遠《じんのん》にして浅智《せんち》のともがら心をえがたきあいだ、なお要文《ようもん》をそなえ、かさねて料簡《りょうけん》をくわえてしるしあたう。浅才《せんさい》の身《み》しきりに固辞《こじ》をいたすと云《い》えども、連々懇望《れんれんこんぼう》のむね、もだしがたきによって、いささか領解《りょうげ》する趣《おもむき》をしるしおわんぬ。かの書《しょ》を本体《ほんたい》として、和言《わごん》をくわえたてまつる。又名《な》をあらたむるゆえは、聖人《しょうにん》の御作《ごさく》のなかに『浄土文類集《もんるいしゅう》』と云《い》える書《しょ》あり。その題目《だいもく》あいまがいぬべし。これさだめて作者《さくしゃ》の題《だい》する名《な》にあらじ。他《た》人《にん》、のちにこれを案《あん》ずるかのあいだ、私《わたくし》にいまこれを、『浄土真要抄《しんようしょう》』となづくるものなり。凡《おおよ》そ、いまのぶる所《ところ》の義趣《ぎしゅ》は、当流《とうりゅう》の一義《ぎ》なり。しかれども、常途《じょうず》の義勢《ぎせい》にあらざるがゆえに、一流《りゅう》のなかにおいてなおこの趣《おもむき》を存《ぞん》ぜざる人あり。いわんや他人《たにん》これに同《どう》ずべからざれば、左右《そう》なく一義《ぎ》をのぶる条《じょう》、荒涼《こうりょう》ににたり。かたがたそのはばかりありといえども、願主《がんしゅ》の命《めい》のさりがたきによって、これをしるすものなり。文字《もんじ》にくらからん人の心えやすからん事をさきとすべきよし、本主《ほんしゅ》ののぞみなるゆえにかさねがさねことばをやわらげ、一々に訓《くん》釈《しゃく》をもちいるあいだ、ただ領解《りょうげ》しやすからんをむねとして、さらに文体《もんたい》のいやしからんをかえりみず。みん人いよいよ嘲《あざけり》をなすべし。かれにつけこれにつけ、ゆめゆめ外見《がいけん》あるべからず。あなかしこ、あなかしこ。

建□(武)第五　戊寅　五月晦日書レ之」

---

322 『涅槃経』「徳王菩薩品」（大正12・511b　755b）
323 『大経』（◎93）
324 『法華経』巻七「妙荘厳王本事品」参照（大正9・59b）
325 『摩訶止観』巻四（大正46・36a）
326 『涅槃経』「迦葉菩薩品」（大正12・573c　821a）
327 唐訳『華厳経』巻七十七「入法界品」（大正10・425c）

本願寺聖人伝絵（御伝鈔）

覚如上人が宗祖の生涯を絵詞として製作したもの。本書には、西本願寺蔵『善信聖人絵』（琳阿本）、専修寺蔵『善信聖人 親鸞 伝絵』、東本願寺蔵『本願寺聖人伝絵』（康永本）、同『本願寺聖人親鸞伝絵』（貞和二・一三四六年書写弘願本）などの諸本がある。

後に「伝絵」の絵図と詞書を分立させ、絵を掛幅にしたものが「御絵伝」、詞書が「御伝鈔」と称されている。

底　本　東本願寺蔵「本願寺聖人伝絵」（康永二・一三四三年十一月二日　覚如自筆本）

対校本　専修寺蔵「善信聖人親鸞伝絵」
（永仁三・一二九五年十二月十三日本）専
西本願寺蔵「善信聖人絵」
（永仁三・一二九五年十月十二日本）西

1 底外題「本願寺聖人伝絵」。専内題「善信聖人親鸞伝絵」。西内題「善信聖人絵」の下に余白を置き、別筆で「向福寺琳阿弥陀仏」とある。

2 専以下、巻一。西以下、巻上。

3 **天児屋根尊……六代**――専天児屋根命二十一世の苗裔大織冠鎌子大臣の玄孫近衛大将　贈左大臣　右大臣従一位内麿　号二後長岡大臣一或号二□大臣一贈正一位太政大臣房前公□大納言式部卿真楯息□　六代　西大織冠　諱鎌子内大臣天児屋根尊二十一世孫也

4 **五代**――専五代　西五世《ごだい》

5 **子**――専子　西息

6 **しかあれば**――専「しかあれば」、西になし。

7 **朝廷**――専「タイリ」と左訓、「だいり」。

8 **射山**――専「クケ」と左訓、「くげ」。

9 **催いしに**――底「催しに」。訓は専・西による。

10 **阿伯**――専「父ノ兄ナリ」と左訓。

11 **従四位上**――専従四位上　西従四位下

12 **後白河**――専後白河　西後白川

13・41・120・123 **聖人**――専・西上人

14 **慈鎮和尚是れなり。法性寺殿の御息、月輪殿の長兄**――専慈鎮和尚是れなり。法性寺殿御息、月輪殿の長兄　西法性寺殿御息、月輪殿の長兄、慈鎮和尚是れなり

15 **貴房**――専貴坊　西貴房

16 **鬢髪**――専「ヒケ　カミ」と左訓、「ひげ　かみ」。

17 **剃除**――訓は拝読のよみによる。専・西訓「たいじょ」。専「ソリノソク」と左訓、「そりのぞく」。

18 **したまいき**――専し給いき　西せられき

19 **横河**――専・西横川

20 **第三**――専第三　西第一

21・34・67・72・143・220・223 **聖人**――専聖人　西上人

22 **大祖**――専大祖　西太祖

23 **辛酉**――専「辛酉」、西「癸亥」。建仁三（一二〇三）年の干支は癸亥。

24 『親鸞夢記』参照（定親全4・201）

25 爾の時――[専]・[西]爾の時、善信

26 数千――[専]数千　[西]数山

27 おわりぬ」と――[専]了りぬ　[西]畢りぬ

28 表示――[専]・[西]表事

29 すなわち――[専]即ち　[西]則ち

30 厚恩――[専]・[西]「厚恩《こうとく》」。[専]「アツキオム」と左訓、「あつきおん」。[西]「アツキオン」と左訓。

31 あらわさんが――[専]あらわさんが　[西]あらわさん

32 われ――[専]われ　[西]我も

33 ただちに――[専]・[西]直《じき》に

35 建長八歳……という事、明らかなり――この一段[専]・[西]になし。「歳」の訓は拝読のよみによる。

36 康永第二……訖――[専]・[西]になし。

37 [専]以下、巻二。

38 源空――[専]「源空」、[西]になし。

39・43 蒙りて――訓は拝読のよみによる。[専]・[西]「蒙《かぶ》りて」。

40 賜わす――[専]・[西]賜わる

42 「化身土巻」（◎474）[底]・[専]・[西]原漢文[専]・[西]ともに訓が異なるが、特に注記しない（定親全4・63～、108～参照）。

44 訖んぬ――[専]・[西]了りぬ

45 博陸――[専]「クワンハク」と左訓、「かんぱく」。

46 兼実――[専]・[西]訓「けんじつ」。[専]「カネサネ」と左訓、「かねざね」。

47 選集――[専]・[西]撰集

48 蒙る――訓は拝読のよみによる。[専]・[西]「蒙《かぶ》る」。

49 徴――[専]訓「ちつ」、「シルシ」と左訓。[西]訓「しるし」。

50 帰しき――[専]帰しき　[西]帰す

51 紫禁――[専]「オホヤケノマシマストコロ」[西]「オ、ヤケノマシマストコロ」と左訓、「おおやけのましますところ」。

52 青宮――[専]「マウケノキミノマシマストコロ」と左訓、「もうけのきみのましますところ」。

53 蕚――[専]訓「はなぶさ」[西]訓「はなはぶさ」

54 三槐九棘――[専]「大臣ナリ　公卿ナリ」と左訓。

55 しかのみならず――[専]如之　[西]加之

56 戎狄――[専]・[西]「ニシノエヒス　キタノエヒス　武士ナリ」と左訓、「にしのえびす　きたのえびす　武士なり」。

57 黎民——専・西「イヤシキヒトナリ」と左訓。

58 昵近——専・西「ムツヒ」と左訓、「むつび」。

59 緇徒——専「ソウナリ」と左訓。西「ナウナリ」と左訓、「のうなり」。

60 しかあり——専しかあり　西しかり

61 わずかに五、六輩にだにもたらず——専になし、西「わずかに五六輩にだもたらず」。

62 聖人——専になし、西「上人」。

63 しかある——専しかある　西しかる

64 たらん——専たらん　西たりという

65 意趣をも——専・西意趣を

66 尤も——専尤も　西最も

68 気——専気　西気色

69 大和尚位——専和尚位　西権大僧都

70 熊谷——専・西になし。

71 御房——専聖人　西御房

73 法力坊——専・西法力房

74 聖人——専・西上人 親鸞

75 屈敬——専・西「クタヒレ　ウヤマフ」と左訓、「くたびれ　うやまう」。

76 鬱悔——専・西「イキトヲリ　クユ」と左訓、「いきどおり　くゆ」。

77 本師——専・西大師

78 已下の——専已下　西以下

79 おおかりし時——専おおかりし時　西おおかりき。その時

80 源空——専・西になし。

81 べきや——専・西べき

82 大師——専・西「大師」、蔵版「本師」。

83 なるが——専なる　西なるが

84 わが——専わが　西源空が

85 べき事——専べき事　西べき

86 御弟子入西房……信ずべし。——専この一段なし。

87 親鸞——西になし。

88 七条辺に——西七条の辺

89 まいりぬ——西参《さん》す

90 尊顔——西訓「そんよう」

91 去——訓は西による。

92 拝し——西拝み

93 容貌——西容貌《ようみょう》に

94　みずから――[西]身ずからすなわち
95　かたる――[西]語りて云わく
96　僧のたまわく、「この――[西]僧と云うは、「此れくだんの僧
97　くだんの僧――[西]今一人の伴僧
98　ひざまずきて――[西]居跪して
99　御ぐしばかりをうつされんにたんぬべし」と――[西]定禅、問うて云わく、「如何《いかん》が写し奉るべき。」本願御房、答えて云わく、「顔ばかりを写すべし。」ことごとくは、予、筆を染むべし」と
100　御ぐし――[西]御顔
101　三年――[西]三年 壬寅
102　聖人――[西]聖人則ち
103　すなわち――[西]になし。
104　いいつべし。あきらかに無漏の――[西]謂うべし。また明らかに知りぬ、いま如来の大慈無漏の
105　かかげて――[西]「挑て」に「カ、ケテ」と左訓、「かかげて」。
106　はらし――[西]「晴らし」に「アラハシ」と左訓、「あらわし」。
107　そそきて――[西]「灑て」。「そそぐ」のよみは近世以降。

108　はるかに――[西]ことごとく
109　なり――[西]すという事を
110　[専]ここに絵なし。[西]絵の左下に別筆で「琳阿弥陀仏主」とあり。また、別筆で記された六字名号を磨消。
111　康永二歳……円寂――[専]・[西]になし。
112　[専]以下、巻三。[西]以下、巻下。
113　憤り――[専]・[西]欝《いきどお》り
114　顕化身土文類――[専]顕浄土方便化身土文類　[西]顕化身土文類
115　「化身土巻」（◎472）[底]・[専]・[西]原漢文
[専]・[西]ともに訓が異なるが、特に注記しない（定親全4·76～，123～参照）。
116　尊成――[底]「尊成」、[専]・[西]「尊成《そんせい》」。訓は[専]の左訓「タカナリ」、及び拝読のよみによる。
117　為仁――[底]「為仁」、[専]・[西]「為仁《ためひと》」。
118　成し――[底]「成」、[専]・[西]「成《じょう》じ」。[専]「ナリ」と左訓。
119　結ぶ――[専]結びて　[西]結び
121　守成――[専]・[西]為仁
122　子月中旬――[底]「子月」、[専]・[西]による。

124 褒美――[専]保美　[西]褒美

125 かしこに――[専]かしこに　[西]彼《かしこ》

126 [専]以下、巻四。

127 幽栖――[専]・[西]「カスカナル　スマイ」と左訓。

128 往の夢――[専]・[西]「往夢《おうむ》」。[専]「イニシヘノ　ユメ」と左訓、「いにしえの　ゆめ」。

129 せり」――[専]せり」と　[西]せり」

130 [専]ここに絵なし。

131 専修念仏――[専]・[西]一向専修

132 云々――[西]訓「いわく」

133 動もすれば――[専]動《とも》すれば　[西]動《やや》もすれば

134 反――[専]「ハン」と左訓。

135 尊顔――[専]訓「そんげん」。[西]訓「そんよう」。

136 むかいたてまつる――[専]・[西]むかう

137 消滅――[専]消滅　[西]消奥《しょうめつ》

138 禁――[専]・[西]「イマシメ」と左訓。

139 日来――[専]日者《ひごろ》　[西]日来《ひごろ》

140 聖人これを――[専]聖人　[西]上人

141 康永二歳……七十四――[専]・[西]になし。

142 晩陰――[専]・[西]「ヒクレカケニ」と左訓、「ひぐれかげに」。

---

144 よりつつ――[専]よりつつ　[西]寄りて

145 齢傾き――[専]・[西]「齢傾《れいきょう》」、「ヨワイ　カタフキ」と左訓、「よわい　かたぶき」。

146 装束きたる――[専]「しょうぞきたる」、[西]「装束したる」。「装束」の字音「しょうぞく」の語末音を活用させて、カ行四段活用の動詞としたものの連用形。訓は[専]による。

147 こととく――[専]こととく　[西]疾く

148・215 たてまつり――[専]・[西]になし。

149 巫――[専]「竺《かんなぎ》」の左傍に「巫」と注記。[西]「竺《かんなぎ》」。

150 終夜――[専]夙夜　[西]終夜

151 つるに、いまなん――[専]・[西]つるが

152 あらで――[専]あらで　[西]あらずして

153 客人――[専]「マレウト」と左訓、「まれうど」。

154 過ぎ――[専]・[西]過《とおり》

155 云々――[専]・[西]になし。

156 忽爾――[専]・[西]忽《こつ》

157 炳焉――[専]「アキラカナリ」[西]「アキラカ也」と左訓。

158 故郷――[専]・[西]古郷

159 **往事**――[専]・[西]「ムカシノコト」と左訓。

160 **長安**――[専]・[西]「ミヤコノニシ」と左訓。

161 **洛陽**――[専]「ミヤコノヒムカシ」[西]「ミヤコノヒンカシ」と左訓、「みやこのひんがし」。

162 **跡**――[専]・[西]蹤

163 **扶風馮翊**――[専]「右京ナリ　左京ナリ」と左訓。

164 **移住**――[専]・[西]「ウツリスム」と左訓。

165 **一**――[専]・[西]是れ一

166 **今比**――[専]今比《このごろ》　[西]今時《このとき》にあたりて

167 **伝え**――[底]「伝い」。[専]・[西]による。

168 **面受**――[専]面受　[西]面授

169 **という**――[専]と云う　[西]とかやいう

170 **聖人の御訓……ために**――[専]「聖人の訓……ために」、[西]になし。

171 **機**――[専]「シユシヤウ」と左訓、「しゅじょう」。

172・174 『安楽集』所引『大集経』(◇410)

173 **いい**――[専]・[西]訓「のたまう」

175 **云々**――[専]云々　[西]云

176 **三国**――[専]「テンチク　タウト　ワカテウナリ」と左訓、「てんじく　とうど　わがちょうなり」。

---

177 **肝腑**――[専]肝腑　[西]肝府

178 **明らかなる**――[専]明らかなる　[西]以て明々たる

179 『大経』(◎47, 48, 49)

180 **附属**――[専]咐嘱　[西]附属

181 『観経』(◎122)

182 **附属**――[専]咐嘱　[西]附嘱

183 『小経』の「一心」――[専]『小経』に「一心」と説いて舎利弗に咐嘱し　[西]『小経』の「一心」

『阿弥陀経』(◎139)

184 **これを**――[専]「これを」、[西]になし。

185 **依って**――[専]・[西]因って

186 『浄土論』(◎145)

187 『散善義』(◇558)

188 **文**――[専]文　[西]文証

189 **専修**――[専]・[西]一向専修

190 **とてもかくても**――[専]左《とに》も右《かく》も　[西]左《とて》も右《かくて》も

191 **心ざし**――[専]・[西]志

192 **しかあれば**――[専]しかあれば　[西]しかれば

193 **偏に**――[専]・[西]一向に

194 **公務**――[専]・[西]訓「こうむ」。[専]「オホヤケノマツリコト」と左訓、「おおやけのまつりごと」。
195 **駆仕**――専「カラレ　ツカヘ」と左訓、「かられ　つかえ」。
196 **垂迹におきて……なりかし**――専になし。
197 **刷う**――西禁《いまし》むる
198 **憑む**――西守る
199 **参着の夜**――西参着す。その夜
200 **排きて**――西排《ひら》いて
201 **忽緒**――西「イルカセニス」と左訓。
202 **参詣するや**――西「参着するぞや」。「や（哉）」の左傍に「ヲムキ」と注記。
203 **笏を直しくして**――西 笏《うやまい》を直《な》して
204 **聖人**――西上人
205 専熊野証誠殿の絵から巻五。
206 **二歳**――専・西二年
207 **しこうして**――専・西而るに
208 **午の時**――専午の時　西午の剋
209 **息**――専気《き》　西息《き》
210 **ましまし**――専・西になし。
211 **齢**――専「ヨワイ」と左訓。

---

212 **禅坊**――専・西禅房
213 **歴て**――専暦《へ》て　西歴《へ》て
214 **北**――専・西北《きた》の辺《ほとり》
216 **九年**――専九年の壬申　西九年
217 **墳墓**――専憤慕　西憤墓
218 **猶**――専「なお」、西になし。
219 **仏閣**――専仏閣　西堂閣
221 **稟教**――専「ウク　オシヘヲ」と左訓、「うく　おしえを」。
222 **年々**――専年々　西年々に
224 **羅縷**――専羅縷《らろう》する　西羅縷《らる》
225 **しかしながら**――専・西仍ってしかしながら
226 **右縁起……弟子**――専「右縁起画図之志、偏為二知恩報徳一、不レ為二戯論狂言一。剰又馳二紫毫一拾二翰林一、其体尤拙、其詞是苟。付レ冥付レ顕、有レ痛有レ恥。雖レ然、只憑二後見賢者之取捨一、無レ顧二当時愚案之紕繆一而已。　于レ時、永仁第三暦（一二九五）乙未　応鐘仲旬第二天　至二于晡時一、終レ草了。　執筆衡門覚如　今同歳太呂仲旬第三天、又書レ之」、西「右縁起画図之志、偏為二知恩報徳一、不レ為二戯論狂言一。剰又馳二紫毫一拾二

翰林一、其体最拙、厥詞是苟。付レ冥付レ顕、有レ痛有レ恥。雖レ然、只憑ニ後見賢慮之取捨一、無レ顧ニ当時愚案之紕繆一而已。　于レ時、永仁第三（一二九五）暦応鐘仲旬第二覃レ于ニ晡時一、終レ書ニ草之篇一訖。　桑門覚如草レ之」。また、奥書の前の余白下部に別筆で記された「向福寺琳阿弥陀仏主」と、奥書の後に行を改めて別筆で記された六字名号を磨消。

報恩講私記（式文）

覚如上人が報恩講に諷誦するために作られたもの。著述の時期は明確ではないが、『慕帰絵詞』等の記述から、宗祖の『伝絵』が製作された永仁三（一二九五）年以前、その前年の成立と考えられている。自筆本は伝わらず、書写本には漢文体のものと延べ書きのものがあり、東本願寺蔵蓮如上人書写本、石川県金沢市金沢別院蔵蓮悟書写本は漢文体、西本願寺蔵蓮如上人書写本は延べ書きである。なお『慕帰絵詞』には「報恩講式」と記されるが、「私記」と記されるのは、東本願寺蔵蓮如上人書写本がその最初のものとみられる。また本文の書き下しにあたり、西本願寺蔵蓮如上人書写本を参照した。

底　本　東本願寺蔵蓮如書写本
対校本　金沢別院蔵蓮悟書写本[金]
　　　　西本願寺蔵蓮如書写本[西]

1 [金]には「先総礼」の後に、改行して「稽首天人所恭敬　阿弥陀仙両足尊　在彼微妙安楽国　無量仏子衆囲繞」の偈文を記し、次行に「次三礼……次表白」の句を記す。

2 **査**――[金]査　[西]うき木

3 **聖人**――[金]聖人　[西]親鸞

4 **安じ**――[金]安　[西]案じ

5 **丞相**――[金]丞相　[西]承相

6 **内麿公**――[底]「内磨公」。[金]・[西]による。[西]訓「うちまるこう」。

7 **幼稚**――[底]「幼雅」。[金]・[西]による。

8 **以て**――[金]「以」、[西]になし。

9 **奥蔵**――[金]奥蔵　[西]奥義

10 **憶**――[底]「臆」の右傍に「憶」と注記。これによる。

11 **際**――[底]「降」。本文は[金]、訓は[西]による。

12 **自爾**――訓は[西]による。

13 茲に―金爰　西ここに
14 珠―金珠　西玉
15・41 『般舟讃』（◇725）
16 遍―底「偏」。金・西・蔵版・『般舟讃』による。
17 『般舟讃』（◇701）
18 自心―金自心　西自力
19 金剛―底「念剛」。金・西による。
20 証理―金証理　西勝理
21 勝計―金称計　西勝計
22 易往―金易往　西易行
23 『定善義』意（◇507）
24 意―西御こころ
25 『往生礼讃』（◇661）
26 『唯信鈔』参照（◎1110）
27 揮―底「揮」。本文は金、訓は西による。
28・30 有るべからず―底不可有　金不可　西あるべからず
29 憑まずんば―西たのまずは
31 『法事讃』（◇605）
32 『五会法事讃』（大正47・480c）

33 急要―金急要　西急用
34 利益―金・西になし。
35 顕宗―金顕宗　西顕教
36 讃―底・金「鑚」。西による。
37 隴道―金瀧道　西隴道
38 拭―底「域」。本文は金、訓は西による。
39 域―底「拭」。金・西による。
40 殆ど―西ほとど
42 毛孔―金・西毛吼
43 彼―金彼　西得
44 恩―金恩　西音
45 『法事讃』（◇613）
46 化主―金・西能化
47 尊―底「尊」の右傍に「界」と注記。金・西「界」。
48 伝燈―金伝燈　西伝来
49 金・西、この次に改行して「次六種回向等」とある。
50 金・西以下なし。

嘆徳文

存覚上人の著作で、報恩講の時に諷誦される。自筆本は伝わらず、漢文体と延べ書きの書写本がある。『真宗法彙』所収本の奥書によれば、延文四（一三五九）年十一月に善如上人の求めにより著されたものであり、貞治五（一三六六）年にさらに手が加えられている。

本聖典は、西本願寺蔵蓮如上人書写本を底本として、石川県金沢市金沢別院蔵蓮悟書写本を対校本とした（いずれも漢文体）。また本文の書き下しにあたり、西本願寺蔵蓮如上人書写延書本を参照した。

底　本　西本願寺蔵蓮如書写本
対校本　金沢別院蔵蓮悟書写本[金]
　　　　西本願寺蔵蓮如書写延書本[西]

1　[底]外題による。[金]首題なし。[西]内題「嘆徳文」。存覚撰『浄典目録』には「嘆徳文」とある。また、江戸後期刊行の『真宗法彙』所収本には「歎徳文」とある。

2　**伯父業吏部**――[西]原表記「伯《ハク》父《フ》業《コフ》吏《リ》部《ホウ》」。宗祖の伯父日野宗業《むねなり》。式部大輔であった（『親鸞聖人行実』所収「略系図」参照）。

3　**告を**――[西]つげて
4　**由**――[西]より
5　『大経』（◎47）
6　『大経』（◎92）
7　**去行**――[金]去行　[西]古行
8　**鈔**――[金]抄　[西]鈔
9　**入らざる**――[西]いたらざる
10　**巧み**――[西]たのみ
11　『愚禿鈔』（◎503, 515）
12　**信**――[金]心　[西]信
13　**云々**――[西]になし。
14　**卑謙**――[金]卑謙　[西]卑嫌
15　**父**――[金]・[西]夫
16　**事に坐せし**――[金]になし。
17　**忽ちに**――[金]になし。
18　**託す**――[西]記す
19　**生涯**――[金]生涯　[西]生渥
20　**幾許**――訓は[西]による。
21　**歳ぞ**――[西]「としを」。よみは『真宗法彙』所収本による。

22　儀――[金]儀　[西]義
23　褒誉――[金]褒挙　[西]褒誉
24　界――[金]界　[西]世界
25　梅怛梨耶の三会――弥勒の三会（龍華三会）のこと。[金]「梅怛梨耶」、[西]「梅怛利耶」。
26　以下[金]・[西]になし。[西]には蓮如の花押あり。

正信偈大意

蓮如上人が金森の道西の求めにより、「正信偈」の語句に注釈を加え、その大意を平易に述べられたもの。本書には大阪市慧光寺蔵実如上人書写本、滋賀県守山市金森善立寺蔵本、京都市西法寺蔵本、大谷大学蔵元禄三（一六九〇）年本などがある。また真宗仮名聖教本、真宗法要本で一般に流布している。

底　本　慧光寺蔵実如書写本
対校本　大谷大学蔵元禄三年刊本[大]
　　　　真宗仮名聖教所収本[仮]

1　題号は[底]の外題と結語による。内題なし。[大]外題「正信念仏偈大意」、内題「正信偈大意」。[仮]内題「正信偈大意」。
2・20・52　て――[大]・[仮]になし。
3・62・63　は――[大]・[仮]になし。
4　これ――[大]・[仮]これは
5・25　この――[大]・[仮]になし。
6　『一念多念文意』（◎665）
7・77　を――[大]になし、[仮]「を」。
8　法蔵菩薩因位時――[底]になし、[仮]校注により補う。[大]は「法蔵菩薩因位時」を補記。
9　諸仏浄土――[大]・[仮]諸仏の浄土
10　ぜにのひとつの四つを字――[大]・[仮]ぜにひとつの四つの字を
11　もらさず――[大]・[仮]もらさずみな
12　なしといわば、われ――[大]・[仮]あらば
13　御名――[大]・[仮]御名《みな》
14　その――[大]・[仮]になし。
15　『讃阿弥陀仏偈』（◇351）
16　『定善義』（◇522）
17　『浄土論』（◎145）

18 『大経』（◎59）
19 **三塗**――[大]・[仮]三途
21 **境界に**――[大]・[仮]境界を
22 『如来会』意（◇196）
23 **無称光仏**――[大]無称光光仏　[仮]無称光仏
24 『如来会』（◇196）
26 『高僧和讃』天親讃（◎591）
27 **念仏衆生**――[大]・[仮]念仏の衆生
28 **ひとをば**――[大]・[仮]ひとを
29 『大経』（◎54）
30 **截**――[大]・[仮]絶
31 **すなわちよこさまに**――[大]「すなわちよろさまに」、「ち」は補記。[仮]「すなわちよこさまに」。
32 『如来会』（◇212）
33 『観経』（◎133）
34・35 『散善義』（◇558）
36 **といえるこころ**――[大]・[仮]になし。
37 **釈迦……南天竺**――[底]になし、[仮]により補う。[大]この二句を「明如来本誓応機」に続ける。
38 **八宗の……論師なり**――[大]・[仮]になし。

---

39 魏訳『入楞伽経』巻九「総品」意（大正16・569a）唐訳『大乗入楞伽経』巻六「偈頌品」意（大正16・627c）
40 『易行品』意（◇254）
41 **たてたまうに**――[大]たてたまうに　[仮]たてたまう
42 **には**――[大]に　[仮]には
43 **大会数**――[大]・[仮]大会の数《かず》
44 **蓮花蔵世界**――[大]・[仮]華蔵世界
45 **身**――[大]・[仮]訓「しん」
46 **在**――[底]は一字を抹消、[大]・[仮]により補う。
47 **こと**――[大]・[仮]心
48 **曇鸞**――[大]原表記「曇《ラン》」、[仮]「曇鸞」。
49 曇鸞伝は『続高僧伝』巻六（大正50・470a）、及び『漢語燈録』巻九所収『類聚浄土五祖伝』（◇4・477）を参照。
50 **土の**――[大]・[仮]になし。
51 **転**――[大]転　[仮]輪
53 **おこさしめ……信心を**――[大]になし、[仮]「おこさしめ……信心を」。
54 **なり**――[大]・[仮]いえり

55 「真仏土巻」意（◎345）

56 道綽伝は『続高僧伝』巻二十（大正50·593c）、及び『漢語燈録』巻九所収『類聚浄土五祖伝』（◇4·484）を参照。

57 **学者**――大・仮覚者

58 **弁州**――大弁州　仮並州

59·66 **の**――大・仮になし。

60 原漢文。『安楽集』（◇405）は、これに続いて「迭相《たがい》に収摂す。若し能く相続すれば則ち是れ一心なり。但能く一心なれば即ち是れ淳心なり。此の三心を具して若し生まれずといいわば、是の処《ことわり》有ること無けん」とある。この文は『浄土論註』（◇314）によるものである。

61 **あらわると**――大あらわるる　仮あらわるると

64 **三忍の**――大三忍　仮三忍の

65 **偏**――底「偏」、大・仮による。

67 『高僧和讃』源信讃（◎602）

68 **いえるは、この**――大・仮いえる

69 『往生要集』巻下本意（◇882）

70 **いれしめ**――大いししめ　仮いれしめ

---

71 『選択集』（◇967）

72 **たてまつれ**――大・仮たてまつる

73 **右**――大・仮奥書、右

74 **金森**――仮訓「かねがもり」

75 **連々**――大蓮に　仮連々

76 **ところに**――大・仮ところ

78 **べきよし**――大・仮になし。

79 **長禄**――大・仮長録

80 **日**――大「日」、仮になし。

81 以下、大は「元禄三（一六九〇）庚午 年孟春吉辰　丁子屋六兵衛　ふ屋仁兵衛」とある。仮になし。

82 底後表紙見返しに「釈浄了」とある。

御　文

蓮如上人が初めて「御文」を著したのは、寛正二（一四六一）年のことであり（筆始めの御文）、以来亡くなる直前まで多くの「御文」を著し、現在二百四十通余が残されている。

それらの「御文」から八十通を選び五帖に編集したのは実如上人の時代であり、滋賀県近江八幡市広済寺に実

如上人自筆の『五帖御文』が伝わっている。その後、証如上人が『五帖御文』を開版し現在に至っている。その他、兵庫県西宮市名塩教行寺に実悟の書写本が伝わっている。

底　本　広済寺蔵実如証判本
対校本　大谷大学蔵証如開版本[大]

1　『歎異抄』（◎770）
2　藤原公任『和漢朗詠集』や『撰集抄』にみえる。
3・10・30・52・69・97　『大経』（◎47）
4・8・96・103　『浄土論註』意（◇279）『改邪鈔』参照（◎845）
5　『高僧和讃』源信讃（◎603）
6　**義**――[大]「儀」。以下この例は注記しない。
7　**御**――[大]になし。
9　『改邪鈔』（◎825）『浄土真要鈔』（◎852）
11　『末燈鈔』意（◎735）『浄土真要鈔』参照（◎854）
12　**正定聚**――[大]正定
13　**か**――[大]や

14　『散善義』意（◇543）
15・16　**年**――[底]「季」。[大]による。
17　**なにのよう**――「どのよう、どんなふう」の意。「なにとよう」、「いかよう」も同意。
18　『涅槃経』「梵行品」意（大正12・482b　725b）
19　『般舟三昧経』「四輩品」（大正13・901b）[底]・[大]原漢文
20　**祠**――[大]「マツル」と左訓。
21　**三途**――[大]三塗
22　[底]冒頭右肩に「是ハ超勝寺ニテ」とある。この一通、[底]では次の一通の後にあり、第十三通に当たるが、諸本にてらし、第十二通目におく。
23　**あり**――[大]あがり
24・32　**三塗**――[大]三途
25・26　[底]冒頭右肩に「是モ超勝寺ニテ」とある。
27　『大経』（◎19, 47）
28　『大智度論』巻一参照（大正25・63c）
29　『大経』意（◎47, 48, 49）
31　[底]各帖末に「実如（花押）」があるが本文には省略し以降注記しない。[大]各帖末に「釈証如（花押）」。
33　**いうもおろかなり**――「とても言葉に尽くせないこ

とである」の意。「もうすもおろかなり」も同意。

34・35　「証巻」（◎320）

36　『正像末和讃』（◎612）

37　『一念多念文意』参照（◎657）

38　**寒暑**――「寒暑」は一年をいう。また文明五年は蓮如五十九歳。

39　『改邪鈔』参照（◎828）

40・49・99　『観経』（◎115）

41・43　『大経』（◎61）

42　**才学**――「才覚」に同じ。（以下同）

44　『史記』巻八十二「田単列伝」に「忠臣不レ事二二君一、貞女不レ更二二夫一」（忠臣は二君に事《つか》えず、貞女は二夫を更《あらた》めず）」とある。

45　**劬**――[大]功

46　**儀**――[大]義

47　**信心**――[大]信心を

48　『改邪鈔』意（◎828）

50　**法門**――[大]法門を

51　**を**――[大]の

53　**苦**――[底]「功」。[大]による。

54　『正像末和讃』（◎616）

55・58　「正信偈」（◎229）

56　『定善義』（◇522）

57・98・100　『玄義分』意（◇457）

59・81　『往生礼讃』（◇661）

60　**符合**――[大]府合

61　**列**――[底]・[大]「烈」。蔵版による。

62　『摩訶止観』巻六下参照（大正46・80a）

63　『改邪鈔』意（◎827, 828）

64　『大経』（◎53）

65　『大経』意（◎94）

66　『定善義』意（◇507）

67　この一通[大]になし。

68　『大経』（◎19）

70　『浄土文類聚鈔』（◎485）

71　**勘篇**――「勘弁」に同じ。

72　**為**――[底]・[大]「已」。蔵版による。

73　**ぬ**――[大]になし。

74　**讃仏乗……の因**――『白氏文集』巻七十一「香山寺白氏洛中集記」に「願以二今生世俗文字之業　狂言

綺語之過一転為二将来世世讃仏乗之因　転法輪之縁一
也（願わくは、今生世俗文字の業・狂言綺語の過を以て、
転じて将来世世に讃仏乗の因・転法輪の縁と為さん）」と
ある。

75　中旬――大仲旬

76　なり――大なりと

77　はりの木原――地名。現在の大阪府茨木市。

78　九間在家――地名。現在の大阪府茨木市。

79　『報恩講私記』（◎897）

80　『法事讃』（◇567）

82・87・90　『玄義分』（◇457）

83　に――大を

84　重坏――杯を重ねること。

85　一盞――小さな杯の一杯。

86　根源――大根元

88　聖冏《しょうげい》『伝通記糅鈔《でんずうきにゅうしょう》』巻四十三意（浄土宗全書3・935）

89　衲――底・大「納」。蔵版による。

91　腹――大復

92　ふつと――打消の語を伴い、「にわかに、全く」の意。

93　『大経』（◎29）

94　『正像末和讃』（◎613）

95　『正像末和讃』（巻頭和讃（◎609）と第二十四首（◎612）
の合糅）

101　おおよそ……しげしといえり――『存覚法語』に引
く『無常講式』（後鳥羽院作）からの引用（◇3・360）。

102　朝には……身なり――藤原公任『和漢朗詠集』に
「朝有紅顔誇世路　暮為白骨朽郊原（朝には紅顔有り
て世路に誇れども、暮に白骨と為りて郊原に朽ちぬ）」と
ある。

夏御文

蓮如上人は夏安居のしきたりにならい、夏中に聖教を読み聞かせ教化された。明応七（一四九八）年五月、八十四歳の時、夏中に著されたことから「夏御文」と呼ばれる。なお、第四通は、二通の御文が一通とされたものとも見られている。

愛知県安城市本証寺に室町時代末期書写の御文集が所蔵され、その第三巻・第四巻（元折本であったものを現在巻子に改装）に「夏御文」が収録される。年紀を記す第三巻所収の御文を底本とした。第三巻冒頭の元表紙には

「文明十年（一四七八）　同十八年（一四八六）　明応七年（一四九八）　次第」と記される。
兵庫県西宮市名塩教行寺蔵書写本を対校した。

底　本　本証寺林松院文庫蔵書写本
対校本　教行寺蔵本[教]
　『蓮如上人遺文』所収本[蓮]

1　[底]本紙上部に「夏ノ四通ノ御文」と記した付箋あり。また、各通数右傍に「正本」と記す。
2　**て**――[教]になし、[蓮]「て」。
3　『正像末和讃』（第三十四首と第三十三首の合糅（◎614））
4　『安心決定鈔』意（◎1132）
5　**往生**――[教]原表記「□エ」、「□」は「成」を書いて擦消。[蓮]「往生」。
6　**果名**――[教]果　[蓮]果名
7　『安心決定鈔』（◎1132）
8　**に**――[教]になし、[蓮]「に」。
9　『安心決定鈔』（◎1133）
10　**篇目**――効果、甲斐の意。
11　『正像末和讃』（◎614）
12　**ぬ**――[教]「又」、右傍に「ヌ」と注記。[蓮]「ぬ」。
13　**他力**――[教]他力　[蓮]他力の
14　**は**――[教]・[蓮]になし。
15　**候う**――[教]・[蓮]になし。
16　**つれなく御わたり候う**――何事もなくいらっしゃるの意。
17　**興**――[底]「奥」、右傍に「興イ」と注記。[教]・[蓮]による。
18　**せられべく**――[教]せられべく　[蓮]せらるべく

御俗姓

蓮如上人が文明九（一四七七）年十一月、報恩講を前にして著した御文の一通であり、三重県川越町法雲寺に上人自筆本が伝えられる。独立した一通として扱われ、その冒頭のことばにより「御俗姓」と通称して、報恩講中に拝読されている。

底　本　大谷大学蔵実如証判本
対校本　法雲寺蔵蓮如自筆本[法]
　東本願寺蔵版[東]

1 承——法承　東丞
2 磨——法麻呂　東磨
3 太——法大　東太
4 の——底欠損、法・東により補う。
5 然れば則ち——法しかれば　東しかればすなわち
6 碩学——底「硯学」。法・東による。
7 御——法になし、東「御」。
8 茲れに因りて——法依之　東これによりて
9 迷盧——底「迷慮」。法・東による。須弥山のこと。
10 蒼溟——底「蒼瞑」。法・東による。あおうなばらのこと。
11 報ぜ……者か——底原表記「不レ可レ報《セスハ》不レ可レ謝者歟」。法・東による。
12 此の——法斯の　東この
13 謝徳——法になし、東「謝徳」。
14 一七——底・法「七」。東による。
15 て——法になし、東「て」。
16 義——法・東儀
17・24・30 の——法になし、東「の」。
18 たずね——法・東たずねて

19 を——法「を」、東になし。
20 かな——法かな　東かなや
21 忌——法忌　東記
22 仁義ばかりに——法ばかり　東仁義ばかりに
23 という——法になし、東「という」。
25 水に——底・東「水」。法による。
26 此の——法になし、東「この」。
27 中——法の中　東中
28 て——法「て」、東になし。
29 念仏——法念仏　東念仏の
31 と——法に　東と
32 于也——法になし、東「于時」。
33 九　十一月——法九年霜月　東九年十一月
34 底次行に「実如（花押）」がある。法になし。東門首の証判が置かれる。

改悔文

蓮如上人作と伝えられる。大谷派では「改悔文」と称するが、「領解文」とも呼ばれる。若干ずつ字句の異なる本文がいくつか伝えられるが、内容上は大差がない。

大阪府枚方市出口光善寺蔵伝蓮如上人自筆本を底本とした。

底　本　光善寺蔵伝蓮如自筆本

蓮如上人御一代記聞書

本書は蓮如上人の言行録である『空善日記』（法専坊空善編・第1～43条）、『昔物語記』（作者不明・第44～68条）、『実悟旧記（蓮如上人一語記）』（実悟編・第69～316条。蓮如上人を「前々住上人」、実如上人を「前住上人」と示す）を合わせたもので、全316条から成る。

『蓮如上人御一代記聞書』と呼称するものとしては、刊本に元禄二（一六八九）年本があり、次いで真宗法要本・真宗仮名聖教本がある。

底　本　真宗仮名聖教所収本

対校本　真宗法要所収本［法］

1　［法］「蓮如上人御一代記聞書本」とあり、第119条までを本巻とする。

2　**勧修寺**――［法］勧修寺村

3　**南無……くわえざるこころなり**――［法］南無阿弥陀仏、南無阿弥陀仏と申すばかりなり

4　**願正**――［法］「願生」。他に「願将」、「願性」とする異本もあると注記。

5　**覚善と又四郎**――『山科連署記』に収録される「付録」には「又四郎」の下に「覚善（の）ことなり」と注記。

6　『浄土真要鈔』（◎857）

7　**名願力**――［法］妙願力

8　**願正**――［法］願生

9　**念称**――［法］念声

10　『高僧和讃』曇鸞讃（◎593）

11・104・177・209・277・346・397　**に**――［法］になし。

12　『高僧和讃』曇鸞讃意（◎594）

13　**ひとは**――［法］ひとを

14　**御法嘆**――［法］御法談（以下同）

15　『観経』（◎115）

16　『和語燈録』巻五（◇4・685）、また『続千載集』巻十

「釈教」に収録。

17・40・52・54・72・82 **おおせ**——[法]仰せられ

18 『安心決定鈔』意（◎1140）

19・27・32・69・76・340 **仰せ**——[法]仰せられ

20 **弥陀……みちみちたる**——[法]弥陀の大悲、かの常没の衆生のむねのうちにみちみちたる

『安心決定鈔』（◎1135）

21 『安心決定鈔』（◎1137）

22 **太夜**——[法]逮夜

23 **つとめを**——[法]つとめをも

24・99・285・380 **御流**——[法]御一流

25 **七高僧**——[法]七高祖

26 **存知して**——[法]存知て

28 **御厨子**——[法]御図子（以下同）

29 **つつみ**——[法]つつみ

30 **にて**——[法]にてぞ

31 **御私記**——[法]御式 『報恩講私記』（◎896）

33 **とも**——[法]とき

34 **ことある**——[法]になし。

35 **はや**——[法]もはや

36 **富田**——[法]富田殿

37 **にて**——[法]ありて

38・151・153 『往生礼讃』（◇661）

39 **苦労**——[法]辛労

41 **ところ**——[法]こと

42 **ところをば**——[法]ところを

43 『高僧和讃』善導讃（◎600）

44 **けり**——[法]ける

45 **あらあら**——[法]あら

46 **南无**——南無の「無」を「无」・「旡」と記すこと。

47 **おおせ**——[法]おおせられ

48 『正像末和讃』（◎615）

49 **おおせそうろうなり**——[法]仰せられ候う

50・195 **の**——[法]になし。

51 **一枚に、御みずから**——[法]一枚につつませ、みずから

53 『高僧和讃』曇鸞讃（◎595）

55 **別に**——[法]別のことに

56 **安心に**——[法]安心を

57 **たねには**——[法]になし。

58 **信心**——[法]信

59 **ありがたやありがたや**――法ありがたさありがたさ
60 **より**――法になし。
61 **ほかに**――法ほかの
62 **弥陀仏**――法弥陀
63 **ことを**――法ことの
64 **おおく**――法いだして
65 **報ずると**――法報ずるとは
66 『御文』第五帖第五・六・十三通等参照
67 **つくる**――法つきざる
68 **かく**――法ある
70 **あり**――法ある
71 **沙汰**――法沙汰を
73 『正像末和讃』（◎614）
74 **時**――法義
75・241 **に**――法と
77 **平坐にて、みなと同坐するは**――法おのおのと同座するをば
78 **おおせに**――法おおせにも
79 『浄土論註』意（◇325）
80 「信巻」意（◎285）

---

81 **仰せ候うなり**――法仰せられ候う
83 **坊**――法房
84 **法慶坊**――法敬坊順誓と同人。
85 帖外八〇・明応六年十一月二十一日参照（◇5・430）
86 **より**――法よりは
87 **かぎり**――法かぎりに
88 **つくりて**――法つくらせて
89 **とまり**――法宿
90・126・368 **は**――法になし。
91 **あうべし」と**――法逢うべし」と仰せなりと
92 **しるし**――法書し
93 **たしなめ**――法たしなむべし
94 **たしなむべし**――法たしなめ
95 **もうし**――法になし。
96 **聴かば**――法聴聞は
97 『報恩講私記』（◎897）
98 **こころえ**――法こころえの
100 **ならぬ**――法ならず
101 **ひと、まれなり**――法人は少なり
102 **御掟に**――法御掟には

103 **いでくるなり**――[法]いでくるものなり
105 **法敬**――[法]法慶
106 『玄義分』（◇457）
107 **津国ぐんけ**――摂津国郡家。現在の大阪府高槻市郡家。
108・217 **なり**――[法]あり
109・383 **の**――[法]は
110 **めされなし**――[法]めされ
111 **したて**――[法]みたて
112 **あらわれは**――[法]があらわれば
113 **ちがい**――[底]・[法]原表記「チカヒ」。「ちがい（違）」、「ちかい（誓）」のそれぞれのよみ方がある。
114 **御本寺北殿（野村御坊）**――願得寺蔵『蓮如上人仰条々』には「北殿　御本寺野村御坊」とある。
115 **われ**――[法]われは
116 **勘え**――[法]考え
117 **間**――理由の意を表す。
118 **法印兼縁（本泉寺蓮悟）**――『蓮如上人仰条々』には「法印兼縁　本泉寺蓮悟」とある。
119 **二俣**――[底]「二役」、[法]「役」。『反故裏書』による。

---

120 **の**――[底]「を」、[法]「は」。『実悟旧記』による。
121 **仰せ**――[法]になし。
122 **三十万貫**――[法]三拾万貫を
123・187・313・398 **候う**――[法]候うは
124 **弥陀**――[法]弥陀を
125 **前**――[法]別
127 **ことを悲しみ**――[法]人を悲しく
128 『御文』第四帖第九通（◎994）
129 **鍛治**――鍛冶のこと。
130 **などに**――[法]なども
131 **朝夕**――[法]「朝夕は」。毎日、普段の意。
132 **帯し**――[底]「対し」。[法]による。
133 **ためと**――[法]ためとは
134・445 **前々住上人**――[法]前住上人
135 **前々**――[法]前々住
136 **ほか**――[法]外は
137 **諸仏の証人**――[法]諸仏、証人にて
138 **いわぬ**――[法]申さぬ
139 **由候う**――[法]になし。
140 **仏法は、つとめの**――[底]「仏法はつとめてよ」。

[法]による。『蓮如上人之御自言』には「つとめの事」とある。

141　仰せごと——[法]仰せごとも

142・160・182・353・361　と——[法]になし。

143　候う——[法]候う由に候う

144　拝み——[法]拝見

145　『魏志』「王粛」の注に引く『魏略』に「人有㆓従学者㆒、遇不㆓肯教㆒而云、必当㆓先読百遍㆒、言㆓読書百遍而義自見㆒」とある。なお、[底]「百反」を[法]は「百遍」とする。

146　会釈する——[法]会釈すること

147・238・411・466・475　御——[法]になし。

148　わが物——[法]我は物を

149　いう——[法]いうの

150　順誓申されしとて——[法]申さると順誓に

152・199　自心——[法]自身

154　一文字もしらぬとも——[法]一文字をもしらねども

155・200・219・297　法義——[底]「法儀」。[法]による。

156　「自信教人信……候う事——『実悟旧記』には、直前の文を「仰せられ候うと云々」と記し、続けて「自信教人信の道理なりと仰せられ事に候う」とある。

157　申したてらるる——[法]申したてたる

158　人——[法]人も

159　総別——[法]総体（以下同）

161　べき——[法]べきは

162　いうとも——[法]いえども

163　心おく——[法]心をおく

164　ならず——[法]ならぬなり

165・223・266　由に候う——[法]になし。

166　蓮応——[法]蓮慈

167　衣装——[法]衣裳（以下同）

168　毎事に——[法]原表記「毎㆑事ニ」

169　仰せられし——[法]仰せられ候う

170　仰せられたり——[法]仰せられ候うなり

171・172・212・304・461　て——[法]になし。

173　候う——[法]なり

174　用心をもし——[法]用心をもして

175　事の——[法]になし。

176　心がけてのうえの——[底]「心がけのうえの」。[法]による。

178 あって――法申すは
179 まきて――法たねをまきて
180 まきたてが――法まきたて
181 まきたては――法まきたてにては
183 うちいで――法うち出だして
184 必ず用いざれば――法用いずして必ず
185 義――底「由儀」。法による。
186 御こと――法御ことば
188 凡夫心――法凡夫の心
189 なきか――法になし。
190 弥陀を――法ただ弥陀を
191 油断――底「由断」。法による。(以下同)
192・342・433 を――法になし。
193 「ああ」と、御目をふさがれ――法御目をふさがれ、「ああ」と
194 さだめて……ややありて仰せられ候う――法になし。
196 思し召せば――法思う事は
197・234 いろいろ――底「いよいよ」。法による。
198 人の――法人々の
201 事、能――法事態

202 うしなわれて――法うしなわして
203 あれほど――法あれほどの
204 候いつる――法候う
205 法以上、本巻。巻末に「蓮如上人御一代聞書本」とある。
206 法「蓮如上人御一代聞書末」とあり、この条以下を末巻とする。
207 仰せられ候う――法になし。
208 なり――法なる間
210 左様に存じつれども――法我は左様に存ぜざれども
211 『報恩講私記』意(◎897)
213 六返――法六遍
214 談ぜられ――法になし。
215 かげに――法になし。
216 うしろ事――法わろき事
218 あいみて――法厚くこうぶりて
220 あるなり――法ありけり
221 おもわん――法おもわれん
222 つね式――法つねの人
224 『散善義』(◇540)

225　「正信偈」（◎228）
226　とおり——[法]とおりを
227　神にも——[法]神にも仏にも
228　足で——[法]足にて
229　事なる——[法]事、尤もなる
230　くちと——[法]くちと身の
231　端々——[法]端正《ただしく》
232　御自証——[法]御自讃
233　召し——[法]召され
235　候う間——[法]になし。
236　又——[法]亦
237　御事——[法]事も
239　召し仕い——[法]召し遣われ
240　当時は——現在はという意。
242・364　は——[法]も
243　貧しきに——[法]貧しく
244　かた——[法]かたの
245　『往生礼讃』参照（◇652）
246　ならじ——[法]馴れじ
247　近習——[法]近づき習う

248　『論語』子罕篇に「仰レ之弥高、鑽レ之弥堅（之を仰げば弥いよ高く、之を鑽《き》れば弥いよ堅し）」とある。
249　聞けば——[法]きれば
250　きさて——[法]きりて
251　増長する——[法]増長ある
252　輒く——[法]堅く
253　いかがと——[法]いかがとも
254　なり——[法]ものなり
255　『讃阿弥陀仏偈和讃』（◎574）
256　御立ち——[法]たたれ
257　うえより——[法]うえよりは
258　へ——[法]になし。
259　明誉——[法]名誉
260　物も——[法]物を
261　まげて——[法]みて
262　御慈悲なり——[法]御慈悲よ
263　いうなり——[法]いえり
264　上人——[法]聖人
265・375　云々——[法]になし。
267　『老子』運夷第九に「富貴而驕、自遺二其咎一。功成名遂身退、天之道」とある。

268 その――[法]其れ

269・347 [法]この一条なし。

270 光定や円珍の『戒牒』に「木叉為ㇾ師所以、賊縛比丘、脱ニ草繋於王遊一。乞食沙門、顕ニ鵝珠於死後一。」とある。句は『法苑珠林』巻八十二（大正53·891b, 892a）、同所引『大荘厳論経』巻三・巻十一（大正4·268c, 319a）による。

271・273・274 文――[法]紋

272 御前――[法]御所

275 き、くう――[法]衣、食《き》う

276 一人一人――[法]一人

278 こと――[法]事は

279 者は――[法]者と申すは

280 と――[法]なりと

281 支証――[法]証

282 何事を――[法]何事をか

283・284 思う人――[法]思う人は

286 存じ、ふと――[法]存ずるばかりにて

287 ごとく――[法]ごとくの

288・439 同じく――[法]になし。

289 まだ――[法]文字

290・462 抄――[法]鈔

291 『安心決定鈔』（◎1132）

292 『御文』第五帖第一通（◎1000）

293 わろし――[法]わろき

294 なり――[法]なりと

295・333 と云々――[法]になし。

296 『御文』第四帖第十四通（◎998）、第五帖第八・九・十通等（◎1004～）参照。

298 帰するは――[法]帰すれば

299 人に――[法]人より

300 にて――[法]みて

301 成るまじき――[法]成るまじ

302 なにたる――[法]成らざる

303 なるまじき――[法]あるまじき

305 講演か――[法]講談

306・323 義――[底]「儀」。[法]による。

307 つらん――[底]「つるらん」。[法]による。

308 善――[法]善従（第197～200・287条同）

309・310・359・387・453・471　候いし――法候う
311　ほかと――法になし。
312・472　前住上人――底「前々住上人」。法・『実悟旧記』・『蓮如上人之御自言』による。
314　二人――法まして二人
315　何れをも「違い候う」と――法「何をかまず改め候わん」と
316　うめて――法改めてと
317　申され――法仰せられ
318　なににせんずる、人のなおらるるを――法なににてもあれ、人のなおさるるを
319　色――法故
320　にて――法にして
321　有る人　瞻西上人のことなり――法徳大寺の唯蓮坊
322　付きけり――法付きたり
324　信――法信心
325　いよいよ――法弥陀
326　こと、なし――法こと、なしと
327　思し召す……のこさるる事なし――法になし。
328　中――法の中

329　歎き――法歎かしく
330　候う」由……候いき――法候う」と仰せられ候うと
331　事――法事ども
332　候いて――法させ
334　『口伝鈔』意（◎798）
335　つのりとせん――法つのらん
336　願将――法「願生」。第3条、注4参照。
337　菅生――法になし。
338　きかせられ――法きかせられて
339　事を――法事をも
341　ちと――法ちと物に
343　な仕りそ――法なせそ
344　人申し――法申され
345　申さるる――法申され候う
348・352・360　候いき――法候う
349　自身――法御自身
350　仏恩――法御恩
351　候うこと――法候う事は
354　ましてやいわん――法ましていわんや
355　ばかり――法になし。

356 つつしめ――法つつしめよ
357 思い――法思し召し
358 由、候うなり――法由、仰せられ候うなり
362 儀――法義（以下同）
363 しりたく――法ききたく
365 仏法の事は――法法義をば
366・452・478 仏物――法仏の物
367 徳――法徳を
369 候う。「仏法だに――法候うは「ただ仏法を
370 一日夜の事にて候う間、御――法になし。
371 喜び――法喜ぶとは
372 法門を――法法門をば
373 立てられたる――法抜き立てたる
374 仏法者は――法仏法者には
376 なお――法になし。
377 心中だに――法心中をだにも
378 安芸蓮宗――法「安芸の蓮宗」。『実悟旧記』等には「蓮崇」とある。
379 侘び――法詫び
381 申す――法になし。

---

382 仏法の方――法仏法がた
384 生まれて――法生じて
385 くれぐれ肝要――法いよいよ肝要なり
386 おかしくとも――法になし。
388 畏まりたり――法畏まりたる
389 なり――法なく
390 ことをば――法ことばは
391 仏恩が――法仏恩がとうとく候うなど
392 こころえべき――法心得べき
393 はらいかる――法放さる
394 めしあげ――法めしのぼせ
395 由――法の由
396 けれども――法になし。
399 候うは――法候うに
400 毎年――法毎事
401 御恩を――法御恩にてましまし候うを
402 くうべき――法くう
403 由――法と
404 仰せ候うと云々――法仰せられ候う
405 享――底・法「亨」。諸辞書による。

406　かわるまじき――[法]あるべき
407　『浄土論註』（◇325）
408　前住上人――[法]前住様
409　手――[法]御手
410　候う――[法]になし。
412　前住――[法]前住上人
413　申してこそ――[法]申してこそは
414　一大事まで、との義――[法]一大事の御こと
415　を存ずる――[法]ある
416・428　候う――[法]候うと云々
417　『嘆徳文』（◎903）
418　候うと――[法]候うと云々
419　対して――[法]対し『御文』を
420　事に候う――[法]事と仰せられ候うなり
421　心――[法]心腹
422　たしなみて候う――[法]たしなみ候うべし
423　申さる――[法]申され候う
424　命は――[法]人として命は
425　さえも――[法]さえ
426　われ――[法]我が身

427　候う――[法]候うが
429　御誂望も――[法]御誂望等も
430　字あそばされて――[法]字をあそばされ
431　表補衣――[法]「表補絵」。「裱褙《ひょうはい》」の転訛。
432　かけて――[法]かけておきて
434　云うことにて――[法]いうことで
435　仰せられしと――[法]仰せられ候う
436　内に居て――側近くに仕えての意。
437　とりはずし――「とりはずす」は、うっかりするの意。
438　なろうよ――[法]ならんよ
440　領り――[法]賜り
441　ねぶりきざし――[法]ねぶりけさし
442　出来する――[法]出で来る者
443　北国に――[法]北国の
444　いうべきぞ」と――[法]いうべきとも
446　させて――[法]させられて
447　和らげ――[法]加え
448　御門徒衆――[法]御門徒
449　悪事――[法]悪しきこと
450　付き――[法]捨て

451 進上の物――[法]進上物（以下同）
454 万事――[法]万
455 よ。よろこびたきは――[法]ば、よろこび多きは
456 にも――[底]「にもし」。[法]による。
457 大権化――[法]権化
458 歴然と云々――[法]歴然たり
459 さんば――大阪市東淀川区に「三番《さんば》」という地名があった。
460 の――[底]・[法]になし。『蓮如上人仰条々』による。
463 あるいは――[法]になし。
464・465 『六要鈔』意（◇2・284）
467 うくる――[法]うる
468 あすあらわす人もあり――[法]になし。
469 廊下――[底]「廊簀」。[法]・『蓮如上人仰条々』による。
470 御用と……召し――[法]仏物と思し召し御用い
473 ことに候う――[法]になし。
474 微言――[法]微音
476 兼縁へ――[法]兼縁に
477 固辞――[法]御辞退
479 なれども――[法]なるも

---

480 右……なり――[法]実如 御判
481 終――[法]末
482 本云……――[法]以下なし。

唯信鈔

安居院の聖覚法印が承久三（一二二一）年に著したものであり、専修寺と西本願寺に聖覚法印自筆本から書写したことを奥書に記す宗祖真蹟が伝えられる。また専修寺には完本ではないが、宗祖がひらがなで書写された『唯信鈔』も伝えられる。

法然上人が『選択本願念仏集』に明らかにした聖道門と浄土門、正行と雑行、専修と雑修、『観経』の三心（至誠心・深心・回向発願心）について平易な言葉と巧みな譬喩で示し、最後に念仏について四つの疑問に答える。宗祖は御消息において、門弟に本書を読むことをたびたび勧め、本書の文意を『唯信鈔文意』に著している。

底　本　専修寺蔵宗祖書写本
対校本　西本願寺蔵宗祖書写本[西]

1　**鈔**――西「抄」、また表紙裏に四声点図あり。

2　**作**――西御作

3　**証をとらん**――西「サトリヲヒラクナリ」と左訓。

4　**大覚のくらい**――西「タイニチニヨライトナルナリ」と左訓、「だいにちにょらいとなるなり」。

5　**即身の証**――西「即身□証」、「コノミニテ　サトリヲヒラクナリ」と左訓。

6　**退屈**――西「シリソク　カ、マルトナリ」と左訓、「しりぞく　かがまるとなり」。

7　**慈尊**――西「ミロクフチナリ」と左訓、「みろくぶつなり」。

8　**下生**――西「トソチヨリテンチクニクタリタマフヲマフスナリ」と左訓、「とそつよりてんじくにくだりたまうをもうすなり」。

9　**後仏の出世**――西「ノチ〳〵ノホトケノミヨト」と左訓、「のちのちのほとけのみよと」。

10　**多生曠劫**――西「オホクタヒ、、ムマル　ハルカナルヨヲキワマリ□…□」と左訓、「おおくたびたびうまる　はるかなるよをきわまり□…□」。

11　**転**――西「ウツリ」と左訓。

12　**生死**――西「ムマレ　シヌルナリ」と左訓、「うまれ　しぬるなり」。

13　**霊山**――西「リヤウシユセンハシヤカノマ□…□トコロナリ」と左訓、「りょうじゅせんはしゃかのま□…□ところなり」。

14　**補陀落**――西「クワンオムノシヤウト」と左訓、「かんのんのじょうど」。

15　**霊地**――西「□地」、「地」に「トコロ」と左訓。

16　**人間**――西「ヒト、ムル、ヲイフ」と左訓、「ひととむるるをいう」。

17　**小報**――西「チイサキクワホウトイフコトナリ」と左訓、「ちいさきかほうということなり」。

18　**速証**――西「トク　サトリヲヒラクトイフ」と左訓、「とく　さとりをひらくという」。

19　**輪回**――西「メクリ　メクル」と左訓、「めぐりめぐる」。

20　**慧解**――西「サトリ　サトル」と左訓。

21　**大聖**――西「シヤカニヨライナリ」と左訓、「しゃかにょらいなり」。

22　**理ふかく**――西「ホフモンハフカシトイフコトナ

リ」と左訓、「ほうもんはふかしということなり」。

23 **順次生**――西「コノツキニムマレトナリ」と左訓、「このつぎにうまれとなり」。

24 **機**――西「シユシヤウナリ」と左訓、「しゅじょうなり」。

25 **奉事**――西「□…□事」、「□…□マツルトナリ」と左訓。

26 **布施・忍辱**――西「ヒトニモノヲトラセ　シノヒハツルヲイフ」と左訓、「ひとにものをとらせ　しのびはずるをいう」。

27 **乃至**――西「マタモノヲイハムトオモ□…□イフコトハナリ」と左訓、「またものをいわんとおも□…□いうことばなり」。

28 **三密**――西「シンコンナリ」と左訓、「しんごんなり」。

29・68 **一乗**――西「ホフクヱキヤウナリ」と左訓、「ほっけきょうなり」。

30 **みずからの**――西みずから

31 **順ずる**――西「シタカフ」と左訓、「したがう」。

32 **自余の願**――西「ノコリノクワンヲエラヒトルコトカクノコトシトナリ」と左訓、「のこりのがんをえらびとること　かくのごとしとなり」。

33 **建立**――西「建□《リフ》」、「ツクリ　タツ□…□」と左訓、「つくり　たつ□…□」。

34 **ふたみのうら**――三重県伊勢市二見町、二見の浦。古くからの名所。

35 **きよみがせき**――静岡市清水区興津、清見が関。古くからの名所。

36 **微妙厳浄**――西「ヨク　ヨキ　カサリ　キヨキトナリ」と左訓、「よく　よき　かざり　きよきとなり」。

37 **意趣**――西「コ、ロ　オモムキ」と左訓、「こころおもむき」。

38 **因**――西「タネ」と左訓。

39 **読誦大乗**――西「キヤウヲヨムヲイフナリ」と左訓、「きょうをよむをいうなり」か。

40 **布施**――西「ヒトニモノヲトラセ」と左訓。

41 **慳貪**――西「オシム　ムサホル」と左訓、「おしむむさぼる」。

42 **忍辱・精進**――西「シノフルコ、ロナリ　モハラス、ム」と左訓、「しのぶるこころなり　もっぱらすすむ」。

43 **瞋恚・懈怠**――[西]「オモノイカリコ、ロノイカリオコタルコ、ロナリ」と左訓、「おものいかりこころのいかり　おこたるこころなり」。

44 **称揚**――[西]「トナヘラレ　ホメラレムトイフ」と左訓、「となえられ　ほめられんという」。

45 **名誉**――[西]「ホメラル、トイフ」と左訓、「ほめらるるという」。

46 『五会法事讃』（大正47・477c）

47 **弘深**――[西]「ヒロク　フカシ」と左訓。

48 **盤特**――[西]「ホトケノミテシナリ　クチノヒトナリキ」と左訓、「ほとけのみでしなり　ぐちのひとなりき」。

49 **行住座臥**――[西]「アルク　タ、ル　ヰル　フス」と左訓、「あるく　たたる　いる　ふす」。

50 **時処諸縁**――[西]「トキ　トコロ　ヨロツコト、イフナリ」と左訓、「とき　ところ　よろずごとという なり」。

51 **在家・出家**――[西]「オトコ　ソウ」と左訓。

52 **若男・若女**――[西]「ワカキオトコ　ワカキオムナ」と左訓、「わかきおとこ　わかきおんな」。

53 **老・少**――[西]「老・小」、「オイタル　オサナキ」と左訓。

54・101 『五会法事讃』（大正47・481c）

55 **聞名念我総迎来**――[西]「本願名号ヲモテ摂取シ　ムカエタマフトナリ」と左訓、「本願名号をもって摂取し　むかえたまうとなり」。

56 『浄土論註』所引『易行品』意（◇279）

57 **陸路**――[西]「クカミチ」と左訓、「くがみち」。

58 **つとむる**――[西]つとむ

59 **つぎに**――[西]つぎにこの

60 **電光朝露**――[西]「イナヒカリ　アシタノツユ」と左訓、「いなびかり　あしたのつゆ」。

61 **芭蕉泡沫**――[西]「クサノナ、リ　ミツノアワ」と左訓、「くさのななり　みずのあわ」。

62 **古郷**――[西]「フルキサト」と左訓。

63 **義理**――[西]「ホフモンノサタヲスルヲイフ」と左訓、「ほうもんのさたをするをいう」。

64 **百法明門**――[西]「ヨロツノホフトイフ」と左訓、「よろずのほうという」。

65 一土——西「コクラクナリ」と左訓、「ごくらくなり」。
66 一仏——西「アミタホトケナリ」と左訓、「あみだほとけなり」。
67 本業——西「モトセシコトヲイフナリ」と左訓、「もとせしことをいうなり」。
69 三密——西「シンコンシユナリ」と左訓、「しんごんしゅうなり」。
70 順ぜる——西「シタカフ」と左訓、「したがう」。
71 『往生礼讃』意（◇652）
72 『法事讃』（◇597）
73 本業を執するこころ——西「モトモテルコトヲ　ステヌコ、ロナリ」と左訓、「もともてることを　すてぬこころなり」。
74 勝劣——西「マサリオトルコトナリ」と左訓。
75 二心——西「フタコ、ロナルナリ」と左訓、「ふたごころなるなり」。
76 なさで——西「なさで」、真宗法要本「なさく」。
77 毎日——西「ヒコトニトイフ」と左訓、「ひごとにという」。

78 『法華経』巻六「薬王菩薩本事品」（大正9・54c）
79 即往安楽——底次の返り点が付される。「即往二安楽一」
80 『薬師如来本願経』意（大正14・402c）
81 散乱増——西「チリミタルコ、ロナリ」と左訓、「ちりみだるこころなり」。
82 睡眠増——西「ネフリシケキミナリ」と左訓、「ねぶりしげきみなり」。
83 伏——西「シタカフル」と左訓、「したがうる」。
84 持念——西「タモチ　オモフ」と左訓、「たもちおもう」。
85 精進——西「コノミ　ス、ム」と左訓、「このみすすむ」。
86 念珠——西「ス、ナリ」と左訓、「ずず（数珠）なり」。
87 示路——西「ミチシルヘナリ」と左訓、「みちしるべなり」。
88 『観経』（◎122）
89 『往生礼讃』意（◇649）
90 著し——西「クルワサル」と左訓。

91 **外相**――西「ウエノフルマイニハ」と左訓。

92 **放逸**――西「ホシキマ、オモフサマニ」と左訓、「ほしきままおもうさまに」。

93 **無慙**――西「ハチナシト」と左訓、「はじなしと」。

94 **斟酌**――底「ハカラウコロナリ」と左訓、「はからうこころなり」とみる。西「ハカラウコ、ロナリ」と左訓、「はからうこころなり」。

95『散善義』（◇533）底・西原漢文

96 **流転**――西「ロクタウニマトフヲイフ」と左訓、「ろくどうにまどうをいう」。

97 **出離**――西「ヱトヲイテハナル、ヲイフ」と左訓、「えどをいではなるるをいう」。

98 **散乱**――西「チリミタルトナリ」と左訓、「ちりみだるとなり」。

99 **憍慢**――西「オコル　アナトツル」と左訓、「おごる　あなどずる」。「アナトツル」は「あなどる」、「あなず（ヅ）る」か。

100 **高貢**――西「オコルコ、ロ」と左訓、「おごるこころ」。

102『法事讃』（◇604）

---

103 **卑下**――西「イヤシウシ　クタスナリ」と左訓、「いやしゅうし　くだすなり」。

104 **怯弱**――西「ヨハク　ヨハシ」と左訓、「よわく　よわし」。

105 **罪障深重**――西「ツミ　サワリ　フカク　オモキ」と左訓。

106 **散乱放逸**――西「チリミタレ　コ、ロノマ、ナルモノ」と左訓、「ちりみだれ　こころのままなるもの」。

107『大経』（◎19）

108『法華経』巻四「法師品」（大正9・30c）

109『観経』意（◎130）

110 **称するなり**――西「トナフルナリ」と左訓、「となうるなり」。

111・112『観経』（◎131）

113『観経』意（◎131）

114『往生礼讃』（◇683）

115 **口称**――西「クチニトナフルトナリ」と左訓、「くちにとなうるとなり」。

116 **一**――底になし。西による。

117 **尋常**――西「ツネノトキトイフ」と左訓、「つねのときという」。

118 **百苦**――西「ヨロツノクルシミ」と左訓、「よろずのくるしみ」。

119 **火車相現じ**――西「ヒノクルマアラワル、ナリ」と左訓、「ひのくるまあらわるるなり」。

120 **鬼率まなこにさいぎる**――西「オニ　コクソチノメニミユルナリ」と左訓、「おに　ごくそつのめにみゆるなり」。

121 **深重**――西「フカクオモキコ、ロ」と左訓、「ふかくおもきこころ」。

122 **後後生**――西「ノチ〳〵ノヨトイフ」と左訓、「のちのちのよという」。

123 **かたからんか**――西「かたからん（カタカラム）」、「カタカラム」の「ム」の右傍に「カ歟」と別筆で注記。

124 **疑網**――西「ウタカフコ、ロヲ　アミニタトフルナリ」と左訓、「うたがうこころを　あみにたとうるなり」。

125 **妄見**――西「ミタレルオモヒナリ」と左訓、「みだれるおもいなり」。

126 『浄土論註』（◇309）に「『業道経』に言わく、「業道は称《はかり》の如し、重き者、先ず牽く」と」とある。

127 **少善**――西小善

128 **宿善**――西「ムカシノセントイフ」と左訓、「むかしのぜんという」。

129 **痴闇**――西「クチノヤミトイフ」と左訓、「ぐちのやみという」。

130 **尽形**――西「イノチツクルマテトイフ」と左訓、「いのちつくるまでという」。

131 **小智**――西「ニシヨウノチヱトイフナリ」と左訓、「にじょうのちえというなり」。

132 『大経』（◎47）

133 『漢語燈録』巻九所収『類聚浄土五祖伝』所引『新修往生伝』（◇4・490）に「導、堂に入りて則ち合掌䠒跪《こき》して一心に念仏す。力の竭《つ》くるに非ざれば休まず」とある。

134 **これ**――西「これを」。「これ」の右傍に「を」と注記。

135 **謗**――西「ソシラム」と左訓、「そしらん」。

136 **善友**――西「ヨキトモトナラムトナリ」と左訓、「よきともとならんとなり」。

137　迷執――[西]「マトフコ、ロナリ」と左訓、「まどうこころなり」。

138　草本……――[西]草本《サウホン》曰　承《ショウ》久《キウ》三《サム》歳《サイ》仲《チウ》秋《シウ》中《チウ》旬《シユン》第《タイ》四《シ》日《ニチ》（一二三〇）
安《アン》居《コ》院《ヰン》ノ法印《ホフイン》聖覚《セイカクノ》作《サクナリ》　寛喜二歳仲夏下旬第五
日　以㆓彼真筆草本㆒写㆑之也

後世物語聞書

著者は決定されていないが、江戸後期の真宗大谷派の学僧妙音院了祥は隆寛律師であると比定している。念仏者の問いに答えるというスタイルにより『観経』三心を軸に念仏の教えが平易な表現で示されており、宗祖は消息で『一念多念分別事』・『唯信鈔』等とともに繰り返し読むよう勧めている。

宗祖の書写本や成立年代を示す書写本は伝わっていないが、専修寺に定専上人の貞和五（一三四九）年書写本、西本願寺に蓮如上人書写本が伝えられる。

底　本　専修寺蔵定専書写本
対校本　西本願寺蔵蓮如書写本[西]

1　物――[底]になし、[西]により補う。
2　一京――[底]「一行」。[西]による。
3　おもむきを、たちどころにしてつぶさに――[西]おもむき、たちどころに
4　一――[西]以下「九」までなし。
5　だにもうせば――[西]すれば
6　うまるる――[西]生ず
7・32・77・102　をもうせ――[西]すれ
8　し――[西]になし。
9・12・25・27・30・35・59・79・82・93・119　と――[西]になし。
10・13・104　のたまわく――[西]いわく
11　をまったしく――[西]をもまったく
14・40・42　は――[西]になし。
15　をもうして――[西]して
16　『法事讃』意（◇587）
17　門、門門――[西]門々
18・22・45・46　も――[西]になし。
19　晨旦――[西]震旦
20　もなお――[底]原表記「ソラホ」、「ソラナホ（すらなお）」か。[西]による。

21 願力念仏をし――西願力の念仏に帰し
23 に――西になし。
24 さだむ――西沙汰す
26 もうす――西す
28 もうさず――西せず
29 うまる――西生ず
31 ここに――底前行の「せん」と」に続けて記し、改行して「四　ある人……」とするが、文意によりここに示す。西になし。
33 かかるゆえに――西になし。
34 もうす――西もうすこと
36 やがて――底原表記「ヤカタ」、「ヤカテ（やがて）」の写誤か。西による。
37 心地――西真実
38 こころ――底原表記「コ、」、「コ、ロ（こころ）」の写誤か。西による。
39 自力……にあらず――西になし。
41 の――西になし。
43・68・84 て――西になし。
44 ちから――西不思議

---

47 名号をくちにとなう――西名願を念ず
48 かぎりある――当然のこととして、決定しての意。
49 こころやすければ――西されば
50 『往生要集』巻下本参照（◇881）
51 みを――西になし。
52 仏の御ちから――西仏力
53 はなれなん」と――西はなれん
54・76 人――西ひとの
55 きえ――西きえて
56 て、こころ――西こころも
57 に、仏の本願――西には、仏《ぶつ》
58 をば――西は
60 五――底になし。前後の状況により補う。
61 わがみ……うまれん――西これなんぞ浄土に生ぜん
62 なん条の――寛文四（一六六四）年洛東七条寺内刊行の『後世物語聞書』には「何条」とある。
63 きえはてなば――西きえば
64 ひらけなば……仏ならば――西ひらけば
65 信心――西信心に
66・70 『往生礼讃』意（◇649）『散善義』参照（◇534）

67　みずからがみ――西自身
69　なきみ――西なし
71　弥陀――西弥陀の
72　も――西を
73　仏の……なにの――西なんの
74　深信――西深心
75　これを――西になし。
78　いえども――西いうとも
80　く――西と
81　まことに――西げにも
83　『散善義』参照（◇539）
85　大悲――西大慈悲
86　本願かぎりある――西「本願力なる」。注48参照。
87　なれば、また来迎――西なるがゆえに、往生
88・99　かためて――西さだめて
89　やぶられ――西かわら
90　いうなり――西いう。しかるゆえは如来に摂取せられたてまつればなり
91　略し――西とり
92・97　大意――西本意

94　はかりて――西はからいて
95　こころ――西ところ
96　すこしも――西になし。
98　聖人――西聖人賢人
100　たずねて――西になし。
101　『和語燈録』巻二『七箇条起請文』参照（◇4・605）
103　候うぞ」と――西そうろうやらん
105　もうす――西する
106　名号を……信心なり――西になし。
107　となうるは――西となうれば
108　こころばえ――西こころえ
109　もうして――西して
110　もうせば――西すれば
111　わがみはもとより――西になし。
112　まいらせて、すこしも――西たてまつりて
113　三心の義――西三心
114　べきにや候うらん」と――西べくそうろうやらん
115　まったくあるまじ――西またあるべからず
116　を――西になし。
117　くちに――西になし。

118 その——[西]になし。

120 [西]改行して「後世物語聞ノ書」とある。

121 **貞和……**——[西]以下なし。

122 **ひのとのうし**——貞和五歳は己丑《つちのとうし》。

123 [底]以降に「善導之釈　若我成仏　十方衆生　称我名号　下至十声　若不生者　不取正覚　定専写レ之」「南無阿弥陀仏」「弥陀如来」「聖人御歌」「我心　我だにしらず　□しらじ　人の心を　いかにし□べき」「月かげの　いたらぬさとは　なけれども　ながむる人の」「あじきなき　うき世にすまじ　我身には　なき事今も　身にかかりけり」「設我得仏十方　衆生至心信楽欲□　我国乃至十念　若不生者不取□□」とある。

一念多念分別事

一念多念のあらそいをめぐって、隆寛律師がそのあらそいをいましめ、あるべき受けとめ方を著されたもの。宗祖は消息に、これを読むことをたびたび門弟に勧めている。大阪府柏原市光徳寺蔵本を底本とし、大谷大学蔵端坊旧蔵本、及び同蔵慧空書写本を対校本とした。慧空書写本は、『一念多念分別事』に続いて『自力他力事』（本聖典底本）が書写されている。

底　本　光徳寺蔵本

対校本　大谷大学蔵端坊旧蔵本[端]

　　　　大谷大学蔵慧空書写本[慧]

1 **師**——[端]訓「し」、[慧]訓なし。

2 **これは**——[端]これは　[慧]これ

3 **そしる**——[端]しる　[慧]そしる

4 **むねに**——[端]むねに　[慧]むねにも

5 **おしえをわすれたり**——[端]おしえをわすれたり　[慧]おしえをもわすれたるなり。一念はすなわち多念のみなもと

6 **すみか**——[端]すみか　[慧]すがた

7 **すくわれて**——[端]すぐれて　[慧]すくわれて

8 **いのちのびゆくままには**——[端]いのちのびゆくままには　[慧]命ののびもってゆくゆえに

9 **となりゆく**——[端]となりゆく　[慧]にもなり十念二十念にもなりゆくなり

10　**にも二日にも一月にもなり**――端にも二日にも月《がつ》にもなり　慧にもなり二日にもなり一月にも二月にもなり

11　**にもなり**――端にもなり　慧にも

12　**二十年にも**――端二十年にも　慧にも二十年にも七十年にも

13　**いかにして**――端いかにして　慧こはいかにして

14　**にてもあらんとおもうべき**――端にてもあらんとおもうべき　慧にてあるらんとおもう

15　『往生礼讃』（◇656）

16　**念々にわすれず**――端「念々にわすれず」、慧になし。

17　**とき**――端とき　慧其の時

18　**すすめさせ**――底「すすめせせ」。端・慧による。

19　『大経』（◎47）

20　『大経』参照（◎49）

21　『大経』（◎92）

22　**則**――端則　慧即

23　『往生礼讃』（◇661）

24　**とも**――端とも　慧とも「爾時聞一念皆当得生彼」（往生礼讃◇661）とも

25　『往生礼讃』参照（◇649, 683）

26　**一念**――端一念　慧一念の

27　**多念は**――端多念は　慧多念を

28　『大経』（◎19）

29　『阿弥陀経』参照（◎139）

30　**そぞろごとに**――端そぞろとに　慧そぞろごとに

31　**善導和尚も**――端善導和尚も　慧善導和尚の

32　『散善義』（◇538）

33　『散善義』（◇543）

34　**以**――底・端「為」。慧による。

35　**すすめ**――端すすめ　慧すすめさせ

36　**をば**――端をば　慧は

37　**ねんごろのおしえ**――端ねんごろのおしえ　慧ねんごろなるおしえども

38　**三塗**――端三塗　慧三途

39　**よも**――端よも　慧世

40　『法事讃』意（◇604）

41　『往生礼讃』（◇649）

42　**一声**――端一声　慧一声等

43 あるいは――[端]ある　[慧]あるいは
44 『往生礼讃』（◇683）
45 といえり――[端]といえり　[慧]と
46 おおせられて――[端]おおせられ　[慧]おおせられて
47 なか――[底]・[端]・[慧]「なか」とあるが、[慧]は「なか」の右傍に「ながら一本」と注記。
48 ように――[端]ように　[慧]ようにも
49 ことは、おしはからわせ――[端]ことは、おしはからわせ　[慧]ことをば、おしはからせ
50 [慧]はこの後に細字で「これにつけても、かのゆめこそ、とうとくおぼえそうらえ。きかぬことをきくうれしさも、みぬ人をゆめにみるにて、おもいあわせよ」と記し、その後下に「一本に、此の二行あり。文のおわりにつげ（継）り」とある。
51 本云――[端]「本云」、[慧]になし。
52 七歳――[端]七　[慧]七歳

自力他力事

隆寛律師の著。隆寛自筆本や宗祖書写本は伝わっていないが、慧空書写本の奥書などから、宗祖が七十四歳の時に書写した一本があったことが知られる。本聖典は、大谷大学蔵慧空書写本を底本とした。なお、慧空による聖教書写本奥書には「恵空」という署名が多く、本文にそのまま示した。

底　本　大谷大学蔵慧空書写本
対校本　『真宗遺文纂要』所収本[真]

1 されば――[真]されば、さきのごとく身をも心をも
2 まいらず――[真]まいらずして
3 つみ――[真]自力疑心のつみ
4 念仏とは――[真]念仏と申すは
5 にて――[真]にてこそ
6 つけては――[真]つけても
7 あおぎて――[真]あおぎ
8 とき――[真]ときと
9 煩悩も――[真]煩悩
10 かならずかならず――[真]かならならずかならならず
11 本云――[真]になし。
12 宗昭――[真]釈宗昭

13　**貞享……**——[真]以下なし。

安心決定鈔

著者については今のところ定説がない。恐らく浄土宗西山派の流れをくむ人の作であろうと考えられている。本書には大阪府門真市願得寺蔵存如上人書写本、西本願寺蔵蓮如上人書写本、大谷大学蔵長禄三（一四五九）年書写本、同室町時代書写本などがある。大谷大学には浅野長量氏旧蔵の貞和三（一三四七）年の奥書を記す書写本（ただし末巻のみ）がある。

底　本　西本願寺蔵蓮如書写本
対校本　願得寺蔵存如書写本[願]

1　『往生礼讃』（◇683）
2　**不同**——[底]「オナシカラサレハ」と左訓、「おなじからざれば」。
3　**には**——[願]に
4・10・11　『般舟讃』（◇685）
5　**慇懃**——[底]「ネンコロニ」と左訓、「ねんごろに」。
6　『法華経』巻四「提婆達多品」意（大正9・35b）
7　**芥子**——[底]「ナタネ」と左訓。
8　**功**——[願]劫
9　**はじはず**——[願]はず
12・51　**において**——[願]のところに
13・93　『玄義分』意（◇457）
14　**下品下生**——[底]原表記「ナカ」と書き、見せ消ちにして「下品下生」と記す。
15　**すなわち十願ありて**——[願]十願
16　**いかんが……無」というは、すなわち**——[願]南無は
17　**「阿弥陀仏」というは**——[願]阿弥陀仏は
18　『定善義』（◇522）
19・81　『定善義』意（◇522）
20　**標**——[願]縹
21　**十方**——[願]十方の
22　**たまいし法蔵菩薩**——[願]しひと
23　**法蔵薩埵**——[願]ひと
24　**たまいし法蔵比丘**——[願]しひと
25　**唯知作悪**——[底]「タ、アク ツクルコトヲノミ シル」と左訓、「ただ あく つくることをのみ しる」。

26　ことなり――[願]なり

27　成就せし――[願]成ぜし

28　なるが――[願]なる

29・104・115　わが――[願]になし。

30　いまだ成じたまわざる――[願]成ぜざる

31　感果――[願]感景

32　超異――[底]「コエ　コトナリ」と左訓。

33　『玄義分』参照（◇443）

34　別異――[底]「コトニコトナル」と左訓。

35　御名――[願]名

36　法蔵――[願]菩薩

37　のたまわく――[願]いわく

38　『定善義』（◇507）所引『平等覚経』巻四意（◇131）

39　智目行足――[底]「チヱノメ　キヤウノアシ」と左訓、「ちえのめ　ぎょうのあし」。

40　火坑――[底]「ヒノアナ」と左訓。

41・42　『往生礼讃』（◇661）

43　こころを――[願]こころは

44　ちわり――「ち（千）」は無数、「わり（わる）」は分けるの意。

45　迷倒――[底]「マヨヒ　タヲル、」と左訓、「まよいたおるる」。

46　衆生の――[願]衆生

47　成就――[願]「円満」。[底]「円満」と書き、見せ消ちにして「成就」と記す。

48　片時――[底]「カタトキ」と左訓。

49　縛日羅冒地――金剛智三蔵（671―741）のこと。Vajrabodhi（バジラボーディ）の音写。

50　なりき――[願]なりて

52　わたしたまう――[願]わたす

53　となえましまず――[願]となえし

54　かなうべからず――[願]かなわざるあいだ

55　名義――[底]・[願]「名儀」。『浄土論註』（◇314）による。以下同。

56　領解――[願]かるがゆえに領解

57　あらわすゆえに――[願]あらわせば

58　つねには――[願]つねは

59　おもい――[願]おもう

60　『観経』（◎112）

61　『定善義』（◇518）

62 **これなり**――願なり

63 **とく**――願いう

64 『定善義』意（◇522）

65 **とき**――願ところに

66 **において成じたまいたり**――願がところに成じたり

67 **あらわれもてゆく**――次第にあらわれてゆくの意。

68 **安心決定鈔　本**――願になし。願には「応永三十一（一四二四）年応鐘十五日書写畢　仍ニ信州水内郡大田庄長沼郷性順所望一、雖下為ニ秘蔵一之書上所レ令ニ授与一也。」とあり、後表紙見返しに「釈実悟」とある。

69 **鈔**――願抄

70 『浄土論』（◎146）

71 **正覚**――願正覚を

72 『観経』（◎109）

73 『観経』参照（◎131）

74 『浄土論註』（◇325）

75 **道**――底「ミチ」と左訓。

76 『浄土論註』意（◇325）

77 **ともに**――願になし。

78 『観経』意（◎115）

---

79 **仏身**――願仏の身

80 **愍念**――底・願「アハレミオホシメスコト」と左訓、「あわれみおぼしめすこと」。

82 『善慧大士語録』に「夜夜抱仏眠　朝朝還共起　行住鎮相随　坐臥同居止」とある（卍続25・12左）。善慧大士は傅翕のこと。

83 **いかばかりか**――願いかばかり

84 『安楽集』意（◇406）

85 **火宅**――底「ヒノイエ」と左訓。

86 『往生礼讃』意（◇676）

87 **本家**――底・願「モトノイエ」と左訓。

88 『定善義』（◇504）

89・95 『法事讃』（◇597）

90 『玄義分』（◇445）

91 **無為住**――願「無為住」、真宗法要本「無為常住」。

92 **本願**――願大願

94 **われらが**――願われらは

96 **闇夜**――底・願「ヤミノヨ」と左訓。

97 **生盲**――底・願「ムマレツキニメシヰタルモノナリ」と左訓、「うまれつきにめしいたるものなり」。

98 『阿弥陀経』（◎140）

99 『観経』意（◎130）

100 **睡眠**――[底]・[願]「ネフリタレトモ」と左訓、「ねぶりたれども」。

101 『安楽集』所引『法鼓経』参照（◇422）

102 『守護国界主陀羅尼経』「阿闍世王受記品」（大正19·574a）「臨命終時　有十相現　是人決定　生人趣中…（中略）…十者起浄信心　請仏法僧　対面帰敬　言南謨仏陀　南謨達摩　南謨僧伽　我今帰依」によるか。

103 『浄土論』（◎145）

105 **帰命無量寿覚**――『玄義分』参照（◇444）

106 『群疑論』巻七参照（大正47·70c）

107 **なづくる**――[願]なづけたる

108 **すべし**――[願]すべしと

109 『安楽集』参照（◇422）『西方指南抄』下末参照（定親全5·293）

110 『観仏三昧海経』巻十「観仏密行品」参照（大正15·695b）

111 **穢物**――[底]・[願]「ケカレタルモノ」と左訓、「けがれたるもの」。

112 **六賊**――[底]・[願]「ムツノヌスヒト」と左訓、「むつのぬすびと」。

113 **穢物**――[底]「ケカレタルモノ」と左訓、「けがれたるもの」。

114 **たきぎは**――[願]たきぎに

116 [底]尾題「浄土真要鈔」を擦り消して記す。またその左下に「釈蓮如」を塗抹。[願]この後に、「応永三十二年（一四二五）八月　日　信濃国水内郡太田庄長沼浄興寺住性順、本願寺存如上人、忝以二御真筆一所二下給一也。仍不レ可二他人相続一、可レ奉二殊貴敬一。性順筆也」「右、安心決定鈔 本末 両帖者、祖師存如上人御筆也 予祖父円兼法印也。信濃国長沼浄興寺性順所レ被レ遊レ下之本、其旨性順被二注置一之上、以二彼真筆一引二合一見之一無レ疑者也。去享禄第二（一五二九）己丑 七月中旬、予下二向信州長沼於二彼寺一、此一部令二所望一之為、安二置当寺之一也。深可レ敬可レ謹而已。于レ時同己丑歳十月上旬書二付之一畢。本之奥有二御自筆奥書一。又性順被二注置一之儀等、則残二置之一。尤秘蔵者也。釈氏実悟（花押）」の二つの奥書あり。また後表紙見返しに

「釈実悟」とある。

横川法語（念仏法語）

源信僧都の作と伝え、『往生要集』の要旨を平易な言葉でのべたものとされる。真宗においては『横川法語』と呼ばれてきたが、『念仏法語』とも呼ばれる。

底　本　恵心僧都全集所収本

対校本　真宗法要所収本[真]

1　横川法語——[底]「念仏法語」。[真]による。

2　夫れ、一切衆生——[真]先ず

3　のがれて——[真]はなれて

4　家——[真]家は

5・6　は——[真]になし。

7　たより——機会、導きの意。

8　人かず……ねがうしるべなり——[真]になし。

9　うまるる——[真]生まれたる

10　あさくとも——[真]あさけれども

11　ふかきが——[真]ふかき

12　なり。このゆえに——[真]なるゆえに

13　又——[真]又云

14　別の心も——[真]別に心は

15　一向に——[真]一向

16　のる——[真]乗ずる

17　にして——[真]にて

18　妄念……——[真]以下なし。

19　[底]この後に「右一章。以㆓真阿僧都筆刊本㆒為㆓原本㆒。以㆓真宗所伝横川法語㆒校㆓訂之㆒。」とある。

一枚起請文

法然上人入滅直前に記されたものであり、京都市黒谷金戒光明寺に法然上人の真蹟が伝えられる。本聖典は真蹟本を底本とし、元亨版『和語燈録』巻一所収本を対校本とした。

底　本　金戒光明寺蔵真蹟本

対校本　元亨版『和語燈録』所収本[和]

1　[和]冒頭に「御誓言の書」とある。

2 **源空述**——[和]になし。
3 **学文**——[和]学問
4 **と**——[和]なんど
5 **あわれみ**——[和]御あわれみ
6 **法**——[和]御《み》のり
7 **証の為に……**（花押）——[底]「証の……印す」、原漢文。[和]「これは御自筆の書なり。勢観聖人にさずけられき」。

十七条憲法

『日本書紀』巻二十二に聖徳太子の制定として収録され、「憲法十七条」とも言われる。『日本書紀』巻二十二の最古の書写本である岩崎本（京都国立博物館蔵、東洋文庫旧蔵）を底本とした。書き下しは『東洋文庫蔵岩崎本日本書紀　本文と索引』（築島裕・石塚晴通、貴重本刊行会刊）・『時代別国語大辞典　上代編』（三省堂刊）を参照した。

底本　京都国立博物館蔵岩崎本『日本書紀』巻二十二

1 **敬え**——うやまえの意。「ゐやまふ」はうやまうの意。

---

2 **四の生**——胎・卵・湿・化の四生。いのちあるもの。
3 **世**——「つき」は時の意。
4 **四の時**——四季。
5 **礼**——うやまいの意。「ゐやび」。
6 **頃、訟を治むる者**——[底]「須く訟を治むべき者」のよみも記す。吉田兼右本・宮内庁書陵部本等諸本は「須く訟を治むべき者」とする。「このころ」はこのごろの意。
7 **佞み媚ぶる**——「かだむ」は人をあざむく、いつわるの意。「こぶ」はへつらう、おもねるの意。
8 **任**——「よさし」は任務、務めの意。「よさす」は任命するの意。
9 **臨靡し**——いとまがないの意。
10 **な防きそ**——遮ぎることのないようにの意。
11 **初の章**——第一条をいう。

年表

凡例

一　宗祖誕生から蓮如上人歿年までを概観する年表であり、宗祖の行実の主要事項、本聖典収録聖教・著作の底本・対校本に関わる事項を中心に記載し、特に必要な場合、その典拠を〔　〕に括って示した。また、参考のために主要な歴史事項を記載した。なお、人名への敬称は省略した。

二　和暦・宗祖年齢・事項欄は次のように示した。

(1)本聖典収録の聖教・著作の奥書記載の元号に関わる等、特に必要と考えられる場合、元号の左傍に改元の状況を（　）で括って示した。また、一三三一〜一三三三年、一三三六〜一三九二年の南北朝期は、北朝・南朝の順に元号を併記した。

例　建長八年十月五日に「康元」と改元→「康元元」の左傍に（建長八10-5改）と表記

(2)宗祖年齢欄は、宗祖入滅後は入滅の年から起算した年数を示した。

(3)事項の冒頭に月日を示した。閏月は丸囲みで示し、日が不明の場合は空欄とした。また、月日とも不明の事項は冒頭に○を付して示した。

例　一月一日→1-1　　閏七月二十九日→⑦-29

(4)宗祖在世中の事項は、宗祖の行実は行頭から、法然上人・専修念仏・宗祖の家族及び門弟に関わる事項は一字下げ、それ以外の事項は二字下げにして示した。また、宗祖入滅後は、浄土真宗に関わる事項は行頭から、それ以外の事項は二字下げにして示した。

(5)年齢が判明する場合は、人名の後に年齢を〈　〉で括って示した。また、事項に誕生年を示さなかった人物は歿年に歿年齢と誕生年を〈歿年齢・誕生年〜〉と示した。

(6)消息類に関わる事項は、年時が確認できるものを示すにとどめた。

西暦	和暦	宗祖年齢	事項
一一七三	承安三	1	○親鸞誕生〔宗祖撰述聖教真蹟本奥書から逆算〕。
一一七五	安元元	3	○法然房源空〈43〉、専修念仏を唱える。
一一八〇	治承四	8	12-28平重衡〈24〉、東大寺・興福寺を焼く。
一一八一	養和元	9	春 親鸞、慈円〈27〉のもとで出家〔御伝鈔〕。 ②-4平清盛歿〈64・一一一八〜〉。 ○養和の大飢饉。
一一八二	寿永元	10	○恵信尼誕生。
一一八五	文治元	13	3-24平家、壇ノ浦で滅亡。
一一八六	文治二	14	○法然〈54〉、諸宗の僧と対論〔大原問答〕。
一一八七	文治三	15	3- 栄西〈47〉、再入宋。
一一九一	建久二	19	7- 栄西〈51〉、帰国し臨済宗を伝える。
一一九二	建久三	20	7-12源頼朝〈46〉、征夷大将軍となる。
一一九八	建久九	26	3- 法然〈66〉、『選択本願念仏集』を著す。 ○栄西〈58〉、『興禅護国論』を著す。
一二〇〇	正治二	28	5-12源頼家〈19〉、念仏を禁じ、念仏僧の袈裟を焼く。
一二〇一	建仁元	29	○親鸞、堂僧を勤めていた延暦寺を出て六角堂に百日の参籠。「九十五日のあか月」、聖徳太子の「示現」により東山吉水の法然〈69〉を訪ね、その後百日聞法。法然の門に入る〔恵信尼消息第三通〕。

一二〇四	元久元	32	11-7これ以前に延暦寺衆徒、座主真性〈38〉に専修念仏停止（禁止）を訴える。法然〈72〉、それに対し『七箇条制誡』を著して門弟を誡め、門弟署名（11-7～9）。また、起請文（送山門起請文）を比叡山に送る。 11-8親鸞、『七箇条制誡』に「僧綽空」と署名（二尊院蔵本）。
一二〇五	元久二	33	4-14親鸞、これ以前に『選択本願念仏集』を書写。この日、法然〈73〉が内題・標挙・「釈綽空」を記す。また、親鸞、法然の真影を「申し預かり」図画（教行信証）。 ⑦-29法然、真影に名号と「真文」を書く。この日、親鸞、「夢の告に依」り「綽空の字」を改める。法然、「名の字」を書く（教行信証）。 10-興福寺衆徒、九ヵ条の失を挙げ専修念仏停止を朝廷に訴える（興福寺奏状）。
一二〇六	建永元	34	2-興福寺衆徒、重ねて専修念仏停止を訴える。 8-興福寺衆徒、専修念仏停止の宣下を請う。
一二〇七	承元元（建永二10-25改）	35	1-専修念仏停止の院宣下る。 2-上旬法然〈75〉は土佐、親鸞は越後へ流罪。他六名流罪、四名死罪（承元の法難）（教行信証・歎異抄・御伝鈔・拾遺古徳伝）。
一二一一	建暦元	39	3-3信蓮房明信（親鸞息男）誕生。 11-17法然〈79〉、赦免をうけ入京し東山大谷に住す。親鸞の赦免も同日という（教行信証・御伝鈔・拾遺古徳伝）。
一二一二	建暦二	40	1-23法然〈80〉、『一枚起請文』を著す（金戒光明寺蔵真蹟本奥書）。 1-25法然歿〈一一三三～〉。

西暦	和暦	宗祖年齢	事項
一二一三	建保元	41	9- 『選択本願念仏集』刊行される。 11-23明恵房高弁〈40〉、『摧邪輪』を著し『選択本願念仏集』を批判。
一二一四	建保二	42	2-3解脱房貞慶歿〈59・一一五五～〉。 6-22明恵〈41〉、『摧邪輪荘厳記』を著し『選択本願念仏集』を重ねて批判。 ○親鸞、越後から関東への途次、上野国佐貫で三部経千部読誦を発願。やがて中止し常陸へ行く（恵信尼消息第五通）。
一二一九	承久元	47	②- 専修念仏停止の宣旨下る。
一二二一	承久三	49	5・6- 承久の乱。乱後、幕府、後鳥羽上皇〈42〉を隠岐、順徳上皇〈25〉を佐渡、土御門上皇〈27〉を土佐へ配流。 8-14聖覚（法然門弟）〈55〉、『唯信鈔』を著す（専修寺蔵宗祖真蹟本奥書・西本願寺蔵宗祖真蹟本奥書）。
一二二三	貞応二	51	2- 道元〈24〉、入宋。
一二二四	元仁元（貞応三11-20改）	52	5-17延暦寺衆徒、専修念仏停止（一向専修停止事）を訴える。 8-5延暦寺衆徒の訴えにより専修念仏停止される。 ○覚信尼（親鸞息女）誕生。 ○親鸞、後にこの年を末法に入って六八三年と『教行信証』に記す（教行信証）。
一二二七	安貞元（嘉禄三12-10改）	55	6-24延暦寺衆徒、東山大谷の法然の墳墓を破却（嘉禄の法難）。 7-5専修念仏停止。隆寛（法然門弟）〈80〉・幸西（法然門弟）〈65〉・空阿（法然門

			弟)〈73〉、流罪。 10- 延暦寺衆徒、『選択本願念仏集』の版木を焼く。 12-13隆寛歿〈一一四八〜〉。 ○道元〈28〉、帰国。『普勧坐禅儀』を著す。
一二二八	安貞二	56	11-29聖光房弁長(法然門弟)〈67〉、『末代念仏授手印』を著す。
一二三〇	寛喜二	58	5-25親鸞、『唯信鈔』を書写(専修寺蔵真蹟本奥書・西本願寺蔵真蹟本奥書)。
一二三一	寛喜三	59	4-11親鸞、発熱し病臥する中で『大経』を読み、建保二年の三部経千部読誦と「人の執心、自力の心」について恵信尼〈50〉に語る(恵信尼消息第五・六通)。 8-15道元〈32〉、『弁道話』を著す。 ○寛喜の大飢饉。
一二三二	貞永元	60	1-19明恵歿〈60・一一七三〜〉。
一二三四	文暦元	62	6-30専修念仏停止の宣旨下る。 ○この頃、親鸞帰洛(60・63・64歳等の諸説あり)。
一二三五	嘉禎元	63	3-5聖覚歿〈69・一一六七〜〉。 6-19親鸞、『唯信鈔』をひらがなで書写(専修寺蔵真蹟本奥書)。 7-24幕府、黒衣を着けた念仏者の都鄙往来を禁止。 ○如信(親鸞孫・善鸞息男)誕生。
一二三八	暦仁元	66	②-29弁長歿〈77・一一六二〜〉。 12-12勢観房源智(法然門弟)歿〈56・一一八三〜〉。

西暦	和暦	宗祖年齢	事項
一二三九	延応元	67	○孤雲懐奘〈41〉、『正法眼蔵随聞記』をこの頃までに著す。 3- 『選択本願念仏集』刊行される。
一二四〇	仁治元	68	5-14延暦寺衆徒、幕府に専修念仏停止を請う。
一二四一	仁治二	69	10-14親鸞、『唯信鈔』を書写〔真宗寺蔵本奥書〕。 10-19親鸞、『唯信鈔』を書写〔常楽寺蔵本奥書〕。
一二四六	寛元四	74	3-14親鸞、『唯信鈔』を書写〔専修寺蔵顕智書写本奥書〕。 3-15親鸞、『自力他力事』を書写〔大谷大学蔵慧空書写本奥書〕。
一二四七	宝治元（寛元五2-28改）	75	2-5尊蓮〔親鸞門弟〕〈66〉、『教行信証』を書写〔大谷大学蔵本奥書〕。 11-26善慧房証空〔法然門弟〕歿〈71・一一七七～〉。
一二四八	宝治二	76	1-21親鸞、『浄土和讃』・『高僧和讃』を著す〔専修寺蔵国宝本奥書〕。 ○覚恵〔親鸞孫・覚信尼息男〕誕生はこの年か。
一二五〇	建長二	78	10-16親鸞、『唯信鈔文意』を著す〔本誓寺蔵本奥書〕。
一二五一	建長三	79	7- 『選択本願念仏集』刊行される。 ⑨-20親鸞、消息で常陸の門弟の有念無念の論争を制止〔専修寺蔵古写消息・末燈鈔第一通〕。
一二五二	建長四	80	3-4親鸞、『入出二門偈頌文』を著す〔聖徳寺蔵本奥書〕。 8-19親鸞、消息で常陸の門弟の造悪無碍の風儀を制止〔御消息集広本第一通・末燈鈔第二〇通〕。

一二五三	建長五	81	4-28日蓮〈32〉、法華宗を開く。 8-28道元歿〈54・一二〇〇〜〉。
一二五四	建長六	82	2- 親鸞、『唯信鈔』を書写〔大谷大学蔵慧空書写本〕。 9-16親鸞、『後世物語聞書』を書写〔真宗法要所収本〕。 11-18親鸞、「二河譬喩」を抄出し延書〔照願寺旧蔵本奥書〕。
一二五五	建長七	83	4-23親鸞、『一念多念分別事』を書写〔光徳寺蔵本奥書・大谷大学蔵端坊旧蔵本奥書・大谷大学蔵慧空書写本奥書〕。 4-26親鸞、『浄土和讃』を転写〔専修寺蔵顕智書写本奥書〕。 6-2親鸞、『尊号真像銘文』（略本）を著す〔宗祖真蹟本奥書〕。 6-22専信房専海（親鸞門弟）、『教行信証』を書写〔専修寺蔵宝暦十二壬午年六月三日御目録〕。 7-14親鸞、『浄土文類聚鈔』を著す〔東本願寺蔵本奥書〕。 8-6親鸞、『浄土三経往生文類』（略本）を著す〔西本願寺蔵真蹟本奥書〕。 8-27親鸞、『愚禿鈔』を著す〔専修寺蔵顕智書写本奥書・常楽寺蔵存覚書写本奥書〕。 10-3親鸞、笠間の念仏者の疑問に答え、自力他力等について教示〔東本願寺蔵真蹟消息〕。 11-30親鸞、『皇太子聖徳奉讃』を著す〔専修寺蔵真仏書写本奥書〕。 12-10親鸞、火災にあう〔専修寺蔵真蹟消息〕。 ○親鸞、十字名号の銘文を書く〔専修寺蔵名号真蹟銘文〕。 ○朝円、親鸞の絵像（安城御影）を画く〔存覚袖日記〕。

西暦	和暦	宗祖年齢	事項
一二五六	康元元 （建長八10-5改）	84	3-23真仏〔親鸞門弟〕〈48〉、『入出二門偈頌文』を書写〔真仏書写本奥書〕。 3-24親鸞、『唯信鈔文意』を転写〔光徳寺蔵本奥書〕。 4-13親鸞、前年10-3の消息を転写〔専修寺蔵真仏書写消息〕。 4-13真仏、『四十八誓願』を書写〔専修寺蔵本奥書〕。 5-29親鸞、善鸞〔親鸞息男〕に消息を送り義絶〔専修寺蔵顕智書写消息〕。同日、消息で義絶を性信〔親鸞門弟〕〈70〉に知らせる〔血脈文集第二通〕。 6-27善鸞、義絶状を受け取る〔専修寺蔵顕智書写消息〕。 7-25親鸞、『浄土論註』に加点〔西本願寺蔵真蹟加点本奥書〕。 10-13親鸞、『西方指南抄』上末を書写〔専修寺蔵真蹟本奥書〕。 10-14親鸞、『西方指南抄』中末を書写〔専修寺蔵真蹟本奥書〕。 10-25親鸞、八字名号・十字名号を書き銘文を加える〔専修寺蔵真蹟名号〕。 10-28親鸞、六字名号・十字名号を書き銘文を加える〔専修寺蔵真蹟名号・妙源寺蔵真蹟名号〕。 10-30親鸞、『西方指南抄』下本を書写〔専修寺蔵真蹟本奥書〕。 11-8親鸞、『西方指南抄』下末を書写〔専修寺蔵真蹟本奥書〕。 11-29親鸞、『往相回向還相回向文類〔如来二種回向文〕』を著す〔上宮寺蔵本奥書〕。
一二五七	正嘉元 （康元二3-14改）	85	1-1親鸞、『西方指南抄』上末を校合〔専修寺蔵真蹟本奥書〕。 1-2親鸞、『西方指南抄』上本を書写。また『西方指南抄』中本を校合〔専

一二五八　正嘉二　86

修寺蔵真蹟本奥書〕。

1-11親鸞、『唯信鈔文意』を転写〔専修寺蔵真蹟本奥書〕。

1-27親鸞、『唯信鈔文意』を転写〔専修寺蔵真蹟本奥書〕。

2-9親鸞、「夜寅時」に「夢告」を受ける〔専修寺蔵国宝本正像末和讃〕。

2-17親鸞、『一念多念文意』を著す〔東本願寺蔵真蹟本奥書〕。

2-晦日　親鸞、『大日本国粟散王聖徳太子奉讃』を著す〔真宗遺文纂要所収本奥書〕。

3-2親鸞、『浄土三経往生文類』（広本）を著す〔興正寺蔵本奥書〕。
③-1親鸞、2-9の夢告を和讃に記す〔専修寺蔵国宝本正像末和讃〕。
③-2親鸞、消息で五説・四土・三身等について教示。また身体の衰えを伝える〔末燈鈔第八通〕。
③-21真仏〈49〉、『如来二種回向文』を書写〔専修寺蔵本奥書〕。
5-11親鸞、『上宮太子御記』を著す〔西本願寺蔵本奥書〕。

6-4親鸞、『浄土文類聚鈔』を転写〔大谷大学蔵本奥書〕。

8-6親鸞、『一念多念文意』を転写〔大谷大学蔵慧空書写本奥書〕。

8-19親鸞、『唯信鈔文意』を転写〔専修寺蔵顕智書写本奥書・妙安寺蔵成然書写本奥書〕。

10-10親鸞、消息で性信〈71〉に「信心の人は如来とひとし」と教示〔御消息集善性本第五通・血脈文集第六通・末燈鈔第三通〕。

10-15親鸞、消息で真仏に「信心をよろこぶひと」は「如来とひとし」と教示〔御消息集善性本第六通〕。

3-8真仏歿〈50・一二〇九～〉。真仏、建長七～これ以前に『教行信証』〔専

西暦	和暦	宗祖年齢	事項
			修寺本）を書写。 6-15成然（親鸞門弟）、『唯信鈔文意』を書写〔妙安寺蔵本奥書〕。 6-28親鸞、『尊号真像銘文』（広本）を著す〔専修寺蔵真蹟本奥書〕。 9-24親鸞、『正像末和讃』を再治・補訂〔専修寺蔵顕智書写本奥書〕。 12- 親鸞、善法坊で顕智（親鸞門弟）〈33〉に「獲得名号自然法爾」を示す〔専修寺蔵顕智獲得名号自然法爾御書〕。
一二五九	正元元	87	9-1親鸞、『選択本願念仏集』延書上本を書写〔大谷大学蔵本奥書〕。 9-10親鸞、『選択本願念仏集』延書下末を書写〔専修寺蔵顕智書写本奥書〕。 ⑩-29親鸞、高田の入道（親鸞門弟）の消息に返書し、覚念（親鸞門弟）の死を悼む〔専修寺蔵真蹟消息〕。
一二六〇	文応元	88	11-13親鸞、消息で乗信（親鸞門弟）に学生沙汰せず信心決定して往生をとげるよう教示し、あわせて法然の言葉を伝える〔末燈鈔第六通〕。 12-2親鸞、『弥陀如来名号徳』を著す〔正行寺蔵本奥書〕。 ○日蓮〈39〉、『立正安国論』を著す。
一二六二	弘長二	90	11-28親鸞、下旬より押小路南・万里小路東の善法坊で病臥し、この日入滅〔御伝鈔〕。 12-1覚信尼〈39〉、越後の恵信尼〈81〉に消息を送り、親鸞の入滅を伝える〔恵信尼消息第三通〕。

西暦	和暦	宗祖滅後	事項
一二六三	弘長三	2	2-10恵信尼〈82〉、消息で寛喜三年に親鸞が三部経千部読誦について語った言葉を覚信尼〈40〉に伝える〔恵信尼消息第五・六通〕。また、直前の消息で親鸞の回心と常陸国下妻での自らの夢想を伝える〔恵信尼消息第三通〕。
一二六六	文永三	5	○唯善（覚信尼息男）誕生。
一二六八	文永五	7	○恵信尼〈87〉、この年に歿するか。
一二七〇	文永七	9	12-28覚如（宗昭・覚恵息男）誕生。
一二七二	文永九	11	冬 大谷の親鸞の墳墓を吉水の北に移し廟堂を建て影像を安置。 ○日蓮〈51〉、『開目抄』を著す。
一二七五	建治元	14	7-17性信歿〈89・一一八七〜〉。 ○『教行信証』（西本願寺本）書写される。 1- 了慧道光〈33〉、『黒谷上人語燈録』を編む。
一二七七	建治三	16	9-22覚信尼〈54〉、大谷の地を廟地として親鸞門弟に寄進し敷地券文を渡す。 11-7覚信尼、親鸞門弟に廟堂敷地の譲状を書く。
一二七八	弘安元	17	7-23蓮位（親鸞門弟）歿。
一二八〇	弘安三	19	10-25覚信尼〈57〉、覚恵〈33〉・唯善〈15〉と連名で廟堂敷地の寄進状を書く。 10-26覚信尼、廟堂留守職について覚恵に置文を書く。
一二八二	弘安五	21	夏 覚如〈13〉、延暦寺宗澄の門に入る。 10-13日蓮歿〈61・一二二二〜〉。

西暦	和暦	宗祖滅後	事項
一二八三	弘安六	22	2-2明性、『教行信証』（坂東本）を「譲り預かる」（東本願寺蔵真蹟本記載伝持記）。 11-24覚信尼〈60〉、東国門弟に消息で廟堂留守職を覚恵〈36〉に譲ることを伝え後事を依頼。まもなく歿するか。
一二八六	弘安九	25	10-20覚如〈17〉、一乗院で出家受戒。行寛に学ぶ。
一二八七	弘安一〇	26	11-19如信〈53〉上洛。覚恵〈40〉・覚如〈18〉、法義を学ぶ。
一二八八	正応元	27	冬 河和田の唯円（親鸞門弟）〈67〉上洛。覚如〈19〉、法義を学ぶ。 ○『歎異抄』、この前後に成るか。
一二八九	正応二	28	○河和田の唯円歿〈68・一二二二〜〉。 8-23一遍歿〈51・一二三九〜〉。
一二九〇	正応三	29	3- 覚恵〈43〉・覚如〈21〉、東国に下向。善鸞・如信〈56〉に会う。 6-4存覚（光玄・覚如息男）誕生。 9-16顕智〈65〉、『浄土和讃』を書写（専修寺蔵本奥書）。 9-25顕智、『正像末和讃』を書写（専修寺蔵本奥書）。
一二九一	正応四	30	5~8- 性海、『教行信証』を開板（中山寺蔵本奥書）。
一二九二	正応五	31	2- 覚恵〈45〉・覚如〈23〉、東国から帰洛。
一二九三	永仁元	32	10-6顕智〈68〉、『愚禿鈔』を書写（専修寺蔵本奥書）。
一二九四	永仁二	33	○覚如〈25〉、『報恩講私記』を著す（真宗法彙所収本奥書）。
一二九五	永仁三	34	10-12覚如〈26〉、『善信聖人絵（御伝鈔）』を著す（西本願寺蔵本奥書）。

			12-13覚如、『善信聖人親鸞伝絵〔御伝鈔〕』を転写〔専修寺蔵本奥書〕。 ○従覚〔慈俊・覚如息男〕誕生。
一二九九	正安元	38	8-23聖戒〈39〉、『一遍上人絵伝』を著す。
一三〇〇	正安二	39	1-4如信、常陸国金沢で歿〈66〉。
一三〇一	正安三	40	12-5覚如〈32〉、『拾遺古徳伝』を著す〔西本願寺蔵本奥書〕。
一三〇二	乾元元	41	5-22覚恵〈55〉、廟堂留守職を覚如〈33〉に譲ることを東国門徒に告げ、後事を依頼。 11-27顕智〈77〉、『選択本願念仏集』延書を書写〔専修寺蔵本奥書〕。
一三〇三	嘉元元	42	④-15顕智〈78〉、親鸞の消息〔覚信房宛御返事〕を書写〔専修寺蔵書写消息〕。 10-10存覚〈14〉、東大寺で出家受戒。
一三〇五	嘉元三	44	7-27顕智〈80〉、善鸞義絶状を書写〔専修寺蔵書写消息〕。
一三〇六	徳治元	45	11-唯善〈41〉、覚恵〈59〉に大谷廟堂の鎰の譲与を強要。覚恵、大谷を退去。
一三〇七	徳治二	46	4-12覚恵歿〈60か〉。 10-6覚如〈38〉、『上宮太子御記』を書写〔西本願蔵本奥書〕。 12-26顕智〈82〉、『一念多念文意』を書写〔専修寺蔵本奥書〕。
一三〇八	延慶元	47	1-27顕智〈83〉、『五巻書』を書写〔上宮寺蔵本奥書〕。 11-30これより前、順性・顕智・信寂、唯善〈43〉と延暦寺衆徒の大谷押領に対処するよう覚如〈39〉に要請。この日、覚如、検非違使別当宣で留守職の領掌を保証されるが、唯善と延暦寺衆徒、大谷を退去せず。
一三〇九	延慶二	48	1-20『浄土文類聚鈔』書写される〔光延寺蔵本奥書〕。

西暦	和暦	宗祖滅後	事項
			7-19唯善〈44〉、大谷の管領をめぐる訴訟に敗れ、親鸞の影像と遺骨をもって鎌倉常葉に退去。 7-26青蓮院、親鸞門徒に大谷影堂復旧を指令。 8-1覚如〈40〉、留守職就任の前提として、門徒に懇望状十二ヵ条を書く。
一三一〇	延慶三	49	7-4顕智歿〈85・一二二六〜〉。 秋 覚如〈41〉、留守職相承券契・懇望状を門徒に提示し留守職に就任。
一三一一	応長元	50	11-28これより前、大谷の影像・堂舎を復旧。 12-26『弥陀如来名号徳』書写される〔正行寺蔵本奥書〕。 12-29凝然〈72〉、『浄土法門源流章』を著す。
一三一二	正和元	51	夏 法智の発起により大谷廟堂に「専修寺」の額を掲げる。 秋 延暦寺の指示により「専修寺」の額を撤去。
一三一四	正和三	53	12-25覚如〈45〉、存覚〈25〉に大谷の管領を譲る。
一三一七	文保元	56	3- 存覚〈28〉、『観阿弥陀経註』の書写を始める（翌年9- 了）〔専修寺蔵本奥書〕。
一三一八	文保二	57	9-8覚如〈49〉、『皇太子聖徳奉讃』を書写〔東本願寺蔵本奥書〕。 11-26覚如、『自力他力事』を書写〔大谷大学蔵慧空書写本奥書〕。
一三二〇	元応二	59	○存覚〈31〉、覚如〈51〉の指示により了源〈26〉を指導。聖教数十帖を授与。
一三二一	元亨元	60	2- 延暦寺妙香院、親鸞門徒は禁遏の一向宗徒ではないことを幕府に訴える（本願寺号の初見）。

一三二二	元亨二	61	6-25存覚〈33〉、覚如〈53〉の勘気をうけ大谷を退去。
一三二四	正中元	63	1-6存覚〈35〉、『浄土真要鈔』を著し、了源〈30〉に授与（大谷大学蔵本奥書）。 1-12存覚、『諸神本懐集』を著し、了源に授与（真宗法要所収本奥書）。 3-13存覚、『持名鈔』を著し、了源に授与（本誓寺蔵本奥書）。 4-6延暦寺妙香院、覚如〈55〉の廟堂留守職継承を認め、存覚の就任を斥ける。 8-22存覚、『破邪顕正鈔』を著し、了源に授与（真宗法要所収本奥書）。 ○存覚、『女人往生聞書』を著し、了源に授与（浄典目録）。
一三二六	嘉暦元	65	9-5覚如〈57〉、『執持鈔』を著す（浄興寺蔵本奥書・西本願寺蔵蓮如書写本奥書）。
一三二八	嘉暦三	67	11-28『教行信証大意』成る（西本願寺蔵蓮如書写本奥書）。 11- 存覚〈39〉、了源〈34〉の求めにより『破邪顕正鈔』を漢文とする（西本願寺蔵本奥書）。
一三三〇	元徳二	69	2- これより前、了源〈36〉、興正寺を山科から渋谷に移し仏光寺と改称。
一三三一	元徳三・元弘元	70	11-下旬 覚如〈62〉、『口伝鈔』を口授（乗専〈47〉筆受）（龍谷大学蔵自筆本奥書・龍谷大学蔵乗専書写本奥書）。
一三三三	正慶二・元弘三	72	2-2善如（俊玄・従覚息男）誕生。 4-25従覚〈39〉、『末燈鈔』を編む（龍谷大学蔵本奥書）。 5- 鎌倉幕府滅亡。
一三三四	建武元	73	11-3青蓮院、親鸞門徒に影堂・敷地の進止を安堵。 5-9青蓮院、留守職を安堵。存覚〈45〉の留守職就任を斥ける。
一三三五	建武二	74	2-28『唯信鈔文意』書写される（大谷大学蔵本奥書）。

西暦	和暦	宗祖滅後	事項
一三三六	建武三・延元元	75	○大谷廟堂、兵火により被焼。 12-21南北朝対立（～一三九二⑩-5両朝合一）。
一三三七	建武四・延元二	76	8-1覚如〈68〉、『本願鈔』を著す（真宗法要所収本奥書）。 8- 存覚〈48〉、『顕名鈔』を備後で著す（浄興寺蔵本奥書）。 9-25覚如、『改邪鈔』を著す（浄興寺蔵本奥書・西本願寺蔵本奥書）。
一三三八	暦応元・延元三	77	3- 存覚〈49〉、備後で法華宗と対論。同地で『決智鈔』・『法華問答』・『報恩記』・『至道抄』・『選択註解抄』を著す（存覚一期記）。 5-30『浄土真要鈔』書写される（大谷大学蔵本奥書）。 8-11足利尊氏〈34〉、征夷大将軍となる。 9-18覚如〈69〉、存覚の義絶を解く。
一三三九	暦応二・延元四	78	4-24覚如〈70〉、『御伝鈔』を書写（東本願寺蔵康永本奥書）。
一三四〇	暦応三・興国元	79	4-23『浄土文類聚鈔』書写される（大谷大学蔵本奥書）。 9-24覚如〈71〉、『願々鈔』を著す（西本願寺蔵蓮如書写本奥書）。 10-15覚如、『執持鈔』を転写（浄興寺蔵本奥書・西本願寺蔵蓮如書写本奥書）。 12-25存覚〈51〉、『愚禿鈔』下巻を書写（常楽寺蔵本奥書）。
一三四二	康永元・興国三	81	7-12乗専〈58〉、『末燈鈔』を書写（願得寺蔵本奥書）。 9-11存覚〈53〉、『愚禿鈔』上巻を書写（常楽寺蔵本奥書）。 ○覚如〈73〉、存覚を再び義絶。

一三四三	康永二・興国四	82	4-26覚如〈74〉、『最要鈔』を著す〔光徳寺蔵本奥書〕。 11-2覚如、『本願寺聖人伝絵(御伝鈔)』(康永本)成る〔東本願寺蔵本奥書〕。
一三四四	康永三・興国五	83	2-1乗専〈60〉、『末燈鈔』を書写〔慈敬寺蔵本奥書〕。 4-7覚如〈75〉、『口伝鈔』巻上を転写〔龍谷大学蔵本奥書〕。 9-12覚如、『口伝鈔』巻下を転写〔龍谷大学蔵本奥書〕。
一三四五	貞和元・興国六	84	11- 従覚〈51〉、『改邪鈔』を書写〔浄興寺蔵本奥書〕。
一三四六	貞和二・正平元	85	2-28源覚、『教行信証』延書を書写〔東本願寺蔵本奥書〕。 10-4『本願寺聖人親鸞伝絵(御伝鈔)』(弘願本)成る〔東本願寺蔵本奥書〕。
一三四七	貞和三・正平二	86	6-中旬 乗専〈63〉、『無量寿経』を延書〔毫摂寺蔵本奥書〕。
一三四九	貞和五・正平四	88	7-22定専〈20〉、『後世語聞書(後世物語聞書)』を書写〔専修寺蔵本奥書〕。
一三五〇	観応元・正平五	89	3-15綽如(時芸・善如息男)誕生。 7-5覚如〈81〉、存覚〈61〉の義絶を解く。
一三五一	観応二・正平六	90	1-19覚如歿〈82〉。 10-30従覚〈57〉、『慕帰絵詞』を著す〔西本願寺蔵本序〕。
一三五六	延文元・正平一一	95	3-4存覚〈67〉、『存覚法語』を著す〔慈敬寺蔵本奥書〕。
一三五八	延文三・正平一三	97	7-5存覚〈69〉、『末法燈明記』を書写〔龍谷大学蔵本奥書〕。
一三五九	延文四・正平一四	98	11-16存覚〈70〉、善如〈27〉の求めにより『嘆徳文』を著す〔真宗法彙所収本奥書〕。
一三六〇	延文五・正平一五	99	6-20従覚歿〈66〉。 8-1存覚〈71〉、『教行信証六要鈔』を著す〔西本願寺蔵本奥書〕。
一三六二	貞治元・正平一七	101	5-26存覚〈73〉、『浄典目録』を編む〔西本願寺蔵本奥書〕。

西暦	和暦	宗祖滅後	事項
一三六四	貞治三・正平一九	103	9-2『三河念仏相承日記』成る〔上宮寺蔵本奥書〕。
一三六六	貞治五・正平二一	105	5-13存覚〈77〉、『嘆徳文』を補訂〔真宗法彙所収本奥書〕。
一三七三	応安六・文中二	112	2-28存覚歿〈84〉。
一三七六	永和二・天授二	115	4-6巧如（玄康・綽如息男）誕生。
一三八九	康応元・元中六	128	2-29善如歿〈57〉。 8-3『観経（延書）』書写される〔龍谷大学蔵本奥書〕。
一三九三	明徳四	132	4-24綽如歿〈44〉。
一三九六	応永三	135	7-10存如（円兼・巧如息男）誕生。
一四一五	応永二二	154	2-25蓮如（兼寿・存如息男）誕生。
一四二四	応永三一	163	10-15存如〈29〉、『安心決定鈔本』を書写し、浄興寺性順に授与〔願得寺蔵本奥書〕。
一四二五	応永三二	164	8- 存如〈30〉、『安心決定鈔末』を書写し、浄興寺性順に授与〔願得寺蔵本奥書〕。
一四三〇	永享二	169	9-7本願寺、『執持鈔』を浄興寺周観〈32〉に授与〔浄興寺蔵本奥書〕。 9-10『改邪鈔』書写される〔浄興寺蔵本奥書〕。
一四三一	永享三	170	夏 蓮如〈17〉、青蓮院で出家。
一四三八	永享一〇	177	8-15蓮如〈24〉、『浄土真要鈔』を書写。存如〈43〉、奥書を記す〔西本願寺蔵本奥書〕。
一四三九	永享一一	178	7-29蓮如〈25〉、『後世物語聞書』を書写〔大谷大学蔵本奥書〕。
一四四〇	永享一二	179	10-14巧如歿〈65〉。

一四四一	嘉吉元	180	9-7蓮如〈27〉、『浄土真要鈔』を書写（西本願寺蔵本奥書）。
一四四二	嘉吉二	181	○順如（光助・蓮如息男）誕生。
一四四七	文安四	186	2-晦日　蓮如〈33〉、『末燈鈔』を書写（大谷大学蔵本奥書）。 5-　存如〈52〉・蓮如、東国へ赴く。
一四四九	宝徳元	188	春 存如〈54〉・蓮如〈35〉、北陸・東国へ赴く。
一四五七	長禄元	196	6-18存如歿〈62〉。
一四五八	長禄二	197	8-10実如（光兼・蓮如息男）誕生。
一四六〇	寛正元	199	6-　蓮如〈46〉、『正信偈大意』を著す（慧光寺蔵実如書写本奥書・大谷大学蔵元禄三年刊本奥書・真宗仮名聖教所収本奥書）。
一四六一	寛正二	200	3-　蓮如〈47〉、初めて『御文』（筆始めの御文）を書き門徒を教化。 4-12蓮如、『正信偈大意』を清書（慧光寺蔵実如書写本奥書）。 12-8蓮如、『嘆徳文』を書写（西本願寺蔵本奥書）。
一四六五	寛正六	204	1-10延暦寺衆徒、大谷本願寺を破却（日付に諸説あり）。 3-21延暦寺衆徒、再び大谷本願寺を破却。
一四六六	文正元	205	11-21～近江金森で報恩講を修す。
一四六七	応仁元	206	2-上旬　本願寺の親鸞影像を近江栗本郡安養寺から堅田本福寺へ移す。 3-　延暦寺本院、本願寺を赦免・安堵して末寺とし、末寺銭を納めさせる。 5-26応仁の乱始まる。 11-21～堅田本福寺で報恩講を修す。
一四六八	応仁二	207	3-12親鸞影像を堅田本福寺から大津浜道覚の道場の新殿に移す（日付に諸説

西暦	和暦	宗祖滅後	事項
			あり)。 3-29延暦寺衆徒、近江堅田を攻める。 10-中旬 蓮如〈54〉、『報恩講私記』を書写〔東本願寺蔵本奥書〕。 ○蓮如、北国・東国の親鸞遺跡を訪ねる。
一四六九	文明元	208	春 大津三井寺の南別所に親鸞影像を移す。
一四七一	文明三	210	4-上旬 蓮如〈57〉、大津南別所から京を経て越前吉崎に赴く。 7-27蓮如、越前吉崎に坊舎を建立。
一四七二	文明四	211	1- 蓮如〈58〉、吉崎への諸人の群集を禁止。
一四七三	文明五	212	3- 蓮如〈59〉、『正信偈三帖和讃』を開板〔大谷大学蔵本奥書〕。 11- 蓮如、十一ヵ条を示して門徒を制誡。 ○蓮如、吉崎坊舎への諸人の出入を禁止。
一四七四	文明六	213	3-28吉崎坊舎焼失。 7-26加賀本願寺門徒、富樫政親〈20〉と組み、富樫幸千代・専修寺門徒の軍と戦う。 11-1本願寺門徒・富樫政親、富樫幸千代・専修寺門徒を破る。
一四七五	文明七	214	3-下旬 加賀の本願寺門徒、富樫政親〈21〉と争う。 5-7蓮如〈61〉、十ヵ条を示して門徒を制誡。 8-21蓮如、吉崎を去り、若狭小浜・丹波・摂津を経て河内出口に至る。

一四七六	文明八	215	○蓮如〈62〉、堺に坊舎〔信証院〕を建立。
一四七七	文明九	216	10-27蓮如〈63〉、『教行信証大意』を書写〔真宗寺蔵本奥書〕。 11-初 蓮如、『御俗姓』を著す。 11-11応仁以来の兵乱、終息。
一四七八	文明一〇	217	1-29蓮如〈64〉、河内出口より山科に移り坊舎の造営を始める。
一四八〇	文明一二	219	3-28山科本願寺御影堂上棟。 11-18親鸞影像を大津近松坊から山科へ移す。
一四八一	文明一三	220	4-28山科本願寺阿弥陀堂上棟。
一四八三	文明一五	222	5-29順如歿〈42〉。
一四八七	長享元	226	○この年の前後、加賀一向一揆激化。
一四八八	長享二	227	6-9加賀本願寺門徒、富樫政親〈34・一四五五～〉を亡ぼす。 7-4蓮如〈74〉、加賀門徒の一揆を誡める。 ○蓮如、幕府より加賀門徒の破門を迫られる。
一四八九	延徳元	228	8-28蓮如〈75〉、寺務を実如〈32〉に譲り南殿に隠居。
一四九〇	延徳二	229	○本願寺門徒、能登で守護攻略を計る。
一四九七	明応六	236	11-下旬 大坂石山坊舎完成。
一四九八	明応七	237	5-下旬～7-中旬 蓮如〈84〉、『夏御文』を著す。
一四九九	明応八	238	3-25蓮如歿〈85〉。

真宗聖典《しんしゅうせいてん》〔第二版《だいにはん》〕

一九七八（昭和五十三）年十月三十日　初　版第一刷　発行
二〇二四（令和　六　）年四月十五日　第二版第一刷　発行

編　集　者　聖教編纂室

発　行　所　東本願寺出版（真宗大谷派宗務所出版部）
〒六〇〇―八五〇五　京都市下京区烏丸通七条上る
TEL　〇七五―三七一―九一八九（販売）

印刷・製本　中村印刷株式会社

ISBN 978-4-8341-0686-2 C3015 Printed in Japan

※乱丁・落丁本の場合はお取り替えいたします。
※本書を無断で転載・複製することは、著作権法上での例外を除き禁じられています。